Elisabeth Roudinesco
Michel Plon

DICIONÁRIO DE PSICANÁLISE

TRADUÇÃO:

Vera Ribeiro
psicanalista

Lucy Magalhães
letras neolatinas

SUPERVISÃO DA EDIÇÃO BRASILEIRA:

Marco Antonio Coutinho Jorge
psiquiatra e psicanalista

17ª reimpressão

ZAHAR

CB008129

Este livro, publicado no âmbito do programa de auxílio à publicação,
contou com o apoio do Ministério francês das Relações Exteriores,
da Embaixada da França no Brasil e da Maison Française do Rio de Janeiro

Título original
Dictionnaire de la psychanalyse

Capa
Carol Sá

Preparação de bibliografia
Marcela Boechat

Preparação de índice
Nelly Telles

Revisão de texto
André Telles

Revisão tipográfica
Lincoln Natal Jr.

CIP-Brasil. Catalogação-na-fonte
Sindicato Nacional dos Editores de Livros, RJ

R765d | Roudinesco, Elisabeth, 1944-
Dicionário de psicanálise / Elisabeth Roudinesco, Michel Plon; tradução Vera Ribeiro, Lucy Magalhães; supervisão da edição brasileira Marco Antonio Coutinho Jorge. — 1ª ed. — Rio de Janeiro: Zahar, 1998.

Tradução de: Dictionnaire de la psychanalyse.
Inclui bibliografia
ISBN 978-85-7110-444-0

1. Psicanálise – Dicionários. I. Plon, Michel. II. Título.

CDD: 150.19503
98-1608   CDU: 159.964.2(038)

Todos os direitos desta edição reservados à
EDITORA SCHWARCZ S.A.
Praça Floriano, 19, sala 3001 — Cinelândia
20031-050 — Rio de Janeiro — RJ
Telefone: (21) 3993-7510
www.companhiadasletras.com.br
www.blogdacompanhia.com.br
facebook.com/editorazahar
instagram.com/editorazahar
twitter.com/editorazahar

Dicionário de
Psicanálise

SUMÁRIO

PREFÁCIO

O primeiro dicionário de psicanálise, intitulado *Handwörterbuch der Psychoanalyse*, foi elaborado por Richard Sterba, entre 1931 e 1938. Foram publicados cinco fascículos, até o momento em que a ocupação da Áustria pelos nazistas pôs fim ao empreendimento. A intenção era compor um léxico geral dos termos freudianos, um vocabulário mais do que um recenseamento dos conceitos: "Não desconheço, escreveu Freud em uma carta a seu discípulo, que o caminho que parte da letra A e passa por todo o alfabeto é muito longo, e que percorrê-lo significaria para você uma enorme carga de trabalho. Assim, não o faça, a menos que se sinta internamente levado a isso. Apenas sob o efeito desse impulso, mas certamente não a partir de uma incitação externa!"[1]

Sem dúvida, Freud sabia melhor que ninguém que um dicionário pode responder a um impulso interno, a um desejo, a uma pulsão. Em sua famosa análise do caso Dora (Ida Bauer), ele frisava que um dicionário é sempre objeto de um prazer solitário e proibido, no qual a criança descobre, à revelia dos adultos, a verdade das palavras, a história do mundo ou a geografia do sexo.[2]

Obrigado a se exilar nos Estados Unidos, como a quase totalidade dos psicanalistas europeus de língua alemã, Sterba interrompeu a redação do seu *Handwörterbuch* na letra L, e a impressão do último volume na palavra *Grössenwahn*: "Não sei, declarou vinte anos depois em uma carta a Daniel Lagache, se esse termo se refere à *minha* megalomania ou à de Hitler."

De qualquer forma, o *Handwörterbuch* inacabado serviu de modelo para as obras do gênero, todas publicadas na mesma data (1967-1968), em uma época em que o movimento psicanalítico internacional, envolvido em rupturas e dúvidas, experimentava a necessidade de fazer um balanço e recompor, através de um saber comum, a sua unidade perdida. Diversas denominações foram utilizadas: glossário, dicionário, enciclopédia, vocabulário.

O *Glossary of Psychoanalytic Terms and Concepts* (180 verbetes, 70 colaboradores), obra coletiva publicada sob a égide da poderosa American Psychoanalytic Association (APsaA), expressava a ortodoxia de um freudismo pragmático e medicalizado. Na mesma perspectiva, a *Encyclopedia of Psychoanalysis* — realizada sob a direção de Ludwig Eidelberg (1898-1970), psicanalista americano nascido na parte polonesa do antigo Império Austro-Húngaro e radicado em Nova York depois de escapar do nazismo — se mostrava mais ambiciosa, ampliando a

---

1. Sigmund Freud, "Prefácio ao *Dicionário de psicanálise*, de Richard Sterba" (1936), *ESB*, XXIII, 309; *OC*, XIX, 287-9; *GW, Nachtragsband*, 761; *SE*, XXII, 253. Richard Sterba, *Handwörterbuch der Psychoanalyse*, 5 vols., Viena, Intern. Psychoanalytischer Verlag, 1936-1938.
2. Sigmund Freud, "Fragmento da análise de um caso de histeria" (1905), *ESB*, VII, 5-128.

lista dos verbetes e eliminando a noção de colaborador, em proveito de um organograma de realizadores (640 verbetes e 40 *editors* assistentes ou associados).

Em contrapartida, o *Critical Dictionary of Psychoanalysis* (600 verbetes) do psicanalista inglês Charles Rycroft, claro, conciso e racional, tinha a vantagem de não ser uma obra coletiva. Daí a sua coerência e legibilidade. Rycroft foi também o primeiro a pensar o freudismo sem com isso deixar de considerar a terminologia pós-freudiana (especialmente a de Melanie Klein e de Donald Woods Winnicott). À medida que revia o trabalho, incluiu de modo sucinto as correntes da psicanálise moderna (Heinz Kohut, Jacques Lacan, *Self Psychology*), com um espírito de abertura distante de qualquer dogmatismo. A obra de Rycroft serviria de modelo para alguns empreendimentos do mesmo gênero, na França e em outros países.

Quanto ao célebre *Vocabulário da psicanálise* (417 verbetes) de Jean Laplanche e Jean-Bertrand Pontalis, foi o primeiro e único a estabelecer os conceitos da psicanálise encontrando as "palavras" para traduzi-los, segundo uma perspectiva estrutural aplicada à obra de Freud. Composto de verdadeiros artigos (de 20 linhas a 15 páginas), e não de curtas notas técnicas, como os precedentes, inaugurou um novo estilo, optando por analisar "o aparelho nocional da psicanálise", isto é, os conceitos elaborados por esta para "explicar suas descobertas específicas". Marcados pelo ensino de Lacan e pela tradição francesa da história das ciências, os autores conseguiram a proeza de realizar uma escrita a duas vozes, impulsionada por um vigor teórico ausente nas outras obras. É a essas qualidades que ela deve seu sucesso.[3]

Os insucessos terapêuticos, a invasão dos jargões e das lendas hagiográficas levaram a uma fragmentação generalizada do movimento freudiano, deixando livre curso à ofensiva *fin de siècle* das técnicas corporais. Relegada entre a magia e o cientificismo, entre o irracionalismo e a farmacologia, a psicanálise logo tomou o aspecto de uma respeitável velha senhora perdida em seus devaneios acadêmicos. O universalismo freudiano teve então o seu crepúsculo, mergulhando seus adeptos na nostalgia das origens heróicas.

Foi nesse contexto dos anos 1985-1990 que surgiu uma segunda geração de dicionários, muito diferente da dos anos 60. Por um lado, surgiram obras de escola, nas quais os conceitos eram recenseados em função de um dogma, e portanto recortados uns dos outros. Por outro lado, apareceram monstros polimorfos, com entradas anárquicas e profusas, nas quais a lista dos verbetes, artigos e autores estendia-se infinitamente, pretendendo esgotar o saber do mundo, sob o risco de mergulhar as boas contribuições em um terrível caos. Em resumo, de um lado, o breviário; de outro, *Bouvard et Pécuchet*.[4]

---

3. Jean Laplanche e Jean-Bertrand Pontalis, *Vocabulário da psicanálise* (Paris, 1967), S. Paulo, Martins Fontes, 1991, 2ª ed. Charles Rycroft, *A Critical Dictionary of Psychoanalysis*, N. York, Basic Books, 1968. E. Burness, M.D. Moore e D. Bernard Fine, *A Glossary of Psychoanalytic Terms and Concepts* (APsaA), Library of Congress, 1968. *Encyclopedia of Psychoanalysis*, Ludwig Eidelberg (org.), N. York, Free Press, e Londres, Macmillan, 1968.

4. É uma exceção o notável léxico biográfico realizado por Elke Mühlleitner para o período de 1902 a 1938 sobre os pioneiros da Sociedade Psicológica das Quartas-Feiras e da Sociedade Psicanalítica Vienense (WPV). Ver Elke Mühlleitner, *Biographisches Lexikon der Psychoanalyse. Die Mitglieder der psychologischen Mittwoch-Gesellschaft und der Wiener psychoanalytischen Vereinigung von 1902-1938*, Tübingen, Diskord, 1992.

O presente *Dicionário* se opõe a essas duas tendências sem retomar a idéia do *Vocabulário*, o que equivaleria a uma paráfrase inútil. Portanto, ele não é nem um léxico nem um glossário, e tampouco é centrado exclusivamente na descoberta freudiana. Propõe um recenseamento e uma classificação de todos os elementos do sistema de pensamento da psicanálise e apresenta a maneira pela qual esta construiu, ao longo do último século, um saber singular através de uma conceitualidade, uma história, uma doutrina original (a obra de Freud) permanentemente reinterpretada, uma genealogia de mestres e discípulos e uma política.

Nessa perspectiva, é também o primeiro e único a levar em conta ao mesmo tempo: os conceitos; os países de implantação (23); a biografia dos atores (do nascimento à morte); as entidades psicopatológicas que a psicanálise criou ou transformou; as disciplinas para que contribuiu ou em que se inspirou (psiquiatria, antropologia etc.); os casos *princeps* (ou tratamentos protótipos) sobre os quais construiu o seu método clínico; as técnicas de cura e os fenômenos psíquicos sobre os quais se apoiou, inventou ou que nela se inspiraram; os discursos e comportamentos que modificou em relação ao nascimento, à família, à morte, ao sexo e à loucura, ou que se construíram a partir dela; as instituições fundadoras; o próprio freudismo, suas diferentes escolas e sua historiografia; assim como a incidência contraditória de suas descobertas sobre outros movimentos intelectuais, políticos ou religiosos.

Foram incluídos, enfim, os membros da família de Sigmund Freud, seus mestres diretos, os escritores e artistas com os quais ele manteve correspondência importante ou contato pessoal determinante, e os 23 livros por ele publicados entre 1891 e 1938, inclusive o segundo, escrito com Josef Breuer (*Estudos sobre a histeria*), e o último, inacabado e publicado a título póstumo (*Esboço de psicanálise*). Foi acrescentada uma outra obra póstuma, *O presidente Thomas Woodrow Wilson*, da qual Freud redigiu apenas o prefácio, mas à qual deu contribuição essencial como co-autor ao lado de William Bullitt.

Para esclarecer cada conceito ou entidade clínica e certas disciplinas, métodos, objetos de estudo ou comportamentos, cujas denominações foram criadas por um autor preciso ou em circunstâncias particulares, há no início desses verbetes uma definição com caracteres em negrito. Quando estritamente necessário, conservamos o termo em sua língua original, fornecendo sempre uma explicação adequada.

Cada verbete comporta seja uma bibliografia dos melhores títulos, documentos ou arquivos que permitiram a redação do artigo, seja uma ou várias remissões a outros verbetes, onde essas fontes são indicadas, ou ambos.

No que se refere às 24 obras de Freud, indicamos a data e o local da primeira publicação em língua alemã, assim como as diversas traduções inglesas e francesas, indicando os nomes dos tradutores.

Uma cronologia foi acrescentada ao final da obra. Encontram-se nela os fatos marcantes da história da psicanálise no mundo, desde suas origens.

E.R. e M.P.

SOBRE OS AUTORES

ELISABETH ROUDINESCO, historiadora e psicanalista francesa, leciona na Universidade de Paris-VII. Intelectual de renome atenta aos temas de nossa época, é autora de vasta obra, traduzida em trinta idiomas. Tem mais de dez livros publicados no Brasil pela Zahar, incluindo *Por que a psicanálise?* e a biografia *Sigmund Freud na sua época e em nosso tempo*.

MICHEL PLON, psicanalista e profundo conhecedor da história da psicanálise, é autor de *La Théorie des jeux: une politique imaginaire* e co-autor de *Em torno de "O mal-estar na cultura" de Freud* e *Manifesto pela psicanálise*, entre outros.

AGRADECIMENTOS

Este dicionário não teria se realizado sem a colaboração de diversos pesquisadores franceses e estrangeiros, que nos ajudaram ou nos deram acesso a seus trabalhos, muitas vezes inéditos.

Agradecemos a Yann Diener, que consultou revistas e obras em língua inglesa e preparou fichas que possibilitaram a redação de vinte verbetes consagrados aos psicanalistas americanos.

Expressamos nossa gratidão a Per Magnus Johansson, que nos apresentou seus trabalhos, em preparação, sobre a história da psicanálise nos países escandinavos e redigiu especialmente para este dicionário textos, comentários e indicações sobre os quais nos baseamos, referentes aos psicanalistas nórdicos (Dinamarca, Finlândia, Noruega, Suécia). Além disso, também contribuiu para o verbete *"Chistes e sua relação com o inconsciente, Os"*.

Agradecemos a Julia Borossa, que nos esclareceu constantemente sobre a história da psicanálise na Grã-Bretanha e sobre os problemas do colonialismo britânico. Também redigiu cinco textos que nos foram preciosos: Girîndrashekhar Bose, Masud Khan, Índia, Wulf Sachs, Donald Woods Winnicott.

Nossa gratidão a Françoise Vergès, que nos confiou seus artigos inéditos sobre Frantz Fanon e a psiquiatria colonialista.

Somos gratos a todos os que deram sua contribuição à história da psicanálise no Canadá: Élisabeth Bigras, Hervé Bouchereau, Jean-Baptiste Boulanger, Mona Gauthier, Mireille Lafortune, e também a Monique Landry e Doug Robinson, que nos permitiram consultar os impressos da Biblioteca Nacional de Ottawa.

Agradecemos a Didier Cromphout, que redigiu para este dicionário textos sobre a psicanálise na Bélgica e nos Países Baixos.

Nossa gratidão a Mireille Cifali, que nos confiou muitas notas inéditas sobre a psicanálise na Suíça, e a Mario Cifali, que nos esclareceu com seus arquivos, seus comentários e sua documentação.

Nossa profunda gratidão a Gheorghe Bratescu, que redigiu para este dicionário três textos, extraídos de seus trabalhos publicados em língua romena, sobre a psicanálise na Romênia.

Agradecemos também a Teodoro Lecman que, durante um ano, fez numerosas pesquisas bibliográficas sobre a história da psicanálise na Argentina, além de trabalhos de campo. Agradecemos a Raul Giordano, que nos confiou sua tese sobre o mesmo tema.

Agradecemos ainda a Hugo Vezzetti, cujos trabalhos sobre a psicanálise na Argentina, já publicados ou em preparação, nos foram indispensáveis.

Agradecemos também a todos aqueles que nos forneceram informações ou documentos para a redação dos artigos sobre a psicanálise no Brasil: Durval

Checchinato, Cláudia Fernandes, Ana Maria Gageiro, Catarina Koltaï, Leopold Nosek, Manoel Tosta Berlinck, Walter Evangelista e Lúcia Valladares.

Nossa gratidão a Chaim Samuel Katz, que redigiu dois textos, um sobre Ana Katrin Kemper e outro sobre Hélio Pellegrino, e também a Luiz Alberto Pinheiro de Freitas, que nos ajudou a redigir o verbete sobre Iracy Doyle.

Agradecemos a Kao Jung-Hsi e a Oscar Zambrano, que pesquisaram obras em língua inglesa sobre a psicanálise no Japão.

Nossa gratidão a Tanja Sattler-Rommel por suas traduções do alemão e sua participação na redação do verbete sobre Alexander Mitscherlich.

Somos gratos a Vincent Kaufmann, que nos permitiu trabalhar na biblioteca da Universidade de Berkeley, na Califórnia.

Agradecemos a Olivier Bétourné e a Céline Geoffroy por seu trabalho com o manuscrito.

Expressamos enfim nossa gratidão a todos aqueles que, de perto ou de longe, nos ajudaram respondendo às nossas perguntas ou confiando-nos generosamente artigos, obras, fontes inéditas e teses de difícil obtenção: Anna Maria Accerboni, Eleni Atzina, Franco Baldini, Raphael Brossart, Michel Coddens, Marco Conci, Raffaello Cortina, Alain Delrieu, Horacio Etchegoyen, Ernst Falzeder, Ignacio Garate Martinez, Toby Gelfand, Nadine Gleyen, Ilse Grubrich-Simitis, Claude Halmos, André Haynal, Albrecht Hirschmüller, Norton Godinho Leão, Jacques Le Rider, Patrick Mahony, René Major, Michael Molnar, Juan-David Nasio, Angélique Pêcheux, Antonello Picciau, August Rhus, Régine Robin, Emilio Rodrigué, Peter Schöttler, Harry Stroeken, Pablo Troïanovski, Fernando O. Ulloa, Fernando Uribarri.

NOTA À EDIÇÃO BRASILEIRA

Para estabelecer a versão em português deste *Dicionário*, foram levados em conta — além de dicionários, vocabulários e glossários já publicados anteriormente (muitos deles por esta mesma editora) — o estudo cada vez mais aprofundado da terminologia psicanalítica no Brasil e a própria sedimentação e evolução do uso dessa terminologia pela comunidade psicanalítica.

Assim, ao termo em português adotado para traduzir determinados verbetes conceituais, acrescentamos versões alternativas de uso corrente. Por exemplo, no esclarecimento introdutório, com caracteres em negrito, do histórico do termo "fantasia" (*Phantasie* em alemão, *fantasme* em francês), encontra-se o registro da versão "fantasma", também muito difundida no Brasil.

Agradecemos a colaboração do psicanalista Eduardo Vidal que, para os verbetes conceituais, nos forneceu a versão em espanhol que fizemos constar ao lado das correspondentes em alemão, francês e inglês, já presentes na edição original.

Agradecemos também às editoras brasileiras que enviaram os dados bibliográficos solicitados, para que o leitor deste *Dicionário* pudesse ter acesso — nas bibliografias ao final de cada verbete — às edições e traduções publicadas no Brasil.

O uso de um asterisco (*) após um nome, termo ou expressão, ou sua grafia em caracteres maiúsculos (VERSALETES), indica remissão a esses verbetes.

ABREVIATURAS BIBLIOGRÁFICAS

ESB Sigmund Freud, *Edição Standard Brasileira das obras psicológicas completas de Sigmund Freud*, 24 vols., Rio de Janeiro, Imago, 1977

GW Sigmund Freud, *Gesammelte Werke*, 17 vols., Frankfurt, Fischer, 1960-1988

IZP *Internationale ärztliche Zeitschrift für Psychoanalyse*

IJP *International Journal of Psycho-Analysis*

OC Sigmund Freud, *Oeuvres complètes*, 21 vols., Paris, PUF, em preparação desde 1989

SE *The Standard Edition of the Complete Psychological Works of Sigmund Freud*, org. James Strachey, 24 vols., Londres, Hogarth Press, 1953-1974

A

Aberastury, Arminda (1910-1972)
psicanalista argentina

Pioneira do movimento psicanalítico argentino, Arminda Aberastury nasceu em Buenos Aires, em uma família de comerciantes pelo lado paterno, e de intelectuais pelo lado materno. Seu tio, Maximiliano Aberastury, era um médico de renome e seu irmão, Frederico, estudou psiquiatria com Enrique Pichon-Rivière*, cujos pais se radicaram na Argentina* em 1911 e que se tornou o seu amigo mais próximo. Frederico sofria de psicose* e teve, por várias vezes, surtos delirantes. Sofrendo de melancolia desde a juventude, sua irmã Arminda era uma mulher de grande beleza. Através de Frederico, ficou conhecendo Pichon-Rivière, com quem se casou em 1937. Como este, desejava oferecer à psicanálise uma nova terra prometida, a fim de salvá-la do fascismo que assolava a Europa.

Assim, integrou-se ao grupo formado em Buenos Aires por Arnaldo Rascovsky*, Angel Garma*, Marie Langer* e Celes Cárcamo*. Cinco anos depois, fez sua formação didática com Garma e tornou-se uma das principais figuras da Asociación Psicoanalitica Argentina (APA). Na linha do ensino de Melanie Klein* (de quem foi a primeira tradutora em língua espanhola) e inspirando-se nos métodos de Sophie Morgenstern*, desenvolveu a psicanálise de crianças*. Entre 1948 e 1952, dirigiu, no quadro do Instituto de Psicanálise da APA, um seminário sobre esse tema. Formaria uma geração* de analistas de crianças. No congresso de 1957 da International Psychoanalytical Association* (IPA), em Paris, apresentou uma comunicação notável sobre a sucessão dos "estádios" durante os primeiros anos de vida, definindo uma "fase genital primitiva" anterior, no desenvolvimento libidinal, à fase anal.

Com a idade de 62 anos, atingida por uma doença de pele que a desfigurou, Arminda Aberastury decidiu dar fim aos seus dias. Seu suicídio*, como vários outros na história da psicanálise*, suscitou relatos contraditórios e foi considerado uma "morte trágica" pela historiografia* oficial.

• Arminda Aberastury, *Psicanálise da criança — teoria e técnica* (B. Aires, 1962), P. Alegre, Artes Médicas, 1992 • Antonio Cucurullo, Haydée Faimberg e Leonardo Wender, "La Psychanalyse en Argentine", in Roland Jaccard (org.), *Histoire de la psychanalyse*, vol.2, Paris, Hachette, 1982, 395-444 • Elfriede S.L. de Ferrer, "Profesora Arminda Aberastury", *Revista de Psicoanálisis*, 4, t.XXIX, outubro-dezembro de 1972, 679-82 • Jorge Balán, *Cuéntame tu vida. Una biografía colectiva del psicoanálisis argentino*, B. Aires, Planeta, 1991 • Élisabeth Roudinesco, entrevista com Emilio Rodrigué, 12 de outubro de 1995, e com Cláudia Fernandes, 27 de março de 1996.

➤ ESTÁDIO; KLEINISMO; MELANCOLIA.

Abraham, Karl (1877-1925)
psiquiatra e psicanalista alemão

O nome de Karl Abraham é indissociável da história da grande saga freudiana. Membro da geração* dos discípulos do fundador, desempenhou um papel pioneiro no desenvolvimento da psicanálise* em Berlim. Implantou a clínica freudiana no campo do saber psiquiátrico, transformando assim o tratamento das psicoses*: esquizofrenia* e psicose maníaco-depressiva* (melancolia*). Elaborou também uma teoria dos estádios* da organização sexual, na qual se inspirou Melanie Klein*, que foi sua aluna. Formou muitos analistas, entre os quais Helene Deutsch*, Edward Glover*, Karen Horney* Sandor Rado*, Ernst Simmel*.

Nascido em Bremen, a 3 de maio de 1877, em uma família de comerciantes judeus estabelecidos no norte da Alemanha desde o século XVIII, Abraham era um homem afável, caloroso, inventivo, eloqüente e poliglota. Falava oito línguas. Durante toda a vida, foi um ortodoxo da doutrina psicanalítica, uma "rocha de bronze", nas palavras de Sigmund Freud*. Foi na Clínica do Hospital Burghölzli, onde foi assistente de Eugen Bleuler* com Carl Gustav Jung*, que começou a familiarizar-se com os textos vienenses. Em 1906, casou-se com Hedwig Bürgner. Tiveram dois filhos. Abraham analisou sua filha Hilda (1906-1971), descrevendo o caso em um artigo de 1913, intitulado "A pequena Hilda, devaneios e sintomas em uma menina de 7 anos". Hilda Abraham se tornaria psicanalista e redigiria uma biografia inacabada do pai.

Não tendo nenhuma possibilidade de fazer carreira na Suíça*, Abraham instalou-se em Berlim em 1907. No dia 15 de dezembro, foi a Viena* para fazer a sua primeira visita a Freud. Foi o início de uma bela amizade e de uma longa correspondência — 500 cartas entre 1907 e 1925 — da qual só se conhece uma parte. Publicada em 1965 por Ernst Freud* e por Hilda, infelizmente essa correspondência foi amputada de muitas peças, sobretudo dos comentários sobre os sonhos de Hilda, sobre os conflitos com Otto Rank* no Comitê Secreto* e sobre as discordâncias entre ambos.

Em 1908, Abraham criou com Magnus Hirschfeld*, Ivan Bloch (1872-1922), Heinrich Körber e Otto Juliusburger* um primeiro círculo, que se tornaria, em março de 1910, a Sociedade Psicanalítica de Berlim. Seria seu presidente até a morte. Em 1909, Max Eitingon* reuniu-se a ele e foi assim que se iniciou, com a criação do Berliner Psychoanalytisches Institut*, a história do movimento psicanalítico alemão, que, como se sabe, foi dizimado pelo nazismo* a partir de 1933.

Durante a Primeira Guerra Mundial, depois de ter sido membro do Comitê Secreto, Abraham dirigiu a International Psychoanalytical Association* (IPA), da qual foi secretário em 1922 e presidente em 1924. Assim, foi um dos grandes militantes do movimento, tanto como clínico quanto como organizador e professor.

A obra desse fiel discípulo de Freud se construiu em função dos progressos da obra do mestre. Mais clínico do que teórico, Abraham escreveu artigos claros e breves, nos quais domina a observação concreta. Devem-se distinguir três épocas. Entre 1907 e 1910, dedicou-se a uma comparação entre a histeria* e a demência precoce (que ainda não era chamada esquizofrenia) e à significação do trauma sexual na infância. Durante os dez anos seguintes, estudou a psicose maníaco-depressiva, o complexo de castração* na mulher e as relações do sonho* com os mitos. Em 1911, publicou um importante estudo sobre o pintor Giovanni Segantini (1859-1899), atingido por distúrbios melancólicos. Em 1912, redigiu um artigo sobre o culto monoteísta de Aton, do qual Freud se serviria em *Moisés e o monoteísmo**, esquecendo de citá-lo. Enfim, durante o terceiro período, descreveu os três estádios* da libido*: anal, oral, genital.

Doente de enfisema, Karl Abraham morreu aos 48 anos, em 25 de dezembro de 1925, de uma septicemia consecutiva a um abscesso pulmonar provavelmente causado por um câncer. Essa morte prematura foi sentida como um verdadeiro desastre para o movimento freudiano, e principalmente por Freud, que assistiu impotente à evolução da infecção, não hesitando em escrever-lhe: "Sachs me informou com surpresa e pesar que a sua doença ainda não terminou. Isso não concorda com a imagem que tenho de você. Quero imaginá-lo trabalhando sempre, infalivelmente. Sinto sua doença como uma espécie de concorrência desleal, e peço-lhe que pare logo com isso. Espero notícias suas através de seus amigos."

• Karl Abraham, *Oeuvres complètes*, 2 vols. (1965), Paris, Payot, 1989 • Sigmund Freud e Karl Abraham, *Correspondance, 1907-1926* (Frankfurt, 1965), Paris, Gallimard, 1969 • Hilda Abraham, *Karl Abraham, biographie inachevée*, Paris, PUF, 1976 • Guy Rosolato e Daniel Widlöcher, "Karl Abraham: lecture de son oeuvre", *La Psychanalyse*, 4, Paris, PUF, 1958, 153-78 • Ernst Falzeder, "Whose Freud is it? Some reflections on editing Freud's correspondance", *International Forum of Psychoanalysis*, em preparação.

Abraham, Nicolas (1919-1977)

psicanalista francês

De origem judeu-húngara, Nicolas Abraham nasceu em Kecskemet e emigrou para Paris em 1938. Teve uma formação filosófica marcada pela fenomenologia de Husserl. Falava várias línguas. Depois do primeiro casamento em 1946, do qual teve dois filhos, tomou como companheira Maria Torok, também de origem húngara. Analisado, como ela, por Bela Grunberger, no seio da Sociedade Psicanalítica de Paris (SPP), logo revelou-se como dissidente e seu tratamento didático não foi homologado. Nunca se tornou membro da SPP, limitando-se a ser filiado. Em 1959, iniciou com o filósofo Jacques Derrida uma sólida amizade, fundada na paixão pela filosofia e em uma certa maneira de analisar os textos freudianos.

Foi com a publicação, em 1976, do *Verbier de l'Homme aux loups*, redigido com Maria Torok e prefaciado por Derrida, que se tornou célebre. Depois de Muriel Gardiner*, comentou o caso do Homem dos Lobos, mostrando o poliglotismo inerente a toda essa história. Ao russo, ou língua materna, ao alemão, ou língua do tratamento, e ao inglês, ou língua da ama do paciente, os autores acrescentaram uma quarta língua, o francês, que lhes permitia sublinhar que o eu* clivado do paciente comportava uma "cripta", lugar de todos os seus segredos inconscientes. Essa teoria da cripta enfatizava o delírio do Homem dos Lobos e o caráter necessariamente delirante e polissêmico da própria teoria clínica.

• Nicolas Abraham e Maria Torok, *Cryptonymie. Le Verbier de l'Homme aux loups*, precedido de *Fors*, por Jacques Derrida, Paris, Aubier-Flammarion, 1976 • René Major, *L'Agonie du jour*, Paris, Aubier-Montaigne, 1979 • Élisabeth Roudinesco, *História da psicanálise na França*, vol.2 (Paris, 1986), Rio de Janeiro, Jorge Zahar, 1988.

➢ FRANÇA; PANKEJEFF, SERGUEI CONSTANTINO-VITCH.

ab-reação

al. *Abreagieren*; esp. *abreacción*; fr. *abréaction*; ing. *abreaction*

Termo introduzido por Sigmund Freud* e Josef Breuer* em 1893, para definir um processo de descarga emocional que, liberando o afeto ligado à lembrança de um trauma, anula seus efeitos patogênicos.

O termo ab-reação aparece pela primeira vez na "Comunicação preliminar" de Josef Breuer e Sigmund Freud, dedicada ao estudo do mecanismo psíquico atuante nos fenômenos histéricos.

Nesse texto pioneiro, os autores anunciam desde logo o sentido de seu procedimento: conseguir, tomando como ponto de partida as formas de que os sintomas se revestem, identificar o acontecimento que, a princípio e amiúde num passado distante, provocou o fenômeno histérico. O estabelecimento dessa gênese esbarra em diversos obstáculos oriundos do paciente, aos quais Freud posteriormente chamaria de resistências*, e que somente o recurso à hipnose* permite superar.

Na maioria das vezes, o sujeito afetado por um acontecimento reage a ele, voluntariamente ou não, de modo reflexo: assim, o afeto ligado ao acontecimento é evacuado, por menos que essa reação seja suficientemente intensa. Nos casos em que a reação não ocorre ou não é forte o bastante, o afeto permanece ligado à lembrança do acontecimento traumático, e é essa lembrança — e não o evento em si — que é o agente dos distúrbios histéricos. Breuer e Freud são muito precisos a esse respeito: "... é sobretudo de reminiscências que sofre o histérico." Encontramos a mesma precisão no que concerne à adequação da reação do sujeito: quer ela seja imediata, voluntária ou não, quer seja adiada e provocada no âmbito de uma psicoterapia, sob a forma de rememorações e associações, ela tem que manter uma relação de intensidade ou proporção com o acontecimento incitador para surtir um efeito catártico*, isto é, liberador. É o caso da vingança como resposta a uma ofensa, a qual, não sendo proporcional ou ajustada à ofensa, deixa aberta a ferida ocasionada por esta.

Desde essa época, Breuer e Freud sublinham como é importante que o ato possa ser substituído pela linguagem, "graças à qual o afeto pode ser ab-reagido quase da mesma maneira". Eles acrescentam que, em alguns casos de queixa ou confissão, somente as palavras constituem "o reflexo adequado".

Se o termo ab-reação permanece ligado ao trabalho com Breuer e à utilização do método catártico, nem por isso a instauração do método psicanalítico e o emprego, em 1896, do termo "psico-análise" significam o desaparecimento do termo ab-reação, e isso por duas razões, como deixam claro os autores do *Vocabulário da psicanálise*: uma razão factual, de um lado, na medida em que, seja qual for o método, a análise continua sendo, sobretudo para alguns pacientes, um lugar de fortes reações emocionais; e uma teórica, de outro, uma vez que a conceituação da análise recorre à rememoração* e à repetição*, formas paralelas de ab-reação.

Por que Breuer e Freud empregaram essa palavra, que este último não renegaria ao evocar o método catártico em sua autobiografia?

Como neologismo, o termo ab-reação compõe-se do prefixo alemão *ab-* e da palavra reação, constituída, por sua vez, do prefixo *re-* e da palavra ação. A primeira razão dessa duplicação parece ser o cuidado dos autores de repelir o caráter excessivamente genérico da palavra reação. Além disso, porém, a palavra remete ao procedimento da fisiologia do século XIX, em cujo seio ela funciona como sinônima de reflexo, termo pelo qual se designa o elemento de uma relação que tem a forma de um arco linear — o arco reflexo — que relaciona, termo a termo, um estímulo pontual e uma resposta muscular. Essa referência constituía para Freud, nos anos de 1892-1895, uma espécie de garantia de cientificidade, consoante com sua esperança de inscrever a abordagem dos fenômenos histéricos numa continuidade com a fisiologia dos mecanismos cerebrais. Como sublinhou Jean Starobinski em 1994, a referência ao modelo do arco reflexo sobreviveria à utilização dessa palavra, já que Freud se refere explicitamente a ela em seu texto sobre o destino das pulsões*, onde distingue as excitações externas, que provocam respostas no estilo do arco reflexo, das excitações internas, cujos efeitos são da ordem de uma reação.

Mais tarde, Freud utilizaria o termo reação num sentido radicalmente diferente: em vez de designar uma descarga liberadora, ele seria empregado para evocar um processo de bloqueio ou contenção, a formação reativa.

• Sigmund Freud e Josef Breuer, "Sobre o mecanismo psíquico dos fenômenos histéricos: Comunicação preliminar" (1893), in *Estudos sobre a histeria* (1895), *ESB*, II, 43-62; *GW*, I, 77-312; *SE*, II, 1-17; Paris, PUF, 1956, 1-13 • Sigmund Freud, *Um estudo autobiográfico* (1925), *ESB*, XX, 17-88; *GW*, XIV, 33-96; *SE*, XX, 7-70; Paris, Gallimard, 1984; "As pulsões e suas vicissitudes" (1915), *ESB*, XIV, 137-68; *GW*, X, 209-32; *SE*, XIV, 109-40; *OC*, XIII, 161-85; *O eu e o isso* (1923), *ESB*, XIX, 23-76; *GW*, XIII, 237-89; *SE*, XIX, 1-59; in *Essais de psychanalyse*, Paris, Payot, 1981, 219-52 • Georges Canguilhem, "Le Concept de réflexe au XIXe siècle", in *Études d'histoire et de philosophie des sciences*, Paris, Vrin, 1968 • Marcel Gauchet, *L'Inconscient cérébral*, Paris, Seuil, 1992 • Jean Laplanche e Jean-Bertrand Pontalis, *Vocabulário da psicanálise* (Paris, 1967), S. Paulo, Martins Fontes, 1991, 2ª ed. • Jean Starobinski, "Sur le mot *abréaction*" (1994), in André Haynal (org.), *La Psychanalyse: cent ans déjà*, Genebra, Georg, 1996, 49-62.

➤ CATARSE; *ESTUDOS SOBRE A HISTERIA*; HIPNOSE; HISTERIA; PULSÃO; RESISTÊNCIA; SUGESTÃO.

abstinência, regra de

al. *Grundsatz der Abstinenz*; esp. *regla de abstinencia*; fr. *règle d'abstinence*; ing. *rule of abstinence*

Corolário da regra fundamental*, a regra de abstinência designa o conjunto dos meios e atitudes empregados pelo analista para que o analisando fique impossibilitado de recorrer a formas de satisfação substitutas, em condições de lhe poupar os sofrimentos que constituem o motor do trabalho analítico.

É em 1915, ao se interrogar sobre qual deve ser a atitude do psicanalista confrontado com as manifestações da transferência amorosa, que Sigmund Freud* fala pela primeira vez da regra de abstinência. Esclarece que não pretende evocar apenas a abstinência física do analista em relação à demanda amorosa da paciente, mas o que deve ser a atitude do analista para que subsistam no analisando as necessidades e desejos insatisfeitos que constituem o motor da análise.

Para ilustrar o caráter de tapeação de que se revestiria uma análise em que o analista atendesse às demandas de seus pacientes, Freud evoca a anedota do padre que vai dar os últimos sacramentos a um corretor de seguros descrente: ao final da conversa no quarto do moribundo, o ateu não parece haver se convertido, mas o padre contratou um seguro.

Não apenas, escreve Freud, "é proibido ao analista ceder", como também este deve levar o paciente a vencer o princípio de prazer* e a renunciar às satisfações imediatas em favor de uma outra, mais distante, e sobre a qual se esclarece, no entanto, que "também pode ser menos certeira".

É no âmbito do V Congresso de Psicanálise, realizado em Budapeste em 1918, que Freud volta a essa questão, após uma intervenção de Sandor Ferenczi*, centrada na atividade do analista e nos meios a que ele deve recorrer para afugentar e proibir todas as formas de satisfação substituta que o paciente possa buscar no âmbito do tratamento, bem como fora desse quadro. Em essência, Freud assinala sua concordância com Ferenczi. Sublinha que o tratamento psicanalítico deve, "tanto quanto possível, efetuar-se num estado de frustração* e abstinência". Mas deixa claro que não se trata de proibir tudo ao paciente e que a abstinência deve ser articulada com a dinâmica específica de cada análise.

Este último esclarecimento foi progressivamente perdido de vista, assim como se esqueceu a ênfase depositada por Freud no caráter incerto da satisfação a longo prazo. O surgimento de uma concepção pedagógica e ortopédica do tratamento psicanalítico contribuiu para a transformação da regra de abstinência em um conjunto de medidas ativas e repressivas, que visam fornecer uma imagem da posição do analista em termos de autoridade e poder.

Em seu seminário de 1959-1960, dedicado à ética da psicanálise, assim como em textos anteriores que versavam sobre as possíveis variações do "tratamento-padrão" e da direção do tratamento, Jacques Lacan* voltou à noção de neutralidade analítica, que situou numa perspectiva ética. Se Freud se mostrava prudente quanto à possível obtenção de uma satisfação posterior pelo paciente, fruto de sua renúncia a um prazer imediato, Lacan pretendeu-se mais radical, questionando a fantasia de um "bem supremo" cuja realização marcaria o fim da análise.

• Sigmund Freud, "Observações sobre o amor transferencial" (1915), *ESB*, XII, 208-21; *GW*, X, 306-21; *SE*, XII, 157-71; Paris, PUF, 1953, 116-30; "Linhas de progresso na terapia psicanalítica" (1919), *ESB*, XVII, 201-16; *GW*, XII, 183-94; *SE*, XVII, 157-68; in *La Technique psychanalytique*, Paris, PUF, 1953, 131-41 • Sigmund Freud e Sandor Ferenczi, *Correspondance, 1914-1919*, Paris, Calmann-Lévy, 1996 • Sandor Ferenczi, "A técnica psicanalítica" (1919), in *Psicanálise II, Obras completas, 1913-1919*, S. Paulo, Martins Fontes, 1992, 357-68; "Prolongamentos da 'técnica ativa' em psicanálise" (1921), in *Psicanálise III, Obras completas, 1919-1926*, S. Paulo, Martins Fontes, 1993 • Jacques Lacan, *Escritos*, (Paris, 1966), Rio de Janeiro, Jorge Zahar, 1998; O Seminário, livro 7, *A ética da psicanálise (1959-1960)* (Paris, 1986), Rio de Janeiro, Jorge Zahar, 1988 • Jean Laplanche e Jean-Bertrand Pontalis, *Vocabulário da psicanálise* (Paris, 1967), S. Paulo, Martins Fontes, 1991, 2ª ed.

➤ CONTRATRANSFERÊNCIA; REGRA FUNDAMENTAL; TÉCNICA PSICANALÍTICA; TRANSFERÊNCIA.

acting out

al. *Agieren*; esp. *pasar al acto*; fr. *passage à l'acte*; ing. *acting out*

Noção criada pelos psicanalistas de língua inglesa e depois retomada tal e qual em francês, para traduzir o que Sigmund Freud* denomina de colocação em prática ou em ato, segundo o verbo alemão agieren*. O termo remete à técnica psicanalítica* e designa a maneira como um sujeito* passa inconscientemente ao ato, fora ou dentro do tratamento psicanalítico, ao mesmo tempo para evitar a verbalização da lembrança recalcada e para se furtar à transferência*. No Brasil também se usa "atuação".*

Foi em 1914 que Freud propôs a palavra *Agieren* (pouco corrente em alemão) para designar o mecanismo pelo qual um sujeito põe em prática pulsões*, fantasias* e desejos*. Aliás, convém relacionar essa noção com a de ab-reação* (*Abreagieren*). O mecanismo está associado à rememoração, à repetição* e à elaboração* (ou perlaboração). O paciente "traduz em atos" aquilo que esqueceu: "É de se esperar, portanto", diz Freud, "que ele ceda ao automatismo de repetição que substituiu a compulsão à lembrança, e não apenas em suas relações pessoais com o médico, mas também em todas as suas outras ocupações e relações atuais, bem como quando, por exemplo, lhe sucede apaixonar-se durante o tratamento."

Para responder a esse mecanismo, Freud preconiza duas soluções: (1) fazer o paciente prometer, enquanto se desenrola o tratamento, não tomar nenhuma decisão grave (casamento, escolha amorosa definitiva, profissão) antes de estar curado; (2) substituir a neurose* comum por uma neurose de transferência*, da qual o trabalho terapêutico a curará. Em 1938, no *Esboço de psicanálise*, Freud sublinha que é desejável que o paciente manifeste suas reações dentro da transferência*.

Os psicanalistas de língua inglesa distinguem o *acting in* do *acting out* propriamente dito. O *acting in* designa a substituição da verbalização por um agir no interior da sessão psicanalítica (mudança da posição do corpo ou surgimento de emoções), enquanto o *acting out* caracteriza o mesmo fenômeno fora da sessão. Os kleinianos insistem no aspecto transferencial do *acting in* e na necessidade de analisá-lo, sobretudo nos *bordelines**.

Por outro lado, em 1967, o psicanalista francês Michel de M'Uzan propôs distinguir o *acting out* direto (ato simples, sem relação com a transferência) do *acting out* indireto (ato ligado a uma organização simbólica relacionada com uma neurose de transferência).

No vocabulário psiquiátrico francês, a expressão "passagem ao ato" evidencia a violência da conduta mediante a qual o sujeito se precipita numa ação que o ultrapassa: suicídio*, delito, agressão.

Foi partindo dessa definição que Jacques Lacan*, em 1962-1963, em seu seminário sobre *A angústia*, instaurou uma distinção entre ato, *acting out* e passagem ao ato. No contexto de sua concepção do outro* e da relação de objeto*, e a partir de um comentário de duas observações clínicas de Freud (o caso Dora* e "Psicogênese de um caso de homossexualidade numa mulher"), Lacan estabeleceu, com efeito, uma hierarquia em três patamares. Segundo ele, o ato é sempre um ato significante, que permite ao sujeito transformar-se a posteriori*. O *acting out*, ao contrário, não é um ato, mas uma demanda de simbolização que se dirige a um outro. É um disparate destinado a evitar a angústia. No tratamento, o *acting out* é o sinal de que a análise se encontra num impasse em que se revela a incapacidade do psicanalista. Ele não pode ser interpretado, mas se modifica quando o analista o entende e muda de posição transferencial.

Quanto à passagem ao ato, trata-se, para Lacan, de um "agir inconsciente", de um ato não simbolizável pelo qual o sujeito descamba para uma situação de ruptura integral, de alienação radical. Ele se identifica então com o objeto (pequeno) *a**, isto é, com um objeto excluído

ou rejeitado de qualquer quadro simbólico. O suicídio, para Lacan, situa-se na vertente da passagem ao ato, como atesta a própria maneira de morrer, saindo de cena por uma morte violenta: salto no vazio, defenestração etc.

• Sigmund Freud, "Fragmento da análise de um caso de histeria" (1905), *ESB*, VII, 5-128; *GW*, V, 163-286; *SE*, VII, 1-122; in *Cinq psychanalyses*, Paris, PUF, 1970; "Recordar, repetir e elaborar" (1914), *ESB*, XII, 193-207; *GW*, X, 126-36; *SE*, XII, 126-36; in *La Technique psychanalytique*, Paris, PUF, 1970; "A psicogênese de um caso de homossexualidade numa mulher" (1920), *ESB*, XVIII, 185-216; *GW*, XII, 271-302; *SE* XVIII, 145-72; in *Névrose, psychose et perversion*, Paris, PUF, 1973; *Esboço de psicanálise* (1938), *ESB*, XXIII, 168-223; *GW*, XVII, 67-138; *SE*, XXIII, 139-207; Paris, PUF, 1967 • Jacques Lacan, Le Séminaire, livre X, *L'Angoisse*, (*1962-1963*), inédito • Jean Laplanche e Jean-Bertrand Pontalis, *Vocabulário da psicanálise* (Paris, 1967), S. Paulo, Martins Fontes, 1991, 2ª ed. • Ludwig Eidelberg (org.), *Encyclopedia of Psychoanalysis*, N. York, The Free Press, e Londres, Collier Macmillan Ltd., 1968 • Michel de M'Uzan, *De l'art à la mort*, Paris, Gallimard, 1977 • R.D. Hinshelwood, *Dicionário do pensamento kleiniano*, (Londres, 1991), P. Alegre, Artes Médicas, 1992.

Adler, Alfred (1870-1937)

médico austríaco, fundador da escola de psicologia individual

Adler, primeiro grande dissidente da história do movimento psicanalítico, nasceu em Rudolfsheim, subúrbio de Viena*, em 7 de fevereiro de 1870. Na verdade, nunca aderiu às teses de Sigmund Freud,* de quem se afastou em 1911, sem ter sido, como Carl Gustav Jung*, seu discípulo privilegiado. Quatorze anos mais novo do que o mestre, não procurou reconhecê-lo como uma autoridade paterna. Atribuiu-lhe, antes, o lugar de um irmão mais velho e não manteve com ele relações epistolares íntimas. Ambos eram judeus e vienenses, ambos provinham de famílias de comerciantes que nunca conheceram realmente o sucesso social. Adler freqüentou o mesmo Gymnasium que Freud e fez estudos de medicina mais ou menos idênticos aos seus. Entretanto, originário de uma comunidade de Burgenland, era húngaro, o que fazia dele cidadão de um país cuja língua não falava. Tornou-se austríaco em 1911 e nunca teve a impressão de pertencer a uma minoria ou de ser vítima do anti-semitismo.

Segundo de seis filhos, tinha saúde frágil, era raquítico e sujeito a crises de falta de ar. Além disso, tinha ciúme do irmão mais velho, que se chamava Sigmund, e com quem teve uma relação de rivalidade permanente, como a que teria mais tarde com Freud. Protegido pelo pai, rejeitado pela mãe e sofrendo por não ser o primogênito, sempre deu mais importância aos laços de grupo e de fraternidade do que à relação entre pais e filhos. Em sua opinião, a família era menos o lugar de expressão de uma situação edipiana do que um modelo de sociedade. Daí o interesse que dedicou à análise marxista.

Em 1897, casou-se com Raissa Epstein, filha de um comerciante judeu originário da Rússia*. A jovem pertencia aos círculos da *intelligentsia* e propalava opiniões de esquerda que a afastavam do modo de vida da burguesia vienense, em que a mulher devia ser antes de tudo mãe e esposa. Através dela, Adler freqüentou Léon Trotski (1879-1940) e depois, em 1908, foi terapeuta de Adolf Abramovitch Ioffe (1883-1927), futuro colaborador deste no jornal *Pravda*.

Em 1898, publicou sua primeira obra, *Manual de higiene para a corporação dos alfaiates*. Nela, traçava um quadro sombrio da situação social e econômica desse ofício no fim do século: condições de vida deploráveis, causando escolioses e doenças diversas ligadas ao uso de tinturas, salários miseráveis etc.

Como enfatiza o escritor Manès Sperber, seu notável biógrafo e discípulo durante algum tempo, Adler não teve a mesma concepção que Freud da sua judeidade*. Ainda que não fosse movido, como Karl Kraus* e Otto Weininger*, por um sentimento de "ódio de si judeu", preferiu escapar à sua condição. Em 1904, converteu-se ao protestantismo com as duas filhas. Essa passagem para o cristianismo não o impediu de continuar sendo, durante toda a vida, um livre-pensador, adepto do socialismo reformista. Observe-se que ele não tinha nenhum laço de parentesco com Viktor Adler (1852-1918), fundador do Partido Social-Democrata Austríaco.

Em 1902, depois de ficar conhecendo Freud, começou a freqüentar as reuniões da Sociedade Psicológica das Quarta-Feiras, fazendo amizade com Wilhelm Stekel*. Permaneceu no círculo freudiano durante nove anos e dedicou sua primeira comunicação, no dia 7 de novembro de 1906, ao seguinte tema: "As bases orgânicas da neurose". No ano seguinte, apresentou um caso clínico, depois, em 1908 uma contribuição para a questão da paranóia*, e em 1909, ainda outra, "A unidade das neuroses". Foi nessa data que começaram a se manifestar divergências fundamentais entre suas posições e as de Freud e seus partidários. Elas constam das Minutas da Sociedade, transcritas por Otto Rank* e editadas por Hermann Nunberg*.

Em fevereiro de 1910, Adler fez uma conferência na Sociedade sobre o hermafroditismo psíquico. Afirmava que os neuróticos qualificavam de "feminino" o que era "inferior", e situava a disposição da neurose* em um sentimento de inferioridade recalcado desde a primeira relação da criança com a sexualidade*. O surgimento da neurose era, segundo ele, a conseqüência de um fracasso do "protesto masculino". Do mesmo modo, as formações neuróticas derivariam da luta entre o feminino e o masculino.

Freud começou então a criticar o conjunto das posições de Adler, acusando-o de se apegar a um ponto de vista biológico, de utilizar a diferença dos sexos* em um sentido estritamente social e, enfim, de valorizar excessivamente a noção de inferioridade. Hoje, encontra-se a concepção adleriana da diferença dos sexos entre os teóricos do gênero* (*gender*).

No dia 1º de fevereiro de 1911, Adler voltou à carga, em uma comunicação sobre o protesto masculino, questionando as noções freudianas de recalque* e de libido*, julgadas pouco adequadas para explicar a "psique desviante e irritada" do eu* nos primeiros anos da vida. Efetivamente, Adler estava edificando uma psicologia do eu, da relação social, da adaptação, sem inconsciente* nem determinação pela sexualidade. Assim, distanciava-se do sistema de pensamento freudiano. Baseava-se nas concepções desenvolvidas em sua obra de 1907, A compensação psíquica do estado de inferioridade dos órgãos.

A noção de órgão inferior já existia na história da medicina, em que muitos clínicos observaram que um órgão de menor resistência sempre podia ser o centro de uma infecção.

Adler transpunha essa concepção para a psicologia, fazendo da inferioridade deste ou daquele órgão em um indivíduo a causa de uma neurose transmissível por predisposição hereditária. Segundo ele, era assim que apareciam doenças do ouvido em famílias de músicos ou doenças dos olhos em famílias de pintores etc.

A ruptura entre Freud e Adler foi de uma violência extrema, como mostram as críticas recíprocas que trocaram trinta e cinco anos depois. A um interlocutor americano que o questionava sobre Freud, Adler afirmou, em 1937, que "aquele de quem nunca fora discípulo era um escroque astuto e intrigante". Por sua vez, informado da morte de seu compatriota, Freud escreveu estas palavras terríveis em uma célebre carta a Arnold Zweig*: "Para um rapaz judeu de um subúrbio vienense, uma morte em Aberdeen é por si só uma carreira pouco comum e uma prova de seu progresso. Realmente, o mundo o recompensou com generosidade pelo serviço que ele lhe prestou ao opor-se à psicanálise." Em "A história do movimento psicanalítico" (1914), Freud contou de maneira parcial a história dessa ruptura. Seus partidários humilharam os adlerianos, e estes arrasaram os freudianos. Foi preciso esperar pelos trabalhos da historiografia* erudita, principalmente os de Henri F. Ellenberger* e os de Paul E. Stepansky, para se formar uma idéia mais exata da realidade dessa dissidência.

Em 1911, Adler demitiu-se da Sociedade das Quarta-Feiras, da qual era presidente desde 1910, e deixou a *Zentralblatt für Psychoanalyse**, que dirigia com Stekel. Em 1912, publicou *O temperamento nervoso*, em que expôs o essencial da sua doutrina, e um ano depois fundou a Associação para uma Psicologia Individual, com ex-membros do círculo freudiano, entre os quais Carl Furtmuller (1880-1951) e David Ernst Oppenheim (1881-1943).

Depois de combater na Grande Guerra, Adler voltou a Viena, onde pôs suas idéias em prática, fundando instituições médico-psicológicas. Reformista, condenou o bolchevismo, mas sem militar pela social-democracia. Em 1926, seu movimento adquiriu dimensão internacional, notadamente nos Estados Unidos*, único país em que teve uma verdadeira implantação. Adler começou então a visitar esse país

regularmente, para conferências e permanências prolongadas.

Em 1930, recebeu o título de cidadão de Viena, mas quatro anos depois, pressentindo que o nazismo* dominaria a Europa inteira, pensou em emigrar para os Estados Unidos. Foi durante uma viagem de conferências na Europa, quando se encontrava em Aberdeen, na Escócia, que caiu na rua, vítima de uma crise cardíaca. Morreu na ambulância que o conduzia ao hospital, a 28 de maio de 1937. Seu corpo foi cremado no cemitério de Warriston, em Edimburgo, onde foi celebrada uma cerimônia religiosa.

• Alfred Adler, *La Compensation psychique de l'état d'infériorité des organes* (1898), Paris, Payot, 1956; *Le Tempérament nerveux: éléments d'une psychologie individuelle et applications à la thérapeutique* (1907), Paris, Payot, 1970 • *Les Premiers psychanalystes, Minutes de la Société Psychanalytique de Vienne, 1906-1918*, 4 vols. (1962-1975), Paris, Gallimard, 1976-1983 • Manès Sperber, *Alfred Adler et la psychologie individuelle* (1970), Paris, Gallimard, 1972 • Henri F. Ellenberger, *Histoire de la découverte de l'inconscient* (N. York, Londres, 1970, Villeurbanne, 1974), Paris, Fayard, 1994 • Paul E. Stepansky, *Adler dans l'ombre de Freud* (1983), Paris, PUF, 1992.

➢ CISÃO; COMUNISMO; FREUDO-MARXISMO; HISTORIOGRAFIA; NEOFREUDISMO; PSICOTERAPIA; RÚSSIA.

Adler, Ida
➢ BAUER, IDA (CASO DORA).

afânise
Termo derivado do grego (aphanisis: fazer desaparecer), introduzido por Ernest Jones em 1927 para designar o desaparecimento do desejo* e o medo desse desaparecimento, tanto no homem quanto na mulher.*

Foi em seu artigo de 1927 sobre a sexualidade feminina*, apresentado no congresso da International Psychoanalytical Association* (IPA) e intitulado "A fase precoce do desenvolvimento da sexualidade feminina", que Ernest Jones explicou que o medo da castração* no homem assumia, na mulher, a forma de um medo da separação ou do abandono. Chamou então de *afânise* ao que existe em comum em ambos os sexos quanto a esse medo fundamental, que decorre, segundo ele, de uma angústia ligada à abolição do desejo ou da capacidade de desejar.

Em 1963, Jacques Lacan* criticou essa noção, para situar a abolição na vertente de um esvaecimento (ou *fading*) do sujeito*.

• Ernest Jones, *Théorie et pratique de la psychanalyse*, Paris, Payot, 1969 • Jacques Lacan, O Seminário, livro 11, *Os quatro conceitos fundamentais da psicanálise (1964)* (Paris, 1973), Rio de Janeiro, Jorge Zahar, 1979.

➢ CLIVAGEM (DO EU); OBJETO, RELAÇÃO DE; OBJETO (PEQUENO) a.

África

➢ ANTROPOLOGIA; COLLOMB, HENRI; ETNOPSICANÁLISE; FANON, FRANTZ; HISTÓRIA DA PSICANÁLISE; LAFORGUE, RENÉ; MANNONI, OCTAVE; SACHS, WULF.

Aichhorn, August (1878-1949)
psicanalista austríaco

Nascido em Viena*, August Aichhorn era filho de um banqueiro cristão e socialista. Estudou construção mecânica, que abandonou para ser professor primário e consagrar-se à pedagogia e aos problemas da delinqüência infantil e juvenil. Em 1918, tornou-se diretor da instituição de Ober-Hollabrunn, situada a noroeste de Viena, e em 1920 de outra, antes de trabalhar com a municipalidade da cidade. Analisado por Paul Federn*, aderiu à Wiener Psychoanalytische Vereinigung (WPV) em 1922 e formou um pequeno círculo de estudos sobre a delinqüência com Siegfried Bernfeld* e Wilhelm (Willi) Hoffer (1897-1967).

Personagem não-conformista, corpulento, sempre vestido de preto, uma piteira nos lábios, tinha tal respeito por Sigmund Freud* que nunca ousava tomar a palavra nas reuniões da WPV. Durante longos anos, ninguém suspeitou de que estava apaixonado por Anna Freud, filha do mestre. Só revelou a esta o seu segredo às vésperas de sua morte. De qualquer forma, foi graças a ele que, durante sua juventude em Viena, ela descobriu o mundo dos marginais e dos excluídos.

Em 1925, publicou um livro pioneiro sobre adolescentes, *Juventude abandonada*, para o qual Freud redigiu um prefácio em que se lê: "A criança se tornou o objeto principal da pesquisa psicanalítica. Tomou assim o lugar do neurótico, primeiro objeto dessa pesquisa." Aichhorn mostrava que o comportamento anti-social era análogo aos sintomas neuróticos e situava suas causas primeiras em "laços libidinais anormais" da primeira infância. Militava pela utilização, por parte dos educadores, da técnica psicanalítica*, defendendo a idéia de que o pedagogo podia tornar-se, para a criança, um pai substituto, no seio de uma transferência* positiva. Em 1932, aposentou-se para trabalhar particularmente. Em 1938, não deixou Viena, como a maioria dos colegas, porque seu filho fora preso pelos nazistas e deportado como prisioneiro político para o campo de concentração de Dachau.

Foi por essa razão que aceitou dirigir, entre 1938 e 1944, como "psicólogo clínico", a formação psicanalítica do Instituto Alemão de Pesquisas Psicológicas e Psicoterapêuticas de Berlim, criado por Matthias Heinrich Göring*. Depois da Segunda Guerra Mundial, participou, com a ajuda de Anna Freud, da reconstrução da WPV e foi nomeado diretor do *International Journal of Psycho-Analysis* (IJP).

• August Aichhorn, *Jeunesse à l'abandon* (Viena, 1925), Toulouse, Privat, 1973 • Sigmund Freud, "Prefácio a *Juventude abandonada*, de Aichhorn" (1925), *ESB*, XIX, 341-8; GW, XIV, 565-7; *SE*, XIX, 273-5; *OC*, XVII, 161-3 • Kurt Eissler, "August Aichhorn: a biographical outline", in *Searchlights on Delinquency, New Psychoanalytic Studies*, N. York, International Universities Press, IX-XIII • Geoffrey Cocks, *La Psychothérapie sous le IIIᵉ Reich* (1985), Paris, Les Belles Lettres, 1987 • Élisabeth Young-Bruehl, *Anna Freud: uma biografia* (1988), Rio de Janeiro, Imago, 1992.

➢ ALEMANHA; ANNAFREUDISMO; NAZISMO; PSICANÁLISE DE CRIANÇAS; SOCIEDADE PSICOLÓGICA DAS QUARTAS-FEIRAS.

Aimée, caso
➢ ANZIEU, MARGUERITE.

Ajase, complexo de
➢ JAPÃO (KOSAWA HEISAKU).

Alemanha

Sem o advento do nazismo*, que a esvaziou da quase totalidade de seus intelectuais e eruditos, a Alemanha teria sido o mais poderoso país de implantação da psicanálise*. Se fosse necessário comprovar essa afirmação, bastariam os nomes de seus prestigiosos fundadores, que se naturalizaram americanos, quando não morreram antes de poder emigrar: Karl Abraham*, Max Eitingon*, Otto Fenichel*, Ernst Simmel*, Otto Gross*, Georg Groddeck*, Wilhelm Reich*, Erich Fromm*, Karen Horney*.

Como em quase todos os países do mundo, as teses freudianas foram consideradas, na Alemanha, como um pansexualismo*, uma "porcaria sexual", uma "epidemia psíquica". Tratada de "psiquiatria de dona de casa" pelos meios da medicina acadêmica, a psicanálise foi mal aceita pelos grandes nomes do saber psiquiátrico, e principalmente por Emil Kraepelin*. Reprovavam o seu estilo literário e a sua metapsicologia*, embora Freud tivesse assimilado em seus trabalhos uma parte importante da nosologia kraepeliniana. Entretanto, foi mesmo no campo do saber psiquiátrico que ela acabou por ser reconhecida, graças à ação de alguns pioneiros. Na virada do século XX, eles começaram a descobrir a obra freudiana, praticando a hipnose* ou interessando-se pela sexologia*; entre eles, Arthur Muthmann (1875-1957). Estimulado por Sigmund Freud* e Carl Gustav Jung* a desenvolver atividades psicanalíticas, não se afastou do método catártico e rompeu com o freudismo* em 1909. Por sua vez, Hermann Oppenheim (1858-1918), neurologista judeu berlinense, recebeu favoravelmente os trabalhos clínicos da psicanálise, antes de criticá-los duramente, como aliás Theodor Ziehen (1862-1950), inventor da noção de complexo* e titular da cátedra de psiquiatria de Berlim.

No nível universitário, a resistência se manifestou de modo mais determinado. Como sublinha Jacques Le Rider, "a psicologia alemã construíra a sua reputação sobre a pesquisa em laboratório, sobre um método científico do qual a física e a química eram o modelo ideal, e cujo espírito positivo pretendia banir qualquer especulação, reconhecendo apenas um saber sintético: a biologia". A escola alemã de psicologia reagiu contra a *Naturphilosophie* do século XIX, essa ciência da alma que florescera na esteira do romantismo e de que se nutriam os trabalhos freudianos. Thomas Mann* seria um dos poucos a reconhecer o valor científico desse freudismo julgado excessivamente literário pelos psicólogos universitários.

No campo da filosofia, a psicanálise passava por ser aquele "psicologismo" denunciado por Edmund Husserl desde seus primeiros trabalhos. Assim, ela foi criticada em 1913 por Karl Jaspers (1883-1969) em uma obra monumental, *Psicopatologia geral*, que teve um grande papel na gênese de uma psiquiatria fenomenológica, principalmente na França*, em torno de Eugène Minkowski*, de Daniel Lagache* e do jovem Jacques Lacan*. Em 1937, Alexander Mitscherlisch* tentou convencer Jaspers a modificar a sua opinião, mas chocou-se com a hostilidade do filósofo, que manteve-se surdo aos seus argumentos.

Segundo Ernest Jones*, o ano de 1907 marcou o início do progresso internacional da psicanálise e o fim do "esplêndido isolamento" de Freud. Ora, nesse ano, dois assistentes de Eugen Bleuler* na Clínica do Hospital Burghölzli se juntaram a ele: Max Eitingon e Karl Abraham, futuro organizador do movimento berlinense: "Tenho a intenção de deixar Zurique dentro de um mês, escreveu-lhe em 10 de outubro de 1907. Com isso, abandono a minha atividade anterior [...]. Na Alemanha como judeu, na Suíça como não-suíço, não consegui ir além de um posto de assistente. Agora, vou tentar trabalhar em Berlim como especialista em doenças nervosas e psíquicas." Sempre à procura, desde o fim de sua amizade com Wilhelm Fliess*, de uma renovação do poder alemão, Freud lhe respondeu: "Não é mau para um jovem como você ser empurrado violentamente para a 'vida ao ar livre', e sua condição de judeu, aumentando as dificuldades, terá, como para todos nós, o efeito de manifestar plenamente as suas capacidades [...]. Se minha amizade com o doutor W. Fliess ainda subsistisse, o caminho estaria aberto para você; infelizmente, esse caminho está agora totalmente fechado."

Depois da Suíça*, a Alemanha tornou-se assim a segunda "terra prometida" da psicanálise. No ano seguinte, foi a vez dos Estados Unidos*.

Desde a sua chegada, Abraham começou a organizar o movimento. No dia 27 de agosto de 1908, fundou a Associação Psicanalítica de Berlim, com Otto Juliusburger*, Ivan Bloch, Magnus Hirschfeld*, Heinrich Körber. Esse grupo assumiu uma importância crescente. Três congressos se realizaram em cidades alemãs: Nuremberg em 1910, onde foi criada a International Psychoanalytical Association* (IPA), Weimar em 1911, do qual participaram 116 congressistas, Munique em 1913, quando se consumou a partida de Jung e seus partidários. Um ano depois, Freud pediu a Abraham que sucedesse a Jung na direção da IPA.

A derrota dos impérios centrais modificou o destino da psicanálise. Se a Sociedade Psicanalítica Vienense (WPV) continuou ativa, em razão da presença de Freud e do afluxo dos americanos, perdeu toda a sua influência em benefício do grupo berlinense. Arruinados, os analistas austríacos emigraram para a Alemanha a fim de restabelecer suas finanças, seguidos pelos húngaros, obrigados a fugir do regime ditatorial do almirante Horthy, depois do fracasso da Comuna de Budapeste. Vencida sem ser destruída, a Alemanha podia assim reconquistar um poder intelectual que o antigo reino dos Habsburgo perdera. Berlim tornou-se pois, segundo as palavras de Ernest Jones, o "coração de todo o movimento psicanalítico internacional", isto é, um pólo de divulgação das teses freudianas tão importante quanto fora Zurique no começo do século.

Em 1918, Simmel reuniu-se a Abraham e a Eitingon, seguido dois anos depois por Hanns Sachs*. A Associação Berlinense se vinculara então à IPA, sob o nome de Deutsche Psychoanalytische Gesellschaft (DPG). Estava aberto o caminho para a criação de institutos que permitissem simultaneamente formar terapeutas ("reproduzir a espécie analítica" como dizia Eitingon), e enraizar os tratamentos psicanalíticos em um terreno social. Desde o início da Sociedade Psicológica das Quarta-Feiras*, já existia a idéia de uma psicanálise de massa, capaz de tratar dos pobres e despertar as consciências. No Congresso de Budapeste em 1918, Freud estimulara esse projeto de transformar ao mesmo tempo o mundo e as almas. Pensava em criar clínicas dirigidas por médicos que tivessem recebido uma formação psicanalítica e que acolhessem gratuitamente pacientes de baixa renda.

Ativado por Simmel e Eitingon, sob a direção de Abraham, esse programa recebeu o apoio das autoridades governamentais e dos meios acadêmicos. Ernst Freud* preparou locais na Potsdamer Strasse, e a famosa Policlínica abriu suas portas a 14 de fevereiro de 1920, ao mesmo tempo que o Berliner Psychoanalytisches Institut* (BPI).

Esse Instituto não só permitiria aperfeiçoar os princípios da análise didática* e formar a maioria dos grandes terapeutas do movimento freudiano, mas também serviria de modelo para todos os institutos criados pela IPA no mundo. Quanto à Policlínica, esta foi um verdadeiro laboratório para a elaboração de novas técnicas de tratamento. Em 1930, no seu "Relatório original sobre os dez anos de atividade do BPI", Eitingon expôs um balanço detalhado da experiência: 94 terapeutas em atividade, 1.955 consultas, 721 tratamentos psicanalíticos, entre os quais 363 tratamentos terminados e 111 casos de cura, 205 de melhora e apenas 47 fracassos. A esse sucesso, acrescentavam-se as atividades de Wilhelm Reich e Georg Groddeck, que contribuíram também para a difusão do freudismo na Alemanha.

Centro da divulgação clínica, Berlim continuava sendo pioneira de um certo conservadorismo político e doutrinário. E foi Frankfurt que se tornou o lugar da reflexão intelectual, dando origem à corrente da "esquerda freudiana", sob a influência de Otto Fenichel, e à instituição do Frankfurter Psychoanalytisches Institut.

Criado em 1929 por Karl Landauer* e Heinrich Meng*, esse instituto se distinguia do de Berlim por sua colaboração intensa com o Institut für Sozialforschung, em cujos locais se instalara, e onde trabalharam notadamente Erich Fromm*, Herbert Marcuse*, Theodor Adorno (1903-1969), Max Horkheimer (1895-1973). Núcleo fundador da futura Escola de Frankfurt, esse instituto de pesquisas sociais fundado em 1923 originou a elaboração da teoria crítica, doutrina sociológica e filosófica que se apoiava simultaneamente na psicanálise, na fenomenologia e no marxismo, para refletir sobre as condições de produção da cultura no seio de uma sociedade dominada pela raciona-lidade tecnológica.

Em 1942, em uma carta iluminada a Leo Lowenthal, Horkheimer explicou claramente a dívida da Escola de Frankfurt para com a teoria freudiana: "Seu pensamento é uma das *Bildungsmächte* [pedras angulares] sem as quais a nossa própria filosofia não seria o que é. Nestas últimas semanas, mais uma vez, tenho cons-ciência da sua grandeza. Muito se disse, como sabemos, que o seu método original correspon-dia essencialmente à natureza da burguesia muito refinada de Viena, na época em que ele foi concebido. Claro que isso é totalmente falso em geral, mas mesmo que houvesse um grão de verdade, isso em nada invalidaria a obra de Freud. Quanto maior for uma obra, mais estará enraizada em uma situação histórica concreta."

Única instituição alemã a difundir cursos na universidade, o Instituto Psicanalítico de Frank-furt teria um belo futuro. Não formando didatas, mostrou-se mais aberto aos debates teóricos do que seu análogo berlinense.

Em 1930, graças à intervenção do escritor Alfons Paquet (1881-1944), a cidade concedeu a Freud o prêmio Goethe. Em seu discurso, lido por sua filha Anna, Freud prestou homenagem à *Naturphilosophie*, símbolo do laço espiritual que unia a Alemanha à Áustria, e à beleza da obra de Goethe, segundo ele próxima do eros platônico encerrado no âmago da psicanálise.

Depois da ascensão de Hitler ao poder, Mat-thias Göring, primo do marechal, decidido a depurar a doutrina freudiana de seu "espírito judaico", pôs em prática o programa de "ariani-zação da psicanálise", que previa a exclusão dos judeus e a transformação do vocabulário. Rapi-damente, conquistou as boas graças de alguns freudianos, dispostos a se lançarem nessa aven-tura, como Felix Boehm* e Carl Müller-Braun-schweig*, aos quais se reuniram depois Harald Schultz-Hencke* e Werner Kemper*. Nenhum deles estava engajado na causa do nazismo. Membros da DPG e do BPI, um freudiano ortodoxo, o segundo adleriano e o terceiro neu-tro, simplesmente tinham ciúme de seus colegas judeus. Assim, o advento do nacional-socialis-mo foi para eles uma boa oportunidade de fazer carreira.

Em 1930, a DPG tinha 90 membros, na maioria judeus. Já em 1933, estes tomaram o caminho do exílio. Em 1935, um terço dos membros da DPG ainda residia na Alemanha, entre os quais nove judeus. Tornando-se se-nhores desse grupo, alijado de seus melhores elementos, Boehm e Müller-Braunschweig fun-daram o seu colaboracionismo sobre a seguinte tese: para não dar aos nazistas um pretexto qualquer para proibir a psicanálise, bastava an-tecipar as suas ordens, excluindo os judeus da DPG, disfarçando essa exclusão de demissão voluntária. Deu-se a essa operação o nome de "salvamento da psicanálise".

Ernest Jones, presidente da IPA, aceitou essa política, e em 1935, presidiu oficialmente a sessão da DPG durante a qual os nove membros judeus foram obrigados a se demitir. Um único não-judeu recusou essa política: chamava-se Bernhard Kamm e deixou a Sociedade em soli-dariedade aos excluídos. Originário de Praga, acabava de aderir à DPG. Tomando imediata-mente o caminho do exílio, instalou-se em To-peka, no Kansas, com Karl Menninger*.

Como afirmou muito bem Regine Lockot em um artigo de 1995, Freud qualificou de "triste debate" todo esse caso. Mas, em uma carta a Eitingon, de 21 de março de 1933, mostrou-se mais preocupado com os "inimigos internos" da psicanálise, notadamente os adle-rianos e Wilhelm Reich. Assim, concentrou to-dos os seus ataques contra Harald Schultz-Hencke, julgado mais perigoso por suas po-sições adlerianas do que por seu engajamento pró-nazista. Esse erro de apreciação foi expres-so com toda a liberdade no relato que Boehm fez, em agosto de 1934, de uma visita a Freud: "Antes de nos separarmos, Freud expressou dois desejos relativamente à direção da Socie-dade [DPG]: primeiro, Schultz-Hencke nunca deveria ser eleito para o comitê diretor da nossa Sociedade. Eu lhe dei minha palavra no sentido de jamais participar de uma sessão com ele. Segundo: 'Livrem-me de W. Reich.'"

Em 1936, Göring realizou enfim o seu so-nho. Criou o Deutsche Institut für Psycholo-gische Forschung (Instituto Alemão de Pesqui-sa Psicológica e Psicoterapia), logo chamado de Göring Institut, no qual se reuniram freudianos, junguianos e independentes.

Longe de se contentar com essa forma de colaboração, Felix Boehm foi a Viena, em 1938, para convencer Freud da necessidade do "salvamento" da psicanálise na Alemanha. Depois de escutá-lo durante um longo tempo, o mestre, furioso, levantou-se e saiu do recinto. Desaprovava a tese do pretenso "salvamento", e desprezava a baixeza de seus partidários. Todavia, recusou-se a usar sua autoridade junto a Jones e não interveio para evitar que a IPA entrasse na engrenagem da colaboração. Era tarde demais, pensava ele. Jones aplicara a sua política a partir de uma posição, inicialmente compartilhada por Freud, que consistia em privilegiar a defesa de um freudismo nu e cru (contra os "desvios" adleriano ou reichiano), em detrimento de uma recusa absoluta de qualquer colaboração nas condições oferecidas por Boehm e Müller-Braunschweig.

Ao longo de toda a guerra, cerca de 20 freudianos prosseguiram suas atividades terapêuticas sob a égide do Instituto Göring, contribuindo assim para destruir a psicanálise, da qual se tinham tornado donos. Trataram de pacientes comuns, provenientes de todas as classes sociais e atingidos por simples neuroses* ou por doenças mentais: psicoses*, epilepsias, retardos — com a exceção dos judeus, excluídos de qualquer tratamento e enviados imediatamente para campos de concentração. Boehm encarregou-se pessoalmente da "perícia" dos homossexuais e Kemper da "seleção" dos neuróticos de guerra. Johannes Schultz* "experimentou" nesse quadro os princípios de seu treinamento autógeno.

Nas fileiras da extinta DPG, John Rittmeister*, August Watermann*, Karl Landauer* e Salomea Kempner* foram assassinados pelos nazistas, como também vários outros terapeutas húngaros ou austríacos que não conseguiram exilar-se.

Enquanto se desenrolavam os "tratamentos" do Instituto Göring, a direção do Ministério da Saúde do Reich se encarregava de aplicar aos doentes mentais "medidas de eutanásia". Após o episódio da substituição de Ernst Kretschmer* por Carl Gustav Jung à frente do Allgemeine Ärtzliche Gesellschaft für Psychotherapie (AAGP), a psiquiatria alemã sofrera a mesma arianização que a psicanálise, sob a direção de

Leonardo Conti (1900-1945), primeiro presidente dos médicos do Reich, depois de todas as organizações de saúde do partido e do Estado, das quais, aliás, dependia o Göring Institut. Em outubro de 1939, ocorreu o recenseamento dos hospícios e asilos, que foram classificados em três grupos. Alguns meses depois, em janeiro de 1940, em Berlim, na antiga prisão de Brandenburg-Havel, os especialistas em "eutanásia" começaram a exterminar esses doentes usando um gás, o monóxido de carbono.

Depois da vitória dos Aliados, o Instituto Göring e o BPI foram reduzidos a cinzas. Sempre presidente da IPA e gozando do apoio de John Rickman*, Jones ajudou os colaboracionistas a reintegrar-se à IPA. A Müller-Braunschweig e a Boehm, confiou a reconstrução da antiga DPG, e a Kemper a missão de desenvolver o freudismo no Brasil*. Como em 1933, mostrou-se mais preocupado em restaurar a ortodoxia em matéria de análise didática do que em proceder à exclusão de antigos colaboracionistas. Assim, validou posteriormente a tese do suposto "salvamento", oferecendo à geração* seguinte uma visão apologética do passado. Mas como a Alemanha devia ser punida pelos seus erros, foi posta em quarentena pela IPA até 1985, data em que alguns historiadores começaram a publicar trabalhos críticos, mostrando as conseqüências desastrosas da política de Jones e revelando o passado dos cinco principais responsáveis pela "arianização" da psicanálise.

Em 1950, acreditando escapar ao opróbrio que pesava sobre a DPG, Müller-Braunschweig se separou de Boehm para criar uma nova sociedade, a Deutsche Psychoanalytische Vereinigung (DPV). Esta foi integrada à IPA no ano seguinte (a DPG nunca conseguiu isso), enquanto Schultz-Hencke desenvolvia a sua própria doutrina: a neopsicanálise. A DPG e a DPV continuaram a propagar a mesma idealização do passado, a fim de justificar a antiga política de colaboração.

A partir de 1947, só Alexander Mitscherlich conseguiu salvar a honra do freudismo alemão e da DPV, criando a revista *Psyche*, fundando em Frankfurt o Instituto Freud e obrigando as novas gerações a um imenso trabalho de rememoração e lembrança. Desterrada de sua antiga capital, a psicanálise pôde renascer na Repúbli-

14   Alexander, Franz

ca Federal, ao passo que, na Alemanha Oriental, era condenada como "ciência burguesa".

Assim, a cidade de Frankfurt esteve na vanguarda do movimento psicanalítico alemão durante a segunda metade do século. Voltando a dar vida à sua escola, Adorno e Horkheimer desempenharam um grande papel, com Mitscherlich, nesse desenvolvimento, do qual emergiu uma nova reflexão clínica e política sobre a sociedade alemã do pós-nazismo, assim como trabalhos eruditos: os de Ilse Grubrich-Simitis, por exemplo, a melhor especialista em manuscritos de Freud. Com doze institutos de formação, distribuídos pelas principais cidades (Hamburgo, Freiburg, Tübingen, Colônia etc.) e cerca de 800 membros, a DPV é hoje uma poderosa organização freudiana.

Entretanto, desde 1970, como por toda a parte, o surgimento de múltiplas escolas de psicoterapia* contribuiu para fender as posições da psicanálise. Além disso, asfixiada por um sistema médico que permitia às caixas de assistência médica reembolsarem os tratamentos, sob condição de uma "perícia" prévia dos casos, ela se banalizou e tornou-se uma prática como as outras, pragmática, esclerosada, rotineira e limitada a um ideal técnico de cura rápida. Nessa data, Mitscherlich pensou que ela estava desaparecendo na Alemanha.

Alguns anos depois, a obra de Lacan, impregnada de hegelianismo e de heideggerianismo, apareceu no cenário universitário alemão, essencialmente nos departamentos de filosofia. No plano clínico, o lacanismo* nunca conseguiu implantar-se, a não ser em pequenos grupos marginais, compostos de não-médicos e sem relação com os grandes institutos da IPA.

• Sigmund Freud, "A história do movimento psicanalítico" (1914), *ESB*, XIV, 16-88; *GW*, X, 44-113; *SE*, XIV, 7-66; Paris, Gallimard, 1991 • Sigmund Freud e Karl Abraham, *Correspondance, 1907-1926* (Frankfurt, 1965), Paris, Gallimard, 1969 • Martin Jay, *L'Imagination dialectique. Histoire de l'École de Francfort, 1923-1950* (Boston, 1973), Paris, Payot, 1977 • Hannah Decker, *Sigmund Freud in Germany. Revolution and Reaction in Science, 1893-1907*, N. York, New York International Universities Press, 1977 • Jacques Le Rider, "La Psychanalyse en Allemagne" in Roland Jaccard (org.), *Histoire de la psychanalyse*, vol.2, Paris, Hachette, 1982, 107-43 • Eugen Kogon, Hermann Langbein, Adalbert Rukerl, *Les Chambres à gaz, secret d'État* (Frankfurt, 1983), Paris, Minuit, 1984 • *Les Années brunes. La Psychanalyse sous le IIIe Reich*, textos traduzidos e apresentados por Jean-Luc Evard, Paris, Confrontation, 1984 • *On forme des psychanalystes. Rapport original sur les dix ans de l'Institut Psychanalytique de Berlin*, apresentação de Fanny Colonomos, Paris, Denoël, 1985 • Chaim S. Katz (org.), *Psicanálise e nazismo*, Rio de Janeiro, Taurus, 1985 • Geoffrey Cocks, *La Psychothérapie sous le IIIe Reich* (Oxford, 1985), Paris, Les Belles Lettres, 1987 • Regine Lockot, *Erinnern und Durcharbeiten*, Frankfurt, Fischer, 1985; "Mésusage, disqualification et division au lieu d'expiation", *Topique*, 57, 1995, 245-57 • *Ici la vie continue de manière surprenante*, seleção de textos traduzidos por Alain de Mijolla, Paris, Association Internationale d'Histoire de la Psychanalyse (AIHP), 1987.

➢ COMUNISMO; ESCANDINÁVIA; FREUDO-MARXISMO; HUNGRIA; ITÁLIA; JUDEIDADE; LAFORGUE, RENÉ; MAUCO, GEORGES.

Alexander, Franz (1891-1964)
médico e psicanalista americano

De origem húngara, Franz Alexander emigrou para Berlim em 1920, quando o regime do almirante Horthy obrigou a maioria dos psicanalistas a deixar o país. Conhecia bem a Alemanha*, onde se iniciara na filosofia, seguindo os ensinamentos de Husserl. Em Budapeste, estudou medicina e com Hanns Sachs*, vindo de Viena*, fez a sua análise didática*, tendo sido o primeiro aluno do prestigioso Instituto Psicanalítico de Berlim (Berliner Psychoanalytisches Institut*). Tornando-se professor, formaria, como didata ou supervisor, muitos representantes da história do freudismo*, entre os quais Charles Odier*, Raymond de Saussure*, Marianne Kris*. Seria também, no início dos anos 30, o analista de Oliver Freud*, filho de Sigmund Freud*.

Logo de saída, aceitou a segunda tópica*, assim como a noção de pulsão de morte* e sempre manifestou grande interesse pela criminologia*. Tinha a habilidade de "encenar" os conceitos freudianos, como na sua comunicação de 1924, no congresso da International Psychoanalytical Association* (IPA) de Salzburgo, na qual explicou o problema da neurose* em termos de "fronteira". Comparou o recalque* da pulsão* proveniente do isso* a uma mercadoria proibida e barrada na fronteira de um Estado: o país do eu*. O supereu* era representado com os traços de um fiscal aduaneiro pouco inteligente e corruptível, e o sintoma neurótico era assimilado a um contrabandista que subornava o fiscal para atravessar a fronteira.

Essa evocação não deixava de ter uma relação com o destino do próprio Alexander, homem dinâmico, adepto das mudanças e das travessias de territórios. Viajante incansável, logo pensou em emigrar para os Estados Unidos*. Depois de uma primeira permanência e de uma passagem por Boston, instalou-se definitivamente em Chicago, entre 1931 e 1932, enquanto Freud, com quem manteve uma correspondência (ainda não publicada), procurava retê-lo na Europa, mesmo desconfiando dele: "Gostaria de ter uma confiança inabalável em Alexander, escreveu a Max Eitingon* em julho de 1932, mas não consigo. Sua simplicidade real ou simulada o afasta de mim, ou então não superei minha desconfiança em relação à América."

Em Chicago, Alexander criou um instituto de psicanálise (Chicago Institute for Psychoanalysis), tão dinâmico quanto o de Berlim, e animou-o até o fim de seus dias. A psicanálise*, pela qual nutria verdadeira paixão, foi a principal atividade de sua vida. Curioso a respeito de tudo, filosofia, física, teatro e literatura, foi assim o iniciador de uma das principais correntes do freudismo americano, conhecida sob o nome de Escola de Chicago.

Essa corrente, onde se encontrava a inspiração ferencziana da técnica ativa, visava transformar o tratamento clássico em uma terapêutica da personalidade global. Dedicando-se ao problema da úlcera gastro-duodenal, Alexander ficara impressionado com o seu freqüente aparecimento nas pessoas ativas. A partir daí, mostrou que na origem da doença encontra-se uma necessidade de ternura nascida na infância, que se opõe ao eu e se traduz pela emergência de uma intensa agressividade. Em suma, quanto mais a atividade é importante, mais o sentimento infantil inconsciente se desenvolve. Este se traduz por uma demanda de alimento, que acarreta uma secreção gástrica excessiva, seguida de úlcera. Diante desses sintomas, Alexander preconizou a associação de duas terapêuticas: uma ligava-se à exploração do inconsciente e privilegiava a palavra; outra, orgânica, tratava da úlcera. Essa posição o levou a inventar uma medicina psicossomática* de inspiração freu-

diana e a questionar a duração canônica dos tratamentos e das sessões, o que lhe valeu conflitos com a American Psychoanalytic Association (APsaA). Em 1956, participou, com Roy Grinker, da criação da American Academy of Psychoanalysis (AAP), mais aberta do que a APsaA a todas as novidades terapêuticas.

Em 1950, no primeiro congresso da Associação Mundial de Psiquiatria, organizado por Henri Ey* em Paris, declarou: "A psicanálise pertence a um passado em que ela teve que lutar contra os preconceitos de um mundo pouco preparado para recebê-la [...]. Hoje, podemos permitir-nos divergir entre nós, porque a pesquisa e o progresso só são possíveis em um clima de liberdade."

• Franz Alexander, The Scope of Psychoanalysis. Selected Papers, 1921-1961, N. York, Basic Books, 1961; Medicina psicossomática (Paris, 1967), P. Alegre, Artes Médicas, 1989 • Franz Alexander, Samuel Eisenstein e Martin Grotjahn (orgs.), A história da psicanálise através de seus pioneiros (N. York, 1956), Rio de Janeiro, Imago, 1981 • Léon J. Saul, "Franz Alexander, 1891-1964", Psychoanalytic Quarterly, vol.XXXIII, 1964, 420-3.

➢ BETTELHEIM, BRUNO; CRIMINOLOGIA; KOHUT, HEINZ; LANGER, MARIE; MITSCHERLICH, ALEXANDER; PSICOSSOMÁTICA, MEDICINA; TÉCNICA PSICANALÍTICA.

alfa, função
➢ BION, WILFRED RUPRECHT.

Allendy, René (1889-1942)
médico e psicanalista francês

A obra escrita desse médico, que foi em 1926 um dos doze fundadores da Sociedade Psicanalítica de Paris (SPP), é tão considerável quanto a sua personalidade é estranha e até esquecida. Assinou cerca de 200 artigos e 20 obras sobre temas tão diversos quanto a influência astral, os querubins e as esfinges, a teoria dos quatro temperamentos, a grande obra dos alquimistas, as modalidades atmosféricas, a tábua de esmeralda de Hermes Trismegisto, o tratamento da tuberculose pulmonar, a *lycosa tarentula*, o sonho* etc.

Defendeu sua tese de medicina em novembro de 1912, oito dias antes de se casar com

Yvonne Nel Dumouchel, de quem o poeta Antonin Artaud faria, em sua correspondência, uma de suas "cinco mães adotivas". Atingido por gases de combate durante a Primeira Guerra Mundial, reconhecido depois como tuberculoso, Allendy decidiu curar-se por conta própria. Em 1920, tornou-se membro titular da Sociedade Francesa de Homeopatia e, três anos depois, ficou conhecendo René Laforgue*, com quem fez sua análise didática*. Este o introduziu no serviço do professor Henri Claude* no Hospital Sainte-Anne.

Allendy praticamente não formou analistas no seio da SPP, mas seu consultório e seu palacete do XVI *arrondissement* de Paris foram freqüentados por escritores e artistas, em especial René Crevel (1900-1935) e Anaïs Nin (1903-1977), de quem foi amante. Esta contou em seu *Diário* apenas alguns fragmentos desse incrível tratamento psicanalítico que durou um ano, em 1932-1933, em condições particularmente transgressoras. E só em 1995 a verdade foi conhecida, graças a Deirdre Bair, sua biógrafa, que reconstituiu detalhadamente o que foi essa relação.

Se Allendy foi seduzido por essa mulher, que exibia os seios durante as sessões, beijou-a levemente nas faces quando ela decidiu interromper o tratamento, provocando o seu furor. Assim, ela retornou e a análise se transformou então em sessões de masturbação compartilhada, antes que, em um hotel, Allendy se entregasse com ela a práticas sadomasoquistas.

Foi depois dessa "análise" que Anaïs Nin deitou-se com o pai, Joaquin Nin, que exclamou, no momento do ato sexual: "Tragam aqui Freud e todos os psicanalistas. O que diriam disto?" Quando ela contou a cena a Allendy, este ficou horrorizado e lhe relatou todo tipo de histórias de incesto* que terminaram em tragédia. Concluiu a sessão dizendo à sua "paciente" que ela era "um ser contra a natureza". Ela respondeu orgulhosamente que o sentimento que tinha pelo pai era um amor "natural". Depois dessa farsa sinistra, Anaïs Nin foi consultar Otto Rank*.

No fim da vida, Allendy contou sua própria agonia, de modo comovedor, no *Diário de um médico doente*, obra póstuma.

• René Allendy, *Journal d'un médecin malade, ou six mois de lutte contre la mort*, Paris, Denoël e Steele, 1944 • Élisabeth Roudinesco, *História da psicanálise na França*, vol.1 (Paris, 1982), Rio de Janeiro, Jorge Zahar, 1989 • Deirdre Bair, *Anaïs Nin. Biographie* (N. York, 1995), Paris, Stock, 1996.

➢ FRANÇA.

Ambulatorium

➢ HITSCHMANN, EDUARD.

América

➢ AMERICAN PSYCHOANALYTIC ASSOCIATION; ANNAFREUDISMO; ARGENTINA; ASSOCIAÇÃO BRASILEIRA DE PSICANÁLISE; ASSOCIATION MONDIALE DE PSYCHANALYSE; BRASIL; CANADÁ; *EGO PSYCHOLOGY*; ESTADOS UNIDOS; FEDERAÇÃO PSICANALÍTICA DA AMÉRICA LATINA; FREUDISMO; HISTÓRIA DA PSICANÁLISE; HISTORIOGRAFIA; IGREJA; KLEINISMO; LACANISMO; *SELF PSYCHOLOGY*.

American Psychoanalytic Association (APsaA)

(Associação Psicanalítica Americana)

Fundada por Ernest Jones* em 1911, a American Psychoanalytic Association (APsaA) é a única associação regional (*regional association*) da International Psychoanalytical Association* (IPA). Reúne sociedades psicanalíticas ditas "filiadas" (*affiliate societies*), das quais dependem os institutos de formação (*training institutes*). Essas sociedades são reconhecidas pela IPA através de sua filiação à APsaA. Somam um total de quarenta, havendo entre elas cinco grupos de estudos (*study groups*). A elas se juntam 19 institutos distribuídos pelas principais cidades dos Estados Unidos* e quatro sociedades norte-americanas provisórias, que não fazem parte da APsaA mas estão diretamente ligadas à IPA: o Institute for Psychoanalytic Training and Research, o Los Angeles Institute and Society for Psychoanalytic Studies, The New York Freudian Society e o Psychoanalytic Center of California.

Decorridos setenta anos desde sua fundação, a APsaA continua a ser a maior potência freudiana da IPA, com cerca de 3.500 psicanalistas para 263 milhões de habitantes, isto é, pouco mais de um terço do efetivo global da IPA, ou uma densidade de 13 psicanalistas por milhão de habitantes. A eles se somam os psicanalistas norte-americanos de todas as tendências que não fazem parte da IPA, e que são aproximadamente oito a nove mil.

Além da APsaA, existem outras duas grandes organizações que não têm o estatuto de associações regionais: a Federação Européia de Psicanálise* (FEP), que vem progredindo graças à reconstrução da psicanálise, depois de 1989, nos antigos países comunistas, e a Federação Psicanalítica da América Latina (FEPAL), ainda em expansão, cada qual composta por cerca de três mil membros.

• *Roster. The International Psychoanalytical Association Trust*, 1996-1997.

➤ ASSOCIAÇÃO BRASILEIRA DE PSICANÁLISE; ASSOCIATION MONDIALE DE PSYCHANALYSE; AUSTRÁLIA; CANADÁ; FREUDISMO; HISTÓRIA DA PSICANÁLISE; ÍNDIA; JAPÃO; KLEINISMO.

amor de transferência
➤ TRANSFERÊNCIA.

anaclítica, depressão
al. *Anlehnungsdepression*; esp. *depressión anaclítica*; fr. *dépression anaclitique*; ing. *anaclitic depression*

Termo criado por René Spitz* em 1945, para designar uma síndrome depressiva que afeta a criança privada da mãe depois de ter tido uma relação normal com ela durante os primeiros meses de vida.

A depressão anaclítica distingue-se do hospitalismo*, outro termo cunhado por Spitz para designar, dessa vez, a separação duradoura entre a mãe e o filho, gerada por uma estada prolongada deste último no meio hospitalar, e que acarreta distúrbios profundos, às vezes irreversíveis ou de natureza psicótica. A depressão anaclítica pode desaparecer quando a criança se reencontra com a mãe.

Na literatura psicanalítica inglesa e norte-americana, o adjetivo "anaclítico" é equivalente ao apoio*.

➤ APOIO.

análise didática
al. *Lehranalyse* ou *didaktische Analyse*; esp. *análisis didáctico*; fr. *analyse didactique*; ing. *training analysis*

Termo empregado a partir de 1922 e adotado, em 1925, pela International Psychoanalytical Association* (IPA), para designar a psicanálise* de quem se destina à profissão de psicanalista. Trata-se de uma formação obrigatória.

Foi Carl Gustav Jung* quem primeiro teve a idéia, trabalhando com Eugen Bleuler* na Clínica do Burghölzli, de "tratar os alunos como pacientes", e foi também ele, como sublinha Sigmund Freud* num artigo de 1912, quem "ressaltou a necessidade de que toda pessoa que quisesse praticar a análise se submetesse antes a essa experiência, ela mesma, com um analista qualificado".

No começo do século, Freud adquiriu o hábito de tratar através da psicanálise alguns de seus discípulos que apresentavam distúrbios psíquicos, como Wilhelm Stekel*, por exemplo. Jung fez o mesmo na clínica de Zurique, onde alguns internos que tinham ido tratar-se adotaram posteriormente o método de tratamento que os havia "curado", preocupados em ajudar seus semelhantes. Por outro lado, vários dos grandes pioneiros da psicanálise, de Poul Bjerre a Victor Tausk*, passando por Hermine von Hug-Hellmuth* e até Mélanie Klein*, eram afetados pelos mesmos males psíquicos que seus pacientes e, tal como Freud com sua auto-análise*, experimentaram os princípios da investigação do inconsciente*. Nesse sentido, Henri F. Ellenberger* teve razão em observar que a análise didática derivou, simultaneamente, da "doença iniciática" que confere ao xamã seu poder de cura e da "neurose criadora", tal como a vivenciaram e descreveram os grandes pioneiros da descoberta do inconsciente.

O princípio da análise didática enraizou-se espontaneamente no cerne da Sociedade Psicológica das Quartas-Feiras*, e depois foi sendo elaborado conforme as reflexões do movimento sobre a contratransferência*. Não havendo nenhuma regra estabelecida, Freud e seus discípulos não hesitavam em aceitar em análise as pessoas íntimas (amigos, amantes, concubinas) ou os membros de uma mesma família (mulheres, filhos, sobrinhos) e em misturar estreitamente as relações amorosas e profissionais. Foi assim que Jung tornou-se amante de Sabina Spielrein*, Freud analisou sua própria filha e se viu implicado num incrível imbróglio com Ruth Mack-Brunswick*, Sandor Ferenczi* foi analista de sua mulher e da filha desta, por quem se apaixonou, e Erich Fromm* tornou-se terapeuta da filha de Karen Horney*, de quem tinha sido companheiro.

Em 1919, no congresso da IPA em Budapeste, Hermann Nunberg* propôs pela primeira vez que uma das condições exigidas para o tornar-se analista fosse ter feito análise. Mas Otto Rank*, apoiado por Ferenczi, opôs-se a que a moção fosse votada. Entretanto, a idéia seguiu seu curso e, em 1920, a criação do famoso Berliner Psychoanalytisches Institut* (Instituto Psicanalítico de Berlim, ou BPI), integrado à Policlínica do mesmo nome, desempenhou um papel decisivo na instauração dos princípios da análise didática no seio da IPA. Assim, em 1925, no Congresso de Bad-Homburg, ela foi tornada obrigatória por Max Eitingon* para todas as sociedades psicanalíticas, juntamente com a supervisão*.

A partir dessa data, começaram a ser encarados como transgressões os costumes anárquicos da época anterior. Aos olhos dos dirigentes da IPA, a instauração de regras padronizadas deveria permitir que se socializassem as relações entre professor e aluno e que fossem afastadas as práticas de idolatria e imitação de Freud. Ora, ao longo dos anos, a IPA se havia transformado num vasto aparelho atormentado pelo culto da personalidade. Em 1948, Michael Balint* comparou o sistema de formação analítica às cerimônias iniciáticas: "Sabemos que o objetivo geral de todos os ritos de iniciação é forçar o candidato a se identificar com seu iniciador, a introjetar o iniciador e seus ideais, e a construir, a partir de suas identificações*, um supereu* forte que o domine pela vida afora."

Reencontrou-se assim, na análise didática, o poder de sugestão* que Freud havia banido da prática da psicanálise. Em conseqüência disso, seus herdeiros passaram a correr o risco de se transformar em discípulos devotos de mestres medíocres, quer por se tomarem por novos profetas, quer por aceitarem em silêncio a esclerose institucional.

Essa crise da formação psicanalítica marcou todos os debates da segunda metade do século XX e esteve na origem de numerosos conflitos dentro do movimento freudiano, desde as Grandes Controvérsias*, ao longo das quais se opuseram kleinianos e annafreudianos, até a cisão* francesa de 1963, que levou Jacques Lacan* a deixar a IPA.

No interior da legitimidade freudiana, tanto nos Estados Unidos* quanto na Grã-Bretanha* ou na Argentina*, inúmeros psicanalistas contestaram a rigidez burocrática das regras da análise didática, dentre eles Siegfried Bernfeld*, Donald Woods Winnicott*, Masud Khan*, Marie Langer* etc.

• Sigmund Freud, "As perspectivas futuras da terapia psicanalítica" (1910), ESB, XI, 127-40; GW, VIII, 104-15; SE, XI, 139-51; in La Technique psychanalytique, Paris, PUF, 1953, 23-42; "Recomendações aos médicos que exercem a psicanálise" (1912), ESB, XII, 149-63; GW, VIII, 376-87; SE, XII, 109-20; ibid., 61-71, "Análise terminável e interminável" (1937), ESB, XXIII, 247-90; GW, XVI, 59-99; SE, XXIII, 209-53; in Résultats, idées, problèmes, II, Paris, PUF, 1985, 231-69 • On forme des psychanalystes. Rapport original sur les dix ans de l'Institut Psychanalytique de Berlin, apresentação de Fanny Colonomos, Paris, Denoël, 1985 • Max Eitingon, "Allocution au IXᵉ Congrès Psychanalytique" (1925), in Moustapha Safouan, Philippe Julien e Christian Hoffmann, Malaise dans l'institution, Estrasburgo, Arcanes, 1995, 105-13 • Sandor Ferenczi, "Elasticidade da técnica psicanalítica" (1928), in Psicanálise IV, Obras completas, 1927-1933 (Paris, 1982), S. Paulo, Martins Fontes, 1994, 25-34; "O processo da formação psicanalítica" (1928), ibid., 209-14; "O problema do fim da análise" (1928), ibid., 15-24 • Michael Balint, "A propos du système de formation psychanalytique" (1948), in Amour primaire et technique psychanalytique, Paris, Payot, 1972, 285-308 • Siegfried Bernfeld, "On psychoanalytic training", The Psychoanalytic Quarterly, 31, 1962, 453-82 • Edward D. Joseph e Daniel Widlöcher (orgs.), L'Identité du psychanalyste, Paris, PUF 1979 • Serge Lebovici e Albert J. Solnit (orgs.), La Formation du psychanalyste, Paris, PUF, 1982 • Élisabeth Roudinesco, História da psicanálise na França, 2 vols. (Paris, 1982, 1986), Rio de Janeiro, Jorge Zahar, 1989, 1988; Jacques Lacan. Esboço de uma vida, história de um sistema de pensamento (Paris, 1993), S. Paulo, Companhia das Letras, 1994 • Moustapha Safouan, Jacques Lacan et la question de la formation des analystes, Paris, Seuil, 1983; Le Transfert et le désir de l'analyste, Paris, Seuil, 1988 • Ernst Falzeder, "Filiations psychanalytiques: la psychanalyse prend effet", in André Haynal (org.), La Psychanalyse: cent ans déjà (Londres, 1994), Genebra, Georg, 1996, 255-89.

➢ ALEMANHA; ÉCOLE FREUDIENNE DE PARIS; PASSE; SACHS, HANNS; TÉCNICA DA PSICANÁLISE; TRANSFERÊNCIA.

análise direta

al. *Direkte Analyse*; esp. *análisis directo*; fr. *analyse directe*; ing. *direct analysis*

Método de psicoterapia* de inspiração kleiniana, inventado pelo psiquiatra norte-americano John Rosen para o tratamento das psicoses*.

Foi no contexto da evolução da técnica psicanalítica*, e em seguida a grandes inovações propostas pelos diferentes discípulos de Sigmund Freud*, que se criou esse método "ativo", pelo qual o analista intervém de maneira diretiva, e às vezes violenta, para fazer interpretações ao paciente, ocupando na transferência* a posição de uma mãe idealizada ou de uma "boa mãe". Trata-se de compensar o eu* fraco do sujeito* através de um ambiente linguageiro que remeta à situação pré-natal, a fim de superar as deficiências e carências da relação arcaica com a mãe.

• John Rosen, *L'Analyse directe* (N. York, 1953), Paris, PUF, 1960.

➢ BION, WILFRED RUPRECHT; *BORDERLINE*; ESQUIZOFRENIA; INVEJA; OBJETO (BOM E MAU); POSIÇÃO DEPRESSIVA/POSIÇÃO ESQUIZO-PARANÓIDE; *SELF PSYCHOLOGY*.

análise existencial (*Daseinanalyse*)

Termo cunhado na língua alemã em 1924, pelo psiquiatra Jakob Wyrsch, para designar o método terapêutico proposto por Ludwig Binswanger*. Este mistura a psicanálise freudiana com a fenomenologia heideggeriana e toma por objeto a existência do sujeito*, segundo a tríplice dimensão do tempo, do espaço e de sua relação com o mundo. Por extensão, a análise existencial acabaria por abranger todas as correntes fenomenológicas de psicoterapia*.

Na França, na Suíça e na Áustria desenvolveu-se uma escola de psicoterapia marcada pela dupla corrente filosófica da fenomenologia e do existencialismo. Duas formas de prática estão ligadas a ela: a psicoterapia existencial e a *Daseinanalyse* (*Dasein*: ser-aí, existência) ou análise existencial. A primeira, derivada de Søren Kierkegaard (1813-1855) e do antigo tratamento anímico valorizado pelos pastores protestantes, considera a neurose* um "mundo inautêntico", do qual o doente deve conscientizar-se através do encontro com um terapeuta. A segunda, inventada por Ludwig Binswanger a partir das teses de Edmund Husserl (1859-1938) e Martin Heidegger (1889-1976), toma por objeto a estrutura da existência individual na neurose e na psicose*, a fim de estudar o devir do tempo, do espaço e da representação em cada sujeito.

Entre os adeptos franceses da análise existencial encontramos Eugène Minkowski*, o Jean-Paul Sartre de *O ser e o nada* e o jovem Michel Foucault (até 1954). Quanto a Jacques Lacan*, se não adotou a análise existencial, efetivamente passou pela fenomenologia no entre-guerras, antes de refundir filosoficamente a obra freudiana com base em outros postulados.

Na Áustria, é a teoria personalista de Igor Caruso*, baseada na idéia da "psicologia profunda", que melhor representa a corrente da psicoterapia existencial. A ela vem somar-se a logoterapia (terapia pela vontade de sentido) do psiquiatra austríaco Viktor Frankl, que rejeita a doutrina freudiana da pulsão* e do isso*, privilegiando um inconsciente* espiritual ou existencial, isto é, a chamada parte "nobre" do psiquismo (o eu*, o consciente*). Na Grã-Bretanha*, é essencialmente em Ronald Laing* que encontramos a temática existencial.

• Jean-Paul Sartre, *O ser e o nada* (Paris, 1943), Petrópolis, Vozes, 1997 • Ludwig Binswanger, *Le Rêve et l'existence* (Zurique, 1930), Paris, Desclée de Brouwer, 1954; *Discours, parcours et Freud* (Berna, 1947), Paris, Gallimard, 1970 • Viktor Frankl, *La Psychothérapie et son image de l'homme*, Paris, Resma, 1970 • Jean-Baptiste Fagès, *Histoire de la psychanalyse après Freud* (Toulouse, 1976), Paris, Odile Jacob, 1966 • Michel Foucault, "Introduction" (1954), in *Dits et Écrits*, vol.1, Paris, Gallimard, 1994 • Henri F. Ellenberger, *La Psychiatrie suisse*, série de artigos publicados de 1951 a 1953 em *L'Évolution Psychiatrique*, Aurillac, s/d.; *Médecines de l'âme. Essais d'histoire de la folie et des guérisons psychiques*, Paris, Fayard, 1995.

➢ ANÁLISE DIRETA; ESQUIZOFRENIA; GESTALT-TERAPIA; MELANCOLIA; NEOFREUDISMO; REICH, WILHELM; *SELF PSYCHOLOGY*; TERAPIA DE FAMÍLIA.

análise leiga (ou profana)

al. *Laienanalyse*; esp. *análisis profano*; fr. *analyse profane*; ing. *lay-analysis*

Chama-se análise leiga ou análise profana, ou ainda psicanálise* leiga ou profana, à psicanálise praticada por não-médicos. Os dois adjetivos (leiga e profana) significam também que a psicanálise, na ótica freudiana, é uma disciplina perfeitamente distinta de todos os tratamentos da alma e de todas as formas de confissões terapêuticas ligadas às diversas religiões. Por conseguinte, ela deve construir seus próprios critérios de formação profissional, sem se subordinar nem à medicina (da qual a psiquiatria faz parte) nem a qualquer Igreja*, seja esta ligada ao protestantismo, ao catolicismo, ao judaísmo, ao islamismo ou ao budismo, nem tampouco às religiões animistas ou às seitas.

Sob esse aspecto, a única formação aceitável para um psicanalista, sejam quais forem seu grau universitário e sua religião, é submeter-se a uma análise didática* e, em seguida, a uma supervisão*, de acordo com as regras ditadas pela International Psychoanalytical Association* (IPA) a partir de 1925. Essas regras, aliás, com algumas variações, são aceitas pela totalidade dos praticantes que reivindicam o freudismo* no mundo, quer sejam ou não membros da IPA, pertençam ou não a suas diversas correntes — lacanismo*, Self Psychology* etc.

Como a psicanálise se inscreve na história da medicina, na medida em que é um dos grandes componentes da psiquiatria dinâmica*, ela foi implantada na maioria dos países por intermédio da medicina e da psiquiatra. Por conseguinte, foi essencialmente praticada, desde sua origem, por homens e mulheres que receberam formação médica ou psiquiátrica, conforme as regras de transmissão do saber próprias de cada país. Aliás, paradoxalmente, é isso que lhe assegura sua laicidade, já que a medicina está mais ligada à ciência do que à religião. Nos países em que a psiquiatria não se desenvolveu e onde a loucura* é tida como um fenômeno de origem divina ou demoníaca, a psicanálise não foi implantada.

Todavia, há uma contradição entre a autonomia necessária da psicanálise e os critérios de sua prática profissional, quando esta decorre do ofício de psiquiatra ou médico. Foi essa tensão que esteve na origem do grande conflito desen-cadeado em 1926 pelo próprio Sigmund Freud*, com a publicação de *A questão da análise leiga**.

Ferrenho defensor da análise leiga e da prática da psicanálise por não-médicos, Freud foi muito duramente combatido por seus próprios discípulos, sobretudo Abraham Arden Brill*, e pelos membros da poderosíssima American Psychoanalytic Association (APsaA), que pretendiam restringir aos médicos a prática da psicanálise.

Em virtude da emigração maciça de psicanalistas europeus para os Estados Unidos*, em conseqüência do nazismo*, Freud e seus partidários perderam a batalha da análise leiga durante o entre-guerras. Na Europa, nesse período, foi nos Países Baixos* que os conflitos entre os defensores e os adversários da análise leiga assumiram um toque dramático, tingido de anti-semitismo e xenofobia.

A partir de 1945, com o desenvolvimento considerável da psicologia e de seu ensino universitário nos grandes países democráticos, a questão da análise leiga colocou-se em novos termos. Maciçamente, a psicanálise passou então a ser praticada, com efeito, não mais apenas por médicos ou psiquiatras, mas por psicoterapeutas que haviam recebido formação como psicólogos, em geral na universidade. Depois de ter sido engolida pela psiquiatria, ela corria o risco de ser tragada pela psicologia e confundida com as diferentes psicoterapias*. Por isso, os psicanalistas reafirmaram vigorosamente a existência de suas próprias instituições, as únicas capazes de definir os critérios da formação psicanalítica: análise didática e supervisão.

• Sigmund Freud, *A questão da análise leiga* (1926), *ESB*, XX, 211-84; *GW*, XIV, 209-86; *SE*, XX, 183-258; *OC*, XVIII, 1-92.

➢ HISTÓRIA DA PSICANÁLISE; LAGACHE, DANIEL; PSICOLOGIA CLÍNICA; PSICOTERAPIA INSTITUCIONAL; REIK, THEODOR.

análise mútua
➢ FERENCZI, SANDOR; TÉCNICA PSICANALÍTICA.

análise originária
➢ AUTO-ANÁLISE.

análise profana

➤ ANÁLISE LEIGA.

análise selvagem

➤ GRODDECK, GEORG; INTERPRETAÇÃO.

análise transacional

al. *Vermittelnd Analyse*; esp. *análisis transacional*; fr. *analyse transactionnelle*; ing. *transactional analysis*

Método de psicoterapia* inventado pelo psicanalista norte-americano Eric Berne (1910-1970), centrado na análise do eu* em suas relações com o outro.

Nascido em Montreal e havendo depois emigrado para os Estados Unidos*, Eric Berne afastou-se do freudismo* clássico ao se instalar em São Francisco, após a Segunda Guerra Mundial. Foi ali que aperfeiçoou o método que o tornou célebre. Próximo da terapia de família*, este consistia em restabelecer a comunicação ou "transação" entre os membros de uma mesma família ou grupo social dados, a partir de uma análise das relações do eu com seu círculo.

• Eric Berne, *Des jeux et des hommes. Psychologie des relations humaines* (1964), Paris, Stock, 1966.

➤ ANÁLISE EXISTENCIAL; GESTALT-TERAPIA; NEO-FREUDISMO; SCHULTZ, JOHANNES; TÉCNICA PSICANALÍTICA; TERAPIA DE FAMÍLIA.

Andersson, Ola (1919-1990)

psicanalista sueco

Pioneiro da historiografia* erudita, Ola Andersson teve um destino curioso no movimento freudiano. O único livro que escreveu, publicado em 1962 com o título de *Studies in the Prehistory of Psychoanalysis. The Etiology of Psychoneuroses* (1886-1896), foi completamente ignorado na Suécia nos meios psicanalíticos, embora seu autor ocupasse funções acadêmicas importantes e fosse responsável pela tradução sueca das obras de Sigmund Freud*.

Nascido no norte do país, em Lulea, Ola Andersson era de uma família de proprietários rurais protestantes e puritanos, que levavam uma vida itinerante antes de se estabelecerem em Estocolmo. O pai, Carl Andersson, era funcionário e, como inspetor das escolas primárias durante o período entre as duas guerras, foi temido por uma geração de professores, por causa da severidade de seus julgamentos.

Foi em Lund que Ola Andersson estudou letras antes de abraçar a carreira de professor. A partir de 1947, exerceu sua profissão em diferentes instituições, primeiro em um centro de formação para trabalhadores sociais, filiado à Igreja sueca, depois em uma escola de psicoterapia de inspiração religiosa, e enfim no departamento de pedagogia na Universidade de Estocolmo.

Com a idade de 20 anos, interessou-se pela psicanálise. Em 1948, fez contato com um dos pioneiros da Sociedade Psicanalítica Sueca, que o enviou a René De Monchy*, recentemente estabelecido na Suécia, com quem fez uma análise didática de cinco anos. Começou depois outro período de análise com Lajos Székely (1904-1995), emigrado da Hungria* e também ele analisando de De Monchy.

Fugindo dos conflitos internos na Sociedade Psicanalítica Sueca, que ocorreram depois do retorno de De Monchy aos Países Baixos*, Andersson decidiu dedicar-se essencialmente ao ensino, à pesquisa histórica e à tradução da obra freudiana. E, se foi membro titular da Sociedade, desempenhou nela apenas um papel secundário.

Em dezembro de 1962, defendeu uma tese sobre as origens do freudismo, o que lhe valeu o título prestigioso de *Dozent*. Publicou-a imediatamente e, assim, graças a esse trabalho magistral, pôde relacionar-se com Henri F. Ellenberger* que, por sua vez, começava a "revisar" a historiografia oficial do freudismo na perspectiva da constituição de uma história erudita. No seu próprio trabalho, Andersson empreendeu então a primeira grande revisão de um caso *princeps* dos Estudos sobre a histeria*: o caso "Emmy von N.". Descobriu seu nome verdadeiro, Fanny Moser*, expôs a sua história no congresso da International Psychoanalytical Association* (IPA) de Amsterdam em 1965, e esperou 14 anos para publicar um artigo sobre esse tema na *The Scandinavian Psychoanalytic Review*.

Aliás, Andersson renovou completamente o estudo das relações de Sigmund Freud com

Jean Martin Charcot*, Hippolyte Bernheim* e Josef Breuer*. Evidenciou também as fontes do pensamento freudiano, em especial os empréstimos feitos aos trabalhos de Johann Friedrich Herbart*. Entretanto, ao contrário de Ellenberger, continuou apegado, como membro da IPA, à ortodoxia oriunda de Ernest Jones*, cujo trabalho biográfico admirava, o que o impediu de empenhar-se mais na história erudita. Sofreu muito com seu isolamento no seio da Sociedade Psicanalítica Sueca, a ponto de pedir a Ellenberger, em 1976, que o ajudasse a emigrar para os Estados Unidos*. Mas nunca realizou essa intenção.

Andersson deixou instruções para que, depois de morto, seu corpo fosse cremado e suas cinzas dispersadas. Seus dois filhos mudaram de sobrenome, preferindo usar o da mãe, como permite a lei sueca. O nome desse psicanalista, ao mesmo tempo integrado e marginal, foi realmente apagado da história intelectual de seu país, a ponto de não figurar na *Enciclopédia nacional sueca*, ele que havia escrito tantos artigos em diversas enciclopédias suecas.

• Ola Andersson, *Freud avant Freud. La Préhistoire de la psychanalyse* (Estocolmo, 1962), Paris, Synthélabo, col. "Les empêcheurs de penser en rond", 1997 • Henri F. Ellenberger, *Médecins de l'âme. Essais d'histoire de la folie et des guérisons psychiques*, Paris, Fayard, 1995.

Andreas-Salomé, Lou, *née* Lelia (Louise) von Salomé (1861-1937)
intelectual e psicanalista alemã

Mais por sua vida do que por suas obras, Lou Andreas-Salomé teve um destino excepcional na história do século XX. Figura emblemática da feminilidade narcísica, concebia o amor sexual como uma paixão física que se esgotava logo que o desejo* fosse saciado. Só o amor intelectual, fundado na mais absoluta fidelidade, era capaz, dizia ela, de resistir ao tempo.

Em seu pequeno opúsculo sobre o erotismo, publicado um ano antes de seu encontro com Sigmund Freud*, Lou comentou um dos grandes temas da literatura — de *Madame Bovary* a *Ana Karenina* — segundo o qual o conflito entre a loucura* amorosa e a quietude conjugal, quase sempre impossível de superar, deve ser plenamente vivido. "Lou sabia, escreveu H.G.

Peters, seu melhor biógrafo, que seus argumentos em favor de um casamento que permitisse a cada parceiro a liberdade regeneradora de festins de amor periódicos eram bastante fantasiosos, não só porque contrariavam mandamentos morais da maioria das religiões, mas também porque eram incompatíveis com o poderoso instinto possessivo, profundamente enraizado no homem."

Entretanto, durante toda a vida, ela não deixou de pôr em prática esse conflito, mesmo fazendo crer (erroneamente) que era um monstro de narcisismo* e de amoralidade. Ironizava as invectivas, os boatos e os escândalos, decidida a não se dobrar às imposições sociais. Depois de Nietzsche (1844-1900) e de Rilke (1875-1926), Freud ficou deslumbrado por essa mulher, a quem amou ternamente e que revolucionou a sua existência. Efetivamente, eles se pareciam: mesmo orgulho, mesma beleza, mesmos excessos, mesma energia, mesma coragem, mesma maneira de amar e possuir febrilmente os objetos de eleição. Um escolhera a abstinência sexual com a mesma força e a mesma vontade que levavam a outra a satisfazer os seus desejos. Tinham em comum a intransigência, a certeza de que jamais a amizade deveria mascarar as divergências, nem limitar a liberdade de cada um.

Nascida em São Petersburgo, em uma família da aristocracia alemã, Lou Salomé era filha de um general do exército dos Romanov. Com a idade de 17 anos, recusando-se a ser confirmada pelo pastor da Igreja evangélica reformada, à qual pertencia sua família, colocou-se sob a direção de outro pastor, Hendrik Gillot, dândi brilhante e culto, que se apaixonou por ela logo que a iniciou na leitura dos grandes filósofos. Lou recusou o casamento, ficou doente e deixou a Rússia*. Instalando-se em Zurique com a mãe, procurou na teologia, na arte e na religião um meio de acesso ao mundo intelectual com que sonhava.

Graças a Malwida von Meysenburg (1816-1903), grande dama do feminismo alemão, ficou conhecendo o escritor Paul Rée (1849-1901), que lhe apresentou Nietzsche. Persuadido de que encontrara a única mulher capaz de compreendê-lo, este lhe fez um pedido solene de casamento. Lou recusou-se. A esses dois homens, profundamente apaixonados por ela, propôs então constituírem uma espécie de trindade intelectual, e em maio de 1882, para selar o pacto, fizeram-se fotografar juntos, diante de um cenário de papelão: Nietzsche e Rée atrelados a uma charrete, Lou segurando as rédeas. Essa foto faria escândalo. Desesperado, Nietzsche escreveu no *Zaratustra* esta frase famosa: "Vais encontrar as mulheres? Não esqueças o chicote."

Foi a adesão ao narcisismo nietzschiano, e de modo mais geral o culto do ego, característico da *Lebensphilosophie* (filosofia da vida) *fin de siècle*, que preparou o encontro de Lou com a psicanálise*. Em todos os seus textos, como observou Jacques Le Rider, ela procurava encontrar um eros cosmogônico, capaz de compensar a perda irreparável do sentimento de Deus.

Em junho de 1887, Lou casou-se com o orientalista alemão Friedrich-Carl Andreas, que ensinava na Universidade de Göttingen. O casamento não foi consumado, e Georg Ledebourg, fundador do Partido Social-Democrata alemão tornou-se seu primeiro amante, algum tempo antes de Friedrich Pineles, médico vienense. Essa segunda ligação terminou com um aborto e uma trágica renúncia à maternidade. Lou instalou-se então em Munique, onde ficou conhecendo o jovem poeta Rainer Maria Rilke: "Fui tua mulher durante anos, escreveria ela em *Minha vida*, porque foste a primeira realidade, em que o homem e o corpo são indiscerníveis um do outro, fato incontestável da própria vida [...]. Éramos irmão e irmã, mas como naquele passado longínquo, antes que o casamento entre irmão e irmã se tornasse um sacrilégio."

A ruptura com Rilke não pôs fim ao amor que os unia, e como diria Freud em 1937, "ela foi ao mesmo tempo a musa e a mãe zelosa do grande poeta [...] que era tão infeliz diante da vida".

Foi em 1911, em Weimar, no congresso da International Psychoanalytical Association* (IPA), que ela se encontrou com Freud pela primeira vez, graças a Poul Bjerre*. Pediu-lhe imediatamente que a "iniciasse" na psicanálise. Freud começou a rir: "Acha que eu sou o Papai Noel?", disse ele. Embora ela tivesse apenas cinco anos a menos que ele, comportava-se como uma criança: "O tempo suavizara os seus traços, escreveu H.G. Peters, e ela acrescentava a isso uma certa feminilidade, usando peles macias, xales e adornos de plumas sobre as espáduas [...]. Sua beleza física era igualada, senão superada, pela vivacidade do seu espírito, pela sua alegria de viver, sua inteligência e sua calorosa humanidade."

Freud não se enganou. Compreendeu logo que Lou desejava verdadeiramente dedicar-se à psicanálise e que nada a deteria. Assim, admitiu-a entre os membros da Wiener Psychoanalytische Vereinigung (WPV). Sua presença muda mostrava aos olhos de todos uma continuidade entre Nietzsche e Freud, entre Viena* e a cultura alemã, entre a literatura e a psicanálise. Evidentemente, Freud estava apaixonado por ela e por isso sempre enfatizaria, como que para se defender do que sentia, que esse apego era estranho a qualquer atração sexual. Em seu artigo de 1914 sobre o narcisismo, era nela que pensava quando descreveu os traços tão particulares dessas mulheres, que se assemelham a grandes animais solitários mergulhados na contemplação de si mesmos.

Instalando-se em Viena em 1912, Lou assistiu ao mesmo tempo às reuniões do círculo freudiano e às de Alfred Adler*. Enciumado mas respeitoso, Freud a deixava livre, sem deixar de fazer algumas maldades. Uma noite, sentindo sua ausência, escreveu-lhe: "Senti sua falta ontem à noite na sessão, e fico feliz por saber que sua visita ao campo do protesto masculino é estranha à sua ausência. Tomei o mau hábito de dirigir sempre minha conferência a uma certa pessoa do meu círculo de ouvintes, e ontem não parei de fixar, como que fascinado, o lugar vazio reservado para você."

Logo ela abraçou exclusivamente a causa do freudismo*. Foi então que se apaixonou por Viktor Tausk*, o homem mais belo e mais melancólico do círculo freudiano. Tornou-se sua amante. Ele tinha quase vinte anos menos que ela. A seu lado, ela iniciou-se na prática analítica, visitou hospitais, observou casos que lhe interessavam, encontrou-se com intelectuais vienenses. Com ele e com Freud, reconstituiu um trio semelhante ao que formara com Nietzsche e Rée. Mais uma vez, a história acabaria em tragédia.

Introduzida no círculo da Berggasse, tornou-se familiar da casa e apegou-se particularmente a Anna Freud*. Depois das reuniões das quartas-feiras, Freud a conduzia a seu hotel; depois de cada jantar, a cumulava de flores.

A iniciação de Lou na psicanálise passou também por uma longa correspondência com Freud. Progressivamente, ela abandonou a literatura romanesca pela prática do tratamento, que lhe proporcionava uma satisfação desconhecida. Em Königsberg, onde passou seis meses em 1923, analisou cinco médicos e seus pacientes. Em Göttingen, na sua casa, trabalhava às vezes durante dez horas, a tal ponto que Freud a advertiu em uma carta de agosto de 1923: "Fiquei sabendo com temor — e pela melhor fonte — que todos os dias você dedica até dez horas à psicanálise. Naturalmente, considero isso uma tentativa de suicídio mal dissimulada, o que muito me surpreende, pois, que eu saiba, você tem muito poucos sentimentos de culpa neurótica. Portanto, insisto que pare e de preferência aumente o preço de suas consultas em um quarto ou na metade, segundo as flutuações da queda do marco. Parece que a arte de contar foi esquecida pela multidão de fadas que se reuniram em torno do seu berço quando você nasceu. Por favor, não jogue pela janela este meu aviso."

Empobrecida pela inflação que assolava a Alemanha* e obrigada a manter os membros de sua família arruinados pela Revolução de Outubro, Lou não conseguia suprir suas necessidades. Embora nunca pedisse nada, Freud lhe enviava somas generosas e dividia com ela, como dizia, a sua "fortuna recentemente adquirida". Convidou-a para sua casa em Viena, onde passaram juntos dias "cheios de riqueza". Freud deu-lhe, como sinal de fidelidade, um dos anéis reservados aos membros do Comitê Secreto*. Chamava-a "caríssima Lou" e lhe confiava os seus pensamentos mais íntimos, principalmente a respeito de sua filha Anna, cuja análise se fazia em condições difíceis. Lou tornou-se confidente da filha de Freud e até sua segunda analista, quando isso se tornou necessário. Ao longo da correspondência, pode-se ver como Freud e ela evoluem para a velhice e conservam ambos uma coragem exemplar diante da doença.

Para comemorar o seu 75º aniversário, Lou decidiu dedicar a Freud um livro, para expressar sua gratidão e alguns desacordos. Criticava principalmente os erros cometidos pela psicanálise a respeito da criação estética, reduzida abusivamente, dizia ela, a um caso de recalque. Freud aceitou sem reservas a argumentação, mas tentou conseguir que ela mudasse o título da obra (*Minha gratidão a Freud*). Ela não cedeu. "Pela primeira vez, escreveu ele, fiquei impressionado com o que existe de refinadamente feminino no seu trabalho intelectual. Quando, irritado pela eterna ambivalência, eu desejaria deixar tudo em desordem, você interveio, classificou, organizou e demonstrou que assim as coisas também poderiam ser agradáveis."

A partir de 1933, Lou assistiu com horror à instauração do regime nazista. Conhecia o ódio que lhe consagrava Elisabeth Forster (1846-1935), irmã de Nietzsche, que se tornara adepta fervorosa do hitlerismo. Conhecia os desvios que esta impusera à filosofia do homem de quem fora tão próxima e que tanto admirava. Não ignorava que os burgueses de Göttingen a chamavam A Feiticeira. Mas decidiu não fugir da Alemanha. Alguns dias depois de sua morte, um funcionário da Gestapo foi à sua casa para confiscar a biblioteca, que seria jogada nos porões da prefeitura: "Apresentou-se como razão para esse confisco, escreveu Peters, que Lou fora psicanalista e praticara aquilo que os nazistas chamavam de ciência judaica, que ela fora colaboradora e amiga íntima de Sigmund Freud e que a sua biblioteca estava apinhada de autores judeus."

• Lou Andreas-Salomé, *Fenitschka* (Stuttgart, 1898), Paris, Des Femmes, 1985; "Érotisme" (Frankfurt, 1910, Munique, 1979), in *Eros*, Paris, Minuit, 1984; *Rainer Maria Rilke* (Leipzig, 1928), Paris, Marendell, 1989; *Ma gratitude envers Freud* (Viena, 1931, Paris, 1983), Seuil, col. "Points", 1987, traduzido com o título *Lettre ouverte à Freud; Ma vie* (Zurique, 1951, Frankfurt 1977), Paris, PUF, 1977; *L'Amour du narcissisme*, Paris, Gallimard, 1980; *Carnets intimes des dernières années* (Frankfurt, 1982), Paris, Hachette, 1983; *En Russie avec Rilke, 1900. Journal inédit*, Paris, Seuil, 1992 • *Freud/Lou Andréas-Salomé: correspondência completa* (Frankfurt, 1966), Rio de Janeiro, Imago, 1975 • *Nietzsche, Rée, Salomé, Correspondance* (Frankfurt, 1970), Paris, PUF, 1979 • Sigmund Freud, "Lou Andreas-Salomé" (1937), *ESB*, XXIII, 333-4; *GW*,

XVI, 270; *SE*, XXIII, 297-8 • H.F. Peter, *Lou: minha irmã, minha esposa* (N. York, 1962), Rio de Janeiro, Jorge Zahar, 1986 • Rudolph Binion, *Frau Lou, Nietzsche's Wayward Disciple*, Princeton, Princeton University Press, 1968 • Angela Livingstone, *Lou Andreas-Salomé* (Londres, 1984), Paris, PUF, 1990.

➢ BERNAYS, MINNA; BONAPARTE, MARIE; FREUD, MARTHA; JUDEIDADE; NAZISMO; RÚSSIA; SEXUALIDADE FEMININA.

androginia
➢ BISSEXUALIDADE.

angústia
➢ FOBIA; *INIBIÇÕES, SINTOMAS E ANGÚSTIA.*

annafreudismo
al. *Annafreudianismus*; esp. *annafreudismo*; fr. *annafreudisme*; ing. *Anna-Freudianism*

Na história do movimento psicanalítico, deu-se o nome de annafreudismo, em oposição ao kleinismo*, a uma corrente representada pelos diversos partidários de Anna Freud*. Foi depois do período das Grandes Controvérsias* — que levou, em 1945, a uma clivagem entre três tendências no interior da British Psychoanalytical Society (BPS) — que esse termo se impôs, para designar uma espécie de classicismo psicanalítico pós-freudiano, encarnado pela filha de Sigmund Freud* e que remetia, ao mesmo tempo, à origem vienense da doutrina freudiana e a um certo modo de praticar a análise, privilegiando conceitos como os de eu* e de mecanismos de defesa*. A divisão entre o kleinismo* e o annafreudismo, que se superpõe à divisão entre psicose* e neurose*, passa pela questão da psicanálise de crianças*. Foi a corrente kleiniana e pós-kleiniana, com efeito, que estendeu o tratamento psicanalítico, centrado na neurose e no complexo de Édipo*, às crianças pequenas, aos *borderlines* e à relação arcaica com a mãe, enquanto os annafreudianos concebiam o tratamento das psicoses a partir do das neuroses, introduzindo nele uma dimensão social e profilática que está ausente da doutrina kleiniana, a qual só leva em conta a realidade psíquica* ou o imaginário* do sujeito*.

Tal como o kleinismo e a *Ego Psychology**, da qual se aproxima, a corrente annafreudiana desenvolveu-se no interior da International Psychoanalytical Association* (IPA), essencialmente na Grã-Bretanha* e nos Estados Unidos*, onde os vienenses emigrados, muito ligados à família de Freud, esforçaram-se por defendê-lo, numa espécie de vínculo de identidade que se somava às vicissitudes do exílio.

O annafreudismo e o kleinismo fazem parte, tal como o lacanismo* e diversas outras correntes externas à IPA, do chamado freudismo*, na medida em que todos se reconhecem, afora suas divergências, na doutrina fundada por Freud, e em que se distinguem claramente das outras escolas de psicoterapia* pela adesão à psicanálise*, isto é, ao tratamento pela fala, como único ponto de referência do tratamento psíquico, e aos conceitos freudianos fundamentais: o inconsciente*, a sexualidade*, a transferência*, o recalque* e a pulsão*.

• Anna Freud, *O ego e os mecanismos de defesa* (Londres, 1936), Rio de Janeiro, Civilização Brasileira, 1982, 6ª ed. • Joseph Sandler, *L'Analyse de défense. Entretiens avec Anna Freud* (N. York, 1985), Paris, PUF, 1989.

➢ GERAÇÃO; INDEPENDENTES, GRUPO DOS; LACANISMO; *SELF PSYCHOLOGY.*

Anna O., caso
➢ PAPPENHEIM, BERTHA.

ansiedade
➢ ANGÚSTIA.

antipsiquiatria
al. *Antipsychiatrie*; esp. *antipsiquiatría*; fr. *antipsychiatrie*; ing. *antipsychiatry*

Embora o termo antipsiquiatria tenha sido inventado por David Cooper* num contexto muito preciso, ele serviu para designar um movimento político de contestação radical do saber psiquiátrico, desenvolvido entre 1955 e 1975 na maioria dos grandes países em que se haviam implantado a psiquiatria e a psicanálise*: na Grã-Bretanha*, com Ronald Laing* e David Cooper*; na Itália*, com Franco Basaglia*; e, nos Estados Unidos*, com as comunidades terapêuticas, os trabalhos de Thomas Szasz e a Escola de Palo Alto, de Gregory Bateson*. Sob certos aspectos, a antipsiquiatria foi a seqüência lógica e o desfecho da psicoterapia institucional*. Se esta havia tentado reformar os manicômios e transformar as relações entre os que prestavam e os que recebiam cuidados, no sentido de uma ampla abertura para o mundo da loucura*, a antipsiquiatria visou a extinguir os manicômios e eliminar a própria idéia de doença mental.

Nunca houve uma verdadeira unidade nesse movimento e, embora Cooper tenha sido seu principal iniciador, os itinerários de cada um de seus protagonistas devem ser estudados em separado. Além disso, foi justamente por ter sido uma revolta que a antipsiquiatria teve, ao mesmo tempo, uma duração efêmera e um impacto considerável no mundo inteiro. Ela foi uma espécie de utopia: a da possível transformação da loucura num estilo de vida, numa viagem, num modo de ser diferente e de estar do outro lado da razão, como a haviam definido Arthur Rimbaud (1854-1891) e, depois dele, o movimento surrealista. Por isso é que se interessou essencialmente pela esquizofrenia*, isto é, por essa grande forma de loucura que havia fascinado o século inteiro, desde Eugen Bleuler* até a Self Psychology*, passando pelo kleinismo*.

Assim como o movimento psicanalítico havia fabricado sua lenda das origens através da história de Anna O. (Bertha Pappenheim*), a antipsiquiatria também reivindicou a aventura de uma mulher: Mary Barnes. Essa ex-enfermeira, reconhecida como esquizofrênica e incurável, tinha cerca de 40 anos ao ingressar no Hospital de Kingsley Hall, onde Joseph Berke a deixou regredir durante cinco anos. Através dessa descida aos infernos e de uma espécie de morte simbólica, ela pôde renascer para a vida, tornar-se pintora e, mais tarde, redigir sua "viagem".

Como utopia, a explosão da antipsiquiatria foi radical, e Cooper sublinhou isso ao discursar em Londres, na tribuna do congresso mundial de 1967, o qual almejava inscrever a antipsiquiatria no quadro de um movimento geral de libertação dos povos oprimidos. Com efeito, Cooper prestou uma vibrante homenagem aos participantes da comuna de 1871, que haviam atirado nos relógios para acabar com "o tempo dos outros, o dos opressores, e assim reinventar seu próprio tempo".

Na França*, não houve nenhuma verdadeira corrente antipsiquiátrica, de um lado porque a esquerda lacaniana ocupou parcialmente o terreno da revolta contra a ordem psiquiátrica, através da corrente da psicoterapia institucional, e de outro, em função de Michel Foucault (1924-1984) e Gilles Deleuze (1925-1995), cujos trabalhos cristalizaram a contestação "antipsiquiátrica" a uma dupla ortodoxia, freudiana e lacaniana.

• Michel Foucault, *História da loucura na idade clássica* (Paris, 1961), S. Paulo, Perspectiva, 1978 • David Cooper, *Psiquiatria e antipsiquiatria* (Londres, 1967), S. Paulo, Perspectiva • Mary Barnes e Joseph Berke, *Mary Barnes. Un voyage à travers la folie* (Londres, 1971), Paris, Seuil, 1973 • Gilles Deleuze e Félix Guattari, *O anti-édipo — Capitalismo e esquizofrenia* (Paris, 1972), Rio de Janeiro, Imago, 1976 • Octave Manonni, "Le(s) mouvement(s) antipsychiatrique(s)", *Revue Internationale de Sciences Sociales*, XXV, 4, 1973, 538-52 • Maud Mannoni, *Educação impossível*, (Paris, Seuil, 1973), Rio de Janeiro, Francisco Alves • Thomas Szasz, *Le Mythe de la maladie mentale* (N. York, 1974), Paris, Payot, 1975; *A fabricação da loucura* (Londres, 1971), Rio de Janeiro, Zahar, 1978.

➤ CRIMINOLOGIA; CULTURALISMO; DIFERENÇA SEXUAL; DUPLO VÍNCULO; FREUDO-MARXISMO; GUATTARI, FÉLIX; MANNONI, OCTAVE; SECHEHAYE, MARGUERITE; SULLIVAN, HARRY STACK; SURREALISMO.

antropologia

O debate entre os antropólogos e os psicanalistas começou após a publicação, em 1912-1913, do livro *Totem e tabu*, de Sigmund Freud*, e deu origem a uma nova disciplina, a etnopsicanálise*, cujos dois grandes representantes foram Geza Roheim* e Georges Devereux*. Seu principal contexto geográfico inicial foi a Melanésia, isto é, a Austrália*, onde ainda viviam aborígines que, no final do século, eram considerados o povo mais "primitivo" do planeta, e as ilhas situadas a sudoeste do oceano Pacífico (Trobriand e Normanby), habitadas pelos melanésios propriamente ditos e pelos polinésios. Posteriormente, o campo de eleição foi o dos índios da América do Norte.

Com exceção da experiência de Henri Collomb* em Dacar, dos debates sobre a colonização francesa entre Frantz Fanon* e Octave Mannoni* e, é claro, do papel singular de Wulf Sachs na África do Sul, o continente africano quase não se fez presente nos trabalhos de etnopsicanálise e antropologia psicanalítica.

Derivada do grego (*ethnos*: povo, e *logos*: pensamento), a palavra etnologia só veio a surgir no século XIX. Todavia, o estudo comparativo dos povos remonta a Heródoto. Se, de acordo com os antigos, o mundo estava estaticamente dividido entre a civilização e a barbárie (externa à cidade), a questão colocou-se de outra maneira na era cristã. Os missionários e conquistadores se indagaram, com efeito, se os indígenas tinham alma ou não.

No século XVIII, a etnografia incumbiu-se da tarefa de pesquisar em campo o fundamento das diferenças entre as culturas. Tratava-se, para a filosofia do Iluminismo, não mais de dividir o mundo entre a barbárie e a civilização, entre uma humanidade sem Deus e uma humanidade habitada pela consciência de sua espiritualidade, mas de estudar o fato humano em sua diversidade, à luz do princípio do progresso. Daí a idéia de uma possível evolução do estado de selvageria para o de civilização.

No século XIX, essa visão progressista da evolução humana assumiu uma feição biológica, sob a influência do pensamento darwiniano. À antiga idéia de que o retorno à animalidade seria a origem de todas as falhas morais do espírito humano, Charles Darwin (1809-1882) opôs a tese da continuidade. Não apenas o homem já não estava, por essência ou por natureza, excluído do mundo animal, como também ele próprio se tornava um animal evoluído, um mamífero superior. Do ponto de vista etnológico (no sentido moderno do termo), o evolucionismo darwiniano consistiu, portanto, em imputar as semelhanças reconhecidas em culturas distintas e geograficamente afastadas a um desenvolvimento independente mas idêntico das civilizações. Daí nasceu a tese de que o primitivo se assemelha à criança, que se assemelha ao neurótico. Foi nesse darwinismo que Freud se inspirou, através dos trabalhos de James George Frazer (1854-1941) sobre o totemismo e de William Robertson Smith (1846-1894)

sobre o tabu. Ele se empenhou na redação de *Totem e tabu* para descobrir a origem histórico-biológica (e já não apenas individual) do complexo de Édipo*, da proibição do incesto* e da religião.

O pensamento darwinista deu origem a uma nova organização da etnografia como disciplina, evoluindo sua terminologia de maneira radicalmente diferente nos mundos anglófono e francófono.

Na França*, a palavra *ethnologie*, etnologia, surgiu em 1838, para designar o estudo comparativo dos chamados costumes e instituições "primitivos". Dezessete anos depois, foi suplantada pelo termo antropologia, ao qual o médico Paul Broca (1824-1881) associou seu nome, ao fazer dela uma disciplina física e anatômica que logo desembocou, no contexto da teoria da hereditariedade-degenerescência*, no estudo das "raças" e das "etnias", concebidas como espécies zoológicas.

No mundo anglófono, ao contrário (na Grã-Bretanha* e, depois, nos Estados Unidos*), a palavra *ethnology* cobriu o campo da antropologia física (no sentido francês), enquanto se cunhou, em 1908, o termo *social anthropology*, para designar a cátedra de antropologia de Frazer na Universidade de Liverpool. Foi nesse contexto puramente anglófono, e através dos debates entre a antropologia funcionalista de Bronislaw Malinowski*, o kleinismo universalista de Geza Roheim* e a ortodoxia de Ernest Jones*, que se discutiram as teses enunciadas por Freud em *Totem e tabu*. Observe-se que Charles Seligman (1873-1940) e William Rivers (1864-1922), dois antropólogos de formação médica, foram os primeiros a tornar conhecidos no meio acadêmico da antropologia inglesa os trabalhos freudianos sobre o sonho*, a hipnose* e a histeria*. Mais tarde, esse trabalho teve seguimento através da escola culturalista norte-americana, desde Margaret Mead* até Ruth Benedict (1887-1948), passando por Abram Kardiner* e pelo neofreudismo*.

Assim, tanto na Grã-Bretanha quanto nos Estados Unidos, as teses freudianas foram assimiladas pela antropologia, ao mesmo tempo que eram contestadas por sua ancoragem num modelo biológico obsoleto e já abandonado. Nesses dois países, com efeito, o saber antropológico moderno construiu-se, na passagem para o século XX, rompendo com o darwinismo e com o evolucionismo: através do ensino de Franz Boas (1858-1942), por um lado, verdadeiro pai fundador da escola norte-americana, que criticou todas as teses relativas à oposição entre o primitivo e o civilizado, o selvagem e a criança, o animal e o humano etc., e por outro, do de Malinowski, Rivers e Seligman, que renunciaram aos quadros do evolucionismo de Frazer em prol do funcionalismo ou do difusionismo.

Desse modo se constituiu, pouco a pouco, uma corrente de antropologia psicanalítica, limitada, no plano científico, ao mundo anglo-americano, e, do ponto de vista geográfico, a experiências de campo conduzidas na região norte do continente norte-americano e na Melanésia.

Na França, apenas Marie Bonaparte* apaixonou-se, em caráter pessoal, pelas questões antropológicas. Aliás, deu apoio tanto a Malinowski quanto a Roheim. Quanto aos etnólogos, eles não travaram nenhum debate a propósito das teses freudianas durante o entre-guerras, tendo elas sido ignoradas, em especial por Marcel Mauss (1872-1951), fundador e mais ilustre representante da escola francesa. Como numerosos eruditos de sua geração, e muito embora abordasse todos os temas próprios da psicanálise (o mito, o sexo, o corpo, a morte, o simbólico etc.), ele desconfiava de Freud e de seu sistema interpretativo. Nesse campo, preferiu apoiar-se nos trabalhos, amiúde antifreudianos, dos psiquiatras e psicólogos acadêmicos: Pierre Janet*, Théodule Ribot (1839-1916) e Georges Dumas (1866-1946). Não obstante, mostrou-se prudente em seu comentário de *Totem e tabu*, sublinhando que "essas idéias têm uma imensa capacidade de desenvolvimento e persistência". Nesses anos, alguns escritores se interessaram pelo aspecto antropológico da obra freudiana; dentre eles, Michel Leiris (1901-1990) e Georges Bataille (1897-1962) valorizaram a noção do sagrado e criticaram violentamente os princípios da psiquiatria colonial, sem contudo originar uma corrente de etnopsicanálise ou de antropologia psicanalítica.

Enquanto a *anthropology*, no sentido inglês, tornou-se uma ciência social, a *ethnologie*, no sentido francês, desenvolveu-se com a criação em Paris, em 1927, por Marcel Mauss, Paul Rivet (1876-1958) e Lucien Lévy-Bruhl (1857-1939), do Instituto de Etnologia, que realizou pesquisas lingüísticas, descrições de dados físicos, estudos sobre os costumes e as instituições e, por fim, trabalhos sobre a religião e o sagrado. Esse instituto, portanto, englobava o que os anglófonos chamavam de *ethnology* e *social anthropology*. Dentro dessa mesma visão, Paul Rivet criou o Museu do Homem, que abriu suas portas em 1935 no Palácio de Chaillot, assim substituindo o velho museu etnográfico do Trocadéro, com seu jeito colonial, inaugurado por Broca em 1878. Os grandes fundadores da etnologia francesa do entre-guerras seriam militantes de esquerda, antes de se tornarem heróis da Resistência. Quanto à antiga escola de antropologia, ela evoluiria para o racismo, o anti-semitismo e o colaboracionismo, em especial sob a influência de Georges Montandon, ex-médico e adepto das teses do padre Wilhelm Schmidt (1868-1954). Fundador da Escola Etnológica de Viena e diretor, em 1927, do museu etnográfico pontifical de Roma, Schmidt acusaria Freud de querer destruir a família ocidental. Quanto a Montandon, ele participaria do extermínio dos judeus durante o regime de Vichy e seria amigo do psicanalista e demógrafo Georges Mauco*.

Foi preciso esperar pela segunda metade do século XX para que fosse introduzida na França, através de Claude Lévi-Strauss, a terminologia anglófona. Em 1954, ele livrou o termo "antropologia" de todas as antigas imagens da hereditariedade-degenerescência, a fim de definir uma nova disciplina que abarcasse, ao mesmo tempo, a etnografia, como primeira etapa de um trabalho de campo, e a etnologia, designada como segunda etapa e primeira reflexão sintética. Segundo essa nova organização, a antropologia tinha um papel confederativo: na verdade, tomava por ponto de partida as análises produzidas pelos outros campos do saber e deles pretendia extrair conclusões válidas para o conjunto das sociedades humanas. Nesse contexto, Lévi-Strauss foi o primeiro antropólogo de língua francesa a ler e comentar a obra de Freud, numa época em que já fazia mais de trinta anos que ela estava integrada nos trabalhos da antropologia anglo-americana. Note-se que Georges Devereux, cuja obra foi essencialmente redigida em língua inglesa, orientou-se para a psicanálise no fim da Segunda Guerra Mundial.

Se Marcel Mauss, sobrinho de Émile Durkheim, havia desvinculado a etnologia da sociologia durkheimiana, embora se inspirasse em seus modelos, Claude Lévi-Strauss passou da etnologia para a antropologia, unificando os dois campos (anglófono e francófono) em torno de três grandes eixos: o parentesco (em vez da família e do patriarcado*), o universalismo relativista (em vez do culturalismo*) e o incesto. Situou-se prontamente como contemporâneo da obra freudiana, à qual se referiu, como ao *Curso de lingüística geral* de Ferdinand de Saussure (1857-1913), sublinhando, em *Tristes trópicos*, o que ela lhe havia trazido: "... [essa obra] me revelou que [...] são as condutas aparentemente mais afetivas, as operações menos racionais e as manifestações declaradas pré-lógicas que são, ao mesmo tempo, as mais significativas."

Foi em contato com índios do Brasil* (cadiueus, bororos, nhambiquaras) que ele se tornou etnólogo, entre 1935 e 1939. Mas, ao contrário de Marcel Mauss, por um lado, que não teve nenhuma experiência direta de campo, e de Malinowski, por outro, cujo contato com o trabalho de campo teve um efeito de revelação, Lévi-Strauss foi, sem sombra de dúvida, o primeiro etnólogo a teorizar a viagem etnológica segundo o modelo de uma estrutura melancólica: todo etnólogo redige uma autobiografia ou escreve confissões, diria ele, em essência, porque tem que passar pelo eu* para se desligar do eu. Por isso ele proporia comparar a experiência de campo com uma análise didática*. Exilado em Nova York durante a Segunda Guerra Mundial, ali deparou com um novo "campo": o das diferentes teorias dos etnólogos e lingüistas norte-americanos (Roman Jakobson, Franz Boas etc.) nas quais se iria inspirar para construir uma abordagem estrutural da antropologia. Sob esse aspecto, Lévi-Strauss transformou-se numa espécie de etnólogo dos etnólogos, a ponto de considerar as teorias antropológicas como mitologias comparáveis aos mitos elaborados pelo pensamento selvagem.

Foi dentro dessa orientação que ele estabeleceu uma analogia entre a técnica de cura xamanista e o tratamento psicanalítico. Na primeira, dizia, o feiticeiro fala e provoca a ab-reação*, isto é, a liberação dos afetos do enfermo, ao passo que, na segunda, esse papel cabe ao médico que escuta, no bojo de uma relação na qual é o doente quem fala. Além dessa comparação, Lévi-Strauss mostrou que, nas sociedades ocidentais, tendia a constituir-se uma "mitologia psicanalítica" que fizesse as vezes de sistema de interpretação* coletivo: "Assim, vemos despontar um perigo considerável: o de que o tratamento, longe de levar à resolução de um distúrbio preciso, sempre respeitando o contexto, reduza-se à reorganização do universo do paciente em função das interpretações psicanalíticas." Se a cura, portanto, sobrevém através da adesão a um mito, agindo este como uma organização estrutural, isso significa que esse sistema é dominado por uma eficácia simbólica. Daí a idéia, proposta já em 1947 na "Introdução à obra de Marcel Mauss", de que o chamado inconsciente* não seria outra coisa senão um lugar vazio onde se consumaria uma autonomia da função simbólica.

A partir de 1949, sobretudo em *As estruturas elementares do parentesco*, Lévi-Strauss deu à famosa questão da proibição do incesto um novo esclarecimento. Em vez de buscar a gênese da cultura numa hipotética renúncia dos homens à prática do incesto, como tinham feito Freud e seus herdeiros, ou, ao contrário, de opor a essa origem o florilégio da diversidade cultural (desde Malinowski até os culturalistas), ele contornou essa bipolarização para mostrar que a proibição realizava a passagem da natureza à cultura.

Essa nova expressão da dualidade natureza/cultura reativou o debate sobre o universalismo, sem no entanto dar origem a uma corrente francesa de antropologia psicanalítica. E foi Jacques Lacan* quem se inspirou na conceituação lévi-straussiana para elaborar, em especial, sua teoria do significante* e do simbólico.

• Pierre Bonte e Michel Izard, *Dictionnaire de l'ethnologie et de l'anthropologie*, Paris, PUF, 1992 • Marcel Fournier, *Marcel Mauss*, Paris, Fayard, 1994 • Jean Jamin, "L'Anthropologie et ses acteurs", in *Les Enjeux philosophiques des années 50*, Paris, Centre Georges-

Pompidou, 1989, 99-115 • Ernest Jones, *Essais de psychanalyse appliquée*, vol. II (Londres, 1951), Paris, Payot, 1973 • Claude Lévi-Strauss, "Introduction à l'oeuvre de Marcel Mauss" (1947), in Marcel Mauss, *Sociologie et anthropologie* (Paris, 1950), Paris, PUF, 1968, IX-LII; *As estruturas elementares do parentesco* (Paris, 1949), Petrópolis, Vozes, 1976; "O feiticeiro e sua magia" (1949), in *Antropologia estrutural* (Paris, 1958), Rio de Janeiro, Tempo Brasileiro, 1975, 193-213; *Race et histoire* (Paris, 1952), Paris, Gonthier, 1967; *Tristes trópicos* (Paris, 1955), S. Paulo, Companhia das Letras; *Le Totémisme aujourd'hui*, Paris, PUF, 1962 • Claude Lévi-Strauss e Didier Eribon, *De près et de loin*, Paris, Odile Jacob, 1988 • R. Lowie, *Histoire de l'ethnologie classique* (N. York, 1937), Paris, Payot, 1971 • Marcel Mauss, "Rapports réels et pratiques de la psychologie et de la sociologie" (1924), in *Sociologie et anthropologie* (Paris, 1950), Paris, PUF, 1968, 281-310 • Werner Muensterberger (org.), *L'Anthropologie psychanalytique depuis Totem et tabou* (Londres, 1969), Paris, Payot, 1976 • Jean Poirier, *Histoire de l'ethnologie*, Paris, PUF, 1974 • Bertrand Pulman, "Aux origines du débat anthropologie et psychanalyse: W.H.R. Rivers (1864-1922)", *L'Homme*, 100, outubro-dezembro de 1986, 119-41; "Aux origines du débat anthropologie et psychanalyse: Seligman (1873-1940)", *Gradhiva*, 6, verão de 1989, 35-49; "Les anthropologues face à la psychanalyse", *Revue Internationale d'Histoire de la Psychanalyse*, 4, 1991, 425-47; "Ernest Jones et l'anthropologie", ibid., 493-521 • Élisabeth Roudinesco, *Jacques Lacan. Esboço de uma vida, história de um sistema de pensamento* (Paris, 1993), S. Paulo, Companhia das Letras, 1994.

➤ ANTIPSIQUIATRIA; AUSTRÁLIA; ELLENBERGER, HENRI F.; FANON, FRANTZ; IGREJA; ÍNDIA; ITÁLIA; JAPÃO; JUDEIDADE; LANZER, ERNST; MANNONI, OCTAVE; REAL; SACHS, WULF; SAUSSURE, RAYMOND DE; SULLIVAN, HARRY STACK.

Anzieu, Marguerite, *née* Pantaine (1892-1981), caso Aimée

A história do caso Aimée, narrada por Jacques Lacan em sua tese de medicina de 1932, *Da psicose paranóica em suas relações com a personalidade*, ocupa na gênese do lacanismo* um lugar quase idêntico ao do caso Anna O. (Bertha Pappenheim*) na construção da saga freudiana. Foi Élisabeth Roudinesco quem revelou pela primeira vez, em 1986, a verdadeira identidade dessa mulher, e depois reconstruiu, em 1993, a quase totalidade de sua biografia, a partir do testemunho de Didier Anzieu e dos membros de sua família. Sob esse aspecto, a história desse grande caso *princeps* ilustra esplendidamente o quanto os "doentes", do mes-

mo modo que os médicos que os tratam, são atores de uma aventura sempre dramática, na qual se tecem laços genealógicos de natureza inconsciente.

Marguerite Pantaine provinha de uma família católica e interiorana do centro da França*. Criada por uma mãe que sofria de sintomas persecutórios, sonhou desde muito cedo, à maneira de Emma Bovary, sair de sua situação e se tornar uma intelectual. Em 1910, ingressou na administração dos correios e, sete anos depois, casou-se com René Anzieu, também funcionário público. Em 1921, quando grávida de seu filho Didier, começou a ter um comportamento estranho: mania de perseguição, estados depressivos. Após o nascimento do filho, instalou-se numa vida dupla: de um lado, o universo cotidiano das atividades de funcionária dos correios, de outro, uma vida imaginária, feita de delírios. Em 1930, redigiu de enfiada dois romances que quis mandar publicar, e logo se convenceu de estar sendo vítima de uma tentativa de perseguição por parte de Hughette Duflos, uma célebre atriz do teatro parisiense dos anos 30. Em abril de 1931, tentou matá-la com uma facada, mas a atriz se esquivou do golpe e Marguerite foi internada no Hospital Sainte-Anne, onde foi confiada a Jacques Lacan, que fez dela um caso de erotomania e de paranóia* de autopunição.

A continuação da história de Marguerite Anzieu é um verdadeiro romance. Em 1949, seu filho Didier, havendo concluído seus estudos de filosofia, resolveu tornar-se analista. Fez sua formação didática no divã de Lacan, enquanto preparava uma tese sobre a auto-análise* de Freud sob a orientação de Daniel Lagache*, sem saber que sua mãe tinha sido o famoso caso Aimée. Lacan não reconheceu nesse homem o filho de sua ex-paciente, e Anzieu soube da verdade pela boca da mãe, quando esta, por um acaso extraordinário, empregou-se como governanta na casa de Alfred Lacan (1873-1960), pai de Jacques. Os conflitos entre Didier Anzieu e seu analista foram tão violentos quanto os que opuseram Marguerite a seu psiquiatra. De fato, ela acusava Lacan de havê-la tratado como um "caso", e não como um ser humano, mas censurava-o sobretudo por nunca lhe ter devolvido os manuscritos que ela lhe confiara no passado, quando de sua internação no Hospital Sainte-Anne.

• Jacques Lacan, *Da psicose paranóica em suas relações com a personalidade* (Paris, 1932), Rio de Janeiro, Forense Universitária, 1987 • Didier Anzieu, *Une peau pour les pensées. Entretiens avec Gilbert Tarrab*, Paris, Clancier-Guenaud, 1986 • Élisabeth Roudinesco, *História da psicanálise na França*, vol. 2 (Paris, 1986), Rio de Janeiro, Jorge Zahar, 1988; *Jacques Lacan. Esboço de uma vida, história de um sistema de pensamento* (Paris, 1993), S. Paulo, Companhia das Letras, 1994; *Genealogias* (Paris 1994), Rio de Janeiro, Relume Dumará, 1995 • Jean Allouch, *Marguerite ou a Aimée de Lacan* (Paris, 1990), Rio de Janeiro, Companhia de Freud, 1997.

apoio

al. *Anlehnung*; esp. *apuntalamiento*; fr. *étayage*; ing. *anaclisis*

Termo adotado (de preferência a anaclítico) para traduzir o conceito de Anlehnung, utilizado por Sigmund Freud*, que designa a relação original entre as pulsões* sexuais e as pulsões de autoconservação, só vindo aquelas a se tornar independentes depois de se haverem apoiado nestas. É esse mesmo processo de apoio que se prolonga, no correr do desenvolvimento psicossexual, na fase da escolha do objeto de amor, que Freud esclarece falando de um tipo de escolha objetal por apoio.

Desde a primeira versão de seus *Três ensaios sobre a teoria da sexualidade**, Freud definiu a função de apoio, ou, literalmente, de *apoiar-se em*, para esclarecer o processo de diferenciação que se efetua entre as pulsões sexuais e as pulsões de autoconservação baseadas nas funções corporais.

O primeiro exemplo observado é o da atividade oral do lactente. No próprio curso da satisfação orgânica da necessidade nutricional, obtida mediante a sucção do seio materno, o seio, objeto primário, torna-se fonte de prazer sexual, zona erógena. Efetua-se uma dissociação da qual nasce um prazer erótico, irredutível àquele que é obtido unicamente pela satisfação da necessidade. Nesse momento aparece uma necessidade de repetir a atividade de sucção, apesar de a satisfação orgânica ter sido alcançada, necessidade esta que vai se tornando autonomamente pulsional.

Esse processo se repete em relação a todas as funções corporais a que correspondem as pulsões de autoconservação, com a constituição de zonas erógenas correspondentes, anal, genital etc. No decorrer desse processo de diferenciação, a pulsão sexual abandona o objeto externo e passa progressivamente a funcionar de modo auto-erótico.

Na última parte de seus *Três ensaios sobre a teoria da sexualidade*, Freud vai além dessa simples conceituação e descreve a instauração do modelo original de escolha de objeto. Num primeiro tempo, o objeto da pulsão sexual é "externo ao próprio corpo". Mais tarde, quando "se torna possível para a criança formar a representação global da pessoa a quem pertence o órgão que lhe proporcionava satisfação", a pulsão sexual perde esse objeto e se torna auto-erótica, "e é somente depois de ultrapassado o período de latência que se restabelece a relação original [...]. A descoberta do objeto, para dizer a verdade, é uma redescoberta."

Em 1914, em seu artigo "Sobre o narcisismo: uma introdução", Freud modifica sua concepção do dualismo pulsional e distingue dois tipos de escolha de objeto. O primeiro, já descrito desde 1905, não é modificado, mas passa a ser chamado de escolha objetal por apoio. Essa escolha se efetua, é claro, segundo o modelo do apoio da pulsão sexual: "Tal apoio", escreve Freud, "continua a se revelar no fato de que as pessoas que têm a ver com a alimentação, a higiene e a proteção da criança tornam-se os primeiros objetos sexuais." O segundo tipo de escolha objetal, chamado escolha narcísica de objeto, efetua-se não à maneira da busca de uma relação com um objeto externo, mas segundo a busca da relação do indivíduo consigo mesmo.

Jean-Bertrand Pontalis e Jean Laplanche salientam que o conceito de apoio, no entanto, nem sempre recebeu a atenção que sua importância requer na doutrina freudiana. Pensando nisso, sublinham que a essência do processo de apoio decorre da simultaneidade de uma operação dupla, "(...) uma relação e uma oposição entre as pulsões sexuais e as pulsões de autoconservação". Mais tarde, Jean Laplanche tornaria a esclarecer a importância e o sentido desse conceito: "O que é descrito por Freud é um fenômeno de apoio da pulsão*, o fato de que a sexualidade nascente apóia-se num outro processo, ao mesmo tempo similar e profundamente divergente: a pulsão sexual apóia-se numa função não sexual, vital (...)."

• Sigmund Freud, *Três ensaios sobre a teoria da sexualidade* (1905), *ESB*, VII, 129-237; *GW*, V, 29-145; *SE*, VII, 123-243; Paris, Gallimard, 1987; "Um tipo especial de escolha de objeto feita pelos homens" (1910), *ESB*, XI, 149-62; *GW*, VIII, 66-77; *SE*, XI, 165-75; *OC*, X, 187-200; "Sobre o narcisismo: uma introdução" (1914), *ESB*, XIV, 89-122; *GW*, X, 138-70; *SE*, XIV, 67-102; in *La vie sexuelle*, Paris, PUF, 1969, 81-105 • Jean Laplanche, *Vida e morte em psicanálise*, (Paris, 1970) P. Alegre, Artes Médicas, 1985 • Jean Laplanche e Jean-Bertrand Pontalis, *Vocabulário da psicanálise* (Paris, 1967), S. Paulo, Martins Fontes, 1991, 2ª ed.

➤ ANACLÍTICA, DEPRESSÃO; ESTÁDIO; NARCISISMO; OBJETO, RELAÇÃO DE; OUTRO; SEXUALIDADE.

a posteriori

al. *Nachträglichkeit, Nachträglich*; esp. *posterioridad, con posterioridad*; fr. *après-coup*; ing. *deferred action, deferred*

Palavra introduzida por Sigmund Freud*, em 1896, para designar um processo de reorganização ou reinscrição pelo qual os acontecimentos traumáticos adquirem significação para o sujeito* apenas num a posteriori, isto é, num contexto histórico e subjetivo posterior, que lhes confere uma nova significação. No Brasil também se usa "só-depois".

Esse termo resume o conjunto da concepção freudiana da temporalidade, segundo a qual o sujeito constitui seu passado, reconstruindo-o em função de um futuro ou de um projeto.

Na história do freudismo*, foi Jacques Lacan* quem deu a esse termo, em 1953, sua maior extensão, no contexto de sua teoria do significante* e de uma concepção da análise baseada no "tempo para compreender".

• Sigmund Freud, *La Naissance de la psychanalyse* (Londres, 1950), Paris, PUF, 1956 • Jacques Lacan, *Escritos* (Paris, 1966), Rio de Janeiro, Jorge Zahar, 1998 • Jean Laplanche e Jean-Bertrand Pontalis, *Vocabulário da psicanálise* (Paris, 1967), S. Paulo, Martins Fontes, 1991, 2ª ed.

➤ CENA PRIMÁRIA; PANKEJEFF, SERGUEI CONSTANTINOVITCH; SEDUÇÃO, TEORIA DA.

Argentina

Em 1914, em seu artigo sobre a história do movimento psicanalítico, Sigmund Freud* escreveu: "Um médico, provavelmente alemão, vindo do Chile, declarou-se a favor da existência da sexualidade infantil no Congresso Internacional de Buenos Aires (1910) e elogiou os sucessos obtidos pela terapia psicanalítica no tratamento dos sintomas obsessivos." Esse médico chileno se chamava Germán Greve. Delegado pelo seu governo a esse congresso de medicina, mostrou-se entusiasmado com as teses freudianas, expondo-as sem deformá-las muito. Entretanto, sua conferência não teve nenhuma repercussão entre os especialistas argentinos em doenças nervosas e mentais.

Nessa época, como em todos os países do mundo, a psicanálise* suscitava na Argentina muitas resistências, sintoma de seu progresso atuante. E foi através de polêmicas e combates que ela encontrou o caminho de uma implantação bem-sucedida.

Independente desde 1816, depois de ter-se submetido à colonização espanhola, a Argentina viveu sob o reino dos caudilhos durante todo o século XIX. A partir de 1860, a cidade de Buenos Aires, sob a influência da sua classe dominante, os portenhos, esteve na liderança da revolução industrial e da construção de um Estado moderno. Em 1880, realizou-se a unidade entre as diferentes províncias e a cidade portuária se tornou a capital federal do país. Em cinqüenta anos (1880-1930), a Argentina acolheu seis milhões de imigrantes, italianos ou espanhóis na maioria; três vezes o volume de sua população inicial. Fugindo dos pogroms, os judeus da Europa central e oriental se misturaram a esse movimento migratório e se instalaram em Buenos Aires, fazendo da capital o centro de um cosmopolitismo aberto a todas as idéias novas.

Com a revolução industrial e a instauração de um Estado moderno, constituiu-se então, contra a tradição dos curandeiros, uma medicina baseada nos princípios da ciência positiva importada da Europa, e mais particularmente dos países latinos: França* e Itália*. Fundador do asilo argentino, Lucio Melendez repetiu no seu país o gesto de Philippe Pinel*, criando uma organização de saúde mental dotada de uma rede de hospitais psiquiátricos e edificando uma nosografia inspirada em Esquirol. Domingo Cabred, seu sucessor, prosseguiu a obra, adaptando a clínica da loucura* aos princípios da hereditariedade-degenerescência*. Na mesma época, começaram a afirmar-se as pesquisas em criminologia* e em sexologia*, enquanto o ensino da psicologia, em todas as suas tendências, tomava uma extensão considerável, com a criação, em 1896, de uma primeira cátedra universitária em Buenos Aires.

Assim, o terreno estava pronto para receber o pensamento freudiano, mas também todas as escolas de psicoterapias* fundadas na hipnose*, na histeria*, na sugestão*. E houve um interesse indiferenciado pelos trabalhos de Freud, de Pierre Janet*, de Jean Martin Charcot* e de Hippolyte Bernheim*.

Em 1904, José Ingenieros, psiquiatra e criminologista, publicou o primeiro artigo que mencionava o nome de Freud. Depois, durante os anos 1920, vários autores apresentaram a psicanálise ora como uma moda ou uma epidemia (Anibal Ponce), ora como uma etapa da história da psicologia (Enrique Mouchet). Em 1930, Jorge Thénon afirmou que ela era excessivamente metapsicológica, sem com isso negar o seu interesse.

Curiosamente, enquanto uma notável tradução espanhola das obras de Freud estava em preparação em Madri, sob a direção de José Ortega y Gasset*, os autores argentinos se referiam a versões francesas. Do mesmo modo, importavam as polêmicas parisienses, às quais acrescentavam — imposição da latinidade — as críticas italianas. Assim, os argumentos de Enrico Morselli (1852-1929) tiveram uma repercussão favorável, enquanto o temível Charles Blondel tinha um franco sucesso ao declarar, por ocasião da sua viagem de conferências em 1927, que Henri Bergson (1859-1941) era o verdadeiro descobridor do inconsciente* e Freud uma espécie de Balzac fracassado.

Em reação a essa confusão, desenhou-se uma outra orientação, com as publicações e as intervenções menos críticas de Luis Merzbacher em 1914, de Honorio Delgado em 1918, de Gonzalo Lafora* em 1923 e de Juan Beltrán entre 1923 e 1928.

Professor de psicologia e de medicina legal, Beltrán publicou duas obras, uma sobre a contribuição da psicanálise para a criminologia, outra sobre os seus fundamentos, nas quais apresentava a doutrina freudiana de modo positivo, mas sob o aspecto de uma moral naturalista, da qual devia ser eliminado todo vestígio de pansexualismo*. Quanto a Honorio Delgado, psiquiatra e médico higienista peruano, mais adleriano que freudiano, desempenhou a partir de 1915 um papel importante na difusão da psicanálise na América Latina. Trocou algumas cartas com Freud, redigiu a sua primeira biografia e tornou-se membro da International Psychoanalytical Association* (IPA) por uma filiação à British Psychoanalytical Society (BPS), antes de se afastar do movimento e afirmar que fora "o primeiro freudiano" do continente sul-americano.

A partir de 1930, à Argentina sofreu os reflexos dos acontecimentos na Europa. A classe política foi dividida entre partidários e adversários do fascismo, ao passo que, nos debates intelectuais, freudismo e marxismo cristalizavam o sonho de liberdade. Nessa sociedade construída como espelho da Europa, e na qual a partir de então os filhos dos imigrantes subiam ao poder, a psicanálise parecia ser capaz de proporcionar a cada indivíduo um conhecimento de si, de suas raízes, de sua origem, uma genealogia. Nesse sentido, ela foi menos uma medicina da normalização, reservada aos verdadeiros doentes, do que uma terapia de massa, a serviço de uma utopia comunitária. Daí o seu sucesso, único no mundo, junto a todas as classes médias urbanizadas. Daí também a sua extraordinária liberdade, a sua riqueza, a sua generosidade e a sua distância em relação aos dogmas.

Enrique Pichon-Rivière* e Arnaldo Rascovsky, ambos psiquiatras e filhos de imigrantes, um de cultura católica, outro de família judaica, se entusiasmaram pelo freudismo no período entre as duas guerras. Como o escritor Xavier Bóveda, que convidou Freud a exilar-se em Buenos Aires, sonhavam salvar a psicanálise do perigo fascista, oferecendo-lhe uma nova terra prometida. Em 1938, reuniram um círculo de eleitos, que formou o núcleo fundador do freudismo argentino: Luis Rascovsky, irmão de Arnaldo, Matilde Wencelblat, sua mulher, Simon Wencelblat, irmão desta, Arminda Aberastury* e enfim Guillermo Ferrari Hardoy e Luisa Gambier Alvarez de Toledo. Restava apenas esperar a chegada dos imigrantes, Angel Garma* e Marie Langer*, e a volta de Celes Ernesto Cárcamo*.

Formados segundo as regras clássicas da análise didática*, os três tiveram como primeira tarefa, no seio do jovem grupo argentino, ser os didatas e supervisores de seus colegas. Daí uma situação muito peculiar, que determinou certamente a vivacidade própria a essa nova academia de intelectuais portenhos. Longe de reproduzir a hierarquia dos institutos europeus e norte-americanos, em que dominava a relação professor/aluno, os pioneiros argentinos formaram, antes, uma "república de iguais".

Fundada em 1942 por cinco homens e uma mulher (Pichon-Rivière, Rascovsky, Ferrari Hardoy, Cárcamo, Garma, Langer), a Asociación Psicoanalítica Argentina (APA) foi reconhecida no ano seguinte pela IPA, no momento em que era publicada a sua revista oficial: *Revista de Psicoanálisis*. Posteriormente, Ferrari Hardoy emigrou para os Estados Unidos*.

Esses pioneiros argentinos pertenciam à terceira geração* psicanalítica mundial, muito afastada do freudismo* clássico e aberta a todas as novas correntes. A escola argentina nunca se limitaria a uma única doutrina. Acolheria todas com um espírito de ecletismo, inscrevendo-as quase sempre em um quadro social e político: marxista, socialista ou reformista. Ao longo dos anos e através de suas diversas filiações*, ela conservaria o aspecto de uma grande família e saberia organizar suas rupturas sem criar clivagens irreversíveis entre os membros de suas múltiplas instituições.

Durante o período de grande desenvolvimento da psicanálise (1950-1970), surgiram fortes atividades literárias e intelectuais, enquanto o populismo reformista de Juan Perón (1895-1974) e as políticas conservadoras dos regimes militares instauravam um clima de repressão e incerteza, que punha constantemente à prova os frágeis princípios de uma democracia sempre ameaçada. Nesse contexto, era impossível para os psicanalistas da APA, como observou Nancy Caro Hollander, não se aproveita-

rem "sem muito drama de consciência", das vantagens da profissionalização. Foi a época das grandes migrações, no interior do continente latino-americano, facilitadas pelo desenvolvimento da aviação civil. Tendo adquirido uma tradição clínica e uma verdadeira identidade freudiana, os argentinos formaram então, pela análise didática, seja em Buenos Aires, seja em seus próprios países, a maioria dos terapeutas dos países de língua espanhola que, por sua vez, se integrariam à IPA, constituindo grupos ou sociedades: Uruguai, Colômbia, Venezuela.

Depois de 1968, o movimento de revolta estudantil atingiu as sociedades psicanalíticas da IPA. Apoiados pelos didatas, os alunos em formação entraram em rebelião para impor uma transformação radical dos currículos, a abolição do mandarinato dos titulares e a abertura da psicanálise às questões sociais. No congresso de Roma, em julho de 1969, enquanto a contestação se organizava em torno de Elvio Fachinelli*, um grupo argentino assumiu o nome de Plataforma. Sob a égide de Marie Langer e Fernando Ulloa, adotou como objetivo estender a revolta a todas as instituições psicanalíticas do mundo. Unido à Federação Argentina de Psicanálise (FAP), sob a direção de Emilio Rodrigué, outra figura eminente da escola argentina, o grupo Plataforma prosseguiu as suas atividades durante dois anos. No congresso da IPA em Viena, em julho de 1971, o grupo se separou da APA para continuar a luta fora da instituição. Outro círculo assumiu então o nome de Documento. Seus membros apresentaram um projeto (um documento) de reformulação dos procedimentos da análise didática na APA. Mas, no fim do ano, diante da impossibilidade de qualquer diálogo, 30 psicanalistas se demitiram, em companhia de 20 candidatos, criando assim a primeira cisão* na história do movimento psicanalítico argentino. Nunca se reintegrariam à APA.

Essa ruptura teve como efeito cindir a APA em duas tendências rivais, que se enfrentaram durante seis anos, antes de encontrar um *modus vivendi*. Em um primeiro tempo, a 20 de janeiro de 1975, um grupo separatista assumiu o nome de Ateneo Psicoanalítico, não para deixar a APA, mas para fazer-se admitir, segundo um procedimento legal, como sociedade provisória da IPA. Diante da velha sociedade eclética, que não modificara os seus métodos, o Ateneo queria promover uma reflexão sobre a análise didática amplamente apoiada nos princípios do kleinismo e do pós-kleinismo, a fim de responsabilizar a instituição. Em julho de 1977, no congresso de Jerusalém, o grupo obteve a sua filiação, sob o nome de Asociación de Psicoanálisis de Buenos Aires (APdeBA). Depois, esta manteria relações cordiais com a APA.

Nessa data, a América Latina estava a ponto de tornar-se o continente freudiano mais poderoso do mundo, sob a égide da COPAL (futura FEPAL*) e em ligação com os grupos brasileiros, capaz de rivalizar com a American Psychoanalytic Association* (APsaA) e a Federação Européia de Psicanálise* (FEP).

Presidida por Serge Lebovici, a direção da IPA constatou essa nova divisão do mundo e propôs um estranho recorte em três zonas: 1) tudo o que se encontra ao norte da fronteira mexicana; 2) tudo o que se encontra ao sul da mesma fronteira; 3) o resto do mundo.

As duas cisões se produziram no momento em que a Argentina saía de um regime militar clássico, fundado no populismo e herdado do velho caudilhismo, para um sistema de terror estatal. Ora, se o primeiro feria as liberdades políticas, não limitava a liberdade profissional e associativa, da qual dependia o funcionamento das instituições psicanalíticas. O segundo, ao contrário, visava erradicar todas as formas de liberdade individual e coletiva. Por conseguinte, poderia destruir a psicanálise, como fizera outrora o nazismo*.

Em 1973, quando Perón voltou ao poder, nomeou Isabelita, sua nova esposa, para o posto de vice-presidente e fez de seu secretário José Lopez Rega o ministro dos assuntos sociais do país. Este apressou-se a criar a Tríplice A (Aliança Argentina Anticomunista), conhecida por seus esquadrões da morte, que serviram de força suplementar para o exército, em suas operações de controle da sociedade civil. Um ano depois, Perón morreu e Isabelita assumiu a sua sucessão, sendo substituída em março de 1976 pelo general Jorge Videla, que instaurou durante nove anos um dos regimes mais sangrentos do continente latino-americano, com o do general Pinochet no Chile: trinta mil pessoas foram assassinadas e torturadas, sob o rótulo de *desaparecidos*.

Instalado com o fim de exterminar todos os oponentes à livre dominação do capitalismo de mercado, o terrorismo estatal atingiu primeiramente as massas populares e seus representantes organizados. E foi em nome da defesa de um "ocidente cristão" e da segurança nacional que as forças armadas decidiram erradicar o freudismo e o marxismo, julgados responsáveis pela "degeneração" da humanidade. Ao contrário dos nazistas, não erigiram um instituto como o de Matthias Heinrich Göring* e não aboliram a liberdade de associação. A perseguição foi silenciosa, anônima, penetrando no coração da subjetividade.

Confrontados com o terror e a planificação dessa estratégia de torturas, os psicanalistas reagiram de modo diverso: seja utilizando o quadro do tratamento para ajudar os militantes e testemunhar as atrocidades, seja pela emigração pura e simples, seja pelo exílio interno e a retirada para uma prática privada, cada vez mais vergonhosa e culpabilizante.

Marxista e veterana das Brigadas Internacionais, Marie Langer encontrou-se, desde o seu exílio no México, na vanguarda dos combates, arrastando consigo todos os psicanalistas politizados do país. Foi nessa época que os argentinos, como outrora os judeus europeus, emigraram em grande número para os quatro cantos do mundo, a fim de formar novos grupos freudianos ou integrar-se aos que já existiam na Suécia*, na Austrália*, na Espanha*, nos Estados Unidos, na França.

Quanto à direção da IPA, decidiu ficar "neutra", a fim de não dar pretexto ao regime para destruir as suas instituições. E quando foi pressionada a intervir em casos de analistas "desaparecidos", os representantes oficiais de suas sociedades componentes lhe pediram que não fizesse nada, para evitar represálias. Depois de três anos de debates, por iniciativa da Sociedade australiana, a violação dos direitos humanos na Argentina foi condenada em votação aberta no congresso da IPA em Nova York, em 1979, a despeito da posição do presidente em exercício, Edward Joseph, que não hesitou em qualificar de "boatos" os crimes cometidos pelo regime do general Videla.

Na França, René Major, membro da Sociedade Psicanalítica de Paris (SPP), decidiu reagir. Em fevereiro de 1981, organizou um encontro franco-latino-americano, durante o qual Jacques Derrida tomou a palavra para denunciar a maneira pela qual a direção da IPA recortava o mundo, esquecendo "o mapa situado sob o mapa", a "quarta zona", a da tortura: "O que se chamará doravante América Latina da psicanálise é a única zona no mundo em que coexistem, enfrentando-se ou não, uma forte sociedade psicanalítica e uma sociedade (civil ou estatal) praticando em grande escala uma tortura que não se limita mais a formas brutalmente clássicas e facilmente identificáveis."

Onze anos depois, em um artigo de 1992, Leon Grinberg, exilado na Espanha, descreveu as conseqüências atrozes desse período, apresentando testemunhos assustadores.

A partir de 1964, o lacanismo começou a implantar-se, depois que Pichon-Rivière convidou Oscar Masotta*, jovem filósofo sartriano, a fazer uma conferência no seu Instituto de Psicologia Social. Mencionada pela primeira vez em 1936, em um artigo do psiquiatra Emilio Pizarro Crespo, a obra de Jacques Lacan* não era conhecida, 30 anos depois, nos meios psicanalíticos argentinos. Mas então a situação estava madura para que fosse acolhida, nesse país aberto às vanguardas européias, uma forma de renovação do pensamento freudiano. Em 1967, um psicanalista da APA, Cesar Liendo, citou pela primeira vez os trabalhos de Lacan e de seus discípulos na *Revista de Psicoanálisis*. Depois, Willy Baranger* e David Liberman continuaram no mesmo caminho. Analistas da APA organizaram encontros com Octave Mannoni*, Maud Mannoni e Serge Leclaire*, que também deram seu apoio a Masotta.

Em 1974, dezenove psicanalistas fundaram a Escuela Freudiana de Buenos Aires (EFBA), a partir do modelo da École Freudienne de Paris*. Entre eles estavam Isidoro Vegh e Germán Leopold Garcia. Essa iniciativa, a primeira do gênero, assinalou o início de uma formidável expansão do lacanismo na Argentina, enquanto Masotta se exilara na Espanha. Cinco anos depois, uma cisão irrompeu. De Barcelona, Masotta lançou o anátema contra seus antigos amigos da EFBA e anunciou a criação de um novo grupo: a Escuela Freudiana Argentina (EFA). Depois de sua morte, ocorrida alguns meses mais tarde, a EFA teve uma vida turbulenta, pois a fragmentação da antiga EFP conduziu a uma reorganização mundial do campo lacaniano. Nesse contexto, a EFA deu origem, por cisões sucessivas, a uma floração de pequenos grupos representativos das múltiplas tendências do lacanismo e do pós-lacanismo. Estes se reorganizariam mais uma vez depois da queda de Videla.

Durante todo o período de terror estatal (1976-1985), o interesse pelo pensamento de Lacan progrediu na Argentina de maneira curiosa. Recebido como uma contracultura subversiva e de aspecto esotérico, a doutrina do mestre permitia aos que a faziam frutificar mergulhar em debates sofisticados sobre o passe*, o matema* e a lógica, e esquecer, ou mesmo ignorar, a sangrenta ditadura instaurada pelo regime. Como seus colegas politizados da IPA, os lacanianos marxistas e militantes se exilaram ou resistiram ao terror. Quanto aos outros, foram alvo de muitas críticas posteriores. Foram acusados de não ter combatido a opressão e acomodar-se, assim como fez a direção da IPA.

A partir de 1985, com o restabelecimento da democracia, todas as sociedades psicanalíticas argentinas tiveram uma expansão considerável: três sociedades componentes da IPA e um grupo de estudos (APA, ABdeBA, Asociación Psicoanalítica de Mendoza, Círculo de Córdoba), reunindo mais de mil membros para uma população de 34 milhões e meio de habitantes, ou seja uma densidade (apenas para a IPA) de 29 psicanalistas por milhão de habitantes, uma das taxas mais elevadas do mundo.

A obra de Lacan foi ensinada em todas as universidades pelos departamentos de psicologia e serviu de doutrina de referência para psicólogos clínicos que desejavam ter acesso à profissão de psicanalista através da análise leiga*. O movimento se dividiu em cerca de sessenta grupos, em várias cidades, perfazendo um total de aproximadamente mil terapeutas. No fim dos anos 1990, o número de psicanalistas de todas as tendências se elevava pois a 2.500, ou seja 57 por milhão de habitantes, um pouco menos do que na França.

Diante do cisionismo em cadeia e da perda da casa-mãe, que não garantia mais a unidade da doutrina depois da morte de Lacan, os antigos fundadores da EFBA, aliados a muitos outros latino-americanos do Uruguai, da Venezuela, do Brasil* etc., tomaram a iniciativa de romper com o espelho parisiense. Assumiram o nome de Lacano-Americanos. Sob essa apelação, federalizou-se um movimento que cobria o conjunto do continente americano, que desconfiava de toda rigidez institucional e se preocupava em iniciar um processo de "descolonização", de emancipação de Paris. Por sua vez, a APA integrou o ensino de Lacan aos seus programas de formação e aceitou em suas fileiras clínicos lacanianos que respeitassem as regras de duração impostas pelos padrões da IPA.

Sob a influência de Jacques-Alain Miller, abriu-se outro caminho, contrário ao dos Lacano-Americanos, com a criação, em 1992, da Escuela de la Orientación del Campo Freudiano (EOL), visando integrar o lacanismo argentino e latino-americano a uma estrutura centralizada: a Association Mondiale de Psychanalyse*. Mas, a despeito de um real poder, a EOL continuou minoritária, certamente por causa do seu sectarismo.

Em 1991, pela primeira vez desde a sua criação, a IPA realizou o seu congresso anual em Buenos Aires. Nessa ocasião, Horacio Etchegoyen foi eleito presidente. Técnico do tratamento de tendência kleiniana, analisado por Heinrich Racker* e membro da ABdeBA, foi o primeiro presidente de língua espanhola do movimento freudiano. Na grande tradição do freudismo argentino, promoveu durante o seu mandato uma política liberal, aberta a todas as correntes.

• Analitica del Litoral, 5, dossiê "La entrada del pensamiento de Jacques Lacan en lengua española (1)", Santa Fé, 1995 • Asociación Psicoanalítica Argentina (1942-1982), documentos publicados pelo departamento de história da psicanálise da APA, B. Aires, 1982; Asociación Psicoanalítica Argentina (1942-1992), documentos publicados pelo comitê diretor da APA, B. Aires, 1992 • "Lettres de Sigmund Freud à Honorio Delgado (1919-1934)", apresentadas por Alvaro Rey de Castro, Revue Internationale d'Histoire de la Psychanalyse, 6, 1993, 401-27 • Jorge Balán, Cuéntame tu vida. Una biografía colectiva del psicoanálisis argentino, B. Aires, Planeta, 1991 • Mariano Ben Plotkin, "Freud, politics and the 'Porteños': The reception of psychoanalysis in Buenos Aires (1910-1943)", inédito, 1996 • Jacques Derrida, "Géopsychanalyse and the rest of the world" (1981), in Psyché, Paris, Galilée, 1987, 327-53 • Raúl Giordano, Notice historique du mouvement psychanalytique en Argentine, monografia para o CES de psiquiatria, sob a direção de Georges Lantéri-Laura, Universidade de Paris-XII, s/d. • Léon Grinberg, "La Mémoire accuse: des psychanalystes sous les régimes totalitaires", Revue Internationale d'Histoire de la Psychanalyse, 5, 1992, 445-72 • Nancy Caro Hollander "Psychanalyse et terreur d'État en Argentine", ibid., 473-516 • Alain Rouquié, L'État militaire en Amérique Latine, Paris, Seuil, 1986 • Enrique Torres, "Psicoanálisis de provincia", conferência inédita pronunciada em Buenos Aires em outubro de 1994 • Hugo Vezzetti, La locura en la Argentina (1983), B. Aires, Paidos, 1985; "Psychanalyse et psychiatrie à Buenos Aires", L'Information Psychiatrique, 4, abril de 1989, 398-411; "Freud en langue espagnole", Revue Internationale d'Histoire de la Psychanalyse, 4, 1991, 189-205; Aventuras de Freud en el pais de los argentinos, B. Aires, Paidos, 1996; (org.), Freud en Buenos Aires (1910-1939), B. Aires, Punto Sur, 1989.

➢ Association Mondiale de Psychanalyse; Bleger, José; Brasil.

Arpad, o homenzinho-galo (caso)
➢ Totem e tabu.

Arquivos Freud ou Sigmund Freud Archives (SFA)
➢ Biblioteca do Congresso.

Ásia
➢ Antropologia; Etnopsicanálise; História da psicanálise; Índia; Japão; Wulff, Moshe.

Associação Brasileira de Psicanálise (ABP)

Criada em maio de 1967 por Mario Martins, e depois presidida por Durval Marcondes*, a Associação Brasileira de Psicanálise (ABP) é uma federação reconhecida pela International Psychoanalytical Association* (IPA). Trinta anos após sua criação, acabaria congregando seis sociedades da IPA no Brasil*: duas no Rio de Janeiro (SPRJ e SBPRJ), uma em São Paulo (SBPSP), uma em Porto Alegre (SPPA), uma em Pelotas (SPP) e uma em Recife (SPR). A estas juntam-se três grupos de estudos: Porto Alegre (GEPdePA), Ribeirão Preto (GEPRP) e Brasília (GEPB). Esses nove grupos elevam a

1.456 o número de psicanalistas brasileiros que são membros da IPA. Como tal, a ABP não é membro da Federación Psicoanalitica de America Latina* (FEPAL), que reúne todas as sociedades do continente latino-americano, embora não tenha, como a American Psychoanalytical Association (APsaA)*, o estatuto de associação regional.

• Anuário Brasileiro de Psicanálise. Ensaios, publicações, calendário, resenhas, artigos, Rio de Janeiro, Relume Dumará, 1991 • Roster, The International Psychoanalytical Association Trust, 1996-1997.

associação livre, regra da

➤ REGRA FUNDAMENTAL.

Associação Mundial de Psicanálise

➤ ASSOCIATION MONDIALE DE PSYCHANALYSE (AMP).

Associação Psicanalítica Internacional (API)

➤ INTERNATIONAL PSYCHOANALYTICAL ASSOCI-ATION.

associação verbal, teste de

al. Assoziationsexperiment; esp. test de asociación verbal; fr. test d'association verbale; ing. associative experiment

Técnica experimental usada por Carl Gustav Jung*, a partir de 1906, para detectar os complexos* e isolar as síndromes específicas de cada doença mental. Consiste em pronunciar diante do sujeito* uma série de palavras, cuidadosamente escolhidas, pedindo-lhe que responda com a primeira palavra que lhe vier à cabeça e medindo seu tempo de reação.

Historicamente, essa técnica está ligada à noção de associação de idéias, já utilizada por Aristóteles, que definira seus três grandes princípios: a contigüidade, a semelhança e o contraste. No século XIX, a psicologia introspectiva e a filosofia empirista conferiram-lhe tamanha importância que o associacionismo transformou-se numa verdadeira doutrina, na qual se inspirariam todas as correntes da psicologia e, em especial, Sigmund Freud*, que se

apoiaria nela para fundar um método radicalmente novo de exploração do inconsciente: a associação livre* ou livre associação.

Inventado por Francis Galton (1822-1911), esse teste foi empregado por Wilhelm Wundt (1832-1920) e Emil Kraepelin*, antes de ser introduzido por Eugen Bleuler* na Clínica do Burghölzli, onde Jung o usou em larga escala em experimentos que tinham por objetivo definir uma nova teoria do complexo. Ele distinguia as associações internas ou semânticas, características da introversão*, de outras, chamadas externas ou verbais, mais relacionadas com a extroversão (exteriorização de si). Depois de aplicar abundantemente o teste, Jung desistiu, em parte sob a influência de Freud. Mas nunca o renegou. Atualmente, o teste é utilizado pelos representantes da escola de psicologia analítica.

• Carl Gustav Jung, "Diagnostische Assoziationsstudien" (Leipzig, 1906, 1909), Gesammelte Werke, II, Zurique, Rascher Verlag • Freud/Jung: correspondência completa (Paris, 1975), Rio de Janeiro, Imago, 1982 • Henri F. Ellenberger, Histoire de la découverte de l'inconscient (N. York, Londres, 1970, Villeurbanne, 1974), Paris, Fayard, 1994.

➤ REGRA FUNDAMENTAL; RORSCHACH, HER-MANN.

Association Mondiale de Psychanalyse (AMP)

(Associação Mundial de Psicanálise)

Fundada em fevereiro de 1992 por Jacques-Alain Miller, genro de Jacques Lacan*, a Association Mondiale de Psychanalyse (AMP) fundamenta-se num texto a que seus fundadores deram o nome de pacto de Paris. Reúne cinco instituições que tomam por referência a École Freudienne de Paris* (EFP), mas nenhuma delas foi criada por Lacan: a École de la Cause Freudienne (ECF, França*, 1981), a Escuela del Campo Freudiano de Caracas (ECFC, Venezuela, 1986), a École Européenne de Psychanalyse (EEP, França, 1990), a Escuela de la Orientación Lacaniana (EOL, Argentina, 1992) e a Escola Brasileira de Psicanálise (EBP, Brasil*, 1995).

Três outras estruturas estão ligadas à AMP: a Association de la Fondation du Champ Freudien (AFCF), que coordena grupos de muitos países que não entram no quadro das cinco escolas; a Fédération Internationale des Bibliothèques du Champ Freudien, que congrega diversos organismos encarregados da difusão do pensamento lacaniano, e o Institut du Champ Freudien, órgão de formação psicanalítica que se divide em seções conforme os diferentes países. Esse conjunto agrupa cerca de 1.800 membros (dentre os quais 350 encontram-se na França, 318 no Brasil, 200 na Argentina e cerca de 100 na Espanha*). Centralizada e governada a partir de Paris por seu presidente (Jacques-Alain Miller), a quem são delegados todos os poderes, sem controle nem elegibilidade, a AMP é uma instituição de vocação globalizante, mais hispanófona do que francófona e mais latino-americana do que realmente internacionalista. Seus membros, em número majoritário, são psicólogos que se beneficiaram da expansão da análise leiga* decorrente do desenvolvimento dos estudos de psicologia na maioria das universidades do mundo, após a Segunda Guerra Mundial.

A AMP é um aparelho institucional que tem por objetivo centralizar filiais, coordená-las e controlá-las, a partir da aplicação de um dogma. Assim, em nome da teoria do objeto (pequeno) *a**, a AMP aboliu em suas instituições a própria idéia de autoria: os livros publicados sob sua responsabilidade são, essencialmente, manifestos coletivos não assinados, porém acompanhados de uma longa lista de nomes reunidos em cartéis, seções e subgrupos, aos quais se acrescentam prefácios redigidos por Jacques-Alain Miller e Judith Miller, sua esposa.

Das 23 sociedades psicanalíticas oriundas da dissolução da EFP em 1981, quatro anunciaram um projeto de tipo federativo, com vocação européia ou internacional: a Association Freudienne (AF), fundada em 1981 e que se tornou internacional em 1992 (AFI), o Inter-Associatif de Psychanalyse (I-Ap), a Fondation Européenne pour la Psychanalyse (FepP), ambas criadas em 1991, e, por último, a Association Mondiale de Psychanalyse (AMP). Nenhuma dessas sociedades continua a aplicar os princípios de formação didática próprios da EFP e a maioria delas adotou um modelo institucional de tipo associativo, próximo do das sociedades filiadas à International Psychoanalytical Association* (IPA).

A AMP, além disso, é a única instituição lacaniana do mundo que se atribui a tarefa de exportar para qualquer país um modelo de ensino e de formação dos terapeutas que obedece a uma doutrina única. Portanto, ela é diferente da IPA, que tem por modelo uma associação centralizada, sem dúvida, mas que aceita as tendências e o debate e que procede a eleições conformes aos regulamentos associativos.

Ainda diversamente da IPA, a qual, é claro, encarna a legitimidade freudiana, uma vez que Freud foi seu fundador, a AMP retira seu poder, antes de mais nada, da transmissão dos bens e do direito moral legados por Lacan a sua família.

Se a AMP não admite nenhuma divergência doutrinária, por outro lado não impõe nenhuma regra técnica: daí a generalização da duração cada vez mais curta das sessões e, acima de tudo, a atribuição de um poder ilimitado ao analista, que pode impor ao paciente suas próprias regras ou até seu compromisso com uma causa.

• *Annuaire et textes statutaires*, *École de la Cause Freudienne*, *ACF*, Paris, 1995 • *Escola Brasileira de Psicanálise*, Paris, 1995 • *Os poderes da palavra*, textos reunidos pela Association Mondiale de Psychanalyse, com uma "Nota preliminar" de Jacques-Alain Miller e um "Prefácio" de Judith Miller (Paris, 1996), Rio de Janeiro, Jorge Zahar, 1996.

➢ ANÁLISE DIDÁTICA; HISTÓRIA DA PSICANÁLISE; SOCIEDADE PSICOLÓGICA DAS QUARTAS-FEIRAS; SUPERVISÃO; TÉCNICA PSICANALÍTICA.

atenção flutuante

al. *Gleichschwebende Aufmerksamkeit*; esp. *atención (parejamente) flotante*; fr. *attention flottante*; ing. *suspended attention*

Termo criado por Sigmund Freud*, em 1912, para designar a regra técnica segundo a qual o psicanalista deve escutar seu paciente sem privilegiar nenhum elemento do discurso deste e deixando que sua própria atividade inconsciente entre em ação.

➢ REGRA FUNDAMENTAL.

ato falho

al. *Fehlleistung*; esp. *acto fallido*; fr. *acte manqué*; ing. *parapraxis*

Ato pelo qual o sujeito*, a despeito de si mesmo, substitui um projeto ao qual visa deliberadamente por uma ação ou uma conduta imprevistas.

Tal como em relação ao lapso*, Sigmund Freud* foi o primeiro, a partir de *A interpretação dos sonhos**, a atribuir uma verdadeira significação ao ato falho, mostrando que é preciso relacioná-lo aos motivos inconscientes de quem o comete. O ato falho ou acidental torna-se equivalente a um sintoma, na medida em que é um compromisso entre a intenção consciente do sujeito e seu desejo* inconsciente.

Foi em 1901, em *A psicopatologia da vida cotidiana**, que Freud deu, com grande senso de humor, os melhores exemplos de atos falhos, utilizando inúmeras histórias fornecidas por seus discípulos, tais como esta, contada por Hanns Sachs*: num jantar conjugal, a mulher se engana e, em vez da mostarda pedida pelo marido, coloca junto ao assado um frasco do qual costuma servir-se para tratar de suas dores de estômago. Os vienenses sempre tiveram acentuada predileção pelos intermináveis relatos de lapsos e atos falhos, os quais transformavam em histórias engraçadas.

Nesse campo, dando-lhes seguimento, Jacques Lacan* se revelaria um dos melhores comentadores de Freud. Em 1953, especialmente, em "Função e campo da fala e da linguagem em psicanálise", ele daria a seguinte definição do ato falho: "Quanto à psicopatologia da vida cotidiana, outro campo consagrado por uma outra obra de Freud, está claro que todo ato falho é um discurso bem-sucedido, ou até espirituosamente formulado (...)."

• Sigmund Freud, *A psicopatologia da vida cotidiana* (1901), *ESB*, VI; *GW*, IV; *SE*, VI; Paris, Payot, 1973 • Jacques Lacan, *Escritos* (Paris, 1966), Rio de Janeiro, Jorge Zahar, 1998.

➢ *Chistes e sua relação com o inconsciente, Os.*

atuação

➢ *ACTING OUT.*

Aubry, Jenny, *née* Weiss (1903-1987)

psiquiatra e psicanalista francesa

Nascida em uma família da grande burguesia parisiense, Jenny Aubry era neta de Émile Javal, inventor do oftalmômetro. Sua irmã, Louise Weiss (1893-1983) foi uma célebre sufragista. Estimulada pela mãe, fez estudos médicos, de neurologia e de psiquiatria infantil, antes de casar-se com Alexandre Roudinesco (1883-1974), médico de origem romena, de quem se divorciou em 1952. Teve como professores Clovis Vincent, ele próprio aluno de Joseph Babinski*, e Georges Heuyer (1884-1917), um dos primeiros médicos franceses a acolher a psicanálise* em seu serviço. Foi ali que ela conheceu Sophie Morgenstern*. Nas vésperas da guerra, foi nomeada *médecin des hôpitaux*, tornando-se assim a segunda mulher a obter esse título na França.

Hostil, desde junho de 1940, ao governo de Vichy, entrou para uma rede da Resistência. Utilizando seus conhecimentos, protegeu crianças judias colocando-as no colégio de Annel, no Loiret, onde trabalhava com Solange Cassel, e no Hospício de Brévannes, onde exercia as funções de chefe de serviço. Em 1943 e 1944, no Hôpital des Enfants Malades, redigiu falsos certificados, para desviar os jovens recrutas do Serviço de Trabalho Obrigatório (STO).

Em 1948, começou a se interessar pela prevenção das psicoses infantis e pelas experiências de René Spitz* e da escola inglesa, principalmente as de John Bowlby*. Depois de um encontro decisivo com Anna Freud* e uma viagem aos Estados Unidos*, orientou-se para a psicanálise. Realizou sua análise didática com Sacha Nacht* e fez uma supervisão* com Jacques Lacan*, que ela acompanhou na Sociedade Francesa de Psicanálise (SFP) e depois na École Freudienne de Paris* (EFP). Foi com o sobrenome do segundo marido (Pierre Aubry), que publicou seus trabalhos depois de 1953.

A partir de 1946, desenvolveu uma experiência pioneira na França*, implantando no quadro hospitalar não-psiquiátrico a prática e a teoria psicanalíticas. Na Fundação Parent-de-Rosan, ligada ao Hospital Ambroise-Paré, fez um filme sobre crianças doentes de hospitalismo*. Depois, em 1953, publicou um livro coletivo, várias vezes reeditado. Nele, relatou a experiência de sua equipe, mostrando os resultados inéditos obtidos pela psicanálise na prevenção e no tratamento das psicoses* no meio hospitalar.

Na policlínica do Boulevard Ney, ligada ao Hospital Bichat, estendeu seu trabalho de prevenção ao campo dos atrasos escolares, desenvolvendo uma terapêutica de massa nas escolas maternais. Enfim, entre 1964 e 1968, criou um serviço de clínica psicanalítica (a primeira na França) no Hôpital des Enfants Malades. Através de todas as suas atividades, Jenny Aubry procurava, ao mesmo tempo, provar a origem psíquica das carências afetivas nas crianças abandonadas ou perturbadas por internações em instituições e tratá-las pela psicanálise.

Por seu trabalho com lactentes ou crianças pequenas, Jenny Aubry formou, como Françoise Dolto*, mas de maneira diferente, uma geração de psiquiatras hospitalares de crianças, que prosseguiriam no caminho traçado. A partir de 1969, instalada em Aix-en-Provence, formou novamente muitos alunos, contribuindo assim para uma forte expansão da psicanálise nessa região mediterrânea, que durante muitos anos fora o campo de Angelo Hesnard*.

• Jenny Aubry, *Enfance abandonnée* (1953), Paris, Scarabée-Métailié, 1983 • Jenny Aubry, H.P. Klotz, Jacques Lacan, Ginette Raimbault, P. Royer, "La Place de la psychanalyse dans la médecine" (1966), *Le Bloc-Notes de la Psychanalyse*, 7, 1987, 9-38 • Élisabeth Roudinesco, *História da psicanálise na França*, vol.2 (Paris, 1986), Rio de Janeiro, Jorge Zahar, 1988 • Marcelle Geber, "Jenny Aubry", artigo inédito.

➢ PSICANÁLISE DE CRIANÇAS.

Augustine

Na *Iconografia fotográfica da Salpêtrière*, editada por Désiré-Magloire Bourneville (1840-1909) entre 1876 e 1880, Augustine, uma das figuras mais célebres da histeria* no fim do século XIX francês, foi representada, não longe de Rosalie Leroux e da famosa Blanche Wittmann, que se vê no quadro do pintor André Brouillet (1857-1920) intitulado *Uma lição clínica na Salpêtrière*, exposto no Salão dos Independentes de 1887.

Fotografada muitas vezes em atitudes passionais, Augustine suscitou comentários de escritores e poetas. Em 1928, André Breton (1896-1966) e Louis Aragon (1897-1982) a imortalizaram em sua celebração do cinqüentenário da histeria de Jean Martin Charcot*, opondo-se assim à revisão de Joseph Babinski*: "Nós, surrealistas, fazemos questão de celebrar o cinqüentenário da histeria, a maior descoberta poética do fim do século, e isso no mesmo momento em que o desmembramento do conceito de histeria parece fato consumado."

• *Iconographie photographique de la Salpêtrière*, editada por Désiré-Magloire Bourneville e Paul Regnard, Paris, Bureaux du Progrès Médical, Delahaye e Lecrosnier, I, 1876-1877, II, 1878, III, 1879-1880 • *La Révolution surréaliste*, 9-10, 1927, Paris, Jean-Michel Place, 1980.

➢ ESTUDOS SOBRE A HISTERIA; FRANÇA; HIPNOSE.

Aulagnier, Piera (1923-1990)
psiquiatra e psicanalista francesa

De origem milanesa, Piera Aulagnier viveu no Egito durante a Segunda Guerra Mundial, antes de estudar medicina em Roma. Instalou-se em Paris, onde fez sua análise didática com Jacques Lacan*. Participou da fundação da École Freudienne de Paris* (EFP), que deixaria em 1969, em razão de uma discordância sobre o passe*, para criar em 1969, com François Perrier* e Jean-Paul Valabrega, a Organização Psicanalítica de Língua Francesa (OPLF), também chamada Quarto Grupo. Especialista em clínica das psicoses e representante da terceira geração* francesa, fundou a revista *Topique*.

• Piera Aulagnier, *La Violence de l'interprétation*, Paris, PUF, 1975 • Élisabeth Roudinesco, *História da psicanálise na França*, vol. 2 (Paris, 1986), Rio de Janeiro, Jorge Zahar, 1988.

Austrália

Terra de emigração onde os aborígines foram exterminados pelo fogo cruzado dos colonos e dos desterrados, eles próprios vítimas da barbárie penitenciária, a Austrália foi ao mesmo tempo um membro desprezado do Império Britânico e um dos continentes de eleição da antropologia* moderna. A implantação do freudismo* se fez de duas maneiras distintas: por um lado, através das expedições etnológicas durante as quais foram debatidas as teses freudianas de *Totem e tabu** — de Bronislaw Malinowski* a Geza Roheim* —; por outro lado, pela instalação de um movimento psicanalítico submetido ao espírito colonial inglês, e que sempre permaneceu limitado a um pequeno grupo de homens. Nem fundadores, nem chefes de escola, esses pioneiros, autóctones ou imigrantes, se instalaram na dependência em relação à International Psychoanalytical Association* (IPA), preocupados principalmente em assemelhar-se a seus colegas europeus.

Em 1909, Donald Cameron, ex-pastor da Igreja presbiteriana que se tornara médico, organizou em Sydney um pequeno grupo de leitura dos textos freudianos. Fez várias conferências, que suscitaram reações hostis. Dois anos depois, Andrew Davidson, médico, convidou Sigmund Freud* a pronunciar uma conferência no Congresso médico australiano de Sydney, em companhia de Carl Gustav Jung* e de Havelock Ellis*. Os três não compareceram, mas enviaram textos que foram lidos. A comunicação de Freud, redigida em inglês, tinha como tema a psicanálise*, e foi a ocasião de um novo ataque contra as teses de Pierre Janet*. Com uma extrema concisão, Freud lembrava que a psicanálise permitira isolar a histeria* de toda etiologia hereditária, atribuindo-lhe como causa primeira um conflito psíquico ligado a uma dissociação (clivagem*), tendo por origem o recalque*.

Depois da Primeira Guerra Mundial, começou o processo de imigração e intercâmbio entre Londres e Sydney. Foi assim que Roy Coupland Winn (1890-1963) voltou à Austrália, depois de se formar na British Psychoanalytic Society (BPS). Foi o primeiro médico australiano a praticar a psicanálise e a introduzi-la nos meios hospitalares. Durante o período entre as duas guerras, vários artigos, publicados em revistas especializadas, foram dedicados à sexualidade* infantil e à importância do freudismo para a psiquiatria e a medicina.

Apesar dos apelos de Ernest Jones*, sempre preocupado em difundir um freudismo de inspiração médica e positivista no Império Britânico, os clínicos da Europa, perseguidos pelo nazismo*, não escolheram a Austrália como refúgio. Só Clara Lazar-Geroe (1900-1980), proveniente de Budapeste, aceitou instalar-se em Melbourne em 1940, tornando-se assim a primeira didata do país reconhecida apta pela IPA para formar alunos. Analisada por Michael Balint*, ela criou em 1952, com Roy Winn e dois outros clínicos húngaros vindos de Londres, Vera Roboz e Andrew Peto, a Sociedade Australiana de Psicanalistas, que foi ligada à BPS até 1967. Nessa data, no congresso da IPA em Copenhague, a Sociedade foi admitida como grupo de estudos. Enfim, em 1973, no congresso de Paris, foi recebida como sociedade componente, sob o nome de Australian Psychoanalytical Society (APS), dispondo imediatamente de três ramos (Sydney, Melbourne, Adelaide) para organizar um número muito restrito de membros: apenas 62 em meados dos anos 1990, para uma população de dezoito milhões de habitantes.

Como muitas outras regiões do mundo (Escandinávia*, Canadá* etc.), a Austrália foi, a partir dos anos 1960, o centro de um desenvolvimento de todas as teorias originárias da escola inglesa ou da escola americana: kleinismo* (Ronald Fairbairn*), pós-kleinismo (Wilfred Ruprecht Bion*), independentes* (Michael Balint, Donald Woods Winnicott*), *Self Psychology**.

Quinze anos depois, a entrada em cena do lacanismo*, importado da Argentina* por Oscar Zentner, modificou o panorama psicanalítico australiano. Em 1977, Zentner fundou a Freudian School of Melbourne, a partir do modelo da Escuela Freudiana de Buenos Aires (EFBA), criada em 1974 por Oscar Masotta*, que por sua vez seguia o modelo da École Freudienne de Paris*. Como em todos os países de língua inglesa, a doutrina lacaniana foi então ensinada na universidade, nos departamentos de literatura e de filosofia, e também por grupos feministas. No plano clínico, ela conseguiu desenvolver-se, como na Argentina e no Brasil*, no campo das psicoterapias* e da psicologia, isto é, fora dos circuitos clássicos da medicina, nos quais, sob a influência da política de Jones, o freudismo se instalara amplamente. Nesse aspecto, o lacanismo favoreceu na Austrália, contra uma IPA medicalizada, o progresso da análise leiga*.

• Sigmund Freud, "Sobre a psicanálise" (1913), *ESB*, XII, 265-76; *SE*, XII, 205-11 • Ernest Jones, *A vida e a obra de Sigmund Freud*, vol.2, (N. York, 1955), Rio de Janeiro, Imago, 1989 • F.W. Graham, "Obituary Clara Lazar-Geroe (1900-1980)", *International Review of Psycho-Analysis*, vol.7, parte 4, 1980, 522-3 • Jacquy Chemouni, *História do movimento psicanalítico* (Paris, 1990), Rio de Janeiro, Jorge Zahar, 1991 • Reginald T. Martin, "Australia", in *Psychoanalysis International. A Guide to Psychoanalysis Throughout the World*, vol.2, Peter Kutter (org.), Frankfurt, Frommann Verlag, 1995, 27-40.

Áustria
➢ VIENA.

autismo
al. *Autismus*; esp. *autismo*; fr. *autisme*; ing. *autism*

Termo criado em 1907 por Eugen Bleuler* e derivado do grego autos *(o si mesmo), para designar o ensimesmamento psicótico do sujeito* em seu mundo interno e a ausência de qualquer contato com o exterior, que pode chegar inclusive ao mutismo.*

Designa-se pelo adjetivo "autista" a pessoa afetada pelo autismo, e pelo adjetivo "autístico" tudo aquilo que caracteriza o autismo. Por exemplo, um delírio autístico, uma criança autista.

É numa carta de Carl Gustav Jung* a Sigmund Freud*, datada de 13 de maio de 1907, que descobrimos como Bleuler cunhou o termo autismo. Ele se recusava a empregar a palavra auto-erotismo*, introduzida por Havelock Ellis* e retomada por Freud, por considerar seu conteúdo por demais sexual. Por isso, fazendo uma contração de auto com erotismo, adotou a palavra autismo, depois de ter pensado em ipsismo, derivada do latim. Posteriormente, Freud conservou o termo auto-erotismo para designar esse mesmo fenômeno, enquanto Jung adotou o termo introversão*.

Em 1911, em seu principal livro, *Dementia praecox ou grupo das esquizofrenias*, Bleuler designou por esse termo um distúrbio típico da esquizofrenia* e característico dos adultos.

Em 1943, o psiquiatra norte-americano Leo Kanner (1894-1981), emigrado judeu e originário do antigo Império Austro-Húngaro, transformou a abordagem do autismo ao fazer a primeira descrição, a partir de onze observações, do que denominava de autismo infantil precoce. Kanner descreveu um quadro clínico diferente do da esquizofrenia infantil e encarou o autismo como uma afecção psicogênica, caracterizada por uma incapacidade da criança, desde o nascimento, de estabelecer contato com seu meio. Cinco grandes sinais clínicos permitiriam, segundo ele, reconhecer a psicose* autística: o surgimento precoce dos distúrbios (logo nos dois primeiros anos de vida), o extremo isolamento, a necessidade de imobilidade, as estereotipias gestuais e, por fim, os distúrbios da linguagem (ou a criança não fala nunca, ou emite um jargão desprovido de significação, incapaz de distinguir qualquer alteridade).

Depois de postular uma origem psicogênica para o autismo e afastar a questão do aspecto dos distúrbios precoces, e portanto, das psicoses infantis, Kanner evoluiu para um organicismo que o levou a encetar uma polêmica com o maior especialista norte-americano no tratamento de crianças autistas, Bruno Bettelheim*.

Além de Bettelheim, foram a corrente annafreudiana, por um lado, com os trabalhos de Margaret Mahler* sobre a psicose simbiótica, e a corrente kleiniana, por outro, que melhor estudaram e trataram o autismo, amiúde com sucesso, com a ajuda dos instrumentos fornecidos pela psicanálise*. Nesse contexto, Frances Tustin trouxe uma nova visão sobre essa questão na década de 1970, ao propor uma classificação do autismo em três grupos: o autismo primário anormal, resultante de uma carência afetiva primordial e caracterizado por uma indiferenciação entre o corpo da criança e o da mãe; o autismo secundário, de carapaça, que corresponde em linhas gerais à definição de Kanner; e o autismo secundário regressivo, que seria uma forma de esquizofrenia sustentada por uma identificação projetiva*.

A partir de 1980, e apesar da evolução da psiquiatria para o biologismo, o cognitivismo e a genética, nenhum trabalho de pesquisa conseguiu comprovar (como de resto não o fez em relação à esquizofrenia e à psicose maníaco-depressiva) que o autismo verdadeiro (quando não existe nenhuma lesão neurológica anterior) seja de origem puramente orgânica. Por conseguinte, somente a doutrina psicanalítica (em qualquer de suas tendências) foi capaz, nesse campo, sem excluir *a priori* a eventualidade de causas múltiplas, de explicar a dimensão psíquica dessa doença e, acima de tudo, de romper com o niilismo terapêutico dos adeptos do organicismo, assim permitindo cuidar das crianças autistas em escolas, clínicas e centros especializados.

• Eugen Bleuler, *Dementia praecox ou groupe des schizophrénies* (Leipzig, 1911), Paris, EPEL-GREC, 1993 • Carl Gustav Jung, *Correspondance (1906-1909)*, Paris, Gallimard, 1975 • Leo Kanner, "Autistic disturbances of affective contact", *Nervous Child*, 2, 1943, 217-50 • Bruno Bettelheim, *A fortaleza vazia* (1967), S. Paulo, Martins Fontes, 1987 • Frances Tustin, *Autismo e psicose infantil* (Londres, 1970), Rio de Janeiro, Imago, 1975 • M. Rutter e S. Schloper (orgs.), *L'Autisme. Une réevaluation des concepts et des traitements* (N. York, 1978), Paris, PUF, 1991 • Phyllis Tyson e Robert L. Tyson, *Teorias psicanalíticas do desenvolvimento* (New Haven, Londres, 1990), P. Alegre, Artes Médicas, 1993 • Jacques Postel, "Autisme", in *Grand dictionnaire de la psychologie*, Paris, Larousse, 1991, 86-7 • Pierre Morel (org.), *Dicionário biográfico psi* (Paris, 1996), Rio de Janeiro, Jorge Zahar, 1997.

➤ ANNAFREUDISMO; AUBRY, JENNY; DOLTO, FRANÇOISE; KLEINISMO; OBJETO, RELAÇÃO DE; PSICANÁLISE DE CRIANÇAS; WINNICOTT, DONALD WOODS.

auto-análise

al. *Selbstanalyse*; esp. *autoanálisis*; fr. *auto-analyse*; ing. *self-analysis*

Na doutrina freudiana e na história do movimento psicanalítico, a situação da auto-análise sempre foi tão problemática quanto a da cientificidade da psicanálise*. Essa nova "ciência", inventada por Freud, realmente se caracteriza pelo fato de dever sua existência aos enunciados de um pai fundador, autor e criador de um sistema de pensamento.

Como assinalou Michel Foucault (1926-1984) numa conferência proferida em 1969, é preciso, nesse contexto, estabelecer bem a diferença entre a fundação de um campo de cientificidade, caso em que a ciência se relaciona com a obra do instaurador como o faria com coordenadas primárias, e a fundação de uma discursividade de tipo científico, através da qual um autor instaura em seu próprio nome uma possibilidade infinita de discursos, passíveis de ser reinterpretados. No primeiro caso, o reexame de um texto (de Galileu ou Darwin, por exemplo)

altera o conhecimento que temos da história do campo em questão (a mecânica, a biologia), sem modificar o campo em si, ao passo que no outro caso dá-se o inverso: o reexame do texto transforma o próprio campo. Desenvolveu-se um debate interminável, nessa perspectiva de uma distinção entre ciência "natural" e discursividade, sobre a questão não da auto-análise como investigação de si por si mesmo, mas como momento fundador, para o próprio Freud e, portanto, para o freudismo*, de um campo de discursividade: o da psicanálise, sua doutrina e seus conceitos.

A questão da auto-análise como investigação de si por si mesmo foi resolvida desde muito cedo pelo movimento psicanalítico. Em 14 de novembro de 1897, numa carta a Wilhelm Fliess*, Freud declarou: "Minha auto-análise continua parada. Agora compreendi por quê. É que só posso me analisar servindo-me de conhecimentos objetivamente adquiridos, como em relação a um estranho. A verdadeira auto-análise é impossível, caso contrário já não haveria doença. Como meus casos têm me criado alguns outros problemas, vejo-me forçado a interromper minha própria análise."

Essas reservas incitaram Freud a tomar seus discípulos em análise, quer para que se tratassem como verdadeiros doentes, quer para que se tornassem psicanalistas. Estes, em seguida, instauraram os princípios gerais da análise didática* e da supervisão*, que posteriormente permitiriam dar esteio ao avanço da profissão. Em conseqüência disso, a auto-análise como investigação de si mesmo foi banida dos padrões da formação, a não ser como prolongamento da análise pessoal.

Em situações excepcionais, Freud interessou-se por algumas tentativas de auto-análise, como mostra seu comentário de 1926 sobre um artigo de Pickworth Farrow dedicado a uma lembrança infantil que remontava aos seis meses de idade: "O autor [...] não conseguiu chegar a um acordo com seus dois analistas [...]. Assim, voltou-se para uma aplicação conseqüente do processo de auto-análise de que me servi, no passado, para analisar meus próprios sonhos. Seus resultados merecem ser levados em consideração, em virtude de sua originalidade e de sua técnica."

Depois de haver definido solidamente os princípios da análise didática, a comunidade freudiana aceitou a idéia de que somente Freud, como pai fundador, havia realmente praticado uma auto-análise, isto é, uma investigação de si mesmo não precedida de uma análise. Por isso, ela desenhou um quadro de filiações* em que o mestre ficou ocupando um lugar original: ele se havia "autogerado". Assim, a auto-análise deixou de ser uma questão teórica e clínica para se tornar a grande questão histórica da psicanálise. Passou-se então a indagar exclusivamente sobre a auto-análise de Freud, e portanto, sobre o nascimento e as origens da doutrina psicanalítica.

Freud mudou de opinião várias vezes quanto à duração dessa auto-análise, mas, ao tomarmos conhecimento de suas cartas a Fliess, constatamos que ela se desenrolou entre 22 de junho e 14 de novembro de 1897. Durante esse período crucial, o jovem médico abandonou a teoria da sedução* em favor da teoria da fantasia* e fez sua primeira interpretação do *Édipo* de Sófocles.

Tal como Freud, os diferentes comentadores alongaram a duração dessa experiência original, fazendo-a iniciar-se em 1895, com a publicação dos *Estudos sobre a histeria*, e situando seu fim em 1899, no momento em que foi lançada *A interpretação dos sonhos*. Eles sublinharam que o período de junho a novembro de 1897 correspondeu a uma auto-análise "intensiva".

De qualquer modo, como salientou Patrick Mahony, uma coisa é certa: essa auto-análise não foi um tratamento pela fala, mas pela escrita. Seu conteúdo figura nas 301 cartas que Freud enviou a Fliess entre 1887 e 1904. Ora, essa correspondência foi alvo de uma censura e, mais tarde, de um escândalo. Publicada pela primeira vez em 1950, por Marie Bonaparte*, Ernst Kris* e Anna Freud*, sob o título de *O nascimento da psicanálise*, continha somente 168 cartas, das quais apenas 30 estavam completas. Faltavam, portanto, 133, que só seriam publicadas em 1985, por ocasião da primeira edição não expurgada, feita em língua inglesa por Jeffrey Moussaieff Masson.

Sob esse aspecto, o estudo da auto-análise de Freud, de sua duração, seu conteúdo e sua significação, foi um dos grandes desafios da historiografia* freudiana, primeiramente oficial, com os trabalhos de Ernest Jones* e Didier Anzieu, depois acadêmica, com Ola Andersson* e Henri F. Ellenberger*, e por fim revisionista, com a elucidação que Frank J. Sulloway fez dos empréstimos que Freud tomou de Fliess.

Foi Jones quem popularizou, em 1953, o termo auto-análise. Ele fez de Fliess um falso estudioso, demoníaco e iluminado, que nunca produziu nada de interessante. Quando a Freud, transformou-o num verdadeiro herói da ciência, capaz de inventar tudo sem nada dever a sua época. E, para explicar o amor desmedido que esse deus nutria por Satã, entregou-se a uma interpretação psicanalítica das mais ortodoxas: Fliess teria ocupado junto a Freud o lugar de um sedutor paranóico e de um substituto paterno, do qual este último se haveria desfeito valentemente, através de um "trabalho herculéo" que lhe permitiu ter acesso à independência e à verdade. Essa interpretação foi retirada da famosa declaração de Freud a Sandor Ferenczi*: "Tive êxito onde o paranóico fracassa." Com algumas variações, ela foi adotada durante uns vinte anos pela comunidade freudiana.

Em 1959, Didier Anzieu a criticou, avaliando a auto-análise de Freud à luz de seus trabalhos posteriores e, em particular, de *A interpretação dos sonhos*.

Em seguida, os trabalhos da historiografia erudita modificaram radicalmente a idéia que se podia ter desse episódio. Ellenberger fez dele um momento essencial de toda forma de "neurose criadora" e, depois dele, Sulloway foi o primeiro, em 1979, a mudar de campo e estudar a auto-análise de Freud como o episódio dramático de uma rivalidade científica entre dois homens. Não obstante, numa perspectiva continuísta, ele rejeitou a idéia de que Freud houvesse inventado uma nova teoria da sexualidade* e da bissexualidade* e fez dele um herdeiro da doutrina fliessiana.

Marcado pela tradição francesa da história das ciências (a de Alexandre Koyré), Jacques Lacan* rompeu radicalmente com a concepção de Jones em 1953. Num belo comentário sobre o sonho "da injeção de Irma*", e sem conhecer a história de Emma Eckstein*, ele mostrou que na origem de uma descoberta há sempre uma dúvida fundadora. Nenhum estudioso passa subitamente da "falsa" para a "verdadeira" ciência, e toda grande descoberta é tão somente a história de um encaminhamento dialético em que a verdade está intimamente misturada ao erro. Essa foi também a tese de Jean-Paul Sartre em *Le Scénario Freud*, postumamente publicado.

Numa perspectiva idêntica, Octave Mannoni* substituiu o termo auto-análise, em 1967, pela expressão, mais exata, análise originária. Sublinhou o lugar ocupado pelas teorias fliessianas na doutrina de Freud e mostrou que a relação entre os dois homens foi a expressão de uma divisão complexa entre o saber e o delírio, entre a ciência e o desejo*.

• Sigmund Freud, *La Naissance de la psychanalyse* (Londres, 1950), Paris, PUF, 1956; "Nota preambular a um artigo de E. Picworth Farrow" (1926), *ESB*, XX, 324; *GW*, XIV, 568; *SE*, XX, 280; *OC*, XVIII, 105 • *Freud/Fliess: correspondência completa, 1887-1904*, Rio de Janeiro, Imago, 1997 • Sigmund Freud e Sandor Ferenczi: *correspondência*, vol.i, *1908-1914* (Paris, 1992), Rio de Janeiro, Imago, 1994, 1995 • Ernest Jones, *A vida e a obra de Sigmund Freud, 1, 1856-1900* (N. York, 1953), Rio de Janeiro, Imago, 1989 • Jacques Lacan, O Seminário, livro 1, *Os escritos técnicos de Freud (1953-1954)* (Paris, 1975), Rio de Janeiro, Jorge Zahar, 1979 • Didier Anzieu, *A auto-análise de Freud e a descoberta da psicanálise* (Paris, 1988), P. Alegre, Artes Médicas, 1989 • Octave Mannoni, "L'Analyse originelle" (1967), in *Clefs pour l'imaginaire*, Paris, Seuil, 1969, 115-31 • Michel Foucault, "Qu'est-ce qu'un auteur?" (1969), in *Dits et écrits*, vol.I, 1954-1969, Paris, Gallimard, 1994, 789-21 • Frank J. Sulloway, *Freud,*

Biologist of the Mind, N. York, Basic Books, 1979 • Patrick Mahony, "L'Origine de la psychanalyse: la cure par écrit", in André Haynal (org.), *La Psychanalyse: cent ans déjà* (Londres, 1994), Genebra, Georg, 1996, 155-85.

auto-erotismo

al. *Autoerotismus*; esp. *autoerotismo*; fr. *auto-érotisme*; ing. *auto-erotism*

Termo proposto por Havelock Ellis* e retomado por Sigmund Freud* para designar um comportamento sexual de tipo infantil, em virtude do qual o sujeito encontra prazer unicamente com seu próprio corpo, sem recorrer a qualquer objeto externo.

➤ AUTISMO; BLEULER, EUGEN; INTROJEÇÃO; LIBIDO; NARCISISMO; SEXOLOGIA; SEXUALIDADE; *TRÊS ENSAIOS SOBRE A TEORIA DA SEXUALIDADE*.

automatismo mental (ou psicológico)

Termo utilizado na psiquiatria ou na psicologia para designar o funcionamento espontâneo da vida psíquica normal ou patológica, fora do controle da consciência e da vontade. A idéia se inscreve numa concepção organicista da doença mental e remete a uma teoria hereditarista ou subliminar do inconsciente*.*

➤ CLÉRAMBAULT, GAËTAN GATIAN DE; ESPIRITISMO; HEREDITARIEDADE-DEGENERESCÊNCIA; HIPNOSE; JANET, PIERRE.

B

Babinski, Joseph (1857-1932)
médico e neurologista francês

Nascido em Paris, em uma família de imigrantes poloneses católicos, Joseph Babinski foi o aluno preferido de Jean Martin Charcot*. No célebre quadro de André Brouillet (1857-1920) *Uma lição clínica na Salpêtrière*, ele é visto à esquerda do mestre, em uma sessão de hipnotismo, segurando uma mulher histérica (Blanche Wittmann), mergulhada no sono. Em 1901, oito anos depois da morte de Charcot, reviu a sua definição de histeria*, dando-lhe o nome de pitiatismo, do grego *peithos* (persuasão) e *iatos* (curável). Esse desmembramento, que esvaziava notadamente a etiologia sexual construída por Sigmund Freud* e reavivava o debate sobre a simulação, era na verdade a conseqüência da decisão de Babinski de tomar o caminho da fundação da neurologia moderna.

Efetivamente, para delimitar com precisão o campo de uma semiologia lesional, era preciso dinamitar a doutrina de Charcot, amputando-a de suas pesquisas sobre a histeria, e deixando assim para os psiquiatras, e não mais para os neurologistas, o tratamento de uma neurose* considerada a partir de então como uma doença mental.

A partir de 1908, a noção de pitiatismo foi longamente discutida na França pelos grandes nomes da psiquiatria dinâmica*. Por volta de 1925, essa palavra caiu em desuso; os surrealistas celebraram nesse ano o cinqüentenário da histeria e da implantação das teses freudianas.

• Élisabeth Roudinesco, *História da psicanálise na França*, vol.1 (Paris, 1982), Rio de Janeiro, Jorge Zahar, 1989 • Pierre Morel (org.), *Dicionário biográfico psi* (Paris, 1996), Rio de Janeiro, Jorge Zahar, 1997.

➢ CONTRIBUIÇÃO À CONCEPÇÃO DAS AFASIAS; FRANÇA; JACKSON, HUGHLINGS; SEXUALIDADE.

Balint, Michael, *né* Mihaly Bergsmann (1896-1970)
médico e psicanalista inglês

Nascido em Budapeste em uma família da pequena burguesia judaica, Michael Bergsmann era filho de um clínico geral, que confessava sua decepção por não ter podido tornar-se um especialista. Amado pela mãe, mulher simples e inteligente, o jovem Michael contrariou a autoridade paterna, mas decidiu estudar medicina. Como muitos judeus húngaros cujos antepassados adotaram nomes alemães, decidiu, no fim da guerra, "magiarizar-se" para afirmar assim que pertencia à nação húngara. Tomou então o sobrenome de Balint. Na universidade, ficou conhecendo Alice Szekely-Kovacs, estudante de etnologia, que despertou seu interesse pela psicanálise.*.

A mãe de Alice, Wilma Prosnitz, tendo se casado muito jovem com um homem que não amava (Szekely), desposara em segundas núpcias Frederic Kovacs, arquiteto que conhecera em um sanatório, onde ela se tratava de uma tuberculose. Ele próprio estava em tratamento com Georg Groddeck*, por distúrbios somáticos diversos. Depois do casamento, adotou os três filhos de Wilma, e esta se tornou psicanalista, com o nome de Wilma Kovacs (1882-1940), depois de fazer uma análise com Sandor Ferenczi*, que a curou de uma grave agorafobia.

Em 1921, Michael casou-se com Alice e instalaram-se em Berlim. Analisado por Hanns Sachs* e supervisionado por Max Eitingon*, no quadro do prestigioso Berliner Psychoanalytisches Institut* (BPI), Balint orientou-se para a medicina psicossomática*, tratando de pacientes no Hospital de Caridade. Depois, voltou a Budapeste, onde fez um período de análise com Ferenczi. Cinco anos depois da morte deste, tomou o caminho do exílio e chegou em 1939 a Manchester com sua mulher e seu filho. Foi obrigado, como todos os imigrantes, a refazer os estudos de medicina e teve que enfrentar, além do exílio, a dor de perder de uma só vez quase todos os membros da família. Alice Balint (1898-1939), sua mulher, e Wilma Kovacs, sua sogra, a quem era muito apegado, morreram com um ano de intervalo. Depois da guerra, ficou sabendo que seus pais tinham se suicidado para escapar à deportação.

Depois de alguns anos de celibato, Balint casou-se novamente com uma ex-analisanda, Edna Oakeshott, que se tornara psicanalista. Certamente, a situação não era muito confortável e o casal não tardou a passar por dificuldades.

A partir de 1946, Balint mudou de vida. Instalando-se em Londres, começou a trabalhar na Tavistock Clinic, onde encontrou os grandes astros da escola psicanalítica inglesa: John Rickman*, e Wilfred Ruprecht Bion*. Foi lá também que ficou conhecendo Enid Albu-Eicholtz, sua terceira mulher. Analisada por Donald Woods Winnicott*, Enid Balint (1904-1994) iniciou Michael em uma nova técnica, o *case work*. Tratava-se de comentar e trocar relatos de casos no interior de grupos compostos de médicos e de psicanalistas. Essa experiência deu origem ao que se chama de grupos Balint. Apesar de sua separação em 1953, Michael e Enid continuaram a trabalhar juntos.

Na dupla linhagem de Ferenczi e da escola inglesa, Balint definiu uma noção nova, a "falha básica", designando sob essa apelação uma "zona" pré-edipiana caracterizada pela ausência, em certos indivíduos, de uma terceira parte estruturante, e conseqüentemente de toda realidade objetal externa. O sujeito* fica então sozinho e sua principal preocupação é criar algo a partir de si mesmo. A existência dessa falha não permite a instauração de uma contratransferência*. Nesse caso, o analista é obrigado a proceder a um novo arranjo do quadro técnico, que permita aceitar a regressão do paciente.

Os grupos Balint permitiram, aliás, estender a técnica psicanalítica* a uma melhor compreensão das relações entre os médicos e os doentes, notadamente em terreno hospitalar, nos serviços de pediatria e de medicina geral.

Também contribuíram para a humanização dessas duas disciplinas. Foi por isso que tiveram tanto sucesso na Grã-Bretanha*, e em todos os outros países, especialmente na França*, onde a psicanálise era menos dependente da psiquiatria.

Em 1954, foi o primeiro convidado estrangeiro da Sociedade Francesa de Psicanálise (SFP). Foi nessa ocasião que Ginette Raimbault lhe foi apresentada. Aluna de Jenny Aubry* e membro da École Freudienne de Paris (EFP), ela introduziu a prática dos grupos Balint no Hôpital des Enfants Malades em 1965, no serviço do professor Pierre Royer. Enid e Michael Balint assistiram a várias reuniões. E foi Judith Dupont, membro da Associação Psicanalítica da França (APF), neta de Wilma Kovacs, filha de Olga Dormandi (*née* Szekely) e sobrinha de Alice Balint, que traduziu a sua obra para o francês, tornando-se também executora testamentária da obra de Ferenczi. Tudo isso contribuiu para a afirmação da escola húngara na França e para o desenvolvimento de uma corrente particular da historiografia* freudiana, cujos traços se encontram na revista *Le Coq Héron*, criada em 1971. Na Suíça, André Haynal, depois de receber manuscritos e correspondências de Enid Balint, abriu em Genebra os Arquivos Balint.

Grande técnico do tratamento, Balint soube aliar o espírito inovador de seu mestre Ferenczi à tradição clínica da escola inglesa. Nesse aspecto, foi realmente o "húngaro selvagem" da British Psychoanalytical Society (BPS), cujos rituais e cuja esclerose ele criticou com muito humor, prestando homenagem, na primeira ocasião, aos costumes mais liberais da antiga sociedade de Budapeste: "Sua gentileza, sua humanidade, sua compreensão, escreveu André Haynal, sua repugnância pelas relações autoritárias ou de dependência só se igualavam à sua independência de espírito. Sua convicção de que a psicanálise poderia evoluir graças à contribuição de pensadores independentes, animados de um desejo exclusivo de verdade [...] o persuadiu de que ela é uma das disciplinas mais importantes a serviço do homem e da humanidade. Assim, ele se sentiu bastante afetado pela mesquinhez de certas pessoas empenhadas em pesquisas nesse campo."

• Michael Balint, *Le Médecin, son malade et la maladie* (Londres, 1957), Paris, Payot, 1960; *Amour primaire et technique psychanalytique* (Londres, 1965), Paris, Payot, 1972; *A falha básica* (Londres, 1968), P. Alegre, Artes Médicas, 1993; *Six minutes par patient. Interactions en consultation de médecine générale* (Londres, 1973), Paris, 1976 • Michael Balint e Enid Balint, *Techniques psychothérapeutiques en médecine* (Londres, 1961), Paris, Payot, 1966 • Michel Balint, E. Balint, E. Gosling, R. e P. Hildebrand, *Le Médecin en formation* (Londres, 1966), Paris, Payot, 1979; *La Psychothérapie focale. Un exemple de psychanalyse appliquée* (Londres, 1972), Paris, Payot, 1975 • Ginette Raimbault, *Médecins d'enfants*, Paris, Seuil, 1973 • André Haynal, *La Technique en question. Controverses en Psychanalyse*, Paris, Payot, 1987; "Centenaire: Michael Balint 1896-1970", *Psychothérapies*, vol.XVI, 4, 1996, 233-5.

Baranger, Willy (1922-1994)

psicanalista argentino

Nascido em Bône, na Argélia, Willy Baranger estudou filosofia em Toulouse e emigrou para a Argentina* em 1946. Em Buenos Aires, integrou-se à Asociación Psicoanalítica Argentina (APA), para instalar-se depois no Uruguai, onde criou a Asociación Psicoanalítica del Uruguay (APU). Voltando a Buenos Aires em 1966, publicou várias obras de inspiração kleiniana e interessou-se particularmente pela obra de Jacques Lacan*.

Basaglia, Franco (1924-1980)

psiquiatra italiano

Na história da antipsiquiatria*, Franco Basaglia ocupa uma posição bem diferente da de Ronald Laing* e de David Cooper*, em razão da situação muito peculiar da psicanálise* na Itália*. Na mesma medida em que Laing e Cooper procuraram destruir a instituição asilar a partir de uma reflexão existencial sobre o estatuto da esquizofrenia*, Basaglia foi primeiramente um militante político, cuja trajetória se inscreve na história do marxismo e do comunismo*. Nesse aspecto, ao contrário de Cooper e principalmente de Laing, que foram profundamente marcados pela escola inglesa de psicanálise, Basaglia teve poucas relações com o freudismo, que considerava como veículo privilegiado de uma concepção capitalista da adaptação do indivíduo à sociedade.

Proveniente de uma família veneziana e formado em psiquiatria em Pádua, Basaglia foi nomeado em 1961 diretor do Hospital Psiquiátrico de Gorizia, pequena cidade italiana situada perto da fronteira iugoslava. Inspirando-se nos trabalhos do psiquiatra anglo-americano Maxwell Jones (1907-1990) sobre as comunidades terapêuticas, pôs em prática um novo tratamento da loucura*, considerando-a ao mesmo tempo como doença mental e resultado de uma marginalização econômica. Sua crítica radical de qualquer forma de instituição asilar o levou, dez anos depois, a criar a associação Psichiatria Democratica. Suas teses foram vigorosamente defendidas e compartilhadas por boa parte da esquerda italiana.

Trabalhando no hospital de Trieste, prosseguiu as suas experiências, substituiu o confinamento por instalações terapêuticas em ambiente aberto (apartamentos e habitações coletivas) e demonstrou a inutilidade tanto do asilo clássico quanto da obstinação farmacológica no tratamento da loucura.

Em 1979, sua experiência foi coroada de sucesso: depois de uma ampla consulta feita pelos partidos políticos aos psiquiatras, o parlamento aprovou uma lei que suprimia o hospital psiquiátrico e reintegrava os doentes mentais seja ao hospital geral, seja a comunidades terapêuticas.

Como todas as experiências do movimento antipsiquiátrico, a de Basaglia foi posteriormente questionada pelo retorno das teses organicistas e pela utilização maciça da farmacologia.

• Franco Basaglia, *L'Institution en négation* (Turim, 1968), Paris, Seuil, 1970 • Frank Chaumon et al., "Psychiatrie", *Encyclopaedia universalis*, 1981, 327-33; • "Franco Basaglia (1924-1980)", *ibid.*, 527-8.

➢ BION, WILFRED RUPRECHT; BURROW, TRIGANT.

Bateson, Gregory (1904-1980)

antropólogo americano

Nascido em Cambridge e filho de um grande geneticista, Gregory Bateson estudou zoologia, antes de se orientar para a antropologia*. Fez estudos de campo na Nova Guiné e nas populações do rio Sépik, onde, em 1932, ficou conhecendo Margaret Mead*, que se tornaria sua mulher.

Inicialmente especialista em análise dos rituais e das relações entre homens e mulheres, Bateson voltou-se depois para o estudo da loucura* e instalou-se na Califórnia, no Veteran's Hospital de Palo Alto, onde se dedicou ao tratamento e à observação de famílias de esquizofrênicos, o que fez dele um pioneiro da antipsiquiatria* e da terapia familiar*. Na perspectiva da Escola de Palo Alto, explicava que a esquizofrenia* era o resultado de uma disfunção fundada sobre o que ele chamava de *double bind* (duplo vínculo*). Essa expressão teve sucesso e foi retomada depois por todos os clínicos da esquizofrenia.

• Gregory Bateson, *La Cérémonie du naven* (Cambridge, 1936), Paris, Minuit, 1971; *Vers une écologie de l'esprit*, 2 vols. (N. York, 1972), Paris, Seuil, 1977, 1980; *Perceval le fou. Autobiographie d'un schizophrène* (Londres, 1962), Paris, Payot, 1975.

➢ CULTURALISMO.

Baudouin, Charles (1893-1963)

psicanalista suíço

Nascido em Nancy, Charles Baudouin estudou letras e depois foi para Genebra em 1915, atraído pelo desenvolvimento do Instituto Jean-Jacques Rousseau. Foi lá que descobriu a psicanálise*. Formado por Carl Picht, junguiano, e por Charles Odier*, sofreu em 1920 um processo por exercício ilegal da medicina, depois de ter dado "cursos" de iniciação à sugestão*. Henri Flournoy* se opôs à sua candidatura à Sociedade Psicanalítica de Paris (SPP).

Autor de cerca de trinta obras e artigos de inspiração psicobiográfica, fundou as Éditions du Mont-Blanc, que publicaram as obras de alguns psicanalistas da primeira geração francesa. Criou, em 1924, um instituto internacional de "psicagogia" e procurou conciliar a prática da psicanálise com a da "sugestão" e do método de Émile Coué (1857-1926), este adepto de uma psicoterapia* baseada no auto-controle pela vontade e pela auto-sugestão. Baudouin sempre quis ficar próximo, ao mesmo tempo, das teorias freudianas e das de Pierre Janet* e de Carl Gustav Jung*.

• Charles Baudouin, *Psychologie de la suggestion et de l'auto-suggestion*, Neuchâtel, Delachaux et Niestlé 1924; *Psychanalyse de Victor Hugo* (Genebra, 1943), Paris, Armand Colin, 1972; *L'Oeuvre de Jung*, Paris, Payot, 1963 • Mireille Cifali "De quelques remous helvétiques autour de l'analyse profane", *Revue Internationale d'Histoire de la Psychanalyse*, 3, 1990, Paris, PUF, 145-57.

➢ ANÁLISE LEIGA; *QUESTÃO DA ANÁLISE LEIGA, A*.

Bauer, Ida, sobrenome de casada Adler (1882-1945), caso Dora

Primeiro grande tratamento psicanalítico realizado por Sigmund Freud*, anterior aos do Homem dos Ratos (Ernst Lanzer*) e do Homem dos Lobos (Serguei Constantinovitch Pankejeff*), a história de Dora, redigida em dezembro de 1900 e janeiro de 1901 e publicada quatro anos depois, desenrolou-se entre a redação de *A interpretação dos sonhos** e a dos *Três ensaios sobre a teoria da sexualidade**. Originalmente, Freud queria dar a esse "Fragmento da análise de um caso de histeria" o título de "Sonho* e histeria*". Através desse caso, ele procurou provar a validade de suas teses sobre a neurose* histérica — etiologia sexual, conflito psíquico, hereditariedade sifilítica — e expor a natureza do tratamento psicanalítico, muito diferente da catarse* e da hipnose*, e já então fundamentado na interpretação* do sonho e na associação livre*.

Ao longo dos anos, o texto adquiriu um estatuto particular: trata-se, com efeito, do documento clínico que mais se comentou, desde sua publicação. Dezenas de artigos, vários livros, um romance e uma peça teatral foram criados a propósito de Dora, e o caso dessa jovem tornou-se o objeto privilegiado dos estudos feministas. Aliás, muitas vezes foi aproximado do caso de Bertha Pappenheim*. A maioria dos comentadores observou que esse tratamento não foi tão "bem-sucedido" quanto os outros dois. De fato, Freud teve muitas dificuldades com sua paciente, e não as mascarou. Como observou Patrick Mahoney a propósito de Ernst Lanzer, "Quando comparamos as contratransferências* de Freud com seus principais pacientes, temos a sensação de que ele simpatizava mais com o Homem dos Ratos do que com Dora ou com o Homem dos Lobos. Se

Freud foi um procurador com Dora, foi um educador amistoso com Lanzer."

Para a publicação desse primeiro tratamento exclusivamente psicanalítico, conduzido com uma mocinha virgem de 18 anos de idade, Freud tomou precauções inauditas. Na época, de fato, a cruzada que se travava contra o freudismo* consistia em fazer com que a psicanálise* passasse por uma doutrina pansexualista, que tinha por objetivo fazer os pacientes (sobretudo as mulheres) confessarem, por meio da sugestão*, "sujeiras" sexuais inventadas pelos próprios psicanalistas. Na Grã-Bretanha* e no Canadá*, por exemplo, Ernest Jones* suportaria o peso de acusações dessa ordem.

Logo em sua introdução, portanto, Freud resolveu responder de antemão a esse tipo de objeção, mostrando que sua teoria não era uma trama diabólica, destinada a perverter mocinhas e mulheres: "Pode-se falar de toda sorte de questões sexuais com moças e mulheres, sem lhes causar nenhum prejuízo e sem acarretar suspeitas sobre si mesmo, desde que, em primeiro lugar, se adote uma certa maneira de fazê-lo e, em segundo, se desperte nelas a convicção de que isso é inevitável (...). A melhor maneira de falar dessas coisas é sendo seco e direto; e ela é, ao mesmo tempo, a que mais se afasta da lascívia com que esses assuntos são tratados na 'sociedade', lascívia esta com que as moças e mulheres estão plenamente habituadas. Dou aos órgãos e aos fenômenos seus nomes técnicos e comunico esses nomes, na eventualidade de eles serem desconhecidos." E acrescentou em francês: *J'appele un chat un chat.*"

A história de Ida Bauer é a de um drama burguês, tal como encontrado nas comédias ligeiras do fim do século XIX: um marido fraco e hipócrita engana sua mulher, uma dona de casa ignorante, com a esposa de um de seus amigos, conhecida numa temporada de férias em Merano. A princípio enciumado, depois indiferente, o marido enganado tenta, de início, seduzir a governanta de seus filhos. Depois, apaixona-se pela filha de seu rival e a corteja durante uma temporada em sua casa de campo, situada às margens do lago de Garda. Horrorizada, esta o rejeita, pespega-lhe uma bofetada e conta a cena a sua mãe, para que ela fale do assunto com seu pai. Este interroga o marido da amante, que nega categoricamente os fatos pelos quais é recriminado. Preocupado em proteger seu romance extraconjugal, o pai culpado faz com que a filha passe por mentirosa e a encaminha para tratamento com um médico que, alguns anos antes, prescrevera-lhe um excelente tratamento contra a sífilis.

A entrada de Freud em cena transforma essa história de família numa verdadeira tragédia do sexo, do amor e da doença. Sob esse aspecto, sua narrativa do caso Dora assemelha-se a um romance moderno: hesitamos entre Arthur Schnitzler*, Marcel Proust (1871-1922) e Henrik Ibsen (1828-1906). Com efeito, o drama inteiro gira em torno da introspecção através da qual a heroína (Ida) mergulha, progressivamente, nas profundezas de uma subjetividade que se oculta de sua consciência. E a força da narrativa prende-se ao fato de que Freud faz surgir uma impressionante patologia por trás das aparências de uma grande normalidade. Com isso ele pode restituir a Dora uma verdade que sua família lhe roubara, ao chamá-la de simuladora.

Nascida em Viena*, numa família da burguesia judaica abastada, Ida era a filha caçula de Philipp Bauer (1853-1913) e Katharina Gerber-Bauer (1862-1912). Acometido por uma afecção sifilítica antes do casamento, Phillip só enxergava de um olho desde que ela nascera. Freud o descreveu como um homem ativo e muito talentoso: "A personalidade dominante era o pai", escreveu, "tanto por sua inteligência e suas qualidades de caráter quanto pelas circunstâncias de sua vida, que condicionaram a trama da história patológica e infantil de minha cliente." Grande industrial, ele desfrutava de uma bela situação financeira e era admirado pela filha. Em 1888, contraiu tuberculose, o que o obrigou a se instalar com toda a família longe da cidade. Assim, optou por residir em Merano, no Tirol, onde travou conhecimento com Hans Zellenka (Sr. K.), um negociante menos abastado que ele, casado com uma bela italiana, Giuseppina ou Peppina (Sra. K.), que sofria de distúrbios histéricos e era uma assídua freqüentadora de sanatórios. Peppina tornou-se amante de Phillip e cuidou dele em 1892, quando ele sofreu um descolamento da retina.

Nessa época, havendo retornado a Viena, Phillip instalou-se na mesma rua que Freud e foi consultá-lo (como médico) por conta de um acesso de paralisia e confusão mental de origem sifilítica. Satisfeito com o tratamento, encaminhou-lhe sua irmã, Malvine Friedmann (1855-1899). Afetada por uma neurose grave e imersa na infelicidade de uma vida conjugal atormentada, ela morreu pouco depois, vítima de uma caquexia de evolução rápida.

Katharina, a mãe de Ida, provinha, como o marido, de uma família judia originária da Boêmia. Pouco instruída e bastante simplória, sofria de dores abdominais permanentes, que seriam herdadas pela filha. Nunca se interessara pelos filhos e, desde a doença do marido e da desunião que se seguira a ela, exibia todos os sinais de uma "psicose doméstica": "Sem mostrar nenhuma compreensão pelas aspirações dos filhos, ela se ocupava o dia inteiro", escreveu Freud, "em limpar e arrumar a casa, os móveis e os utensílios domésticos, a tal ponto que usá-los e usufruir deles tinha-se tornado quase impossível (...). Fazia anos que as relações entre mãe e filha eram pouco afetuosas. A filha não dava a menor atenção à mãe, fazia-lhe duras críticas e escapara por completo de sua influência." E era uma governanta quem cuidava de Ida. Mulher moderna e "liberada", esta lia livros sobre a vida sexual e dava informações sobre eles à sua aluna, em segredo. Abriu-lhe os olhos para o romance do pai com Peppina. Entretanto, depois de tê-la amado e de lhe ter dado ouvidos, Dora se desentendera com ela.

Quanto ao irmão, Otto Bauer (1881-1938), ele pensava sobretudo em fugir das brigas familiares. Quando tinha que tomar algum partido, alinhava-se do lado da mãe: "Assim, a costumeira atração sexual havia aproximado pai e filha, de um lado, e mãe e filho, do outro." Aos 9 anos de idade, ele se tornara um menino prodígio, a ponto de escrever um drama em cinco atos sobre o fim de Napoleão. Depois, rebelara-se contra as opiniões políticas do pai, cujo adultério aprovava, por outro lado. Tal como o pai, Otto levou uma vida dupla, marcada pelo segredo e pela ambivalência. Casou-se com uma mulher dez anos mais velha, já mãe de três filhos, mantendo ao mesmo tempo um romance prolongado com Hilda Schiller-Mar-

morek, dez anos mais moça que ele, e que seria sua amante até sua morte. Secretário do Partido Social-Democrata de 1907 a 1914 e, depois, assessor de Viktor Adler no ministério de Assuntos Exteriores em 1918, viria a ser uma das grandes figuras da intelectualidade austríaca no entre-guerras. No entanto, apesar de seu talento excepcional, nunca se refez do desmoronamento do Império Austro-Húngaro e despendeu mais energia atacando Lenin do que combatendo Hitler: "Essa ingenuidade", escreveu William Johnston, "ainda era uma herança do Império de antes da guerra, no qual a tradição protegia os dissidentes. Bauer insistiu, até 1934, em fazer cruzadas típicas do pré-guerra contra a Igreja e a aristocracia, num momento em que, justamente, deveria ter-se associado a seus inimigos de outrora para repelir o fascismo. Poucas cegueiras tiveram conseqüências tão pesadas."

Portanto, foi em outubro de 1901 que Ida Bauer visitou Freud para dar início a esse tratamento, que duraria exatamente onze semanas. Afetada por diversos distúrbios nervosos — enxaquecas, tosse convulsiva, afonia, depressão, tendências suicidas —, ela acabara de sofrer uma terrível afronta.

Consciente, desde longa data, do "erro" paterno e da mentira em que se apoiava a vida familiar, ela havia rejeitado as propostas amorosas que Hans Zellenka (Sr. K.) lhe fizera à margem do lago de Garda e o esbofeteara. E então tinha eclodido o drama: ela fora acusada por Hans e por seu pai de ter inventado a cena de sedução. Pior ainda, fora reprovada por Peppina Zellenka (Sra. K.), que suspeitava que ela lesse livros pornográficos, em particular *A fisiologia do amor*, de Paolo Mantegazza (1831-1901), publicado em 1872 e traduzido para o alemão cinco anos depois. O autor era um sexólogo darwinista, profusamente citado por Richard von Krafft-Ebing* e especializado na descrição "etnológica" das grandes práticas sexuais humanas: lesbianismo, onanismo, masturbação, inversão, felação etc. Ao encaminhar sua filha a Freud, Philipp Bauer esperava que este lhe desse razão e que tratasse de pôr fim às fantasias* sexuais da moça.

Longe de subscrever à vontade paterna, Freud enveredou por um caminho totalmente diverso. Em onze semanas e através de dois sonhos — um referente a um incêndio na residência da família e outro à morte do pai —, ele reconstituiu a verdade inconsciente desse drama. O primeiro sonho revelou que Dora era dada à masturbação e que, na realidade, estava enamorada de Hans Zellenka. Por isso havia pedido ao pai que a protegesse da tentação desse amor. Quanto ao segundo, ele permitiu ir ainda mais longe na investigação da "geografia sexual" de Dora e, em especial, trazer à luz seu perfeito conhecimento da vida sexual dos adultos.

Freud se deu conta de que a paciente não suportou a revelação de seu desejo pelo homem a quem havia esbofeteado. Por isso, deixou-a partir quando ela resolveu interromper o tratamento. Como agir de outro modo? O pai, de início favorável à análise, logo percebeu que Freud não havia aceitado a tese da fabulação. Por conseguinte, desinteressou-se do tratamento da filha. Por seu lado, esta não encontrara em Freud a sedução que esperava dele: ele não fora compassivo e não soubera empregar com ela uma relação transferencial positiva. Nessa época, com efeito, ele ainda não sabia manejar a transferência* na análise. Do mesmo modo, como sublinharia em uma nota de 1923, foi incapaz de compreender a natureza da ligação homossexual que unia Ida (Dora) a Peppina. No entanto, fora a própria Sra. K. que fizera a moça ler o livro proibido, para depois acusá-la. E fora também ela quem lhe havia falado de coisas sexuais.

Esse tema da homossexualidade* inerente à histeria feminina seria longamente comentado por Jacques Lacan* em 1951, enquanto outros autores fariam questão de demonstrar ora que Freud nada entendia de sexualidade feminina*, ora que Dora era inanalisável.

Ida Bauer nunca se curou de seu horror aos homens. Mas seus sintomas se aplacaram. Após sua curta análise, ela pôde vingar-se da humilhação sofrida, fazendo a Sra. K. confessar o romance com seu pai e levando o Sr. K. a confessar a cena do lago. Transmitiu então a verdade ao pai e, depois disso, suspendeu qualquer relacionamento com o casal. Em 1903, casou-se com Ernst Adler, um compositor que trabalhava na fábrica de seu pai. Dois anos mais tarde, deu à luz um filho, que posteriormente faria carreira musical nos Estados Unidos*.

Em 1923, sujeita a novos distúrbios — vertigens, zumbidos no ouvido, insônia, enxaquecas —, por acaso chamou à sua cabeceira Felix Deutsch*. Contou-lhe toda a sua história, falou do egoísmo dos homens, de suas frustrações e de sua frigidez. Ouvindo suas queixas, Deutsch reconheceu o famoso caso Dora: "Desse momento em diante, ela esqueceu a doença e manifestou um imenso orgulho por ter sido objeto de um texto tão célebre na literatura psiquiátrica." Então, discutiu as interpretações de seus dois sonhos feitas por Freud. Quando Deutsch tornou a vê-la, os ataques tinham passado.

Em 1955, havendo emigrado para os Estados Unidos, Deutsch teve notícia da morte de Dora, ocorrida dez anos antes. Através de Ernest Jones*, ficou sabendo que ela havia morrido em Nova York, e, através de um colega, soube como se haviam desenrolado seus últimos anos de vida. Dora tinha voltado contra o próprio corpo a obsessão de sua mãe: "Sua constipação, vivida como uma impossibilidade de 'limpar os intestinos', causou-lhe problemas até o fim da vida. Entretanto, habituada a esses distúrbios, ela os tratou como um sintoma conhecido, até o momento em que eles se revelaram mais graves do que uma simples conversão. Sua morte — de um câncer de cólon, diagnosticado tarde demais para que uma operação pudesse ter êxito — veio como uma bênção para seus parentes. Ela fora, nas palavras de meu informante, uma das 'histéricas mais repulsivas' que ele já havia conhecido."

• Sigmund Freud, "Fragmento da análise de um caso de histeria" (1905), *ESB*, VII, 5-128; *GW*, V, 163-286; *SE*, VII, 1-122; in *Cinq psychanalyses*, Paris, PUF, 1954, 1-91 • Felix Deutsch, "Apostille au 'Fragment d'une analyse d'hystérie (Dora)'" (1957), *Revue Française de Psychanalyse*, XXXVII, janeiro-abril de 1973, 407-14 • Jacques Lacan, "Intervenção sobre a transferência" (1951), in *Escritos* (Paris, 1966), Rio de Janeiro, Jorge Zahar, 1998, 214-28; O Seminário, livro 2, *O eu na teoria de Freud e na técnica da psicanálise (1954-1955)* (Paris, 1978), Rio de Janeiro, Jorge Zahar, 1985; O Seminário, livro 17, *O avesso da psicanálise (1969-1970)* (Paris, 1991), Rio de Janeiro, Jorge Zahar, 1992 • Henri F. Ellenberger, *Histoire de la découverte de l'inconscient* (N. York, Londres, 1970, Villeurbane, 1974), Paris, Fayard, 1994 • Arnold Rogow, "A further footnote to Freud's 'Fragment of an analysis of a case of hysteria'", in *Journal of the American Psychoanaly-*

tical Association, 26, 1978, 311-30 • Hélène Cixous, Portrait de Dora, Paris, Des femmes, 1986 • Charles Berheimer e Claire Kahane (orgs.), In Dora's Case: Freud-Hysteria-Feminism, N. York, Columbia University Press, 1985 • Harry Stroeken, En analyse avec Freud (1985), Paris, Payot, 1987 • William M. Johnston, L'Esprit viennois. Une histoire intellectuelle et sociale, 1848-1938 (N. York, 1972), Paris, PUF, 1985 • Hannah S. Decker, Freud, Dora and Vienna, 1900, N. York, The Free Press, 1991 • Lisa Appignanesi e John Forrester, Freud's Women, N. York, Basic Books, 1992 • Jacqueline Rousseau-Dujardin, "L'Objet: comment le sujet s'y retrouve. Une lecture (entre autres) de Dora", in Le Double, Centre d'Arts Plastiques de Saint-Fons, 1995, 42-52 • Patrick J. Mahony, Freud's Dora. A Psychoanalytic, Historical and Textual Study, New Haven, Londres, Yale University Press, 1996.

➢ DIFERENÇA SEXUAL; ESTUDOS SOBRE A HISTERIA; SEDUÇÃO, TEORIA DA; SEXOLOGIA.

Beirnaert, Louis (1906-1985)
padre e psicanalista francês

Nascido em Ascq, Louis Beirnaert entrou para a Companhia de Jesus em 1923 e tornou-se professor de teologia dogmática. Durante a Segunda Guerra Mundial, participou da Resistência anti-nazista em uma rede gaullista. Orientou-se depois para a psicanálise e foi analisado por Daniel Lagache, antes de se tornar um dos íntimos companheiros de Jacques Lacan* e desempenhar um papel importante na história das relações entre a psicanálise e a Igreja* católica, notadamente a propósito da questão da detecção das vocações. Cronista da revista Études, redigiu vários textos importantes sobre a mística, e principalmente sobre Inácio de Loyola (1491-1556).

• Louis Beirnaert, Aux frontières de l'acte analytique. La Bible, saint Ignace, Freud et Lacan, Paris, Seuil, 1987.

➢ IGREJA.

Bélgica

A introdução da psicanálise* na Bélgica seguiu o mesmo movimento de todos os outros países da Europa*. Mas, dividido entre duas línguas, entre médicos e leigos (os não-médicos), perpassado pela história do nazismo* e pela renovação lacaniana, o movimento psicanalítico belga teve como característica nunca conseguir encontrar sua autonomia. Seu destino

permaneceu ligado ao da França*, e em parte ao dos Países Baixos*.

Desde os anos 1900, a polêmica a respeito do freudismo* se desenvolveu entre os neurologistas e os psiquiatras. A psicanálise era então considerada como um método de investigação útil em inquéritos judiciários e na detecção das simulações. Era confundida com o teste de associação verbal* de Carl Gustav Jung*. Principalmente, a prática freudiana não era distinguida de todas as outras formas de terapia. A primazia da sexualidade* foi qualificada de pansexualismo* pelo corpo médico, como em todos os outros países.

Depois da Primeira Guerra Mundial, Juliaan Varendonck* foi o verdadeiro pioneiro da psicanálise na Bélgica. Formado em Viena*, reconhecido por Sigmund Freud* e membro da Nederlandse Vereniging voor Psychoanalyse (NVP), instalou-se em Gand e trabalhou durante um breve período, antes de morrer sem deixar posteridade.

Foi necessário esperar o período entre as duas guerras para que alguns marginais e autodidatas fundassem verdadeiramente o movimento belga: Fernand Lechat*, Camille Lechat, sua esposa, e Maurice Dugautiez*. Usando o título de psiquistas, instituíram em 1920 um Círculo de Estudos Psíquicos, no qual se praticavam igualmente as ciências ocultas, o espiritismo*, a hipnose* e a psicanálise. Logo, Lechat e Dugautiez criaram a revista Le Psychagogue, fizeram contato com a Sociedade Psicanalítica de Paris (SPP), criada em 1926, e se iniciaram na análise didática* com Ernst Paul Hoffmann*, vindo de Viena e refugiado na Bélgica de 1938 a 1940.

Desde essa época, surgiu o conflito em torno da análise leiga* (entre médicos e não-médicos), que marcaria o pós-guerra na Bélgica, mas que já atravessava o movimento internacional. Lechat e Dugautiez viram-se contestados como marginais e até "charlatães" por Jacques De Busscher, médico membro da NVP bastante favorável às teses freudianas. Ele próprio não praticava a psicanálise, mas lutava para que esta fosse reservada apenas aos médicos.

Paralelamente, os meios intelectuais se interessavam pelo pensamento freudiano. Assim, Hendrik (Henri) De Man (1885-1953), futuro presidente do Partido Operário Belga, escreveu a Sigmund Freud em 1925. Aliás, sociólogos, pedagogos e professores universitários, assim como os jesuítas ligados à Universidade Católica de Louvain começaram a comentar as obras de psicanálise e a inspirar-se nelas.

Em 1924, foi publicado um número especial da revista *Le Disque Vert*, inteiramente dedicado à psicanálise. Franz Hellens, seu diretor, conseguira reunir, para tratar desse tema, nomes prestigiosos da literatura e do saber médico. Foi um verdadeiro acontecimento.

Na abertura, havia uma carta de Freud. Vinham depois artigos de psicanalistas e escritores franceses. No conjunto, o número exprimia bem os motivos da batalha dos anos 1920 em torno do freudismo. Alguns o condenavam como moda efêmera, outros insistiam na seriedade do que lhes parecia uma verdadeira doutrina.

Durante o período da ocupação nazista, Lechat e Dugautiez continuaram a praticar a psicanálise. Em março de 1947, sob o patrocínio da SPP, fundaram a Associação dos Psicanalistas da Bélgica (APB), que seria reconhecida pela International Psychoanalytical Association* (IPA), no congresso de Zurique de 1949, com o firme apoio de Marie Bonaparte*. Essa fundação permitiu à psicanálise desenvolver-se na parte francófona do país.

A adesão à IPA teve como efeito obrigar a APB a se normatizar, isto é, no contexto belga, a adotar o ponto de vista da medicalização. Foram mulheres médicas que tomaram a direção da associação e afastaram os fundadores autodidatas. A APB modificou então os seus estatutos e, em 1960, assumiu o nome de Sociedade Belga de Psicanálise (SBP). Composta de uma grande maioria de médicos, não se preocupou mais com a pesquisa intelectual. No fim dos anos 1990, contava com 60 membros, para uma população global de dez milhões de habitantes, ou seja seis psicanalistas (IPA) para um milhão de habitantes.

Nesse contexto, os jovens terapeutas mais brilhantes preferiram voltar-se para as teses de Jacques Lacan*, cuja doutrina estava banida da SBP, no momento em que começava a florescer na França, no seio da Sociedade Francesa de Psicanálise (SFP, 1953-1963). Marcados pela

fenomenologia, os representantes da jovem geração* psicanalítica — a terceira da Bélgica — fizeram análises didáticas fora de seu país. Na França com Lacan, na Suíça* com Gustav Bally (1893-1966) ou Maeder Boss.

Recusando curvar-se às exigências ortodoxas da SBP, eles acabaram por fundar sua própria instituição em 1969, a Escola Belga de Psicanálise (EBP), calcada na École Freudienne de Paris* e dotada de um programa de ensino idêntico: retorno a Freud, ensino da filosofia, da antropologia*, da lingüística. Favorável à análise leiga, essa escola reuniu os não-médicos que, inicialmente, eram majoritários.

Entretanto, diante da SBP, preocupada com sua respeitabilidade, a EBP permaneceu à procura de uma verdadeira identidade. Ligados à Universidade de Louvain, seus fundadores favoreceram a implantação do lacanismo* na Bélgica, por uma via católica e universitária. O filósofo Alphonse de Waehlens (1911-1981), leitor de Husserl, tradutor de Heidegger e amigo de Maurice Merleau-Ponty (1908-1967), desempenhou então um papel importante. Membro da École Freudienne de Paris (EFP) de 1964 a 1971, começou acompanhando o Seminário de Lacan, assistiu às suas apresentações de doentes, antes de tomar as suas distâncias e militar mais firmemente do que nunca por uma psicanálise de inspiração fenomenológica.

Em 1980, a dissolução da EFP acarretou a fragmentação da EBP e a criação de uma multidão de pequenos grupos dependentes de diversas escolas neolacanianas parisienses: Escola da Causa Freudiana (ECF), Associação Freudiana (AF) etc. Com essa disseminação, a EBP continuou ligada à Universidade de Louvain, em torno de Jacques Schotte e Antoine Vergote, considerando-se pluralista, aberta e democrática, não sendo exclusiva a referência a Lacan e à sua doutrina.

• *Le Disque Vert. Freud et la psychanalyse*, Paris-Bruxelas, 1924 • *Variétés. Le Surréalisme en 1929*, número especial, junho de 1929 • Winfried Huber, Herman Piron, Antoine Vergote, *La Psychanalyse science de l'homme*, Bruxelas, Dessart, 1964 • *Bulletin Interne de l'EBP*, 2 de março de 1977 • Charles François, *Le Mouvement de l'hygiène mentale en Belgique et la formation des psychothérapeutes*, tese, Universidade de Liège, 1978-1979. Arquivos Michel Coddens e Didier Cromphout.

➢ CISÃO; FEDERAÇÃO EUROPÉIA DE PSICANÁLISE; *QUESTÃO DA ANÁLISE LEIGA, A.*

Bellevue, Clínica Psiquiátrica de

➢ BINSWANGER, LUDWIG.

Benedikt, Moriz (1835-1920)

médico austríaco

O escritor Hermann Bahr (1863-1920) dizia que "o vienense é um homem que detesta e despreza os outros vienenses, mas não consegue viver fora de Viena". Se essa frase se aplica a Sigmund Freud*, ela convém ainda mais a Moriz (ou Moritz) Benedikt, cujo destino trágico foi conhecido graças à sua autobiografia publicada em 1906 e aos trabalhos do historiador Henri F. Ellenberger*.

Esse médico, originário de uma família judia de Burgenland, passou a vida fazendo descobertas sobre as doenças nervosas e seu tratamento, sem nunca conseguir ser reconhecido como um inovador. De certa forma, foi um pioneiro da sombra que ia de decepção em decepção, de conversão a renegação, à maneira de muitos judeus vienenses nessa época, sempre à procura de identidade e atormentados pelo "ódio de si judeu". Benedikt se identificou a todos os intelectuais malditos esquecidos pela ciência oficial. Não só permaneceu um médico obscuro porém talentoso, mas também sofreu por ser, pelo sobrenome, homônimo de um jornalista célebre da *Neue Freie Press*.

Especialista em histeria*, praticante de hipnose* e amigo de Jean Martin Charcot*, afirmava, já em 1864, que a histeria era uma doença sem causas uterinas. Quatro anos depois, interessou-se pela eletroterapia, mas, em 1891, voltou atrás e começou a militar contra o hipnotismo. Enfim, foi um dos primeiros a falar de histeria masculina. Erna Lesky, historiadora da medicina vienense, explicou em 1965 as razões dos repetidos fracassos desse terapeuta brilhante em se afirmar como um verdadeiro inovador: embora tivesse recebido sólida formação, ele não podia resolver-se a aceitar os fatos e sempre se deixava levar por sua louca imaginação. Além disso, preferia a polêmica ao lento trabalho da razão e não cessava de atacar todos aqueles que considerava como adversários ou falsos eruditos: Richard von Krafft-Ebing* ou Wilhelm Fliess*. Deve-se acrescentar que Benedikt ficou tributário de uma concepção do psiquismo fundada na consciência.

Na "Comunicação preliminar" de 1893, que seria incorporada aos *Estudos sobre a histeria*, Freud e Josef Breuer* o citaram como tendo publicado "ocasionalmente" observações sobre o assunto. Na *Interpretação dos sonhos*, Freud também evoca sua obra *Hipnotismo e sugestão*, publicada em 1894.

Sua contribuição mais interessante para a história da psiquiatria dinâmica* foi um artigo de 1914 que se referia ao que ele chamava em inglês *the second life*, isto é, a vida interior secreta de cada indivíduo. Essa segunda vida, que aliás era a expressão de seu próprio itinerário de médico vienense atormentado pela inautenticidade daquela sociedade *fin de siècle*, se construía, segundo ele, como um sistema de representações e ruminações que o indivíduo conservava em seu foro íntimo, sem desejar manifestá-las. Mais freqüente na mulher, ela era dominante nos jogadores, nos excêntricos, nos criminosos, nos neurastênicos. A primeira providência do terapeuta era ser o explorador desse sistema, pois ele encerrava segredos patogênicos. Benedikt foi também um dos primeiros estudiosos a detectar as causas sexuais da histeria. Antes de morrer solitário e esquecido, tinha-se voltado para as ciências ocultas, que no entanto desprezara no início da sua carreira.

• Henri F. Ellenberger, *Médecines de l'âme. Essais d'histoire de la folie et des guérisons psychiques*, Paris, Fayard, 1995.

➢ JUDEIDADE; PSIQUIATRIA DINÂMICA; SEXUALIDADE; WEININGER, OTTO.

Benussi, Vittorio (1878-1927)

psicanalista italiano

Nascido em Trieste, Vittorio Benussi ficou dividido, durante toda a vida, entre suas duas pátrias, a Áustria e a Itália*. Depois de estudar psicologia em Roma, no departamento dirigido por Sante De Sanctis (1862-1935), estudou mais especialmente a psicologia experimental na Áustria e fez uma análise com Otto Gross* em Graz. Depois da queda do Império Austro-Húngaro, recusou um cargo em Praga por razões políticas e voltou à Itália, onde obteve a cátedra de psicologia na Universidade de Pádua. Rigoroso ao extremo, como mostram seus trabalhos experimentais, Benussi foi também um poeta e uma espécie de guru, que estudou a sugestão* hipnótica e a psicologia do testemunho.

Em 1926, no clima antipsicanalítico alimentado pela publicação do livro do célebre psiquiatra Enrico Morselli (1852-1929), deu uma série de cursos sobre os fundamentos da psicanálise e formou um certo número de alunos, entre os quais Cesare Musatti*, que se tornaria seu assistente e o sucederia depois de sua morte, e Novello Papafava, militante anti-fascista, amigo da grande figura da luta contra o regime mussolinista que foi Piero Gobetti (1901-1926), e autor de um ensaio de inspiração freudiana sobre os fundamentos do fascismo italiano. Benussi ficou conhecendo em Groningen, nesse mesmo ano de 1926, Ludwig Binswanger* e Karl Jaspers (1883-1969). Por razões desconhecidas, suicidou-se em 1927, pouco tempo antes de um congresso de psicologia italiana, que devia realizar-se em sua homenagem em Pádua.

Seus trabalhos de psicologia experimental foram escritos e publicados em língua alemã, mas foi em italiano que escreveu suas contribuições clínicas, reunidas e publicadas em 1932 sob o título *Sugestão e psicanálise* por sua ex-aluna Silvia Musatti de Marchi.

• Contardo Calligaris, "Petite histoire de la psychanalyse en Italie", *Critique*, 333, fevereiro de 1975, 175-95 • Michel David, *La psicoanalisi nella cultura italiana* (1966), Turim, Bollati Boringhieri, 1990; "La Psychanalyse en Italie", in Roland Jaccard (org.), *Histoire de la psychanalyse*, vol.2, Paris, Hachette, 1982 • Silvia Vegetti Finzi, *Storia della psicoanalisi*, Milão, Mondadori, 1986.

➤ SUICÍDIO.

Berliner Psychoanalytisches Institut (BPI)

(Instituto Psicanalítico de Berlim)

Criado por Max Eitingon*, Karl Abraham* e Ernst Simmel* no âmbito da policlínica do mesmo nome, o Instituto Psicanalítico de Berlim foi inaugurado em 14 de fevereiro de 1920, em instalações arranjadas por Ernst Freud* na Potsdamer Strasse. Verdadeiro laboratório de formação de terapeutas, desempenhou durante dez anos um papel considerável na elaboração dos princípios da análise didática* e serviu de modelo para todos os outros institutos posteriormente criados no âmbito da International Psychoanalytical Association* (IPA). Até sua ida para a Palestina, Eitingon presidiu a comissão de ensino, e foi em 1923 que, pela primeira vez no mundo, a formação analítica foi submetida às três prescrições hoje sistemáticas: análise didática, ensino teórico e supervisão*.

Proveniente de Viena*, Hans Sachs* foi o primeiro psicanalista exclusivamente didata do BPI. Formou 25 pessoas, dentre elas os mais brilhantes representantes do freudismo* internacional. Ao longo dos anos e em razão do afluxo de emigrados húngaros que fugiam do regime do almirante Horthy, e, mais tarde, do afluxo de vienenses obrigados a se exilar por razões econômicas, o Instituto tornou-se o maior centro de formação analítica do mundo, ao mesmo tempo que se desenvolvia na policlínica toda sorte de tratamentos terapêuticos, gratuitos para os desfavorecidos e pagos em graus variáveis pelos outros pacientes. Em 1930, na ocasião em que Eitingon publicou seu "Relatório original sobre os dez anos do BPI", Berlim se tornara, nas palavras de Ernest Jones*, "o coração de todo o movimento psicanalítico internacional".

Depois do advento do nazismo* na Alemanha*, o BPI foi integrado ao instituto alemão dirigido por Matthias Heinrich Göring*, assim se prestando à sinistra comédia da "arianização" da psicanálise, isto é, de sua destruição sistemática como "ciência judaica".

• *On forme des psychanalystes. Rapport original sur les dix ans de l'Institut Psychanalytique de Berlin*, apresentação de Fanny Colonomos, Paris, Denöel, 1985.

Bernays, Anna, *née* Freud (1859-1955), irmã de Sigmund Freud

Nascida em Freiberg e terceira entre os filhos de Jacob e Amalia Freud*, Anna era também a primeira das cinco irmãs de Sigmund

Freud* e a única que foi poupada do extermínio dos judeus pelos nazistas. Em suas lembranças, manifestou o mesmo ciúme que seu irmão sentira em relação a ela, quando era criança. Contou até que ponto Amalia privilegiava o filho mais velho: ele tinha direito a um quarto só para ele, enquanto as irmãs se apertavam no resto do apartamento. Quando Amalia quis dar aulas de piano a Anna, Sigmund se opôs e ameaçou deixar a casa. Quando ela tinha 16 anos, ele a impediu de ler as obras de Honoré de Balzac (1799-1850) e de Alexandre Dumas (1802-1870). Essa atitude tirânica estava ligada ao fato de que Freud fora muito ciumento de seu irmão Julius Freud*, nascido depois dele, e posteriormente se sentira culpado de sua morte. Tinha então dirigido sua rivalidade contra a jovem irmã, vista como "usurpadora" porque lhe tomava uma parcela do amor da mãe. Mas essa hostilidade também mostra a que ponto Freud obedecia, em certas questões, à concepção vitoriana da educação das meninas, própria da sociedade vienense do fim do século. Suas difíceis relações com essa irmã estimularam certamente suas reflexões sobre as rivalidades edipianas e sobre os laços familiares em geral. Posteriormente, Freud se mostrou bem mais afetuoso com suas quatro outras irmãs, cujo destino foi trágico.

Em outubro de 1883, Anna Freud casou-se com Eli Bernays, irmão de Martha Bernays, futura mulher de Freud, com o qual este não tardou a se indispor por causa de uma banal história de dinheiro. Novamente manifestou seu ciúme querendo que Martha, sua noiva, tomasse partido por ele, o que ela não fez. Por isso, não assistiu ao casamento da irmã. Tempos depois, deu fim à briga e ajudou os Bernays a emigrar para os Estados Unidos*, onde Eli se tornou um homem de negócios muito rico. Anna teve cinco filhos e morreu em Nova York quase centenária.

• Anna Freud-Bernays, "My brother S. Freud", *The American Mercury*, 51, 1940 • Ernest Jones, *A vida e a obra de Sigmund Freud*, vol.1 (N. York, 1953), Rio de Janeiro, Imago, 1989 • Lydia Flem, *La Vie quotidienne de Freud et de ses patients*, Paris, Hachette, 1986 • Peter Gay, *Freud: uma vida para o nosso tempo* (N. York, 1988), S. Paulo, Companhia das Letras, 1995.

➢ BERNAYS, MINNA; FREUD, MARTHA.

Bernays, Minna (1865-1941), cunhada de Sigmund Freud

Na história da vida privada de Sigmund Freud*, Minna Bernays, irmã mais nova de Martha Freud* (*née* Bernays), ocupa um lugar determinante, não só pelos laços íntimos que mantinha com o cunhado (e que duraram toda a vida), mas também porque essa amizade se tornou uma das grandes questões da historiografia* freudiana, e em especial da corrente revisionista.

Em 1882, quando Freud se apaixonou por Martha, também se sentiu muito atraído por Minna, cuja inteligência e espírito cáustico o encantavam. Escreveu-lhe cartas íntimas, nas quais lhe fazia muitas confidências, chamando-a de "meu tesouro, minha irmã". Nessa época, a jovem estava noiva de um amigo de Freud, Ignaz Schönberg (1856-1886), que contraiu tuberculose e morreu no começo do ano de 1886. Minna se decidiu então a ficar solteira e ocupar-se de sua mãe em Hamburgo, trabalhando também algumas vezes como dama de companhia.

Em 1896, instalou-se em Viena* na casa da irmã e do cunhado, o apartamento do número 19 da Berggasse, onde ocupava um cômodo sem entrada independente. Assim, tinha que passar sempre pelo quarto do casal Freud para chegar ao seu. Ao longo dos anos, tornou-se a "tia Minna" para os cinco filhos da família, aos quais dedicou muito tempo e toda a sua energia. Enquanto Freud mantinha a mulher e os filhos afastados da sua vida profissional, confiava suas dúvidas, interrogações e certezas à cunhada ternamente amada. Chegou até a viajar em sua companhia, principalmente à Itália. Em suas cartas, ele a mantinha informada sobre todos os assuntos da família, falando-lhe tanto de Martha quanto de suas descobertas intelectuais. Ela respondia com a firmeza de uma mulher que ocupava uma posição sólida entre os familiares. Em 1938, já doente e quase cega, conseguiu exilar-se em Londres, onde morreu dois anos depois do cunhado.

Carl Gustav Jung*, que recusava a teoria freudiana da sexualidade*, tinha entretanto um gosto pronunciado pelas histórias picantes da vida privada. Tendo tido, ele próprio, aventuras extra-conjugais, notadamente com Sabina Spielrein*, não hesitava em divulgar boatos, verdadeiros ou falsos, sobre as ligações carnais dos amigos e dos contemporâneos. Assim, foi o primeiro, no círculo de Freud, a deixar entender que talvez este tivesse sido amante da cunhada. Em 1957, em uma entrevista com John Billinsky, contou que, em março de 1907, Minna Bernays, muito "desorientada", lhe confessara que Freud estava apaixonado por ela e "sua relação era verdadeiramente muito íntima". Declarou lembrar-se do "suplício" que sofrera ao ouvir essa "revelação".

Não era preciso tanto para abalar a comunidade freudiana e reavivar assim as acusações contra a psicanálise. Essa doutrina, que via sexo por toda a parte, ia finalmente ser surpreendida em flagrante delito de incesto*, na própria pessoa de seu fundador hipócrita? Ernest Jones*, biógrafo oficial do mestre, afirmou inutilmente por muitas vezes que o grande homem fora "monógamo em um grau incomum", mas não pôde impedir que o boato fizesse estragos. Pior ainda, a correspondência entre Minna Bernays e o cunhado continuava inacessível a todos os pesquisadores e zelosamente guardada pelo muito ortodoxo Kurt Eissler, responsável pelos Arquivos Freud, depositados na Biblioteca do Congresso* de Washington.

No fim dos anos 1970, o historiador revisionista Peter Swales relançou a questão, dando-lhe um conteúdo teórico. Preocupado em reencontrar os vestígios originais de todas as prevaricações cometidas pelo fundador, começou a pesquisar a questão e fez em Nova York, em novembro de 1981, uma conferência que teve grande repercussão. Tomando como ponto de partida a confidência de Jung, explicou que Freud tivera uma ligação sexual com Minna. Ele a teria até mesmo engravidado e obrigado a abortar. O método utilizado não fornecia a menor prova da realidade de uma tal ligação. Tratava-se de uma espécie de paródia de interpretação psicanalítica, que pretendia encontrar na obra de Freud "revelações" autobiográficas capazes de explicar o mais claramente possível os atos de sua vida privada.

A esse delírio de interpretação*, o historiador Peter Gay, novo biógrafo de Freud, respondeu relatando a perturbação que sentira ao consultar, na Biblioteca do Congresso, a correspondência entre Freud e Minna Bernays, mais exatamente ao constatar a existência de um branco, entre 1893 e 1910, na numeração das cartas. Ora, era precisamente durante esse período que a relação sexual teria podido ocorrer. Gay não acreditava na existência dessa cena incestuosa original, mas mostrava como herdeiros legítimos, censurando a vida privada dos pensadores, suprimiam dados inutilmente, e justamente com isso favoreciam a difusão das interpretações mais fantasiosas.

Para Albrecht Hirschmüller, especialista alemão na publicação da correspondência de Freud com os membros de sua família, Gay teria cometido um erro e a numeração das famosas cartas não teria tido interrupção. A correspondência de Freud com a cunhada não continha, segundo ele, nenhum elemento que pudesse comprovar a existência de tal ligação: "A correspondência é muito aberta e muito íntima, escreveu Hirschmüller. Ela mostra que as relações de Freud com a cunhada faziam parte de uma rede de relações familiares [...]. Uma relação carnal teria causado muitos problemas e destruído os laços com Martha, que eram fundamentais para Freud, mas diferentes dos que mantinha com Minna. Foi a opinião que formei, depois de ter estudado tudo o que encontrei nos arquivos de Freud sobre a família Bernays."

Assim, a relação carnal foi inventada por Jung, a partir de um testemunho mal compreendido de Minna, antes de se tornar uma fantasia maior na historiografia revisionista e antifreudiana.

• Ernest Jones, A vida e a obra de Sigmund Freud, vols. 1 e 2 (N. York, 1953 e 1955), Rio de Janeiro, Imago, 1989 • John M. Billinsky, "Jung and Freud (the end of a romance)", Andover Newton Quarterly, X, 1969, 39-43 • Max Schur, Freud: vida e agonia, uma biografia (N. York, 1972), Rio de Janeiro, Imago, 1981 • La Maison de Freud, Berggasse 19 Vienne, fotografias e prefácio de Edmund Engelman, notícia biográfica de Peter Gay (N. York, 1976), Paris, Seuil, 1979 • Peter Swales, "Freud, Minna Bernays and the conquest of Rome: new light on the origins of psychoanalysis", New American Review. A Journal of Civility and the Arts, 1, verão de 1982, 1-23 • Janet Malcolm, Tempête aux Archives Freud (N. York, 1983), Paris, PUF, 1986 • Peter Gay, Freud: uma vida para o nosso tempo (N. York, 1988), S. Paulo, Companhia das Letras, 1995; Lendo Freud (New Haven, 1990), Rio de Janeiro, Imago, 1992 • Élisabeth Roudinesco, Genealogias (Paris, 1994), Rio de Janeiro, Relume Dumará, 1995 •

Albrecht Hirschmüller, carta inédita a Élisabeth Roudinesco de 13 de setembro de 1996.

➢ FLIESS, WILHELM; SEDUÇÃO, TEORIA DA.

Bernfeld, Siegfried (1892-1953)
psicanalista americano

Militante sionista e austro-marxista, apreciador de mulheres, fumante inveterado de cigarros americanos, grande conhecedor das origens do freudismo*, pioneiro da análise leiga* e da psicologia da adolescência, Siegfried Bernfeld foi uma das figuras principais do primeiro círculo psicanalítico vienense, antes de se tornar, em 1941, fundador da San Francisco Psychoanalytical Society (SFPS).

Nascido em Lemberg, na Galícia, em uma família judia de negociantes de têxteis, instalada no subúrbio de Viena*, estudou botânica e zoologia, que lhe deram um sólido conhecimento das ciências da natureza. Depois, orientou-se para a psicologia e a pedagogia. Desde a juventude, interessou-se pelo hipnotismo, que praticou com seu jovem irmão, e logo o método da associação livre*. Militante sionista e socialista, começou a se interessar pela psicanálise* através da pedagogia e das experiências de Maria Montessori*. Em 1915, casou-se com Anne Salomon, estudante de medicina e militante marxista, com quem teve duas filhas: Rosemarie e Ruth.

Em 1918, Bernfeld organizou em Viena uma imensa reunião da juventude sionista, durante a qual Martin Buber (1878-1965) pronunciou um discurso célebre. Um ano depois, criou uma instituição, o Kinderheim Baumgarten, especializado no acolhimento às crianças judias órfãs de guerra. Essa instituição devia dar-lhes uma formação que lhes permitisse emigrar para a Palestina. Desde a sua abertura, o instituto recebeu 240 pensionistas, entre os quais crianças de menos de cinco anos, desnutridas, retardadas ou traumatizadas. Tornando-se membro da Wiener Psychoanalytische Vereinigung (WPV) no mesmo ano, Bernfeld encontrou-se com Sigmund Freud*, que o recomendou a Max Eitingon* para a Policlínica de Berlim. Finalmente, em 1922, instalou-se como psicanalista em Viena, tornou-se íntimo de Anna Freud* e logo formou um grupo com os que se interes-

savam pela infância e pela adolescência em situação de dificuldade: Wilhelm (Willi) Hoffer (1897-1967), Anna Freud, August Aichhorn*. Todos tinham como objetivo estender a doutrina freudiana às questões sociais.

Em 1925, publicou duas obras importantes, uma dedicada à psicologia da adolescência, outra centrada no mito de Sísifo, na qual denunciava os métodos educativos alemães que poderiam, segundo ele, favorecer a instauração de uma ditadura.

Nesse ano, separado da primeira mulher, foi a Berlim e cruzou o destino de todos aqueles que se tinham agrupado em torno de Karl Abraham* e de Eitingon. Fez uma análise de dois anos com Hanns Sachs*, e retornou a Viena em 1932, depois de se casar com a atriz Élisabeth Neumann, aluna de Erwin Piscator (1893-1966), futura artista de Hollywood, de quem se separaria em 1934, para se casar com a terceira mulher e preciosa colaboradora: Suzanne Cassirer-Paret. De origem francesa e mãe de dois filhos, Peter e Renate, ela tinha recebido de Freud a sua formação didática.

De modo geral, Bernfeld insistia no fato de que o homem sempre está em uma "posição social" e que essa dependência do social é determinante na construção do eu*. Daí a idéia essencial de que a neurose e a delinqüência resultam ambas da maneira pela qual os indivíduos são educados na infância.

Em 1934, depois da tomada do poder pelos nazistas, Bernfeld se exilou com sua filha Ruth, sua mãe, Suzanne, Peter e Renate. Instalados em Menton, no sul da França*, os Bernfeld passaram por Paris em 1935, apenas o tempo de ficar conhecendo René Spitz* e René Laforgue*. Em seguida, depois de uma longa viagem que os conduziu de Amsterdam a Londres, deixaram definitivamente a Europa e foram para os Estados Unidos*. Em setembro de 1937, estabeleceram-se em São Francisco. Manfred Bernfeld, irmão de Siegfried, morreu no campo de concentração de Theresienstadt e uma parte da família deste foi exterminada no campo de Auschwitz.

Ao contrário de muitos outros imigrantes vienenses que adotaram facilmente os ideais pragmáticos do freudismo americano, Bernfeld conservou durante toda a vida esse "espírito vienense" contestatório e profundamente marcado pela teoria das pulsões[*]. Foi por isso que, desde que chegou à Califórnia, ficou ao mesmo tempo fascinado pela beleza selvagem da costa oeste e muito decepcionado pela redução da psicanálise a uma psicologia do eu, à sua "massificação": "Os 'psicanalistas' que encontrei aqui, escreveu a Anna Freud em 1937, são pessoas muito medíocres [...]. A palavra psicanálise é tão conhecida aqui quanto nos confins do leste. O nome de Freud é menos corrente, e de preferência é pronunciado 'Frud' [...]. Segundo a geografia dos californianos, Viena se encontra exatamente na fronteira americano-européia. Depois de um número considerável de discos de música vienense que eles tocam em sua honra, você nem tem mais prazer de se sentir vienense, e depois de algumas perguntas diretas sobre a situação na Áustria, você não tem mais honra nenhuma."

Por apego a seu passado vienense, Bernfeld começou então a se interessar pela vida de Freud e pela história das origens do freudismo. Seus artigos sobre o assunto seriam, aliás, amplamente utilizados por Ernest Jones[*], quando este tivesse sido aceito por Anna Freud, para grande mágoa de todos os judeus vienenses exilados, como historiador oficial do fundador. Portanto, com essa decisão, era à escola inglesa, e não aos americanos como Bernfeld, que se confiava a tarefa de tratar da herança freudiana: James Strachey[*] como tradutor das obras completas do mestre, Jones como biógrafo.

Alguns meses antes de morrer de câncer de pulmão, Bernfeld fez no Instituto de São Francisco uma conferência sobre a história da análise didática[*]. Criticou com ferocidade os padrões da formação psicanalítica no interior da International Psychoanalytical Association[*] (IPA). Seu discurso provocou escândalo e só foi publicado em 1962, acompanhado de uma apresentação "oficial" de Rudolf Eckstein, que tentava limitar o seu alcance, enfatizando que Bernfeld talvez não tivesse razão de preferir o processo do ensino ao da organização institucional.

• Siegfried Bernfeld, "Bemerkungen über Subliemierung", *Imago*, 8, 1922, 333-44; *The Psychology of the Infant* (Viena, 1925), N. York, Brentano, 1929; *Sisyphos oder die Grenzen der Erziehung* (Viena, 1925), Frankfurt, Suhrkamp, 1992; "Der soziale Ort und seine Bedeutung für Neurose, Verwahrlosung und Pädagogik", *Imago*, 15, 1929, 299-312; "An unknown autobiographical fragment by Freud", *American Imago*, 4, 1, 1946 • Siegfried Bernfeld e Suzanne Cassirer-Bernfeld, "Freud's early childhood", *Bull. Menninger Clinic*, 1944, 8, 107-15; "On psychoanalytic training", *The Psychoanalytic Quarterly*, 31, 1962, 453-82 • Jacques Lacan, O Seminário, livro 7, *A ética da psicanálise (1959-1960)* (Paris, 1986), Rio de Janeiro, Jorge Zahar, 1995, 2ª ed. • Franz Alexander, Samuel Eisenstein e Martin Grotjahn (orgs.), *A história da psicanálise através de seus pioneiros*, (N. York, 1966), Rio de Janeiro, Imago, 1981 • Gregory Zilboorg, "S. Bernfeld, Obituary", in *Psychoanalytic Quarterly*, 1953, 22, 571-2 • Hedwig Hoffer, "Obituary, Siegfried Bernfeld, 1892-1953", *IJP*, 1955, 66-9 • Moustapha Safouan, *Jacques Lacan et la question de la formation des analystes*, Paris, Seuil, 1983 • Karl Fallend e Johannes Reichmayr, *Siegfried Bernfeld oder die Grenzen der Psychoanalyse*, Frankfurt, Stroemfeld-Nexus, 1992 • Nathan G. Hale, *Freud and the Americans, 1917-1985: The Rise and Crisis of Psychoanalysis in the United States*, t.II, N. York, Oxford, Oxford University Press, 1995 • Ludger M. Hermanns, "Document inédit: lettre de Siegfried Bernfeld à Anna Freud sur la pratique de la psychanalyse à San Francisco, le 23 novembre 1937", *Revue Internationale d'Histoire de la Psychanalyse*, 1990, 3, 331-41 • Ernst Federn, *Témoin de la psychanalyse* (Londres, 1990), Paris, PUF, 1994.

➢ HELMHOLTZ, HERMANN LUDWIG FERDINAND VON; HERBART, JOHANN FRIEDRICH; HISTORIOGRAFIA; JUDEIDADE; SCHUR, MAX.

Bernheim, Hippolyte (1840-1919)

médico francês

Pioneiro da noção moderna de psicoterapia[*], Hippolyte Bernheim renunciou à sua situação hospitalar em Estrasburgo, quando a Alsácia foi anexada à Alemanha[*] em 1871. Nomeado então para a Universidade de Nancy, tornou-se professor-titular de medicina interna em 1879. Três anos depois, adotou o método hipnótico de Auguste Liébeault[*], ao qual deu um conteúdo racional. Ao contrário desse velho médico, tratava apenas de pacientes capazes de serem hipnotizados — soldados, operários, camponeses — com os quais, como observou Henri F. Ellenberger[*], obtinha resultados melhores do que com doentes das classes superiores. Assim, pôde demonstrar que a hipnose[*] era um estado de sugestionabilidade provocado pela sugestão[*].

Se o marquês Armand de Puységur (1751-1825), nas vésperas da Revolução de 1789, abrira caminho para a idéia de que um mestre (nobre, médico, intelectual) pudesse ser limitado no exercício do seu poder por um indivíduo capaz de falar, e conseqüentemente de lhe resistir, Bernheim mostrava, ao contrário, que a hipnose era apenas, no fim do século XIX, uma questão de sugestão verbal: uma clínica da palavra substituía, pois, a clínica do olhar. Em suma, contribuía para dissolver os últimos resíduos do magnetismo, invertendo a relação descrita por Puységur e aniquilando a hipnose na sugestão.

Daí a querela com Jean Martin Charcot*, que assimilava a hipnose a um estado patológico e se servia dela não como meio terapêutico, mas para provocar crises convulsivas e dar um estatuto de neurose* à histeria*. Bernheim acusou o mestre da Salpêtrière de fabricar artificialmente sintomas histéricos e manipular os doentes. Agrupou em torno de si, além de Liébeault, dois outros estudiosos: Henri Beaunis (1830-1921) e Jules Liégeois (1833-1908). Assim, formou-se a Escola de Nancy, que lutou durante dez anos contra a Escola da Salpêtrière. Enquanto Beaunis tentaria separar a filosofia da psicologia, criando com Alfred Binet em 1894 a revista *L'Anée Psychologique*, Liégeois, de formação jurídica, se interessaria pelos crimes e delitos cometidos em estado de hipnose, tomando a defesa, em muitos casos judiciários, de criminosos vítimas de hipnotizadores.

A lógica dessa dissolução da hipnose na sugestão conduziu, portanto, Bernheim a afirmar que os efeitos obtidos pelo hipnotismo podiam também ser obtidos por uma sugestão em estado de vigília, que logo se chamaria de psicoterapia.

Do mesmo modo, pode-se dizer, Sigmund Freud* inventou a psicanálise* abandonando a hipnose pela catarse*, sem nem mesmo adotar a sugestão. Destruiu simultaneamente as teses de Bernheim e as de Charcot, ainda que se inspirando nessas duas experiências. De Charcot, tomou uma nova conceitualização da histeria e de Bernheim o princípio de uma terapia pela palavra.

Em sua autobiografia de 1925, Freud relatou a visita que fez a Bernheim e a Liébeault, no verão de 1889, em companhia de Anna von Lieben* (Frau Cäcilie), logo antes de ir a Paris para assistir a dois congressos internacionais, um sobre psicologia e outro sobre hipnotismo. Em Nancy, foi testemunha das experiências impressionantes do médico alsaciano, teve estimulantes discussões com ele e decidiu traduzir o seu livro. Mas constatou que a sugestão só funcionava em meio hospitalar e não com a clientela particular: "Abandonei portanto a hipnose, observou, e só conservei dela a posição deitada do paciente sobre um divã, atrás do qual eu me sentava, de modo que eu o via, sem ser visto por ele."

• Hippolyte Bernheim, *Hypnotisme, suggestion, psychothérapie* (1891), Paris, Fayard, col. "Corpus des oeuvres de philosophie en langue française", 1995 • Henri F. Ellenberger, *Histoire de la découverte de l'inconscient* (N. York, Londres, 1970, Villeurbanne, 1974), Paris, Fayard, 1994 • Léon Chertok e Raymond de Saussure, *Naissance du psychanalyste*, Paris, Payot, 1973 • Jacques Nassif, *Freud, l'inconscient*, Paris, Gallilée, 1977 • Élisabeth Roudinesco, *História da psicanálise na França*, vol.1 (Paris, 1982), Rio de Janeiro, Jorge Zahar, 1989 • Jacqueline Carroy, "L'École hypnologique de Nancy, I et II", in *Le Pays Lorrain. Journal de la Société d'Archeologie Lorraine et du Musée Historique Lorrain*, 2 e 3, 108-16, 159-66 • Pierre Morel (org.), *Dicionário biográfico psi* (Paris, 1996), Rio de Janeiro, Jorge Zahar, 1997.

➤ BENEDIKT, MORIZ; BREUER, JOSEF; CHERTOK, LÉON; ESPIRITISMO; *ESTUDO AUTOBIOGRÁFICO, UM; ESTUDOS SOBRE A HISTERIA*; MESMER, FRANZ ANTON; MEYNERT, THEODOR; MOSER, FANNY; PAPPENHEIM, BERTHA; PERSONALIDADE MÚLTIPLA; *PSICOLOGIA DAS MASSAS E ANÁLISE DO EU*.

Betlheim, Stjepan (1898-1970)
psiquiatra e psicanalista iugoslavo

Nascido em Zagreb, Stjepan Betlheim era de família judia. Fez sua análise em Berlim com Sandor Rado*, e supervisões com Helene Deutsch* e Karen Horney*, antes de aderir à Wiener Psychoanalytische Vereinigung (WPV) em 1928, data em que começou a praticar a psicanálise* em Zagreb. Com Nikola Sugar*, tentou criar uma associação psicanalítica na Iugoslávia, no período entre as duas guerras. Depois de combater na Bósnia, ao lado dos guerrilheiros, tornou-se membro da International Psychoanalytical Association* (IPA) em

1952, a título pessoal, e criou, em 1968, a Associação dos Psicoterapeutas Iugoslavos.

• Elke Mühlleitner, *Biographisches Lexikon der Psychoanalyse. Die Mitglieder der psychologischen Mittwoch-Gesellschaft und der Wiener Psychoanalytischen Vereinigung von 1902-1938*, Tübingen, Diskord, 1992.

➤ COMUNISMO; FEDERAÇÃO EUROPÉIA DE PSICANÁLISE; HISTÓRIA DA PSICANÁLISE; KLAJN, HUGO.

Bettelheim, Bruno (1903-1990)
psicanalista americano

Não se pode evocar a vida e a obra de Bruno Bettelheim sem levar em conta o escândalo que estourou nos Estados Unidos* algumas semanas depois de sua morte. Em conseqüência da publicação, em alguns grandes jornais, de cartas de ex-alunos da Escola Ortogênica de Chicago, que ele dirigira durante cerca de trinta anos e que acolhia crianças classificadas como autistas, a imagem do bom "Dr. B.", como era chamado, se apagava por trás da figura de um tirano brutal, que fazia reinar o terror em sua escola. Lembrou-se então que ele não aceitava nenhum visitante, a não ser, e em condições muito restritivas, as famílias das crianças que ali estavam. Logo os ataques se estenderam à sua vida e à sua obra. Os termos de impostor, de falsificador e de plagiário se somaram ao de charlatão. Esse tumulto teve pouca repercussão na França, onde ele gozara, em razão do sucesso de seu livro *A fortaleza vazia* e do programa dedicado à Escola Ortogênica, realizado por Daniel Karlin e Tony Lainé para a televisão francesa e difundido em outubro de 1974, de um imenso prestígio que só foi prejudicado pelo declínio geral das idéias filosóficas e psicanalíticas dos anos 1970.

Sem dar crédito à totalidade das acusações que foram feitas contra ele, recusando principalmente a de plágio, sua biógrafa, Nina Sutton, demonstrou a autenticidade de algumas delas, mostrando que a questão central residia na interpretação que se poderia fazer de seus entusiasmos verbais, da brutalidade de alguns de seus atos, de suas "pequenas mentiras", de suas "fraudes", e além disso, de suas contínuas manipulações da história. Bruno Bettelheim teria sido fiel, à sua maneira, às idéias freudianas,

maneira que, no essencial, só podia chocar os partidários e herdeiros da *Ego Psychology**, guardiães de uma ortodoxia encarnada pela International Psychoanalytical Association* (IPA). Recusando tanto o conforto do dogmatismo teórico quanto o pragmatismo, afirmando que as crianças de quem estava encarregado deviam ser tratadas com um respeito e uma exigência que não admitiam nenhum relaxamento, Bruno Bettelheim concebera um universo "terapêutico total", que fez de seu trabalho um combate permanente, cujo fim, a saída do isolamento no qual essas crianças tinham encontrado refúgio, devia justificar os meios.

Nascido em Viena a 28 de agosto de 1903, em uma família da pequena burguesia judaica assimilada, de uma feiúra constatada sem delicadeza pela mãe, que nunca lhe dedicou grande afeição, Bruno Bettelheim manifestou cedo suas tendências à depressão. Dois acontecimentos trágicos influenciaram a sua jovem existência: a doença sifilítica do pai, doença "vergonhosa" e mantida oculta, da qual ele acreditou ser portador durante muito tempo por transmissão hereditária, e o advento da Primeira Guerra Mundial, com seu cortejo de recessão e miséria, resultando, em 1918, no desabamento do império dos Habsburgo e no fim daquilo que Stefan Zweig* chamou de "mundo de ontem". Primeiras fraturas materiais e morais que orientaram sua reflexão sobre as possibilidades de adaptação do homem diante de condições que ameaçam destruí-lo. Destinando-se a estudos literários e artísticos, Bruno Bettelheim freqüentou uma organização de juventude chamada Jung Wandervogel (Jovens Pássaros Migradores), cenário de seu primeiro encontro com as idéias de Sigmund Freud*, através de um jovem oficial desmobilizado, Otto Fenichel*.

A morte do pai o obrigou a interromper os estudos para dirigir a empresa familiar de venda de madeira. Depois de alguns anos de vida conjugal difícil, voltou à universidade, fez uma análise com Richard Sterba* e começou uma relação com uma jovem professora primária, que se tornaria depois a sua segunda esposa e que era, como sua mulher, discípula de Maria Montessori*. Tornou-se doutor em estética em 1938 — mais tarde, ele se diria doutor em filosofia — algumas semanas antes da entrada dos nazistas em Viena. Por razões confusas, que ele nunca esclareceria, ficou em Viena, enquanto sua mulher e a pequena americana autista de quem ela tratava — posteriormente, ele diria que era ele próprio quem o fazia — partiram para os Estados Unidos.

Preso pela Gestapo, chegou a Dachau a 3 de junho de 1938, depois de ter sido violentamente espancado. Transferido depois para o campo de concentração de Buchenwald a 23 de setembro de 1938, encontrou ali Ernst Federn, filho de Paul Federn*, companheiro de Freud. Naquele universo de medo, angústia e humilhação permanentes, começou a fazer um trabalho consigo mesmo, para resistir à ação mortífera dos SS. Foi a experiência desses campos a origem do conceito de "situação extrema", pelo qual ele designava as condições de vida diante das quais o homem pode seja abdicar, identificando-se com a força destruidora, constituída tanto pelo carrasco ou pelo ambiente quanto pela conjuntura, seja resistir, praticando a estratégia da sobrevivência — *Sobreviver* seria o título de um de seus livros — que consiste em construir para si, a exemplo do que Bettelheim supunha ser a origem do autismo*, um mundo interior cujas fortificações o protegeriam das agressões externas. Libertado a 14 de abril de 1939, graças a intervenções que seriam para ele uma nova ocasião de fabular, emigrou para os Estados Unidos, despojado de todos os seus bens.

Novos dissabores quando, ao chegar, sua mulher lhe participou sua decisão de se divorciar, e quando descobriu o pouco interesse que os americanos tinham pelo horror dos campos de concentração. Fiel a seu compromisso com Ernst Federn, pelo qual o primeiro libertado deveria denunciar as atrocidades nazistas, registrou por escrito a minuciosa observação que fizera do comportamento dos prisioneiros, dos carrascos e das relações que eles mantinham entre si. Esse documento, que inicialmente inspirou indiferença ou resistência, foi publicado em 1943; atraiu então a atenção do general Eisenhower, que ordenou que os seus oficiais o lessem. Assim, *Bruno Bettelheim* tornou-se especialista em campos de concentração, qualidade que se revelaria sobrecarregada de muitos mal-entendidos, desta vez com o conjunto da comunidade judaica. Com efeito, os testemu-

nhos dos raros sobreviventes dos campos de morte fariam aparecer a insondável distância que separava o universo concentracionário da empreitada de extermínio sistemático, cujo símbolo será, para sempre, Auschwitz. Bruno Bettelheim levaria anos para admitir essa diferença, recusando-se a ver nela o limite trágico de sua virulenta crítica daquilo que ele apresentava como a passividade dos judeus diante de seus torturadores.

Em 1944, foi nomeado diretor da Escola Ortogênica, que dependia da Universidade de Chicago e cujo funcionamento não era mais satisfatório. Durante trinta anos, essa instituição se tornaria a "sua" escola, centro draconiano da concretização de seus métodos e concepções, forjados durante os episódios dolorosos que vivera. Tratava-se de construir, a cada instante da vida cotidiana desse internato, um universo protetor, capaz de ser o antídoto daquelas "situações extremas" que teriam precipitado essas crianças no autismo e na psicose*. De inspiração psicanalítica, esse empreendimento era, entretanto, paradoxal, pois se chocava com os próprios princípios psicanalíticos de abertura para o exterior e de autonomização dos indivíduos. O procedimento não consistia apenas em refutar as doutrinas organicistas sobre o autismo e a psicose; ele também levantava a questão das modalidades de funcionamento da teoria psicanalítica no tratamento do autismo e da psicose. E, nesse ponto, ele permanece totalmente atual.

Consagrando seus dias e uma parte de suas noites à Escola e à redação de relatórios que constituiriam a matéria de suas obras principais, Bruno Bettelheim se tornou um personagem conhecido na mídia dos Estados Unidos e do resto do mundo, inspirador de adesões apaixonadas e alvo de violentas polêmicas. Depois de alguns conflitos, aposentou-se e continuou a escrever, dedicando-se tanto a uma explicação analítica dos contos de fadas quanto a uma leitura crítica da tradução* inglesa das obras de Freud. Abalado pela morte de sua mulher e pelos problemas de saúde que limitavam sua autonomia, deprimido e colérico, obcecado pelo medo da invalidez, Bruno Bettelheim pôs fim à vida na noite de 12 para 13 de março de 1990, cinqüenta e dois anos depois da entrada dos nazistas em Viena, asfixiando-se com um saco de plástico amarrado com borracha.

• Bruno Bettelheim, *A fortaleza vazia* (Glencoe, 1967), S. Paulo, Martins Fontes, 1987; *Freud e a alma humana* (N. York, 1982), S. Paulo, Cultrix, 1984; *Parents et enfants, Psychanalyse des contes de fées, L'amour ne suffit pas, Pour être des parents acceptables, Dialogues avec les mères*, Paris, Robert Laffont, col. "Bouquins", introdução de Danièle Lévy, 1995 • Geneviève Jurgensen, *La Folie des autres*, Paris, Robert Laffont, 1973 • Nina Sutton, *Bruno Bettelheim, une vie*, Paris, Stock, 1995.

➢ STRACHEY, JAMES.

Biblioteca do Congresso (Library of Congress)

Situada em Washington, nos Estados Unidos*, a Biblioteca do Congresso é uma das maiores bibliotecas do mundo. Foi ali, no departamento de manuscritos, que foram depositados os arquivos de Sigmund Freud* (cartas, manuscritos, etc.) e os de inúmeros outros psicanalistas de diferentes países. Essa iniciativa foi tomada por Siegfried Bernfeld*. Depois dele, Kurt Eissler, psicanalista também de origem vienense e autor de vários livros sobre Freud, foi, depois da Segunda Guerra Mundial, o principal responsável por esse grande depósito de saber e memória, que assumiu o nome de Sigmund Freud Archives (SFA) ou Arquivos Freud. Ele colecionou documentos apaixonantes, tanto interrogando todos os sobreviventes da saga freudiana quanto preservando a gravação de suas entrevistas em fitas magnéticas. De comum acordo com Anna Freud*, Eissler editou normas de conservação draconianas, as quais, respeitando a vontade dos doadores, proibiram à maioria dos pesquisadores externos à International Psychoanalytical Association* (IPA) o acesso a esse reservatório. Foi sob a direção dele, sumamente ortodoxa, que, a partir de 1979, numa reação ao espírito de censura, produziu-se uma virada revisionista na historiografia* freudiana, em especial a propósito da edição das cartas de Freud a Wilhelm Fliess*, confiada pelo próprio Eissler a um pesquisador pouco escrupuloso: Jeffrey Moussaieff Masson. A censura e a desconfiança, assim, levaram ao favorecimento de uma iniciativa historiográfica violentamente antifreudiana.

A coleção Sigmund Freud, dividida em séries (A, B, E, F e Z), e cujos direitos de publicação dependem da Sigmund Freud Copyrights (que representa os interesses financeiros das pessoas legalmente habilitadas), está agora acessível a todos os pesquisadores. Seu regulamento prevê algumas restrições, ora justificadas e conformes às leis em vigor, ora contestáveis. Quanto à série Z, sujeita a uma suspensão progressiva da imposição de sigilo que se estende até 2100, ela encerra, supostamente, documentos concernentes à vida privada de pessoas (pacientes, psicanalistas etc.), as quais é preciso proteger.

Na realidade, essa série Z contém alguns textos que nada têm de confidencial, outros que não comportam nenhuma revelação bombástica, ainda que digam respeito a segredos de família ou do divã, e outros, por fim, cuja presença nessa classe nada tem de evidente: por exemplo, contratos de Freud com seus editores, cartas trocadas com uma organização esportiva judaica, ou documentos sobre Josef Freud* que já são conhecidos dos historiadores. Patrick Mahony e o historiador Yosef Hayim Yerushalmi denunciaram o regulamento que rege a organização dessa série numa conferência notável, realizada em 1994. Este último sublinhou que esconder segredos de polichinelo conduz, antes, a alimentar boatos inúteis, e que a única maneira de evitá-los seria abrir os chamados arquivos secretos. Yerushalmi lembrou a frase de *Lord Acton*: "Fechar os arquivos aos historiadores equivale a deixar a própria história entregue aos inimigos." E concluiu: "Vivemos numa época em que a informação, em todos os campos, enterra-nos sob uma avalanche à qual a pesquisa sobre Freud não escapa. Esta se transformou numa indústria em si mesma. O controle de ordem estritamente bibliográfico sobre seus produtos tornou-se hoje, por assim dizer, impossível."

• Janet Malcolm, *Tempête aus Archives Freud* (N. York, 1984), Paris, PUF, 1986 • Jeffrey Moussaïeff Masson, *Le Réel escamoté*, Paris, Aubier-Montaigne, 1984 • Élisabeth Roudinesco, *Genealogias* (Paris, 1994), Rio de Janeiro, Relume Dumará, 1996 • Yosef Hayim Yerushalmi, "Série Z" (1994), "Une fantaisie archiviste", *Le Débat*, 92, novembro-dezembro de 1996, 141-52 • Jacques Derrida, *Mal d'archive*, Paris, Galilée, 1995.

Bibring, Edward (1894-1959)
médico e psicanalista americano

Nascido em Stanislau, na Galícia, Edward Bibring, originário de uma família judia, teve uma vida marcada por sucessivas migrações. Depois da Revolução de Outubro, foi para Viena, onde refez seus estudos de medicina, ao mesmo tempo em que era analisado por Paul Federn*. Em 1938, emigrou para Londres, na mesma época que a família de Freud. Três anos depois, em fevereiro de 1941, partiu para os Estados Unidos* e integrou-se à Boston Psychoanalytic Society (BoPS), da qual foi presidente durante dois anos. Bibring foi, antes de tudo, um clínico ortodoxo da International Psychoanalytical Association* (IPA), próximo das teses de Anna Freud*. Em 1943, no âmbito do desenvolvimento da teoria pós-freudiana do eu*, elaborou a noção de mecanismos de desligamento (working-off mechanisms), para designar um processo de resolução dos conflitos do eu, distinto das defesas* e da ab-reação*. Morreu de doença de Parkinson. Sua mulher, Grete Bibring-Lehner (1899-1977), analisada por Hermann Nunberg*, também foi médica e psicanalista.

• Jean Laplanche e Jean-Bertrand Pontalis, *Vocabulário da psicanálise* (Paris, 1967), S. Paulo, Martins Fontes, 1991, 2ª ed. • Elke Mühlleitner, *Biographisches Lexikon der Psychoanalyse. Die Mitglieder der psychologischen Mittwoch-Gesellschaft und der Wiener Psychoanalytischen Vereinigung von 1902-1938*, Tübingen, Diskord, 1992.

Bigras, Julien (1932-1989)
psiquiatra e psicanalista canadense

Ao contrário de François Peraldi*, que se exilou no Quebec conservando a nacionalidade francesa, Julien Bigras tentou radicar-se na França*, como seu compatriota René Major. Não conseguiu e voltou a Montreal, onde exerceu influência estimulante sobre a Sociedade Psicanalítica Canadense (SPC), fechada em si mesma e em permanentes lutas institucionais entre anglófonos e francófonos, entre partidários das várias correntes da International Psychoanalytical Association* (IPA): kleinismo*, *Ego Psychology*, *Self Psychology*.

Nascido em Saint-Martin, Bigras vinha de uma família de fazendeiros pobres da província do Quebec. Dos onze irmãos, foi o único que estudou. Orientou-se primeiro para a medicina, depois para a psiquiatria, e trabalhou em quatro hospitais psiquiátricos entre 1963 e 1983: Hospital Sainte Justine, Instituto Albert Prévost, Douglas Hospital e Royal Victoria. Depois de uma primeira psicoterapia* com Victorien Voyer, partiu para Paris em 1960 com sua primeira mulher, Mireille Lafortune. Ficou em Paris durante três anos, tempo necessário para efetuar sua formação didática com André Luquet, no quadro da Sociedade Psicanalítica de Paris (SPP) e para fazer uma sólida amizade com Conrad Stein, que seria seu supervisor.

Tornando-se membro da SPP, voltou a Montreal, onde tentou fazer evoluir a Sociedade Psicanalítica Canadense, instaurando relações e intercâmbios com os dissidentes parisienses da SPP, que também contestavam a esclerose de sua instituição e estabeleciam laços com clínicos da nova École Freudienne de Paris* (EFP), fundada por Jacques Lacan*. Depois de uma segunda supervisão com Jean Baptiste Boulanger, Bigras foi integrado, não sem dificuldade, à SPC, na qual sempre seria olhado como um *bad boy*, marginal e excêntrico. Era chamado de Índio, por causa do seu interesse pela etnopsicanálise* e pelos ameríndios habitantes das reservas indígenas do Canadá*.

Foi nesse contexto que criou em 1967 a revista *Interprétation*, que teria durante quatorze anos um papel importante em Montreal e em Paris, acolhendo textos de todos os horizontes do saber: psicanálise, literatura, ciências humanas, antropologia. Entre os numerosos colaboradores dessa revista franco-canadense, distinguem-se os nomes de Piera Aulagnier*, Conrad Stein, René Major, François Peraldi, o poeta Jacques Brault, e também americanos como Heinz Kohut*, Kurt Eissler, Frieda Fromm-Reichman* etc.

Esse autor prolífico e não-conformista, romancista nas horas vagas, apaixonado pelo estudo do incesto* e da loucura*, morreu prematuramente de uma doença cardiovascular, depois de terminar a experiência do grupo e da revista *Interprétation* e de ver o nascimento de outra revista, *Frayages*, criada por François Peraldi, seu rival lacaniano.

• Julien Bigras, *Les Images de la mère*, Paris, Hachette, 1971; *L'Enfant dans le grenier* (Montreal, 1976), Paris, Aubier-Montaigne, 1987; *Le Psychanalyste nu*, Paris, Laffont, 1979; "Histoire de la revue et du groupe Interprétation au sein du mouvement psychiatrique et psychanalytique québécois", *Santé Mentale au Québec*, 7, junho de 1982, 3-16 • Élisabeth Bigras, "D'une revue à l'autre ou l'impossible dette", ibid. 16-20 • Entrevista com Mireille Lafortune de 21 de maio de 1996, e com Élisabeth Bigras a 22 de maio de 1996.

➤ CANADÁ; CLARKE, CHARLES KIRK; GLASSCO, GERALD STINSON; MEYERS, DONALD CAMPBELL; PRADOS, MIGUEL; SLIGHT, DAVID.

Binswanger, Ludwig (1881-1966)

psiquiatra suíço

Nascido em Kreuzlingen, na margem suíça do lago de Constança, Ludwig Binswanger era descendente de uma dinastia de psiquiatras. Seu avô, Ludwig Senior (1820-1880), era originário de uma família judia de Osterberg, na Baviera. Deixou a Alemanha* em 1850, para dirigir o Hospital Psiquiátrico do Estado de Munsterlingen, na Suíça*. Pouco tempo depois de sua posse nessas funções, Ludwig Senior comprou o terreno de uma gráfica desativada, em Kreuzlingen, para fundar, segundo concepções que seu filho, Robert, e seu neto, Ludwig, reconheceriam como revolucionárias, a Clínica Psiquiátrica de Bellevue.

Com efeito, esta logo se caracterizou pela proscrição de quaisquer meios coercitivos, tão freqüentes na época. Além disso, seu fundador inaugurou técnicas novas, principalmente pondo a serviço dos doentes o ambiente familiar do médico, prática que permitia falar, segundo os termos de Ludwig Binswanger ao evocar o avô, de "terapia familiar* no sentido estrito da palavra." Bem antes de conhecer Ludwig Binswanger, Sigmund Freud* conhecia de reputação a Clínica de Bellevue, para a qual já mandara pacientes, e que Joseph Roth (1894-1939) evocava assim em *A marcha de Radetzky*: "essa casa de saúde do lago de Constança, onde tratamentos cuidadosos, mas caros, esperavam os alienados dos meios ricos, que tinham o hábito de ser mimados e que os enfermeiros tratavam com uma delicadeza de parteira". Bem mais tarde, em 1933, o escritor francês Raymond Roussel (1877-1933) teria permanecido na Clínica de Bellevue, como decidira, se não tivesse se detido definitivamente em Palermo, por onde resolvera fazer um desvio antes de ir para a Suíça.

O tio de Ludwig Binswanger, Otto Binswanger (1852-1929), que tratou de Friedrich Nietzsche (1844-1900) e conheceu Freud em 1894, por ocasião de um congresso em Viena*, publicou trabalhos sobre a histeria* e a paralisia geral. Nomeado professor em Iena, acolheu o sobrinho entre 1907 e 1908 no seu serviço da clínica psiquiátrica dessa cidade, onde o jovem Ludwig ficaria conhecendo sua futura mulher, Hertha Buchenberger.

Ludwig Binswanger foi educado segundo as normas de seu tempo e de seu meio social, isto é, antes de tudo no respeito à lei ditada pelo pai, Robert Binswanger (1850-1910), que sucedera a seu próprio pai, Ludwig Senior, na direção da clínica. Muito cedo, o jovem Ludwig decidiu tornar-se psiquiatra, a fim de suceder, por sua vez, ao pai.

Estudou medicina e também filosofia, entre 1900 e 1906 em Lausanne, Zurique, Heidelberg e novamente Zurique. Nessa época, ficou conhecendo Eugen Bleuler*, a quem, como muitos jovens psiquiatras de sua geração, devotava uma imensa admiração. Não tardou a trabalhar como assistente voluntário no Hospital Burghölzli, a clínica de Zurique onde conheceu Karl Abraham*, Max Eitingon* e Carl Gustav Jung*. Sob a direção deste último, redigiu uma tese sobre as associações verbais*. Nessa época, toda a equipe do Burghölzli estava apaixonada pela descoberta freudiana e Zurique estava a ponto de tornar-se, depois de Viena, o segundo centro mundial da psicanálise*.

Em janeiro de 1907, Jung fez sua primeira visita a Freud, acompanhado de sua mulher Emma e do jovem Ludwig Binswanger. Este não escondia seu desejo de se iniciar na psicanálise. O relato, por Binswanger, desse primeiro encontro traduz a simpatia espontânea e recíproca que se instaurou entre ambos. De um lado, o mestre, figura de pai afável e tolerante, bem diferente da figura autoritária do pai de Ludwig; do outro lado, o jovem médico, vinte e seis anos mais novo, já tão talentoso. Depois dessa visita, levado por seu entusiasmo por Freud e suas idéias, Ludwig Binswanger, que então tinha apenas um conhecimento livresco da psicanálise, analisou sua primeira paciente, por ocasião de sua permanência no serviço do tio, em Iena.

Em dezembro de 1910, depois da morte do pai, Ludwig Binswanger assumiu a direção da clínica. Durante alguns anos, considerou a psicanálise como o recurso absoluto para todas as categorias de pacientes. Só mais tarde seria mais moderado: "... dez anos de labor e decepção foram o preço a pagar para chegar a reconhecer que a análise convém a apenas uma parte determinada dos nossos pacientes."

Sua atração crescente pela filosofia, sua curiosidade e o contato assíduo com intelectuais e artistas de seu tempo, entre os quais Martin Buber (1878-1965), Ernst Cassirer (1874-1945), Martin Heidegger (1889-1976), Edmund Husserl (1859-1938), Karl Jaspers (1883-1969), Edwin Fischer, Wilhelm Furtwängler, Kurt Goldstein (1878-1965), Eugène Minkowski*, o levaram a desenvolver uma concepção diferente da via freudiana. Mas esse afastamento não o faria renunciar à teoria. Seu respeito, sua admiração e amizade por Freud ficariam intactos ao longo dos anos, como mostram a sua intervenção do dia 7 de maio de 1936, por ocasião do octogésimo aniversário de Freud, e também o seu texto de 1956, destinado à comemoração do centenário de nascimento do inventor da psicanálise, intitulado "Meu caminho para Freud". Mas, antes de tudo, é a correspondência entre ambos que comprova o caráter excepcional de sua relação. Embora ocasionalmente Freud, envolvido nas primeiras turbulências da deterioração de sua relação com Jung, tenha feito uma apreciação reservada de Binswanger, principalmente em uma carta de 30 de maio de 1912, relatando a Sandor Ferenczi* a famosa visita a Kreuzlingen, que foi considerada por Jung como uma ofensa deliberada, a nota dominante seria sempre impregnada de amizade, de confiança e de respeito pelo psiquiatra suíço. A 11 de janeiro de 1929, Freud lhe escreveu: "Ao contrário de tantos outros, você não permitiu que sua evolução intelectual, que cada vez mais o afastou de minha influência, destruísse também nossas relações pessoais, e você não sabe como essa delicadeza faz bem ao homem — apesar da indiferença, tão elogiada por você, que a idade traz."

Desde 1911, Binswanger projetava escrever uma obra tratando da influência de Freud sobre a psiquiatria clínica. Entretanto, percebia que esse empreendimento supunha conhecimentos que ele não tinha. Decidiu então proceder em duas etapas. O primeiro volume seria dedicado ao exame dos fundamentos da psicologia geral, o segundo trataria do centro da questão. Mas este nunca seria publicado, embora os capítulos já se acumulassem e fossem objeto de uma correspondência intensa com Freud. Nesse meio tempo, Binswanger se voltara para a filosofia, primeiro a de Henri Bergson (1859-1941), mas principalmente a fenomenologia de Edmund Husserl, que explorou sistematicamente, antes de se encontrar com o filósofo em agosto de 1923. Esse encontro assinalou o fim do grande projeto epistemológico e o nascimento de uma nova perspectiva, sob a forma de uma hermenêutica, na qual ele se esforçava em inscrever a interpretação freudiana. Cerca de 40 anos depois, Henri F. Ellenberger*, em um artigo consagrado à obra de Paul Ricoeur sobre a hermenêutica freudiana, confrontaria os dois procedimentos, o de Binswanger e o de Ricoeur, atribuindo a Binswanger o privilégio de ter sido o primeiro, e o único no seu tempo, a reconhecer a existência de uma hermenêutica freudiana baseada na experiência, diferente das hermenêuticas filológica, teológica ou histórica.

Em um primeiro tempo, sob o efeito dessa influência husserliana, Binswanger desenvolveu o seu método terapêutico, a análise existencial* (*Daseinanalyse*), que ilustrou sobretudo com a publicação do caso "Suzan Urban". A partir de 1927, data da publicação do livro de Martin Heidegger *Ser e tempo*, deu uma nova inflexão à sua trajetória, abandonando a perspectiva estritamente fenomenológica, para abrir-se à ontologia. Nesse contexto, publicou em 1930 *Sonho e existência*, em que misturava a concepção freudiana da existência humana com as de Husserl e de Heidegger. Michel Foucault (1926-1984) redigiria, para essa obra, que ele traduziria com Jacqueline Verdeaux, um longo prefácio. Em 1983, na versão inglesa (inédita em francês) da apresentação do seu livro *O uso dos prazeres*, Foucault evocaria a sua dívida em relação a Binswanger e as razões pelas quais se afastou dele.

Como observou Gerhard Fichtner em sua introdução à correspondência entre ambos, Freud certamente não teria admitido as críticas e interrogações que permeiam as homenagens que Binswanger lhe rendeu. Mas, sem dúvida, teria apreciado as linhas que o amigo suíço escreveu em seu diário, depois da visita à casa de Freud em Londres, em 1946: "Freud continua sendo a minha experiência humana mais importante, isto é, a experiência de meu encontro com o maior dos homens."

• Ludwig Binswanger, *Rêve et existence* (1930), Paris, Desclée de Brouwer, 1954; *Le Cas Suzanne Urban. Étude sur la schizophrénie* (1952), Paris, Desclée de Brouwer, 1957; *Discours, parcours et Freud*, Paris, Gallimard, 1970; *Introduction à l'analyse existentielle*, Paris, Minuit, 1971; *Mélancolie et manie* (1960), Paris, PUF, 1987 • Henri F. Ellenberger, *Médecines de l'âme*, Paris, Fayard, 1995 • Didier Eribon, *Michel Foucault* (Paris, 1989), S. Paulo, Companhia das Letras, 1990 • Jean-Baptiste Fagès, *Histoire de la psychanalyse après Freud* (Toulouse, 1976), Paris, Odile Jacob, 1996 • Michel Foucault, *Dits et écrits*, vol.1, Paris, Gallimard, 1994 • Sigmund Freud e Ludwig Binswanger, *Correspondance, 1908-1938* (Frankfurt, 1992), Paris, Calmann-Lévy, 1995 • Sigmund Freud e Sandor Ferenczi, *Correspondência (1908-1914)*, vol.I, 2 tomos (Paris, 1992), Rio de Janeiro, Imago, 1994, 1995 • Pierre Morel (org.), *Dicionário biográfico psi* (Paris, 1996), Rio de Janeiro, Jorge Zahar, 1997 • Élisabeth Roudinesco, *Jacques Lacan. Esboço de uma vida, história de um sistema de pensamento* (Paris, 1993), S. Paulo, Companhia das Letras, 1994 • Joseph Roth, *La Marche de Radetzky* (1932), Paris, Seuil, 1982.

Bion, Wilfred Ruprecht (1897-1979)
médico e psicanalista inglês

Clínico erudito e brilhante, reformador da psiquiatria militar, grande clínico das psicoses* e do *borderline**, Wilfred Ruprecht Bion foi o aluno mais turbulento de Melanie Klein*, cujo dogmatismo rejeitou para construir uma teoria sofisticada do *self* e da personalidade, fundada em um modelo matemático e repleta de noções originais — pequenos grupos, função *alfa*, continente/conteúdo, objetos bizarros, pressupostos de base, grade etc. — que, em certos aspectos, se assemelhavam às de Jacques Lacan*, seu contemporâneo. Como este, tentou dar um conteúdo formal à transmissão do saber psicanalítico, apoiando-se em fórmulas e na álgebra,

e, também como ele, apaixonou-se pela linguagem, pela filosofia e pela lógica, mas com uma perspectiva nitidamente cognitivista.

Grande viajante, fez escola não só na Grã-Bretanha* mas também no Brasil*, principalmente em São Paulo, onde marcou profundamente seus alunos. Na juventude, teve o privilégio de ser terapeuta do escritor Samuel Beckett (1906-1989), com quem se identificou fortemente. Na França*, teve alguns adeptos, entre os quais Didier Anzieu e André Green.

Nascido em Muttra, no Pendjab, de mãe indiana e pai inglês, engenheiro especialista em irrigação, foi educado por uma ama-de-leite e passou a infância na Índia*, no fim da era vitoriana e no apogeu do período colonial. Não sem humor, diria que todos os membros de sua família eram "completamente malucos". Em sua autobiografia, apresentou sua mãe como uma mulher fria e aterrorizante, que lhe lembrava as correntes de ar geladas das capelas inglesas.

Como todos os filhos da alta administração colonial, foi enviado com a idade de 8 anos à Inglaterra, para ser interno em um colégio. Abandonado pelos seus e isolado em um clima hostil, prosseguiu seus estudos sonhando com as paisagens suntuosas do Pendjab e desenvolvendo uma forte repugnância pelas coisas da sexualidade*. Só gostava das atividades esportivas e permaneceu virgem até seu casamento, aos 40 anos. Em janeiro de 1916, foi incorporado a um batalhão de blindados e logo estava no campo de batalha de Cambrai, no meio dos obuses e do fogo da guerra. Saiu em 1918 com a patente de capitão, uma sólida experiência da fraternidade humana e dos artifícios da hierarquia militar, de que se serviria anos depois.

Na prestigiosa Universidade de Oxford, formou-se em filosofia e em literatura, sem com isso abandonar o rugby, mas foi em Poitiers que terminou seus estudos humanísticos, a fim de dominar a língua francesa. Tornou-se depois professor em Bishop's Stortford, seu antigo colégio, onde lhe aconteceu uma estranha aventura. Tendo simpatizado com a mãe de um aluno, foi acusado por esta de ter desejado abusar do adolescente e teve que deixar o ensino. Começou então a fazer estudos médicos, que concluiu com sucesso.

Depois de um fracasso amoroso, decidiu fazer uma psicoterapia*, o que o conduziu à psiquiatria e depois à psicanálise*. Em 1932, contratado como médico assistente na Tavistock Clinic de Londres, dirigiu tratamentos de adolescentes delinqüentes ou atingidos por distúrbios da personalidade, e ocupou-se durante cerca de dois anos do tratamento de Samuel Beckett.

Essa relação terapêutica teve um efeito considerável no destino de ambos, que, nessa época, ainda eram iniciantes em suas carreiras. Tinham em comum uma relação difícil com as mães. Amigo e admirador de James Joyce (1882-1941) desde 1928, Beckett se indispusera com ele dois anos depois, após ter repelido as pretensões amorosas de sua filha, Lucia Joyce, doente de esquizofrenia* e tratada por Carl Gustav Jung*. Atormentado por uma mãe conformista e abusiva, que desconhecia seu talento e desaprovava sua conduta, sofria em 1932 de graves distúrbios respiratórios, de dores de cabeça e de diversos problemas crônicos ligados ao alcoolismo e a uma tendência para a vadiagem. Assim, decidira fazer uma psicoterapia, a conselho de seu amigo, o doutor Geoffrey Thomson. O tratamento com Bion foi conflituoso e difícil. A cada vez que Beckett voltava para a casa de sua mãe em Dublin, sofria de terrores noturnos, torpor e furúnculos no pescoço e no ânus. Por isso, Bion acabou recomendando-lhe que se afastasse dela. Beckett não conseguiu e interrompeu a análise, depois de ter assistido, a conselho de Bion, a uma conferência de Jung na Tavistock Clinic, na qual este afirmava que os personagens de uma ficção são sempre a imagem mental do escritor que os criou. Disso nasceria Murphy, primeiro romance de Beckett.

Em 1937, Bion se integrou efetivamente à história do freudismo* inglês, ao encontrar John Rickman*. Membro da British Psychoanalytical Society (BPS) e analisado por Melanie Klein, este tornou-se seu analista, iniciou-o nas teses kleinianas e lhe permitiu certamente, através desse segundo tratamento, compreender melhor os seus problemas sexuais. No início da guerra, Bion casou-se com a atriz Betty Jardine, que morreria de uma embolia pulmonar algum tempo depois, quando nasceu sua filha. Posteriormente, Bion voltaria a se casar.

Mobilizado por ocasião da entrada da Inglaterra na Segunda Guerra Mundial, participou com Rickman e outros médicos da reforma da psiquiatria inglesa, que seria saudada por Lacan em 1946, e que daria origem à famosa teoria dos pequenos grupos, inspirada pela experiência de Maxwell Jones (1907-1990) com as comunidades terapêuticas.

No hospital militar de Northfield, perto de Birmingham, onde eram recebidos os pacientes atingidos por neurose de guerra*, Bion e Rickman experimentaram o princípio do "grupo sem líder", que consistia em organizar em pequenas células homens julgados inadaptados ou inúteis. Cada grupo definia o objeto de seu trabalho sob a orientação de um terapeuta, que apoiava todos os homens do grupo, sem ocupar o lugar de um chefe nem o de um pai autoritário. A experiência produziu resultados, mas foi brutalmente encerrada porque questionava o próprio princípio da hierarquia militar.

Em 1945, próximo dos cinqüenta anos, Bion fez uma terceira análise com Melanie Klein, que marcaria definitivamente sua orientação. O tratamento durou oito anos e, desde o começo, Bion anunciou à sua analista sua recusa a qualquer idolatria e seu desejo de trabalhar com toda a independência. Assim, foi um discípulo fiel, mas nunca submisso. A partir de 1960, começou a publicar uma série de obras que impressionaram a comunidade psicanalítica por sua complexidade, e cujo objetivo era nada menos do que revisar filosoficamente a obra freudiana (e sua leitura kleiniana), concebendo um inconsciente* fundado na linguagem. Baseando-se na filosofia kantiana, Bion dividiu o aparelho psíquico em duas funções mentais: a função *alfa*, correspondente ao fenômeno, e a função *beta* correspondente ao número (a coisa em si, a idéia). Para Bion, a função *alfa* preservava o sujeito do estado psicótico, enquanto a função *beta* o desprotegia.

A experiência com os pequenos grupos permitiu a Bion abordar o campo das psicoses, com a ajuda de diferentes conceitos kleinianos, aos quais acrescentou os de objetos bizarros (partículas destacadas do eu*, com vida autônoma) ou de ideograma (inscrição pré-verbal de um pensamento primitivo). Aliás, tomando de Paul Schilder* a noção de imagem do corpo*, desenvolveu a idéia segundo a qual os grupos e os indivíduos seriam compostos de um continente e de um conteúdo. Se, para um dado indivíduo, o grupo funciona como um continente, cada indivíduo tem também em si mesmo um conteúdo, ou pressuposto de base, que determina suas emoções. Quanto à personalidade psicótica, esta é um componente normal do eu. Ora ela destrói o eu, impedindo toda forma de acesso à simbolização, ora, ao contrário, coexiste com outros aspectos do eu, sem se tornar um agente de destruição. Bion construiu também um modelo de tratamento, ao qual deu o nome de grade. Composta de um eixo vertical de oito letras (de A a H), conotando o grau de complexidade do enunciado, e um eixo horizontal de seis algarismos (de 1 a 6), representando a relação transferencial, a grade deveria permitir ao mesmo tempo auxiliar o clínico em sua escuta e dar uma base dita "científica" à prática da psicanálise.

Recusando-se, depois da morte de Melanie, a transgredir sua doutrina do "grupo sem líder" e a se tornar chefe da escola kleiniana, Bion preferiu instalar-se na Califórnia. A partir de 1968, viveu em Los Angeles e fez muitas viagens ao Brasil e à Argentina*, onde o impacto de seu ensino, de sua doutrina e de sua técnica psicanalíticas teve grande importância na difusão do que não se tardou a considerar como um neokleinismo (ou pós-kleinismo). A obra de Bion foi então traduzida em muitas línguas.

No fim da vida, depois de se tornar célebre, voltou à Inglaterra, onde morreu de leucemia.

• Wilfred Ruprecht Bion, *Experiências com grupos* (Londres, 1961), Rio de Janeiro, Imago, 1991; *O aprender com a experiência* (Londres, 1962), Rio de Janeiro, Imago, 1991; *Elementos em psicanálise* (Londres, 1963), Rio de Janeiro, Imago, 1991; *Transformações* (Londres, 1965), Rio de Janeiro, Imago, 1991; *Atenção e interpretação* (Londres, 1970), Rio de Janeiro Imago, 1991; *Conversando com Bion*, Rio de Janeiro, Imago, 1992; *Uma memória do futuro II: o passado apresentado*, Rio de Janeiro, Imago, 1996 • Gérard Bléandonu, *Les Communautés thérapeutiques*, Paris, Scarabée, 1970; *Wilfred R. Bion: a vida e a obra* (Paris, 1990), Rio de Janeiro, Imago, 1993; *L'École de Melanie Klein*, Paris, Le Centurion, 1985 • R.D. Hinshelwood, *Dicionário do pensamento kleiniano* (1989), P. Alegre, Artes Médicas, 1992 • Jacques Lacan, "La Psychiatrie anglaise et la guerre", *L'Évolution Psychiatrique*, 1, 1947, 293-312 • Didier Anzieu, "Beckett et Bion", *Revue Française de Psychanalyse*, Paris, Mentha, 1992 • Deirdre Bair, *Samuel Beckett* (N. York, 1978), Paris, Fayard, 1979.

➤ ANTIPSIQUIATRIA; BASAGLIA, FRANCO; BURROW, TRIGANT; ESQUIZOFRENIA; KLEINISMO; KOHUT, HEINZ; MATEMA; NÓ BORROMEANO; PSICOTERAPIA INSTITUCIONAL; TRANSFERÊNCIA.

bissexualidade

al. *Bisexualität*; esp. *bisexualidad*; fr. *bisexualité*; ing. *bisexuality*

Termo proveniente do darwinismo e da embriologia, e adotado pela sexologia* no fim do século XIX (simultaneamente a homossexualidade* e heterossexualidade*), para designar a existência, na sexualidade* humana e animal, de uma predisposição biológica dotada de dois componentes: um macho ou masculino e um fêmea ou feminino. Por extensão, fala-se de bissexualidade para designar uma forma de amor carnal entre pessoas que ora pertencem ao mesmo sexo, ora ao sexo oposto.

Retomado por Sigmund Freud* e por todos os seus sucessores como um conceito central da doutrina psicanalítica da sexualidade, ao lado dos de libido* e pulsão*, foi progressivamente utilizado para designar uma disposição psíquica inconsciente que é própria de toda a subjetividade humana, na medida em que esta se fundamenta na existência da diferença sexual*, isto é, baseia-se na necessidade de o sujeito* fazer uma escolha sexual, quer através do recalque* de um dos dois componentes da sexualidade, quer através da aceitação desses dois componentes, quer, ainda, através de uma renegação* da realidade da diferença sexual.

Assim como todos os trabalhos modernos sobre o transexualismo* tomaram por mitos fundadores a lenda de Hermafroditos e os amores da deusa Cibele, as reflexões sobre a bissexualidade sempre tiveram por origem o célebre relato dos infortúnios de Andrógino, feito por Aristófanes no *Banquete* de Platão: "A natureza humana de outrora não era como a de hoje, mas muito diferente. Em primeiro lugar, três eram as espécies em que se dividia a humanidade, e não duas, como agora. Junto aos sexos masculino e feminino havia um terceiro, que era comum a ambos. Esse gênero era então chamado andrógino. O corpo de cada um desses andróginos tinha forma arredondada. Seu dorso e seus flancos eram em círculo; quatro mãos eles tinham, pernas em número igual ao das mãos, dois rostos perfeitamente iguais, dois órgãos da procriação etc. Zeus os cortou em dois (...). Feita essa divisão, cada metade passou a desejar unir-se à sua outra metade. Quando se encontravam, enlaçavam-se nos braços e com tal força se estreitavam que, no ardor de se refundirem, deixavam-se morrer de fome e de inércia, por nada quererem fazer longe uma da outra."

Os sexólogos do fim do século XIX, desde Richard von Krafft-Ebing* até Magnus Hirschfeld*, retomaram esse tema, aliás misturando estreitamente a bissexualidade, a homossexualidade, o hermafroditismo real e os fenômenos de travestismo, ainda confundidos com o que viria a se transformar no transexualismo* nos anos 1950. Foi assim que se construiu o famoso mito do "terceiro sexo", para designar ao mesmo tempo o andrógino (bissexual), o invertido (homossexual) e o hermafrodita psicossexual (o transexual). Freud rejeitou esse termo, optando, já em 1905, em seus *Três ensaios sobre a teoria da sexualidade*, por definir a homossexualidade como uma escolha sexual derivada da existência, em todo sujeito, de uma bissexualidade originária. A seu ver, era desnecessário inventar um "terceiro sexo" ou "sexo intermediário" para designar algo que decorria de um universal da sexualidade humana.

Foi com a publicação, em 1871, de *A descendência do homem*, de Charles Darwin (1809-1882), que começou a se efetuar a passagem do mito platônico da androginia para a nova definição da bissexualidade, segundo as perspectivas da ciência biológica. Tratava-se, na época, de dotar o estudo da sexualidade humana de uma terminologia adequada em matéria de "raça", constituição, espécie, organicidade etc. A contribuição da embriologia foi decisiva, na medida em que ela pôde mostrar, graças à utilização do microscópio, que o embrião humano era dotado de duas potencialidades, uma masculina e outra feminina. Daí a idéia de que a bissexualidade já não era apenas um mito, porém uma realidade da natureza. Através dos ensinamentos de Carl Claus* e, mais tarde, em contato com seu amigo Wilhelm Fliess*, Freud adotou, por volta de 1890, a tese da bissexualidade.

Ao darwinismo e à embriologia Fliess juntava toda a tradição romântica da medicina alemã, que aliás se encontrava entre os escritores do fim de século marcados pelos trabalhos de Johann Jakob Bachofen (1815-1887) sobre o matriarcado e o patriarcado*. De August Strindberg (1849-1912) a Otto Weininger*, passando por Karl Kraus* e Daniel Paul Schreber*, o duplo tema da nostalgia do feminino e do pavor da feminização da sociedade alimentava as interrogações do fim de século, em plena reflexão sobre as condições de uma reformulação da família burguesa e de uma redistribuição das relações de identidade entre os sexos.

Em seu livro de 1896 sobre as relações entre o nariz e os órgãos genitais, Fliess expôs sua concepção dupla da bissexualidade e da periodicidade, estabelecendo um vínculo entre as dores da menstruação e as do parto, todas remetidas a "localizações genitais" situadas no nariz. Daí decorria a tese da periodicidade, segundo a qual as neuroses nasais, os acessos de enxaqueca e outros sintomas do ciclo feminino obedeciam a um ritmo de 28 dias, como a menstruação.

A esse primeiro ciclo Fliess acrescentava um segundo, de 23 dias, qualificado de masculino, e concluía que os dois se manifestavam em ambos os sexos. Através de cálculos, era possível, segundo ele, prever durante a gravidez qual seria o sexo da criança por nascer. A mãe transmitia a seu feto os dois períodos (de 28 e 23 dias), e era possível determinar a que sexo pertenceria o futuro recém-nascido através da natureza do período transmitido em primeiro lugar. Em dezembro de 1897, durante um encontro em Breslau, Fliess desenvolveu uma nova idéia, afirmando que a bissexualidade biológica prolongava-se, no ser humano, numa bissexualidade psíquica, que era paralela à bilateralidade característica do organismo humano, com a direita e a esquerda traduzindo, de certo modo, a organização corporal e espacial da diferença entre os sexos.

Como inúmeros estudiosos de sua época, Fliess sonhava transformar a biologia numa matemática universal. Num primeiro momento, Freud o acompanhou nesse terreno, não apenas se entregando a cálculos absurdos, mas fazendo com que seu amigo tratasse da famosa Emma

Eckstein* e, mais tarde, mandando operar seus próprios seios nasais, na esperança de curar sua neurose*. Todavia, no exato momento em que abandonou sua teoria da sedução*, ele tomou emprestada de Fliess não a tese da bissexualidade natural, acompanhada pela bilateralidade, mas a da bissexualidade psíquica. Em seguida, após seu rompimento com ele, Freud apagaria os vestígios desse empréstimo, sobretudo por causa da delirante história de plágio em que seria implicado por intermédio de Hermann Swoboda*. Em 1910, numa nota acrescentada aos *Três ensaios sobre a teoria da sexualidade*, diria simplesmente que Fliess havia reivindicado a paternidade dessa noção, e depois, em outra nota, datada de 1924, afirmaria: "Em alguns círculos não especializados, considera-se que a idéia da bissexualidade humana é obra do filósofo Otto Weininger, morto prematuramente, que fez dela a base de um livro bastante irrefletido (1903). As indicações precedentes mostram com clareza quão pouco justificada é essa pretensão." Essa atitude levaria os defensores da historiografia* oficial a afirmarem que Freud foi o inventor da hipótese da bissexualidade psíquica, e que nada devia, nesse campo, às teses fliessianas, enquanto os partidários da historiografia revisionista foram levados a sublinhar que ele era um plagiador e não inventara coisa alguma. Na realidade, a concepção freudiana da noção de bissexualidade passou por outros caminhos, mais complexos que os descritos pelos hagiógrafos, de um lado, e pelos antifreudianos, de outro.

Com Weininger, a tese da bissexualidade adquiriu uma amplitude considerável, tanto mais que serviu de complemento à questão da judeidade*, pensada como um ódio judaico a si mesmo, e da feminilidade, concebida como um perigo sexual. Em seu livro *Sexo e caráter*, publicado em Viena em 1903 e que foi um verdadeiro *best-seller* durante quarenta anos, Weininger seguiu a linha mestra da bissexualidade para estudar a evolução da sociedade ocidental. Retomando a idéia fliessiana da divisão das espécies, fez do pólo masculino a suprema expressão do talento criador e da intelectualidade humana, e do pólo feminino a manifestação da sensualidade, da languidez e da pulsão. Daí a falta de igualitarismo e o antifeminismo

que enalteciam os méritos da virilidade "nórdica", a única, segundo ele afirmava, capaz de sublimação* e de grandeza frente ao perigo social representado pela feminilidade. Partindo diretamente dessa concepção inferiorizante da diferença sexual, Weininger assimilava o judeu à mulher, sublinhando, além disso, que esta era pior do que aquele, uma vez que o judeu, como encarnação de uma dialética negativa, podia ter acesso à emancipação. Assim, a noção de bissexualidade serviu para reinstaurar sob nova forma os velhos preconceitos da época clássica.

Já em 1897, Freud adotou uma posição diferente da de Fliess. Renunciando a ver na bissexualidade o substrato do psíquico, ele a pensou na categoria de uma pura organização psíquica, chegando mesmo a afirmar que os progressos ulteriores da biologia confirmariam sua hipótese. Essa diferenciação entre o psíquico e o biológico lhe permitiu compreender a dissimetria existente entre os dois domínios: com efeito, não existia uma continuidade entre os dois, nem tampouco uma relação termo a termo. Como Fliess, Freud fez então da bissexualidade um motor do recalque*, mas — e foi aí que se produziu a divergência —, em vez de encará-la como um conflito entre duas tendências (uma libido viril, um recalque feminino), interessou-se pela maneira como cada ser sexuado recalcava ou não os caracteres do outro sexo.

A princípio, Freud achou que o "recalque parte da feminilidade e se volta contra a virilidade" (carta a Fliess de 15 de outubro de 1897). Um mês depois, renunciou a essa idéia e, no verão de 1899, afirmou que cada ato sexual era um "acontecimento que implica quatro pessoas". Nos *Três ensaios sobre a teoria da sexualidade*, fez da bissexualidade o fundamento da inversão (homossexualidade) e rejeitou todas as teses sexológicas sobre o terceiro sexo, bem como as de Weininger sobre a desigualdade entre os dois pólos. Já em 1905, substituiu esse não igualitarismo pela idéia de uma libido única, de essência masculina, de modo a incluir a diferença sexual no contexto universalista de um monismo sexual (ou falocentrismo*) de tipo igualitarista. Em 1919, em "Uma criança é espancada", rejeitou as teses de Fliess, sem citá-lo nominalmente, e as de Alfred Adler* sobre o protesto viril, mostrando que o recalque dos caracteres do sexo oposto está presente tanto nas meninas quanto nos meninos. Disso extraiu a conclusão de que os motivos do recalque não deviam ser sexualizados.

Depois de fazer da bissexualidade o núcleo central de sua doutrina da homossexualidade e da sexualidade feminina*, Freud considerou que essa noção era de completa obscuridade, na medida em que não podia articular-se com a de pulsão. Em 1937, porém, deu meia volta e, em "Análise terminável e interminável", mencionou o nome de Fliess e voltou à idéia de 1919 de que ambos os sexos recalcavam o que dizia respeito ao sexo oposto: a inveja do pênis, na mulher, e, no homem, a revolta contra sua própria feminilidade e sua homossexualidade latente: "Já mencionei em outros textos que, na época, esse ponto de vista foi-me exposto por Wilhelm Fliess, que se inclinava a ver na oposição entre os sexos a verdadeira causa e o motivo originário do recalque. Só faço reiterar minha discordância de outrora ao me recusar a sexualizar o recalque dessa maneira, e portanto, a lhe dar um fundamento biológico, e não apenas psicológico."

Essa afirmação foi consecutiva ao grande debate que se desenrolara no cerne do movimento psicanalítico a propósito do monismo sexual (sexualidade feminina), e que opusera os partidários da escola inglesa (Melanie Klein*, Ernest Jones*) aos da escola vienense (Helene Deutsch*, Jeanne Lampl de Groot*, Ruth Mack Brunswick*). Com efeito, essa querela havia mostrado como era difícil conciliar a idéia da diferença sexual e da bissexualidade (no sentido psíquico) com a de uma libido única (essencialmente masculina).

Foram os sucessores de Freud, e sobretudo a terceira geração* psicanalítica mundial, de Donald Woods Winnicott* a Jacques Lacan* e a Robert Stoller*, que trouxeram uma nova solução para o enigma da bissexualidade, quer aprofundando, a partir do falocentrismo, o estudo da sexualidade feminina sob todas as suas formas (Lacan), quer estudando os distúrbios da identidade sexual a partir de uma separação, muito mais radical do que a efetuada por Freud, entre a sexualidade no sentido biológico e anatômico, por um lado, e o gênero* (*gender*) como

representação social e psíquica da diferença sexual, por outro.

• Sigmund Freud, *Três ensaios sobre a teoria da sexualidade* (1905), *ESB*, VII, 129-237; *GW*, V, 29-145; *SE*, VII, 130-245; Paris, Gallimard, 1987; "Bate-se numa criança" (1919), *ESB*, XVII, 225-58; *GW*, XII, 197-226; *SE*, XVII, 175-204; in *Névrose, psychose et perversion*, Paris, PUF, 1973, 219-43; "O mal-estar na civilização" (1930), *ESB*, XXI, 81-178; *GW*, XIV, 421-506; *SE*, XXI, 64-145; *OC*, XVIII, 245-333; "Análise terminável e interminável" (1937), *ESB*, XXIII, 247-90; *GW*, XVI, 59-99; *SE*, XXIII, 209-53; in *Résultats, idées, problèmes*, II, Paris, PUF, 1985, 231-69; *La Naissance de la psychanalyse* (N. York, 1950), Paris, PUF, 1956; *Briefe an Wilhelm Fliess, 1887-1904*, Frankfurt, Fischer, 1986 • Wilhelm Fliess, *Les Relations entre le nez et les organes génitaux féminins présentés selon leurs significations biologiques* (Viena, 1897), Paris, Seuil, 1977; *Der Ablauf des Lebens. Grundlegung zur exakten Biologie*, Leipzig e Viena, Franz Deuticke, 1906 • Otto Weininger, *Sexe et caractère* (Viena, 1903), Lausanne, L'Âge d'Homme, 1975 • Magnus Hirschfeld, *Vom Wesen der Liebe. Zugleich ein Beitrag zur Lösung der Frage der Bisexualität*, Leipzig, Spohr, 1906 • Jean Laplanche e Jean-Bertrand Pontalis, *Vocabulário da psicanálise* (Paris, 1967), S. Paulo, Martins Fontes, 1991, 2ª ed. • Henri F. Ellenberger, *Histoire de la découverte de l'inconscient* (N. York, Londres, 1970, Villeurbanne, 1974), Paris, Fayard, 1994 • "Bisexualité et différence des sexes", número especial da *Nouvelle Revue de Psychanalyse*, 7, primavera de 1973 • Frank J. Sulloway, *Freud, Biologist of the Mind*, N. York, Basic Books, 1979 • Jacques Le Rider, *Le Cas Otto Weininger. Racines de l'antiféminisme et de l'antisémitisme*, Paris, PUF, 1982; *Modernité viennoise et crises d'identité* (1990), Paris, PUF, 1994 • Érik Porge, *Vol d'idées*, Paris, Denoël, 1994.

➤ FETICHISMO; GRODDECK, GEORG; KHAN, MASUD; PERVERSÃO; STEKEL, WILHELM; STRACHEY, JAMES.

Bjerre, Poul (1876-1965)
médico e psicoterapeuta sueco

Personagem excêntrico, de um orgulho ilimitado, ao mesmo tempo esteta, místico, filósofo, poeta e escultor, assemelhava-se a vários outros pioneiros do freudismo* na Europa. Dizia-se nietzschiano e homem do Renascimento, mas apaixonou-se principalmente pela hipnose* e pelo espiritismo*. Finalmente, foi o introdutor da psicanálise* na Suécia e nos países escandinavos*. Como os homens de sua geração*, ele próprio era habitado pelos sintomas e errâncias que tratava em seus pacientes. Deixou uma obra considerável — milhares de páginas — na qual se entregava "de corpo e alma", afirmando que "a experiência pessoal, vivida e elaborada, permite a compreensão intuitiva", a única válida.

Filho de um comerciante de laticínios proveniente da Dinamarca, nasceu em Göteborg e desde a infância sofreu de repetidas dores de cabeça e de perturbações do humor, alternando mania e depressão. Admirava o pai, homem gentil e econômico, incapaz de adaptar-se às convenções da vida burguesa, e desprezava a mãe, muito mais mundana e dinâmica, mas atingida, como ele, por uma espécie de melancolia crônica. Freqüentemente acamado por causa da doença, o jovem Poul tinha pelo irmão mais novo, Andreas, também deprimido e com tendências suicidas, um forte sentimento de ciúme. Para sair de suas tristes ruminações, tomou o hábito de fazer longos passeios solitários nas florestas e nas montanhas cobertas de neve. Depois de estudar medicina em Estocolmo, dedicou-se ao estudo das doenças nervosas e recorreu à hipnose e à sugestão*.

Em 1904, Andreas Bjerre (1869-1925), que se tornaria um brilhante criminologista, casou-se com uma jovem, Amelie Posse, cuja mãe, Gunhild Wennerberg (1860-1925), tornou-se um ano depois esposa de Poul. Instrumentista e cantora de talento, pertencia à aristocracia intelectual sueca e tivera três filhos de seu primeiro casamento com Fredrick Posse. Doente de reumatismo articular agudo e de diversas outras enfermidades psíquicas e somáticas, que a tornariam progressivamente inválida, ela foi a "musa" de Bjerre, que proclamou durante toda a vida que essa união tinha um caráter místico e despertava nele forças criadoras. Entretanto, os laços de parentesco incestuoso que uniam os dois irmãos através de suas esposas acentuaram os seus conflitos e agravaram os sintomas patológicos.

Em 1905, Poul Bjerre publicou o caso de uma jovem espírita, Karin, à qual atribuía dons energéticos sobrenaturais, ligados à sua capacidade de voltar à vida intra-uterina. Dois anos depois, sucedeu a Otto Wetterstrand (1845-1907), célebre médico de doenças nervosas e adepto das teorias de Auguste Liébeault*, cujos consultório e clientela assumiu. Abandonou

parcialmente a prática da hipnose pela da psicanálise. Em 1909, apresentou pela primeira vez o método freudiano na Universidade de Helsinki e, em 1911, depois de se encontrar pessoalmente em Viena com Sigmund Fred*, comentou suas idéias diante dos membros da Ordem dos Médicos sueca. Sua conferência intitulada "O método psicanalítico" teve pouca repercussão e não foi publicada na revista da Ordem, como era de praxe.

Nessa data, redigiu para o *Jahrbuch* * um longo artigo sobre um caso de paranóia* feminina, o primeiro do gênero na literatura psicanalítica. Inicialmente discutido por Freud, ao longo de uma troca de cartas, esse caso foi comentado em 1936 pelo filósofo francês Roland Dalbiez, em sua obra *O método psicanalítico e a doutrina freudiana*.

A paciente era uma mulher de 53 anos, solteira, certa de que estava sendo perseguida por homens que lhe mostravam a língua ou contavam à imprensa sua ligação com o amante. Depois de ter tido relacionamentos sexuais com homens, voltara-se para as mulheres e se tornara feminista. Bjerre a recebeu quarenta vezes, para uma sessão a cada dois dias. Obrigou-a a fornecer mínimos detalhes relativos à sua história e duvidou sistematicamente de suas interpretações. Logo afirmou que a tinha curado.

Freud, que nessa época estava elaborando sua doutrina da paranóia, declarou em dezembro de 1911 que, se houvera cura, foi porque se tratava de um caso de histeria* de forma paranóide. Baseando-se em uma experiência idêntica feita por Sandor Ferenczi*, manteve o diagnóstico: "A paciente se tornou paranóica, disse a Bjerre, no momento em que toda a sua libido* se dirigiu para a mulher. Voltou à normalidade logo que, pela transferência, você lhe restituiu a antiga fixação no homem."

Esse intercâmbio, que deixa ver como ocorriam as discussões de que Freud se alimentava para elaborar sua clínica, foi, evidentemente, decepcionante para Bjerre, que se sentiu "humilhado" em seu encontro com aquele "cujo olhar penetrante e glacial me transpassou, a ponto de me fazer sentir muito pior do que jamais imaginei ser". Freud achou Bjerre "taciturno, afetado e desprovido de humor". Em uma carta, antes mesmo de vê-lo, mostrou uma ironia mordaz: "Sem conhecê-lo, creio que posso antecipar que o acho perfeitamente incapaz do menor plágio; mas não direi o mesmo a respeito de um convite para encontrá-lo esta noite em seu quarto, feito a uma bonita camareira que você encontrou há pouco no corredor do hotel."

Não só Bjerre desistiu da idéia de ele mesmo deitar-se no divã, mas também abandonou progressivamente o freudismo e adotou outras formas de terapia, através das quais procurava principalmente construir a sua própria identidade. De modo geral, pensava que o consciente[*] importava mais do que o inconsciente[*] no tratamento do psiquismo, e que a cura podia ser obtida por persuasão. No congresso da International Psychoanalytical Association[*] (IPA) de Munique em 1913, já insistia na prioridade do consciente.

Sua ligação tumultuada com a bela Lou Andreas-Salomé[*], que tinha a mesma idade de sua mulher, e que o deixou ao fim de nove meses, não melhorou as coisas. Ele a conheceu em agosto de 1911, por ocasião de uma visita a Ellen Key, na casa desta em Alvastra, centro de encontros intelectuais. Admirava Nietzsche (1844-1900) e lera a obra magnífica que Lou lhe dedicara. Preparava então sua intervenção no congresso internacional da IPA em Weimar. Lou encontrou-se com a mulher de seu amante, que era paralítica, e notou a estranha relação mística e culpada que os unia. Depois, foram juntos a Weimar e logo ela entrou no círculo dos íntimos de Freud. Ao passo que Bjerre continuava a duvidar do freudismo, Lou o abandonou para tomar apaixonadamente o partido de Freud.

Em maio de 1912, ela terminou essa ligação amorosa e lhe pediu que queimasse as seis cartas que lhe dirigira. Em seu *Diário de um ano*, fez uma descrição cruel do amante, que mostrava o orgulho, o narcisismo[*], o sofrimento e as inibições desse puritano nórdico: "Um aventureiro que se fez a si mesmo e que [...] não pode confessar nada a si mesmo [...]. Usa os homens como meio para exteriorizar-se e ajudar-se pessoalmente [...]. Isso se aplica até à sua vida amorosa: até à sua casa e à sua esposa, que são adaptados para esse esquema, de modo lamentável e singular, pois ele é o enfermeiro, o apoio, o salvador da vida de sua mulher — só

a esse preço ele se permitiu o amor." No fim da vida, Bjerre, interrogado por H.F. Peters, mostrou-se mais terno a seu respeito do que ela fora para com ele: "Em minha longa vida, nunca encontrei ninguém que me compreendesse tão depressa, tão bem e tão completamente quanto ela [...]. Quando a encontrei, eu estava trabalhando para estabelecer as bases de minha psicoterapia, que é fundada, ao contrário da de Freud, sobre o princípio da síntese. Em minhas conversas com Lou, coisas que eu não teria podido achar por mim mesmo me apareceram claramente. Como um catalisador, ela ativava o processo de meu pensamento. É possível que ela tenha destruído vidas e casamentos, mas sua companhia era estimulante. Sentia-se nela a chama do gênio. Tinha-se a impressão de crescer em sua presença [...]. Lembro-me de que ela começou a aprender sueco, porque queria ler os meus livros no original."

Pacifista durante a Primeira Guerra Mundial, e acreditando ser ele próprio missionário de uma nova ordem espiritual, opôs-se ferozmente à Revolução de Outubro, depois de ir a São Petersburgo para se encontrar com Aleksandr Kerenski (1881-1970).

Paradoxo surpreendente: esse introdutor do freudismo nos países escandinavos afastou-se da doutrina freudiana sem ter sido realmente freudiano. Do mesmo modo, apaixonou-se pelas teses de Alfred Adler[*] e de Carl Gustav Jung[*], sem aderir verdadeiramente a elas. Assim, em 1924, pediu a Freud autorização para traduzir para o sueco o texto *L'Intérêt de la psychanalyse* (escrito em francês). Depois, sem participar-lhe, publicou-o em uma obra coletiva, ao lado de artigos de Oskar Pfister[*], Alfons Maeder,[*] Jung e Adler. Freud se aborreceu e depois recomendou-lhe que mandasse traduzir as cinco famosas conferências sobre a psicanálise pronunciadas nos Estados Unidos[*] em 1909.

No último artigo dessa obra coletiva, intitulado "O caminho que leva a Freud para melhor afastar-se dele", Bjerre tentava mostrar os "limites" de todas as teorias dos principais fundadores da psiquiatria dinâmica[*] moderna (Freud, Jung, Adler). Mas principalmente, apresentava-se como inventor de uma nova doutrina terapêutica, a psicossíntese[*], que na verdade fora inventada em 1907 por um psiquiatra suíço. Desejava associar-lhe a ciência das religiões, a estética e as ciências naturais, a fim de mostrar até que ponto ela era superior a todas as outras. Bjerre se apresentava, efetivamente, como fundador de um bjerrismo que nunca existiria.

A partir de 1925, depois da morte da mulher e do suícidio do irmão Andreas, que ocultou à sua mãe, viveu com sua governanta, Signhild Forsberg, até o fim da vida. Nessa época, começou a se interessar de modo ainda mais evidente pela alma coletiva dos povos e a aderir a uma espécie de mística naturalista, que misturava o culto pangermânico e a apologia da mentalidade nórdica. Logo ficou fascinado pelo nacional-socialismo e pronunciou em dezembro de 1933 uma conferência ambígua, intitulada "Hitler psicoterapeuta". Partindo da idéia de que Hitler tinha um verdadeiro gênio para compreender e captar a alma das massas, deduzia que o nazismo, como doutrina anti-semita, era tão fanático e extremista quanto o freudismo, que qualificava de "ciência semita". A esses dois fanatismos, opunha a sua própria teoria, mostrando que ele fora um dos raros a saber afastar-se a tempo do dogmatismo psicanalítico, tão sectário quanto a ideologia hitlerista. Assim, a crença em uma psicologia diferencial dos povos e das raças levou Bjerre a "aceitar" a nazificação da Alemanha*. Por isso, durante sua conferência, incitou os colegas a escolher o campo, ou seja, a avaliar a "arianização" pelos nazistas da psicanálise e da psiquiatria. Até 1942, foi várias vezes a Berlim, procurou editar seus livros e manteve correspondência com Matthias Heinrich Göring*.

Esse desvio não o levou, entretanto, a tornar-se um anti-semita militante ou um adepto do nazismo*. Preocupado principalmente consigo mesmo e com a divulgação de suas obras, fundou em 1941 um Instituto de Psicologia Médica e Psicoterapia, do qual foi o único mestre. Seis anos depois, por falta de discípulos, o instituto fechou as portas e Bjerre se retirou definitivamente para Varstavi, na esplêndida casa que mandara construir em 1913, depois da morte de sua mãe, para dedicar-se às suas obras, não sem ter publicado, na revista de Maryse Choisy (1903-1979), *Psyché*, um artigo no qual apelava

a uma renovação espiritual da "alma nórdica", contra os partidários da psicanálise, vítimas, em sua opinião, da sua mentalidade judaica. Fazia de sua doutrina, a psicossíntese, uma nova religião dos tempos modernos, superior ao judeu-cristianismo e única capaz de curar a humanidade sofredora.

O messianismo desse estranho freudiano, que tanto desconhecera o freudismo, não fez adeptos na Suécia nem em lugar algum. Poul Bjerre morreu solitário, sob o olhar benevolente de sua fiel governanta.

• Poul Bjerre, *Manniskosonens lefnadsdröm* [O sonho e a vida do filho do homem], Estocolmo, 1900; *La Folie géniale. Une étude à la mémoire de Nietzsche* (Göteborg, 1903), Paris, Mercure de France, 1904; "Fallet Karin. An experimental study of spontaneous rappings", *The Annals of Psychical Science*, vol.II, 1905, 143-80; "Zur Radikalbehandlung der chronischen Paranoïa", *Jahrbuch für psychoanalytische und psychopathologische Forschungen*, vol.III, 1911, 795-847; *The History and Practice of Psychoanalysis* (1916), Boston, R.G. Badger, 1920; *Död och förnyelse*, Estocolmo, Bonnier, 1919; *Comment l'âme guérit. Les Bases de la thérapeutique psychanalytique* (1923), Genebra, Éd. de la Petite Fusterie, 1925; *Samlade Psykoterapeutiska Skrifter*, 8 vols., Estocolmo, Bonniers, 1933-1944; "Hitler som psykoterapeut", *Hygiea*, band 96, 3, 1934, 80-93; *Räfst och rättarting*, Estocolmo, Centrum, 1945; "Point de vue nordique", *Psyché*, 2, 1947, 454-7; "Die Psychosynthese", in *Die Vortrage der 2. Lindauer Psychotherapiewoche 1951*, Ernst Speer (org.), Stutgart, 1952 • Roland Dalbiez, *La Méthode psychanalytique et la doctrine freudienne*, 2 vols., Paris, Alcan, 1936 • H.F. Peters, *Lou: minha irmã, minha esposa* (N. York, 1962), Rio de Janeiro, Jorge Zahar, 1986 • *Freud/Lou Andreas-Salomé: correspondência* (Frankfurt, 1966), Rio de Janeiro, Imago, 1975 • Jan Bärmak e Ingemar Nilsson, *Poul Bjerre "Människosonen"*, Estocolmo, Natur och Kultur, 1983 • Jacques Chazaud e A. de La Payonne Lidbom, "A propos d'une correspondance récemment découverte entre Freud et Bjerre", *Frénésie*, 5, primavera de 1988, 97-115; "Poul Bjerre (1876-1964)", *Évolution Psychiatrique*, t.55, 2, abril-junho de 1990, 409-16.

➢ FROMM, ERICH; HORNEY, KAREN; IGREJA; JUDEIDADE; LAFORGUE, RENÉ; PSICOTERAPIA; SCHJELDERUP, HARALD; SULLIVAN, HARRY STACK.

Bleger, José (1922-1972)
psiquiatra e psicanalista argentino

Marxista e militante comunista, especialista em psicoses*, clínico do *borderline**, José Bleger foi uma das figuras importantes da segunda geração* psicanalítica da Argentina*. Suscitou tanto a hostilidade quanto a idolatria por sua ambivalência, seus acessos de cólera e seu duplo compromisso com o comunismo* e com a psicanálise*.

Nascido em Ceres, na província de Santa Fe, era de uma família judia imigrante que se instalara em uma colônia agrícola. Estudou medicina em Rosario e praticou a psiquiatria em Santiago del Estero. Depois, mudou-se para Buenos Aires e integrou-se à Asociación Psicoanalítica Argentina (APA), após uma análise com Enrique Pichon-Rivière*. Fez um segundo tratamento com Marie Langer*. Preocupado com as questões sociais e políticas, aderiu ao Partido Comunista Argentino e baseou-se nas teses do filósofo francês Georges Politzer (1903-1942) para criar as condições de uma nova psicologia da subjetividade. Depois, evoluiu para o marxismo e publicou em 1958 uma obra consagrada à relação entre a psicanálise e o materialismo dialético. Ao contrário de Politzer, que passara de um freudismo* crítico para um militantismo staliniano e antifreudiano, Bleger procurava, antes, fazer a síntese das duas doutrinas, com a finalidade de definir uma psicologia da personalidade. Por ocasião de uma viagem à União Soviética, criticou o regime comunista, sobretudo quanto à questão do anti-semitismo e, em 1961, depois de uma violenta acusação contra o seu freudismo, considerado um "irracionalismo", foi excluído do Partido Comunista Argentino.

No interior da APA, desempenhou um papel importante do ponto de vista da formação didática. No plano clínico, orientou-se para as teses de Melanie Klein* e de Ronald Fairbairn*, interessando-se particularmente pelo que chamava de "indiferenciação primitiva". Teorizou a questão das personalidades ditas "ambíguas", isto é, afetadas por distúrbios da personalidade.

No momento da crise que atravessou a APA e que resultou na criação dos dois movimentos de contestação da ortodoxia freudiana (Plataforma e Documento), José Bleger, já doente, declarou-se, a despeito do seu engajamento na esquerda, favorável à continuidade institucional, provocando assim a cólera de seus próprios alunos, decepcionados com sua atitude. Morreu de uma crise cardíaca aos 49 anos.

• José Bleger, *Psicoanálisis y dialéctica materialista*, B. Aires, Paidos, 1958; *Psicologia da conduta* (B. Aires, 1964), P. Alegre, Artes Médicas, 1989; *Symbiose et ambiguïté. Étude psychanalytique* (B. Aires, 1967), Paris, PUF, 1981 • David Liberman, "Doctor José Bleger", *Revista de Psicoanálisis*, 3, t.XXIX, julho-setembro de 1972, 421-4 • Fernando Ulloa, "Recordando a José Bleger", *Diarios Clinicos*, 5, 1992, 103-7 • Leopoldo Bleger, "Recorrido y huellas de José Bleger", ibid., 109-15 • Hugo Vezzetti, "La querella de José Bleger. Psicoanálisis y cultura comunista", *Punto de Vista*, 27, fevereiro de 1991, 21-2 • Georges Politzer, *Critique des fondements de la psychologie* (1928), Paris, PUF, 1968; *Les Fondements de la psychologie*, Paris, Éditions Sociales, 1969.

➤ CISÃO; FREUDO-MARXISMO; KLEINISMO; MASOTTA, OSCAR; RÚSSIA; *SELF PSYCHOLOGY*.

Bleuler, Eugen (1857-1939)
psiquiatra suíço

Inventor dos termos esquizofrenia* e autismo*, diretor, depois de August Forel*, da prestigiosa clínica do Hospital do Burghölzli, por onde passaram todos os pioneiros do freudismo*, Eugen Bleuler foi o grande pioneiro da nova psiquiatria do século XX e um reformador do tratamento da loucura* comparável ao que tinha sido, um século antes, Philippe Pinel (1745-1825). Contemporâneo de Sigmund Freud*, de quem foi amigo e defensor, para além dos conflitos e das discordâncias, fundou uma verdadeira escola de pensamento, o bleulerismo, que marcou o conjunto do saber psiquiátrico até aproximadamente 1970, data a partir da qual generalizou-se em todos os países do mundo um novo organicismo, nascido da farmacologia.

Nascido em Zollikon, perto de Zurique, em um meio protestante de origem camponesa, Bleuler era filho de um administrador da escola local. "Seu pai, seu avô e todos os membros da família, escreveu Henri F. Ellenberger*, guardavam ainda uma lembrança muito viva da época em que a população camponesa do cantão estava sob o domínio das autoridades da cidade de Zurique, que limitavam estreitamente o acesso dos camponeses a certas profissões e empregos [...]. A família Bleuler tomou parte nas lutas políticas, que resultaram, em 1831, no reconhecimento da igualdade de direitos para os camponeses e na criação da Universidade de Zurique, em 1833, destinada a promover o desenvolvimento intelectual da jovem geração camponesa."

Decidido a tratar dos alienados vindos do campo, escutando sua linguagem e não mais olhando-os como objetos de laboratório, Bleuler se empenhou em estudos de psiquiatria, primeiro em Berna depois em Paris, onde seguiu o ensino de Jean Martin Charcot* e de Valentin Magnan (1835-1916), e posteriormente em Londres e em Munique. Depois dessas viagens, tornou-se interno de Forel na Clínica do Burghölzli e lhe sucedeu em 1898. Ficou nesse posto durante trinta anos e foi seu filho, Manfred Bleuler, quem assumiu sua sucessão em 1927.

No momento em que Bleuler chegou ao Burghölzli, a psiquiatria de língua alemã estava dominada pela nosografia de Emil Kraepelin*. Este, contemporâneo de Freud e de Bleuler, dera uma organização rigorosa à clínica das doenças mentais. Inventor de um sistema de codificação, Kraepelin continuava ligado, entretanto, a uma concepção normativa e repressora da loucura, procurando classificar sintomas sem melhorar a condição dos alienados, cujo destino se confundia com o do universo carcerário.

Ora, por volta de 1900, esse sistema já estava em vias de decadência. Descendentes diretos de uma certa tradição francesa, de Charcot, por um lado, e por outro de Hippolyte Bernheim*, os principais especialistas em doenças mentais e nervosas procuravam elaborar uma nova clínica da loucura, fundada não na abstração classificadora, mas na escuta do paciente: queriam ouvir o sofrimento dos doentes, decifrar sua linguagem, compreender a significação de seu delírio e instaurar com eles uma relação dinâmica e transferencial.

Em 1911, Bleuler publicou a sua grande obra, *Dementia praecox ou grupo das esquizofrenias*, na qual apresentava essa nova abordagem da loucura. Os sintomas, os delírios, os distúrbios diversos e as alucinações encontravam o seu significado, dizia ele, caso se atentasse para os mecanismos descritos por Freud na sua teoria do psiquismo. No fundo, foi o primeiro a propor que se integrasse o pensamento freudiano ao saber psiquiátrico. Daí esta analogia: do mesmo modo que Freud transformara a histeria* em um paradigma moderno da doença nervosa, Bleuler inventava a esquizofrenia para fazer dela o modelo estrutural da loucura no século XX.

Sem renunciar à etiologia orgânica e hereditária, situava a doença no campo das afecções psicológicas. A nova esquizofrenia não era portanto uma *demência* e não era *precoce*. Era de origem tóxica e se caracterizava por distúrbios primários, dissociação da personalidade ou *Spaltung* (esquizo), e distúrbios secundários, o fechamento em si ou autismo.

Através desse deslocamento, Bleuler renovava o gesto do alienismo do Século das Luzes, segundo o qual a loucura era curável, pois todo indivíduo insano conservava em si um resto de razão, acessível por um tratamento apropriado: o tratamento moral. Ora, no fim do século XIX, as diversas teorias da hereditariedade-degenerescência* tinham abolido essa idéia de curabilidade, em proveito de um constitucionalismo da doença mental, tendo como corolário o confinamento perpétuo.

Com o impulso das teses freudianas, que relançavam o debate sobre uma possível origem psíquica da loucura, todas as esperanças de curabilidade se reacendiam. Essa foi a verdadeira ruptura de Bleuler com a psiquiatria de seu tempo: ele reatava com uma concepção progressista do asilo, que incluía sua abolição. E, para realizar essa transformação, preconizava o uso da psicanálise*, passando horas examinando os pacientes, escolhidos para provar a exatidão das idéias freudianas.

Foi através dos tratamentos elaborados na Clínica do Burghölzli que ocorreu, entre 1900 e 1913, a implantação das teses freudianas no centro do saber psiquiátrico. Três homens, animados por uma grande paixão, participaram dela, através de um longo e conflituoso diálogo: Freud, Bleuler e o jovem Carl Gustav Jung*, que se tornou discípulo do primeiro e aluno do segundo.

Hostil à tese da primazia da sexualidade*, Bleuler procurava primeiro, para curar seus doentes, entrar em contato com eles, compreendê-los intimamente. Evidenciou a noção de autismo, a partir da noção de auto-erotismo*, criada por Havelock Ellis* e adotada por Freud. A criação desse neologismo, por contração dos dois substantivos, permitia-lhe escapar do pansexualismo* freudiano, que julgava perigoso. O termo se imporia posteriormente, na clínica das psicoses infantis.

Se Bleuler queria adaptar a psicanálise ao asilo, Freud sonhava conquistar, desde Viena*, via Zurique, a terra prometida da psiquiatria de língua alemã que, nessa época, dominava o mundo. E contava com a fidelidade de Jung, assistente de Bleuler no Burghölzli, para ajudá-lo nesse empreendimento. Contra Bleuler, ele conservou a noção de auto-erotismo e preferiu pensar o domínio da psicose* em geral sob a categoria da paranóia*, ao invés da esquizofrenia. Opôs assim o sistema de Kraepelin à inovação bleuleriana, mas tranformou-o de cima a baixo, a fim de estabelecer uma distinção estrutural entre neurose*, psicose e perversão*.

Quanto a Jung, separou-se primeiro de Bleuler, seu mestre em psiquiatria, e depois de Freud, que fizera dele o seu sucessor. Decidiu utilizar a expressão demência precoce, e não a de esquizofrenia, e inventou em 1910 a palavra introversão*, que preferiu a autismo, para designar a retirada da libido* para o mundo interior do sujeito*.

A ruptura com Freud e Jung levou Bleuler a um movimento mais ou menos semelhante ao de Pinel, um século antes. Afastando-se da psicanálise, mostrou-se cada vez mais pessimista em relação à curabilidade, depois retomou a idéia de uma etiologia puramente orgânica. Entretanto, esse encontro do início do século foi uma vitória para as teses freudianas, pois desenvolveu-se na França* e depois nos Estados Unidos* e no resto do mundo um vasto movimento que resultou na implantação da psicanálise pela via médica, a partir de uma abordagem psicogênica da loucura.

Depois de ser contestada pela antipsiquiatria*, a clínica freudo-bleuleriana foi marginalizada, a partir de 1970, pela elaboração de um *Manual diagnóstico e estatístico dos distúrbios mentais* (*DSM* III, IV etc.), de inspiração comportamentalista e farmacológica.

• Eugen Bleuler, *Dementia praecox ou groupe des schizophrénies* (Leipzig, 1911), Paris, EPEL-GREC, 1993 • "Freud-Bleuler, correspondance", *Archives of General Psychiatry*, janeiro de 1965, vol.XII, 3-5 • *Freud/Jung: correspondência completa* (Paris, 1975), Rio de Janeiro, Imago, 1993 • Henri F. Ellenberger, *Histoire de la découverte de l'inconscient* (N. York, Londres, 1970, Villeurbanne, 1974), Paris, Fayard, 1994 • Jacques Postel e Claude Quétel, *Nouvelle histoire de la psychiatrie* (1983), Paris, Dunod, 1994 • Jean Garrabé, *Histoire de la schizophrénie*, Paris, Seghers, 1992 • Manfred Bleuler, "La Pensée bleulérienne dans la psychiatrie suisse", *Nervure*, VIII, novembro de 1995, 23-4 • Pierre Morel (org.), *Dicionário biográfico psi* (Paris, 1996), Rio de Janeiro, Jorge Zahar, 1997.

➤ CLIVAGEM (DO EU); EY, HENRI; MEYER, ADOLF; MINKOWSKI, EUGÈNE; PSICOTERAPIA INSTITUCIONAL; PSIQUIATRIA DINÂMICA; SPIELREIN, SABINA.

Bloomsbury, Grupo de
➤ GRÃ-BRETANHA; STRACHEY, JAMES.

Boehm, Felix (1881-1958)
psicanalista alemão

Com Werner Kemper*, Harald Schultz-Hencke* e Carl Müller-Braunschweig*, Felix Boehm (ou Böhm) foi um dos psicanalistas que aceitaram trabalhar no Deutsche Institut für Psychologische Forschung (ou Göring Institut, ou Instituto Alemão de Pesquisa Psicológica e de Psicoterapia), fundado por Matthias Heinrich Göring* em 1936, no âmbito da nazificação da psicanálise* na Alemanha* e da política de "salvamento" desta, preconizada por Ernest Jones*.

Analisado inicialmente por Eugénie Sokolnicka* e depois por Karl Abraham*, Boehm trabalhou no Berliner Psychoanalytisches Institut* (BPI), integrado à famosa Policlínica de Berlim, fundada por Max Eitingon*, e interessou-se principalmente pela questão da homossexualidade*. Presidente da Deutsche Psychoanalytische Gesellschaft (DPG) a partir de 1933, dois anos depois obrigou os judeus da sociedade a se demitirem, por ocasião de uma sessão presidida por Ernest Jones.

No Göring Institut, prosseguiu suas "pesquisas", tornando-se "perito" em homossexualidade na Wehrmacht, e notadamente na Luftwaffe. Inicialmente, contentou-se em denunciar o perigo homossexual que pesava sobre a Alemanha, pedindo ao Reich que tomasse providências de vigilância e detecção. Pretendia assim opor-se às teses nacional-socialistas sobre a homossexualidade, que levavam direto à esterilização, à prisão, ao assassinato e finalmente ao extermínio. Mas, a partir de 1944, aceitou o programa nazista, e enviou para a morte programada os homossexuais dos quais tratava ou que submetia à "perícia", pretendendo então poupar os que sofressem de psicose* ou de alcoolismo.

Ao contrário de Müller-Braunschweig, que sofria de crises de depressão e se sentia culpado de seus atos de colaboração, Boehm era um homem grosseiro, arrogante e misógino. Em 1946, quando John Rickman* foi a Berlim para interrogar os freudianos que tinham ficado na Alemanha sob o nazismo*, a fim de avaliar a sua capacidade para formar candidatos a didatas, julgou Boehm inapto para exercer essa função, não por causa de sua colaboração com Göring, mas por razões de deterioração psíquica. Rickman, representante da International Psychoanalytical Association* (IPA), notável reformador da psiquiatria inglesa durante a guerra, participou de uma política de reconstrução do freudismo na Alemanha. Essa política consistia não em julgar os psicanalistas em função de seu engajamento no nazismo, mas em avaliar a sua suposta normalidade psíquica. Nessa perspectiva, Rickman deixou-se iludir por Kemper, que não apresentava nenhum distúrbio de personalidade.

No momento da criação da Deutsche Psychoanalytische Vereinigung (DPV) por Müller-Braunschweig, Boehm permaneceu na DPG e não foi reintegrado à IPA.

• Les Années brunes. La Psychanalyse sous le IIIe Reich, textos traduzidos e apresentados por Jean-Luc Evard, Paris, Confrontation, 1984 • Chaim S. Katz (org.), Psicanálise e nazismo, Rio de Janeiro, Taurus, 1985 • Geoffrey Cocks, La Psychothérapie sous le IIIe Reich (Oxford, 1985), Paris, Les Belles Lettres, 1987 • Regine Lockot, Erinnern und Durcharbeiten, Frankfurt, Fischer, 1985 • Ici la vie continue de manière surprenante, seleção de textos traduzidos por Alain de Mijolla, Paris, Association Internationale d'Histoire de la Psychanalyse (AIHP), 1987 • Ludger M. Hermanns, "Condições e limites da produtividade científica dos psicanalistas na Alemanha de 1933 a 1935", Revista Internacional da História da Psicanálise, 1 (1988), Rio de Janeiro, Imago, 1990, 67-86 • Karen Brecht, "A psicanálise na Alemanha nazista: adaptação à instituição, relações entre psicanalistas judeus e não judeus", ibid., 87-98 • "Compte rendu du séjour du docteur John Rickman à Berlin pour interroger les psychanalystes,

14 et 15 octobre 1946", Revue Internationale d'Histoire de la Psychanalyse, 1, 1988, 157-63.

➢ BJERRE, POUL; JUNG, CARL GUSTAV; LAFORGUE, RENÉ; MAUCO, GEORGES; MITSCHERLICH, ALEXANDER.

Bonaparte, Marie (1882-1962), princesa da Grécia
psicanalista francesa

Filha de Roland Bonaparte (1858-1924), neto de Lucien, irmão do imperador, Marie Bonaparte, nascida em Saint-Cloud, era portanto sobrinha-bisneta de Napoleão Bonaparte (1769-1821). Sua mãe morreu por ocasião de seu nascimento e a menina teve uma infância e uma adolescência trágicas. Educada pelo pai, que só se interessava por suas atividades de geógrafo e antropólogo, e por sua avó paterna, verdadeira tirana doméstica, ávida de sucesso e de notoriedade, Marie tinha tudo de uma personagem romanesca.

Seu casamento arranjado com o príncipe Jorge da Grécia (1869-1957), homossexual depravado, alcoólatra e conformista, fez dela uma alteza real coberta de honras e de celebridade, mas sempre obcecada pela procura de uma causa nobre e principalmente preocupada com sua frigidez. Quando encontrou Freud* em Viena* em 1925, a conselho de René Laforgue*, estava à beira do suicídio* e acabava de publicar, sob o pseudônimo de Narjani, um artigo no qual louvava o mérito de uma intervenção cirúrgica, em voga na época, que consistia em aproximar o clitóris da vagina, a fim de transferir o orgasmo clitoridiano para a zona vaginal. Acreditava assim que poderia curar sua frigidez e não hesitou em experimentar a operação em si própria, mas sem nunca obter o menor resultado.

Graças ao minucioso trabalho de Célia Bertin, única a ter acesso aos arquivos da família, conhecemos a vida dessa princesa, estimada por Sigmund Freud, que reinou como soberana sobre a Sociedade Psicanalítica de Paris (SPP), da qual foi um dos doze fundadores, ao lado de René Laforgue, Adrien Borel*, Rudolph Loewenstein*, Édouard Pichon*, Raymond de Saussure*, René Allendy* etc. Tradutora incansável da obra freudiana, organizadora do movimento francês, que financiou em parte com seu dinheiro, Marie Bonaparte consagrou a vida à psicanálise*, com um entusiasmo e uma coragem invejáveis. Lutou em favor da análise leiga* e, diante do nazismo*, adotou uma atitude exemplar, negando-se a qualquer concessão. Pagou um resgate considerável para arrancar Freud das garras da Gestapo, salvou seus manuscritos e instalou-o em Londres com toda a família. Foi sua atividade eficaz a serviço da causa que lhe valeu ocupar um lugar central na França* e tornar-se uma das personalidades mais respeitadas do movimento freudiano.

Depois da Segunda Guerra Mundial, tornou-se uma espécie de monstro sagrado, incapaz de perceber as ambições, os sonhos e os talentos das duas novas gerações* francesas (a segunda e a terceira).

Durante a primeira cisão* (1953) e às vésperas da segunda (1963), opôs-se fanaticamente a Jacques Lacan*, a quem detestava e que a tratava de "cadáver de Ionesco". Na verdade, ele lhe tirava o papel de chefe de escola, ao arrastar consigo a juventude psicanalítica francesa.

Apesar de sua extensão, a obra escrita de Marie Bonaparte é bastante medíocre, à exceção de alguns belos textos, entre os quais uma obra monumental sobre Edgar Allan Poe (1809-1849), ilustração dos princípios freudianos da psicobiografia, um artigo de 1927 sobre Marie-Félicité Lefebvre (um caso de loucura criminosa) e os seus famosos "cadernos": os *Cinco cadernos de uma menina*, nos quais comentou sua análise e suas lembranças da infância, e os *Cadernos negros*, diário íntimo em que relatou todos os detalhes de sua vida e as confidências que Freud lhe fez sobre vários assuntos.

Ao contrário do tratamento dos outros discípulos, o da princesa foi interminável. Fez-se em alemão e em inglês, por etapas sucessivas, de 1925 a 1938: cinco a seis meses nos primeiros anos, um a dois meses nos anos seguintes. Desde o início, Marie recebeu uma forte interpretação*. Depois de um sonho*, em que ela se via em seu berço assistindo a cenas de coito, Freud afirmou peremptoriamente que ela não tinha apenas ouvido essas cenas, como a maioria das crianças que dormem no quarto dos pais, mas que ela as *vira em pleno dia*. Assustada e sempre preocupada em obter provas materiais, recusou essa afirmação e protestou que não

tinha tido mãe. Freud manteve o que afirmara e lembrou a presença de sua ama. Finalmente, Marie decidiu interrogar o meio-irmão de seu pai, que tratava dos cavalos na casa em que passou a infância. Constrangido, o velho contou como tivera relações sexuais em pleno dia, diante do berço de Marie. Ela tinha pois visto cenas de coito, de felação e de cunilíngua.

Com essa mulher que o cumulava de presentes, Freud manifestou o seu extraordinário gênio clínico. Gostava tanto dela que, para recompensar sua fidelidade, ofereceu-lhe, como fizera a Lou Andreas-Salomé*, um dos famosos anéis reservados aos membros do Comitê Secreto*. Se Lou era a Mulher, a amiga, a igual, a encarnação da liberdade, da beleza, da inteligência e da criatividade, Marie foi a aluna, a discípula submissa, a admiradora, a analisanda, a embaixatriz devotada.

Durante a análise, ele evitou que ela tivesse uma relação incestuosa com o filho, e impôs certos limites às suas experiências cirúrgicas, sem conseguir, entretanto, impedi-la de passar ao ato. Deve-se dizer que a sua situação contratransferencial era difícil: ao longo de toda a duração dessa análise, Freud sofreu temíveis operações da mandíbula, a fim de combater a progressão do câncer. Como poderia ele, em tais condições, interpretar o gozo* sentido por Marie ao manejar o bisturi?

A partir da publicação em 1931 do artigo de Freud sobre a sexualidade feminina*, a princesa tomou parte no debate de modo muito pessoal, transformando a doutrina psicanalítica em uma tipologia dos instintos biológicos. Deduziu uma psicologia da mulher da qual o inconsciente* era esvaziado. Afastando-se simultaneamente da escola vienense e da escola inglesa, distinguiu três categorias de mulheres: as que reivindicam e procuram apropriar-se do pênis do homem; as que aceitam e se adaptam à realidade de suas funções biológicas ou de seu papel social; as que renunciam e se afastam da sexualidade. Essas teses não teriam eco na França, onde o debate sobre esse tema seria conduzido por Simone de Beauvoir (1908-1986) e depois pelos alunos de Lacan (François Perrier* e Wladimir Granoff) e Françoise Dolto*. Na SPP, Janine Chasseguet-Smirgel as questionaria, introduzindo as teses de Melanie Klein*.

Atingida por uma leucemia fulminante, Marie Bonaparte morreu completamente lúcida, depois de manifestar uma coragem exemplar, sem ter assistido à derrota de Lacan. Durante dez anos, ela lutara com todas as forças para impedir a reintegração da Sociedade Francesa de Psicanálise (SFP, 1953-1963) à International Psychoanalytical Association* (IPA).

• Marie Bonaparte, "Considérations sur les causes anatomiques de la frigidité chez la femme", sob o pseudônimo de A.E. Narjani, in *Bruxelles-Médical*, abril de 1924, 768-78; *Cahiers noirs* (diário), 1925-1939, inédito (arquivos Élisabeth Roudinesco); "Le Cas de Mme Lefebvre", *Revue Française de Psychanalyse*, 1, 1927, 149-98; *Cinq cahiers écrits par une petite fille entre sept ans et demi et dix ans, avec commentaires*, 4 vols., 1939-1951, impressos pela autora; "Extraits du cahier I", in *L'Infini*, 2, primavera de 1983, 76-89; *Edgar Poe, sa vie, son oeuvre. Étude psychanalytique* (1933), 3 vols., Paris, PUF, 1958; *Psychanalyse et biologie*, Paris, PUF, 1952; *Psychanalyse et anthropologie*, Paris, PUF, 1952; *Sexualité de la femme* (1967), Paris, UGE, col. "10/18", 1977 • Sigmund Freud, "Sexualidade feminina" (1931), *ESB*, XXI, 259-82; *GW*, XIV, 517-37; *SE*, XXI, 225-43; *OC*, XIX, 7-27; "Prefácio a *A vida e as obras de Edgar Allan Poe: uma interpretação psicanalítica*, de Marie Bonaparte" (1933), *ESB*, XXII, 310; *GW*, XVI, 276; *SE*, XXII, 254; *OC*, XIX, 305-7 • Janine Chasseguet-Smirgel (org.), *La Sexualité féminine. Nouvelles recherches*, Paris, Payot, 1964 • Célia Bertin, *La Dernière Bonaparte*, Paris, Perrin, 1982 • Élisabeth Roudinesco, *História de psicanálise na França*, 2 vols. (Paris, 1982, 1986), Rio de Janeiro, Jorge Zahar, 1988, 1989 • *Marie Bonaparte et la psychanalyse, à travers ses lettres à René Laforgue et les images de son temps*, apresentado por Jean-Pierre Bourgeron, Genebra, Slatkine, 1993.

➢ ANTROPOLOGIA; CONTRATRANSFERÊNCIA; CRIMINOLOGIA; INCESTO; PAPPENHEIM, BERTHA; *QUESTÃO DA ANÁLISE LEIGA, A*; SIGNIFICANTE; TRADUÇÃO (DAS OBRAS DE SIGMUND FREUD).

borderline
fr. *états-limites*; ing. *borderline state*

A noção do *borderline* faz parte do vocabulário clínico norte-americano e anglo-saxão próprio da corrente da *Self-Psychology** e, sob certos aspectos, do pós-kleinismo da década de 1960. Perpassa igualmente o neofreudismo* e o culturalismo* e acabou se integrando à terminologia psicanalítica francesa, sob o nome de *états-limites* (no plural). O termo *borderline* (fronteira) designa distúrbios da personalidade

e da identidade que se encontram na fronteira entre a neurose* e a psicose*. Fala-se também em casos fronteiriços [ou limítrofes], personalidades fronteiriças ou patologias fronteiriças.

Otto Fenichel* foi um dos primeiros, em 1945, a sublinhar a existência desse tipo de patologia: "Existem personalidades neuróticas que, sem desenvolver uma psicose completa, possuem inclinações psicóticas, ou manifestam uma propensão a se servir de mecanismos esquizofrênicos em caso de frustração*." Essa noção foi consideravelmente desenvolvida, mais tarde, nos trabalhos de Heinz Kohut* e Otto Kernberg, que propôs o termo "organização fronteiriça" para demonstrar com clareza que o estado *borderline* era estável e duradouro.

Foi o psicanalista norte-americano Harold Searles, especialista em esquizofrenia*, quem produziu, nesse mesmo período, os trabalhos mais pertinentes a respeito dessa questão, a partir de uma longa prática na Chesnut Lodge Clinic, uma das mecas do tratamento psicanalítico das psicoses, onde trabalhou Frieda Fromm-Reichmann* depois de sua emigração da Alemanha*. Marcado pelo ensino de Harry Stack Sullivan*, Searles desarticulou a definição clássica da loucura* à maneira dos artífices da antipsiquiatria*, mostrando que, nos pacientes *borderline*, o eu* funciona de maneira autística. Em seu célebre livro de 1965, *O esforço de enlouquecer o outro*, ele criticou a ortodoxia, freudiana sublinhando como a prática ortodoxa da transferência* pode desembocar numa estratégia de terror, que consiste em tornar o paciente dependente do analista. Contrastou com isso uma prática da análise inspirada no tratamento dos estados *borderline* e fundamentada na idéia de reconhecimento mútuo entre o terapeuta e o paciente.

• Otto Fenichel, *Teoria psicanalítica das neuroses*, Rio de Janeiro e S. Paulo, Atheneu, 1981 • Otto Kernberg, *La Personnalité narcissique et les troubles-limites de la personnalité*, 2 vols. (N. York, 1975), Toulouse, Privat, 1975, 1979 • Otto Kernberg com Michael A. Selzer, Harold W. Koenigsberg, Arthur C. Carr e Ann H. Appelbaum, *La Thérapie psychodinamique des personnalitiés-limites* (N. York, 1989), Paris, PUF, 1995 • Harold Searles, *L'Effort pour rendre l'autre fou* (N. York, 1965), Paris, Gallimard, 1981; *Mon expérience des états-limites* (N. York, 1986), Paris, Gallimard, 1994 • André Green, *La Folie privée. Psychanalyse des cas-limites*, Paris, Gallimard, 1990.

➤ ANÁLISE DIRETA; AUTISMO; BATESON, GREGO-
RY; BION, WILFRED RUPRECHT; *EGO PSYCHOLO-
GY*; FEDERN, PAUL; KLEINISMO; NARCISISMO; NEO-
FREUDISMO; PERSONALIDADE MÚLTIPLA; TÉCNICA
PSICANALÍTICA.

Borel, Adrien (1886-1966)

psiquiatra e psicanalista francês

Formado na tradição psiquiátrica francesa e
analisado por René Laforgue*, Adrien Borel foi
um dos doze fundadores da Sociedade Psicanalítica de Paris (SPP). Como René Allendy*, mas
de maneira diferente, especializou-se na análise
dos escritores, entre os quais Georges Bataille
(1897-1962) e Michel Leiris (1901-1990). Em
1950, interpretou o papel do cura de Torcy no
filme de Robert Bresson *Journal d'un curé de
campagne*.

• Élisabeth Roudinesco, *História da psicanálise na
França*, vol.1 (Paris, 1982), Rio de Janeiro, Jorge Zahar, 1989 • Michel Surya, *Georges Bataille. La Mort à
l'oeuvre* (1987), Paris, Gallimard, 1992.

➤ CISÃO; FRANÇA.

Bose, Girîndrashekhar (1883-1953)

médico e psicanalista indiano

Em certos aspectos, o destino de Girîndrashekhar Bose se assemelha ao do grande
psicanalista Heisaku Kosawa*. Ambos foram
pioneiros solitários nos dois únicos países da
Ásia onde a psicanálise* se implantou, sem ter,
todavia, o impulso que teve nos países ocidentais. Entretanto, existia entre esses dois homens
uma diferença radical. Analisado por Sigmund
Freud*, Kosawa foi um internacionalista, um
didata clássico e o fundador de uma escola
japonesa de psicanálise, ao passo que Bose foi,
antes de tudo, um autodidata do freudismo*,
defensor de sua cultura, e um formador de alunos cujo magistério se limitou ao seu círculo de
Calcutá. A diferença entre esses dois pioneiros
também residia na história política de cada um
dos dois países. Daí a distância que separou o
freudismo indiano do freudismo japonês: o primeiro permaneceu sempre marcado pela tradição colonial inglesa, o segundo foi uma criação
autônoma.

Filho de um administrador de terras, Bose
era de uma rica família letrada de Bengala, e foi
em Calcutá, depois da aposentadoria de seu pai,
que começou a se orientar para a medicina.
Casou-se muito jovem, segundo os estritos preceitos da religião hindu. Apaixonou-se pela magia, através da qual começou a interessar-se pela
hipnose*, voltando-se depois para a psicologia.
Por volta de 1914, cuidou de doentes que sofriam de distúrbios mentais. Algum tempo depois, tomou conhecimento dos primeiros textos
de Freud traduzidos para o inglês, e logo
manifestou um real entusiasmo pelo método
psicanalítico. Especializou-se em psicologia e
apresentou em 1921 um trabalho sobre o recalque, obtendo assim o primeiro doutorado nessa
matéria conferido pela Universidade de Calcutá. A partir de 1917, prosseguiu uma brilhante
carreira de psicólogo universitário, que terminaria em 1949.

Ao contrário de Kosawa, Bose decidiu não
ir a Viena* para receber uma formação psicanalítica. Assim, sem ter sido analisado, começou
a reunir em torno de si amigos e colegas que se
tornariam seus analisandos e discípulos. Em
1922, criou a Sociedade Psicanalítica Indiana,
de que seria presidente até sua morte. Participou
o fato a Freud, que se alegrou e o aconselhou a
escrever a Ernest Jones*, a fim de que esse
primeiro grupo fosse integrado à International
Psychoanalytical Association* (IPA). Com efeito, foi graças a Owen Berkeley-Hill (1879-
1944), psiquiatra inglês analisado por Jones e
médico-chefe do Hospital de Rangi, que o círculo de Bose foi rapidamente reconhecido pela
IPA. Em conseqüência disso, produziram-se
muitas tensões no seio do grupo, entre os britânicos considerados colonialistas e os indianos.
Em 1947, Bose fundou a revista oficial da sociedade, *Samiska*.

Como muitos freudianos dessa geração, foi
ao mesmo tempo professor universitário, escritor, pensador e chefe de escola. Além disso, era
um grande especialista em hinduísmo. Na correspondência que manteve com Freud de 1920
a 1937, expressou seu desejo de elaborar uma
doutrina do psiquismo que levasse em conta as
particularidades culturais ligadas ao hinduísmo.
Desenvolveu em especial a idéia de uma coexistência de elementos opostos no desejo humano,

e redigiu verdadeiros quadros nosográficos das diferentes dualidades oposicionais.

Do ponto de vista da técnica psicanalítica, considerou necessário, já em 1931, inspirar-se no método dos gurus, segundo o qual o analista intervém ativamente, tomando notas e obrigando o paciente a superar as suas resistências*: "Quando Bose informa o paciente sobre a direção a ser tomada pela sua fantasia, escreveu Sudhir Kakar, não está muito longe de certos processos mediadores utilizados nas escolas psicofilosóficas hindus de auto-realização. A visualização tântrica, tal como o *nyasa* ou o *yoganidra* do raja yoga, vem logo à mente. São técnicas que eram familiares a Bose, pelo seu estudo profundo dos yogas."

Em fins dos anos 1940, os psicanalistas indianos formados por Bose, notadamente T.C. Sihna, seu principal discípulo, estudaram os particularismos da vida psíquica indiana, em textos que aludiam à mitologia de Shiva ou de Kali. Dez anos depois, essa tradição caiu em desuso, à medida que desaparecia a primeira geração psicanalítica indiana, deixando lugar para o florescimento das teses da escola inglesa: Melanie Klein* ou Wilfred Ruprecht Bion*. Assim, o ensino de Bose não contribuiria para fundar na Índia, ainda colonial, uma escola de psicanálise semelhante à do Japão*.

• Girîndrashekhar Bose, "A new technique of psychoanalysis", *IJP*, 1931, 387-8; "A new theory of mental life", *Samiska*, 3, 1949, 108-205; "The genesis and adjustment of the Oedipus wish", ibid., 3, 1949, 222-40; "Nature of the wish", ibid., 5, 1951, 203-14 • C.V. Ramana, "On the early history and development of psychoanalysis in India", *Journal of the American Psychoanalytic Association*, 12, 1964, 110-34 • T.C. Sihna, "Development of psycho-analysis in India", *IJP*, 47, 1966, 427-39 • *Samiska*, 9, 1955, "Special issue on Bose" • Sudhir Kakar, "Considerações sobre a história e o desenvolvimento da psicanálise na Índia", *Revista Internacional da História da Psicanálise*, 2 (1989), Rio de Janeiro, Imago, 1992, 439-44.

➢ ANTROPOLOGIA; FANON, FRANTZ; GRÃ-BRETANHA; HISTÓRIA DA PSICANÁLISE; *TOTEM E TABU*.

Bouvet, Maurice (1911-1960)
psiquiatra e psicanalista francês

Como Daniel Lagache*, Sacha Nacht*, Françoise Dolto* e Jacques Lacan*, Maurice Bouvet pertencia à segunda geração* psicanalítica francesa, terceira na história mundial. Analisado por Georges Parcheminey (1888-1953), supervisionado por Nacht e John Leuba (1884-1952), foi um dos titulares mais respeitados da Sociedade Psicanalítica de Paris (SPP) e formou um grande número de psicanalistas. Seus trabalhos, essencialmente clínicos e de inspiração pós-freudiana, referem-se ao tratamento padrão, à relação de objeto* e à despersonalização.

• Maurice Bouvet, *Oeuvres psychanalytiques*, vols.1 e 2, Paris, Payot, 1985 • *La Psychanalyse d'aujourd'hui* (col.), 2 vols., Paris, PUF, 1956 • Élisabeth Roudinesco, *História da psicanálise na França*, vol.2 (Paris, 1986), Rio de Janeiro, Jorge Zahar, 1988.

Bowlby, John (1907-1990)
psiquiatra e psicanalista inglês

Membro do Grupo dos Independentes*, especialista em psiquiatria infantil e diretor da prestigiosa Tavistock Clinic de Londres, John Bowlby foi uma das maiores figuras do movimento psicanalítico inglês. Nascido em uma família da grande burguesia inglesa, era neto de um célebre jornalista do *Times*. Depois de ser aluno interno desde a idade de oito anos, foi para a escola naval de Dartnorth, depois estudou psicologia e ciências naturais em Cambridge. Trabalhou em seguida como professor, antes de voltar à universidade para fazer estudos médicos.

Analisado por Joan Riviere*, supervisionado por Nina Searl e depois por Ella Sharpe*, tornou-se membro titular da British Psychoanalytical Society (BPS), às vésperas da Primeira Guerra Mundial. Melanie Klein* supervisionou sua primeira análise de crianças. Em 1940, começou a publicar trabalhos sobre a criança, sua mãe e seu ambiente, opondo-se à perspectiva puramente psíquica da escola kleiniana. Bowlby atribuía efetivamente uma grande importância à realidade social, e levava em conta a maneira pela qual a criança fora educada. Três noções marcaram o seu ensino: o apego, a perda, a separação. Depois de 1950, deu-lhes um conteúdo cada vez mais biológico, comparando o comportamento humano ao das espécies animais. Nesse aspecto, seu interesse constante pela etologia e pela biologia segundo Darwin, foi acusado de ignorar o inconsciente*.

A partir de 1948, dirigiu uma pesquisa sobre as crianças abandonadas ou privadas de lar, cujos resultados tiveram repercussão mundial sobre o tratamento psicanalítico do hospitalismo*, da depressão anaclítica* e das carências maternas, assim como sobre a prevenção das psicoses*. Em 1950, tornou-se assessor da ONU, onde suas teses tiveram papel considerável na adoção de uma carta mundial dos direitos da infância. Um ano depois, publicou o seu relatório *Maternal Care and Mental Health*, no qual mostrou que a relação afetiva constante com a mãe é um dado fundamental para a saúde psíquica da criança.

No fim da vida, sempre apaixonado por biologia e etologia, redigiu a biografia de Charles Darwin (1809-1882). Estudou minuciosamente a primeira infância do sábio, suas doenças psicossomáticas, suas dúvidas e depressões, pintando um vigoroso quadro da época vitoriana e das reações que a revolução darwiniana suscitou na Inglaterra.

• John Bowlby, *Cuidados maternos e saúde mental* (Genebra, 1951), S. Paulo, Martins Fontes, 1995, 3ª ed.; *Apego e perda — Apego, Perda, Separação*, 3 vols. (Londres, 1969, 1973, 1980), S. Paulo, Martins Fontes, 1990, 1993, 1993; *Charles Darwin. Une nouvelle biographie* (Londres, 1990), Paris, PUF, 1995 • Eric Rayner, *Le Groupe des "Indépendants" et la psychanalyse britannique* (Londres, 1990), Paris, PUF, 1994 • Pearl King e Eric Rayner, "Obituary of John Bowlby", *IJP*, 74, 4, 1993, 823-8 • Jeremy Holmes, *John Bowlby and Attachment Theory*, Londres, Routledge, 1993.

➢ AUBRY, JENNY; DOLTO, FRANÇOISE; FREUD, ANNA; GRÃ-BRETANHA; PSICANÁLISE DE CRIANÇAS; SPITZ, RENÉ; WINNICOTT, DONALD WOODS.

Brasil

Primeiro país de implantação do freudismo* na América Latina, o Brasil teve uma história muito diferente da Argentina*. Longe de imitar a Europa, de apropriar-se de seus modelos, transformando-os e depois desenvolvendo uma política maciça de imigração, o Brasil só se emancipou da colonização portuguesa em 1822 para colocar-se, até 1918, sob o domínio econômico da Grã-Bretanha*. Depois, o país mudou de mãos e se colocou na órbita da economia norte-americana. Esse longo período de industrialização foi marcado pela expansão de uma oligarquia fundiária, vivendo em imensas fazendas e reinando à maneira de senhores feudais sobre uma população analfabeta.

Calcado na monarquia inglesa, o regime parlamentar instaurado em 1824, sob o reinado do imperador Pedro I, foi derrubado em 1889 por uma junta que depôs o seu filho Pedro II. Soberano intelectual e liberal, este enfrentara a guerra civil, vencera as revoltas e abolira a escravatura, sem se preocupar com o perigo que o poder militar representava. Proclamada a República, um regime presidencial foi instaurado, enquanto a Constituição de 1891, impregnada da filosofia de Auguste Comte (1798-1857), se baseava em dois princípios: ordem e progresso. Ao mesmo tempo em que imitava o modelo americano, fundado no presidencialismo e no federalismo, o novo regime brasileiro atualizava a tradição do caudilhismo latino-americano.

Como aconteceu por toda a parte, a instauração do Estado republicano deu origem ao asilo moderno e foi acompanhada de uma reformulação da clínica da loucura*. Em 1890, o antigo Hospício Pedro II foi transformado em hospital de alienados, na mais pura tradição do gesto de Philippe Pinel (1745-1826). A força da nosologia francesa foi tal, durante cerca de uma década, que a expressão "estar Pinel" passou, na linguagem corrente, a significar "estar louco".

Foi nesse terreno da primeira reforma asilar que Juliano Moreira*, baiano e negro, introduziu a nosografia alemã. Amigo de Emil Kraepelin* e excelente conhecedor da Europa, foi nomeado professor na Universidade da Bahia com a idade de 23 anos, e tomou em 1903 a direção do Hospital Nacional de Alienados do Rio de Janeiro. Nove anos depois, graças à sua ação, a psiquiatria se tornou uma especialidade autônoma no currículo dos estudos médicos. Fundador da psiquiatria brasileira moderna, Juliano Moreira foi também o primeiro no país a adotar e divulgar a doutrina freudiana.

Entre 1914 e 1930, vários psiquiatras contribuíram para a implantação progressiva do freudismo no Rio de Janeiro, em São Paulo e na Bahia: Arthur Ramos*, Júlio Porto-Carrero* e

Francisco Franco da Rocha*. De modo geral, esses autores se mostraram menos críticos em relação à psicanálise* do que seus colegas dos outros países, em especial a propósito da sexualidade. Todavia, adaptaram a doutrina vienense às suas preocupações terapêuticas e fizeram dela um componente essencial de uma concepção culturalista e organicista da loucura.

Na verdade, como mostrou Gilberto Freyre (1900-1987), o Brasil oferecia duas faces antagônicas, sob os traços de uma organização patriarcal rígida, herdada da colonização. De um lado, florescia o ideal humanista da Igreja positivista que, durante todo o século XIX, inspirou os grandes reformadores; do outro lado, perdurava a cultura negra misturada à branca, proveniente da mestiçagem dos escravos e de seus senhores, do senhor e de sua concubina, do homem branco e da mulher negra, e também do criado negro e da jovem branca. Dessas misturas, decorria o lugar peculiar atribuído à sexualidade* (e mais tarde à bissexualidade*) na sociedade brasileira, na qual a atração dos filhos de família pelas mulheres de cor provinha das relações íntimas da criança branca com a sua ama negra: uma sexualidade carnal e sensual.

Assim como sob a monogamia surgia sempre a prática mal encoberta da poligamia, sob o monoteísmo perfilavam-se todas as variantes de um politeísmo selvagem. Assim, quando foi instaurado, por um homem negro, um saber psiquiátrico que visava arrancar a loucura das práticas mágicas, a clivagem se repetiu. A nova ordem não conseguiu pôr termo às antigas tradições terapêuticas do transe e das possessões (o candomblé).

A psiquiatria foi, portanto, a disciplina da cultura branca, embora tratasse de doentes não-brancos. A psicanálise acompanhou seus passos. Reservada inicialmente, no período entre as duas guerras, à grande burguesia paulista e a médicos preocupados em seguir as regras ortodoxas da International Psychoanalytical Association* (IPA), ela se tornou, na segunda metade do século, ao desenvolver-se no Rio e em outras cidades, a nova psicologia das classes médias brancas, formadas na universidade. Tomou o lugar da antiga sociologia comtiana.

Enquanto os pioneiros do freudismo continuavam sendo clínicos hospitalares, Durval

Marcondes* passou da psiquiatria para a psicanálise, tornando-se assim o primeiro freudiano do Brasil, antes mesmo de ser analisado. Esteta francófilo e letrado, devotou-se de corpo e alma à causa freudiana, desejando fazer de São Paulo o centro nevrálgico da nova doutrina.

Em 24 de outubro de 1927, com Franco da Rocha, fundou em São Paulo a Sociedade Brasileira de Psicanálise (SBP), primeira sociedade psicanalítica do continente latino-americano. No ano seguinte, criou a *Revista Brasileira de Psicanálise*, que foi acolhida com entusiasmo por Sigmund Freud*, enquanto em 17 de junho, Moreira instalava no Rio de Janeiro, com Porto-Carrero e na presença de Marcondes, uma filial da SBP. Mas logo esta, depois de reconhecida pela IPA no Congresso de Oxford em 1929, teve muita dificuldade em se desenvolver. Nessa época, a análise didática era obrigatória, e Marcondes, que não fizera análise, não podia formar alunos. Aliás, em 1931, teve que enfrentar um charlatão chamado Maximilien Langsner, que obteve grande sucesso em São Paulo. Esse homem usava um nome vienense e praticava a telepatia*, proclamando-se o melhor discípulo de Freud. Temendo que esse espetáculo desacreditasse a psicanálise nos meios médicos, Marcondes pediu a Freud que desmascarasse o impostor, o que ele logo fez.

A crise de 1929 acarretou a ruína das plantações de café e um deslocamento da federação brasileira. A rápida urbanização favoreceu um movimento de independência das cidades e a desconfiança dos proprietários rurais em relação ao poder central. Em 1930, Getúlio Vargas, apoiado pelo exército, foi eleito presidente. Tomou o caminho do fascismo e reprimiu a rebelião paulista de 1932, da qual participou Marcondes. Cinco anos depois, proclamou o *Estado Novo*, espécie de Estado mussoliniano, apoiado em uma Constituição que suprimia as eleições.

Apesar da criação em 1934, por Georges Dumas (1866-1946), de uma universidade, na qual Claude Lévi-Strauss e Fernand Braudel (1902-1985) formaram estudantes nas novas ciências humanas, Marcondes, ligado essencialmente ao meio médico, teve grande dificuldade para instaurar um movimento psicanalítico brasileiro. Fugindo do nazismo*, os freudianos da Europa se exilavam nos Estados Unidos*, na Grã-Bretanha e na Argentina, e não tinham a possibilidade de se instalar em um país onde reinava o fascismo. René Spitz* planejou vir em 1932, mas a revolta paulista impediu as comunicações e, cansado de esperar notícias, partiu para o Colorado.

Quanto aos americanos do norte, estes também não desejavam se deslocar para o sul, a fim de formar terapeutas. Depois de muitos esforços, Marcondes conseguiu que Adelheid Koch* viesse. Analisada no quadro do prestigioso Berliner Psychoanalytisches Institut* (BPI), ela apresentava todas as garantias para iniciar os brasileiros na análise didática*. Em 1936, instalou-se em São Paulo, e foi assim a primeira psicanalista didata do Brasil. O próprio Marcondes não hesitou em deitar-se em seu divã. Outro imigrante logo se reuniu ao grupo: Frank Julien Philips. Australiano, fez análise com Adelheid Koch, antes de se formar em Londres com Melanie Klein* e Wilfred Ruprecht Bion*.

Combatendo junto aos Aliados durante a Segunda Guerra Mundial, os contingentes do exército brasileiro achavam ilógico lutar na Europa pela democracia, enquanto suportavam o fascismo em seu país. Em 1945, Getúlio Vargas teve que se afastar do poder e a democracia foi restabelecida. A partir de então, o movimento psicanalítico brasileiro começou a integrar-se à IPA e a aceitar os seus processos de normatização, construindo-se, ao mesmo tempo, segundo o modelo federalista em vigor no país.

Inicialmente, foi como potência latino-americana que ele se organizou, por ocasião do I Congresso Interamericano de Médicos, realizado no Rio de Janeiro em 1946. Vários psicanalistas argentinos apresentaram então os seus trabalhos de psicossomática*. Os brasileiros se reuniram a eles e concluiu-se um acordo para favorecer o intercâmbio entre os paulistas, os cariocas e os portenhos (Buenos Aires). Assim, começou a corrente de influência clínica da escola argentina sobre as filiações* brasileiras.

Dissolvida em 1944, a SBP se reconstituiu em um grupo puramente paulista, a Sociedade Brasileira de Psicanálise de São Paulo (SBPSP), reconhecida pela IPA no Congresso de Amsterdam de 1951. A partir desse momento, houve intercâmbios entre Londres e São Paulo. Apaixonados pelas teorias de Melanie Klein e seus discípulos, analistas paulistas atravessaram o Atlântico para receber uma formação na British Psychoanalytical Society (BPS). Foi o caso de Virgínia Bicudo. Depois de cinco anos em Londres, ela trouxe as suas experiências clínicas da Tavistock Clinic e as ensinou. Por sua vez, Frank Philips, voltando de Londres, realizou no seio do grupo paulista seminários técnicos e teóricos de inspiração kleiniana. À influência compósita argentina acrescentou-se então a do kleinismo*, nitidamente mais implantado em São Paulo do que no Rio. Posteriormente, Wilfred Ruprecht Bion, convidado por Philips, se tornaria um dos mestres do grupo paulista.

Enquanto a psicanálise se desenvolvia, outra instituição começou a desempenhar um papel importante em São Paulo: o Instituto Sedes Sapientiae. Criado em 1933 por membros da Igreja* católica, promoveu, para os psicólogos não-médicos, uma formação teórica e clínica. A partir de 1970, tornou-se um centro de difusão das práticas psicoterapêuticas e em 1976, por iniciativa de Regina Schnaiderman (1923-1985), Isaias Melshon e Roberto Azevedo, integrou às suas atividades um Instituto de Formação Psicanalítica, no qual se reuniram dissidentes da SBPSP e independentes, hostis tanto à rigidez dos critérios da IPA quanto a seu conservadorismo político.

No Rio de Janeiro, a instalação do movimento foi gravemente perturbada pelo conflito entre Mark Burke* e Werner Kemper*, ex-colaborador de Matthias Heinrich Göring*, e mandatário de Ernest Jones* para desenvolver a psicanálise no Brasil. Em 1953, Kemper fundou a Sociedade Psicanalítica do Rio de Janeiro (SPRJ), reconhecida pela IPA em 1955. Quanto aos partidários de Burke, depois de violentos confrontos, associaram-se a seus colegas formados na Argentina para criar um outro grupo em 1959: a Sociedade Brasileira de Psicanálise do Rio de Janeiro (SBPRJ). Entre os seus quinze fundadores estavam Alcyon Baer Bahia, Danilo Perestrello, Marialzira Perestrello, Mário Pacheco de Almeida Prado.

Em Porto Alegre, Mário Martins constituiu em 1947 a Sociedade Psicanalítica de Porto Alegre (SPPA), reconhecida pela IPA em 1963. Formado em Buenos Aires por Angel Garma*, voltou com sua mulher Zaira Bittencourt, esta analisada por Celes Cárcamo*. Formada na prática da psicanálise de crianças* por Arminda Aberastury*, ela introduziu no Brasil essa tradição clínica. A SPPA evoluiu para o kleinismo e o neokleinismo, principalmente depois da visita de Herbert Rosenfeld* em 1974. Conservou entretanto suas relações privilegiadas com os argentinos.

Essa expansão da psicanálise nas duas grandes cidades rivais, São Paulo e Rio, assim como na região sul do país, permitiu ao freudismo brasileiro recuperar progressivamente o seu atraso em relação ao movimento argentino, sem com isso fazer emergir em suas fileiras chefes de escola de estatura comparável à dos argentinos. Deve-se dizer que, desde a origem, a situação no Brasil era diferente. Efetivamente, a escola brasileira, na ausência de um sólido movimento migratório durante o período entre as duas guerras, não tivera "fundador" que fosse ao mesmo tempo didata e teórico. E ela só encontrou a sua identidade, de uma cidade à outra, ao filiar-se ora à escola inglesa ou a algumas correntes norte-americanas, ora à escola argentina. Entretanto, desenvolveu uma grande atividade clínica em diversas instituições (hospitais e centros de saúde). A partir de 1960, com a criação da COPAL (futura FEPAL*) e depois da Associação Brasileira de Psicanálise* (ABP, 1967), ela se tornou, ao lado da escola argentina, a segunda grande potência do freudismo latino-americano.

Em 31 de março de 1964, depois de dez anos de governo social-democrata, durante os quais o presidente Kubitschek inaugurou a cidade de Brasília, o marechal Castello Branco, apoiado pelos Estados Unidos e pelas classes médias, derrubou o presidente João Goulart e instaurou uma ditadura que duraria vinte anos. Durante seis meses, o novo poder se entregou a uma violenta repressão. Centenas de intelectuais, dirigentes políticos e sindicalistas foram presos, expulsos, privados de seus direitos civis e muitas vezes torturados. Orgulhosos de construírem um Brasil novo, os tecnocratas, os conservadores e os anticomunistas afirmaram sua vontade de governar sem o sufrágio das massas. Os partidos foram dissolvidos, as forças armadas reorganizadas. Quatro anos depois, após a sublevação dos estudantes e das rebeliões populares no Rio, o regime tomou o caminho da ditadura.

Como faria depois da instauração do terror de Estado na Argentina, a direção da IPA decidiu permanecer "neutra": nem condenação nem intervenção em qualquer sentido. Segundo a tradição dos anos 1930, o objetivo era sempre o mesmo: não dar nenhum pretexto a qualquer poder para proibir a prática da psicanálise.

Ao contrário do nazismo, a ditadura brasileira não tocou na liberdade de associação, salvo quando se tratava de perseguir associações politicamente engajadas contra ela. Aliás, nunca evoluiu para o terror de Estado organizado, que a Argentina conheceu entre 1976 e 1985. Conseqüentemente, ela foi mais recalcada pela instituição psicanalítica do que o terror argentino. Em seu livro sobre o nazismo e a psicanálise, Chaim Samuel Katz mostra de que maneira a Associação Brasileira de Psicanálise* "aceitou" o regime.

Nos artigos que publicou durante vinte anos, a *Revista Brasileira de Psicanálise* teve o cuidado de apresentar sempre a psicanálise como uma ciência pura, sem relação com os campos social e político. Se um autor queria falar de política ou de história, tinha que se contentar em evocar o passado mais longínquo: o exílio de Freud em Londres sim, mas o genocídio ou a política de "salvamento" da psicanálise em Berlim, não. Impossível aludir à atualidade, salvo para travesti-la habilmente. Assim, falava-se de luto, de separação, de castração*, de angústia, para significar exílio, afastamento, sofrimento etc. Através dessa censura voluntária, nunca se fazia referência, de perto ou de longe, a um militante preso ou a um psicanalista torturado ou perseguido. Assim, esses fatos só existiam no imaginário dos indivíduos e, se necessário, podia-se invocar o "sigilo profissional". Nesse aspecto, a conceitualidade kleiniana, centrada nos processos de violência intrapsíquicos, foi explorada para apresentar a repressão política como uma história de objeto mau* ou de identificação projetiva*.

A partir de 1973, o caso Kemper perturbou de novo as duas sociedades psicanalíticas do Rio de Janeiro. Antes de sua partida para a Alemanha* em 1967, o ex-colaborador de Göring analisara um dos didatas mais ativos da

SPRJ, Leão Cabernite. Tornando-se presidente de sua sociedade e ligado de perto ao poder militar, este teve depois, como aluno em formação, de 1971 a 1974, um médico-tenente da polícia militar, Amílcar Lobo Moreira da Silva (1939-1997), torturador a serviço da ditadura. Esse fato foi revelado por um artigo anônimo, mas perfeitamente exato, publicado no jornal clandestino *Voz Operária*. Helena Besserman Vianna, psicanalista de extrema esquerda e membro da outra sociedade (SBPRJ), tomou conhecimento desse artigo. Suas opiniões radicais eram conhecidas, pois ela se expressara publicamente na SBPRJ, por ocasião de um debate com Bion, perguntando-lhe se ele aceitaria analisar um torturador. A assembléia respondera que essa pergunta era "provocadora, nem científica nem construtiva". Helena enviou a Marie Langer* o artigo da *Voz Operária*, acompanhado do nome e do endereço de Cabernite escritos a mão, para que ela o publicasse em sua revista *Cuestionamos* e pedisse à direção da IPA a abertura de um inquérito. Marie Langer mandou imediatamente o artigo a Serge Lebovici, presidente da IPA, e a diversos responsáveis do movimento psicanalítico. Depois, publicou-a em sua revista. Marie Langer tinha um peso considerável na IPA, em razão de sua notoriedade e de seu engajamento contra todas as ditaduras latino-americanas.

Preocupado com as conseqüências desse caso para a imagem da psicanálise no mundo, Lebovici preveniu Cabernite e David Zimmermann, membro da SPPA (Porto Alegre) e presidente da COPAL, que lhe respondeu logo que essa publicação era "um jornaleco que não merecia respeito". Depois, com Cabernite e outros membros da SPRJ, enviou por carta circular um desmentido categórico: "A afirmação anônima do jornal clandestino é inteiramente falsa e sem nenhum fundamento." Não só os autores negavam qualquer participação de Amílcar Lobo nesse gênero de atividade, como também acusavam o denunciante de fomentar um complô para desestabilizar a psicanálise brasileira, no momento em que ia se realizar o IV Congresso da ABP.

Identificada por uma perícia grafológica, Helena Besserman Vianna pagou caro a denúncia do torturador. Sua sociedade recusou-se, durante dois anos, a lhe conferir o título de membro titular, ao passo que ela tinha teoricamente direito a ele, considerando-se o seu currículo. Pior ainda, o conselho de administração da SBPRJ se transformou em tribunal interno para acusá-la de delação, envolvendo a pessoa de um inocente (Amílcar Lobo), de plágio dos textos de seus colegas e enfim de falta de respeito para com Bion: uma verdadeira degradação pública. Posteriormente, Helena foi vítima de uma tentativa de atentado fracassada, por parte da polícia brasileira, prevenida por Amílcar Lobo. Ela só foi definitivamente reabilitada em 1980, quando um ex-prisioneiro revelou publicamente as atrocidades de Amílcar Lobo. Entretanto, nem Cabernite, nem Zimmermann, nem Lebovici prestaram contas de seu erro durante esse período, o que provocou uma verdadeira tempestade nas fileiras das duas sociedades do Rio.

Durante todos os anos da ditadura e depois, o freudismo continuou a florescer no solo brasileiro. Em 1975, foi criada em Recife a Sociedade Psicanalítica do Recife (SPR), reconhecida pela IPA em 1988, enquanto em Brasília, no mesmo ano, Virgínia Bicudo organizava o Grupo de Estudos Psicanalíticos de Brasília (GEPB), reconhecido em 1995. Enfim, em Pelotas, psicanalistas vindos da Argentina e do Rio fundaram em 1987 a Sociedade Psicanalítica de Pelotas (SPP), reconhecida em 1995.

Mas o fenômeno mais notável dessa época foi a formidável expansão, sobretudo no Rio de Janeiro, São Paulo e Porto Alegre, de todas as escolas de psicoterapias*. Ligadas ao desenvolvimento do ensino universitário da psicologia clínica* e ao da análise leiga*, essas escolas tiveram como característica, ao contrário de instituições semelhantes em outros países, filiar-se a quase todas as diversas correntes do freudismo, seja através dos círculos de psicologia das profundezas, ligados a Igor Caruso*, seja através do lacanismo, ou ainda em referência a uma filiação direta ou longínqua: Sandor Ferenczi*, por exemplo, ou ainda Ana Katrin Kemper* e Iracy Doyle*.

Nesse contexto, o lacanismo se implantou maciçamente na universidade, em particular nos departamentos de psicologia, trazendo assim uma cultura e uma identidade para a profissão de psicoterapeuta, abandonada pela ABP, que tendia, apesar de algumas exceções, como Inês Besouchet (1924-1991) por exemplo, a favorecer os médicos. Daí a eclosão paralela de múltiplos grupos, com diversas orientações: 26 no Rio, 27 em São Paulo, 7 no Rio Grande do Sul, 9 em Minas Gerais, ao todo 70 associações, reunindo cerca de 1.500 psicoterapeutas. Essa cifra elevava o efetivo total dos psicanalistas freudianos a mais de 3.000.

Esses números mostram bem que a implantação do freudismo no Brasil continuou sendo um fenômeno urbano, tendo a psicanálise uma expansão considerável nas grandes metrópoles e nas cidades da região oriental do país (de norte a sul), de Recife a Pelotas. Em outras palavras, a despeito de um desenvolvimento de massa ligado à expansão da psicologia clínica, a psicanálise só atingia pois, após 70 anos de existência, a burguesia branca. Além disso, à medida que ela se desenvolvia, feminilizou-se fortemente: 70% dos efetivos são femininos.

Formado em Estrasburgo, com Lucien Israël e Moustapha Safouan, no quadro da École Freudienne de Paris* (EFP), da qual se tornou membro em 1973, Durval Checchinato voltou a Campinas, onde ensinou a obra de Jacques Lacan* no departamento de filosofia. Em 1975, com Luís Carlos Nogueira (de São Paulo), Jacques Laberge e Ivan Correa (do Recife), Checchinato fundou o primeiro círculo lacaniano do Brasil, o Centro de Estudos Freudianos (CEF), completamente independente da EFP. O CEF prosseguiu depois com suas atividades no Recife, enquanto em Campinas eram criadas as bases de uma futura sociedade. Esse grupo, oriundo da tradição erudita dos jesuítas, manifestou independência de espírito em relação aos dogmas, evitou submeter-se ao centralismo parisiense e manteve-se afastado das extravagâncias xamanísticas do célebre lacaniano brasileiro dos anos 1970, Magno Machado Dias, mais conhecido sob o nome de MDMagno.

Analisado por Lacan em alguns meses, esse esteta carioca culto e sedutor, professor de semiologia na universidade, fundou em 1975, com Betty Milan, outra analisada de Lacan, o Colégio Freudiano do Rio de Janeiro (CFRJ). Tornou-se o terapeuta dos membros de seu grupo, que freqüentavam seu divã e seus seminários. MDMagno deu ao lacanismo carioca uma furiosa expansão, e o seu Colégio foi o núcleo inicial de todos os grupos formados depois no Rio, por cisões* sucessivas. Evoluindo para um culturalismo radical, Magno se apresentava como fundador da psicanálise "abrasileirada". Segundo a nova genealogia, Freud era o bisavô, Lacan o avô, MDMagno o pai.

No fim dos anos 1980, Jacques-Alain Miller mobilizou outros grupos, impondo-lhes uma disciplina maior e uma visão mundialista da prática psicanalítica. Obteve mais sucesso em São Paulo do que no Rio e, em 1995, conseguiu fundar a Escola Brasileira de Psicánálise (EBP), ligada à Association Mondiale de Psychanalyse* (AMP) e composta de 88 membros e 230 membros de seções, distribuídos em cinco cidades ou regiões: um total de 318 terapeutas. Diante dos 5.000 membros da Associação Brasileira (IPA) e dos 1.200 outros psicanalistas distribuídos pelos diferentes grupos, a EBP conseguia assim ocupar uma posição confortável no campo do freudismo brasileiro, sem todavia conseguir integrar os outros lacanianos (cerca de 400).

Em Porto Alegre, outro veterano da EFP, Contardo Calligaris, soube situar em uma perspectiva de descentralização radical o conjuntos dos pequenos grupos lacanianos, sob a égide da Associação Freudiana (AF). Esta não professa nenhum dogma.

Na Bahia, Emilio Rodrigué, grande figura da escola argentina, realizou uma experiência única em seu gênero. Dissidente da APA, próximo de Marie Langer e do grupo Plataforma, recebera sua formação didática em Londres, com Paula Heimann* e Melanie Klein. Instalando-se em 1974 no coração da civilização brasileira, entre a negritude e a colonização, casado com uma sacerdotisa da aristocracia do candomblé, apaixonado por historiografia*, conseguiu reunir em torno de si um grupo composto de todas as tendências do freudismo. Assim, foi um dos raros psicanalistas, talvez o único, a estabelecer uma ponte entre todas as culturas do continente latino-americano, sem ceder nem ao universalismo abstrato, nem ao culturalismo desenfreado. Daí o seu lugar de mestre socrático, único na psicanálise neste fim do século XX.

No fim dos anos 1990, o número total dos psicanalistas atinge cerca de 4.000, para uma população global de 155 milhões de habitantes, ou seja, cerca de 25 psicanalistas por milhão de habitantes (dez para a IPA).

• Gilberto Freyre, *Casa-grande & Senzala: formação da família brasileira sob o regime da economia patriarcal* (S. Paulo, 1933), Rio de Janeiro, Record, 1992, 28ª ed. • Jurandir Freire Costa, *História da psiquiatria no Brasil*, Rio de Janeiro, Documentário, 1976 • Alain Rouquié, *L'État militaire en Amérique latine*, Paris, Seuil, 1986 • Chaim S. Katz (org.), *Psicanálise e nazismo*, Rio de Janeiro, Taurus, 1985 • Marialzira Perestrello, *História da Sociedade Brasileira de Psicanálise do Rio de Janeiro. Suas origens e fundação*, Rio de Janeiro, Imago, 1987; *Encontros: psicanálise*, Rio de Janeiro, Imago, 1992 • Joel Birman (org.), *Percursos na história da psicanálise*, Rio de Janeiro, Taurus, 1988 • Roberto Yutaka Sagawa, *Os inconscientes no divã da história*, Campinas, IFCH-Unicamp (tese de antropologia), 1989; *Redescobrir as psicanálises*, S. Paulo, Lemmos, 1991 • Sérvulo Figueira, *Nos bastidores da psicanálise. Sobre política, história e dinâmica do campo psicanalítico*, Rio de Janeiro, Imago, 1991 • *Anuário Brasileiro de Psicanálise. Ensaios, publicações, calendário, resenhas, artigos*, Rio de Janeiro, Relume Dumará, 1991 • *Álbum de família. Imagens, fontes e idéias da psicanálise em São Paulo*, S. Paulo, Casa do Psicólogo, 1994 • Cecília Coimbra, *Guardiães da ordem: uma viagem pelas práticas psi no Brasil do "milagre"*, Rio de Janeiro, Oficina do Autor, 1995 • Helena Besserman Vianna, *Não conte a ninguém...* Rio de Janeiro, Imago, 1994 • Cíntia Ávila de Carvalho, *Os psiconautas do Atlântico Sul. Uma etnografia da psicanálise*, tese de doutorado em ciências sociais, Unicamp, 1995.

Brentano, Franz (1838-1917)

filósofo alemão

Brentano renunciou ao sacerdócio em 1871, após a proclamação, por Pio IX, do dogma da infalibilidade papal. Depois, não deixou de encarnar os valores do catolicismo reformado da Boêmia. De família ilustre, marcada pelo romantismo, era sobrinho do poeta Clemens Brentano (1778-1842), que se casara com Bettina von Arnim (1785-1859). Professor em Viena* durante vinte anos (de 1874 a 1894), com algumas interrupções, Franz Brentano foi amigo das personalidades mais requintadas da *intelligentsia* vienense, entre as quais Theodor Meynert*, Josef Breuer*, e Theodor Gomperz (1832-1912). Casou-se com Ida von Lieben, irmã de Anna von Lieben*, futura paciente de Sigmund Freud*. Indiferente à roupa e à comi-da, jogava xadrez com uma paixão extremada e manifestava um talento inaudito pelos jogos de palavras mais sofisticados. Em 1879, publicou sob o pseudônimo de Aenigmatis uma antologia de adivinhações, que provocou entusiasmo nos salões vienenses e estimulou muitas imitações.

Confrontado com o progresso das ciências positivas, Brentano procurou simultaneamente salvar a filosofia, que acreditava ameaçada de desaparecimento, e desenvolver uma psicologia empírica e descritiva fundada na análise das modalidades reais da consciência*, excluindo todo subjetivismo. Nesse aspecto, teve grande influência sobre Edmund Husserl (1859-1938), seu aluno. O seu ensino, que também foi seguido por Sigmund Freud e Thomas Masaryk (1859-1937), teve um grande papel no desenvolvimento do pensamento psicanalítico. De fato, Brentano foi o renovador das teses de Johann Friedrich Herbart*. Foi adepto da psicologia empírica e acrescentou à noção herbartiana de representação a de intencionalidade (ato pelo qual a consciência se orienta para um objeto). Ao lado dos fenômenos de representação, distinguia duas categorias de atos mentais: os juízos, que permitem afirmar ou negar a existência de um objeto representado, e as atitudes de ódio ou de amor, que tornam indiscerníveis o querer e o sentimento.

Longe de fundar uma escola monolítica como fizera Herbart, incitou seus alunos a inovarem em todas as direções. E seu ensino abalou realmente o domínio do herbartismo rígido sobre a filosofia austríaca.

Em 1873, o jovem Sigmund Freud, estudante na Universidade de Viena, preparou seu doutorado de filosofia sob a direção de Brentano. Freud contestava o seu teísmo e lhe opunha o materialismo de Ludwig Feuerbach (1804-1872). Em uma carta de 13 de março, relatou ao amigo e condiscípulo Eduard Silberstein* uma cena de pugilato filosófico, durante a qual Brentano foi obrigado por seus alunos a lutar pelas teses herbartianas. O grande professor saiu vencedor do combate, mas aceitou orientar a tese de Freud. Entretanto, este se decepcionou com a filosofia em geral, que julgava demasiado "especulativa", e em particular com Brentano, por quem tinha uma admiração muito relativa. Escolheu então o caminho da fisiologia, encarnada em Viena por Ernst von Brücke*. Assim, Brentano foi para Freud um mestre modelo, cujo ensino lhe indicou o caminho a seguir, para conciliar a especulação e a observação. Posteriormente, Freud não reconheceu os empréstimos conceituais que fizera à doutrina de Brentano, nem o que lhe devia. Limitar-se-ia a afirmar, a respeito da filosofia, que, depois de ter sido atraído pela especulação, renunciara corajosamente a ela. Em uma carta a Wilhelm Fliess* de 2 de abril de 1896, escreveu: "Nos meus anos de juventude, aspirei apenas aos conhecimentos filosóficos, e agora estou a ponto de realizar esse desejo, passando da medicina para a psicologia." Isso queria dizer que, no espírito de Freud, a nova psicologia da qual pretendia ser o fundador era o equivalente de uma filosofia. Daí a recusa constante do saber filosófico, que ele manifestaria de novo em suas relações com Ludwig Binswanger*. Entretanto, em 1905, no livro Os chistes e sua relação com o inconsciente*, citou o nome de seu antigo mestre, evocando a famosa antologia de adivinhações de 1879.

• Franz Brentano, La Psychologie du point de vue empirique (Viena, 1874), Paris, Aubier, 1944 • Revue Internationale de Philosophie, número especial sobre Brentano, 78, 1966 • Sigmund Freud, Os chistes e sua relação com o inconsciente (1905), ESB, VIII, 1-266; GW, VI, 1-185; SE, VIII; Paris, Gallimard, 1988; La Naissance de la psychanalyse (Londres, 1950), Paris, PUF, 1956 • Henri F. Ellenberger, Histoire de la découverte de l'inconscient (N. York, Londres, 1970, Villeurbanne, 1974), Paris, Fayard, 1994 • William M. Johnston, L'Esprit viennois. Une histoire intellectuelle et sociale, 1848-1938 (N. York, 1972), Paris, PUF, 1985 • André Haynal, "À la recherche des sources intellectuelles de Freud — philosophiques et biologiques — à travers ses correspondances", in id. (org.), La Psychanalyse: cent ans déjà (Londres, 1994), Genebra, Georg, 1996, 229-55.

Breuer, Josef (1842-1925)
médico austríaco

Como Wilhelm Fliess*, Josef Breuer desempenhou um papel considerável na vida de Sigmund Freud*, entre 1882 e 1895. De certa forma, foi uma figura paterna para o jovem sábio. Ajudou-o financeiramente, inventou o

método catártico para o tratamento da histeria, redigiu com ele a obra inaugural da história da psicanálise*, Estudos sobre a histeria*, e foi médico de Bertha Pappenheim* que, sob o nome de Anna O., se tornaria o caso princeps das origens do freudismo*. A imagem desse brilhante clínico vienense que tratou de Franz Brentano*, Johannes Brahms (1833-1897), Marie von Ebner-Eschenbach e seus colegas médicos, o ginecologista Rudolf Chrobak (1843-1910), Theodor Billroth e o próprio Freud, foi deformada por Ernest Jones*. Em sua biografia de Freud, este o apresentou como um terapeuta tímido e estúpido, incapaz de compreender a questão da sexualidade*. Foi necessário esperar pelo trabalho de Albrecht Hirschmüller, historiador da medicina de língua alemã, para que fosse escrita a história das relações entre Freud e Breuer, longe das lendas da historiografia* oficial.

Filho de um rabino conhecido por suas opiniões liberais, Josef Breuer não era crente nem praticante. Como Freud, permaneceu ligado à sua judeidade*, sem proclamar nenhuma fé e defendendo os princípios da assimilação. Em 1859, orientou-se para a medicina, tornando-se aluno de Karl Rokitansky (1804-1878), de Josef Skoda, de Ernst von Brücke* e, enfim, do assistente deste, Johann von Oppolzer (1808-1871), notável clínico geral, do qual foi por sua vez assistente. Foi no laboratório de fisiologia de Ewald Hering, rival de Brücke, que começou a trabalhar no problema da respiração. Essa formação fez dele o herdeiro de uma tradição positivista, originária da escola de Hermann von Helmholtz*, pela qual se realizava a união de uma medicina de laboratório de estilo alemão e da medicina hospitalar vienense. Tornando-se célebre em 1868 por um estudo sobre o papel do nervo pneumogástrico na regulação da respiração, estudou depois os canais semicirculares do ouvido interno.

Em fins dos anos 1870, Breuer passou da fisiologia para a psicologia e se interessou, como muitos médicos dessa época, pela hipnose*, que experimentou em sua paciente Bertha Pappenheim.

Em 1877, ficou conhecendo Freud, e este fez seus cursos sobre doenças renais no instituto de fisiologia. Logo ambos se tornaram íntimos;

Breuer interessou-se pelo futuro do amigo mais jovem e o aconselhou a prosseguir sua carreira. Além disso, emprestou-lhe uma quantia considerável, necessária à sua instalação como médico de cidade. Breuer e Freud tinham em sua clientela doentes mentais, principalmente mulheres histéricas da boa burguesia vienense. Assim, começaram a tornar-se, cada um a seu modo, especialistas em distúrbios psíquicos, o que os levou a assinarem juntos, em 1895, os famosos *Estudos sobre a histeria*. Entretanto, desde 1891, muitas discordâncias já tinham surgido entre eles, a propósito de suas concepções de ciência, de histeria e de sexualidade. Na verdade, Freud se orientava cada vez mais para a elaboração de uma obra teórica absolutamente inovadora para a época, enquanto Breuer continuava um erudito clássico, ligado aos princípios da fisiologia de seu tempo. Sem desconhecer os progressos de Freud e sem negar principalmente a importância do papel da sexualidade na gênese da neurose, não compartilhava sua posição sobre a sedução* e não separava a psicologia da fisiologia. A esse respeito, a evolução das relações entre Freud e Fliess, perturbada por sua discordância sobre a questão da bissexualidade*, teve papel importante na ruptura entre os dois.

Sua amizade terminou na primavera de 1896. Entretanto, o conflito não foi nem violento nem definitivo, como aconteceu com Fliess e depois com Carl Gustav Jung*. Constrangido por ter que pagar sua dívida financeira, Freud comportou-se com Breuer como um filho intransigente e revoltado. Suspeitou que ele quisesse tutelá-lo e acusou-o de ser oportunista e não ter a coragem de defender idéias novas. Na realidade, Breuer não tinha as mesmas ambições que Freud. Não procurando fazer nome na história das ciências nem tornar-se profeta de uma doutrina que iria abalar o mundo, mostrou-se sempre favorável à psicanálise*. E mesmo que não compartilhasse as opiniões de Freud e seus discípulos, continuou ligado ao ex-amigo, cujo gênio percebera.

Quanto a Freud, este pôs termo à sua rebelião durante a sua auto-análise*, reconstruindo o passado à luz do presente. Foi assim que começou a explicar a seus próximos que a ruptura tinha tido como motivo central a incapaci-

dade de Breuer de reconhecer a existência da primazia da sexualidade na neurose e compreender a transferência amorosa de Anna O. Daí a versão de uma pretensa gravidez psíquica, retomada por Jones a propósito do término do tratamento da jovem.

Em 1925, por ocasião da morte de Breuer, Freud dirigiu ao filho deste uma carta de condolências. Em sua resposta, publicada por Albrecht Hirschmüller, Robert Breuer lhe garantiu o interesse que seu pai dedicara durante toda vida à sua obra. Tranqüilizado, Freud confessou então a seu correspondente que se enganara durante anos: "O que você disse sobre a relação de seu pai com os meus trabalhos mais tardios era novidade para mim e agiu como um bálsamo sobre um ferimento doloroso que nunca se fechara."

• Ernest Jones, *A vida e a obra de Sigmund Freud*, vol.1 (N. York, 1953), Rio de Janeiro, Imago, 1989 • Henri F. Ellenberger, *Histoire de la découverte de l'inconscient* (N. York, Londres, 1970, Villeurbanne, 1974), Paris, Fayard, 1994 • Erna Lesky, *Die Wiener medizinische Schule im 19. Jahrhundert*, Graz, Verlag Böhlau, 1965 • William M. Johnston, *L'Esprit viennois. Une histoire intellectuelle et sociale, 1848-1938* (1972), Paris, PUF, 1985 • Albrecht Hirschmüller, *Josef Breuer* (Berna, 1978), Paris, PUF, 1991 • Frank J. Sulloway, *Freud, Biologist of the Mind*, N. York, Basic Books, 1979.

Brill, Abraham Arden (1874-1948)
psiquiatra e psicanalista americano

Nascido em Kanczuga, na Galícia, e originário do Império Austro-Húngaro, Abraham Arden Brill era de família judia. Seu pai, oficial do exército imperial, deu-lhe uma educação militar, embora ele sonhasse ser médico. Sua mãe, ao contrário, queria fazer dele um rabino. Depois de permanecer em muitas regiões da Europa central e aprender várias línguas, entre as quais o hebraico, emigrou com a idade de 15 anos para os Estados Unidos*. Nessa ocasião, tinha entrado em violento conflito com o pai. Com dificuldade, conseguiu estudar no City College de Nova York e depois no Columbia College and Surgeons, e foi obrigado a dar aulas de línguas estrangeiras e de bandolim para pagar os estudos. Inicialmente aluno de Adolf Meyer*, voltou à Europa para ir a Zurique e estudar psiquiatria com Eugen Bleuler* e Carl

Gustav Jung* na Clínica do Hospital Burghölzli. Ali, encontrou Ernest Jones* e Karl Abraham*, tornando-se rapidamente um ortodoxo da teoria freudiana.

Em 1908, depois de assistir ao primeiro congresso da International Psychoanalytical Association* (IPA) em Salzburgo, foi a Viena* para encontrar-se com Sigmund Freud*, com quem começou uma análise. Desejoso de divulgar sua obra na língua inglesa, o mestre lhe deu autorização para traduzir seus livros. O resultado foi desastroso e as nove traduções feitas por Brill tiveram que ser inteiramente revistas por James Strachey*. Elas continham um grande número de contra-sensos e adaptações fantasistas. Não só Brill não dominava suficientemente o inglês para ser um bom tradutor, mas também tinha na cabeça a idéia de que era preciso adaptar a doutrina vienense ao espírito americano. Foi Jones quem interveio junto a Freud, para que tomasse consciência desses erros.

Grande organizador e bom propagandista do freudismo*, Brill suplantou o espírito pioneiro de James Jackson Putnam*, transformando de cima a baixo o ideal freudiano. Reduziu sua doutrina a uma técnica médica pragmática, adaptadora e normativa. Foi com esse espírito que fundou em 1911 a prestigiosa New York Psychoanalytic Society (NYPS) e opôs-se fortemente, e contra Freud, à admissão dos psicanalistas não-médicos. Assim, foi um dos grandes adversários da análise leiga*. Durante certo tempo, esteve em posição de rivalidade com Jones, que acabava de fundar a American Psychoanalytic Association* (ApsaA), depois reuniu-se a ele, tornando-se assim, até a morte, o principal organizador do movimento psicanalítico americano.

Depois de defendê-lo, afirmando que, se ele se americanizara completamente, não deixava de ser um "bom rapaz", Freud tentou destituí-lo, apoiando Horace Frink*. Essa política foi um fracasso: afetado por distúrbios psicóticos, este terminou a vida em um hospital psiquiátrico.

Clínico arguto e habituado a todas as formas de comunicação de massa, Brill dedicou todas as suas obras a trabalhos de difusão do freudismo. Não hesitou em intervir na imprensa, em apresentar-se ao grande público e aos jornalistas e em associar permanentemente a psiquiatria, a neurologia e a psicanálise*.

• Abraham Arden Brill, *Psychoanalisis. Its Theories and Practical Applications*, Filadélfia, W.B. Sanders, 1913; "The adjustment of the Jew to the american environment", in *Mental Hygien*, 2, 1918; *Fundamental Conceptions of Psychoanalysis*, N. York, Harcourt, Brace & Co., 1921; "Unconscious insight; some of its manifestations", in *IJP*, 10, 1929, 145-61 • Clarence Oberndorf, "A.A. Brill", in *Psychoanalytic Quarterly*, 17, 1948, 149-54 • May E. Romm, "Abraham Arden Brill, 1874-1948", in Franz Alexander, Samuel Eisenstein e Martin Grotjahn (orgs.) *A história da psicanálise através de seus pioneiros* (N. York, 1966), Rio de Janeiro, Imago, 1981 • Paula S. Fass, *A.A. Brill, Pioneer and Prophet*, tese de ciências políticas, Columbia University, 1969 • Paul Roazen, *Freud e seus discípulos* (N. York, 1971), S. Paulo, Cultrix, 1978 • *L'Introduction de la psychanalyse aux États-Unis. Autour de James Jackson Putnam* (Londres, 1968), Nathan G. Hale (org.), Paris, Gallimard, 1978, 17-86 • Nathan G. Hale, *Freud and the Americans: The Beginning Psychoanalysis in the United States, 1876-1917*, t.1 (1971), N. York, Oxford, Oxford University Press, 1995.

➤ *CHISTES E SUA RELAÇÃO COM O INCONSCIENTE, OS*; *QUESTÃO DA ANÁLISE LEIGA*, A; TRADUÇÃO (DAS OBRAS DE SIGMUND FREUD).

Brücke, Ernst Wilhelm von (1819-1892)

médico e fisiologista alemão

Nascido em Berlim, esse prussiano rígido e anticlerical, de sorriso "mefistofélico" e cabeleira ruiva, segundo Moriz Benedikt*, foi aluno de Johannes Peter Müller (1801-1858), antes de se instalar em Viena em 1849. Na cátedra de fisiologia e no instituto que fundou, tornou-se o mais brilhante representante da escola positivista, antivitalista, organicista e mecanicista originária do ensino de Hermann von Helmholtz* e de Emil Du Bois-Reymond (1818-1896). Assim, Brücke merece ser considerado o fundador da fisiologia na Áustria. Através dele e de seus alunos, efetuou-se a união da medicina de laboratório alemã e da medicina hospitalar vienense. Em 1879, foi o primeiro reitor de confissão protestante nomeado para a Universidade de Viena*. Autor de vários estudos sobre anatomia, cujo ensino desenvolveu graças ao microscópio, conquistou a celebridade por seus trabalhos sobre a fisiologia do olho, a digestão e a voz. Pouco à vontade na sociedade vienense, não deixou de louvar essa cidade, que considerava como a metrópole oriental da cultura germânica.

Depois de se iniciar no darwinismo, através dos cursos de Carl Claus*, Sigmund Freud* passou seis anos, de 1876 a 1882, estudando fisiologia no laboratório de Brücke. Considerava esse grande médico como seu mestre venerado — uma "figura paterna", diriam os biógrafos — a ponto de dar a seu quarto filho o nome de Ernst e descrever na *Interpretação dos sonhos* a impressão inesquecível que causou nele o seu "olhar": "Brücke ficara sabendo que eu cheguei várias vezes atrasado ao laboratório. Um dia, ele veio na hora em que eu deveria chegar e me esperou. [...] O essencial estava em seus terríveis olhos azuis, cujo olhar me aniquilou. Aqueles que se lembram dos olhos maravilhosos que o mestre conservou até a velhice e que o viram encolerizado podem imaginar facilmente o que senti então."

Foi no instituto de Brücke que Freud ficou conhecendo Ernst von Fleischl-Marxow* e Josef Breuer*, e foi em contato com essa medicina positivista que se afastou definitivamente da filosofia, e principalmente do ensino de Franz Brentano*, orientando-se para uma concepção ao mesmo tempo darwinista e helmholtziana da psicologia, à qual anexaria o modelo herbartiano.

• Siegfried Bernfeld, "Freud's earliest theories and the school of Helmholtz", *Psychoanalytic Quarterly*, XIII, 1944, 341-62; "Freud's scientific beginnings", *American Imago*, vol.6, 1949, 163-96; "Sigmund Freud M.D.", *IJP*, vol.32, 1951, 204-17; • Siegfried Bernfeld e Suzanne Cassirer-Bernfeld, "Freud's first year in practice, 1886-1887", *Bulletin of the Menninger Clinic*, vol. 16, 1952, 37-49 • Ernest Jones, *A vida e a obra de Sigmund Freud*, vol.1 (N. York, 1953), Rio de Janeiro, Imago, 1989 • Erna Lesky, *Die Wiener medizinische Schule im 10. Jahrhundert*, Graz, Verlag Böhlau, 1965 • William M. Johnston, *L'Esprit viennois. Une histoire intellectuelle et sociale, 1848-1938* (1972), Paris, PUF, 1985 • Peter Gay, *Freud: uma vida para o nosso tempo* (N. York, 1988), S. Paulo, Companhia das Letras, 1995 • Lucille B. Ritvo, *A influência de Darwin sobre Freud* (N. York, 1991), Rio de Janeiro, Imago, 1992 • Pierre Morel (org.), *Dicionário biográfico psi* (Paris, 1996), Rio de Janeiro, Jorge Zahar, 1997.

➤ CHARCOT, JEAN MARTIN; HAECKEL, ERNST; HERBART, JOHANN FRIEDRICH; INCONSCIENTE; MEYNERT, THEODOR; *MOISÉS E O MONOTEÍSMO*; RECALQUE; *TOTEM E TABU*.

Burghölzli, Clínica do
➤ BLEULER, EUGEN; FOREL, AUGUST; SUÍÇA.

Burke, Mark (1900-1975)
médico e psicanalista inglês

Judeu nascido na Polônia, Mark Burke emigrou para a Grã-Bretanha* para fugir do nazismo* e integrou-se à British Psychoanalytical Society (BPS) logo antes da Segunda Guerra Mundial. Fez sua formação didática com James Strachey*. Depois de ter sido major no Royal Army Medical Corps, foi enviado por Ernest Jones* ao Brasil*, com a missão de organizar no Rio de Janeiro uma sociedade psicanalítica de acordo com as normas da International Psychoanalytical Association*(IPA). Chegou ao Rio em abril de 1948 e foi assim, doze anos depois de Adelheid Koch*, o segundo freudiano europeu a desembarcar no país. Logo de saída, não suportou o modo de vida carioca. A cidade do Rio era muito ruidosa para ele, que temia a sua agitação. Para cúmulo da infelicidade, alguns meses mais tarde, em dezembro, reuniu-se a ele o psicanalista alemão Werner Kemper*, cujo itinerário era o oposto do seu. Adepto das teses nazistas, Kemper colaborara durante toda a guerra com Matthias Heinrich Göring*, no Instituto Alemão de Pesquisa Psicológica e Psicoterapia (dito Instituto Göring), ao qual aderiram os psicoterapeutas favoráveis ao regime hitlerista.

Durante algum tempo, os dois trabalharam juntos no Rio de Janeiro, formando alunos e supervisionando cada um os analisandos do outro. Mas logo surgiram os conflitos. Burke não tolerava o comportamento tirânico de Kemper, e este acusou Burke de ser louco e arrastar os alunos para sua loucura. Em 1953, cansado de tudo, Burke voltou para a Inglaterra. Alguns de seus alunos o seguiram para concluir a sua formação, enquanto outros preferiram procurar outro analista em São Paulo ou em Buenos Aires, na Argentina*. Quando voltaram ao Brasil, desejaram formar seu próprio grupo. Daí a criação, em 1959, da Sociedade Brasileira de

Psicanálise do Rio de Janeiro (SBPRJ), reconhecida pela IPA e rival da outra sociedade, que fora fundada por Kemper em 1953 e também reconhecida pela IPA em 1955, sob o nome de Sociedade Psicanalítica do Rio de Janeiro (SPRJ).

Burke morreu nos Estados Unidos*, onde teve um papel importante na difusão das idéias kleinianas. Deixou uma forte marca de sua passagem pelo Rio, onde foi reconhecido, posteriormente, como um mestre humanista e liberal, que soube opor-se ao autoritarismo de um antigo nazista, cujo passado ele ignorava.

• Helena Besserman Vianna, *Não conte a ninguém...* Rio de Janeiro, Imago, 1994.

➢ ALEMANHA; JUDEIDADE.

Burlingham, Dorothy, *née* Tiffany (1891-1979)

psicanalista americana

O destino de Dorothy Burlingham se confunde com o da família Freud e com a história da psicanálise.* Nascida em Nova York, era neta de Charles Tiffany, célebre fundador das lojas Tiffany & Co. Em 1914, com a idade de 23 anos, acometida por uma fobia*, tornou-se esposa de um cirurgião, Robert Burlingham, que logo mergulhou em crises de psicose maníaco-depressiva*. Ela o deixou, levando seus quatro filhos e foi para Viena, onde começou uma análise com Theodor Reik*.

Anna Freud* assumiu então a responsabilidade pelas crianças e seu tratamento. Estas foram verdadeiramente adotadas pela família Freud, como aliás também sua mãe. Dorothy começou logo a ser analisada por Sigmund Freud*, que a estimulou a se tornar psicanalista. Foi ao escutá-la, e não durante o tratamento de sua filha, que ele compreendeu a força dos vínculos que os uniam e que davam a Anna uma família de adoção: "Nossa simbiose com uma família americana (sem marido), escreveu ele em janeiro de 1929, cujos filhos minha filha analisa, cresce a cada dia, de modo que compartilhamos com eles as nossas necessidades no verão." Ernstl, filho de Sophie Halberstadt*, se tornaria o melhor amigo de Bob Burlingham.

Quando Anna ficou sozinha em Londres, depois da morte do pai, Dorothy decidiu instalar-se perto dela, em Maresfield Gardens, em uma casa vizinha. As duas amigas não se deixaram mais e participaram juntas da criação, realização, gestão e organização da famosa Hampstead War Nursery. Sua amizade era tão intensa que elas se consideravam irmãs gêmeas e acabaram assemelhando-se fisicamente. Essa amizade parecia suspeita e algumas más línguas as acusaram de lesbianismo, o que para Anna era a suprema injúria. De fato, ela achava que a homossexualidade* era uma doença, ao contrário de seu pai. Quando Dorothy morreu, logo depois de um colóquio, Anna ficou inconsolável e continuou a ocupar-se de seus filhos como se pertencessem à sua própria família. Essa história foi, de qualquer forma, uma bela aventura de amor e fidelidade recíprocos.

• Elizabeth Young-Bruehl, *Anna Freud: uma biografia* (N. York, 1988), Rio de Janeiro, Imago, 1992 • Michael Burlingham, *The Last Tiffany*, N. York, Atheneum, 1989.

Burrow, Trigant (1875-1950)

psiquiatra e psicanalista americano

Membro fundador da American Psychoanalytic Association* (APsaA), Trigant Burrow teve um destino original na história do movimento psicanalítico americano, que prefigurou em muitos aspectos o de Heinz Kohut*. Analisado por Ernest Jones* em 1909, consagrou-se essencialmente à elucidação clínica dos distúrbios ligados ao narcisismo* primário. Depois de 13 anos de prática psicanalítica, tornou-se cada vez mais atento à questão das implicações sociais da neurose*.

Estimulado pelo desafio que lhe lançava Clarence Shields, um de seus analisandos, aceitou "inverter os papéis" e enfrentar, na posição de paciente, a questão da autoridade transferencial emanada do analista. Essa experiência o levou, em 1923, a inventar a psicanálise de grupo. Apesar de todos os seus esforços, não conseguiu convencer Sigmund Freud* da validade da experiência grupal. Este, em uma carta a Otto Rank de 23 de julho de 1924, o tratou, aliás, de "idiota incurável", o que mostrava, mais uma vez, a sua ferocidade em relação aos terapeutas americanos e suas inovações técnicas. Em 1933, foi excluído da APsaA e orientou-se definitivamente para a dinâmica de grupo.

• Trigant Burrow, *The Biology of Human Conflict*, N. York, Macmillan, 1937; *Preconscious Foundations of Human Experience*, N. York, Basic Books, 1964 • E. James Lieberman, *La Volonté en acte. La Vie et l'oeuvre d'Otto Rank* (N. York, 1985), Paris, PUF, 1991 • Malcolm Pines, "La Dissension dans son contexte", in *Topique*, 57, 191-207.

➢ BION, WILFRED RUPRECHT; ESTADOS UNIDOS; PSICODRAMA; PSICOTERAPIA; TÉCNICA PSICANALÍTICA; TERAPIA DE FAMÍLIA.

Bychowski, Gustav (1895-1972)
psiquiatra e psicanalista americano

Nascido em Varsóvia em uma família judia, Gustav Bychowski era filho de um psiquiatra conhecido: Sigmund Bychowski. Depois de estudar em Varsóvia e em São Petersburgo, fez um curso de filosofia em Heidelberg, depois orientou-se para a psiquiatria, trabalhando com Eugen Bleuler* na Clínica do Hospital Burghölzli. Em 1923, instalou-se em Viena*, e publicou uma obra de inspiração fenomenológica, *Metafísica e esquizofrenia*. Analisou-se com Siegfried Bernfeld* e participou dos trabalhos da Wiener Psychoanalytische Vereinigung (WPV), da qual foi membro entre 1931 e 1938. Como Ludwig Jekels*, foi um dos pioneiros da psicanálise* na Polônia, antes de emigrar para os Estados Unidos*, onde aderiu à New York Psychoanalytic Society (NYPS). Interessou-se particularmente pela terapia das psicoses* e mais tarde por seu tratamento pelo LSD, além de redigir muitos artigos e vários livros.

• Elke Mühlleitner, *Biographisches Lexikon der Psychoanalyse. Die Mitglieder der psychologischen Mittwoch-Gesellschaft und der Wiener psychoanalytischen Vereinigung von 1902-1938*, Tübingen, Diskord, 1992 • Jose Barchillon, "Gustav Bychowski (1895-1972)", *IJP*, vol.54, 1873, 112-3.

C

Cäcilie M., caso

➤ *ESTUDOS SOBRE A HISTERIA*; LIEBEN, ANNA VON.

Canadá

Nesse imenso território sucessivamente colonizado pela França*, pela Inglaterra e pelos Estados Unidos*, constituído em federação a partir de 1867, e profundamente marcado pela religião católica e pelos diversos ramos da Igreja reformada (presbiterianos, luteranos, batistas, metodistas), a psicanálise* nunca se implantou tão bem como nos outros países do continente americano. Quando Ernest Jones* deixou a Grã-Bretanha* no início do século, para se instalar em Toronto, na província de Ontário, com a esperança de desenvolver o freudismo*, só teve fracassos. Em uma carta a Sigmund Freud*, datada de 10 de dezembro de 1908, fez uma descrição assustadora da atmosfera que reinava nessa cidade obcecada por um conservadorismo mesquinho.

Foi a convite de Charles Kirk Clarke*, ex-aluno de Emil Kraepelin*, que Jones foi ao Canadá. Ali, dirigiu o primeiro consultório externo de psiquiatria, onde foi introduzida a prática da psicanálise. Duas correntes dividiam então os adeptos da medicina psíquica, a primeira de inspiração neurológica, a segunda de orientação psiquiátrica. Diante de Clarke, alienista, especialista no tratamento das psicoses*, partidário da nosografia alemã e favorável à autonomia da psiquiatria, Donald Campbell Meyers*, ex-aluno de Jean Martin Charcot* e clínico das neuroses*, preconizava a integração da medicina mental ao hospital geral. Foi criticado por Edward Ryan, que criara uma comissão governamental para transformar os asilos em hospitais. Depois de perder a batalha, abriu uma clínica particular.

Durante toda a sua permanência, Jones não ficaria inativo. Foi aos Estados Unidos, organizou congressos e encontros, fundou em 1911, com Gerald Stinson Glassco*, a American Psychoanalytic Association* (APsaA).

Entretanto, logo teve que enfrentar uma temível campanha, organizada por uma das ligas puritanas do Novo Mundo, que assimilavam o freudismo a um demônio sexual e a psicanálise a uma prática de devassidão e de libertinagem. Em fevereiro de 1911, em uma carta a Freud e em outra a James Jackson Putnam*, contou os boatos extravagantes a seu respeito. Tornando-se um verdadeiro bode expiatório, era acusado de todo tipo de crimes imaginários. Alguns diziam que ele incitava os jovens a se masturbarem, distribuía postais obscenos ou mandava adolescentes de boa família para as prostitutas...

Logo, com o apoio de Sir Robert Alexander Falconer (1867-1943), ministro da Igreja presbiteriana e presidente da Universidade de Toronto, foi processado na justiça pela célebre Emma Leila Gordon (1859-1949), primeira mulher médica do Canadá e membro da puritaníssima Women's Christian Temperance Union. Ela o acusava de ter abusado sexualmente de uma mulher histérica, delirante, homossexual e morfinômana, de quem ele estava tratando e a quem ingenuamente dera dinheiro para que parasse de chantageá-lo. O caso transformou-se em tragédia quando a paciente quis matar Jones com um revólver, tentando suicidar-se depois. Essa mulher foi banida de Ontário, depois de ter sido assim manipulada por uma liga de virtude.

É preciso dizer que esse gênero de histórias acontecia freqüentemente com Jones. Falava de sexualidade com uma incrível brutalidade, multiplicava as suas relações carnais com as mulheres e se interessava pelas prostitutas. Em Londres, já fora acusado por duas crianças, das quais tratava, de ter pronunciado palavras obscenas, e em Toronto a sua reputação tornou-se rapidamente muito má. Efetivamente, vivia sem ser casado com uma jovem morfinômana e excêntrica, Loe Kann, que Freud aliás analisaria. Também era um alvo ideal para os puritanos de todos os gêneros, hostis ao pretenso pansexualismo* freudiano: "A atitude em relação às questões sexuais no Canadá, escreveu a Putnam, quase não tem equivalente na história do mundo: a lama, a repugnância, o nojo são os únicos termos que podem exprimi-la."

Impedido de prosseguir seu trabalho nesse clima de caça às bruxas, Jones pensou instalar-se em Boston. Efetivamente, em 1910, Putnam pensava em lhe obter um posto em Harvard, hesitando ao mesmo tempo em apoiá-lo, em razão de sua tendência excessiva a falar de sexualidade diante de um público reticente. Finalmente, a tentativa não se concretizou e Jones deixou o Canadá durante o verão de 1912, para se instalar em Londres. Durante muitos anos, considerou que sua partida tinha posto fim a qualquer forma de experiência psicanalítica no território canadense. Não estava totalmente errado, mesmo que nunca tenha sido verdadeiramente um "fundador", ao contrário do que pensava.

Com efeito, até 1945, enquanto se produzia um grande movimento de migração dos freudianos da Europa para os Estados Unidos, a psicanálise não se implantou no Canadá. E raros foram os médicos, como Hugh Carmichael, Grace Baker ou Douglas Noble, que emigraram para se formar no estrangeiro. Foi o caso de Clifford Scott, que foi a Londres em 1927 e aderiu à British Psychoanalytical Society (BPS), depois de se formar com Melanie Klein*. A maioria deles retornaria a seu país, para desenvolver a psicanálise segundo os critérios da International Psychoanalytical Association* (IPA). Durante esse tempo, David Slight* fez a viagem em direção inversa. Vindo da Europa,

sucedeu a Jones, não em Toronto, mas em Montreal, para se estabelecer depois em Chicago.

Foi graças à atividade de um imigrante de origem espanhola, Miguel Prados*, que se instituiu a primeira organização freudiana em Montreal, ou seja, na parte francófona do país. Este começou reunindo em sua casa internos do Allan Memorial Institute of Psychiatry, que dependia da famosa Universidade McGill, e formou assim um pequeno cenáculo, a partir do modelo da Sociedade Psicológica das Quartas-Feiras*. No outono de 1946, criou o Círculo Psicanalítico de Montreal, que convidou conferencistas dos Estados Unidos: Edith Jacobson* e Sandor Lorand, notadamente. Essas reuniões permitiram formar psicanalistas, e também divulgar o freudismo entre os trabalhadores em saúde mental.

A partir de 1948, Prados recebeu o apoio do padre Noël Mailloux. Dominicano erudito e católico de esquerda, este abriu um largo caminho para a psicanálise, fundando na Universidade de Montreal um instituto de psicologia. Ali, ministrou um ensino rigoroso, a partir de referências tanto francesas quanto anglófonas. Fez com que seus alunos estudassem, além dos textos de Freud, as obras de Otto Fenichel*. "Que eu saiba, escreveu André Lussier, não há dúvida de que Mailloux é o primeiro homem, um religioso, que implantou eficazmente a psicanálise freudiana no Canadá [...]. Sua fé religiosa não o levava a negar o que quer que fosse essencial em Freud [...]. Nos anos 1945-1950, era preciso ter uma audácia e uma coragem fora do comum para ensinar abertamente a psicanálise em uma universidade pontifical, que tinha à sua frente um reitor eclesiástico e um chanceler cardeal."

Mailloux era realmente audacioso, pois a experiência vivida por Jones no início do século, em um país marcado ao mesmo tempo pelo puritanismo protestante e por um catolicismo fanático, ameaçava renovar-se, como constatou em 1950 a sua aluna Gabrielle Clerk, quando procurou obras de Freud na biblioteca do Parlamento, em Ottawa: "Apresentei-me tranqüilamente ao bibliotecário-chefe, homem encantador, erudito, gentil, que, horrorizado, me respondeu que os textos de Freud não podiam ser postos nas mãos de uma moça; aliás, eles se encontravam em uma seção reservada, à qual só certos leitores tinham acesso. Depois, fiquei sabendo que essa seção era reservada aos livros referentes ao erotismo e à pornografia."

Durante todo esse período, o Círculo Psicanalítico de Montreal desenvolveu uma intensa atividade e foi marcado por uma série de migrações diversas. Muitos conferencistas americanos se deslocaram novamente, entre os quais Richard Sterba*, Edward Bibring*, René Spitz* e principalmente Gregory Zilboorg*, enquanto imigrantes se instalavam no Canadá, e canadenses, formados no estrangeiro, voltavam ao país.

Entre estes, encontravam-se terapeutas que tinham feito cursos na Sociedade Psicanalítica de Paris (SPP). Diante do pensamento norte-americano, eles introduziram em Montreal uma prática clínica diferente, de inspiração ao mesmo tempo francesa, européia e kleiniana. De certa forma, tornar-se-iam os "fundadores" da Sociedade Psicanalítica Canadense. Foi o caso de Theodore Chentrier*, de Jean Baptiste Boulanger, brilhante intelectual de cultura simultaneamente francesa, inglesa e americana, e notável clínico kleiniano, apaixonado por história, de André Lussier, ou ainda de Roger Dufresne, que elaborou a primeira grande bibliografia das obras de Freud, conhecida no mundo inteiro, e enfim de Camille Laurin, que se tornaria ministro da saúde no Quebec. Em 1951, Georges Zavitzianos, terapeuta de origem grega, também formado na SPP, reuniu-se ao círculo, ao qual Eric Wittkover, de origem berlinense e analisado na BPS, já se integrara um ano antes.

Através desse cosmopolitismo, no qual se misturavam todas as correntes do freudismo moderno — kleinismo, *Self Psychology**, *Ego Psychology**, medicina psicossomática*, classicismo à francesa — começavam a desenhar-se os contornos de um movimento psicanalítico propriamente canadense. Foi então que os membros do Círculo se empenharam em um processo de reconhecimento pela IPA, que iria mergulhá-los em terríveis querelas institucionais.

De fato, nessa data a IPA se tornara uma imensa máquina burocrática atacada, no mundo inteiro, por fenômenos de cisões* em cadeia, provocados por conflitos referentes à formação dos psicanalistas ou à questão da análise leiga*. Mas se a batalha estava no auge nas velhas sociedades filiadas à IPA (francesa, inglesa e americana), ela não atingia tanto os grupos ainda não filiados no período entre as duas guerras, que tinham toda uma geração* de atraso em relação aos outros países de implantação freudiana. Ora, para eles, a integração à IPA era absolutamente indispensável, porque só ela conferia um rótulo, tanto doutrinário quanto profissional.

Em 1952, cinco membros do Círculo de Montreal decidiram fundar a Sociedade dos Psicanalistas Canadenses (SPC): Theodore Chentrier, Eric Wittkover, Georges Zavitzianos, Alastair MacLeod e Bruce Ruddick. Todos pertenciam à IPA, através de uma adesão seja à SPP, seja à BPS, seja à New York Psychoanalytic Society (NYPS), e decidiram logo adotar o bilingüismo. A SPC acrescentou portanto a seu título o de Canadian Society of Psychoanalysis (CSP) e filiou-se como grupo de estudos à BPS. Assim, obtinha um reconhecimento por parte da IPA.

Mas esse procedimento foi desaprovado pela poderosa APsaA, que reivindicou soberania sobre o conjunto dos grupos norte-americanos e não admitiu que os canadenses pudessem ser filiados a uma sociedade européia, mesmo anglófona. Apesar da intervenção de Miguel Prados junto à direção da IPA, a APsaA obteve ganho de causa e a BPS renunciou a patrocinar a filiação da SPC, que passou ao controle americano. Em outubro de 1952, para pôr fim à confusão e facilitar o processo de integração, Prados pronunciou a dissolução do Círculo de Montreal. A partir de então, os canadenses perderam toda liberdade e de certa forma foram colonizados pela cultura e pela política das associações norte-americanas.

No ano seguinte, iniciaram-se discussões com a APsaA, mas surgiram novas dificuldades, e assim pediu-se a cada membro da Sociedade canadense que solicitasse uma filiação a título individual. Entretanto, em outubro de 1953, manifestando a sua integração à Commonwealth, os canadenses recusaram-se a se submeter ao procedimento imposto e reafirmaram sua vontade de filiação à BPS. Ao mesmo tempo, decidiram transformar-se oficialmente em sociedade bilíngue e tomar o nome de Sociedade Canadense de Psicanálise/Canadian Psychoanalytic Society (SCP/CPS). Mailloux e Chentrier, os dois eminentes fundadores, foram obrigados a pedir demissão de seus postos de responsabilidade. Não sendo médicos, eles poderiam retardar o processo de reconhecimento do grupo no seio de uma IPA amplamente dominada pelos adversários da psicanálise leiga. Essas negociações burocráticas parecem hoje absurdas, ainda mais porque, em 1954, a Sociedade canadense tinha apenas 12 membros, entre Toronto e Montreal. (Entre eles, apenas dois estavam habilitados a dirigir análises didáticas.)

Em julho de 1957, no congresso de Paris, a SCP/CPS obteve o estatuto de sociedade componente da IPA. Nessa data, alguns psicanalistas tinham se instalado em Vancouver. Três anos depois, em outubro de 1960, foi criado o Instituto Canadense de Psicanálise, ao qual a sociedade delegou suas funções no campo da formação dos didatas. Sete anos depois, a SCP/CPS foi sacudida por uma forte reivindicação de autonomia, que resultou simultaneamente na federação do movimento em diferentes "ramos" (provincianos ou urbanos) e na instalação da Sociedade Psicanalítica de Montreal (SPM), exclusivamente francófona, que propunha um currículo diferente do currículo do ramo anglófono. Na realidade, em alguns anos, a SPM se tornou a ponta de lança de uma renovação da clínica e da teoria freudianas no Canadá, graças à ação conjugada e contraditória de dois homens: o canadense Julien Bigras*, fundador da revista *Interprétation*, e o francês François Peraldi*, introdutor do pensamento lacaniano no Quebec. Entre os membros da SCP/CPS, duas personalidades adquiriram, ao longo dos anos, um renome internacional: Patrick Mahony, por seus trabalhos sobre a história do freudismo, e René Major, fundador da revista *Confrontation*, por seu papel de primeiro plano na SPP entre 1970 e 1980. Vindo de Nova York, o primeiro se instalou em Montreal e fez sua análise com Wittkower, enquanto o segundo deixou Montreal para viver em Paris, onde adotou a nacionalidade francesa, depois de se formar com Bela Grunberger*.

A partir dos anos 1970, a SCP/PCS enfrentou o desenvolvimento no território canadense de muitas escolas de psicoterapias*. O número de seus membros não progredia, em relação à fabulosa expansão das sociedades do norte e do sul da América. Em 1995, para uma população de 29 milhões e meio de habitantes, o Canadá tinha apenas 370 membros (IPA), distribuídos em quatro grandes ramos para três cidades, Montreal (SPM e Quebec English Branch), Toronto, Ottawa e quatro pequenos ramos para as outras privíncias, todas anglófonas: a Western Canada (doze membros), a South Western Ontario Psychoanalytic Society (doze membros), a Psychoanalytic Society of Eastern Ontario (seis membros), a Sociedade Psicanalítica de Quebec-Ville (seis membros). Ou seja, um índice de doze psicanalistas por milhão de habitantes.

Depois de passar por tantos problemas, a SPC/CPS tentou superar suas dificuldades, sobretudo nas grandes cidades e mais especificamente em Montreal, declarando-se aberta a todas as correntes. Daí a implantação na SPM, em torno de Jacques Mauger e de Lise Monette, de um grupo de reflexão sobre o pensamento de Jacques Lacan*, independente de Paris e inspirado inicialmente no ensino de Peraldi. Na universidade, o filósofo Claude Lévesque, próximo de Jacques Derrida, formava estudantes dentro da mesma tendência, introduzindo-os na obra de Georges Bataille (1897-1962).

Como nos Estados Unidos, mas de maneira mais radical ainda, o movimento psicanalítico teve que sofrer, a partir de 1985, os ataques conjugados do cognitivismo, do cientificismo neurofarmacológico e de um puritanismo exacerbado semelhante ao que perseguira Jones no início do século. Foi no âmbito de uma pesquisa feita em Ontário em 1988 por Marie-Lou Mac-Phedran que se reativou uma vez mais o famoso artigo 153 do Código Penal canadense, que proibia todo contato sexual entre qualquer pessoa e um adolescente sob sua dependência. Convencida de que um grande número de abusos sexuais eram cometidos no próprio seio da profissão médica, a pesquisadora desencadeou um processo de inquisição, fazendo campanha junto a mulheres vítimas ou não de abusos, para que elas "confessassem" as relações carnais que tiveram com seus terapeutas. As vítimas (reais ou imaginárias) deram queixas em massa ao Colégio dos Médicos, que foi levado a mandar para os tribunais os colegas culpados.

Sob a pressão de certas ligas feministas (e no clima de um duplo movimento de "correção política" e de conservadorismo que fez estragos nessa época na parte anglófona do continente americano), a noção de "abuso", limitada até então ao estupro, ao constrangimento comprovado (físico ou moral) e ao desvio de menores, foi estendida às relações sexuais entre adultos em situação de poder. Se todas as profissões fundadas nessa relação (professores e alunos, médicos e pacientes, patrões e empregados etc.) se viram então submetidas a uma nova tecnologia da confissão, fundada (mais freqüentemente contra a vontade) nas diversas teorias do gênero* (*gender*), a corporação médica foi a mais afetada pelo dilúvio de queixas: 120 processos por "abuso" em onze anos, entre os quais treze visavam psiquiatras que praticavam a psicanálise, ou seja 5% da profissão, enquanto os casos de transgressão desse tipo não passavam de 1%. De qualquer forma, no seio da comunidade freudiana, que afirmava que a sexualidade*, a transferência* e a fantasia* estavam na própria base da conduta do tratamento, a aplicação dessa lei teve como conseqüência transformar em culpados muitos clínicos do inconsciente*, sem que nunca se pudesse saber de que eram acusados: abusos reais, transgressão de um interdito, história de amor banal etc.

Sabemos que, em todos os países onde o freudismo se implantou, a questão das relações sexuais entre psicanalistas e pacientes sempre foi regulada no próprio interior da comunidade psicanalítica. Simplesmente porque o interdito absoluto e necessário da sexualidade no tratamento só é regulado pela adesão à ética da psicanálise, ela própria fundada no interdito do incesto*, e não pelos tribunais. É verdade que essas transgressões foram muitas vezes recalcadas ou mascaradas pela história oficial, mas nem por isso elas merecem ser assimiladas a delitos.

A confusão entre ética e direito, a ingerência da justiça na gestão das sociedades psicanalíticas puseram recentemente em perigo, nos Estados Unidos e no Canadá, a própria existência do freudismo, mais uma vez violentamente atacado em um contexto puritano por seu pretenso pansexualismo. Daí a estranha impressão de repetição entre as campanhas caluniosas contra Jones em Toronto em 1912 e as loucas imprecações dos anos 1990.

• Cyril Greenland, "Ernest Jones in Toronto, 1908-1913", *Canadian Psychiatric Association Journal*, vol.6, 1, junho de 1961, 132-9 • *L'Introduction de la psychanalyse aux États-Unis. Autour de James Jackson Putnam* (Londres, 1968), Nathan G. Hale (org.), Paris, Gallimard, 1978, 17-86 • Jean Baptiste Boulanger, "Dissidences, sécessions et défections dans l'histoire du mouvement psychanalytique", *Union Médicale du Canada*, 112, 1983, 744-6; "The critical years (1957-1960)", 77*th Annual Meeting of the American Psychoanalytic Association*, Montreal, 5 de maio de 1988, Oral History Workshop, 1988; Arquivos de J.B. Boulanger, Andrew R. Paskauskas, "The Jones-Freud Era (1908-1939)", in *Freud in Exile. Papers on the Origins and Evolution of Psychoanalysis*, Edward Timms and Naomi Segal (org.), New Haven, Yale University Press, 1988, 109-23 • *The Complete Correspondance of Sigmund Freud and Ernest Jones, 1908-1939*, R. Andrew Paskauskas (org.), introdução por Riccardo Steiner, Cambridge, Londres, Harvard University Press, 1993 • Miguel Prados, "Introduction: La Psychanalyse au Canada", *The Canadian Psychoanalytic Review* (ed. bilíngüe), 1, 1954, 3-33 • *Frayages*, número especial sobre o tema "La Naissance de la psychanalyse à Montreal", 1984 • Alan Parkin, *A History of Psychoanalysis in Canada*, Toronto, The Toronto Psychoanalytic Society, 1987 • Phyllis Grosskurth, *O mundo e a obra de Melanie Klein* (1986), Rio de Janeiro, Imago, 1992 • *Bulletin de la Société Psychanalytique de Montréal*, vol.7, outono de 1994 • Claude Lévesque, *Le Proche et le lointain*, Montreal, Vlb, 1994.

➢ ABRAHAM, NICOLAS; BEIRNAERT, LOUIS; ELLENBERGER, HENRI F.; FILIAÇÃO; HISTORIOGRAFIA; IGREJA; SEDUÇÃO, TEORIA DA.

Cárcamo, Celes Ernesto (1903-1990)
psiquiatra e psicanalista argentino

Nascido em La Plata, Celes Cárcamo era de uma família da burguesia católica. Depois de estudar medicina, começou a orientar-se para a psicoterapia*, no serviço de medicina geral dirigido por Mariano Castex, onde assistiu às conferências de James Mapelli, hipnotizador inteligente e cheio de recursos, que não hesitava em declarar: "Prefiro uma única sessão de hipnose a um tratamento psicanalítico de um ano." Foi em contato com esse médico que Cárcamo descobriu a psicanálise*. Tornar-se-ia um excelente clínico, aberto a todas as tendências do freudismo*.

Em 1936, partiu para a Europa, com o apoio do Ministério dos Negócios Estrangeiros argentino. Visitou Hamburgo e Viena, onde ficou conhecendo Anna Freud*. Em Paris, continuou seus estudos de psiquiatria. Graças à recomendação do psiquiatra José Belbey, encontrou-se com Paul Schiff*, com quem fez sua análise didática*, trabalhando ao mesmo tempo no Hospital Sainte-Anne, no serviço de Henri Claude*. Em 1943, recebeu uma carta de Paul Schiff. Sob sua alcunha de participante da Resistência (Herbelot), este lhe pedia ajuda para emigrar para a Argentina. Depois de ter conseguido para ele um convite da faculdade de medicina, Cárcamo ficou sem notícias. Mais tarde, saberia que Schiff tinha se reunido aos Aliados para participar da campanha da Itália*, depois de passar pelo Marrocos.

Fez dois anos de supervisão, um com Rudolph Loewenstein* e o outro com Charles Odier*, e foi eleito membro da Sociedade Psicanalítica de Paris (SPP), depois de apresentar um estudo clínico e um estudo de psicanálise aplicada* sobre a serpente de plumas da religião maia e asteca. Apaixonado por antropologia*, freqüentava o Museu do Homem, onde ficou conhecendo Jacques Soustelle.

Durante sua permanência em Paris, encontrou-se com Angel Garma*. Ambos logo decidiram fundar uma sociedade psicanalítica na Argentina*.

Em 1939, instalou-se em Buenos Aires e trabalhou no Hospital Durand, dando também conferências sobre psicanálise na Sociedade de Homeopatia. Três anos depois, com Marie Langer*, Enrique Pichon-Rivière*, Arnaldo Rascovsky*, Guillermo Ferrari Hardoy e Garma, fundou a Asociación Psicoanalítica Argentina (APA). Depois da crise dos anos 1970, preferiu afastar-se, mas sem pedir demissão, como fez Marie Langer, cujas opiniões críticas compartilhava.

• Celes E. Cárcamo, "Quetzalcoalt, le dieu-serpent à plume de la religion Maya-Aztèque", I, in *Revue Française de Psychanalyse*, vol.11, 2, 1939, 273-93, e II, ibid., vol.12, 1, 1948, 101-24 • Antonio Cucurullo, Haydée Faimberg e Leonardo Wender, "La Psychanalyse en Argentine", in Roland Jaccard (org.), *Histoire de la psychanalyse*, vol.2, Paris, Hachette, 1982, 395-444 •

Jorge Balán, *Cuéntame tu vida. Una biografía colectiva del psicoanálisis argentino*, B. Aires, Planeta, 1991 • Raúl Giordano, *Notice historique du mouvement psychanalytique en Argentine*, monografia para o CES de psiquiatria, sob a direção de Georges Lantéri-Laura, Universidade de Paris-XII, s/d.

Caruso, Igor (1914-1981)
psicanalista austríaco

Nascido na Rússia* em uma família nobre de ascendência italiana, Igor Caruso foi um dos representantes da corrente da psicoterapia existencial e fundador de uma internacional freudiana original, a Internationale Föderation der Arbeitskreise für Tiefenpsychologie*.

Formado em teologia e em filosofia na Universidade de Louvain, na Bélgica*, analisado por Viktor Emil Freiherr von Gebsattel (1883-1976), psicanalista alemão amigo de Rainer Maria Rilke (1875-1926) e de Lou Andreas-Salomé*, o conde Igor Caruso participou em Viena*, depois da Segunda Guerra Mundial, da reconstrução da Wiener Psychoanalytische Vereinigung (WPV), com o barão Alfred von Winterstein* e o conde Wilhelm Solms-Rödelheim. Esses três aristocratas tinham mantido sob o nazismo* o espírito freudiano, sem aceitar a política de colaboração preconizada por Ernest Jones*. Mas, em 1947, Caruso se separou sem traumas da WPV, cuja orientação lhe parecia excessivamente médica, excessivamente materialista, ou seja, excessivamente "americana", para criar o primeiro Círculo de Trabalho vienense sobre a psicologia das profundezas. Mesmo continuando a ser freudiano, não aceitava os padrões de formação da International Psychoanalytical Association* (IPA) e, como Jacques Lacan*, queria dar à psicanálise* uma orientação intelectual, espiritual e filosófica. Assim, considerava-a, à luz da fenomenologia, como um método de edificação da personalidade humana (ou personalismo), destinado não a adaptar o sujeito ao princípio de realidade*, mas a levá-lo a resolver as tensões resultantes da sua relação conflituosa com o mundo.

Grande viajante, Caruso ensinou na Universidade de Salzburgo e foi a vários países da América Latina, onde se desenvolveram os Círculos de Trabalho que fundara.

• Igor Caruso, *Psychanalyse et synthèse personnelle* (Viena, 1952), Paris, Desclée de Brouwer, 1959 • Jean-Baptiste Fagès, *Histoire de la psychanalyse après Freud* (Toulouse, 1976), Paris, Odile Jacob, 1996 • Raoul Schindler, "L'Édification de la personnalité par la psychanalyse: Igor Caruso et les Cercles de Travail sur la Psychologie des Profondeurs", *Austriaca*, 21, novembro de 1985, 101-8.

➢ ANÁLISE EXISTENCIAL; ARGENTINA; BRASIL; CISÃO; VIENA.

castração, complexo de

al. *Kastrationskomplex*; esp. *complejo de castración*; fr. *complexe de castration*; ing. *castration complex*

Termo derivado do latim castratio *e surgido no fim do século XIV para designar a operação pela qual um homem ou um animal é privado de suas glândulas genitais, condição de sua reprodução. Sendo assim, é sinônimo do termo emasculação, mais recente, que o uso contemporâneo tende a privilegiar para designar a remoção real dos testículos. A palavra* ovariectomia *é empregada para designar a retirada dos ovários.*

Sigmund Freud* denominou complexo de castração o sentimento inconsciente de ameaça experimentado pela criança quando ela constata a diferença anatômica entre os sexos.

Foi à grande deusa-mãe da Frígia, Cibele, que se dedicou o primeiro ritual de castração. Mãe de todos os deuses, ela esteve na origem da loucura* de Átis, seu amante e seu filho. Quando este quis se casar, Cibele o impediu e ele se castrou antes de se suicidar. Comemorando o ato de Átis, os adeptos do culto dessa deusa-mãe adquiriram o hábito de se mutilar, em meio à embriaguez e ao êxtase das festas religiosas. Posteriormente praticada na Roma imperial, a castração ou auto-emasculação consistia numa retirada dos testículos e do pênis.

Os progressos do cristianismo suplantaram esses rituais e, em 395, o papa Leão I proibiu todas as práticas de emasculação voluntária. O século XVIII abriu uma exceção para os *castrati* e, ao longo do Iluminismo, as vozes agudas desses rapazes foram postas a serviço da liturgia, a despeito da condenação proferida pelo papa Clemente XIV. Na mesma época, aliás, a castração era praticada na Rússia* pela curiosa seita mística dos Skoptzy (do russo *skopets*,

castrado). Na Índia*, essa prática continua a ter adeptos no século XX, na comunidade dos Hijras.

Numa breve carta a Wilhelm Fliess*, datada de 24 de setembro de 1900, Freud recomenda ao amigo a leitura de um livro de Conrad Rieger dedicado à castração.

Mais tarde, o termo volta a aparecer em *A interpretação dos sonhos**. Confundindo Zeus e Cronos, Freud atribui ao primeiro o ato de emasculação do segundo, quando foi Cronos quem castrou seu pai, Urano. No ano seguinte, na *Psicopatologia da vida cotidiana**, Freud analisou seu erro e, em 1911, acrescentou alguns comentários à reedição da *Interpretação dos sonhos*.

Num texto de 1908, consagrado às teorias sexuais infantis, Freud observa que a primeira das teorias sexuais elaboradas pelas crianças "consiste em atribuir a todos os seres humanos, inclusive os femininos, um pênis como o que o menino conhece a partir de seu próprio corpo". Ao mesmo tempo, ele observa a impossibilidade de o menino imaginar uma pessoa que não possua esse elemento essencial. Evocando o caso do Pequeno Hans (Herbert Graf*), cujo tratamento constituiu o contexto clínico da introdução do conceito de castração em sua teoria, Freud assinala que, confrontado com a anatomia de sua irmã caçula, o menino desrespeita sua percepção e, em vez de constatar a ausência do membro, prevê o crescimento deste. Freud só falaria nessa questão da renegação* muito depois, em 1923, num artigo intitulado "A organização genital infantil", que incorporaria parcialmente, em 1930, em seus *Três ensaios sobre a teoria da sexualidade**.

Somente nesse mesmo texto de 1923 é que o complexo de castração foi inserido no conjunto da teoria freudiana do desenvolvimento sexual. Nesse momento, foi relacionado com o complexo de Édipo* e reconhecido como universal. Para tanto, teve que ser feita a descrição do estádio* fálico, caracterizado pela ausência de representação psíquica do sexo feminino, organizando-se a diferença sexual em torno da posse ou não do falo*: "A oposição", escreveu Freud, "enuncia-se nisto: órgão genital masculino ou castrado."

O complexo de castração compõe-se de duas representações psíquicas. Por um lado, o reconhecimento, que implica a superação da renegação, inicialmente observada, da diferença anatômica entre os sexos. Por outro, como conseqüência dessa constatação, a rememoração ou atualização da ameaça de castração, no caso do menino, ameaça esta que é ouvida ou fantasiada, particularmente por ocasião de atividades masturbatórias, e que assim vem manifestar-se a posteriori*. Para Freud, o pai (ou a autoridade paterna) é o agente direto ou indireto dessa ameaça. Na menina, a castração é atribuída à mãe, sob a forma de uma privação do pênis.

O complexo de castração, além da renúncia parcial à masturbação, implica o abandono dos desejos edipianos: nisso ele assinala, para o menino, a saída do Édipo e a constituição, através da identificação com o pai ou seu substituto, do núcleo do supereu*, o que Freud resume na frase lapidar de 1925: "... o complexo de Édipo naufraga pela ameaça de castração." Na menina, as coisas se passam de outra maneira, como Freud tenta explicar num outro artigo, publicado no mesmo ano e intitulado "Algumas conseqüências psíquicas da distinção anatômica entre os sexos": "Enquanto o complexo de Édipo do menino soçobra sob o efeito do complexo de castração, o da menina é possibilitado e introduzido pelo complexo de castração." É essa entrada no complexo de Édipo, sob o efeito do complexo de castração, que leva a menina a se afastar do objeto materno, a fim de se orientar para o desejo do pênis paterno e, além dele, para a heterossexualidade.

Em textos posteriores, como a "Análise terminável e interminável" e o Esboço de psicanálise*, Freud retorna à questão da castração, para reconhecer a impossibilidade da renúncia completa aos primeiros desejos, e fala, a esse respeito, do "rochedo originário" encontrado em toda análise.

Embora ele mesmo tenha aberto o caminho, num artigo de 1917 dedicado ao erotismo anal, para uma ampliação da imagem da castração além de seu contexto original, postulando uma equivalência, na ordem da separação, entre pênis, fezes e filho, Freud se opõe às diversas formas metafóricas da castração. Em Inibições, sintomas e angústia*, mesmo considerando

com simpatia a tese de Otto Rank* sobre o trauma do nascimento como forma primária da angústia de castração, ele se mantém a distância, como indicam Jean Laplanche e Jean-Bertrand Pontalis, para que o complexo de castração continue a ser pensado na categoria da fantasia*, quando se trata da ameaça, e na do originário, quando se trata da articulação com o Édipo. O complexo de castração, sublinham os mesmos autores, deve também "ser referido à ordem cultural", com o que isso implica em termos da proibição e da lei constitutiva da ordem humana.

Em seu seminário dos anos de 1956-1957, A relação de objeto, Jacques Lacan* trata amplamente, sobretudo mediante uma releitura da análise do Pequeno Hans, do conceito de castração, que ele situa na perspectiva de sua teoria do significante*. Assim, Lacan distingue a castração da frustração* e da privação, situando-as, respectivamente, no tocante ao agente e ao objeto, no contexto das instâncias de sua tópica* do real*, do imaginário* e do simbólico*. A castração opõe-se à privação do ponto de vista do agente: ele é o "Pai real", inatingível e impensável, no sentido em que podemos dizer de um ser que nunca sabemos "com quem estamos lidando realmente", no que concerne à castração; e é o "Pai imaginário", um pai assustador com o qual, ao contrário, lidamos o tempo todo, na vida cotidiana e nos textos de Freud, no que concerne à privação.

Do ponto de vista do objeto, a castração só pode ser a representação simbólica da ameaça de desaparecimento na medida em que esta não concerne ao pênis, objeto real, mas ao falo, objeto imaginário. Esse deslocamento permite a Lacan estabelecer uma inexistência de diferença entre a menina e o menino do ponto de vista do desenrolar do Édipo, ambos desejando, num primeiro momento, ser o falo da mãe, posição incestuosa da qual têm que ser desalojados pelo "Pai simbólico", marca incontornável do significante, antes de se chocarem com o "Pai real", portador do falo e reconhecido como tal pela mãe. Além disso, tal abordagem se abre para a concepção lacaniana da psicose*, na qual a evitação da castração simbólica leva a seu retorno no real.

• Sigmund Freud, *Briefe an Wilhelm Fliess, 1887-1904*, Frankfurt, Fischer, 1986; *Três ensaios sobre a teoria da sexualidade* (1905), *ESB*, VII, 129-237; *GW*, V, 29-145; *SE*, VII, 123-243; Paris, Gallimard, 1987; "Sobre as teorias sexuais das crianças" (1908), *ESB*, IX, 213-32; *GW*, VII, 171-88; *SE*, IX, 205-26; In *La Vie Sexuelle*, Paris, PUF, 1969, 14-27; "Análise de uma fobia em um menino de cinco anos" (1909), *ESB*, X, 15-152; *GW*, VII, 243-377; *SE*, X, 1-147; in *Cinq psychanalyses*, Paris, PUF, 1954, 93-198; "As transformações da pulsão exemplificadas no erotismo anal" (1917), *ESB*, XVII, 159-70; *GW*, X, 402-10; *SE*, XVII, 125-33; in *La Vie sexuelle*, Paris, PUF, 106-12; "A organização genital infantil e da libido: uma interpolação na teoria da sexualidade" (1923), *ESB*, XIX, 179-88; *GW*, XIII, 293-8; *SE*, XIX, 141-5; *OC*, XVI, 303-9; "A dissolução do complexo de Édipo" (1924), *ESB*, XIX, 217-28; *GW*, XIII, 395-402; *SE*, XIX, 173-9; *OC*, XVII, 25-33; "Algumas conseqüências psíquicas da distinção anatômica entre os sexos" (1925), *ESB*, XIX, 309-24; *GW*, XIV, 19-30; *SE*, XIX, 248-8; *OC*, XVII, 189-202; "Análise terminável e interminável" (1937), *ESB*, XXIII, 247-90; *GW*, XVI, 59-99; *SE*, XXIII, 209-53; in *Résultats, idées, problèmes*, vol.2, Paris, PUF, 1985, 231-68; *Esboço de psicanálise* (1938), *ESB*, XXIII, 168-246; *GW*, XVII, 67-138, *SE*, XXIII, 139-207; Paris, PUF, 1967 • Didier Anzieu, *A auto-análise de Freud e a descoberta da psicanálise* (1959), P. Alegre, Artes Médicas, 1989 • Michel Erlich, *La Mutilation*, Paris, PUF, 1990 • André Green, *O complexo de castração* (Paris, 1990), Rio de Janeiro, Imago • Jacques Lacan, *O Seminário, livro 4, A relação de objeto (1956-1957)* (Paris, 1994), Rio de Janeiro, Jorge Zahar, 1995 • Jean Laplanche e Jean-Bertrand Pontalis, *Vocabulário da psicanálise* (Paris, 1967), S. Paulo, Martins Fontes, 1991, 2ª ed. • Philippe Levillain (org.), *Dictionnaire historique de la papauté*, Paris, Fayard, 1994 • Michel Poizat, *L'Opéra ou le cri de l'ange*, Paris, Métailié, 1986; *La Voix du diable*, Paris, Métailié, 1991 • Otto Rank, *Le Traumatisme de la naissance* (1923), Paris, Payot, 1960.

➢ OBJETO, RELAÇÃO DE; OBJETO (PEQUENO) a; PULSÃO; SEXUALIDADE FEMININA; TRANSEXUALISMO.

catarse

Palavra grega utilizada por Aristóteles para designar o processo de purgação ou eliminação das paixões que se produz no espectador quando, no teatro, ele assiste à representação de uma tragédia. O termo foi retomado por Sigmund Freud* e Josef Breuer*, que, nos Estudos sobre a histeria**, chamam de método catártico o procedimento terapêutico pelo qual um sujeito consegue eliminar seus afetos patogênicos e então ab-reagi-los, revivendo os acontecimentos traumáticos a que eles estão ligados.*

Fazia séculos que a noção de catarse era objeto de uma discussão interminável, tanto no campo da estética quanto no da filosofia. Em 1857, Jacob Bernays (1824-1881), tio de Martha Bernays, futura mulher de Sigmund Freud*, publicou um livro de medicina sobre o assunto. Opondo-se a Lessing (1729-1781), que dera ao termo uma interpretação moral, fazendo da catarse um "expurgo" ou uma "purificação", Bernays sublinhou que Aristóteles, filho de médico, havia-se inspirado no *corpus* hipocrático. Daí a idéia de que o tratamento devia fazer surgir o elemento opressivo, para provocar um alívio, em vez de fazê-lo regredir através de uma transformação ética do sujeito*. Tratava-se de fazer com que saísse do sujeito, através da fala, um segredo patogênico, consciente ou inconsciente, que o deixava em estado de alienação.

Entre 1857 e 1880, foi publicado sobre essa idéia um número considerável de trabalhos em língua alemã, inspirados no de Bernays. Em Viena*, onde grassava o niilismo terapêutico, as teses de Bernays foram submetidas a diversos exames críticos, e foi na esteira dessa grande onda da catarse que Josef Breuer e Sigmund Freud, ambos marcados pelo ensino aristotélico de Franz Brentano*, recorreram a essa idéia.

Esta surgiu em sua pena pela primeira vez em 1893, juntamente com a de ab-reação*, na "Comunicação preliminar" que, dois anos depois, serviria de capítulo inaugural para os *Estudos sobre a histeria*: "A reação do sujeito que sofre algum prejuízo só tem um efeito realmente 'catártico' quando é de fato adequada, como na vingança. Mas o ser humano encontra na linguagem um equivalente do ato, equivalente graças ao qual o afeto pode ser 'ab-reagido' mais ou menos da mesma maneira."

Como sublinhou Albrecht Hirschmüller em 1978, fazia muito tempo que os dois autores empregavam esse termo. No entanto, foi a Breuer que coube a invenção do método. Freud o utilizou, por sua vez, no tratamento de Emmy von N. (Fanny Moser*).

Na França*, também Pierre Janet* tinha inventado, mais ou menos na mesma época, um método muito próximo desse — recordação de uma lembrança e ab-reação —, ao qual dera o nome de dissociação verbal ou desinfecção moral. Assim, ele reivindicou uma prioridade para sua invenção. Foi por isso que, para evitar uma disputa pela prioridade entre Paris e Viena,

Breuer, instigado por Freud, apresentou o caso Anna O. (Bertha Pappenheim*) como sendo o protótipo de um tratamento catártico. Os trabalhos da historiografia* acadêmica, inaugurados por Henri F. Ellenberger* e prosseguidos por Hirschmüller, permitiram que se restabelecesse a verdade a respeito desse caso *princeps*.

Além dessa querela de prioridade, existe uma diferença radical entre o procedimento de Janet e o de Breuer. Ainda que, em ambos os casos, o médico interrogue o paciente sob hipnose* para ganhar acesso às representações inconscientes, Janet procede por sugestão*, sem investigar o evento inicial que responde pelo efeito patogênico, ao passo que Breuer, ao contrário, procura o elemento original para ligá-lo aos afetos e provocar a ab-reação. Do ponto de vista teórico, portanto, são poucas as semelhanças existentes entre os dois métodos.

Na história da psicanálise*, o método catártico deriva do campo do hipnotismo. Foi ao se desligar progressivamente da prática da hipnose*, entre 1880 e 1895, que Freud passou pela catarse, para inventar o método psicanalítico propriamente dito, baseado na associação livre*, ou seja, na fala e na linguagem.

• Aristóteles, *Poética* (Paris, 1968), S. Paulo, Ars Poética, 1993, 2ª ed. (bilíngüe) • Pierre Janet, *L'Automatisme psychologique* (1889), Paris, Alcan, 1973(reimp.) • Henri-Jean Barraud, *Freud e Janet. Étude comparée*, Toulouse, Privat, 1971 • Jean Laplanche e Jean-Bertrand Pontalis, *Vocabulário da psicanálise* (Paris, 1967), S. Paulo, Martins Fontes, 1991, 2ª ed. • Pierre Somville, *Essai sur la poétique d'Aristote et sur quelques aspects de sa postérité,* Paris, Vrin, 1975 • Henri F. Ellenberger, *Histoire de la découverte de l'inconscient* (N. York, Londres, 1970, Villeurbanne, 1974), Paris, Fayard, 1994 • Albrecht Hirschmüller, *Josef Breuer* (Berna, 1978), Paris, PUF, 1991.

➢ *ACTING OUT*; ASSOCIAÇÃO VERBAL; BENEDIKT, MORIZ; BERNHEIM, HIPPOLYTE; FREUD, MARTHA.

catexia

➢ INVESTIMENTO.

cena primária (ou originária)

al. *Urszene*; esp. *escena primitiva*; fr. *scène primitive*; ing. *primal scene*

O termo *Urszene* aparece na pena de Sigmund Freud* em 1897. A partir daí, teria sempre a mesma significação: designa a relação sexual entre os pais, tal como pode ser vista ou fantasiada pela criança, que a interpreta como um ato de violência, ou mesmo de estupro, por parte do pai contra a mãe. A mais extraordinária cena primária da história da psicanálise foi descrita por Freud a propósito do Homem dos Lobos (Serguei Constantinovitch Pankejeff*).

• Sigmund Freud, *La Naissance de la psychanalyse* (Londres, 1950), Paris, PUF, 1956 • Jean Laplanche e Jean-Bertrand Pontalis, *Fantasia originária, fantasia das origens, origens da fantasia* (Paris, 1964), Rio de Janeiro, Jorge Zahar, 1988.

➢ FANTASIA; SEDUÇÃO, TEORIA DA; SEXUALIDADE; *TOTEM E TABU.*

censura

al. *Zensur*; esp. *censura*; fr. *censure*; ing. *censorship*

Instância psíquica que proíbe que emerja na consciência um desejo* de natureza inconsciente e o faz aparecer sob forma travestida.

O termo censura foi empregado por Sigmund Freud* pela primeira vez em dezembro de 1897, numa carta a Wilhelm Fliess*, onde ele comparou o absurdo de certos delírios ao fenômeno clássico da censura na política: "Você já teve, algum dia, a oportunidade de ver um jornal estrangeiro censurado pelos russos na passagem pela fronteira? Palavras, frases, parágrafos inteiros são tarjados de preto, de modo que a carta se torna ininteligível." Essa idéia da tarja e da ilegibilidade foi retomada em 1900, em *A interpretação dos sonhos**, para designar os disfarces impostos à expressão do sonho — condensação* e deslocamento* — pelo processo do recalque*.

No âmbito da primeira concepção tópica* do aparelho psíquico (1900-1920), a censura é exercida, por um lado, entre o inconsciente* e o pré-consciente*, e por outro, entre o pré-consciente e a consciência*: assim, a cada progresso para um nível superior de organização psíquica corresponde uma nova censura.

A partir de 1914, em "Sobre o narcisismo: uma introdução", Freud começou a identificar a censura com uma consciência moral, o que mais tarde o levaria, no contexto de sua segunda tópica do aparelho psíquico (1920-1939), a identificar a censura com o supereu*, isto é, com uma instância que funciona como um "censor do eu*".

- Sigmund Freud, "Sobre o narcisismo: uma introdução" (1914), *ESB*, XIV, 89-122; *GW*, X, 138-70; *SE*, XIV, 73-102; in *La Vie sexuelle*, Paris, PUF, 1969, 80-105; "O inconsciente" (1915), *ESB*, XIV, 191-233; *GW*, X, 263-303; *SE*, XIV, 159-204; *OC*, XIII, 205-43; *La Naissance de la psychanalyse* (Londres, 1950), Paris, PUF, 1956.

➤ *EU E O ISSO, O.*

Charcot, Jean Martin (1825-1893)
médico e neurologista francês

O nome de Jean Martin Charcot é inseparável da história da histeria*, da hipnose* e das origens da psicanálise*, e também daquelas mulheres loucas, expostas, tratadas e fotografadas no Hospital da Salpêtrière, em suas atitudes passionais: Augustine*, Blanche Wittmann, Rosalie Dubois, Justine Etchevery. Essas mulheres, sem as quais Charcot não teria conhecido a glória, eram todas oriundas do povo. Suas convulsões, crises, ataques, suas paralisias eram sem dúvida alguma de natureza psíquica, mas também eram conseqüência de traumas de infância, estupros, abusos sexuais. Em suma, da miséria da alma e do corpo, tão bem descrita pelo mestre nas suas *Lições da terça-feira*.

Essa miséria foi descrita pelo talento de Désiré-Magloire Bourneville (1840-1909), cujo destino foi inseparável do de Charcot. Médico, socialista e anticlerical, foi aluno e editor do "César" da Salpêtrière e militou pelo melhoramento das condições dos internos. Foi ele que instituiu, com Paul Regnard, a *Iconografia fotográfica da Salpêtrière*, verdadeiro laboratório das representações visuais da histeria.

Último grande representante da primeira psiquiatria dinâmica* e rival de Hippolyte Bernheim*, Charcot teve um papel fundamental na formação do jovem Sigmund Freud*, que assistiu maravilhado às suas demonstrações clínicas na Salpêtrière entre outubro de 1885 e fevereiro de 1886. Depois, trocou com ele várias cartas e traduziu o primeiro volume das *Lições da terça-feira*. No ano de sua morte, em 1893, consagrou-lhe um belo necrológio, no

qual escreveu: "Ele não era alguém que fazia elucubrações, nem um pensador, mas uma natureza artisticamente dotada segundo os seus próprios termos, um visual, um vidente." Freud comparava Charcot a Georges Cuvier (1769-1832), e opunha sua trajetória experimental à da clínica alemã: "Estávamos um dia com um pequeno grupo de estrangeiros que, educados na fisiologia acadêmica alemã, o importunávamos discutindo suas inovações clínicas. 'Mas isso não é possível', objetou um de nós, 'isso contradiz a teoria de Young-Helmholtz'. Ele não replicou: 'Pior para a teoria, os fatos clínicos têm prioridade' etc., mas disse categoricamente, o que nos causou uma grande impressão: 'Teoria é bom, mas isso não impede de existir'."

Charcot nasceu em Paris. Seu pai era fabricante de carruagens e lhe transmitiu seus talentos de desenhista. Orientou-se para a medicina com a ajuda de Pierre Rayer, médico pessoal do imperador Napoleão III. Médico dos hospitais e depois professor de medicina, foi nomeado em 1862 como chefe de serviço na Salpêtrière, onde estudou, com Alfred Vulpian, as doenças neurológicas. Graças ao método anátomo-clínico, descreveu a doença que levaria o seu nome: esclerose lateral amiotrófica. Por seus trabalhos, seria nomeado professor de clínica de doenças nervosas na cátedra de neurologia, a primeira no mundo, criada para ele por Léon Gambetta (1838-1882).

Foi em 1870 que se interessou pela histeria, por ocasião de uma reorganização dos setores do hospital. De fato, a administração tomou a decisão de separar os alienados dos epiléticos (não-alienados) e das histéricas. Como essas duas últimas categorias de doentes apresentavam sinais convulsivos idênticos, decidiu-se reuni-los em uma seção especial: a seção dos epiléticos simples.

Na seqüência direta do olhar anátomo-clínico herdado de Claude Bernard (1813-1878), Charcot inaugurou assim um modo de classificação que distinguia a crise histérica da crise epilética e permitia à doente histérica escapar da acusação de simulação. Assim, abandonou a definição antiga de histeria, para substituí-la pelo conceito mais moderno de neurose*. Reduziu esta a uma origem traumática com ligação com o sistema genital, e depois demonstrou a existência da histeria masculina traumática, muito discutida na época, em Viena* e em Paris. Em outras palavras, ele fazia da histeria uma doença nervosa e funcional, de origem hereditária e orgânica. E para distingui-la, uma vez por todas, da simulação, recorreu à hipnose: adormecendo as mulheres na Salpêtrière, fabricava sintomas histéricos experimentalmente, fazendo-os desaparecer imediatamente, provando assim o caráter neurótico da doença. Foi nesse ponto que seria atacado por Bernheim.

Para explicar que a histeria não era uma doença do século, mas um mal estrutural, submetido a uma nosografia específica, Charcot mostrou que as suas marcas eram detectáveis nas obras de arte do passado. Por isso, em 1887, publicou *Os demoníacos na arte*, em colaboração com seu aluno Paul Richer (1849-1933). Para ele, tratava-se de encontrar nas crises de possessão e nos êxtases os sintomas de uma doença que ainda não recebera a sua definição científica. O estudo do quadro de Rubens representando santo Inácio curando os possuídos lhe forneceu assim a ocasião de descrever, com inúmeros detalhes, os períodos do grande ataque histérico: a "fase epileptóide", quando a doente se contraía em uma bola e dava uma volta completa em torno de si mesma, a "fase de clownismo", com seu movimento em arco de círculo, a "fase passional", com seus êxtases, e enfim o "período terminal", com suas crises de contraturas generalizadas. A isso Charcot acrescentava uma variedade "demoníaca" da histeria: aquela em que a Inquisição via os sinais da presença do diabo no útero das mulheres.

Em um quadro célebre pintado por André Brouillet (1857-1920) e apresentado no Salão de 1887, sob o título *Uma lição clínica na Salpêtrière*, pode-se imaginar uma espécie de romance familiar* da descendência de Charcot, comparável ao que seria o sonho* da "injeção de Irma*'" na história da psicanálise. Vê-se um Charcot tão legendário quanto o Philippe Pinel (1745-1826) representado em 1878 por Tony Robert-Fleury (1837-1912), provocando os sintomas nos alienados, em 1895. Esse Charcot apresenta um caso de grande histeria a um público composto de médicos e intelectuais de renome. Atrás dele, encontra-se Joseph Babinski*, o favorito que destruiria a sua teoria, para

fundar a neurologia moderna. Está segurando uma mulher desfalecida (Blanche Wittmann), que quase cai sobre uma maca. Nem Pierre Janet* nem Freud aparecem no quadro. Entretanto, seriam os principais herdeiros da doutrina francesa da histeria.

• Jean Martin Charcot, *Leçons sur les maladies du système nerveux faites à la Salpêtrière*, Paris, Delahaye, 3 vols., 1872-1887; *Leçons du mardi à la Salpêtrière*, Policlinique, t.I, 1887-1888, t.II, 1888-1889, Paris, Lecrosnier et Babé, 1892; "La Foi qui guérit" (1892), in *Les Démoniaques dans l'art*, Paris, Macula, 1984; *L'Hystérie*, textos escolhidos e apresentados por Étienne Trillat, Toulouse, Privat, 1971 • Jean Martin Charcot e Paul Richer, *Les Démoniaques dans l'art* (1887), Paris, Macula, 1984 • *Iconographie photographique de la Salpêtrière*, Désiré-Magloire Bourneville e Paul Regnard (org.), Paris, Bureaux du Progrès Médical, Delahaye e Lecrosnier, t.I, 1876-1877, t.II, 1878, t.III, 1879-1880 • Sigmund Freud, "Charcot" (1893), *ESB*, III, 21-38; *GW*, I, 21-35; *SE*, III, 7-23; in *Résultats, idées, problèmes*, I, Paris, PUF, 1984, 61-75; "Prefácio e notas de rodapé à tradução de *Leçons du mardi*, de Charcot (1892-1894)", *ESB*, I, 191-207; Leipzig, Viena, Deuticke, 1892-1984; *SE*, I, 1966 • Georges Guillain, J.M. Charcot, *sa vie, son oeuvre*, Paris, Masson, 1935 • Ola Andersson, *Freud avant Freud. La Préhistoire de la psychanalyse* (Estocolmo, 1962), Paris, Synthélabo, col. "Les empêcheurs de penser en rond", 1997 • Henri F. Ellenberger, *Histoire de la découverte de l'inconscient* (N. York, Londres, 1970, Villeurbanne, 1974), Paris, Fayard, 1994 • Gladys Swain, *Le Sujet de la folie*, Toulouse, Privat, 1977 • Élisabeth Roudinesco, *História da psicanálise na França*, vol.1 (Paris, 1982), Rio de Janeiro, Jorge Zahar, 1988 • Georges Didi-Huberman, *L'Invention de l'hystérie. Charcot et l'iconographie photographique de la Salpêtrière*, Paris, Macula, 1982 • "Mon cher docteur Freud: Charcot's unpublished correspondance to Freud, 1888-1893", anotações, tradução e comentários de Toby Gelfand, in *Bulletin of the History of Medecine*, 62, 1888, 563-88 • Michel Bonduelle, Toby Gelfand, Christopher G. Goetz, *Charcot, un grand médecin dans son siècle*, Paris, Michalon, 1996.

➤ BAUER, IDA; ELLENBERGER, HENRI F.; ESTUDOS SOBRE A HISTERIA; HAITZMANN, CHRISTOPHER; IGREJA; LAIR LAMOTTE, PAULINE; LIEBEN, ANNA VON; LOUCURA; MESMER, FRANZ ANTON; PAPPENHEIM, BERTHA; PSIQUIATRIA DINÂMICA.

Chentrier, Théodore (1887-1965)
psicanalista canadense

Nascido em Marselha, de pai provençal e mãe de origem espanhola, Théodore Chentrier foi amigo e admirador dos escritores de extrema direita francesa Léon Bloy (1846-1917), Charles Maurras (1868-1952) e Léon Daudet (1867-1942). Apaixonado por línguas, literatura, grafologia e lingüística, falava correntemente provençal, russo, inglês, sérvio e chinês. Inicialmente professor de latim e grego na classe de retórica de um liceu parisiense, orientou-se para a psicanálise* durante o período entre as duas guerras e se interessou pela infância e pela adolescência. Freqüentou os amigos de René Laforgue* — René Allendy*, Juliette Favez-Boutonier*, Maryse Choisy (1903-1979) e principalmente o padre Paul Jury (1878-1953), de quem se tornou amigo íntimo. Em julho de 1931, começou sua análise com Rudolph Loewenstein*. Dois anos depois, tornou-se membro aderente da Sociedade Psicanalítica de Paris (SPP). Graças a Daniel Lagache*, que o recomendou ao padre Noël Mailloux, pôde obter, durante o inverno de 1948-1949, um lugar de professor no departamento de psicologia da Universidade de Montreal. Quando da criação da Sociedade Canadense de Psicanálise em 1952, foi o único dos cinco fundadores a ser reconhecido como psicanalista pela International Psychoanalytical Association* (IPA). Tornando-se presidente da Sociedade, preferiu demitir-se para não prejudicar, pela sua condição de não-médico, as negociações que iriam resultar no reconhecimento do grupo pela IPA.

• Arquivos Jean-Baptiste Boulanger.

➢ BIGRAS, JULIEN; CANADÁ; CLARKE, CHARLES KIRK; GLASSCO, GERALD STINSON; IGREJA; MEYERS, DONALD CAMPBELL; PERALDI, FRANÇOIS; PRADOS, MIGUEL; SLIGHT, DAVID.

Chertok, Léon, *né* Lejb Tchertok (1911-1991)
médico e psicanalista francês

Esse médico e hipnotizador, personagem pitoresco e amante da heresia, nasceu em Lida, perto da fronteira lituana, em uma família de comerciantes judeus. Já falava três línguas quando partiu para Praga, aos vinte anos. Ali, estudou medicina e em 1933 tornou-se militante ativo da luta anti-nazista, tendo comunistas poloneses como companheiros. Em julho de 1939, estava em Paris para continuar a luta e,

em maio de 1941, entrou na clandestinidade sob o nome de Alex. No Movimento Nacional contra o Racismo, emanação da seção judaica da Mão de Obra Imigrante (MOI), organizou meios destinados a salvar crianças judias da deportação. Assim, fabricou documentos falsos e entrou em contato com Leopold Trepper, o famoso chefe da rede Orquestra Vermelha.

Depois da Libertação, orientou-se para a psicanálise* e para a psicossomática. Começou a seguir um currículo clássico na Sociedade Psicanalítica de Paris (SPP): análise com Jacques Lacan*, supervisões* com Marc Schlumberger (1900-1977) e Maurice Bouvet*. Decidiu então tornar-se hipnotizador e reabilitar o hipnotismo, negando que Sigmund Freud* tivesse realmente abandonado essa prática e acusando seus herdeiros de desconhecê-la. Redigiu com Raymond de Saussure* uma obra consagrada às origens da psicanálise e associou-se à organização de um simpósio sobre o inconsciente* em Tbilissi, na Geórgia (URSS), que se realizou em outubro de 1979.

• Léon Chertok, *Mémoires d'un hérétique*, Paris, La Découverte, 1991 • Léon Chertok e Raymond de Saussure, *Naissance du psychanalyste* (1973), Paris, Synthélabo, col. "Les empêcheurs de penser en rond", 1997.

Chestnut Lodge Clinic
➢ *BORDERLINE*; ESTADOS UNIDOS; FROMM-REICHMANN, FRIEDA; SULLIVAN, HARRY STACK.

chiste
➢ *CHISTES E SUA RELAÇÃO COM O INCONSCIENTE, OS.*

Chistes e sua relação com o inconsciente, Os
Livro de Sigmund Freud*, publicado pela primeira vez em 1905, sob o título Der Witz und seine Beziehung zum Unbewussten. Traduzido para o francês pela primeira vez em 1930, por Marie Bonaparte* e Marcel Nathan, sob o título Le Mot d'esprit et ses rapports avec l'inconscient, e depois traduzido por Denis Messier, em 1988, sob o título Le Mot d'esprit et sa relation à l'inconscient. Traduzido pela primeira vez para o inglês em 1916, por Abraham

Arden Brill*, sob o título **Wit and its Relation to the Unconscious**, *e mais tarde, em 1960, por James Strachey*, sob o título **Jokes and their Relation to the Unconscious.**

Sigmund Freud tinha paixão por aforismos, trocadilhos e anedotas judaicas, e não parou de colecioná-los ao longo de toda a sua vida. Como inúmeros intelectuais vienenses — Karl Kraus*, por exemplo —, era dotado de um senso de humor corrosivo e adorava as histórias das *Schadhen* (casamenteiras judias) ou dos *Schnorrer* (pedintes), através das quais se exprimiam, por meio do riso, os principais problemas da comunidade judaica da Europa Central, confrontada com o anti-semitismo. Sob esse aspecto, como sublinha Henri F. Ellenberger*, seu livro sobre o chiste é um pequeno monumento à memória da vida vienense: ali ele conta histórias de dinheiro e sonhos de glória, e piadas referentes ao sexo, à família, ao casamento etc.

Em múltiplas ocasiões, Freud serviu-se do *Witz* (chiste) tanto para zombar de si mesmo quanto para expressar a seu círculo o quanto podia rir das realidades mais sombrias. Assim, em 21 de setembro de 1897, depois de haver explicado a Wilhelm Fliess* sua renúncia à teoria da sedução*, encerrou sua carta com esta alusão a uma piada de *Schadhen*: "Rebeca, tire o vestido, você não está mais noiva." O adjetivo noiva foi escrito em iídiche (*kalle*) e a frase significava que Freud, tendo resolvido mudar de orientação teórica, estava inteiramente nu, qual uma moça abandonada pelo noivo na véspera do casamento. Quarenta e um anos depois, no fim da vida, forçado a abandonar Viena*, ele assinou sob coação uma declaração pela qual reconhecia que os funcionários do partido nazista haviam-no tratado corretamente. Pois bem, segundo a lenda, retomada por seu filho Martin Freud* e, mais tarde, por Ernest Jones*, ele teria acrescentado: "Posso recomendar cordialmente a Gestapo a todos."

Freud apoiou-se em histórias do gueto para estabelecer um elo entre o mecanismo do sonho* e as diversas modalidades do riso. Em outras palavras, partiu de anedotas específicas de uma comunidade para propor uma análise do chiste cujo alcance é universal. Fossem quais fossem suas modalidades, com efeito, o *Witz* era, a seu ver, como que uma expressão do

inconsciente*, identificável em todos os indivíduos.

Após *A interpretação dos sonhos** e a *Psicopatologia da vida cotidiana**, *Os chistes e sua relação com o inconsciente* foi a terceira grande obra de Freud dedicada à elaboração de uma nova teoria do inconsciente. Foi preciso completá-la com os *Três ensaios sobre a teoria da sexualidade**. Redigido na mesma época e publicado no mesmo ano, esse quarto livro acrescentou ao edifício freudiano uma nova doutrina da sexualidade* e trouxe para a questão do chiste um esclarecimento essencial, porquanto sublinhou o aspecto infantil ou polimorfo da sexualidade humana que é encontrado nos jogos de linguagem.

Foi a leitura, em 1898, do livro de Theodor Lipps (1851-1914), *Komik und Humor*, que incitou Freud a dedicar um livro a esse tema. Do trabalho desse filósofo alemão, herdeiro do romantismo, Freud preservou a adequação entre o psiquismo e o inconsciente. Isso não o impediu de encontrar outras fontes de inspiração: Georg Christoph von Lichtenberg (1851-1914), Cervantes, Molière e Heinrich Heine (1797-1856), entre outros.

O texto divide-se em três partes, uma analítica, a seguinte sintética, e a última, teórica. Freud estuda primeiramente a técnica do chiste, para em seguida mostrar o mecanismo de prazer que este emprega. Por fim, descreve o aspecto social do chiste e sua relação com o sonho e com o inconsciente.

Dentre os diferentes *Witze*, Freud distingue os inofensivos dos tendenciosos, tendo estes por móbil a agressividade, a obscenidade ou o cinismo. Quando atingem seu objetivo, os chistes, que requerem a presença de pelo menos três pessoas (o autor da piada, seu destinatário e o espectador), ajudam a suportar os desejos recalcados, fornecendo-lhes um modo de expressão socialmente aceitável. Além desses, segundo Freud, existe um quarto móbil, mais terrível que os outros três: o ceticismo. Os chistes desse registro empregam o contra-senso e atacam não uma pessoa ou uma instituição, mas a certeza do juízo. Mentem quando dizem a verdade e dizem a verdade através da mentira, como ilustra esta historieta judaica: "Numa estação da Galícia, dois judeus encontram-se num trem. —

Onde você vai? — pergunta um. — A Cracóvia — responde o outro. — Mas, vejam só que mentiroso! — exclama o primeiro, enfurecido. — Se você está dizendo que vai a Cracóvia, com certeza é porque quer que eu acredite que está indo a Lemberg. Só que eu sei que você está indo mesmo a Cracóvia. Então, por que mente?"

Enquanto o sonho é a expressão da realização de um desejo* e de uma evitação do desprazer, que leva a uma regressão para o pensamento em imagens, o chiste é produtor de prazer. Se recorre aos mecanismos de condensação* e deslocamento*, caracteriza-se, antes de mais nada, pelo exercício da função lúdica da linguagem, cujo primeiro estádio seria a brincadeira infantil e o segundo, o gracejo.

Depois de examinar todas as formas do cômico, desde as mais ingênuas até as mais complexas, Freud conclui sua exposição com um estudo da prática do humor. De Mark Twain (1835-1910) a *Dom Quixote*, distingue o humor, o cômico e o chiste propriamente dito. Todos três, afirma ele, remetem o homem ao estado infantil, pois "a euforia que almejamos atingir por esses caminhos não é outra coisa senão o humor (...) de nossa infância, idade em que desconhecíamos o cômico, éramos incapazes de espiritualidade e não precisávamos do humor para nos sentirmos felizes na vida".

Freud não dava grande importância a esse livro volumoso, que considerava como um ensaio de psicanálise aplicada* à criação literária e no qual quase não introduziu modificações ao longo dos anos. Aliás, era freqüente sublinhar que ele era uma digressão em relação à *Interpretação dos sonhos*. O livro não teve uma acolhida entusiástica e os mil exemplares da primeira edição só se esgotaram sete anos depois. Foi inspirado nesse livro que o desenhista Ralph Steadman compôs, em 1979, um álbum humorístico sobre a vida de Freud, cujas imagens percorreram o mundo inteiro.

Em 1958, Jacques Lacan* foi o primeiro grande intérprete da história do freudismo a se interessar de um modo novo por esse livro e a conferir ao *Witz* o estatuto de um conceito. Em sua célebre conferência "A instância da letra no inconsciente", qualificou *Os chistes* de texto "canônico" e fez dessa obra a última parte de uma espécie de trilogia, que abarcaria *A interpretação dos sonhos* e a *Psicopatologia da vida cotidiana*. No mesmo ano, em seu seminário *As formações do inconsciente*, traduziu a palavra *Witz* por *trait d'esprit* [dito ou tirada espirituosos], e propôs uma interpretação pessoal da história narrada por Freud e retirada das *Imagens de viagem* de Heinrich Heine. Essa narrativa punha em cena um personagem saboroso, Hirsch-Hyacinth, vendedor de bilhetes de loteria e calista em Hamburgo, que se vangloriou com o poeta de ter sido tratado *familionariamente* pelo rico barão de Rothschild. Nesse chiste, criado por um erro (inconsciente) a partir de familiar e milionário, Freud viu o resultado de um processo de condensação semelhante ao encontrado no trabalho do sonho.

Querendo destacar a relação entre o inconsciente e a linguagem, Lacan efetuou uma leitura estrutural da noção freudiana de condensação. Assemelhou-a a uma metáfora, fazendo do dito espirituoso um significante*, isto é, a marca pela qual surge num discurso um "rasgo" [*trait*] de verdade que procuramos mascarar. No caso de Hirsch-Hyacinth, o desejo de "ter um milionário na palma da mão", impossível de objetivar, exprimiu-se através do jogo de palavras *familionário*.

Por essa perspectiva, o livro de 1905 tornou-se uma etapa fundamental na elaboração da teoria freudiana do inconsciente. Lacan deu a entender que Freud teria percebido, antes das descobertas da lingüística moderna, uma relação entre as leis de funcionamento da linguagem e as do inconsciente.

Tal como Freud, Lacan tinha um humor corrosivo. Adorava trocadilhos e toda sorte de piadas construídas segundo o modelo das histórias judaicas. Foi um mestre do *Witz*, do trocadilho e do aforismo e, acima de tudo, de maneira mais feroz do que Freud, soube manejar a técnica da "figuração pelo contrário", como é atestado por sua portentosa fórmula sobre a relação amorosa: "O amor é dar o que não se tem a alguém que não o quer."

A tradução do termo alemão *Witz* foi objeto de polêmicas entre os freudianos de língua inglesa e de língua francesa. Em 1916, Abraham Arden Brill redigiu a primeira versão do livro em inglês e escolheu a palavra *wit* como equivalente de *Witz*, com o risco de restringir a significação do chiste à espirituosidade intelectual, no sentido como dizemos que alguém "tem espírito", ou "é uma pessoa espirituosa", ou "faz tiradas oportunas". Opondo-se a essa redução, James Strachey preferiu, em 1960, o vocábulo *joke*, que ampliou a significação do termo, estendendo-o até a blague, a brincadeira ou a farsa, com o risco de dissolver o dito espirituoso, ou seja, o aspecto intelectual do *Witz* freudiano, no campo mais vasto das diferentes formas de expressão do cômico. Na verdade, por trás dessa querela perfilava-se uma luta ideológica entre os ingleses e os norte-americanos pela apropriação da obra freudiana. É que Brill havia procurado, em sua tradução, "adaptar" o pensamento freudiano ao espírito de além-Atlântico, transformando certas blagues judaicas em piadas norte-americanas. Strachey, ao contrário, opondo-se a Brill, reivindicava uma fidelidade maior tanto ao texto freudiano quanto à língua inglesa (e não norte-americana) e à história vienense.

Na França, foi Lacan, contrariando Marie Bonaparte*, quem procurou traduzir *Witz* por *trait d'esprit*, assim dissociando o *trait* [rasgo, traço], como significante, do *esprit* [intelecto, engenho, espírito]. A partir daí, os lacanianos, fascinados pelos trocadilhos do mestre, privilegiaram o termo *Witz*, preferencialmente a chiste, como se o emprego do termo alemão permitisse remeter o *Witz* freudiano a uma função simbólica da linguagem, a um traço significante não redutível à diversidade das línguas. Em 1988, quando do lançamento da excelente tradução de Denis Messier, Jean-Bertrand Pontalis redigiu uma nota em que se recusou a traduzir *Witz* por *trait d'esprit*. Mesmo levando em conta o caráter positivo da contribuição teórica de Lacan, sublinhou, com justa razão, que o *Witz* tinha, no sentido freudiano, uma significação muito mais ampla e menos conceitual do que a leitura que dele propusera Lacan. Daí a opção de traduzir o livro como *Le Mot d'esprit et sa relation à l'inconscient*.

Em 1989, os tradutores da edição das *Obras completas*, sob a direção de Jean Laplanche, Pierre Cotet e André Bourguignon (1920-1996), anunciaram, ao contrário, sua intenção de retomar o termo lacaniano numa outra perspectiva. Afirmando a existência de uma pretensa "língua freudiana" e de uma disciplina denominada freudologia, concluíram que o *Witz* não era um chiste [*mot d'esprit*], mas um rasgo da engenhosidade [*trait de l'esprit*] freudiana, que era preciso transpor para a língua francesa. Ao cabo dessa elaboração meio bizantina, decidiu-se que o livro de Freud seria publicado com o título de *Le Trait d'esprit*, no volume VII das *Obras completas* em francês.

• Sigmund Freud, *Os chistes e sua relação com o inconsciente* (1905), *ESB*, VIII, 1-266; *GW*, VI, 1-285; *SE*, VIII; Paris, Gallimard, 1988; *La Naissance de la psychanalyse* (Londres, 1950), Paris, PUF, 1956; *Briefe an Wilhelm Fliess, 1887-1904*, Frankfurt, Fischer, 1986 • Georg Christoph von Lichtenberg, *Witzige und satirische Einfälle*, Göttingen, 1853 • Theodor Lipps, *Komik und Humor. Eine psychologisch-ästhetische Untersuchung*, Hamburgo, L. Voss, 1898 • Edmund Bergler, *Laughter and the Sense of Humour*, N. York, Intercontinental Medical Book Corporation, 1956 • Jacques Lacan, *Escritos* (Paris, 1966), Rio de Janeiro, Jorge Zahar, 1998; Le Séminaire, livre V, *Les Formations de l'inconscient (1957-1958)*, inédito, resumido por Jean-Bertrand Pontalis in *Bulletin de Psychologie*, vol. XI, *1957-1958*, 4, 5, vol. XII, *1958-1959*, 2, 3, 4 • Theodor Reik, *Trente Ans avec Freud* (N. York, 1956), Paris, Denoël, 1976 • Paul Ricoeur, *Da interpretação — Ensaio sobre Freud*, Rio de Janeiro, Imago, 1977 • William M. Johnston, *L'Esprit viennois. Une histoire intellectuelle et sociale, 1848-1938* (1972), Paris, PUF, 1985 • Ralph Steadman, *Sigmund Freud* (Londres, 1979), Paris, Aubier-Montaigne, 1980 • Joël Dor, *Introdução à leitura de Lacan*, t.1 (Paris, 1985), P. Alegre, Artes Médicas, 1992 • Norman Kiell, *Freud without Hindsight. Reviews of his Work, 1893-1939*, Madison, International Universities Press, 1988 • André Bourguignon, Pierre Cotet, Jean Laplanche e François Robert, *Traduzir Freud* (Paris, 1989), S. Paulo, Martins Fontes, 1992 • *Freudlichkeit. Recueils d'histoires judéo-psychanalytiques*, apres. de François Lévy, Jean-Jacques Ritz e Emmanuel Suchet, Comp'Act, 1991 • Peter Gay, *Lendo Freud* (New Haven, Londres, 1990), Rio de Janeiro, Imago, 1992.

➢ TRADUÇÃO (DAS OBRAS DE SIGMUND FREUD).

Cinco lições de psicanálise

Livro de Sigmund Freud*, publicado pela primeira vez em 1910, em inglês, no American Journal of Psychology, sob o título The Origin and Development of Psychoanalysis, numa tradução de H.W. Chase, e depois retraduzido por James Strachey* em 1957, sob o título Five Lectures on Psycho-analysis. Publicado em alemão em 1910, sob o título

Über Psychoanalyse. *Traduzido para o francês em 1920 por Yves Le Lay, sob o título* Origine et développement de la psychanalyse, *e mais tarde, em 1923, sob o título* Cinq Leçons sur la psychanalyse. *Retraduzido por Cornélius Heim em 1991, sob o título* Sur la psychanalyse. Cinq conférences, *e depois, em 1993, por René Lainé e Johanna Stute-Cadiot, sob o título* De la psychanalyse.

Em 27 de agosto de 1909, Freud chegou aos Estados Unidos*, acompanhado por Sandor Ferenczi* e Carl Gustav Jung*: seria sua única viagem ao continente americano. Foi a propósito disso que Jacques Lacan* construiu seu famoso mito da peste*.

Em 30 de dezembro de 1908, Freud anunciou a Jung haver recebido, por parte de Stanley Granville Hall*, um convite para fazer uma série de conferências na Clark University, de Worcester, no estado de Massachusetts. Temia que essa viagem o fizesse perder dinheiro e esclareceu: "Não sou tão rico que possa gastar cinco vezes mais em prol da estimulação da América (...). Janet*, cujo exemplo eles invocaram, provavelmente é mais rico ou mais ambicioso, ou não falta nada em sua prática. Lamento, entretanto, que isso venha a malograr por essa razão, pois seria muito divertido."

Em 7 de janeiro de 1909, Jung respondeu no mesmo tom: "A propósito da América, eu gostaria ainda de observar que Janet, por exemplo, amorteceu posteriormente suas despesas de viagem através da clientela norte-americana que granjeou. Kraepelin*, recentemente, deu uma consulta na Califórnia pela modesta gorjeta de 50.000 marcos. Creio que esse aspecto da questão também deve ser levado em consideração." Freud também temia o puritanismo. Na verdade, achava que o público norte-americano não aceitaria o "núcleo essencial" de sua teoria da sexualidade*.

Transmitiu igualmente essa informação a Karl Abraham*, que lamentou que a viagem não pudesse ser feita. Quanto a Ferenczi, eis como este comentou a decisão negativa de Freud: "Consola-me que o senhor tenha apenas *quase* aceito a viagem à América, embora *eu fosse bem capaz* de acompanhá-lo até mesmo por lá." Freud retrucou no mesmo tom, primeiro em 19 de janeiro de 1909 — "Eu também seria *bem capaz* de convidá-lo a me acompanhar" —

e, depois, em 17 de janeiro: "Se, malgrado tudo o que possamos humanamente imaginar, a viagem viesse de fato a ocorrer, o senhor me acompanharia, isso é certo."

Passadas algumas semanas, depois de um novo convite, que propôs datas mais cômodas e uma remuneração mais substancial, Freud convidou Ferenczi a acompanhá-lo: "Venho perguntar-lhe se gostaria de juntar-se a mim nessa viagem. Para mim, seria um grande prazer." Com a mesma solicitude, Ferenczi informou-lhe em 2 de março que "aceit[ava] com gratidão" seu amável convite. Muito contente em levá-lo consigo, Freud não tinha a menor vontade, em contrapartida, de viajar na companhia de Jung, que ficou um tanto ressentido com isso.

Foi então que a história tomou outro rumo. Em 12 de junho, Jung anunciou a Freud que também ele fora convidado pela Clark University: "É ótimo que eu esteja indo à América, não?" Freud só respondeu em 18 de junho, num tom amável, mas antes disso, no dia 13 de junho, dirigiu-se em tom sibilino ao pastor Oskar Pfister*: "A grande novidade de que Jung estará indo a Worcester comigo", escreveu, "certamente também há de lhe ter causado sensação." No mesmo dia, informou secamente a Ferenczi sobre a ida de Jung, deixando claro, como que para evitar possíveis confusões: "O próprio Jung há de lhe ter participado que recebeu igualmente um convite para nossa cerimônia, para proferir três conferências sobre um tema que lhe foi imposto. Aí está algo que valoriza a história toda e, para nós, com certeza tudo se engrandecerá e ampliará. Ainda não sei se ele conseguirá tomar o mesmo navio que nós, mas, de qualquer modo, estaremos juntos lá."

A viagem transcorreu sem incidentes. No navio *George Washington*, os três homens analisaram seus sonhos mutuamente, mas Freud sentiu certa dificuldade em dar livre curso a suas associações na presença de Jung.

Durante cinco manhãs, de terça-feira a sábado, ele proferiu suas conferências. No fim da semana, numa brilhante cerimônia, recebeu, tal como Jung, o título de doutor *honoris causa*.

Unanimemente apreciadas, as cinco palestras de Worcester tiveram uma acolhida triunfal na imprensa local e nacional. Num belo artigo,

Stanley Hall, reitor da universidade, qualificou de "novas e revolucionárias" as concepções freudianas. Insistiu na importância da sexualidade e comparou a contribuição de Freud na psicologia à de Richard Wagner (1813-1883) na música.

Para Freud, esse momento marcou o fim de seu isolamento. No entanto, em 1914, em seu ensaio sobre "A história do movimento psicanalítico", falou com certa leviandade das cinco conferências, afirmando havê-las improvisado. Na verdade — e sua correspondência com Ferenczi o atesta —, redigiu-as durante todo o verão de 1909.

Foi em 1925, em sua autobiografia ("Um estudo autobiográfico"*), que ele adotou outra atitude a propósito de seu trabalho. Nesse retorno ao passado, com efeito, Freud não mascarou sua emoção nem a importância do acontecimento: "Na época, eu contava apenas 53 anos, sentia-me jovem e saudável, e essa breve temporada no Novo Mundo foi, de maneira geral, benéfica para meu amor-próprio; na Europa, eu me sentia meio proscrito, enquanto ali me vi acolhido pelos melhores como um de seus pares. Foi como que a realização de um devaneio improvável subir ao púlpito de Worcester, para ali proferir as *Cinco lições de psicanálise* (1910). A psicanálise*, portanto, já não era uma formação delirante, havendo-se transformado numa parte preciosa da realidade."

Inicialmente publicadas em inglês, essas cinco lições nada trazem de novo para quem conhece a essência da obra freudiana. No entanto, por sua clareza exemplar, têm uma função didática e constituem uma iniciação particularmente simples aos princípios gerais da psicanálise.

A primeira conferência versa sobre a especificidade da abordagem psicanalítica da neurose*. A propósito disso, Freud evoca a história de Anna O. (Bertha Pappenheim*) e a lembrança de Josef Breuer*. Na segunda conferência, explica de que modo o abandono da hipnose* lhe permitiu captar a manifestação das resistências*, do recalque* e do sintoma, assim como seu funcionamento em relação ao surgimento de "moções" do desejo*, por ele qualificadas de "perturbadoras" para o eu*.

Na verdade, essa conferência ilustra, de maneira talvez ainda mais evidente do que as outras, o talento pedagógico de Freud. Para explicar com clareza as respectivas funções daqueles três conceitos em sua teoria, ele evoca a possível presença de um "importuno" (ou "moção desejante") que viesse perturbar o desenrolar de suas conferências. Se tal fato viesse a ocorrer, algumas pessoas presentes na sala (as "resistências") não tardariam a se manifestar, para expulsar o intruso do anfiteatro: isso constituiria um recalque, que permitiria que a aula pudesse transcorrer em paz. Uma vez do lado de fora, entretanto, o intruso poderia fazer ainda mais barulho e perturbar o conferencista e seus ouvintes de maneira diferente, porém não menos insuportável. É justamente disso que Freud chama o sintoma: uma manifestação deslocada da moção inconsciente recalcada.

Em seguida, ele compara o psicanalista a um mediador que fosse capaz de fazer uma negociação com o perturbador, a fim de que ele pudesse reingressar no anfiteatro, depois de se comprometer a não mais perturbar o auditório. A tarefa do psicanalista, portanto, seria reconduzir o sintoma a seu lugar de origem, isto é, à idéia recalcada.

A acreditarmos em Henri F. Ellenberger*, a metáfora do intruso foi perfeitamente entendida. A conferência de Freud na quarta-feira à tarde, com efeito, foi perturbada pela intromissão de Emma Goldmann, a célebre anarquista norte-americana, acompanhada, nesse dia, por Ben Reitman, o "rei dos vagabundos".

Em seu prefácio à tradução francesa de 1991, Jean-Bertrand Pontalis sublinhou a engenhosidade de que Freud deu mostras ao usar essa imagem do perturbador. Contudo, sublinhou também que a tática que consiste em desarmar o adversário em potencial comporta o risco de gerar, por força da moderação, um número excessivo de mal-entendidos. Assim, para não chocar o público norte-americano, Freud havia recuado, nesse momento, em relação às posições adotadas em 1905, em seus *Três ensaios sobre a teoria da sexualidade*. Essa concessão, entretanto, não evitaria que sua doutrina fosse assemelhada a um pansexualismo*, tanto nos Estados Unidos quanto em todos os outros lugares.

Esse exemplo de deslizamento epistemológico, responsável por uma certa edulcoração da teoria, também responde pelo interesse desse livro. Nele, com efeito, podemos apreender como foi difícil o combate travado por Freud em prol do uso e da manutenção do termo sexualidade. Como sublinhou Jean Laplanche a esse respeito, "Ceder quanto à palavra já é ceder em três quartos quanto ao próprio conteúdo da idéia."

• Sigmund Freud, *Três ensaios sobre a teoria da sexualidade* (1905), *ESB*, VII, 129-237; *GW*, V, 29-145; *SE*, VII, 123-243; Paris, Gallimard, 1987; *Cinco lições de psicanálise* (1910), *ESB*, XI, 13-58; *GW*, VIII, 3-60; *SE*, XI, 7-55; *OC*, X, 1-55; "A história do movimento psicanalítico" (1914), *ESB*, XIV, 16-88; *GW*, X, 44-113; *SE*, XIV, 7-66; Paris, Gallimard, 1991; "Um estudo autobiográfico" (1925), *ESB*, XX, 17-88; *GW*, XIV, 33-96; *SE*, XX, 7-70; Paris, Gallimard, 1984 • Sigmund Freud e Karl Abraham, *Correspondance, 1907-1926* (Frankfurt, 1965), Paris, Gallimard, 1969 • Sigmund Freud e Sandor Ferenczi, *Correspondência*, vol.I, 2 tomos, *1908-1914*; (Paris, 1992), Rio de Janeiro, Imago, 1994, 1995 • *Freud/Jung: correspondência completa* (Paris, 1975), Rio de Janeiro, Imago, 1993 • *Correspondance de Sigmund Freud avec le pasteur Pfister, 1909-1939* (Frankfurt, 1963), Paris, Gallimard, 1966 • Henri F. Ellenberger, *Histoire de la découverte de l'inconscient* (N. York, Londres, 1970, Villeurbanne, 1974), Paris, Fayard, 1994 • Norman Kiell, *Freud without Hindsight. Review of his Work 1893-1939*, Madison, International Universities Press, 1988 • Jacques Lacan, "A coisa freudiana ou Sentido do retorno a Freud em psicanálise" (1955), in *Escritos* (Paris, 1966), Rio de Janeiro, Jorge Zahar, 1998, 402-37 • Jean Laplanche, *Vida e morte em psicanálise* (Paris, 1970), P. Alegre, Artes Médicas, 1985 • Élisabeth Roudinesco, *Jacques Lacan. Esboço de uma vida, história de um sistema de pensamento* (Paris, 1993), S. Paulo, Companhia das Letras, 1994.

cisão

al. *Trennung*; esp. *escisión*; fr. *scission*; ing. *scission, shism*

Dá-se o nome de cisão a um tipo de ruptura institucional ocorrida no interior da International Psychoanalytical Association* (IPA) a partir do fim da década de 1920. O cisionismo é um processo ligado ao desenvolvimento maciço da psicanálise durante o entre-guerras e, mais tarde, durante a segunda metade do século XX. Atesta uma crise da instituição psicanalítica e a transformação desta num aparelho burocrático, destinado a administrar os interesses profissionais da corporação (análise didática* e supervisão*, análise leiga* ou análise feita por médicos) a partir de regras técnicas (duração das sessões e dos tratamentos, currículo, hierarquias) que se tornaram contestáveis aos olhos de alguns de seus membros, a ponto de conduzilos a rejeitá-las radicalmente e, depois, a promover uma secessão.

O cisionismo produz-se, em geral, em torno da fala de um mestre cujo pensamento e ensino despertam as consciências, apontando a alunos ou discípulos o caminho de uma possível renovação da doutrina. Esse despertar conduz, de um modo geral, a um questionamento da máquina burocrática, cujo objetivo, antes de mais nada, é a equiparação das condições entre todos os seus membros: nada de líder, nada de novo pensador, nada de mestre passível de se assemelhar a Freud e de reunir a seu redor epígonos ou idólatras.

O cisionismo, portanto, é o sintoma da impossibilidade de a psicanálise e o freudismo* da segunda metade do século XX serem representados em sua totalidade unicamente pela IPA, ainda que ela seja a associação mais poderosa e mais legítima do mundo. Quanto mais importante é o movimento freudiano num país, mais freqüentes são as cisões. Por isso é que o cisionismo é realmente um fenômeno ligado ao desenvolvimento das instituições psicanalíticas.

Os grandes países cisionistas foram, de início, a Suíça*, onde a primeira cisão teve como pivô a questão da análise leiga (1927-1928), os Países Baixos*, onde a segunda eclodiu por ocasião da emigração dos judeus (1934-1935) expulsos pelo nazismo*, e depois os Estados Unidos*, a França*, a Argentina* e o Brasil*. Somente a Grã-Bretanha* conseguiu evitar as cisões, através de um arranjo interno da British Psychoanalytical Society (BPS) após as Grandes Controvérsias*: em vez de levar a uma verdadeira cisão, os conflitos conduziram a uma divisão tripartite da própria BPS (kleinismo*, annafreudismo* e o Grupo dos Independentes*). Convém dizer que o pivô, nesse caso, era específico, uma vez que era a filha de Freud que corria o risco de ser excluída da sociedade legítima ou de abandoná-la.

A palavra cisão reveste-se de uma dimensão política. Por isso, convém na perfeição ao movimento psicanalítico, que construiu suas associações com base num modelo copiado do das organizações modernas. Por outro lado, ela remete ao conceito freudiano de clivagem* (*Spaltung*) e à idéia de que é impossível alcançar qualquer unidade na ordem do humano. O termo difere, portanto, de cisma, muitas vezes empregado na terminologia inglesa e que, embora designe a contestação de uma autoridade legítima, tem uma conotação religiosa que não convém à inscrição da psicanálise no século.

A palavra dissidência tem outra significação. Designa a ação ou o estado de espírito de quem rompe com a autoridade estabelecida, mas não implica a idéia de separação e divisão que está presente no termo cisão. Por isso ela é empregada em psicanálise para designar as rupturas ocorridas durante a primeira metade do século XX, numa época em que o freudismo ainda não se havia tornado um verdadeiro movimento de massa, como aconteceria depois da morte de Freud. A dissidência, portanto, é um fenômeno historicamente anterior ao das cisões, contemporâneas da expansão maciça da psicanálise no mundo, e, por conseguinte, do advento da terceira geração* psicanalítica mundial (Jacques Lacan*, Heinz Kohut*, Marie Langer*, Wilfred Ruprecht Bion*, Igor Caruso*, Donald Woods Winnicott*). Instruídos pelos representantes da segunda geração, os membros da terceira só tiveram acesso a Freud através da leitura dos textos. Considerando que a IPA já não era uma instância legítima inatacável, eles questionaram não apenas a interpretação clássica da obra freudiana, mas também as modalidades da formação didática, às quais não mais queriam se submeter, arrastando consigo as gerações seguintes.

De modo geral, emprega-se o termo dissidência para qualificar as duas grandes rupturas que marcaram os primórdios do movimento psicanalítico: com Alfred Adler*, em 1911, e com Carl Gustav Jung*, em 1913. Essas duas rupturas conduziram seus protagonistas a abandonar o freudismo e fundar, ao mesmo tempo, uma nova doutrina e um novo movimento político e institucional: a psicologia individual, no caso do primeiro, e a psicologia analítica, no que tange ao segundo.

Essas duas dissidências concerniram, na verdade, a questões teóricas. Nesse aspecto, há entre a dissidência e a cisão a mesma distância que separa o cisma da heresia. O cisma (religioso), assim como a cisão (leiga), é a contestação da autoridade legítima da instituição que representa a doutrina a ser transmitida (a Igreja*, na religião, e a IPA, na psicanálise), ao passo que a dissidência (leiga), tal como a heresia (religiosa), é uma crítica da doutrina transmitida, que tanto pode conduzir à ruptura radical quanto ao rearranjo ou reformulação internos da doutrina original.

As dissidências de Wilhelm Stekel* e Otto Rank*, sob esse aspecto, são diferentes da adleriana e da junguiana, porquanto dizem respeito a certos aspectos da doutrina e não à sua totalidade. Trata-se, pois, de dissidências internas à história da teoria freudiana, da qual conservam quer o essencial, quer uma parte. A dissidência de Wilhelm Reich* é da mesma ordem, tendo sido acompanhada, como a de Rank, de uma expulsão da IPA.

Note-se que Jacques Lacan foi o único a utilizar a palavra excomunhão para designar a maneira como foi obrigado a deixar a IPA em 1963. Com isso, inscreveu sua ruptura com a legitimidade freudiana na linha direta do *herem* de Baruch Spinoza (1632-1677), que era um castigo de caráter leigo, e não religioso. Lacan, aliás, comportou-se diante da IPA da mesma maneira que o filósofo frente à sua comunidade: ele mesmo providenciou sua exclusão. E o emprego dessa palavra traduz perfeitamente bem a posição particular ocupada pelo lacanismo* na história do freudismo. Ao contrário das outras correntes, que procuravam ultrapassar o freudismo, Lacan instaurou, com efeito, uma retomada ortodoxa dos textos freudianos. Censurando a instituição freudiana (IPA) por já não ser freudiana, ele se viu *coagido* a fundar um novo lugar de legitimidade para o exercício da psicanálise — a École Freudienne de Paris* (EFP) —, assim fazendo nascer um movimento que, apesar de se pretender freudiano, seria chamado de lacaniano. Essa é a contradição traduzida pela palavra excomunhão: também o jovem Spinoza foi *coagido* por seu *herem* a fundar uma filosofia "spinozista".

• Sigmund Freud, "A história do movimento psicanalítico" (1914), *ESB*, XIV, 16-88; *GW*, X, 44-113; *SE*, XIV, 7-66; Paris, Gallimard, 1991 • Frances H. Giltelson, "Crise d'identité. Scissions ou compromis. Solutions positives ou constats d'échec", in Edward Joseph e Daniel Widlöcher, *L'Identité du psychanalyste*, Paris, PUF, 1979, 169-88 • Pearl King, "Crise d'identité. Scissions ou compromis. Solutions ou constats d'échec", idem, 189-204 • Jean Baptiste Boulanger, "Dissidences, sécessions et défections dans l'histoire du mouvement psychanalytique", *Union Médicale du Canada*, 112, 1983, 744-6 • Élisabeth Roudinesco, *História da psicanálise na França*, vol. 2 (Paris, 1986), Rio de Janeiro, Jorge Zahar, 1988; "Lacan et Spinoza. Essai d'interprétation", in Olivier Bloch (org.), *Spinoza au XXe siècle*, Paris, PUF, 1993, 577-86 • Malcolm Pines, "La Dissension dans son contexte", *Topique*, 57, 1995, 191-207 • R.D. Hinshelwood, "Le Mythe du compromis britannique", ibid., 229-45 • Nellie L. Thompson, "Les Schismes dans le mouvement psychanalytique aux États-Units", ibid., 257-71.

➤ ASSOCIATION MONDIALE DE PSYCHANALYSE; HORNEY, KAREN; SOCIEDADE PSICOLÓGICA DAS QUARTAS-FEIRAS.

civilização

➤ CULTURALISMO; *MAL-ESTAR NA CULTURA, O.*

Claparède, Édouard (1873-1940)

pedagogo e psicólogo suíço

Favorável às idéias freudianas, Édouard Claparède teve um papel na história da introdução da psicanálise* na Suíça. Em 1907, visitou a Clínica do Hospital Burghölzli e depois aderiu à Sociedade Freud, criada por Carl Gustav Jung*. Em 1908, participou do primeiro congresso da futura International Psychoanalytical Association* (IPA) em Salzburgo. Foi também, com Théodore Flournoy*, seu primo, editor dos *Arquivos de Psicologia* e fundou em Genebra o Instituto Jean-Jacques Rousseau. Quando foi publicada em francês a primeira tradução de uma obra de Sigmund Freud*, redigiu a sua introdução. Tratava-se das cinco conferências dadas por este nos Estados Unidos*. Elas foram reunidas em uma tradução de Yves Le Lay, primeiro em *La Revue de Genève*, sob o título "Origens e desenvolvimento da psicanálise", e depois publicadas por Sonor (Genebra) e Payot (Paris), sob o título *A psicanálise*. Claparède relatava o começo da história da psicanálise na França* e na Suíça. Em uma "Nota adicional

sobre a libido", mencionava o debate entre Freud e ele em torno dessa noção.

• Édouard Claparède, "Freud et la psychanalyse", *La Revue de Genève*, 6, dezembro de 1920, 846-64; "Introduction" e "Note additionnelle sur la libido", in Sigmund Freud, *Sur la psychanalyse. Cinq conférences*, Paris, Gallimard, 1991 • Henri Flournoy, "Édouard Claparède, 1873-1940", *Supplément aux Archives des Sciences Physiques et Naturelles*, Genebra, Kungdig, 58, 1, janeiro-março de 1941, 13-20.

➤ *CINCO LIÇÕES DE PSICANÁLISE.*

Clarke, Charles Kirk (1857-1924)

psiquiatra canadense

Nascido em Elora, na província de Ontário, Charles Kirk Clarke visitou Emil Kraepelin* em 1907 em Munique e, no ano seguinte, tomou como assistente Ernest Jones* no Hospital Psiquiátrico de Toronto, onde durante trinta anos foi o grande especialista no tratamento das psicoses* e um dos introdutores da psicanálise* na parte anglófona do Canadá*.

• Alan Parkin, *An History of Psychoanalysis in Canada*, Toronto, The Toronto Psychoanalytic Society, 1987.

➤ AUSTRÁLIA; GLASSCO, GERALD STINSON; MEYERS, DONALD CAMPBELL.

Claude, Henri (1869-1945)

psiquiatra francês

Clínico da esquizofrenia*, inventor do termo "esquizose" para designar as doenças por dissociação, Henri Claude foi um dos principais representantes da tradição psiquiátrica francesa da primeira metade do século, terreno privilegiado no qual se implantou a psicanálise*. Aluno de Fulgence Raymond (1844-1910), também discípulo de Jean Martin Charcot*, tornou-se, a partir de 1922, o grande chefe da clínica das doenças mentais no Hospital Sainte-Anne. Fez-se protetor oficial do freudismo* e encarregou René Laforgue* de um consultório de psicanálise no seu serviço, onde foram acolhidos Adrien Borel*, Angelo Hesnard*, e Eugénie Sokolnicka*. Assim, ocupou a posição privilegiada de mestre de psiquiatria da terceira geração psicanalítica francesa, notadamente Jacques Lacan* e também Henri Ey*, que foi seu assistente e lhe emprestou sua concepção do organodinamismo.

Nacionalista e particularmente germanófobo, queria ser, como Hesnard, adepto de uma psicanálise dita "cartesiana" e adaptada ao "gênio latino".

• Paul Bercherie, *Os fundamentos da clínica* (Paris, 1980), Rio de Janeiro, Jorge Zahar, 1989 • Élisabeth Roudinesco, *História da psicanálise na França*, vol.1 (Paris, 1982), Rio de Janeiro, Jorge Zahar, 1989.

Claus, Carl (1835-1899)
médico e zoólogo alemão

Depois de estudar medicina e ciências naturais, Carl Claus foi o introdutor na Áustria do pensamento darwiniano. Professor de zoologia e anatomia comparada na Universidade de Viena*, deu cursos sobre o evolucionismo e criou em Trieste o Instituto de Pesquisas sobre os Animais Marinhos. Em 1874, Sigmund Freud* seguiu seus cursos, no momento em que Claus se dedicava a uma vasta polêmica com outro discípulo alemão de Charles Darwin (1809-1882), Ernst Haeckel*. No ano seguinte, obteve por duas vezes uma bolsa para Trieste, onde efetuou pesquisas sobre as gônadas da enguia.

Em 1990, Lucille Ritvo foi a primeira a estudar a importância do ensino de Carl Claus na gênese da adesão de Freud ao darwinismo, especialmente à tese da hereditariedade dos caracteres adquiridos.

• Lucille B. Ritvo, *A influência de Darwin sobre Freud* (N. York, 1991), Rio de Janeiro, Imago, 1992 • Patrick Tort, "Claus Carl", in Patrick Tort (org.), *Dictionnaire du darwinisme et de l'évolution*, Paris, PUF, 1996, 612-3.

➢ BRÜCKE, ERNEST; MEYNERT, THÉODOR; *MOISÉS E O MONOTEÍSMO*; *TOTEM E TABU*.

Clérambault, Gaëtan Gatian de (1872-1934)
psiquiatra francês

Gaëtan (ou Gaétan) Gatian de Clérambault, que Jacques Lacan* designaria em 1966 como seu "único mestre em psiquiatria", foi o clínico francês mais brilhante dos anos 1920-1930. Depois de estudar medicina e direito, alistou-se no exército do Marrocos e apaixonou-se pela "bandeira árabe", descrevendo com minúcias a arte das mulheres orientais de atar tecidos ou fazê-los deslizar ao longo do corpo. Passou assim os anos da Grande Guerra fabricando figurinhas de madeira vestidas com tecido, que guardaria durante toda a vida, e que hoje fazem parte do patrimônio do Museu do Homem em Paris. Clérambault foi um colonialista apaixonado por etnologia.

Misógino obstinado, conservador, hostil ao freudismo* e ao surrealismo*, na condição de médico-chefe da enfermaria especial dos alienados da delegacia de polícia de Paris, foi o guardião daquilo que se chamava na época de constitucionalismo. A seus olhos, a doença mental subordinava-se a uma organogênese*: era de natureza constitutiva, isto é, de substrato hereditário. Clérambault foi todavia, para a geração francesa dos psiquiatras do período entre as duas guerras, adepta das concepções de Sigmund Freud* e Eugen Bleuler*, um clínico moderno. Redigiu certificados de internação célebres por seu formalismo e inventou a síndrome do automatismo mental para designar os distúrbios de origem orgânica que atingiam o sujeito, causando nele a convicção delirante de uma perda da vontade e de uma alienação a uma força externa agindo em seu lugar, como um automatismo*. Baseando-se nessa síndrome, distinguiu as psicoses* alucinatórias dos delírios passionais e classificou entre estes a loucura* do amor casto, chamada erotomania, cuja fonte principal reside no orgulho sexual. A história, constatava Clérambault, é sempre a mesma: o herói se acredita amado por aquela ou aquele que ele deseja castamente e que é em geral um personagem célebre — ator, rei ou acadêmico. Assim, a sra. Dupont estava persuadida de que o Príncipe de Gales se interessava por ela, a procurava, marcava encontros aos quais ele não comparecia. Ela se ressentia, acusava-o de enganá-la e finalmente atravessou a Mancha, para surpreendê-lo em flagrante delito de traição. Voltando a Paris, agrediu em via pública um policial, que a conduziu para o escritório do chefe da enfermaria especial, a fim de ser internada. Em 1932, Lacan utilizaria a noção de erotomania para descrever o caso de Marguerite Anzieu*, o que lhe permitiu posteriormente construir uma teoria da paranóia*, através da qual ligaria as teses da escola alemã

— nas quais o próprio Freud se inspirara — às da escola francesa.

Em 1934, atingido por um glaucoma que o ameaçava de cegueira, Clérambault se suicidou. Sentado em uma poltrona diante de um espelho, deu um tiro de pistola na boca.

• Gaëtan Gatian de Clérambault, *Oeuvre psychiatrique*, 2 vols., Paris, PUF, 1942; *L'Érotomanie*, Paris, Synthélabo, col. "Les empêcheurs de penser en rond", 1993 • Élizabeth Renard, *Le Docteur Gaëtan Gatian de Clérambault, sa vie et son oeuvre, 1872-1934* (1942), Paris, Synthélabo, col. "Les empêcheurs de penser en rond", 1992 • Élisabeth Roudinesco, *Jacques Lacan. Esboço de uma vida, história de um sistema de pensamento* (Paris, 1993), S. Paulo, Companhia das Letras, 1994.

➤ CLAUDE, HENRI; EY, HENRI; FETICHISMO; FORACLUSÃO; FRANÇA; JANET, PIERRE; NOME-DO-PAI; PERVERSÃO; SCHREBER, DANIEL PAUL; SUICÍDIO.

clivagem (do eu)

al. *Ichspaltung*; esp. *escisión del yo*; fr. *clivage du moi*; ing. *splitting of the ego*

Termo introduzido por Sigmund Freud* em 1927 para designar um fenômeno próprio do fetichismo*, da psicose* e também da perversão* em geral, e que se traduz pela coexistência, no cerne do eu*, de duas atitudes contraditórias, uma que consiste em recusar a realidade (renegação*), outra, em aceitá-la.

As idéias de *Spaltung* (clivagem), dissociação e discordância foram inicialmente desenvolvidas, no fim do século XIX, por todas as doutrinas que estudavam o automatismo mental*, a hipnose* e as personalidades múltiplas*. De Pierre Janet* a Josef Breuer*, todos os clínicos da consciência dupla (inclusive o jovem Freud) viam nesse fenômeno — o da coexistência de dois campos ou duas personalidades que se ignoravam mutuamente — uma ruptura da unidade psíquica, que acarretava um distúrbio do pensamento e da atividade associativa e conduzia o sujeito* à alienação mental e, portanto, à psicose. Foi nesse contexto que Eugen Bleuler* fez da *Spaltung* o distúrbio principal e primário da esquizofrenia* (do grego *skhizein*: fender), isto é, da forma de loucura* caracterizada por um rompimento de qualquer contato entre o doente e o mundo externo. Um ano depois, o psiquiatra francês Philippe

Chaslin (1857-1923) chamou de discordância um fenômeno idêntico, ao qual deu o nome de loucura discordante.

Partindo dessa terminologia e da descrição, no campo da histeria*, de fenômenos idênticos, Freud foi como que conduzido a introduzir a dissociação (*Spaltung*) no eu (*Ich*). Assim, no contexto de sua segunda tópica* e de uma reflexão sobre a renegação e o fetichismo*, ele cunhou o termo clivagem do eu (*Ichspaltung*). Através disso, remeteu a discordância ao cerne do eu, enquanto a psiquiatria dinâmica* a situava entre duas instâncias e a caracterizava como um estado de incoerência, mais do que como um fenômeno estrutural.

Melanie Klein* retomou a noção freudiana e deslocou a clivagem para o objeto, assim elaborando sua teoria dos objetos bons e maus, enquanto Jacques Lacan*, marcado pela tradição psiquiátrica francesa, empregou o termo discordância, inicialmente em 1932, para definir uma diferença (da loucura) em relação a uma norma. Vinte anos depois, criou uma coleção de palavras para designar as diferentes modalidades de clivagem, não apenas do eu, mas também do sujeito. No contexto de sua teoria do significante*, com efeito, mostrou que o sujeito humano é duplamente dividido — uma primeira instância separa o eu imaginário do sujeito do inconsciente, e uma segunda instância se inscreve no próprio interior do sujeito do inconsciente, para representar sua divisão original. A essa segunda divisão ele chamou refenda [*refente*], a partir do inglês *fading* (*to fade*, perder a luminosidade [esmaecer, desvanecer-se]), para dar a idéia do esvaecimento (do sujeito e de seu desejo*), próxima do que Ernest Jones* chamava de afânise*.

Assim como Melanie Klein, Lacan estendeu a noção de clivagem à própria estrutura do indivíduo em sua relação com o outro, ao passo que Freud, embora tenha aberto caminho para esse tipo de generalização, utilizou-a essencialmente na clínica da psicose e da perversão.

• Sigmund Freud, "A organização genital infantil da libido: uma interpolação na teoria da sexualidade" (1923), *ESB*, XIX, 179-88; *GW*, XIII, 293-8; *SE*, XIX, 139-45; *OC*, XVI, 303-9; "A perda da realidade na neurose e na psicose" (1924), *ESB*, XIX, 229-38; *GW*, III, 363-8; *SE*, XIX, 183-7; *OC*, XVII, 35-43; "Fetichismo" (1927), *ESB*, XXI, 179-88; *GW*, XIV, 311-7; *SE*,

XXI, 147-57; in *La Vie sexuelle*, Paris, PUF, 1969; "A clivagem do eu no processo de defesa" (1938), *ESB*, XXIII, 309-14; *GW*, XVII, 59-62; *SE*, XXIII, 271-8; in *Résultats, idées, problèmes*, II, Paris, PUF • Eugen Bleuler, *Dementia praecox ou groupe des schizophrénies* (Leipzig, 1911), Paris, EPEL-GREC, 1993 • Philippe Chaslin, *Éléments de sémiologie et cliniques mentales*, Paris, Asselin et Houzeau, 1912 • Jacques Lacan, *Da psicose paranóica em suas relações com a personalidade* (1932), Rio de Janeiro, Forense Universitária, 1987; O Seminário, livro 11, *Os quatro conceitos fundamentais da psicanálise (1964)* (Paris, 1973), Rio de Janeiro, Jorge Zahar, 1979 • Georges Lantéri-Laura e Martine Gros, *Essai sur la discordance dans la psychiatrie contemporaine*, Pais, EPEL, 1992 • Ignacio Garate e José Miguel Marinas, *Lacan en castellano*, Madri, Quipu Ediciones, 1996.

➤ ANZIEU, MARGUERITE; CASTRAÇÃO; DENEGAÇÃO; ESPIRITISMO; FLOURNOY, THÉODORE; FORACLUSÃO; MEYER, ADOLPH; OBJETO (BOM E MAU); OBJETO, RELAÇÃO DE; OBJETO (PEQUENO) a; PREISWERK, HELENE.

cocaína
➤ KOLLER, CARL.

Collomb, Henri (1913-1979)
psiquiatra francês

Depois de fazer carreira como médico militar, Henri Collomb foi durante vinte anos, em Dakar (Senegal), o chefe de uma experiência de psiquiatria transcultural, marcada pelos princípios da psicanálise*.

➤ ANTROPOLOGIA; DEVEREUX, GEORGES; ETNOPSICANÁLISE; FANON, FRANTZ; ROHEIM, GEZA; SACHS, WULF.

colonização
➤ ANTROPOLOGIA; ETNOPSICANÁLISE; FANON, FRANTZ; ÍNDIA; MANNONI, OCTAVE.

Comitê Secreto (1912-1927)
Chama-se Comitê Secreto ou Comitê, ou ainda Ring (anel), o círculo formado em 1912, por iniciativa de Ernest Jones*, composto dos discípulos mais fiéis de Sigmund Freud*: Karl Abraham*, Hanns Sachs*, Otto Rank* e Sandor Ferenczi*. Anton von Freund* esteve associado a essa iniciativa e foi considerado membro adjunto do Comitê até sua morte, em 1920, e Max Eitingon* juntou-se ao grupo em 1919. Para o mestre, assim cercado por seus seis eleitos e por aquele que financiava a editora do movimento psicanalítico (Internationaler Psychoanalytischer Verlag), tratava-se, após as duas primeiras dissidências (de Alfred Adler* e Wilhelm Stekel*) e tendo por fundo o grave conflito com Carl Gustav Jung*, de determinar de que maneira se poderia preservar a doutrina psicanalítica de qualquer forma de desvirtuamento, desvio ou má interpretação. Inspirado no modelo romântico e iluminista das sociedades secretas do século XIX, o Comitê foi concebido por Jones como um círculo de iniciados, à maneira dos paladinos de Carlos Magno ou dos cavaleiros da Távola Redonda à procura do Santo Graal. Para selar a sagrada união entre os guardiães do templo, Freud entregou a cada um deles um entalhe grego, que eles mandaram engastar em anéis de ouro.

Depois de ter sido o laboratório imaginário de um ideal impossível de pureza doutrinal, e sobretudo um lugar de poder paralelo ao da direção da International Psychoanalytical Association* (IPA), o Comitê, por sua vez, foi perpassado pelos conflitos que pretendia evitar: entre os discípulos judeus e Jones (o único não judeu), entre o norte e o sul (os berlinenses, de um lado, e os austríacos, do outro), entre Ferenczi e Jones, entre Ferenczi e Freud, entre este e Rank, entre os partidários de uma renovação da técnica psicanalítica* e os "ortodoxos", entre uma política de expansão para os Estados Unidos* e um fechamento no mundo europeu etc. Foi dissolvido em 1927. Rank, o mais antidogmático e mais tolerante do grupo (com Ferenczi), que havia desempenhado um papel considerável no seio do Comitê, abandonou então definitivamente o movimento freudiano, em condições dramáticas.

A publicação das *Rundbriefe* (ou cartas circulares) dos membros do Comitê, guardadas em Nova York na Universidade Columbia, deverá trazer um novo esclarecimento sobre o que foi a política do movimento psicanalítico nesse período de sua história, em especial a propósito da homossexualidade* e da implantação da psicanálise* na Rússia*.

• Ernest Jones, *A vida e a obra de Sigmund Freud*, 3 vols. (N. York, 1953, 1955, 1957), Rio de Janeiro, Imago, 1989 • E. James Lieberman, *La Volonté en acte. La Vie et l'oeuvre d'Otto Rank* (N. York, 1985), Paris, PUF, 1991 • Phyllis Grosskurth, *O círculo secreto* (Londres, 1991), Rio de Janeiro, Imago, 1992.

➤ CISÃO; ÉCOLE FREUDIENNE DE PARIS (EFP); JUDEIDADE; MESMER, FRANZ ANTON; PASSE; SOCIEDADE PSICOLÓGICA DAS QUARTAS-FEIRAS.

complexo

al. *Komplex*; esp.; *complejo*; fr. *complexe*; ing. *complex*

Termo criado pelo psiquiatra alemão Theodor Ziehen (1862-1950) e utilizado essencialmente por Carl Gustav Jung*, para designar fragmentos soltos de personalidade ou grupos de conteúdo psíquico separados do consciente* e que têm um funcionamento autônomo no inconsciente*, de onde podem exercer influência sobre o consciente.

A acreditarmos nas diversas escolas de psicoterapia*, existem mais de cinqüenta complexos.

Na terminologia freudiana, essa palavra é associada apenas a dois conjuntos de representações inconscientes na vida psíquica do sujeito*: o complexo de Édipo* e o complexo de castração*.

Em sua primeira teoria do imaginário* (1938), Jacques Lacan* ligou o termo complexo à palavra imago* e fez desse conjunto uma estrutura que permite compreender a instituição familiar.

compulsão

➤ PULSÃO; REPETIÇÃO, COMPULSÃO À.

comunismo

O termo comunismo surgiu no fim do século XVIII, para designar uma formação social baseada na abolição da propriedade individual, em favor da propriedade coletiva dos bens de produção.

Por extensão, a palavra remete às diferentes doutrinas, utópicas ou não, que tendem a promover esse tipo de sociedade.

No que concerne ao fim do século XIX e a todo o século XX, isto é, à época em que nasceu e vem se desenvolvendo a psicanálise*, o termo comunismo abrange três realidades diferentes.

Em primeiro lugar, está ligado ao marxismo, doutrina calcada nos trabalhos de Karl Marx (1818-1883) e sistematizada por Friedrich Engels (1820-1895), por volta de 1880, para designar um *corpus* teórico e os que nele se pautam. O marxismo, de certa maneira, redescobriu o comunismo introduzindo nele um novo conteúdo teórico. Nesse aspecto, instaurou-se entre o marxismo e o freudismo* um vínculo que deu origem a uma corrente intelectual designada pelo nome de freudo-marxismo*, cujos principais representantes foram os filósofos da Escola de Frankfurt e os psicanalistas da "esquerda freudiana": desde Otto Fenichel* a Wilhelm Reich*, passando por Erich Fromm* e Herbert Marcuse*.

Outras pontes foram lançadas entre o comunismo e a psicanálise, a fim de apreender criticamente a realidade social e subjetiva. Assim, numerosos intelectuais do século XX foram ao mesmo tempo marxistas e freudianos, sem serem freudo-marxistas, quer tenham ou não aderido ao comunismo ou ao movimento psicanalítico. Em regra geral, foram simultaneamente criticados pela corporação psicanalítica, excessivamente conservadora para se interessar pelas teses deles, e pelos partidos comunistas, amiúde stalinistas demais para aceitá-las.

Pessoalmente, Freud sempre manifestou uma hostilidade, se não ao marxismo, pelo menos ao comunismo e, acima de tudo, aos freudo-marxistas. Foi contra Reich que se mostrou mais violento, sobretudo em 1933, no momento em que os freudianos de todas as tendências deveriam ter se mobilizado contra o nazismo*, e não contra os dissidentes marxistas de seu próprio movimento. (Freud, entretanto, jamais confundiu comunismo com nazismo, como mostra uma carta publicada por Jones, dirigida a Marie Bonaparte* em 10 de junho de 1933: "O mundo está se transformando numa enorme prisão. A Alemanha é a pior de suas celas. O que acontecerá na cela austríaca é absolutamente incerto. Prevejo uma surpresa paradoxal na Alemanha. Eles começaram tendo o bolchevismo como seu inimigo mortal e terminarão com algo que não se distinguirá dele — exceto pelo fato de que o bolchevismo, afinal, adotou ideais revolucionários, ao passo que os do hitlerismo são puramente medievais e reacionários.")

Foi na França*, onde o freudo-marxismo era inexistente, que se efetuou com mais riqueza a junção entre o ideal comunista e a idéia de uma subversão freudiana. Primeiro através do movimento surrealista, que se colocou a serviço de um duplo projeto de revolução da linguagem e da realidade, e depois com o Collège de Sociologie, que reativou a problemática do sagrado e das pulsões coletivas nas sociedades democráticas. Citamos ainda a reformulação do marxismo inaugurada por Louis Althusser (1918-1990) em 1964, a partir de uma leitura do texto largamente inspirada nas teses freudianas.

No âmbito clínico, foi o movimento de psicoterapia institucional*, nascido na Resistência antifascista, que por sua vez levou em conta a problemática de uma revolta articulada em torno do marxismo, do freudismo, do movimento comunista e do surrealismo.

A palavra comunismo abrange uma segunda realidade: a da constituição de um movimento e, portanto, de uma internacional e de um partido comunista. Nesse aspecto, a psicanálise, na medida em que também se constituiu num movimento internacional, pôde ser comparada a uma internacional de tipo comunista. Assim como o freudismo procura transformar o sujeito* através da exploração de seu inconsciente*, e o marxismo visa a modificar a sociedade através de uma luta coletiva, as duas doutrinas empregaram um aparato institucional destinado a disseminar suas idéias e a organizar partidários no mundo inteiro. E há, sem dúvida, um ponto em comum entre as duas primeiras Internacionais socialistas e a International Psychoanalytical Association* (IPA). Contudo, entre a Terceira Internacional marxista-leninista, isto é, o Komintern (1919-1943), e a IPA não há nenhuma comparação possível. A IPA é regida pelo princípio da liberdade associativa e seu aparelho só se implantou nos Estados de direito.

Por fim, a palavra comunismo remete a uma terceira realidade, a instauração de um sistema e de um poder comunistas nos países em que a psicanálise se havia ou não implantado no início do século: primeiro a Rússia* e, depois, passada a Segunda Guerra Mundial, todos os países ligados à União Soviética (Hungria*, Polônia, Tchecoslováquia) ou simplesmente ligados ao modelo comunista (Romênia*, Iugoslávia, China etc.)

Em todos os países que se tornaram comunistas e onde a psicanálise estava implantada no começo do século, ela foi proibida e seus representantes foram perseguidos, caçados ou obrigados a se exilar. Naqueles em que ainda não existia antes do advento do regime comunista, ela também foi proibida. Num primeiro momento, de 1920 a 1949, e à medida que se deu a stalinização do movimento comunista e a transformação do regime soviético (e de seus satélites) num sistema totalitário, a supressão de todas as liberdades associativas e políticas acarretou a extinção pura e simples da prática psicanalítica e de suas instituições.

Num segundo momento, a partir de 1949, a psicanálise foi condenada na União Soviética como "ciência burguesa", no contexto da cruzada lançada no pós-guerra por Andrei Jdanov (1896-1948) em favor de uma divisão do mundo em "dois campos", um portador da felicidade proletária, o outro condenado ao saudosismo burguês. Enquanto se anunciava nos Estados Unidos uma assustadora caça às bruxas antimarxista, no Leste europeu o discurso comunista cristalizava-se numa denúncia exagerada dos horrores do capitalismo. Na perspectiva jdanoviana (ou *Jdanovchtchina*), existiam duas culturas e duas ciências, uma burguesa e imperialista, que era preciso combater, e outra proletária, que era preciso defender. Assim, foi como ciência burguesa que a psicanálise viu-se condenada, embora fizesse vinte anos que havia desaparecido da União Soviética.

Essa condenação teve uma repercussão imediata em todos os partidos comunistas, que lançaram então violentas campanhas antifreudianas nos países democráticos. E foi a teoria do condicionamento, do fisiologista russo Ivan Petrovitch Pavlov (1849-1936), cujo centenário estava sendo celebrado, que se reatualizou como contrapeso às teorias freudianas. O pavlovismo tornou-se o padrão generalizado de uma psicologia chamada materialista, que foi contrastada com a ciência burguesa freudiana, dita espiritualista ou reacionária. Na França, essa campanha concretizou-se com a publicação, em 1949, de uma petição antipsicanalítica, assinada por psiquiatras e psicanalistas que eram membros do Partido Comunista, dentre eles Serge Lebovici, futuro presidente da IPA.

Em todos os outros países produziram-se fenômenos idênticos, e foi preciso esperar pelo ano de 1956 para que a atitude dos partidos comunistas satélites da URSS se abrandasse um pouco.

Somente após a queda do comunismo, em 1989, é que o freudismo pôde implantar-se novamente na Rússia e na Romênia, ou encontrar uma nova via de introdução na Polônia, na Bulgária e na República Tcheca.

• André Jdanov, *Sur la littérature, l'art et la musique* (1948), Paris, Éd. de la Nouvelle Critique, 1950 • "Autocritique. La Psychanalyse, idéologie réactionnaire", in *La Nouvelle Critique*, 7, junho de 1949, 52-73 • Serge Moscovici, *La Psychanalyse, son image et son public*, Paris, PUF, 1961 • Ernest Jones, *A vida e a obra de Sigmund Freud*, 3 vols. (N. York, 1953, 1955, 1957), Rio de Janeiro, Imago, 1989 • Maurice Nadeau, *Histoire du surréalisme*, Paris, Seuil, 1964 • Louis Althusser, *Pour Marx*, Paris, Maspero, 1965; *Écrits sur la psychanalyse*, Paris, Stock-IMEC, 1993 • Georges Politzer, *Écrits 1. La Philosophie et les mythes, Écrits 2. Les Fondements de la psychologie*, Paris, Éditions Sociales, 1969 • Lucien Sève, *Marxisme et théorie de la personnalité*, Paris, 1969 • Lucien Sève, Catherine Clément e Pierre Bruno, *Pour une critique marxiste de la théorie psychanalytique*, Paris, Éditions Sociales, 1973 • F. Champarnaud, *Révolution et contre-révolution culturelle en URSS, de Lénine à Jdanov*, Paris, Anthropos, 1976 • Dominique Lecourt, *Lyssenko. Histoire réelle d'une science prolétarienne*, Paris, Maspero, 1976 • Denis Hollier, *Le Collège de Sociologie, 1937-1939* (1979), Paris, Gallimard, col. "Folio-Essais" 1995 • Lilly Marcou, *Le Mouvement communiste international depuis 1945*, Paris, PUF, col. "Que sais-je?", 1980 • Georges Labica (org.), *Dictionnaire critique du marxisme*, Paris, PUF, 1982 • Élisabeth Roudinesco, *História da psicanálise na França*, vol. 2 (Paris, 1986), Rio de Janeiro, Jorge Zahar, 1988.

➤ ANTIPSIQUIATRIA; BASAGLIA, FRANCO; BLEGER, JOSÉ; DOSUZKOV, THEODOR; EITINGON, MAX; ESCANDINÁVIA; HAAS, LADISLAV; HISTÓRIA DA PSICANÁLISE; LANGER, MARIE; WORTIS, JOSEPH.

condensação

al. *Verdichtung*; esp. *condensación*; fr. *condensation*; ing. *condensation*

Termo empregado por Sigmund Freud* para designar um dos principais mecanismos do funcionamento do inconsciente*. A condensação efetua a fusão de diversas idéias do pensamento inconsciente, em especial no sonho*, para desembocar numa única imagem no conteúdo manifesto, consciente*.

Como indica Freud, numerosos autores lhe haviam apontado a existência de um mecanismo de condensação atuante no processo do sonho, sem contudo deter-se nele.

Desde a primeira edição de *A interpretação dos sonhos**, a condensação foi reconhecida como um dos processos essenciais do trabalho do sonho, responsável pela diferença entre o conteúdo onírico manifesto, caracterizado por sua pobreza, e seus pensamentos latentes, cuja riqueza e amplitude parecem não ter limites. É claro que essa diferença entre o sonho manifesto e seu conteúdo latente pode variar de um sonho para outro, e seria impossível contemplar a determinação de qualquer "quociente de condensação", mas nem por isso deixa de ser verdade — como é atestado por todas as análises de sonhos — que a condensação se produz sempre no mesmo sentido. Para descrever seu funcionamento, Freud interpreta diversos sonhos, em especial o chamado sonho da "monografia botânica". Assim se evidencia a função nodal dos termos monografia e botânica, nos quais um certo número de pensamentos latentes do sonho vem juntar-se como que numa espécie de síntese, a qual implica a perda de algumas de suas características próprias em prol de um reforço de um ou vários de seus aspectos comuns. Em outras palavras, como é dito bem no final do capítulo de *A interpretação dos sonhos* dedicado ao trabalho do sonho, a condensação "reúne e concentra pensamentos dispersos do sonho". Por último, e Freud volta a isso no célebre capítulo VII de seu livro, a condensação é principalmente responsável pela impressão de estranheza que o sonho produz em nós. Ao amalgamar entre si traços anódinos ou secundários de diversos pensamentos, para produzir um conteúdo manifesto que os represente a todos, a condensação efetua uma transposição, partindo da coerência psíquica para representações de um conteúdo particularmente intenso. Essa operação é comparável a uma leitura que retivesse de um texto unicamente os termos impressos em itálico ou em negrito, por serem eles considerados essenciais ao entendimento do texto.

O papel essencial da condensação é igualmente evidenciado na *Psicopatologia da vida cotidiana** e em *Os chistes e sua relação com o inconsciente**. No primeiro desses dois livros, Freud mostra, interpretando um lapso (uma senhora que diz de um homem que, para agradar, basta ele "ter cinco membros direitos"), que a condensação se realiza aí fundindo as idéias concernentes à existência de quatro membros e cinco sentidos. Ao mesmo tempo, ele sublinha que esse lapso, por seu caráter divertido, é assemelhável a um chiste, aproximação que lhe parece passível de ser generalizada muito além desse simples exemplo.

Em *Os chistes e sua relação com o inconsciente*, a condensação intervém como uma das técnicas responsáveis pela produção do chiste, mas é passível, em alguns casos — o que constitui uma nova modalidade —, de ser acompanhada pela formação de um substituto, isto é, uma nova palavra. O exemplo mais célebre diz respeito à condensação efetuada entre as palavras familiar e milionário, ou seja, ao neologismo *familionário*. Jacques Lacan*, em seu seminário de 1958, *As formações do inconsciente*, interpreta esse chiste no âmbito de sua teoria do significante*. Nela, a condensação é identificada com a metáfora, que intervém onde emerge um sentido a partir do não-senso: do não-senso do termo *familionário* surge um sentido, o de ter familiaridade com um milionário.

• Sigmund Freud, *A interpretação dos sonhos* (1900), *ESB*, IV-V, 1-660; *GW*, II-III, 1-642; *SE*, IV-V, 1-621; Paris, PUF, 1967; *A psicopatologia da vida cotidiana* (1901), *ESB*, VI; *GW*, IV; *SE*, VI; Paris, Payot, 1973; *Os chistes e sua relação com o inconsciente* (1905), *ESB*, VIII, 1-266; *GW*, VI, 1-285; *SE*, VIII; Paris, Gallimard, 1988 • Jacques Lacan, *Escritos* (Paris, 1966), Rio de Janeiro, Jorge Zahar, 1998; Le Séminaire, livre V, *Les Formations de l'inconscient (1957-1958)*, inédito • Jean Laplanche e Jean-Bertrand Pontalis, *Vocabulário da psicanálise* (Paris, 1967), S. Paulo, Martins Fontes, 1991, 2ª ed. • Howard Shevrin, "Condensation et métaphore", in *Nouvelle Revue de Psychanalyse*, 5, 1972, 115-30.

➤ DESLOCAMENTO.

Conferências introdutórias sobre psicanálise

Livro inicialmente publicado por Sigmund Freud* em três partes distintas, entre 1916 e 1917, e depois num único volume, em 1917, sob o título Vorlesungen zur Einführung in die Psychoanalyse. *Traduzido para o francês pela primeira vez em 1921, por Samuel Jankélévitch, sob o título* Introduction à la psychanalyse. *Traduzido para o inglês pela primeira vez em 1920, sem indicação do tradutor mas sob a direção e com um prefácio de Stanley Granville Hall*, sob o título* A General Introduction to Psychoanalysis. *Mais tarde, traduzido em 1922 por Joan Riviere* sob o título* Introductory Lectures on Psycho-Analysis, *com um prefácio de Ernest Jones*. A tradução de Joan Riviere foi posteriormente reeditada em 1935 sob o título* A General Introduction to Psychoanalysis, *incluindo os dois prefácios. Traduzido em 1964 por James Strachey* sob o título* Introductory Lectures on Psycho-Analysis.

Durante o inverno de 1915-1916, quando acabara de reformular sua concepção da organização das pulsões*, publicando sua introdução ao conceito de narcisismo*, e estava desenvolvendo sua metapsicologia*, Freud proferiu uma série de conferências, sempre aos sábados à noite, na Faculdade de Medicina de Viena*. Ao contrário do que tinha previsto, o público foi numeroso. Anna Freud*, Max Schur* e Edoardo Weiss* (que traduziria para o italiano, alguns anos depois, o conjunto dessas conferências) também estavam presentes. A platéia foi aumentando ao longo das palestras e Freud renovou essa experiência no inverno seguinte. A série de aulas foi então publicada num volume que alcançou um sucesso equiparável ao que obtivera, quase doze anos antes, a *Psicopatologia da vida cotidiana**. Indício da popularidade crescente da psicanálise no mundo, esse novo livro seria traduzido em 16 línguas durante a vida de seu autor. Isso não impediu que, antes mesmo do lançamento, Freud manifestasse mais uma vez sua insatisfação a respeito da obra, numa carta endereçada a Lou Andréas-Salomé*, datada de 14 de julho de 1916: "... minhas conferências", escreveu num tom meio desiludido, "matéria meio bruta, destinada às massas e encarregada, como se sabe, de me livrar de uma vez por todas de fazer conferências elementares". Deixando de lado essas reservas, Lou deu a conhecer sua reação positiva assim que recebeu o fascículo dedicado aos atos falhos, enquanto Karl Abraham* manifestou seu entusiasmo numa carta de 2 de janeiro de 1917.

As *Conferências introdutórias sobre psicanálise* compreendem três grupos de aulas: as quatro primeiras dizem respeito aos atos falhos*; as onze seguintes são dedicadas ao sonho*, e as outras treze, que em si constituem a verdadeira segunda parte do livro, são agrupadas sob o título de "Teoria geral das neuroses".

A primeira parte é precedida de uma introdução curta e densa, na qual Freud alterna com brilhantismo o humor, a zombaria, a seriedade e o rigor, para apresentar a psicanálise* e o que ela traz de novo (e sobretudo de incômodo) a um público que ele toma por pouco ou mal informado e, inevitavelmente, por crítico, se não hostil.

Logo de saída, Freud procura desestimular sua platéia de sentir qualquer interesse pela psicanálise, e sublinha os riscos sociais, profissionais e econômicos corridos pelos que querem fazer dessa nova prática sua profissão. Quanto aos demais, aqueles a quem tal advertência não desanimar, ele declara acolhê-los de muito bom grado, a fim de lhes expor as inúmeras dificuldades inerentes à psicanálise.

A primeira dessas dificuldades — e Freud então muda de tom, para abordar questões de ordem epistemológica — reside naquilo que distingue a medicina da psicanálise.

As diferenças manifestam-se, primeiramente, no plano do ensino. No próprio lugar onde Freud está falando, o estudante e futuro médico aprende a ver, tocar e manipular. Guiado por clínicos experientes, descobre e aprende a conhecer um universo de fatos. Ora, agora é preciso abandonar esse terreno tranqüilizador, pois, previne Freud, "infelizmente, as coisas se dão de um modo totalmente diverso na psicanálise. O tratamento psicanalítico comporta apenas uma troca de palavras entre o analisando e o médico". Essa prática, fundamentada na fala e conferindo às palavras uma importância exclusiva, gera quase que inevitavelmente dúvida e desconfiança por parte daqueles (em especial o círculo dos pacientes) que estão acostumados a confiar no "visível" e no "palpável". Essas reações habituais, entretanto, são motivo de surpresa, se nos dermos ao trabalho de pensar na importância das palavras e dos ditos em todos os campos da vida, se pensarmos na felicidade ou no desespero que podem ser acar-

retados pelas simples palavras proferidas por um ser amado, um responsável ou um superior: "As palavras", sublinha Freud, "provocam emoções e constituem, para os homens, o meio geral de influenciar uns aos outros."

Livremo-nos de nossas prevenções, portanto, propõe Freud a seu auditório, e nos contentemos em "assistir" a essa troca de palavras entre o analista e seu paciente. Mas, nova dificuldade, é impossível assistir a uma sessão de psicanálise, embora seja corriqueiro observar apresentações de doentes no âmbito dos serviços de psiquiatria. Com efeito, a psicanálise pressupõe a fala espontânea e não controlada por parte do paciente; assim, ela versa sobre o que há de mais íntimo e mais pessoal, que não pode ser dito na presença de terceiros.

Sendo assim, como ter convicção do interesse dessa abordagem psicanalítica, tão desconcertante? Para começar, pode-se proceder a uma espécie de auto-observação, levando em conta e tratando, por meio de algumas indicações, uma série de fenômenos psíquicos freqüentes e conhecidos em geral. Esse primeiro caminho, que anuncia sem explicitá-las as futuras aulas sobre os atos falhos e o sonho, pode conduzir à convicção da solidez de fundamento das concepções psicanalíticas. Mas, se realmente quisermos inteirar-nos da justeza da psicanálise e da finura de sua técnica, será preciso que nos deixemos "analisar por um psicanalista competente", entendendo-se, acrescenta Freud — que nesse ponto introduz uma advertência surpreendente, uma vez que parece antecipar-se à futura irrupção das terapias de grupo —, que "esse meio excelente continua só podendo ser utilizado por uma única pessoa e nunca se aplica a uma reunião de várias".

Surge então um outro obstáculo, relacionado com a deturpação mental inerente ao estudo da medicina. Decididamente, Freud não esquece que está se dirigindo essencialmente a médicos. Contrastando a concepção médica, organizada em torno de um sistema de causalidades orgânicas, fisiológicas e anatômicas, com a concepção psicanalítica, que se mantém afastada desse conjunto de determinações e só se apóia em noções puramente psicológicas, ele aborda sucintamente, mas em termos já radicais, um tema que é fonte de conflitos e ao qual voltará posteriormente, sobretudo em *A questão da análise leiga**.

Administrando cuidadosamente seus efeitos, Freud, cujas qualidades de pedagogo podemos aquilatar pela leitura dessas linhas introdutórias, aborda então as duas últimas dificuldades que a psicanálise reserva aos que nela querem se engajar.

Como primeira dessas "premissas desagradáveis", a psicanálise considera que a essência dos processos psíquicos é inconsciente. Isso, como admite Freud sem dificuldade, justifica a perda da simpatia de todos aqueles — a maioria — para quem não existe psiquismo senão o consciente, a começar pelos psicólogos, sejam eles adeptos do procedimento descritivo ou do outro, experimental, que se liga à fisiologia dos sentidos. Não apenas a psicanálise ousa falar de pensamento e vontade inconscientes como também se permite, na pessoa do conferencista, taxar de "preconceito" o enunciado de uma identidade entre o psiquismo e o consciente. O tom, nesse ponto, já não é de amargura, mas de uma ironia mordaz. Mesmo tomando a precaução de lembrar que a existência do inconsciente é da ordem da hipótese (prudência perfeitamente retórica, que ele voltará a exprimir numa de suas *Novas conferências introdutórias sobre psicanálise**), Freud efetivamente evoca as "vantagens" (consciência leve e conforto moral) que podem extrair de sua postura todos aqueles que negam a existência do inconsciente. Aí podemos discernir algumas das idéias polêmicas que ele desenvolveria mais tarde, em particular em *O futuro de uma ilusão**.

Essa hipótese audaciosa, de um psiquismo essencialmente inconsciente, anuncia uma segunda e última dificuldade, que no entanto nada tem de insignificante: a psicanálise "proclama como uma de suas descobertas" a afirmação de que "impulsos que só podemos qualificar de sexuais, no sentido restrito ou lato da palavra, desempenham, como causas determinantes das doenças nervosas e psíquicas, um papel extraordinariamente importante, e que até hoje não foi aquilatado por seu valor". Não só a psicanálise afirma o papel essencial da sexualidade no funcionamento psíquico, como vai ainda mais longe, afirmando que "as emoções sexuais assumem um papel que está longe de ser des-

prezível nas criações do espírito humano, nos campos da cultura, da arte e da vida social". Esta última audácia constitui, segundo Freud, que nesse ponto registra sua experiência, a razão principal das resistências* em que esbarra a psicanálise. Para dar conta desse obstáculo, ele desenvolve uma argumentação que mais tarde irá retomar, particularmente em *O mal-estar na cultura**. Freud sublinha a ameaça que essas pulsões sexuais fazem pesar sobre a ordem social, evoca seu recalque* e sua transformação através do mecanismo da sublimação* e, por último, fala das medidas educativas tomadas pela sociedade para rechaçar o perigo do retorno sempre possível dos instintos sexuais, medidas estas que são invalidadas, precisamente, pelas descobertas feitas no campo da psicanálise. Todas essas reações de ordem moral ou sentimental, entretanto, conclui Freud, não podem servir de argumentos lógicos capazes de pôr em dúvida a solidez de fundamento de um avanço científico para cujo estudo, nesse ponto, ele convida aqueles dentre seus ouvintes a quem a enumeração de todas essas dificuldades não houver desestimulado.

Fiel a uma técnica comprovada, coloca então seu público na posição de interlocutor — um interlocutor alternadamente atento e questionador, ou até crítico — e desenvolve sua exposição dos objetos e conceitos da psicanálise, de uma forma e num ritmo cujo caráter alerta contribui incontestavelmente para o sucesso dessas lições.

As quatro primeiras conferências retomam de forma sintética o tema da *Psicopatologia da vida cotidiana*. O estudo dos atos falhos só se justifica, esclarece Freud, na medida em que é suscetível de trazer um enriquecimento para a psicanálise. De maneira ainda mais nítida, no fim dessa primeira série de lições, ele chama a atenção para o modelo que deve constituir o modo como tratou esses fenômenos: "A partir desse modo", diz ele, "os senhores já podem avaliar quais são as intenções de nossa psicologia. Não queremos apenas descrever e classificar os fenômenos, mas também concebê-los como indícios de um jogo de forças que se realiza na alma, como a manifestação de tendências que têm um objetivo definido e trabalham, quer na mesma direção, quer em direções opostas. Procuramos formar uma *concepção dinâmica* dos fenômenos psíquicos. Em nossa concepção, os fenômenos percebidos devem apagar-se diante das tendências que são simplesmente admitidas."

As lições seguintes, dedicadas ao sonho, constroem-se de maneira idêntica: mesmo método de exposição, recorrendo ao diálogo com um interlocutor a quem se atribuem perguntas, objeções e críticas. Elas constituem uma síntese recapitulativa do livro pioneiro, *A interpretação dos sonhos**, cuja quinta edição estava prestes a ser publicada.

Freud dedica uma dessas lições à questão, até hoje controvertida, da simbólica do sonho, a qual desenvolvera amplamente nas edições de 1909 e 1911 de seu livro, em parte sob a influência de Wilhelm Stekel*. Esse *corpus* de símbolos tende a constituir uma espécie de reservatório de traduções permanentes a que a análise deve recorrer quando o conteúdo manifesto não suscita nenhuma associação, o que, esclarece Freud, não pode ser atribuído a um fenômeno de resistência, mas à especificidade do material. Ele reconhece que esse conjunto de símbolos não deixa de evocar "o ideal da antiga e popular interpretação dos sonhos, um ideal do qual nossa técnica nos afastou consideravelmente". Nesse ponto e em termos ainda mais claros, renova a advertência acrescentada em 1909 ao texto de *A interpretação dos sonhos*: "Não se deixem, contudo, seduzir por essa facilidade. Nossa tarefa não consiste em realizar façanhas. A técnica que repousa no conhecimento dos símbolos não substitui a que repousa na associação e não pode comparar-se com ela. Apenas a complementa e lhe fornece dados utilizáveis." Dito isso, a freqüência das analogias simbólicas no sonho permite a Freud sublinhar o caráter universalista da psicanálise, bem diferente, nesse como em outros aspectos, da psicologia e da psiquiatria. A consideração dessa dimensão simbólica dá ensejo a que a psicanálise se abra a outros campos do conhecimento, como a mitologia, a história das religiões, a lingüística e a psicologia dos povos, o que justifica amplamente a criação de um novo periódico, a revista *Imago**, cuja apresentação Freud assegura dessa maneira.

A terceira parte do livro, dedicada à teoria geral das neuroses, corresponde às lições proferidas durante o inverno de 1916-1917. Nessa oportunidade, Freud se alegra por poder retomar com seus ouvintes o fio daquelas "conversas". Mas o tom se modifica: dado que o objeto dessa nova série de aulas nada mais tem a ver com fenômenos facilmente observáveis na vida cotidiana, já não se trata de discutir ou de proceder através de perguntas e respostas, nem mesmo fictícias. Trata-se, doravante, de expor sem dogmatismo e sem uma preocupação de polemizar — Freud esclarece de passagem que, em matéria científica, a polêmica lhe parece estéril — a concepção psicanalítica das neuroses. O público escutará e se impregnará da lógica dessa concepção, até o momento em que sua dinâmica e sua lógica sobrepujarão a concepção "popular ou psicológica" que ocupa espontaneamente os espíritos.

Esta última parte do livro distingue-se das anteriores num outro aspecto, que não é objeto de nenhum anúncio. Se Freud realmente continua a expor as conquistas da psicanálise na explicação dos processos neuróticos, ele não se limita a esse trabalho recapitulativo. Desenvolve, quando surge a oportunidade, temas ou concepções ainda praticamente inéditos. Nesse sentido, as *Conferências introdutórias sobre psicanálise* não são apenas um manual didático, mas constituem, assim como a maioria das publicações de Freud, uma etapa no desenvolvimento de sua elaboração teórica.

Isso se aplica, em particular, ao capítulo sobre a angústia, onde é retomado um certo número de observações clínicas, previamente desenvolvidas no âmbito dos históricos de casos, mas onde são igualmente introduzidas novas concepções, que anunciam as elaborações que Freud iria teorizar em *Inibições, sintomas e angústia** (1926).

Do mesmo modo, o capítulo intitulado "A teoria da libido e o narcisismo", longe de se limitar à simples evocação das contribuições contidas no texto de 1914, é a oportunidade de introduzir pela segunda vez a idéia de ideal do eu* (que seria desenvolvida no curso da "grande reformulação" dos anos 20 e de onde emergiria a instância do superego*, conceituada, por sua vez, em *O eu e o isso**).

O último capítulo é dedicado à terapêutica analítica. Nele, Freud retoma a gênese do método psicanalítico, marcada, em particular, pelo abandono do método hipnótico e pela rejeição do recurso aos processos de sugestão. Em algumas linhas, esclarece sua reticência em fornecer, nesse como noutros pontos, um "guia prático para o exercício da psicanálise", e demonstra através de exemplos como a transmissão dessa prática passa por vias que não podem ser as do ensino abstrato.

Recusando-se a responder a todas as críticas endereçadas à psicanálise e chegando até a se divertir com a evocação de alguns fracassos do tratamento, mais freqüentemente devidos, como ele sublinha, a fatores externos (em especial o círculo do paciente) do que à psicanálise em si, Freud exclama, quase sereno: "Contra os preconceitos não há nada a fazer. Há que esperar e deixar que o tempo se encarregue de desgastá-los." Se, ao término desses dois invernos de aulas, ele sublinha os abusos a que a análise pode às vezes dar margem, sobretudo em vista da manipulação da transferência, nem por isso Freud deixa de concluir sua exposição com um toque de humor, destacando que qualquer processo terapêutico pode dar ensejo a usos abusivos, e que o próprio bisturi, conquanto seja um instrumento de cura, não tem outro recurso senão cortar.

• Sigmund Freud, *A interpretação dos sonhos* (1900), *ESB*, IV-V, 1-660; *GW*, II-III, 1-642; *SE*, IV-V, 1-621; Paris, PUF, 1967; *A psicopatologia da vida cotidiana* (1901), *ESB*, VI; *GW*, IV; *SE*, VI; Paris, Payot, 1973; "Sobre o narcisismo: uma introdução" (1914), *ESB*, XIV, 89-122; *GW*, X, 138-70; *SE*, XIV, 67-102; in *La Vie sexuelle*, Paris, PUF, 1969, 81-105; *Conferências introdutórias sobre psicanálise* (1916-1917), *ESB*, XV-XVI; *GW*, XI; *SE*, XV-XVI; Paris, Payot, 1973; *O eu e o isso* (1923), *ESB* XIX, 23-76; *GW*, XIII, 237-89; *SE*, XIX, 12-59; *OC*, XVI, 255-301; *Inibições, sintomas e angústia* (1925), *ESB*, XX, 107-98; *GW*, XIV, 113-205; *SE*, XX, 87-172; *OC*, XVII, 203-86; *A questão da análise leiga* (1926), *ESB*, XX, 211-84; *GW*, XIV, 209-86; *SE*, XX, 183-258; *OC*, XVIII, 1-92; *O futuro de uma ilusão* (1927), *ESB*, XXI, 15-80; *GW*, XIV, 325-80; *SE*, XXI, 5-56; *OC*, XVIII, 141-97; "O mal-estar na cultura" (1930), *ESB* XXI, 81-178; *GW*, XIV, 421-506; *SE*, XXI, 64-145; *OC*, XVIII, 245-333; *Novas conferências introdutórias sobre psicanálise* (1933), *ESB*, XXII, 15-226; *GW*, XV; *SE*, XXII, 5-182, *OC*, XIX, 83-268 • Sigmund Freud e Karl Abraham, *Correspondance, 1907-1926* (Frankfurt, 1965), Paris, Gallimard, 1969 • Peter Gay, *Freud, uma vida para o nosso tempo* (N. York, 1988), S. Paulo, Companhia das Letras, 1995 • Ernest Jones, *A vida e a obra de Sigmund Freud*, 3 vols. (N. York, 1955), Rio de Janeiro, Imago, 1989 • Norman Kiell, *Freud without Hindsight. Review of his Work 1893-1939*, Madison, International Universities Press, 1988 • *Freud/Lou Andréas-Salomé: correspondência completa*, (Frankfurt, 1966), Rio de Janeiro, Imago, 1975.

Congresso (da IPA)

➤ INTERNATIONAL PSYCHOANALYTICAL ASSOCIATION.

consciência

al. *Bewusstsein, Selbstbewusstsein*; esp. *conciencia*; fr. *conscience*; ing. *conscience, consciousness*

Termo empregado em psicologia e filosofia para designar, por um lado, o pensamento em si e a intuição que a mente tem de seus atos e seus estados, e, por outro, o conhecimento que o sujeito* tem de seu estado e de sua relação com o mundo e consigo mesmo. Por extensão, a consciência é também a propriedade que tem o espírito humano de emitir juízos espontâneos.

Associado ao termo sujeito, o termo consciência se confunde, na história das sociedades ocidentais, desde René Descartes (1596-1650) e Immanuel Kant (1724-1804) até Edmund Husserl (1859-1938), com a própria filosofia, na medida em que pressupõe uma universalidade e uma singularidade da subjetividade humana, isto é, um sujeito da consciência, quer essa consciência seja empírica, transcendental, fenomênica ou dividida numa consciência reflexa e numa subconsciência de natureza automática.

Sob esse aspecto, o termo consciência não faz parte do vocabulário da psicanálise*, embora a teoria freudiana do inconsciente* esteja relacionada com a história da filosofia da consciência, da qual é a herdeira crítica. Do ponto de vista clínico, a questão da consciência encontra-se em todas as escolas de psicoterapia* que se valem da fenomenologia ou da mobilização da vontade consciente dos pacientes no tratamento.

➤ ANÁLISE EXISTENCIAL; AUTOMATISMO MENTAL; CONSCIENTE; LOUCURA; HISTÓRIA DA PSICANÁLISE; METAPSICOLOGIA; PRÉ-CONSCIENTE; PSIQUIATRIA

DINÂMICA; *SELF PSYCHOLOGY*; SIGNIFICANTE; TÓPICA.

consciente

al. *Bewusste (das)*; esp. *conciente*; fr. *conscient*; ing. *conscious*

Termo utilizado por Sigmund Freud*, quer como adjetivo, para qualificar um estado psíquico, quer como substantivo, para indicar a localização de certos processos constitutivos do funcionamento do aparelho psíquico. Nessa condição, o consciente é, junto com o pré-consciente* e o inconsciente*, uma das três instâncias da primeira tópica* freudiana.

O termo consciente, quer se trate do adjetivo ou do substantivo, é freqüentemente utilizado por Freud como sinônimo de consciência*, exceto quando se trata da consciência moral (*Gewissen*), processo psíquico relacionado com a constituição do ideal do eu* e do supereu*.

Numa carta a Wilhelm Fliess* de 29 de agosto de 1888, Freud evoca sua introdução ao livro de Hippolyte Bernheim* sobre a sugestão*, na qual ele toma o partido de Jean Martin Charcot* em oposição ao do mestre de Nancy e, a conselho de seus amigos, modera suas críticas a Theodor Meynert*. Nessa introdução, Freud se interroga sobre o fundamento da oposição entre fenômenos psíquicos e fenômenos fisiológicos, a propósito da hipnose*, e esclarece que, em sua opinião, "o estado consciente, seja ele qual for, não está ligado nem a todas as atividades do córtex cerebral, nem tampouco, em grau idêntico, a nenhuma de suas atividades específicas. Ele não me parece localizar-se em parte alguma no sistema nervoso".

Nos *Estudos sobre a histeria**, ao comentar o caso Emmy von N. (Fanny Moser*) e a presteza da paciente (idêntica, nesse aspecto, a todos os "neuropatas") em responsabilizar o médico por seus sintomas, Freud fala das condições aptas a suscitar o aparecimento "dessas falsas associações" e, em especial, da que é constituída pela "cisão do consciente", quase sempre dissimulada, "seja porque a maioria dos neuropatas não tem nenhuma idéia das causas reais (ou, pelo menos, do motivo ocasional) de sua doença, seja porque se recusam a tomar conhecimento delas, não querendo ser lembrados de que têm uma responsabilidade por isso".

Essa questão da "cisão do consciente" ou da "clivagem* da consciência" constitui um elo essencial no processo da descoberta do inconsciente. Revela constituir um ponto de discordância radical entre a concepção freudiana da neurose e a de Pierre Janet*. Se, para Janet, a clivagem da consciência vem em primeiro lugar na constituição da afecção histérica, a coisa se dá de outra maneira para Freud — e para Josef Breuer* —, para quem a clivagem do consciente é secundária, "adquirida", efeito das representações que provêm dos estados hipnóides e são isoladas dos conteúdos que permanecem na consciência. Em seu artigo de 1894 sobre "as neuropsicoses de defesa", Freud o afirma com muita clareza: "Vemos, pois, que o fator característico da histeria não é a clivagem da consciência, mas a *capacidade de conversão...*"

As funções e características do consciente foram progressivamente definidas ao longo do ano de 1896. A começar por janeiro, no manuscrito K, endereçado a Fliess, onde, falando da neurose obsessiva*, uma das quatro neuroses de defesa*, Freud ressalta que o complexo psíquico constituído pela lembrança de um incidente sexual e pela culpa que ele acarreta começa sendo consciente, e depois é recalcado, não trazendo o consciente mais do que um vestígio dele, sob a forma de um "contra-sintoma". Em maio desse mesmo ano de 1896, Freud expõe a Fliess os quatro períodos da vida que estão implicados na etiologia das neuropsicoses. Ali esclarece as condições do consciente, "ou melhor", como diz, do "tornar-se consciente": dentre elas, Freud ressalta a importância das representações verbais, sem as quais nenhuma conscientização pode efetuar-se, a não pertinência da busca de uma exclusividade consciente ou inconsciente na responsabilidade pelo fenômeno e, por último, a atribuição desse processo do "tornar-se consciente" à existência de um "compromisso entre as diversas forças psíquicas que, no momento dos recalques, entram em conflito".

Em sua carta de 6 de dezembro de 1896 ao mesmo Fliess, Freud abandona a idéia — expressa um ano antes, no "Projeto para uma psicologia científica" — de uma base neurofisiológica dos processos psíquicos. Pela primeira vez, fala de um "aparelho psíquico" constituído de três níveis, o "consciente", o "pré-consciente" e o "inconsciente". Essa elaboração teórica é retomada e desenvolvida no capítulo VII de *A interpretação dos sonhos**, e torna a ser evocada em *Mais-além do princípio de prazer**, às vésperas da instauração, em *O eu e o isso**, da segunda tópica.

Freud depara com a questão da consciência, do "tornar-se consciente", ao estudar a distorção no sonho*. O acesso do conteúdo do sonho à consciência, sob sua forma manifesta, é permitido pela censura, que exerce sobre o material inconsciente "as modificações que lhe convêm". Essa concepção leva Freud a considerar esse "tornar-se consciente" como um ato psíquico específico, bem distinto do pensamento e da representação, sendo a consciência encarada como um "órgão dos sentidos" cuja consideração é indispensável para a psicopatologia. Essa insistência dá continuidade à inversão que ele havia efetuado anteriormente em relação à filosofia e à psicologia tradicionais. Não sem um certo júbilo, ele retoma a seu modo as "palavras vigorosas" de Theodor Lipps (1851-1914), para quem "o problema do inconsciente em psicologia é (...) menos um problema psicológico do que o problema da própria psicologia". Durante muito tempo, observa Freud, a psicologia privilegiou a equivalência entre o psíquico e o consciente, privando-se de meios de explicar as observações, fornecidas pela clínica psicopatológica, que atestam uma clivagem entre a consciência de um sujeito e alguns processos psíquicos complexos cuja existência é atestada por seus sonhos ou seus sintomas.

Contudo, uma vez efetuada essa inversão, era importante enfrentar um novo perigo, o de uma psicologia inteiramente organizada em torno de um inconsciente pensado como estritamente não consciente, o que se deu com a escola behaviorista, alvo da ironia freudiana no *Esboço de psicanálise**. Daí a pergunta formulada no último capítulo de *A interpretação dos sonhos*: "Que papel conserva em nossa concepção, portanto, a consciência outrora onipotente, e que encobria e ocultava todos os outros fenômenos?"

Em essência, e não sem deparar com certas dificuldades para dar a seu sistema uma coerência absoluta, Freud liga a atividade cons-

ciente ao processo perceptivo. Aquilo a que, em 1915, no artigo de sua metapsicologia* dedicado ao inconsciente, ele havia chamado de sistema "percepção-consciência" (*Pc-Cs*) recebe, por um lado, as excitações externas, e por outro, vindas do interior do aparelho psíquico, sensações organizadas em torno do eixo prazer/desprazer. Diferentemente das outras instâncias, pré-consciente e inconsciente, as excitações recebidas pelo sistema *Pc-Cs*, pelo fato mesmo de se tornarem conscientes, essencialmente por intermédio da atividade verbal, não deixam nenhum vestígio duradouro. Em decorrência disso, o sistema permanece acessível em qualquer momento a todas as novas percepções, o que Freud ilustraria, em 1925, mediante o exemplo da lousa mágica.

Retomando essa concepção em *Mais-além do princípio de prazer*, Freud resume o processo por meio de uma fórmula de impacto: "*A consciência aparece no lugar do traço mnêmico.*" A ênfase é novamente colocada no aspecto dinâmico do processo, uma vez que a especificidade do sistema *Pc-Cs* é postulada como inerente a seu movimento: há uma simultaneidade entre o processo de conscientização e o processo de apagamento da modificação provocada por essa tomada de consciência.

Em *O eu e o isso*, o sistema *Pc-Cs* é objeto de um novo exame, ligado à destruição da assimilação, ainda em vigor até esse momento, entre o eu e a consciência. Essa identidade levava a que se concebesse a neurose como o produto de um conflito entre o consciente e o inconsciente. A nova tópica exposta nesse ensaio modificou radicalmente essa concepção e levou a se considerar o eu como uma parte modificada do isso*, sendo essa modificação resultante de uma influência externa efetuada por intermédio do sistema *Pc-Cs*.

• Sigmund Freud, *La Naissance de la psychanalyse* (Londres, 1950), Paris, PUF, 1956; *Briefe an Wilhelm Fliess, 1887-1904*, Frankfurt, Fischer, 1986; "As neuropsicoses de defesa" (1894), *ESB*, III; *GW*, I, 57-74; *SE*, III, 41-61; *OC*, III, 1-18; *A interpretação dos sonhos* (1900), *ESB*, IV-V, 1-660; *GW*, II-III, 1-642; *SE*, IV-V, 1-621; Paris, PUF, 1967; "O inconsciente" (1915), *ESB*, XIV, 191-232; *GW*, X, 263-303; *SE*, XIV, 159-204; *OC*, XIII, 203-42; *Mais-além do princípio de prazer* (1920), *ESB*, XVIII, 17-90; *GW*, XIII, 3-69; *SE*, XVIII, 1-64; in *Essais de psychanalyse*, Paris, Payot, 1981, 41-115; *O eu e o isso* (1923), *ESB* XIX; 23-72; *GW*, XIII, 237-89; *SE*, XIX, 12-59; *OC*, XVI, 255-301; "Uma nota sobre o

'Bloco mágico'" (1925), *ESB*, XIX, 285-94; *GW*, XIV, 3-8; *SE*, XIX, 227-32; *OC*, XVII, 137-43; *Esboço de psicanálise* (1938), *ESB*, XXIII, 168-246; *GW*, XVII, 67-138; *SE*, XXIII, 139-207; Paris, PUF, 1967 • Sigmund Freud e Josef Breuer, *Estudos sobre a histeria* (1895), *ESB*, II; *SE*, II; Paris, PUF, 1956 • Didier Anzieu, *A auto-análise de Freud e a descoberta da psicanálise* (1959), P. Alegre, Artes Médicas, 1989 • Jean Laplanche e Jean-Bertrand Pontalis, *Vocabulário da psicanálise* (Paris, 1967), S. Paulo, Martins Fontes, 1991, 2ª ed.

construção
➢ INTERPRETAÇÃO.

conteúdo (latente e manifesto)
➢ *INTERPRETAÇÃO DOS SONHOS, A*; SONHO.

contratransferência
al. *Gegenübertragung*; esp. *contratransferencia*; fr. *contre-transfert*; ing. *counter-transference*

Conjunto das manifestações do inconsciente* do analista relacionadas com as da transferência* de seu paciente.

Mais ainda do que o conceito de transferência, ao qual está ligada, a idéia de contratransferência, suas acepções e as utilizações que dela foram feitas sempre suscitaram polêmicas entre os diversos ramos do movimento psicanalítico.

Foi numa carta a Sigmund Freud*, datada de 22 de novembro de 1908, que Sandor Ferenczi* mencionou pela primeira vez a existência de uma reação do analista aos ditos de seu paciente: "Tenho demasiada tendência a considerar os assuntos dos doentes como meus." Freud utilizou o termo contratransferência pela primeira vez, entre aspas, numa carta a Carl Gustav Jung* datada de 7 de junho de 1909. Foi em 1910, todavia, em sua avaliação das perspectivas de futuro da terapia psicanalítica, que ele evocou, falando da pessoa do terapeuta, a existência da contratransferência, que "se instala no médico através da influência do paciente na sensibilidade inconsciente do médico". Estava próximo o momento, acrescentou Freud, em que seria lícito "formularmos a exigência de que o médico reconheça e domine obrigatoriamente em si essa contratransferência". Sabendo que nenhum analista pode ir além do que lhe permitem suas resistências* internas,

"pleiteamos, por conseguinte," prosseguiu Freud, "[que o analista] comece sua atividade pela auto-análise* e a aprofunde continuamente, à medida que se derem suas experiências com o doente".

Em 1913, numa carta a Ludwig Binswanger*, Freud sublinhou que o problema da contratransferência "é um dos mais difíceis da técnica psicanalítica". O analista — e isso devia ser uma regra, segundo Freud — nunca deve dar ao analisando nada que tenha saído de seu próprio inconsciente. Vez após outra, ele deve "reconhecer e ultrapassar sua contratransferência, para que possa estar livre". Alguns anos depois, Freud notou que, no tratamento, o surgimento de um fenômeno a que ele deu o nome de amor transferencial* devia dar ensejo ao analista de "desconfiar, talvez, de uma possível contratransferência".

A posição de Freud não continuaria a evoluir após essas colocações que se tornaram clássicas, e ele jamais considerou que a contratransferência pudesse ser utilizada de maneira dinâmica no desenrolar do tratamento.

O ponto de vista de Ferenczi, a princípio, seria calcado no de Freud. Ele sublinharia a necessidade de um "domínio" do analista sobre sua contratransferência. Este, a seu ver, só poderia resultar de uma análise e deveria ser distinguido de uma simples resistência* à contratransferência, por sua vez passível de gerar uma rigidez artificial no analista.

Mais tarde, dentro da ótica de seu retorno à teoria do trauma, que acarretaria um afrouxamento de seus laços com Freud, Ferenczi rumou por um caminho inteiramente diverso, efetuando um deslocamento na concepção da análise e preconizando um emprego da contratransferência do analista.

Sensível aos impasses de algumas análises, Ferenczi desenvolveu a idéia da análise mútua, processo durante o qual o analista fornece ao paciente os elementos constitutivos de sua contratransferência, à medida que eles vão surgindo, de tal maneira que o paciente se liberta da opressão ligada à relação transferencial e que o artificialismo da situação analítica clássica tende a desaparecer.

Essa orientação teria um belo futuro. Encontramos sua marca, de maneira explícita ou não, nos métodos psicanalíticos ingleses (sobretudo em Donald Woods Winnicott* e Masud Khan*) e no desenvolvimento da psicanálise norte-americana, tanto entre os representantes da corrente da *Self Psychology** quanto num autor como Harold Searles, que desenvolve, em particular, a idéia de uma simbiose terapêutica.

A partir de 1939, foi um aluno de Ferenczi, Michael Balint*, que introduziu a idéia de uma inespecificidade da contratransferência, estabelecendo que é do lado do analisando que convém reconhecer seus traços: ecos das falhas do analista ou marcas residuais da transferência deste último para seu próprio analista.

Depois da Segunda Guerra Mundial, no momento em que a corrente da *Ego Psychology** ganhou força nos Estados Unidos*, o debate sobre a contratransferência passou por seus momentos mais intensos, em especial sob o impulso de discípulos de Melanie Klein*, embora esta não dedicasse nenhuma elaboração teórica específica a essa questão.

Partindo da perspectiva kleiniana, que concebe a relação analítica como uma dualidade inscrita na ordem do "aqui e agora", as intervenções de Paula Heimann* e Margaret Little, em especial, por mais distintas que fossem, redefiniram a contratransferência como o conjunto das reações e sentimentos que o analista experimenta em relação a seu paciente. Para Heimann, na medida em que o inconsciente do analista engloba o do paciente, o psicanalista deve servir-se da contratransferência como um instrumento facilitador da compreensão do inconsciente do analisando. Em Heimann, essa concepção da contratransferência não deve levar a uma comunicação dos sentimentos do analista ao paciente. Quanto a esse aspecto, sua abordagem se distingue da idéia de "análise mútua" de Ferenczi. Margaret Little, ao contrário, rejeita qualquer idéia de distância, já que, a seu ver, analista e analisando são inseparáveis, devendo o analista comunicar ao paciente os elementos de sua contratransferência.

Foi por uma crítica radical desse ponto de vista, desenvolvida em seu seminário de 1953 sobre os escritos técnicos de Freud, que Jacques Lacan* ilustrou sua própria posição, que é perfeitamente articulada à que ele desenvolveria a propósito da transferência. O problema não está

em saber se convém considerar a contratransferência como um obstáculo que o analista deva neutralizar e ultrapassar. Não é proveitoso considerar a questão sob o ângulo da comunicação necessária entre o paciente e o analista, para que este encontre seus referenciais subjetivos. A idéia de contratransferência, portanto, é, para Lacan, desprovida de objetivo. Não designa nada além dos efeitos da transferência que atingem o desejo* do analista, não como pessoa, mas como alguém que é colocado no lugar do Outro* pela fala do analisando, isto é, numa posição terceira que torna a relação analítica irredutível a uma relação dual. "Pelo simples fato de haver transferência, estamos implicados", diz Lacan em 1960, "na posição de ser aquele que contém o *agalma*, o objeto fundamental (...). Isso é um efeito legítimo da transferência. Não é preciso, portanto, fazer intervir a contratransferência, como se ela fosse algo que constituísse a parte própria e, muito mais que isso, a parte falha do analista. (...) é somente na medida [em que o analista] sabe o que é o desejo, mas não sabe o que deseja esse sujeito com quem embarcou na aventura analítica, que ele fica em condições de ter em si, desse desejo, o objeto." Por aí reencontramos a problemática do engano, inerente à concepção lacaniana da transferência, exposta no comentário sobre o *Banquete*.

• Sigmund Freud, "As perspectivas futuras da terapia psicanalítica" (1910), *ESB*, XI, 127-40; *GW*, VIII, 104-15; *SE*, XI, 139-51; *OC*, X, 61-73; "Observações sobre o amor transferencial (Novas recomendações sobre a técnica da psicanálise III)" (1915), *ESB*, XII, 208-21; *GW*, X, 306-21; *SE*, XII, 157-71; in *La Technique psychanalytique*, Paris, PUF, 1953, 116-30 • Sigmund Freud e Ludwig Binswanger, *Correspondance, 1908-1938* (1992), Paris, Calmann-Lévy, 1995 • Sigmund Freud e Sandor Ferenczi, *Correspondência*, vol.I, 2 tomos, *1908-1914*, (Paris, 1992), Rio de Janeiro, Imago, 1994, 1995 • *Freud/Jung: correspondência completa* (Paris, 1975), Rio de Janeiro, Imago, 1993 • Michael Balint, "Transfert et contre-transfert" (1939), in *Amour primaire et technique psychanalytique* (Londres, 1952), Paris, Payot, 1972 • Serge Cottet, *Freud e o desejo do psicanalista* (Paris, 1986), Rio de Janeiro, Jorge Zahar, 1989 • Sandor Ferenczi, "A técnica psicanalítica" (1919), in *Psicanálise II, Obras completas, 1913-1919* (Paris, 1970), S. Paulo, Martins Fontes, 1992, 357-68; "Elasticidade da técnica psicanalítica" (1928), in *Psicanálise IV, Obras completas, 1927-1933* (Paris, 1982), S. Paulo, Martins Fontes, 1994, 25-34; *Diário clínico* (Paris, 1985), S. Paulo, Martins Fontes, 1990 • Paula

Heimann, "A propos du contre-transfert" (1950), in Paula Heimann, Margaret Little, Lucia Tower e Annie Reich, *Le Contre-transfert*, Paris, Navarin, 1987 • Masud Kahn, *Le Soi caché* (Londres, 1974), Paris, Gallimard, 1976 • Jacques Lacan, *Escritos* (Paris, 1966), Rio de Janeiro, Jorge Zahar, 1998; O Seminário, livro 1, *Os escritos técnicos de Freud (1953-1954)* (Paris, 1975), Rio de Janeiro, Jorge Zahar, 1979; O Seminário, livro 8, *A transferência (1960-1961)* (Paris, 1991), Rio de Janeiro, Jorge Zahar, 1992 • Margaret Little, "Le Contre-transfert et la réponse qu'y apporte le patient" (1951), in Paula Heimann, Margaret Little, Lucia Tower e Annie Reich, *Le Contre-transfert*, Paris, Navarin, 1987 • Moustapha Safouan, *Le Transfert et le désir de l'analyste*, Paris, Seuil, 1988 • Harold Searles, *Le Contre-transfert* (1979), Paris, Gallimard, 1981 • Donald W. Winnicott, *O brincar e a realidade* (Londres, 1971), Rio de Janeiro, Imago, 1976.

➢ Bleger, José; neurose de transferência; Racker, Heinrich; resistência; sugestão.

Contribuição à concepção das afasias

Livro de Sigmund Freud*, publicado em alemão pela primeira vez em 1891, sob o título Zur Auffassung der Aphasien. Eine kritische Studie. Traduzido para o inglês em 1953 por E. Stengel, sob o título On Aphasia, a Critical Study. Traduzido para ao francês em 1983 por Claude van Reeth, sob o título Contribution à la conception des aphasies.

Primeiro livro publicado por Freud, essa *Contribuição à concepção das afasias* é uma monografia em que o autor se apóia nas teorias de Hughlings Jackson* para compreender, de um ponto de vista funcional, e não mais apenas neurofisiológico, os distúrbios da linguagem. Ele substitui a doutrina das "localizações cerebrais" pela do associacionismo, que abre caminho para a definição de um "aparelho psíquico" que voltaremos a encontrar em sua metapsicologia*. Como todos os trabalhos de Freud anteriores ao chamado período "psicanalítico", esse texto não foi incorporado nem na edição alemã (*Gesammelte Schriften, Gesammelte Werke*) nem na tradução* inglesa (*Standard Edition*) das *Obras completas*, feita por James Strachey*. Somente alguns especialistas se interessaram por esse período do pensamento freudiano, dentre eles Maria Dorer, Kurt Goldstein (1878-1965), Roland Kuhn e Jacques Nassif.

• Sigmund Freud, *Contribution à la conception des aphasies* (Viena, Leipzig, 1891), Paris, PUF, 1983, precedido de um prefácio de Roland Kuhn, 5-38; *La Naissance de la psychanalyse* (Londres, 1950), Paris, PUF, 1956; *Briefe an Wilhelm Fliess, 1887-1904*, Frankfurt, Fischer, 1986 • Maria Dorer, *Historische Grundlagen der Psychoanalyse*, Leipzig, Felix Meiner, 1932 • Kurt Goldstein, *Language and Language Disturbances*, N. York, Grune & Stratton, 1948 • Jacques Nassif, *Freud, l'inconscient* (1977), Paris, Flammarion, col. "Champs", 1992.

controle, análise de
➢ SUPERVISÃO.

conversão
➢ HISTERIA.

Cooper, David (1931-1986)
psiquiatra inglês

Criador do termo antipsiquiatria* e principal representante dessa corrente com Ronald Laing*, David Cooper nasceu na Cidade do Cabo, na África do Sul, em uma família que ele qualificaria de "comum". Depois de estudar música, orientou-se para a medicina e obteve o seu diploma em 1955. Trabalhou então em um centro de medicina reservado aos negros, e aderiu ao partido comunista clandestino. Instalando-se em Londres, casou-se com uma francesa, com quem teve três filhos. Depois, foi durante algum tempo companheiro de Juliet Mitchell, líder do movimento feminista anglo-saxão e especialista no pensamento lacaniano.

Em 1962, criou o famoso pavilhão 21, no interior de um vasto hospital psiquiátrico do subúrbio de Londres. Baseando-se nas teses sartrianas, e mais genericamente na fenomenologia existencial, inaugurou nesse local pioneiro uma prática de contestação da nosografia psiquiátrica, que o levaria a rejeitar radicalmente a tradição ocidental herdada de Eugen Bleuler*.

Como todos os artífices da antipsiquiatria, via na loucura*, e principalmente na esquizofrenia*, não uma doença mental, mas uma "experiência", uma "viagem", uma "passagem". Assim, começou de modo muito pragmático a pedir aos médicos e enfermeiros que "não fizessem mais nada". Depois, certo dia, disse a um paciente internado: "Vou lhe dar essa coisa chamada Largactil, para que a gente possa cuidar de assuntos mais urgentes." Enfim, decidiu deixar que o lixo se acumulasse nos corredores e nos cômodos do estabelecimento. Graças a essa passagem ao ato, os doentes puderam descer ao inferno, regredir, manipular seus excrementos, voltar a uma espécie de estado arcaico, e depois subir novamente para o mundo dos vivos. Cooper sugeriu que ex-doentes se tornassem enfermeiros e que os internos tivessem direito à sexualidade*. Apesar de fracassos e conflitos, a experiência se revelou conclusiva. De qualquer forma, mostrou que, em certas condições particulares, a esquizofrenia, considerada como incurável, podia ser curada.

Em 1965, tornando-se líder do movimento antipsiquiátrico internacional, Cooper criou com Laing e Aaron Esterson a Philadelphia Association and Mental Health Charity e o Hospital de Kingsley Hall, onde foram acolhidos pacientes esquizofrênicos. Dois anos depois, participou em Londres, com Gregory Bateson*, Stokeley Carmichael e Herbert Marcuse*, do grande congresso mundial, dito de "dialética e de liberação", destinado a evidenciar a "progressão do inferno no mundo". O colóquio durou 16 dias e inscreveu a antipsiquiatria na consciência libertária. Reuniu negros americanos, feministas, estudantes revoltados de Berlim ocidental e representantes de todos os movimentos terceiromundistas. Assim, a utopia cooperiana de uma loucura liberada encontrou uma nova bandeira: a dos oprimidos do mundo, em luta pelo reconhecimento. Logo Cooper tomou a defesa dos dissidentes soviéticos, vítimas de internações abusivas e propôs a criação de um grande movimento de "dissidência intelectual", fundado em uma nova definição da atividade criadora.

A partir de 1972, instalou-se em Paris, onde muitos psicanalistas da corrente lacaniana e do movimento de psicoterapia institucional* haviam acolhido favoravelmente as suas teses. Entre estes, estavam Maud Mannoni, Octave Mannoni* e Félix Guattari*. Recusando-se a praticar a psiquiatria e a integrar-se a uma instituição normativa qualquer, viveu de expedientes e participou de todos os combates da esquerda intelectual francesa em favor dos homossexuais, dos loucos, dos dissidentes e dos

prisioneiros, ao lado de Michel Foucault (1926-1984), Robert Castel e Gilles Deleuze (1925-1995). Mas, identificando-se com os marginais e excluídos de todo tipo, experimentou em si mesmo as formas de errância próprias dessa grande época contestatária.

Durante os últimos anos de sua curta vida, alcoólatra e glutão compulsivo, não hesitou em exibir a sua silhueta de gigante barbudo e obeso em todos os lugares onde pudesse lutar contra a ordem estabelecida. Morreu de uma crise cardíaca depois de ter afirmado categoricamente: "Romper de modo suficientemente nítido com o sistema equivale a pôr em risco todas as estruturas de segurança de sua própria vida, assim como o corpo, o espírito, seus bens e seu piano."

• David Cooper, *Psiquiatria e antipsiquiatria* (Londres, 1967), S. Paulo, Perspectiva; *A morte da família* (Londres, 1971), S. Paulo, Martins Fontes, 1994, 3ª ed.; *Une grammaire à l'usage des vivants* (Londres, 1974), Paris, Seuil, 1977; *Le Langage de la folie* (Londres, 1977), Paris, Seuil, 1978; *Qui sont les dissidents*?, Paris, Galilée, 1977; *Raison et violence*, em colaboração com Ronald Laing (Londres, 1964), Paris, Payot, 1976 • Marie-Odile Supligeau, "David Cooper, 1931-1986", *Encyclopaedia universalis*, Paris, 1987, 540 • Élisabeth Roudinesco, *História da psicanálise na França*, vol.2 (Paris, 1986), Rio de Janeiro, Jorge Zahar, 1988 • Elizabeth Wright (org.), *Feminism and Psychoanalysis*, Oxford, Blackwell, 1992.

➤ CULTURALISMO; DIFERENÇA SEXUAL; ETNOPSICANÁLISE; FANON, FRANTZ; SEXUALIDADE FEMININA.

Coriat, Isador (1875-1943)

psiquiatra e psicanalista americano

Pioneiro da psicanálise* em Boston e na costa leste dos Estados Unidos*, Isador Coriat nasceu em Filadélfia e estudou medicina na escola médica da Faculdade de Tuft. Aluno de Adolf Meyer* e de Morton Prince*, foi eleito presidente da American Psychoanalytic Association* (APsaA) em 1924 e 1937, e depois vice-presidente da International Psychoanalytical Association* (IPA), no mesmo ano. Militante anti-racista, foi também o primeiro americano a introduzir as teses da psicanálise aplicada* em seu país, estudando sobretudo o personagem de Lady Macbeth no drama de Shakespeare.

• Nathan G. Hale, *Freud and the Americans: The Beginnings of Psychoanalysis in the United States 1876-1917*, t.I (1971), N. York, Oxford, Oxford University Press, 1995.

criminologia

al. *Kriminologie*; esp. *criminología*; fr. *criminologie*; ing. *criminology*

Termo criado em 1885 pelo magistrado italiano Rafaele Garofalo (1851-1934) para designar uma disciplina fundada por seu mestre, Cesare Lombroso (1836-1909), que toma por objeto as causas do crime, o comportamento mental do criminoso, sua personalidade e as patologias ligadas ao ato criminoso.

As sociedades sempre buscaram meios de atribuir marcas identificatórias aos criminosos, usando, conforme os regimes e épocas, diversas mutilações, desde a extração dos dentes até a amputação sistemática de órgãos: nariz, orelhas, mãos, língua etc. No Antigo Regime, na França*, a marca feita com ferro em brasa constituía o traço infamante do crime, como é ilustrado em *Os três mosqueteiros*, de Alexandre Dumas, pelo personagem da Senhora De Winter. Entre os puritanos da Nova Inglaterra, o "A" de adultério era costurado na roupa das mulheres, como é testemunhado pelo célebre romance de Nathaniel Hawthorne (1804-1864), *A letra escarlate*.

Quando essas práticas foram abolidas, colocou-se a questão de elaborar um método de identificação científica, e foi na França, na Alemanha* e na Itália* que se desenvolveram, simultaneamente, dois campos de pesquisa: a antropologia* criminal e a criminalística. Ambas se inspiraram na antiga frenologia, por sua vez saída da "cranioscopia" de Franz Josef Gall (1758-1828), que consistia em decifrar o caráter do indivíduo através das saliências e relevos de sua calota craniana, e da antropologia física do médico francês Paul Broca (1824-1880).

A criminalística relacionava os fatos criminosos com a teoria da hereditariedade-degenerescência*. Encontramos um grande eco dessa nova ciência dos sinais, que se generalizou no fim do século XIX, tanto no método do inesquecível detetive Sherlock Holmes, criado por Arthur Conan Doyle (1859-1930), quanto na antropometria aperfeiçoada por Alphonse Bertillon (1853-1914).

Sob esse aspecto, a criminologia distingue-se da criminalística, porquanto se interessa menos pela identificação dos criminosos do que pela causa do crime. Embora não tenha empregado esse termo e tenha conservado a expressão "antropologia criminal", o verdadeiro fundador dessa disciplina foi o médico italiano Cesare Lombroso, que se inspirou no darwinismo para construir sua concepção do "criminoso nato". Segundo ele, o crime é resultado de uma predisposição instintiva de certos sujeitos. Em vez de evoluírem normalmente, eles regridem ao estado animal.

Depois de colecionar uma quantidade impressionante de crânios e estudar a morfologia de 27.000 "anormais" (prostitutas, assassinos, epiléticos, perversos sexuais etc.), Lombroso publicou, em 1876, um verdadeiro manifesto, *O homem criminoso*, onde descrevia criteriosamente a seguinte patologia: seu criminoso se assemelhava ao grande macaco da lenda da horda selvagem, cujo tema Sigmund Freud* retomaria em *Totem e tabu**.

Médico penitenciário e alienista em Piemonte, judeu e militante socialista, Lombroso era um higienista interessado na hipnose* e no espiritismo*. Suas teses tiveram considerável sucesso, antes de caírem em desuso após a derrocada do hereditarismo. Na França, foram admiradas e posteriormente criticadas por Alexandre Lacassagne (1843-1924), que fundou em Lyon a *Revue d'Anthropologie Criminelle*. Lacassagne compartia as idéias hereditaristas de seu rival, e a briga que opôs a escola francesa à italiana disse menos respeito a uma oposição hereditariedade/meio social do que à adoção, por parte de Lacassagne, de um modelo mais lamarckista do que darwinista. Por fim, foi Hans Gross (1847-1915) — cujo filho, Otto Gross*, viria a se tornar psicanalista — quem unificou os dois campos da antropologia criminal, a criminalística e a criminologia, e fundou em Graz, em 1912, o primeiro instituto de criminologia do mundo.

Na realidade, a criminologia nunca foi uma disciplina independente. Praticada por médicos e empenhada num diálogo com a justiça e os magistrados, integrou-se na psiquiatria, cuja evolução acompanhou, quer adotando a doutrina das constituições, quer os princípios da psicanálise* freudiana e pós-freudiana, quer, ainda, as hipóteses da fenomenologia, segundo Edmund Husserl (1859-1938). É nesta última perspectiva que convém situar os trabalhos do grande criminologista belga Étienne De Greeff (1898-1961). Médico do instituto psiquiátrico da Universidade de Louvain, ele procurou discernir a personalidade do criminoso relacionando sua vivência interna a seu modo de comunicação com o mundo. Daniel Lagache* introduziria as teses de De Greeff na França, cruzando-as com a psicologia clínica herdada de Pierre Janet*. Por isso é que falaria de criminogênese, mais do que de criminologia.

Sigmund Freud não se interessou muito pela criminologia como tal. O único tipo de crime que o fascinava era o parricídio, que ele ligava ao incesto* e ao complexo de Édipo* e do qual fez o paradigma de todos os atos criminosos cometidos pelo homem. Ele estabelecia uma distinção bastante simples entre o histérico e o criminoso: o primeiro, dizia, esconde um segredo que não conhece, ao passo que o segundo dissimula esse mesmo segredo com plena consciência.

Foi através de uma reflexão sobre a posição do método psicanalítico no estabelecimento dos fatos judiciais, e, mais tarde, sobre sua utilidade nos presídios, que se iniciou um verdadeiro debate entre as duas disciplinas. Contrariando os defensores das teses hereditaristas, Sandor Ferenczi* propôs denominar de crimino-psicanálise a nova disciplina, que permitiria aplicar o método freudiano à compreensão das motivações inconscientes do crime e submeter os criminosos a um tratamento: "(...) tenho a convicção de que o tratamento analítico dos criminosos confessos já apresenta, por si só, algumas probabilidades de êxito, ao menos muito mais do que o rigor bárbaro dos carcereiros ou a hipocrisia dos capelães dos presídios".

Nesse terreno, a ação praticada por Ferenczi e, mais tarde, pela maioria dos discípulos e herdeiros de Freud teve a mesma natureza do combate travado pela psiquiatria pineliana para arrancar os loucos de uma justiça que os enviava para a morte, julgando-os culpados e, portanto, plenamente responsáveis por seus atos. Daí a defesa do próprio princípio da perícia psicológica ou psiquiátrica, que consistia em "explicar" o crime e, em seguida, tentar tratar do criminoso, a fim de reintegrá-lo na sociedade.

Se os representantes da psiquiatria dinâmica* queriam, através da perícia, arrancar os loucos da justiça e, mais exatamente, da pena capital, os partidários da psicanálise procuravam, antes, explicar a própria natureza da criminalidade humana, em função de uma conceituação freudiana (ou kleiniana, mais tarde) centralizada no complexo de Édipo, na pulsão de morte*, no isso* e no supereu*. A primeira síntese do pensamento psicanalítico nesse campo foi realizada por Franz Alexander*. Em 1928, ele publicou em Berlim *O criminoso e seus juízes*, livro co-assinado pelo advogado Hugo Staub, no qual afirmava que o homem é criminoso por natureza e que vem a sê-lo socialmente quando não consegue evoluir com normalidade para um estádio genital. Em função dessa teoria dos estádios*, Alexander e Staub distinguiram três tipos de crimes: os de etiologia psicológica (provenientes de uma neurose edipiana), os de etiologia sociológica (decorrentes de uma identificação* do eu* — em geral, de uma criança — com o supereu de um adulto criminoso), e os crimes de etiologia biológica (provocados por doenças mentais).

De maneira geral, essa criminologia freudiana, de um biologismo simplista, foi também de grande pobreza teórica. Contentou-se em aplicar a teoria psicanalítica à elucidação do crime e à personalidade do criminoso. Convém assinalar que, em caráter individual, inúmeros psicanalistas, especialistas em geral sobre delinquência juvenil, interessaram-se pelo crime e pelos criminosos, sem ceder a teorias demasiadamente ortodoxas. Dentre eles, August Aichhorn*, Muriel Gardiner* e, em particular, Marie Bonaparte*. Fascinada pelas relações incestuosas, ela se apaixonou pela história de Marie-Félicité Lefèbvre, que fora condenada à morte e depois indultada pelo assassinato da mulher de seu filho, grávida de vários meses.

Essa atitude não era de surpreender. Na França, com efeito, vinha-se desenhando desde 1925 um caminho original, por um lado com os trabalhos sobre as psicoses passionais inspirados por Gaëtan Gatian de Clérambault, e por outro com o movimento surrealista, que enaltecia um ideal de revolta fundamentado na valorização imaginária da loucura* e do crime: "O ato surrealista mais simples", escreveu André Breton em 1930, "consiste em andar pela rua de revólveres em punho e atirar a esmo na multidão, tanto quanto possível. Quem não terá tido vontade, pelo menos uma vez, de acabar dessa maneira com o sisteminha de aviltamento e cretinização em vigor, em seu lugar perfeitamente marcado nessa multidão, com a barriga à altura do canhão?"

Se Lombroso inventou a falsa teoria do "criminoso nato", ele foi também o primeiro grande teorizador do crime a constituir uma documentação sobre a criminalidade, escrita pelos condenados: diários íntimos, autobiografias, depoimentos, grafites de prisioneiros e anotações em livros de bibliotecas. Assim, a criminologia nascente não se contentava em classificar taras e estigmas, porém já afirmava, como fizera Freud ao lutar contra o niilismo terapêutico, a necessidade de incluir no estudo do crime a fala do principal interessado: o próprio criminoso.

Ora, em 1930, os surrealistas transpuseram uma nova etapa. A seu ver, de fato, o crime individual e impulsivo transformava-se, simbolicamente, no único ato racional possível num mundo às voltas com o crime organizado: desemprego, guerras coloniais, exploração capitalista, ditaduras, violência burguesa e democrática etc. Dessa lógica da loucura criminosa, agindo no interior do sujeito, Jacques Lacan* forneceria um belo exemplo em 1932, em sua tese de medicina dedicada à história de Marguerite Anzieu*, e também, um ano depois, em seu comentário sobre o crime "paranóico" das irmãs Papin, duas criadas de Mans que assassinaram selvagemente suas patroas. Em matéria de criminologia, contrariamente à escola francesa e ao conjunto da comunidade freudiana, Lacan sempre contestaria a utilização da psicanálise nas perícias psiquiátricas.

A partir da década de 1950, a criminologia mundial foi perpassada por diversas correntes, dentre elas duas principais. A primeira, de inspiração neurológica, reativou a noção de "criminoso nato", fazendo do crime a expressão de um instinto inato e, mais tarde, de uma anomalia genética; a outra, de inspiração fenomenológica ou psicanalítica, encarava o crime, ao mesmo tempo, como um fato social e como um fato psíquico. A partir da década de 1960, essas duas correntes foram contestadas pelos diversos movimentos de antipsiquiatria*, que tornaram a valorizar, numa perspectiva sartriana, o tema da revolta através do crime.

Nessa época, os trabalhos dos historiadores da escola dos *Annales*, antropólogos e filósofos, abriram um novo caminho para a pesquisa, ao se proporem estudar a história do crime, da penalidade, das sanções, da crônica policial, dos suplícios ou dos discursos não mais a partir de um modelo classificatório, mas fazendo o próprio crime "falar", sem nenhuma interpretação psiquiátrica ou psicanalítica. Com a publicação, em 1973, de um caso de parricídio praticado na época da Restauração pelo jovem camponês Pierre Rivière, e com a de *Vigiar e punir*, dois anos depois, Michel Foucault (1926-1984) foi o principal iniciador dessa nova maneira de olhar para o crime e para o criminoso. Ela nunca se impôs no campo da criminologia, amplamente dominado, a partir da década de 1980, sobretudo nos Estados Unidos*, por um modelo neo-organicista e experimentalista. Daí a observação contundente do psicanalista e jurista francês Pierre Legendre, contida em *Le Crime du caporal Lortie*: "... um homicídio sempre exige que alguém responda por ele — o sujeito, ou, em sua falta, a função que o exime de ter que responder. Que significa responder? Essa pergunta não pode ser descartada pelos pretensos métodos científicos da criminologia atual, dominada pelos ideais da experimentação social."

• Sigmund Freud, "A psicanálise e a determinação dos fatos nos processos jurídicos" (1906), *ESB*, IX, 105-20; *GW*, VII, 3-15; *SE*, IX, 97-114; in *L'Inquiétante étrangeté et autres textes*, Paris, Gallimard, 1985, 13-28; "Alguns tipos de caráter encontrados no trabalho psicanalítico" (1916), *ESB*, XIV, 351-80; *GW*, 364-91; *SE*, XIV, 309-33; in ibid., 137-71; "Dostoievski e o parricídio" (1927), *ESB*, XXI, 205-20; *GW*, XIV, 399-418; *SE*, XXI, 177-94; *OC*, XVIII, 207-25; "O parecer do perito no Caso Halsmann" (1931), *ESB*, XXI, 287-9; *GW*, XIV, 541-2; *SE*, XXI, 251-3; *OC*, XIX, 39-43 • Cesare Lombroso, *L'Homme criminel* (1876), Paris, Alcan, 1887 • Sandor Ferenczi, "Psicanálise e criminologia" (1919), in *Psicanálise III, Obras completas, 1919-1926* (Paris,

1974), S. Paulo, Martins Fontes, 1993, 69-72 • Franz Alexander e Hugo Staub, *Le Criminel et ses juges* (Berlim, 1928), Paris, Gallimard, 1934 • Marie Bonaparte, "Le Cas de Madame Lefebvre", *Revue Française de Psychanalyse*, 1, 1, 1927, 149-98 • Jacques Lacan, "Motivos do crime paranóico: o crime das irmãs Papin" (1933), in *Da psicose paranóica em suas relações com a personalidade*, Rio de Janeiro, Forense Universitária, 1987 • Jacques Lacan e Michel Cenac, "Introdução teórica às funções da psicanálise em criminologia", in *Escritos* (Paris, 1966), Rio de Janeiro, Jorge Zahar, 1998, 127-51 • Étienne De Greeff, *Amour et crime d'amour* (1942), Bruxelas, Dessart, 1973; *Introduction à la criminologie* (Bruxelas, 1946), Paris, PUF, 1948 • Daniel Lagache, "Psychocriminogenèse" (1950), in *Oeuvres*, II, *Le Psychologue et le criminel* (1947-1952), Paris, PUF, 1979, 179-205; "Réflexions sur De Greeff et le crime passionnel" (1956), in *Oeuvres*, III, *Le Transfert et autres travaux psychanalytiques* (1952-1956), Paris, PUF, 1980, 307-13 • Juliette Favez-Boutonier, "Psychanalyse et criminologie", in *La Psychanalyse*, 3, 1957, 1-17 • J. Lafon, "Criminologie", *Encyclopaedia universalis*, vol.5, 1968, 91-100 • *Moi, Pierre Rivière, ayant égorgé ma mère, ma soeur et mon frère. Un cas de parricide au XIXᵉ siècle présenté par Michel Foucault*, Paris, Gallimard-Julliard, col. "Archives", 1973 • Michel Foucault, *Vigiar e punir* (Paris, 1975), Petrópolis, Vozes, 1977 • Pierre Legendre, *Le Crime du caporal Lortie*, Paris, Fayard, 1989 • Laurent Mucchielli (org.), *Histoire de la criminologie française*, Paris, L'Harmattan, 1994 • "Destins de meurtriers", textos reunidos por Michel Carty e Marcel Detienne, in *Systèmes de pensée en Afrique noire*, cad.14, 1996, publicado pela École Pratique des Études Supérieures (seção de ciências religiosas).

Cuernavaca, Mosteiro de

➢ IGREJA.

culturalismo

al. *Kulturalismus*; esp. *culturalismo*; fr. *culturalisme*; ing. *culturalism*

Através desse termo designam-se as tendências da antropologia* que procuram descobrir, na diversidade das culturas, dos comportamentos, das atitudes, das mentalidades e dos costumes, uma explicação para o homem que se fundamente na diferença e no relativismo, questionando o universalismo próprio dos grandes sistemas de pensamento oriundos da tradição do saber ocidental.

A corrente culturalista é essencialmente norte-americana e representada pelos trabalhos da chamada escola da Cultura e Personalidade, onde se reuniram no entre-guerras Abram Kardiner*, Ruth Benedict (1887-1948), Margaret Mead*, Ralph Linton (1893-1953) e Cora Dubois, autora de um trabalho coletivo de antropologia cultural centrado em duas grandes noções: o *pattern* e a personalidade básica. A primeira, introduzida por Ruth Benedict em 1934, designa a forma específica assumida por uma cultura para se singularizar em relação a uma outra, e a segunda, proposta em 1939 por Linton e Kardiner, remete aos elementos constitutivos de uma dada sociedade.

Embora a corrente Cultura e Personalidade tenha-se mostrado crítica a respeito das teses freudianas, ela foi uma das vias de introdução da psicanálise* nos Estados Unidos*.

O debate entre culturalismo e universalismo não se limita aos trabalhos dessa corrente. Ele perpassa toda a história da psicanálise, em suas relações não apenas com a antropologia, mas com a questão da diferença sexual*, do complexo de Édipo*, da proibição do incesto* e, por último, do próprio inconsciente*.

➢ CRIMINOLOGIA; DEVEREUX, GEORGES; FANON, FRANTZ; GÊNERO; HOMOSSEXUALIDADE; JUDEIDADE; MALINOWSKI, BRONISLAW; ROHEIM, GEZA; SEXOLOGIA; SEXUALIDADE; SEXUALIDADE FEMININA; *TOTEM E TABU*.

D

Daseinanalyse

➢ ANÁLISE EXISTENCIAL.

defesa

al. *Abwehr*; esp. *defensa*; fr. *défense*; ing. *defence*

Sigmund Freud* designa por esse termo o conjunto das manifestações de proteção do eu* contra as agressões internas (de ordem pulsional) e externas, suscetíveis de constituir fontes de excitação e, por conseguinte, de serem fatores de desprazer.

As diversas formas de defesa em condições de especificar afecções neuróticas costumam ser agrupadas na expressão "mecanismo de defesa".

Em 1894, Freud publicou um artigo intitulado "As neuropsicoses de defesa", no qual a noção de defesa surgiu como o eixo do funcionamento neurótico em relação aos processos de organização do eu.

Desse momento em diante, como é confirmado pelos *Estudos sobre a histeria**, escritos em colaboração com Josef Breuer*, a questão consiste em identificar as modalidades pelas quais o eu, nessa época assemelhado à consciência* ou ao consciente*, reage às diversas solicitações capazes de perturbá-lo, provocando-lhe efeitos desprazerosos. Esses elementos parasitas podem ter uma origem externa, existindo então a possibilidade de o eu fugir deles ou proceder a investimentos colaterais. A questão é mais delicada, logo de saída, quando os elementos inconciliáveis são de origem interna, pulsional e, mais exatamente, sexual. Numa carta de 21 de maio de 1894 a Wilhelm Fliess*, Freud o declara expressamente: "É contra a sexualidade* que se ergue a defesa."

Inicialmente elaborada no contexto da etiologia da histeria*, a idéia de defesa adquiriu para Freud um papel discriminador entre as diversas afecções neuróticas, sobretudo no artigo de 1896 intitulado "Observações adicionais sobre as neuropsicoses de defesa". O mecanismo de defesa passou, desse modo, a assumir a forma de conversão na neurose* histérica, a de substituição na neurose obsessiva* e, por fim, a de projeção* na paranóia*. Sob esses diversos aspectos, ligados à especificidade da entidade patológica, a defesa visa a um mesmo objetivo: separar, quando essa operação não mais pode efetuar-se diretamente por meio da ab-reação*, a representação perturbadora do afeto que lhe esteve originalmente ligado.

Em 1915, a propósito de sua metapsicologia*, Freud voltou a usar a expressão mecanismo de defesa, por um lado, no artigo dedicado ao inconsciente*, para reunir o conjunto dos processos defensivos (em todos os tipos de neurose), e, por outro, no artigo consagrado aos destinos das pulsões, para evocar as diversas formas — recalque*, reversão e inversão — da evolução de uma pulsão*. Em sua carta a Wilhelm Fliess de 6 de dezembro de 1896, dedicada à instauração do aparelho psíquico, Freud já assemelhava a defesa ao recalque: "A condição determinante de uma defesa patológica (isto é, do recalque), portanto, é o caráter sexual do incidente e sua ocorrência numa fase anterior."

Em 1926, no suplemento a seu livro *Inibições, sintomas e angústia**, Freud volta a essa assemelhação, evocando, em primeiro lugar, as razões pelas quais abandonou a expressão "processo de defesa". Em seguida, reconhece havê-lo substituído pelo processo de recalque, sem esclarecer a natureza da relação entre essas duas noções. Assim, propõe conservar o termo recalque para designar alguns casos de defesa, a saber, aqueles que estão ligados a afecções neuróticas específicas — e usa o exemplo da ligação precisa entre recalque e histeria —, sendo "o velho conceito de defesa" utilizado para englobar os processos de orientação idêntica, a da "proteção do eu contra as exigências pulsionais".

Com os trabalhos de Anna Freud*, a noção de mecanismo de defesa voltou a se tornar central na reflexão psicanalítica e assumiu até mesmo o valor de conceito. Para a filha de Freud, os mecanismos de defesa interviriam contra as agressões pulsionais, mas também contra todas as fontes externas de angústia, inclusive as mais concretas. O desenvolvimento dessa perspectiva globalizante implicou uma concepção do eu que marcava um retrocesso em relação à que fora expressa por Freud no contexto da grande reformulação teórica da década de 1920. O eu voltou a se tornar sinônimo de consciente, foi assemelhado à pessoa, e o objetivo da psicanálise passou a consistir em ajudar as defesas da pessoa para consolidar sua integridade. Essa concepção encontrou meios de se expandir na corrente da *Ego Psychology**. Foi fortemente combatida, sobretudo por Jacques Lacan*, em diversos artigos dos anos de 1950-1960, onde o autor dos *Escritos* a denunciou como uma transformação da psicanálise num processo adaptativo, numa forma de ortopedia social contra a qual ele empreendeu seu "retorno a Freud".

Para Melanie Klein*, o conceito de defesa e as formas que ele pode assumir estão inscritos na fase arcaica, pré-edipiana, e concernem tanto aos elementos externos internalizados, ou submetidos a tentativas de controle, quanto aos elementos pulsionais.

• Sigmund Freud, "As neuropsicoses de defesa" (1894), *ESB*, III, 57-74; *GW*, I, 57-74; *SE*, III, 41-61; *OC*, III, 1-18; "Novos comentários sobre as neuropsicoses de defesa" (1896), *ESB*, III, 187-216; *GW*, I, 377-403; *SE*, III, 157-85; *OC*, III, 121-46; *La Naissance de la psychanalyse* (Londres, 1950), Paris, PUF, 1956; *Briefe an Wilhelm Fliess, 1887-1904*, Frankfurt, Fischer, 1986; "O inconsciente" (1915), *ESB*, XIV, 191-233; *GW*, X, 263-303; *SE*, XIV, 159-204; *OC*, XIII, 203-42; "As pulsões e suas vicissitudes" (1915), *ESB*, XIV, 137-68; *GW*, X, 209-32; *SE*, XIV, 109-40; *OC*, XIII, 161-85; *Inibições, sintomas e angústia* (1926), *ESB*, XX, 107-98; *GW*, XIV, 113-205; *SE*, XX, 87-172; *OC*, XVII, 203-86 • Sigmund Freud e Josef Breuer, *Estudos sobre a histeria* (1895), *ESB*, II; *SE*, II; Paris, PUF, 1956 • Anna Freud, *O ego e os mecanismos de defesa* (1936), Rio de Janeiro, Civilização Brasileira, 1982, 6ª ed. • Pierre Kaufmann, "Defesa", in Pierre Kaufmann (org.), *Dicionário enciclopédico de psicanálise: o legado de Freud e Lacan* (Paris, 1993), Rio de Janeiro, Jorge Zahar, 1996 • Jacques Lacan, "Variantes do tratamento-padrão" (1955), in *Escritos* (Paris, 1966), Rio de Janeiro, Jorge Zahar, 1998, 325-64; "A coisa freudiana ou Sentido do retorno a Freud em psicanálise" (1955), in ibid., 402-37 • Jean Laplanche e Jean-Bertrand Pontalis, *Vocabulário da psicanálise* (Paris, 1967), S. Paulo, Martins Fontes, 1991, 2ª ed.

> ANNAFREUDISMO; FENICHEL, OTTO; RESISTÊNCIA.

Delay, Jean (1907-1987)

psiquiatra francês

Nascido em Bayonne em uma família de médicos, aluno de Pierre Janet*, analisado por Édouard Pichon*, amigo e contemporâneo de Jacques Lacan*, membro da Academia de Medicina em 1955 e da Academia Francesa em 1959, Jean Delay foi o principal representante francês da escola de psiquiatria biológica da segunda metade do século. E nisso, não foi favorável às teorias freudianas, que conhecia perfeitamente bem, e não manifestou nenhuma simpatia pelas inovações da psiquiatria dinâmica*. Depois de ter sido perito no tribunal de Nuremberg, em 1945, para julgar a responsabilidade penal de alguns carrascos nazistas, foi eleito titular da cátedra de doenças mentais e do encéfalo do Hospital Sainte-Anne, onde pôs à disposição de Lacan um anfiteatro. Ocupou essa função até 1970, e introduziu na França* os tratamentos farmacológicos para as doenças mentais, principalmente os neurolépticos e os antidepressivos. Em 1956, publicou uma notável obra psicobiográfica, *La Jeunesse d'André Gide*, à qual Lacan dedicou um longo comentário.

Tendo percorrido uma trajetória contrária à de Henri Ey*, Delay teve, como este, renome internacional. Formou vários alunos, notadamente Pierre Pichot, adversário da psicanálise e das teses de Henri F. Ellenberger*, defensor na França do famoso *Manual diagnóstico e estatístico dos distúrbios mentais (DSM I-IV)*. Esse manual teve um sucesso considerável nas sociedades industriais avançadas, por reduzir a loucura* a um comportamento puramente mecânico e o sujeito pensante a um corpo-máquina, contradizendo o saber clínico e a prática hospitalar acumulados desde o fim do século XIX, quando Sigmund Freud* e Eugen Bleuler* denunciaram justamente todas as formas de "niilismo terapêutico".

• Jean Delay, *La Jeunesse d'André Gide*, 2 vols., Paris, Gallimard, 1956 • Jacques Lacan: "Juventude de Gide ou a letra e o desejo" (1958), in *Escritos* (Paris, 1966), Rio de Janeiro, Jorge Zahar, 1998, 749-75 • Pierre Pichot, *Un siècle de psychiatrie* (1983), Paris, Synthélabo, col. "Les empêcheurs de penser en rond", 1996.

➤ ANTIPSIQUIATRIA; ESQUIZOFRENIA; MELANCOLIA.

Delírios e sonhos na Gradiva de Jensen

Estudo de Sigmund Freud*, publicado em 1907 sob o título **Der Wahn und die Träume in W. Jensens "Gradiva".** *Traduzido pela primeira vez para o francês em 1931, por Marie Bonaparte*, sob o título* **Délires et rêves dans la "Gradiva" de Jensen,** *precedido por* Gradiva, une fantaisie pompéienne, *de Wilhelm Jensen (1837-1911), publicado pela primeira vez em alemão em 1903, sob o título* Gradiva, ein pompejanisches Phantasienstück, *e traduzido em 1931 por E. Zak e G. Sadoul. Retraduzido para o francês em 1986 por Paule Arhex e Rose-Marie Zeitlin, precedido do texto de Wilhelm Jensen, traduzido por Jean Bellemin-Noël em 1983. Traduzido pela primeira vez para o inglês em 1917, por H.M. Downey, sob o título* **Delusion and Dream** *e precedido do texto de Wilhelm Jensen em inglês. Retraduzido por James Strachey* em 1959, sob o título* **Delusions and Dreams in Jensen's "Gradiva".**

Ernest Jones* relata o fato com uma pitada de ceticismo: Carl Gustav Jung* é quem teria chamado a atenção de Freud para o romance de Wilhelm Jensen intitulado *Gradiva, uma fantasia pompeiana*. Para agradar seu discípulo, Freud teria então redigido seu ensaio psicanalítico sobre esse livro, que qualificou em sua autobiografia, em 1925, de "pequeno romance sem grande valor em si".

Se nada na correspondência entre Freud e Jung corrobora as afirmações atribuídas a este, Jung, como é atestado por duas de suas cartas, entusiasmou-se com o ensaio. Em 24 de maio de 1907, exclamou: "Sua *Gradiva* é magnífica! Li-a recentemente, de uma só vez. A clareza de sua exposição é fascinante..."; e mais adiante, nessa mesma carta, acrescentou, sem dúvida

para encanto de Freud: "Sua *Gradiva*, no dizer de Bleuler, é maravilhosa..."

Natural do norte da Alemanha*, Jensen foi um escritor prolífero. Sua posteridade, entretanto, liga-se exclusivamente a esse livro, *Gradiva*, do qual Freud se apossou para efetuar sua segunda psicanálise da literatura — a primeira, que permaneceu inédita, foi remetida somente a Wilhelm Fliess* e dizia respeito a um romance de Conrad Ferdinand Meyer (1825-1898) —, inaugurando a coleção de psicanálise aplicada* que fora criada em época então recente, sob o nome de *Schriften zur angewandten Seelenkunde**.

O romance de Jensen é a história de um jovem arqueólogo, Norbert Hanold, apaixonado por uma figura em baixo-relevo, descoberta em Roma numa coleção de antigüidades, que representava uma jovem grega de andar sedutor: "Ela está caminhando", relata Freud, também ele visivelmente sob o efeito do encanto, "e traz um pouco repuxado o vestido de pregas numerosas, assim revelando os pés calçados em sandálias. Um dos pés repousa inteiramente no chão; o outro, para acompanhá-lo, elevou-se do solo, o qual apenas toca com a ponta dos artelhos (...). O andar incomum e particularmente sedutor, assim representado, sem dúvida despertara a atenção do artista e, decorridos tantos séculos, cativava agora o olhar de nosso espectador arqueólogo."

Norbert é invadido pelas fantasias* que lhe são inspiradas por essa jovem, a quem batizou de Gradiva — *Gradiva*: aquela que avança —, a ponto de pendurar numa das paredes de seu gabinete de trabalho uma cópia do baixo-relevo, como mais tarde fariam Freud e seus discípulos. Num pesadelo, Norbert vê a moça ser vitimada pela erupção que sepultou Pompéia em 79 d.C. Ao acordar, livrando-se trabalhosamente da convicção de também haver assistido à catástrofe, continua convencido da veracidade de seu sonho*. Debruça-se então na janela e, na rua, divisa uma silhueta parecida com a de sua heroína. Precipita-se em vão para tentar alcançá-la. Sentindo-se prisioneiro de suas fantasias, parte para Pompéia: na hora "ardente e sagrada" do meio-dia, aquela em que os turistas fogem das ruínas para buscar uma sombra, de repente ele vê surgir de uma casa sua Gradiva, andando com seu passo leve. A moça não é uma fantasia, é bastante real, chama-se Zoé Bertgang — nome que significa aquela que brilha pelo andar — e lhe pede que tenha a gentileza de falar alemão, e não grego ou latim, como acaba de fazer, se quiser conversar com ela. Compreendendo o estado mental em que se acha o rapaz, ela trata de curá-lo, com sucesso, é claro, revelando-lhe progressivamente o que ele recalcou: o fato de que os dois moram na mesma cidade alemã e foram, desde a infância, companheiros de brincadeiras.

Logo após a publicação de *A interpretação dos sonhos** e de sua *Psicopatologia da vida cotidiana**, Freud descobria algo inesperado: um autor que desconhecia tudo sobre a psicanálise escrevera um texto de ficção cuja construção e desenrolar vinham confirmar e esclarecer, sem demonstrações nem o peso dos conceitos, a verossimilhança do que ele havia teorizado tão dolorosamente durante todos aqueles anos anteriores.

A tese central de Freud em seu ensaio consiste em afirmar que os sonhos inventados pelos escritores são passíveis de ser interpretados, da mesma maneira que os sonhos reais.

Seu procedimento organiza-se em duas dimensões. A primeira, efeito do encantamento sentido durante a leitura, é de ordem transferencial, identificando-se Freud ora com o autor, ora com o personagem de Norbert. A segunda, teórica, provém do sentimento de que aquela narrativa continha esta verdade: os processos inconscientes e a atividade criadora são similares. O ensaio sobre *Gradiva*, portanto, não constitui, a princípio, um exercício de aplicação rudimentar da psicanálise* a um material literário, mas a tentativa de fazer a psicanálise progredir através do estudo dos processos da criação artística.

A realização do projeto fica longe de ser satisfatória. Freud tem consciência dos limites de sua iniciativa, mas não se detém neles e até procura ultrapassá-los, com o risco de abrir perspectivas psicobiográficas e psico-históricas cujo desenvolvimento ele mesmo iria criticar.

O principal ponto fraco desse ensaio reside no lugar que o raciocínio analógico ocupa nele. A começar pela analogia global entre o romance de Jensen e um tratamento psicanalítico, da qual decorre uma série de outras analogias. É o caso da que se formula entre os sonhos do herói e os sonhos reais, que fica em contradição com a afirmação, enunciada em *A interpretação dos sonhos*, de que os sonhos inventados pelos romancistas e poetas são da alçada da interpretação simbólica, e não da interpretação freudiana, a qual se fundamenta nas associações do sonhador. Analogia entre Norbert Hanold e um paciente em análise, entre Zoé Bertgang e o psicanalista e, por último, a analogia mais central e mais sedutora, à qual Freud não resiste, entre o recalque psíquico e o sepultamento de Pompéia pelas lavas incandescentes do Vesúvio.

Seja qual for a prudência de Freud quanto a esse ponto, ele não consegue impedir-se de ir adiante e de se entregar ao realce jubilatório das concordâncias que supostamente corroboram a analogia inicial, nem que seja forçando o texto — por exemplo, ao qualificar de delírio as fantasias de Norbert, quando essa palavra nunca é empregada por Jensen.

Se esse ensaio despertou o entusiasmo dos discípulos, os psicanalistas das gerações seguintes nunca o situaram na linha de frente das obras freudianas. Jacques Lacan*, num debate na universidade norte-americana de Yale, em 1975, não julgou "especialmente felizes" as tentativas de Freud de "ver na arte uma espécie de testemunho do inconsciente" e citou, a título de exemplo de fracasso, o ensaio sobre *Gradiva*.

Entretanto, Freud quis ir ainda mais longe e, "naturalmente", como escreve Jones com certa ingenuidade, interessou-se "pela possibilidade de ligar os motivos desvelados de *Gradiva* à personalidade do autor". Mas seu trabalho esbarrou, também sob esse aspecto, em sérios limites. De fato, Freud remeteu a Jensen um exemplar de seu livro e recebeu em resposta uma carta amável, confirmando-lhe sua perfeita compreensão das intenções do autor. Freud não se deteve nisso. "Estimulado por essa resposta", escreve ainda Jones, "pediu a Jensen outras informações. O escritor explicou-se de maneira evasiva sobre a origem de seu romance e as condições em que o escrevera. Freud transmitiu essa resposta a seus colegas em 15 de maio de 1907, durante uma reunião da Sociedade Psicológica das Quartas-Feiras*.

Em seguida, numa carta de 2 de novembro de 1907, Jung apontou a Freud a existência de dois romances de Jensen nos quais era possível encontrar algumas informações relativas à infância do escritor. Durante a reunião de quarta-feira, 11 de dezembro, ocupada pela comunicação de Max Graf* sobre a "metodologia da psicanálise dos escritores", Freud, depois de comparar os diversos textos do autor de *Gradiva*, formulou a hipótese de que teria havido uma irmã mais nova, uma jovem com uma deficiência, sob a forma de um pé aleijado, por quem o escritor teria sentido um desejo muito forte. Jensen respondeu ao envio dessa interpretação através de uma carta datada de 14 de dezembro de 1907. A princípio, deixou despontar nela um certo agastamento: "Não, não tive nenhuma irmã", mas, como que asserenado, confiou ter experimentado, quando menino, sentimentos amorosos por uma amiga prematuramente desaparecida...

Freud, comentou Jean-Bertrand Pontalis, "teria querido mais", porém as coisas não foram adiante, uma vez que Jensen recusou-se a encontrá-lo depois desta última carta.

• Sigmund Freud, "Delírios e sonhos na *Gradiva* de Jensen (1907)", *ESB*, IX, 17-96; *SE*, IX, 1-95; Paris, Gallimard, 1986, precedido por "La Jeune fille", de Jean-Bertrand Pontalis, 9-23; "Um estudo autobiográfico" (1925), *ESB*, XX, 17-88; *GW*, XIV, 33-96; *SE*, XX, 7-70; *OC*, XVII, 51-122 • *Freud/Jung: correspondência completa* (Paris, 1975) • Rio de Janeiro, Imago, 1993 • *Les Premiers psychanalystes, Minutes de la Société Psychanalytique de Vienne*, vol.I, *1906-1908* (1962), Paris, Gallimard, 1976 • Ernest Jones, *A vida e a obra de Sigmund Freud*, 3 vols. (N. York, 1953, 1955, 1957), Rio de Janeiro, Imago, 1989 • Wladimir Granoff, *La Pensée et le féminin*, Paris, Minuit, 1976 • Sarah Kofman, *Quatre romans analytiques*, Paris, Galilée, 1973 • Jacques Lacan, "Conférences et entretiens dans des universités nord-américaines", *Scilicet*, 1976, 6-7, 5-63 • Nicolas Rand e Maria Torok, *Questions à Freud*, Paris, Les Belles Lettres-Archimbaud, 1995 • Pamela Tytell, *La Plume sur le divan. Psychanalyse et littérature en France*, Paris, Aubier, 1982.

demanda
➢ DESEJO.

denegação
al. *Verneinung*; esp. *negación*; fr. *dénégation*; ing. *negation*

Termo proposto por Sigmund Freud* para caracterizar um mecanismo de defesa* através do qual o sujeito* exprime negativamente um desejo* ou uma idéia cuja presença ou existência ele recalca. No Brasil também se usam "negação" e "negativa".

Embora Freud tenha evidenciado esse mecanismo nos *Estudos sobre a histeria**, foi somente em 1925, num pequeno artigo sobre a negação (*Verneinung*), que forneceu dele uma explicação metapsicológica, para mostrar como, numa frase como "não é minha mãe", proferida por um sujeito a propósito de um sonho*, o recalcado é reconhecido de maneira negativa, sem ser aceito. Assim, a denegação é um meio de todo ser humano tomar conhecimento daquilo que recalca em seu inconsciente*. Através desse meio, portanto, o pensamento se liberta, por uma lógica da negatividade, das limitações que lhe são impostas pelo recalque*. Otto Rank* já havia empregado o termo numa acepção idêntica. Na perspectiva freudiana, a denegação é diferente da renegação* (*Verleugnung*), introduzida em 1923 e depois teorizada, em 1927, a propósito do fetichismo*. Este último termo, também composto pelo prefixo *Ver-* (privativo), remete a um mecanismo de negação próprio da psicose* e da perversão*.

Na França*, a tradução* da *Verneinung* freudiana suscitou numerosas polêmicas, que resultaram inicialmente de uma discussão entre Freud e René Laforgue* a propósito da escotomização, depois, das teorias de Édouard Pichon* sobre a negação gramatical e, por fim, da criação do conceito de foraclusão* por Jacques Lacan*. Em 1934, Henri Hoesli adotou o termo negação [*négation*] para traduzir o vocábulo freudiano. Em 1956, em seu debate com Lacan, o filósofo hegeliano Jean Hyppolite (1907-1968) preferiu a este denegação [*dénégation*] e, em 1967, Jean Laplanche e Jean-Bertrand Pontalis atribuíram os termos (de)negação [(*dé*)*négation*] à *Verneinung* e renegação [ou recusa, *déni*] à *Verleugnung*, rebatizada de desmentido [*désaveu*] por Guy Rosolato no mesmo ano. Em 1989, a equipe de Jean Laplanche e André Bourguignon (1920-1996) tornou a adotar a palavra negação [*négation*].

• Sigmund Freud, "A denegação" (1925), *ESB*, XIX, 295-308; *GW*, XIV, 11-5; *SE*, XIX, 235-9; *OC*, XVII, 165-71 • Jacques Damourette e Édouard Pichon, "Sur la signification psychologique de la négation en français" (1928), *Le Bloc-Notes de la Psychanalyse*, 5, 1985, 111-32 • Jacques Lacan, *Escritos* (Paris, 1966), Rio de Janeiro, 1998 • Jean Laplanche e Jean-Bertrand Pontalis, *Vocabulário da psicanálise* (Paris, 1967), S. Paulo, Martins Fontes, 1991, 2ª ed. • E. James Lieberman, *La Volonté en acte. La Vie et l'oeuvre d'Otto Rank* (N. York, 1985), Paris, PUF, 1991 • Élisabeth Roudinesco, *História da psicanálise na França*, 2 vols. (Paris, 1982, 1986), Rio de Janeiro, Jorge Zahar, 1989, 1988 • André Bourguignon, Pierre Cotet, Jean Laplanche, François Robert, *Traduzir Freud* (Paris, 1989), S. Paulo, Martins Fontes, 1992.

➤ FRUSTRAÇÃO.

depressão

➤ MELANCOLIA; POSIÇÃO DEPRESSIVA/POSIÇÃO ESQUIZO-PARANÓIDE.

desejo

al. *Begierde, Wunsch, Wunscherfüllung, Wunschbefriedigung*; esp. *deseo*; fr. *désir*; ing. *wish, wish fulfillment, desire*

Termo empregado em filosofia, psicanálise* e psicologia para designar, ao mesmo tempo, a propensão, o anseio, a necessidade, a cobiça ou o apetite, isto é, qualquer forma de movimento em direção a um objeto cuja atração espiritual ou sexual é sentida pela alma e pelo corpo.

Em Sigmund Freud*, essa idéia é empregada no contexto de uma teoria do inconsciente* para designar, ao mesmo tempo, a propensão e a realização da propensão. Nesse sentido, o desejo é a realização de um anseio ou voto (Wunsch) inconsciente. Segundo essa formulação freudiana clássica, empregam-se como sinônimas de desejo as palavras alemãs Wunscherfüllung e Wunschbefriedigung e a expressão inglesa wish fulfillment (desejo no sentido da realização ou satisfação de um anseio inconsciente).

Entre os sucessores de Freud, somente Jacques Lacan* conceituou a idéia de desejo em psicanálise a partir da tradição filosófica, para dela fazer a expressão de uma cobiça ou apetite que tendem a se satisfazer no absoluto, isto é, fora de qualquer realização de um anseio ou de uma propensão. Segundo essa concepção lacaniana, empregam-se em alemão a palavra Begierde e em inglês a palavra desire (desejo no sentido de desejo de um desejo).

Dado o lugar ocupado pela noção de desejo na história da filosofia ocidental, de Spinoza até Hegel, não havemos de nos surpreender com as polêmicas que cercaram a tradução* do termo *Wunsch*, empregado por Freud em *A interpretação dos sonhos**.

Três palavras abarcam em alemão a noção de desejo, para a qual a língua francesa e a língua espanhola dispõem apenas de um único termo (*désir, deseo*): *Begierde, Lust* e *Wunsch*.

O termo *Begierde* remete à filosofia da consciência* e do sujeito*, tal como desenvolvida no século XIX a partir da publicação da *Fenomenologia do espírito*, de Hegel. Dela derivaria a fenomenologia husserliana e, mais tarde, a heideggeriana, nas quais se inspiraria a análise existencial*, desde Ludwig Binswanger* até Igor Caruso*. *Begierde* é utilizado para definir o apetite, a tendência ou a concupiscência pelas quais se expressa a relação da consciência com o eu. Se a consciência tenta conhecer o objeto, a apreensão deste não se faz por um conhecimento, mas por um re-conhecimento. Em outras palavras, a consciência, no sentido hegeliano, reconhece o outro* na medida em que se reencontra nele. A relação com o outro passa, pois, pelo desejo (*Begierde*): a consciência só se reconhece num outro, isto é, num objeto imaginário, na medida em que, através desse reconhecimento, instaura esse outro como objeto de desejo.

O outro, portanto, é o objeto do desejo que a consciência deseja, numa relação negativa e especular que lhe permite reconhecer-se nele. Ao mesmo tempo, quando se destaca a relação negativa com o objeto do desejo, a consciência, transformada em consciência de si, descobre que o objeto não está fora dela, mas nela. A consciência tem de passar pelo outro para retornar a si mesma sob a forma do outro. Essa é a definição hegeliana do movimento da *Begierde* que leva à satisfação (*Befriedigung*). A consciência só pode dizer "eu" em relação a um outro que lhe serve de apoio: eu me reconheço no outro na medida em que o nego como outro.

Desprezando a tradição filosófica, Freud não emprega o termo *Begierde*, mas *Wunsch*, que significa voto ou anseio, sem idéia de cobiça ou de reconhecimento de si através do outro e do outro através de si mesmo. Por outro lado, ele emprega a palavra *Lust* no sentido de paixão ou pendor, para definir aquilo a que chama princípio de prazer (*Lustprinzip*), isto é, uma atividade que tende a evitar qualquer forma de desprazer — algo de destrutivo, que Lacan transformaria no gozo.*

Em Freud, o desejo (*Wunsch*) é, antes de mais nada, o desejo inconsciente. Tende a se consumar (*Wunschfüllung*) e, às vezes, a se realizar (*Wunschbefriedigung*). Por isso é que se liga prontamente à nova concepção do sonho*, do inconsciente*, do recalque* e da fantasia*. Daí esta definição que não variaria mais: o desejo é desejo inconsciente e realização de desejo. Em outras palavras, é no sonho que reside a definição freudiana do desejo: o sonho é a realização de um desejo recalcado e a fantasia é a realização alucinatória do desejo em si.

Mesmo não levando em conta a idéia de reconhecimento, Freud não identifica o desejo com a necessidade (biológica). Esta, com efeito, encontra sua satisfação em objetos adequados, como o alimento, ao passo que o desejo está ligado a traços mnêmicos, a lembranças. Realiza-se na reprodução, simultaneamente inconsciente e alucinatória, das percepções transformadas em "signos" da satisfação. Esses signos, segundo Freud, têm sempre um caráter sexual, uma vez que o desejo sempre tem como móbil a sexualidade*.

Em *A interpretação dos sonhos* encontramos todos os exemplos clínicos que permitem ilustrar essa teoria freudiana do desejo, à qual a escola inglesa, desde Melanie Klein* até Donald Woods Winnicott*, acrescentaria uma outra dimensão: a relação de objeto*, baseada na clivagem*, no ódio e na destruição (inveja*, objeto* bom e mau) ou na transitividade (objeto transicional*).

Marcado, durante o entre-guerras, pelo ensino de Alexandre Kojève (1902-1968), comentador francês da fenomenologia hegeliana, Jacques Lacan foi o único autor a conciliar duas tradições, uma filosófica, fundamentada na *Begierde*, e outra psicanalítica, apoiada no *Wunsch*.

Com Kojève, ele "antropologizou" o desejo humano, embora colocando o inconsciente freudiano no lugar da consciência hegeliana. Por isso, remeteu a descoberta vienense a uma idéia de desejo inconsciente que foi revista e corrigida dentro de uma perspectiva fenomeno-lógica. Lacan não opôs uma filosofia do desejo a uma biologia das paixões, mas utilizou um discurso filosófico para conceituar a visão freudiana, que julgou insuficiente. Assim, estabeleceu um elo entre o desejo baseado no reconhecimento (ou desejo do desejo do outro) e o desejo inconsciente (realização no sentido freudiano).

Com isso, ele diferenciou o desejo da necessidade mais do que fizera Freud. Através da idéia hegeliana de reconhecimento, Lacan introduziu, entre 1953 e 1957, um terceiro termo, ao qual deu o nome de demanda. Esta é endereçada a outrem e, aparentemente, incide sobre um objeto. Mas esse objeto é inessencial, porquanto a demanda é demanda de amor. Em outras palavras, na terminologia lacaniana, a necessidade, de natureza biológica, satisfaz-se com um objeto real (o alimento), ao passo que o desejo (*Begierde* inconsciente) nasce da distância entre a demanda e a necessidade. Ele incide sobre uma fantasia, isto é, sobre um outro imaginário. Portanto, é desejo do outro, na medida em que busca ser reconhecido em caráter absoluto por ele, ao preço de uma luta de morte, que Lacan identifica com a famosa dialética hegeliana do senhor e do escravo.

Em francês, o *Wunsch*, no sentido da psicanálise, foi traduzido por *désir*, em especial no *Vocabulário da psicanálise*, uma vez que não existe outro termo para significar essa realidade e que, em Freud, trata-se efetivamente de uma teoria (do desejo) que remete a um conceito, e não a uma palavra. Não obstante, em 1989, na edição das obras completas realizada por Jean Laplanche, André Bourguignon (1920-1996) e Pierre Cotet, essa terminologia foi abandonada em prol de uma atomização lexicográfica da conceituação freudiana.

Em inglês, James Strachey* optou por *wish* e *wish fulfillment*. Os tradutores alemães de Lacan escolheram *Begierde* ou *begehren*, e os ingleses, *desire*.

• Sigmund Freud, *A interpretação dos sonhos* (1900), ESB, IV-V, 1-660; GW, II-III, 1-642; SE, IV-V, 1-621; Paris, PUF, 1967 • G.W.F. Hegel, *A fenomenologia do espírito* (Bamberg, Würzburg, 1807), Petrópolis, Vozes, 1996 • Alexandre Kojève, *Introduction à la lecture de Hegel*, Paris, Gallimard, 1947 • Jacques Lacan, Le Séminaire, livre V, *Les Formations de l'inconscient (1957-1958)*, inédito; Le Séminaire, livre VI, *Le Désir et son interprétation (1958-1959)*, inédito;

Escritos (Paris, 1966), Rio de Janeiro, Jorge Zahar, 1998 • Jean Laplanche e Jean-Bertrand Pontalis, *Vocabulário da psicanálise* (Paris, 1967), S. Paulo, Martins Fontes, 1991, 2ª ed. • Charles Rycroft, *A Critical Dictionary of Psychoanalysis*, N. York, Basic Books, 1968 • E. Burness, M.D. Moore e Bernard D. Fine, *A Glossary of Psychoanalytic Terms and Concepts* (ApsaA), Library of Congress, 1968 • Ludwig Eidelberg (org.), *Encyclopedia of Psychoanalysis*, N. York e Londres, The Free Press, Macmillan, 1968 • André Bourguignon, Pierre Cotet, Jean Laplanche e François Robert, *Traduzir Freud* (Paris, 1989), S. Paulo, Martins Fontes, 1992 • Monique David-Ménard, "Desejo", in Pierre Kaufmann (org.), *Dicionário enciclopédico de psicanálise: o legado de Freud e Lacan* (Paris, 1993), Rio de Janeiro, Jorge Zahar, 1996, 114-20 • Dylan Evans, *An Introductory Dictionary of Lacanian Psychoanalysis*, Londres, Routledge, 1996 • Ignacio Garate e José Miguel Marinas, *Lacan en castellano*, Madri, Quipu Ediciónes, 1996 • Guy Rosolato, *A força do desejo* (Paris, 1996), Rio de Janeiro, Jorge Zahar, 1998.

➢ ESTÁDIO DO ESPELHO; IMAGINÁRIO; INVEJA; LIBIDO; *MAIS-ALÉM DO PRINCÍPIO DE PRAZER*; MINKOWSKI, EUGÈNE; OBJETO (BOM E MAU); OBJETO (PEQUENO) a; OBJETO TRANSICIONAL; PULSÃO; SEXUALIDADE.

deslocamento

al. *Verschiebung*; esp. *desplazamiento*; fr. *déplacement*; ing. *displacement*

Processo psíquico inconsciente*, teorizado por Sigmund Freud* sobretudo no contexto da análise do sonho*. O deslocamento, por meio de um deslizamento associativo, transforma elementos primordiais de um conteúdo latente em detalhes secundários de um conteúdo manifesto.

Freud utiliza o termo deslocamento desde 1894, num artigo dedicado às neuropsicoses de defesa, numa acepção que não mais se alteraria. Trata-se, no fim desse artigo, de "alguma coisa", um *quantum* de energia, "que é passível de aumento, diminuição, deslocamento e descarga, e que se espalha pelos traços mnêmicos das representações mais ou menos como uma carga elétrica sobre a superfície dos corpos".

Em seguida, no *Projeto para uma psicologia científica*, a noção de deslocamento é situada como intrinsecamente ligada ao processo primário, constitutivo do sistema inconsciente, caracterizado pelo livre deslocamento de uma energia de investimento*. Na célebre carta de 6 de dezembro de 1896 a Wilhelm Fliess*, Freud progride na concepção daquilo a que pela primeira vez dá o nome de aparelho psíquico, falando, a propósito da memória, de um processo de estratificação em que os "traços mnêmicos são *remanejados* de tempos em tempos, conforme as novas circunstâncias".

O processo de deslocamento começa a assumir sua forma definitiva em 1899, na primeira versão do artigo "Lembranças encobridoras". Trata-se de explicar as razões das escolhas efetuadas pela memória entre os diversos elementos de uma experiência vivida. Duas forças psíquicas entram em confronto, uma trabalhando na memorização de acontecimentos importantes, outra sendo uma resistência que se opõe a esta. O conflito termina num compromisso: "... em vez da imagem mnêmica originalmente justificada, ocorre uma outra imagem mnêmica, que substitui parcialmente a primeira por *deslocamento* na associação." Essa função do deslocamento é confirmada quando da reformulação desse artigo, por ocasião da publicação da *Psicopatologia da vida cotidiana**: o deslocamento é, na verdade, a operação responsável pela existência das lembranças infantis que se referem a coisas indiferentes ou secundárias. O deslocamento consiste numa operação de substituição, que incide sobre impressões importantes cuja memorização esbarrou numa resistência, e cuja existência será estabelecida pela análise.

Em *A interpretação dos sonhos**, o deslocamento e a condensação* constituem "as duas grandes operações a que devemos, essencialmente, a forma de nossos sonhos". A análise dos sonhos evidencia, de maneira bastante sistemática, que alguns elementos, essenciais para o conteúdo manifesto do sonho, desempenham apenas um papel secundário no nível dos pensamentos latentes, sendo igualmente freqüente o mecanismo inverso. É essa constatação que leva Freud a considerar esse deslocamento de elementos como uma das formas essenciais do processo de deformação constitutivo do trabalho do sonho. Diversamente da condensação, o deslocamento aparece como totalmente ligado à censura: esta, com efeito, comanda a escolha de elementos anódinos destinados a substituir outros, potencialmente conflitantes.

Revemos em ação o processo de deslocamento no ensaio *Os chistes e sua relação com o inconsciente**. Nesse contexto, porém, o deslocamento intervém de acordo com modalidades diversas e Freud insiste, em especial, na distinção a ser efetuada entre o deslocamento que age no nível do trabalho psíquico responsável pelo chiste e o que intervém no plano do trabalho necessário a sua compreensão.

Em diversas ocasiões, Freud menciona as várias modalidades de funcionamento do deslocamento, sobretudo as que estão ligadas à proximidade e à analogia, mas não as teoriza. O lingüista Roman Jakobson (1896-1982) seria o introdutor dessa teorização, ao articular as figuras retóricas da metáfora e da sinédoque com os processos de simbolização, baseados na semelhança, no tocante à primeira, e na contigüidade ou proximidade, no tocante à segunda, e ressaltando que essas duas operações, que constituem a bipolaridade inerente a qualquer linguagem, encontram-se no funcionamento do sonho descrito por Freud. Jacques Lacan* apoiou-se nessa afirmação para repensar, no âmbito de sua teoria do significante*, a concepção freudiana do trabalho do sonho. Ao contrário de Jakobson, Lacan assimilou a condensação à metáfora e o deslocamento à metonímia.

• Sigmund Freud, *La Naissance de la psychanalyse* (Londres, 1950), Paris, PUF, 1956; *Briefe an Wilhelm Fliess, 1887-1904*, Frankfurt, Fischer, 1986; "As neuropsicoses de defesa" (1894), *ESB*, III, 57-74; *GW*, I, 57-74; *SE*, III, 41-61; *OC*, III, 1-18; "Lembranças encobridoras" (1899), *ESB*, III, 333-58; *GW*, I, 529-54; *SE*, III, 299-322; *OC*, III, 253-76; *A interpretação dos sonhos* (1900), *ESB*, IV-V, 1-660; *GW*, II-III, 1-642; *SE*, IV-V, 1-621; Paris, PUF, 1967; *A psicopatologia da vida cotidiana* (1901), *ESB*, VI; *GW*, IV; *SE*, VI; Paris, Payot, 1973; *Os chistes e sua relação com o inconsciente* (1905), *ESB*, VIII, 1-266; *GW*, VI, 1-285; *SE*, VIII; Paris, Gallimard, 1988; "O inconsciente" (1915), *ESB*, XIV, 191-233; *GW*, X, 263-303; *SE*, XIV, 159-204; *OC*, XIII, 203-42 • Roman Jakobson, *Essais de linguistique générale*, Paris, Minuit, 1963 • Jacques Lacan, *Escritos* (Paris, 1966), Rio de Janeiro, Jorge Zahar, 1998; Le Séminaire, livre V, *Les Formations de l'inconscient (1957-1958)*, inédito • Jean Laplanche e Jean-Bertrand Pontalis, *Vocabulário da psicanálise* (Paris, 1967), S. Paulo, Martins Fontes, 1991, 2ª ed. • Élisabeth Roudinesco, *História da psicanálise na França*, vol. 2 (Paris, 1986), Rio de Janeiro, Jorge Zahar, 1988; *Jacques Lacan. Esboço de uma vida, história de um sistema de pensamento* (Paris, 1993), S. Paulo, Companhia das Letras, 1994.

desmentido

➤ RENEGAÇÃO.

des-ser

➤ PASSE.

destituição subjetiva

➤ PASSE.

Deutsch, Adolf Abraham (1867-1943)
médico austríaco

Nascido em Czernowitz na Bucovina, esse médico judeu participou, entre 1906 e 1909 das reuniões da Sociedade Psicológica das Quartas-Feiras*. Foi morto em janeiro de 1943 no campo de concentração de Theresienstadt.

Deutsch, Felix (1884-1964)
médico e psicanalista americano

De origem vienense, Felix Deutsch foi na juventude um grande admirador de Theodor Herzl (1860-1904). Foi um dos fundadores da Kadimah, organização de estudantes sionistas de Viena*, na qual militava Martin Freud*, filho de Sigmund Freud*. Foi através dele que fez amizade com a família. Depois de estudar medicina e obter o título prestigioso de *Privatdozent*, tornou-se um excelente clínico geral.

Apesar do amor que lhe dedicava, teve muitas dificuldades em seu casamento com uma das mulheres mais célebres da saga freudiana: Helene Deutsch*. Em 1922, dez anos depois de casado, aderiu à Wiener Psychoanalytische Vereinigung (WPV) e fez uma análise com Siegfried Bernfeld*. Nessa época, foi também médico pessoal de Sigmund Freud. Quando diagnosticou, em abril de 1923, a lesão cancerosa de seu ilustre paciente, recusou-se a dizer-lhe a verdade, mas preconizou uma operação. Posteriormente, explicou sua atitude, afirmando que Freud não estava "suficientemente preparado para enfrentar tal realidade". Temia o suicídio* de seu paciente. Na verdade, parece que o próprio Deutsch não ousou confrontar-se com essa terrível descoberta; daí o seu silêncio. Freud ficou aborrecido com ele durante algum tempo e tomou Max Schur* como médico, fazendo-o jurar que nunca lhe mentiria.

Na mesma época, Deutsch recebeu uma paciente que fora o famoso caso Dora (Ida Bauer*). Percebeu progressivamente esse fato e trinta e três anos depois redigiu um artigo para mostrar que a jovem nunca se tinha curado de seus sintomas.

Depois de emigrar para os Estados Unidos*, Felix Deutsch fez uma brilhante carreira de médico e psicanalista. Orientou-se para a medicina psicossomática* e foi, entre 1951 e 1954, presidente da conceituada Boston Psychoanalytic Society (BoPS).

• Felix Deutsch, "Reflections on Freud's one hundredth birthday", *Psychosomatic Medicine*, 18, 1956, 279-83 • Max Schur, *Freud: vida e agonia, uma biografia*, 3 vols. (N. York, 1972), Rio de Janeiro, Imago, 1981 • Paul Roazen, *Helene Deutsch. Une vie de psychanalyste* (N. York, 1985), Paris, PUF, 1992.

Deutsch, Helene, *née* Rosenbach (1884-1982)
psiquiatra e psicanalista americana

A mulher que foi chamada de filha querida de Sigmund Freud* e que Abram Kardiner, fazendo alusão à sua beleza, comparava a Helena de Tróia, nasceu em Przemysl, na Polônia*, em uma família da burguesia judaica assimilada. Última de quatro irmãos, a pequena Hala, seis anos mais nova que sua irmã Gizela, foi a predileta do pai, brilhante jurista, que se sentia decepcionado com a mediocridade do filho Emil, dez anos mais velho que Helene. Regina Rosenbach, a mãe, era uma mulher autoritária, conformista e pouco afetuosa. Tudo faz crer que ela era principalmente insatisfeita, o que, curiosamente, a sua filha psicanalista e pioneira da emancipação feminina nunca levou em consideração.

Aos 14 anos, a despeito de sua inteligência e sua beleza, Helene era deprimida, marcada pela hostilidade da mãe em relação a ela e pela tentativa de estupro de que tinha sido vítima por parte do irmão. Para grande escândalo da família, tornou-se então amante de um homem casado e conhecido em toda a cidade: Herman Lieberman. Esse eminente dirigente socialista, que seria ministro do governo polonês no exílio em Londres em 1940, lhe apresentou Rosa

Luxemburgo, figura histórica, de quem ela falaria ainda com entusiasmo e admiração no fim da vida, aos 85 anos.

Em 1907, o casal se instalou em Viena*, onde Helene começou a estudar medicina. Mas, não vendo perspectiva de futuro, Helene terminou essa ligação violenta e tumultuada, que durou quatro anos. A ruptura foi motivo de sofrimento para Herman durante longos anos. Em 1911, Josef Reinhold, um amigo neurologista que mais tarde ela não conseguiria arrancar das garras dos nazistas, lhe aconselhou a leitura da *Interpretação dos sonhos*. Ao mesmo tempo, encontrou Felix Deutsch*, jovem médico atraído pelas idéias freudianas, com quem se casou no ano seguinte.

Em fevereiro de 1914, quando começava a se especializar em psiquiatria, foi a Munique, para o serviço de Emil Kraepelin*, onde se chocou com a hostilidade da filha deste, prelúdio à sua rivalidade futura com Anna Freud*. Em abril, voltou a Viena e integrou-se ao célebre serviço de Julius Wagner-Jauregg*, sucessor de Richard von Krafft-Ebing*. Desejando continuar no caminho da psicanálise*, freqüentou simultaneamente o seminário de Viktor Tausk*, que se tornou amigo do casal Deutsch. Os anos seguintes marcaram o início de sua notoriedade.

Em 1917, depois de uma sucessão de abortos e dificuldades conjugais crescentes, deu à luz um menino, Martin, que seria seu único filho e cuja verdadeira filiação nunca se saberia com certeza. Era filho de Felix ou de seu amigo íntimo Paul Barnay, ator e diretor de teatro?

Assim, foram tanto problemas pessoais quanto interesse teórico e clínico que levaram Helene a aproximar-se do grupo freudiano. A partir de 1918, assistiu regularmente às reuniões da Wiener Psychoanalitische Vereinigung* (WPV), da qual se tornou membro em 13 de março de 1918. No outono, começou uma análise com Freud e logo se deu conta de que essa opção a obrigava a deixar o serviço de Wagner-Jauregg. Seduzido pela inteligência e pelos conhecimentos da jovem, Freud quis fazer dela sua principal discípula e acelerou o curso das coisas. Ao fim de um ano, interrompeu o tratamento, pretextando que tinha necessidade daquela hora cotidiana para um paciente estrangeiro, que se revelaria ser Serguei Constantino-vitch Pankejeff*, o Homem dos Lobos.

Foi no contexto desse reconhecimento pre-cipitado que Freud enviou Tausk para ser ana-lisado por Helene, depois de tê-lo analisado ele próprio. Freud supervisionava o trabalho de sua discípula, mas essa situação confusa terminaria com o suicídio* de Tausk. Aliás, embora sua análise não tivesse contribuído para a resolução de seus problemas, Helene assumiu cada vez mais a causa do freudismo*, do qual diria, em referência a seus ideais socialistas, que fora a sua "última revolução", a "mais profunda".

A partir de 1922, estimulados pelo exemplo berlinense, os vienenses abriram uma policlíni-ca, de cuja direção participava Felix Deutsch, que se tornara médico pessoal de Freud. Quanto este quis criar em Viena um instituto baseado no modelo de Berlim, foi Helene quem garantiu sua fundação. Dirigiu-o de 1924 até a sua par-tida para os Estados Unidos*. Antes, foi a Ber-lim para se informar, mas principalmente para se afastar de Felix e retomar uma análise com Karl Abraham*. Teve então uma ligação com Sandor Rado*.

Inquieto com aquilo que sentia como uma tentativa de emancipação, Freud não hesitou em escrever a seu fiel discípulo, para pedir-lhe que zelasse para que esse tratamento não resul-tasse na separação de Helene e seu marido. Dócil, Abraham, obedeceu à recomendação do mestre, entravando assim o desenrolar normal da análise de sua paciente.

Durante sua permanência em Berlim, He-lene redigiu seu primeiro trabalho sobre a psi-cologia da mulher. Apresentou-o no congresso da International Psychoanalytical Association* (IPA) de Salzburgo, em 21 de abril de 1924. Depois, escreveu sua primeira obra, *Psicaná-lise das funções sexuais da mulher*, prelúdio a seu livro mais importante, *Psicologia da mu-lher*, que seria, em 1949, a referência psicana-lítica maior de Simone de Beauvoir (1908-1986) em *O segundo sexo*. A posição de Helene Deutsch sobre a sexualidade feminina*, ins-pirada na tese da libido única e do falicismo, se inscreve perfeitamente na corrente da escola vienense, também representada por Jeanne Lampl de Groot*, Ruth Mack-Brunswick* e Marie Bonaparte*. A essa corrente se oporia a escola inglesa, centrada no dualismo sexual, e representada por Ernest Jones*, Melanie Klein* e Josine Müller (1884-1930).

Já em 1935, Helene Deutsch percebia o perigo nazista e decidiu, a despeito das novas pressões de Freud, exilar-se além do Atlântico, com seu marido e seu filho. Ali, integrou-se à Boston Psychoanalytic Society (BoPS), da qual se tornaria uma das mais brilhantes personali-dades.

As longas décadas que se seguiram — ela viveu até os 98 anos — foram ritmadas pelas tensões e conflitos de uma vida conjugal insa-tisfatória e pela nostalgia da paixão amorosa que marcou sua juventude. Sem dúvida, era essa uma das razões de seu apego à Polônia natal. Manifestava esse sentimento por um forte sotaque, o que fazia com que seus amigos dis-sessem que "ela falava cinco línguas, todas em polonês". A grande dama de um freudismo sem concessões, criticando tão severamente a *Ego Psychology** quanto a standardização, à moda americana, da análise didática*, desprovida segundo ela daquele espírito militante ao qual aderira apaixonadamente durante a sua juven-tude, foi então reconhecida e celebrada no continente americano.

• Helene Deutsch, *La Psychologie des femmes* (N. York, 1944), Paris, PUF, 1949; *Autobiographie* (N. York, 1973), Paris, Mercure de France, 1986; *Psychanalyse des fonctions sexuelles de la femme* (N. York, 1991), Paris, PUF, 1994 • Paul Roazen, *Helene Deutsch. Une vie de psychanalyste* (N. York, 1985), Paris, PUF, 1992.

➤ DIFERENÇA SEXUAL; GÊNERO; SEXUALIDADE.

Devereux, Georges, *né* Gyorgy Dobo (1908-1985)

psicanalista e antropólogo americano e francês

Os grandes freudianos interessados na ques-tão da antropologia*, Georges Devereux e Geza Roheim*, eram ambos judeus húngaros — isto é, provenientes de uma região da Europa onde a questão do comunitarismo e das identidades nacionais ainda era mais acentuada que nos outros territórios do continente — e preocupa-dos com a universalidade. Durante toda a vida, Devereux obstinou-se na procura de um nome, de uma identidade, de uma nacionalidade. Os-cilava permanentemente entre um desejo de vinculação e uma atração contrária pela dissidência.

Nascido em Lugos, na Transilvânia, em uma região que se tornaria a Romênia* com o tratado de Trianon (1920), Gyorgy Dobo foi criado por uma mãe alemã e um pai húngaro, que conversava com ele em francês. Desde muito pequeno, falava quatro línguas (húngaro, romeno, alemão, francês). E, mais tarde, aprenderia mais quatro outras.

Em 1926, contrariando sua mãe, germanófila, escolheu a França como pátria de adoção e instalou-se em Paris, onde começou a estudar física e química com Marie Curie (1859-1906). Fez amizade com Klaus Mann (1906-1949), filho de Thomas Mann*, e decidiu entrar para a Escola de Línguas Orientais. Seguiu então os cursos de Marcel Mauss (1872-1950) e de Lucien Lévy-Bruhl (1857-1939), orientando-se depois para a antropologia.

Em 1932, aos 24 anos, começou a escrever artigos para a prestigiosa revista *American Anthropologist*. Nesse ano, mudou de nome e fez-se batizar católico. Um ano depois, partiu a campo: foi para o Arizona, entre os índios mohaves e depois para a Indochina entre os Sedang-Moï. Aluno de Alfred Kroeber (1876-1960), ensinou então durante algum tempo na Califórnia, na Universidade de Berkeley.

O amor e o ódio desempenharam um papel fundamental no itinerário desse esteta culto, conservador e melancólico. Ódio a si mesmo como judeu e ódio à Romênia, ódio à Alemanha*, adoração pela França, todas essas paixões se encontram em seus objetos de estudo. Assim, Devereux adorava Atenas, cidade civilizada por excelência, e detestava Esparta por seu militarismo. Do mesmo modo, gostava de seus índios mohaves e rejeitava os Sedang-Moï. Mas também era de sua mãe que procurava fugir, apresentando-se como "carente de amor materno" e estigmatizando o matriarcado, regime de autoridade e opressão. Certamente, também foi muito marcado pelo suicídio* do irmão.

O trabalho de campo o fez refletir sobre os problemas da diversidade das doenças mentais segundo as culturas. Mas só depois da Segunda Guerra Mundial orientou-se para a psicanálise*, primeiro em Paris, onde começou um tratamento com Marc Schlumberger (1900-1977), mem-

bro da Sociedade Psicanalítica de Paris (SPP), e depois em Topeka, no Kansas, na famosa clínica de Karl Menninger*, onde também trabalhava Henri F. Ellenberger* e onde encontrou um novo campo de experiências transculturais. Ali, iniciou-se na clínica psiquiátrica. Integrou-se à Philadelphia Psychoanalytic Society (PPS) e à New York Psychoanalytic Society (NYPS), tornando-se membro da International Psychoanalytical Association* (IPA) através de uma filiação à American Psychoanalytic Association* (APsaA). Em 1964, de volta a Paris, inscreveu-se na Sociedade Psicanalítica de Paris (SPP), praticou muito pouco a psicanálise e foi eleito diretor de estudos na École Pratique des Hautes Études (EPHE), graças à intervenção de Claude Lévi-Strauss. Periodicamente, Devereux retornava ao Arizona, entre os índios mohaves. Considerava sua cultura como uma "cultura do sonho" e estudou mais de 130 casos, que relatou em seu grande livro publicado em 1961: *Etnopsiquiatria dos índios mohaves*. Depois de sua morte, segundo seu desejo, suas cinzas foram dispersadas segundo os ritos mohaves no cemitério de Parker, nos Estados Unidos.

Se Geza Roheim foi o fundador da etnopsicanálise*, Devereux foi o primeiro a unificar todos os domínios relativos ao estudo das doenças mentais em sua diversidade cultural. Em sua obra, a definição de etnopsiquiatria, proveniente da tradição de Emil Kraepelin*, se confunde com a de etnopsicanálise. Assim como Geza Roheim, ele foi um terapeuta de campo, um clínico da psicanálise em culturas não-ocidentais, continuando a ser, ao mesmo tempo, um freudiano clássico e ortodoxo. Ao contrário de Roheim, nunca aderiu às teses kleinianas. Simultaneamente próximo da Escola de Chicago (Franz Alexander*) e da *Ego Psychology**, cujas posições adaptadoras não deixava de criticar, dedicou-se, em nome da universalidade do gênero humano, ao mesmo combate anticulturalista que Roheim, especialmente contra Margaret Mead*, Abram Kardiner* e a corrente Cultura e Personalidade. Efetivamente, foi o primeiro a fazer a síntese entre o freudismo* à americana e a escola francesa de antropologia: de Marcel Mauss a Lévi-Strauss.

Sua obra escrita, redigida essencialmente em inglês, é considerável: mais de 400 títulos, de 1927 aos anos 1990, considerando-se as publicações póstumas. O princípio que a atravessa é o do complementarismo, cuja definição teórica se encontra no livro de 1972 *Etnopsicanálise complementarista*. Devereux mostra que todo fenômeno humano deve ser explicado pelo menos por duas maneiras "complementares". Cada explicação é completa em seu contexto, sendo necessário portanto um duplo discurso para sustentá-la. Esse duplo discurso não deve ser enunciado pelo mesmo pesquisador. A verdadeira etnopsicanálise, segundo Devereux, deve propor, conseqüentemente, uma dupla análise de certos fatos: no âmbito da etnologia, por um lado, e no âmbito da psicanálise, por outro lado. Só dessa maneira ela conseguirá identificar a natureza da relação de complementaridade entre os dois sistemas. Assim, por exemplo, um sujeito deve ser observado do "interior" por um psicanalista, e do "exterior" pelo etnólogo ou pelo sociólogo. Daí a existência de uma relação de complementaridade entre as duas explicações.

É esse modelo, próximo do de Claude Lévi-Strauss quando este analisa o "pensamento selvagem", que permite a Devereux criticar ao mesmo tempo o etnocentrismo e o universalismo abstrato, que tendem a reduzir tudo a uma explicação única, e o culturalismo*, que dissolve o universal no particular. Devereux distingue assim radicalmente o método de tratamento dos xamãs do método dos psiquiatras modernos, o primeiro fundado na magia, o segundo na razão. Nessa ótica, reafirma o princípio fundador da história da psiquiatria dinâmica*: o etnopsicanalista, longe de se identificar com o xamã, deve explicar o sistema de pensamento da comunidade que estuda com o seu próprio sistema. Se ele desejar tratar e curar, deverá fazê-lo com sua própria racionalidade: nem negar a importância da cultura original na forma tomada pela neurose* ou pela psicose*, nem querer adaptar o sujeito à sua comunidade. Daí a adoção do termo "transculturalismo", que respeita a idéia complementarista. Foi nessa perspectiva que Devereux fez da esquizofrenia*, em 1965, uma "psicose étnica", não hesitando em afirmar, contra as teses organicistas, que ela só aparecia quando indivíduos são "submetidos a um violento processo de aculturação".

O psicanalista francês Tobie Nathan, um dos alunos de Devereux, rompeu com as posições do mestre, defendendo um etnicismo radical. Nessa perspectiva, a ciência é rejeitada em benefício da magia, e o psicanalista, agindo no campo das populações migrantes do mundo ocidental (principalmente africanas), deve identificar-se com o feiticeiro, a fim de reparar o erro cometido por um Ocidente imperialista, julgado culpado de ter destruído as culturas minoritárias. Daí uma adesão a teses diferencialistas, que nada mais têm a ver com as da psicanálise ou da psiquiatria transcultural.

• Georges Devereux, *Psychothérapie d'un Indien des plaines* (N. York, 1951), Paris, J.-C. Godefroy, 1982; *Mohave Etnopsichiatry and Suicide*, Washington, Smithsonian Institution Press, 1961; *Ethnopsychiatrie des Indiens mohaves* (N. York, 1961), Paris, Synthélabo, col. "Les empêcheurs de penser en rond", 1966; *Essais d'ethnopsychiatrie générale*, Paris, Gallimard, 1970; *Ethnopychanalyse complémentariste*, Paris, Flammarion, 1972; *Tragédies et poésie grecques. Études psychanalytiques*, Paris, Flammarion, 1975; *Cléomène, le roi fou*, Paris, Flammarion, 1995 • Élisabeth Burgos, "Georges Devereux, Mohave", *Le Coq-Héron*, 109, 1988, 71-5 • Benjamin Kilborne, "Altérité et contre-transfert: Georges Devereux", *Nouvelle Revue d'Ethnopsychiatrie*, 7, 135-47 • Marie-Christine Beck, "La Jeunesse de Georges Devereux. Un chemin peu habituel vers la psychanalyse", *Revue Internationale d'Histoire de la Psychanalyse*, 4, 1991, 581-600 • Simone Valentin-Charasson e Ariane Deluz, "Contrefiliations et inspirations paradoxales: Georges Devereux (1908-1985)", ibid., 605-15 • Tobie Nathan, *L'Influence qui guérit*, Paris, Odile Jacob, 1994.

➣ ANTIPSIQUIATRIA; DIFERENÇA SEXUAL; GÊNERO; *TOTEM E TABU*.

Dick, caso

➣ KLEIN, MELANIE; PSICANÁLISE DE CRIANÇAS.

didática

➣ ANÁLISE DIDÁTICA.

diferença sexual

al. *Geschlechtsunterschied*; esp. *diferencia sexual*; fr. *différence des sexes*; ing. *distinction between the sexes, sexual difference*

Em psicanálise*, a elucidação da questão da diferença sexual decorre da concepção freudiana da libido* única (ou monismo sexual), que permite, a um só tempo, definir a sexualidade masculina e a sexualidade feminina*.

De acordo com Sigmund Freud*, a existência de uma diferença anatômica leva cada representante de ambos os sexos a uma organização psíquica diferente, através do complexo de Édipo* e da castração*. Mas, se essa diferença existe, ela é pensada por Freud no quadro unificador de um monismo sexual: uma única libido, de essência masculina, define a sexualidade* em geral (masculina e feminina). Esse monismo, próprio da chamada escola vienense, foi criticado, a partir de 1920, pelos representantes da chamada escola inglesa: Ernest Jones* ou Melanie Klein*. À tese da libido única, de essência fálica (ou masculina), eles opuseram a tese de uma diferença sexual (ou dualismo sexual) de tipo naturalista, sem por isso apregoar, por outro lado, qualquer diferencialismo cultural ou político.

Na história intelectual do século XX, o primeiro livro coerente a tomar por objeto a sexualidade feminina a partir da noção de diferença foi obra de uma romancista e filósofa. Quando Simone de Beauvoir (1908-1986) publicou *O segundo sexo*, em junho de 1949, anunciou desde logo que a reivindicação feminista já estava ultrapassada. Para abordar esse tema a sério, após uma guerra que, na França*, permitira às mulheres obterem o direito de voto, era preciso, doravante, tomar uma certa distância. Beauvoir não sabia que seu livro estaria na origem, após um longo desvio pelo continente norte-americano, de uma transformação simultânea dos ideais do feminismo e dos do freudismo*. Ignorava-o a ponto de, em 1968, pegar o bonde andando do novo feminismo radical baseado numa concepção maximalista da diferença entre os sexos, da qual, com esse livro inaugural, ela fora a grande inspiradora.

Pela primeira vez numa análise acadêmica estabeleceu-se um vínculo entre as diversas teorias da sexualidade feminina, provenientes da reformulação freudiana e das lutas pela emancipação. Beauvoir estudou a sexualidade à maneira de um historiador e tomou o partido da escola inglesa.

Entretanto, acrescentou às teses inglesas uma reflexão política e ideológica, através da qual instaurou uma relação entre o sexo no sentido anatômico e a situação sexuada da mulher nas sociedades dominadas pelo poder masculino e pela ordem patriarcal. Censurou Freud por calcar o destino feminino num destino incipientemente modificado do homem. Opondo-se a ele, afirmou a existência de um *segundo sexo*, diferente do primeiro tanto pela anatomia quanto pela implicação social dessa anatomia. Todavia, ao se apoiar no existencialismo sartriano, ela se afastou do preconceito naturalista: "Não se nasce mulher, vem-se a sê-lo", declarou. Essa fórmula, sem dúvida alguma, era falsa, mas tinha o mérito de exprimir vigorosamente a dialética do ser e da subjetividade que a fenomenologia husserliana e a heideggeriana, depois dela, souberam levar à incandescência. Beauvoir aplicou à elucidação do "mistério" da sexualidade feminina uma ótica que seria a dos antipsiquiatras a propósito da loucura*. A seu ver, a questão feminina não era assunto das mulheres, mas da sociedade dos homens, a única responsável, em sua opinião, pela submissão a ideais masculinos. Ao ligar a questão da sexualidade à da emancipação, Beauvoir remeteu a noção de sexualidade feminina a um culturalismo, e não mais ao naturalismo.

Beauvoir fazia da sexualidade feminina uma "diferença", à maneira como a escola culturalista norte-americana — de Ruth Benedict (1887-1948) a Margaret Mead* — defendia o relativismo: a cada cultura, seu tipo psicológico, a cada grupo, sua identidade, a cada minoria, seu *pattern*. Tanto assim que toda sociedade não passa da soma de suas diversas comunidades: as crianças, os judeus, os loucos, as mulheres, os negros etc.

Ao mesmo tempo, entretanto, ela levou em conta o debate sobre a dualidade da natureza e da cultura, tal como o formulara, na França, Claude Lévi-Strauss num outro livro inaugural — *As estruturas elementares do parentesco* —, publicado na mesma época e a propósito do qual Beauvoir escreveu um artigo elogioso. Empregando o método estrutural, Lévi-Strauss trouxe um esclarecimento inédito à questão da universalidade da proibição do incesto*, que tanto havia dividido os etnólogos ingleses e norte-americanos desde a publicação de *Totem e tabu* por Freud.

No contexto do grande debate iniciado após a guerra sobre a relatividade das culturas, o livro de Simone de Beauvoir foi tomado como emblema de uma sexualização do feminismo e contribuiu, exagerando as idéias de sua autora, para o surgimento, nos Estados Unidos*, de um feminismo sexista e diferenciatório. Convém lembrarmos que foi em 1947 que a American Anthropological Association submeteu à Comissão de Direitos Humanos da Organização das Nações Unidas um projeto de declaração que sublinhava o caráter relativo dos valores próprios de cada cultura.

Nessa passagem para o diferencialismo, as teses de Jacques Lacan* sobre a questão da sexualidade feminina desempenharam um papel considerável. Em 1958, no contexto da preparação de um congresso sobre a sexualidade feminina, que deveria realizar-se em Amsterdã dois anos depois, ele elaborou "diretrizes" pautadas na tese freudiana do monismo sexual, mas corrigidas pela escola inglesa: a publicação do livro de Simone de Beauvoir foi, para ele, uma oportunidade de retomar toda essa questão.

Embora mantendo o caráter primário do falicismo e do monismo sexual, Lacan propôs, ao mesmo tempo, introduzir a idéia da relação precoce com a mãe, sob a categoria de um "desejo materno", como tinham feito antes dele Melanie Klein* e Donald Woods Winnicott*, e livrar a terminologia freudiana de qualquer equívoco centrado no paternalismo. Assim, ele revisou a doutrina clássica vienense à luz de suas sucessivas revisões e de sua própria tópica do simbólico*, do imaginário* e do real*. Com isso, Lacan fez do falo* (grafado como Falo) o objeto central da economia libidinal, porém um falo desligado de suas conivências com o órgão peniano. Dentro dessa ótica, o falo é assimilado a um significante* puro da potência vital, dividindo igualmente os dois sexos e exercendo, portanto, uma função simbólica. Se o falo não é um órgão de ninguém, nenhuma libido masculina domina a condição feminina. O poder fálico não mais é articulado com a anatomia, e sim com o desejo* que estrutura a identidade sexual, sem privilegiar um gênero em detrimento do outro.

Na perspectiva lacaniana, a teoria freudiana, por um lado, e as teses inglesas, por outro, traduzem-se numa mesma álgebra ternária. Na relação primordial com a mãe, a criança é "desejo do desejo materno". Pode identificar-se com a mãe, com o falo, com a mãe como portadora do falo, ou então apresentar-se, ela mesma, como provida do falo. Com o Édipo, entra-se numa ordem diferente: o pai intervém como privador, para a criança, do objeto de seu desejo, e como privador, para a mãe, de seu objeto fálico. Por fim, num terceiro tempo, que corresponde ao declínio do Édipo, o pai intervém para se fazer preferir à mãe, encarnando para a criança o significante fálico. O menino sai do Édipo através da castração*, na medida em que esta não é real, mas significada pelo falo, enquanto a menina é introduzida nele pelo mesmo caminho, ao renunciar a ser portadora do falo para recebê-lo como significante.

Na França, essa leitura lacaniana do falocentrismo* abriu caminho, entre 1968 e 1974, para teses diferencialistas encontradas sob a pena de autores — em geral mulheres e psicanalistas — preocupados em definir as características de uma identidade feminina liberta de qualquer substrato biológico ou anatômico. Assistiu-se então, em seguida à reformulação lacaniana, ao surgimento de um feminismo psicanalítico francês que, embora apoiando-se no livro fundador de Simone de Beauvoir, procurou ora contestá-lo radicalmente, ora corrigir seu aspecto naturalista e existencialista através de uma nova referência a Freud.

Em 1965, Michèle Montrelay, membro da École Freudienne de Paris* (EFP), apoiou-se na obra de Marguerite Duras e, em especial, no romance *Le Ravissement de Lol V. Stein*, que Lacan havia comentado, para definir o gozo* feminino como uma "escrita", um continente negro, uma "sombra" ou um "feminino primário", recalcado pela psicanálise. Daí a necessidade de o homem e a mulher inscreverem o nome dessa sombra como marca da diferença.

Nove anos depois, Julia Kristeva, membro do comitê da revista *Tel Quel*, impulsionada por

Philippe Sollers, publicou um livro, *La Révolution du langage poétique*, no qual, retomando a idéia de heterologia que fora cara a Georges Bataille (1897-1962), contrastou uma "ordem semiótica" com a ordem simbólica. Essa ordem semiótica seria aparentada com a noção de real elaborada por Lacan: irrupção de uma pulsão*, lugar de negatividade e de gozo, ela era como que impossível de simbolizar e também remetia ao feminino.

No mesmo ano, recorrendo ao trabalho de Jacques Derrida sobre a diferença (ou *différance*), Luce Irigaray, filósofa e psicanalista, membro da EFP, retomou as teses clássicas da escola inglesa em *Speculum de l'autre femme*, onde se enunciou pela primeira vez um diferencialismo radical, que faria fortuna nos Estados Unidos. Irigaray definiu uma escrita feminina, sexuada, capaz de subverter a linguagem opressiva dos "machos". Assimilou o falocentrismo freudiano a um logocentrismo e propôs fazer brotar uma alteridade do feminino. À tese do falocentrismo freudiano e lacaniano ela opôs a idéia de uma possível "feminização" do conjunto da sexualidade humana, através do surgimento de um arcaísmo recalcado nos planos social e subjetivo.

Essas teses, que ameaçavam reduzir a teoria freudiana a um puro culturalismo*, encontram-se no célebre livro de Juliet Mitchell intitulado *Psychanalyse et féminisme*, publicado em 1974, que marcou o começo de uma releitura lacaniana do freudismo nos Estados Unidos e na literatura psicanalítica anglófona. Opondo-se às diferentes correntes da *Self Psychology**, provenientes de Winnicott e Heinz Kohut*, que continuavam presas a uma concepção biologista, anatomista e naturalista da diferença sexual, Mitchell apoiou-se implicitamente na obra de Lacan — e nos comentadores dele — para efetuar uma espécie de "retorno a Freud". Tratava-se de mostrar que Freud, longe de haver aderido aos ideais do patriarcado, fornecera os instrumentos teóricos para nos desligarmos deles, e que Lacan, mesmo permanecendo submetido ao falocentrismo freudiano, fornecia os meios para sairmos deste através de sua crítica do biologismo.

Na França, a partir de 1980, salvo alguns trabalhos especializados, a interrogação sobre a diferença sexual deixou de interessar à comunidade freudiana. Nos Estados Unidos, a implantação do lacanismo nas altas esferas do ensino universitário, através dos *French studies*, deu origem a pesquisas específicas sobre a identidade feminina e a constituição de um possível "sujeito feminino" no Ocidente.

O culto das minorias, tal como se desenvolveu nos Estados Unidos a partir da década de 1990, inspira-se nessa herança, seja ela freudiana, lacaniana ou hostil ao freudismo. O direito à diferença, mitificado, transmudou-se numa vontade de encerramento. As minorias, outrora vítimas do diferencialismo, tornaram-se suas defensoras, à força de reivindicar sua "raça", sua "etnia" ou seu "sexo". Daí esse feminismo radical que renunciou, ao mesmo tempo, ao universalismo iluminista e à concepção freudiana da sexualidade. Como antídoto, por outro lado, ele deu origem a trabalhos que tentam refletir sobre uma nova divisão entre o gênero*, como entidade moral, política e cultural, e o sexo, como especificidade anatômica.

• Simone de Beauvoir, *O segundo sexo*, 2 vols. (Paris, 1949), Rio de Janeiro, Nova Fronteira, 1991, 8ª ed. • Claude Lévi-Strauss, *As estruturas elementares do parentesco* (Paris, 1949), Petrópolis, Vozes, 1976 • Jacques Lacan, *Escritos* (Paris, 1966), Rio de Janeiro, 1998; O Seminário, livro 4, *A relação de objeto (1956-1957)* (Paris, 1994), Rio de Janeiro, Jorge Zahar, 1995 • Wladimir Granoff e François Perrier, *Le Désir et le féminin* (1964), Paris, Aubier, 1991 • Jacques Derrida, *A escritura e a diferença* (Paris, 1967), S. Paulo, Perspectiva, 1971 • Julia Kristeva, *La Révolution du langage poétique*, Paris, Seuil, 1974 • Luce Irigaray, *Spéculum de l'autre femme*, Paris, Minuit, 1974 • Juliet Mitchell, *Psychanalyse et féminisme* (Londres, 1974), Paris, Des femmes, 1979 • Jacqueline Rose, *Feminine Sexuality. Jacques Lacan and the École freudienne*, Londres, Macmillan, 1982 • Michèle Montrelay, *L'Ombre et le nom*, Paris, Minuit, 1977 • Élisabeth Badinter, *Um é o outro* (Paris, 1986), Rio de Janeiro, Nova Fronteira, 1986, *XY: sobre a identidade masculina* (Paris, 1992), Rio de Janeiro, Nova Fronteira, 1994, 2ª ed. • Jane Gallop, *Thinking through the Body*, N. York, Columbia University Press, 1988 • Elizabeth Wright (org.), *Feminism and Psychoanalysis. A Critical Dictionary*, Oxford, Basil Blackwell, 1992 • Françoise Héritier, *Masculin/Féminin. La Pensée de la différence*, Paris, Odile Jacob, 1996.

➢ ANTROPOLOGIA; BISSEXUALIDADE; CULTURALISMO; DESCONSTRUÇÃO; HOMOSSEXUALIDADE; JUDEIDADE; SEXUAÇÃO, FÓRMULAS DA.

Dinamarca

➤ ESCANDINÁVIA.

discordância

➤ CLIVAGEM (DO EU); FORACLUSÃO.

dissidência

➤ CISÃO.

dissociação

➤ CLIVAGEM (DO EU).

divisão (do eu)

➤ CLIVAGEM (DO EU).

Documento

➤ ARGENTINA; CISÃO; LANGER, MARIE.

Dolto, Françoise, *née* Marette (1908-1988)

médica e psicanalista francesa

Com Jacques Lacan*, Françoise Dolto foi a segunda grande personalidade do freudismo* francês. Nascida em 6 de novembro de 1908, em uma família de engenheiros e militares, adepta das idéias de Charles Maurras (1868-1952), foi educada segundo os princípios daquela grande burguesia parisiense, cuja opinião era modelada pela leitura cotidiana do jornal *L'Action Française*.

Desde a mais tenra infância, ela leu livros piedosos e foi afastada dos fatos da sexualidade* humana. Diziam-lhe que as crianças nasciam em caixas enviadas à terra pelo Sagrado Coração de Jesus, que as coisas do amor eram repugnantes, ou ainda que as mulheres eram destinadas a passar da virgindade para a maternidade, sem nunca ter acesso à intelectualidade ou a uma liberdade qualquer.

No começo da Primeira Guerra Mundial, aos 7 anos de idade, ela se acreditou noiva de seu tio materno Pierre Demmler (1846-1916), capitão de um batalhão de caçadores alpinos, morto em julho de 1916. Estimulada pelos pais, considerou-se então uma viúva de guerra, sem conseguir assumir o luto desse primeiro amor. Ao longo desse período, foi marcada pela germanofobia, pelo racismo e pelo anti-semitismo que eram o alimento espiritual de sua família.

Outro acontecimento contribuiu para mantê-la em situação de luto, tédio e ignorância: a morte de sua irmã mais velha, atingida em maio de 1920 por um câncer nos ossos. Suzanne Marette (1879-1962), mãe de Françoise, não se recuperou dessa morte, apesar do nascimento de um último filho, em 1922. Assim, o estado de depressão no qual se encontrou mergulhada, depois de uma febre cerebral e de surtos de delírio, foi apenas o aspecto mais visível dessa melancolia* de que ela sofria desde sempre, e que só uma vida repleta de tarefas domésticas e deveres conjugais lhe permitira mascarar.

Com tal educação, e em contato com uma mãe deprimida que, mesmo devotada e afetuosa, não era menos vítima dos ideais de sua classe, a jovem Françoise Marette chegou a seu vigésimo aniversário em estado de grave neurose*. Preocupada com um início de obesidade, invadida por pulsões violentas, era incapaz de considerar a menor relação com um homem, de pensar em uma verdadeira profissão ou em construir para si uma identidade.

Para as mulheres dessa geração que desejassem libertar-se do jugo familiar, vários caminhos eram possíveis no limiar dos anos 1930: a tomada de consciência política, o engajamento feminista ou místico, o acesso a uma profissão. Françoise fez esta última escolha quando, na mesma época que seu irmão Philippe, começou a estudar medicina, ao mesmo tempo para se curar de sua educação e para não repetir, tornando-se por sua vez mãe e esposa, os erros cometidos por seus pais. Desejando ser "médica da educação", deparou-se então com a aventura pioneira do freudismo francês, na pessoa de René Laforgue*.

Seu tratamento psicanalítico começou em fevereiro de 1934 e durou três anos. Esse tratamento operou sobre seu destino uma espécie de milagre, que se assemelhou a uma revolução da consciência pelo trabalho do inconsciente*. Françoise tornou-se *outra* mulher: uma mulher consciente de si mesma e não mais alienada, uma mulher capaz de sentir-se sexualmente mulher ao invés de ter de si mesma uma imagem infantil e mortífera. Assim, foi despertada de sua neurose pelo aprendizado de um saber clínico e arrancada aos preconceitos de seu ambiente pelo acesso à cultura freudiana. Entretanto, de sua educação e suas origens, ela conservaria uma fé católica ardorosa, a vontade de reparar as desgraças do sofrimento infantil e uma maneira de falar muito peculiar. Paradoxalmente, quanto mais sua fé se desembaraçasse das intolerâncias nacionalistas da *Action Française*, tanto mais seu discurso seria marcado pelo culto excessivamente *vieille France* ao vocabulário clássico.

Seu talento para a escuta da infância se revelou em contato com seu segundo mestre: Édouard Pichon*. Graças a ele, depois de uma passagem pelo serviço de Georges Heuyer (1884-1977), onde freqüentou Sophie Morgenstern*, defendeu sua tese de medicina em 1939 sobre o tema das relações entre a psicanálise* e a pediatria.

O método utilizado com as crianças consistia em abandonar a técnica da brincadeira e da interpretação* dos desenhos e praticar uma escuta capaz de traduzir a linguagem infantil. Na verdade, segundo Dolto, o psicanalista devia usar as mesmas palavras que a criança e comunicar-lhe os seus próprios pensamentos sob seu aspecto real. Em sua tese, não hesitou em traduzir em palavras cotidianas os termos sofisticados do vocabulário médico: enurese = xixi na cama; encopresia = cocô na calça. Os 16 casos apresentados em *Psicanálise e pediatria* eram a ilustração desse método, que se desenvolveu ao longo dos anos.

Em 1938, encontrou Jacques Lacan, a quem acompanhou ao longo de sua carreira de psicanalista. Ela adotaria seus conceitos, nomeando-os à sua maneira. Assim, quando falava de castração* simbólica, preferia a esse adjetivo a palavra "simbolígena", inventada por ela, que lamentava não existisse esse termo em francês. A intenção era sublinhar que o interdito permitia à pulsão* expressar-se de outra forma além do gozo* do corpo. Durante quarenta anos, Lacan e Dolto seriam o casal parental para gerações de psicanalistas franceses. O paradoxo mais impressionante dessa epopéia edipiana estava no fato de que Lacan se revelaria sempre

mais maternal e feminino do que Françoise Dolto, que cultivaria um estilo mais paternal.

Em 24 de setembro de 1940, pouco tempo depois da morte de Édouard Pichon, Françoise Dolto inaugurou, no Hospital Trousseau, um consultório que se tornaria "público", isto é, aberto aos analistas que desejassem se formar na prática da psicanálise de crianças*. Ela o fechou em 1978.

Em 1942, Françoise Marette casou-se com Boris Dolto (1899-1981), médico russo imigrante, nascido na Criméia, que fundaria um novo método de quinesiterapia. Três filhos nasceram desse casamento.

Em 1949, Françoise Dolto expôs à Sociedade Psicanalítica de Paris (SPP) o caso de duas meninas psicóticas, Bernadette e Nicole. A primeira gritava, sem conseguir fazer-se ouvir. Humanizava os vegetais e "coisificava" os seres humanos. A segunda permanecia muda, embora não fosse surda. Dolto teve a idéia de pedir à mãe de Bernadette que fabricasse um objeto que teria, para a criança, o papel de um bode expiatório. Deu-lhe o nome de "boneca-flor": uma haste coberta de tecido verde no lugar do corpo e dos membros, uma margarida artificial para representar o rosto. Bernadette projetou no objeto as suas pulsões* mortíferas e começou a falar, enquanto Nicole saía de seu mutismo.

Com essa "boneca-flor", Dolto integrava à sua prática a técnica dos jogos e, embora não tivesse conhecimento, na época, dos trabalhos de Melanie Klein*, referia-se implicitamente a uma clínica das relações de objeto*, desprovida, entretanto, da temática kleiniana do ódio, da inveja* e de qualquer forma de perseguição ligada à idéia de objeto mau*. Dessa "boneca-flor", sairia a representação particular que Dolto faria da imagem do corpo*, mais próxima da concepção lacaniana do estádio do espelho* do que da definição de Paul Schilder*.

Em 1953, depois da primeira cisão* do movimento psicanalítico francês, ela seguiu Daniel Lagache* na criação da Sociedade Francesa de Psicanálise (SFP), na qual começou a formar muitos alunos. Em 1960, no congresso de Amsterdã organizado pela SFP e dedicado à sexualidade feminina*, fez uma exposição original sobre esse tema, ao lado de François Perrier* e de Wladimir Granoff. Sem renunciar à tese da libido* única, ela articulava a sexualidade feminina com pontos de referência anatômicos, para mostrar que a constituição do "ser-mulher" repousava sobre a aceitação, pela menina, da especificidade de seu sexo. Se a menina reagia com uma decepção narcísica à descoberta de seu sexo, podia também aceitar sua identidade sexual, desde que tivesse alguma certeza de ter sido desejada pelo pai à imagem da mãe.

Em 1963, no momento da segunda cisão, foi criticada, não por causa da duração de suas sessões, como Lacan, mas pelo seu não-conformismo, herdado de Laforgue. Aos olhos da comissão de inquérito da International Psychoanalytical Association* (IPA), ela aparecia como um guru, e até o grande Donald Woods Winnicott*, que reconhecia seu gênio, a acusou de ter excessiva "influência" sobre seus alunos e não se preocupar suficientemente com as regras da análise didática*.

Proibida de ensinar, participou com Lacan da fundação, em 1964, da École Freudienne de Paris* (EFP), onde continuou seu trabalho, principalmente sob a forma de um Seminário de Psicanálise de Crianças. Em outubro de 1967, quando de um colóquio consagrado às psicoses* infantis, organizado por Maud Mannoni com a participação de David Cooper* e de Ronald Laing*, apresentou um relatório detalhado de "doze sessões de tratamento psicanalítico de um adolescente apragmático desde a infância". Quatro anos depois, publicou o material gráfico e verbal desse tratamento na íntegra, acrescentando suas próprias intervenções e associações. A obra se intitulava *O caso Dominique*.

Foi no consultório do Centro Etienne Marcel que ela recebeu, a partir de 1964, o jovem Dominique Bel (tratava-se de um pseudônimo). Com 14 anos de idade, sofria de uma fobia* generalizada e apresentava tendências esquizofrênicas graves. Com 7 anos, fizera uma primeira psicoterapia*, quando já acusava um forte atraso escolar, resultante de episódios regressivos (enurese, encopresia), consecutivos ao nascimento de uma irmã, três anos mais nova que ele, e durante um período em que estava vivendo com os avós. Outra permanência com estes, no momento em que essa irmã entrou para a pré-escola, logo provocou em Dominique um

novo episódio regressivo, e depois a perda de tudo o que aprendera na escola. A anamnese conduzida por Françoise Dolto permitiu a reconstituição da história edipiana dos pais e o progressivo distanciamento do adolescente em relação a um clima familiar incestuoso. Ao fim de um ano de tratamento, o pai de Dominique recusou-se a pagar as sessões e o tratamento foi interrompido. Françoise Dolto fez então um prognóstico reservado quanto ao futuro do adolescente, mas afirmou que ele estava curado "de sua regressão psicótica".

Em 1984, durante uma entrevista com François Peraldi* e Chantal Maillet, Françoise Dolto deu informações sobre o que sucedera posteriormente a Dominique. Ela o encontrara novamente quando sua mãe, pretextando que ele era homossexual, procurava obter de Françoise um certificado de internação. Opondo-se à mãe, que queria fazer dele um pintor de paredes, Dominique desejava orientar-se para a profissão de ceramista. Françoise Dolto conseguiu vencer a hostilidade materna. Usando o dinheiro que a publicação desse caso rendera, financiou para o jovem, sem que ele soubesse, um estágio com um artesão ceramista no sul da França.

Depois de permanecer algum tempo na Bélgica, Dominique voltou à casa materna, ficando literalmente enclausurado. Sua mãe não renunciara ao desejo obsessivo de protegê-lo contra sua homossexualidade*.

Em 1977, com Gérard Sévérin, psicanalista e editorialista do jornal *La Vie*, Dolto propôs uma leitura psicanalítica dos Evangelhos, que a levou a dar um significado espiritualista à questão do desejo*, concebido como uma transcendência humanizante, e a acrescentar uma base mística à sua tese da imagem do corpo. Pela encarnação e pela ressurreição, pela crucificação que o fazia sair de uma "placenta" e de um mundo uterino para chegar à vida eterna, o Cristo se tornava, segundo ela, a própria metáfora do desejo guiando o homem, do nascimento à morte, para uma grande busca de identidade.

Em 1981, retomou o diálogo, para submeter "a fé ao risco da psicanálise". Sem conhecer os trabalhos dos especialistas em judeidade*, ela afirmou que "Freud nada teria inventado", se tivesse ficado "fechado em sua religião judaica": "É porque Freud saiu do seio de sua religião, porque se sentia filho espiritual da Grécia humanista, porque tinha fobia de Roma, a católica (isto é, sentia inibição e angústia ao pensar em Roma), que ele descobriu a psicanálise. Ele nunca teria realizado essa invenção se tivesse aceito as respostas prontas, tanto da religião quanto da ciência médica, para explicar o ser humano." Depois de interpretar o ateísmo de Freud como uma rejeição ao judaísmo e como uma manifestação fóbica pelo catolicismo, ela fez dele, em 1986, um "profeta da Bíblia" e estigmatizou a violência anti-religiosa que ele demonstrou em *O futuro de uma ilusão*[*].

Traduzidos em nove línguas, os diálogos sobre a fé e os Evangelhos foram criticados tanto pelos cristãos quanto pelos teólogos e psicanalistas. Ums acusavam Dolto de fazer uma exegese iconoclasta e psicologizante dos textos sagrados, outros se mostravam hostis a essa tentativa de cristianização da psicanálise. De qualquer forma, ela permitiu a muitos católicos franceses não terem mais medo do tratamento freudiano. Seu amigo Denis Vasse, psicanalista e jesuíta, também autor de vários livros, afirmou em 1988 que ela "abria o inconsciente[*] para o Evangelho": "Ela reconhece no inconsciente aquilo que nos chama a reinterpretar o nosso nascimento à luz do que fala em nós. Ela reconhece na Boa Nova de Jesus Cristo esse mesmo movimento que nos faz renascer à luz daquilo que fala em nós, de Deus."

Em janeiro de 1979, Françoise Dolto criou em Paris a primeira "Casa Verde", para acolher crianças até a idade de três anos, acompanhadas dos pais. "Segundo Dolto, escreveu Jean-François de Sauverzac, tratava-se de evitar os traumas que marcam a entrada na pré-escola e de manter a segurança que a criança adquiriu no nascimento." Essa experiência teve sucesso e muitas "casas verdes" foram abertas no Canadá[*], na Rússia[*], na Bélgica[*] etc.

Durante os últimos quinze anos de sua vida, pelo rádio e pela televisão, continuou a lutar por essa "causa das crianças", à qual dedicou toda a sua vida profissional. Tornou-se a figura mais popular da França freudiana, mas foi criticada pelos meios psicanalíticos, que a acusavam de pôr o divã na rua. "Cientista, ela se comportava à maneira dos jornalistas, escreveu Madeleine Chapsal, dizendo o que tinha a dizer a cada dia, com urgência e com desprezo pelo escândalo, pelo choque que poderia causar. Evidentemente, sofreu o contragolpe de sua deliberada não-prudência. Foi atacada, afastada, desprezada. Nada disso a deteve."

No momento de enfrentar a "passagem", ela conservou a lucidez, apesar da doença que a levaria (uma fibrose pulmonar). Morreu em sua casa, cercada pelos seus, na fé cristã.

• Françoise Dolto, *Psicanálise e pediatria* (Paris, 1939), Rio de Janeiro, Zahar, 1980; *O caso Dominique*, (Paris, 1971), Rio de Janeiro, Zahar, 1981; *Les Évangiles et la foi au risque de la psychanalyse* (1977, 1978, 1981), Paris, Gallimard, 1996; *Lorsque l'enfant paraît* (1977-1979), Paris, Seuil, 1990; *No jogo do desejo* (Paris, 1981), Rio de Janeiro, Zahar, 1984; *Seminário de psicanálise de crianças* (Paris, 1982, 1988), Rio de Janeiro, Zahar, 1985; *Sexualidade feminina* (1982), S. Paulo, Martins Fontes, 1996, 3ª ed. *La Cause des enfants*, Paris, Laffont, 1985; *Solidão* (1985), P. Alegre, Artes Médicas, no prelo; *Dialogues québécois*, em colaboração com J.-F. de Sauverzac, Paris, Seuil, 1987; *Les Étapes majeures de l'enfance*, Paris, Gallimard, 1994; *Les Chemins de l'éducation*, Paris, Gallimard, 1994; *Tout est langage*, Paris, Gallimard, 1995; *A dificuldade de viver* (Paris, 1995), P. Alegre, Artes Médicas, s/d; *Le Sentiment de soi. Aux sources de l'image du corps*, Paris, Gallimard, 1997; "Questions de transfert", declarações recolhidas por François Peraldi e Chantal Maillet, in *Études Freudiennes*, 23, 1984, 95-113; *Correspondance*, 1913-1938, Paris, Hatier, 1991 • "Sur la foi et la religion. Entretien de Françoise Dolto avec Isabeau Beigbder, Pierre Kahn, André Senik", in *Espaces*, 13-16, 1986 • Denis Vasse, *Le Temps du désir*, Paris, Seuil, 1969; *L'Ombilic et la voix*, Paris, Seuil, 1974; *L'Autre du désir et le dieu de la foi. Lire aujourd'hui Thérèse d'Avila*, Paris, Seuil, 1991 • *Quelques pas sur le chemin de Françoise Dolto* (col.), Paris, Seuil, 1988 • Michel H. Ledoux, *Introdução à obra de Françoise Dolto* (Paris, 1990), Rio de Janeiro, Jorge Zahar, 1991 • Élisabeth Roudinesco, *Jacques Lacan. Esboço de uma vida, história de um sistema de pensamento* (Paris, 1993), S. Paulo, Companhia das Letras, 1994 • Jean-François de Sauverzac, *Françoise Dolto. Itinéraire d'une psychanalyste*, Paris, Aubier, 1993 • Claude Halmos, "La Planète Dolto", in *L'Enfant et la psychanalyse*, Paris, Esquisses Psychanalytiques, CFRP, 1993 • Madeleine Chapsal, *Ce que m'a appris Françoise Dolto*, Paris, Fayard, 1994 • Michel Plon, "Entretien avec Colette Percheminier", 25 de outubro de 1997.

➢ IMAGEM DO CORPO.

Dominique, caso
➤ DOLTO, FRANÇOISE; PSICANÁLISE DE CRIANÇAS.

Doolittle, Hilda, dita H.D. (1886-1961)
intelectual americana

Nascida em Bethlehem na Pensilvânia, e casada com o romancista Richard Aldington (1892-1962), a poetisa Hilda Doolittle foi uma das figuras marcantes do movimento imaginista, animado por Ezra Pound (1885-1972). Publicou várias antologias importantes e um romance autobiográfico, que relata os conflitos da bissexualidade* em uma mulher apaixonada por um homem e por outra mulher.

Analisada por Sigmund Freud* em 1933-1934, publicou em 1956 um depoimento sobre o seu tratamento, composto de duas partes: "O advento", conjunto de notas tomadas diariamente durante a análise e "Escrito na parede. Reminiscências de uma análise com Freud", relato redigido dez anos depois.

• H.D., Visage de Freud (1956), Paris, Denoël, 1977.

➤ SCMIDEBERG, WALTER.

Dora, caso
➤ BAUER, IDA.

Dosuzkov, Theodor (1899-1982)
médico e psicanalista tchecoslovaco

Nascido em Baku, no Azerbaijão*, Theodor Dosuzkov radicou-se em Praga em 1921, depois do desmantelamento do Império Austro-Húngaro, do qual saíra a nova Tchecoslováquia. Assim, foi o segundo médico a praticar a psicanálise* nessa cidade, depois de Nikolai Ievgrafovitch Ossipov*, que veio de Moscou na mesma data.

Depois de estudar medicina, aderiu às teses pavlovianas sobre o condicionamento e voltou-se para a psicanálise. Fez sua formação didática com Otto Fenichel* e Annie Reich*, quando estes estiveram em Praga. Dosuzkov criou então um grupo de estudos, que foi oficialmente reconhecido pela International Psychoanalytical Association* (IPA), por ocasião do congresso de Marienbad em 1936.

Durante a ocupação nazista, continuou clandestinamente as suas atividades psicanalíticas e, logo depois da vitória dos Aliados, foi para o campo de extermínio de Theresienstadt, para pôr a sua competência de médico a serviço dos sobreviventes. A partir de 1946, publicou vários artigos sobre o freudismo* e preparou a criação de um instituto de psicanálise, reunindo cerca de vinte terapeutas. A chegada ao poder do regime comunista em 1948 o impediu de continuar esse trabalho.

A era da Jdanovchtchina, em nome da qual a psicanálise foi condenada como "ciência burguesa" e substituída por uma psicologia dita pavloviana, contribuiu, efetivamente, para a extinção completa do freudismo nos países dominados pela União Soviética. Apesar dessa cortina de chumbo, que pesou até a primavera de Praga, Dosuzkov continuou corajosamente a analisar pacientes e a defender publicamente a psicanálise, ao mesmo tempo em que trabalhava oficialmente no Instituto de Logopedia. Depois de 1968, continuou a trabalhar ao lado de seus dois principais alunos, Ladislav Haas* e Otakar Kucera (1906-1980), dos quais um emigrou para Londres e o outro permaneceu em Praga. Morreu em circunstâncias trágicas, esmagado por um trem, quando atravessava uma via proibida para o público.

• Michael Sebek, "La Psychanalyse, les psychanalystes et la période stalinienne de l'après-guerre. La Situation tchécoslovaque", Revue Internationale d'Histoire de la Psychanalyse, 5, 1992, 553-65 • Eugenia Fischer, "Czechoslovakia", in Peter Kutter (org.), Psychoanalysis International. A Guide to Psychoanalysis throughout the World, vol.1, Stuttgart, Frommann-Holzboog, 1992, 34-50.

➤ BETLHEIM, STJEPAN; COMUNISMO; FREUDO-MARXISMO; HISTÓRIA DA PSICANÁLISE; ROMÊNIA; SUGAR, NIKOLA.

double bind
➤ DUPLO VÍNCULO.

Doyle, Iracy (1911-1956)
psiquiatra e psicanalista brasileira

Nascida no Rio de Janeiro, Iracy Doyle pertencia à terceira geração* psicanalítica mundial. Depois de estudar medicina, continuou sua formação psiquiátrica nos Estados Unidos*, na Universidade Johns Hopkins, e tornou-se aluna de Adolf Meyer* e de Leo Kanner (1894-1981), especialista em autismo*. Em Nova York, durante os anos 1940, realizou sua análise didática* com Meyer Maskin, no Instituto Psiquiátrico da William Alanson White* Foundation, criada por Harry Stack Sullivan*.

Recusando a ortodoxia da International Psychoanalytical Association* (IPA), de que nunca seria membro, fundou no Rio de Janeiro, em abril de 1953, o Instituto de Medicina Psicológica. Morreu prematuramente, três anos depois, das seqüelas de uma encefalite viral, sem ter tido tempo de concluir sua obra e seu magistério. Em 1984, o Instituto tomou o nome de Sociedade de Psicanálise Iracy Doyle (SPID).

Grande figura da dissidência psicanalítica brasileira, psicanalista de crianças e especialista em homossexualidade* feminina, Iracy Doyle se mostrou aberta a todas as correntes do freudismo*, sem querer submeter-se a um dogma. Privilegiou uma orientação culturalista (culturalismo*) e formou muitos alunos, entre os quais Hélio Pellegrino* e Horus Vital Brazil. Quanto à sociedade que tem o seu nome, a SPID, integrou-se à International Federation of Psychoanalytic Societies* (IFPS).

• Iracy Doyle, *O sentido do movimento psicanalítico*, Rio de Janeiro, Casa do Estudante do Brasil, 1952; *Introdução à medicina psicológica*, Rio de Janeiro, Casa do Estudante do Brasil, 1952; *Contribuição ao estudo da homossexualidade feminina*, Rio de Janeiro, Universidade do Brasil, 1960.

➢ FROMM, ERICH; HORNEY, KAREN; KARDINER, ABRAM; KEMPER, ANA KATRIN; NEOFREUDISMO.

Dugautiez, Maurice (1893-1960)
psicanalista belga

Fundador, com Fernand Lechat*, da Associação dos Psicanalistas da Bélgica* (APB) em 1947, que se tornaria a Sociedade Belga de Psicanálise (SBP) em 1960, Dugautiez nasceu em Leuze, na Bélgica*. Depois de ser funcionário, praticou a hipnose*, interessou-se pela psicologia e criou em 1930 o Círculo de Estudos Psíquicos e, um ano depois, a revista *Le Psychagogue*.

Supervisionado em Paris, no quadro da SPP, por Marie Bonaparte* e John Leuba (1884-1952), começou uma análise no fim do ano de 1938 com Ernst Paul Hoffmann*, quando este se refugiou na Bélgica, depois de deixar Viena*, por causa do nazismo*. Dugautiez formaria uma parte da segunda geração psicanalítica belga, e seria posteriormente afastado, como Lechat, quando a SPB se medicalizou e se enquadrou nos padrões da International Psychoanalytical Association* (IPA).

duplo vínculo
fr. *double contrainte*; ing. *double bind*

A expressão double bind *foi criada por Gregory Bateson* em 1956, para designar o dilema (impasse duplo, coerção dupla ou duplo vínculo) em que fica encerrado o sujeito afetado pela esquizofrenia*, quando não consegue dar uma resposta coerente a duas ordens de mensagens contraditórias e emitidas simultaneamente, quer por dois membros de sua família, quer pela família, de um lado, e pela sociedade, de outro. A coerção vinda de fora acarreta desse modo uma resposta psicótica* por parte do sujeito, porquanto ele não sabe decifrar a mensagem que lhe é dirigida.*

E

Eckstein, Emma (1865-1924)

A relação mantida por Sigmund Freud* com essa paciente vienense, heroína por sua participação no sonho original da "injeção de Irma*", é uma das mais surpreendentes da saga psicanalítica. Ela mostra que os laços entre os doentes e seus médicos são de importância crucial na gênese das teorias clínicas. Nesse aspecto, há realmente uma divisão entre o discurso da nosografia, onde se exprime a consciência* do estudioso, e a história mais subterrânea (e freqüentemente mascarada) da loucura*, onde se enuncia a consciência trágica dos pacientes.

Tendo laços de família com Paul Federn*, Emma Eckstein foi tratada de distúrbios histéricos por Freud, no momento em que este, em sua longa correspondência com Wilhelm Fliess*, havia aderido às teses fliessianas, a um tempo românticas e organicistas, sobre os liames entre as mucosas nasais e as atividades genitais. Procurando saber se uma patologia dos seios nasais poderia explicar os sintomas abdominais de Emma, Freud pediu que seu amigo fosse operá-la em Viena.* Depois da intervenção, que teve lugar em fevereiro de 1895, a jovem teve sangramentos. Freud descobriu então que, por descuido, Fliess esquecera na cavidade deixada pela remoção do corneto e pela abertura dos seios nasais uma tira de gaze de uns 50 centímetros. Foi preciso proceder a uma outra cirurgia, durante a qual a paciente por pouco não morreu. Freud só faltou desmaiar. Em julho, sonhou com "a injeção de Irma".

Na primeira edição de sua correspondência com Fliess, preparada em 1950 por Ernst Kris*, Anna Freud* e Marie Bonaparte*, as cartas concernentes a esse episódio foram omitidas. Nessa ocasião, entretanto, o sobrinho de Emma,

Albert Hirst, tivera com Kurt Eissler, o responsável pelos Arquivos Freud na Biblioteca do Congresso*, de Washington, diversas entrevistas a propósito de sua tia, que logo foram depositadas na série Z, reservada aos papéis sigilosos. Hirst também confiara a Eissler quatorze cartas escritas por Freud a Emma entre 1895 e 1910.

O caso foi revelado pela primeira vez por Max Schur*, em 1966. Ele voltou ao episódio em seu livro de 1972, *Freud: Vida e agonia*. Ali mostrou que Emma foi sem dúvida a primeira a fornecer a Freud o material que lhe permitiu renunciar à teoria da sedução*, e que foi por seu intermédio que ele se conscientizou de que o que era descrito como uma investida sedutora talvez não passasse de fantasia*. As cartas de Freud depositadas nos Arquivos pelo sobrinho de Emma foram exumadas, em parte, por Jeffrey Moussaieff Masson. Elas mostram que Emma foi a primeira mulher a aceitar pacientes e a ser como que "supervisionada" por Freud, depois de ter sido por ele analisada. Associada à figura sonhada de "Irma", essa histérica tornou-se, na lenda obscura do movimento freudiano, um personagem mítico.

Ela escreveu artigos até 1905 e, depois disso, retirou-se do mundo para viver na solidão, num cômodo repleto de livros. Paralisada por um mal inexplicável, não saía da cama. Morreu de uma apoplexia cerebral.

É possível que Freud tenha se recordado dela ao redigir, em 1937, "Análise terminável e interminável". Nesse texto, com efeito, ele evocou o caso de uma jovem histérica a quem tivera em tratamento nos primeiros anos de sua atividade psicanalítica e que, depois de ter sido curada, sofrera uma recaída, após um trauma provocado por uma histerectomia: "Eu ficaria tentado a crer", disse, "que, sem o novo trauma, não se haveria chegado a uma nova irrupção da neurose."

• Sigmund Freud, "Análise terminável e interminável" (1937), *ESB*, XXIII, 247-90; *GW*, XVI, 59-99; *SE*, XXIII, 209-53; in *Résultats, idées, problèmes*, vol.2, Paris, PUF, 1985, 231-69; *La Naissance de la psychanalyse* (Londres, 1950), Paris, PUF, 1956; *Briefe an Wilhelm Fliess, 1887-1904*, Frankfurt, Fischer, 1986 • Max Schur, "Some additional 'day residues' of the 'specimen dream of psychoanalysis'", in *Psychoanalysis. A General Psychology*, N. York, International Universities Press, 1966, 45-85; *Freud: vida e agonia, uma biografia*, 3 vols. (N. York, 1972), Rio de Janeiro, Imago, 1981 • Jeffrey Moussaïeff Masson, *Le Réel escamoté*, Paris, Aubier-Montaigne, 1984 • Michel Schneider, *Blessures de mémoire*, Paris, Gallimard, 1980.

École de la Salpêtrière

➢ CHARCOT, JEAN MARTIN; HIPNOSE; HISTERIA; PSIQUIATRIA DINÂMICA.

École de Nancy

➢ BERNHEIM, HIPPOLYTE; HIPNOSE; HISTERIA; PSIQUIATRIA DINÂMICA; SUGESTÃO.

École Freudienne de Paris (EFP)

Fundada por Jacques Lacan* em 21 de junho de 1964, a École Freudienne de Paris (EFP) foi a primeira instituição da história do freudismo* a pôr em prática um sistema institucional baseado no princípio de uma academia antiga, enquanto a International Psychoanalytical Association* (IPA) se inspirava, desde 1910, num modelo de tipo associativo. Sob esse aspecto, a EFP foi a matriz de todas as instituições do lacanismo* no mundo, tal como a Sociedade Psicológica das Quartas-Feiras*, entre 1902 e 1907, fora o modelo original da Wiener Psychoanalytische Vereinigung (WPV), primeira associação freudiana da história da psicanálise*. Ao adotar a palavra escola, em detrimento de sociedade ou associação, Lacan rendeu homenagem, opondo-se ao currículo e à hierarquia da IPA, à transmissão do saber segundo a tradição grega.

Durante dez anos, de 1953 a 1963, cercado por discípulos brilhantes, Lacan ensinou o saber freudiano à maneira de um filósofo grego,

reinando sobre uma aristocracia intelectual composta dos melhores psicanalistas da terceira geração* francesa: Serge Leclaire*, François Perrier*, Piera Aulagnier*, Wladimir Granoff, Jean Laplanche, Jean-Bertrand Pontalis etc. Daí a opção, em 1960-1961, por comentar um dos principais textos da história da filosofia ocidental: *O banquete*, de Platão. Durante esse seminário, Lacan atribuiu a Sócrates o lugar do psicanalista. Entre as duas cisões* do movimento psicanalítico francês, portanto, Lacan reinventou o diálogo platônico empregado por Freud, de 1902 a 1907, no seio da Sociedade Psicológica das Quartas-Feiras. Contudo, a partir de 1964, forçado a deixar a IPA, ele fundou uma nova forma de instituição psicanalítica. Ao banquete socrático sucedeu-se a academia platônica: a escola.

Em relação aos padrões da IPA, os da EFP puseram em prática, entre 1964 e 1967, três grandes inovações: 1) anulação da distinção entre análise didática* e análise terapêutica; 2) anulação da regra das sessões de duração fixa; 3) aceitação, nas fileiras da escola, de membros que não eram psicanalistas. Em conseqüência disso, a EFP propôs um modelo de formação psicanalítica em que os direitos dos sujeitos eram ampliados: cada candidato podia escolher livremente seu psicanalista, sem ter que passar por uma comissão de pré-seleção, cada analista tinha o direito de decidir como bem entendesse sobre a duração da sessão, e toda pessoa interessada no freudismo podia solicitar sua adesão à escola, quaisquer que fossem suas atividades. Nesse sentido, os títulos de analista da escola (AE) e analista membro da escola (AME), criados por Lacan, não correspondem aos de membro titular e membro associado nos moldes da IPA, uma vez que os AE e os AME têm o direito de realizar análises didáticas. Entretanto, o AE se distingue do AME, na medida em que é membro "titular" da EFP.

Por sua abertura aos não analistas, a EFP reatualizou o modelo da Sociedade Psicológica das Quartas-Feiras, cuja maioria dos membros, a princípio, compunha-se de intelectuais. Por isso é que ela atraiu não apenas uma multidão de jovens terapeutas, que rejeitavam a esclerose dos outros grupos franceses, como também boa parte da juventude filosófica, em especial os alunos da École Normale Supérieure da rue d'Ulm, formados pelo ensino de Louis Althusser (1918-1990) e Georges Canguilhem (1904-1995), dentre eles Jacques-Alain Miller, Judith Miller, Jean-Claude Milner, Alain Grosrichard e François Regnault. Em 1966, eles criaram uma revista, *Les Cahiers pour l'Analyse*, que daria um novo vigor à teoria do mestre.

Em 1967, atacada de gigantismo, a EFP conheceu sua primeira grande crise institucional. Lacan propôs um novo modelo de formação dos didatas: o passe*. Após dois anos de debates internos, produziu-se uma cisão em torno de Piera Aulagnier, François Perrier e Jean-Paul Valabrega, que deu origem, em 1969, a uma nova instituição: a Organisation Psychanalytique de Langue Française (OPLF), ou Quarto Grupo.

A partir de 1970, a introdução do matema* e do nó borromeano* por Lacan conjugou-se com a deriva da escola rumo à esclerose institucional que ela tanto desejara conjurar em 1964. Assim, eclodiu uma querela pela sucessão entre os companheiros de percurso da terceira geração e as gerações seguintes. Dentre os componentes destas, foi Jacques-Alain Miller quem se impôs, de 1974 em diante, como o delfim de Lacan, não apenas graças a seu talento de organizador político, mas também por ser, a partir daí, o único habilitado a transcrever o seminário oral de seu sogro.

Afetado por distúrbios cerebrais que em pouco tempo o deixaram afásico e incapaz de escrever, Lacan deixou de dirigir a EFP em 1979. Em 5 de janeiro de 1980, diante de uma platéia muda, leu o ato de dissolução de sua escola, redigido por Jacques-Alain Miller e do qual ele aprovou todos os termos. Nessa ocasião, com 609 membros, a EFP se transformara na maior organização freudiana da França*: havia 297 membros na Sociedade Psicanalítica de Paris (SPP), 50 na Associação Psicanalítica da França (APF) e 30 na Organização Psicanalítica de Língua Francesa (OPLF) ou Quarto Grupo.

A referência à Academia de Platão, portanto, terá sido de curta duração: apenas cinco anos, entre 1964 e 1969. Todos os grupos que derivaram da EFP, através de cisões sucessivas, adotaram um modelo associativo clássico, mas conservaram duas das grandes inovações lacanianas: a livre escolha do analista pelo analisando e a ausência de uma duração cronometrada da sessão (alguns grupos chegaram inclusive a preservar o passe). Miller foi, dentre os herdeiros de Lacan, o único a fundar uma verdadeira instituição internacional comparável à IPA, à qual deu o nome de Association Mondiale de Psychanalyse* (AMP).

• Jacques Lacan, O Seminário, livro 8, *A transferência (1960-1961)* (Paris, 1991), Rio de Janeiro, Jorge Zahar, 1992; "Acte de fondation de l'École Freudienne de Paris", "Note adjointe", "Préambule", "Fonctionnement et administration", in *Annuaire de l'École Freudienne de Paris*, 1995 e seguintes • Élisabeth Roudinesco, *História da psicanálise na França*, vol.2 (Paris, 1986), Rio de Janeiro, Jorge Zahar, 1988.

➤ AMERICAN PSYCHOANALYTIC ASSOCIATION; ARGENTINA; ASSOCIAÇÃO BRASILEIRA DE PSICANÁLISE; BRASIL; FEDERAÇÃO EUROPÉIA DE PSICANÁLISE; FEDERAÇÃO PSICANALÍTICA DA AMÉRICA LATINA; INTERNATIONALE FÖDERATION DER ARBEITSKREISE FÜR TIEFENPSYCHOLOGIE.

Eder, David (1866-1936)
psiquiatra e psicanalista inglês

David Eder organizou, com Ernest Jones*, o movimento psicanalítico inglês. Em 1913, foi a Viena* para fazer uma análise com Sigmund Freud*. Este o encaminhou a Viktor Tausk*, mas foi finalmente com Sandor Ferenczi* e depois com Jones que ele faria sua formação. Sua cunhada, Barbara Low (1877-1955), se tornaria psicanalista e criaria o princípio do nirvana.

Teve numerosas divergências doutrinárias com Jones, que sempre o invejou, e, durante alguns anos, afastou-se da Sociedade psicanalítica londrina, para estudar a obra de Carl Gustav Jung*. Durante a guerra, tratou das vítimas de neuroses traumáticas e, em 1923, reintegrouse à British Psychoanalytical Society (BPS), criada por Jones em 1919.

Homem combativo e militante socialista, viajante incansável, Eder foi um dos membros fundadores do London Labour Party, militante da Fabian Society. Promoveu a higiene mental nos estabelecimentos escolares e lutou contra as leis de segregação que atingiam os doentes mentais. Fez muitas viagens como médico pelo mundo inteiro e criou, com seu primo Israel Zangwill, a Jewish Territorial Organisation, que tinha como objetivo promover a implantação de colônias judaicas fora de Israel. Em 1939, Freud redigiu um prefácio para uma obra coletiva (publicada em 1945), na qual prestava homenagem a esse pioneiro original: "Eder fazia parte desses homens que se distinguem por uma rara combinação de amor absoluto pela verdade e de corajem intrépida, aliada à tolerância e a uma grande capacidade de amar [...]. Quando o encontrei pela primeira vez, fiquei orgulhoso de tê-lo entre os meus alunos."

• David Eder, *War Shock. The Psycho-Neuroses in War Psychology and Treatment*, Londres, Heinemann, 1917 • J.B. Hobman (org.), *David Eder. Memoirs of a Modern Pioneer*, Londres, Gollancz, 1945.

➢ GRÃ-BRETANHA.

Édipo, complexo de

al. *Ödipuskomplex*; esp. *complejo de Edipo*; fr. *complexe d'Oedipe*; ing. *Oedipus complex*

Correlato do complexo* de castração* e da existência da diferença sexual* e das gerações*, o complexo de Édipo é uma noção tão central em psicanálise* quanto a universalidade da interdição do incesto* a que está ligado. Sua invenção deve-se a Sigmund Freud*, que pensou, através do vocábulo Ödipuskomplex, num complexo ligado ao personagem de Édipo, criado por Sófocles.

O complexo de Édipo é a representação inconsciente pela qual se exprime o desejo* sexual ou amoroso da criança pelo genitor do sexo oposto e sua hostilidade para com o genitor do mesmo sexo. Essa representação pode inverter-se e exprimir o amor pelo genitor do mesmo sexo e o ódio pelo do sexo oposto. Chama-se Édipo à primeira representação, Édipo invertido à segunda, e Édipo completo à mescla das duas. O complexo de Édipo aparece entre os 3 e os 5 anos. Seu declínio marca a entrada num período chamado de latência, e sua resolução após a puberdade concretiza-se num novo tipo de escolha de objeto.

Na história da psicanálise*, a palavra Édipo acabou substituindo a expressão complexo de Édipo. Nesse sentido, o Édipo designa, ao mesmo tempo, o complexo definido por Freud e o mito fundador sobre o qual repousa a doutrina psicanalítica como elucidação das relações do ser humano com suas origens e sua genealogia familiar e histórica.

Mais do que qualquer outro no Ocidente, o mito de Édipo confundiu-se, de início, com a tragédia de Sófocles, que transforma a vida do rei de Tebas num paradigma do destino humano (o *fatum*), e depois, com o complexo inventado por Freud, que relaciona o destino com uma determinação psíquica vinda do inconsciente*.

Na mitologia grega, Édipo é filho de Laio e Jocasta. Para evitar que se realize o oráculo de Apolo, que lhe previra que ele seria morto pelo filho, Laio entrega seu menino recém-nascido a um criado, para que ele o abandone no monte Citéron, depois de lhe transpassar os pés com um prego. Em vez de obedecer, o criado confia o menino a um pastor de ovelhas, que em seguida o entrega a Pólibo, rei de Corinto, e à mulher deste, Merope, que não têm descendentes. Eles lhe dão o nome de Édipo (*oidipos*: pés inchados) e o criam como seu filho.

Édipo cresce e ouve rumores que dizem que ele não seria filho de seus pais. Por isso, dirige-se a Delfos para consultar o oráculo, que de pronto lhe responde que ele matará o pai e desposará a mãe. Para escapar a essa previsão, Édipo viaja. Na estrada para Tebas, cruza por acaso com Laio, a quem não conhece. Os dois homens brigam e Édipo o mata. Nessa época, Tebas vinha sendo aterrorizada pela Esfinge, monstro feminino alado e dotado de garras, que mata todos aqueles que não decifram o enigma que ela propõe sobre a essência do homem: "Quem é aquele que anda sobre quatro pés, depois, sobre dois e, depois, sobre três?" Édipo dá a resposta certa e a Esfinge se mata. Como recompensa, Creonte, o regente de Tebas, dá-lhe por esposa sua irmã, Jocasta, com quem ele tem dois filhos, Eteoclés e Polinices, e duas filhas, Antígona e Ismene.

Os anos passam. Um dia, a peste e a fome se abatem sobre Tebas. O oráculo declara que os flagelos desaparecerão quando o assassino de Laio tiver sido expulso da cidade. Édipo pede então a todos que se manifestem. Tirésias, o adivinho cego, conhece a verdade, mas se recusa a falar. Por fim, Édipo é informado de seu destino por um mensageiro de Corinto, que lhe anuncia a morte de Pólibo e lhe conta como ele próprio, no passado, havia recolhido um menino das mãos do pastor para entregá-lo ao rei. Ao saber da verdade, Jocasta se enforca. Édipo vaza os próprios olhos e em seguida se exila em Colono com Antígona, enquanto Creonte retoma o poder. Em *Édipo rei*, Sófocles adapta apenas uma parte do mito (a que se relaciona com as origens de Tebas) e a faz verter-se no molde da tragédia.

Embora Sigmund Freud nunca tenha dedicado nenhum artigo ao complexo de Édipo, *Édipo rei* (e o complexo relacionado com ele) acha-se presente em toda a sua obra, desde 1897 até 1938. Em sua pena, aliás, a figura de Édipo é quase sempre associada à de Hamlet. Vamos encontrá-la igualmente no trabalho de Otto Rank* sobre o nascimento do herói (o romance familiar*).

Em 1967, no prefácio a um livro de Ernest Jones*, *Hamlet e Édipo*, Jean Starobinski mostrou que, se *Édipo rei* era para Freud a tragédia da revelação, *Hamlet* era o drama do recalcamento*: "Herói antigo, Édipo simboliza o universal do inconsciente, disfarçado de destino; herói moderno, Hamlet remete ao nascimento de uma subjetividade culpada, contemporânea de uma época em que se desfaz a imagem tradicional do Cosmo."

Freud tinha perfeita consciência dessa diferença e, em 1927, juntou à tragédia antiga e ao drama shakespeariano uma terceira vertente: *Os irmãos Karamazov*. Segundo ele, o romance de Fiodor Dostoievski (1821-1881) era o mais "freudiano" dos três. Em vez de mostrar um inconsciente disfarçado de destino (Édipo) ou uma inibição culpada, ele põe em cena, sem máscara alguma, a própria pulsão assassina, isto é, o caráter universal do desejo parricida: cada um dos três irmãos, com efeito, é habitado pelo desejo de matar realmente o pai.

Foi numa carta de 15 de outubro de 1897, dirigida a Wilhelm Fliess*, que Freud interpretou pela primeira vez a tragédia de Sófocles, fazendo dela o ponto nodal de um desejo incestuoso infantil: "Encontrei em mim, como em toda parte, sentimentos amorosos em relação à minha mãe e de ciúme a respeito de meu pai, sentimentos estes que, penso eu, são comuns a todas as crianças pequenas, mesmo quando seu aparecimento não é tão precoce quanto naquelas que ficam histéricas (de maneira análoga à

'romantização' da origem nos paranóicos — heróis fundadores de religiões). Se realmente é assim, é compreensível, a despeito de todas as objeções racionais que se opõem à hipótese de uma fatalidade inexorável, o efeito cativante de *Édipo rei* (...). A lenda grega apoderou-se de uma compulsão que todos reconhecem, porque todos a sentiram. Todo espectador, um dia, foi em germe, na imaginação, um Édipo, e se assombra diante da realização de seu sonho*, transposto para a realidade." No *Esboço de psicanálise**, seu último livro, Freud reivindicou a importância da lenda que havia descoberto quarenta anos antes: "Permito-me pensar que, se a psicanálise não tivesse em seu ativo senão a simples descoberta do complexo de Édipo recalcado, isso bastaria para situá-la entre as preciosas novas aquisições do gênero humano."

Portanto, o mito de Édipo surge na pena de Freud no exato momento do nascimento da psicanálise (consecutivo ao abandono da teoria da sedução*), para depois servir de trama a todos os seus textos e a todos os debates da antropologia* moderna em torno de *Totem e tabu** e da sexualidade feminina*, desde Bronislaw Malinowski* até Geza Roheim*, passando por Karen Horney* e Helene Deutsch*. Às vésperas da morte, Freud continuava a lhe atribuir um lugar soberano, a ponto de, mais tarde, a psicanálise ser qualificada de edipiana, tanto por seus partidários quanto por seus opositores.

Em psicanálise, a questão do Édipo pode ser abordada de duas maneiras diferentes, conforme nos coloquemos no ponto de vista do complexo (e portanto, da clínica) ou no ponto de vista da interpretação do mito. A definição do complexo nuclear e de suas sucessivas revisões, por parte do kleinismo*, da *Self Psychology** e do lacanismo*, é relativamente simples, ao passo que a discussão interpretativa é de grande complexidade. Com efeito, centenas de livros foram escritos sobre o mito, a tragédia e sua atualização por Freud.

Segundo a tese canônica, o complexo de Édipo está ligado à fase (estádio*) fálica da sexualidade infantil. Aparece quando o menino (por volta dos 2 ou 3 anos) começa a sentir sensações voluptuosas. Apaixonado pela mãe, ele quer possuí-la, colocando-se como rival do pai, outrora admirado. Mas adota igualmente a posição inversa: ternura em relação ao pai e hostilidade para com a mãe. Há então, ao mesmo tempo que o Édipo, um "Édipo invertido". E essas duas posições — positiva e negativa — perante cada genitor são complementares e constituem o Édipo completo, exposto por Freud em *O eu e o isso**.

O complexo de Édipo desaparece com o complexo de castração*: o menino reconhece então na figura paterna o obstáculo à realização de seus desejos. Abandona o investimento* feito na mãe e evolui para uma identificação* com o pai, a qual lhe permite, mais tarde, uma outra escolha de objeto e novas identificações: ele se desliga da mãe (desaparecimento do complexo de Édipo) para escolher um objeto do mesmo sexo.

Ao Édipo, Freud acrescenta a tese da libido* única, de essência masculina, que cria uma dissimetria entre as organizações edipianas feminina e masculina. Se o menino sai do Édipo através da angústia de castração, a menina ingressa nele pela descoberta da castração e pela inveja do pênis. Nela, o complexo se manifesta pelo desejo de ter um filho do pai. Ao contrário do menino, a menina desliga-se de um objeto do mesmo sexo (a mãe) por outro de sexo diferente (o pai). Não há, portanto, um paralelismo exato entre o Édipo masculino e seu homólogo feminino. Não obstante, subsiste uma simetria, uma vez que nos dois sexos o apego à mãe é o elemento comum e primeiro.

A partir da reformulação feita por Karl Abraham* (em 1924) da teoria dos estádios, Melanie Klein* revisou inteiramente a doutrina edipiana da escola vienense, interessando-se pelas chamadas relações pré-edipianas, isto é, anteriores à entrada no complexo. Segundo a perspectiva kleiniana, não existe uma libido única, mas um dualismo sexual, e a famosa relação triangular que caracteriza o Édipo freudiano é abandonada em favor de uma estrutura anterior e muito mais determinante: a do vínculo que une a mãe ao filho. Em outras palavras, Klein contesta em Freud a idéia de um corte entre um antes não edipiano (a mãe) e um depois edipiano (o pai). Ela substitui a organização estrutural por uma continuidade sempre atuante: o mundo angus-

tiante da simbiose, das imagens introjetadas e das relações de objeto*. Em síntese, um mundo arcaico e sem limites, no qual a lei (paterna) não intervém.

Se o kleinismo desloca a questão do Édipo, remontando até estádios anteriores, os clínicos da psicologia do *self* abandonam parcialmente a problemática edipiana para se debruçar sobre o narcisismo* e os distúrbios que ele gera. A partir de meados da década de 1960, numerosos comentadores assinalaram que, entre os freudianos norte-americanos, o mito de Narciso estava em vias de substituir a antiga mitologia edipiana. Esse desdobramento se confirmaria com os trabalhos de Heinz Kohut*.

Em 1953, Jacques Lacan* tornou a centrar a questão edipiana na triangulação, mas levando em conta as contribuições da escola kleiniana. No âmbito de sua teoria do significante* e de sua tópica (imaginário*, real* e simbólico*), ele definiu o complexo de Édipo como uma função simbólica: o pai intervém sob a forma da lei, para privar a criança da fusão com a mãe. Segundo essa perspectiva, o mito edipiano atribui ao pai, por conseguinte, a exigência da castração: "A lei primordial", escreveu Lacan em 1953, "é, pois, aquela que, regulando a aliança, superpõe o reino da cultura ao reino da natureza, entregue à lei do acasalamento. Essa lei, portanto, faz-se conhecer suficientemente como idêntica a uma ordem de linguagem."

A interpretação freudiana da tragédia de Sófocles, por outro lado, suscitou inúmeras discussões em meio a todos os especialistas da mitologia grega, em especial na França*. Num artigo de 1967, intitulado "'Édipo' sem complexo", Jean-Pierre Vernant, por ocasião de uma controvérsia com Didier Anzieu, insurgiu-se contra as interpretações selvagens e psicologizantes que identificava, na época, nos textos psicanalíticos dedicados ao Édipo. Essas interpretações, com efeito, tendiam a transformar o personagem de Sófocles num neurótico moderno, habitado por um complexo freudiano. Se Freud se apoiara em Sófocles para elaborar seu complexo, os psicanalistas, sublinhou Vernant, tinham acabado projetando suas fantasias* edipianas no mito e na tragédia.

Opondo-se a essa psicologização, Vernant propôs uma nova interpretação do Édipo, mais conforme às representações da mitologia grega: "Seu destino excepcional", escreveu ele em 1980, "e a façanha que lhe concedeu a vitória sobre a Esfinge colocaram-no acima dos outros cidadãos, além da condição humana — semelhante ou igual a um deus — e, através do parricídio e do incesto, que consagraram seu acesso ao poder, também o rejeitaram para aquém da vida civilizada, excluíram-no da comunidade dos homens, reduzido a nada, igual ao nada. Os dois crimes que ele cometeu, sem saber nem querer, tornaram-no — a ele, o adulto firme sobre seus *dois pés* — semelhante a seu pai, ajudado por uma bengala, velho de *três pés* cujo lugar ele assumiu ao lado de Jocasta, e também semelhante a seus filhos pequenos, ainda andando *de quatro*, e dos quais ele tanto era irmão quanto pai. Seu erro inexpiável foi misturar em si três gerações etárias, que deviam seguir-se sem jamais se confundir nem se superpor no seio de uma linhagem familiar."

Esse retrato do verdadeiro Édipo grego não está longe, na realidade, do Édipo freudiano, uma vez que, em Freud, o complexo liga-se desde o começo à dupla questão do desejo incestuoso e de sua proibição necessária, a fim de que nunca se transgrida o encadeamento das gerações.

Em 1972, num belo livro de inspiração reichiana, *O Anti-Édipo*, Gilles Deleuze (1925-1995) e Félix Guattari* criticaram o edipianismo freudiano, que, a seu ver, reduzia a libido plural da loucura* (e da esquizofrenia*) a um fechamento familiarista, de tipo burguês e patriarcal.

• Sigmund Freud, *A interpretação dos sonhos* (1900), *ESB*, IV-V, 1-660; *GW*, II-III, 1-642; *SE*, IV-V, 1-621; Paris, PUF, 1967; "Um tipo especial de escolha de objeto feita pelos homens" (1910), *ESB*, XI, 149-62; *GW*, VIII, 66-77; *SE*, XI, 163-75; in *La Vie sexuelle*, Paris, PUF, 1969, 47-55; "A dissolução do complexo de Édipo" (1924), *ESB*, XIX, 217-28; *GW*, XIII, 395-402; *SE*, XIX, 171-9; *OC*, XVII, 25-33; *Totem e tabu* (1913), *ESB*, XIII; *GW*, IX; *SE*, XIII; Paris, Gallimard, 1993; "Dostoiévski e o parricídio" (1927), *ESB*, XXI, 205-24; *GW*, XIV, 399-418; *SE*, XXI, 177-94; *OC*, XVIII, 207-25; *La Naissance de la psychanalyse* (Londres, 1950), Paris, PUF, 1956; *Briefe an Wilhelm Fliess, 1887-1904*, Frankfurt, Fischer, 1986 • Félix Guattari e Gilles Deleuze, *O anti-Édipo — Capitalismo e esquizofrenia* (Paris, 1972), Rio de Janeiro, Imago, 1976 • Sófocles, *Édipo rei* e *Édipo em Colono*, in *A trilogia tebana*, Rio de Janeiro, Jorge Zahar, 1990 • Marie Delcourt, *Oedipe ou la légende du conquérant*, Liège, Bibliothèque de la Faculté de Philosophie et de Lettres de l'Université de Liège, 1944 • Melanie Klein, "Primeiras fases do complexo de Édipo" (1928), in *Contribuições à psicanálise*, S. Paulo, Mestre Jou, 1970, 253-67; "O complexo de Édipo à luz das primeiras ansiedades" (1945), ibid., 425-89 • Ernest Jones, *Hamlet et Oedipe* (Londres, 1948), Paris, Gallimard, 1967 • Jacques Lacan, "Função e campo da fala e da linguagem em psicanálise", in *Escritos* (Paris, 1966), Rio de Janeiro, Jorge Zahar, 1998, 238-324 • Claude Lévi-Strauss, *Antropologia estrutural* (Paris, 1958), Rio de Janeiro, Tempo Brasileiro, 1975 • Didier Anzieu, "Oedipe avant le complexe, ou de l'interprétation psychanalytique des mythes", *Les Temps Modernes*, 245, 1966, 675-715 • Jean-Pierre Vernant, "'Oedipe' sans complexe", in Jean-Pierre Vernant e Pierre Vidal-Naquet, *Mythe et tragédie en Grèce ancienne*, Paris, Maspero, 1972, 75-98; "Ambiguïté et renversement. Sur la structure énigmatique d'"Oedipe roi'", ibid., 99-130; "Oedipe", in Yves Bonnefoy (org.), *Dictionnaire des mythologies*, vol.II, Paris, Flammarion, 1980, 190-2 • Jean Starobinski, "Hamlet et Freud", in Ernest Jones, *Hamlet et Oedipe* (Londres, 1948), Paris, Gallimard, 1967, VII-XL; *La Relation critique*, Paris, Gallimard, 1970 • André Green, *Un oeil en trop. Le Complexe d'Oedipe dans la tragédie*, Paris, Minuit, 1969 • Clémence Ramnoux, "Oedipe (complexe d')", *Encyclopaedia universalis*, vol.11, 1968, 1090-2 • Moustapha Safouan, *Études sur l'Oedipe*, Paris, Seuil, 1974 • Jean-Joseph Goux, *Oedipe philosophe*, Paris, Aubier, 1990 • Jean Bollack, *La Naissance d'Oedipe*, Paris, Gallimard, 1995 • Marcelle Marini, "Édipo (complexo de)", in Pierre Kaufmann (org.), *Dicionário enciclopédico de psicanálise: o legado de Freud e Lacan* (Paris, 1993), Rio de Janeiro, Jorge Zahar, 1996, 135-42.

➤ ESTADOS UNIDOS; FALO; FALOCENTRISMO; IDENTIFICAÇÃO PROJETIVA; IMAGEM DO CORPO; IMAGO; INTROJEÇÃO; *MOISÉS E O MONOTEÍSMO*; PARENTESCO; PATRIARCADO; PERVERSÃO; POSIÇÃO DEPRESSIVA/POSIÇÃO ESQUIZO-PARANÓIDE; PROJEÇÃO; PSICANÁLISE DE CRIANÇAS.

ego

➤ EU.

Ego Psychology (psicologia do eu)

Ao lado do neofreudismo* culturalista (Karen Horney*, Abram Kardiner* etc.), do annafreudismo*, da Escola de Chicago (Franz Alexander*) e também da *Self Psychology**, mais tardia, a *Ego Psychology*, representada por emigrados como Rudolph Loewenstein*, Ernst Kris*, Erik Erikson*, David Rapaport (1911-1960) e, acima de tudo, Heinz Hartmann*, é uma das grandes correntes da história do freudismo* norte-americano e a principal componente da chamada Escola de Nova York, a poderosa New York Psychoanalytic Society (NYPS), que lhe serviu de esteio. Nesse sentido, a denominação francesa de "psicologia do eu" é imprópria. Ela não dá conta do caráter freudiano dessa corrente, já conhecida no mundo inteiro por sua denominação original.

A *Ego Psychology* tem em comum com todas as outras correntes do freudismo norte-americano o fato de ter sido fundamentada na idéia de uma possível integração do homem numa sociedade, numa "comunidade", ou até, a partir de 1970, numa identidade sexual, numa diferença (loucura*, marginalidade), numa cor ou numa etnia. Por conseguinte, ela não é simplesmente uma imitação servil dos ideais do *American way of life*, como se sublinha com demasiada facilidade na França*, em especial depois de Jacques Lacan*. Se visa à adaptação pragmática de qualquer sujeito à sociedade, ela de fato leva em conta criticamente os desarraigamentos e as diferenças ligados ao ideal adaptativo norte-americano. Se existe ortodoxia, esta é de natureza técnica.

Com efeito, foi a *Ego Psychology* que serviu de grande referência doutrinal, na segunda metade do século, para análises intermináveis e cronometradas, imobilizadas no silêncio, reservadas à burguesia urbana rica e praticadas por médicos preocupados com o prestígio social e a rentabilidade financeira. Essa técnica psicanalítica*, aliás, seria violentamente criticada, no interior da própria International Psychoanalytical Association* (IPA), por todos os renovadores do freudismo, de Heinz Kohut* a Donald Woods Winnicott*, passando por Michael Balint*, Siegfried Bernfeld* e Melitta Schmideberg*.

De maneira geral, o freudismo norte-americano, em todas as suas tendências, privilegia o eu* (*ego*), o *self* ou o indivíduo, em detrimento do isso*, do inconsciente* e do sujeito*. Por conseguinte, opõe à pretensa decadência da velha Europa uma ética pragmática do homem, fundamentada na noção de profilaxia social ou de higiene mental. Daí a generalização de uma psicanálise* medicalizada e assemelhada à psiquiatria, em oposição à velha psicanálise vienense leiga, atormentada pela morte, pelo autoaniquilamento e pelo niilismo terapêutico.

As diferentes correntes desse freudismo norte-americano, quaisquer que sejam suas (numerosas) variações, portanto, são quase sempre perpassadas por uma religião da felicidade e da saúde, contrária tanto à concepção vienense do mal-estar da *Kultur* quanto ao recentramento kleiniano do sujeito* numa pura realidade psíquica, ou à visão lacaniana do freudismo como uma peste* subversiva. Aliás, é em razão dessa contradição radical entre as interpretações européias e norte-americanas da psicanálise que o kleinismo*, o lacanismo* e o freudismo "original" (vienense e alemão) não puderam implantar-se como tais nos Estados Unidos*. Quanto aos partidários da "esquerda freudiana" (em torno de Otto Fenichel*), foram obrigados a renunciar a suas atividades porque elas eram julgadas "subversivas" no solo norte-americano. Depois de sofrerem os ataques do macarthismo, eles tiveram de se medicalizar, recalcar seu passado europeu e se transformar em técnicos da adaptação. Daí a ortodoxia burocrática que acabaria por desacreditar a imagem do psicanalista e deixar o campo livre à supremacia dos laboratórios farmacêuticos, fornecedores de "pílulas da felicidade", ou às diversas terapias da *New Age* — tratamentos xamanísticos e experiências de espiritismo*, vidência ou telepatia*.

A corrente da *Ego Psychology* desenvolveu-se a partir de 1939 no interior da IPA. É mais próxima da doutrina clássica de Sigmund Freud* do que a tradição naturalista, embora proceda a uma revisão completa da segunda tópica*. Quanto a isso, o fato de o *Ich* freudiano ter sido traduzido para o inglês por James Strachey* pelo vocábulo latino *ego* não deixou de ter importância para a disseminação de todas as teorias do eu e da pessoa em língua inglesa, e, em especial, na passagem do *ego* para o *self* e, posteriormente, da *Ego Psychology* para a *Self Psychology*.

Enquanto Freud, em 1923, afirmou a primazia do inconsciente sobre o consciente* e provocou uma reviravolta no campo de estudo das pulsões com a introdução da pulsão* de morte, os partidários da *Ego Psychology* sustentam uma postura que vai em sentido contrário a esse descentramento. Segundo eles, o eu se autonomiza (e se torna um eu autônomo) ao controlar suas pulsões primitivas, o que lhe permite conquistar sua independência frente à realidade externa. A autonomia, contudo, permanece relativa: do lado das pulsões, o eu busca uma garantia contra a escravidão do meio ambiente. Pelo lado do ambiente, ele reivindica essas mesmas garantias contra as exigências do isso. A adaptação do eu à pressão dupla do isso e da realidade passa por um meio termo que assegura o equilíbrio necessário à expansão da vida humana. Mas, se o eu tende a se ajustar para realizar sua autonomia, a identificação deixa de ser um processo inconsciente para se transformar num modo imitativo de comportamento. A teoria da sexualidade também sofre uma torção: despejada na sublimação, a libido assegura uma dessexualização das pulsões agressivas. Quanto mais forte é o eu, mais ele reforça seu *quantum* de energia neutralizada. Quanto mais ele é fraco, menos funciona a neutralização. Em 1950, em "Comments on the psychoanalytic theory of the ego" ["Comentários sobre a teoria psicanalítica do ego"], Hartmann introduziu uma distinção entre o eu (*ego*), como instância psíquica, e o si mesmo (*self*), tomado no sentido da personalidade ou da própria pessoa. Esse termo seria retomado por Winnicott, que lhe acrescentaria uma referência fenomenológica, e por Kohut, que o transformaria numa instância específica, a única apta a explicar os distúrbios narcísicos.

Assim, a *Ego Psychology* contorna a pulsão de morte, ao mesmo tempo que torna a centrar o inconsciente no pré-consciente*. Quanto ao conceito de transferência*, também ele sofre modificações, já que, na análise, o terapeuta do *ego* deve ocupar o lugar do eu "forte" com o qual o paciente quer se parecer a fim de conquistar a autonomia do eu. No plano técnico, a revisão feita pela *Ego Psychology* traduz-se no privilégio conferido à análise das resistências*, em detrimento da interpretação dos conteúdos. Daí sua ligação com o annafreudismo.

Na França*, Jacques Lacan criticaria a *Ego Psychology*, essa "psicanálise norte-americana", segundo suas palavras, efetuando uma leitura totalmente diferente da segunda tópica. Em particular, ele introduziria na doutrina freudiana uma teoria não fenomenológica do sujeito, o

que lhe permitiria não distinguir um *ego* e um *self*, mas um *je* e um *moi* e, com isso, construir a idéia do "sujeito representado" por um significante*.

• Heinz Hartmann, *La Psychologie du moi et le problème de l'adaptation* (N. York, 1939), Paris, PUF, 1968; *Essays on Ego Psychology*, N. York, International Universities Press, 1964 • Heinz Hartman, Ernst Kris e Rudolph Loewenstein, *Éléments de psychologie psychanalytique*, Paris, PUF, 1975.

➢ ANTROPOLOGIA; CISÃO; DIFERENÇA SEXUAL; FREUDO-MARXISMO; GÊNERO; HISTÓRIA DA PSICANÁLISE; JUDEIDADE; *QUESTÃO DA ANÁLISE LEIGA, A*; *SELF* (FALSO E VERDADEIRO); TRADUÇÃO (DAS OBRAS DE SIGMUND FREUD); VIENA.

Eitingon, Max (1881-1943)
psiquiatra e psicanalista polonês

Não tendo deixado nenhuma obra teórica importante, Max Eitingon está muitas vezes ausente da lista dos autores que contribuíram para a edificação da doutrina psicanalítica. Entretanto, a partir de meados dos anos 1970, o desenvolvimento dos estudos históricos permitiu a esse homenzinho tímido, que parecia um burocrata escrupuloso, ter o seu lugar — um dos mais importantes na história da organização do movimento psicanalítico internacional, até as vésperas da Segunda Guerra Mundial.

Nascido em Mohilev, na Bielo-Rússia, Max Eitingon era o segundo filho de uma família judia ortodoxa que tinha quatro filhos, duas meninas (Esther e Fanny) e dois meninos (Vladimir e Max). Seu pai, Chaim Eitingon, foi comerciante de açúcar e de peles. Em 1893, estabeleceu-se em Leipzig, onde se tornou o mecenas da comunidade judaica, mandando construir um hospital e uma sinagoga que seriam destruídos em 1938. Por razões obscuras, Chaim Eitingon assumiu, durante algum tempo, a nacionalidade húngara. Como seus negócios prosperavam, abriu uma sucursal em Nova York, mas viu-se arruinado com a quebra da Bolsa em 1929. Morreu em Leipzig em 1932.

Max Eitingon tinha doze anos quando sua família se instalou na Alemanha*. Sofria de gagueira, o que lhe trouxe dificuldades na escola secundária. Mesmo impedido de fazer o exame final, fez estudos superiores de história da arte e de filosofia, como ouvinte, nas prestigiosas universidades de Halle, Heidelberg e Marburgo. Voltou a Leipzig em 1902, onde estudou medicina, certamente depois de obter uma equivalência de diplomas. Partiu depois para Zurique, onde se tornou assistente de Eugen Bleuler* na clínica do Hospital Burghölzli. Defendeu uma tese sob a direção de Bleuler e conheceu Carl Gustav Jung*, que sempre lhe daria mostra de um desprezo condescendente, considerando-o apenas capaz de ser um bom deputado na Duma, conforme declarou em uma carta a Freud* de 25 de setembro de 1907. Em Zurique, conheceu também Karl Abraham*, Ludwig Binswanger* e sua compatriota Sabina Spielrein*.

Max Eitingon foi o primeiro dos membros do grupo de Zurique a ir a Viena em 1907 para visitar Sigmund Freud. Assistiu então a algumas reuniões da Sociedade Psicológica das Quartas-Feiras*, em especial a do dia 30 de janeiro de 1907, quando interveio com muita pertinência na discussão sobre a etiologia das neuroses*. Nessa época, também falou com Freud sobre um paciente cujo tratamento se mostrava delicado. Em função disso, fez com Freud, primeiro em 1908 e depois em outubro de 1909, uma análise didática*, uma das primeiras da história, que teve como insólito cenário os seus passeios vespertinos. O encontro com Freud foi para Max Eitingon o momento decisivo de sua vida, marcando o início de uma amizade duradoura. Estaria presente em todas as lutas, inclusive sobre a questão da análise leiga*, quando, depois de um tempo de hesitação, aderiu ao mestre, contra a opinião dos psicanalistas americanos. Por sua vez, Freud não economizaria elogios a ele, defendendo-o sistematicamente contra os ataques de Otto Rank, principalmente. E Freud sempre lembraria a Eitingon, como escreveu em carta de 7 de janeiro de 1913, que ele fora "o primeiro mensageiro a aproximar-se de um homem solitário". Mais tarde, em uma carta particularmente calorosa de 24 de janeiro de 1922, evocou ainda essa prioridade, inesquecível para ele, acrescentando: "Você sabe o papel que conquistou na minha existência e na dos meus."

Em novembro de 1909, Max Eitingon deixou Zurique e foi para Berlim, onde partici-

pou com Abraham da constituição da sociedade psicanalítica da qual este seria presidente. A 20 de abril de 1913, casou-se com a atriz Mirra Jacovleina Raigorodsky, com quem permaneceu durante toda a vida. Ela o apresentou aos meios artísticos da capital alemã, principalmente a cantora Plevitskaia, cujas desventuras contribuiriam posteriormente para dar crédito às acusações de espionagem de que Eitingon seria alvo.

Nem todas as versões concordam quanto à sua nacionalidade. Algumas o qualificam como austríaco, como seu pai se teria tornado; outras afirmam, ao contrário, que essa nacionalidade foi escolhida por ele no início da guerra. Combatente corajoso, várias vezes condecorado, optou em 1919 pela nacionalidade polonesa, como todos os refugiados do Império Austro-Húngaro podiam fazer na época.

Nesse mesmo ano de 1919, voltou a Berlim, onde começou a desempenhar papel importante no seio do movimento freudiano. De acordo com as últimas recomendações de Anton von Freund*, que pediam que lhe fosse legado o seu anel, Max Eitingon foi nomeado membro do Comitê Secreto*, por indicação de Freud.

Em 1920, impulsionou o sonho freudiano de uma psicanálise de caráter social, expresso por ocasião do Congresso de Budapeste em 1918. Até 1929, financiou a Policlínica de Berlim, construída segundo os planos de Ernst Freud*, filho de Sigmund. Essa policlínica, que ele dirigiria com Abraham de 1920 a 1925, e depois com Ernst Simmel* até 1933, foi a primeira do gênero e o modelo das futuras instituições pelo mundo. Tratava-se, ao mesmo tempo, de formar analistas — esse foi o papel atribuído ao Instituto, o Berliner Psychoanalytisches Institut* (BPI) — e de tornar acessível o tratamento psicanalítico ao maior número de pessoas e às mais carentes. Max Eitingon faria desse empreendimento a sua obra, garantindo assim por cerca de treze anos o acolhimento, a admissão e a orientação de pacientes de todas as origens. Simultaneamente, supervisionava a formação dos analistas e, com isso, a da maioria dos grandes nomes da segunda geração*. Estava consciente da importância política dessa posição, como mostra a sua famosa declaração de 1922: "Sou eu quem tenho o controle nas mãos."

Seu poder no seio do movimento psicanalítico não parou de crescer. Dirigia cada vez mais congressos, em sua preparação ou sua realização, e assim fez triunfarem, no Congresso de Bad-Hombourg em 1925, com a aquiescência silenciosa de Freud, as posições berlinenses contra as vienenses quanto à formação e supervisão dos analistas, dando impulso decisivo à burocratização do movimento freudiano. De 1927 a 1932, foi presidente da International Psychoanalytical Association* (IPA). Em 1925, presidiu a International Training Commission, principal instrumento de poder da IPA, encarregada da harmonização das regras da análise didática no mundo. Eminência parda ou conselheiro especial de Freud, foi encarregado pelo mestre de solucionar as crises que abalavam este ou aquele movimento psicanalítico, por exemplo na Suíça* em 1928, ou de colaborar para o surgimento de algum outro. Assim, em 1923, Freud lhe pediu que fosse à França para se encontrar com René Laforgue*, a fim de criar uma sociedade freudiana em Paris.

Depois de uma primeira viagem em 1910, nunca mais deixou de se interessar pela evolução da Palestina, então sob mandato britânico, e pelas diversas experiências que ali se desenrolavam no campo da educação e da assistência às crianças deficientes. Em 13 de junho de 1933, quando pronunciou em Budapeste o elogio fúnebre de Sandor Ferenczi*, já tinha decidido o seu futuro. Com a chegada dos nazistas ao poder, esse grande germanófilo foi obrigado a renunciar à sua preferência cultural, e tomou o caminho do exílio. Certamente pressentia que esse seria o seu destino, pois há muito abrira um escritório de emigração para os analistas.

Entretanto, Freud, que ele visitou em Viena em janeiro de 1933, o estimulou a ficar o maior tempo possível em Berlim. Mas três meses depois, quando estava em Menton com sua mulher, Eitingon tomou conhecimento do decreto do Reich que proibia a qualquer estrangeiro ocupar uma função em uma sociedade médica. Felix Boehm*, a quem ele dera plenos poderes no caso em que a Deutsche Psychoanalytisches Gesellschaft (DPG) fosse obrigada a ter um presidente "ariano", apressou-se a perguntar às autoridades se a psicanálise estaria atingida por esse decreto. A resposta não se fez

esperar e, voltando a Berlim, Max Eitingon pediu demissão da direção da Policlínica.

No dia 31 de dezembro de 1933, deixou a Alemanha para sempre. Partiu para a Palestina e instalou-se em Jerusalém em abril de 1934. Graças a Freud, que se entendera previamente com o presidente da Universidade Hebraica da cidade, ele deveria ocupar um posto de psicólogo, recentemente criado. Mas, para sua grande decepção (e de Freud), esse lugar foi finalmente ocupado por um psicólogo de uma orientação completamente diferente, Kurt Lewin (1890-1947), que se tornaria, a partir de 1945, o teórico e artífice do desenvolvimento da psicologia social nos Estados Unidos*.

Com Moshe Wulff*, Eitingon fundou a primeira sociedade psicanalítica da Palestina, que se tornaria a Hachevra Hapsychoanalytit Be-Israel (HHBI), logo reconhecida pela IPA. Eitingou fundou depois o Instituto de Psicanálise de Jerusalém, onde se encontram ainda hoje, na biblioteca, alguns dos objetos que fizeram parte de seu ambiente de trabalho, no tempo em que dirigiu a Policlínica de Berlim.

Em julho de 1938, assistiu em Paris ao XV Congresso da IPA, e depois foi a Londres, para uma última visita a Freud. Em 20 de abril de 1939, recebeu a última carta enviada pelo mestre, cuja morte, alguns meses mais tarde, o afetaria profundamente.

Max Eitingon foi sepultado no cemitério do Monte das Oliveiras.

Em 1988, foi publicado no *New York Times Book Review* um artigo que retomava as alegações apresentadas por John J. Dziak, ex-funcionário da CIA, em seu livro *History of the KGB*, publicado nos Estados Unidos no ano anterior. Nele, Max Eitingon era acusado de ter sido agente secreto soviético a serviço da NKVD e depois da KGB, implicado no seqüestro, em Paris, do general Miller, organizado por um certo Nicolas Skoblin, marido da cantora Nadezhda Plevitskaia, que Eitingon conhecera no passado. Também era acusado de ter participado do assassinato de um espião russo dissidente. Todas essas acusações se baseavam na afirmação de Sandor Rado*, segundo a qual Max Eitingon era irmão de Leonid Eitingon, espião soviético que residira nos Estados Unidos e no México, onde recrutara Ramon Marcader, o assassino de Leon Trotski (1879-1940).

Theodor Praper, em um artigo na *New York Review* publicado pouco tempo depois, esclareceu o assunto, estabelecendo que Max Eitingon não era irmão de Leonid Eitingon, e que nunca estivera envolvido em qualquer caso de espionagem. Só testemunhos tendenciosos e uma incrível confusão de identidades, apoiados por algumas coincidências — como a ajuda financeira que Max Eitingon prestou durante toda a vida ao movimento psicanalítico e, mais ocasionalmente, à cantora Plevitskaia, graças à sua fortuna pessoal, esta bem real — puderam construir essa lenda que continua a ser difundida, não sem alguma leviandade, por certos autores, sobretudo Alexandre Etkind, na sua *História da psicanálise na Rússia*.

• Max Eitingon, "Allocution de Max Eitingon au IXᵉ Congrès Psychanalytique International" (1925), in Moustapha Safouan, Philippe Julien, Christian Hoffmann, *Malaise dans la psychanalyse. Le Tiers dans l'institution et l'analyse de contrôle*, Paris, Arcanes, 1995 • Sigmund Freud, *Correspondance, 1873-1939* (1960), Paris, Gallimard, 1966 • *Freud/Jung: correspondência completa* (Paris, 1975), Rio de Janeiro, Imago, 1993 • *Les Premiers psychanalystes, Minutes de la Société Psychanalytique de Vienne*, vol.1, *1906-1908* (1962), Paris, Gallimard, 1976 • Jacquy Chemouni, *Freud e o sionismo* (Paris, 1988), Rio de Janeiro, Imago, 1992 • Jacquy Chemoni e Michelle Moreau-Ricaud, "Max Eitingon (1881-1943)", *Frénésie*, 5, 1988, 115-28 • Michelle Moreau-Ricaud, "Max Eitingon (1881-1943) et la politique", *Revue Internationale d'Histoire de la Psychanalyse*, 5, 1992, 55-69 • Alexandre Etkind, *Histoire de la psychanalyse en Russie* (1993), Paris, PUF, 1995 • Peter Gay, *Freud: Uma vida para o nosso tempo* (1988), S. Paulo, Companhia das Letras, 1995 • Phyllis Grosskurth, *O círculo secreto* (1991), Rio de Janeiro, Imago, 1992 • Ernest Jones, *A vida e a obra de Sigmund Freud*, 3 vols. (N. York, 1953, 1955, 1957), Rio de Janeiro, Imago, 1989 • Pierre Morel (org.), *Dicionário biográfico psi* (Paris, 1996), Rio de Janeiro, Jorge Zahar, 1997 • Paul Roazen, *Freud e seus discípulos* (N. York, 1971), S. Paulo, Cultrix, 1978 • Élisabeth Roudinesco, *Genealogias* (Paris, 1994), Rio de Janeiro, Relume Dumará, 1995.

➢ COMUNISMO; CONTRATRANSFERÊNCIA; HISTORIOGRAFIA; NAZISMO; SUPERVISÃO.

elaboração (ou perlaboração)

al. *Durcharbeitung*; esp. *reelaboración*; fr. *perlaboration*; ing. *working-through*

Termo introduzido em 1967 por Jean Laplanche e Jean-Bertrand Pontalis, para designar um trabalho inconsciente que é próprio do tratamento psicanalítico.

Esse neologismo [*perlaboration*] foi introduzido por Jean Laplanche e Jean-Bertrand Pontalis, em 1967, para traduzir para a língua francesa o verbo alemão *durcharbeiten* (elaborar, trabalhar com cuidado), empregado por Sigmund Freud* para designar o trabalho do inconsciente* que é próprio do tratamento psicanalítico. Esse verbo e o processo que ele designa não têm, em Freud, o estatuto de conceito que lhes é justificadamente atribuído pelos autores franceses. A perlaboração (elaboração inconsciente) permite ao analisando integrar uma interpretação* e superar as resistências* que ela desperta. Na língua inglesa, *durcharbeiten* foi traduzido por *working-through* (literalmente, trabalhar através).

A maioria dos autores considera que, se o trabalho é efetivamente feito pelo analisando, o analista tem grande participação nele. Melanie Klein*, no entanto, modificou essa concepção da elaboração inconsciente, mostrando que ela pode se produzir sem a intervenção do analista. Trata-se, nesse caso, de uma reação espontânea do sujeito*, que procura remanejar seus afetos para superar a posição depressiva*. Cônscios dessa distinção, os tradutores franceses da obra kleiniana introduziram dois termos distintos para marcar as duas modalidades do *working-through*: a perlaboração e a translaboração [*translaboration*].

Em 1989, os responsáveis pela nova tradução* das obras de Freud substituíram o substantivo perlaboração pelo verbo perlaborar, com isso julgando aproximar-se mais do ideal de uma chamada língua "freudológica".

• Jean Laplanche e Jean-Bertrand Pontalis, *Vocabulário da psicanálise* (Paris, 1967), S. Paulo, Martins Fontes, 1991, 2ª ed. • Melanie Klein, *Inveja e gratidão — Um estudo das fontes do inconsciente* (Londres, 1957), Rio de Janeiro, Imago, 1974 • Jean Laplanche, André Bourguignon, Pierre Cotet e François Robert, *Traduzir Freud* (Paris, 1989), S. Paulo, Martins Fontes, 1992.

Elisabeth von R., caso

➢ *ESTUDOS SOBRE A HISTERIA*.

Ellenberger, Henri F. (1905-1993)

psiquiatra e psicanalista canadense

Nascido em Nalolo, na Rodésia, Henri Frédéric Ellenberger deve ser considerado como o fundador da historiografia* erudita do freudismo*, da psicanálise* e da psiquiatria dinâmica*. Também foi criminologista e antropólogo. Originário de uma família de missionários protestantes de origem suíça, estudou psiquiatria em Estrasburgo, onde freqüentou os cursos de alguns daqueles que, cinco anos depois, se encontrariam em torno de Lucien Febvre (1878-1956) e de Marc Bloch (1886-1944), na esteira da École des Annales.

No fim dos seus estudos de medicina, Henri F. Ellenberger foi morar em Paris. Ali, casou-se com uma jovem de origem russo-báltica e de religião ortodoxa. No início dos anos 1930, ficou conhecendo, no Hospital Sainte-Anne, a história da psiquiatria dinâmica, que ele relataria trinta anos depois. Fez amizade com Henri Ey* e instalou-se em Poitiers como psiquiatra, aproveitando para estudar os mitos e as superstições da região.

Nascido de pais franceses em uma colônia inglesa, deveria ter a nacionalidade francesa. Mas, como seu pai deixara de registrá-lo no consulado da França, era portador de um passaporte inglês. Sua mulher, que era apátrida, seus filhos e ele próprio se naturalizaram franceses. Em 1941, arriscando-se a perder sua nacionalidade pelo governo de Vichy, emigrou para a Suíça*, onde trabalhou em várias clínicas, iniciando-se na língua alemã. Freqüentou durante muito tempo Carl Gustav Jung*, que lhe transmitiu a memória oral da primeira saga da psicanálise e de sua implantação nos meios psiquiátricos de Zurique, principalmente na clínica do Hospital Burghölzli. Em 1950, Ellenberger fez análise didática com Oskar Pfister*, então com 77 anos. Nesse momento, pensou em tornar-se membro da Sociedade Suíça de Psicanálise (SSP).

Em meados do século, tinha pois adquirido um grande conhecimento da história da psiquiatria e da psicanálise na Europa. Falava e escrevia muito bem em francês, alemão e inglês, e interessava-se pela evolução de todas as formas de tratamento psíquico. Só lhe faltava iniciar-se na história da emigração freudiana de leste para oeste. Foi uma viagem de estudo aos Estados Unidos* e depois o encontro com Karl Menninger* e a permanência em sua clínica de Topeka, no Kansas, que determinaram a orientação de seus trabalhos posteriores.

Em 1953, deveria instalar-se definitivamente nos Estados Unidos, depois de receber o título de professor na Menninger School of Psychiatry. Mas como sua esposa nascera na Rússia*, não podia, durante esse período da guerra fria, obter um visto de permanência de longa duração. Assim, em 1959, tomou a decisão de viver em Montreal, onde obteve a cátedra de criminologia no Allen Memorial Institute da Universidade McGill. O Québec, região francófona, seria sua última terra de acolhimento. Morreu ali em maio de 1993, depois de formar, com os seus trabalhos, uma geração inteira de historiadores do freudismo, cuja maioria é hoje de americanos.

Depois de trabalhar durante vinte anos com arquivos*, redigiu em inglês sua obra fundamental: *The Discovery of the Unconscious. The History and Evolution of Dynamic Psychiatry*, que foi publicado nos Estados Unidos em 1970, o que lhe valeu o reconhecimento da maior parte dos países do mundo, à exceção da França, onde, quando de sua primeira tradução em 1974, interessou apenas aos meios psiquiátricos. Ellenberger fazia uma revolução que lembrava a dos Annales. Opondo-se sobretudo à história oficial segundo Ernest Jones* e seus herdeiros, seu método associava o tratamento positivo das fontes, à maneira de Alphonse Aulard, à sondagem imaginária, tal como a concebia Lucien Febvre.

Segundo ele, existia uma dicotomia entre a história da teorização da noção de inconsciente* e a da sua utilização terapêutica. A primeira começara com as intuições dos filósofos da Antigüidade, depois prosseguira com as dos grandes místicos. No século XIX, a noção de inconsciente se consolidou com Arthur Schopenhauer (1788-1860), Friedrich Nietzsche (1844-1900) e os trabalhos da psicologia experimental: Johann Friedrich Herbart*, Hermann Helmholtz*, Gustav Fechner*. Quanto à segunda história, esta remontava à arte do feiticeiro e do xamã, e passava pela confissão cristã. Dois métodos terapêuticos foram praticados. Um consistia em provocar no doente a emergência de forças inconscientes, sob forma de "crises": possessões ou sonhos. O outro gerava o mesmo processo no médico. Do tratamento centrado no paciente derivava a neurose de transferência* no sentido freudiano; do tratamento centrado no médico derivava a análise didática*. Efetivamente, esta herdava a "doença iniciática" que conferia ao xamã o seu poder de cura, e a "neurose criadora" tal como a tinham vivido no fim do século XIX os pioneiros da descoberta do inconsciente: Pierre Janet*, Sigmund Freud*, Carl Gustav Jung, Alfred Adler*.

Nessa perspectiva, a primeira grande tentativa de integrar a investigação do inconsciente à sua utilização terapêutica começava com as experiências de Franz Anton Mesmer*, iniciador da primeira psiquiatria dinâmica*. Esta terminava com Jean Martin Charcot*, e foi então que nasceu, sobre as ruínas de um magnetismo que se tornara hipnotismo, a segunda psiquiatria dinâmica, dividida em quatro grandes correntes: a análise psicológica de Pierre Janet, centrada na exploração do subconsciente, a psicanálise* de Freud, fundada na teoria do inconsciente*, a psicologia individual de Adler, a psicologia analítica de Jung. Ellenberger observou que o paradoxo dessa segunda psiquiatria dinâmica, cuja história se detinha em 1940, era que, ao cindir-se em escolas opostas, ela rompia o pacto fundador que a ligava ao ideal de uma ciência universal nascida do Iluminismo, para voltar ao antigo modelo das seitas greco-romanas.

• Henri F. Ellenberger, *Histoire de la découverte de l'inconscient* (N. York, Londres, 1970, Villeurbanne, 1974), Paris, Fayard, 1994; *Médecines de l'âme. Essais d'histoire de la folie et des guérisons psychiques*, Paris, Fayard, 1995; *Beyond the Unconscious*, N. Jersey, Princeton University Press, 1993.

➤ ANTROPOLOGIA; ESPIRITISMO; ETNOPSICANÁLISE; HIPNOSE; HISTERIA; PAPPENHEIM, BERTHA; PERSONALIDADE MÚLTIPLA; PREISWERK, HÉLÈNE; SUGESTÃO.

Ellis, Henry Havelock (1859-1939)

médico e escritor inglês

Fundador da sexologia*, com Albert Moll* e Richard von Krafft-Ebing*, Havelock Ellis, filho de um capitão de longo curso, foi criado pela mãe e quatro tias.

Homossexual revoltado contra os códigos morais da Inglaterra vitoriana, decidiu, aos 16 anos, dedicar a vida à análise da sexualidade* humana sob todas as suas formas. Foi com essa intenção que estudou medicina: "Queria poupar à juventude das gerações futuras as preocupações e perplexidades que a ignorância [do sexo] me infligiu." De 1884 a 1889, tornou-se amigo íntimo de uma romancista feminista, Olive Schreiner, que conhecera através da filha de Karl Marx (1818-1883). Depois do casamento de Olive, desposou Edith Lees, uma intelectual que mergulhou progressivamente na loucura*.

Lançando-se na carreira literária aos 30 anos, Ellis se dedicou à reedição das melhores peças dos contemporâneos de Shakespeare. Em 1890, começou a redação de sua grande obra: *Estudos de psicologia sexual*. Publicado em Londres um ano depois do processo de Oscar Wilde (1856-1900), o primeiro volume era consagrado à inversão sexual. O livro causou escândalo, e o livreiro que vendeu a obra foi processado na justiça. Posteriormente, Ellis seria obrigado a publicar os outros volumes nos Estados Unidos*: "A envergadura da documentação de Ellis nesses *Estudos*, escreveu Frank Sulloway, era realmente impressionante. Ele estava completamente a par de toda a literatura médica do seu tempo e citava mais de dois mil autores, pertencentes a doze áreas lingüísticas diferentes. Cada volume era uma suma enciclopédica do saber contemporâneo sobre cada uma das questões tratadas."

Contemporâneo de Sigmund Freud*, Ellis acolheu com fervor as obras deste e ambos trocaram cartas durante toda a vida, não hesitando em demonstrar ocasionalmente suas discordâncias, invejas ou admirações recíprocas. Freud adotou a noção de auto-erotismo de Ellis e lhe prestou homenagem nos *Três ensaios sobre a teoria da sexualidade**.

• Havelock Ellis, *Studies on the Psychology of Sex. Sexual Inversion*, vol.1, Londres, The University Press, 1897; "Auto-erotism. A psychological study", *The Alienist and Neurologist*, 19, 1898, 260-99; *Studies on the Psychology of Sex*, 7 vols., Filadélfia, F.A. Davis, 1900-1928; *Études de psychologie sexuelle*, vol.1 (Londres, 1897), Paris, Mercure de France, 1904; *My*

Life. Autobiography of Havelock Ellis, Boston, Houghton Mifflin, Co., 1939 • Vincent Brome, Les Premiers disciples de Freud (Londres, 1967), Paris, PUF, 1978 • Frank J. Sulloway, Freud, Biologist of the Mind, N. York, Basic Books, 1979 • Sexualités occidentales (1982), sob a direção de Philippe Ariès e André Béjin, Paris, Seuil, col. "Points essais", 1984 • Phyllis Grosskurth, Havelock Ellis. A Biography, N. York, New York University Press, 1985.

➢ ALEMANHA; HIRSCHFELD, MAGNUS; HOMOSSEXUALIDADE; PERVERSÃO; REICH, WILHELM.

Embiricos, Andreas (1901-1975)

escritor e psicanalista grego

Nascido em Braila, na Romênia*, Andreas Embiricos estudou filosofia e literatura em Atenas. Em 1927, depois de seu encontro com André Breton (1896-1966), foi fortemente marcado pelo surrealismo e publicou uma obra poética abundante, na qual se filiava a Rimbaud, aos futuristas e à escrita automática: "Embiricos, escreveu Gilles Ortlieb, abriu caminho para um novo modo de expressão, transbordante de imaginação e sensualidade [...]. à imagem da sua vida, dividida entre a Grécia e as capitais européias, seus escritos manifestam um cosmopolitismo quase aristocrático."

Analisado por René Laforgue*, por ocasião de uma longa permanência em Paris, entre 1925 e 1931, começou a praticar a psicanálise* em Atenas, formando com Dimitri Kouretas*, Georges Zavitzianos e Nicolas Dracoulidis (1900-1986) — os dois últimos analisados por Marie Bonaparte* — o primeiro grupo freudiano da Grécia. Reconhecido de modo efêmero pela International Psychoanalytical Association* (IPA), esse grupo foi obrigado a dissolverse em 1950, em circunstâncias difíceis e não-elucidadas. Embiricos preferiu então renunciar à profissão de psicanalista, para se dedicar à sua obra poética e literária.

Em 1935, publicou uma bela antologia (Haut Fourneau) de 63 breves textos em prosa, centrados na figura de Eros. Em 1964, publicou Argos, relato erótico no qual descrevia o voyeurismo de um pai descobrindo as relações amorosas da filha com seu amante.

Como a de Embiricos, a prática de Dracoulidis, que era simultaneamente sexólogo e dermatologista, também não foi julgada adequada,

segundo as normas da IPA. Quanto a Zavitzianos, decidiu emigrar para o Canadá*, onde teve um papel importante. Só Kouretas conseguiu manter-se em Atenas, e em 1983 um novo grupo de estudos foi reconhecido pela IPA.

• Andreas Embiricos, Haut fourneau (Atenas, 1935), Arles, Actes Sud, 1991; Argo ou vol d'aérostat (Atenas, 1964), Paris, Actes Sud, 1991 • Gilles Ortlieb, "Andreas Embiricos", in Le Nouveau dictionnaire des auteurs, Paris, Laffont, t.1, 1994, 999-1000 • Eleni Atzina, L'Introduction à la psychanalyse en Grèce à travers ses relations avec les institutions psychiatriques (1910-1950), dissertação de DEA, GHSS, Universidade de Paris-VII, 1996.

➢ FEDERAÇÃO EUROPÉIA DE PSICANÁLISE; FRANÇA; HISTÓRIA DA PSICANÁLISE; TRIANDAFILIDIS, MANOLIS.

Emden, Jan Van (1868-1950)

psiquiatra e psicanalista neerlandês

Analisado por Sigmund Freud* e membro, em 1911, da Wiener Psychoanalytische Vereinigung (WPV), Jan Van Emden foi um dos pioneiros da psicanálise* nos Países-Baixos* e cofundador, em 1917, da Nederlandse Vereniging voor Psychoanalyse (NVP), com Johan Van Ophuijsen*, August Stärke*, o psiquiatra Gerbrandus Jelgersma (1859-1942), o hipnotizador Albert Willem Van Renterghem (1845-1939) e o neurologista A. Van der Chijs (1875-1926). Em 1941, instalou-se em Amsterdam, onde formou um pequeno grupo de trabalho, mudando-se depois para Haia.

➢ MONCHY, RENÉ DE.

Emerson, Louville Eugene (1873-1939)

psicólogo americano

Membro da American Psychoanalytic Association* (APsaA), Louville Eugene Emerson foi um dos primeiros psicólogos americanos a se interessar pelas teses freudianas e a estudar, no Massachusetts General Hospital, perto de Boston, o papel das neuroses* nas relações familiares.

➢ ESTADOS UNIDOS; PRINCE, MORTON; PUTNAM, JAMES JACKSON.

Emmy von N., caso

➤ MOSER, FANNY.

Erikson, Erik, *né* Homburger (1902-1994)

psicanalista americano

Nascido em Frankfurt, Erik Homburger nunca conheceu seu pai biológico, que abandonou sua mãe, Karla Abrahamsen, antes de seu nascimento. De origem dinamarquesa, esta casou-se em 1905 com um pediatra alemão, Theodor Homburger, originário de uma família da pequena burguesia judaica praticante. Responsável pela sinagoga de Karlsruhe, levou sua mulher para essa cidade e deu seu nome à criança, que foi então educada sem conhecer sua verdadeira história. Esconderam-lhe principalmente que seu pai era dinamarquês e que abandonara sua mãe. Daí a perturbação que o jovem Erik sentia em relação à sua judeidade*. Ora tinha a impressão de ser judeu pela filiação de seu padrasto, ora atribuía à sua família materna uma origem judaica. Essa confusão o levaria a se converter ao protestantismo e a mudar de sobrenome.

Em 1927, instalou-se em Viena como pintor especializado em retratos de crianças. Iniciou-se também nos métodos pedagógicos de Maria Montessori* e, através do amigo Peter Blos, que dava aulas particulares para os quatro filhos de Dorothy Burlingham*, entrou em contato com Anna Freud*. Juntos, com Eva Rosenfeld (1892-1977), abriram uma escola, inicialmente freqüentada pelos filhos de Dorothy, depois por outras crianças em tratamento analítico, cujos pais também faziam análise. Atraído por essa experiência, mas pobre como Jó, Erik Homburger foi, contudo, aceito para formação didática com Anna Freud, por um pagamento módico. Em Viena, ficou conhecendo sua futura mulher, Joan Moivat Serson, de origem americano-canadense, que seria analisada por Ludwig Jekels*.

Erik Homburger redigiu então seus primeiros artigos sobre pedagogia. Logo integrou-se à Wiener Psychoanalytische Vereinigung (WPV), cuja atmosfera achou opressiva, e decidiu emigrar para os Estados Unidos* depois de ter sido convidado a ensinar e a praticar a psicanálise de crianças* em Boston. Primeiro discípulo de Anna Freud, foi também o primeiro homem a se lançar nessa atividade, até então reservada às mulheres. Posteriormente, dedicou-se mais à adolescência e ensinou na Califórnia, na Universidade de Berkeley.

Pouco antes de deixar a Europa, abandonou o sobrenome Homburger e fabricou outro, utilizando o processo escandinavo, que consiste em acrescentar o sufixo "son" (filho) a um nome próprio. Assim, tornou-se Erik Erikson, ou seja, Erik, filho de Erik.

O acesso a essa nova identidade coincidiu com a descoberta das teorias do movimento culturalista americano, e permitiu a Erikson dedicar-se proveitosamente aos problemas da adolescência. "Enquanto trabalhava nas reservas indígenas sioux de Dakota do Sul e na tribo yourok da Califórnia do Norte, durante os anos 1930, escreveu Pamela Tytell, Erikson percebeu que a origem de certos problemas dos índios americanos adultos devia ser procurada não na teoria psicanalítica tradicional, mas no sentimento de 'desenraizamento' de que eles sofriam. Esse sentimento, devido à ruptura violenta entre o seu modo de vida nas reservas e o que era descrito na história de sua tribo, está mais ligado ao eu*, à cultura e às interações sociais do que às pulsões* sexuais, que Freud* enfatizava."

Assim, foi em contato com os conflitos ligados ao comunitarismo da sociedade americana e com as "falhas" de sua concepção adaptativa que Erikson redigiu os seus trabalhos, no quadro da *Ego Psychology**. Estava reencontrando ali os problemas ligados a seu próprio sofrimento de adolescente à procura de identidade. Em *Infância e sociedade*, obra que o tornaria célebre, distinguiu-se do freudismo clássico, mostrando que o eu, longe de ser uma instância ou um departamento do isso*, podia ser receptivo a todas as mudanças sociais. Daí a tese segundo a qual a cada estádio* de sua evolução, o sujeito* podia fazer uma escolha baseada na confiança ou na desconfiança.

Com essa teoria, Erikson adotava o projeto profilático do higienismo e renunciava a uma concepção puramente psíquica da organização da personalidade. Ligava a noção de estádio (no sentido freudiano) à de evolução biológica e social, afirmando que uma pedagogia da adolescência era necessária para superar os conflitos de gerações. Os freudianos clássicos o acusaram de minimizar o peso do psiquismo inconsciente e negligenciar as relações edipianas e pré-edipianas. Entretanto, Erikson se inscrevia em uma tradição muito vienense, desenvolvida antes dele por August Aichhorn*.

Depois de sua partida de Berkeley, foi nomeado professor na Escola de Medicina de Harvard, onde criou um centro de pesquisas com o seu nome. Ensinou depois no Massachusetts Institute of Technology. Durante toda essa época, apaixonou-se pela psicanálise aplicada* e redigiu várias psicobiografias de homens célebres: Jesus Cristo, Charles Darwin (1809-1882), Sigmund Freud. Sua obra sobre Gandhi recebeu o prêmio Pulitzer em 1970, e a que consagrou a Lutero foi considerada um clássico do gênero.

Desde o início, a psicanálise* se apoderou do personagem de Lutero (1483-1546). Em 1913, um autor americano, Preserved Smith, fez dele um "neurótico típico", através de uma psicobiografia terrivelmente reducionista. Criticando, com razão, esse tipo de procedimento, o historiador francês Lucien Febvre (1878-1956) afirmou que a história não precisava de um "Lutero freudiano". Ora, em sua obra de 1958, Erikson mostrava um Lutero perfeitamente admissível. Segundo ele, o jovem Lutero teria vivido conflitos violentos com os pais, enfrentando uma crise profunda, da qual só teria saído parcialmente no momento de sua descoberta da nova fé. Por conseguinte, seu comportamento posterior teria sido marcado pela repetição dessa crise. Daí seus acessos maníaco-depressivos.

• Erik Erikson, "Configurations in play. Clinical notes", *Psychoanalytical Quarterly*, 6, 1937, 139-214; "Observations on Sioux education", *Journal of Psychology*, 1939, 7, 101-56; "Hitler's imagery and German youth", *Psychiatry*, 1942, 5, 475-93; *Enfance et société* (N. York, 1950), Neuchâtel, Delachaux et Niestlé, 1959; *Luther avant Luther* (N. York, 1958), Paris, Flammarion, 1968; *Éthique et psychanalyse* (N. York, 1964), Paris, Flammarion, 1971; *Adolescence et crise. La Quête de l'identité* (N. York, 1968), Paris, Flammarion, 1972; *La Vérité de Gandhi. Les Origines de la non-violence* (N. York, 1969), Paris, Flammarion, 1974 • Preserved Smith, "Luther's early development in the light of psychoanalysis", *American Journal of Psychology*, 24, 1913, 360-77 • Lucien Febvre, *Martin Luther. Un destin* (1928), Paris, PUF, 1988 • Eugène Pumpian-Mindlin, "Anna Freud and Erik H. Erikson. Contribuições a teoria e prática da psicanálise e da psicoterapia", in Franz Alexander, Samuel Eisenstein e Martin Grotjahn (org.), *A história da psicanálise através de seus pioneiros* (N. York, 1966), Rio de Janeiro, Imago, 1981 • Robert Coles Robert, *Erik H. Erikson. The Growth of his Work*, Boston, Little Brown, 1970 • Paul Roazen, *Erik H. Erikson, The Power Limits of a Vision*, N. York, Free Press, 1976 • Pamela Tytell, "Erik Homburger Erikson, 1902-1994", *Encyclopaedia universalis*, Paris, 1995, 500-1 • Peter Schöttler, "Note sur Erik Erikson et Luther", 1996, inédito.

➤ CULTURALISMO; MEYER, ADOLPH.

Ermakov, Ivan Dimitrievitch (1875-1942)

psiquiatra e psicanalista russo

Aluno do psiquiatra Vladimir Petrovitch Serbski (1858-1917), Ivan Dimitrievitch Ermakov dedicou seus primeiros trabalhos às neuroses de guerra*, tratando dos soldados durante o conflito entre a Rússia* e o Japão*. Depois, interessou-se pela hipnose* e, a partir de 1913, voltou-se para a psicanálise*. Com Moshe Wulff*, criou em 1921 a Associação Psicanalítica de Pesquisas sobre a Criação Artística e, um ano depois, tornou-se presidente da Sociedade Psicanalítica da Rússia. Também participou, com Vera Schmidt*, da instalação do famoso lar experimental para crianças. Mas foi principalmente por seus textos sobre a arte e a literatura que desempenhou um papel na introdução do freudismo* na Rússia: a melancolia* em Dürer (1471-1528) e estudos sobre Gogol (1809-1852) e Puchkin (1799-1837).

A principal atividade de Ermakov foi a gestão da Biblioteca de Psicologia e de Psicanálise, ao lado de Otto Schmidt (1891-1956), que era seu diretor para as edições estatais. Entre 1922 e 1928, ambos encomendaram a tradução para o russo de várias obras de Sigmund Freud*, entre as quais a *Introdução à psicanálise** e *Totem e tabu**. Ermakov redigiu notas e prefácios.

Demitido de todas as suas funções entre 1924 e 1928, durante a stalinização do regime soviético, conseguiu traduzir ainda *O futuro de uma ilusão** em 1930. Depois, continuou a escrever, não publicou mais e abandonou todas as atividades psicanalíticas. Preso em 1940, foi deportado para um campo de internamento, onde morreu dois anos depois.

• Jean Marti, "La Psychanalyse en Russie (1909-1930)", *Critique*, 346, março de 1976, 199-237 • Alberto Angelini, *La Psicoanalisi in Russia*, Nápoles, Liguori Editore, 1988 • Alexandre Etkind, *Histoire de la psychanalyse en Russie* (1993), Paris, PUF, 1995.

➤ COMUNISMO; FREUDO-MARXISMO; LURIA, ALEKSANDR ROMANOVITCH; OSSIPOV, NIKOLAI IEVGRAFOVITCH; ROSENTHAL, TATIANA; SPIELREIN, SABINA; ZALKIND, ARON BORISSOVITCH.

eros

➤ HOMOSSEXUALIDADE; LIBIDO; NARCISISMO; PERVERSÃO; PULSÃO; SEXUALIDADE; SUBLIMAÇÃO.

Esboço de psicanálise

Obra póstuma e inacabada de Sigmund Freud*, redigida em 1938 e publicada pela primeira vez em alemão, em 1940, sob o título Abriss der Psychoanalyse, e em inglês, na mesma data, sob o título An Outline of Psycho-Analysis, numa tradução de James Strachey*. Traduzida para o francês por Anne Berman (1889-1979), em 1949, sob o título Abrégé de psychanalyse.

Iniciado em 22 de julho de 1938, esse último livro de Sigmund Freud permaneceu inacabado e comporta apenas três partes. Fazia muito tempo que Freud tinha o projeto de escrever um opúsculo destinado a apresentar ao grande público uma síntese de sua doutrina. Iniciou esse trabalho em Viena*, às vésperas de seu exílio, queixando-se de ter que escrever coisas que já tinha dito e às quais nada tinha a acrescentar. No entanto, redigiu o texto em ritmo animado e ao sabor da pena, apelando para abreviaturas.

De fato, o livro é certamente bem melhor do que o julgava Freud. Trata-se de uma excelente síntese dos eixos fundamentais do pensamento freudiano no tocante ao aparelho psíquico, à teoria das pulsões*, à sexualidade*, ao inconsciente*, à interpretação dos sonhos* e à técnica psicanalítica*. Em algumas passagens, Freud se interroga sobre novas direções de investigação, em especial a propósito do eu*, e prenuncia, acima de tudo, a descoberta de substâncias químicas capazes de agir diretamente sobre o psi-

quismo e tornar obsoleto o método psicanalítico, do qual, no entanto, assume vigorosamente a defesa: "Por ora, no entanto, dispomos apenas da técnica psicanalítica, e é por isso que, a despeito de todas as suas limitações, convém não desprezá-la."

• Sigmund Freud, *Esboço de psicanálise* (1938), *ESB*, XXIII, 168-246; *GW*, XVII, 67-138; *SE*, XXIII, 139-207; Paris, PUF 1949 • Ernest Jones, *A vida e a obra de Sigmund Freud*, 3 vols. (N. York, 1953, 1955, 1957), Rio de Janeiro, Imago, 1989 • Peter Gay, *Freud, uma vida para o nosso tempo* (N. York, 1988), S. Paulo, Companhia das Letras, 1995 • Ilse Grubrich-Simitis, *Freud, retour aux manuscrits. Faire parler les documents muets* (Frankfurt, 1993), Paris, PUF, 1997.

Escandinávia

Sob essa designação genérica estão agrupados cinco países da Europa: Dinamarca, Noruega, Suécia, Finlândia e Islândia. No plano político, existem apenas três Estados ditos escandinavos: Suécia, Noruega e Dinamarca. Geograficamente, chama-se Escandinávia a parte norte da Europa que reúne a Suécia, a Noruega, a Dinamarca e a Finlândia, ou seja, quatro países no total, e dá-se o nome de Península Escandinava ao conjunto constituído pela Suécia e pela Noruega. São quatro as línguas escandinavas ligadas ao grupo das línguas germânicas: dinamarquês, sueco, norueguês e islandês, enquanto o finlandês pertence à família das línguas ditas fino-úgricas.

Como em quase todos os países da Europa, foi no fim do século XVIII e sob a influência da filosofia do Iluminismo que alienistas dinamarqueses e noruegueses instauraram o asilo moderno, a partir do modelo francês realizado por Philippe Pinel (1745-1826) sob a Revolução. O movimento de reforma foi progressivamente adotado durante o século XIX, primeiro na Finlândia, depois na Suécia, com a criação da Ordem dos Serafins, que se encarregou do sistema hospitalar até 1876. A partir daí, surgiria um novo olhar sobre a loucura*, que permitiria a implantação da nosografia de origem alemã, proveniente dos trabalhos de Emil Kraepelin*, e posteriormente a da psiquiatria dinâmica*.

Dando seqüência a esse movimento, as idéias freudianas se implantaram por etapas nos quatro países escandinavos (Dinamarca, Suécia, Noruega e Finlândia), sem com isso desembocar na formação de um movimento amplo. A prática ficou limitada a alguns grupos, e o desenvolvimento doutrinário restringiu-se a personalidades marcantes, psiquiatras ou professores de universidade.

Foi na Suécia que o freudismo* obteve mais sucesso, ao passo que, por razões políticas, ligadas ao forte desenvolvimento dos partidos trabalhistas, a Dinamarca e a Noruega foram principalmente receptivas às teses de Wilhelm Reich*, ou seja, ao materialismo biológico e à síntese entre o freudismo e o marxismo.

Desde meados do século XIX, grandes pensadores, escritores e filósofos, manifestaram seu interesse pelos fenômenos inconscientes. Cada um à sua maneira, August Strindberg (1849-1912), Georg Brandes (1842-1927), Henrik Ibsen (1828-1906) e Søren Kierkegaard (1813-1855) souberam compreender as transformações da sociedade ocidental: diminuição da função paterna no seio da família e aumento das interrogações sobre a diferença sexual*. Criticavam ferozmente a hipocrisia social e eram sensíveis às forças destruidoras que permeavam os ideais de humanismo às vésperas do advento do mundo moderno. Essa atitude era encontrada nos pintores escandinavos contemporâneos, como Carl Fredrik Hill, Ernst Josefsson ou Edvard Munch (1863-1944). Obcecados pelo exílio, preocupados com a loucura ou com a estranheza do homem em relação a si mesmo, todos procuravam captar em suas obras a angústia existencial de uma época dominada pelo ceticismo, pelo irracionalismo e pela recusa da idéia de progresso linear. Foi nesse terreno crítico, e em um contexto em que o puritanismo luterano era ao mesmo tempo religião do Estado e uma atitude mental e espiritual, que surgiram as primeiras interrogações sobre a doutrina freudiana.

Em 1885, um médico finlandês, Konrad Relander, mencionou pela primeira vez o nome de Sigmund Freud* em um artigo sobre o uso medicinal da cocaína. Oito anos depois, na Suécia, um professor de patologia nervosa, Frithiof Lennmalm, citou os trabalhos de Freud, de Pierre Janet*, de Josef Breuer* e de Jean Martin Charcot*, em um texto consagrado às neuroses* traumáticas.

Depois dessas reflexões sobre os aspectos médico e neurológico da obra freudiana, Poul Bjerre* foi o primeiro a introduzir a psicanálise nos países escandinavos. Em 1907, instalou-se no consultório de um célebre médico hipnotizador, Otto Wetterstrand (1845-1907), que acabava de morrer. Adepto da Escola de Nancy e das teses de Hippolyte Bernheim*, Wetterstrand favorecera o progresso da psicoterapia* na Suécia, inventando um método de "sono prolongado", que lhe valeu a reputação de "mágico".

Nascido em Göteborg em uma família de imigrantes dinamarqueses, Poul Bjerre desempenhou, por sua vez, um papel importante não só por seu encontro com Freud em 1911, mas também por sua ligação com Lou Andreas-Salomé* e sua convivência com o meio psicanalítico internacional. Entretanto, a partir de 1924, afastou-se do freudismo sem ter aderido a ele e sem ter praticado a psicanálise. Daí a observação de Freud em 1923, em uma nota acrescentada à reedição de sua contribuição para a história do movimento psicanalítico: "Atualmente, são os países escandinavos que se mantêm mais afastados da psicanálise."

Ao contrário de Bjerre, Emanuel af Geijerstam (1867-1928) aceitou submeter-se à análise. Também aluno de Wetterstrand e próximo de Strindberg, começou praticando a hipnose, antes de fazer uma análise didática* por volta de 1910 com Johannes Strømme*. Também foi o primeiro psicanalista sueco formado segundo as regras da filiação* psicanalítica.

Em 1905, Ragnar Vogt (1870-1943), professor na Universidade de Oslo, publicou em um tratado de psiquiatria um estudo objetivo sobre a psicanálise, bastante distanciado dos preconceitos desfavoráveis da época. Aliás, em 1920, Sigurd Naesgaard* traduziu para o dinamarquês as cinco conferências feitas por Freud nos Estados Unidos* quinze anos antes. Elas foram traduzidas nove anos depois para o norueguês por Kristina Schjelderup (1894-1980). Enfim, em 1923, Georg Groddeck*, quando de uma permanência em Estocolmo, despertou o interesse pelo freudismo.

Como em outros países, o avanço progressivo das teses freudianas se chocou com fortes resistências, notadamente em torno da questão do pretenso pansexualismo* de Freud. Enquanto na França dizia-se que a teoria freudiana da sexualidade era excessivamente "germânica" (e logo "bárbara") para adaptar-se ao "gênio latino", na Suécia afirmava-se a mesma proposição em sentido inverso: essa teoria, inventada por um vienense, não podia adaptar-se à "mentalidade nórdica". O essencial dessas críticas foi enunciado, em 1913, em um livro de Olof Kinberg, que reuniu todas as discussões realizadas nessa época por Bjerre no seio da Sociedade Médica Sueca. Foram retomadas vinte anos depois, em 1934, pelo psiquiatra Bror Gadelius (1862-1938), reformador humanista do asilo, que afirmou, à maneira de outros representantes da psiquiatria dinâmica, que a doutrina freudiana da sexualidade era mais apta a implantar-se nos países latinos do que nos países nórdicos, pois fora criada por um homem de "raça judia", já que essa própria "raça" estava sujeita a um "pansexualismo" específico.

Durante os anos 1930, como na Bélgica* ou na França, os círculos literários nórdicos se interessaram pelo freudismo. Assim, na revista sueca *Spektrum*, foram publicados artigos de Anna Freud*, Erich Fromm* e Wilhelm Reich*. Pehr Henrik Törngren* foi um de seus membros ativos. A revista norueguesa *Samtiden* tomou parte no debate, publicando textos que questionavam o valor científico e terapêutico da psicanálise. Em *Clarté*, revista socialista, foram publicados textos de muitos pioneiros nórdicos do freudismo. Aliás, com o impulso do sindicalista norueguês Erling Falck, que criara em 1921 o grupo *Mot Dag*, de inspiração comunista, desenvolveu-se um interesse muito grande pelo freudo-marxismo*.

Depois da ruptura de Bjerre com o freudismo, foi preciso esperar até 1931 para que se desenvolvesse, em torno dos vários pioneiros e por iniciativa da sueca Alfhild Tamm*, o embrião de um movimento freudiano. Depois de muitas discussões, das quais participaram Sigurd Naesgaard pela Dinamarca, Harald Schjelderup* pela Noruega, e Yrjö Kulovesi* pela Finlândia, foi criado um grupo escandinavo de psicanálise, que se cindiu finalmente em duas sociedades: a Sociedade Fino-Sueca, por um lado (Finsk-svenska Psykoanalytika Förening), a Sociedade Dano-Norueguesa, por outro (Dansk-norska Psykoanalytika Förening). Ambas foram filiadas à International Psychoanalytical Association* (IPA) no Congresso de Lucerna em 1934, sob condições dramáticas, tendo como pano de fundo a exclusão de Wilhelm Reich.

No período entre as duas guerras, a situação não se desenvolveu da mesma forma nos quatro países escandinavos. A chegada de Reich a Copenhague em maio de 1933, depois sua permanência em Oslo entre outubro de 1935 e agosto de 1939 modificaram o panorama psicanalítico da Dinamarca e da Noruega. Nesses dois países, onde a tradição socialista era poderosa, a temática da revolução sexual e da liberação da libido* pela bioeletricidade foi facilmente aceita pelos intelectuais, mas suscitou escândalos na imprensa puritana e conservadora.

Na Dinamarca, ao invés de adotar uma posição flexível, os dirigentes da IPA, especialmente Max Eitingon* e Anna Freud, apoiados por Ernest Jones* e Freud, não autorizaram Reich a praticar análises didáticas, ao passo que ele era membro da International através de sua filiação à Deutsche Psychoanalytische Gesellschaft (DPG). Ora, apesar de suas divergências técnicas e políticas com os freudianos ortodoxos, ele era na época o único psicanalista capaz de formar clínicos em Copenhague, como mostra uma carta dirigida a Freud, em 10 de novembro de 1933, por Erik Carstens, publicada em 1967 em *Reich fala de Freud*.

Evocando o papel desastroso desempenhado por Naesgaard, que recusava o princípio da formação didática, Carstens enfatizava que a atividade de Reich fora positiva nessa área. E, principalmente, queixava-se de que o comitê de formação da DPG, sob a responsabilidade de Eitingon, concedera a Jenö Harnik, psicanalista húngaro exilado, e não a Reich, o estatuto de didata. Todos sabiam que Harnik sofria de paranóia* com crises de delírio: de qualquer forma, muito mais patológico que Reich e, sobretudo, sem a menor competência psicanalítica. Em 1912, Sandor Ferenczi* tentara tratá-lo de impotência sexual, dissuadindo-o de se tornar psicanalista. Posteriormente, quando Harnik quis aderir à Wiener Psychoanalytische Vereinigung, Ferenczi, a pedido de Freud e com sua inteira aprovação, apresentou um motivo de oposição categórica: "Ciumento, psiquicamente impotente, patologicamente vaidoso, inepto. Deveria tomar outro caminho." Apesar dessa opinião desfavorável, Harnik conseguiu integrar-se ao Berliner Psychoanalytisches Institut* (BPI) e ser enviado por Eitingon, como didata, para desenvolver a psicanálise na Dinamarca.

Em sua resposta a Carstens, Freud confirmou que Harnik era paranóico, mas não deu nenhum apoio a seu interlocutor. Reich protestou contra essa sanção, argumentando como era paradoxal negar-lhe o estatuto de didata por ser marxista, enquanto a IPA sempre tivera tendência a encaminhar os alunos em formação para psicanalistas que compartilhassem as suas convicções religiosas ou ideológicas: "Considerei como virtualmente estabelecido o fato de que os teólogos eram enviados para Oskar Pfister*, os filósofos morais para Carl Müller-Braunschweig* e os socialistas recuperados para Siegfried Bernfeld*."

Acusado de ser ele próprio simultaneamente paranóico, bolchevista e antifreudiano, Reich foi instado por Anna Freud, em julho de 1934, a aceitar que seu nome fosse riscado da lista dos membros da DPG: "O problema todo tem apenas um valor teórico, acrescentou ela, já que o reconhecimento pelo congresso do grupo escandinavo acarretaria automaticamente a inserção de seu nome na lista dos membros desse novo grupo." A manobra era simples: Eitingon conseguira secretamente que Reich fosse expulso da DPG, e conseqüentemente da IPA. Para evitar qualquer reintegração no grupo escandinavo, ele fizera com que a filiação da Sociedade Dano-Norueguesa, que devia ocorrer em Lucerna em agosto de 1934, dependesse de uma promessa de não-integração de Reich. Mas os noruegueses se recusaram a submeter-se a essa imposição, e essa determinação impressionou o comitê executivo, que os admitiu sem impor condições. Assim, Reich foi riscado da IPA em Lucerna, através da sua exclusão da DPG. Dois meses depois, instalou-se em Oslo. Em 1935, Eitingon negou qualquer participação nesse episódio, que entretanto ele havia habilmente arquitetado.

Com essa política, a direção da IPA contribuiu para desvalorizar a imagem do freudismo no seio da comunidade psicanalítica escandinava, já atravessada por fenômenos de dissidência e ainda muito frágil para se submeter aos padrões impostos nessa época pela ortodoxia freudiana. Em 1937-1938, Reich foi vítima de uma obstinada campanha de imprensa na Noruega. Depois de ser tratado muitas vezes de "charlatão" e de "pornógrafo judeu", emigrou para os Estados Unidos*, deixando por sua vez uma marca desastrosa na comunidade psicanalítica nórdica. Efetivamente, não sendo mais membro da IPA, não foi defendido contra os ataques (exceto por Schjelderup) e evoluiu rapidamente para um biologismo exacerbado, para o qual arrastou Ola Raknes*. Seus conflitos com Otto Fenichel*, exilado em Oslo entre 1933 e 1935, também contribuíram para a deterioração da situação do freudismo na Noruega.

Quatro anos depois, em plena guerra, a Sociedade Dano-Norueguesa de Psicanálise foi banida da IPA. Ernest Jones, novo presidente da Associação, estava fazendo com que Schjelderup, Raknes, Nic Waal (*née* Hoel, 1905-1960) "pagassem" por sua desobediência à imposição de 1934. Assim, sem dizer claramente, acusou-se o grupo de ter sido demasiado sensível às teses reichianas. Estas, aliás, continuaram a ganhar terreno, graças a Raknes e a Nic Waal. Essa psicanalista norueguesa, analisada primeiramente por Schjelderup, e depois por Fenichel e Reich, passara pela clínica de Karl Menninger* em Topeka, no Kansas, antes de fundar em Oslo, em 1953, uma instituição para crianças.

Outro psiquiatra norueguês, Trygve Braatoy (1904-1953), também teve um papel importante em seu país, depois de passar por Topeka. Combinando as teses adlerianas com as de Freud, especialmente em uma obra dedicada ao poeta Knut Hamsun (1859-1952), interessou-se depois pela fitoterapia.

Apesar da presença, em Copenhague, do húngaro Georg Gerö (1901-1981), que emigrou para os Estados Unidos sem ter exercido grande influência, só em 1957 reconstituiu-se oficialmente um grupo psicanalítico dinamarquês, filiado à IPA, a Dansk Psykoanalytisk Selskab (DPS). Aliás, só em 1975 foi criada uma nova sociedade norueguesa, a Norsk Psykoanalitisk Forening (NPF). Nessa data, os pioneiros e imigrantes haviam desaparecido, e os dois grupos, compostos de terapeutas anônimos, se regularizaram sem obstáculos, às custas de uma progressiva esclerose.

Na Suécia, onde a marca das teses reichianas não se manifestou, outros problemas surgiram. Alfhild Tamm não teve energia suficiente para dar vida à Sociedade Psicanalítica Sueca, que logo caiu na apatia. Apesar da intervenção de Ludwig Jekels*, que tentou, com o apoio de Freud, dar impulso ao grupo de Estocolmo e formar didatas, não houve melhora. E quando Jekels deixou a Suécia, no verão de 1937, depois de uma permanência de três anos, expressou seu pessimismo quanto ao futuro da psicanálise nesse país. Em 1943, com a morte de Kulovesi, a Sociedade Fino-Sueca foi dissolvida, sendo substituída por uma associação exclusivamente sueca, a Svenska Psykoanalytiska Föreningen (SPF), que durante muitos anos contou apenas com oito membros. Nessa data, a psicanálise desapareceu da Finlândia, onde aliás tivera apenas uma breve existência na pessoa do seu fundador. Em 1969, uma associação finlandesa foi novamente constituída e filiada à IPA, a Suomen Psykoanalyyttinen Yhdistys (SPY). Teria uma progressão espetacular: 130 membros em 1993 (tantos quanto a SPF).

Na Suécia, como nos outros países nórdicos, as teorias freudianas logo sofreram a concorrência do florescimento de múltiplas escolas de psicoterapia*, nascidas da sólida implantação da psicologia no âmago do saber psiquiátrico e da universidade. Freqüentemente, tinham como líderes ex-pioneiros do freudismo, que na realidade nunca tinham sido freudianos nem analisados. Nesse aspecto, Poul Bjerre e Sigurd Naesgaard tiveram um papel importante. Em 1932, criaram juntos na Noruega a Nordisk Psykoanalytisk Samfund e, no ano seguinte, participaram com Johannes Strømme da fundação de outra associação, a Psykoanalytisk Samfund, reivindicando o sincretismo teórico e formando psicoterapeutas de diversas tendências: biologismo, eletroterapia, comportamentalismo, terapias corporais etc. Na Finlân-

dia, essa fragmentação se produziu a partir de 1943.

Durante a Segunda Guerra Mundial, apenas a Suécia declarou sua neutralidade. Mas nem por isso serviu de refúgio para os vários freudianos da Europa, que preferiram emigrar para a Grã-Bretanha*, para os Estados Unidos ou para a América Latina. Enquanto o corajoso Harald Schjelderup decidiu engajar-se na luta antinazista, depois de recusar a proposta de Matthias Heinrich Göring para criar em Oslo um instituto "arianizado" a partir do modelo do instituto de Berlim, Poul Bjerre adotou, ao contrário, uma atitude ambígua, mantendo com Göring, desde 1933, excelentes relações em nome de um diferencialismo que assimilava o freudismo a um semitismo tão fanático quanto o hitlerismo. Por sua vez, o psicanalista Tore Ekman (1887-1971), formado no BPI, ficou na Alemanha* até 1943 e trabalhou no Instituto Göring. Ao voltar, foi acusado pelos colegas de colaboração com o nazismo. Posteriormente, conseguiu abafar o caso e reintegrar-se à SPF, mascarando o seu passado.

Em 1943, René De Monchy* instalou-se em Estocolmo, em companhia de sua mulher, judia sueca, Vera Palmstierna, também psicanalista, que não podia prosseguir suas atividades nos Países Baixos sob a ocupação nazista. Como Jekels, De Monchy tentou estimular o freudismo sueco, formando didatas segundo os critérios da IPA, e, nesse aspecto, teve um papel determinante na Suécia, no pós-guerra. Lajos Székely (1904-1995), jovem psicólogo judeu húngaro, analisado por Wilma Kovacs (1882-1940) e por De Monchy, contribuiu também para formar didatas em Estocolmo.

A partir de 1952, data em que De Monchy voltou para a Holanda, a psicanálise não teve expansão significativa nos países escandinavos. Os grupos filiados à IPA manifestaram um conservadorismo estreito no seio de suas instituições respectivas, dominadas pela auto-satisfação ou pela retirada melancólica. Marcadas por seu passado reichiano (que desejavam apagar), a DPS e a NPF não teriam grande expansão: 30 membros na primeira, 44 na segunda, no fim dos anos 1990.

Em 1963, alguns membros da Sociedade sueca promoveram uma cisão*, reprovando a ortodoxia dos colegas e proclamando as teses de Karen Horney*. Cinco anos depois, formaram um grupo de psicoterapia psicanalítica que procurou reintegrar-se à IPA no fim dos anos 1990. De modo geral, à medida que se integravam à IPA, as sociedades psicanalíticas nórdicas recuperavam uma certa unidade, que se concretizou com a publicação, em 1978, de uma revista oficial, dita "escandinava", editada em inglês, em Copenhague: *The Scandinavian Psychoanalytic Review*. Em tal situação, marcada pela estreiteza de espírito e pelo conformismo, só algumas brilhantes personalidades do mundo intelectual e acadêmico deram impulso à redescoberta da obra freudiana. Assim, Ola Andersson* teve um papel pioneiro no nascimento da historiografia* freudiana, cuidando também da tradução sueca dos textos do fundador, e Carl Lesche (1920-1993), finlandês que emigrara para a Suécia, se distinguiu por seus trabalhos de hermenêutica. Tentou definir o lugar da doutrina psicanalítica diante das ciências da natureza, e distinguir o seu método dos outros tipos de psicoterapia*. No fim da vida, converteu-se à religião ortodoxa. O grande crítico literário sueco Gunnar Brandell (1916-1995) redigiu uma obra sobre Freud que teve um grande sucesso e foi traduzida em várias línguas. Enfim, o finlandês Mikael Enckell, filho do poeta Robbe Enckell (1903-1974), publicou textos sobre a literatura e a questão da judeidade*.

A partir do início dos anos 1970, a obra de Jacques Lacan* passou a suscitar certo interesse nos países escandinavos, onde vários representantes da escola estruturalista francesa já tinham suas obras traduzidas: Roland Barthes (1915-1980), Claude Lévi-Strauss etc. Em 1973, foi publicada uma primeira edição dinamarquesa dos *Escritos*, compreendendo oito dos trinta e quatro artigos. Outras se seguiram. Mas só em 1981 alguns clínicos isolados se interessaram realmente pela obra. E a Dinamarca foi o único dos quatro países onde se constituiu um grupo lacaniano.

Em 1974, na Suécia, por iniciativa de dois exilados argentinos membros da IPA, Dora e Angel Fiasche, foi criado o Göteborg Psykoterapi Institut (GPI). Nessa cidade portuária da costa oeste, onde nascera Poul Bjerre e onde não havia nenhum grupo psicanalítico, desenvolveu-se assim uma corrente dinâmica que permitiu a introdução da obra de Melanie Klein* na Suécia e, mais amplamente, a difusão dos textos da escola inglesa: os de Donald Woods Winnicott* e de Michael Balint*, principalmente. No fim dos anos 1990, o GPI chegaria a uma centena de membros. Posteriormente e a título individual, alguns psicanalistas escandinavos começaram a atar relações com a França* e com as correntes divergentes do lacanismo*. Entretanto, nenhum dos grandes componentes do freudismo moderno (kleinismo*, lacanismo, *Ego Psychology** etc.) implantou-se verdadeiramente nos países nórdicos nem nessa "noite sueca", em que Michel Foucault (1926-1984) foi duramente criticado pelo professor Sten Lindroth (1914-1980), depois de encontrar, em 1959, na biblioteca Carolina Rediviva todos os arquivos necessários à redação de seu grande livro *História da loucura na idade clássica*.

• Sigmund Freud, *A história do movimento psicanalítico* (1914), *ESB*, XIV, 16-88; *GW*, X, 44-113; *SE*, XIV, 7-66; Paris, Gallimard, 1991 • Bror Gadelius, *Tro och helbrägdagörelse jämte en kritisk studie av psykoanalysen* [Crença e cura pela fé com um estudo crítico sobre a psicanálise], Estocolmo, Hugo Gebers Förlag, 1934 • Michel Foucault, *História da loucura na idade clássica* (Paris, 1962), S. Paulo, Perspectiva, 1978 • Jacques Lacan, *Escritos* (Paris, 1966), Rio de Janeiro, Jorge Zahar, 1998 • Gunnar Brandell, *Freud, enfant de son siècle* (Estocolmo, 1961), Paris, Lettres modernes, 1967 • Carl Lesche, *A Metascientific Study of Psychosomatic Theories and their Application in Medicine*, Copenhague, Munksgaard, 1962 • *Reich parle de Freud* (N. York, 1967), Paris, Payot, 1970 • Mikael Enckell, *Det dolda motivet*, Helsinki, Söderström, 1969 • Nigel Moore, "Psychoanalysis in Scandinavia", 1ª parte: "Sweden and Finland", *The Scandinavian Psychoanalytic Review*, 1, 1978, 9-64 • Reimer Jensen e Henning Paikin, "On psychoanalysis in Denmark", ibid., 2, vol.3, 1980, 103-16 • Randolf Alnaes, "The development of psychoanalysis in Norway. An historical overview", ibid., 2, vol.3, 1980, 55-101 • Björn Killingmo, *Forut for sin tid? En vurdering av Harald Schjelderups psykooanalytiske forfatterskap*, Oslo, Universitetsforlaget, 1984 • Michael Meyer, *Strindberg August* (Londres, 1985), Paris, Gallimard, 1993 • Franz Luttenberger, *Freud i Sverige*, Estocolmo, Carlssons Bokförlag, 1989 • Bertil Nolin (org.), *Kulturradikalismen Det moderna genombrottets andra fas*, Stehag, Brutus Östlings Förlag Symposion, 1993 • Juhani Ihanus, *Vietit vai henki*, Helsinki, Yliopistopaino, 1994 • Finn Hansen e Sverre Varvin, "Norway", in Peter Kutter (org.), *Psychoanalysis International. A Guide to Psychoanalysis throughout the World*, vol.2, Stuttgart, Friedrich Frommann Verlag,

1995, 306-19 • Per Magnus Johansson, "Ur arkivet, Ola Anderssons insats", *Ord och Bild*, 6, 1994, 65-7 • Ola Andersson, *Freud avant Freud. La Préhistoire de la psychanalyse* (1962), Paris, Synthélabo, col. "Les empêcheurs de penser en rond", 1996.

➤ FEDERAÇÃO EUROPÉIA DE PSICANÁLISE; HUNGRIA.

Escola Ortogênica de Chicago
➤ BETTELHEIM, BRUNO.

escotomização
➤ FORACLUSÃO; LAFORGUE, RENÉ.

escrita automática
➤ AUTOMATISMO MENTAL; FRANÇA; JANET, PIERRE.

Espanha

Como em todos os outros países da Europa, e principalmente na França*, as teses freudianas foram acolhidas na Espanha de maneira crítica, e foi pelas resistências suscitadas e por acusações diversas (obscenidade, pansexualismo*, metapsicologismo etc.) que elas encontraram eco nos meios médicos e psiquiátricos. Em sua tese de 1983, Francisco Carles Egea registrou 95 trabalhos dedicados à psicanálise* (livros e artigos) no período 1893-1922. Entre estes, destaca-se o papel pioneiro de certos psiquiatras que criticaram a obra freudiana, embora dando-lhe um lugar central: José Sanchis Banus (1890-1932), reformador do asilo e militante socialista, Gonzalo Rodriguez Lafora*, Enrique Fernandez Sanz (1872-1950), presidente da Liga de Higiene Mental, formado na escola francesa e na nosografia alemã, Rafael Valle y Aldabalde (1863-1937), engajado na extrema direita e mandarim da psiquiatria madrilenha, e Emilio Mira y Lopez (1896-1963), presidente da Sociedade Psiquiátrica da Catalunha. Além dessa difusão por via médica, é preciso enfatizar o papel desempenhado nessa implantação pelo filósofo Ortega y Gasset*, iniciador da primeira grande tradução das obras completas de Sigmund Freud*.

Enquanto na França essa primeira fase de introdução desembocou em 1926 na criação da Sociedade Psicanalítica de Paris (SPP), na Espanha não houve nada disso. Na verdade, longe de se orientar para a prática da psicanálise, criando um grupo freudiano, os pioneiros espanhóis incorporaram os dados do freudismo* ao saber psiquiátrico, deixando lugar não para a constituição de uma corrente crítica ou de uma escola ligada à ortodoxia, como ocorreu por toda a parte, mas apenas para um movimento antifreudiano, amplamente orquestrado pela Igreja* católica.

Nesse contexto, Angel Garma* não conseguiu fundar, ao voltar de Berlim em 1931, nenhuma sociedade psicanalítica na Espanha. Chocou-se com a indiferença geral e depois com a hostilidade crescente. A explosão da guerra civil o obrigou a se exilar na Argentina*, impedindo qualquer institucionalização do freudismo.

Do lado literário, Ortega y Gasset não deixou herança. Quando voltou à Espanha depois de ter emigrado, já não se interessava mais pela psicanálise: "Não se pode citar nenhum romancista espanhol da segunda metade do século, escreveu Christian Delacampagne, para quem a psicanálise tenha constituído fonte de inspiração ou de criação. Quanto aos raros artistas para os quais ela parece ter tido esse papel — o cineasta Buñuel, os pintores Dali ou Clavé — estes pertencem a uma geração já antiga, a geração surrealista, que, além disso, realizou grande parte de sua obra fora da Espanha."

Compreende-se então por que, já em 1936, Lopez Ibor, representante de uma concepção repressora e reacionária da psiquiatria, conseguiu ocupar tal lugar, publicando um livro de anátemas contra Freud, *Vida e morte da psicanálise*, que escamoteava todos os trabalhos dos pioneiros espanhóis.

Depois da Segunda Guerra Mundial, a psicanálise foi banida da Espanha durante 30 anos, enquanto o saber psiquiátrico, violentamente antifreudiano, tomava uma orientação ultra-organicista, e até policial, generalizando a utilização da lobotomia, do eletrochoque e da insulinoterapia. Através das campanhas feitas pela Opus Dei, a psicanálise foi então denunciada como um "complô judeu-maçônico" e Freud tratado de "gênio satânico". Quanto a Lopez Ibor, este tornou-se o porta-voz oficial dessa psiquiatria franquista, cada vez mais hostil à psicanálise. Em 1951, reeditou seu livro sob um novo título (*Agonia da psicanálise*) e, em 1975, renovou o seu anátema com outra obra: *Freud e seus deuses ocultos*. Essas denúncias lembravam, por seu estilo, os tribunais da Inquisição. Sublinhavam também a determinação do franquismo em identificar qualquer forma de modernidade a uma heresia.

Excluída das instituições oficiais, a doutrina freudiana interessava, entretanto, aos círculos de médicos que desejavam estudar textos e discutir questões clínicas.

A primeira iniciativa foi tomada em 1948 por Molina Nunez, ex-analisanda de Garma, e por Ramón del Portillo. Ambos entraram em contato com Garma. Formado na Alemanha*, este os dirigiu para o presidente da Deutsche Psychoanalytische Gesellschaft (DPG). Foi assim que Carl Müller-Braunschweig*, que acabara de abandonar sua colaboração no Göring Institut, foi convidado para ajudar os espanhóis a construir o primeiro círculo psicanalítico do regime franquista. Aconselhou seus interlocutores a chamar uma de suas alunas, Margarete Steinbach. Também ela fizera parte do instituto alemão. Instalada em Madri, iniciou na análise didática* vários terapeutas reunidos em um grupo de uma dezena de médicos. Morreu em 1954.

Em Barcelona, como em Madri, outros candidatos entraram em contato com colegas portugueses, cuja situação sob Salazar era idêntica à sua sob Franco. Foram à Suíça* e à Grã-Bretanha* para receber uma formação didática no quadro da International Psychoanalytical Association* (IPA). Como o regime franquista não tinha nem eliminado a liberdade de associação, nem impedido os intercâmbios culturais, nem proibido a prática das diversas psicoterapias*, foi possível fundar uma associação psicanalítica reunindo os círculos de Madri e de Barcelona.

Em uma primeira etapa, um grupo luso-espanhol se integrou à IPA em 1957, no Congresso de Paris, sob o patrocínio da Sociedade Suíça de Psicanálise (SSP). Em uma segunda etapa, depois de ser reconhecida como sociedade componente em 1959, essa sociedade cindiu-se

(1966) em duas associações distintas: uma espanhola (Sociedad Española de Psicoanálisis, SEP), a outra portuguesa (Sociedade Portuguesa de Psicanálise). Em 1971, foi criado um instituto em Barcelona, muito influenciado pelas teses kleinianas. Posteriormente, os castelhanos (Madri), abertos a uma maior diversidade de correntes, se separaram dos catalães (Barcelona) e, em 1979, uma nova sociedade componente foi reconhecida no Congresso de Nova York: a Asociación Psicoanalítica de Madrid (APM). Nenhum desses grupos conseguiu impulsionar a formação de um verdadeiro movimento freudiano na península ibérica. Nascida no seio de um freudismo ortodoxo, a Sociedade espanhola (antes da separação entre Madri e Barcelona) contentou-se em existir, sem questionar o regime e adotando seus princípios hierárquicos. Todavia, estendeu suas atividades a alguns serviços psiquiátricos e a alguns cursos universitários.

Em meados dos anos 1970, os dois grupos não contavam com mais de cem clínicos nem tinham adquirido identidade intelectual ou teórica no campo do freudismo, apesar da chegada, em 1976, do argentino Leon Grinberg, que se exilara com a sua mulher Rebecca. Quanto à pequena sociedade portuguesa (cerca de 30 membros), era um pequeno grupo em vias de desenvolvimento, diante da força do freudismo brasileiro. Tudo se passava como se os ex-colonizados do continente americano tivessem a revanche sobre os seus ex-colonizadores europeus.

Com a instauração do terrorismo na Argentina*, contemporâneo do fim do franquismo, o lacanismo* começou a se implantar na Espanha, graças à ação de Oscar Masotta*. Depois de fundar a Escuela Freudiana de Buenos Aires (EFBA), instalou em Barcelona, em 1976, a Biblioteca Freudiana. Essa associação serviu para difundir a obra de Jacques Lacan* em língua castelhana. Depois da morte do seu fundador, ela originou, através de sucessivas cisões, como por exemplo a EFBA, vários grupos lacanianos que criaram, diante do elitismo de seus rivais da IPA, uma forma de psicanálise de massa. Nesse país, onde nenhuma tradição clínica de inspiração psicanalítica se implantara nos meios psiquiátricos durante todo o franquismo, o lacanismo surgia como movimento de vanguarda.

Depois da morte de Lacan e da reorganização empreendida por Jacques-Alain Miller, a maioria dos grupos se fundiu com a criação em Barcelona, em setembro de 1990, da Escola Européia de Psicanálise (EEP), que logo se transformaria, no interior da Association Mondiale de Psychanalyse* (AMP), em um pólo avançado da corrente milleriana na Europa. No fim do século, a Espanha se tornou assim o único país em que essa tendência é amplamente majoritária, ao contrário da Argentina e da França: doze grupos, repartidos em treze cidades ou regiões (entre as quais Las Palmas, nas Canárias) e ligados à Escola Européia de Psicanálise (EEP), esta também integrante da AMP.

• Christian Delacampagne, "La Psychanalyse dans la Péninsule Ibérique", in Roland Jaccard (org.), *Histoire de la psychanalyse*, II, Paris, Hachette, 1982, 383-94 • Francisco Carles Egea, *La Introducción del psicoanálisis en España (1893-1922)*, tese para obtenção do grau de doutor em medicina, Universidade de Murcia, 1983 • Maria Luisa Munoz e Rebecca Grinberg, "Spain", in Peter Kutter (org.), *Psychoanalysis International. Guide to Psychoanalysis throughout the World*, Stuttgart-Bad Cannstatt, Frommann-Holzboog, 1992.

➢ BRASIL; HISTÓRIA DA PSICANÁLISE; ITÁLIA; NAZISMO.

espelho, estádio do
➢ ESTÁDIO DO ESPELHO.

espiritismo
al. *Spiritismus*; esp. *espiritismo*; fr. *spiritisme*; ing. *spirit-rapping*

Termo derivado do inglês spirit rapping (ou comunicação por pancadas sonoras com os espíritos) para designar uma doutrina segundo a qual os vivos poderiam comunicar-se com os mortos por intermédio de um médium, denominado espírita.

Na historiografia da psicanálise*, o espiritismo e a telepatia* (ou transmissão do pensamento a distância) são considerados pertinentes ao campo do ocultismo* ou do oculto.

O espiritismo diz respeito à história da parapsicologia, assim como o ocultismo, a telepatia ou o sonambulismo. Contudo, é tênue a fronteira entre o estudo positivista do psiquismo e a tentação faustiana de conquistar o domínio do irracional. O espiritismo foi adotado por inúmeros estudiosos europeus do século XIX, dentre eles Frederick Myers*, na Inglaterra, Charles Richet (1850-1935), na França*, e Théodore Flournoy*, na Suíça*. Cinqüenta anos depois, fascinou André Breton (1898-1966) e os surrealistas, assim como havia fascinado Victor Hugo (1802-1885). Todos buscaram nele um meio de atingir aquele outro lado da consciência — o subconsciente ou eu* subliminar — em cujo funcionamento se pensava em termos de automatismo* mental ou psicológico.

Algumas das mulheres que foram grandes médiuns de cientistas, poetas e romancistas celebrizaram-se: Catherine-Élise Müller (1861-1929), por exemplo, heroína do livro *Des Indes à la planète Mars*, publicado por Flournoy em 1900, ou então Hélène Preiswerk*, prima de Carl Gustav Jung*. No plano genealógico, essas mulheres, que faziam mesas girarem ou inventavam línguas desconhecidas (glossolalia), eram as descendentes das videntes, das curandeiras, das feiticeiras ou das profetisas. Como estas, eram dotadas de uma personalidade múltipla* e procuravam levar aos homens a arte da adivinhação. Entretanto, com o nascimento do alienismo e da primeira psiquiatria dinâmica* no fim do século XVIII, transformaram-se em objetos de estudo da psicopatologia. Depois de terem sido princesas de um reino das trevas ou soberanas de um mundo imaginário, fundamentado na magia, elas se tornaram loucas, histéricas, agitadas ou esquizofrênicas — em suma, doentes mentais.

Historicamente, o espiritismo, em sua forma moderna, nasceu por volta de 1840, sobre as ruínas do magnetismo mesmeriano, e permitiu que o hipnotismo se disseminasse numa nova doutrina do conhecimento do inconsciente*, do qual emergiria a psicanálise, no alvorecer do século XX.

• Henri F. Ellenberger, *Histoire de la découverte de l'inconscient* (N. York, Londres, 1970, Villeurbanne, 1974), Paris, Fayard, 1994 • Pascal Le Maléfan, *Les Délires spirites, le spiritisme et la métapsychique dans la nosographie psychiatrique*, tese de mestrado, Universidade Paris-V, 1989; "Médiumnité, métapsychique et folie au début du XXe siècle", *L'Évolution Psychiatrique*, 56, 4, 1991, 861-74 • Nicole Edelman, *Voyantes, guérisseuses et visionnaires en France 1785-1914*, Paris, Albin Michel, 1995.

➤ AUGUSTINE; BENEDIKT, MORIZ; GRÃ-BRETA-
NHA; HIPNOSE; HISTERIA; JANET, PIERRE; LAIR LA-
MOTTE, PAULINE; LOUCURA; SUGESTÃO.

esquizo-análise
➤ ESQUIZOFRENIA; GUATTARI, FÉLIX; PSICOTERA-
PIA INSTITUCIONAL.

esquizofrenia
al. *Schizophrenie*; esp. *esquizofrenia*; fr. *schizophrénie*; ing. *schizophrenia*

Termo cunhado em 1911 por Eugen Bleuler, a
partir do grego* **schizein** *(fender, clivar) e* **phrenós**
*(pensamento), para designar uma forma de loucu-
ra* a que Emil Kraepelin* dera o nome de "demência precoce", e cujos sintomas fundamentais são
a incoerência do pensamento, da afetividade e da
ação (chamada* Spaltung *ou clivagem*), o ensimesmamento (ou autismo*) e uma atividade delirante.*

Contornado por Sigmund Freud, que preferia
falar de "parafrenias", o termo impôs-se, entretanto, na psiquiatria e na psicanálise*, para caracterizar, ao lado da paranóia* e da psicose maníaco-
depressiva* proveniente da melancolia*, um dos
três componentes modernos da psicose* em geral.*

Antes mesmo de receber o nome que lhe deu
Bleuler, essa forma de loucura fora descrita
pelos médicos do século XIX como uma demência em estado puro, caracterizada por um
retraimento do sujeito para dentro de si mesmo.
Quase sempre jovem, o doente, homem ou mulher, mergulhava, sem nenhuma razão aparente,
em tamanho estado de estupor e delírio, que
parecia perder definitivamente o contato com a
realidade.

Em 1832, Honoré de Balzac (1799-1850)
descreveu pela primeira vez, em *Louis Lam-
bert*, a quintessência do que viria a se transformar no sintoma esquizofrênico: "Louis ficava
de pé como eu o estava vendo, dia e noite, de
olhos vidrados, sem jamais baixar e erguer as
pálpebras como costumamos fazer (...). Tentei
falar-lhe em várias ocasiões, mas ele não me
ouvia. Era uma carcaça arrancada do túmulo,
uma espécie de conquista feita à morte pela
vida, ou feita à vida pela morte. Fazia cerca de
uma hora que eu estava ali, mergulhado num
devaneio indefinível, às voltas com mil idéias
aflitivas. Escutava a Srta. de Villenoix, que me

contava com todos os detalhes aquela vida de
criancinha de berço. De repente, Louis parou de
esfregar suas pernas uma na outra e disse em
voz lenta: — Os anjos são brancos."

Como sublinhou Jean Garrabé, o alienista
francês Bénédict-Augustin Morel (1809-1873)
foi quem primeiro descreveu essa forma de
loucura, em seus *Estudos clínicos* de 1851-
1852, e quem depois lhe deu, em seu *Tratado
das doenças mentais*, de 1860, o nome de demência precoce, a qual qualificou de "imobili-
zação súbita de todas as faculdades". O adjetivo
"precoce" significava que a demência atingia
sujeitos na adolescência ou em plena juventude.

Ao contrário da melancolia, da mania, da
histeria* e da paranóia (já conhecidas antes de
serem denominadas), portanto, a demência precoce era uma nova doença da alma, que atingia
com a impotência e a hebetude jovens da sociedade burguesa, revoltados contra sua época ou
seu meio, mas incapazes de traduzir suas aspirações de outro modo que não por um verdadeiro naufrágio da razão. A psiquiatria nascente
procurou classificar esse estado e denominá-lo
em função das outras entidades já identificadas.
Por isso é que o termo deu margem a numerosas
discussões. Tratava-se realmente de uma doença nova, ou seria uma afecção antiga, que estava
sendo batizada com outro nome? Durante todo
o fim do século XIX e até a definição bleuleriana, as opiniões ficaram ainda mais divididas, na
medida em que era perfeitamente possível incluir na histeria, por um lado, e na melancolia,
por outro, numerosos sintomas atribuídos à demência precoce. Assim, entre 1898 e 1902, o
psiquiatra alemão Sigbert Ganser (1853-1931)
deu o nome de "histeria crepuscular" a uma
síndrome que se parecia com a futura esquizofrenia bleuleriana: alucinações, "falar sozinho",
desorientação espaço-temporal, confusão, estupor, amnésia etc.

Em sua classificação, Emil Kraepelin
conservou essa noção, distinguindo três grupos
de psicoses: a paranóia, a demência precoce e a
psicose maníaco-depressiva. Foi contra esse
sistema que Bleuler inventou, ao mesmo tempo,
a noção de *Spaltung* (clivagem, dissociação,
discordância) e a palavra esquizofrenia: "Cha-
mo a demência precoce de esquizofrenia porque, como espero mostrar, a cisão das mais

diversas funções psíquicas é um de seus traços mais importantes. Por uma questão de comodidade, emprego essa palavra no singular, embora o grupo abarque, provavelmente, diversas doenças."

Bleuler, insurgindo-se contra o niilismo terapêutico da escola alemã, mais preocupada em classificar do que em tratar, criou a palavra esquizofrenia para integrar o pensamento freudiano no saber psiquiátrico: a seu ver, com efeito, somente a teoria do psiquismo elaborada por Freud permitia compreender os sintomas dessa loucura. Mesmo preservando-lhe uma etiologia orgânica, hereditária e tóxica, ele abriu caminho para uma concepção segundo a qual as idéias de personalidade, eu e relação do sujeito com o mundo (interno e externo) desempenhavam um papel considerável. Em outras palavras, essa nova demência já não era uma demência e já não era precoce, mas englobava todos os distúrbios ligados à dissociação primária da personalidade e conducentes a diversos sintomas, como o ensimesmamento, a fuga de idéias, a inadaptação radical ao mundo externo, a incoerência, as idéias bizarras, e os delírios sem depressão, nem mania, nem distúrbios do humor etc.

Freud não retomou a definição de Bleuler, preferindo pensar o campo da psicose sob a categoria da paranóia, como mostra seu estudo sobre Daniel Paul Schreber*. Não obstante, assim como ele havia transformado a histeria num paradigma moderno da neurose*, Bleuler fez da esquizofrenia o grande modelo estrutural da loucura do século XX. Assim, a segunda psiquiatria dinâmica* seria dominada, até cerca de 1980, pelo sistema de pensamento freudobleuleriano. Toda uma terminologia seria cunhada, sobretudo pela escola francesa (Henri Claude* e René Laforgue*) e, mais tarde, por Ernst Kretschmer*, para exprimir diversas modalidades dessa "esquize": desde a esquizomania, onde o autismo se faz presente sem a dissociação, até a esquizoidia, caracterizada por um estado patológico sem psicose, passando pela esquizotimia, a tendência "morfológica" à interiorização.

Foram os sucessores de Freud, portanto, que se orientaram para a elaboração de uma verdadeira clínica psiquiátrico-psicanalítica da esqui-zofrenia. Esta se desenvolveu, na França* e na Grã-Bretanha*, num quadro hospitalar, e, nos Estados Unidos*, no contexto do movimento de higiene mental que permitiu ao bleulerismo e ao freudismo se implantarem maciçamente no terreno da psiquiatria. Daí a criação de numerosas clínicas especializadas no tratamento das psicoses (e, mais particularmente, da esquizofrenia), e provenientes do modelo original de Zurique, o Burghölzli. Dentre os grandes clínicos da esquizofrenia, encontramos todas as tendências da psicanálise e da psicoterapia*: desde o culturalismo* (Harry Stack Sullivan*, Gregory Bateson*, Frieda Fromm-Reichmann*) até a Self Psychology* (Paul Federn*, Heinz Kohut*, Donald Woods Winnicott*), passando pelo kleinismo* (Herbert Rosenfeld*, Marguerite Sechehaye*, Wilfred Ruprecht Bion*) e pela fenomenologia (Ludwig Binswanger*, Eugène Minkowski*).

De maneira geral, a abordagem clínica elaborada depois de 1945 privilegia o esquizofrênico, em detrimento da esquizofrenia, e se ocupa simultaneamente do meio familiar do sujeito e de sua evolução psíquica inconsciente, ao mesmo tempo que inventa técnicas terapêuticas apropriadas, como a análise direta*, por exemplo. Foi na perspectiva de uma abordagem geral das psicoses, herdada do ensino de Karl Abraham* e Sandor Ferenczi*, que Melanie Klein* elaborou sua concepção da posição depressiva e da posição esquizo-paranóide, para mostrar que elas eram o destino comum de qualquer sujeito e que a "normalidade" era apenas uma maneira de cada um superar um estado psicótico original.

Do ponto de vista da fenomenologia, a esquizofrenia foi considerada por Minkowski como uma alteração da estrutura existencial do sujeito, como uma perda de contato vital com a realidade e, por último, como uma incapacidade de o doente se inscrever numa temporalidade. Para Binswanger, que apresentou a história de cinco grandes casos clínicos, dentre eles os de Ellen West e Suzan Urban, a causalidade primária da esquizofrenia era o ingresso numa vida inautêntica, conducente à "perda do eu na existência", a uma grave alteração da temporalidade e ao autismo, isto é, a um "projeto de não ser quem se é".

Ao se transformar na forma paradigmática da loucura do século XX, a esquizofrenia foi igualmente objeto de um debate estético e, mais tarde, político. A partir de 1922 e buscando inspiração em biografias clássicas de figuras patológicas, Karl Jaspers (1883-1969) empenhou-se em estudar quatro destinos de criadores retroativamente considerados esquizofrênicos: Friedrich Hölderlin (1770-1843), Emmanuel Swedenborg (1688-1772), Vincent Van Gogh (1853-1890) e August Strindberg (1849-1912). Constatando que a noção de esquizofrenia era dúbia e que a origem da doença podia ser atribuída a uma lesão cerebral, Jaspers, ainda assim, saiu do campo da nosografia, para sublinhar a existência de uma vida espiritual própria dessa forma de loucura: "Existe uma vida do espírito da qual a esquizofrenia se apodera para nela fazer suas experiências, criar suas fantasias e implantá-las; *a posteriori*, talvez possamos crer que essa vida espiritual basta para explicá-las, mas, sem a loucura, elas não poderiam manifestar-se da mesma maneira."

Desde a década de 1920, a esquizofrenia, como aliás a histeria, escapou, portanto, à definição bleuleriana, transformando-se na expressão de uma verdadeira linguagem da loucura, não "patológica" mas subversiva, portadora de uma revolução formal e de uma contestação da ordem estabelecida. Foi essa a significação, em 1925, do manifesto surrealista intitulado "Lettre aux médecins-chefs des asiles de fous", inspirado por Antonin Artaud (1896-1948) e redigido por Robert Desnos (1900-1945): "Sem insistir no caráter perfeitamente genial das manifestações de alguns loucos, desde que estejamos aptos a apreciá-las, afirmamos a absoluta legitimidade de sua concepção da realidade e de todos os atos decorrentes dela."

Foi com essa mesma perspectiva que o psiquiatra alemão Hans Prinzhorn (1886-1933) resolveu dedicar-se ao estudo das obras plásticas produzidas por doentes mentais. Em seu livro magistral, *Expressions de la folie* publicado em 1922, ele foi o primeiro a considerar essas produções não como uma ilustração da patologia dos autores, mas como perfeitas obras de arte. Batizou-as de "arte esquizofrênica" e as aproximou das diversas escolas pictóricas modernas, sobretudo o expressionismo. Longe de se ater à definição psiquiátrica da esquizofrenia, Prinzhorn estendeu esse termo a uma forma de pensamento ou uma estrutura psíquica capaz de produzir uma arte "selvagem", semelhante à das crianças e dos povos primitivos, com isso se associando ao debate que vinha ocorrendo, na mesma época, entre a antropologia* e a psicanálise a propósito de *Totem e tabu*.

Essa concepção da esquizofrenia seria retomada, a partir de 1955-1960, mediante algumas modificações, pelos artífices da antipsiquiatria* (David Cooper* e Ronald Laing*) e, mais tarde, teorizada na França por dois filósofos: Michel Foucault (1926-1984) e Gilles Deleuze (1925-1995). Em sua *História da loucura na idade clássica*, publicada em 1961, Foucault rejeitou qualquer diagnóstico, fazendo da loucura de Artaud, de Nietzsche, de Van Gogh e de Hölderlin o instante máximo da obra: "Onde há obra, não há loucura; e no entanto, a loucura é contemporânea da obra, uma vez que inaugura o tempo de sua verdade." No mesmo ano, Jean Laplanche estudou a esquizofrenia de Hölderlin, considerando-a um elemento inseparável da obra do poeta.

Quanto a Deleuze, em *O anti-Édipo — Capitalismo e esquizofrenia*, livro redigido com Félix Guattari*, ele se apropriou do termo esquizofrenia para fazê-lo ressoar de outra maneira. Os dois autores esforçaram-se por repensar a história universal das sociedades a partir de um único postulado: o capitalismo, a tirania ou o despotismo encontrariam seus limites nas máquinas desejantes de uma esquizofrenia bem-sucedida, isto é, nas redes de uma loucura não entravada pela psiquiatria. Ao imperialismo do Édipo* freudiano e à teoria lacaniana do significante* os autores opuseram o princípio de uma esquizo-análise, fundamentada numa psiquiatria dita "materialista", da qual Wilhelm Reich*, contrariando Freud e Bleuler, teria sido o primeiro porta-voz. O livro, notável por sua verve antidogmática, pela beleza de seu estilo, pela generosidade da inspiração e pelo valor programático de seu ideal bioquímico e energético, não provocou nenhuma reforma do saber psiquiátrico no campo do tratamento da esquizofrenia e se inscreveu, da maneira mais simples do mundo, na história progressista da psicoterapia institucional*.

Enquanto, impulsionada pela antipsiquiatria, ampliava-se a grande temática libertária da revolta esquizofrênica, os estudos clínicos sobre o tratamento da esquizofrenia e da psicose maníaco-depressiva prosseguiram à sombra das instituições hospitalares do mundo inteiro. Nesse aspecto, uma revolução pragmática e tecnológica foi introduzida pela farmacologia com a invenção dos neurolépticos, em 1952. Enquanto, no começo do século, os esquizofrênicos eram condenados a passar a vida em manicômios e muitos doentes eram selvagemente tratados, através da terapia insulínica, inventada em 1932 por Manfred Sakel (1900-1957), depois, da neurocirurgia (ou lobotomia), introduzida em 1935 por Egas Moniz (1874-1955) e, finalmente, do eletrochoque, a contribuição da psicanálise e das diferentes terapias — kleiniana, freudiana, de família — permitiu um progresso considerável no tratamento dessa forma de loucura.

A introdução dos diversos tratamentos farmacológicos substituiu o antigo encerramento carcerário por uma camisa-de-força química e permitiu tratar os pacientes fora do hospício. Essa revolução "pacífica", contemporânea da expansão do grande movimento de contestação da ordem psiquiátrica dos anos de 1955-1970, impôs progressivamente seus métodos no mundo inteiro, ao preço da aniquilação de toda a concepção freudo-bleuleriana da psiquiatria dinâmica.

Podemos captar-lhe a evolução, comparando as diferentes versões do *Manual diagnóstico e estatístico dos distúrbios mentais* (*DSM*), preparado pela American Psychiatric Association (APA). Publicado pela primeira vez em 1952, sob o título de *DSM* I, a princípio ele foi influenciado pelas teses higienistas de Adolf Meyer*. Em 1968, sob o nome de *DSM* II, tornou-se a expressão de uma concepção puramente organicista da doença mental, da qual foi eliminada qualquer idéia de causalidade psíquica. Doze anos depois, após vastos debates sobre os abusos da psiquiatria na União Soviética, editou-se um novo manual, o *DSM* III, no qual se concretizou uma escolha deliberadamente "ateórica". A própria noção de doença da alma, ou loucura, com seus dois mil anos de idade, foi liquidada, em prol de uma classificação dos

indivíduos segundo o comportamento e os sintomas. Ao mesmo tempo, a esquizofrenia e a histeria desapareceram do quadro. Assim foram abolidos os dois grandes paradigmas da clínica freudo-bleuleriana, que havia dominado o século inteiro, dando uma nova significação ao universo mental do homem moderno.

Com o sucesso considerável do *DSM* nas sociedades industriais avançadas, a psiquiatria deixou o campo do saber clínico para se colocar a serviço dos laboratórios farmacêuticos, e se transformou numa psiquiatria sem alma e sem consciência, baseada na crença nas pílulas da felicidade e adepta do famoso niilismo terapêutico tão combatido por Freud e Bleuler.

Foi nessas novas classificações tecnológicas, de inspiração farmacológica, que se apoiaram, a partir de 1990, os numerosos trabalhos cognitivistas referentes à esquizofrenia. Sem jamais trazer a mais ínfima solução para a causalidade real dessa psicose, eles pretextaram descobrir nela um fundamento neurológico (a "disfunção cognitiva"), mero retorno à *Spaltung* bleuleriana.

• Sigmund Freud, "Notas psicanalíticas sobre um relato autobiográfico de um caso de paranóia (*Dementia paranoides*)" (1911), *ESB*, XII, 23-104; *GW*, VIII, 240-316; *SE*, XII, 1-79; in *Cinq psychanalyses*, Paris, PUF, 1954, 263-321; "Sobre o narcisismo: uma introdução" (1914), *ESB*, XIV, 89-122; *GW*, X, 138-70; *SE*, XIV, 67-102; in *La Vie sexuelle*, Paris, PUF, 1969, 81-105 • Eugen Bleuler, *Dementia praecox ou Groupe des schizophrénies* (Leipzig, 1911), Paris, EPEL/GREC, 1993 • Karl Jaspers, *Psicopatologia geral*, 2 vols. (1913), Rio de Janeiro, Atheneu, 1979; *Strindberg et Van Gogh* (Basiléia, 1949), Paris, Minuit, 1953 • Hans Prinzhorn, *Expressions de la folie* (1922), Paris, Gallimard, 1984 • Eugène Minkowski, *La Schizophrénie*, Paris, Payot, 1927 • Ludwig Binswanger, "Der Fall Ellen West. Studien zum Schizophrenieproblem", *Schweiz. Archiv für Neurologie und Psychologie*, vols. LVIII, LIV e LV, 1945; *Le Cas Suzan Urban* (1952), Paris, Desclée de Brouwer, 1958; *Schizophrenie*, Pfullingen, Günther Neske, 1957 • Jean Laplanche, *Hölderlin e a questão do pai* (Paris, 1961), Rio de Janeiro, Jorge Zahar, 1991 • M. Bazot, G. Deleuze e H. Duméry, "Schizophrénie", *Encyclopaedia universalis*, vol.XIV, 1968, 732-6 • Gilles Deleuze e Félix Guattari, *O anti-Édipo — Capitalismo e esquizofrenia* (Paris, 1972), Rio de Janeiro, Imago, 1976 • Jacques Postel, "Schizophrénie", in *Grand dictionnaire de la psychologie*, Paris, Larousse, 1991, 692-8 • C.D. Frith, *Neuropsychologie cognitive de la schizophrénie* (Hove, 1992), Paris, PUF, 1996 • Jean Garrabé, *Histoire de la schizophrénie*, Paris, Seghers, 1992 • David F. Allen, *Vers une perspective axiologique de la schizophrénie*, tese de psicologia clínica, 2 vols., Universidade Paris-VII, 1995.

esquizo-paranóide, posição

➤ POSIÇÃO DEPRESSIVA/POSIÇÃO ESQUIZO-PARA-NÓIDE.

estádio (oral, anal, fálico, genital)

al. *Stufe*; esp. *estadio*; fr. *stade*; ing. *phase*

A noção de estádio é comum à biologia evolucionista, à psicologia e à psicanálise*. Com efeito, essas três disciplinas tiveram o cuidado de diferenciar idades da vida, etapas ou momentos da evolução. Foi no âmbito de sua teoria da libido* e nos *Três ensaios sobre a teoria da sexualidade** que Sigmund Freud* começou a introduzir uma definição do estádio — pré-genital (oral e anal) e genital — em função da evolução do sujeito* e de sua relação com quatro zonas erógenas que se distribuem por quatro regiões do corpo: oral, anal, uretrogenital e mamária. A cada zona correspondem uma ou várias atividades eróticas, dentre as quais Freud inclui os atos mais simples da vida cotidiana das crianças: sucção do polegar ou do seio materno, defecação e masturbação.

O estádio foi definido, nessa época, como uma modalidade de relação com o objeto. Após múltiplas reformulações, Freud definiria quatro deles: o estádio oral, em que o prazer sexual está ligado à excitação da cavidade bucal e à sucção (comer/ser comido); o estádio anal (ou sádico-anal), em que o erotismo se define (entre 2 e 4 anos) em relação à atividade de defecação e de acordo com um simbolismo obsessivo das fezes, do dom e do dinheiro; o estádio fálico, em que a unificação das pulsões* parciais, tanto no menino quanto na menina, efetua-se sob a primazia do órgão genital masculino; e, por último, o estádio genital, que se institui na puberdade e marca a passagem para a sexualidade* adulta.

A noção de estádio fálico só veio a surgir num artigo de 1923, "A organização genital infantil", mas a do falicismo já estava presente em 1915 num adendo aos *Três ensaios*, o que permitiu a Freud atribuir à libido uma única essência, de natureza masculina (viril), tanto na menina quanto no menino. Dessa tese, dita

"falocêntrica", nasceriam todos os debates ulteriores sobre a sexualidade feminina*, a diferença sexual* e o gênero*, desde Melanie Klein* até Jacques Lacan*, passando por Karen Horney*, Helene Deutsch*, Simone de Beauvoir (1908-1986), os culturalistas e as feministas.

Desse modo, Freud relacionou a evolução da libido e a escolha de objeto, através das quais o sujeito passa do auto-erotismo* para o narcisismo*, em seguida para a escolha homossexual e, por último, para a escolha heterossexual.

A teoria dos estádios seria reformulada muitas vezes pelas diversas escolas. Em 1913, Sandor Ferenczi* diferenciou um estádio psíquico primário, caracterizado por uma atividade ligada ao princípio de prazer* (sonho*, neurose*, fantasia*) e compartilhado pelas crianças, pelos animais e pelos "selvagens" (primitivos), e um estádio psíquico secundário, o do homem normal em estado de vigília.

Karl Abraham*, no contexto de uma teoria da relação de objeto* baseada na clivagem* entre neurose e psicose*, propôs, em 1924, subdividir o estádio oral num estádio oral precoce (sucção do seio) e num estádio sádico-oral, que corresponderia ao aparecimento dos dentes e implicaria a idéia de mordida ou destruição do objeto. Do mesmo modo, ele introduziu uma distinção, no interior do estádio anal, entre uma primeira fase, na qual o erotismo está ligado à evacuação e à destruição do objeto, e uma segunda, onde o erotismo se caracteriza pela retenção e pelo desejo de posse do objeto. A passagem de uma fase para a outra define um progresso (impulso para uma escolha de objeto) ou uma regressão (evolução para a destruição e o ensimesmamento).

A partir da herança de Abraham, Melanie Klein introduziu a idéia de posição (depressiva e esquizo-paranóide*), para dar um estatuto mais estrutural à idéia de estádio, enquanto Lacan conservou essa palavra (com seu estádio do espelho*), dando-lhe um conteúdo ao mesmo tempo fenomenológico e próximo da posição no sentido kleiniano.

• Sigmund Freud, *Três ensaios sobre a teoria da sexualidade* (1905), *ESB*, VII, 129-212; *GW*, V, 29-145; *SE*, VII, 123-243; Paris, Gallimard, 1987; "Contribuições à psicologia do amor" (1910), *ESB*, XI, 149-162; *GW*, VIII, 66-77; *SE*, XI, 163-75; in *La Vie sexuelle*, Paris, PUF, 1969, 47-55; "As transformações da pulsão exemplificadas no erotismo anal" (1917), *ESB*, XVII, 159-70; *GW*, X, 402-10; *SE*, XVII, 125-33; in *La Vie sexuelle*, Paris, PUF, 1969, 106-12; "Tipos libidinais" (1931), *ESB*, XXI, 251-8; *GW*, XIV, 509-13; *SE*, XXI, 215-20; in *La Vie sexuelle*, Paris, PUF, 1969, 156-9 • Sandor Ferenczi, "O desenvolvimento do sentido de realidade e seus estágios" (1913), in *Psicanálise II, Obras completas, 1913-1919* (Paris, 1970), S. Paulo, Martins Fontes, 1992, 39-54 • Karl Abraham, "Breve estudo do desenvolvimento da libido, visto à luz das perturbações mentais" (1924), in *Teoria psicanalítica da libido*, Rio de Janeiro, Imago, 1970.

➢ CULTURALISMO; LANZER, ERNST; FALO; FALO-CENTRISMO; NEUROSE OBSESSIVA; *TOTEM E TABU*.

estádio do espelho

al. *Spiegelstadium*; esp. *estadio del espejo*; fr. *s-tade du miroir*, ing. *looking-glass-phase*

Expressão cunhada por Jacques Lacan*, em 1936, para designar um momento psíquico e ontológico da evolução humana, situado entre os primeiros seis e dezoito meses de vida, durante o qual a criança antecipa o domínio sobre sua unidade corporal através de uma identificação* com a imagem do semelhante e da percepção de sua própria imagem num espelho. No Brasil também se usam "estágio do espelho" e "fase do espelho".

A freqüentação do seminário do filósofo Alexandre Kojève (1902-1968) permitiu a Jacques Lacan, a partir de 1933, iniciar-se na filosofia hegeliana e se interrogar sobre a gênese do eu*, por intermédio de uma reflexão filosófica concernente à consciência* de si. Assim é que, tal como Melanie Klein*, ele foi levado a propor uma leitura da segunda tópica* freudiana que tinha o sentido contrário ao da psicologia do eu. Duas opções eram possíveis, com efeito, após a reformulação feita por Sigmund Freud* em 1920-1923. Uma consistia em fazer do eu o produto de uma diferenciação progressiva do isso*, agindo como representante da realidade e encarregado de conter as pulsões* (*Ego Psychology**); a outra, ao contrário, voltava as costas a qualquer idéia de autonomização do eu, para estudar sua gênese em termos de identificação.

Em outras palavras, na primeira opção, que seria em parte a do desenvolvimento da psicanálise* nos Estados Unidos*, procurava-se tirar

o eu do isso para fazer dele o instrumento de uma adaptação do indivíduo à realidade externa, ao passo que, na segunda, a do kleinismo* e do lacanismo* e, mais tarde, da *Self Psychology**, ele era reconduzido ao isso, para mostrar que se estruturava por etapas, em função de imagos* retiradas do outro* ou de identificações projetivas*.

Em 1931, o psicólogo Henri Wallon (1879-1962) deu o nome de "prova do espelho" a uma experiência pela qual a criança, colocada diante de um espelho, passa progressivamente a distinguir seu próprio corpo da imagem refletida deste. Essa operação dialética se efetuaria, segundo Wallon, graças a uma compreensão simbólica, por parte do sujeito*, do espaço imaginário em que ele forjava sua unidade. Na perspectiva walloniana, a prova do espelho especificava a passagem do especular para o imaginário* e, em seguida, do imaginário para o simbólico*.

Durante uma conferência proferida na Sociedade Psicanalítica de Paris (SPP) em 16 de junho de 1936, Lacan retomou a terminologia de Wallon, transformando a prova do espelho num "estádio do espelho", isto é, numa mistura de posição, no sentido kleiniano, e estádio*, no sentido freudiano. Assim desapareceu a referência walloniana a uma dialética natural: na perspectiva lacaniana, o estádio do espelho já não tinha muito a ver com um verdadeiro estádio nem com um verdadeiro espelho. Transformava-se numa operação psíquica, ou até ontológica, pela qual o ser humano se constitui numa identificação com seu semelhante.

Segundo Lacan, que retirou essa idéia do embriologista holandês Louis Bolk (1866-1930), a importância do estádio do espelho devia ser ligada à prematuração do nascimento, objetivamente atestado pelo caráter anatomicamente inacabado do sistema piramidal e pela falta de coordenação motora dos primeiros meses de vida.

Por conseguinte, Lacan afastou-se da visão psicológica própria de Wallon, ao descrever esse processo pelo prisma do inconsciente, e não mais pelo da consciência, e ao afirmar que o mundo especular onde se exprimia a identidade primordial do eu não continha nenhuma alteridade.

Foi no congresso da International Psychoanalytical Association* (IPA) de Marienbad, em 1936, que Lacan expôs pela segunda vez sua tese sobre o estádio do espelho. Interrompido por Ernest Jones* ao cabo de alguns minutos, ele esqueceu de entregar sua comunicação, que se perdeu. Desse primeiro texto, conservaram-se apenas algumas notas tomadas por Françoise Dolto* na SPP. Mais tarde, Lacan integrou alguns trechos de sua conferência num texto muito longo, dedicado à família e publicado em 1938 na *Encyclopédie française*, a pedido de Henri Wallon. O tema do estádio do espelho foi objeto de uma nova comunicação no congresso da IPA realizado em Zurique, em 1949, sob o título "O estádio do espelho como formador da função do Eu [*Je*], tal como nos é revelada na experiência psicanalítica".

• Jacques Lacan, *Os complexos familiares na formação do indivíduo* (1938, Paris, 1984), Rio de Janeiro, Jorge Zahar, 1987; "O estádio do espelho como formador da função do eu" (1949), in *Escritos* (Paris, 1966), Rio de Janeiro, Jorge Zahar, 1998, 96-103; O Seminário, livro 1, *Os escritos técnicos de Freud (1953-1954)* (Paris, 1975), Rio de Janeiro, Jorge Zahar, 1979; *Escritos* (Paris, 1966), Rio de Janeiro, Jorge Zahar, 1998 • Françoise Dolto, "Notes sur le stade du miroir", 16 de junho de 1936, inédito • Louis Bolk, "La Genèse de l'homme" (Iena, 1926), *Arguments 1956-1962*, vol.2, Toulouse, Privat, 1-13 • Henri Wallon, "Comment se développe chez l'enfant la notion de corps propre", *Journal de Psychologie*, novembro-dezembro de 1931, 705-48; *Les Origines du caractère chez l'enfant* (1934), Paris, PUF, 1973 • Jean Laplanche e Jean-Bertrand Pontalis, *Vocabulário da psicanálise* (Paris, 1967), S. Paulo, Martins Fontes, 1991, 2ª ed. • Émile Jalley, *Wallon, lecteur de Freud et de Piaget*, Paris, Éditions Sociales, 1981 • Bertrand Ogilvie, *Lacan. A formação do conceito de sujeito* (Paris, 1987), Rio de Janeiro, Jorge Zahar, 1988 • Élisabeth Roudinesco, *História da psicanálise na França*, vol.2 (Paris, 1986), Rio de Janeiro, Jorge Zahar, 1988; *Jacques Lacan. Esboço de uma vida, história de um sistema de pensamento* (Paris, 1993), S. Paulo, Companhia das Letras, 1994.

➢ IMAGEM DO CORPO; NARCISISMO; OBJETO, RELAÇÃO DE; POSIÇÃO DEPRESSIVA/POSIÇÃO ESQUIZO-PARANÓIDE; SCHILDER, PAUL.

estados fronteiriços

➢ BORDERLINE.

Estados Unidos

Excelentes trabalhos foram consagrados à história da psicanálise nos Estados Unidos, e entre eles o de Nathan G. Hale. Essa obra monumental em dois tomos permite seguir todas as etapas da implantação do freudismo* no país que, de certa forma, "salvou" a psicanálise do nazismo*, transformando radicalmente seus ideais, sua prática, sua essência e sua técnica. Sem a potência norte-americana, e sem a emigração maciça, durante o período entre as duas guerras, da quase totalidade dos terapeutas da Alemanha*, da Áustria (Viena*), da Hungria*, da Itália* e da Europa central, o freudismo jamais teria atingido seu prestígio na história mundial.

Foi nos Estados Unidos que se desenvolveu a maioria das grandes correntes freudianas — *Ego Psychology**, annafreudismo*, *Self Psychology**, neofreudismo*, culturalismo* — assim como todas as psicoterapias* inspiradas ou não na doutrina vienense: gestalt-terapia*, terapia familiar*, análise direta*, análise transacional* etc. Acrescente-se a corrente representada pela Escola de Chicago em torno de Franz Alexander* e da medicina psicossomática*. Foi também no continente americano que se encontraram todos os grandes dissidentes europeus do movimento psicanalítico: Karen Horney*, Wilhelm Reich*, Otto Rank*, Erich Fromm*. Assim, não é surpreendente que a psicanálise dita "americana" tenha marcado tanto os países anglófonos — Canadá* e Austrália — e o resto do mundo, principalmente o Japão*, assim como todos os países egressos do comunismo* a partir de 1989 e novamente abertos à prática psicanalítica: Rússia*, Hungria etc.

Três grandes correntes do freudismo, entretanto, permaneceram estranhas a essa potência norte-americana: os Independentes*, o kleinismo* e o lacanismo*. Símbolo da grande força clínica da escola inglesa (Grã-Bretanha*), o kleinismo implantou-se principalmente nos países latino-americanos (Argentina*, Brasil*), enquanto os representantes do grupo dos Independentes, de Michael Balint a Donald Woods Winnicott*, fizeram frutificar em todo o mundo uma tradição exemplar: nem excessivamente dependente da psiquiatria, nem excessivamente estranha à medicina, nem excessivamente centrada (como o kleinismo) na phantasia* e na realidade psíquica*. Quanto ao lacanismo, nascido na França*, seguiu o mesmo caminho que o kleinismo e só se implantou nos países latinos e latino-americanos. Nos Estados Unidos, a obra de Jacques Lacan* é essencialmente ensinada na Universidade, nos departamentos de literatura. Amplamente utilizada pelas feministas e pelos diferencialistas, ela revigorou, a partir dos anos 1970, todos os debates americanos sobre a sexualidade feminina* e a diferença sexual*. Note-se ainda que os principais debates referentes à historiografia* se desenrolaram nos Estados Unidos pelo fato de que os arquivos Freud se encontram depositados na Biblioteca do Congresso* de Washington.

Para apreender as modalidades específicas da implantação da psicanálise na América, devemos remontar ao fim do século XVIII e comparar três concepções da democracia: a francesa, a inglesa e a americana.

Nascida na Nova Inglaterra e fundada pelos descendentes dos puritanos, a democracia americana se baseia na Declaração de Independência, assinada pelos "pais fundadores" a 4 de julho de 1776, e na criação, dez anos depois, dos Estados confederados, reunião de comunidades cujo projeto era de inspiração religiosa. De essência filantrópica e política, a Revolução Americana se apoiava na preeminência dos poderes locais, ao contrário da Revolução Francesa, que construiria um Estado centralizador e se diria universalista e desejosa de instituir uma nova organização social. Através de seus "pais fundadores", o povo americano se considerava fundamentalmente como o novo intérprete da Bíblia e o herdeiro da antiga aliança divina com Israel.

Foi o advento de uma nova teoria do direito individual que permitiu instituir o asilo moderno e dar o primeiro impulso ao que se chamou de tratamento moral da loucura. Inspirando-se em um ideal filantrópico, cultivado na mesma época pelo inglês William Tuke (1732-1822), criador da casa de saúde O Refúgio, em York, e pelo francês Philippe Pinel (1745-1826), reformador do asilo de Bicêtre, Benjamin Rush (1746-1813) começou por militar pela abolição da escravatura, antes de assinar a Declaração de Independência. Em seguida, fez pesquisas sobre a saúde mental, que o levaram a fundar a psiquiatria americana.

Durante toda a primeira metade do século XIX, o florescimento da psiquiatria coincidiu com o desenvolvimento dos *state mental hospitals*, verdadeiro sistema de assistência que tratava dos alienados indigentes, enquanto se criavam muitas fundações e estabelecimentos privados, especialmente dedicados ao tratamento da loucura. Continuando o trabalho de Rush, Dorothée Dix (1802-1887) tornou-se célebre em Massachusetts por sua piedade protestante e sua cruzada militante em favor da melhoria das condições de vida das mulheres alienadas. Suas múltiplas atividades resultaram na criação, em 1923, da poderosa American Psychiatric Association (APA), que teria um papel considerável na organização da assistência aos doentes mentais.

Entre 1870 e 1908, esboçaram-se três grandes vertentes que permitiriam posteriormente uma vasta implantação da psicanálise. Foram primeiro os "tratamentos de almas", realizados pelos pastores e praticados espontaneamente pelas comunidades aldeãs e urbanas. Transição para o tratamento psicanalítico, eles se desenvolveram com a voga do espiritismo* e misturaram o canto, a prece e as invocações para desembocar depois na hipnose* e na sugestão*. Herdados da técnica da confissão, cara aos puritanos, eles veiculavam um ideal de purificação do espírito, que devia conduzir o sujeito* ao domínio de suas paixões e à adoção de uma moral fundada na tolerância e no respeito às diferenças.

Por outro lado, a neurologia e a psicologia influíram no desenvolvimento das psicoterapias. Enquanto o psiquiatra Edward Cowles (1837-1907) se apoiava em uma concepção funcionalista da doença mental, Morton Prince*, contemporâneo de Pierre Janet* e de Théodore Flournoy*, defendia a teoria associacionista de Hughlings Jackson*, para impor o "estilo somático", estudando casos de personalidade múltipla*. Assim, dava aos distúrbios psíquicos uma origem neurológica, preconizando ao mesmo tempo um *educational treatment* (tratamento educativo). Disciplina médica, a neurologia servia pois de substrato a uma vasta expansão da psiquiatria dinâmica*.

Apesar de seu antifreudismo, Morton Prince participou da criação da prestigiosa Escola Bostoniana de Psicoterapia, onde se elaborou, entre 1895 e 1909, em torno de William James (1877-1910), o método de tratamento psíquico mais racional do mundo anglo-americano. Foi nesse grupo, e principalmente com Stanley Grandville Hall*, Josiah Royce* e sobretudo James Jackson Putnam*, que a doutrina freudiana foi acolhida com um formidável entusiasmo.

À maneira de Eugen Bleuler* e na esteira da tradição suíça da higiene mental, Adolf Meyer* criticou o estilo somático e perpetuou o espírito de Benjamin Rush, introduzindo nos Estados Unidos o estudo e o tratamento da esquizofrenia*. Nesse aspecto, contribuiu muito, como Bleuler, para a extensão da clínica psicanalítica ao campo das psicoses*, mas recusando a concepção freudiana de inconsciente*.

Em uma perspectiva ao mesmo tempo mais freudiana e mais aberta às questões sociais, William Alanson White* introduziu em Washington a psicanálise no tratamento das psicoses, enfatizando todavia a necessidade de um distanciamento em relação à doutrina original. Formaria toda uma geração de psiquiatras, entre estes Smith Ely Jelliffe*, assim como o culturalista antibleuleriano Harry Stack Sullivan*.

Todas essas atividades, limitadas à costa leste, contribuíram para a expansão dos métodos de psicoterapias, que logo foram popularizados pelos pastores, trabalhadores em saúde mental, médicos e educadores. Em 1904 e em 1906, Pierre Janet fez uma viagem de conferências na Nova Inglaterra e obteve um sucesso triunfal, oferecendo aos americanos o prestígio da cultura européia. Estava aberto o caminho para que Sigmund Freud* fizesse sua famosa viagem.

Acompanhado de Carl Gustav Jung* e de Sandor Ferenczi*, o mestre vienense chegou a Nova York a bordo do navio *George Washington* em 27 de agosto de 1909. Depois de hesitar longamente, aceitou fazer cinco conferências (*Cinco lições de psicanálise**) na Clark University de Worcester, a convite de Stanley Hall. Teria um enorme sucesso, sem com isso levar a peste* aos americanos, como diria mais tarde Jacques Lacan.

Como em todos os outros países, a doutrina freudiana da sexualidade* foi então assimilada a um pansexualismo*. A partir de 1910, abriram-se por toda a parte discussões sobre o estatuto dessa famosa libido*. Sempre muito práticos, os americanos procuraram "medir" a energia sexual, provar com estatísticas a eficácia dos tratamentos freudianos e fazer pesquisas sociológicas para saber se os conceitos freudianos eram aplicáveis empiricamente aos problemas psíquicos dos indivíduos. Nessas condições, a psicanálise tendia a tornar-se, no continente americano, o instrumento de uma formidável adaptação do homem à sociedade.

A idéia de que a psicanálise pudesse ser subversiva veio do próprio Freud, que se considerava um erudito spinozista que infligira ao homem uma ferida profunda. Ela foi retomada pelos surrealistas, que foram os primeiros a falar de "revolução freudiana", em referência à tradição francesa da Revolução de 1789.

Nos Estados Unidos, foi antes uma visão terapêutica da psicanálise que invadiu o campo da cultura e da medicina, atribuindo menos importância a seu sistema de pensamento do que a seu poder de cura. A psicanálise se impôs, assim, como um novo ideal de felicidade, capaz de dar solução à moral sexual da sociedade democrática e liberal: o homem não estava condenado ao inferno de suas neuroses e de suas paixões. Pelo contrário, podia curar-se delas.

O sistema freudiano substituiu assim o "estilo somático" da neurologia, a ponto de invadir todo o campo da psiquiatria. Logo, a palavra psicanálise tornou-se sinônimo de psiquiatria em um país onde a própria noção de análise leiga* não tinha nenhum significado. Entre 1910 e 1917, o período do idealismo putnamiano cedeu lugar ao pragmatismo de Ernest Jones*, e principalmente de Abraham Arden Brill*. A psicanálise se organizou então em um verdadeiro movimento profissional e corporativo, em torno de várias instituições. Em 1911, Jones fundou a American Psychoanalytic Association* (APsaA); no mesmo ano, Brill instalou, com Horace Frink*, a New York Psychoanalytical Society (NYPS); dois anos depois, White e Jelliffe criaram a *Psychoanalytic Review*, primeira revista americana de difusão do freudismo. Em 1914, Putnam e Isador Coriat* fundaram a Boston Psychoanalytic Society (BoPS).

Os tratados de Versalhes e do Trianon, concluídos em 1919 e 1920, marcaram o desmoronamento da cultura austro-húngara no movimento psicanalítico internacional. Na Europa, a Alemanha* manteve acesa ainda durante dez anos a chama do freudismo, enquanto os austríacos, arruinados pela guerra e pela derrota, tinham dificuldade em prosseguir. Foi nesse contexto que Freud, que se tornara célebre, viu afluirem a Viena* numerosos americanos desejosos de analisar-se com ele. Freud não gostava nada deles, achando-os grosseiros e incapazes de compreender verdadeiramente suas idéias. Entretanto, não era insensível ao grande sucesso de sua doutrina no Novo Mundo. Além disso, precisava de dinheiro para alimentar a família e ajudar os amigos em dificuldade. Assim, não hesitou em formar os futuros analistas do movimento americano, que lhe traziam dólares. Adolph Stern foi o primeiro a chegar, em 1920. Viriam depois Clarence Oberndorf*, Horace Frink, Monroe Meyer (1892-1939), Leonard Blumgart (1881-1959), Joseph Wortis*, Abram Kardiner*, Roy Grinker, Ruth Mack-Brunswick*.

A ascensão ao poder de Adolf Hitler (1889-1945) acelerou um processo de emigração já em marcha e provocou a partida para o continente americano (entre 1933 e 1938) da quase totalidade dos pioneiros do movimento psicanalítico europeu. Esse exílio maciço reforçou o poder norte-americano no seio da International Psychoanalytical Association* (IPA). Dominada pela APsaP, ela pôs suas estruturas burocráticas a serviço da definição das modalidades de análise didática*, em função de critérios cada vez mais adaptativos, bem distanciados do freudismo original.

Entre 1930 e 1951, a implantação da psicanálise (sociedades e institutos) progrediu de modo considerável no território em geral: Chicago (1931), Filadélfia (1931 e 1949), Topeka (1938), Detroit, (1940), São Francisco (1941), Los Angeles (1946), Baltimore (1946). Califórnia do Sul (1950). A cada sociedade estava ligado um instituto de formação (organizado a partir do modelo de Berlim) e às vezes um "pai fundador" que se exilara: Siegfried Bernfeld*, Georg Simmel*, Franz Alexander*, por exemplo. Em 1932, outra grande revista foi criada por membros da NYPS, entre os quais Gregory Zilboorg*. Tomou o nome de *Psychoanalytic Quarterly*. Muito mais liberal do que o *International Journal of Psychoanalysis* (IJP), teria um grande público e contribuiria ainda mais para acentuar o poder da psicanálise na costa leste.

A partir de 1925, a questão da análise leiga* dividiu o movimento psicanalítico internacional no mesmo momento em que eram instauradas na IPA as regras padrões da análise didática obrigatória. Presidente da NYPS, Brill se opôs firmemente aos europeus e ao próprio Freud, recusando a admissão de não-médicos na profissão de psicanalista. No ano seguinte, com o processo aberto contra Theodor Reik* e a publicação de *A questão da análise leiga*, o conflito tomou uma dimensão considerável. Em 1929, no congresso da IPA em Oxford, houve um acordo internacional e a NYPS aceitou a filiação de analistas leigos. Mas aprovou-se uma cláusula que permitia às sociedades americanas recusarem a filiação dos psicanalistas formados na Europa. Assim, todo imigrante era obrigado não só a refazer seus estudos de medicina segundo as leis em vigor no território americano, mas também a recomeçar seu currículo psicanalítico.

Enquanto a língua inglesa se impunha nos congressos da IPA, as sociedades norte-americanas, agrupadas na APsaA, dominavam o movimento internacional. Em 1934, no congresso da IPA em Lucerna, a cláusula de Oxford foi anulada. Mas esse reconhecimento do valor dos currículos psicanalíticos europeus não impediria o processo de medicalização do pensamento freudiano de continuar seu curso. Nessa época, nos Estados Unidos, a psicanálise se tornou assim, segundo as palavras de Freud, "o 'pau para toda obra' da psiquiatria".

Inventada por europeus preocupados com a integração (Heinz Hartmann*, principalmente) a *Ego Psychology* foi a corrente que melhor representou o ideal de adaptação próprio ao pragmatismo americano. Ficava ligada ao universalismo freudiano, mas rompia com a terapia da felicidade dos pioneiros protestantes. Diante dessa psicologia do eu*, que seria contestada no fim dos anos 1960 pelos partidários da *Self Psychology*, o culturalismo era, ao contrário, portador de dissidência e contestação. Criticava todos os modelos dogmáticos, normativos e adaptativos, arriscando-se a dissolver o universal no particular.

Como em todos os lugares, a expansão do movimento freudiano levou as sociedades psicanalíticas a conflitos internos que se traduziram por uma sucessão de cisões[*]. Houve cinco entre 1941 e 1950. As duas primeiras no seio da NYPS, uma em torno de Karen Horney em 1941, outra em torno de Sandor Rado[*], seis meses depois. Elas demonstravam a forte posição ocupada pela psicanálise na costa leste, graças ao afluxo dos imigrantes, maciçamente instalados em Nova York.

Inicialmente dirigido por Monroe Meyer e Dorothy Ross, o Instituto de Nova York, fundado em 1931, atingia, através do seu ensino, muitas camadas da população: magistrados, policiais, assistentes sociais, professores. Em 1946, a influência da NYPS se estendeu mais ainda, com a criação de um centro de tratamento (*treatment center*) dependente do instituto, que acolhia traumatizados de guerra e posteriormente adultos e crianças.

A terceira cisão se produziu na região de Washington, onde predominavam ao mesmo tempo a tradição da higiene mental e a de White, representada por Sullivan, fundador da William Alanson White Foundation (Nova York). Em 1914, Adolf Meyer criou a Washington Psychoanalytic Society (WPS). Dez anos depois, surgiu outra sociedade, a Washington Psychoanalytic Association. Com isso, em 1926, a WPS mudou de nome, tornando-se a Washington Psychopathological Society. Os dois grupos rivalizaram para fazer-se admitir na APsaA, e finalmente uma terceira sociedade, muito mais vasta, foi criada em 1930, a Washington-Baltimore Psychoanalytic Society, na qual se reuniram terapeutas vindos do Kansas e da Virginia, sem filiação européia.

No seio dessa sociedade se encontraram, em torno de Sullivan, muitos freudianos dissidentes ou alunos de White que trabalhavam nos três grandes hospitais da região, especializados no tratamento das psicoses: St. Elizabeth, Chesnut Lodge, Sheppard-Pratt.

Foi na Washington-Baltimore Psychoanalytic Society que ocorreu, em 1947, a terceira cisão americana, que suscitou, de modo característico, querelas pessoais, interesses locais e problemas de formação. Segundo Donald Burnham, o principal conflito era o que opunha Sullivan a Jenny Wälder-Hall (1898-1989), imigrante vienense, próxima de Anna Freud.

Jenny Wälder se integraria à Sociedade de Filadélfia, antes de instalar-se na Flórida, enquanto os partidários de Sullivan se reuniriam na Fundação White, que nunca seria reconhecida pela IPA. Finalmente, duas sociedades distintas (e um instituto que elas geriam em comum) permaneceriam integradas à APsaA, a Washington Psychoanalytic Society (WPS) e a Baltimore Psychoanalytic Society (BaPS).

A quarta cisão se produziu em 1948, na Philadelphia Psychoanalytic Society (PPS), fundada em 1931. Girou em torno da formação didática e opunha também imigrantes vienenses, como Robert Wälder (1900-1967), a americanos de origem. Em 1949, criou-se uma segunda sociedade, a Philadelphia Association for Psychoanalysis (PAP), também integrada à APsaA.

Enfim, a quinta cisão aconteceu na Califórnia, depois da morte de Otto Fenichel[*] e de Ernst Simmel. Ambos tinham defendido a análise leiga no seio da Los Angeles Psychoanalytic Society (LAPS). Em 1950, seus alunos foram obrigados a criar um novo grupo favorável aos não-médicos: a Society for Psychoanalytic Medicine of Southern California, que se tornaria depois a Southern California Psychoanalytic Society (SCPS), integrada à APsaA. Formaria mais analistas leigos do que todos os outros grupos americanos.

Ao contrário das outras sociedades, a de Chicago, fundada por Alexander, conseguiu superar seus conflitos. Especializada em medicina psicossomática, acolheu uma corrente da qual emergiria, com Heinz Kohut[*], uma clínica dos distúrbios narcísicos, fundada na teoria do *self*.

A partir de 1945, o cinema hollywoodiano apresentou uma imagem da epopéia freudiana muito diferente daquela que as sociedades psicanalíticas americanas exibiam. Entretanto, um elemento aproximava os terapeutas e os cineastas do Novo Mundo interessados na doutrina vienense: quase todos eram provenientes da velha Europa. O saber freudiano lhes servia para criticar os ideais da sociedade americana. Nesse sentido, sua posição em relação à psicanálise era diferente da dos clínicos, também imigrantes. Efetivamente, nenhuma teoria de adaptação se destaca do cinema hollywoodiano do pós-guerra, e foi em função disso que, através dos filmes de Alfred Hitchcock (1899-1980), de Charlie Chaplin (1889-1977), de Elia Kazan, de Vincent Minelli ou de Nicholas Ray (1911-1979), desdobrou-se uma representação do freudismo antagônica àquela veiculada pelos institutos da APsaA: uma espécie de retorno à psicanálise vienense. Nascido americano e tendo ido para a Irlanda, John Huston realizaria assim um filme sobre o jovem Freud (*Freud, além da alma*), a partir de um magnífico roteiro de Jean-Paul Sartre (1905-1980). Mas essa obra profunda chocaria a sensibilidade dos partidários da ortodoxia annafreudiana, e Marianne Kris* impediria a atriz Marilyn Monroe (1926-1962) de fazer o papel de Bertha Pappenheim*.

Enfim, a partir de 1960, o desenvolvimento das teses da *Self Psychology* permitiu que se renovasse o debate clínico e deu novo alento ao freudismo americano.

No fim dos anos 1990, a APsaA e as outras sociedades da IPA contariam 3.500 membros (mais de um terço da IPA), distribuídos por 44 sociedades, 5 grupos de estudos e 29 institutos. A isso, acrescentaram-se cerca de 8.000 psicanalistas freudianos, espalhados em diversas associações, e um número importante de terapeutas reunidos em múltiplas escolas de psicoterapias implantadas no conjunto do território. O sociólogo francês Robert Castel, para explicar essa expansão da psiquiatria dinâmica, qualificou a sociedade americana de "sociedade psiquiátrica avançada".

Entre 1965 e 1970, iniciou-se o declínio da psicanálise, tanto no âmbito da opinião pública quanto nos centros de difusão do saber psiquiátrico. Esse movimento foi acompanhado pelo renascimento de um antifreudismo mais virulento ainda do que o do começo do século.

Essa situação de crise podia ser explicada por vários fatores. Apesar da força inédita de seu movimento institucional, a despeito do po-

der terapêutico de seus clínicos e do talento de seus representantes, imigrantes ou não, o freudismo americano sempre foi de uma extrema fragilidade: por um lado, em virtude de sua dependência em relação a um saber psiquiátrico de natureza empírica; por outro lado, em razão de seu ideal adaptativo. Ao contrário da França* e da Grã-Bretanha, os Estados Unidos nunca produziram, no domínio da psicanálise, um sistema de pensamento capaz de opor suas regras, seus critérios e seus métodos aos argumentos cientificistas das diferentes correntes organicistas da psicologia e da psiquiatria biológica. Não só a psicanálise dita americana continuou sendo uma psicoterapia entre outras, como também não gerou uma teoria forte, comparável ao kleinismo, ao pós-kleinismo, aos Independentes ou ao lacanismo. Distribuída em várias correntes, ela acabou por destruir a própria unidade do pensamento freudiano.

Em outros termos, como sublinha Nathan G. Hale, os partidários do antifreudismo americano dos anos 1970-1990, em especial o filósofo Adolf Grünbaum, não teriam nenhuma dificuldade, em nome de um materialismo nu e cru, de recorrer aos mesmos argumentos que os freudianos entusiastas do início do século. Também eles proporiam avaliações, provas, pesquisas, em suma um arsenal tecnológico inadequado para explicar a realidade conceitual da prática e da teoria psicanalíticas.

Esse desaparecimento silencioso da psicanálise se produziu pois em um país que foi a grande terra de acolhida para os judeus freudianos da Europa. Ele não resultou, naturalmente, da ausência de um estado de direito, como sob o comunismo*, mas de um excesso de jurisdicismo e da psiquiatrização dos fenômenos mentais que tinha como pano de fundo a expansão de um novo comunitarismo.

Nascido da crítica da assimilação, esse modelo retomou fôlego em 1985 para contestar o ideal da integração, em nome de uma defesa das minorias, das vítimas e dos excluídos (os negros, as mulheres, os homossexuais). Assim, ele reduz o sujeito às suas raízes, ao seu grupo (o negro ao negro, a mulher à mulher e cada um ao seu gênero*). Em vez de pensar as diferenças em uma perspectiva universal, como fizeram os antropólogos freudianos, de Geza Roheim* a

Georges Devereux*, em vez de ligar dialeticamente o universal e o particular, ele regride — contra o modelo freudiano, julgado "imperialista" ou "abusivo" — a formas primitivas de psicoterapia. Daí o culto das terapias menores: a hipnose* contra a psicanálise, a magia contra a ciência, as medicinas ditas alternativas contra *a* medicina, a investigação do trauma real (teoria da sedução*) contra a da fantasia, excessivamente inapreensível, excessivamente impalpável, excessivamente diluída no universal. Esse fenômeno é da mesma natureza daquele que opõe a seita à Igreja*.

No campo da psiquiatria dinâmica, o comunitarismo caminha ao lado do desenvolvimento de um novo organicismo, que tende a derivar todos os comportamentos mentais de um substrato genético ou biológico do qual o sujeito é excluído, reduzindo-se a um corpo à procura de *pharmakos* (droga). É por isso que as terapias menores, em ruptura com o universalismo, se nutrem do cientificismo farmacológico. Talvez esse duplo movimento — comunitarismo, organicismo — venha a atingir, no século XXI, outros países freudianos.

• Alexis de Tocqueville, *De la démocratie en Amérique (1835-1840)*, Paris, Laffont, col. "Bouquins", 1986 • Hannah Arendt, *Essai sur la révolution* (N. York, 1963), Paris, Gallimard, 1967 • Clarence P. Oberndorf, *A History of Psychoanalysis in America*, N. York, Grune & Stratton, 1953 • Ernest Jones, *A vida e a obra de Sigmund Freud*, vols. 2 e 3 (N. York, 1955, 1957), Rio de Janeiro, Imago, 1989 • *L'Introduction de la psychanalyse aux États-Unis. Autour de James Jackson Putnam* (Londres, 1968), Nathan G. Hale (org.), Paris, Gallimard, 1978, 17-86 • Nathan G. Hale, *Freud and the Americans. The Beginnings of Psychoanalysis in the United States, 1876-1917*, t.I (1971), *The Rise and Crisis of Psychoanalysis in United States*, t.II, N. York, Oxford, Oxford University Press, 1995. • Jacques M. Quen e Eric T. Carlson (org.), *American Psychoanalysis. Origins and Development*, N. York, Brunner-Mazel, 1978 • Robert Castel, Françoise Castel, Anne Lovell, *La Société psychiatrique avancée. Le Modèle américain*, Paris, Grasset, 1979 • Jean-Paul Sartre, *Freud, além da alma*, (Paris, 1984), Rio de Janeiro, Nova Fronteira, 1987, 2ª ed. • Adolf Grünbaum, *Les Fondements de la psychanalyse* (Berkeley, 1984), Paris, PUF, 1996 • Élisabeth Roudinesco, "Sartre, lecteur de Freud", *Les Temps Modernes*, 531-3, outubro-dezembro de 1990, 589-613 • Gail S. Reed, "Le Développement des instituts freudiens ouverts aux non-médecins à New York", *Revue Internationale d'Histoire de la Psychanalyse*, 3, 1990, 343-59 • J. Earman (org.), *The Dynamic of Theory-Change in Psychoanalysis*, Pittsburgh, University of Pittsburgh Press, 1992 • Philip Cushman, *Constructing the Self, Constructing America. A Cultural History of Psychotherapy*, N. York, Addison-Wesley Publishing Company, 1995 • Nellie L. Thompson, "Les Schismes dans le mouvement psychanalytique aux États-Unis", *Topique*, 57, 1995, 257-71.

➤ ANTROPOLOGIA; HOMOSSEXUALIDADE; SEXOLOGIA.

estranho, o

➤ *INIBIÇÕES, SINTOMAS E ANGÚSTIA*; TRADUÇÃO (DAS OBRAS DE SIGMUND FREUD).

Estudo autobiográfico, Um

Obra de Sigmund Freud publicada em 1925, sob o título genérico da coleção dirigida pelo professor Dr. L.R. Grote, Die Medizin der Gegenwart in Selbstdarstellung (A medicina contemporânea apresentada por ela mesma). Reeditada em 1928 nos Gesammelte Schriften e, mais tarde, em 1934, sob a forma de livro, com o título Selbstdarstellung. Traduzido para o francês pela primeira vez em 1928, por Marie Bonaparte*, sob o título Ma vie et la psychanalyse, e posteriormente, em 1984, por Fernand Cambon, sob o título Sigmund Freud présenté para lui-même. Retraduzido por Pierre Cotet e René Lainé em 1992, sob o título Autoprésentation. Traduzido para o inglês pela primeira vez em 1927, por James Strachey*, sob o título An Autobiographical Study, reeditado em 1935 com o título Autobiography, acompanhado por um pós-escrito, e por fim, em 1959, sob o título An Autobiographical Study.

Desde as primeiras linhas desse ensaio, Freud deixa claro: sua decisão de dar uma resposta positiva à proposta da editora Felix Meiner de apresentar o campo médico do qual ele era o inventor, a psicanálise*, levava-o a correr o risco, quer de contradizer o que já havia escrito sobre o assunto — fosse sob a forma de suas conferências proferidas nos Estados Unidos* em 1909, fosse sob a de sua "História do movimento psicanalítico", publicada em 1914 —, quer de se repetir, pura e simplesmente. Assim, cabia-lhe "tentar encontrar (...) uma nova dosagem entre a apresentação subjetiva e a objetiva, entre o interesse biográfico e o histórico".

Na verdade, como sublinhou a maioria dos comentadores, dentre eles Norman Kiell, essa auto-apresentação de Freud — foi esse mesmo o título finalmente preservado quando da segunda edição alemã, em 1934 — é notável, acima de tudo, pelo que Freud não diz. Em seu "pós-escrito" de 1935, ele esclarece e justifica a opção feita: "Dois temas perpassam este livro: o de meu próprio destino e o da história da psicanálise*. Eles se acham estreitamente ligados. Meu *Estudo autobiográfico* mostra como a psicanálise se tornou o conteúdo de minha vida e, a partir disso, conforma-se ao princípio justificado de que nada do que me acontece pessoalmente merece interesse, comparado a minhas relações com a ciência." Mais adiante, depois de lembrar algumas datas importantes no correr de seus estudos e em sua vida profissional, Freud volta a essa questão: "Posso permitir-me fixar aqui um termo para minhas comunicações autobiográficas. Aliás, no que concerne a minhas condições pessoais de vida, minhas lutas, minhas decepções e meus sucessos, o público não tem nenhum direito a ter maior conhecimento deles. De resto, em alguns de meus escritos — *A interpretação dos sonhos*, *Sobre a psicopatologia da vida cotidiana* —, fui mais franco e mais sincero do que costumam ser as pessoas que descrevem sua vida para seus contemporâneos ou para a posteridade." Freud tem razão. Em matéria de confidências e revelações sobre sua vida privada, ele foi muito mais diserto nesses dois textos citados, mas também o foi em outros artigos, tais como "Lembranças encobridoras" e "Um distúrbio de memória na Acrópole", em especial, para não falar do manancial de informações representado pelo conjunto de sua correspondência.

Assim, num silêncio quase total sobre a vida de Freud, esse livro é precioso pela recapitulação que propõe da história da psicanálise concebida como produto de seu espírito. Atualizando seus balanços anteriores, Freud confere um lugar de peso à grande reformulação teórica do começo da década de 1920, abordando de passagem algumas desavenças (dentre as quais Pierre Janet*, sua "competência mesquinha" e seus argumentos "deselegantes" servem de bode expiatório), recorda a acolhida precária recebida por seus primeiros trabalhos, e denun-

cia a "barbárie" da nação alemã — termo que sustentou a despeito das pressões de Max Eitingon* — e a desonra da ciência alemã, incapaz de abrir espaço para a psicanálise.

Reiteradamente confrontado com iniciativas biográficas a seu respeito, Freud sempre deu mostras de grande ambivalência quanto a essa questão.

Em 1993, o psicanalista francês Alain de Mijolla fez uma lista dessas reações freudianas: desde a carta de 24 de abril de 1885 a Martha, na qual ele se regozijou de antemão pelos erros que seus futuros biógrafos poderiam cometer, até o projeto de Arnold Zweig* de 1936, cujo abandono o encheu de satisfação, passando por sua acolhida bastante seca à biografia que Fritz Wittels* fez dele e por suas reticências amistosas à leitura do retrato que Stefan Zweig* esboçou dele em seu livro *A cura pelo espírito*, sem esquecer a carta de 23 de abril de 1933 ao dr. Roy Winn, na qual Freud rejeitou a idéia, sugerida por seu correspondente, de escrever uma autobiografia mais íntima. Entretanto, nem mesmo todas essas reações negativas bastam para explicar o verdadeiro sentimento de Freud acerca das biografias. Tal sentimento se caracteriza por outras atitudes, que atenuam a postura de rejeição: com apenas 30 anos, por exemplo, ele já pensava em eventuais biógrafos; e mais tarde, adquiriu o hábito de assinalar e transmitir aos autores interessados longas listas de retificações de erros e esquecimentos que eles pudessem ter cometido, com vistas às futuras edições de seus livros. Um dos testemunhos mais impressionantes dessa preocupação com a exatidão é a correspondência, de uma precisão extraordinária, que ele dirigiu a seu aluno peruano Honorio Delgado, autor de uma biografia de Freud em homenagem a seu septuagésimo aniversário.

Na verdade, a reserva e o mal-estar de Freud se expressavam de maneiras diferentes, como ressaltou Alain de Mijolla, conforme o método adotado pelo autor da biografia. Quando o procedimento deste se limitava à consideração de fatos objetivos — aqueles a que se referiam as retificações freudianas —, isto é, quando o exercício biográfico não recorria à psicanálise, Freud demonstrava tolerância, apesar de um certo desprazer. Em contrapartida, quando um biógrafo ou um pretenso biógrafo se referia à psicanálise e se entregava a interpretações mais ou menos rigorosas, ele exibia sua irritação. Caberá vermos nisso uma contradição com sua própria paixão interpretativa? Porventura ele não justifica o recurso à interpretação* em seu ensaio sobre *Uma lembrança infantil de Leonardo da Vinci**? Na verdade, a contradição é apenas aparente, se considerarmos as circunstâncias que conferem legitimidade à interpretação psicanalítica. Fora do contexto constituído pelo tratamento psicanalítico, o recurso à interpretação, passível de desvendar aspectos íntimos da vida de um sujeito, sempre foi objeto de extrema vigilância por parte de Freud. O principal critério era o respeito devido à pessoa viva ou a seu círculo íntimo, quando essa pessoa falecia. Sem dúvida, Freud chegou a contrariar essa regra, sobretudo na época febril dos primeiros passos da psicanálise. Assim, por ocasião do nascimento da filha de Wilhelm Fliess*, Pauline, permitiu-se formular a hipótese de que ela bem poderia ser a substituta da irmã falecida de seu amigo. De maneira ainda mais deliberada, durante a sessão de 11 de dezembro de 1907 das reuniões das quartas-feiras, atirou-se a uma conjectura sobre uma hipotética irmã com quem Wilhelm Jensen (1837-1911), autor da *Gradiva* que foi objeto do ensaio freudiano intitulado "Delírios e sonhos na *Gradiva* de Jensen"*, teria tido "um relacionamento repleto de intimidade". Daí por diante, entretanto, somente os mortos distantes, personagens reais ou fictícios, foram alvo de interpretações.

Numa carta de 2 de abril de 1928, endereçada a Ludwig Binswanger*, que em seu livro *Sonho e existência* havia manifestado interesse pelo trabalho de Edgar Michaelis, Freud, não sem uma certa irritação, indicou sua posição com muita clareza: "Talvez o senhor se surpreenda ao saber que não li a análise feita sobre mim por esse Michaelis a quem tanto admira. Analisar um homem vivo mal chega a ser admissível, e é certamente impolido. Deixaremos em suspenso a questão de saber se se trata da um agravamento ou um atenuante dessa descortesia que o resultado da vivissecção não seja remetido à vítima. Não fiquei curioso, pois esse Michaelis não me conhece. Nossas análises clínicas pressupõem uma familiaridade

maior com seu objeto." Alguns anos depois, foi exatamente essa a regra que ele aplicou, ao exigir que o livro escrito em colaboração com o embaixador norte-americano William C. Bullitt (1891-1967) sobre *O Presidente Thomas Woodrow Wilson** não fosse publicado durante a vida da viúva do presidente.

Essa prudência e esses escrúpulos freudianos, no entanto, não devem mascarar outras questões mais diretamente ligadas ao desenrolar da historiografia* psicanalítica. Incontestavelmente, a opção feita por Freud nesse ensaio, com o que implica de omissões e segredos guardados, fossem eles conscientes ou não, contém os germes da história oficial (inaugurada pelo primeiro autor a biografar Freud, Ernest Jones*), caracterizada por preocupações estratégicas e escolhas afetivas difíceis de compatibilizar com o rigor e a ética de uma historiografia erudita. Se a história oficial e suas transformações favoreceram o surgimento de uma historiografia dissidente, a princípio, e depois revisionista, que encontrou aliados entre os adversários da psicanálise, a historiografia rigorosa deve, por seu turno, preocupar-se em preservar, em seu procedimento, a especificidade do objeto da psicanálise: o inconsciente*.

• Sigmund Freud, "Lembranças encobridoras" (1899), *ESB*, III, 333-58; *GW*, I, 529-54; *SE*, III, 299-322; *OC*, III, 253-76; *A interpretação dos sonhos* (1900), *ESB*, IV-V, 1-660; *GW*, II-III, 1-642; *SE*, IV-V, 1-621; Paris, PUF, 1967; *A psicopatologia da vida cotidiana* (1901), *ESB*, VI; *GW*, IV; *SE*, VI; Paris, Payot, 1973; *Cinco lições de psicanálise* (1910), *ESB*, XI, 13-58; *GW*, VIII, 3-60; *SE*, XI, 7-55; *OC*, X, 1-55; "Leonardo da Vinci e uma lembrança de sua infância" (1910), *ESB*, XI, 59-126; *GW*, VIII, 128-211; *SE*, XI, 63-129; *OC*, X, 79-164; "O interesse científico da psicanálise" (1913), *ESB*, XIII, 199-229; *GW*, VIII, 390-420; *SE*, XIII, 163-190; in *Résultats, idées, problèmes*, vol.I, Paris, PUF, 1984, 187-213; "A história do movimento psicanalítico" (1914), *ESB*, XIV, 16-88; *GW*, X, 44-113; *SE*, XIV, 7-66; Paris, Gallimard, 1991; "Um estudo autobiográfico" (1925), *ESB*, XX, 17-88; *GW*, XIV, 33-96; *SE*, XX, 7-70; *OC*, 51-122; "Um distúrbio de memória na Acrópole", carta a Romain Rolland (1936), *ESB*, XXII, 293-306; *GW*, XVI, 250-7; *SE*, XXII, 239-48; *OC*, XIX, 325-38; "Carta a Fritz Wittels", *ESB*, XIX, 359-61; *GW*, Nachtragsband, 754-8; *SE*, XIX, 286-8; *OC*, XVI, 357-63; *Correspondance, 1873-1939* (1960), Paris, Gallimard, 1966 • Sigmund Freud e William C. Bullitt, *Le Président Thomas Woodrow Wilson* (Londres, 1966, Paris, 1967), Paris, Payot, 1990 • Sigmund Freud e Ludwig Binswanger, *Correspondance, 1908-1938* (Frankfurt, 1982), Paris, Calmann-Lévy, 1995 • Sigmund Freud e Arnold

204   *Estudos sobre a histeria*

Zweig, *Correspondance, 1927-1939* (Frankfurt, 1968), Paris, Gallimard, 1973 • Sigmund Freud e Stefan Zweig, *Correspondance* (1987), Paris, Rivages, 1991 • *Les Premiers psychanalystes, Minutes de la Société Psychanalytique de Vienne, 1906-1918*, 4 vols. (1962-1975), Paris, Gallimard, 1976-1983 • Michel de Certeau, *Histoire et psychanalyse entre science et fiction* (1986), Paris, Gallimard, col. "Folio", 1987 • Jean-François Chiantaretto, *De l'acte autobiographique. Le Psychanalyste et l'écriture autobiographique*, Seysell, Champ Vallon, 1995 • Wladimir Granoff, *Filiations*, Paris, Minuit, 1975; "Quant à une histoire de la psychanalyse", in *L'Écrit du temps* • Ernest Jones, *A vida e a obra de Sigmund Freud*, 3 vols. (N. York, 1953, 1955, 1957), Rio de Janeiro, Imago, 1989 • Norman Kiell, *Freud without Hindsight. Review of his Work 1893-1939*, Madison, International Universities Press, 1988 • Sarah Kofman, *L'Enfance de l'art*, Paris, Payot, 1970 • Philippe Lejeune, *Le Pacte autobiographique* (1976), Paris, Seuil, col. "Points", 1996 • Alain de Mijolla, "Freud, la biographie, son autobiographie et ses biographes", *Revue Internationale d'Histoire de la Psychanalyse*, 6, 1993, 81-108 • Pierre Nora (org.), *Essais d'ego-histoire*, Paris, Gallimard, 1987 • Érik Porge, *Freud/Fliess, Mito e quimera da auto-análise* (Paris, 1996), Rio de Janeiro, Jorge Zahar, 1998 • Jean-Michel Rey, "Freud et l'écriture de l'histoire", *L'Écrit du temps*, 6, 1984, 23-42 • Élisabeth Roudinesco, *Genealogias* (Paris, 1994), Rio de Janeiro, Relume Dumará, 1996 • Fritz Wittels, *Freud, l'homme, la doctrine, l'école* (Viena, Leipzig, Zurique, 1924), Paris, Alcan, 1929.

➢ PSICANÁLISE APLICADA.

Estudos sobre a histeria

Livro de Sigmund Freud* e Josef Breuer*, publicado em 1895 sob o título Studien über Hysterie. *Republicado em 1925, sem as contribuições de Josef Breuer e com notas de Sigmund Freud, e depois em 1995, em sua forma inicial. Traduzido para o francês pela primeira vez por Anne Berman (1889-1979) em 1956, sob o título* Études sur l'hystérie, *com as contribuições de Josef Breuer e as notas de Sigmund Freud de 1925. Traduzido para o inglês pela primeira vez em 1909, por Abraham Arden Brill*, sob o título* Studies in Hysteria, *sem o relato dos casos de Anna O., Emmy von N. e Katharina, e sem as "Considerações teóricas" de Josef Breuer (capítulo III), e depois em 1936, por Abraham Arden Brill, na versão completa mas sem as notas de 1925 acrescentadas por Sigmund Freud. Retraduzido em 1955 por James Strachey* e Alix Strachey*, sob o título* Studies on Hysteria, *com as contribuições de Josef Breuer e as notas de Sigmund Freud.*

Embora a palavra psico-análise só apareça na pena de Sigmund Freud em 1896, os *Estudos sobre a histeria* sempre foram considerados o livro inaugural da invenção da psicanálise* e da nova definição freudiana da histeria*. Isso decorre, em parte, da publicação, no corpo do texto, do famoso caso Anna O., que se tornou lendário na história do freudismo*. Através dele, foi possível atribuir a uma histérica a invenção do método psicanalítico. As diferentes revisões da historiografia* erudita permitiram, a partir da segunda metade do século XX, lançar um olhar completamente diverso sobre essas histórias de mulheres. A verdade é que a merecida celebridade desse livro se prende, acima de tudo, a suas extraordinárias qualidades literárias. As exposições teóricas dos dois autores são de uma limpidez admirável, e as histórias dessas doentes, transcritas num estilo romanesco, contribuem para dar vida a figuras femininas semelhantes às descritas por Gustave Flaubert (1821-1880) ou Honoré de Balzac (1799-1850).

Quando Felicité se dirige a Emma Bovary para lhe explicar a "doença" de que sofre Guérine, filha de um pescador normando, ficamos pensando nas oito mulheres imortalizadas por Freud e Breuer: "Seu mal", escreveu Flaubert, nas palavras que põe na boca de Félicité a respeito de Guérine, "era uma espécie de nevoeiro que lhe dava na cabeça, e os médicos não sabiam fazer nada a esse respeito, nem tampouco o cura. Quando aquilo a tomava com muita força, ela ia sozinha para a beira-mar, de modo que o guarda alfandegário, fazendo sua ronda, muitas vezes a encontrava estendida de bruços sobre os seixos rolados, em prantos."

Não é de surpreender, portanto, que os *Estudos* de Freud e Breuer, onde são magnificamente narradas as relações íntimas entre pais aproveitadores, mães submissas e autoritárias e filhas rebeldes e vítimas, tanto tenham fascinado os escritores. O livro era (e continua a ser) uma espécie de síntese de todas as interrogações próprias da sociedade ocidental do fim do século: emancipação das mulheres, redução do patriarcado e surgimento de uma nova forma de diferença sexual*.

Do mesmo modo que os surrealistas, temendo o desaparecimento da histeria, celebraram em 1928 a Augustine* de Jean Martin Charcot*

como o emblema esquecido da beleza convulsiva, também Jacques Lacan* diria, em 1973, que a psicanálise corria o risco de morrer se renunciasse a seus mitos originais: "Para onde foram as histéricas de outrora", disse ele, "aquelas mulheres maravilhosas, as Anna O., as Emmy von N.? Elas não apenas desempenharam um certo papel, um papel social certeiro, como também, quando Freud se pôs a escutá-las, foram quem permitiu o nascimento da psicanálise. Foi pela escuta delas que Freud inaugurou um modo inteiramente novo de relação humana."

O primeiro capítulo, redigido por Freud e Breuer, traz como título "Sobre o mecanismo psíquico dos fenômenos histéricos", tendo por subtítulo "Comunicação preliminar". Trata-se da reimpressão de um artigo publicado em 1893, no qual os autores haviam falado pela primeira vez do método catártico (catarse*) e da ab-reação*, sublinhando, em especial a propósito do caso de Cäcilie M., o caráter psíquico e traumático da histeria. Verdadeiro manifesto contra o niilismo terapêutico dos partidários da organogênese, a "Comunicação preliminar" mostra que a histeria, no estilo de Charcot, é uma doença psíquica, curável por uma terapêutica da fala. Se o sujeito sofre de reminiscências, isto é, de representações ligadas a afetos abafados, e não de distúrbios orgânicos, ele pode ser curado através da verbalização dos referidos afetos. Daí a idéia de substituir a sugestão* por um tratamento pela fala, sob ligeira hipnose*.

Outra versão dessa "Comunicação preliminar" foi objeto, em 1893, de uma exposição verbal feita apenas por Freud, e sua minuta estenografada seria publicada no mesmo ano na *Wiener medizinische Presse* e, posteriormente, em 1971, na *Studienausgabe*.

Após essa vigorosa defesa dos princípios da psicogênese* e, portanto, do possível tratamento da neurose*, era preciso os autores afirmarem que suas pacientes haviam-se curado, senão de sua doença, ao menos de seus sintomas. Assim, Breuer e Freud forçaram um pouco os fatos e apresentaram seus oito relatos sobre histéricas como a história de oito casos de cura. Foi preciso esperar pelas revisões da historiografia erudita e pela identificação das diversas pacientes para constatar que nenhuma delas fora

realmente "curada" de seus sintomas nem, acima de tudo, de sua neurose.

Sob esse aspecto, esse grande livro inaugural é realmente a expressão de uma divisão que separa a história da loucura* da história da psicopatologia*. Sabe-se, com efeito, que a consciência crítica do estudioso não é da mesma natureza que a consciência trágica do doente ou do louco. Por conseguinte, todos os estudos de casos se constroem como ficções destinadas a validar as hipóteses dos estudiosos, e um caso só tem valor de verdade por ser redigido como uma ficção. Daí as revisões necessárias, que em geral evidenciam o quanto o doente real rejeita a roupagem da ciência e a validade do discurso científico, do qual se sente vítima. Assim, a verdadeira Bertha Pappenheim* negaria permanentemente ter sido Anna O., assim como Marguerite Anzieu* negou ter sido o caso Aimée de Lacan.

O segundo capítulo dos *Estudos sobre a histeria* apresenta, portanto, a história de cinco grandes casos: Srta. Anna O., Sra. Emmy von N., Srta. Lucy R. (ou *Miss* Lucy), Katharina e Srta. Elisabeth von R. Juntam-se a elas três pequenas histórias de doentes: Srta. Mathilde H., Srta. Rosalia H. e Sra. Cäcilie M. Somente uma enferma (Anna O.) foi tratada por Breuer, tendo sido as demais tratadas por Freud. As identidades de quatro dessas pacientes foram reveladas pelos trabalhos da historiografia: Anna O. (Bertha Pappenheim*), por Ernest Jones* e, mais tarde, por Henri F. Ellenberger*; Emmy von N. (Fanny Moser*), por Ola Andersson*; Katharina (Aurelia Öhm*), por Albrecht Hirschmüller; e Cäcilie (Anna von Lieben*), por Peter Swales. Restam, pois, as outras quatro histórias: Lucy, Elisabeth von R., Mathilde H. e Rosalia H.

Natural da Hungria, Elisabeth foi consultar Freud em 1892, aos 24 anos de idade, em decorrência de dores nas pernas e dificuldade para andar. Ele rapidamente atribuiu seus sintomas a causas sexuais. Percebeu que, ao pressionar a coxa da paciente, fê-la experimentar um prazer erótico que ela rejeitava na vida consciente. Quase não utilizando a hipnose, Freud aperfeiçoou uma técnica de concentração e chamou o método empregado de análise psíquica, o que o levou a dizer, mais tarde, que Elisabeth fora a

primeira mulher tratada e curada pela psicanálise. Deitada e de olhos fechados, ela era solici-
tada pelo médico a se concentrar e dizer tudo o
que lhe passava pela cabeça. Quando se recusava a responder, Freud tentava persuadi-la. À
medida que o diálogo foi prosseguindo, ele
compreendeu que o mecanismo de rebeldia e de
esquecimento voluntário funcionava como um
sintoma. Esse foi, para Freud, o primeiro passo
em direção à técnica da associação livre* e,
mais tarde, para a elaboração da noção de resistência*. Ele percebeu que Elisabeth estava
apaixonada pelo cunhado e que rechaçava de
sua consciência os desejos de morte sentidos a
respeito de sua irmã, falecida em conseqüência
de uma enfermidade. O reconhecimento desse
desejo* marcou, para a moça, a cessação de seu
sofrimento. No fim do tratamento, Freud teve
uma entrevista com a mãe de Elisabeth, que lhe
confirmou a inclinação da filha pelo cunhado
desta, embora desejando que ela não o des-
posasse. Freud convidou sua paciente a aceitar
essa realidade e a considerou curada: "Na primavera de 1894", escreveu, "ouvi dizer que ela
iria a um baile para o qual eu poderia obter um
convite, e não deixei escapar essa oportunidade
de ver minha ex-paciente sair rodopiando numa
dança ligeira."

Elisabeth chamava-se Ilona Weiss. Muitos
anos depois de um casamento feliz, sua filha lhe
fez perguntas e deixou um depoimento que
sublinhou que a imagem fornecida dela nos
Estudos era conforme à realidade. No entanto,
ao falar de seu tratamento, a ex-paciente afirmou que o "médico barbudo" de Viena* a quem
a tinham encaminhado havia tentado, contrariando sua vontade, convencê-la de que estava
apaixonada pelo cunhado.

Miss Lucy, uma governanta inglesa contra-
tada por uma família vienense, consultou Freud
em 1892, em função de uma alucinação olfativa
acompanhada de crises depressivas. Sentia-se
perseguida por um cheiro de pudim queimado.
Utilizando o mesmo método empregado com
Elisabeth, Freud usou a palavra recalque* para
mostrar que os sintomas de sua paciente provinham do amor inconsciente que ela nutria pelo
patrão.

O caso de Rosalia H., jovem vienense de 23
anos, tomada por uma sensação de sufocamento, quando queria tornar-se cantora, é exposto
por Freud em poucas páginas. Trata-se de uma
história em que intervém, como na de Aurelia
Öhm (Katharina), uma cena de sedução*. Rosalia curou-se através da hipnose, quando
conseguiu recordar a maneira brutal como seu
tio, no passado, maltratava em sua presença a
mulher e os filhos, enquanto manifestava suas
preferências sexuais pelas empregadas domésticas. O sintoma da constrição na garganta
transformou-se então numa sensação de alfine-
tadas na ponta dos dedos. Freud foi mais longe,
fazendo surgir uma cena antiga: o tio malvado,
que sofria de reumatismo, um dia exigira que a
sobrinha lhe fizesse massagens. No momento
em que a menina lhe obedecera, ele havia le-
vantado as cobertas e tentado abusar dela. Rosalia fugira.

Quanto à quarta história, a de Mathilde H.,
moça deprimida de 19 anos, afetada por uma
paralisia parcial da perna, ela foi exposta em
poucas linhas, como um caso de cura por ab-
reação.

O terceiro capítulo dos *Estudos* é um ensaio
de Breuer, intitulado "Considerações teóricas",
e o quarto, "A psicoterapia da histeria", é uma
reflexão de Freud onde se expressam, ao mesmo
tempo, comentários teóricos sobre os casos e
divergências de Breuer.

Como observa James Strachey em sua apresentação do livro, as divergências entre Freud e
Breuer não aparecem à primeira vista. No entanto, sabemos que a decisão de publicação foi
resultado de um acordo, destinado a mostrar à
comunidade científica a situação dos trabalhos
realizados em comum pelos dois homens até
1894, data em que suas relações científicas
efetivas chegaram ao fim. Desse acordo e das
divergências que se introduziram entre os dois
pontos de vista, os autores e, mais tarde, seus
comentadores retiveram três. Primeiro, Freud
sustentava que a dissociação mental encontrada
no sintoma histérico era provocada por uma
defesa* psíquica, enquanto Breuer pensava numa fisiologia dos estados hipnóides. Segundo,
Breuer se recusava a atribuir à histeria, como
Freud, uma etiologia puramente sexual. Por
último, esse mesmo Breuer não aceitava a crítica feita a suas posições pelo neurologista alemão Adolf Strümpell (1853-1925). Este reco-

nhecia o caráter psíquico da doença histérica e sua etiologia sexual, mas duvidava da eficácia tanto da hipnose quanto do tratamento catártico, sublinhando que os doentes, através de seus sintomas, podiam perfeitamente induzir os médicos em erro.

Assim, foi em torno das questões da defesa e da sexualidade*, do problema do estado hipnóide como causa da histeria e, por último, de uma concepção geral da ciência que se manifestaram entre os dois homens as divergências mais graves, que iriam conduzi-los ao rompimento.

De maneira geral, os *Estudos* receberam uma acolhida favorável do meio científico, como uma contribuição preciosa para a elucidação da vida psíquica.

Como sublinha Albrecht Hirschmüller, as reservas de Breuer quanto à etiologia sexual concernem à famosa hipótese da sedução, segundo a qual haveria um trauma sexual na origem da neurose, e à idéia freudiana de uma etiologia sexual específica de cada neurose. Quanto à concepção breueriana da ciência, ela era mais fisiológica que a de Freud. Assim, a propósito do princípio de constância, Breuer fazia o funcionamento psíquico depender de uma homeostase, ou seja, de um equilíbrio dinâmico do corpo vivo, ao passo que Freud se indagava qual era o limite de um processo primário, entendendo por isso a tendência do sistema psíquico a se livrar das excitações.

Freud abandonou a tese da sedução em 1897, o que mostra que Ernest Jones*, em sua versão oficial da desavença entre os dois homens, negligencia a maneira como a verdade progride na história das ciências, em prol de uma representação hagiográfica da realidade. De fato, Jones baseia o rompimento no desconhecimento radical que Breuer teria tido da sexualidade e descreve este último como um cientista perturbado, que não teria entendido coisa alguma do amor transferencial* que Bertha Pappenheim teria nutrido por ele.

• Sigmund Freud e Josef Breuer, "Sobre o mecanismo psíquico dos fenômenos histéricos: Comunicação preliminar" (1893), *ESB*, II, 43-62; *Studienausgabe*, VI, 9-24; *SE*, II, 1-17; in *Esquisses psychanalytiques*, 19, primavera de 1993, 93-108; *Estudos sobre a histeria* (1895), *ESB*, II; *GW*, I, 77-312; *SE*, II; Paris, PUF, 1956 • Ernest Jones, *A vida e a obra de Sigmund Freud*, 3

vols. (N. York, 1953, 1955, 1957), Rio de Janeiro, Imago, 1989 • "Memorandum for the Sigmund Freud Archives", anônimo, porém dado como proveniente de uma das três filhas de Ilona Weiss, 11 de janeiro de 1953, Freud Museum, Londres • Henri F. Ellenberger, *Histoire de la découverte de l'inconscient* (N. York, Londres, 1970, Villeurbanne, 1974), Paris, Fayard, 1994; *Médecines de l'âme. Essais d'histoire de la folie et des guérisons psychiques*, Paris, Fayard, 1995 • Albrecht Hirschmüller, *Josef Breuer* (Berna, 1978), Paris, PUF, 1991 • Frank J. Sulloway, *Freud, Biologist of the Mind*, N. York, Basic Books, 1979 • Étienne Trillat, *Histoire de l'hystérie*, Paris, Seghers, 1986 • Peter Swales, "Freud, his teacher, and the birth of psychoanalysis", in Paul E. Stepansky (org.), *Freud, Appraisals and Reappraisals*, vol.1, Hillsdale, NJ, The Analytic Press, 1986, 3-83; "Freud, Katharina and the First 'Wild Analysis'", ibid., vol.2, 1988, 81-167 • Norman Kiell, *Freud without Hindsight. Review of his Work 1893-1939*, Madison, International Universities Press, 1988 • Lisa Appignanesi e John Forrester, *Freud's Women*, N. York, Basic Books, 1992 • Ilse Grubrich-Simitis, "Urbuch der Psychoanalyse. Die 'Studien über Hysterie'", *Psyche*, 12, dezembro de 1995, 1117-55.

➢ ECKSTEIN, EMMA; FLIESS, WILHELM; INCONSCIENTE; PRINCÍPIO DE PRAZER/PRINCÍPIO DE REALIDADE; TÓPICA; TRADUÇÃO (DAS OBRAS DE SIGMUND FREUD).

etnografia
➢ ANTROPOLOGIA.

etnologia
➢ ANTROPOLOGIA.

etnopsicanálise
al. *Ethnopsychoanalyse*, esp. *etnopsicoanálisis*; fr. *éthnopsychanalyse*, ing. *ethnopsychoanalysis*

A etnopsicanálise, da qual Geza Roheim* foi o pioneiro, inspira-se nos princípios da psicanálise* para estudar tanto os distúrbios psicopatológicos ligados a culturas específicas quanto a maneira como essas diferentes culturas classificam e organizam as doenças psíquicas. Historicamente, a etnopsicanálise nasceu da etnopsiquiatria, fundada por Emil Kraepelin* e definida como o estudo da loucura* e da classificação dos distúrbios mentais nas diferentes culturas. A partir dos trabalhos de Georges Devereux*, que unificou esses dois campos, a palavra etnopsicanálise passou a ter o mesmo sentido de etnopsiquiatria.

Desde a Antigüidade, colocou-se a questão da existência de doenças específicas das diferentes culturas, e é na coleção hipocrática do *Tratado dos ares, das águas e dos lugares* que encontramos a famosa descrição da "doença dos citas" (Rússia meridional), que serviria de modelo para a constituição, no Ocidente, de um discurso da psicopatologia* baseado na separação entre a racionalidade e a magia: "Quando fracassam em suas relações com as mulheres, na primeira vez eles [os citas] não se inquietam, conservando a calma. Ao cabo de duas, três ou várias tentativas que não dão nenhum resultado, e acreditando haver cometido algum pecado contra a divindade à qual atribuem a causa disso, eles vestem a roupa das mulheres, confessando sua impotência. Depois, assumem a voz das mulheres e executam a seu lado os mesmos trabalhos que elas."

Para descrever essa conduta mágica, o autor do tratado hipocrático buscava argumentos racionais e rejeitava qualquer idéia de uma origem divina do mal. À crença dos citas numa "doença sagrada" ele opunha causas físicas. Constatando que o sintoma atingia cavaleiros ricos, deduzia que a prática cotidiana da equitação alterava as vias seminais e provocava, a longo prazo, uma impotência sexual.

A essa explicação através de causas físicas Heródoto opôs uma outra, que afirmava a origem sagrada da doença, mas sem fazê-la derivar da magia. A seu ver, de fato, a deusa Afrodite infligira essa doença "feminina" aos descendentes de alguns citas culpados pela pilhagem do templo de Ascalon, na Palestina. O "pecado", portanto, fora transmitido de uma geração para outra. Quanto aos descendentes das famílias amaldiçoadas, que outrora haviam suscitado a cólera divina, eles eram atingidos por um destino trágico.

Essa separação entre as causas naturais e as causas genealógicas, entre o olhar médico e o olhar histórico, entre Hipócrates e Heródoto, seria reencontrada, sob novas formas, na história da psiquiatria dinâmica* do século XX e, em particular, em todos os debates que opuseram os partidários da organogênese aos da psicogênese. Terá o distúrbio mental como origem uma história familiar, um destino (*fatum*), um romance familiar*, ou será que é produzido por uma deficiência fisiológica, funcional ou orgânica?

No exato momento em que Sigmund Freud* retomava o archote de Heródoto para fazer a tragédia antiga penetrar no cerne do drama burguês da família ocidental, Emil Kraepelin percorreu a Europa e foi a Cingapura e a Java para verificar a validade dos critérios nosológicos elaborados pela psiquiatria moderna. Em outras palavras, para a psicopatologia, tratava-se de renovar o gesto hipocrático e traduzir as classificações exóticas e religiosas das doenças da alma num vocabulário coerente, de tipo científico. Assim foi, por exemplo, que a "doença dos citas" pôde ser assimilada a um transexualismo* ou a uma paranóia*. Do mesmo modo, a "fúria dos Berserks" (entre os antigos guerreiros escandinavos) ou a "maldição de Amok" (entre os malaios) encontraram lugar sob as designações de "estados maníacos", "surtos delirantes" ou "psicoses alcoólicas". Em 1904, Kraepelin publicou os resultados de sua pesquisa e deu a esse campo o nome de psiquiatria comparada. Dela nasceram a etnopsiquiatria e, mais tarde, a psiquiatria transcultural, que se desenvolveu nos Estados Unidos* e no Canadá*, em especial na universidade McGill, de Montreal, onde trabalhou Henri F. Ellenberger*.

Durante o século XIX, os princípios da psiquiatria dinâmica*, provenientes de Philippe Pinel (1745-1826) e Franz Anton Mesmer*, impuseram-se não apenas em todos os países da Europa, mas também no conjunto do mundo ocidental judaico-cristão e, mais tarde, no Japão*, o que em seguida permitiu a implantação progressiva da psicanálise nesses mesmos países. Essa expansão foi possibilitada pela instauração de uma visão da loucura capaz de conceituar a idéia de doença mental, em detrimento de qualquer idéia de possessão divina.

Nesse aspecto, o emprego do termo etnopsiquiatria mostra com clareza os obstáculos em que esbarrou o saber psiquiátrico quando quis se universalizar. Com efeito, primeiro a etnopsiquiatria esteve aliada à psicologia dos povos, depois à psiquiatria colonial e, por fim, ao desenvolvimento da antropologia e da etnologia. Conforme a ocasião, favoreceu ora a universalização do discurso científico sobre a doença mental, ora o tácito restabelecimento do diferencialismo étnico (impondo-se então como uma espécie de departamento psiquiátrico a serviço dos povos não civilizados, que se tratavam com feiticeiros e ainda estavam convencidos da origem religiosa da loucura).

As teses da etnopsiquiatria foram aproveitadas, durante a primeira metade do século XX, pela medicina colonial militar, fosse esta inglesa, como na Índia*, onde elas imprimiram vigorosamente sua marca nos debates em torno da psicanálise, fosse francesa, como na maioria dos países da África, onde as idéias freudianas nunca se implantaram. Com o grande movimento mundial de descolonização das décadas de 1950 e 1960, os princípios da psiquiatria colonial inglesa foram contestados pelos diferentes artífices da antipsiquiatria*, Ronald Laing* e David Cooper*, auxiliados nessa tarefa pelos culturalistas norte-americanos, sobretudo Gregory Bateson*. Quanto aos princípios da psiquiatria colonial francesa, foram violentamente atacados no entre-guerras pelos surrealistas, em especial pelo escritor Michel Leiris (1901-1990), que participou da primeira grande missão etnológica francesa de 1931, Dacar-Djibuti, conduzida por Marcel Griaule (1898-1956). Após a Segunda Guerra Mundial, foi a psicologia da colonização, outro tipo de abordagem do fenômeno mental, que se tornou objeto de um longo debate entre Frantz Fanon* e Octave Mannoni*, enquanto se desenrolava em Dacar a experiência de Henri Collomb* e enquanto Edmond e Cecile Ortigues trabalhavam na descoberta de um Édipo africano.

No entre-guerras, Geza Roheim deu um novo conteúdo ao campo da etnopsiquiatria. Discípulo kleiniano de Freud, ele se tornou etnólogo por paixão e para responder às críticas formuladas por Bronislaw Malinowski* contra *Totem e tabu**. Ligando a psicanálise, a antropologia e a experiência do campo australiano e melanésio, ele soube tratar as patologias nativas dentro de uma perspectiva universalista, sem jamais servir aos interesses do colonialismo. Seguindo-se a ele, Georges Devereux, aluno de Marcel Mauss (1872-1950), psicanalista e etnólogo de campo, reuniu as duas disciplinas — a etnopsiquiatria e a etnopsicanálise —, associando as teorias freudianas às de Claude Lévi-Strauss. Ao fazê-lo, estabeleceu as bases de uma espécie de antropologia da loucura, que recorria, ao mesmo tempo, à psicanálise, à psiquiatria e à etnologia.

Definitivamente emancipada da psicologia dos povos e da psiquiatria colonial, a etnopsicanálise separou-se então da antropologia, transformando-se numa disciplina hostil a qualquer universalismo e servindo para tratar das minorias urbanas e das populações migratórias dos países ocidentais, com a ajuda de suas próprias técnicas xamanísticas. Dentro dessa linha, ela evoluiu para um culturalismo* radical, hostil à psicanálise da qual ela havia saído e valorizador da identificação entre o prestador de cuidados e o feiticeiro.

Quanto a esse aspecto, convém constatar que nem Roheim nem Devereux formaram discípulos e que a antropologia psicanalítica, no sentido como eles a entendiam, deixou de existir com esses pesquisadores, deslizando então quer para o lado da magia e das medicinas paralelas, quer para o lado do engajamento militante anti-ocidental.

Em contrapartida, o estudo da natureza da doença e da loucura em função das diferentes culturas continuou a ser objeto de múltiplos trabalhos, sobretudo por parte dos antropólogos. Testemunho disso, na França, são o livro de Roger Bastide (1898-1974), *Le Rêve, la transe, la folie*, publicado em 1972, e as pesquisas conduzidas por Marc Augé, na mesma linha das de Devereux. Elas tendem a mostrar que todo distúrbio biológico é sinal de uma alteração ou de uma desordem social. Sob esse ponto de vista, o interesse está em comparar não a medicina tradicional com a medicina biomédica (ocidental), mas em estudar o pluralismo da visão médica em cada sociedade, a heterogeneidade das interpretações e, por fim, as trajetórias dos doentes, de suas famílias e dos terapeutas. Segundo essa ótica, a expressão psiquiatria transcultural foi que acabou por se impor, em lugar de etnopsiquiatria ou etnopsicanálise, por demais carregadas de uma ênfase na etnia.

• Claude Lévi-Strauss, *Race et histoire* (1952), Paris, Denoël, col. "Folio Essais", 1987 • Henri F. Ellenberger, "Ethno-psychiatrie", *Encyclopédie médico-chirurgicale*, 37725 A 10 e B 10, 1965, 1-13 e 1-22 • Edmond e Marie-Cécile Ortigues, *Oedipe africain*, Paris, Plon,

1966 • Roger Bastide, *Le Rêve, la transe, la folie*, Paris, Flammarion, 1972 • François Laplantine, *L'Ethnopsychiatrie*, Paris, Éditions Universitaires, 1973; *Antropologia da doença* (Paris, 1986), S. Paulo, Martins Fontes • Marc Augé, "Ordre biologique, ordre social: la maladie, forme élémentaire de l'événement", in M. Augé e C. Herzlich (orgs.), *Le Sens du mal. Anthropologie, histoire, sociologie de la maladie*, Paris, Éd. des Archives Contemporaines, 1984 • Jacques Jouanna, *Hippocrate*, Paris, Fayard, 1992.

➤ ANTROPOLOGIA; ESQUIZOFRENIA; FROMM, ERICH; HORNEY, KAREN; HIPNOSE; ÍNDIA; KARDINER, ABRAM; MEAD, MARGARET; PSICOTERAPIA; SACHS, WULF; SULLIVAN, HARRY STACK.

eu

al. *Ich*; esp. *yo*; fr. *moi*; ing. *ego*

Termo empregado na filosofia e na psicologia para designar a pessoa humana como consciente de si e objeto do pensamento. No Brasil também se usa "ego".

Retomado por Sigmund Freud*, esse termo designou, num primeiro momento, a sede da consciência. O eu foi então delimitado num sistema chamado primeira tópica*, que abrangia o consciente*, o pré-consciente* e o inconsciente*.

A partir de 1920, o termo mudou de estatuto, sendo conceituado por Freud como uma instância psíquica, no contexto de uma segunda tópica que abrangia outras duas instâncias: o supereu* e o isso*. O eu tornou-se então, em grande parte, inconsciente.

Essa segunda tópica (eu/isso/supereu) deu origem a três leituras divergentes da doutrina freudiana: a primeira destaca um eu concebido como um pólo de defesa* ou de adaptação à realidade (Ego Psychology*, annafreudismo*); a segunda mergulha o eu no isso, divide-o num eu [moi] e num Eu [je] (sujeito*), este determinado por um significante* (lacanismo*); e a terceira inclui o eu numa fenomenologia do si mesmo ou da relação de objeto* (Self Psychology*, kleinismo*).

Henri F. Ellenberger* dá mostras de excessiva severidade ao escrever, a propósito da segunda tópica freudiana, que "o eu não passa de um antigo conceito filosófico, vestido numa nova roupagem psicológica". Sem dúvida, Freud foi tão pouco inventor do termo "eu" quanto criador dos termos inconsciente e consciente. A idéia de eu, muitas vezes sinônima da de consciência, de fato está presente nas obras da maioria dos grandes filósofos, sobretudo os alemães, desde meados do século XVIII. E, ante a constatação das experiências mesmerianas, Wilhelm von Schelling (1775-1854) e Johann Gottlieb Fichte (1762-1814) relativizaram a importância do eu em sua concepção do funcionamento mental. Essas referências filosóficas constituem o pano de fundo contra o qual se desenvolveram as primeiras etapas de uma psiquiatria dinâmica* que procurava desvincular-se das concepções organicistas do funcionamento do espírito humano.

Assim, podemos considerar que Wilhelm Griesinger (1817-1869), inspirador de Theodor Meynert, foi um dos ancestrais de Freud. Nomeado diretor, em 1860, do novíssimo hospital psiquiátrico de Zurique, o Burghölzli, Griesinger foi um dos primeiros psiquiatras a afirmar que a maioria dos processos psicológicos decorria de uma atividade inconsciente. Ele elaborou uma psicologia do eu cujas distorções são tidas como resultantes do conflito que opõe esse eu a representações que ele não consegue assimilar.

Meynert*, cujas aulas Freud acompanhou em 1883, formulou, por sua vez, uma concepção dual do eu, fazendo uma distinção entre o eu primário, parte inconsciente da vida mental que tem sua origem na infância, e o eu secundário, ligado à percepção consciente.

Encontramos a marca desse ensino na primeira grande elaboração teórica de Freud, seu "Projeto para uma psicologia científica". Desde esse momento — e nisso se situa a contribuição freudiana —, o eu se inscreve na trama da análise do conflito psíquico. Assim, nessa primeira síntese teórica, evocando o conflito entre a "atração provocada pelo desejo*" e a tendência ao recalcamento*, cujo teatro é o sistema neuronal concernido nas excitações endógenas, Freud discerne a existência de uma "instância" cuja presença entrava a passagem das quantidades energéticas, quando esse fluxo é acompanhado de sofrimento ou de satisfação. "Essa instância", diz Freud, "chama-se o 'eu' (...). Descrevemos (...) o eu dizendo que ele constitui, em qualquer momento dado, a totalidade dos investimentos* desse sistema neuronal." Esse eu tem um modo duplo de funcionamento: esforça-se por se livrar dos investimentos dos quais é objeto, procurando a satisfação, e tenta, por meio do processo que Freud denomina de inibição, evitar a repetição de experiências dolorosas.

Antes mesmo da redação do "Projeto", Freud abordou o papel do eu nas elaborações preliminares que são os manuscritos enviados a Wilhelm Fliess*. Assim, em 24 de janeiro de 1895, no manuscrito H, ele fala da natureza das relações conflitivas com o eu. As formas de que esse conflito se reveste permitem distinguir as diferentes afecções psíquicas: histeria*, idéias obsessivas, confusões alucinatórias e paranóia*. Numa carta a Fliess de 6 de dezembro de 1896, onde surge pela primeira vez a idéia de aparelho psíquico, o eu, qualificado de "oficial", é assemelhado ao pré-consciente. Mas essa característica não é retomada no capítulo VII de A interpretação dos sonhos*, onde a primeira tópica é integralmente teorizada.

Em seguida, a partir dos Três ensaios sobre a teoria da sexualidade*, o eu é pensado como o lugar de um sistema pulsional do qual irão diferenciar-se, por apoio*, as pulsões sexuais, conclamadas a se tornarem completamente distintas. As pulsões do eu, portanto, ficam a serviço da autoconservação do indivíduo, incluindo a totalidade das necessidades primárias orgânicas não sexuais.

A reformulação que começou a se efetuar com a introdução do conceito de narcisismo*, em 1914, contribuiu para conferir ao eu um lugar de primeiro plano. Em seguida aos trabalhos de Karl Abraham*, o estudo das psicoses* permitiu estabelecer que o eu podia ser sede de um investimento libidinal, como qualquer objeto externo. Surgiu assim uma libido* do eu, oposta à libido objetal, com Freud enunciando a hipótese de um movimento de balança entre as duas. A partir daí, o eu deixou de ter apenas o papel de mediador perante a realidade externa, sendo também objeto de amor e se tornando, em virtude da distinção entre narcisismo primário — que pressupõe a existência de uma libido no eu — e narcisismo secundário, um reservatório de libido.

Com o artigo "Luto e melancolia", publicado em 1917, Freud introduziu outras modificações importantes, em especial a idéia de uma diferenciação funcional efetuada a partir do eu.

Parte do eu, instância de ordem moral, instalase numa posição crítica diante da parte restante do eu. Essa diferenciação, já esboçada no texto sobre o narcisismo, constitui a primeira versão do que viria a ser o ideal do eu* e, mais tarde, o supereu.

O eu é afetado, enfim, em sua própria constituição, pelo processo de identificação*: em alguns casos, pode trazer a marca, traço único, de uma relação com um outro. A identificação com esse traço pode levar à transformação do eu segundo o "modelo" desse outro. Em Psicologia das massas e análise do eu*, são as identificações dos indivíduos em seu eu que, comandadas pela instalação de um único e mesmo objeto no ideal do eu de cada um, permitem a constituição de uma multidão organizada.

Em 1923, em O eu e o isso*, o eu torna-se uma das instâncias da segunda tópica, caracterizada por um novo dualismo pulsional, que opõe as pulsões de vida às pulsões de morte.

Se o eu continua a ser o ancoradouro defensivo em relação às excitações internas e externas, se seu papel realmente consiste em refrear os ímpetos passionais do isso e em substituir o princípio de prazer* pelo princípio de realidade, se, provido do que Freud denomina de "calota acústica", lugar de recepção dos traços mnêmicos deixados pelas palavras, o eu se encontra no cerne do sistema perceptivo, e se, por fim, ajudado pelo supereu, ele participa da censura*, a novidade reside, antes de mais nada, no fato de que uma parte do eu, "e Deus sabe que parte importante do eu", insiste Freud, é inconsciente. Não, esclarece ainda Freud, no sentido latente do pré-consciente, mas no sentido pleno do termo inconsciente, já que a experiência psicanalítica demonstra, precisamente, como é difícil ou até impossível levar ao consciente as resistências* enraizadas no eu, que se comportam "exatamente como o recalcado".

Nessa segunda tópica, o eu "é a parte do isso que foi modificada sob a influência direta do mundo externo, por intermédio do Pc-Cs [sistema percepção-consciência] (...), é como que uma continuação da diferenciação superficial". Freud acrescenta que "o eu é, antes de mais nada, um eu corporal". Por isso, é preciso apreendê-lo como uma projeção mental da superfície do corpo.

Uma vez repertoriadas as respectivas funções do supereu e do isso, Freud retornou a sua concepção do eu, para traçar dele um quadro trágico, de acordo com sua concepção da condição humana. Ao contrário da representação que a ciência fornecia dele, "o eu não é senhor em sua casa": "Agora vemos o eu com sua força e suas fraquezas. Ele é encarregado de funções importantes e, em virtude de sua relação com o sistema perceptivo, estabelece a ordenação temporal dos processos psíquicos e os submete à prova de realidade. Intercalando os processos de pensamento, consegue adiar as descargas motoras e domina os acessos à motilidade. Esta última dominação, entretanto, é mais formal do que efetiva, tendo o eu em sua relação com a ação, por assim dizer, a postura de uma monarca constitucional sem cuja sanção nada pode transformar-se em lei, mas que reflete longamente antes de opor seu veto a uma proposta do parlamento. (...) vemos esse mesmo eu como uma pobre criatura que tem que servir a três senhores e, por conseguinte, sofre a ameaça de três perigos, por parte do mundo externo, da libido, do isso e da severidade do supereu."

Depois de Freud, o eu, sua concepção e as funções de que ele é supostamente a sede iriam constituir um desafio teórico e político a partir do qual se instituiriam correntes contraditórias no movimento psicanalítico.

Assim se formaram duas correntes, destinadas a se tornar dominantes na psicanálise norte-americana: o annafreudismo e a *Ego Psychology*, em torno de Anna Freud*, por um lado, e de Heinz Hartmann*, por outro, para privilegiar o eu e seus mecanismos de defesa, em detrimento do isso, do inconsciente e do sujeito*. Dessa maneira, elas contribuíram para fazer da psicanálise uma terapia da adaptação do eu à realidade.

Em reação a essa normalização, Heinz Kohut* retomou o conceito de *self* (o si mesmo), introduzido em 1950 por Hartmann, para assinalar uma distinção em relação ao *ego*, e elaborou uma teoria do aparelho psíquico em que o *self* se tornou uma instância particular, que permite explicar os ataques narcísicos.

Outras correntes, como o kleinismo* e o lacanismo*, adotam uma orientação radicalmente oposta, na perspectiva de um "retorno ao inconsciente", seguindo caminhos que, por outro lado, são bem distintos entre si.

Se Melanie Klein* enfatiza a fase pré-edipiana do desenvolvimento psíquico, consagrando sua atenção ao estudo das relações arcaicas mãe-filho e a seu conteúdo pulsional negativo, o procedimento de Jacques Lacan* volta-se desde logo para a análise das condições de emergência de um sujeito do inconsciente, apanhado, em sua origem, na armadilha do eu, que é constitutivo do registro do imaginário*, este conclamado, desde 1953, a se tornar uma das instâncias da tópica lacaniana, ao lado do real* e do simbólico*.

Para Lacan, o eu se distingue, como núcleo da instância imaginária, na fase chamada de estádio do espelho*. A criança se reconhece em sua própria imagem, caucionada nesse movimento pela presença e pelo olhar do outro* (a mãe ou um substituto) que a identifica, que a reconhece simultaneamente nessa imagem. Nesse instante, porém, o eu [*je*] é como que captado por esse eu [*moi*] imaginário: de fato, o sujeito, que não sabe o que é, acredita ser aquele eu [*moi*] a quem vê no espelho. Trata-se de um engodo, é claro, já que o discurso desse eu [*moi*] é um discurso consciente, que faz "semblante" de ser o único discurso possível do indivíduo, enquanto existe, como que nas entrelinhas, o discurso não controlável do sujeito do inconsciente.

Consideradas essas bases, podemos compreender a interpretação lacaniana da célebre frase de Freud nas *Novas conferências introdutórias sobre psicanálise*: "*Wo Es war, soll Ich werden*". Lacan traduz essa frase da seguinte maneira: "Ali onde isso era, eu devo advir." Para ele, trata-se de mostrar que o eu não pode surgir no lugar do isso, mas que o sujeito (*je*) deve estar ali onde se encontra o isso, determinado por ele, pelo significante.

• Sigmund Freud, *La Naissance de la psychanalyse* (Londres, 1950), Paris, PUF, 1956; *Briefe an Wilhelm Fliess, 1887-1904*, Frankfurt, Fischer, 1986; *A interpretação dos sonhos* (1900), *ESB*, IV-V, 1-660; *GW*, II-III, 1-642; *SE*, IV-V, 1-621; Paris, PUF, 1967; *Três ensaios sobre a teoria da sexualidade* (1905), *ESB*, VII, 129-212; *GW*, V, 29-145; *SE*, VII, 123-243; Paris, Gallimard, 1987; "A concepção psicanalítica da perturbação psicogênica da visão" (1910), *ESB*, XI, 197-206; *GW*, VIII, 94-102; *SE*, XI, 209-18; *OC*, X, 177-86; "Sobre o narcisismo: uma introdução" (1914), *ESB*, XIV, 89-122; *GW*, X, 138-70; *SE*, XIV, 67-102; in *La Vie sexuelle*, Paris, PUF, 1969, 80-105; "Luto e melancolia" (1915-1917), *ESB*, XIV, 275-92; *GW*, X, 427-46; *SE*, XIV, 237-58; *OC*, XIII, 259-78; "Mais-além do princípio do prazer" (1920), *ESB*, XVIII, 17-90; *GW*, XIII, 3-69; *SE*, XVIII, 1-64; in *Essais de psychanalyse*, Paris, Payot, 1981, 41-115; "Psicologia das massas e análise do eu" (1921), *ESB*, XVIII, 91-184; *GW*, XIII, 73-161; *SE*, XVIII, 65-143; *OC*, XVI, 1-83; "O eu e o isso" (1923), *ESB*, XIX, 23-76; *GW*, XIII, 237-89; *SE*, XIX, 1-59; *OC*, XVI, 255-301 • Sigmund Freud e Josef Breuer, *Estudos sobre a histeria* (1895), *ESB*, II; *GW*, I, 77-312; *SE*, II; Paris, PUF, 1956 • Joël Dor, *Introdução à leitura de Lacan*, t. I (Paris, 1985), P. Alegre, Artes Médicas, 1992 • Henri F. Ellenberger, *Histoire de la découverte de l'inconscient* (N. York, Londres, 1970, Villeurbanne, 1974), Paris, Fayard, 1994 • Anna Freud, *O ego e os mecanismos de defesa* (Londres, 1936), Rio de Janeiro, Civilização Brasileira, 1982, 6ª ed. • Heinz Kohut, *Le Soi* (N. York, 1971), Paris, PUF, 1991; *The Restoration of the Self*, N. York, International Universities Press, 1977 • Jacques Lacan, "O estádio do espelho como formador da função do eu" (1949), in *Escritos* (Paris, 1966), Rio de Janeiro, Jorge Zahar, 1998, 96-103; "Função e campo da fala e da linguagem em psicanálise" (1953), ibid., 238-324; "Introdução ao comentário de Jean Hyppolite sobre a *Verneinung* de Freud" (1954), ibid., 370-82; "A coisa freudiana ou Sentido do retorno a Freud em psicanálise" (1955), ibid., 402-37; "Observação sobre o relatório de Daniel Lagache: Psicanálise e estrutura da personalidade" (1960), ibid., 653-91; "De nossos antecedentes", ibid., 69-76; O Seminário, livro 2, *O eu na teoria de Freud e na técnica da psicanálise (1954-1955)* (Paris, 1978), Rio de Janeiro, Jorge Zahar, 1985 • Jean Laplanche e Jean-Bertrand Pontalis, *Vocabulário da psicanálise* (Paris, 1967), S. Paulo, Martins Fontes, 1991, 2ª ed. • Agnès Oppenheimer, *Kohut et la psychologie du self*, Paris, PUF, 1996 • Élisabeth Roudinesco, *História da psicanálise na França*, vol.2 (Paris, 1986), Rio de Janeiro, Jorge Zahar, 1988.

eu autônomo

➢ *EGO PSYCHOLOGY*; HARTMANN, HEINZ.

Eu e o isso, O

Livro publicado por Sigmund Freud* em 1923, sob o título **Das Ich und das Es**. *Traduzido para o francês pela primeira vez em 1927, por Samuel Jankélévitch, sob o título* **Le Moi et le Soi**. *Essa tradução foi revisada por Angelo Hesnard* e reeditada em 1966, sob o título* **Le Moi et le Ça**. *Uma nova tradução foi feita em 1981 por Jean Laplanche e Jean-Bertrand Pontalis, sob o título* **Le Moi et le Ça**, *e depois, em 1991, por Catherine Baliteau, Albert Bloch e Joseph-Marie Rondeau, sem modificação*

do título. Traduzido pela primeira vez para o inglês por Joan Riviere*, em 1927, sob o título **The Ego and the Id**. *Essa tradução foi revista por James Strachey* e republicada em 1961, sem alteração do título.*

Desde seu lançamento, *O eu e o isso* foi acolhido com entusiasmo pela comunidade psicanalítica, ainda que alguns tenham feito certas reservas à homenagem nele prestada por Sigmund Freud a Georg Groddeck*, autor do *Livro d'isso*, publicado alguns meses antes.

Como atestam as cartas endereçadas a Sandor Ferenczi* e a Otto Rank* durante o verão de 1922, Freud estava perfeitamente cônscio de dar continuidade, através desse terceiro ensaio, à vasta reformulação teórica iniciada com *Mais-além do princípio de prazer* e prosseguida na *Psicologia das massas e análise do eu**. Essa continuidade é afirmada logo nas primeiras linhas do livro, mas Freud esclarece que, desta vez, não se tomará "nenhum novo empréstimo da biologia", sendo seu objetivo manter-se o mais próximo possível da psicanálise*.

O primeiro capítulo é uma rememoração do caminho percorrido pela psicanálise. Esta, mediante o estudo do sonho* e da hipnose*, conseguiu aprimorar (e depois, superar) a clássica oposição entre o consciente* e o inconsciente*. Para isso, estabeleceu uma distinção entre a abordagem descritiva dos processos psíquicos e a abordagem dinâmica (psicanalítica, propriamente dita) desses mesmos processos. Isso se aplica sobretudo ao termo inconsciente, que, no sentido descritivo, designa processos psíquicos latentes, suscetíveis de se tornarem conscientes, aos quais a psicanálise deu a denominação de pré-consciente*, e, no sentido dinâmico, designa o material psíquico recalcado, que somente a técnica psicanalítica é capaz de tornar consciente, logrando vencer as resistências* que se opõem a essa transformação. A psicanálise, desse modo, propôs uma representação tópica do psiquismo que comportava três instâncias — o consciente (*Cs*), o pré-consciente (*Pcs*) e o inconsciente (*Ics*) —, instâncias "cujo sentido não é mais simplesmente descritivo".

O prosseguimento do trabalho psicanalítico, entretanto, demonstrou a insuficiência dessa elaboração, em virtude da descoberta de uma organização psíquica coerente e unitária à qual os psicanalistas deram o nome de eu*. Num primeiro momento, esse eu foi concebido como estreitamente ligado à consciência* e considerado responsável pelas relações entre a organização psíquica e as informações vindas de fora. Depois, a experiência dos tratamentos psicanalíticos permitiu constatar a existência, qualquer que fosse a boa vontade de que davam mostra os pacientes em suas associações livres*, de resistências inconscientes, opostas à suspensão do recalcamento e provenientes do eu. Daí esta constatação, efetuada já em 1915, num artigo metapsicológico dedicado ao inconsciente: se todo o recalcado era inconsciente, o inconsciente não coincidia inteiramente com o recalcado. A existência de uma parte inconsciente no eu, oposta por clivagem* ao eu coerente, impunha que se reconhecesse a existência de três inconscientes: um inconsciente assimilável ao recalcado, um inconsciente dependente do eu, distinto do recalcado, e um inconsciente latente, o pré-consciente. Ao mesmo tempo, já não era possível definir a neurose* como o resultado de um conflito entre o consciente e o inconsciente.

Com efeito, a pesquisa psicanalítica atestou que, entre essas duas instâncias, era imperativamente necessário levar em conta o eu, placa giratória que participa da consciência e das percepções externas, engloba o pré-consciente e comporta uma parte inconsciente. Como explicar a complexidade dessa nova instância, o eu, cujo lugar na elaboração teórica vinha se tornando essencial?

A resposta a essa pergunta constitui o momento chave da obra. Apoiando-se no texto de Groddeck, Freud estabelece uma distinção fundamental entre um eu consciente e o eu "passivo" groddeckiano, isto é, um eu inconsciente, que ele passa desde então a chamar, "à maneira de Groddeck", de isso. Por esse prisma, o eu torna-se uma instância intermediária, por um lado ligada ao mundo externo, através do sistema percepção-consciência e, por outro, ao isso, com o qual ele se funde, mas sobre o qual se empenha em exercer uma função pacificadora: "A percepção desempenha para o eu o papel que, no isso, compete à pulsão*. O eu representa o que podemos denominar de razão e bom senso, em oposição ao isso, que tem por conteúdo as paixões."

A complexa relação do eu com o isso assemelha-se, diz Freud, à do "cavaleiro com o cavalo, cuja força superior ele tem que refrear, com a diferença de que o cavaleiro se empenha nisso com suas próprias forças, enquanto o eu o faz com forças emprestadas". A rigor, a comparação vai ainda mais longe: "Assim como o cavaleiro, não querendo separar-se de seu cavalo, muitas vezes não tem outra saída senão conduzi-lo por onde ele quer ir, também o eu tem o costume de transformar em ação a vontade do isso, como se fosse a dele mesmo." Para proteger essa nova elaboração contra qualquer forma de interpretação moral, Freud rejeita a idéia de um inconsciente como sede privilegiada das paixões mais vis, oposto a uma consciência que seria a sede das mais nobres atividades intelectuais. Com esse intuito, ele lembra que é freqüente um trabalho intelectual delicado encontrar sua solução de maneira inconsciente, em particular durante o sono. À guisa de conclusão, Freud reafirma a primazia da escala dos valores psicanalíticos, declarando: "Não é apenas o mais profundo, mas também o mais elevado no eu que pode ser inconsciente."

Se as coisas pudessem ficar por aí, esclarece Freud no limiar do terceiro capítulo, a situação seria simples. Mas o eu não tem apenas o isso como adversário e rival: tem também que se confrontar com uma outra instância, a terceira dessa nova tópica que vai ganhando forma, o supereu*.

Essa entidade fora objeto de uma primeira elaboração em 1914, na "Introdução ao narcisismo". Freud dava então o nome de ideal do eu a uma função do eu. Depois, em 1921, em *Psicologia das massas e análise do eu*, a função transformara-se numa instância, conservando o mesmo nome. E agora aparece um novo termo, o supereu, considerado equivalente ou sinônimo do ideal do eu. Daí o título do capítulo, "O eu e o supereu (ideal do eu)". Desse momento em diante, o ideal do eu deixa de ser concebido como herdeiro do narcisismo primário. Na perspectiva inaugurada em 1921, a ênfase é colocada na problemática da identificação*.

Primeiramente, faz-se referência ao texto da metapsicologia* intitulado "Luto e melancolia", que apresentava a hipótese de uma reinscrição, no eu, do objeto perdido, causa da afecção dolorosa. Esse processo, que consiste na substituição de um investimento* objetal por uma identificação, logo se evidenciou, explica Freud, como emblemático do desenvolvimento psicológico. Os investimentos objetais partem do isso, concebido como o grande reservatório da libido*; são produto das pulsões sexuais das quais o eu procura se defender por meio do recalque*. De maneira mais ou menos sistemática, todo abandono do objeto sexual traduz-se por uma modificação do eu, que, como na melancolia*, apropria-se do objeto por identificação. Esse processo, diz Freud, é suficientemente freqüente para "concebermos que o caráter do eu resulta da sedimentação dos investimentos objetais abandonados". As primeiras identificações, as da primeira infância, têm um caráter geral e duradouro, e uma delas, a primeira, é responsável pelo nascimento do ideal do eu: trata-se da identificação com o pai.

Dois fatores devem ser levados em conta na gênese do ideal do eu/supereu: o complexo de Édipo* e a natureza bissexual de todo indivíduo. Isso dá ensejo a que Freud efetue uma longa elaboração, que leva, como fora anunciado em 1921 na *Psicologia das massas e análise do eu*, à exposição da chamada forma "completa" do complexo de Édipo. A bissexualidade* inerente a todo ser humano intervém de duas maneiras no destino do complexo de Édipo. Primeiro, a propósito da identificação final com o pai ou com a mãe: essa dependerá, diz Freud, "da força relativa, em ambos os sexos, das predisposições sexuais masculina e feminina". Segundo, a propósito da forma, positiva ou negativa, assumida por essa estrutura relacional, cuja extrema complexidade é revelada pela primeira vez: "O menino não tem apenas uma postura ambivalente em relação ao pai e uma escolha objetal terna pela mãe, mas se comporta, ao mesmo tempo, como uma menina, manifestando a postura feminina terna para com o pai e a postura correspondente de hostilidade enciumada em relação à mãe." A experiência analítica, esclarece Freud, atesta que, na maioria das vezes, deparamos com formas intermediárias do complexo, devendo o analista discernir a forma de arranjo que está em ação neste ou naquele perfil patológico.

O supereu, entretanto, não é apenas a resultante das primeiras escolhas de objeto do isso, mas também uma formação reativa contra esses objetos: ao mesmo tempo, ele é ordem — "tens que ser assim (como o pai)" — e proibição: "não tens direito de ser assim (como o pai)". Seja qual for a forma do complexo de Édipo, positiva, negativa ou intermediária, e seja qual for sua resolução final, o supereu conserva o caráter do pai: "Quanto mais forte é o complexo de Édipo e quanto mais depressa se produz seu recalcamento (sob a influência da autoridade, da instrução religiosa, do ensino, das leituras), mais severa será, posteriormente, a dominação do supereu sobre o eu como consciência moral, ou até como sentimento de culpa inconsciente." O ideal do eu/supereu aparece, portanto, como o herdeiro do complexo de Édipo, e constitui, por isso mesmo, a expressão mais acabada do desenvolvimento da libido do isso. Se o eu é o agente da realidade externa, o supereu confronta-se com ele como representante do mundo interno, do isso. A oposição consciente/inconsciente aprimora-se, os conflitos neuróticos passam, desde então, a ter como protagonistas o eu e o supereu, e resultam de uma oposição entre o externo e o interno, entre o real e o psíquico.

O quarto capítulo tem por objeto o relacionamento dessa nova tópica com o dualismo pulsional elaborado em *Mais-além do princípio de prazer*, do qual Freud propõe uma rememoração sumária, insistindo nas formas de fusão e desfusão dos dois tipos de pulsões, pulsões de vida e pulsões de morte. O sadismo*, em sua forma de componente da pulsão sexual, é um exemplo de fusão pulsional a serviço de uma finalidade, porém o sadismo que se torna independente, revestindo-se da forma de uma perversão*, é um exemplo igualmente comprobatório de desfusão pulsional. Outros exemplos de desfusão pulsional são as diversas formas de regressão e, em termos mais gerais, as formas de neuroses graves que levam à dominação da pulsão de morte. Inversamente, o desenvolvimento harmonioso do psiquismo, a passagem de um estádio para outro, atestam uma união pulsional.

Essas considerações levam à formulação de duas perguntas centrais, cuja abordagem revela-se também um modo de testar a validade da hipótese da pulsão de morte. Será possível descobrirmos, indaga-se Freud, "relações fecundas entre, de um lado, as formações cuja existência admitimos, o eu, o supereu e o isso, e de outro, as duas espécies de pulsões?" Que acontece com a posição do princípio de prazer* em relação à dualidade pulsional e à nova tópica que acaba de ser instaurada?

Antes de responder, Freud submete mais uma vez ao exame clínico a distinção entre os dois tipos de pulsões, chegando até a fingir que espera encontrar razões para revogar esse dualismo. Daí seu recurso à análise atenta das relações de amor/ódio no contexto da clínica da paranóia*. Se realmente observamos nela diversas modalidades de transformação do amor em ódio e vice-versa, essas modificações decorrem de uma mudança interna, e não de uma diferença de comportamento do objeto. Assim, não se pode falar, nesse caso, numa transformação direta do amor em ódio, cuja existência conduziria ao questionamento do dualismo pulsional.

Mas essa discussão faz surgir a hipótese da existência, na vida psíquica, de uma energia passível de deslocamento, cuja localização inicial é desconhecida, mas que sabemos ser capaz de passar de uma pulsão erótica para outra, destrutiva, para aumentar seu investimento total. De fato, o exame das pulsões sexuais parciais já permitira identificar esse processo, e é possível formular a hipótese de que essa energia deslocável provém da reserva de libido narcísica, isto é, de uma forma de libido dessexualizada, "sublimada", que participa da aspiração unitária do eu.

Freud esclarece a esse respeito que, se incluirmos "nesses deslocamentos os processos de pensamento em sentido lato, veremos que também o trabalho do pensamento é alimentado pela sublimação de forças pulsionais eróticas". Aí reencontramos uma observação inicialmente feita a respeito da recuperação, por parte do eu, dos investimentos objetais do isso, e podemos discernir melhor a manobra do eu que procura impor-se como objeto exclusivo de amor. O eu, observa Freud, coloca-se então a serviço das moções pulsionais opostas a *Eros*, e nisso podemos realmente falar de um narcisismo secundário, um narcisismo do eu, correndo o risco de

reencontrar o perigo encontrado no texto de 1914, o de um abandono de qualquer dualismo pulsional.

Na realidade, trata-se de um efeito superficial, conseqüência do ativismo e da algazarra das pulsões de vida, que servem de anteparo ao silêncio, já observado em *Mais-além do princípio de prazer*, das pulsões de morte. Como prova disso Freud expõe a maneira como o isso se defende das tensões provocadas pelas reivindicações das pulsões sexuais. É justamente isso que acontece no âmbito da satisfação sexual, cuja finalidade é constituída pela rejeição das substâncias sexuais portadoras de tensões eróticas. Freud observa a semelhança existente entre o estado que sucede à obtenção dessa satisfação e o momento da morte. Convencido de introduzir desse modo um argumento suplementar a favor de sua nova teoria das pulsões, ele não hesita em recorrer ao exemplo daqueles "animais inferiores" entre os quais o ato de procriação coincide com a morte: "Esses seres vivos morrem da reprodução, na medida em que, sendo eros posto de lado pela satisfação, a pulsão de morte fica com as mãos livres para executar seus desígnios."

O último capítulo do livro é dedicado ao sentimento de culpa e às formas de dependência do eu. Ele começa por uma recapitulação das características do supereu, do qual Freud sublinha a propensão, ao longo de toda a evolução psicológica, a se opor ao eu. O supereu, escreve ele, é "o memorial da fraqueza e da dependência que outrora foram próprias do eu, e perpetua sua dominação até mesmo sobre o eu amadurecido". Por suas origens, o supereu permanece muito próximo do isso, representa-o junto ao eu e, desse modo, mantém-se "mais afastado da consciência do que o eu".

Para ilustrar essa colocação, Freud, fiel ao que fora anunciado, apóia-se na clínica psicanalítica durante a maior parte desse capítulo. Começa retornando a algumas antigas observações que aguardavam uma elaboração teórica. Refere-se a alguns pacientes cujo estado se agrava quando o analista se arrisca a lhes participar a evolução positiva do tratamento: "Não apenas", diz ele, "(...) essas pessoas não suportam ser elogiadas nem reconhecidas, como também (...) reagem de maneira inversa ao progresso da análise". Trata-se, muito simplesmente, de uma "reação terapêutica negativa", isto é, da manifestação de um fator oposto à cura, vivida como um perigo. Além da resistência* clássica, o analista confronta-se, pois, com uma "inacessibilidade narcísica", uma oposição de caráter moral, um "sentimento de culpa", marcas de uma recusa a renunciar à punição representada pelo sofrimento. Tal explicação ainda é insatisfatória, uma vez que não esclarece a ausência, na consciência do paciente, de qualquer sensação de culpa. O paciente sente-se enfermo e se mantém inacessível à idéia de uma recusa, de sua parte, a qualquer forma de cura. Tal situação pode estender-se para muito além de alguns casos graves, e essa generalização leva Freud a propor que se reconheça nesse processo um efeito do comportamento do ideal do eu. O recurso à clínica de diversas formas de patologia permite distinguir os vários aspectos dessa relação entre o supereu e o sentimento de culpa.

Na melancolia e na neurose obsessiva*, o sentimento de culpa persiste e corresponde ao que chamamos "consciência moral". Em ambos os casos, o ideal do eu investe contra o eu com rara ferocidade, mas as formas dessa severidade e as respostas do eu são diferentes. Na neurose obsessiva, o paciente recusa sua culpa e pede ajuda. Confrontado com uma aliança entre o supereu e o isso, desconhece as razões da repressão de que é vítima. Na melancolia, o eu se reconhece culpado e podemos formular a hipótese de que o objeto da culpa já está no eu, como produto da identificação.

Em outros casos, como na neurose histérica, por exemplo, o sentimento de culpa é totalmente inconsciente. Posto em perigo por percepções dolorosas, provenientes do supereu, o eu, contrariando seu senhor, serve-se então do recalque, quando de praxe coloca esse recalque a serviço dele.

Na medida em que a consciência moral encontra sua origem no complexo de Édipo, o sentimento de culpa permanece essencialmente inconsciente. Se de fato podemos afirmar a independência do supereu em relação ao eu e a estreiteza de suas relações com o isso, como explicar essa severidade do supereu para com o eu, responsável por tal sentimento de culpa? Mais uma vez, as respostas variam em função

da clínica. No caso da melancolia, o supereu se apodera do sadismo para arrasar o eu. Mas se trata, nessa situação, daquela parcela do sadismo que é irredutível ao amor: sua instalação no supereu e seus ataques exclusivamente dirigidos contra o eu constituem o caso singular de uma dominação absoluta da pulsão de morte, passível, com muita freqüência, de levar o eu a seu fim. Na neurose obsessiva, o sujeito, mesmo sendo exposto a recriminações igualmente duras, nunca chega, por assim dizer, à autodestruição: diversamente do histérico, ele mantém uma relação com o objeto contra o qual as pulsões destrutivas podem inverter-se em pulsões de agressão.

Assim, a melancolia realmente constitui o caso excepcional em que as pulsões de morte, em virtude de uma desfusão, reencontram-se sozinhas, em estado puro, reunidas no supereu. Nos outros casos, as pulsões de morte ora são transformadas em pulsões agressivas, voltadas para fora, ora refreadas por sua ligação com elementos pulsionais eróticos.

Por que essa especificidade da melancolia, cujo quadro clínico de fato parece constituir o argumento decisivo a favor da existência das pulsões de morte? Um primeiro elemento de resposta, observa Freud, nisso contrariando o senso comum, é que, quanto mais um homem restringe sua agressividade contra o exterior, mais ele a aumenta em relação a si mesmo. Podemos inclusive encontrar nisso, esclarece Freud, os fundamentos da concepção do ser superior que pune, do Deus vingador e repressivo.

Indo mais longe, Freud recorda a gênese do supereu: nela, a identificação com o modelo paterno é acompanhada por uma dessexualização ou mesmo por uma sublimação* e uma desfusão pulsional. A pulsão destrutiva fica então livre, uma vez que eros, em virtude da sublimação, já não pode ligar as moções pulsionais entre si. A crueldade e o sentido de dever imperativo que caracterizam o ideal podem ser concebidos como efeitos dessa desfusão.

Esses avanços permitem aperfeiçoar a concepção psicanalítica do eu, transformado numa instância completa dessa nova tópica. Nesse ponto, Freud se mostra hesitante, ora achando que o eu pode conquistar o isso, ora que ele se mantém como um servo dilacerado, complacente ou obsequioso do isso, do supereu e da realidade externa. Quanto ao isso, é freqüente ele tentar submetê-lo à dominação muda e poderosa das pulsões de morte, com o risco de subestimar o papel de eros.

A natureza dessas incertezas mostra que a grande reformulação de 1920, de qualquer modo, atinge com esse ensaio um ponto irreversível. Não obstante, permanecem em suspenso algumas perguntas que só encontrarão suas respostas mais ou menos definitivas posteriormente: em 1924, em "O problema econômico do masoquismo", em 1930, em "O mal-estar na cultura"*, e em 1933, na trigésima primeira das *Novas conferências introdutórias sobre psicanálise*. Note-se que, nesta última conferência, intitulada "A decomposição da personalidade psíquica", Freud atribui um lugar essencial ao supereu, ao passo que o ideal do eu não é mais do que um aspecto do supereu ligado à antiga representação parental.

Por fim, é nesse texto que aparece esta célebre frase, que viria a receber traduções diversas, conforme as diferentes escolas psicanalíticas: "*Wo Es war, soll Ich werden.*" Para Freud, trata-se de atribuir à cultura uma nova tarefa, cuja importância, em suas palavras, é comparável à secagem do Zuiderzee.

• Sigmund Freud, *A interpretação dos sonhos* (1900), *ESB*, IV-V, 1-660; *GW*, II-III, 1-642; *SE*, IV-V, 1-621; Paris, PUF, 1967; "Formulações sobre os dois princípios do funcionamento mental" (1911), *ESB*, XII, 277-90; *GW*, VIII, 230-8; *SE*, XII, 213-26; in *Résultats, idées, problèmes*, vol.I, Paris, PUF, 1984, 135-43; "Sobre o narcisismo: uma introdução" (1914), *ESB*, XIV, 89-122; *GW*, X, 138-70; *SE*, XIV, 67-102; in *La Vie sexuelle*, Paris, PUF, 1969, 81-105; "Luto e melancolia" (1917), *ESB*, XIV, 275-92; *GW*, X, 427-46; *SE*, XIV, 237-58; *OC*, XIII, 259-78; "O inconsciente" (1915), *ESB*, XIV, 191-233; *GW*, X, 263-303; *SE*, XIV, 159-204; *OC*, XIII, 203-42; *Mais-além do princípio do prazer* (1920), *ESB*, XVIII, 17-90; *GW*, XIII, 3-69; *SE*, XVIII, 1-64; *OC*, XV, 273-339; "Psicologia das massas e análise do eu" (1921), *ESB*, XVIII, 91-184; *GW*, XIII, 73-161; *SE*, XVIII, 65-143; *OC*, XVI, 1-83; *O eu e o isso* (1923), *ESB*, XIX, 23-76; *GW*, XIII, 237-89; *SE*, XIX, 1-59; *OC*, XVI, 255-303; "O problema econômico do masoquismo" (1924), *ESB*, XIX, 199-216; *GW*, XIII, 371-83; *SE*, XIX, 139-45; *OC*, XVII, 9-23; *Novas conferências introdutórias sobre psicanálise* (1933), *ESB*, XXII, 15-226; *GW*, XV; *SE*, XXII, 5-182; *OC*, XIX, 83-268 • Georg Groddeck, *O livro d'isso* (Viena, 1923), S. Paulo, Perspectiva, • Peter Gay, *Freud, uma vida para o nosso tempo* (N. York, 1988), S. Paulo, Companhia das Letras, 1995 • Jean-Luc Donnet, *Surmoi. Le Concept freudien et la règle fondamentale*, monografias da *Revue Française de Psychanalyse*, Paris, PUF, 1995.

eu ideal
➢ IDEAL DO EU.

Europa
➢ ALEMANHA; BÉLGICA; BETLHEIM, STJEPAN; DOSUZKOV, THEODOR; EMBIRICOS, ANDREAS; ESCANDINÁVIA; ESPANHA; FEDERAÇÃO EUROPÉIA DE PSICANÁLISE; FRANÇA; GRÃ-BRETANHA; HAAS, LADISLAV; HISTÓRIA DA PSICANÁLISE; HUNGRIA; ITÁLIA; KOURETAS, DIMITRI; PAÍSES BAIXOS; ROMÊNIA; RÚSSIA; SUGAR, NIKOLA; SUÍÇA; TRIANDAFILIDIS, MANOLIS.

excomunhão
➢ CISÃO.

Ey, Henri (1900-1977)
psiquiatra francês

Nascido em Banyuls-dels-Aspres, na região catalã, esse homem caloroso, gourmet refinado, grande fumante de charutos e apaixonado por tauromaquia, ocupa na história do movimento psiquiátrico francês um lugar equivalente ao de Jacques Lacan* na França* freudiana. Foi colega de residência deste no Hospital Sainte-Anne nos anos 1930. Aluno de Henri Claude*, assumiu em 1933 a direção do hospital psiquiátrico de Bonneval, situado na Beauce, onde praticou uma nova abordagem das doenças mentais, inspirada nos trabalhos de Sigmund Freud* e de Eugen Bleuler*.

Durante toda a vida, defendeu vigorosamente uma concepção humanista da psiquiatria. Foi com essa orientação que dirigiu a revista *L'Évolution Psychiatrique* a partir de 1945, fundou em 1950 a Association Mondiale de Psychiatrie e organizou em Bonneval os famosos colóquios reunindo psicanalistas, psiquiatras e pensadores de todas as tendências, com um espírito de abertura e ecletismo.

Em 1936, elaborou a noção, desde então clássica, de organo-dinamicismo. Inspirada na neurologia jacksoniana, da qual Freud adotou alguns dos instrumentos teóricos, essa doutrina afirma a prioridade da hierarquia das funções sobre a sua organização estática. Considera as funções psíquicas como dependentes entre si, de cima para baixo. Assim, Henri Ey se opunha à doutrina dita das constituições, proveniente da dupla tradição alemã e francesa.

Se Hughlings Jackson* libertou a neurologia de seus pressupostos mecanicistas, Freud abandonou a neurologia para fundar uma nova teoria do inconsciente* e dar à psiquiatria uma concepção inédita da loucura*. Ora, segundo Ey, era preciso reunir a neurologia à psiquiatria, para dotar esta última de uma verdadeira teoria capaz de integrar o freudismo.

Para Ey, a psicanálise era a herdeira da psiquiatria. Na verdade, era um ramo da psiquiatria dinâmica*, e ambas dependiam da medicina. A partir dessa posição, Henri Ey contestaria durante os anos 1960 os princípios da antipsiquiatria*. Também se oporia às teses de Michel Foucault (1926-1984) sobre a questão da loucura, julgando-as "psiquiatricidas".

Apesar de todos os esforços que fez, visando o desenvolvimento de uma psiquiatria humanista que levasse em conta ao mesmo tempo a subjetividade do doente e a nosografia clássica, a Association Mondiale de Psychiatrie, tornando-se inteiramente americana sob o nome de World Psychiatric Association (WPA), nada guardou de sua herança clínica e, no fim do século XX, recorreria apenas à farmacologia, reduzindo assim o fenômeno da loucura a sintomas puramente comportamentalistas, desprovidos de qualquer significação para os próprios sujeitos: um verdadeiro retorno ao niilismo terapêutico que Freud combatera em sua época.

• Henri Ey, *Hallucinations et délires*, Paris, Alcan, 1934; (org.) *Manuel de psychiatrie*, Paris, Masson, 1960; *La Conscience*, Paris, Desclée de Brouwer, 1963; *Traité des hallucinations*, Paris, Masson, 1977; *Naissance de la médecine*, Paris, Masson, 1891; *Schizophrénie. Études cliniques et psychopathologiques*, Paris, Synthélabo, col. "Les empêcheurs de penser en rond", 1996 • Michel Foucault, *História da loucura na idade clássica* (Paris, 1962), S. Paulo, Perspectiva, 1978 • Élisabeth Roudinesco, *História da psicanálise na França*, vol.2 (Paris, 1986), Rio de Janeiro, Jorge Zahar, 1988 • Pierre Morel (org.), *Dicionário biográfico psi* (Paris, 1996), Rio de Janeiro, Jorge Zahar, 1997.

F

Fachinelli, Elvio (1928-1989)

psicanalista italiano

Eminente figura da tendência contestatária e radical dos anos 1970 na Itália*, Elvio Fachinelli é conhecido como um dos promotores do contra-congresso que se realizou em Roma em 1969, ao mesmo tempo que o congresso da poderosíssima e muito conservadora International Psychoanalytical Association* (IPA).

Esse movimento, que teve grande repercussão nos meios de comunicação, questionava as estruturas hierárquicas da Società Psicoanalitica Italiana (SPI), assim como os critérios de formação dos analistas. Os resultados se fizeram sentir alguns anos depois sob a forma de uma reorganização da SPI, que estabeleceu uma distinção entre os centros, em número de seis na Itália, que estavam encarregados da difusão cultural, e os institutos, em número de três, responsáveis pela formação.

Influenciado pelas idéias de Jacques Lacan*, que ele contribuiu para divulgar na Itália já em 1965, Elvio Fachinelli foi também sensível a todas as teses anti-autoritárias, às de Wilhelm Reich*, às de Herbert Marcuse*, às dos vários componentes dos movimentos feministas.

Sensível às novas aspirações políticas, Fachinelli, com Enzo Morpurgo, Diego Napolitani e outros, fez com que a psicanálise pudesse participar, fora das estruturas institucionais ortodoxas, de todas as experiências em curso nos subúrbios das grandes cidades, principalmente em Milão. Elvio Fachinelli, que teve um de seus livros traduzidos em francês, foi o fundador da revista *L'Èrba voglio*, que contou até 2.500 assinantes nos anos 1970 e que depois foi transformada em casa editora.

• Sergio Benvenuto, "A glance at psychoanalysis in Italy", artigo inédito • Contardo Calligaris, "Petite histoire de la psychanalyse en Italie", *Critique*, 333, fevereiro de 1975 • Michel David, "La Psychanalyse en Italie", in Roland Jaccard (org.), *Histoire de la psychanalyse*, vol.2, Paris, Hachette, 1982 • Elvio Fachinelli, *L'École de l'impossible*, Paris, Mercure de France, 1972 • Silvia Vegetti Finzi, *Storia della psicoanalisi*, Milão, Mondadori, 1986.

➤ COMUNISMO; DIFERENÇA SEXUAL; FEDERAÇÃO EUROPÉIA DE PSICANÁLISE; FREUDO-MARXISMO; MUSATTI, CESARE.

Fairbairn, Ronald (1889-1964)

médico e psicanalista inglês

Nascido em Edimburgo, Ronald Fairbairn estudou teologia e filosofia, antes de se orientar para a medicina e para a psicoterapia*. Clínico nos meios hospitalares, professor na universidade, consagrou-se em tempo integral à psicanálise a partir de 1954. Era o único membro da British Psychoanalytical Society (BPS) a trabalhar nessa cidade e nunca foi verdadeiramente reconhecido por seus pares. Inicialmente favorável às teses kleinianas, integrou-se depois ao grupo dos Independentes*. Teórico da relação de objeto*, elaborou uma posição original, considerando que os objetos externos são transformados pelos processos inconscientes. Como clínico da esquizofrenia* e da fobia*, foi um dos ardorosos defensores da doutrina do *self*, que contribuiu para desenvolver amplamente nos Estados Unidos*.

• Ronald Fairbairn, *Psycho-Analytic Studies of the Personality*, Londres, Tavistock, 1952 • Judith M. Hughes, *Reshaping the Psycho-analytic Domain*, Berkeley, University of California Press, 1988 • R.D. Hinshelwood, *Dicionário do pensamento kleiniano* (1989), P. Alegre, Artes Médicas, 1992 • Eric Rayner, *Le Groupe des "Indépendants" et la psychanalyse britannique* (Londres, 1991), Paris, PUF, 1994.

➢ KLEIN, MELANIE; KLEINISMO; POSIÇÃO DEPRES-
SIVA/POSIÇÃO ESQUIZO-PARANÓIDE; *SELF PSY-
CHOLOGY*.

falo

al. *Phallus*; esp. *falo*; fr. *phallus*; ing. *phallus*

Diversas palavras são empregadas para designar o órgão masculino. Se a palavra pênis
fica reservada ao membro real, a palavra falo,
derivada do latim, designa esse órgão mais no
sentido simbólico, ao passo que denominamos
de itifálico (do grego *ithus*, reto) o culto do falo
como símbolo do órgão masculino em ereção.
Investidos de suprema potência, tanto na celebração dos antigos mistérios quanto em diversas religiões pagãs ou orientais, os deuses itifá-
licos e o falo foram rejeitados pela religião
monoteísta, que considerava que eles remetiam
a um período bárbaro da humanidade, caracterizado por práticas orgíacas.

Altamente reivindicado por Sade no século
das Luzes, numa contestação radical do cristianismo, e mais tarde por Nietzsche, cem anos depois, o falo tornou-se, para as seitas do período
moderno, como tentaria mostrar Hermann Rorschach*, o instrumento de uma verdadeira sujeição dos membros da comunidade, obrigados
a obedecer às injunções sexuais do guru e a
idolatrar seu órgão. Na história da psicanálise*,
foi em nome de um culto biológico e sexológico
do órgão masculino que se desenvolveram todas as psicoterapias* de tipo orgástico.

O termo falo, portanto, só muito raramente
foi empregado por Sigmund Freud*, a propósito do fetichismo* ou da renegação*, e muitas
vezes como sinônimo de pênis. Em contrapartida, o adjetivo "fálico" ocupa um grande lugar
na teoria freudiana da libido* única (de essência
masculina), na doutrina da sexualidade feminina* e da diferença sexual* e, por fim, na concepção dos diferentes estádios* (oral, anal, fálico e genital). O falocentrismo* freudiano foi
objeto de uma vasta discussão, tanto no interior
do movimento psicanalítico, onde Melanie
Klein*, Ernest Jones* e a escola inglesa contestaram o monismo sexual em prol de um dualismo, quanto entre as feministas, que viram nessa
doutrina a expressão de um "falocratismo" ou
de um "falogocentrismo".

Foi Jacques Lacan*, nietzschiano de cultura
católica, admirador de Sade e amigo de Georges
Bataille (1897-1962), quem reatualizou a palavra falo, na mais pura tradição de um anticristianismo que ia buscar suas fontes no amor
místico e na filosofia platônica. Muito diversamente de Freud e dos kleinianos, portanto, Lacan afastou-se o máximo possível da concepção
biológica da sexualidade, interessando-se mais
pela perversão* do que pela neurose, pelo gozo* do que pelo prazer, pelo desejo* do que pela
necessidade, e pelo objeto (pequeno) *a** do que
pela pulsão*. Fascinado por todas as formas de
transgressão, mas habitado pela certeza de que
o falo é um atributo divino, inacessível ao homem, e não o órgão do prazer ou da soberania
viril, Lacan fez dele, a partir de julho de 1956,
o próprio significante* do desejo, aplicando-lhe
uma maiúscula e o evocando, antes de mais
nada, como o "falo imaginário", e depois como
o "falo da mãe", antes de passar finalmente à
idéia de "falo simbólico". Foi assim que ele
revisou a teoria freudiana dos estádios, da sexualidade feminina e da diferença sexual, mostrando que o complexo de Édipo* ou de castração* consiste numa dialética "hamletiana"
do ser: ser ou não ser o falo, tê-lo ou não o ter.

• Jacques Lacan, O Seminário, livro 3, *As psicoses
(1955-1956)* (Paris, 1981), Rio de Janeiro, Jorge Zahar, 1988, 2ª ed.; Le Séminaire, livre V, *Les Formations
de l'inconscient (1957-1958)*, inédito, resumido por
Jean-Bertrand Pontalis, *Bulletin de Psychologie*, vol. XI,
1957-1958, 4 e 5, vol. XII, 1958-1959, 2, 3 e 4; "A
significação do falo" (1958), in *Escritos* (Paris, 1966),
Rio de Janeiro, Jorge Zahar, 1998, 692-703 • Jérôme
Taillandier, "Le Phallus. Une note historique", *Esquisses Psychanalytiques*, 9, primavera de 1988, 199-201.

➢ FREUDISMO; GÊNERO; IMAGINÁRIO; REICH, WIL-
HELM; SEXOLOGIA; SIMBÓLICO.

falocentrismo

al. *Phallozentrismus*; esp. *falocentrismo*; fr. *phallo-
centrisme*; ing. *phallocentrism*

Esse termo, criado em 1927, pertence ao
vocabulário freudiano e se apóia na tradição
greco-latina, segundo a qual as diversas representações figuradas do órgão masculino orga-
nizavam-se num sistema simbólico. Ele remete
à teoria freudiana da sexualidade feminina* e
da diferença sexual* e designa uma doutrina

monista, em cujos termos só existiria no inconsciente* uma espécie de libido* de essência viril. Essa doutrina foi criticada por Melanie Klein*, Ernest Jones* e a escola inglesa de psicanálise, que lhe opuseram uma teoria dualista da diferença sexual.

Depois da Segunda Guerra Mundial, com o desenvolvimento do movimento feminista, a palavra falocentrismo adquiriu uma significação pejorativa, na medida em que foi assimilada a uma doutrina decorrente da "falocracia", isto é, de um modo de poder sexista, baseado na desigualdade e na dominação das mulheres pelos homens.

Em 1965, o filósofo francês Jacques Derrida forjou o termo falogocentrismo, a partir de falocentrismo e logocentrismo, para designar a primazia conferida pela filosofia ocidental ao logos platônico e à simbólica do falo*. Esse termo foi retomado em 1974 pela psicanalista francesa Luce Irigaray, no contexto de uma teoria diferencialista da sexualidade feminina. Em seguida, fez fortuna nos Estados Unidos* junto às feministas antifreudianas.

• Sigmund Freud, "Algumas conseqüências psíquicas das diferenças anatômicas entre os sexos" (1925), *ESB*, XIX, 309-24; *GW*, XIV, 19-30; *SE*, XIX, 248-58; *OC*, XVII, 189-202; "Sexualidade feminina" (1931), *ESB*, XXI, 259-82; *SE*, XXI; *OC*, XIX, 7-27 • Melanie Klein, *Contribuições à psicanálise* (Londres, 1965), S. Paulo, Mestre Jou, 1970 • Ernest Jones, *Théorie et pratique de la psychanalyse*, Paris, Payot, 1969 • Jacques Derrida, *Gramatologia* (1967), S. Paulo, Perspectiva, 1973 • Luce Irigaray, *Speculum de l'autre femme*, Paris, Minuit, 1974 • Juliet Mitchell, *Psychanalyse et féminisme* (Londres, 1974), Paris, Des Femmes, 1979; *Feminism and Psychoanalysis. A Critical Dictionary*, Oxford, Blackwell, 1992.

➢ ANTROPOLOGIA; BISSEXUALIDADE; CULTURALISMO; DEUTSCH, HELENE; GÊNERO; HOMOSSEXUALIDADE; HORNEY, KAREN; JUDEIDADE; SEXUAÇÃO, FÓRMULAS DA; SEXUALIDADE.

Fanon, Frantz (1925-1961)
escritor e psiquiatra francês

Herói da luta antinazista e figura de relevo no combate contra o colonialismo, Frantz Fanon nasceu em Fort-de-France, na Martinica, em um meio abastado. Sua mãe era de origem alsaciana, o que explica a escolha do seu nome, e seu pai trabalhava para a administração colonial. Filho ilegítimo de um casal de "sangue misturado", foi marcado, além disso, pelo fato de que era o mais escuro dos oito filhos da família. Ser o mais escuro, diria ele depois, era "ser o menos branco". Assim, não é surpreendente que tivesse se preocupado, durante toda a vida, com a questão Branco/Negro.

Entre 1939 e 1943, estudou no Liceu Schoelcher, onde Aimé Césaire ensinava. Depois, hostil à política do marechal Pétain, foi para Domínica, para alistar-se nas Forças Francesas Livres da região caraíba. No ano seguinte, aos 19 anos, combateu na frente européia e descobriu, nas fileiras do exército de libertação, que a França resistente não era menos racista do que a França pétainista e anti-semita. Foi enviado à Argélia e depois condecorado com a cruz de guerra pelo general Raoul Salan, comandante-em-chefe do 6º regimento de atiradores senegaleses.

Em 1947, graças a uma bolsa do governo, inscreveu-se na faculdade de medicina de Lyon e se especializou em psiquiatria. Foi então que iniciou a redação da sua tese, *Pele negra, máscaras brancas*, publicada em 1952, no ano em que se encontrava no Hospital de Saint-Alban. Ali, formado por François Tosquelles, integrou-se à grande corrente da psicoterapia institucional*, nascida na França com a luta antinazista. Antifreudiano, recusou-se a fazer análise e, em dezembro de 1953, foi nomeado médico-chefe do Hospital de Blida, na Argélia, onde passaria três anos tratando dos doentes mentais, no contexto da guerra de libertação nacional.

Pele negra, máscaras brancas era uma resposta à *Psicologia da colonização*, obra do psicanalista francês Octave Mannoni*, publicada em 1950. Mesmo julgando "sincero" o procedimento de seu adversário, Fanon o acusava de psicologizar a situação colonial e reduzir os conflitos entre o homem branco e o homem negro a um jogo sofisticado, que levava a manter o colonizado na dependência do colonizador.

Era uma crítica de peso e, depois dessa polêmica, Mannoni manteve com o seu próprio livro uma relação ambivalente, ora renegando algumas de suas teses, ora defendendo-as. Na verdade, nesse debate, cada um dos protagonistas adotava as teses que já tinham sido discutidas por Bronislaw Malinowski* e Geza Roheim*, a respeito de *Totem e tabu* e do alcance, universal ou não, do complexo de Édipo* no conjunto das sociedades humanas. Se Mannoni, antes mesmo de se tornar freudiano, defendia posições universalistas, corrigidas pela fenomenologia, Fanon, recusando o freudismo*, adotava o princípio de um culturalismo* cimentado pelo engajamento anticolonial. Era por isso que descartava a psicanálise*, por causa da sua suposta incapacidade de levar em conta a negritude ou a identidade negra: "Nem Freud* nem Adler*, nem mesmo o cósmico Jung* pensaram nos negros em suas pesquisas [...]. Queiram ou não, não é hoje nem amanhã que o complexo de Édipo nascerá entre os negros."

Entretanto, para construir sua teoria da identidade negra, baseava-se na noção de estádio do espelho* de Jacques Lacan*. Ela lhe permitia criticar a psiquiatria colonial, fundada em uma classificação "racista", e distinguir a abordagem culturalista da subjetividade da psicologia dos povos e do diferencialismo. Na mesma medida em que Mannoni se ligava a uma psicologia que o conduzia a considerar a situação colonial como um jogo de papéis ou uma brincadeira perversa, Fanon utilizava os conhecimentos da psicanálise para rejeitar o freudismo em nome de uma política. Nisso, ele antecipava as posições da antipsiquiatria*.

Próximo da Frente de Libertação Nacional (FLN), da qual se tornaria membro em 1957, Fanon demitiu-se de seu posto de médico-chefe em 1956 para ir para Tunis e empenhar-se ainda mais no combate. Ensinou na faculdade de medicina, praticou a psiquiatria no Hospital de Manouba, e depois, com Charles Géronimi, abriu um serviço diurno.

Continuou também a escrever. Em 1960, quando redigiu o seu grande livro, *Os condenados da terra*, o mais belo manifesto da revolta anticolonial, ficou sabendo que estava leucêmico. Morreu em dezembro de 1961, em um hospital de Washington, convencido do caráter inevitável da independência, pela qual tanto lutara.

Apaixonada lida e comentada no mundo inteiro, a obra de Fanon foi mitificada nos Estados Unidos*, onde o autor, com a auréola de herói da negritude, foi transformado nos anos 1990, pela sua referência ao estádio do espelho, em um "Lacan negro", mais psicanalista do que psiquiatra, e principalmente teórico

da hibridização cultural, isto é, de uma não-diferenciação entre a identidade negra e a identidade branca.

• Frantz Fanon, *Peau noire, masques blancs*, Paris, Seuil, 1952; *Les Damnés de la terre*, Paris, Maspero, 1968 • Aimé Césaire, *Discours sur le colonialisme* (1950), Paris, Présence africaine, 1973 • Jock McCullogh, *Black Soul, White Artifact. Fanon's Clinical Psychology and Social Theory*, Cambridge, Cambridge University Press, 1983 • Guillaume Suréna, "Psychanalyse et anticolonialisme. L'Influence de Frantz Fanon", *Revue Internationale d'Histoire de la Psychanalyse*, 5, 1992, 431-44 • Homi Bhabha, *The Location of Culture*, N. York, Routledge, 1993 • Françoise Vergès, "To cure and to free. The fanonian project of 'decolonized psychiatry'", in *Fanon. A Critical Reader*, Lewis R. Gordon, Renée T. White e T. Denean Sharpley-Whiting (orgs.), Oxford, Basil Blackwell, 1996; "Creole skin, black mask. Fanon and disavowal", in *Critical Inquiry*, Chicago University Press, 1996.

➢ ANTROPOLOGIA; DEVEREUX, GEORGES; DIFERENÇA SEXUAL; ETNOPSICANÁLISE; GÊNERO; JUDEIDADE.

fantasia

al. *Phantasie*; esp. *fantasía*; fr. *fantasme*; ing. *fantasy* ou *phantasy*

Termo utilizado por Sigmund Freud*, primeiro no sentido corrente que a língua alemã lhe confere (fantasia ou imaginação), depois como um conceito, a partir de 1897. Correlato da elaboração da noção de realidade psíquica* e do abandono da teoria da sedução*, designa a vida imaginária do sujeito* e a maneira como este representa para si mesmo sua história ou a história de suas origens: fala-se então de fantasia originária.

Em francês, a palavra fantasme foi forjada pelos primeiros tradutores da obra freudiana, num sentido conceitual não relacionado com a palavra [vernácula] fantaisie. Deriva do grego phantasma (aparição, transformada em "fantasma" no latim) e do adjetivo fantasmatique [fantasmático], outrora próximo, por sua significação, de fantomatique [fantasmal, fantasmagórico].

A escola kleiniana criou o termo phantasy (phantasia*), ao lado de fantasy. No Brasil também se usa "fantasma".

Por força de algumas declarações sumárias de Freud a esse respeito, a história oficial deu crédito, durante muito tempo, à idéia de um abandono definitivo da teoria da sedução* em

1897, imposto pela pressão da realidade em prol de uma teoria da fantasia.

No entanto, desde os *Estudos sobre a histeria**, Freud e Josef Breuer* tratam das manifestações fantasísticas das histéricas, e Breuer, mais ainda do que Freud, ao expor o caso de Anna O. (Bertha Pappenheim*), privilegia o registro da imaginação, das fantasias de sua paciente, sem dar grande importância aos acontecimentos vivenciados por ela. Diversas cartas de Freud a Wilhelm Fliess atestam, por outro lado, a evolução progressiva de Freud nessa questão. Assim, em 2 de maio de 1897, ele assinala que, se a estrutura da histeria* constitui-se pela reprodução de algumas cenas, talvez seja preciso, para chegar até elas, passar "pelas fantasias interpostas". Em 25 de maio seguinte, no manuscrito M, um parágrafo inteiro é dedicado às fantasias, consideradas do ponto de vista de sua formação e seu papel, em termos próximos aos que ele empregava para falar dos sonhos. Esse ponto encontra confirmação alguns dias depois, no manuscrito N, onde o processo de formação dos sonhos é evocado como modelo da formação das fantasias e dos sintomas.

Em 1964, numa perspectiva inspirada na tradição da história das ciências que foi enobrecida por Alexandre Koyré (1892-1964), Gaston Bachelard (1884-1962) e Georges Canguilhem (1904-1995), Jean Laplanche e Jean-Bertrand Pontalis tomaram a iniciativa de explorar os fundamentos epistemológicos desse momento chave da descoberta da psicanálise*. Relendo a teoria da sedução, esses autores mostraram que, para além do registro empírico do trauma, já se tratava, para Freud, de explicar a observação clínica do recalque* e de seu efeito privilegiado sobre a sexualidade*. O abandono da teoria da sedução, longe de descortinar automaticamente uma concepção consumada do desenvolvimento sexual, deixou Freud, ao contrário, um tanto desnorteado. Ele não conseguia ligar a sexualidade infantil, o Édipo* e a fantasia. Havia, pois, nos *Três ensaios sobre a teoria da sexualidade**, e mais ainda no artigo intitulado "Meus pontos de vista sobre o papel desempenhado pela sexualidade na etiologia das neuroses", o risco de um retorno à ancoragem biológica da sexualidade.

Para sair dessa aporia de oposições inconciliáveis — o psíquico ou o biológico, o real ou o imaginário, o interno ou o externo —, cuja persistência implicava a dissolução silenciosa do registro da fantasia, Freud instituiu o conceito de realidade psíquica, cuja explicitação, sobretudo em *A interpretação dos sonhos**, levou-o a fazer uma distinção entre a realidade material, realidade externa nunca atingível como tal, a realidade do que ele chamou de "pensamentos de transição e de ligação", registro da psicologia, e a realidade psíquica propriamente dita, núcleo irredutível do psiquismo, registro dos desejos inconscientes dos quais a fantasia é "a expressão máxima e mais verdadeira".

"Retorno a idéias que desenvolvi alhures [na parte teórica de *A interpretação dos sonhos*]", escreveu Freud em 1911, para introduzir esse conceito de realidade psíquica, o que lhe deu ensejo de estender sua concepção da atividade psíquica para além do simples eixo do prazer/desprazer, de definir, ao lado do recalcamento, a idéia discriminativa de ato de julgamento, e de distinguir, sob a rubrica da criação de fantasias, a parcela da atividade psíquica que se mantém independente do princípio de realidade* e submetida unicamente ao princípio de prazer*. A divisão que se organiza entre as pulsões* sexuais e as pulsões de autoconservação, ao longo da fase de auto-erotismo*, atesta a ligação entre as pulsões sexuais e a fantasia: "A longa persistência do auto-erotismo permite que a satisfação fantasística ligada ao objeto sexual, imediata e mais fácil de obter, seja mantida por muito tempo, em lugar da satisfação real, que exige esforços e adiamentos."

Deixando de lado as questões ortográficas, só existe para Freud um único conceito de fantasia. Vista por esse prisma, a oposição kleiniana, sustentada e desenvolvida por Susan Isaacs*, entre phantasia (*phantasy*) inconsciente e fantasia (*fantasy*) consciente é totalmente contraditória com o pensamento freudiano.

Desde 1905, nos *Três ensaios sobre a teoria da sexualidade*, a fantasia foi descrita como dependente das três localizações da atividade psíquica, o consciente*, o pré-consciente* e o inconsciente*, qualquer que fosse a estrutura psicopatológica considerada.

Para tanto, Freud estabelece uma distinção entre as fantasias conscientes, os devaneios e os romances que o sujeito conta a si mesmo, bem como certas formas de criação literária, e as fantasias inconscientes, devaneios subliminares, prefiguração dos sintomas histéricos, a despeito de estas serem concebidas como estreitamente ligadas às fantasias conscientes.

Esses dois registros da atividade fantasística encontram-se no processo do sonho*: a fantasia consciente participa do remanejamento do conteúdo manifesto do sonho, constituída pela elaboração secundária, e a fantasia inconsciente inscreve-se na origem da formação do sonho.

Em 1915, em seu artigo metapsicológico dedicado ao inconsciente, Freud dá uma definição da fantasia que confirma suas concepções anteriores: ali, a fantasia é caracterizada por sua mobilidade, é apresentada como lugar e momento de passagem de um registro da atividade psíquica para outro e, desse modo, afigura-se irredutível a apenas um desses registros, consciente ou inconsciente.

Nesse mesmo ano de 1915, por ocasião de um artigo dedicado a um caso de paranóia* que parece contradizer a teoria psicanalítica, Freud introduz o conceito de fantasia originária: "A observação do comércio sexual entre os pais é uma peça que raramente falta no reservatório de fantasias inconscientes que podemos descobrir, através da análise, em todos os neuróticos e, provavelmente, em todas as crianças. A essas formações fantasísticas, à da observação do comércio sexual dos pais, à da sedução, à da castração e outras, dou o nome de *fantasias originárias* (...)." Com isso, Freud retorna a uma concepção bidimensional nunca abandonada e já encontrada a propósito dos sonhos típicos e da simbólica dos sonhos. Ele procura uma origem para a história individual do sujeito. Persegue, de uma outra forma, aquilo de que se tratara através da teoria da sedução ou teoria do trauma. Simultaneamente, porém, ele se interroga sobre a solidez de fundamento de uma origem situada antes do sujeito individual: uma origem da história global da espécie humana. Essa fantasia das origens, cuja busca é onipresente tanto em *Totem e tabu**, de 1912, quanto em 1939, em *Moisés e o monoteísmo**, leva-o a retomar a seu modo a hipótese filogenética

atribuída a Ernst Heinrich Haeckel*. A importância dessa hipótese, discutível e discutida, atinge seu ponto culminante nesse texto metapsicológico, nessa "fantasia filogenética" de Freud, encontrado e editado pela primeira vez por Ilse Grubrich-Simitis, que viu nele a tentativa teórica de integrar a origem traumática da patologia no modelo fantasístico e pulsional.

Afora a perspectiva kleiniana, que, privilegiando na análise a realidade psíquica, em detrimento de qualquer forma de realidade material, faz da phantasia o lugar exclusivo de intervenção do trabalho analítico, o conceito de fantasia foi objeto de um trabalho teórico essencial na obra de Jacques Lacan*.

De maneira geral, Lacan retoma por sua conta o conceito freudiano de fantasia, mas sublinha desde muito cedo sua função defensiva. No seminário dos anos de 1956-1957, a fantasia é assimilada ao que ele passa a denominar de "parada na imagem", maneira de impedir o surgimento de um episódio traumático. Imagem cristalizada, modo de defesa* contra a castração*, a fantasia é inscrita por Lacan, entretanto — o que difere fundamentalmente da perspectiva kleiniana —, no âmbito de uma estrutura significante, e, por conseguinte, não pode ser reduzida ao registro do imaginário*.

Além da diversidade das fantasias de cada sujeito, Lacan postula a existência de uma estrutura teórica geral, a fantasia fundamental, cuja "travessia" pelo paciente assinala a eficácia da análise, materializada num remanejamento das defesas e numa modificação de sua relação com o gozo*.

Desde a primeira formulação do grafo lacaniano do desejo*, em 1957, Lacan elabora um matema* daquilo a que denomina lógica da fantasia. Trata-se de explicar a sujeição originária do sujeito ao Outro*, relação traduzida por esta pergunta eternamente sem resposta: "Que queres?" (*Che vuoi?*). O matema S◊a exprime *a relação genérica e de forma variável, porém nunca simétrica, entre o sujeito do inconsciente, sujeito barrado, dividido pelo significante** *que o constitui, e o objeto (pequeno) a**, objeto inapreensível do desejo, que remete a uma falta, a um vazio do lado do Outro. Foi em seu seminário dos anos de 1966-1967 que Lacan desenvolveu essa lógica da fantasia, expressão última da lógica do desejo. Foi também nesse momento que ele desviou decisivamente seu trabalho para uma formalização lógica e matemática do inconsciente.

• Sigmund Freud, *La Naissance de la psychanalyse* (Londres, 1950), Paris, PUF, 1956; *Briefe an Wilhelm Fliess, 1887-1904*, Frankfurt, Fischer, 1986; *A interpretação dos sonhos* (1900), *ESB*, IV-V, 1-660; *GW*, II-III, 1-642; *SE*, IV-V, 1-621; Paris, PUF, 1967; *Três ensaios sobre a teoria da sexualidade* (1905), *ESB*, VII, 129-212; *GW*, V, 29-145; *SE*, VII, 123-243; Paris, Gallimard, 1987; "Minhas teses sobre o papel da sexualidade na etiologia das neuroses" (1905), *ESB*, VII, 283-96; *GW*, V, 149-9; *SE*, VII, 269-79; in *Résultats, idées, problèmes*, I, *1890-1920*, Paris, PUF, 1984, 113-22; "Fantasias histéricas e sua relação com a bissexualidade" (1908), *ESB*, IX, 163-74; *GW*, VII, 191-9; *SE*, IX, 155-66; in *Névrose, psychose et perversion*, Paris, PUF, 1973, 149-55; "Escritores criativos e devaneio" (1908), *ESB*, IX, 149-62; *GW*, VII, 213-33; *SE*, IX, 141-53; in *L'Inquiétante étrangeté et autres essais*, Paris, Gallimard, 1985, 29-46, "Formulações sobre os dois princípios do funcionamento mental" (1911), *ESB*, XII, 277-90; *GW*, VIII, 230-8; *SE*, XII, 213-26; in *Résultats, idées, problèmes*, Paris, PUF, 1984, vol.I, 135-43; *Totem e tabu* (1913), *ESB*, XIII, 17-192; *GW*, IX; *SE*, XIII, 1-161; Paris, Gallimard, 1993; "Um caso de paranóia que contraria a teoria psicanalítica da doença" (1915), *ESB*, XIV, 297-310; *GW*, X, 234-46; *SE*, XIV, 261-72; *OC*, XIII, 305-17; "O inconsciente" (1915), *ESB*, XIV, 191-233; *GW*, X, 263-303; *SE*, XIV, 159-204; *OC*, XIII, 203-42; "Bate-se numa criança" (1919), *ESB*, XVII, 225-58; *GW*, XII, 197-226; *SE*, XVII, 175-204; in *Névrose, psychose et perversion*, Paris, PUF, 1973, 219-43; *Moisés e o monoteísmo* (1939), *ESB*, XXIII, 16-167; *GW*, XVI, 103-246; *SE*, XXIII, 1-137; Paris, Gallimard, 1986 • Didier Anzieu, *A auto-análise de Freud e a descoberta da psicanálise* (1959), P. Alegre, Artes Médicas, 1989 • Joël Dor, *Introdução à leitura de Lacan*, t.2 (Paris, 1992), P. Alegre, Artes Médicas, 1996 • Dylan Evans, *An Introductory Dictionary of Lacanian Psychoanalysis*, Londres, Routledge, 1996 • Ilse Grubrich-Simitis, "Metapsicologia e metabiologia", in Sigmund Freud, *Neuroses de transferência: uma síntese* (Frankfurt, 1985), Rio de Janeiro, Imago, 1987; "Trauma or drive — drive and trauma", in Albert J. Solnit, Peter B. Neubauer, Samuel Abrams e A. Scott Dowling (orgs.), *The Psychoanalytic Study of the Child*, New Haven, Yale University Press, 1988, vol.43, 3-32 • Susan Isaacs, "A natureza e a função da fantasia", in Melanie Klein (org.), *Os progressos da psicanálise* (Londres, 1952), Rio de Janeiro, Zahar, 1978 • Jacques Lacan, O Seminário, livro 4, *A relação de objeto (1956-1957)* (Paris, 1994), Rio de Janeiro, Jorge Zahar, 1995; "Subversão do sujeito e dialética do desejo no inconsciente freudiano" (1960), in *Escritos* (Paris, 1966), Rio de Janeiro, Jorge Zahar, 1998, 807-42; Le Séminaire, livre 14, *La Logique du fantasme (1966-1967)*, inédito • Jean Laplanche e Jean-Bertrand Pontalis, *Fantasia originária, fantasia das origens, origens da fantasia* (Paris,

1985), Rio de Janeiro, Jorge Zahar, 1988; *Vocabulário da psicanálise* (Paris, 1967), S. Paulo, Martins Fontes, 1991, 2ª ed. • Gérard Le Gouès e Roger Perron (orgs.), *Scènes originaires*, monografias da *Revue Française de Psychanalyse*, Paris, PUF, 1996.

➢ IDENTIFICAÇÃO.

fantasma
➢ FANTASIA.

Favez-Boutonier, Juliette, *née* Boutonier (1903-1994)
psicanalista francesa

Originária de uma família de professores primários do sul da França, Juliette Boutonier submeteu-se ao concurso para professora universitária de filosofia aos 22 anos e estudou medicina em Dijon, onde conheceu Gaston Bachelard (1884-1962). Interessada em psicanálise*, escreveu uma carta a Sigmund Freud* que lhe respondeu em 11 de abril de 1930. Em 1935, nomeada para ensinar filosofia em Paris, ficou conhecendo Daniel Lagache* e fez uma análise com René Laforgue*. Freqüentou o Hospital Sainte-Anne e o serviço de Georges Heuyer (1884-1977). Depois da Segunda Guerra Mundial, criou, ao lado de Georges Mauco*, o centro psicopedagógico do Liceu Claude-Bernard. Casou-se em 1952 com Georges Favez (1902-1981), também psicanalista, e desempenhou um papel na história das cisões* do movimento francês, fundando com Lagache, em 1953, a Sociedade Francesa de Psicanálise (SFP) e depois, também com ele, em 1964, a Associação Psicanalítica da França (APF). Na universidade, em especial na cátedra de psicologia geral, onde sucedeu Lagache em 1955, representou muito bem o ideal da psicologia clínica universitária, herdado de Pierre Janet*, que foi uma das correntes do freudismo francês.

• Élisabeth Roudinesco, *História da psicanálise na França*, vol.2 (Paris, 1986), Rio de Janeiro, Jorge Zahar, 1988 • Claire Doz-Schiff, "In memoriam Juliette Favez-Boutonier (1903-1994)", *Bulletin du Centre de Documentation Henri F. Ellenberger*, 5, 1º trimestre de 1994 • "Séance du 25 janvier 1955 de la Société Française de Philosophie", *Métapsychologie et Philosophie*, *IIIᵉ Rencontre Psychanalytique d'Aix-en-Provence*, Paris, Les Belles Lettres, 1985, 177-228.

Fechner, Gustav Theodor (1801-1887)

médico e filósofo alemão

Fundador da psicofísica e da psicologia experimental, Fechner era filho de pastor e foi um dos representantes tardios da tradição do romantismo alemão. Personagem faustiano, experimentou em si mesmo suas próprias descobertas, atravessando uma espécie de crise mística, à qual Henri F. Ellenberger* deu o nome de neurose criadora. Sua obra teve um impacto importante sobre a de Sigmund Freud*. "Sempre fui muito aberto às idéias de G.T. Fechner, escreveu ele em 1925, e aliás, em pontos importantes, baseei-me nesse pensador."

Depois de estudar medicina e biologia, Fechner tornou-se, em 1834, professor de física na Universidade de Leipzig. Durante os três anos seguintes, mergulhou num estado melancólico que o obrigou a renunciar ao magistério e a viver quase sem alimentar-se em um cômodo escuro, com paredes pintadas de preto. Depois desse episódio, teve um breve período de exaltação. Acreditava-se o eleito de Deus e estava convencido de ter inventado um princípio universal tão fundamental para o universo quanto o de Isaac Newton (1642-1727). Em 1848, deu-lhe o nome de princípio de prazer*.

Depois de curado, trocou sua cátedra de física na universidade pela de filosofia e publicou muitas obras, nas quais afirmava que a Terra era um ser vivo, que a consciência estava difusa no universo e que a alma era imortal. Foi para dar um fundamento experimental aos seus trabalhos sobre as relações entre a alma e a matéria que publicou, em 1860, os *Elementos de psicofísica*. Em 1873, teorizou o princípio de conservação (ou de estabilidade) da energia, formulado em 1842 pelo físico Robert Meyer, e depois retomado e desenvolvido em 1845 por Hermann von Helmholtz*. Foi desse princípio, completamente abandonado pela ciência moderna, que Freud tirou, em 1920, o princípio de prazer/desprazer, no início do seu livro *Mais-além do princípio de prazer*.

Em 1924, Imre Hermann* dedicou um estudo a Fechner, mas seria preciso esperar os trabalhos da historiografia* erudita para que fosse concedido um espaço a suas pesquisas sobre a gênese da descoberta freudiana do inconsciente*.

• Gustav Theodor Fechner, "Über den Lustprinzip des Handelns", *Fichtes-Zeitschrift für Philosophie und philosophische Kritik*, XIX, 1948, 1-30, 163-94; *Einige Ideen zur Schöpfungs und Entwicklungsgeschichte der Organismen*, Leipzig, Breitkopf und Härtel, 1973 • Sigmund Freud, *Um estudo autobiográfico* (1925), ESB, XX, 17-88; *GW*, XIV, 33-96, *SE*, XX, 7-70; Paris, Gallimard, 1984 • Henri F. Ellenberger, *Histoire de la découverte de l'inconscient* (N. York, Londres, 1970, Villeurbanne, 1974), Paris, Fayard, 1994; *Beyond the Unconscious*, Princeton, Princeton University Press, 1993 • Paul-Laurent Assoun, *Metapsicologia freudiana: uma introdução* (Paris, 1981), Rio de Janeiro, Jorge Zahar, 1996.

Federação Européia de Psicanálise (FEP)

Criada em 1966, sob o nome de Federação das Sociedades Européias de Psicanálise, para servir de contrapeso à poderosa American Psychoanalytic Association* (APsaA) e à COPAL (futura Federação Psicanalítica da América Latina*, FEPAL), a Federação Européia de Psicanálise (FEP) só começou a ser realmente atuante em 1969. Reconhecida pela International Psychoanalytical Association* (IPA), adquiriu o hábito de realizar seus congressos em três línguas (alemão, inglês e francês).

A partir da década de 1990, dezoito países passaram a ser representados na FEP, através de dezoito sociedades-membros ou sociedades provisórias, dezesseis institutos e três grupos de estudos: Alemanha* (doze institutos), Áustria (Viena*), Bélgica*, Dinamarca, Finlândia, Suécia, Noruega (Escandinávia*), Espanha* (duas sociedades), França* (um instituto, duas sociedades), Grã-Bretanha*, Grécia (um grupo de estudos), Tchecoslováquia (um grupo de estudos), Hungria*, Itália* (três institutos, oito ramos em sete cidades), Portugal, Países Baixos*, Sérvia e Suíça*. A esses países somaram-se, em 1992, a Irlanda e a Rússia* e, em seguida, diversos países da Europa desejosos de reconstruir a psicanálise depois de saírem do comunismo*, entre eles a Polônia e a Romênia*. Graças a essa contribuição, a FEP pôde retomar impulso, muito embora a psicanálise estivesse em declínio nos vários países europeus.

No fim do século XX, ela reúne três mil membros em cerca de dezessete países, isto é, um pouco menos de um terço do efetivo global da IPA para uma população de 400 milhões de habitantes, ou seja, uma média de sete a oito psicanalistas por milhão de habitantes, com diferenças consideráveis de um país para outro. Sob esse aspecto, ela passou, seguindo-se à American Psychoanalytic Association (APsaA) e à FEPAL, para o terceiro lugar mundial das instituições freudianas legitimistas.

Em razão da perda de influência da Europa no seio da comunidade psicanalítica internacional, dominada, em primeiro lugar, pela língua inglesa, comum a todas as sociedades da IPA (desde os Estados Unidos* até o Japão* e a Índia*, passando pelo Canadá* e pela Austrália*), e cada vez mais subjugada ao mundo americano, em virtude da vigorosa ascensão das sociedades latino-americanas, a FEP dedica-se ao trabalho científico e teórico, deixando à IPA a tarefa de cuidar das questões políticas.

No intuito de tentar reconquistar seu poder perdido no campo político através da elaboração doutrinal, a FEP dedica a essência de suas forças a refletir sobre o estatuto teórico da psicanálise e suas modalidades de transmissão, muito embora esta enfrente a ampla concorrência de diversas psicoterapias* ou até de diversas práticas mágicas e espiritualistas. O objetivo da FEP é lançar uma ponte para os países do Leste europeu, dominados, após sua saída do comunismo, não apenas pela língua inglesa, mas também pelas correntes saídas do mundo anglófono, em especial o kleinismo* e a *Self Psychology**.

Na Europa, a FEP confronta-se com cerca de seis mil lacanianos (dos quais três mil encontram-se na França) e com dois mil freudianos não membros da IPA.

• Peter Kutter (org.), *Psychoanalysis International. A Guide to Psychoanalysis throughout the World*, vol.1, Stuttgart, Frommann-Holzboog, 1992 • Élisabeth Roudinesco, *Jacques Lacan. Esboço de uma vida, história de um sistema de pensamento* (Paris, 1993), S. Paulo, Companhia das Letras, 1994 • *La Psychanalyse et l'Europe de 1993*, monografias da *Revue Française de Psychanalyse*, Paris, PUF, 1993 • *Roster. The International Psychoanalytical Association Trust*, 1996-1997.

➢ ASSOCIAÇÃO BRASILEIRA DE PSICANÁLISE; BERLINER PSYCHOANALYTISCHES INSTITUT; FREUDISMO; HISTÓRIA DA PSICANÁLISE; LACANISMO.

Federação Psicanalítica da América Latina (FEPAL)

(Federación Psicoanálitica de America Latina)

A primeira federação psicanalítica latino-americana foi criada em 1960, sob o nome de Conselho Coordenador das Organizações Psicanalíticas da América Latina (COPAL), tendo por objetivo defender os interesses comuns a todas as sociedades psicanalíticas da América Latina filiadas à International Psychoanalytical Association* (IPA). Em 1979, ela foi dissolvida, sendo substituída em novembro de 1980 por uma nova organização, que assumiu o nome de Federação Psicanalítica da América Latina (FEPAL). Reconhecida pela IPA, esta se tornou, no fim do século XX, diante da American Psychoanalytic Association* (APsaA) e da Federação Européia de Psicanálise* (FEP), a terceira potência freudiana do mundo, com dezoito sociedades-membros ou sociedades provisórias representadas e seis grupos de estudos, tudo isso distribuído em oito países: Argentina* (quatro sociedades, um grupo de estudos), Brasil* (seis sociedades, três grupos de estudos), Chile, Colômbia, México (duas sociedades), Peru, Uruguai e Venezuela (duas sociedades). A FEPAL abrange um total de pouco mais de três mil psicanalistas, ou seja, um terço da cifra global da IPA, para uma população de 380 milhões de habitantes, isto é, uma densidade de oito psicanalistas por milhão de habitantes, com diferenças consideráveis de um país para outro e com a Argentina e o Brasil conhecendo de longe a maior densidade.

• *Roster. The International Psychoanalytical Association Trust*, 1996-1997.

➢ ASSOCIAÇÃO BRASILEIRA DE PSICANÁLISE; AUSTRÁLIA; CANADÁ; FREUDISMO; HISTÓRIA DA PSICANÁLISE; ÍNDIA; JAPÃO; KLEINISMO.

Federn, Paul (1871-1950)

psiquiatra e psicanalista americano

Quinto membro a aderir à Sociedade Psicológica das Quartas-Feiras*, esse brilhante discípulo das primeiras horas do freudismo comparava-se ao apóstolo Paulo ou a um "oficial subalterno do exército psicanalítico". Na cultura alemã admirava a ordem e a disciplina, e no grupo vienense foi não apenas um notável clínico mas também um formador de alunos. Muitos foram aqueles, mais jovens do que ele, a passar por seu divã para tornar-se por sua vez os didatas das gerações seguintes.

Neto de rabino e filho de um clínico geral bastante conceituado em Viena*, Federn pertencia à burguesia judaica liberal. Sua mãe, mulher muito bela, era de uma família de ricos comerciantes.

Desde a juventude, tinha tendência à depressão, o que não o impediu de ser um garboso oficial da cavalaria imperial, de amar as mulheres e ser muito bem-sucedido com elas. A estatura imponente, a voz poderosa, os olhos vivos e a grande barba negra lhe davam o aspecto de um califa das *Mil e uma noites*. E como gostava de passear nas ruas de Viena com um grande chapéu, deram-lhe o apelido de Harun Al-Rachid.

Obedecendo ao pai, que obrigou os dois filhos a seguir a mesma carreira que ele, Paul Federn estudou medicina, apesar de sua predileção pela biologia. Em 1902, instalou-se como clínico geral em Viena e, dois anos depois, casou-se com Wilma Bauer, que conhecera quando a tratou, em idade precoce, de um reumatismo articular. Ela era de família protestante, próxima da de Hermann Nothnagel*, que apresentou Federn a Sigmund Freud*. Como muitos judeus vienenses, pensou em converter-se e educou seus três filhos na religião da mãe.

Com Freud, fez uma espécie de análise *avant la lettre*, durante a qual conseguiu controlar o seu humor melancólico. Suas crises de depressão foram menos freqüentes, mas projetava suicidar-se em caso de recaída. No seio da Sociedade das Quartas-Feiras, da qual foi um dos pilares, dedicou-se ao ensino, dando um seminário particularmente rico sobre *A interpretação dos sonhos*. Interessou-se também pela telepatia* e teve, no seio da Wiener Psychoanalytische Vereinigung (WPV), uma atividade de administrador e organizador. Em 1914, foi aos Estados Unidos para uma série de conferências e desempenhou um certo papel analisando Clarence Oberndorf* e Smith Ely Jelliffe*.

Médico militar durante a Primeira Guerra Mundial, aderiu aos ideais patrióticos do Império e acreditava firmemente na vitória da Alemanha. Depois da derrota, tornou-se membro do Partido Social-Democrata e começou a se interessar, com August Aichhorn*, Siegfried

Bernfeld* e Willi Hoffer*, pela delinqüência juvenil, pela educação sexual, pela emancipação da mulher.

No seio da família Federn, Wilma teve um papel eminente. Ernst, filho de Paul, que se tornaria psicanalista depois de um tratamento com Hermann Nunberg*, relatou que Freud comparava a sra. Federn a Mussolini e Paul ao rei Vítor-Emanuel: "Na época, acrescentou ele, ninguém ignorava que o segundo era apenas um fantoche sob o domínio do ditador. Por isso, minha mãe foi chamada de Mussolina, apelido que ela aceitava com uma certa satisfação."

Se Federn permaneceu fiel à doutrina clássica, empenhou-se logo, no período entre as duas guerras, como muitos freudianos da segunda geração*, na revisão da teoria do eu* e na reformulação da segunda tópica*, trabalho que resultou na distinção do eu (*ego*) e do si (*self*), primeiro passo para a *Self Psychology*. Também foi muito afetado por não ser efetivamente reconhecido pelos representantes da *Ego Psychology*, que nunca citavam seus trabalhos. Na verdade, foi a partir de uma reflexão sobre o narcisismo* e a clínica das psicoses que ele elaborou sua concepção das "fronteiras do eu". Considerava a psicose*, e sobretudo a esquizofrenia*, como uma diminuição dos investimentos do eu, que levava o sujeito* a não reconhecer mais suas fronteiras, a não saber mais distinguir suas percepções ou seus sentimentos. Desenvolveu a idéia, cara à psiquiatria clássica, segundo a qual o delírio é a expressão de um "erro do juízo". Aliás, ele próprio tratou de pacientes psicóticos e interessou-se pelo desenvolvimento da quimioterapia.

Esse interesse pela loucura* não deixava de ter relação com a sua situação pessoal. Com efeito, seu primeiro filho, Walter, nascido em 1910, logo se tornou uma criança difícil. Apesar de brilhantes estudos de egiptologia, que lhe permitiram fazer uma bela carreira universitária, mergulhou progressivamente na esquizofrenia.

Em 1938, Paul Federn emigrou com a família para os Estados Unidos*. Depois de refazer seus estudos de medicina e obter um novo diploma, integrou-se à New York Psychoanalytical Society (NYPS), cujas regras rígidas contestou, a ponto de ser considerado — ele, freudiano ortodoxo — como um "desviante". Alguns meses antes da emigração, seu filho Ernst fora preso pela Gestapo, por atividades políticas, e deportado para o campo de concentração de Buchenwald, onde se encontrou com Bruno Bettelheim*. Ernst e Paul só se reencontrariam na América em 1946. Mas nessa época, sofrendo de um tumor maligno da bexiga, Paul teve que ser operado pela primeira vez.

A recaída ocorreu depois da morte de Wilma. Para não viver uma agonia atroz, decidiu pôr fim aos seus dias, na mais pura tradição antiga. No dia 3 de maio de 1950, organizou seus papéis, deixou instruções por escrito para o amigo Edoardo Weiss* e dirigiu-se ao banco, de onde retirou uma pistola cuidadosamente depositada em um cofre. Carregou-a com duas balas. Durante o dia, recebeu normalmente os analisandos e até brincou com a sua governanta sobre as diversas maneiras de se matar. No meio da noite, redigiu uma carta para o filho Walter. Preveniu-o para que tivesse cuidado: uma bala poderia ter ficado no tambor. Às três horas da manhã, sentado em sua poltrona de analista, teve apenas que dar um tiro. "Até o último suspiro, escreveu Ernst, ele foi mais cuidadoso com os outros do que consigo próprio."

Em 1968, Walter Federn se suicidou, deixando-se morrer de fome.

• Paul Federn, "Narcissism in the structure of the ego", *IJP*, 1928, 9, 401-19; "Reality of the death instinct, especially in melancholia", *Psychoanalytical Review*, 1932, 19, 129-51 • Paul Federn e Heinrich Meng, *Das psychoanalytische Volksbuch*, Stuttgart, Hippokrates Verlag, 1927; *La Psychologie du moi et les psychoses* (Londres, 1953), Paris, PUF, 1979 • Edoardo Weiss, "Paul Federn, 1871-1950. The theory of the psychosis", in Franz Alexander, Samuel Eisenstein e Martin Grotjahn (orgs.), *A história da psicanálise através de seus pioneiros* (N. York, 1966), Rio de Janeiro, Imago, 1981; "Obituary: Paul Federn", *IJP*, 1951, 242-6 • Ernst Federn, *Témoin de la psychanalyse* (Londres, 1990), Paris, PUF, 1994 • Elke Mühlleitner, *Biographisches Lexikon der Psychoanalyse. Die Mitglieder der psychologischen Mittwoch-Gesellschaft und der Wiener psychoanalytischen Vereinigung von 1902-1938*, Tübingen, Diskord, 1992 • Maria Teresa de Melo Carvalho, *Paul Federn. Une autre voie pour la théorie du moi*, Paris, PUF, 1996.

feminismo

➢ BISSEXUALIDADE; CULTURALISMO; DIFERENÇA SEXUAL; GÊNERO; GOZO; HORNEY, KAREN; JUDEI-DADE; PATRIARCADO; SEXUAÇÃO, FÓRMULAS DA; SEXUALIDADE; SEXUALIDADE FEMININA.

Fenichel, Otto (1897-1946)
médico e psicanalista americano

Pouco conhecido fora do movimento psicanalítico e com freqüência considerado um simples técnico do tratamento, Otto Fenichel foi, entretanto, um grande freudiano. Ao mesmo tempo dissidente e anti-autoritário, hostil a todos os dogmatismos e aberto para a questão social, sempre se opôs à política conservadora de Ernest Jones* e criticou tanto o biologismo reichiano como o culturalismo* dos neofreudianos. Em nome da defesa humanista do sujeito*, defendeu os princípios de um universalismo moderado, respeitando as diferenças culturais. Conseqüentemente, recusando-se a esquecer sua juventude socialista e seu passado vienense, teve dificuldade em se integrar aos ideais pragmáticos e reguladores da sociedade norte-americana, à qual foi forçado a adaptar-se.

Como observou o historiador Russel Jacoby, Otto Fenichel fez parte, com seus amigos e colegas — Annie Reich*, Barbara Lantos (1894-1962), Edith Jacobson*, Kate Friedländer*, Georg Gerö (1901-1981) e alguns outros — daquilo que se chama esquerda freudiana. Nascidos pouco antes ou no início do século, esses homens e mulheres pertenciam, como Sandor Rado*, Helene Deutsch*, Ernst Kris*, Rudolph Loewenstein*, Marie Bonaparte*, Melanie Klein* e Karen Horney*, à segunda geração psicanalítica mundial. Assim, foram marcados pela Revolução de Outubro, pela ascensão do nazismo*, pelo exílio e pela necessidade de se integrar a uma nova cultura. Encontraram na International Psychoanalytical Association* (IPA) uma nova pátria freudiana, e foram então os artífices do legitimismo, ou, ao contrário, contestaram o aparelho freudiano, chegando até a cisão*, o exílio interior, ou ainda a mudança de prática.

Nascido em Viena* de uma família da burguesia judaica, Fenichel militou ativamente durante a adolescência no movimento da juventude austríaca e no da juventude judaica, visando uma convergência para a revolução política e a liberação sexual. Em 1916, a partir de uma pesquisa junto a seus colegas de classe, redigiu um artigo sobre essa questão, o que quase lhe valeu a expulsão do liceu.

Em 1918, encaminhou-se para a psicanálise ao ter contato com as teses de Siegfried Bernfeld* e participar dos trabalhos da Wiener Psychoanalytische Vereinigung (WPV). Fez então uma primeira análise com Paul Federn* e uma segunda com Sandor Rado*, quando se instalou em Berlim em 1922. Mesmo permanecendo fiel à legitimidade freudiana em matéria de formação didática, logo se distanciou do formalismo burocrático da IPA, formando um círculo de estudos independente (chamado Seminário de Crianças), no qual se alternaram, até 1933, discussões políticas e ensino da técnica psicanalítica. Em 1930, Wilhelm Reich* e sua mulher Annie se juntaram ao grupo, encontrando os analistas berlinenses mais avançados do que os vienenses quanto à questão social. Assim, nasceu o movimento dos freudianos políticos, que teve seu apogeu em 1932 quando Fenichel foi nomeado vice-presidente da Deutsche Psychoanalytische Gesellschaft (DPG).

Apesar de várias viagens à Rússia* e da simpatia declarada pelo socialismo e pelo marxismo, Fenichel não aderiu ao Partido Comunista alemão, que julgava excessivamente sectário. Em um primeiro tempo, teve um diálogo fecundo com Reich, compartilhando sua interpretação da psicologia de massa do fascismo e a sua abordagem da análise das resistências*. Mas a partir de 1933, as relações entre eles se tornaram difíceis. Intelectual sutil e culto, apreciador das sínteses e dos trabalhos bem organizados, Fenichel não apreciava as violências pulsionais de Reich, nem sua tendência à perseguição e sua megalomania dogmática. Além disso, desaprovava seu método terapêutico, sua maneira de quebrar a "couraça" defensiva do paciente e sua teoria biológica da sexualidade*.

A partir do advento do nazismo, esse círculo teve que se dissolver, e seus membros foram obrigados a deixar a Alemanha*. Preocupado em conservar a unidade de seu grupo, Fenichel inventou então um sistema de comunicação clandestino, as *Rundbriefe* (cartas circulares), que permitiam a todos os membros da sociedade secreta manter-se informados acerca de suas respectivas atividades. Entre 1934 e 1945,

119 cartas circulares foram assim trocadas sobre muitos assuntos.

Exilado em Oslo, Fenichel tentou sem sucesso dar uma certa unidade ao movimento psicanalítico dos países escandinavos*. Encontrou-se por várias vezes com Reich, também imigrante, mas acabou votando por sua exclusão da IPA no Congresso de Lucerna, em 1934. No plano político, a oposição entre ambos tinha como motivo o melhor meio de lutar contra o nazismo, visando salvar ao mesmo tempo a psicanálise e o marxismo. Reich preconizava o combate declarado, Fenichel a luta clandestina. Apesar de suas divergências, conservaram laços de amizade.

Durante algum tempo, em companhia de Edith Jacobson, Fenichel aceitou a política do suposto "salvamento" da psicanálise na Alemanha, defendida por Ernest Jones. Mas em 1935, quando os judeus foram excluídos da DPG, lamentou ter adotado essa posição e mostrou-se, como escreveu Jacoby, "escandalizado com a estupidez do *establishment* psicanalítico, incapaz de compreender a realidade do nazismo". Nesse ponto, Reich foi mais lúcido, pregando a dissolução pura e simples da DPG já em 1933 e a luta sem trégua contra o nazismo.

De passagem por Viena em 1936, Fenichel foi bem recebido pelos freudianos, diante dos quais pronunciou uma série de conferências sobre a técnica psicanalítica. Rejeitava claramente as teses kleinianas e preferia as posições annafreudianas. Entretanto, em relação aos mecanismos de defesa*, não adotou o mesmo ponto de vista que Anna Freud*. Forjou assim a expressão "defesa de defesa", para designar a maneira pela qual um sujeito se defende dialeticamente de uma defesa, que na verdade seria uma pulsão*.

Novamente exilado, Fenichel permaneceu algum tempo em Praga, onde fez do pequeno grupo psicanalítico tchecoslovaco um ramo da IPA. Depois, a convite do seu amigo Ernst Simmel*, partiu para os Estados Unidos* e instalou-se em Los Angeles, depois de passar por Chicago e Topeka, no Kansas, onde fez muitas conferências e encontrou-se com a diáspora freudiana da Europa central que, como ele, fugira do nazismo. Entre eles, estava Bernfeld, que também se instalara na costa oeste, em São Francisco.

No continente americano, Fenichel teve que enfrentar uma situação delicada para si mesmo e para seus próximos. Favorável à análise leiga* em um país onde a psicanálise estava inteiramente medicalizada, foi obrigado a providenciar um novo diploma de médico, pois o seu não era reconhecido na América, tendo assim que submeter-se, aos 47 anos, a um ano obrigatório de residência e aos plantões noturnos. Também foi obrigado a renunciar oficialmente a manifestar suas opiniões marxistas. Estando em desacordo com as transformações impostas ao freudismo clássico pelos partidários da Escola de Chicago e pelos neofreudianos, mostrava-se como um "ortodoxo" da velha escola vienense e alemã, incapaz de se adaptar. Esgotado pelo espetáculo da eliminação progressiva dos nãomédicos do seio da Los Angeles Psychoanalytic Society (LAPS), fundada em 1946, e pela degradação da psicanálise em método psiquiátrico, morreu prematuramente aos 48 anos, um ano antes de seu amigo Simmel. Suas obras se tornaram depois uma verdadeira bíblia para os técnicos americanos do tratamento freudiano.

Evocando a lembrança desses dois homens, Max Horkheimer (1895-1973) lhes prestou esta homenagem: "Esses pensadores se opunham à mentalidade de funcionário, que tenta transformar cada coisa em uma 'função' a serviço da máquina. Assim, resistiram à traição da psicanálise no seu próprio terreno, por técnicos apressados."

• Otto Fenichel, *Problèmes de technique psychanalytique* (N. York, 1941), Paris, PUF, 1953; *La Théorie psychanalytique des névroses*, 2 vols., (N. York, 1945), Paris, PUF, 1953; *The Collected Papers of Otto Fenichel*, N. York, Norton, 1954 • Russel Jacoby, *Otto Fenichel. Destins de la gauche freudienne* (N. York, 1983) • Ronald Portillo, "Otto Fenichel, 1897-1948. L'Opposition en sourdine", *Ornicar?*, 36, primavera de 1986, 143-51 • Nathan G. Hale, *Freud and the Americans, 1917-1985. The Rise and Crisis of Psychoanalysis in United States*, t.II, N. York, Oxford, Oxford University Press, 1995.

➤ COMUNISMO; DOSUZKOV, THEODOR; FREUDO-MARXISMO; HAAS, LADISLAV.

Ferenczi, Sandor (1873-1933)

psiquiatra e psicanalista húngaro

Nascido em Miskolc, na Hungria*, originário de uma família de judeus poloneses imigrantes, Sandor Ferenczi foi não só o discípulo preferido de Sigmund Freud*, mas também o clínico mais talentoso da história do freudismo*. Foi através dele que a escola húngara de psicanálise*, da qual foi o primeiro animador, produziu uma prestigiosa filiação* de artífices do movimento, entre os quais Melanie Klein*, Geza Roheim* e Michael Balint*. A obra escrita de Ferenczi é composta de numerosos artigos, redigidos em estilo inventivo e sempre ligados à realidade. Grande escritor de cartas, Ferenczi também foi autor de um *Diário clínico*, publicado em 1969. Um ano antes de sua morte, havia registrado vários relatos de casos, muitas inovações, assim como as críticas que dirigia ao dogmatismo psicanalítico.

O pai de Ferenczi era um simpático livreiro, que se empenhara com fervor na revolução de 1848 antes de se tornar editor militante, favorável à causa do renascimento húngaro. Assim, mudara seu nome, de sonoridade alemã (Baruch Fraenkel), para um patronímico magiar (Bernat Ferenczi). Deu ao filho predileto, o oitavo entre doze, uma educação em que prevaleciam o culto da liberdade e um gosto acentuado pela literatura e pela filosofia.

Optando pela carreira médica, o jovem Ferenczi trabalhou no Hospital Saint Roch, onde quarenta anos antes, outro grande médico húngaro, Philippe Ignace Semmelweis (1818-1865), tentou fazer com que o caráter infeccioso da febre puerperal, que descobrira, fosse reconhecido. Como seu ilustre antecessor, Ferenczi logo se mostrou adepto da medicina social. Sempre pronto a ajudar os oprimidos, a escutar os problemas das mulheres e a socorrer os excluídos e marginais, tomou, em 1906, a defesa dos homossexuais em um texto corajoso apresentado à Associação Médica de Budapeste. Atacava os preconceitos reacionários da classe dominante, que tendia a designar aqueles que se chamavam uranianos como degenerados responsáveis pela desordem social.

Esse era o homem que, depois de ler com entusiasmo *A interpretação dos sonhos**, visitou Freud em fevereiro de 1908, acompanhado do seu colega e amigo Fulop Stein (1867-1917). Este o iniciou no teste de associação verbal*, elaborado por Carl Gustav Jung*. A partir desse dia, durante um quarto de século, Ferenczi trocaria com o mestre de Viena 1.200 cartas. Um verdadeiro tesouro de invenção teórica e clínica, com algumas confidências pessoais. Dono de uma curiosidade insaciável, Ferenczi se interessou, durante toda a vida, por múltiplas formas de pensamento, das mais eruditas às mais irracionais. Freud o chamava o seu "Paladino", ou seu "Grão-vizir Secreto". E Ferenczi gostava de se apresentar nos meios analíticos como "um astrólogo da corte".

Partindo de um combate contra o niilismo terapêutico, Freud elaborou uma teoria da neurose* e da psicose* que superava amplamente os limites da clínica. Sempre consciente de seu próprio gênio e da importância de sua descoberta, sabia dominar seus afetos e mostrar-se implacável para com seus adversários. Acima de tudo, amava a razão, a lógica, as construções doutrinárias. Mais intuitivo, mais sensual e mais feminino, Ferenczi procurava na psicanálise os meios de aliviar o sofrimento dos pacientes. Era pois menos atraído pelas grandes hipóteses genéricas do que pelas questões técnicas. Assim, era mais inventivo que Freud na análise das relações com o outro*. Em 1908, descobriu a existência da contratransferência*, explicando a seu interlocutor sua tendência em considerar os assuntos do paciente como seus próprios. Dois anos depois, Freud conceitualizou essa noção, fazendo dela um elemento essencial na situação analítica. Entre ambos, portanto, o intercâmbio epistolar teve como função fazer surgir novas problemáticas, que serviam depois para alimentar a doutrina comum.

Como muitos pioneiros do freudismo, Ferenczi experimentou em si mesmo os efeitos de suas descobertas. Em 1904, tornou-se companheiro de Gizella Palos, oito anos mais velha que ele. Essa ligação era tolerada pelo marido desta, que entretanto lhe recusava o divórcio. Gizella vivia com suas duas filhas, Magda, casada com o irmão mais novo de Sandor, e Elma, nascida em 1887. Não só Ferenczi tornou-se, em 1908, analista de sua amante, como também não hesitou em tratar de Elma quando esta apresentou sintomas de depressão três anos depois.

Inutilmente Freud o advertiu contra os perigos de uma prática como essa. Implicado em uma espécie de auto-análise* epistolar, ele procurava desafiar Freud, pedindo-lhe que o reconhecesse como um pai reconhece o filho, dando-lhe a entender ao mesmo tempo que podia perfeitamente passar sem ele. Em novembro de 1911, depois do suicídio* com arma de fogo do noivo de Elma, anunciou a Freud que estava apaixonado pela jovem. Disse que não sentia mais desejo sexual por Gizella, muito idosa, e queria fazer com que ela ocupasse uma posição de sogra, fundando uma família com sua filha. Na verdade, queria ficar com as duas. Logo, anunciou sua intenção de se casar com Elma.

Finalmente, percebeu que se envolvera em uma confusão transferencial e desistiu de desposar a jovem, junto a quem ocupou uma posição de médico e de analista. Mas, não podendo conduzir adequadamente o tratamento, obrigou Freud a analisar Elma e depois fez-se analisar em três ocasiões pelo mestre, entre 1914 e 1916. Este agiu então como um pai autoritário, obrigando Ferenczi a casar-se com Gizella e a renunciar a Elma. Assim, acreditava confirmar a tese anunciada em *Totem e tabu* em 1912, segundo a qual o desejo* de incesto* é inerente ao homem e só um interdito, formulado como uma lei, pode afastá-lo dele.

Se Freud se comportava à maneira dos famosos "casamenteiros" das histórias judaicas, Ferenczi tinha a impressão de ter sido despojado, por essa análise, de suas paixões e seus desejos. Em suma, aceitou pesarosamente ter sido "normalizado" por Freud: "... Eu disse a Gizella que me tornara outro homem, menos interessante e mais normal. Confessei-lhe também que alguma coisa em mim lamenta o homem de antes, um pouco instável, mas tão capaz de grandes entusiasmos (e na verdade, muitas vezes inutilmente deprimido)."

Assim, vemos como atuaram, nas relações entre Freud e Ferenczi, todas as contradições do tratamento psicanalítico que leva um sujeito* a passar de um estado infantil para a idade adulta, da desrazão para a razão, da onipotência ilusória para a sabedoria, do gozo* para o verdadeiro desejo. Mas arriscando-se a que essa perda, longe de ser benéfica e fonte de uma nova paixão, não seja nada mais do que a expressão da vontade normalizadora do analista e, além deste, da sociedade na qual ele vive. De qualquer forma, o episódio dessa confusão familiar e transferencial pode ser compreendido como a matriz de todas as reflexões posteriores sobre o estatuto incerto do tratamento psicanalítico, oscilando sempre entre um excesso de conformismo adaptador, que seria denunciado por Ferenczi e seus partidários, e a ausência de lei, contra a qual reagiriam os herdeiros ortodoxos de Freud.

Ao mesmo tempo em que prosseguia sua análise com Freud, Ferenczi se devotava de corpo e alma à "causa" freudiana. Em 1909, com Jung, acompanhou Freud aos Estados Unidos*. Um ano depois, viajou com ele para a Itália*, passando por Florença, Roma, Palermo e Siracusa. No mesmo ano, fundou a International Psychoanalytical Association* (IPA). Enfim, em 1912, criou a Sociedade Psicanalítica de Budapeste, com Sandor Rado*, Istvan Hollos* e Ignotus*. A partir de 1919, viriam Geza Roheim, René Spitz*, Imre Hermann* e Eugénie Sokolnicka*.

Membro do Comitê Secreto* a partir de 1913, participou de todas as atividades de direção do movimento freudiano, formando com Otto Rank* e Freud um pólo "sulista" e austro-húngaro, diante das iniciativas mais rígidas e burocráticas dos discípulos vindos do norte da Europa: Karl Abraham*, Ernest Jones*, Max Eitingon*. Mas foi nesse período que se desenrolou o grande debate sobre a telepatia*, em torno do qual se cristalizaram os conflitos entre Jones, partidário de uma psicanálise racionalista empírica, e Ferenczi, muito mais aberto a experiências julgadas desviantes, irracionais ou extravagantes por seu adversário.

A derrota dos impérios centrais anunciou a insurreição húngara. Em março de 1919, Bela Kun proclamou a República dos Conselhos, enquanto em Budapeste era criada, pela primeira vez no mundo, uma cátedra de ensino da psicanálise na universidade. Ferenczi foi, naturalmente, nomeado para esse posto. Mas, quatro meses depois, a Comuna foi reprimida com sangue pelas tropas do almirante Miklos Horthy. A Hungria caiu então sob o jugo de outra ditadura, e os brilhantes representantes da escola húngara de psicanálise, florão do movimento,

começaram a emigrar. Berlim tornou-se então o centro nevrálgico do movimento freudiano: efetivamente, foi nessa época que se fundou o Berliner Psychoanalytisches Institut* (BPI).

A partir de 1919, como Rank, Ferenczi se empenhou na reforma completa da técnica psicanalítica*. Inventou primeiro a técnica ativa, que consiste em intervir diretamente no tratamento, através de gestos de ternura e afeto, e depois a análise mútua, durante a qual o analisando é convidado a "dirigir" o tratamento ao mesmo tempo que o terapeuta, antes de reatar com a teoria do trauma, denunciando a hipocrisia da corporação analítica em um texto famoso de 1932, intitulado "Confusão de línguas entre os adultos e a criança". Através dessa exposição, que suscitou a oposição de Jones e de Freud, relançava todo o debate sobre a teoria da sedução*.

Em 1926, fez uma viagem de conferências pelos Estados Unidos, onde alguns terapeutas, como Clara Thompson (1893-1958), grande amiga de Harry Stack Sullivan*, o reconheceram logo como um clínico genial.

Foi em 1924 que Ferenczi publicou *Thalassa. Ensaio sobre a teoria da genitalidade*, obra próxima da de Rank, sobre o trauma do nascimento. Nos dois textos, desenha-se o abandono da tese da prioridade do pai em prol de uma pesquisa sobre as origens do vínculo arcaico da criança com a mãe, tema trabalhado por Melanie Klein na mesma época. Ao contrário dos kleinianos, Ferenczi se situava no terreno do evolucionismo darwiniano. Afirmava que a vida intra-uterina reproduzia a existência dos organismos primitivos que viviam no oceano. Segundo ele, o homem teria a nostalgia do seio da mãe, mas também procuraria regredir ao estado fetal nas profundezas marítimas. Essa abordagem da psicanálise através da metáfora da cripta e das profundezas era acompanhada de inovações técnicas. Se a sessão analítica repetia uma seqüência da história individual e se, aliás, a ontogênese recapitulava a filogênese, a reflexão sobre a própria sessão conduzia naturalmente à pergunta: qual o estado traumático que a ontogênese repete simbolicamente?

Duramente contestado por suas teses e suas inovações pelos partidários da ortodoxia, Ferenczi não deixaria o regaço freudiano como

Rank. Jones, entretanto, o chamaria de psicótico: "Ferenczi sempre acreditou firmemente na telepatia. Depois, foram os delírios sobre a pretensa hostilidade de Freud. No fim, apareceu uma violenta paranóia*, acompanhada até de explosões homicidas. Foi o fim trágico de uma personalidade brilhante..." Na verdade, Ferenczi morreu de uma anemia perniciosa. Freud lhe prestou uma vibrante homenagem, mas enfatizando a excessiva importância que assumira, a seus olhos, o desejo de curar: "Ao voltar de uma temporada de trabalho na América, ele [Ferenczi] pareceu isolar-se cada vez mais em um trabalho solitário [...]. Soubemos que um único problema monopolizava o seu interesse. A necessidade de curar e de ajudar nele se tornara avassaladora."

Foi na França* e na Suíça* que a obra de Ferenczi foi particularmente apreciada, graças à sua tradutora Judith Dupont, sobrinha de Alice Balint (1898-1939), e a André Haynal, responsável em Genebra pelos arquivos de Michael Balint.

• Sandor Ferenczi, Les Écrits de Budapest, 1899-1907, Paris, EPEL, 1994; Psicanálise I, 1908-1912, Obras completas (Paris, 1970), S. Paulo, Martins Fontes, 1991; Psicanálise II, 1913-1918, Obras completas (Paris, 1972); S. Paulo, Martins Fontes, 1992; Psicanálise III, 1919-1926, Obras completas (Paris, 1974), S. Paulo, Martins Fontes, 1993; Psicanálise IV, 1927-1933, Obras completas (Paris, 1982), S. Paulo, Martins Fontes, 1992; Diário clínico, janeiro-outubro 1932 (Paris, 1985), S. Paulo, Martins Fontes, 1990 • Sándor Ferenczi e Otto Rank, Perspectives de la psychanalyse (Viena, 1924), Paris, Payot, 1994 • Sandor Ferenczi e Georg Groddeck, Correspondance, Paris, Payot, 1982 • Sigmund Freud e Sandor Ferenczi, Correspondência, vol. I, 2 tomos, 1908-1914, (Paris, 1992), Rio de Janeiro, Imago, 1994, 1995; Correspondance vol. II, 1914-1919 (Viena, Weimar, 1992), Paris, Calmann-Lévy, 1996 • Sigmund Freud, "Sandor Ferenczi", ESB, XXII, 277-84; GW, XVI, 267-9; SE, XXII, 227-9; OC, XIX, 309-14 • Ernest Jones, A vida e a obra de Sigmund Freud, vol.3 (N. York, 1957), Rio de Janeiro, Imago, 1989 • Wladimir Granoff, "Ferenczi: faux problème ou vrai malentendu", La Psychanalyse, 6, 1961, 255-83 • Claude Lorin, Le Jeune Ferenczi, Paris, Aubier-Montaigne, 1983; Sandor Ferenczi, de la médecine à la psychanalyse, Paris, PUF, 1993 • André Haynal, "Da correspondência (com Freud) ao Diário (de Ferenczi)", Revista Internacional da História da Psicanálise, 2 (1989), Rio de Janeiro, Imago, 1992, 153-64; "Notas sobre a história da correspondência Freud-Ferenczi", ibid., 219-28 • Judith Dupont, "A relação Freud-Ferenczi à luz de sua correspondência", ibid., 165-82 • Eva

Brabant-Gerö, Ferenczi et l'école hongroise de psychanalyse, Paris, L'Harmattan, 1993.

➤ ANÁLISE DIDÁTICA; CRIMINOLOGIA; GRODDECK, GEORG; HOMOSSEXUALIDADE; INTROJEÇÃO; PATRIARCADO; PSICANÁLISE DE CRIANÇAS; TRANSFERÊNCIA.

fetichismo

al. Fetischismus; esp. fetichismo; fr. fétichisme; ing. fetishism

Termo criado, por volta de 1750, a partir da palavra fetiche (derivada do português feitiço: sortilégio, artifício), retomado em 1887 pelo psicólogo francês Alfred Binet (1857-1911) e, mais tarde, retomado pelos fundadores da sexologia, para designar quer uma atitude da vida sexual normal, que consiste em privilegiar uma parte do corpo do parceiro, quer uma perversão* sexual (ou fetichismo patológico), caracterizada pelo fato de uma das partes do corpo (pé, boca, seio, cabelos) ou objetos relacionados com o corpo (sapatos, chapéus, tecidos etc.) serem tomados como objetos exclusivos de uma excitação ou um ato sexuais.*

Já em 1905, Sigmund Freud atualizou o termo, primeiro para designar uma perversão sexual, caracterizada pelo fato de uma parte do corpo ou um objeto serem escolhidos como substitutos de uma pessoa, depois para definir uma escolha perversa, em virtude da qual o objeto amoroso (partes do corpo ou objetos relacionados com o corpo) funciona para o sujeito* como substituto de um falo* atribuído à mulher, e cuja ausência é recusada por uma renegação*.*

A idéia de fetiche é comum a todos os campos do saber. Nessa condição, tornou-se móbil e objeto de múltiplas controvérsias para a antropologia*, a filosofia, a economia política, a sociologia, a religião, a psiquiatria, a literatura e a psicanálise*. Por outro lado, convém assinalar que todos os freudianos, qualquer que seja sua tendência, comentaram os textos originais de Freud sobre o assunto e publicaram numerosos casos de fetichismo. Diversas sessões da Sociedade Psicológica das Quartas-Feiras* lhe foram consagradas, e os primeiros discípulos de Freud ficaram visivelmente fascinados com o que aprenderam: fetichismo do pé, da roupa, do cheiro, da visão etc. Depois, desde Richard von Krafft-Ebing* até Masud Khan*, passando por Michael Balint*, Edward Glover* e muitos outros, cada corrente desenvolveu sua própria teoria, fosse no contexto de uma concepção kleiniana do objeto* (bom ou mau*), fosse na óptica winnicottiana do objeto transicional*, fosse, ainda, na perspectiva lacaniana de uma doutrina da perversão estendida à "estrutura perversa", e segundo a qual o fetiche, como objeto (pequeno) *a**, transforma-se na condição absoluta do desejo* e no lugar de um gozo*.

Costuma-se atribuir ao magistrado francês Charles De Brosses (1709-1777) a primeira descrição do fetichismo como fenômeno religioso. Grande viajante e adepto da filosofia do Iluminismo, De Brosses partilhava com a maioria dos pensadores de sua época a idéia de que o estudo dos chamados povos primitivos permitiria compreender a origem e a evolução da humanidade inteira. Essa "etnologia", que daria origem à antropologia de inspiração darwiniana, da qual Freud se iria alimentar para escrever *Totem e tabu**, encarava o "selvagem" como uma "criança", e via a infância como um estádio* anterior à idade adulta. Daí a idéia de atribuir às sociedades um princípio de evolução biológica segundo o qual todas elas passariam, progressivamente, de um estado selvagem "infantil" para um estado "adulto" de civilização. Foi nessa perspectiva que De Brosses fez do fetichismo uma forma de religião, cuja característica seria a transformação em divindades dos animais e seres inanimados aos quais se atribuía um poder mágico. O fetichismo do "negro", ao mesmo tempo, foi inferiorizado e assimilado a um culto pueril, característico de uma "infância da humanidade".

Essa tese foi retomada por Hegel em 1831, em suas *Lições sobre a filosofia da história*, mas invalidada por Augusto Comte (1798-1857), que, como mostraria luminosamente Georges Canguilhem (1904-1995), não excluiu a "idade do fetichismo" de sua história dos três estados do espírito humano, mas, ao contrário, integrou-a como o primeiro estado *teológico* da humanidade.

Foi realmente inspirando-se nesse evolucionismo (não comtiano, mas darwiniano) que Freud, por sua vez, retomou a idéia das diferentes "idades" da humanidade, sobretudo em *Totem e tabu*, em 1912. Ora, desde o início do século, o evolucionismo fora criticado pelos

grandes fundadores da moderna antropologia inglesa e francesa, ambas marcadas pelo ensino de Émile Durkheim (1858-1917). Foi nesse contexto que a idéia de fetichismo foi abandonada na etnologia, como sublinhou Marcel Mauss (1872-1950) em 1908: "A noção de fetiche (...) deve desaparecer definitivamente da ciência (...). O objeto que serve de fetiche, não importa o que se tenha dito a seu respeito, nunca é um objeto qualquer, escolhido arbitrariamente, mas é sempre definido pelo código da magia ou da religião (...). Quando escreverem a história da ciência das religiões e da etnografia, ficaremos surpresos com o papel indevido e fortuito desempenhado por uma idéia do tipo da de fetiche nos trabalhos teóricos e descritivos. Ela corresponde apenas a um imenso mal-entendido entre duas civilizações, a africana e a européia; não tem outro fundamento senão uma obediência cega aos costumes coloniais (...)."

Expulso da antropologia, o termo, já retomado pela sexologia e pela psiquiatria, seria literalmente investido pela psicanálise. Se Freud conservou a idéia de evolucionismo e continuou a comparar a criança a um primitivo e o fetiche ao "deus incorpóreo" do selvagem, esse procedimento não tem, nele, nenhum caráter etnocentrista ou inferiorizante. Aliás, a idéia de incorporação, de sacralização, ou até de pavor da idéia do fetiche, seria retomada por alguns herdeiros franceses de Freud, em especial Guy Rosolato, não para analisar a religião, mas para explicar a gnose e o fenômeno das seitas religiosas organizadas em torno de uma mitologia do segredo, na qual o bem e o mal, o êxtase e a abjeção constituem um punhado de oposições irredutíveis, que levam o sujeito a servir a um fetiche a ponto de perder qualquer contato com a realidade. Já no início do século, Hermann Rorschach* pensara em estudar esse fenômeno, e Michel de Certeau (1926-1986) dignificou o tema em sua análise dos místicos.

A concepção freudiana do fetichismo é exposta através de diversos textos. Em 1905, nos *Três ensaios sobre a teoria da sexualidade**, o *Ersatz* (ou substituto) é uma parte do corpo que mantém uma relação com a pessoa sexual. A "superestimação" do objeto, isto é, um certo grau de fetichismo, existe "normalmente" em qualquer relação amorosa. Mas só se torna patológica quando a fixação no objeto decorre de uma libido* infantil.

Em seguida, em seu estudo dedicado a Leonardo da Vinci (1452-1519) e também em seu comentário da *Gradiva* de Wilhelm Jensen (1837-1911), Freud identifica a dimensão fetichista de todas as formas de perversão (exibicionismo, voyeurismo, coprofilia), mostrando que, nesses casos, o fetiche é portador de todos os outros objetos. Mas ele esclarece que o encontro com o fetiche é apenas a reatualização de uma lembrança precoce recalcada. A propósito de Leonardo da Vinci e da fantasia* do "abutre", ele introduz a idéia de que o fetiche (o pé, por exemplo) é um substituto do falo que falta na mulher: "A veneração do pé feminino e do sapato toma o pé como símbolo do membro que antes faltava na mulher."

Em 1914, com "Sobre o narcisismo: uma introdução", Freud desliza do objeto para o sujeito, concluindo pela ausência do fetichismo feminino. A seu ver, de fato, o fetichismo da roupa é "normal" nas mulheres, uma vez que é a totalidade do corpo que é transformada num fetiche, e não um objeto. O fetichismo feminino, portanto, não seria nada além de uma "narcisização" do corpo.

Com a introdução do termo "renegação*", em 1923, Freud construiu uma teoria que o levaria, em seu artigo de 1927, a compreender o fetichismo como a coexistência de uma recusa da percepção da ausência do pênis na mulher com um reconhecimento da falta, levando a uma clivagem* permanente do eu* e à fabricação do fetiche como substituto do órgão faltante. Para ilustrar sua colocação, ele conta o caso de um homem cujo fetiche consiste num suporte pubiano que ele pode usar como uma sunga. Ele esconde os órgãos genitais e mascara a diferença sexual. O fetichista encontra prazer no fato de a mulher ser ao mesmo tempo castrada e não castrada, e de o homem também poder ser castrado. A criação do fetiche, portanto, obedece à intenção de destruir a prova da castração, para escapar à angústia de castração. O fetichismo, desse modo, tornar-se-ia uma espécie de paradigma da perversão em geral.

A tese da ausência do fetichismo feminino, largamente aceita no começo do século, atesta que os médicos da época não tinham tido a oportunidade de observar casos clínicos comprobatórios. Mas atesta também a cegueira de Freud com respeito às mulheres (sobretudo algumas de seu círculo), como Marie Bonaparte*, por exemplo, cujas práticas e teorias sobre a feminilidade poderiam tê-lo incitado a refletir melhor. O fato é que essa tese veio a ser questionada por seus sucessores kleinianos, que inscreveram o fetichismo em geral no contexto de uma relação arcaica com a mãe, comum a ambos os sexos, e por Robert Stoller*, grande especialista norte-americano em distúrbios da identidade sexual, para quem o fetichismo masculino (homossexual e heterossexual) seria uma fetichização do objeto ou do órgão, ao passo que o fetichismo feminino (homossexual ou heterossexual) seria uma fetichização da relação: assim, uma necrófila se apaixona pelo cadáver que deseja e do qual se torna parceira erótica, ao passo que um necrófilo apropria-se do cadáver como um pedaço do corpo.

A escola francesa, simultaneamente marcada pelo ensino de Gaëtan Gatian de Clérambault* e pelo de Jacques Lacan*, também contestou a pretensa inexistência do fetichismo feminino e, em termos mais gerais, da perversão feminina. Uma das melhores abordagens teóricas da questão foi obra de Wladimir Granoff e François Perrier*, que publicaram, em 1964, o texto de uma conferência proferida em 1960. Ambos admitem que o fetichismo não existe na mulher sob a forma da construção de um objeto-fetiche. Mas, ainda assim, a mulher pode tornar-se seu próprio fetiche, numa relação erotomaníaca com o filho. Na condição de mãe, ela se constrói então como um ídolo onipotente e, portanto, como um fetiche.

• Sigmund Freud, *Três ensaios sobre a teoria da sexualidade* (1905), *ESB*, VII, 129-2; *GW*, V, 29-145; *SE*, VII, 123-243; Paris, Gallimard, 1987; "Freud e o fetichismo", sessão de 24 de fevereiro de 1909, apresentada por Louis Rose, *Revista Internacional da História da Psicanálise*, 2 (1989), Rio de Janeiro, Imago, 1992; "Un cas de fétichisme du pied", sessão de 11 de março de 1914, in *Les Premiers psychanalystes, Minutes de la Société Psychanalytique de Vienne*, IV, 1912-1918 (N. York, 1975), Paris, Gallimard, 1983, 278-80; "Fetichismo" (1927), *ESB*, XXI, 179-88; *GW*, XIV, 311-7; *SE*, XXI, 147-157; in *La Vie sexuelle*, Paris, PUF, 1969; "A clivagem do eu no processo de defesa" (1938), *ESB*, XXIII, 309-14; *GW*, XVII, 59-62; *SE*, XXIII, 271-8; in *Résultats, idées, problèmes*, II, Paris, PUF,

1985, 283-7 • Charles De Brosses, *Du culte des dieux fétiches ou Parallèle de l'ancienne religion de l'Égypte avec la religion actuelle de Négritie* (1760), Paris, Fayard, col. "Corpus des oeuvres de philosophie en langue française", 1988 • G.W.F. Hegel, *Leçon sur la philosophie de l'histoire*, Paris, Vrin, 1967 • Augusto Comte, *Cours de philosophie positive*, vol.V (1841), Paris, Hermann, 1975; *Discours sur l'esprit positif* (1844), Paris, UGE, col. "10/18", 1963 • Richard von Krafft-Ebing, *Psychopathia sexualis* (Stuttgart, 1886, Paris, 1907), Paris, Payot, 1969 • Alfred Binet, "Le Fétichisme dans l'amour", *Revue Philosophique*, 1887; *Études de psychologie expérimentale*, Paris, Doin, 1888 • Marcel Mauss, "Résumé de cours" (1906-1907), in *Oeuvres*, II, Paris, Minuit, 1969, 244-5 • Karl Abraham, "Psychanalyse d'un cas de fétichisme du pied et du corset" (1910), *Oeuvres complètes*, 1, Paris, Payot, 1965, 147-55 • Michael Balint, "A contribution on fetishism", *IJP*, 16, 4, 1935, 481-3 • William Gillespie, "A contribution to fetishism", *IJP*, 21, 1940, 401-15 • Daniel Hunter, "Object relation changes in the analysis of a fetishism", *IJP*, 35, 1954, 302-12 • Angel Garma, "The meaning and genesis of fetishism", *IJP*, 37, 1956, 414-25 • Jacques Lacan e Wladimir Granoff, "Le Fétichisme: le symbolique, l'imaginaire et le réel" (1956), in *L'Objet en psychanalyse. Le Fétiche, le corps, l'enfant, la science*, Paris, Denoël, 1986, 16-32 • Wladimir Granoff e François Perrier, *Le Désir et le féminin* (1964), Paris, Aubier, 1991, precedido por "Le Non-lieu de la femme", de René Major • Guy Rosolato, "Étude des perversions sexuelles à partir du fétichisme", in *Le Désir et la perversion*, Paris, Seuil, 1967, 9-52 • Georges Canguilhem, "Histoire des religions et histoire des sciences dans la théorie du fétichisme chez A. Comte", in *Études d'histoire et de philosophie des sciences*, Paris, Vrin, 1968, 81-99 • Robert C. Bak, "Le Fétichisme" (1953), *Nouvelle Revue de Psychanalyse*, 2, outono de 1970, 65-77 • Masud R. Khan, "Le Fétichisme comme négation de soi" (1965), ibid., 77-112 • Jean Pouillon, "Fétiche sans fétichisme", ibid., 135-49 • Frank J. Sulloway, *Freud, Biologist of the Mind*, N. York, Basic Books, 1979 • Robert Stoller, "Dynamiques des troubles érotiques", in *Les Troubles de la sexualité*, monografias da *Revue Française de Psychanalyse*, Paris, PUF, 1993, 119-39 • Paul-Laurent Assoun, *Le Fétichisme*, Paris, PUF, col. "Que sais-je?", 1994.

➤ *DELÍRIOS E SONHOS NA "GRADIVA" DE W. JENSEN;* HAITZMANN, CHRISTOPHER; HOMOSSEXUALIDADE; HUG-HELLMUTH, HERMINE VON; *LEONARDO DA VINCI E UMA LEMBRANÇA DE SUA INFÂNCIA;* MALINOWSKI, BRONISLAW; ROHEIM, GEZA; SADOMASOQUISMO; TRANSEXUALISMO.

filiação

O termo filiação é comum ao direito, à antropologia* e à psicanálise*. Designa a regra em virtude da qual um indivíduo adquire sua identidade social e se inscreve num processo de transmissão de tipo patrilinear ou matrilinear. O debate sobre a natureza da filiação superpõe-se aos que se desenvolveram sobre o patriarcado* e o matriarcado. Quanto à filiação em si, ela é um dos objetos de estudo dos sistemas de parentesco*.

Na historiografia* freudiana, o termo remete à forma particular de iniciação no saber e na prática da psicanálise que se opera entre um mestre e seu discípulo, através da experiência da análise pessoal ou didática e, mais tarde, da supervisão*.

O estudo das filiações é essencial para a constituição da história da psicanálise, na medida em que o movimento e suas instituições sempre formaram uma comunidade comparável a uma família patriarcal, ou então a um sistema de parentesco. Nessa perspectiva, o estudo das filiações tem por objetivo estabelecer quem é analisado (ou supervisionado) por quem, e permite compreender a natureza das relações transferenciais entre psicanalistas.

Depois de Sandor Ferenczi*, que foi o primeiro, em 1928, a se interessar especificamente pela análise dos analistas, Michael Balint* propôs, em 1948, um estudo sistemático do que denominou de sistema de formação dos analistas (ou sucessão apostólica).

Em 1975, o psicanalista francês Wladimir Granoff, muito marcado pelo ensino de Ferenczi, introduziu o termo filiação. Em seguida, o historiador Ernst Falzeder deu uma grande contribuição a esse campo, ao estabelecer uma genealogia das filiações freudianas no mundo germânico e anglófono, à qual acrescentou a lista das práticas consideradas "transgressoras" em relação aos cânones da análise, segundo a International Psychoanalytical Association* (IPA), entre 1920 e 1925: relações sexuais entre analistas e analisandos, análise de crianças por seus pais etc. Na França*, essa questão foi estudada por Élisabeth Roudinesco, a partir da contribuição de Wladimir Granoff. Em todos os países de implantação do freudismo (Argentina*, Brasil*, Hungria*, Escandinávia*, Itália* etc.), as pesquisas genealógicas decorrem da história acadêmica.

• Sandor Ferenczi, "O problema do fim da análise" (1928), in *Psicanálise IV, Obras completas, 1927-1933*

(Paris, 1982), S. Paulo, Martins Fontes, 1994, 15-24 • Michael Balint, "A propos du système de formation psychanalytique" (1948), in *Amour primaire et technique psychanalytique* (Londres, 1952), Paris, Payot, 1965, 285-308 • Wladimir Granoff, *Filiations*, Paris, Minuit, 1975 • Ernst Falzeder, "Filiations psychanalytiques: la psychanalyse prend effet" (1994), in André Haynal (org.), *La Psychanalyse: cent ans déjà* (Londres, 1994), Genebra, Georg, 1996, 255-89 • Élisabeth Roudinesco, *Genealogias* (Paris, 1994), Rio de Janeiro, Relume Dumará, 1996.

➢ GERAÇÃO; PASSE; PSICANÁLISE DIDÁTICA; TRANSFERÊNCIA.

Finlândia
➢ ESCANDINÁVIA.

Fleischl-Marxow, Ernst von (1847-1891)

Brilhante fisiologista da geração de Sigmund Freud*, foi assistente de Ernst von Brücke* em Viena*. Durante um experimento, feriu-se profundamente na mão e teve que amputar três dedos. Sofria de dores insuportáveis nos cotos, o que o levou a usar morfina. Desejando curá-lo da sua toxicomania, Freud o tratou com cocaína, acreditando que essa droga podia curar a morfinomania. Tornando-se adepto da cocaína, Fleischl morreu aos 44 anos, assistido por seu grande amigo Sigmund Freud, que evocou sua lembrança em *A interpretação dos sonhos**.

• Max Schur, *Freud: vida e agonia, uma biografia*, 3 vols. (N. York, 1972), Rio de Janeiro, Imago, 1981.

➢ KOLLER, CARL.

Fliess, Robert (1895-1970)
médico e psicanalista americano

Filho de Wilhelm Fliess e Ida Bondy (ex-paciente de Josef Breuer* e irmã de Margarethe Nunberg* e de Marianne Kris*), Robert Fliess foi, como Anna Freud*, um filho da psicanálise*. Analisado em Berlim por Karl Abraham*, interessou-se pelas práticas de musculação e massagem sueca. Depois da tomada do poder pelo nazismo*, emigrou para os Estados Unidos* e instalou-se em Nova York, onde trabalhou ao mesmo tempo como médico e como psicanalista, depois de uma segunda análise com Ruth Mack-Brunswick*. Em uma de suas obras, publicada depois de sua morte, adotou a antiga teoria freudiana da sedução*, para enfatizar que todos os neuróticos graves tinham sido atingidos na infância por traumas reais ou por abusos sexuais. Essa posição permitiria à historiografia* revisionista, e principalmente a Jeffrey Moussaïeff Masson, editor da correspondência de Sigmund Freud* e Wilhelm Fliess, relançar o debate sobre a sedução e formular a hipótese, sem provas, de que o próprio Robert Fliess teria sido vítima de seu pai.

• Robert Fliess, *Symbol, Dream and Psychosis*, N. York, International Universities Press, 1973 • Jeffrey Moussaïeff Masson, *Le Réel escamoté*, Paris, Aubier, 1984.

Fliess, Wilhelm (1858-1928)
médico alemão

Personagem pitoresco, amigo íntimo de Sigmund Freud* e teórico da bissexualidade*, Wilhelm Fliess pertence à longa linhagem de sábios prometeicos da literatura romântica, cujos traços se encontram na obra de Thomas Mann*. Nascido em Arswalde, em uma família de judeus sefardins instalados no Markbrandenburg desde o século XVIII, residiu em Berlim a partir de 1862, onde seu pai, Jacob Fliess (1819-1878), era um comerciante de grãos pouco dotado para os negócios e certamente deprimido. Contava-se na família que, provavelmente, ele se suicidara.

Depois de estudar medicina e fazer várias viagens pela Europa, Wilhelm Fliess abriu um consultório de clínica geral em Berlim, assim como uma pequena clínica com alguns leitos. Especializou-se em otorrinolaringologia e fez pesquisas sobre as relações entre o nariz e os órgãos genitais. Estas resultaram, em 1897, na publicação de um livro, *As relações entre o nariz e os órgãos genitais femininos, apresentadas segundo suas significações biológicas*.

Foi em outubro de 1887, por ocasião de uma permanência em Viena*, que se encontrou com Freud, através de Josef Breuer*. Os dois jovens médicos estavam então sob a influência da escola alemã de Hermann von Helmholtz*. Ambos se interessavam pela sexualidade*, procurando na medicina e na ciência de sua época os meios de construir uma nova teoria biológica e darwiniana da vida psíquica do homem. Sua amizade foi curta mas apaixonada, como são habitualmente essas aventuras iniciáticas de uma juventude à procura de identidade intelectual, e foi acompanhada de uma bela correspondência, da qual infelizmente só se conhece a parte escrita por Freud.

Maravilhoso correspondente, Freud descreveu com prazer aquilo que chamou de sua autoanálise*. Ao longo das páginas, descobrimos como ele adotou as teses do amigo sobre a bissexualidade para transformá-las, e depois como elaborou suas primeiras hipóteses sobre a histeria*, a neurose* e o Édipo*. As cartas também relatavam o abandono da teoria da sedução*, acontecimento central na relação entre ambos, o episódio do caso Emma Eckstein*, e enfim a gênese de *A interpretação dos sonhos**. Continham uma multiplicidade de detalhes sobre a vida cotidiana e sexual do autor, e muitas outras informações de todo tipo. A correspondência terminou em setembro de 1902.

Em setembro de 1892, Fliess casou-se com Ida Bondy (1869-1941), vienense, ex-paciente de Breuer, cuja irmã, Melanie, se casaria com Oskar Rie*, amigo de Freud: um verdadeiro romance familiar* da psicanálise, cuja estrutura se encontra no sonho da "injeção de Irma"*. Desse casamento, nasceram duas filhas, Margarethe, que se casou com Hermann Nunberg*, e Marianne, futura mulher de Ernst Kris*. Dos cinco filhos nascidos do casamento de Wilhelm e Ida, só Robert Fliess* seria psicanalista e médico, próximo, em certos aspectos, do imaginário paterno.

Adepto de uma teoria mística e organicista da sexualidade, Fliess era uma espécie de duplo de Freud. Dominado por uma visão paranóica da ciência, misturava as teses mais extravagantes (e também as mais inovadoras) sem conseguir organizá-las em um sistema de pensamento adequado à realidade. Relacionando a mucosa nasal com as atividades genitais, pensava que a vida estava condicionada por fenômenos periódicos que dependiam da natureza bissexuada da constituição humana. Já observava o caráter polimorfo da sexualidade infantil.

Em contato com Fliess, através de um paciente trabalho de escrita, Freud rompeu progressivamente com a teoria da sedução e criou a noção de fantasia*. Ao longo de seu relacionamento (como provam os raros encontros que tiveram em cidades escolhidas — chamavam esses encontros de "congressos"), Freud se deixou literalmente encantar por Fliess. Ora, este o encerrava em uma concepção da ciência na qual nem o erro, nem a experiência, nem a procura da verdade tinham lugar, tal era a certeza que governava o trabalho especulativo. Renunciando à hipótese do trauma, Freud foi assim logicamente conduzido a evoluir para outro caminho: o de uma ciência capaz de explicar a realidade com a qual ele se confrontava.

A ruptura foi violenta. Fliess se sentiu perseguido e lançou contra Freud uma acusação de plágio, na qual estavam implicados dois outros homens: Hermann Swoboda* e Otto Weininger*.

Preocupado em não desvelar para a posteridade sua relação com Fliess, Freud destruiu as cartas do amigo. Mas em 1936, Charles Fliess (1899-1956), irmão mais velho de Robert, vendeu a um comerciante as cartas de Freud, que seu pai guardara até a morte. Foi então que Marie Bonaparte* as comprou e as conservou, contra a opinião do mestre, que se recusava obstinadamente a que fossem publicadas, nem queria que elas fossem conhecidas. Em 1950, com a ajuda de Ernst Kris* e de Anna Freud*, ela publicou algumas, sob o título *O nascimento da psicanálise*. Só em 1985 foi enfim publicada uma edição completa, depois de um escândalo nos Arquivos Freud.

• Wilhelm Fliess, *Les Relations entre le nez et les organes génitaux féminins présentés selon leurs significations biologiques* (Viena, 1897), Paris, Seuil, 1977; *Der Ablauf des Lebens. Grundlegung zur exakten Biologie*, Leipzig e Viena, Franz Deuticke, 1906 • Sigmund Freud, *La Naissance de la psychanalyse* (Londres, 1950), Paris, PUF, 1956; *Briefe an Wilhelm Fliess, 1887-1904*, Frankfurt, Fischer, 1986 • *Freud/Fliess: correspondência completa, 1887-1904* (Cambridge, 1985), Rio de Janeiro, Imago, 1997 • Karl Abraham, "Six lettres inédites à Wilhelm Fliess", *Revue du Littoral* 31-32, março de 1991 • Peter Swales, "Freud, Fliess and fratricide. The role of Fliess in Freud's conception of paranoïa", in *Sigmund Freud. Critical Assessments*, Laurence Spurling (org.), vol.1, Londres, N. York, Routledge, 1982 • Jean-Paul Sartre, *Freud, além da alma*

(Paris, 1984), Rio de Janeiro, Nova Fronteira, 1987, 2ª ed. • Jeffrey Moussaïeff Masson, *Le Réel escamoté*, Paris, Aubier, 1984 • Erik Porge, *Vol d'idées*, Paris, Denoël, 1994.

➢ BIBLIOTECA DO CONGRESSO; PARANÓIA.

Flournoy, Henri (1854-1920)

psiquiatra e psicanalista suíço

Filho de Théodore Flournoy* e cunhado de Raymond de Saussure*, Henri Flournoy estudou medicina em Genebra e tornou-se assistente de Adolf Meyer* durante um ano, em Baltimore. Foi um dos artífices ativos do movimento psicanalítico suíço, sendo também membro da Sociedade Psicanalítica de Paris (SPP), tendo desempenhado papel importante em seu país pela legalização do aborto. Foi analisado primeiro por Carl Gustav Jung*, depois, na Holanda, por Johan Van Ophuijsen*, e enfim em Viena por Sigmund Freud* e Hermann Nunberg*.

• Élisabeth Roudinesco, entrevista com Olivier Flournoy, junho de 1982.

Flournoy, Théodore (1854-1920)

médico suíço

Contemporâneo de Sigmund Freud*, de Pierre Janet* e de Morton Prince*, Théodore Flournoy ocupa lugar importante na história da descoberta do inconsciente* e da passagem do espiritismo* para a psicanálise*. Nascido em Genebra em uma velha família calvinista, era sobrinho de Édouard Claparède*. Recebeu uma formação de médico e de filósofo. Em Leipzig, fez os cursos de Wilhelm Wundt (1833-1920) e obteve em 1891, em sua cidade natal, a primeira cátedra de psicologia experimental, criada especialmente para ele. No mesmo ano, o lingüista Ferdinand de Saussure (1857-1912) assumiu a cátedra de sânscrito e de línguas indo-européias.

Marcado pelos trabalhos de Frederick Myers*, Flournoy logo se interessou pelo espiritismo, pelo ocultismo e pelo além da consciência (ou inconsciente subliminar), que se acreditava discernir nos fenômenos de personalidade múltipla*. Em 1894, depois de assistir, fascinado, a uma sessão na qual se expressava

uma célebre espírita, Catherine-Élise Müller (1861-1929), tornou-se durante cinco anos terapeuta e confidente desta, no mesmo momento em que começava a ler as primeiras publicações de Freud. A jovem lhe contou sua história familiar e, ao longo de minuciosa pesquisa, Flournoy descobriu que outrora seus pais haviam tido contato com os dela.

Algum tempo depois, Catherine-Élise mergulhou em profunda depressão e atualizou as cenas de uma vida anterior, composta de três ciclos. Durante o primeiro, tinha sido uma princesa indiana do século XV, no segundo, Maria Antonieta; e no terceiro vivera no planeta Marte. Descrevia seus habitantes, suas paisagens e falava e escrevia uma "língua marciana". Flournoy observou que grande parte das criações da jovem provinha de livros lidos na infância, mas não lhe disse nada e ignorou o peso da realidade psíquica* e da fantasia*, preocupando-se apenas com a experimentação pura. Em 1900, decidiu publicar os resultados de seu estudo em um livro que teria grande sucesso, *Das Índias ao planeta Marte*. Segundo ele, cada um dos ciclos revividos pela espírita (que chamou de Hélène Smith) era construído sobre uma "reversão" da sua personalidade a uma idade diferente: o ciclo de Maria Antonieta a levava até a idade de 16 anos, o ciclo indiano à idade de 12 anos, o ciclo marciano à primeira infância.

Para Flournoy, que não acreditava na existência de extra-terrestres, não havia dúvida: Catherine-Élise não se comunicava com os marcianos e sua língua pertencia ao campo da glossolalia, linguagens inventadas pelos próprios sujeitos para expressarem suas alucinações. Mas para a jovem, alimentada pelos sonhos de uma época em que os romances de Júlio Verne (1828-1905) e de H.G. Wells (1866-1946) pareciam coincidir com as descobertas de Camille Flammarion (1842-1925), a realidade era diferente: o planeta Marte existia mesmo, com sua língua revelada e seus verdadeiros marcianos.

Foi por isso que, logo que a obra foi publicada, desencadeou-se um intenso debate entre os adeptos do espiritismo, que reivindicavam a existência de uma "língua revelada", e os cientistas, que a negavam. Enquanto Ferdinand de Saussure se situava ao lado de Flournoy, o francês Victor Henry, especialista em sânscrito, afirmava que a jovem criara sua língua marciana utilizando um vocabulário composto de palavras húngaras deformadas, oriundas da língua materna do pai.

A aventura terminou em tragédia, como a de Carl Gustav Jung* com Hélène Preiswerk*. Sentindo-se destituída da sua língua imaginária pelo discurso da ciência, Catherine-Élise rejeitou Flournoy. Depois de receber donativos de uma rica americana para se dedicar às suas experiências, mergulhou em um isolamento sonambúlico completo, pintando quadros místicos que seriam expostos depois de sua morte. Quanto a Flournoy, que se recusara a tratar da jovem, não a considerando uma doente mas um sujeito de experiência, prosseguiu seus trabalhos e acolheu com entusiasmo a teoria freudiana do sonho*.

Tendo permanecido ligado à tradição dos antigos magnetizadores, Théodore Flournoy foi uma figura original na história do freudismo* na Suíça*. Seu filho, Henri Flournoy*, tornou-se psicanalista, assim como o filho deste, Olivier Flournoy; sua filha, Ariane, casou-se com Raymond de Saussure*.

• Théodore Flournoy, *Des Indes à la planète Mars* (Genebra, 1900), Paris • Henri F. Ellenberger, *Histoire de la découverte de l'inconscient* (N. York, Londres, 1970, Villeurbanne, 1974), Paris Fayard, 1994.

Fluss, Gisela (1859-?), ao casar: Popper

Em 1871, Eduard Silberstein* e Sigmund Freud* passaram o verão em Roznau. Dali, foram a Freiberg, hospedando-se com a família de Ignaz Fluss, comerciante de têxteis, amigo de longa data de Jacob Freud*, e pai do jovem Emil Fluss, colega de Sigmund e Eduard. Sigmund apaixonou-se então por Gisela, irmã de Emil.

No ano seguinte, sempre muito apaixonado, Freud reviu Gisela, mas fingiu indiferença e deixou-a partir para o colégio interno. Passeava pelos bosques, inconsolável, sonhando com o que poderia ter sido sua vida, se seus pais não tivessem deixado Freiberg e se ele tivesse podido casar-se com a bem-amada. Mas em uma carta de 4 de setembro de 1872, explicou a

Eduard Silberstein que o objeto de seu amor não era Gisela, mas Eleonora, mãe desta: "Parece-me, escreveu ele, que transferi para a filha, sob forma de amizade, o respeito que me inspira a mãe. Sou um observador perspicaz, ou me considero tal; minha vida no seio de uma família numerosa, na qual tantos caracteres se desenvolvem, aguçou o meu olhar e estou cheio de admiração por essa mulher que nenhum de seus filhos consegue igualar." Seguia-se então um elogio ardente a Eleonora.

Esta possuía qualidades que Amalia Freud*, mãe de Sigmund, não tinha. Era moderna, liberal, culta e completamente livre do espírito de gueto. Quanto a seu marido, mostrara-se capaz, ao contrário de Jacob Freud, de superar a crise que atingira o comércio de têxteis e não fora obrigado a deixar Freiberg por Viena. Assim, o amor que Freud dedicou a Gisela Fluss parece ter sido acompanhado da construção de um romance familiar*: ter um pai idêntico a Ignaz e uma mãe semelhante a Eleonora.

Essa aspiração a uma outra identidade, cuja significação Freud e Otto Rank* teorizariam na noção de romance familiar, foi um dos componentes maiores do espírito vienense dos anos 1870-1890, que tanto contestava a autoridade patriarcal. Entre os estudantes judeus, ela tomou a forma de uma vontade de superar os pais, consagrando-se ao trabalho intelectual. Encontramos essa problemática ao longo da correspondência entre Freud e Silberstein, na identificação de Freud com Aníbal (a respeito de uma lembrança de infância referente a Jacob Freud), assim como através de muitos episódios da vida de Freud.

Em 27 de fevereiro de 1881, Gisela Fluss casou-se em Viena com um comerciante de Presbourg (Bratislava), chamado Emil Popper.

Em 1899, em um artigo intitulado "As lembranças encobridoras", Freud relatou em parte a história de seu amor por Gisela Fluss, modificando os nomes de pessoas e lugares. Foi Siegfried Bernfeld*, sem conhecer ainda as cartas de juventude de Freud, o primeiro a mostrar, em 1946, que esse artigo continha um fragmento autobiográfico. O texto seria depois comentado por muitos autores, de maneira mais ou menos fantasiosa.

• Sigmund Freud, "Lembranças encobridoras" (1899), *ESB*, III, 333-58; *GW*, I, 529-44; *SE*, III, 299-322; *OC*, III, 255-76; *Lettres de jeunesse* (1989), Paris, Gallimard, 1990 • Siegfried Bernfeld, "An unknown autobiographical fragment by Freud", *American Imago*, 4, 1, 1946• Ernest Jones, *A vida e a obra de Sigmund Freud*, vol.1 (N. York, 1953), Rio de Janeiro, Imago, 1989.

➤ JUDEIDADE; LEMBRANÇA ENCOBRIDORA; PATRIARCADO; VIENA.

fobia

al. *Phobie*; esp. *fobia*; fr. *phobie*; ing. *phobia*

Termo derivado do grego phobos *e utilizado na língua francesa como sufixo, para designar o pavor de um sujeito* em relação a um objeto, um ser vivo ou uma situação.*

Tal como utilizado em psiquiatria por volta de 1870, como substantivo, o termo designa uma neurose* cujo sintoma central é o pavor contínuo e imotivado que afeta o sujeito, frente a um ser vivo, um objeto ou uma situação que, em si mesmos, não apresentam nenhum perigo real.

Em psicanálise*, a fobia é um sintoma, e não uma neurose, donde a utilização da expressão histeria* de angústia em lugar da palavra fobia. Introduzida por Wilhelm Stekel* em 1908 e retomada por Sigmund Freud*, a histeria de angústia é uma neurose de tipo histérico, que converte uma angústia num terror imotivado, frente a um objeto, um ser vivo ou uma situação que não apresentam em si nenhum perigo real.

Entre os sucessores de Freud, a palavra tende a se superpor à idéia de histeria de angústia.

Conhecida desde a noite dos tempos, a repulsa que atinge certos indivíduos em algumas situações particulares tem suscitado numerosos comentários. Para conjurar o medo no combate, os gregos divinizaram Fobos e os guerreiros o honravam antes de partir para a guerra. Se esse pavor remetia a um perigo bastante real, que o século XX reencontraria com as neuroses de guerra*, as doenças do medo foram tratadas, no Ocidente, pelos remédios tradicionais: ervas e poções mágicas, colares de alho, crimes rituais, confecção de amuletos etc. Algumas doenças não identificadas, como a hepatite, por exemplo, chamada de icterícia, entraram durante muito tempo na categoria das afecções causadas pelo pavor. Supunha-se, de fato, que o doente mudava de cor sob o efeito de um medo interno ou externo, em geral ligado a uma manifestação diabólica ou divina. Continuam a ser numerosas as superstições que exprimem a angústia, como o medo do número 13, por exemplo.

Assim, identificaram-se dezenas de doenças do medo, dentre as quais algumas se tornaram célebres; a hidrofobia (medo da água), a agorafobia (medo de lugares públicos), a claustrofobia (medo de lugares fechados) etc. No cerne desse universo do medo, são as representações da animalidade, na maioria das vezes, que revelam a essência da fobia. Desde os afrescos infernais de Hieronymus Bosch (1450-1516) até a *Metamorfose* de Franz Kafka (1883-1924), passando pelo *Drácula* do escritor irlandês Bram (Abraham) Stocker (1847-1912), exprime-se o pavor da transição do humano para o animal, do anjo para o demônio, da alma para o corpo. O evolucionismo darwiniano daria uma consistência científica a essa fantasia*, como sublinhou Freud em *Totem e tabu**, apoiando-se no caso do pequeno Arpad, o menino analisado por Sandor Ferenczi* em razão de sua fobia dos galos.

Foi a retirada do terror do universo do pensamento religioso que permitiu ao saber psiquiátrico do fim do século XIX fazer da fobia uma verdadeira entidade nosográfica. Ao se transformar numa neurose, a fobia acedeu a um estatuto estrutural, ao passo que o bestiário, sintoma dos antigos pânicos sagrados, transformou-se sub-repticiamente num mal inelutável, que destrói a alma por dentro. Nessa configuração, o sujeito pode ser designado como fóbico, sem que o objeto de sua fobia seja identificado. Daí a confusão entre a angústia no sentido existencial e a fobia.

É compreensível que Freud tenha preferido a ela a expressão histeria de angústia, inventada por Stekel: esta lhe permitiu situar a sexualidade* no centro do sintoma fóbico. Num primeiro momento, em 1894-1895, Freud constatou que os sintomas fóbicos estavam presentes em toda sorte de distúrbios neuróticos ou psicóticos, porém, mais particularmente, na neurose obsessiva* e na neurose de angústia (ou neurose atual). Eram a expressão de uma conversão da angústia em terror, em pacientes que praticavam a continência e se mostravam fanáticos com a limpeza, porque tinham horror às coisas da sexualidade.

Depois, na análise do Pequeno Hans (Herbert Graf*), em 1909, Freud constatou que existia pelo menos uma neurose em que o sintoma fóbico era central. Designou-a pelo nome de histeria de angústia. Nesses casos, a libido* não é convertida, mas liberada sob a forma de angústia. Note-se que a fobia é um dos sintomas que o tratamento psicanalítico permite dominar com mais facilidade, substituindo-o pela angústia.

Os sucessores de Freud interessaram-se muito pelas fobias infantis e, portanto, essencialmente, pelos terrores inspirados pelos animais. Como na arte ou na literatura, eles são quase sempre o vetor principal do sintoma fóbico e, portanto, da angústia. Aliás, encontramos seus vestígios em outros dois grandes casos freudianos: o Homem dos Lobos (Serguei Constantinovitch Pankejeff*) e o Homem dos Ratos (Ernst Lanzer*).

Depois de Freud, entretanto, a terminologia se modificou e a fobia acabou sendo aceita menos como um sintoma do que como uma verdadeira entidade clínica. Daí o desaparecimento progressivo da expressão histeria de angústia. Se Melanie Klein* dissolveu a fobia na angústia, fazendo dela um mecanismo arcaico, integrado na posição esquizo-paranóide*, Anna Freud*, ao contrário, encarou-a como uma neurose de transferência*, na qual o objeto fobogeno torna-se símbolo de todos os perigos ligados à sexualidade, os quais é preciso repelir através de mecanismos de defesa*. Daí o surgimento de uma defesa maníaca, ou a adoção, em alguns indivíduos, de uma atitude chamada de contrafóbica. Do ponto de vista da teoria clássica (freudiana e annafreudiana), a claustrofobia deveria ser interpretada como o desejo e o medo da masturbação, e a agorafobia, como a expressão de uma fantasia de prostituição etc. Segundo a ótica kleiniana, a claustrofobia seria um desejo de escapar à proteção sufocante do bom objeto, enquanto a agorafobia corresponderia ao desejo de fugir de um mundo povoado de maus objetos.

Grande clínico dos estados de terror ligados ao surgimento do real*, Jacques Lacan* foi o único autor a desenvolver uma concepção francamente estrutural da fobia em geral. Daí a

idéia, em seu seminário *A relação de objeto*, de que o objeto da fobia seria um significante*, isto é, um elemento significativo da história do sujeito que viria mascarar sua angústia fundamental: "Para preencher algo que não pode resolver-se no nível da angústia intolerável do sujeito, este não tem outro recurso senão criar para si mesmo um tigre de papel." Lacan comparou esse significante a letras de fogo ou "brasões da fobia", verdadeiras paredes de papel que se tornam, para o sujeito, tão intransponíveis quanto a muralha da China. Nessa perspectiva, portanto, cabe distinguir o objeto significante (ou significante fóbico) do objeto fetiche, para mostrar que o primeiro decorre de uma sintomatologia neurótica (histeria, neurose obsessiva) e o segundo, de uma clínica da perversão*. Se o fetiche garante a condição absoluta de um gozo*, o significante fóbico protege contra o desaparecimento do desejo*.

• Sigmund Freud, "Obsessões e fobias: seu mecanismo psíquico e sua etiologia" (1895), escrito em francês, *ESB*, III, 89-98; *GW*, I, 343-53; *SE*, III, 69-82; *OC*, III, 19-29; "Análise de uma fobia em um menino de cinco anos" (1909), *ESB*, X, 15-152; *GW*, VII, 243-377; *SE*, X, 1-147; in *Cinq psychanalyses*, Paris, PUF, 1954, 93-198 • Bram Stocker, *Dracula* (Dublin, 1897), Vervier, Marabout, 1975 • Franz Kafka, *A metamorfose* (1916), S. Paulo, Companhia das Letras, 1997 • Wilhelm Stekel, *Nervöse Angstzustände und ihre Behandlung*, Viena e Berlim, Urban und Schwarzenberg, 1908, com prefácio de Sigmund Freud reproduzido in *ESB*, IX, 255-6; *GW*, VII, 467-8; *SE*, IX, 250-1 • Sandor Ferenczi, "Um pequeno homem-galo" (1913), in *Psicanálise II, Obras completas, 1913-1919* (Paris, 1970), S. Paulo, Martins Fontes, 1992, 61-8 • Anna Freud, *O ego e os mecanismos de defesa* (Londres, 1936), Rio de Janeiro, Civilização Brasileira, 1982, 6ª ed.; "Fears, anxieties and phobic phenomena", *Psychoanalytic Study of the Child*, 32, 1977, 85-90 • Jacques Lacan, O Seminário, livro 4, *A relação de objeto (1956-1957)* (Paris, 1994), Rio de Janeiro, Jorge Zahar, 1995; *Escritos* (Paris, 1966), Rio de Janeiro, Jorge Zahar, 1998 • Jean Laplanche e Jean-Bertrand Pontalis, *Vocabulário da psicanálise* (Paris, 1967), S. Paulo, Martins Fontes, 1991, 2ª ed. • Charles Rycroft, *A Critical Dictionary of Psychoanalysis* (1968), Londres, Penguin Books, 1995 • Jean Delumeau, *La Peur en Occident*, Paris, Fayard, 1978 • Annie Birraux, *Éloge de la phobie*, Paris, PUF, 1994.

➤ CASTRAÇÃO; FAIRBAIRN, RONALD; FETICHISMO; *INIBIÇÕES, SINTOMAS E ANGÚSTIA*; *NOVAS CONFERÊNCIAS INTRODUTÓRIAS SOBRE PSICANÁLISE*; OB-

JETO (BOM E MAU); OBJETO, RELAÇÃO DE; OBJETO (PEQUENO) a.

foraclusão

al. *Verwerfung*; esp. *desestimación*; fr. *forclusion*; ing. *foreclosure*

Conceito forjado por Jacques Lacan* para designar um mecanismo específico da psicose*, através do qual se produz a rejeição de um significante* fundamental para fora do universo simbólico do sujeito*. Quando essa rejeição se produz, o significante é foracluído. Não é integrado no inconsciente*, como no recalque*, e retorna sob forma alucinatória no real* do sujeito. No Brasil também se usam "forclusão", "repúdio", "rejeição" e "preclusão".

O termo foraclusão foi introduzido pela primeira vez por Jacques Lacan, em 4 de julho de 1956, na última sessão de seu seminário dedicado às psicoses* e à leitura do comentário de Sigmund Freud* sobre a paranóia* do jurista Daniel Paul Schreber*.

Para compreender a gênese desse conceito, há que relacioná-lo com a utilização que Hippolyte Bernheim* fez, em 1895, da noção de alucinação negativa: esta designa a ausência de percepção de um objeto presente no campo do sujeito após a hipnose*. Freud retomou o termo, porém não mais o empregou a partir de 1917, na medida em que, em 1914, propôs uma nova classificação das neuroses*, psicoses e perversões* no âmbito de sua teoria da castração*. Deu então o nome de *Verneinung* ao mecanismo verbal pelo qual o recalcado é reconhecido de maneira negativa pelo sujeito, sem no entanto ser aceito: "Não é meu pai." Em 1934, o termo foi traduzido em francês por *négation* [negação]. Quanto à renegação* (*Verleugnung*), Freud a caracterizava como a recusa, por parte do sujeito, a reconhecer a realidade de uma percepção negativa — por exemplo, a ausência de pênis na mulher.

Paralelamente, na França*, Pichon* introduzia o termo "escotomização", para designar o mecanismo de enceguecimento inconsciente pelo qual o sujeito faz desaparecerem de sua memória ou sua consciência fatos desagradáveis. Em 1925, uma polêmica opôs Freud a René Laforgue* a propósito dessa palavra. Laforgue propunha traduzir por escotomização

tanto a renegação (*Verleugnung*) quanto um outro mecanismo, próprio da psicose e, em especial, da esquizofrenia*. Freud recusou-se a acompanhá-lo e distinguiu, de um lado, a *Verleugnung*, e de outro, a *Verdrängung* (recalque). A situação descrita por Laforgue despertava a idéia de uma anulação da percepção, ao passo que a exposta por Freud mantinha a percepção, no contexto de uma negatividade: atualização de uma percepção que consiste numa renegação.

Do ponto de vista clínico, a polêmica entre os dois homens revelou que faltava engendrar um termo específico para designar o mecanismo de rejeição próprio da psicose: essa palavra, com efeito, não figurava no vocabulário freudiano, ainda que Freud procurasse elaborar seu conceito.

As coisas estavam nesse pé quando Édouard Pichon publicou, em 1928, com seu tio Jacques Damourette, um artigo intitulado "Sobre a significação psicológica da negação em francês". A partir da língua, e não mais da clínica, ele tomou emprestado ao discurso jurídico o adjetivo *forclusif* [foraclusivo ou excludente (do uso de um direito não exercido no momento oportuno)] para expressar a idéia de que o segundo membro da negação em francês aplicava-se a fatos que o locutor já não encarava como fazendo parte da realidade. Esses fatos eram como que foracluídos. O exemplo fornecido pelos dois autores não deixou de ter um certo humor, tratando-se de dois membros da Action Française. Com efeito, eles mencionaram a citação de um jornalista, extraída do *Journal* de 18 de agosto de 1923 a propósito da morte de Esterhazy: "O caso Dreyfus, diz ele [Esterhazy], é doravante um livro fechado. Deve ter-se arrependido de *algum dia* o ter aberto [*Il dut se repentir de l'avoir* jamais *ouvert.*]." Os autores sublinharam que o emprego do verbo arrepender-se implicava que um fato que realmente existira fora *efetivamente* excluído do passado. E aproximaram a escotomização do foraclusivo: "A língua francesa, através do foraclusivo [*forclusif*], exprime esse desejo de escotomização, assim traduzindo o fenômeno normal do qual a escotomização, descrita na patologia mental pelo Sr. Laforgue e por um de nós [Pichon, constitui o exagero patológico."

Em 3 de fevereiro de 1954, Lacan começou a atualizar a questão do foraclusivo e da escotomização, por ocasião de um debate com o filósofo hegeliano Jean Hyppolite (1907-1968), ele próprio confrontado com essa questão por intermédio da *Verneinung*, a qual propunha traduzir por denegação*, em vez de negação. Lacan inspirou-se no trabalho de Maurice Merleau-Ponty (1908-1961), *Phénoménologie de la perception*, e sobretudo nas páginas desse livro dedicadas à alucinação como "fenômeno de desintegração do real", componente da intencionalidade do sujeito.

Na análise do caso do Homem dos Lobos, publicada em 1918, Freud explicou que a gênese do reconhecimento e do desconhecimento da castração em seu paciente passava por uma atitude de rejeição (ou *Verwerfung*) que consistia em só ver a sexualidade* pelo prisma de uma teoria infantil: o comércio sexual pelo ânus. Para ilustrar sua colocação, ele evocou uma alucinação que seu paciente Serguei Constantinovitch Pankejeff* tivera na infância. Este "vira" seu dedo mínimo cortado por seu canivete, apercebendo-se em seguida da inexistência do ferimento. A propósito da "rejeição de uma realidade apresentada como inexistente", Freud sublinhou que isso não era um recalcamento, porque *"eine Verdrängung ist etwas anderes als eine Verwerfung"* (um recalque é algo diferente de uma rejeição).

Comentando esse texto em seu diálogo de 1954 com Hyppolite, Lacan forneceu como correspondente francês de *Verwerfung* a palavra *retranchement* [supressão, eliminação]. Dois anos depois, retomou a distinção freudiana entre neurose e psicose, para lhe aplicar a terminologia segundo a qual, na psicose, a realidade nunca é realmente escotomizada. Por fim, depois de comentar longamente a paranóia de Schreber e inventar o conceito de Nome-do-Pai*, Lacan propôs traduzir *Verwerfung* por foraclusão. Entendia por isso o mecanismo específico da psicose, definido a partir da paranóia, que consiste na rejeição primordial de um significante fundamental para fora do universo simbólico do sujeito. Lacan distinguia esse mecanismo do recalque, sublinhando que, no primeiro caso, o significante foracluído ou os significantes que o representam não pertencem ao inconsciente do sujeito, mas retornam (no real) por ocasião de uma alucinação ou um delírio que invadem a fala ou a percepção do sujeito.

O conceito de foraclusão assumiu, em seguida, uma extensão considerável na literatura lacaniana, a ponto de os discípulos do mestre francês acabarem vendo (senão alucinando) sua existência no *corpus* freudiano. Entretanto, Freud nunca conceituou esse fenômeno de rejeição (*Verwerfung*), ainda que, como mostra sua polêmica com Laforgue, sempre tenha estado buscando a definição de um mecanismo desse tipo que fosse próprio da psicose.

• Sigmund Freud, "A denegação" (1925), *ESB*, XIX, 295-308; *GW*, XIV, 11-5; *SE*, XIX, 235-9; *OC*, XVII, 165-71 • "La Correspondance entre Freud et Laforgue, 1923-1937", apresentada por André Bourguignon, *Nouvelle Revue de Psychanalyse*, XV, primavera de 1977, 235-314 • Jacques Damourette e Édouard Pichon, "Sur la signification psychologique de la négation en français" (1928), *Le Bloc-notes de la Psychanalyse*, 5, 1985, 111-32 • Maurice Merleau-Ponty, *Fenomenologia da percepção* (Paris, 1945), S. Paulo, Martins Fontes, 1996, 2ª ed. • Jacques Lacan, *Escritos* (Paris, 1966), Rio de Janeiro, Jorge Zahar, 1998; O Seminário, livro 1, *Os escritos técnicos de Freud (1953-1954)* (Paris, 1975), Rio de Janeiro, Jorge Zahar, 1979; O Seminário, livro 3, *As psicoses (1955-1956)* (Paris, 1981), Rio de Janeiro, Jorge Zahar, 1988 • Jean Laplanche e Jean-Bertrand Pontalis, *Vocabulário da psicanálise* (Paris, 1967), S. Paulo, Martins Fontes, 1991, 2ª ed. • Élisabeth Roudinesco, *História da psicanálise na França*, 2 vols. (Paris, 1982, 1986), Rio de Janeiro, Jorge Zahar, 1989, 1988; *Jacques Lacan. Esboço de uma vida, história de um sistema de pensamento* (Paris, 1993), S. Paulo, Companhia das Letras, 1994 • Pierre Macherey, "Le Leurre hégélien", *Le Bloc-notes de la Psychanalyse*, 5, 1985, 27-51 • Joël Dor, *Introdução à leitura de Lacan*, t.II (Paris, 1992), P. Alegre, Artes Médicas, 1996.

forclusão

➢ FORACLUSÃO.

Forel, August (1848-1931)

psiquiatra suíço

Higienista, fundador de uma liga anti-alcoólica (a Ordem dos Bons Templários), August Forel foi um dos mais legítimos representantes da tradição suíça e protestante da psiquiatria dinâmica*, que contribuiu, no fim do século XIX, para transformar inteiramente o tratamento da loucura* e do internamento.

Nascido em Morges, às margens do Lago Leman, apaixonou-se na infância pela entomologia, estudando sobretudo a vida das formigas. Depois, orientou-se para a medicina e preparou sua tese em Viena, sob a direção de Theodor Meynert*. Obteve um lugar de professor de psiquiatria em Zurique, o que lhe permitiu, em 1879, ser nomeado diretor da prestigiosa clínica do Hospital Burghölzli, para cuja fama contribuiu cercando-se de brilhantes alunos: principalmente Eugen Bleuler*, que lhe sucederia, e Adolf Meyer*, que desenvolveria as teorias higienistas nos Estados Unidos*.

Foi ao tratar dos alcoólatras que abandonou as teses organicistas e compreendeu que, no campo do psiquismo, a eficácia terapêutica dependia da qualidade da relação entre o paciente e o médico. A partir de então, interessou-se pela hipnose*, visitou Hipollyte Bernheim* em Nancy e introduziu o seu método em Zurique. No Hospital Burghölzli, organizou consultas externas, tanto para os distúrbios físicos quanto para as afecções mentais, e experimentou a hipnose nos profissionais de saúde. Também lutou por uma reforma do Código Penal e dos asilos, defendendo a abolição da prostituição.

• Henri F. Ellenberger, *Histoire de la découverte de l'inconscient* (N. York, Londres, 1970, Villeurbanne, 1974), Paris, Fayard, 1994 • Pierre Morel (org.), *Dicionário biográfico psi* (Paris, 1996), Rio de Janeiro, Jorge Zahar, 1997.

Fornari, Franco (1921-1985)

psiquiatra e psicanalista italiano

Nascido na Emília, perto de Piacenza, esse médico neuropsiquiatra foi formado na psicanálise por Cesare Musatti*.

Muito cedo, manifestou interesse pelas idéias de Melanie Klein* e de Wilfred Ruprecht Bion*. Mesmo mantendo-se fiel às instituições psicanalíticas ortodoxas — seria presidente da Società Psicoanalítica Italiana (SPI) de 1974 a 1978 — Fornari procurou durante toda a vida confrontar a psicanálise com os outros modos de conhecimento dos fenômenos psíquicos e sociais. Por isso, participou já em 1962 — no quadro da Universidade Católica de Milão, dirigida por Leonardo Ancona — das atividades do Centro Studi di Psicoterapia Critica, lugar de encontro da psicanálise com as ciências humanas em pleno desenvolvimento e com as correntes existencialistas que começavam a se manifestar no seio da psiquiatria italiana.

Em 1968, foi chamado por Francesco Alberoni, então reitor da Universidade de Trento, para dar "contracursos" de psicanálise a pedido dos estudantes do departamento de sociologia, que Renato Curcio, um dos fundadores das Brigadas Vermelhas, freqüentava então. Em seguida, foi nomeado professor na faculdade de letras e de filosofia na Universidade de Milão.

Teórico audacioso, clínico voltado para a psicanálise de crianças* e admirador da prática de Donald Woods Winnicott*, autor de cerca de vinte obras, entre as quais um romance, Fornari também era um cidadão interessado em mobilizar o saber psicanalítico para enfrentar os problemas do seu tempo.

Preocupado com a geopolítica da guerra fria, desenvolveu uma reflexão psico-política que tratava especialmente da transformação da noção de guerra resultante do aparecimento das armas nucleares. Mostrou que a eventualidade da destruição da humanidade tirava da guerra clássica sua função paranóide de apropriação e conservação de objetos de amor como a terra ou a pátria.

Posteriormente, seus encontros com a semiologia, a lingüística, a epistemologia e a obra de Jacques Lacan* o levaram a empreender uma reavaliação da obra de Freud, da qual conservou os conceitos maiores, particularmente a pulsão de morte*. Na perspectiva de uma pesquisa dos fundamentos de uma teoria psicanalítica da linguagem, retomou *A interpretação dos sonhos** e elaborou um sistema segundo o qual a linguagem do inconsciente é constituída por um conjunto de componentes ligados ao parentesco e ao corpo erótico, que ele chamou de *koinemas*. Pôs essa tese à prova em diversos ensaios críticos de obras artísticas, entre os quais o que dedicou a *Agostino*, romance de Alberto Moravia. Ampliando seu campo de aplicação, Fornari quis mostrar que, ao identificar os elementos de um código constituído de partículas remetendo às figuras parentais, era possível detectar as manifestações do inconsciente em todo enunciado ou ação da vida humana.

No fim da vida, em uma obra dedicada à redescoberta da alma, o psicanalista italiano tentou reinterpretar os grandes mitos da filosofia grega, referindo-os à vida intra-uterina.

• Claude Ambroise, "Franco Fornari", *Encyclopaedia universalis*, 1986, 553 • Contardo Calligaris, "Petite histoire de la psychanalyse en Italie", *Critique*, 333, fevereiro de 1975, 175-95 • Michel David, "La Psychanalyse en Italie", in Roland Jaccard (org.), *Histoire de la psychanalyse*, vol. 2, Paris, Hachette, 1982 • Franco Fornari, "Aventures de la psychanalyse", *Silex*, 5-6, 1978, 207-14; *Psychanalyse de la situation atomique* (1964), Paris, Gallimard, 1969; *I fondamenti di una teoria psicoanalítica del linguaggio*, Turim, Boringhieri, 1979; *La Riscoperta dell'anima*, Bari, Laterza, 1984 • Arnaldo Novelletto, "Italy", in Peter Kutter (org.), *Psychoanalysis International Guide to Psychoanalisis throughout the World*, Stuttgart, Frommann-Holzboog, 1992 • Riccardo Steiner e Giorgio Quintavalle, "Franco Fornari", in Antonio Alberto Semi (org.), *Trattato di psicoanalisi*, vol.I, Milão, Raffaello Cortina, 1988, 278-84 • Silvia Vegetti Finzi, *Storia della psicoanalisi*, Milão, Mondadori, 1986.

➢ ITÁLIA; KLEINISMO; *SELF PSYCHOLOGY*.

Forsyth, David (1877-1941)

médico inglês

Médico-chefe no Charing Cross Hospital de Londres e co-fundador, com Ernest Jones* e David Eder*, da London Psychoanalytic Society, David Forsyth participou do congresso internacional de medicina em Londres, de 7 a 12 de agosto de 1913 e defendeu, contra Pierre Janet*, as idéias freudianas. Mais tarde, foi analisado por Sigmund Freud*, que o citou em 1932 em sua conferência "O sonho e o ocultismo" e relatou uma história de transmissão de pensamento ocorrida em 1919.

No outono daquele ano, Forsyth deixou seu cartão de visita na casa de Freud, enquanto este trabalhava com um paciente, o qual, durante sua análise, tomara o hábito de lhe trazer os volumes de uma obra de ficção do escritor John Galsworthy (1867-1963), referente a uma dinastia familiar: os Forsyte. No dia da visita de Forsyth, o paciente contou a Freud que uma jovem que ele desejava seduzir o chamava de *Herr von Vorsicht*, expressão que significa Senhor Precau-

ção, e que se pode traduzir em inglês como *Foresight*.

Na semana anterior, depois de visitar seu amigo Anton von Freund*, Freud ouvira esse paciente chamá-lo de *Freund*. Enfim, na mesma sessão, o paciente contou um pesadelo, enfatizando que esquecera a palavra inglesa (*nightmare*). Depois, ao sair do consultório de seu analista, cruzara com Ernest Jones*, autor justamente de um livro sobre o pesadelo.

Em 1932, Freud analisou esse exemplo, que teria podido figurar na *Psicopatologia da vida cotidiana**. Por não conseguir dar uma explicação exaustiva, concluiu pela existência da telepatia*, fenômeno ao qual deu, em 1921, o nome de transferência de pensamento.

• Sigmund Freud, *Novas conferências introdutórias sobre a psicanálise* (1933), *ESB*, XXII, 15-226; *GW*, XV; *SE*, XXII, 5-182; *OC*, XIX, 83-269 • Ernest Jones, *Le Cauchemar* (Viena, 1912), Paris, Payot, 1973 • Wladimir Granoff e Jean-Michel Rey, *L'Occulte, objet de la pensée freudienne*, Paris, PUF, 1983.

➢ ESPIRITISMO; GRÃ-BRETANHA; *NOVAS CONFERÊNCIAS INTRODUTÓRIAS SOBRE PSICANÁLISE*; OCULTISMO.

fort/da

➢ HALBERSTADT, SOPHIE; *MAIS-ALÉM DO PRINCÍPIO DE PRAZER*.

França

Embora a criação da primeira sociedade psicanalítica na França tenha sido mais tardia (1926) do que nas outras grandes áreas geográficas de implantação freudiana do início do século (Grã-Bretanha*, Estados Unidos*), a França foi o único país do mundo onde foram reunidas, a longo prazo (de 1914 ao fim do século XX) e sem nenhuma interrupção, as condições necessárias à implantação da psicanálise* em todos os setores da vida cultural e científica, tanto por via médica e terapêutica (psiquiatria, psicologia, psicologia clínica*) quanto por via intelectual (literatura, filosofia, política, universidade). Essa implantação bemsucedida não se fez sem convulsões e convém notar que a França foi um dos países em que a resistência nacionalista à psicanálise e o ódio a Sigmund Freud* foram os mais virulentos.

Nesse aspecto, existe uma evidente "exceção francesa". Sua origem remonta à Revolução de 1789 — que dotou de legitimidade científica e jurídica o olhar da razão sobre a loucura*, assinando assim a certidão de nascimento institucional da psiquiatria — e, posteriormente, ao caso Dreyfus, que tornou possível a instauração de uma consciência de si da classe intelectual. Designando-se como "vanguarda", ela conseguiu apoderar-se das idéias mais inovadoras e fazê-las frutificar à sua maneira. Soma-se a isso o nascimento de uma modernidade literária, na qual se enunciou — através de Charles Baudelaire (1821-1867), Arthur Rimbaud (1854-1891) e Lautréamont (1846-1870) — a idéia de mudar o homem a partir do "eu é um outro".

A exceção também se deve ao estatuto atribuído, desde o Ancien Régime, à gramática, às palavras, ao vocabulário, ao léxico. Longe de considerar sua língua como um mero instrumento de comunicação, as elites francesas sempre a valorizaram, fazendo de sua forma escrita o símbolo de uma nação homogênea, e depois o símbolo da República. Assim, a língua francesa era o ideal, enfim atingido, de língua. Daí a importância dada não só à Academia, cujo papel era legislar sobre o "bem falar" e o "bem escrever", mas também aos escritores em geral. Essa concepção de língua era totalmente estranha à maioria dos outros países da Europa. Ela explica, de qualquer forma, que um gramático (Édouard Pichon*) tenha tido papel tão importante na gênese da conceitualidade francesa do freudismo* e tanta influência sobre os dois grandes mestres da psicanálise nesse país: Jacques Lacan*, formalista mallarmaico de uma língua do inconsciente, e Françoise Dolto*, porta-voz de um léxico de raiz perfeitamente adaptado à identidade nacional.

Conhecemos o mito da abolição das correntes dos alienados, inventado por Scipion Pinel (1795-1859) e por Jean-Étienne Esquirol (1772-1840) sob a Restauração. Ele apresenta Philippe Pinel (1745-1826), fundador da psiquiatria na França, como um antijacobino contrário aos senhores do Terror, ao passo que, na realidade, ele devia sua nomeação para o Hospício de Bicêtre a um decreto da Convenção Montanhesa de 11 de setembro de 1793. O mito conta que, nessa época, Pinel recebeu a visita de Couthon (1756-1794), membro do Comitê de Salvação Pública, que procurava suspeitos entre os loucos. Todos tremiam ao ver o acólito de Robespierre (1758-1794), que deixara sua cadeira de paralítico para ser carregado por auxiliares. Pinel o conduziu até os alojamentos, onde a visão dos loucos agitados lhe causou um medo intenso. Recebido com injúrias, voltou-se para o alienista e lhe disse: "Cidadão, tu mesmo és louco para quereres libertar semelhantes animais?" O médico respondeu que os insensatos eram ainda mais intratáveis porque estavam privados de ar e liberdade. Couthon aceitou portanto a supressão das correntes, mas advertiu Pinel contra sua presunção. Foi transportado até seu veículo, e o filantropo pôde começar a sua obra: o alienismo acabava de nascer.

Como o mito da peste*, o da abolição das correntes foi questionado por todos os historiadores da psiquiatria, que explicaram que esse gesto simplesmente não ocorreu. Mas os mitos fundadores têm como característica serem mais significativos do que a realidade das coisas. Contemporâneo de William Tuke (1732-1822) na Inglaterra e de Benjamin Rush (1746-1813) nos Estados Unidos, Pinel inventou efetivamente o tratamento moral a partir da idéia de que a loucura continha sempre um resíduo de razão. Cem anos depois, no Hospital da Salpêtrière, Jean Martin Charcot* lembrava o mito, recorrendo à hipnose* para mostrar que a histeria* era uma doença funcional, libertando assim as mulheres da acusação de simulação.

Na história das origens da psicanálise, os mitos ligados à libertação, à servidão, à Revolução e à abolição das correntes desempenham pois um papel considerável. Quando de sua viagem, em 1885, a Paris, onde se encontrou com Charcot, e depois quando de sua permanência em Nancy, onde visitou Hippolyte Bernheim*, Sigmund Freud estava impregnado desses mitos fundadores, aos quais ele próprio recorreria muitos anos mais tarde.

Depois do desmoronamento da doutrina da hereditariedade-degenerescência* e do desmembramento, por Joseph Babinski*, do ensino de Charcot, foi Pierre Janet quem representou, sucedendo a Théodule Ribot (1839-1916), a tradição francesa na psiquiatria dinâmica*. Ribot era o promotor da psicologia experimental, cuja herança iria para Alfred Binet (1857-1911), associado a Henri Beaunis (1830-1921), enquanto Janet foi o artífice da psicologia clínica, à qual se filiariam Daniel Lagache* e Juliette Favez-Boutonier*.

Adepto do automatismo mental*, Janet pronunciou no congresso de medicina de Londres, em 1913, a sua famosa conferência sobre a "psico-análise", graças à qual popularizou a idéia de que esta era um simples produto da sensualidade e da imoralidade da cidade de Viena*. Associada à germanofobia, na França obcecada então pelo nacionalismo e pelo anti-semitismo, essa convicção alimentaria os ataques contra o pansexualismo* de Freud. E assim considerada como fruto da barbárie germânica, a doutrina da sexualidade* seria julgada pouco compatível com a bela latinidade francesa, símbolo do espírito cartesiano. Daí a reação dos pioneiros, como Angelo Hesnard*, que procurariam "afrancesar" a doutrina de Freud e assimilá-la aos ideais daquilo que se chamava então "gênio latino".

Depois da Primeira Guerra Mundial e do acirramento do ódio à Alemanha*, a psicanálise foi tratada de "ciência boche", como aliás também a teoria da relatividade de Albert Einstein (1879-1955). Às reações violentas da imprensa somou-se o antifreudismo selvagem de duas grandes figuras da psicopatologia francesa: Georges Dumas (1866-1946) e Charles Blondel. Aluno de Janet e célebre por suas notáveis apresentações de doentes, acompanhadas pelos estudantes de filosofia, Dumas não parava de fustigar a nova doutrina "sexual". Quanto a Blondel, amigo do historiador Marc Bloch (1886-1944) e professor em Estrasburgo, dedicou em 1924 todo um estudo à psicanálise, tratando-a de "obscenidade científica". Em um artigo da mesma época, um membro do Instituto escreveu estas palavras: "Suas opiniões [de Freud] se aplicam aos judeus, seus irmãos de raça, especialmente predispostos ao pansexualismo libidinoso, congênito por fatalidade étnica."

Um dos raros autores a escapar a essa visão estreita era médico em Poitiers: Pierre Ernest Morichaut-Beauchant (1873-1951). Foi reconhecido por Freud, em uma carta a Carl Gustav Jung* de 3 de dezembro de 1910, como o primeiro francês a aderir abertamente à "causa" da psicanálise. Entre 1912 e 1922, publicou quatro artigos, nos quais assumiu posição oposta às teses em vigor sobre o pansexualismo freudiano. Aliás, reconhecia explicitamente o papel da sexualidade nos laços que unem o paciente a seu médico, e traduziu pela primeira vez para o francês o conceito freudiano de transferência*, através da expressão *rapport affectif* ("relação afetiva").

Geralmente chauvinistas, os meios médicos não aderiram senão a uma concepção terapêutica da psicanálise. Os meios literários, por sua vez, acolheram bem a doutrina ampliada da sexualidade, recusaram-se a considerar o freudismo como "cultura germânica" e defenderam a análise leiga*. Por esse lado, todas as correntes literárias em geral consideravam o sonho como a grande aventura do século. Inventou-se a utopia de um inconsciente* feito de linguagem e aberto à liberdade e à subversão, e admirava-se acima de tudo a coragem com a qual um sábio austero ousara fazer escândalo ao desafiar a intimidade do conformismo burguês.

A partir de 1920, a psicanálise obteve um sucesso considerável nos salões literários parisienses, e muitos escritores experimentaram um tratamento. Foi o caso, notadamente, de Michel Leiris (1901-1990), René Crevel (1900-1935), Antonin Artaud (1896-1948), Georges Bataille (1897-1962) ou Raymond Queneau (1903-1976).

Foram as revistas que serviram de suporte para a descoberta vienense, entre estas a *Nouvelle Revue Française (NRF)*, em torno de André Gide (1869-1951) e Jacques Rivière (1886-1925), *La Révolution Surréaliste*, na qual André Breton (1896-1966) teve um papel determinante, e enfim a revista *Philosophies*, na qual Georges Politzer (1903-1942) concebeu a sua psicologia concreta, inspirando-se no freudismo, antes de renegá-lo em nome do comunismo*, engajando-se depois na luta antinazista. Dois outros escritores se voltaram para o freudismo: Romain Rolland*, que trocaria cartas com Freud, e Pierre Jean Jouve (1887-1976), cuja mulher, Blanche Reverchon-Jouve (1897-1974), era psicanalista e tradutora dos *Três en-*

*saios sobre a teoria da sexualidade**. Jouve utilizou o método psicanalítico na sua obra em prosa baseando-se no material clínico fornecido por sua mulher. Assim, construiu seus grandes romances a partir de figuras femininas cujo modelo eram casos de mulheres loucas. Quanto à sua poesia, ele a concebia como uma "catástrofe", diretamente inspirada pelo inconsciente segundo Freud.

Psiquiatra de formação e residente de Joseph Babinski, André Breton descobriu a força do automatismo mental junto aos soldados que sofriam de neurose de guerra*. Foi a partir dessa experiência clínica que ele concebeu a existência de uma "surrealidade". Depois, procurou atingi-la através da escrita automática, publicando, com Philippe Soupault (1897-1990), em 1919, o primeiro grande texto surrealista: *Os campos magnéticos*. Em 1921, foi a Viena para encontrar-se com Freud. A visita foi decepcionante. Ligado a uma visão tradicional da literatura e pouco aberto à vanguarda francesa, Freud não entendia nada da abertura surrealista e da concepção de inconsciente defendida por Breton. Em 1932, trocariam cartas que explicitariam esse mal-entendido.

Em 1925, organizou-se em torno da revista *L'Évolution Psychiatrique* o primeiro grupo freudiano francês. Entre seus diversos líderes havia tanto psicanalistas, como René Laforgue*, Sophie Morgenstern* ou Rudolph Loewenstein*, quanto psiquiatras marcados pela tradição dinâmica ou pela fenomenologia, como Eugène Minkowski*, Paul Schiff*, e mais tarde Henri Ey*. A revista e o grupo se tornariam um dos centros de difusão do freudismo médico na França.

Em novembro de 1926, foi criada a primeira associação de psicanálise, a Sociedade Psicanalítica de Paris (SPP), composta de doze membros: René Laforgue*, Marie Bonaparte*, Édouard Pichon, Charles Odier*, Raymond de Saussure*, Rudolph Loewenstein, René Allendy*, Georges Parcheminey (1888-1953), Eugénie Sokolnicka*, Angelo Hesnard, Adrien Borel*, Henri Codet (1889-1939). No ano seguinte, foi publicado o primeiro número da *Revue Française de Psychanalyse*. Só em 1934 formou-se, graças à participação financeira de Marie Bonaparte, um instituto que teve como modelo o Berliner Psychoanalytisches Institut* (BPI).

Assim, foi com quinze anos de atraso em relação aos outros pioneiros europeus e americanos que a primeira geração* psicanalítica francesa (segunda na ordem mundial), se integrou à International Psychoanalytical Association* (IPA), no momento em que esta acabava de impor regras precisas quanto ao acesso à análise didática* e à supervisão*. Ora, os franceses não estavam dispostos a se adaptar a esse funcionamento burocrático, cuja necessidade não viam. Assim, a SPP se cindiu em duas frações distintas: os internacionalistas de um lado, formados fora da França e liderados por Marie Bonaparte, Loewenstein e Saussure, os nacionalistas do outro, ligados à raiz psiquiátrica francesa, tendo à frente Pichon, Borel, Codet e Hesnard. Os primeiros se mostravam favoráveis a uma adaptação rápida do movimento à ortodoxia da IPA, enquanto os últimos se afirmavam partidários da manutenção de uma identidade francesa no movimento, pretendendo "afrancesar" o vocabulário e os conceitos da psicanálise. No centro desse dispositivo, René Laforgue não conseguiu nem ocupar o lugar de um chefe de escola, nem unificar um movimento às voltas com uma querela insuperável.

Na verdade, nenhum dos membros dessa primeira geração tinha a envergadura de um Ernest Jones*, de um Sandor Ferenczi*, de um Otto Rank*, ou mesmo de um Wilhelm Reich*. Nenhum deles produziu uma obra inovadora e nenhum foi capaz de unificar o movimento em torno de uma doutrina, de um lema, de uma política, de um ensino ou de uma filiação*. Foi por isso que, já em 1932, esse papel coube à segunda geração (terceira na ordem mundial): Sacha Nacht*, Daniel Lagache*, Maurice Bouvet*, Jacques Lacan e Françoise Dolto.

Ora, no seio dessa nova geração, que surgiu nas vésperas da Segunda Guerra Mundial, Lacan foi o único a se impor como inaugurador de um sistema de pensamento original, fundado no freudismo e na filosofia hegeliana. Não sendo nem nacionalista nem internacionalista, daria progressivamente ao movimento uma outra solução além da busca de uma impossível identidade. Proveniente da tradição psiquiátrica, formado por Gaëtan Gatian de Clérambault*, analisado por Loewenstein e marcado pelo surrealismo, era também o único, no período entre-guerras, a fazer a síntese entre as duas vias (médica, intelectual) de implantação da psicanálise. Daí a posição única que ocuparia durante cinqüenta anos ao lado de Françoise Dolto, que surgiu já em 1945 como a criadora da psicanálise de crianças*, depois das experiências malsucedidas de Sokolnicka e Morgenstern.

Graças a Marie Bonaparte, que interrompeu as atividades da SPP em 1939, e graças também a Henri Ey e ao grupo da Evolução Psiquiátrica, favorável à Resistência, o movimento francês escapou a qualquer comprometimento com a ocupação. Marginalizado desde 1935, René Laforgue tentou isoladamente instaurar em Paris um Instituto "arianizado", como o de Matthias Heinrich Göring*. Não conseguiu. Quanto a Georges Mauco*, único psicanalista francês adepto do nazismo*, empenhou apenas a própria pessoa na colaboração. Por conseguinte, o movimento francês saiu incólume do período da ocupação e pôde assim desenvolver-se no momento em que, na Europa, só a Grã-Bretanha se encontrava na vanguarda do freudismo internacional, graças sobretudo à solidez de sua escola clínica que, embora cindida em três correntes, pertencia completamente à IPA: kleinismo*, annafreudismo*, Independentes*.

Como em todos os outros países, a expansão da psicanálise se traduzia na França por um fenômeno de cisões* em cadeia, que tinham como motivo, ao mesmo tempo, a questão da análise leiga* e a análise da formação didática.

A primeira cisão ocorreu em 1953, em torno da criação de um novo instituto de psicanálise. Os partidários da ordem médica se opunham aos universitários liberais, favoráveis à análise leiga. Agrupados em torno de Nacht e de Serge Lebovici, os primeiros queriam garantir o controle exercido pelo poder médico sobre a formação dos psicanalistas. Representados por Dolto, Lagache e Lacan (e apoiados pelos alunos em revolta contra a autoridade), os últimos eram protegidos por Marie Bonaparte. Assustada com a desordem, e principalmente muito hostil a Lacan, esta daria finalmente seu apoio ao grupo de Nacht, provocando a saída dos liberais, que fundaram a Sociedade Francesa de Psicanálise (SFP), levando consigo a maioria dos alunos da SPP, isto é, a terceira geração francesa (quarta na ordem mundial).

Durante dez anos, em torno de Dolto, Lagache e Lacan, a SFP foi o centro de um formidável impulso do freudismo francês: implantação universitária, atividades de tradução* de textos das escolas inglesa e americana, criação de coleções de psicanálise pelos editores parisienses e principalmente de uma revista conceituada, *La Psychanalyse*. Foi durante esse período que nasceu o lacanismo*, verdadeira escola francesa do freudismo. Não só Lacan formava os melhores alunos dessa geração, como também elaborava os grandes conceitos que fariam dele um grande mestre do pensamento, ao mesmo tempo adulado e odiado.

Desde sua fundação, a SFP tentou fazer-se reconhecer como sociedade componente da IPA. Ora, apesar dos esforços de Wladimir Granoff, Serge Leclaire* e François Perrier*, que consagraram os melhores anos de suas vidas a essa política de reintegração, a direção da IPA, depois de anos de negociação, recusou-se a conceder o título de didata a Lacan e a Dolto. Reprovava as inovações técnicas do primeiro, em especial a prática das sessões curtas, em desacordo com a duração padrão (50 minutos), e a prática excessivamente "carismática" da segunda.

No verão de 1964, a SFP rachou e cindiu-se em dois grupos, a École Freudienne de Paris* (EFP), fundada por Lacan, e a Associação Psicanalítica da França (APF), para onde foram, em torno de Lagache, Didier Anzieu, Juliette Favez-Boutonier e Wadimir Granoff, alguns dos melhores alunos de Lacan, principalmente Jean Laplanche e Jean-Bertrand Pontalis (que publicaria na editora Gallimard a *Nouvelle Revue de Psychanalyse*), assim como Daniel Wildlöcher. Diante da SPP, a APF tornou-se o segundo componente francês da IPA. Mais intelectual e mais liberal, ela organizaria uma reforma dos currículos suprimindo a distinção entre psicanálise didática e psicanálise pessoal. Quanto à EFP, também era formada por um número importante de clínicos franceses da mesma geração: Moustapha Safouan, Octave Mannoni*, Maud Mannoni, Jenny Aubry*, Ginette Raimbault, Lucien Israël (1925-1996), Jean Clavreul etc.

Ao contrário dos americanos e ingleses, os terapeutas franceses de todas as tendências nunca formariam uma escola homogênea, capaz de acolher as grandes correntes do freudismo internacional: a *Ego Psychology**, o kleinismo, o annafreudismo, ou a *Self Psychology**. Foi o lacanismo, e apenas ele, que dividiu durante cinqüenta anos, em dois pólos extremos, o campo psicanalítico francês: os anti-lacanianos de um lado, os lacanianos do outro. Quanto aos "neutros", continuaram sendo acima de tudo clínicos independentes (André Green ou Conrad Stein, por exemplo), sem filiação precisa, mas preocupados em afirmar sua própria concepção da psicanálise. Podemos citar Michel de M'Uzan, notável teórico da perversão*, Joyce McDougall, especialista em *borderlines** e em distúrbios da identidade sexual, Nicolas Abraham*, e enfim Julia Kristeva, simultaneamente psicanalista, romancista e ensaísta, cujas teses seriam retomadas pelas feministas americanas.

Excluída do movimento psicanalítico internacional, a obra lacaniana ocuparia a partir de então um lugar central na história do estruturalismo. Dez anos depois do momento fecundo de sua elaboração, o retorno lacaniano a Freud veio, efetivamente, ao encontro das preocupações de uma espécie de filosofia da estrutura, oriunda das interrogações da lingüística saussuriana e convertida, ela própria, na ponta de lança de uma oposição à fenomenologia clássica. A efervescência doutrinária, que se concretizou em torno dos trabalhos de Louis Althusser (1918-1990), de Roland Barthes (1915-1980), de Michel Foucault (1926-1984) e de Jacques Derrida, que tomou como objeto de estudo o primado da língua, o anti-humanismo, a desconstrução ou a arqueologia, se desenvolveu no interior da instituição universitária, preparando o terreno para a revolta estudantil de maio de 1968. A revista *Tel Quel*, animada por Philippe Sollers, desempenhou um papel idêntico ao da vanguarda surrealista do período entre-guerras.

Em 1969, a aplicação na EFP do procedimento do passe* provocou uma nova cisão, a terceira da história do movimento francês. Hos-

tis a esse sistema, François Perrier, Piera Aulagnier*, Cornelius Castoriadis e Jean-Paul Valabrega se demitiram, para fundar a Organização Psicanalítica de Língua Francesa (OPLF), ou Quarto Grupo. De inspiração freudiana, esta não se integraria à IPA, mas se organizaria em torno de uma nova revista, *Topique*.

Essa cisão marcou a entrada do lacanismo em um processo de burocratização e de dogmatismo, e se distinguiu nitidamente das precedentes. De fato, até então, Lacan representava a renovação da doutrina freudiana, e as cisões se faziam "com" ele. Dessa vez, deixavam-no para fundar uma escola mais liberal.

A crise que afetou a EFP depois de 1968 era o sinal de uma massificação do movimento. Ao contrário dos outros países, onde a psicanálise sofria a concorrência, durante esse período, da expansão de muitas escolas de psicoterapia*, a França continuou quase exclusivamente freudiana. Com isso, foi no próprio interior do freudismo que se produziu a expansão, que aliás se estendeu para fora da psicanálise ou para suas margens. Por conseguinte, todos os grupos psicanalíticos foram atingidos, a partir de 1970, por um formidável gigantismo. Assim, os estudantes formados em psicologia clínica na universidade formaram progressivamente a base das escolas psicanalíticas. Esse fenômeno era ainda mais evidente na EFP do que nas outras associações.

Enquanto a APF conseguiu manter uma hierarquia sólida, recusando-se a conceder aos alunos em formação o status de membros, a SPP sofreu em cheio uma crise institucional que duraria dez anos. Membro da SPP, René Major deu então um impulso teórico e político à dissidência dos anos 1975-1980, que afetou os quatro grandes grupos freudianos. Baseando-se nas teses de Jacques Derrida, criou uma revista e um grupo, que tomaram o nome de Confrontation. Daí a emergência de uma corrente derridiana da psicanálise, que serviria para criticar todas as formas de dogmatismo institucional.

Depois da dissolução da EFP e da morte de Lacan, a paisagem da França freudiana se transformou radicalmente ao longo de um infinito processo de fragmentação e atomização dos grupos lacanianos.

No fim dos anos 1990, ao lado das duas sociedades componentes da IPA e da OPLF, 17 associações oriundas da EFP dividem o território do campo freudiano francês: École de la Cause Freudienne (ECF, 1981), Association Freudienne Internationale (AFI, 1982), Cercle Freudien (CF, 1982), Cartels Constituants de l'Analyse Freudienne (CCAF, 1983), École Freudienne (EF, 1983), Fédération des Officines de Psychanalyse (FAP, 1983), Convention Psychanalytique (CP, 1983), Coût Freudien (1983), Errata (1983), École Lacanienne de Psychanalyse (ELP, 1985), Psychanalyse Actuelle (1985), Séminaires Psychanalytiques de Paris (SéPP, 1986), Association pour une Instance des Psychanalystes (Apui, 1990), Analyse Freudienne (1992), École de Psychanalyse Sigmund Freud (1994), Espace Analytique (EA, 1994) e Société de Psychanalyse Freudienne (SPF, 1994). A esses se juntaram duas sociedades de história, a Société Internationale d'Histoire de la Psychiatrie et de la Psychanalyse (AIHP, 1985), uma escola de ensino, a École Propédeutique pour la Connaissance de l'Inconscient (EPCI, 1985), muitos grupos de província e várias associações de tipo federativo, visando reunir outros grupos na Europa ou no mundo. Note-se que o lacanismo só produziu uma única associação internacional comparável à IPA: a Association Mondiale de Psychanalyse* (AMP).

No fim do século, o número de psicanalistas franceses de todas as tendências se elevou a cerca de cinco mil, para uma população de cinquenta e oito milhões de habitantes, dos quais mil para as duas sociedades pertencentes à IPA (inclusive alunos), ou seja, uma taxa de 96 psicanalistas por milhão de habitantes, a mais alta do mundo. Jacques Lacan conseguiu assim, auxiliado por Françoise Dolto, fazer da França o país mais freudiano, o único, pouco antes da Argentina*, em que a psicanálise se tornou ao mesmo tempo um componente maior da vida intelectual e uma real terapêutica de massa.

• Serge Moscovici, La Psychanalyse, son image et son public, Paris, PUF, 1961 • Maurice Nadeau, Histoire du surréalisme, Paris, Seuil, 1964 • Robert Castel, Le Psychanalisme, Paris, Maspero, 1973 • La Scission de 1953. La Communauté psychanalytique en France, 1,

documentos editados por Jacques-Alain Miller, suplemento ao número 7 de Ornicar?, 1976; L'Excommunication. La Communauté psychanalytique en France, II, documentos editados por Jacques-Alain Miller, suplemento ao número 8 de Ornicar?, 1977 • Jean-Pierre Mordier, Les Débuts de la psychanalyse en France, Paris, Maspero, 1981 • Célia Bertin, La Dernière Bonaparte, Paris, Perrin, 1982 • Élisabeth Roudinesco, História da psicanálise na França, 2 vols. (Paris, 1982, 1986), Rio de Janeiro, Jorge Zahar, 1989, 1988; Jacques Lacan. Esboço de uma vida, história de um sistema de pensamento (Paris, 1993), S. Paulo, Companhia das Letras, 1994; Genealogias (Paris, 1994), Rio de Janeiro, Relume Dumará, 1995; "Histoire de la psychanalyse en France. Entretien avec Philippe Sollers" (1983), in Claude Spielmann e Jacques Hassoun (org.), Psychanalyse: cent ans de divan, Panoramiques, Arléa-Corlet, 22, 4º trimestre de 1995, 59-71 • Alain de Mijolla, "L'Édition en français des oeuvres de Freud avant 1940. Autour de quelques documents nouveaux", Revue Internationale d'Histoire de la Psychanalyse, 4, 1991, 209-70 • "Correspondance inédite Sigmund Freud/Gaston Gallimard (1921-1922)", ibid., 271-82 • Marie Bonaparte et la psychanalyse, à travers ses lettres à René Laforgue et les images de son temps, apresentado por Jean-Pierre Bourgeron, Genebra, Slatkine, 1993 • R. Anthony Lodge, Le Français. Histoire d'un dialecte devenu langue (Londres, N. York, 1993), Paris, Fayard, 1997 • Bernard Foutrier, L'Identité communiste, la psychanalyse, la psychiatrie, la psychologie, Paris, L'Harmattan, 1994 • Danièle Lévy, "Les Sociétés et associations psychanalytiques françaises en 1995", in Claude Spielmann e Jacques Hassoun (org.), op. cit., 24-5 • Philippe Forest, Histoire de "Tel Quel", Paris, Seuil, 1995.

➤ ANTROPOLOGIA; BALINT, MICHAEL; BÉLGICA; BRASIL; DELAY, JEAN; DEVEREUX, GEORGES; DIFERENÇA SEXUAL; ETNOPSICANÁLISE; FANON, FRANTZ; FEDERAÇÃO EUROPÉIA DE PSICANÁLISE; FETICHISMO; GUATTARI, FÉLIX; IMAGINÁRIO; JAPÃO; PSICOSSOMÁTICA; PSICOTERAPIA INSTITUCIONAL; PSIQUIATRIA DINÂMICA; REAL; SEXUALIDADE FEMININA; SIGNIFICANTE; SIMBÓLICO; TRADUÇÃO (DAS OBRAS DE SIGMUND FREUD).

Freud, Adolfine, dita Dolfi (1862-1943), irmã de Sigmund Freud

Nascida em Viena* e sexta entre os filhos de Jacob e Amalia Freud*, Dolfi era a quarta irmã de Sigmund Freud, que a amava muito. Permaneceu solteira durante toda a vida e serviu de governanta para a sua mãe, que sempre a considerou uma adolescente e lhe infligiu muitas humilhações.

Deportada para o campo de concentração de Theresienstadt com Mitzi e Paula pelo comboio de 29 de agosto de 1942, morreu ali em 5 de fevereiro de 1943, de hemorragia interna causada por extrema desnutrição.

• Ernest Jones, *A vida e a obra de Sigmund Freud*, vols. 1 e 3 (N. York, 1953, 1957), Rio de Janeiro, Imago, 1989• Peter Gay, *Freud: uma vida para o nosso tempo* (N. York, 1988), S. Paulo, Companhia das Letras, 1995 • Harald Leupold-Löwenthal, "A emigração da família Freud em 1938", *Revista Internacional da História da Psicanálise*, 2 (1989), Rio de Janeiro, Imago, 1992.

➢ FREUD, MARIA; GRAF, REGINE DEBORA; NAZISMO; WINTERNITZ, PAULINE.

Freud, Alexander (1866-1943), irmão de Sigmund Freud

Nascido em Viena*, Alexander era o oitavo e último rebento de Jacob e Amalia Freud*, seu terceiro filho e irmão mais novo de Sigmund Freud*, que se mostrou bastante paternal com ele e não demonstrou ter dele nenhum ciúme. De caráter divertido, parecia-se com a mãe. Como perito em organizações de transporte, tratou muitas vezes das viagens do irmão e foi com ele aos dois países que preferiam, a Itália* e a Grécia. Em 1909, Alexander se casou com Sophie Schreiber, com quem teria um único filho, Harry. Tornou-se professor na Exportakademie, escola de comércio situada na Berggasse, e dirigiu a revista *Tarifanzeiger*. Em março de 1938, conseguiu deixar a Áustria através da Suíça* e emigrou com a mulher para o Canadá, onde já se encontrava Harry Freud. Naturalizado americano, este voltaria à Europa, nas fileiras do exército de libertação, para ocupar Berlim. Viveu depois em Nova York e continuou muito ligado à sua prima Anna Freud*.

Foi Sigmund, com a idade de dez anos, que escolheu o nome de Alexander para esse irmão, em homenagem a Alexandre da Macedônia. Quando se tornou pai, por sua vez, deu aos filhos nomes de heróis que admirava. Essa escolha não era insignificante. Por um lado, porque Alexandre o Grande era filho de Filipe da Macedônia, cujo nome era idêntico ao de Philipp Freud* (meio-irmão de Sigmund), e por outro lado porque confirmava a identificação de

Freud com conquistadores: Aníbal, Alexandre, Napoleão, Cristóvão Colombo.

Em uma carta enviada a Romain Rolland* em 1936, por ocasião dos 70 anos deste, Freud contou uma lembrança de infância que se referia a uma viagem feita a Atenas com Alexander em 1904. Durante a permanência, ele foi tomado de um sentimento de inquietante estranheza ao descobrir que a cidade não era um fantasma. Outrora, na escola, tinha se recusado a acreditar na realidade histórica da Acrópole, e o encontro com as pedras do Partenon lhe revelou então a natureza do recalque*. A perturbação que sentiu era comparável à de uma pessoa que caía doente porque seu desejo* se realizava: o sucesso era, de certa forma, a marca de um fracasso. Freud explicou a Rolland que duvidara da existência de Atenas na infância porque temia nunca ver a Acrópole. Fazendo o relato dessa lembrança, Freud mostrava como um filho devia superar o pai, ou ainda como Aníbal devia vingar Amílcar, humilhado pelos romanos: Jacob Freud, humilhado outrora por um anti-semita, nunca tivera acesso à cultura grega. Diante do Partenon, Sigmund, que se tornara um intelectual totalmente familiarizado com a cultura dominante (greco-latina), podia então voltar-se para Alexander e dizer estas palavras: "O que diria nosso pai?" Esse gesto era idêntico ao de Bonaparte, que se voltara para o irmão, no momento de sua coroação, pronunciando as mesmas palavras.

Essa lembrança expressava resumidamente a própria história da judeidade* vienense, que estava no centro do nascimento da psicanálise*, a história dos filhos da burguesia comercial judaica, que se emanciparam de sua condição e de sua família, tornando-se intelectuais e adotando uma nova cultura, estranha ao judaísmo.

• Sigmund Freud, "Um distúrbio de memória na Acrópole" (1936), *ESB*, XXII, 293-306; *GW*, XVI, 250-7; *SE*, XXII, 239-48; *OC*, XIX, 325-39; *Chronique la plus brève. Carnets intimes, 1929-1939*, anotado e apresentado por Michael Molnar (Londres, 1992), Paris, Albin Michel, 1992 • Siegfried Bernfeld e Suzanne Cassirer, "Freud and archeology", *The American Imago*, 8, 1951, 107-28 • Carl Schorske, *Viena fin-de-siècle* (N. York, 1981), S. Paulo, Companhia das Letras, 1990 • Yosef Hayim Yerushalmi, *Le Moïse de Freud. Judaïsme terminable et interminable* (New Haven, 1991), Paris, Gallimard, 1993.

Freud, Amalia, *née* Malka Nathanson (1835-1930), mãe de Sigmund Freud

Terceira esposa de Jacob Freud*, Amalia Nathanson nasceu em Brody, em uma família judia da Galícia oriental, província polonesa ligada à Áustria. Passou uma parte da infância em Odessa e ainda era muito jovem quando seus pais foram se instalar em Viena*. Seu casamento foi celebrado em 1855 pelo rabino Isaac Noah Mannheimer, segundo o rito reformado, quando a jovem tinha vinte anos menos que o marido. Deu à luz, um ano depois, o primeiro de seus oito filhos, ao qual foi dado o nome do avô paterno (Schlomo), morto três meses antes do nascimento do neto. Sigmund Freud* nunca usaria esse nome.

Ernest Jones* fez um retrato preciso dessa mulher vibrante, bela, narcísica, tirânica com as filhas, egocêntrica, dotada de um humor cortante e capaz de passar os verões em Ischl jogando cartas com as amigas até altas horas da noite: "Com a idade de 90 anos, ela se recusou a receber um magnífico xale que queriam lhe dar de presente, dizendo que a 'envelheceria' [...]. Ao ver uma fotografia sua no jornal, disse: 'Que retrato ruim, pareço uma centenária!'" Os jovens visitantes se impressionavam ao ouvi-la falar de seu venerado mestre chamando-o de *mein goldener Sigi* (meu Sigi de ouro). Martin Freud* descreveu sua avó como uma "judia polonesa típica, com todos os defeitos que isso implicava [...]. Falava bem e não tinha papas na língua; uma mulher de caráter resoluto, pouco paciente e extremamente inteligente."

Freud foi adorado pela mãe e teve uma relação privilegiada com ela. Foi a partir desse contato que ele construiu sua teoria do complexo de Édipo*, cuja evocação se encontra na *Interpretação dos sonhos*. Aos quatro anos, deslumbrou-se com sua nudez e teve, seis anos depois, um célebre sonho* de angústia: "Minha mãe querida, com uma expressão no rosto particularmente tranqüila e adormecida, levada para o seu quarto e estendida no leito por dois (ou três) personagens com bicos de pássaro."

Segundo sua própria interpretação*, os bicos de pássaro eram a representação visual de *vögeln* (aparafusar), palavra vulgar alemã que designa as relações sexuais, por analogia com *Vogel* (pássaro). Quanto aos pássaros, remetiam

à divindade egípcia reproduzida na bíblia familiar que o pequeno Sigmund tinha o hábito de folhear. O sonho traduzia assim o desejo* sexual da criança pela mãe. Note-se que Freud retomaria essa temática em 1910, sob outra forma, em *Leonardo da Vinci e uma lembrança de sua infância*.

Consciente do amor que sua mãe lhe dedicava, Freud declarou muitas vezes, especialmente a propósito de Goethe, que "quando se foi o favorito incontestável de sua mãe, guarda-se pela vida inteira uma sensação conquistadora, uma segurança de sucesso que muitas vezes leva efetivamente ao sucesso". Nada é mais verdadeiro, e o laço que une freqüentemente todo criador (escritor ou artista) à sua mãe está aí para provar, principalmente nos casos de homossexualidade* bem-sucedida. Aliás, o próprio Freud foi a prova viva dessa verdade. O amor de sua mãe lhe deu todas as coragens. Não só ele soube enfrentar a adversidade com uma incrível segurança, como também adotou em relação à morte a atitude de aceitação típica daqueles que se sentem imortais porque puderam realizar o luto do primeiro objeto de amor: a mãe amorosa.

Compreende-se então a angústia que ele sentia com a idéia de morrer antes de Amalia. Falou disso com Karl Abraham* em uma carta do dia 20 de maio de 1918: "Minha mãe terá 83 anos neste ano e não é mais muito saudável. Ocorre-me pensar que, se ela morrer, isso me dará um pouco mais de liberdade, pois a idéia de que seria necessário dar-lhe a notícia de que eu morri tem algo que me faz recuar." Por causa dessa angústia, Amalia foi mantida na ignorância dos falecimentos que atingiram sua descendência. E quando ela morreu em Viena aos 95 anos, Freud, sofrendo de câncer e já inválido, sentiu-se aliviado. Contrário aos ritos religiosos e esgotado por seu próprio sofrimento físico, ele não foi ao funeral: "Nada de dor, nada de luto", declarou a Sandor Ferenczi*. Mas logo acrescentou que, nas camadas profundas do inconsciente*, essa morte iria desestabilizar sua vida. Isso de fato ocorreu, embora a morte de Jacob Freud, em 1896, tivesse tido ainda mais efeito sobre ele.

Pode-se acrescentar que a constatação que Freud fez sobre o "filho preferido" foi corroborada de modo negativo pelas descobertas de Melanie Klein* sobre a primeira infância. Inspirando-se em sua relação detestável com a própria mãe, Klein mostrou, efetivamente, que o ódio primordial que ligava a criança à mãe era fonte de todas as perturbações psicóticas e neuróticas posteriores, assim como a causa primeira e inconsciente de todos os fracassos amorosos e profissionais da idade adulta. Daí a necessidade de uma análise precoce.

Ferenczi foi o primeiro a enfatizar, em 1930, o que a doutrina freudiana da sexualidade feminina* devia a essa relação entre Amalia e seu filho: "Nota-se a leviandade com a qual ele sacrifica os interesses das mulheres aos pacientes masculinos. Isso corresponde à orientação unilateral, andrófila, de sua teoria da sexualidade. Nesse ponto, ele foi seguido por quase todos os seus alunos, inclusive eu [...]. É possível que o autor tenha uma repugnância pessoal por uma sexualidade espontânea da mulher, pela orientação feminina: idealização da mãe. Assim, recua diante da tarefa de ter uma mãe sexualmente exigente e ser obrigado a satisfazê-la. Em um certo momento, ele teve ter sido posto diante dessa tarefa pelo caráter apaixonado da mãe. (A cena primária pode tê-lo tornado relativamente impotente). [...] Em sua conduta, Freud faz apenas o papel do deus castrador, nada quer saber do momento traumático de sua própria castração na infância; é o único que não deve ser analisado."

É menos o monismo sexual (libido* única) de sua teoria que revela o medíocre conhecimento que Freud tem da feminilidade do que a incapacidade, como disse Ferenczi, em que ele se encontrava de enfrentar a sexualidade da mulher — e, logo, da mãe. Aliás, foi sua ama, Monica Zajic, dita Nannie, e não sua mãe, que foi sua iniciadora nesse campo. Em relação à sexualidade*, Freud adotou em sua vida uma atitude contrária à que preconizava em sua teoria. Nunca foi amante das mulheres que o seduziam por sua inteligência, dita "masculina" e com quem mantinha relações transferenciais apaixonadas (Marie Bonaparte*, Ruth Mack-Brunswick*, Jeanne Lampl-De Groot* etc), e casou-se com uma mulher cuja sexualidade se reduzia a desempenhar o papel para o qual era biologicamente constituída: o de mãe. Peter

Gay evidenciou esse último ponto. Com suas filhas, Freud repetia essa clivagem: Anna Freud* se tornou para ele o objeto de uma verdadeira paixão intelectual, enquanto Mathilde Hollitscher* e Sophie Halberstadt* tiveram como único destino o de mães. Só uma mulher conseguiu quebrar o espelho: Lou Andreas-Salomé*.

• Sigmund Freud, *A interpretação de sonhos* (1900), *ESB*, IV-V, 1-660; *GW*, I-II, 1-642; *SE*, IV-V, 1-621; Paris, PUF, 1967; "Uma recordação de infância de *Dichtung und Wahrheit*" (1917), *ESB*, XVII, 185-200; *GW*, XII, 12-26; *SE*, XVII; in *L'Inquiétante étrangeté et autres essais*, Paris, Gallimard, 1985, 190-207; *Chronique la plus brève. Carnets intimes, 1929-1939*, anotado e apresentado por Michael Molnar (Londres, 1992), Paris, Albin Michel, 1992 • Sandor Ferenczi, *Diário clínico, janeiro-outubro 1932* (Paris, 1985), S. Paulo, Martins Fontes, 1990 • Ernest Jones, *A vida e a obra de Sigmund Freud*, vols. 1 e 2 (N. York, 1953, 1955), Rio de Janeiro, Imago, 1989 • Ernst Freud, Lucie Freud e Ilse Grubrich-Simitis (orgs.), *Sigmund Freud. Lieux, visages, objets* (Frankfurt, 1976), Bruxelas, Complexe-Gallimard, 1979 • Marianne Krüll, *Sigmund Freud, fils de Jacob* (Munique, 1979), Paris, Gallimard, 1983 • Peter Gay, *Freud: uma vida para o nosso tempo* (N. York, 1988), S. Paulo, Companhia das Letras, 1995.

➤ DEUTSCH, HELENE; DIFERENÇA SEXUAL; FALOCENTRISMO; FREUD, MARTHA; HORNEY, KAREN; PATRIARCADO; RANK, OTTO.

Freud, Anna (1895-1982), filha de Sigmund Freud
psicanalista inglesa

Nascida em Viena*, Anna Freud era a sexta e última dos filhos de Sigmund e Martha Freud*. Não fora desejada nem por sua mãe, nem por seu pai, que decidiu, depois de seu nascimento, permanecer casto por não poder utilizar contraceptivos. Assim, Anna teve de lutar para ser reconhecida pelas qualidades de que dispunha: coragem, tenacidade e o gosto pelas coisas do espírito. Não tendo nem a beleza de sua irmã Sophie Halberstadt* nem a elegância de Mathilde Hollitscher*, sentia-se em estado de inferioridade na família, na qual se esperava que só os herdeiros masculinos fossem talentosos para os estudos.

Rivalizando desde a infância com sua tia Minna Bernays*, passou a adolescência invejando a doutrina que a privava de seu pai adorado. Na idade adulta, para aproximar-se dele, decidiu entrar para o círculo de seus discípulos. Mas como estava impedida de ir para a universidade e estudar medicina, tornou-se professora primária. Exerceria essa profissão durante toda a Primeira Guerra Mundial, de 1914 a 1920 exatamente.

Seu primeiro contato com o movimento psicanalítico ocorreu em 1913. Por ocasião de uma viagem a Londres, encontrou-se subitamente implicada no centro das relações de seu pai com Ernest Jones*. Acompanhando Loe Kann, amante de Jones então em análise com Freud, Anna foi cortejada por ele. Prevenido por Loe, Freud reagiu muito mal e dirigiu a Jones sérias advertências, ao mesmo tempo que proibia à filha embarcar em uma aventura sem futuro com um "velho celibatário" astuto. Não contente de agir como pai autoritário, fez com que Loe se analisasse para interpretar o comportamento de seu discípulo: "Jones, disse ele, faz a corte a Anna para vingar-se do fato de que sua amante quer deixá-lo, graças ao sucesso de seu tratamento." A partir desse dia, Freud começou a desviar de sua filha todos os pretendentes que ousavam fazer-lhe a corte (Hans Lampl*, notadamente). Jones esperou quarenta anos para explicar-se com Anna e confessar-lhe que continuava a amá-la.

Depois da morte prematura de Sophie e do casamento de Mathilde, Anna Freud tornou-se a Antígona da casa paterna, ao mesmo tempo discípula, confidente e enfermeira. Quanto a Freud, não hesitou em analisá-la por duas vezes: entre 1918 e 1920 e entre 1922 e 1924. Dez anos depois, tentaria justificar sua decisão: "Com minha própria filha tive sucesso, com um filho têm-se escrúpulos especiais." Na verdade, Freud não se iludia com essa explicação edipiana. Sabia muito bem que essa análise tivera como efeito reforçar o amor que Anna lhe dedicava e que a afirmação do "sucesso" do tratamento não era mais do que a expressão de uma paixão impossível de resolver. E foi com toda a franqueza que expressou a Lou Andreas-Salomé* os seus verdadeiros sentimentos: era tão incapaz de renunciar a Anna quanto deixar de fumar.

Do seu lado, Anna sofria com o escândalo que essa paixão suscitava no movimento psica-

nalítico. Foi por isso que tomou como confidentes Max Eitingon* e Lou Andreas-Salomé. Ambos tiveram um papel analítico, o primeiro tentando afastá-la do pai, a segunda estimulando-a, ao contrário, a assumir essa situação transgressiva: "Pouco importa o destino escolhido, disse ela, desde que ele se cumpra até o fim." Lou tinha razão, pois afinal foi no desabrochar completo dessa piedade filial que Anna pôde dar um significado verdadeiro à sua existência de mulher e chefe de escola no movimento freudiano. Manteve com o pai uma correspondência de 300 cartas, de ambos os lados, ainda não publicada, mas disponível na Biblioteca do Congresso* de Washington.

Foi no campo da psicanálise de crianças* que Anna Freud ingressou no movimento. Em 1922, apresentou à Wiener Psychoanalytische Vereinigung (WPV) um primeiro trabalho, intitulado "Fantasias e devaneios diurnos de uma criança espancada". Cinco anos depois, publicou sua obra principal, *O tratamento psicanalítico das crianças*. Paralelamente, assumiu a edição das obras do pai, *Gesammelte Schriften*, concluída em 1924. No ano seguinte, foi eleita diretora do novo instituto de psicanálise de Viena, recém-criado. Assim, começou a assumir as responsabilidades institucionais que iriam fazer dela a grande representante da ortodoxia vienense, em uma época em que Melanie Klein*, sua terrível rival, começava a grande reformulação teórica da obra freudiana. Entre essas duas mulheres, representantes de duas correntes divergentes no seio da International Psychoanalytical Association* (IPA), entendimento algum nunca seria possível.

Cercada pelos mais notáveis discípulos vienenses da primeira hora, Siegfried Bernfeld*, August Aichhorn*, Wilhelm (Willi) Hoffer (1897-1967), Anna criou em 1925 o Kinderseminar (Seminário de Crianças), que se reunia no apartamento da Berggasse. Depois das experiências infelizes de Hermine von Hug-Hellmuth*, tratava-se então de formar terapeutas capazes de aplicar os princípios da psicanálise* à educação das crianças.

No mesmo ano, conheceu Dorothy Burlingham*, que se tornou sua mais cara amiga por toda a vida. Através dessa mulher, Anna realizou seu desejo de maternidade. Com uma espécie de devotamento místico, ocupou-se dos quatro filhos de Dorothy: Bob (Robert), Mabbie (Mary), Katrina (Tinky) e Michael (Mickey). Todos sofriam de distúrbios psíquicos mais ou menos graves e Anna lhes serviu de mãe, educadora e analista.

Para eles, criou com Erik Erikson*, Peter Blos e Eva Rosenfeld (1892-1977), sobrinha de Yvette Guilbert*, uma escola especial, que foi depois freqüentada por crianças cujos pais se analisavam: "Para esses analistas que gravitavam em torno de Freud e da família Burlingham em Viena, escreveu Peter Heller, a psicanálise era realmente uma religião, um culto, uma Igreja [...]. Minha vida se passava na escola muito particular das Burlingham-Rosenfeld, marcada pela personalidade de Anna Freud e por sua concepção de uma pedagogia psicanalítica. Entre outras coisas, embora isso tenha sido negado depois, a escola consistia em uma experiência progressiva e elitista de educação de crianças [cujos pais] faziam análise. Uma experiência privilegiada, muito promissora, inspirada e animada por um ideal de humanidade mais puro e mais sincero do que todos os outros estabelecimentos que freqüentei. Ali, difundia-se um autêntico sentido de comunidade."

Enquanto Melanie Klein inventava uma nova prática da análise infantil, Anna Freud seguia o caminho indicado pelo pai desde o tratamento de Herbert Graf* (o pequeno Hans). Considerando que uma criança é frágil demais para ser submetida a uma verdadeira análise, com exploração do inconsciente*, defendia o princípio do tratamento sob a responsabilidade da família e dos parentes, e mais geralmente sob a tutela das instituições educativas. Segundo ela, o complexo de Édipo* não devia ser examinado muito profundamente na criança, em razão da falta de maturidade do supereu*. Nesse campo, a abordagem analítica devia ser integrada à ação educativa.

A fraqueza da doutrina annafreudiana vinha da ausência de reflexão sobre os laços do filho com a mãe. Aos olhos de Anna, só contava a relação com o pai. Daí a prioridade dada à pedagogia do eu*, em detrimento da exploração inconsciente.

Depois da ruptura com Otto Rank*, Anna Freud foi admitida em seu lugar no Comitê Secreto*. Teve então a impressão de fazer parte, finalmente, dos paladinos da "causa" analítica, o que a aproximava ainda mais do pai. Assim, tornou-se a guardiã da ortodoxia freudiana.

Em 1937, graças ao dinheiro de uma rica americana, Edith Jackson (1895-1977), que foi a Viena analisar-se com Freud, Anna criou um pensionato para crianças pobres, ao qual deu o nome de Jackson Nursery. A experiência se inspirava na de Maria Montessori*. Foi interrompida pela implantação do nazismo* na Áustria.

Obrigada a emigrar com toda a família, Anna Freud instalou-se em Londres em 1938, acompanhada de muitos vienenses que se exilariam depois nos Estados Unidos*. Os kleinianos sentiram esse desembarque da "legitimidade freudiana" como uma verdadeira intrusão. Há muito tempo a British Psychoanalytical Society (BPS) estava dominada pelas teses kleinianas, que haviam transformado radicalmente o freudismo clássico. Não só os psicanalistas ingleses tinham-se afastado de seus colegas do continente, mas também sua prática, sua mentalidade, suas orientações clínicas, até seus conflitos — notadamente em torno de Edward Glover* — não tinham mais nada a ver com as querelas do mundo germanófono. Ora, nessa época, Anna acabava de publicar sua obra maior, *O eu e os mecanismos de defesa*, que se chocava com as pesquisas da escola inglesa. O conflito era pois inevitável e ocorreria depois da morte de Freud, com a explosão, em 1941, das Grandes Controvérsias*.

Próxima das posições da *Ego Psychology*, Anna Freud retomava a noção de defesa* para fazer dela o pivô de uma concepção de psicanálise centrada não mais no isso*, mas na adaptação possível do eu à realidade. Daí a importância muito grande dada aos mecanismos de defesa, mais do que à defesa propriamente dita. A obra teve grande sucesso nos Estados Unidos e marcou o nascimento do annafreudismo*, segunda grande corrente representada na International Psychoanalytical Association* (IPA).

Esgotada pelas controvérsias e decepcionada com a evolução do movimento analítico que ela via cada vez mais afastado do freudismo original, Anna Freud conservou todavia muitos amigos de outrora, que a admiravam por seu devotamento, sua generosidade e seu senso de fidelidade, e com os quais podia evocar saudosamente o antigo esplendor vienense. Entre eles, Ernst Kris*, Marianne Kris*, Heinz Hartmann*, René Spitz*, Richard Sterba* etc. Isolada em Londres, mas instalada na magnífica mansão de Maresfield Gardens 20, que se tornaria o Freud Museum*, prosseguiu com suas atividades em favor da infância, criando as Hampstead Nurseries, sempre com a ajuda de Dorothy Burlingham. Em 1952, fundou a Hampstead Child Therapy Clinic, centro de terapia e pesquisas psicanalíticas, onde aplicou suas teorias em estreita colaboração com os pais das crianças atendidas.

Guardiã da herança freudiana, tratou não só da publicação das obras do pai e de seus arquivos, como também dos membros da família, principalmente os sobrinhos. Durante os anos 1970, continuou a desempenhar o papel de mãe para os filhos de sua amiga Dorothy. Dois deles tiveram um fim dramático: Bob morreu de uma crise de asma depois de atravessar vários episódios de depressão, e Mabbie acabou suicidando-se, ingerindo uma alta dose de medicamentos.

Em 1990, tornando-se professor de literatura, Peter Heller publicou um depoimento comovedor sobre as suas lembranças da análise com Anna Freud. Nascido em Viena em 1920, submeteu-se a um tratamento com ela entre 1929 e 1932. Depois, casou-se com Tinky, filha de Dorothy Burlingham, e em seguida passou ainda longos anos no divã de Kris. O relato de seu tratamento, acompanhado das notas que Anna lhe entregou, revivia a estranha confusão dos anos 1920-1935, durante a qual Anna e seu pai misturaram tão estreitamente o divã, a família e a vida particular. Peter Heller mostrava, principalmente, o caráter sufocante da posição "materna" ocupada por Anna, ao passo que, em sua doutrina, ela não levava em conta o vínculo arcaico com a mãe.

Coberta de honras, mas incapaz de compreender a evolução do movimento psicanalítico, Anna Freud morreu em Londres depois de enfrentar a tempestade provocada pelos adeptos da historiografia* revisionista a respeito da publicação das cartas de Freud a Wilhelm Fliess*.

A um jovem analista que lhe enviou em 1979 um artigo prevendo a morte da psicanálise, ela respondeu com estas palavras: "Predizer a morte da psicanálise talvez esteja na moda. A única resposta inteligente é a que Mark Twain deu, quando um jornal anunciou, por erro, a notícia de sua morte: 'As notícias sobre minha morte são muito exageradas'. De qualquer forma, o sr. diz que os antigos ficaram indiferentes, o que é normal, pois sempre foram acostumados aos ataques. Sob muitos aspectos, é quando atacada que a psicanálise caminha melhor."

• Anna Freud, *O tratamento psicanalítico de crianças* (Viena, 1927), Rio de Janeiro, Imago, 1971; *O ego e os mecanismos de defesa* (Londres, 1936), Rio de Janeiro, Civilização Brasileira, 1982, 6ª ed.; *Le Normal et le pathologique chez l'enfant* (Londres, 1965), Paris, Gallimard, 1968; *L'Enfant dans la Psychanalyse*, Paris, Gallimard, 1976; *Les Conférences de Harvard* (Londres, 1992), Paris, PUF, 1994; *The Writings of Anna Freud*, 8 vols., N. York, International Universities Press, 1966-1980 • Joseph Sandler, Hansi Kennedy, Robert L. Tyson, *Técnica da psicanálise infantil* (Londres, 1980), P. Alegre, Artes Médicas • Joseph Sandler, *Entretiens avec Anna Freud* (N. York, 1985), Paris, PUF, 1989 • Peter Heller, *Une analyse d'enfant avec Anna Freud* (Würzburg, 1983, Madison, 1990), Paris, PUF, 1996 • Elisabeth Young-Bruehl, *Anna Freud: uma biografia* (N. York, 1988), Rio de Janeiro, Imago, 1992.

➢ ANÁLISE DIDÁTICA; FILIAÇÃO; HOMOSSEXUALIDADE; PATRIARCADO; SEDUÇÃO, TEORIA DA; *SELF PSYCHOLOGY*; SEXUALIDADE FEMININA.

Freud, Anna, irmã de Sigmund Freud

➢ BERNAYS, ANNA.

Freud, Emanuel (1833-1914), meio-irmão de Sigmund Freud

Nascido em Tysmenitz, Emanuel era o filho mais velho de Jacob Freud* e de sua primeira mulher, Sally Freud* (nascida Kanner). Como Sigmund Freud*, seu meio-irmão, e como Rosa Graf*, sua meia-irmã, era de humor neurastênico. Casou-se em 1852 com Maria Rokach (1834-1921), nascida em Milow, na Rússia* e filha de um rabino, e assumiu dois anos depois a sucessão do pai no comércio de têxteis. Em 1859, como seu irmão Philipp*, foi estabelecer-se em Manchester, na Grã-Bretanha*, com sua mulher e os três filhos, Johann, dito John (1855-?), Pauline* e Bertha (1859-1944), todos nascidos em Freiberg. Em Manchester, teria dois outros filhos, Samuel (1860-1945) e Matilda, que morreu ainda criança. Nessa cidade, Emanuel encontrou as facilidades que seu pai não conhecera. Fez parte da boa burguesia comercial judaica e figurou com o irmão, em 1872, entre os fundadores da South Manchester Synagogue. Morreu acidentalmente, ao cair de um trem. Sua filha Bertha também morreu de uma queda acidental de uma escada.

Freud sempre teve muita afeição por esse meio-irmão que poderia ter sido seu pai, e que sempre o exortou à piedade filial, lembrando-lhe que pertencia à terceira geração a partir do pai. Em 1908, foi visitá-lo na Inglaterra. Na infância teve como companheiro de brincadeiras o seu sobrinho John, oito meses mais velho que ele e que, com a idade de 18 anos, desapareceu sem deixar vestígios. Em 1979, Marianne Krüll formulou a hipótese de que, na infância, John e Sigmund tentaram deflorar sua jovem prima Pauline Freud.

• *Lettres de famille de Sigmund Freud et des Freud de Manchester, 1911-1938*, Paris, PUF, 1996 • Siegfried Bernfeld e Suzanne Cassirer-Bernfeld, "Freud's early childhood", *Bull. Menninger Clinic*, 1944, 8, 107-15 • Renée Gicklhorn, "La Famille Freud à Freiberg" (1969), *Études Freudiennes* 11-12, janeiro de 1976, 231-8 • Marianne Krüll, *Sigmund Freud, fils de Jacob* (Munique, 1979), Paris, Gallimard, 1983.

➤ HISTORIOGRAFIA; SEDUÇÃO, TEORIA DA.

Freud, Ernst (1892-1966), filho de Sigmund Freud

Nascido em Viena*, Ernst era o quarto filho de Sigmund e Martha Freud*, o terceiro e último filho depois de Martin e Oliver. Não sendo o preferido nem do pai nem da mãe, foi também o mais independente dos irmãos, chamado o "menino de sorte". Na verdade, parecia-se muito com o pai. Quando lhe perguntaram por que se tornara arquiteto, disse que foi porque seu pai e os outros membros da família não entendiam nada disso.

Dotado de um real talento de artista, seguiu muito cedo esse caminho, o que lhe permitiu aprender uma verdadeira profissão, conquistar uma identidade e principalmente não depender financeiramente do pai. Depois de estudar em Munique, instalou-se em Berlim, onde conheceu Lucie Brasch, com quem se casou em 1920. Depois de uma crise grave, da qual Freud foi mantido afastado, o casal recuperou o equilíbrio e viveu unido durante cinqüenta anos. Três filhos nasceram desse casamento: Stefan, Lucian, Klemens.

Por ocasião de seu trigésimo aniversário, recebeu uma carta, na qual seu pai o felicitava pelo seu sucesso: "Você é o único dos meus filhos que já possui tudo o que um homem pode desejar nessa idade: uma mulher amorosa, um filho maravilhoso, trabalho, rendas e amigos. Aliás, você merece tudo isso, e como nem tudo na vida acompanha o mérito, quero expressar o desejo de que a sorte lhe continue sempre fiel."

Em 1933, com a chegada de Hitler ao poder, Ernst emigrou para Londres com sua família. Já tendo viajado, exercendo uma profissão em que a mobilidade era um hábito, integrou-se muito bem à sociedade britânica. Ernest Jones* o ajudou, contratando-o para reformar uma ala de sua casa de campo. Julgou-o extremamente competente: "O seu reconhecimento da competência de Ernst, sublinhou Freud, é um bálsamo para o meu coração de pai. Lamento que meu outro filho [Oliver], que está em Nice, não tenha encontrado nem pátria nem emprego."

Em 1938, Ernst organizou a vinda de seus pais e de sua irmã Anna para Londres, instalando no nº 20 de Maresfield Gardens uma "Berggasse reconstruída" e lindamente reformada por ele. Foi executor testamentário do pai e assumiu a publicação de suas obras, à frente da Sigmund Freud Copyright Ltd.

Com sua morte, Lucie tomou o seu lugar, depois de quase sucumbir a uma tentativa de sucídio*. Foi então Ilse Grubrich-Simitis que consagrou toda a sua energia ao último projeto de Ernst: a realização de um magnífico álbum ilustrado, o primeiro do gênero, dedicado à vida de Freud, *Sigmund Freud. Lugares, rostos, objetos*, que seria depois traduzido no mundo inteiro.

Amigo de Francis Bacon (1909-1992), Lucian Freud tornou-se um dos pintores mais importantes da escola neofigurativa inglesa e fez impressionantes retratos da mãe. Quanto ao terceiro filho de Ernst, Sir Klemens Freud, recebeu um título de nobreza e fez uma brilhante carreira de político liberal e cronista radiofônico no campo culinário.

• Sigmund Freud, *La Naissance de la psychanalyse* (Londres, 1950), Paris, PUF, 1956; *Chronique la plus brève. Carnets intimes, 1929-1939*, anotado e apresentado por Michael Molnar (Londres, 1992), Paris, Albin Michel, 1992 • Sigmund Freud e Sandor Ferenczi: *correspondência*, vol.I, 2 tomos, *1908-1914* (Paris, 1992), Rio de Janeiro, Imago, 1994, 1995, vol.II, *1914-1919*, Paris, Calmann-Lévy, 1996 • Ernest Jones, *A vida e a obra de Sigmund Freud*, vols.1 e 2 (N. York, 1953, 1955), Rio de Janeiro, Imago, 1989 • Martin Freud, *Freud, mon père* (Londres, 1957), Paris, Denoël, 1975 • Ernst Freud, Lucie Freud e Ilse Grubrich-Simitis (orgs.), *Sigmund Freud. Lieux, visages, objets* (Frankfurt, 1976), Bruxelas, Complexe-Gallimard, 1979 • Élisabeth Young-Bruehl, *Anna Freud: uma biografia* (N. York, 1988), Rio de Janeiro, Imago, 1992 • Peter Gay, *Freud: uma vida para o nosso tempo* (N. York, 1988), S. Paulo, Companhia das Letras, 1995 • Jean Clair, "Lucian Freud, la question du nu en peinture", in *Éloge du visible*, Paris, Gallimard, 1996, 171-88.

➢ Freud, Anna; Freud, Eva; Freud, Martin; Freud, Oliver; Halberstadt, Sophie; Hollitscher, Mathilde.

Freud, Eva (1924-1944), neta de Sigmund Freud

Nascida em Berlim, Eva era filha única de Oliver Freud* e sua mulher Henny. Emigrou com os pais para a França* no fim de abril de 1933. Depois de uma breve permanência em Paris, acompanhou os pais a Nice, onde se matriculou no liceu.

Para Sigmund Freud*, que tanto sofrera com a perda do seu neto Heinerle (filho de Sophie Halberstadt*), Eva se tornara a querida Evchen. Ela o visitou pela última vez no dia 24 de agosto de 1939, e ele se mostrou particularmente terno com ela, sabendo que não a veria mais.

No fim do verão de 1940, Eva ficou conhecendo um jovem judeu, nascido em São Petersburgo, de 30 anos de idade. Tornou-se sua companheira, no momento em que ele decidiu entrar na Resistência. Para não separar-se dele, recusou-se a emigrar para os Estados Unidos* com os pais em 1943. Sob a responsabilidade de René Laforgue*, com quem começara uma análise, encontrou-se muito isolada em Nice, onde, para escapar às perseguições anti-semitas, logo foi obrigada a viver com uma identi-

dade falsa. Diante de uma gravidez não desejada, abortou clandestinamente e teve uma infecção. Tratada em Marselha, no Hospital de Timone, morreu de septicemia a 4 de novembro de 1944, depois de uma longa agonia durante a qual pediu para receber o sacramento do batismo católico. Voltando do *maquis*, seu noivo a enterrou no cemitério Saint-Pierre. Em 1948, seus pais vieram visitar o túmulo e em 1962 encontraram-se com seu noivo e alguns amigos. Durante muitos anos, a morte de Eva Freud foi atribuída, pela história oficial, a uma epidemia de gripe. Foi um psicanalista francês, Pierre Segond, que revelou a verdade em 1993, depois de uma longa pesquisa feita no sul da França.

• Pierre Segond, "Eva Freud, une vie. Berlin 1924, Nice 1934, Marseille 1944" (1992), *Trames*, 15, setembro de 1993, 76-116.

➢ Freud, Anna; Freud, Martin; Freud, Oliver; Halberstadt, Sophie; Hollitscher, Mathilde.

Freud, Josef (1825-1897), tio de Sigmund Freud

No diário vienense *Neue Freie Press*, de 23 de fevereiro de 1866, foi relatado o processo contra Josef Freud por tráfico de dinheiro falso: "Segundo a perícia do Banco Imperial Russo de São Petersburgo, as notas falsas em poder de Josef Freud foram gravadas com cinzel e em litografia sobre papel comum, e são do tipo das que inundam todos os mercados da Europa." Josef Freud foi condenado a dez anos de prisão.

Na *Interpretação dos sonhos**, Sigmund Freud evocou a figura desse tio "malfeitor" no "Sonho do tio": "Meu amigo R. é um tio. Tenho uma grande ternura por ele. Vejo seu rosto diante de mim, um pouco mudado. Vê-se nitidamente uma barba amarela que o emoldura."

Segundo Freud, Jacob considerava seu irmão um imbecil e não uma má pessoa. Esse caso o entristeceu muito, e em poucos dias seus cabelos ficaram grisalhos.

Essa história suscitou muitas interpretações, às vezes bastante fantasiosas, por parte dos especialistas em história do freudismo.

• Alain de Mijolla, "'Mein Onkel Josef' à la une", *Études Freudiennes*, 15-16, abril de 1979, 183-92 • Marianne

Krüll, *Sigmund Freud, fils de Jacob* (Munique, 1979), Paris, Gallimard, 1983 • Nicolas Rand e Maria Torok, *Questions à Freud*, Paris, Les Belles Lettres, 1995.

➤ HISTORIOGRAFIA.

Freud, Julius (1857-1858), irmão de Sigmund Freud

Nascido em Freiberg, Julius era o segundo filho de Jacob e Amalia Freud*, e o primeiro irmão mais novo de Sigmund Freud*, que sentiu, desde o nascimento do irmão, um forte ciúme em relação a ele. Julius morreu com oito meses. Em uma carta a Wilhelm Fliess*, datada de 3 de outubro de 1897, Freud afirmou que alimentava, para com Julius, "desejos malvados". Depois de sua morte, sentiu remorso e culpa. Depois, transferiu sua rivalidade para a irmã mais velha, Anna Bernays*. Foi nesse momento que descobriu o conflito edipiano, ou seja, que a rivalidade com o pai determinava desejos mortíferos. Na *Interpretação dos sonhos*, indicou que uma criança pequena, cujo irmão ou irmã mais novo tivesse morrido, poderia, depois do nascimento de outro irmão, alimentar o desejo de ver o novo rival sofrer o mesmo destino.

Em 1917, em um artigo dedicado à autobiografia de Goethe, *Poesia e verdade*, evocou essa questão, mostrando que o poeta tivera um sentimento idêntico por ocasião do nascimento, e da morte posterior, de um irmãozinho.

A partir de Freud, a questão do lugar da criança morta entre os irmãos foi objeto de uma abundante literatura, especialmente por parte dos psicanalistas de crianças.

• Sigmund Freud, "Uma recordação de infância de *Dichtung und Wahrheit*" (1917), *ESB*, XVII, 185-200; *GW*, XII, 12-26; *SE*, XVII; in *L'inquiétante étrangeté et autres essais*, Paris, Gallimard, 1985, 190-207; *La Naissance de la psychanalyse* (Londres, 1950), Paris, PUF, 1956 • Siegfried Bernfeld e Suzanne Cassirer-Bernfeld, "Freud's early childhood", *Bull. Menninger Clinic*, 1944, 8, 107-15 • Max Schur, *Freud: vida e agonia, uma biografia*, 3 vols. (N. York, 1972), Rio de Janeiro, Imago, 1981.

➤ DOLTO, FRANÇOISE; ÉDIPO, COMPLEXO DE; ESTÁDIO DO ESPELHO; KLEIN, MELANIE; LACAN, JACQUES; PULSÃO DE MORTE.

Freud, Kallamon Jacob (1815-1896), pai de Sigmund Freud

Nascido em Tysmenitz, na Galícia oriental, província polonesa ligada à Áustria em 1772, Jacob (ou Jakob) Freud era o filho mais velho de uma família de comerciantes judeus e tinha três irmãos, entre os quais Josef Freud*, cuja história é doravante conhecida. Foi Marianne Krüll quem estabeleceu em 1979 a genealogia familiar dos Freud, dando seqüência aos trabalhos de Renée Gicklhorn e Josef Sajner. A esse respeito, é interessante citar uma carta de Sigmund Freud* a Martha Freud*, do dia 10 de fevereiro de 1886, na qual descrevia assim a tragédia de um desses tios, chamado Abae: "Ele é comerciante e a história de sua família é muito triste. Dos quatro filhos, só uma filha é normal e casou-se na Polônia. Um filho é hidrocéfalo e débil mental; outro, que parecia normal quando pequeno, tornou-se louco aos 19 anos e uma filha aos 20."

O nome *Freud*, que significa alegria em alemão (*Freude*) era derivado de *Freide*, prenome da bisavó materna de Jacob. A família o adotara em 1789, quando o imperador José II promulgou uma carta de tolerância que emancipava os judeus, reconhecendo-lhes os mesmos direitos e privilégios que aos outros súditos do Império. Essa carta os obrigava, entretanto, a assumir um nome de família, e conseqüentemente a renunciar à organização comunitária.

Afastado do hassidismo, tradição mística de seus ancestrais, Jacob Freud foi um judeu do Iluminismo que aderiu às idéias da Haskala pouco depois do seu casamento com Sally Freud*. Ao contrário do que diria seu filho, permaneceu ligado aos valores tradicionais do judaísmo e transmitiu aos filhos uma sólida cultura judaica, fazendo com que lessem a Bíblia na edição bilíngüe ilustrada (hebraico-alemão) de Ludwig Philippsohn. Sua primeira esposa teve quatro filhos, dos quais apenas dois sobreviveram: Emanuel Freud* e Philipp Freud*. Em 1848, o casal se instalou em Freiberg (Pribor), na parte noroeste da Morávia, integrada ao Império Austro-Húngaro, cuja população tcheca falava oficialmente o alemão. Negociante de têxteis, pouco dotado para o comando, Jacob não fez fortuna no comércio e foi pobre durante toda a vida.

Depois de um segundo casamento com Rebekka Freud*, Jacob casou-se em Viena*, em terceiras núpcias, com uma jovem de 20 anos, Amalia Nathanson (Amalia Freud*), originária, como ele, de uma família judia da Galícia oriental, falando correntemente o iídiche. Ela lhe daria oito filhos, entre os quais Sigismund-Schlomo, o mais velho, em 1856, que se faria chamar Sigmund.

Em agosto de 1859, a família deixou Freiberg e foi para Leipzig, onde permaneceu algum tempo, antes de se instalar definitivamente em Viena em março de 1860, data na qual Philipp e Emanuel Freud, os dois irmãos consangüíneos de Sigmund, emigraram para a Grã-Bretanha*.

Enquanto Amalia era uma mulher enérgica e tirânica, de grande vivacidade de espírito, Jacob era um homem simples, tranqüilo e, ao que parece, pouco autoritário: "Otimista inveterado, escreveu Peter Gay, pelo menos aparentemente, era um pequeno comerciante mal preparado para enfrentar a industrialização do seu mundo. Simpático, generoso, bem-humorado, estava intimamente persuadido dos dons eminentes do filho Sigismund."

Assim, Freud foi o filho querido dos seus pais. E foi a partir de uma família ao mesmo tempo atípica para a época, por causa dos três casamentos sucessivos de seu pai, e mais ou menos "normal" do ponto de vista afetivo, que Freud construiria uma teoria subversiva da família patriarcal. E se a psicanálise* nasceu realmente do sentimento de declínio do patriarcado* (que afetava a sociedade vienense do fim do século) e de uma tentativa de revalorizar simbolicamente a figura do Pai, pode-se dizer que Jacob Freud foi a própria encarnação dessa falência.

As relações de Freud com o pai foram muitas vezes comentadas pelo próprio Freud, por seus discípulos e por historiadores ou filósofos, entre os quais Henri F. Ellenberger*, Ernest Jones*, Max Schur*, Jean-Paul Sartre (1905-1980), Carl Schorske, Marianne Krüll, Élisabeth Roudinesco, Peter Gay, Yosef Hayim Yerushalmi. Dois acontecimentos maiores devem ser realçados, em relação à teoria freudiana da paternidade. O primeiro se refere à culpa do filho (Sigmund), no momento da morte do pai (Jacob). Encontram-se vestígios desta na correspondência (1897) com Wilhelm Fliess*. Renunciando a considerar em 1897 que, na origem da neurose* existe a sedução* sexual da criança pelo adulto, Freud confessa sua culpa: efetivamente, suspeitou que seu próprio pai fosse um sedutor e lamentava amargamente que este tivesse morrido antes do abandono dessa teoria.

O segundo acontecimento se refere à diferença entre a judeidade* do pai e a do filho. Ele é evocado na *Interpretação dos sonhos*, sob a forma de uma célebre lembrança de infância. Um dia, lembra o narrador, Jacob relatou a seu filho um episódio antigo para lhe provar que o tempo presente era melhor que o passado. Outrora, disse ele, um cristão jogou seu chapéu de pele na lama e gritou: "Judeu, desce do passeio." Como a criança perguntou ao pai o que ele fizera, este respondeu: "Apanhei o meu chapéu." A essa cena, que lhe desagradava, o pequeno Sigmund contrapôs outra, mais de acordo com as suas aspirações: o momento histórico em que Amílcar faz seu filho Aníbal jurar que o vingará dos romanos e defenderá Cartago até a morte.

Essa lembrança contém, ao mesmo tempo, a posição de inferioridade do pai diante do anti-semitismo e o itinerário de um filho que assume a missão de revalorizar a função paterna através de um ato de rebelião à maneira de Aníbal. Nessa perspectiva, é preciso não só superar o pai, para tornar-se o herói ou o chefe de escola de uma nova doutrina, mas também mudar de cultura sem trair sua judeidade: esse era realmente o destino dos filhos da burguesia comercial judaica do Império Austro-Húngaro, obrigados a se "desjudeizarem" para existir, isto é, adotar a cultura grega, latina ou alemã, únicas capazes de tirá-los do gueto.

• Sigmund Freud, *A interpretação dos sonhos* (1900), *ESB*, IV-V, 1-660; *GW*, I-II, 1-642; *SE*, IV-V, 1-621; Paris, PUF, 1967; *La Naissance de la psychanalyse* (Londres, 1950), Paris, PUF, 1956; *Briefe an Wilhelm Fliess, 1887-1904*, Frankfurt, Fischer, 1986; *Correspondance, 1873-1939* (Frankfurt, 1960), Paris, Gallimard, 1966; *Chronique la plus brève. Carnets intimes, 1929-1939*, anotado e apresentado por Michael Molnar (Londres, 1992), Paris, Albin Michel, 1992 • Siegfried Bernfeld e Suzanne Cassirer-Bernfeld, "Freud's early childhood", *Bull. Menninger Clinic*, 1944, 8, 107-15 • Josef Sajner "Sigmund Freuds Beziehungen zu seinem Geburtsort Freiberg (Probor) und zu Mähren", *Clio*

Medica, 3, 1968, 167-80 • Renée Gicklhorn, "La Famille Freud à Freiberg" (1969), *Études Freudiennes*, 11-12, janeiro de 1976, 231-8 • Ernest Jones, *A vida e a obra de Sigmund Freud*, vols. 1 e 2 (N. York, 1953, 1955), Rio de Janeiro, Imago, 1989 • Carl E. Schorske, "Política e parricídio em *A interpretação de sonhos* de Freud", in *Viena fin-de-siècle* (N. York, 1981), S. Paulo, Companhia das Letras, 1990 • Ernst Freud, Lucie Freud e Ilse Grubrich-Simitis (orgs.), *Sigmund Freud. Lieux, visages, objets* (Frankfurt, 1976), Bruxelas, Complexe-Gallimard, 1979 • Marianne Krüll, *Sigmund Freud, fils de Jacob* (Munique, 1979), Paris, Gallimard, 1983 • Élisabeth Roudinesco, *História da psicanálise na França*, vol.1 (Paris, 1982), Rio de Janeiro, Jorge Zahar, 1989 • Jean-Paul Sartre, *Freud, além da alma* (Paris, 1984), Rio de Janeiro, Nova Fronteira, 1987 • Peter Gay, *Freud: uma vida para o nosso tempo* (N. York, 1988), S. Paulo, Companhia das Letras, 1995 • Yosef Hayim Yerushalmi, *Le Moïse de Freud. Judaïsme terminable et interminable* (New Haven, 1991), Paris, Gallimard, 1993.

➤ COMITÊ SECRETO; CULTURALISMO; FREUD, ALEXANDER; ITÁLIA; JUNG, CARL GUSTAV; *MOISÉS E O MONOTEÍSMO*; PSICANÁLISE; RANK, OTTO; ROMANCE FAMILIAR; SEXUALIDADE FEMININA; *TOTEM E TABU*.

Freud, Marie, dita Mitzi (1861-1942), irmã de Sigmund Freud

Nascida em Viena*, Mitzi era a quinta entre os filhos de Jacob e Amalia Freud*, e a terceira irmã de Sigmund Freud*. Em 1886, casou-se com um primo distante de Bucareste, Moritz Freud, falecido em 1920. Tiveram cinco filhos, dos quais um nasceu morto. A mais nova, Martha Gertrud, era uma artista talentosa que escrevia livros ilustrados para crianças. Sofrendo de distúrbios de identidade e não suportando ser uma moça, fazia-se chamar Tom. Casou-se com Jacob Seidmann, que se lançou no mercado editorial, faliu e suicidou-se em outubro de 1929. Um ano depois, atingida por uma profunda depressão, Martha deixou-se morrer em um hospital berlinense, aos 37 anos de idade. Tinha uma filha de sete anos, Angela, que, com sua avó, foi protegida por Freud.

No dia 29 de junho de 1942, Mitzi foi deportada com suas irmãs Pauline Winternitz, dita Paula, e Adolfine Freud*, dita Dolfi, para o campo de concentração de Theresienstadt. Dali, foi transportada no dia 23 de setembro para o campo de extermínio de Maly Trostinec, onde desapareceu, certamente morta nas câmaras de gás, ao mesmo tempo que Paula.

• Harald Leupold-Löwenthal, "A emigração da família Freud em 1938", *Revista Internacional da História da Psicanálise*, 2 (1989), Rio de Janeiro, Imago, 1992 • Sigmund Freud, *Chronique la plus brève. Carnets intimes, 1929-1939*, anotado e apresentado por Michael Molnar (Londres, 1992), Paris, Albin Michel, 1992.

➤ GRAF, REGINA DEBORA; NAZISMO.

Freud, Martha, *née* Bernays (1861-1951), mulher de Sigmund Freud

Nascida em Wandsbeck, perto de Hamburgo, Martha era irmã de Minna Bernays* e de Eli Bernays, que se casou com Anna (Bernays*), primeira das cinco irmãs de Sigmund Freud* e única a escapar do extermínio nazista.

Proveniente de uma família de intelectuais judeus, Martha era filha de Berman Bernays (1826-1879), que foi negociante, antes de se tornar secretário de Lorenz von Stein, professor de direito e de economia, depois que se instalou em Viena* em 1868. O avô, Isaac Bernays (1792-1849), fora o grão-rabino de Hamburgo. Quanto aos tios paternos, Jacob Bernays (1824-1881) e Michael Bernays (1834-1897), eram intelectuais eminentes. Primeiro filólogo judeu de renome no campo dos estudos clássicos (Grécia aristotélica e Antiguidade tardia), Jacob foi também o primeiro judeu praticante a obter um posto universitário na Alemanha no século XIX, em Bonn. Por sua vez, Michael ensinou literatura em Munique e foi leitor do rei Luís II da Baviera.

Nas famílias de estrita observância religiosa, as meninas eram educadas de modo muito severo, e Martha não escapou à autoridade da mãe, Emilie Philipp (1830-1910), mulher preconceituosa, que se parecia com as mães descritas por Freud e Josef Breuer* nos *Estudos sobre a histeria*. Tornando-se viúva em 1879, mostrou-se hostil à escolha de Martha, pois o jovem Sigmund não tinha nem fortuna nem posição social.

Em abril de 1882, quando tinha 26 anos, Freud ficou conhecendo Martha durante uma visita à sua irmã Anna. A jovem era morena, esbelta, pálida, reservada, com grandes olhos negros expressivos. Freud apaixonou-se ime-diatamente por ela, como lhe acontecera dez anos antes com Gisela Fluss*. Cortejou-a segundo as convenções de seu meio social. O noivado foi celebrado em 27 de junho de 1882. Um ano depois, Martha deixou Viena para se instalar em Wandsbeck com sua mãe e sua irmã Minna. Os noivos viveram separados durante três anos, até a data do casamento, dia 13 de setembro de 1886. Durante esse período, Freud escreveu cerca de mil cartas a Martha, das quais uma centena apenas foi publicada em 1960. Kurt Eissler, guardião dos Arquivos Sigmund Freud na Biblioteca do Congresso* em Was-hington a partir de 1945, as tornaria inacessíveis aos pesquisadores, e Harold Blum, seu sucessor, seguiria a mesma política.

Se Martha era virgem no momento de seu noivado e permaneceu assim até o casamento, Freud tivera pelo menos uma experiência sexual em sua vida de rapaz, como confidenciou a Marie Bonaparte*, que se apressou a anotar esse detalhe em seu diário íntimo, sem precisar nem a data nem a natureza dessa experiência. De qualquer forma, Freud foi obrigado durante quatro anos a submeter-se a um duro regime de abstinência, contentando-se em trocar beijos e cartas com sua noiva. Com a ajuda de Minna, auxiliou Martha a libertar-se do domínio da mãe e principalmente das práticas religiosas nas quais ela estava confinada e que ele considerava como "bobagens". Exibindo certa repugnância, aceitou casar-se no religioso em Wandsbeck e recitar as respostas em hebraico. Deve-se dizer que a lei austríaca, ao contrário da alemã, não lhe deixava outra escolha. Desde a primeira sexta-feira seguinte às núpcias, proibiu a jovem esposa de acender as velas do shabbat. Depois, continuou afastando-a de sua família, para fazer dela uma burguesa modelo, segundo o seu gos-to. E ela aceitou esse papel, que lhe convinha às mil maravilhas.

Martha era uma notável dona de casa e mãe atenta, que não se interessava pelas coisas inte-lectuais: "No que se refere à psicanálise*, dizia Anna, minha mãe nunca cooperou... Ela acredi-tava em meu pai, e não na psicanálise." Exibia uma calma e uma suavidade que contrastavam singularmente com o caráter violento e impul-sivo de Freud. Nisso, não se parecia nem com

sua irmã Minna, nem com Amalia Freud*, mãe de Sigmund, embora gostasse muito desta. E foi por causa dessa diferença que Freud sempre achou que tinha feito a escolha certa: "Nesse cruzamento, nós nos entendemos melhor, disse-lhe um dia. Duas pessoas como Minna e eu não combinariam bem, e dois indivíduos de caráter fácil não podem sentir atração um pelo outro."

Ao contrário de seu pai, Freud foi um pa-triarca autoritário. Estritamente monógamo, não era misógino, como já se afirmou com freqüência. Devotava uma espécie de paixão às mulheres intelectuais e não-conformistas a pon-to de manter com algumas delas (Marie Bona-parte, por exemplo) relações viris ou fraternas. Em sua vida particular, adotou alguns dos pre-conceitos vitorianos do seu tempo, principal-mente no que se refere à educação das meninas. Assim, entrou muitas vezes em contradição com as teses que desenvolvia em sua doutrina, como provam suas hesitações a respeito da sexualidade feminina*. Com Martha, durante seu longo noivado, mostrou-se de um ciúme e de uma possessividade dignas dos mais célebre amantes românticos do século XIX.

Depois do nascimento de Anna Freud*, sex-ta entre seus filhos, Martha estava esgotada e Sigmund, que mal tinha 40 anos, decidiu viver em continência. Assim, esse grande teórico da sexualidade*, que passou o tempo a observar a libido* humana, se obrigou a uma abstinência que contrariava seus princípios terapêuticos. Essa atitude não deixava de ter relação com o gosto pela sublimação* que ele atribuía a um de seus criadores preferidos: Leonardo da Vinci (1452-1519).

A partir de 1920, comportou-se com Anna do mesmo modo com que se comportara outrora com Martha. E seu ciúme em relação à filha era certamente a repetição do que mostrara durante o noivado. De qualquer forma, Anna foi a "filha da psicanálise" e teve que lutar, na infância, contra uma terrível rival, que lhe tomava o pai. De fato, era com uma mulher que Freud com-parava a psicanálise, no fim da vida, em uma carta a Stefan Zweig* datada de julho de 1938: "A análise é como uma mulher que quer ser conquistada, mas que sabe que será pouco es-timada se não opuser resistência."

• Sigmund Freud, *La Naissance de la psychanalyse*, (Londres, 1950), Paris, PUF, 1956; *Briefe an Wilhelm Fliess, 1887-1904*, Frankfurt, Fischer, 1986. *Correspondance, 1873-1939* (Londres, 1960), Paris, Gallimard, 1966; *Chronique la plus brève. Carnets intimes, 1929-1939*, anotado e apresentado por Michael Molnar (Londres, 1992), Paris, Albin Michel, 1992 • Sigmund Freud e Stefan Zweig, *Correspondance* (Frankfurt, 1987), Paris, Rivages, 1991 • Marie Bonaparte, *Cahiers noirs* (diário, 1925-1939), inédito (arquivos Élisabeth Roudinesco) • Ernest Jones, *A vida e a obra de Sigmund Freud*, vols.1 e 2 (N. York, 1953, 1955), Rio de Janeiro, Imago, 1989 • Martin Freud, *Freud, mon père* (Londres, 1957), Paris, Denoël, 1975 • Élisabeth Young-Bruehl, *Anna Freud: uma biografia* (N. York, 1988), Rio de Janeiro, Imago, 1992 • Peter Gay, *Freud: uma vida para o nosso tempo* (N. York, 1988), S. Paulo, Companhia das Letras, 1995 • Detlef Berthelsen, *La Famille Freud au jour le jour. Souvenirs de Paula Fichtl* (Hamburgo, 1989), Paris, PUF, 1991 • Paul Roazen, *Mes rencontres avec la famille Freud* (Amherst, 1993), Paris, Seuil, 1996 • *Jacob Bernays, un philologue juif*, obra coletiva editada por John Glucker e André Laks, Presses Universitaires du Septentrion, 1996.

➢ ANDREAS-SALOMÉ, LOU; FREUD, ERNST; FREUD, JACOB; FREUD, MARTIN; FREUD, OLIVER; HALBERSTADT, SOPHIE; HOLLITSCHER, MATHILDE; JUDEIDADE; *LEONARDO DA VINCI E UMA LEMBRANÇA DE SUA INFÂNCIA*; PATRIARCADO.

Freud, (Jean) Martin (1889-1967), filho de Sigmund Freud

Nascido em Viena*, Martin era o sexto filho de Sigmund Freud* e de sua mulher Martha, e portanto o primeiro de seus três filhos antes de Oliver e de Ernst. Seu nome era uma homenagem a Jean Martin Charcot*, mas era chamado de Martin. Como seus outros irmãos, não foi circuncidado. De fato, Freud se recusou a impor aos filhos os rituais religiosos. Educado segundo a tradição da burguesia vienense, Martin deveria ter se tornado um patriarca.

Tirânico com suas filhas, Freud não foi autoritário com seus filhos e os deixou escolher seu destino. Entretanto, todos os três foram vítimas da dureza da época e do fim da monarquia dos Habsburgo. Mobilizados durante a Primeira Guerra Mundial, humilhados com a derrota de 1918 que reduziu a pó o Império Austro-Húngaro e suas estruturas patriarcais, e enfim expulsos da Alemanha* e de Viena pelo nazismo, tiveram um destino difícil. Mais oprimido do que os irmãos e irmãs pela imagem paterna,

pouco amado por sua mãe, que preferia Oliver, Martin dependeu mais que os outros da fortuna do pai, e depois de sua herança.

Freud deu um dia a Carl Gustav Jung* uma explicação sobre a difícil relação de Martin com a mãe. Era a conseqüência, segundo ele, das relações conflitantes que surgiram na família Bernays, e principalmente com Eli, irmão de Martha e marido de Anna Bernays*, irmã de Freud: "Ele [Martin] não é o preferido da mãe, escreveu ele; pelo contrário, é tratado por ela de maneira quase injusta. Ela compensa nele a sua excessiva cumplicidade com seu próprio irmão, com o qual ele se parece, enquanto eu — coisa notável — compenso nele minha dureza para com essa mesma pessoa."

Entre os irmãos, Martin teve que assumir o papel de filho mais velho, ocupando junto à sua irmã Anna o lugar paterno que seu pai tomara outrora junto a seu irmão mais jovem, Alexander. Como Anna, Martin sofria com o seu físico ingrato e sentia ciúme da beleza e do encanto do irmão Oliver. Era dotado de um espírito cáustico, de uma bela inteligência e de uma maravilhosa capacidade para brincadeiras. Habituado a pregar peças, fantasiou-se um dia de astrólogo e apresentou-se no domicílio do pai, que lhe dirigiu um olhar tão furibundo que o deixou petrificado. O autor dos *Chistes* não gostava de ser objeto de zombaria. À exceção de Mathilde, todos os filhos de Freud tiveram problemas de pronúncia, como o pai na infância. Tinham a língua presa, como se diz. Assim, tiveram que recorrer aos serviços de uma fonoaudióloga.

Quando estudante, Martin tornou-se sionista, aderindo à Kadimah, organização de duelistas criada em 1883 para defender a honra dos judeus, e da qual o próprio Freud acabaria sendo membro honorário. Depois de cursar direito, Martin preferiu ocupar-se de negócios, o que o levou a tratar dos assuntos do pai e particularmente da Verlag, a casa editora do movimento freudiano, cujas finanças saneou. Também geriu muito bem a fortuna do pai, particularmente no momento da tomada do poder pelos nazistas na Alemanha.

Em 1919, casou-se com Ernestine Drucker (apelidada Esti), uma fonoaudióloga com quem teve dois filhos: Walter e Sophie. Esti era uma mulher emancipada, que não se comportava como as burguesas de Viena e dava saraus teatrais. Não agradava a Freud; achava-a bonita demais para entrar para a família e depois considerou-a louca: "Sua mulher [de Martin] não é simplesmente maldosa, é verdadeiramente louca no sentido médico do termo", dizia ele. Esse casamento foi um desastre para Martin. Sedutor, ele colecionava mulheres, o que tinha o dom de exasperar o pai: "Na minha vida privada, disse ele um dia a Marie Bonaparte*, sou um pequeno-burguês, e não gostaria de que um de meus filhos se divorciasse ou que uma de minhas filhas tivesse um caso." Aliás, Freud era tão tradicionalista no que se referia à educação dos filhos que deixou que eles acreditassem, sem ser desmentido por Martha, que os bebês nasciam nos repolhos.

Em maio de 1938, Martin conseguiu deixar Viena, enquanto seu filho Walter partia para a Austrália em um barco que quase não chegou ao destino. Na Inglaterra, Martin encontrou muitas dificuldades para achar uma atividade. Lançou-se na produção de artigos de higiene e de um dentifrício comercializado com o nome de *Martin A*. Depois da guerra, foi empregado como contabilista e depois abriu uma tabacaria, cuja parte dos fundos estava alugada para um cabeleireiro. No momento da celebração do centenário do nascimento de Freud, contra a opinião de sua irmã Anna, redigiu um livro de lembranças, cheio de episódios pitorescos sobre os diversos membros da família. Tendo adquirido o hábito de circular de lambreta, foi vítima de um acidente do qual nunca se recuperou inteiramente. Morreu em uma casa no sul da Inglaterra, para onde se retirara com sua segunda mulher.

Quanto a Esti, emigrou também com sua filha Sophie. Em setembro de 1940, ambas chegaram a Nice de bicicleta, vindo de Paris para encontrar Oliver Freud e sua família. Foi ali que Sophie conheceu Paul Loewenstein, seu futuro marido. Originário da Alemanha*, este fora internado no campo de Milles, de onde se evadira. Em julho de 1942, Sophie e Esti chegaram a Tânger e depois embarcaram com destino a Baltimore.

Considerada a "ovelha negra da família", Esti conservou o nome Freud e instalou-se em Nova York em um modesto apartamento, onde continuou a exercer a profissão de fonoaudióloga. Sua filha, Sophie Freud, se tornou assistente social e professora em Boston. Freqüentemente, manifestou uma atitude hostil em relação ao freudismo*.

• Sigmund Freud, *La Naissance de la psychanalyse*, (Londres, 1950), Paris, PUF, 1956; *Chronique la plus brève. Carnets intimes, 1929-1939*, anotado e apresentado por Michael Molnar (Londres, 1992), Paris, Albin Michel, 1992 • Sigmund Freud e Sandor Ferenczi, *Correspondência*, vol.I, *1908-1914* (Paris, 1992), Rio de Janeiro, Imago, 1994, 1995, vol.II, *1914-1919*, Paris, Calmann-Lévy, 1996 • Ernest Jones, *A vida e a obra de Sigmund Freud*, vols.1 e 2 (N. York, 1953, 1955), Rio de Janeiro, Imago, 1989 • Martin Freud, *Freud, mon père* (Londres, 1957), Paris, Denoël, 1975 • Célia Bertin, *La Dernière Bonaparte*, Paris, Perrin, 1982 • Élisabeth Young-Bruehl, *Anna Freud: uma biografia* (N. York, 1988), Rio de Janeiro, Imago, 1992 • Peter Gay, *Freud: uma vida para o nosso tempo* (N. York, 1988), S. Paulo, Companhia das Letras, 1995 • Detlef Berthelsen, *La Famille Freud au jour le jour. Souvenier de Paula Fichti* (Hamburgo, 1989), Paris, PUF, 1991 • Sophie Freud, *My Three Mothers and Other Passions*, N. York, New York Universities Press, 1991 • Paul Roazen, *Mes rencontres avec la famille Freud* (Amherst, 1993), Paris, Seuil, 1996.

➤ FREUD, ANNA; FREUD, ERNST; FREUD, EVA; HALBERSTADT, SOPHIE; HOLLITSCHER, MATHILDE.

Freud, Mathilde, filha de Sigmund Freud

➤ HOLLITSCHER, MATHILDE.

Freud Museum

Em 1938, depois da anexação da Áustria pela Alemanha nazista, Sigmund Freud* foi obrigado a exilar-se em Londres. No mês de setembro desse mesmo ano, mudou-se com a família para Maresfield Gardens 20, em Hampstead, para uma bonita casa que seu filho Ernst Freud*, arquiteto, reconstituíra a partir do modelo de seu apartamento vienense da Berggasse 19. Ali passou o último ano de sua vida e morreu a 23 de setembro de 1939. Sua filha Anna Freud* viveu nessa casa até sua morte em 1982, e deixou disposições para que fosse transformada em museu.

Em 1980, os Arquivos Sigmund Freud adquiriram o terreno e a casa graças aos recursos que a New-Land Foundation, fundada por Muriel Gardiner*, pusera à disposição de Anna. Em 1986, o Freud Museum abriu suas portas. Acessível aos visitantes — que podem ver o divã de Freud, sua biblioteca, suas coleções —, contém também muitos arquivos: um total de 25.000 documentos, compreendendo fotografias, cartas e fotocópias de manuscritos e correspondências, cujos originais são conservados na Biblioteca do Congresso* de Washington.

• Lynn Gamwell e Richard Wells, *Sigmund Freud and Art. His Personal Collection of Antiquities*, introdução por Peter Gay, Londres, Freud Museum, 1988 • Yann Le Pichon e Roland Harari, *Le Musée retrouvé de Sigmund Freud*, Paris, Stock, 1991 • Michael Molnar, "Exposer Freud. Histoire, musée, vie privée", conferência inédita, colóquio internacional do Instituto Francês de Viena, sobre o tema "Psico-análise, primeiro século", junho de 1996.

Freud, Oliver (1891-1969), filho de Sigmund Freud

Nascido em Viena*, Oliver era o terceiro filho de Sigmund e Martha Freud*, e o segundo filho depois de Martin e antes de Ernst. Tinha esse nome em homenagem a Cromwell (1599-1658), chefe militar, regicida e puritano que derrubou a dinastia dos Stuart, proclamou a República e permitiu aos judeus voltarem para a Inglaterra. Freud admirava tanto Cromwell quanto Alexandre, o Grande, Aníbal e Cristóvão Colombo (1450-1506). Mas essa escolha expressava também a sua anglofilia, que remontava à época em que os seus irmãos consangüíneos, Philipp e Emanuel, se instalaram nesse país.

Oliver sempre foi o filho preferido de sua mãe. O jovem era perfeccionista, apaixonado por números, mecânica e pequenos consertos, mas nunca pôde ter uma verdadeira profissão e dependeu financeiramente do pai. No começo da Primeira Guerra Mundial, enquanto estava mobilizado e depois de ter estudado engenharia civil, casou-se pela primeira vez com Ella Haim, estudante de medicina. Ela o acompanhou até os Cárpatos, ficou grávida e abortou em março de 1916. Em setembro, divorciaram-se. Segundo Freud, as razões do divórcio estavam ligadas ao caráter da jovem, incapaz de "conciliar seus estudos de medicina com a vida

de engenheiro de Oliver". Depois da derrota dos impérios centrais, Oliver se instalou em Berlim. Nessa época, Freud analisava sua filha Anna, sem nunca ter pensado fazer o mesmo com o filho. A seu ver, um paciente sempre se arriscava, nesse tipo peculiar de relação transferencial, a ser mais hostil a um parente do mesmo sexo do que a um parente do sexo oposto. Ele tivera essa experiência durante o tratamento de Herbert Graf*, conduzido sob sua direção pelo pai deste.

Quando Oliver expressou o desejo de analisar-se, dirigiu-se a Max Eitingon*, que morava em Berlim. Sentindo-se excessivamente próximo da família, este se recusou. "É extremamente difícil para mim ser objetivo, disse-lhe Freud, porque ele [Oliver] foi durante muito tempo o meu orgulho e a minha esperança secreta, até que sua organização anal-masoquista apareceu nitidamente [...]. Sofro muito com meu sentimento de impotência." Finalmente, Franz Alexander*, em 1921, seria o analista do filho de Freud.

Em 1923, Oliver casou-se com Henny Fuchs, filha de um médico berlinense. O casal só teve uma filha, Eva Freud*. Apesar de uma relativa felicidade conjugal, Oliver não conseguiu uma situação estável na Alemanha*. Obrigado a emigrar em 1933, tentou se estabelecer na França* com a família. Residiu durante algum tempo na Bretanha, na encantadora aldeia de Saint-Briac, e depois em Paris, onde nunca conseguiu fixar-se. Arnold Zweig*, que o visitou antes de partir para a Palestina, foi testemunha de suas dificuldades: "Penso muito no seu filho, escreveu a Freud. Ele tem sentimentos generosos demais para conseguir assumir a adaptação à vida [...]. Era comovente ver que ele mostrava mais vida e calor quando me falava de seus anos de guerra, assim como outros homens de sua geração que percebem agora que devem começar tudo de novo, quando já estão firmemente enraizados em sua maneira de pensar."

No ano de 1934, depois de uma rápida permanência em Paris, Oliver partiu para Nice, onde tomou a direção de um comércio de fotografia. Quatro anos depois, obteve a nacionalidade francesa. Graças ao dinheiro do pai, conseguiu comprar uma loja e se interessou pela nova profissão. Na região, freqüentava intelectuais exilados, vindos da Alemanha e da Áustria.

A partir de novembro de 1942, depois da invasão dessa parte da zona livre pelas tropas italianas, Oliver e Henny tiveram que pensar em novo país de exílio. Graças a René Laforgue*, conseguiram deixar a França através da Espanha*, depois de ter os bens seqüestrados pela política de "arianização" das empresas judaicas. Emigraram para os Estados Unidos* sem sua filha. Noiva de um jovem Resistente, esta recusou-se a segui-los e morreu depois em Marselha, em circunstâncias dramáticas.

Depois de presenciar o desmoronamento da Áustria, Oliver Freud escapou, como seus irmãos e irmãs, ao extermínio dos judeus pelo nazismo*. Mas sua fragilidade e sua gentileza nunca combinaram com a dureza de uma época que o condenou a um perpétuo exílio. Assim, não encontrou, além-mar, a energia necessária para uma nova existência.

• Sigmund Freud, La Naissance de la psychanalyse, (Londres, 1950), Paris, PUF, 1956; Chronique la plus brève. Carnets intimes, 1929-1939, anotado e apresentado por Michael Molnar (Londres, 1992), Paris, Albin Michel, 1992 • Sigmund Freud e Arnold Zweig, Correspondance, 1927-1939 (Frankfurt, 1968), Paris, Gallimard, 1972 • Sigmund Freud e Sandor Ferenczi, Correspondência, vol.I, 1908-1914, (Paris, 1992), Rio de Janeiro, Imago, 1994, 1995 • Ernest Jones, A vida e a obra de Sigmund Freud, vols.1 e 2 (N. York, 1953, 1955), Rio de Janeiro, Imago, 1989 • Martin Freud, Freud, mon père (Londres, 1957), Paris, Denoël, 1975 • Élisabeth Young-Bruehl, Anna Freud: uma biografia (N. York, 1988), Rio de Janeiro, Imago, 1992 • Pierre Segond, "Eva Freud, une vie, Berlin 1924, Nice 1934, Marseille 1944" (1992), Trames, 15, setembro de 1993, 76-116 • Paul Roazen, Mes rencontres avec la famille Freud (Amherst, 1993), Paris, Seuil, 1996.

➢ FREUD, ANNA; FREUD, ERNST; FREUD, MARTIN; HALBERSTADT, SOPHIE; HOLLITSCHER, MATHILDE.

Freud, Pauline (1856-1944), sobrinha de Sigmund Freud

Nascida em Freiberg, cinco meses depois de Sigmund Freud*, Pauline era filha de Emanuel Freud* e irmã de John (1855-?), colega de infância de Sigmund. Parece que sofria de surdez e confusão mental. Em uma carta a Wilhelm Fliess*, Freud contou que na infância, com John, ele tratara a menina, às vezes, com crueldade.

Em 1899, em um artigo intitulado "As lembranças encobridoras", relatou em parte a história de suas relações a três, chamando John e Pauline de "primo" e "prima" e evocando nas entrelinhas uma cena de conotação sexual: dois meninos arrancam flores de um buquê que uma menina tem nas mãos, e que é mais bonito que o deles. Siegfried Bernfeld* foi o primeiro a mostrar, em 1946, que esse artigo continha um fragmento autobiográfico sobre Gisela Fluss* e sobre a infância de Freud. Esse texto seria depois comentado por muitos autores, de maneira mais ou menos fantasiosa. Em 1978, Marianne Krüll interpretou a lembrança como vestígios de uma cena de sedução*, que teria ocorrido por volta de 1859. Segundo ela, John e Sigmund, que tinham pouco mais de três anos de idade, teriam tentado "deflorar" Pauline, ou pelo menos olharam seu sexo ou tocaram nele.

• Sigmund Freud, "Lembranças encobridoras" (1899), ESB, III, 333-58; GW, I, 529-44; SE, III, 299-322; OC, III, 255-76; La Naissance de la psychanalyse (Londres, 1950), Paris, PUF, 1956; Lettres de famille de Sigmund Freud et des Freud de Manchester, 1911-1938, Paris, PUF, 1996 • Siegfried Bernfeld, "An unknown autobiographical fragment by Freud", American Imago, 4, 1, 1946 • Marianne Krüll, Sigmund Freud, fils de Jacob (Munique, 1979), Paris, Gallimard, 1983.

➢ FREUD, PHILIPP; HISTORIOGRAFIA; SEDUÇÃO, TEORIA DA.

Freud, Pauline, dita Paula, irmã de Sigmund Freud

➢ WINTERNITZ, PAULINE.

Freud, Philipp (1836-1911), irmão consangüíneo de Sigmund Freud

Nascido em Tysmenitz, Philipp era o filho mais novo de Jacob Freud* e de sua primeira mulher Sally Freud*, née Kanner. Instalou-se em Manchester com seu irmão Emanuel Freud*, onde se casou em 1873 com Matilda Bloomah, ou Bloome (1839-1925), com quem teria dois filhos, uma menina, Pauline (1873-1951), que se casaria com Frederick Hartwig, e um filho, Morris (1876-1938).

Colega de infância de Sigmund Freud*, John Freud (1855-?), filho de Emanuel, chamava esse tio de "tio Philipp". Sigmund fazia o mesmo. Muito espirituoso e cáustico, Philipp era, aos seus olhos, o "irmão malvado", que não tinha sobre ele a mesma autoridade que Emanuel. Um dia, Philipp surpreendeu Monika Zajic, a babá apelidada Nannie, roubando. Fez com que ela fosse "trancada" (presa), no mesmo momento em que Amalia Freud* dava à luz Anna (futura Anna Bernays*), irmã de Sigmund. Este sofreu cruelmente com a ausência de Nannie, que coincidia com a impossibilidade de ver a mãe. Procurou Amalia (sua mãe) em todo o apartamento. Philipp abriu então um "cofre" para provar ao menino que esta não estava presa. Em 1897, quando de sua auto-análise*, ele analisou esse episódio explicando a Wilhelm Fliess* que tivera medo de que sua mãe também estivesse "trancada".

Em sua infância, Freud suspeitou de que seu meio-irmão tinha relações sexuais com sua mãe, um ano mas nova que ele. (Jacob Freud, o patriarca, efetivamente poderia ter sido pai de sua terceira mulher, Amalia, e avô de Sigmund.) Na Interpretação dos sonhos*, Freud fez vagamente alusão a essa angústia, contando um sonho no qual aparecia um personagem, Philippe, filho de uma porteira, que lhe revelava a natureza do coito e um objeto, a bíblia de Ludwig Philippsohn, que seu pai lhe oferecera outrora. Quanto ao tema do "cofre" como símbolo do ventre materno, ele o comentou na Psicopatologia da vida cotidiana*, atribuindo a desventura da doméstica "trancada" a uma criança de três anos.

Em 1978, Marianne Krüll declarou que Philipp talvez tivesse sido realmente amante de sua madrasta. Nada prova isso.

Morris Freud, filho de Philipp, emigrou para a África do Sul em 1910, e morreu em um acidente de automóvel. Quanto à sua irmã, Pauline Hartwig, apelidada Polly, conservaria as cartas que Sigmund Freud escreveu para sua família de Manchester, e principalmente para seu sobrinho Samuel Freud (1860-1945), filho de Emanuel. O marido de Polly, Frederick, as legou à biblioteca da Universidade John Rylands.

• Sigmund Freud, La Naissance de la psychanalyse, (Londres, 1950), Paris, PUF, 1956; Lettres de famille de Sigmund Freud et des Freud de Manchester, 1911-1938, Paris, PUF, 1996 • Renée Gicklhorn, "La Famille Freud à Freiberg" (1969), in Études Freudiennes, 11-12, janeiro de 1976, 231-8 • Marianne Krüll, Sigmund Freud, fils de Jacob (Munique, 1979), Paris, Gallimard, 1983 • Peter Gay, Freud: uma vida para o nosso tempo (N. York, 1988), S. Paulo, Companhia das Letras, 1995.

➤ HISTORIOGRAFIA; SEDUÇÃO, TEORIA DA.

Freud, Rebekka (1820-?), segunda mulher de Jacob Freud

A hipótese de um segundo casamento de Jacob Freud* foi apresentada pela primeira vez em 1968 por Josef Sajner, e retomada por Marianne Krüll em 1979 a partir de documentos incontestáveis, sem que fosse possível esclarecer os fatos. Assim, ignora-se a data exata do casamento de Jacob com Sally Kanner (com quem teve dois filhos, Emanuel, nascido em 1833, e Philipp, nascido em 1834). Também não se sabe a data de seu casamento com Rebekka, sobre cujo destino não se têm dados, a não ser que morreu entre 1852 e 1855.

O certo é que Sigmund Freud* sempre ignorou esse segundo casamento de seu pai. Em 1926, quando o psiquiatra peruano Honorio Delgado lhe enviou a obra biográfica que acabava de publicar sobre ele, e na qual mencionava os três casamentos de seu pai, Freud lhe pediu que corrigisse o "erro": "Meu pai só se casou duas vezes, e não três."

Em 1979, Marie Balmary fez frágeis especulações para tentar "cristianizar" o destino de Freud na sua relação com o pai. Descobriu uma pretensa "falta oculta" deste. Inventou que Rebekka se suicidou, pulando de um trem, e que Amalia Nathanson, mãe de Sigmund, teria ficado grávida antes de seu casamento com Jacob, em 29 de julho de 1855. Para dar consistência a essa hipótese, baseou-se em um boato, segundo o qual Sigmund Freud teria falsificado a data de seu nascimento: 6 de maio em lugar de 6 de março. Ora, Sigmund Freud nasceu realmente no dia 6 de maio de 1856, e nunca dissimulou essa data, como estabeleceu Renée Gicklhorn em 1969.

• Renée Gicklhorn, "La Famille Freud à Freiberg" (1969), Études Freudiennes, 11-12, janeiro de 1976, 231-8 • Marianne Krüll, Sigmund Freud, fils de Jacob (Munique, 1979), Paris, Gallimard, 1983 • Marie Balmary, *L'Homme aux statues. Freud et la faute cachée du père*, Paris, Grasset, 1979 • "Lettres de Sigmund Freud à Honorio Delgado (1919-1934)", apresentadas por Alvaro Rey de Castro, *Revue Internationale d'Histoire de la Psychanalyse*, 6, 1993, 401-27.

➢ FREUD, AMALIA; FREUD, EMANUEL; FREUD, PHILIPP; FREUD, SALLY; HISTORIOGRAFIA.

Freud, Regina Debora, dita Rosa, irmã de Sigmund Freud

➢ GRAF, ROSA.

Freud, Sally, *née* Kanner, primeira mulher de Jacob Freud

Nada sabemos sobre Sally Kanner, senão que se casou com Jacob Freud* em meados do ano de 1832, quando este ainda não tinha 17 anos. Emanuel Freud*, seu primeiro filho, nasceu pouco tempo depois do casamento, e o segundo, Philipp Freud*, um ano e meio depois. Dois outros filhos viriam, um menino e uma menina, morrendo ambos ainda pequenos.

• Marianne Krüll, *Sigmund Freud, fils de Jacob* (Munique, 1979), Paris, Gallimard, 1983.

Freud, Schlomo Sigismund, dito Sigmund (1856-1939)
médico vienense, fundador da psicanálise

Centenas de obras foram escritas no mundo sobre Sigmund Freud e algumas dezenas de biografias lhe foram consagradas, de Fritz Wittels* a Peter Gay, passando por Lou Andreas-Salomé*, Thomas Mann*, Siegfried Bernfeld*, Ernest Jones*, Ola Andersson*, Henri F. Ellenberger*, Max Schur*, Kurt Eissler, Didier Anzieu, Carl Schorske. Sua obra, traduzida em cerca de 30 línguas, é composta de 24 livros propriamente ditos (dos quais dois em colaboração, um com Josef Breuer*, outro com William Bullitt) e de 123 artigos. Escreveu também prefácios, necrológios, intervenções diversas em congressos e contribuições para enciclopédias. As 24 obras de Freud são referidas no presente dicionário.

Kurt Eissler avaliou em 15 mil o número de cartas escritas por Freud e em cerca de 10 mil as que estão depositadas na Biblioteca do Congresso*, em Washington ou seja uma perda de aproximadamente cinco mil peças. O historiador alemão Gerhard Fichtner propôs outras cifras. Segundo ele, Freud teria escrito cerca de 20 mil cartas. Dez mil teriam sido destruídas ou perdidas, cinco mil estão conservadas e cinco mil ainda poderiam ser encontradas no século XXI, ou seja dez mil no total. Observe-se que Freud destruiu ou perdeu uma parte das cartas que seus correspondentes lhe enviaram, particularmente as de Wilhelm Fliess*.

Três mil e duzentas cartas de Freud foram publicadas, entre as quais as dirigidas a Eduard Silberstein*, Wilhelm Fliess, Lou Andreas-Salomé, Ernest Jones, Carl Gustav Jung*, Sandor Ferenczi*, Romain Rolland*, Arnold Zweig*, Stefan Zweig*, Edoardo Weiss*, Oskar Pfister* (expurgadas), Karl Abraham* (expurgadas).

Duas edições completas da obra de Freud em alemão foram realizadas: uma durante sua vida, os *Gesammelte Schriften*, a outra depois de sua morte, as *Gesammelte Werke (GW)*, publicadas primeiro em Londres, depois em Frankfurt. As *GW* se tornaram, universalmente, a edição de referência. Foram completadas por dois outros volumes, um *Índice* e um volume de suplementos (*Nachtragsband*), realizado por Angela Richards e Ilse Grubrich-Simitis. A estes se acrescentam uma edição dita de estudos, a *Studienausgabe*, elaborada por Alexander Mitscherlich* e composta de uma seleção de textos. Apesar de todos os esforços de Mitscherlich e de Ilse Grubrich-Simitis, nenhuma edição dita crítica das *GW* (notas, comentários, apresentações etc.) foi publicada na Alemanha.

A edição inglesa, realizada por James Strachey* sob o título *Standard Edition of the Complete Psychological Works of Sigmund Freud (SE)*, é a única edição crítica da obra de Freud. É por isso que, mais ainda do que as *Gesammelte Werke*, é uma obra de referência no mundo inteiro.

Em razão da oposição dos herdeiros (Ernst Freud* e Anna Freud*), nenhum dos textos de Freud anteriores ao ano de 1886 foi integrado às diversas obras completas. Ora, durante esse período, dito pré-psicanalítico, que se estendeu de 1877 a 1886, Freud publicou 21 artigos sobre temas diversos: neurologia, medicina, histologia, cocaína etc. Esses artigos foram recenseados em 1973 por Roger Dufresne.

Em 1967, Jean Laplanche e Jean-Bertrand Pontalis isolaram cerca de 90 conceitos estritamente freudianos no interior de um vocabulário psicanalítico composto de 430 termos. Esses conceitos foram objeto de múltiplas revisões, efetuadas pelos grandes teóricos e clínicos do freudismo: Sandor Ferenczi, Melanie Klein*, Jacques Lacan*, Donald Woods Winnicott*, Heinz Kohut* etc.

Observe-se que Freud publicou cinco grandes casos clínicos, que foram comentados ou revistos por seus sucessores: Ida Bauer* (Dora), Herbert Graf* (o Pequeno Hans), Ernst Lanzer* (o Homem dos Ratos), Daniel Paul Schreber*, Serguei Constantinovitch Pankejeff* (o Homem dos Lobos). Segundo o quadro das filiações* estabelecido por Ernst Falzeder em 1994, Freud formou na análise didática* mais de 60 práticos, na maioria alemães, austríacos, ingleses, húngaros, neerlandeses, americanos, suíços, aos quais se acrescentam os pacientes cuja identidade se ignora.

Foi talvez Stefan Zweig, em 1942, quem redigiu um dos retratos mais realistas de Freud: "Não se podia imaginar um indivíduo de espírito mais intrépido. Freud ousava a cada instante expressar o que pensava, mesmo quando sabia que inquietava e perturbava com suas declarações claras e inexoráveis; nunca procurava tornar sua posição menos difícil através da menor concessão, mesmo de pura forma. Estou convencido de que Freud poderia ter exposto, sem encontrar resistência por parte da universidade, quatro quintos de suas teorias, se estivesse disposto a vesti-las prudentemente, a dizer "erótico" em vez de "sexualidade", *Eros* em vez de "libido" e a não ir sempre até o fundo das coisas, mas limitar-se a sugeri-las. Mas, desde que se tratasse de seu ensino e da verdade, ficava intransigente; quanto mais firme era a resistência, tanto mais ele se afirmava em sua resolução. Quando procuro um símbolo da coragem moral — o único heroísmo no mundo que não exige vítimas — vejo sempre diante de mim o belo rosto de Freud, com sua clareza viril, com seus olhos sombrios de olhar reto e viril."

Nascido em Freiberg, na Morávia (ou Pribor, na República Tcheca), em 6 de maio de 1856, e chamado Schlomo (Salomo) Sigismund, Sigmund Freud era filho de Amalia Freud* e de Jacob Freud*, e filho mais velho do terceiro casamento de seu pai, que exercia o ofício de comerciante de lã e têxteis. Dois irmãos vinham do primeiro casamento de Jacob com Sally Freud*: Emanuel Freud* e Philipp Freud*. Do casamento de Jacob e Amalia nasceram ainda sete filhos: Julius*, Anna*, Debora* (Rosa), Marie* (Mitzi), Adolfine* (Dolfi), Pauline* (Paula) e Alexander*.

Circuncidado ao nascer, o jovem Sigmund recebeu uma educação judaica não tradicionalista e aberta à filosofia do Iluminismo. Era adorado pela mãe, que o chamava "meu Sigi de ouro", e amado pelo pai, que lhe transmitiu os valores do judaísmo clássico. Tinha uma afeição especial por sua governanta tcheca e católica, Monika Zajic, apelidada Nannie, que o levava para visitar igrejas, falava-lhe do "bom Deus" e lhe revelou outro mundo além do judaísmo e da judeidade*. Talvez ela também tenha desempenhado um papel em sua aprendizagem da sexualidade*.

Em outubro de 1859, Jacob deixou Freiberg, onde seus negócios não prosperavam em virtude da introdução do maquinismo e do desenvolvimento da industrialização. Instalou-se então em Leipzig, esperando encontrar nessa cidade melhores condições para o comércio de têxteis. Por sua vez, Emanuel e Philipp emigraram para Manchester. Um ano depois, não tendo conseguido modificar sua má situação econômica, Jacob decidiu estabelecer-se em Leopoldstrasse, o bairro judeu de Viena*. Entre 1865 e 1873, o jovem Sigmund freqüentou o Realgymnasium e depois o Obergymnasium, onde ficou conhecendo Eduard Silberstein*, com quem manteve sua primeira grande correspondência intelectual, notadamente a respeito de Franz Brentano*. Nessa época, apaixonou-se por Gisela Fluss*, filha de um negociante amigo do seu pai. Mais tarde, fez amizade com Heinrich Braun (1854-1927), que despertaria seu interesse pela política e depois se orientaria para o socialismo.

No outono de 1873, Freud começou seus estudos de medicina. Apaixonou-se pela ciência positiva, e principalmente pela biologia darwiniana (que serviria de modelo para todos os seus trabalhos). Em 1874, pensou em ir a Berlim, para freqüentar os cursos de Hermann von Helmholtz*. Um ano depois, com o estímulo de Carl Claus*, seu professor de zoologia, obteve uma bolsa de estudos que lhe permitiu ir a Trieste estudar a vida das enguias machos de rio. Publicado em 1877, esse texto mostra que Freud trabalhava na elaboração de uma teoria do funcionamento específico das células nervosas (os futuros neurônios), como se veria em seu "Projeto para uma psicologia científica" de 1895.

Depois dessa experiência, Freud passou do instituto de zoologia para o de fisiologia, tornando-se aluno de Ernst Wilhelm von Brücke*, eminente representante da escola antivitalista fundada por Helmholtz. Foi nesse instituto, onde ficou seis anos, que fez amizade com Josef Breuer*. Entre 1879 e 1880, forçado a uma licença para cumprir o serviço militar, enganava o tédio traduzindo quatro ensaios de John Stuart Mill (1806-1873), sob a direção de Theodor Gomperz (1832-1912), escritor e helenista austríaco, responsável pela publicação alemã das obras completas desse filósofo inglês, teórico do liberalismo político.

Em 1882, depois de obter seu diploma, ficou noivo de Martha Bernays (Martha Freud*), que se tornaria sua mulher. Por razões financeiras, renunciou então à carreira de pesquisador e decidiu tornar-se clínico. Nos três anos seguintes, trabalhou no Hospital Geral de Viena, primeiro no serviço de Hermann Nothnagel*, depois no de Theodor Meynert*. Ali, ficou conhecendo Nathan Weiss (1851-1883), e quando esse novo amigo se suicidou por enforcamento, Freud ficou transtornado. "Sua vida, escreveu a Martha, parece ter sido a de um personagem de romance, e sua morte uma catástrofe inevitável."

Pensando em tornar-se célebre e libertar-se da pobreza para poder se casar, acreditava ter descoberto as virtudes da cocaína e administrou-a a seu amigo Ernst von Fleischl-Marxow*, que sofria de uma doença incurável. Não percebia a dependência induzida pela droga e ignorava tudo sobre sua ação anestesiante, que seria descoberta por Carl Koller*.

Em 1885, nomeado *Privatdozent* de neurologia, Freud obteve uma bolsa de estudos para Paris. Queria muito encontrar-se com Jean Martin Charcot*, cujas experiências sobre a histeria* o fascinavam. Essa primeira permanência na França* marcou o início da grande aventura científica que o levaria à invenção da psicanálise*. No Teatro Saint-Martin, Freud assistiu maravilhado à representação de uma peça de Victorien Sardou, interpretada por Sarah Bernhardt: "Nunca uma atriz me surpreendeu tanto; eu estava pronto a acreditar em tudo o que ela dizia." Depois de Paris, foi a Berlim, onde fez os cursos do pediatra Adolf Baginsky.

De volta a Viena, instalou-se como médico particular, abrindo um consultório na Rathausstrasse. Três tardes por semana, também trabalhava como neurologista na Clínica Steindlgasse, primeiro instituto público de pediatria, dirigido pelo professor Max Kassowitz (1842-1913). Em setembro de 1886, casou-se com Martha, e no dia 15 de outubro fez uma conferência sobre a histeria masculina na Sociedade dos Médicos, onde teve uma acolhida glacial, não em razão de suas teses (etiológicas), como diria depois, mas porque atribuía a Charcot a paternidade de noções que já eram conhecidas pelos médicos vienenses.

Em 1887, um mês depois do nascimento de sua filha Mathilde (Hollitscher*), Freud ficou conhecendo Wilhelm Fliess, brilhante médico judeu berlinense, que fazia amplas pesquisas sobre a fisiologia e a bissexualidade*. Era o início de uma longa amizade e de uma soberba correspondência íntima e científica. Apesar de várias tentativas, Fliess não conseguiria curar Freud de sua paixão pelo fumo: "Comecei a fumar aos 24 anos, escreveu em 1929, primeiro cigarros, e logo exclusivamente charutos [...]. Penso que devo ao charuto um grande aumento da minha capacidade de trabalho e um melhor autocontrole."

Em setembro de 1891, Freud mudou-se para um apartamento situado no número 19 da rua Berggasse. Ficou ali até seu exílio em 1938, cercado por seus seis filhos (Mathilde, Martin*, Oliver*, Ernst*, Sophie Halberstadt*, Anna*) e de sua cunhada Minna Bernays*. Como clínico, tratava essencialmente de mulheres da burguesia vienense, qualificadas como "doentes dos nervos" e sofrendo de distúrbios histéricos. Abandonando o niilismo terapêutico, tão comum nos meios médicos vienenses da época, procurou, antes de tudo, curar e tratar de suas pacientes, aliviando os seus sofrimentos psíquicos. Durante um ano, utilizou os métodos terapêuticos aceitos na época: massagens, hidroterapia, eletroterapia. Mas logo constatou que esses tratamentos não tinham nenhum efeito. Assim, começou a utilizar a hipnose*, inspirando-se nos métodos de sugestão* de Hippolyte Bernheim*, a quem fez uma visita por ocasião do primeiro congresso internacional de hipnotismo, que se realizou em Paris em 1889. Em 1891, publicou uma monografia, *Contribuição à concepção das afasias*, na qual se baseava nas teorias de Hughlings Jackson* para propor uma abordagem funcional, e não mais apenas neurofisiológica, dos distúrbios de linguagem. A doutrina das "localizações cerebrais" era substituída pelo associacionismo, que abria caminho para a definição de um "aparelho psíquico" tal como se encontraria na metapsicologia*: ele faz sua primeira formulação em 1896 e estabelece seus fundamentos no capítulo VII da *Interpretação dos sonhos*.

Trabalhando ao lado de Breuer, Freud abandonou progressivamente a hipnose pela catarse*, inventou o método da associação livre*, e enfim a *psico-análise*. Essa palavra foi empregada pela primeira vez em 1896, e sua invenção foi atribuída a Breuer. Em 1897, com um relatório favorável de Nothnagel e de Richard von Krafft-Ebing*, o nome de Freud foi proposto para receber o prestigioso título de professor extraordinário. Sua nomeação foi ratificada pelo imperador Francisco-José no dia 5 de março de 1902.

Ao contrário de muitos intelectuais vienenses marcados pelo "ódio de si judeu", Freud, judeu infiel e incrédulo, hostil a todos os rituais e à religião, nunca negaria sua judeidade. Como enfatizou Manès Sperber, ele continuaria sendo "um judeu consciente, que não dissimulava a ninguém sua origem, proclamando-a, ao contrário, com dignidade e freqüentemente com orgulho. Muitas vezes afirmou que detestava Viena e que se sentia como que libertado a cada vez que se afastava dessa cidade, onde crescera e à qual ficaria ligado, entretanto, por laços indestrutíveis. Sua consciência da identidade judaica permaneceria assim, pois sua origem nunca foi para ele uma fonte de sentimentos de inferioridade, embora ela lhe causasse problemas e dificuldades suplementares, principalmente em sua vida profissional".

No âmbito de sua amizade com Fliess, ocorreram vários acontecimentos maiores na vida de Freud: sua auto-análise*, um intercâmbio de caso (Emma Eckstein*), a publicação de um primeiro grande livro, *Estudos sobre a histeria*, no qual são relatadas várias histórias de mulheres (Bertha Pappenheim*, Fanny Moser*, Aurelia Öhm*, Anna von Lieben*, Lucy, Elisabeth von R., Mathilde H., Rosalie H.), e enfim o abandono da teoria da sedução* segundo a qual toda neurose* se explicaria por um trauma real. Essa renúncia, fundamental para a história da psicanálise, ocorreu em 21 de setembro de 1897. Freud comunicou-a a Fliess em tom enfático, em uma carta que se tornaria célebre: "Não acredito mais na minha *Neurotica*."

Começou então a elaborar sua doutrina da fantasia*, concebendo em seguida uma nova teoria do sonho* e do inconsciente*, centrada no recalcamento* e no complexo de Édipo*. Seu interesse pela tragédia de Sófocles foi contemporâneo de sua paixão por *Hamlet*. Freud era um grande leitor de literatura inglesa, alimentando-se especialmente da obra de Shakespeare: "Uma idéia atravessou o meu espírito, escreveu a Fliess em 1897, de que o conflito edipiano encenado em *Édipo rei* de Sófocles poderia estar também no cerne de *Hamlet*. Não acredito em uma intenção consciente de Shakespeare, mas, antes, que um acontecimento real levou o poeta a escrever esse drama, tendo seu próprio inconsciente lhe permitido compreender o inconsciente do seu herói."

Depois de 1926, e a despeito de uma longa discussão com James Strachey*, Freud acabaria cedendo à crença segundo a qual Shakespeare não era o autor de sua obra. Aliás, esse tema do deslocamento da atribuição de uma paternidade ou de uma identidade se encontraria por várias vezes em sua obra, principalmente em *Moisés e o monoteísmo*, na qual fez de Moisés um egípcio.

Da nova teoria do inconsciente nasceria um segundo grande livro, publicado em novembro de 1899, *A Interpretação dos sonhos*, no qual é relatado o sonho da "Injeção de Irma*", ocorrido quando Freud estava em Bellevue, em julho de 1895, em um pequeno castelo na floresta vienense: "Você acredita, escreveu a Fliess no dia 12 de junho de 1900, que haverá um dia nesta casa uma placa de mármore com esta inscrição: 'Foi nesta casa que, em 24 de julho de 1895, o mistério do sonho foi revelado ao doutor Sigmund Freud'? Até agora, tenho pouca esperança."

Entre 1901 e 1905, Freud publicou seu primeiro caso clínico (Dora) e três outras obras: *A psicopatologia da vida cotidiana** (1901), *Os chistes e sua relação com o inconsciente** (1905), *Três ensaios sobre a teoria da sexualidade** (1905). Em 1902, com Alfred Adler*, Wilhelm Stekel*, Max Kahane (1866-1923) e Rudolf Reitler (1865-1917), fundou a Sociedade Psicológica das Quartas-Feiras*, primeiro círculo da história do freudismo*. Durante os anos que se seguiram, muitas personalidades do mundo vienense se juntaram ao grupo: Paul Federn*, Otto Rank*, Fritz Wittels*, Isidor Sadger*. Foi durante essas reuniões que se elaborou a idéia de uma possível aplicação da psicanálise a todas as áreas do saber: literatura, antropologia*, história etc. O próprio Freud defendeu a noção de psicanálise aplicada*, publicando uma fantasia literária: *Delírios e sonhos na Gradiva de Jensen** (1907).

Em 1907 e 1908, o círculo dos primeiros discípulos freudianos se ampliou ainda mais, com a adesão à psicanálise de Hanns Sachs*, Sandor Ferenczi, Karl Abraham, Ernest Jones, Abraham Arden Brill* e Max Eitingon*.

Durante o primeiro quarto do século, a doutrina freudiana se implantou em vários países: Grã-Bretanha*, Hungria*, Alemanha*, costa leste dos Estados Unidos*. Na Suíça* produziu-se um acontecimento maior na história do movimento psicanalítico: Eugen Bleuler*, médico-chefe da clínica do Hospital Burghölzli de Zurique, começou a aplicar o método psicanalítico ao tratamento das psicoses*, inventando ao mesmo tempo a noção de esquizofrenia*. Uma nova "terra prometida" se abriu assim à doutrina freudiana: ela podia a partir de então investir o saber psiquiátrico e tentar dar uma solução para o enigma da loucura* humana.

No dia 3 de março de 1907, Carl Gustav Jung, aluno e assistente de Bleuler, foi a Viena para conhecer Freud. Depois de várias horas de conversa, ficou encantado com esse novo mestre. Seria o primeiro discípulo não-judeu de Freud.

Em 1909, a convite de Grandville Stanley Hall*, Freud foi, em companhia de Jung e de Ferenczi, à Clark University de Worcester, em Massachusetts, para dar cinco conferências, que seriam reunidas sob o título de *Cinco lições de psicanálise**. Apesar de um encontro produtivo com James Jackson Putnam* e de um sucesso considerável, Freud não gostou do continente americano. Durante toda a vida, desconfiaria do espírito pragmático e puritano desse país que acolhia suas idéias com um entusiasmo ingênuo e desconcertante.

Temendo o anti-semitismo e que a psicanálise fosse assimilada a uma "ciência judaica", Freud decidiu "desjudaizá-la", pondo Jung à frente do movimento. Depois de um primeiro congresso, que reuniu em Salzburgo em 1908 todas as sociedades locais, criou com Ferenczi, em Nuremberg, em 1910, uma associação internacional, a Internationale Psychoanalytische Vereinigung (IPV). Em 1933, a sigla alemã seria abandonada. A IPV se tornaria então a International Psychoanalytical Association* (IPA).

Entre 1909 e 1913, Freud publicou mais duas obras: *Leonardo da Vinci e uma lembrança da sua infância** (1910) e *Totem e tabu** (1912-1913). A partir de 1910, a expansão do movimento se traduziu por dissidências, tendo como motivo simultaneamente querelas pessoais e questões teóricas e técnicas. Às rivalidades narcísicas se acrescentaram críticas sobre a duração dos tratamentos, a questão da transferência* e da contratransferência*, o lugar da sexualidade* e a definição da noção de inconsciente*. Em 1911, Adler e Stekel se separaram do grupo freudiano. Dois anos depois, Jung e Freud romperam todas as suas relações. Não suportando desvios em relação à sua doutrina, Freud publicou, às vésperas da Primeira Guerra Mundial, um verdadeiro panfleto, "A história do movimento psicanalítico", no qual denunciou as traições de Jung e Adler. Depois, criou um Comitê Secreto*, composto de seus melhores paladinos, aos quais distribuiu um anel de fidelidade.

Longe de evitar as dissidências, essa iniciativa levou a novas querelas. Apoiados por Jones, os berlinenses (Abraham e Eitingon) preconizavam a ortodoxia institucional, enquanto os austro-húngaros (Rank e Ferenczi) se interessavam mais pelas inovações técnicas. Uma nova dissidência marcou ainda a história desse primeiro freudismo: a de Wilhelm Reich*.

Por volta de 1930, o fenômeno da dissidência deu lugar às cisões*, característica da transformação da psicanálise em um movimento de massa. A partir daí eram os grupos que se enfrentavam, não mais os discípulos ou os pioneiros em rivalidade com o mestre. Isolado em Viena, mas célebre no mundo inteiro, Freud prosseguiu sua obra, sem conseguir controlar a política de seu movimento. Entre 1919 e 1933, a IPA se transformou em uma verdadeira máquina burocrática, com a responsabilidade de resolver todos os problemas técnicos relativos à formação dos psicanalistas.

No fim da Primeira Guerra Mundial, a discussão sobre o caráter traumático das afecções psíquicas foi relançada, com o aparecimento das neuroses de guerra*. Freud foi então confrontado com seu velho rival Julius Wagner-Jauregg*, acusado de ter submetido soldados julgados simuladores a inúteis tratamentos elétricos. Nesse debate, Freud interveio de maneira magistral para demonstrar a superioridade da psicanálise sobre todos os outros métodos.

Com o desmoronamento do império austro-húngaro, Berlim se tornou a capital do freudismo, como provou a criação do Berliner Psychoanalytisches Institut* (BPI), e as numerosas atividades do instituto de Frankfurt em torno de Otto Fenichel* e da "esquerda freudiana". Enquanto os americanos afluíam a Viena para se formar no divã do mestre, este analisava a própria filha, Anna Freud. Esta não tardaria a tornar-se chefe de escola e a opor-se a Melanie Klein*, sua principal rival no campo da psicanálise de crianças*. Nesse aspecto, a oposição entre a escola inglesa e a escola vienense, que se desenvolveu na IPA a partir de 1924 e que girava em torno da questão da sexualidade feminina*, mostrou o lugar cada vez mais importante das mulheres no movimento psicanalítico. No centro dessa polêmica, Freud manteve sua teoria da libido única e do falocentrismo*, sem com isso mostrar-se misógino. Ligado em sua vida particular a uma concepção burguesa da família patriarcal, adotava todavia, em suas amizades com mulheres intelectuais, uma atitude perfeitamente cortês, moderna e igualitária. Por sua doutrina e por sua condição de terapeuta, desempenhou um papel na emancipação feminina.

Nos anos 1920, Freud publicou três obras fundamentais, através das quais definiu sua segunda tópica* e remanejou inteiramente sua teoria do inconsciente e do dualismo pulsional: *Mais-além do princípio de prazer* (1920), *Psicologia das massas e análise do eu* (1921), *O eu e o isso* (1923). Esse movimento de reformulação conceitual já começara em 1914, quando da publicação de um artigo dedicado à questão do narcisismo*. Confirmou-se, em 1915, com a elaboração de uma metapsicologia* e a publicação de um ensaio sobre a guerra e a morte, no qual Freud sublinhava a necessidade para o sujeito de "organizar-se em vista da morte, a fim de melhor suportar a vida". Dessa reformulação, centrada na dialética da vida e da morte e em uma acentuação da oposição entre o eu* e o isso*, nasceriam as diferentes correntes do freudismo moderno: kleinismo*, *Ego Psychology*, *Self Psychology*, lacanismo*, annafreudismo*, Independentes*.

Para postular a existência de uma pulsão* de morte, Freud revalorizou duas grandes figuras da mitologia grega: Eros e Tânatos. Essa revisão da doutrina original se produziu em um momento em que a sociedade vienense, já preocupada com a sua própria morte desde o fim do século, se confrontava com a negação absoluta de sua identidade: a Áustria dessa época, como enfatizou Stefan Zweig, era, no mapa da Europa, apenas "uma luz crepuscular", uma "sombra cinzenta, difusa e sem vida, da antiga monarquia imperial".

Em fevereiro de 1923, Freud descobriu, do lado direito de seu palato, um pequeno tumor, que devia ser logo extirpado. Em um primeiro tempo, Felix Deutsch*, seu médico, lhe ocultou a natureza maligna desse tumor. Freud se indispôs com ele. Seis meses depois, Hans Pichler, cirurgião vienense, procedeu a uma intervenção radical: a ablação dos maxilares e da parte direita do palato. Trinta e uma operações seriam feitas posteriormente, sob a supervisão de Max Schur*. Freud foi obrigado a suportar uma prótese, que ele chamava de "monstro". "Com seu palato artificial, escreveu Zweig, ele tinha visivelmente dificuldade para falar [...]. Mas não abandonava seus interlocutores. Sua alma de aço tinha a ambição particular de provar a seus amigos que sua vontade era mais forte que os tormentos mesquinhos que o seu corpo lhe infligia [...]. Era um combate terrível, e cada vez mais sublime à medida que se estendia. Cada vez que eu o via, a morte jogava mais distintamente sua sombra sobre seu rosto [...]. Um dia, quando de uma de minhas últimas visitas, levei comigo Salvador Dalí, a meu ver o pintor mais talentoso da jovem geração, que devotava a Freud uma veneração extraordinária. Enquanto eu falava, ele desenhou um esboço. Nunca tive coragem de mostrá-lo a Freud, pois Dalí, com sua clarividência, já representara o trabalho da morte."

A doença não impedia Freud de prosseguir com suas atividades, mas o mantinha afastado das questões do movimento psicanalítico, e foi Jones quem presidiu os destinos da IPA a partir de 1934, data na qual Max Eitingon foi obrigado a deixar a Alemanha.

Apaixonado por telepatia*, Freud não hesitou em se dedicar, com Ferenczi, entre 1921 e 1933, a experiências ditas "ocultas", que iam contra a política jonesiana, que visava dar à psicanálise uma base racional, científica e médica. Em 1926, depois de um processo intentado contra Theodor Reik*, tomou vigorosamente a defesa dos psicanalistas não-médicos, publicando *A questão da análise leiga**. No ano seguinte, deflagrou com seu amigo Oskar Pfister* uma polêmica ao publicar *O futuro de uma ilusão**, obra na qual comparava a religião a uma neurose. Enfim, em 1930, com *O mal-estar na cultura**, questionava a capacidade das sociedades democráticas modernas de dominar as pulsões destrutivas que levam os homens à sua perda. Dois anos depois, em um intercâmbio com Albert Einstein (1879-1955), enfatizou que o desenvolvimento da cultura era sempre uma maneira de trabalhar contra a guerra. Entre 1929 e 1939, manteve uma crônica de seus encontros (*Kürzeste Chronik*, Crônica brevíssima), que seria publicada por Michael Molnar em Londres, em 1992. Cada vez mais pessimista quanto ao futuro da humanidade, Freud não tinha nenhuma ilusão sobre a maneira como o nazismo*

tratava os judeus e a psicanálise: "Como homem verdadeiramente humano, escreveu Zweig, ele estava profundamente abalado, mas o pensador não se surpreendia absolutamente com a espantosa irrupção da bestialidade." Entretanto, no dia seguinte ao incêndio do Reichstag, decidiu com Eitingon manter a existência do BPI. Embora não aprovasse a política de "salvamento" da psicanálise, preconizada por Jones, cometeu o erro de privilegiar a luta contra os dissidentes (Reich e os adlerianos), ao invés de recusar qualquer compromisso com Matthias Heinrich Göring*, o que teria levado à suspensão de todas as atividades psicanalíticas, logo que Hitler chegou ao poder.

Mas em março de 1938, no momento da invasão da Áustria pelas tropas alemãs, Richard Sterba* agiu em sentido contrário, decidindo recusar a política de Jones e não criar em Viena um instituto "arianizado" como o de Göring, em Berlim. Tomou-se então a decisão de dissolver a Wiener Psychoanalytische Vereinigung* (WPV) e transportá-la "para onde Freud fosse morar". Graças à intervenção do diplomata americano William Bullitt (1891-1967) e a um resgate pago por Marie Bonaparte*, Freud pôde deixar Viena com sua família. No momento de partir, foi obrigado a assinar uma declaração na qual afirmava que nem ele nem seus próximos haviam sido importunados pelos funcionários do Partido Nacional-Socialista. Em Londres, instalou-se em uma bela casa em Maresfield Gardes 20, futuro Freud Museum*. Ali, redigiu sua última obra, *Moisés e o monoteísmo*. Nunca saberia do destino dado pelos nazistas às suas quatro irmãs, exterminadas em campos de concentração.

No começo do mês de setembro de 1939, escutava o rádio todos os dias. Aos seus familiares, que lhe perguntavam se aquela seria a última guerra, respondia: "Será minha última guerra." Iniciou então a leitura de *Peau de chagrin* de Honoré de Balzac (1799-1850): "É exatamente disso que preciso, disse, este livro fala de definhamento e de morte por inanição." Em 21 de setembro, pegou a mão de Max Schur e lembrou o primeiro encontro dos dois: "Você prometeu não me abandonar quando chegasse a hora. Agora é só uma tortura sem sentido." Depois, acrescentou: "Fale com Anna; se ela achar que está bem, vamos acabar com isso." Consultada, Anna quis adiar o instante fatal, mas Schur insistiu e ela aceitou a decisão. Por três vezes, ele deu a Freud uma injeção de três centigramas de morfina. Em 23 de setembro, às três horas da manhã, depois de dois dias de coma, Freud morreu tranqüilamente: "Foi a sublime conclusão de uma vida sublime, escreveu Zweig, uma morte memorável em meio à hecatombe daquela época mortífera. E quando nós, seus amigos, enterramos seu caixão, sabíamos que confiávamos à terra inglesa o que a nossa pátria tinha de melhor."

As cinzas de Freud repousam no crematório de Golders Green.

• Sigmund Freud, *Gesammelte Schriften (GS)*, 12 vols., Viena, Internationaler Psychoanalytischer Verlag, 1924-1934; *Gesammelte Werke (GW)*, 17 vols., Imago Publishing Co. (Londres, 1940-1952), Frankfurt, Fischer, 1960-1988; *Index*, vol.XVIII, e *Nachtragsband*, vol. de suplementos, realizado por A. Richards e Ilse Grubrich-Simitis, Frankfurt, Fischer, 1987; *Studienausgabe*, 11 vols., Frankfurt, Fischer, 1969-1975; *The Standard Edition of the Complete Psychological Works of Sigmund Freud (SE)*, editada por James Strachey, 24 vols., Londres, Hogarth Press, 1953-1974; *Oeuvres complètes (OC)*, 21 vols., Jean Laplanche, Pierre Cotet, André Bourguignon, François Robert (orgs.), Paris, PUF, 1989-? (8 vols. publicados); "Sinopses dos escritos científicos do Dr. Sigmund Freud (1877-1897)", *ESB*, III, 255-88; *GW*, I, 461-88; *SE*, III, 223-57; *OC*, III, 181-215; "Mon voyage à Paris et à Berlin" (1886), *Cahiers Confrontation*, 9, primavera de 1983, 5-17; *Contribution à la conception des aphasies* (1891), Paris, PUF, 1983; "Esquisse d'une psychologie scientifique" (1895), in *La Naissance de la psychanalyse* (Londres, 1950), Paris, PUF, 1956, 309-404; *A história do movimento psicanalítico* (1914), *ESB*, XIV, 16-88; *GW*, X, 44-113; *SE*, XIV, 7-66; Paris, Gallimard, 1991; "Reflexões para os tempos de guerra e morte" (1915), *ESB*, XIV, 311-39; *GW*, X, 323-55; *SE*, XIV, 274-300; *OC*, XIII, 125-57; "Por que a guerra?" (1932), *ESB*, XXII, 241-64; *GW*, XVI, 13-27; *SE*, XXII, 199-215; *OC*, XIX, 61-83; *Cocaine Papers*, Robert Byck (org.), notas por Anna Freud, N. York, Stonehill Publishing Co., 1974; *Briefe an Wilhelm Fliess, 1887-1904*, Frankfurt, Fischer, 1986; *Chronique la plus brève. Carnets intimes, 1929-1939*, anotado e apresentado por Michael Molnar (Londres, 1992), Paris, Albin Michel, 1992 • Stefan Zweig, *Le Monde d'hier. Souvenirs d'un Européen* (Estocolmo, 1944), Paris, Belfond, 1993 • Ernest Jones, *A vida e a obra de Sigmund Freud*, 3 vols. (N. York, 1953, 1955, 1957), Rio de Janeiro, Imago, 1989 • Carl Schorske, *Viena, fin-de-siècle* (N. York, 1981), S. Paulo, Companhia das Letras, 1990 • Henri F. Ellenberger, *Histoire de la découverte de l'inconscient*, (N. York, 1970, Villeurbanne, 1974), Paris, Fayard, 1994 •

Max Schur, *Freud: vida e agonia, uma biografia*, 3 vols. (N. York, 1972), Rio de Janeiro, Imago, 1981 • William M. Johnston, *L'Esprit viennois. Une histoire intellectuelle et sociale, 1848-1938* (N. York, 1972), Paris, PUF, 1985 • Roger Dufresne, *Bibliographie des écrits de Freud en français, allemand et anglais*, Paris, Payot, 1973 • Ernst Freud, Lucie Freud e Ilse Grubrich-Simitis (orgs.), *Sigmund Freud. Lieux, visages, objets* (Frankfurt, 1976), Bruxelas, Complexe-Gallimard, 1979 • Marianne Krüll, *Sigmund Freud, fils de Jacob* (Munique, 1979), Paris, Gallimard, 1983 • Ingeborg Meyer-Palmedo, *Sigmund Freud. Konkordanz und Gesamtbibliographie*, Frankfurt, Fischer, 1982 • Gerhard Fichtner, *Freud-Bibliographie und Werkkonkordanz*, Frankfurt, Fischer, 1989 • Peter Gay (*Um judeu sem deus* (N. York, 1987), Rio de Janeiro, Imago, 1992; *Freud: uma vida para o nosso tempo* (N. York, 1988), S. Paulo, Companhia das Letras, 1995; *Lendo Freud* (N. York, 1990), Rio de Janeiro, Imago, 1992 • Ilse Grubrich-Simitis, "Histoire de l'édition des oeuvres de Freud en langue allemande" (1989), *Revue Internationale d'Histoire de la Psychanalyse*, 4, 1991, 13-71; *Freud, retour aux manuscrits. Faire parler les documents muets* (Frankfurt, 1993), Paris, PUF, 1997 • Gerhard Fichtner, "As cartas de Freud como fonte histórica", *Revista Internacional de História da Psicanálise*, 2 (1989), Rio de Janeiro, Imago, 1992, 47-74; "Biografia das cartas de Freud", *ibid.*, 75-104 • Patrick Mahony, "Freud's cases: are they valuable today?", *IJP*, 74, 1993, 1027-35 • Carlo Bonomi, "Pourquoi avons-nous ignoré Freud le pédiatre?", in André Haynal (org.), *La Psychanalyse: cent ans déjà* (Londres, 1994), Genebra, Georg, 1996, 87-153 • Ernst Falzeder, "Filiations psychanalytiques: la psychanalyse prend effet", *ibid.*, 255-89 • Samuel Guttman (org.), *Konkordanz zu den "Gesammelten Werken" von Sigmund Freud*, 6 vols., Waterloo, Ontario, North Waterloo Press, 1995 • Alain Delrieu, *Sigmund Freud, Index thématique*, Paris, Anthropos, 1997.

➤ CASTRAÇÃO, COMPLEXO DE; COMUNISMO; *CONFERÊNCIAS INTRODUTÓRIAS SOBRE PSICANÁLISE*; DEUTSCH, HELENE; *ESBOÇO DE PSICANÁLISE*; *ESTUDO AUTOBIOGRÁFICO, UM*; GERAÇÃO; HAITZMANN, CHRISTOPHER; HISTORIOGRAFIA; IGREJA; INCESTO; *INIBIÇÕES, SINTOMAS E ANGÚSTIA*; KARDINER, ABRAM; MANN, THOMAS; *NOVAS CONFERÊNCIAS INTRODUTÓRIAS SOBRE PSICANÁLISE*; PATRIARCADO; PERVERSÃO; *PRESIDENTE WILSON, O*; PSIQUIATRIA DINÂMICA; ROLLAND, ROMAIN; SEXOLOGIA; TAUSK, VIKTOR; TÉCNICA PSICANALÍTICA; TRADUÇÃO (DAS OBRAS DE SIGMUND FREUD); WORTIS, JOSEPH.

Freud, Sophie, filha de Sigmund Freud

➤ HALBERSTADT, SOPHIE.

freudismo

al. *Freudianismus*; esp. *freudismo*; fr. *freudisme*; ing. *Freudianism*

Na história da psiquiatria dinâmica*, chama-se freudismo à escola de pensamento fundada por Sigmund Freud*. O freudismo inclui a totalidade das correntes que recorrem a ela, sejam quais forem suas divergências. A história do freudismo e de sua identificação teórica, sociológica e política confunde-se, portanto, com a história das sucessivas interpretações da doutrina original, tal como Freud construiu sua arquitetura.

Seus herdeiros, chamados freudianos, modificaram-na através de pelo menos quatro gerações* de pensadores, comentadores, intérpretes, terapeutas ou chefes de escola, agrupados ou não em diversas instituições, dentre as quais a mais antiga e de longe a mais poderosa é a International Psychoanalytical Association* (IPA). Desde sua criação, em 1910, ela se atribuiu a tarefa de definir as regras de um ensino teórico e uma formação chamada didática dos terapeutas denominados de psicanalistas, independentemente de sua outra formação (médica, psiquiátrica ou leiga).

O freudismo é a aliança de um sistema de pensamento com um método terapêutico. O sistema freudiano baseia-se em uma concepção do inconsciente* que exclui qualquer idéia de subconsciência ou supraconsciência, em uma teoria da sexualidade* que se estende a todas as formas sublimadas da atividade humana, sendo portanto irredutível à simples atividade sexual ou a suas transgressões, e, por último, em uma apreensão da relação terapêutica em termos da transferência*. Embora tenha nascido da medicina e da psiquiatria — e embora seja freqüentemente praticado por médicos ou psiquiatras —, o método terapêutico freudiano é a psicanálise* e tão-somente a psicanálise. Sua característica é tratar através da fala, e unicamente através da fala, as doenças da alma (psicose*, melancolia*), dos nervos (neurose*) e da sexualidade (perversão*), excluindo voluntariamente qualquer outra forma de intervenção, tais como o exame clínico e os cuidados corporais adaptados a cada parte do organismo, as massagens, a cirurgia, a hipnose*, a hidroterapia, a farmacologia, a sugestão*, a internação, as terapias

comportamentais e cognitivas, a coerção moral, mediante persuasão ou autopersuasão, confissão, transe ou exorcismo, a coerção física e moral (com ou sem abuso sexual), baseada na reunião em grupos, na alienação e no delírio (seitas), a homeopatia, a bioenergética (medicinas alternativas e parapsicologia) e, por fim, os métodos ligados ao ocultismo* (astrologia, vidência, espiritismo*, telepatia*).

Em relação às outras medicinas da alma e do psiquismo também fundamentadas no tratamento pela fala, e que se reúnem em diversas escolas de psicoterapia*, a psicanálise é a única a recorrer exclusivamente ao sistema de pensamento freudiano e a empregar uma técnica de tratamento e de transformação da clínica baseada na transferência, bem como na obrigação de o próprio terapeuta recorrer à psicanálise (dita didática* e, posteriormente, de controle ou supervisão*), assim como numa concepção do psiquismo em que entram em jogo as definições freudianas do inconsciente e da sexualidade.

Quanto a esse aspecto, o freudismo divide-se em seis grandes componentes fundamentais, nascidos entre 1930 e 1960: o annafreudismo*, o kleinismo*, a *Ego Psychology*, os Independentes*, a *Self Psychology** e o lacanismo*. Os cinco primeiros são amplamente aceitos e difundidos na IPA, ao passo que o sexto criou, a partir de 1964, seu próprio modelo institucional (a École Freudienne de Paris*, EFP). Em 1981, esta se fragmentou numa multiplicidade de correntes, das quais apenas uma fundou uma nova internacional: a Association Mondiale de Psychanalyse* (AMP).

Diversos outros métodos psicoterápicos, escolas ou correntes recorrem em maior ou menor grau ao freudismo, sem adotar seu sistema de pensamento nem sua técnica, e tampouco seu princípio didático. Ora são nascidos de uma cisão*, de uma dissidência ou de uma colaboração com o freudismo, havendo ou não preservado a marca dessa associação (psicologia individual, psicologia analítica, neofreudismo*, Gestalt-terapia*, neopsicanálise, análise existencial*, etnopsicanálise*, psicologia profunda etc.), ora existiam independentemente do freudismo e se desenvolveram nas margens dele, de acordo com uma dialética da interioridade e da exterioridade (psicodrama*, psicologia clínica*, medicina psicossomática*, psicoterapia institucional*, terapia de família*).

Como sistema de pensamento, o freudismo marcou as artes e os campos do saber que lhe eram preexistentes (psicologia, psiquiatria, filosofia, história, religião, literatura, pintura) e todos os que se constituíram ao mesmo tempo que ele e se formularam perguntas equiparáveis (antropologia*, sexologia*, criminologia*, lingüística). Havendo atravessado todo o século XX, o freudismo cruzou, por outro lado, a história de duas grandes correntes de pensamento que se desenvolveram no mundo e que formaram um movimento: o marxismo e o feminismo. Atravessou também a história do cinematógrafo, nascida na mesma época que ele.

Como escola de pensamento que alia um saber clínico a uma teoria e a um movimento institucional, o freudismo produziu uma historiografia* oficial, baseada na idealização de suas origens (idolatria do mestre fundador), e um dogmatismo. Pelas mesmas razões, suscitou em seu seio, em virtude da diversidade de suas escolas e suas correntes, as condições de uma crítica a esse dogmatismo.

• Ernest Jones, *A vida e a obra de Sigmund Freud*, 3 vols. (N. York, 1953, 1955, 1961), Rio de Janeiro, Imago, 1989 • Franz Alexander, Samuel Eisenstein e Martin Grotjahn (orgs.), *A história da psicanálise através dos seus pioneiros*, 2 vols. (N. York, 1956), Rio de Janeiro, Imago, 1981 • Nandor Fodor e Frank Gaynor (orgs.), *Freud Dictionary of Psychoanalysis*, Greenwich (Connecticut), Fawcett, 1958 • Jean Laplanche e Jean-Bertrand Pontalis, *Vocabulário da psicanálise* (Paris, 1967), S. Paulo, Martins Fontes, 1991, 2ª ed. • Charles Rycroft, *A Critical Dictionary of Psychoanalysis*, N. York, Basic Books, 1968 • E. Burness, M.D. Moore e Bernard D. Fine (orgs.), *A Glossary of Psychoanalytic Terms and Concepts* (APSaA), Washington, Library of Congress, 1968 • Ludwig Eidelberg (org.), *Encyclopedia of Psychoanalysis*, N. York, The Free Press, Londres, Collier-Macmillan, 1968 • Jacques Mousseau e Pierre-François Moreau (orgs.), *L'Inconscient*, Paris, CEPL, 1976 • Ernst Freud, Lucie Freud e Ilse Grubrich-Simitis (orgs.), *Sigmund Freud. Lieux, visages, objets* (1976), Bruxelas, Complexe-Gallimard, 1979 • Michel Plon, "Les Fondements de la psychanalyse", in *Mémoires du XXᵉ siècle*, vol. 1900-1909, Paris, Bordas, 1991, 27-31 • Pierre Kaufmann (org.), *Dicionário enciclopédico de psicanálise: o legado de Freud e Lacan* (Paris, 1993), Rio de Janeiro, Jorge Zahar, 1996 • Edith Kurzweil, *The Freudians. A Comparative Perspective*, New Haven, Londres, Yale University Press, 1989 • Élisabeth Roudinesco, *Genealogias* (Paris, 1994), Rio de Janeiro, Relume Dumará, 1996.

➤ ADLER, ALFRED; COMUNISMO; DIFERENÇA SEXUAL; FREUDO-MARXISMO; HISTÓRIA DA PSICANÁLISE; HORNEY, KAREN; IGREJA; JANET, PIERRE; JUNG, CARL GUSTAV; SEXUALIDADE FEMININA.

freudo-marxismo

al. *Freudomarxismus*; esp. *freudomarxismo*; fr. *freudo-marxisme*; ing. *Freudian marxism*

O freudo-marxismo é uma corrente intelectual que perpassa toda a história do pensamento freudiano, de 1920 a 1975, tanto de um ponto de vista doutrinal (ligação entre o freudismo* e o marxismo) quanto do ponto de vista político (relações entre o comunismo* e a psicanálise* na Rússia*, na Alemanha*, na Hungria*, na França*, no Brasil*, na Argentina*, na Itália* e nos Estados Unidos*). Os representantes dessa corrente foram muito variados. Os filósofos da Escola de Frankfurt, em especial Max Horkheimer (1895-1973), criticaram o pessimismo freudiano, incompatível, a seu ver, com as esperanças revolucionárias suscitadas pelo marxismo, mas conseguiram ligar as duas doutrinas de maneira muito fecunda.

De Wilhelm Reich* (simultaneamente marxista, freudiano e comunista) a Otto Fenichel* ou Marie Langer* (representantes de uma esquerda freudiana marxista e social-democrata), até os artífices do neofreudismo* (menos marxistas do que culturalistas), passando por Joseph Wortis* (que foi stalinista e, depois, antifreudiano) e Herbert Marcuse* (que reacendeu o debate em meados dos anos sessenta, através de uma virulenta crítica a seus predecessores neofreudianos), todos os freudo-marxistas ligaram-se à idéia de que o freudismo e o marxismo são duas doutrinas da libertação do homem, articuladas com o paradigma da Revolução. A primeira visa a transformar o sujeito* através da exploração singular de seu inconsciente*, a segunda, a transformar a sociedade, através da luta coletiva e da consideração das reviravoltas induzidas pelo movimento da economia.

Todos os freudianos que aderiram ao marxismo foram perseguidos, expulsos ou marginalizados pela International Psychoanalytical Association* (IPA), em particular sob a direção de Ernest Jones*, que preferiu compactuar com o nazismo*, em nome de uma política de "salvamento" da psicanálise na Alemanha, a se interessar pelos freudianos de esquerda e de extrema esquerda. Esses mesmos freudianos marxistas foram igualmente rejeitados pelo movimento comunista internacional, que não se cansou de condenar o freudismo*, assimilado, até 1940, a uma biologia decadente e mortífera dos instintos, e mais tarde, a partir de 1948, a uma "ciência burguesa".

Por outro lado, os membros da antiga esquerda freudiana alemã, reunidos em torno de Fenichel, foram obrigados, a partir de seu exílio nos Estados Unidos* (entre 1933 e 1938), primeiro a dissimular sua antiga adesão ao marxismo, e depois, num segundo momento, a renunciar a este e se submeter à americanização da psicanálise e a seu ideal adaptativo.

➤ ADLER, ALFRED; ANTIPSIQUIATRIA; BASAGLIA, FRANCO; BLEGER, JOSÉ; FROMM, ERICH; IGREJA; JACOBSON, EDITH; LACANISMO; MASOTTA, OSCAR; PESTE; SCHMIDT, VERA.

Freund, Anton von, né Antal Freund von Töszeghi (1880-1920)

Esse rico cervejeiro húngaro, nascido em Budapeste, estudou filosofia e se tornou um dos amigos mais próximos de Sigmund Freud*, depois que este o tratou de uma neurose consecutiva a um tumor maligno de um testículo. Participou das reuniões da Wiener Psychoanalytische Vereinigung (WPV) e recebeu o anel de fidelidade distribuído por Freud a seus fiéis discípulos quando da criação do Comitê Secreto*.

Ajudou financeiramente a causa psicanalítica, permitindo a Freud fundar a casa editora do movimento, a Internationaler Psychoanalytischer Verlag (ou Verlag), da qual Otto Rank* foi o primeiro diretor. No começo do ano de 1919, foi a Viena para fazer radioterapia, depois do agravamento de seu câncer. Freud admirava seu heroísmo e enfatizou que ele acabara com sua neurose, que era a partir de então razoável, intuitivo, sensato e realista.

Morreu em 21 de janeiro de 1920, perfeitamente consciente de seu estado, depois de doar uma soma de 11.000 coroas a Freud. Segundo sua última vontade, seu anel deveria ser res-

tituído a Freud, mas a viúva se recusou a separar-se dele. Assim, Freud deu a Max Eitingon*, que lhe sucedeu no Comitê, o seu próprio anel, com uma cabeça de Júpiter.

Freud ficou abalado com a morte do amigo, que ocorreu exatamente antes da de sua filha Sophie, e redigiu sobre ele um necrológio.

• Sigmund Freud, "Dr. Anton von Freund" (1920), *ESB*, XVIII, 321-3; *GW*, XIII, 435-6; *SE*, XVIII, 267-8 • Sigmund Freud e Sandor Ferenczi, *Correspondance*, vol.II, *1914-1919*, Paris, Calmann-Lévy, 1996 • Elke Mühlleitner, *Biographisches Lexikon der Psychoanalyse. Die Mitglieder der Psychologischen Mittwoch-Gesellschaft und der Wiener Psychoanalytischen Vereinigung von 1902-1938*, Tübingen, Diskord, 1992.

➤ PULSÃO.

Friedländer, Kate, *née* Frankl (1903-1949)
psiquiatra e psicanalista inglesa

Grande especialista em delinqüência juvenil, Kate Friedländer era uma bela mulher, inteligente, esportiva e ambiciosa, dotada para as coisas do espírito e amante do risco. Praticava a dança, o tênis, o alpinismo, patinação no gelo e enfrentou durante toda a vida os inúmeros sofrimentos de uma juventude atormentada pela revolta e pela recusa dos valores da sociedade ocidental.

Nasceu em Innsbruck, em uma família judia da média burguesia austríaca e logo se orientou para a medicina. Foi em Berlim, em 1929-1930, quando era psiquiatra no tribunal de crianças, que se encontrou com a história do freudismo. Provavelmente analisou-se com Hanns Sachs* e fez amizade com Otto Fenichel* e o círculo da "esquerda freudiana", da qual participou com Barbara Lantos (1894-1962), uma psicanalista húngara com quem prosseguiu seu trabalho em Londres.

Emigrando para a Grã-Bretanha* em 1933, integrou-se à British Psychoanalytical Society (BPS) graças a Ernest Jones* e a Edward Glover*. Mas foi obrigada a refazer todos os seus diplomas de medicina. (Recebeu, entre outros, o prestigioso *diploma in psychological medecine*.) Próxima de Anna Freud*, aliou-se a esta por ocasião das Grandes Controvérsias* e fez com ela uma análise de supervisão*. Depois da guerra, convenceu-a a criar a famosa Hampstead Child Therapy Clinic.

Foi então que se consagrou plenamente à sua profissão, escrevendo várias obras sobre a delinqüência, nas quais distinguia nitidamente a associalidade da neurose*. Durante a guerra, trabalhara em Londres, morando com seu marido, professor de sociologia em Oxford, e sua filha Sybil, em uma fazenda da região de Chilterns. Essa experiência da vida rural a ajudou a criar em 1946 um centro de *guidance*, o West Sussex Child Guidance Service, no qual recebia crianças perturbadas e formava trabalhadores sociais e psicoterapeutas na abordagem psicanalítica da delinqüência. Sofrendo de metástases cerebrais em conseqüência de um câncer de pulmão, morreu aos 46 anos em plena atividade, sem ter podido terminar a sua obra.

Embora Kate Friedländer tenha sido amiga de Anna Freud, seus trabalhos foram acolhidos com muita hostilidade nos meios psicanalíticos britânicos. Sua independência, sua ausência de submissão às normas da International Psychoanalytical Association* (IPA), sua liberdade de espírito, seu engajamento na esquerda e enfim sua concepção não-adaptadora da psicanálise de adolescentes a marginalizaram.

• Kate Friedländer, *The Psycho-Analytical Study of the Child. The Psycho-Analytical Approach of Juvenile Delinquency*, 1947 • Barbara Lantos, "Kate Friedländer, 1903-1949. Prevention of juvenile delinquency", in Franz Alexander, Samuel Eisenstein e Martin Grotjahn (orgs.), *A história da psicanálise através de seus pioneiros* (N. York, 1966), Rio de Janeiro, Imago, 1981 • Juta Haager, *Kate Friedländer (1902-1949), Leben und Werk*, tese da Universidade de Colônia, 1982 • Elisabeth Young-Bruehl, *Anna Freud: uma biografia* (N. York, 1988), Rio de Janeiro, Imago, 1992 • Sybil Wolfram, "Kate Friedländer et la psychanalyse", *L'Âne*, 51, julho-setembro de 1992, 3-6.

➤ AICHHORN, AUGUST; ANTIPSIQUIATRIA; GARDINER, MURIEL; JACOBSON, EDITH; PSICANÁLISE DE CRIANÇAS.

Frink, Horace W. (1883-1935)

psiquiatra e psicanalista americano

Se Sigmund Freud foi muitas vezes injustamente acusado de todo tipo de torpezas imaginárias, e principalmente de ter disfarçado fracassos terapêuticos em sucessos ou de ter "ex-

plorado" pacientes, devemos dizer, na verdade, que com Horace Frink, ele se comportou realmente de maneira desastrosa. No encontro com esse homem atingido por uma grave psicose maníaco-depressiva*, cristalizou-se certamente todo o horror consciente e inconsciente que a sociedade americana lhe inspirava, seu puritanismo em relação à sexualidade*, seus dólares e aquela maneira de transformar a psicanálise* em higienismo psiquiátrico — "o pau para toda obra da psiquiatria", como ele diria por ocasião do debate sobre *A questão da análise leiga**. Foi a Paulo Roazen que ele contou pela primeira vez a história dessa triste experiência analítica.

Brilhante psiquiatra, Horace Frink, inicialmente analisado por Abraham Arden Brill*, foi a Viena* em 1920 para fazer um novo tratamento com Freud, que na época vivia em grande parte do dinheiro que lhe davam os americanos que vinham analisar-se com ele: Clarence Oberndorf*, Leonard Blumgart (1881-1959), Monroe Meyer (1892-1939), Albert Polon etc. Freud logo manifestou a Frink uma confiança ilimitada, a ponto de querer fazer dele seu principal delegado nos Estados Unidos*. Tratava-se de contrabalançar o poder excessivamente grande de Brill em Nova York.

Durante o tratamento, Frink se apaixonou por uma de suas ex-pacientes, rica herdeira e miliardária: Anjelika Bijur. Apoiado por Freud, casou-se com ela, depois de se divorciar da primeira mulher, e levou-a a Viena. Freud a recebeu e lhe explicou que Frink correria o risco de se tornar homossexual se ela o deixasse. Depois, propôs a Frink participar financeiramente do movimento psicanalítico. O caso provocou escândalo: o marido de Anjelika ameaçou processar Freud por ter manipulado sua mulher e rompido seu casamento, mas morreu antes de fazê-lo, no mesmo momento que a primeira mulher de Frink.

Frink logo mergulhou na melancolia* e foi tratado por Adolf Meyer*, que o hospitalizou e aconselhou a Anjelika que o apoiasse. Ela se recusou e separou-se dele, acusando Freud retroativamente de tê-la manipulado. Em 1935, Frink casou-se pela terceira vez. Mas, depois de um novo acesso de melancolia, foi novamente internado e morreu no hospital. Freud fizera um diagnóstico errado, ignorando a loucura* de seu paciente, que tomou por um homossexual recalcado. Constrangido, não reconheceu francamente o seu erro. Esse caso mostra bem a dificuldade que ele tinha em se confrontar com a psicose*. De qualquer forma, o episódio contribuiu para desacreditar a psicanálise nos Estados Unidos.

Quando Abram Kardiner* falou de Frink com Freud, este respondeu com sua lucidez habitual: "Você disse um dia que a análise não podia fazer mal a ninguém. Pois bem, deixe-me mostrar-lhe uma coisa." Mostrou-lhe então duas fotografias de Frink, uma feita durante a análise, outra depois. Na primeira, ele tinha aparência normal, mas na segunda tinha o olhar perdido, parecendo muito magro e doente.

Em 1988, a filha de Frink encontrou nos papéis de Adolf Meyer a correspondência de seu pai com Freud e vários documentos cujo conteúdo revelou em uma revista, acusando o mestre de Viena de ter sido um charlatão. Muitos adeptos da historiografia* revisionista se aproveitaram disso para acusar Freud de ter manipulado *todos* os seus pacientes, subitamente transformados em vítimas das perfídias da psicanálise.

• Horace W. Frink, *Morbid Fears and Compulsions*, Boston, Moffat, Yard & Co, 1918 • Abram Kardiner, *Mon analyse avec Freud* (N. York, 1977), Paris, Belfond, 1978 • Paul Roazen, *Freud e seus discípulos* (N. York, 1971), S. Paulo, Cultrix, 1978.

Fromm, Erich (1900-1980)

psicanalista americano

Originário de uma família de judeus alemães apegados à tradição ortodoxa, Erich Fromm militou aos 15 anos no movimento da juventude sionista, antes de estudar direito e filosofia na Universidade de Frankfurt. Por volta de 1922, voltou-se para a psicanálise* e recebeu sua formação didática em Berlim, com Hanns Sachs* e Theodor Reik*. Voltando a Frankfurt, fez análise durante algum tempo com Karl Landauer* e começou uma carreira universitária, ligando-se aos filósofos da Escola de Frankfurt: Herbert Marcuse*, Theodor Adorno (1903-1969) e Max Horkheimer (1895-1973). Como Otto Fenichel* e Wilhelm Reich*, integrou-se

à "esquerda freudiana", que foi a origem do freudo-marxismo*. Nesse ambiente, ficou conhecendo Frieda Reichmann, que seria sua quarta analista, antes de se tornar sua mulher, sob o nome de Frieda Fromm-Reichmann*. No período entre-guerras, criticou a tese clássica do complexo de Édipo* e valorizou o matriarcado, em detrimento do patriarcado*, inspirando-se nos trabalhos de Johann Jakob Bachofen (1815-1887), em uma perspectiva próxima da de Friedrich Engels (1820-1895). Em 1946, seria duramente atacado por Theodor Adorno por seu "revisionismo" anti-freudiano e, mais tarde, por Marcuse.

Em 1934, fugindo do nazismo*, instalou-se nos Estados Unidos*, onde foi companheiro de Karen Horney* e depois analista de sua filha. Ensinou então em muitas universidades, aproximando-se da corrente psicanalítica de inspiração culturalista. Recusando-se a aderir a um grupo ou a uma escola, praticou a psicanálise em Nova York, renunciando à maioria das regras técnicas em vigor na International Psychoanalytical Association* (IPA), particularmente aos tratamentos no divã. Assim, privilegiou, como todos os artífices das escolas de psicoterapia*, a técnica do face a face e as experiências de grupo. A partir de 1951, como Igor Caruso*, instalou-se na Cidade do México, onde o freudismo não se implantara, sendo considerado uma doutrina imperialista importada dos Estados Unidos*.

Cosmopolita, culturalista, apaixonado por história das religiões e sempre tentado pelo sincretismo messiânico, em sua opinião único capaz de permitir a emancipação individual, Erich Fromm publicou muitas obras. Fez da psicanálise a expressão última de uma crise espiritual do homem ocidental, desejoso de se libertar de seu inconsciente*, contestou radicalmente o universalismo freudiano e a filosofia do Iluminismo, em nome do relativismo cultural, e pregou os valores de um humanismo individualista. Por conseguinte, mostrou-se hostil a todas as formas de tirania e de autoritarismo, fossem elas políticas ou familiares, fazendo ao mesmo tempo da técnica do tratamento um instrumento de adaptação à sociedade.

• Erich From, *O medo da liberdade* (N. York 1941), Rio de Janeiro, Guanabara, 1986; *L'Homme pour lui-même*

(N. York, 1947), Paris, Éditions Sociales Françaises, 1967; *A arte de amar* (N. York, 1956, Paris, 1967), B. Horizonte, Itatiaia, 1964; *La Mission de Sigmund Freud. Une analyse de sa personnalité et de son influence* (N. York, 1959), Bruxelas, Complexe, 1975; *O conceito marxista do homem* (N. York, 1961), Rio de Janeiro, Guanabara, 1986; *La Crise de la psychanalyse* (N. York, 1970), Paris, Anthropos, 1971; *La Passion de détruire* (N. York, 1973), Paris, Laffont, 1975; *A linguagem esquecida* (Paris, Payot, 1975), Rio de Janeiro, Guanabara, 1986 • Martin Jay, *L'Imagination dialectique. Histoire de l'École de Frankfurt, 1923-1950* (Boston, 1973), Paris, Payot, 1977 • Jean-Baptiste Fagès, *Histoire de la psychanalyse après Freud* (1976), Paris, Odile Jacob, 1996 • Gérard D. Khoury "Erich Fromm, 1900-1980", *Encyclopaedia universalis*, Paris, 1981, 550-1 • Russel Jacoby, *Otto Fenichel. Destin de la gauche freudienne* (1983), Paris, PUF, 1986.

➢ ALEMANHA; CULTURALISMO; FILIAÇÃO; HISTÓRIA DA PSICANÁLISE; JAPÃO; NEOFREUDISMO; SULLIVAN, HARRY STACK.

Fromm-Reichmann, Frieda, *née* Reichmann (1889-1957)

psiquiatra e psicanalista americana

Originária da Alemanha e membro do Instituto Psicanalítico de Frankfurt, onde conheceu Erich Fromm*, que foi seu analisando antes de se tornar seu marido, Frieda Reichmann dirigiu também em Heidelberg um sanatório para moças judias ortodoxas. Fugindo do nazismo*, emigrou para os Estados Unidos*, passando por Estrasburgo e pela Palestina. Tornou-se então, por suas funções na prestigiosa Chestnut Lodge Clinic, uma das principais introdutoras da psicanálise* no saber psiquiátrico americano do pós-guerra. Teve um papel importante junto a Harry Stack Sullivan*, quando da criação da Washington-Baltimore Psychoanalytic Society. Fumante, alcoólatra e próxima dos pacientes psicóticos de quem tratou durante toda a vida, teve uma existência movimentada e pouco conformista. Morreu aos 68 anos, de um ataque cardíaco fulminante.

➢ *BORDERLINE*; ESQUIZOFRENIA; HORNEY, KAREN; PSICOSE.

frustração

al. *Versagung*; esp. *frustración*; fr. *frustration*; ing. *frustration*

Estado em que fica um sujeito* quando lhe é recusada ou quando ele se proíbe a satisfação de uma demanda de origem pulsional.

Na linguagem corrente, a utilização do termo frustração para designar, indiferentemente, o desprazer, a insatisfação ou mesmo a contrariedade tende a ocultar a importância conceitual dessa palavra na doutrina freudiana e na teorização lacaniana.

Para Sigmund Freud*, e isso aparece já no artigo de 1912 sobre os "Tipos de desencadeamento da neurose", a frustração (*Versagung*) não implica, sistematicamente, a idéia de passividade. Freud reúne sob esse termo tanto a insatisfação devida à recusa de um agente externo a atender a uma exigência libidinal quanto a insatisfação ligada a fatores internos, como inibição e defesas do eu, que leva a formulações hesitantes, canhestras ou impossíveis da demanda.

Após a importante modificação metapsicológica introduzida pelo conceito de narcisismo*, Freud estabeleceu, em 1916, no artigo "Alguns tipos de caráter encontrados no trabalho psicanalítico", uma distinção entre a frustração externa e a frustração interna. "O trabalho psicanalítico doou-nos esta tese: os seres humanos tornam-se neuróticos em decorrência da *frustração*." A neurose resulta do conflito entre os desejos libidinais do ser humano e aquela parte dele, seu eu*, sede das pulsões de autoconservação e de seus ideais, que zela por evitar-lhe o desprazer que seria acarretado por estados de excitação excessivos. A frustração de uma satisfação muito real constitui, portanto, uma das causas da neurose.

Sendo assim, como explicar os casos em que o sujeito adoece no exato momento em que seu desejo está prestes a se realizar? Além dos exemplos clínicos dados por Freud, podemos evocar o dos atletas que parecem subitamente atingidos pelo que se costuma chamar de medo da vitória. Aparentemente, há nisso uma contradição da tese da frustração como causa do ataque neurótico. Resolver esse obstáculo pressupõe distinguir uma frustração externa de uma frustração interna. "Quando, na realidade", escreve Freud, "desaparece o objeto através do qual a libido* pode encontrar satisfação, há uma frustração externa. Ela é sem efeito em si e se mantém não patogênica enquanto não lhe é associada uma frustração interna."

A frustração interna está sempre presente, marca a permanência do conflito entre o eu e a libido, mas "não entra em ação enquanto a frustração externa real não lhe prepara o terreno". Nas situações contraditórias evocadas acima, a frustração interna intervém depois que "a frustração externa deu margem à realização do desejo*". Enquanto esse desejo, o desejo de vencer, de ter sucesso etc., permanece na ordem da fantasia*, o eu o tolera: é ante a aproximação da realização, no momento em que a fantasia está prestes a ser objeto de uma transformação real, que o eu intervém para inibir, aniquilar a operação.

Em 1927, em *O futuro de uma ilusão*, Freud deu uma definição muito precisa da palavra frustração, relacionada por ele com a proibição e a privação. A frustração é definida ali como o resultado da insatisfação de uma pulsão, a proibição, como o meio através do qual a frustração é infligida, e a privação, como o estado produzido pela proibição. A frustração, explica Freud, na medida em que resulta de uma insatisfação libidinal, é também produto da limitação geral constituída pela cultura, modalidade de socialização do ser humano. A frustração aparece, assim, como um estado inerente à condição humana.

O estado de frustração é uma dimensão essencial no tratamento psicanalítico. Deve ser mantido pelo analista, sobretudo através do respeito à regra de abstinência*, constituindo a frustração um dos motores do desenrolar da análise, um meio importante de lutar contra as resistências*.

Jacques Lacan* inscreveu o conceito de frustração em sua tópica* do real*, do simbólico* e do imaginário*. A frustração constitui a modalidade na qual a criança vivencia a segunda fase do desenrolar do Édipo*. A intrusão paterna priva a mãe do falo* e, com isso, frustra o filho de sua mãe.

Em seu seminário dos anos de 1956-1957, *A relação de objeto*, Lacan determinou os respectivos registros da frustração, da privação e da castração*. Estabeleceu o caráter primordial da relação com o objeto, a natureza da falta assim constituída, para distinguir esses três

processos. Se ela especifica a vivência de um tempo da fase edipiana, a frustração, definida por Lacan como a falta imaginária do objeto real, encontra sua origem em "traumas, fixações e impressões provenientes de experiências pré-edipianas". Por isso, ela constitui o "terreno preparatório, a base e o fundamento" do Édipo.

Essa inscrição da frustração no campo do imaginário foi algo a que Lacan voltou no ano seguinte, em seu seminário *As formações do inconsciente*. Neste, a frustração foi estudada como efeito de uma demanda excessiva, no limite do formulável, a propósito de um objeto real e, como tal, impossível. O pênis, objeto da frustração da menina, constitui o modelo original desse objeto impossível, e a descoberta de sua ausência na mulher pela criança provoca a frustração, ponto de ancoragem de manifestações neuróticas, como atesta a observação clínica do caso do "Pequeno Hans" (Herbert Graf*).

• Sigmund Freud, "Tipos de desencadeamento da neurose" (1912), *ESB*, XII, 291-307; *GW*, VIII, 322-30; *SE*, XII, 227-38; in *Névrose, psychose et perversion*, Paris, PUF, 1973, 175-82; "Sobre o narcisismo: uma introdução" (1914), *ESB*, XIV, 89-122; *GW*, X, 138-70; *SE*, XIV, 67-102; in *La Vie sexuelle*, Paris, PUF, 1969, 80-105; "Alguns tipos de caráter encontrados no trabalho psicanalítico" (1916), *ESB*, XIV, 351-80; *GW*, 364-91; *SE*, XIV, 309-33; in *L'Inquiétante étrangeté et autres essais*, Paris, Gallimard, 1985, 137-71; "Linhas de progresso na terapia psicanalítica" (1918), *ESB*, XVII, 201-16; *GW*, XII, 183-94; *SE*, XVII, 157-68; in *La Technique psychanalytique*, Paris, PUF, 1953, 131-41; *O futuro de uma ilusão* (1927), *ESB*, XXI, 15-80; *GW*, XIV, 325-80; *SE*, XXI, 5-56; *OC*, XVIII, 141-97 • Joël Dor, *Introdução à leitura de Lacan*, t.I (Paris, 1985), P. Alegre, Artes Médicas, 1992 • Pierre Kaufmann, "Frustração", in Pierre Kaufmann (org.), *Dicionário enciclopédico de psicanálise: o legado de Freud e Lacan* (Paris, 1993), Rio de Janeiro, Jorge Zahar, 1996, 216-9 • Jacques Lacan, O Seminário, livro 4, *A relação de objeto (1956-1957)* (Paris, 1994), Rio de Janeiro, Jorge Zahar, 1995; Le Séminaire, livre V, *Les Formations de l'inconscient (1957-1958)*, inédito • Jean Laplanche e Jean-Bertrand Pontalis, *Vocabulário da psicanálise* (Paris, 1967), S. Paulo, Martins Fontes, 1991, 2ª ed.

➢ OBJETO, RELAÇÃO DE; OBJETO (PEQUENO) a.

Futuro de uma ilusão, O

Livro de Sigmund Freud, publicado em 1927 sob o título* Die Zukunft einer Illusion. *Traduzido para o francês pela primeira vez em 1932, por Marie Bona-*

parte*, sob o título L'Avenir d'une illusion, *e depois, em 1994, por Anne Balseinte, Jean-Gilbert Delarbre e Daniel Hartmann, sem modificação do título. Traduzido para o inglês pela primeira vez em 1928, por W.D. Robson-Scott, sob o título* The Future of an Illusion, *retomado sem modificação por James Strachey*, em 1961.*

Na obra de Sigmund Freud*, *O futuro de uma ilusão* segue-se à publicação, em 1926, de *A questão da análise leiga**, e precede o lançamento, em 1930, de *O mal-estar na cultura**. No cerne dessa trilogia surge uma temática comum, como mostra carta do autor a Oskar Pfister*, datada de 25 de novembro de 1928. Nesta, Freud esclarece que, ao tratar da análise leiga*, pretendia proteger a psicanálise* dos médicos, ao passo que, em *O futuro de uma ilusão*, procura defendê-la dos padres.

O título do livro foi tomado de empréstimo de uma peça teatral de Romain Rolland*, *Liluli*, e este apoiou-se no texto de Freud para defender sua tese de um "sentimento oceânico", forma primária da necessidade do religioso em todos os homens. Por sua vez, no *Mal-estar*, Freud discutiria a validade das posições de Rolland.

Com *O futuro*, de qualquer modo, ele retornou ao tema da religião, considerada em sua dimensão de ato de fé e de crença, perspectiva que já examinara em 1907 no artigo "Atos obsessivos e práticas religiosas", onde havia assimilado a religião a uma neurose obsessiva*.

Desde os primeiros capítulos, Freud aborda um campo muito mais amplo que apenas o da religião. Com efeito, trata da oposição entre a natureza e a cultura, entendida como o conjunto dos saberes e técnicas adquiridos pelo homem para dominar as forças da natureza. Ele observa que a cultura, quase sempre imposta à massa dos homens por uma minoria esclarecida, tem que instaurar, para se edificar, um sistema de coerções destinadas a favorecer a renúncia pulsional. Mesmo que os homens encontrem na cultura uma proteção contra as forças ameaçadoras e destrutivas da natureza, nem por isso eles são menos hostis às privações que a cultura lhes impõe, sobretudo no campo das relações humanas, a ponto de às vezes se perguntarem se ela merece ser defendida.

Tal situação, comenta Freud, não é nova: encontramos seu modelo original na infância.

O casal parental, em particular o pai, garante um papel protetor, ao mesmo tempo que se faz temido pelas proibições que enuncia. Além disso, tal como a criança, o sujeito humano tem que encontrar meios de se prevenir contra certas forças da natureza que a cultura não pode conter, em particular a morte. Para isso, ele procura humanizar essas forças aterrorizantes, fazer delas pais e, mais ainda, deuses, que deverão assegurar-lhe uma recompensa pelos sofrimentos que ele suportou em decorrência das obrigações que a cultura lhe impôs.

Coloca-se então a questão do sentido desse movimento de deificação, do fundamento dessas idéias religiosas e das razões pelas quais elas são tão valorizadas pelos homens.

A segunda parte do livro trata desses três pontos sob a forma de um diálogo com um interlocutor fictício, que não é outro senão o pastor Pfister, psicanalista e amigo de Freud. Essa forma, que Freud diz destinar-se a lhe poupar os defeitos característicos do monólogo — o excesso de segurança e a recusa de qualquer objeção —, parece, na realidade, ter constituído para ele um meio de lidar com a susceptibilidade de Pfister.

As idéias religiosas constituem a realização dos mais antigos anseios da humanidade, antes de mais nada o de nos protegermos da onipotência da natureza, sem termos que suportar as limitações e as privações trazidas pela cultura. Mas tal resultado é impossível: assim, só pode tratar-se de uma ilusão. Nesse ponto, numa nova preocupação de poupar a sensibilidade de Pfister, Freud sublinha que ilusão não é erro, nem tampouco é passível de ser assimilada à idéia delirante (que se caracteriza pelo fato de estar em total contradição com a realidade). A ilusão, esclarece Freud, não é necessariamente falsa, mas se caracteriza pelo fato de ser um produto dos desejos humanos: que uma jovem de situação modesta sonhe casar-se com um príncipe diz algo sobre o desejo da moça, sem ser totalmente falso, já que há sempre uma possibilidade, por mais ínfima que seja, de que esse sonho se realize. A ilusão, para se manter, não precisa ser confirmada pelo real. Freud sublinha, nesse ponto, que "todas as doutrinas religiosas são ilusões" e que "é tão impossível refutá-las quanto prová-las".

Mas, se o homem tem tanta necessidade da religião que chega a se iludir, porventura a argumentação freudiana, que denuncia esse processo, não traz o risco de desestabilizá-lo? A essa pergunta, formulada por seu interlocutor imaginário, Freud se apressa a responder que os filósofos do Iluminismo já disseram tudo sobre o assunto e que sua própria contribuição consiste, simplesmente, no acréscimo de uma dimensão psicológica à argumentação deles.

Outra pergunta: não traz essa iniciativa o risco de prejudicar a psicanálise? A resposta é eloqüente, impregnada de positivismo. A psicanálise é um meio de investigação científica, "um instrumento imparcial, semelhante, digamos, ao cálculo infinitesimal". Sob esse prisma, é tão pouco responsável por aquilo que evidencia quanto o seria o cálculo infinitesimal, na hipótese de que permitisse a um físico descobrir a futura aniquilação do planeta.

Maliciosamente, Freud salienta que a luta contra a ilusão religiosa deveria fazer frente aos efeitos negativos da pedagogia contemporânea, que, na preocupação de adiar o desenvolvimento sexual e reforçar a dominação da influência religiosa, contribui para enfraquecer o pensamento daqueles a quem supostamente deve formar.

Por fim, já que a religião é comparável a uma neurose infantil, o psicanalista, conclui Freud, pode dar livre curso a seu otimismo, presumindo que, tal como a criança, a humanidade conseguirá superar essa fase neurótica.

Sem se afastar de seu humor nem de sua admiração por Freud, Pfister lhe respondeu num artigo intitulado "A ilusão de um futuro", publicado na *Imago** em 1928. Ali, explicou que a crítica freudiana confundia a religião com a fé, e que a própria posição de Freud era uma ilusão.

Cinqüenta anos depois, o otimismo freudiano talvez pareça inconseqüente, comparado à renovação das forças religiosas pelo mundo afora. Mas, justamente por esse retorno da religiosidade, esse livro, cuja fraqueza Freud sublinhou, deprimido, censurando René Laforgue* por superestimar seu alcance, bem poderia encontrar uma nova atualidade, para além dos limites positivistas e anticlericais em que foi encerrado.

• Sigmund Freud, "Atos obsessivos e práticas religiosas" (1907), *ESB*, IX, 121-36; *SE*, IX, 116; *OC*, XVIII, 141-97; *O futuro de uma ilusão* (1927), *ESB*, XXI, 15-80; *GW*, XIV, 325-80; *SE*, XXI, 5-56; *OC*, XVIII, 141-97; "A questão da análise leiga" (1926), *ESB*, XX, 211-84; *GW*, XIV, 209-86; *SE*, XX, 183-258; *OC*, XVIII, 2-92; "O mal-estar na cultura" (1930), *ESB*, XXI, 81-178; *GW*, XIV, 421-506; *SE*, XXI, 64-145; *OC*, XVIII, 245-333; *Correspondance de Sigmund Freud avec le pasteur Pfister (1909-1939)* (Frankfurt, 1963), Paris, Gallimard, 1966; "Correspondance entre Sigmund Freud e René Laforgue" (1923-1937), *Nouvelle Revue de Psychanalyse*, 1977, XV, 251-314 • Peter Gay, *Freud: uma vida para o nosso tempo* (N. York, 1988), S. Paulo, Companhia das Letras, 1995 • Ernest Jones, *A vida e a obra de Sigmund Freud*, 3 vols. (N. York, 1953, 1955, 1961), Rio de Janeiro, Imago, 1989 • Henri Vermorel e Madeleine Vermorel, *Sigmund Freud et Romain Rolland, Correspondance, 1923-1936*, Paris, PUF, 1993.

➤ Haitzmann, Christopher; Igreja.

G

Gaddini, Eugenio (1916-1985)
médico e psicanalista italiano

Nascido em Cerignola, na província de Foggia, Eugenio Gaddini estudou medicina em Roma. Analisado a partir de 1951 por Emilio Servadio*, tornou-se analista em 1956. Presidente da Società Psicoanalitica Italiana (SPI) entre 1978 e 1982, Gaddini dedicou grande parte de sua atividade à promoção e ao reconhecimento da psicanálise italiana, no seio da International Psychoanalytical Association* (IPA). Seus trabalhos, entre os quais vários artigos publicados no *International Journal of Psycho-Analysis*, tratam principalmente dos processos psíquicos da primeira infância, na perspectiva aberta por Donald Woods Winnicott*.

• Eugenio Gaddini, *Scritti (1953-1985)*, Milão, Raffaello Cortina, 1989 • Arnaldo Novelletto, "Italy", in Peter Kutter (org.), *Psychoanalysis International. Guide to Psychoanalysis throughout the World*, Stuttgart, Fromann-Holzboog, 1992 • Antonio Alberto Semi (org.), *Trattato di psicoanalisi*, vol.I, Milão, Raffaello Cortina, 1988.

Gardiner, Muriel, *née* Morris (1901-1985)
psiquiatra e psicanalista americana

Essa bela e generosa americana, militante do antifascismo e dos direitos da mulher, especialista em crianças criminosas, é um personagem de romance. Aliás, foi por essa razão que Lillian Hellman, a companheira do escritor Dashiell Hammett, apropriou-se de sua vida em seu relato autobiográfico, *Pentimento*, que foi depois levado à tela por Fred Zinnemann, no magnífico filme *Julia*, com Vanessa Redgrave e Jane Fonda.

Nascida em Chicago, Muriel Morris era originária de duas ricas famílias de empresários que trabalhavam com gado e na indústria de conservação de carne bovina da cidade. Seus pais eram cultos e ela estudou em um dos melhores colégios da Nova Inglaterra, o Wellesley College, perto de Boston. Tornando-se pacifista, assistiu ao processo de Sacco e Vanzetti, e mobilizou-se a favor destes. Depois, defendeu uma tese de literatura sobre Mary Shelley. Mas em 1926, depois de um fracasso em uma prova oral, renunciou ao magistério e orientou-se para a psicanálise*.

Como muitos americanos nessa época, foi então a Viena* para ser analisada por Sigmund Freud*, que a enviou a Ruth Mack-Brunswick*. Instalada na capital da Áustria por vários anos, casou-se com Julian Gardiner, de quem se divorciaria depois, antes de estudar medicina. No consultório de sua analista, ficou conhecendo Serguei Constantinovitch Pankejeff* (o Homem dos Lobos), que lhe deu aulas de russo e com quem simpatizou a ponto de analisá-lo.

Em 1934, engajou-se na luta antifascista ao lado dos socialistas e militou na clandestinidade contra o regime do chanceler Dollfuss, fazendo-se chamar Mary. Sob esse nome, transportou dinheiro e contribuiu para a confecção de passaportes falsos, tornando-se ao mesmo tempo psicanalista e educando sua filha. Dedicou parte de sua fortuna para salvar judeus e organizar evasões destes. Foi assim que encontrou Joseph Buttinger, chefe do Partido Social-Democrata austríaco, reponsável pelas ligações clandestinas com Otto Bauer e Viktor Adler, exilados em Brno e em Paris. Buttinger se tornaria seu companheiro e seu marido.

Em 1939, ambos deixaram a Áustria para escapar à Gestapo. Refugiaram-se na França*, onde Josef foi internado em um campo. Finalmente, conseguiram chegar aos Estados Unidos*. Muriel Gardiner dedicou-se depois às crianças criminosas e aos delinqüentes. Em um livro de sucesso que publicou em 1976, explicou a combinação dos elementos trágicos pelos quais adolescentes se tornam assassinos ou parricidas.

Com Samuel Guttman, criou a fundação Psychoanalytic Studies in Aspen. Nessa antiga cidade mineradora do Colorado, que se tornara uma estação de esportes de inverno muito procurada e um centro importante de música clássica, reuniam-se no verão, a cada dois anos, psicanalistas célebres. Vinham discutir livremente o seu trabalho e a evolução da teoria. Esses encontros continuavam no inverno em Princeton, em grupos livres de toda filiação institucional.

Muito próxima de Anna Freud*, Muriel Gardiner se mostrou generosa com o movimento psicanalítico, criando a New-Land Foundation, que contribuiu para a compra e a publicação das correspondências de Freud (especialmente com Eduard Silberstein*) e permitiu financiar a aquisição, em Londres, de uma casa situada no nº 12 de Maresfield Gardens, destinada a ser transformada em escola maternal piloto, propondo consultas psicanalíticas. A fundação teve também um papel na criação do Freud Museum*. Na mesma perspectiva, Muriel Gardiner continuou a se interessar pelo Homem dos Lobos, ajudando-o financeiramente e fazendo com que redigisse suas memórias, que foram traduzidas no mundo inteiro. Encontravam-se também nesse volume os textos de Freud e de Ruth Mack-Brunswick sobre esse caso e ela acrescentou o seu próprio depoimento.

Consciente do destino excepcional dessa mulher, que trabalhara tanto pela "causa", Anna Freud lhe escreveu estas palavras em 1972: "Gosto muito da minha própria vida, mas se eu não tivesse podido vivê-la e fosse obrigada a escolher outra, creio que teria escolhido a sua."

• Muriel Gardiner, *L'Homme aux loups par ses psychanalystes et par lui-même* (N. York, 1971), Paris, Gallimard, 1981; *Ces enfants voulaient-ils tuer?* (N. York, 1976), Paris, Payot, 1978; *Le Temps de l'ombre. Souvenirs d'une Américaine dans la résistance autrichienne*, Paris, Aubier, 1981 • Joseph Buttinger, *Le Précédent autrichien*, Paris, Gallimard, 1956 • Pamela Tytell, "Muriel Gardiner, 1901-1985", *Encyclopaedia*

universalis, 1986, 553-4 • Entrevista com René Major em 22 de agosto de 1996.

Garma, Angel, *né* Angel Juan Garma Zubizarreta (1904-1993)
psiquiatra e psicanalista argentino

Nascido em Bilbao, Angel Garma tinha quatro anos quando seus pais deixaram a Espanha* para se instalar em Buenos Aires, onde ocorreu a tragédia que marcou toda a sua infância e da qual ele nunca falava: seu pai, rico negociante de porcelana, foi assassinado com dois tiros de fuzil em condições misteriosas. Pouco tempo depois, sua mãe casou-se com o irmão de seu falecido marido, como na tradição do levirato. Garma foi portanto educado por seu tio, que se tornara seu padrasto, com as duas irmãs consangüíneas nascidas desse casamento.

Aos 17 anos, foi a Madri para estudar psiquiatria, sob a direção de Gregorio Marañon. Freqüentou o Hospital de Ciempozuelos, onde trabalhava Miguel Sacristan (1887-1956), discípulo e amigo de Emil Kraepelin*. Através desse curso, iniciou-se na nosografia alemã e, em 1927, passou um ano em Tübingen, onde teve como professor Robert Gaupp (1870-1953), especialista em paranóia* e autor do célebre *Caso Wagner*, no qual era relatado o crime delirante de um professor primário que matara toda a família. Um ano depois, solidamente formado em psiquiatria, Garma se instalou em Berlim, onde entrou em contato com a aventura do freudismo*, do qual logo se tornou fervoroso defensor. Analisado por Theodor Reik* no prestigioso Berliner Psychoanalytisches Institut* (BPI), fez várias análises de supervisão*: com Karen Horney*, Otto Fenichel*, e até com o perigoso Jeno Harnik, que sofria de paranóia. Em 1932, tornou-se membro da Deutsche Psychoanalytische Gesellschaft (DPG), depois de apresentar ao BPI o seu estudo sobre "A realidade e o isso* na esquizofrenia*".

Não esperou ser integrado à DPG para deixar a Alemanha* e voltar a Madri em 1931. Durante cinco anos, foi o primeiro freudiano a praticar a psicanálise na Espanha, ora como terapeuta, ora como didata. Daí o título que lhe foi concedido, de "primeiro psicanalista espanhol". Com isso, chocou-se com a forte oposição do meio psiquiátrico madrilenho, hostil às teorias de Sigmund Freud*. Apesar das críticas, Garma publicou seu primeiro livro, *A psicanálise, a neurose e a sociedade*, nas edições da revista *Archivos de Neurobiologia*, fazendo assim uma efêmera incursão no saber psiquiátrico da época, que se fechara para a psicanálise depois de manifestar grande interesse pela obra de Freud no primeiro quarto do século. Tornando-se membro da Associação de Neuropsiquiatria e da Liga de Higiene Mental, tinha a intenção de fundar em Madri a primeira sociedade psicanalítica espanhola. Mas a guerra civil impediu a realização desse projeto.

Em 1936, deixou o país para nunca mais voltar. Depois de uma passagem por Paris, onde se encontrou com Celes Cárcamo*, voltou a Buenos Aires e preparou ativamente a criação de um grupo argentino. Em 1942, ao lado de Enrique Pichon-Rivière*, Marie Langer*, Cárcamo, Arnaldo Raskovsky*, fundou a Asociación Psicoanalítica Argentina (APA), à qual se dedicou durante toda a vida, primeiro como principal didata da primeira geração* argentina, depois como formador de alunos. Militou no seio da International Psychoanalytical Association* (IPA) em favor de um reconhecimento e de um reagrupamento federativo de todas as sociedades latino-americanas.

Interessado simultaneamente na medicina psicossomática*, na clínica das psicoses e no sonho*, baseou-se, para a elaboração da sua obra, na *Ego Psychology** e no kleinismo*. Desde os seus primeiros trabalhos, tomou distância em relação ao freudismo clássico, afirmando que a neurose* e a psicose* exprimiam um conflito entre o eu* e o isso*, que beneficiava o supereu*. Por conseguinte, os distúrbios somáticos (úlceras, dores de cabeça etc.) deviam ser interpretados como conseqüência de frustrações ou agressões que o sujeito não conseguia superar porque, em sua infância, fora obrigado, sob a pressão da ordem parental, a submeter-se em detrimento do seu equilíbrio psíquico. Daí o masoquismo*.

Na mesma perspectiva, Garma revisou a doutrina freudiana do sonho, reatando com a idéia de trauma. Assim, formulou a hipótese segundo a qual os sonhos seriam alucinações nascidas de situações traumáticas recalcadas ou mascaradas, o equivalente a um pesadelo permanente.

• Angel Garma, "La realidad y el ello en la esquizofrenia", *Archivos de Neurobiologia*, XL, 1931, 598-616; *El psicoanálisis, la neurosis y la sociedad*, Madri, Ediciones de *Archivos de neurobiologia*, 1936; *Tratado maior da psicanálise dos sonhos* (B. Aires, 1940), Rio de Janeiro, Imago, 1991; *La Psychanalyse et les ulcères gastroduodénaux* (B. Aires, 1954), Paris, PUF, 1957; *Les Maux de tête* (B. Aires, 1958), Paris, PUF, 1962; *Le Rêve. Traumatisme et hallucination* (B. Aires, 1970), Paris, PUF, 1981 • Jorge Balán, *Cuéntame tu vida. Una biografía colectiva del psicoanálisis argentino*, B. Aires, Planeta, 1991 • Raúl Giordano, *Notice historique du mouvement psychanalytique en Argentine*, dissertação para o CES de psiquiatria, sob a direção de Georges Lantéri-Laura, Universidade de Paris XII, s/d • J.M. Gomez Sanchez-Garnica, *La aportación de Angel Garma al psicoanálisis actual*, tese da Universidade Autônoma de Madri, 1993.

➤ BRASIL; FEDERAÇÃO PSICANALÍTICA DA AMÉRICA LATINA.

gênero (*gender*)

Termo derivado do latim genus *e utilizado pelo senso comum para designar qualquer categoria, classe, grupo ou família que apresente os mesmos sinais em comum. Empregado como conceito pela primeira vez em 1964, por Robert Stoller*, serviu inicialmente para distinguir o* sexo *(no sentido anatômico) da* identidade *(no sentido social ou psíquico). Nessa acepção, portanto, o gênero designa o sentimento (social ou psíquico) da identidade sexual, enquanto o sexo define a organização anatômica da diferença entre o macho e a fêmea.*

A partir de 1975, o termo foi utilizado nos Estados Unidos* e nos trabalhos universitários anglófonos para estudar as formas de diferenciação que o estatuto e a existência da diferença sexual induzem numa dada sociedade. Por esse ponto de vista, o gênero é uma entidade moral, política e cultural, isto é, uma construção ideológica, enquanto o sexo se mantém como uma especificidade anatômica.

Foi dentro da perspectiva do kleinismo* e da *Self Psychology**, para estudar o transexualismo* e as perversões* sexuais, que Robert Stoller deu uma nova definição à palavra *gender*. Segundo ele, faltava ao freudismo* clássico uma categoria que permitisse diferenciar radicalmente a pertinência anatômica (o sexo) da pertinência a uma identidade social ou psíquica (o gênero), podendo ambos estar numa relação de dissimetria radical, como mostrava o estudo do transexualismo masculino e feminino.

Em 1975, como afirmou a historiadora Natalie Zemon Davis, fez-se sentir a necessidade de uma nova interpretação da história que levasse em conta a diferença entre homens e mulheres, a qual até então estivera "oculta": "Não devemos trabalhar unicamente em relação ao sexo oprimido, assim como um historiador das classes não pode fixar o olhar nos camponeses (...). Nosso objetivo é descobrir a extensão dos papéis sexuais e do simbolismo sexual nas diferentes sociedades e períodos."

Em seguida, a noção de gênero tornou-se corrente nos trabalhos universitários norte-americanos, sobretudo entre as feministas, que revisitaram o kleinismo* e, mais tarde, o lacanismo* (numa perspectiva diferencialista), para afirmar que o sexo é sempre uma construção cultural (um gênero), sem nenhuma relação com a diferença biológica. Daí a idéia de que todo indivíduo pode mudar de sexo, de acordo com o gênero ou o papel que se atribui para escapar da sujeição que lhe é imposta pela sociedade. O primeiro texto representativo dessa abordagem foi o livro de Nancy Chodorow, em 1978. A partir de um estudo dedicado à maternidade, ela voltou à tese clássica do objeto* bom e mau, para afirmar que a separação entre os sexos das tarefas que habitualmente competem às mulheres (maternalização, cuidados com os bebês, educação, cozinha etc.) levava a uma transformação radical e positiva das identificações da criança, e portanto, de sua identidade sexual (gênero), já não sendo esta determinada pela desigualdade cultural.

Seguiu-se o livro de Judith Butler, publicado em 1990. Apoiando-se nos trabalhos de Jacques Lacan*, Michel Foucault (1926-1984) e Jacques Derrida, ela apregoou o culto do *borderline**, afirmando que a diferença era sempre imprecisa e que, por exemplo, o transexualismo podia ser, em especial para a comunidade negra, uma maneira de subverter a ordem estabelecida, uma recusa de se curvar à diferença biológica, construída pelos brancos. Nessa perspectiva, o direito à diferença, mitificado, transmuda-se num desejo de fechamento, quer para defender

uma "não-diferença" (a fluidez transexual, o lesbianismo, a inversão homem/mulher no casal etc.), quer para valorizar a cultura identitária do eu, em detrimento de qualquer sujeito* universal.

Os trabalhos mais interessantes no campo dos *gender studies* não foram produzidos pelos adeptos de uma concepção radical da diferença sexual*, mas por historiadores ou filósofos mais moderados, que ora estudaram a construção da noção de gênero e de sexo na obra de Freud, ora estudaram um objeto (período, texto literário, acontecimento) a que o gênero pudesse ser aplicado. Convém incluir na primeira categoria o livro exemplar de Thomas Laqueur, *A fábrica do sexo*, que se inspirou no trabalho de Michel Foucault para estudar a passagem da bissexualidade* platônica para o modelo de unissexualidade criado por Galeno, a fim de descrever as variações históricas das categorias do gênero e do sexo, desde o pensamento grego até as hipóteses freudianas, e convém incluir na segunda o livro de Lynn Hunt, *O romance familiar da Revolução Francesa*, que se apoiou no mito criado por Otto Rank* (o romance familiar*) para fazer o regicídio surgir como a certidão de nascimento de uma nova sociedade, baseada na desigualdade entre homens e mulheres.

Na França*, a idéia de *gender* não se impôs, dando-se preferência a falar de identidade sexual, em vez de gênero. É a Élisabeth Badinter, filósofa e especialista no século XVIII, que devemos os melhores trabalhos sobre o assunto, numa perspectiva universalista. Na psicanálise, foi Joyce McDougall quem desenvolveu essa questão.

• Robert Stoller, "A contribution to the study of gender identity", *IJP*, 45, 1964, 220-6; *Recherches sur l'identité sexuelle* (1968), Paris, Gallimard, 1978 • Michel Foucault, *História da sexualidade*, vol.I, *A vontade de saber*, Rio de Janeiro, Graal, 1985, 6ª ed. • Natalie Zemon Davis, "Women's history in transition. The European case", *Feminist Studies*, 3, inverno de 1975-76 • Nancy Chodorow, *The Reproduction of Mothering. Psychoanalysis and the Sociology of Gender*, Berkeley, University of California Press, 1978 • Joyce McDougall, *Em defesa de uma certa anormalidade* (Paris, 1978), P. Alegre, Artes Médicas, 1991; *As múltiplas faces de Eros* (Paris, 1996), S. Paulo, Martins Fontes, 1997 • Élisabeth Badinter, *Um é o outro* (Paris, 1986), Rio de Janeiro, Nova Fronteira, 1986; XY. *Sobre a identidade masculina* (Paris, 1992), Rio de Janeiro, Nova Fronteira, 1994, 2ª ed. • Joan Scott, "Genre: une catégorie utile d'analyse historique", *Les Cahiers du GRIF*, 37-38, primavera de 1988, 125-53 • Thomas Laqueur, *La Fabrique du sexe. Essai sur le genre et le corps en Occident* (1990), Paris, Gallimard, 1992 • Judith Butler, *Gender Trouble. Feminism and the Subversion of Identity*, N. York, Routledge, 1990 • Lynn Hunt, *Le Roman familial de la Révolution française* (Berkeley, 1992), Paris, Albin Michel, 1995 • John R. Searle, "L'Enseignement supérieur des États-Unis est-il en crise?" (1993), *Le Débat*, setembro-outubro de 1994, 177-92 • Sander L. Gilman, *The Case of Sigmund Freud. Medicine and Identity at the fin de siècle*, Baltimore e Londres, The Johns Hopkins University Press, 1993.

➢ HOMOSSEXUALIDADE; SEXOLOGIA; SEXUALIDADE; *TOTEM E TABU*.

geração

O estudo das gerações é comum a diferentes campos das ciências humanas e sociais, em especial a antropologia* e a história. Na historiografia* psicanalítica, esse instrumento sociológico permite estabelecer a genealogia dos sucessores de Sigmund Freud*, o encadeamento das diversas interpretações da obra original, a sucessão das escolas e a dialética dos conflitos conducentes a cisões*. Por esse ponto de vista, existem dois modos de numeração: um, de alcance mundial e internacional, concerne aos diferentes membros da diáspora freudiana espalhados pelo mundo, e o outro, de alcance nacional, permite inscrever a filiação* dos psicanalistas a partir de um grupo pioneiro (passível de ser reduzido a uma única pessoa, em certos países), considerado como o introdutor da psicanálise* num dado país.

A primeira geração internacional compôs-se dos primeiros discípulos de Freud, reunidos em Viena* no seio da Sociedade Psicológica das Quartas-Feiras*: Alfred Adler*, Wilhelm Stekel*, Sandor Ferenczi*, Otto Rank*, Paul Federn*, Siegfried Bernfeld*, Hermann Nunberg*, Hanns Sachs* e Theodor Reik*. A estes somavam-se os discípulos não vienenses: Max Eitingon*, Karl Abraham*, Ernest Jones* e Carl Gustav Jung*.

A segunda geração internacional, representada por Ernst Kris*, Heinz Hartmann*, Rudolph Loewenstein*, Wilhelm Reich*, Otto Fenichel*, Melanie Klein* etc., é a que começou a se formar a partir de 1918, quer diretamente junto a Freud, quer no divã dos que lhe eram próximos. Já afastada do espírito de conquista que havia caracterizado sua antecessora, essa geração foi a componente essencial do aparelho da International Psychoanalytical Association* (IPA) da década de 1930. Teve como verdadeiro porto de matrícula (salvo poucas exceções) não uma cidade ou um mestre, mas uma organização legitimista (a IPA), que encarnava o movimento e a doutrina originais.

Essa geração teve de enfrentar, sobretudo na Alemanha*, na Áustria e na Hungria*, a escalada do nazismo*, que a colocou no caminho do exílio. Daí a IPA ter-se tornado, para essa geração, ao mesmo tempo um símbolo de resistência à barbárie e o centro de todos os conflitos doutrinais. Ora os homens e mulheres dessa geração encontraram na IPA uma nova pátria freudiana, e então foram artífices do legitimismo, ora, ao contrário, orientaram-se para a contestação do aparelho, o que desembocou quer na dissidência, quer no exílio interno, quer numa nova prática clínica.

Essa segunda geração transformou a doutrina original a partir de uma leitura centralizada na segunda tópica*, fosse orientando-se para a clínica das psicoses* e passando do interesse pela paternidade e pela sexualidade* para uma elucidação da relação arcaica com a mãe (Melanie Klein, Karen Horney*), fosse desenvolvendo uma teoria adaptativa do eu (*Ego Psychology*, annafreudismo*).

A terceira geração internacional, instruída pelos representantes da segunda ou tendo acesso ao freudismo através da leitura dos textos, foi a das grandes cisões*, provocadas, entre 1950 e 1970, pelo questionamento das modalidades da formação didática típica da IPA e pelas querelas de escolas em torno da interpretação da obra freudiana e da técnica psicanalítica* (*Self Psychology*, Jacques Lacan*, Heinz Kohut*, Donald Woods Winnicott*, Wilfred Ruprecht Bion*, Marie Langer*, Igor Caruso*). À história dessa terceira geração liga-se a do surgimento de uma historiografia* freudiana, a princípio oficial (com Jones e seus herdeiros), depois acadêmica (Ola Andersson*, Henri F. Ellenberger*) e, por fim, revisionista. Nessa condição, essa geração foi marcada por intensas batalhas em torno da tradução* e da publicação das obras e da correspondência do mestre, bem como por uma fragmentação irreversível de todas as formas de legitimidade organizacional. Daí o confronto com uma profusão de escolas de psicoterapia*.

A quarta geração internacional, anônima e impessoal, é a dos diferentes grupos freudianos de todas as tendências, distribuídos pelo mundo a partir de 1970, sejam eles federativos, independentes ou ligados à IPA, ou estejam em vias de se converter a psicoterapias não freudianas.

➤ HISTÓRIA DA PSICANÁLISE; KLEINISMO; LACANISMO; PARENTESCO; PATRIARCADO; PSIQUIATRIA DINÂMICA.

Gesammelte Schriften (GS)

➤ FREUD, ANNA; FREUD, SIGMUND; STERBA, RICHARD; TRADUÇÃO (DAS OBRAS DE SIGMUND FREUD).

Gesammelte Werke (GW)

➤ FREUD, SIGMUND; TRADUÇÃO (DAS OBRAS DE SIGMUND FREUD).

gestalt-terapia

al. *Gestalttherapie*; esp. *terapia gestáltica*; fr. *gestaltthérapie*; ing. *Gestalt therapy*

Termo derivado da teoria da Gestalt (ou teoria da forma) e criado pelo psicanalista norte-americano Frederick Perls (1893-1970) para designar uma forma de psicoterapia* de grupo em que o paciente tem que viver seus conflitos através de uma expressão corporal, a fim de reencontrar a unidade de sua personalidade.

Essa forma de psicoterapia, próxima da análise existencial* (por sua dimensão fenomenológica), do psicodrama* de Jacob Levy Moreno* (por sua técnica) e da vegetoterapia de Wilhelm Reich* (por sua faceta biológica e libertária), foi inventada por um personagem singular. Depois veio a desaparecer, antes de ressurgir em diversas escolas sob formas mais ou menos distantes do dispositivo de seu criador.

Berlinense de origem, Perls formou-se em psiquiatria e psicanálise em contato com Paul Schilder*, em Viena*, onde, aliás, conheceu Sigmund Freud* em 1930. Mas foi em Frank-

furt que adotou a teoria da Gestalt, ao se tornar assistente do grande neurologista Kurt Goldstein (1878-1965), cujas teses sobre a unidade do organismo humano e do funcionamento cerebral marcariam toda a filosofia do século XX, em especial os trabalhos de Maurice Merleau-Ponty (1908-1961) e Georges Canguilhem (1904-1995).

Inicialmente analisado por Wilhelm Reich, e depois por Karen Horney*, Perls situou-se desde logo na dissidência do freudismo* clássico. Fugindo do nazismo*, emigrou para os Países Baixos* e, em 1940, para a África do Sul, onde redigiu um primeiro livro em que revisava a concepção freudiana, aspirando a ver o corpo ser mais solicitado no processo da análise. Foi em Nova York, em 1946, e na Califórnia, mais tarde, que desenvolveu suas teses gestaltistas, dirigindo diversos grupos ligados à contracultura norte-americana. Após uma temporada no Japão*, associou a gestalt-terapia à prática do budismo zen, e depois se tornou um grande guru californiano, pregando ao mesmo tempo o naturismo, o orientalismo e a abertura para todas as formas de psicoterapias corporais que se desenvolveram na costa oeste dos Estados Unidos* nos anos 70. Antes de morrer, fundou uma comunidade terapêutica no Canadá*.

Como inúmeras psicoterapias dissidentes do freudismo e orientadas para o eu (*self*), a gestalt-terapia rejeita tanto a noção de isso* quanto a de supereu*, a primeira porque desviaria o sujeito da plena consciência de si, a segunda porque seria uma instância de opressão do eu*. Assim, a gestalt-terapia opõe à segunda tópica* uma teoria da personalidade e, à psicanálise propriamente dita, uma terapia de grupo voltada para a "desintelectualização" do sujeito, em prol de seus afetos ou suas emoções. Daí a junção que se efetuou, mais ou menos em todas as partes do mundo, depois da morte de Perls, entre a gestalt-terapia e todas as técnicas ditas bioenergéticas, herdadas da vegetoterapia de Reich e baseadas na idéia de que a "comunicação não verbal" (gritos, ginástica, massagens, expressões corporais etc.) permite um melhor acesso à cura do que o tratamento pela fala.

• Frederick Perls, *Ego, Hunger and Agression. A Revision of Freud's Theory and Method* (1942) • Frederick Perls com R. Hefferline e P. Goodman, *Gestalt Thera-*

py, N. York, Dell Publishing Co. , 1951 • Kurt Goldstein, *La Structure de l'organisme* (1934), Paris, Gallimard, 1951 • Claude Allais, "Gestalthérapie", *L'Inconscient*, sob a direção de Jacques Mousseau e Pierre-François Moreau, Paris, CEPL, 1976, 227-9, e "Les Nouvelles thérapies de groupes", ibid., 233-59.

➤ ANÁLISE DIRETA; ANÁLISE EXISTENCIAL; ANTIPSI-QUIATRIA; BATESON, GREGORY; IMAGEM DO COR-PO; NEOFREUDISMO; *SELF PSYCHOLOGY*; TERAPIA DE FAMÍLIA; *TRAINING* AUTÓGENO.

Glassco, Gerald Stinson (1871-1934)
psiquiatra e psicanalista canadense

Fundador, com Ernest Jones*, da American Psychoanalytic Association* (ApsaA) em 1911, Gerald Glassco foi também um dos pioneiros da psicanálise* no Canadá. Trabalhou em Hamilton, depois de receber sua formação em Londres, na British Psychoanalytic Society (BPS).

• Alan Parkin, *An History of Psychoanalysis in Canada*, Toronto, The Toronto Psychoanalytic Society, 1987.

➤ AUSTRÁLIA; CLARKE, CHARLES KIRK; MEYERS, DONALD CAMPBELL.

Glover, Edward (1888-1972)
médico e psicanalista inglês

Pioneiro da psicanálise na Grã-Bretanha*, ao mesmo tempo conservador e rebelde, marginal e ortodoxo, Edward Glover foi, depois de Ernest Jones*, o clínico mais poderoso da British Psychoanalytical Society (BPS), mas também o principal responsável por sua fragmentação, pois desencadeou, em 1942, as Grandes Controvérsias* que resultariam na divisão da sociedade em três grupos: os annafreudianos, os kleinianos, os Independentes*. Notável técnico do tratamento, Glover manejava a ironia com ferocidade e a língua inglesa com um verdadeiro dom de ator. Inventou a noção de núcleo do eu, para definir o esquema comportamental do lactente, ligado aos reflexos afetivos, e a de sexualização da angústia, para designar um processo de erotização, próprio da perversão*, permitindo suprimir os temores do *self* por uma experiência orgástica.

Nascido em Lesmaagow, perto de Glasgow, em uma família presbiteriana, foi um aluno "hesitante, rebelde, insolente e obstinado", antes de se tornar médico como seu irmão mais velho, James Glover (1882-1926), a quem admirava e que era o preferido dos pais. Aliás, foi a conselho de James, também psicanalista, que Edward se interessou pela psiquiatria e pela criminologia*. Em 1920, foi a Berlim para fazer sua formação didática com Karl Abraham*. Acabava então de perder sua primeira mulher, depois de 18 meses de casamento.

Quando seu irmão morreu acidentalmente em 1926, ficou tão abalado que mergulhou em uma espécie de melancolia*. Pediu então a Jones autorização para retomar as funções de secretário científico que este ocupava na sociedade. Inicialmente presidente do comitê científico, Edward Glover assumiu depois, em 1934, o posto prestigioso de secretário do comitê de formação da International Psychoanalytical Association* (IPA), onde se mostrou muito ativo na ajuda aos freudianos que fugiam do nazismo*.

Com Jones, presidente da BPS, realizou uma política conservadora no interior da sociedade, pretendendo manter a psicanálise afastada das instituições em que se praticavam diversas formas de psicoterapias*, notadamente a famosa Tavistock Clinic. Essa atitude isolacionista seria reprovada pelos kleinianos, com os quais Glover estabeleceria um conflito permanente. Seu rigorismo o levou, em 1933, em sua obra *Guerra, sadismo e pacifismo* a interpretar os conflitos políticos em termos de neurose e a preconizar, para evitar as guerras, a entrada maciça dos diplomatas em análise e o reconhecimento oficial, pelos Estados, do caráter psicopatológico da própria guerra. Criticado por Otto Fenichel*, que o acusou de "psicologizar" a área das lutas sociais e econômicas, atacou violentamente a "esquerda freudiana", afirmando que esta queria anexar a psicanálise ao marxismo e ao comunismo*.

Inicialmente entusiasmado com as inovações kleinianas, rejeitou-as com a mesma radicalidade em 1933, a partir do momento em que, tendo-se tornado analista de Melitta Schmideberg*, assumiu a revolta desta contra a mãe. Então, chamou de especulação estéril as hipóteses kleinianas sobre a psicose* infantil e afirmou que elas não poderiam ser validadas enquanto não se demonstrasse que também se aplicavam aos adultos. Essa restrição tinha um objetivo preciso: para Glover, tratava-se, efetivamente, de manter o campo das psicoses sob o domínio dos analistas médicos e barrar o caminho à influência que Melanie Klein, que não tinha formação médica, começava a ter sobre a BPS através de seus alunos. Mas Glover não era apenas um estrategista. Também tinha paixão pela psicanálise e sofria sinceramente ao vê-la fossilizar-se na rigidez do dogma kleiniano. Foi por isso que elaborou um "Questionário sobre a técnica", para compreender o que acontecia na cabeça dos psicanalistas quando se acusavam reciprocamente de todas as torpezas, brandindo a torto e a direito os conceitos freudianos.

Em plena guerra mundial, pôs na ordem do dia a avaliação das teses kleinianas no interior da BPS. Foi o início das Controvérsias, das quais ele não se recuperou. A partir de 1935, só chamava Melanie Klein de "cismática" e "desviante", acusando-a de não ser mais freudiana e de denunciar a idolatria de seus discípulos em relação a ela. Através desse combate, tentava defender, não os annafreudianos, nem mesmo a própria Anna Freud*, que ele julgava incapaz de retomar a chama da "verdadeira" psicanálise, mas uma espécie de utopia. Na verdade, sonhava com o velho mundo vienense, então desaparecido, e combatia a burocracia ipeísta que acabara destruindo a autenticidade da análise didática*: "Os sistemas de formação, disse ele em 1956, se tornaram uma forma de poder político, mal disfarçada por racionalizações..."

Em fevereiro de 1944, demitiu-se da BPS, predizendo a esta um futuro lúgubre sob o reinado de um kleinismo e de um pós-kleinismo que qualificava de "junguismo", rótulo infamante, em sua opinião. Entretanto, continuou membro da IPA através de uma filiação à Sociedade Suíça de Psicanálise (SSP), o que lhe permitiu preservar suas funções de secretário da IPA.

Não contente em perseguir Melanie Klein com suas invectivas, não hesitou, em 1944, durante programas de rádio, em criticar a famosa seleção pelos testes de aptidão (elaborada principalmente por John Rickman*), que haviam revolucionado a psiquiatria inglesa durante a guerra. Julgava esses métodos inaplicáveis em tempos de paz, sublinhando que não se

baseavam em critérios suscetíveis de determinar as competências profissionais de um sujeito "normal", funcionário ou operário de fábrica: "Agora, os psiquiatras do exército estão com o rei na barriga", dizia ele "[...]. Uma medida de precaução consistiria em submetê-los a um curso de reabilitação (como eles dizem, quando o aplicam aos outros), para que reencontrem uma perspectiva correta quanto aos direitos dos civis. Sem salvaguardas adequadas, esse sistema poderia carregar consigo os germes do nazismo." Glover não se enganava. O teste de seleção, ingenuamente aplicado por John Rickmann em 1946, no âmbito da comissão de inquérito da IPA encarregada de avaliar a degradação da personalidade nos psicanalistas alemães colaboradores de Matthias Heinrich Göring*, permitiria efetivamente julgar o exnazista Werner Kemper* perfeitamente apto para o exercício da psicanálise didática.

Assim, tendo provocado escândalo na BPS, atacando de maneira iconoclástica tanto o imobilismo annafreudiano quanto o sectarismo kleiniano e seu mais belo florão (a sacrossanta psiquiatria militar e sua bateria empírica de testes e medidas), Glover se voltou para o que, na realidade, mais lhe interessava, a ele, o rebelde ortodoxo. Já co-presidente há vinte anos do Institute for the Scientific Treatment of Delinquency, consagrou-se então à reabilitação dos drogados e criminosos. Em 1963, tornou-se presidente do comitê científico do grande Instituto de Criminologia* de Londres.

Por ocasião da morte de Melanie Klein, prestou-lhe homenagem, como se o furor que demonstrara quando ela era viva tivesse sido apenas o sinal de uma ferida secreta.

Pois, sem dúvida alguma, a atitude cáustica desse homem era inseparável da tragédia que enlutara sua vida depois do nascimento, em 1926, de sua filha, portadora de trissomia. Não teve outros filhos e a levava consigo a todos os lugares, em viagem e aos congressos da IPA. Durante o período entre-guerras, ela assistiu portanto, a seu lado, às ferozes disputas que opuseram as diferentes correntes da escola inglesa sobre a maneira de tratar as crianças psicóticas e deficientes.

• Edward Glover, *La Technique de la psychanalyse* (Londres, 1928), Paris, PUF, 1958; *War, Sadism, and*

Pacifism, Londres, Allen & Unwin, 1933; *Freud et Jung* (Londres, 1950), Paris, PUF, 1983; *Psycho-Analysis and Child Psychiatry*, Londres, Imago, 1953; *On the Early Development of Mind*, Londres, Imago, 1956; *La Naissance du moi* (Londres, 1968), Toulouse, Privat, 1979 • Charles W. Wahl, "Edward Glover, b.1888, theory of technique", in Franz Alexander, Samuel Eisenstein e Martin Grotjahn (org.), *Psychoanalytic Pioneers*, N. York, Basic Books, 1966 • Alexander Bromley, "Edward Glover, 1888-1972, obituary", *Psychoanalytic Quarterly*, 1973, 173-7 • "Compte rendu du séjour du docteur John Rickman à Berlin pour interroger les psychanalystes, 14 et 15 octobre 1946", *Revue Internationale d'Histoire de la Psychanalyse*, 1, 1988, 157-63 • Phyllis Grosskurth, *O mundo e a obra de Melanie Klein* (1986), Rio de Janeiro, Imago, 1992 • Eric Rayner, *Le Groupe des "Indépendants" et la psychanalyse britannique* (Londres, 1990), Paris, PUF, 1994 • *Les Controverses Anna Freud/Melanie Klein* (Londres, 1991), Pearl King e Riccardo Steiner (org.), Paris, PUF, 1996.

➤ INTERPRETAÇÃO; TÉCNICA PSICANALÍTICA.

Göring-Institut (Instituto Göring)

➤ ALEMANHA; GÖRING, MATTHIAS HEINRICH; NAZISMO.

Göring, Matthias Heinrich (1879-1945)

psiquiatra alemão

Luterano e pietista convicto, primo do marechal Hermann Göring, Matthias (ou Mathias) Heinrich Göring nasceu em Wuppertal-Eberfeld. Depois de cursar direito, orientou-se para a neuropsiquiatria, foi assistente em Munique de Emil Kraepelin*, apaixonou-se pela hipnose* e depois adotou as teses da psicologia individual de Alfred Adler*. No dia 1º de maio de 1933, aderiu ao Partido Nacional-Socialista, tornando-se, até a morte, um militante modelo da doutrina nazista e o grande líder da psicoterapia alemã "arianizada", isto é, desembaraçada não só de seus clínicos judeus, mas do "espírito judaico" em geral.

Göring não foi temido por seus aliados nem por seus adversários, que lhe deram o apelido de Papy, ou Papai Noel, por causa de sua longa barba e de sua aparente generosidade. Camuflava muito bem sua dureza por trás de uma aparência de menino tímido sofrendo de gagueira. Fascinado pelos fenômenos ocultos, elogiava sempre os méritos da religião e do amor ao próximo, e nunca andava sem sua Bíblia.

Mas Göring era sobretudo um oportunista. Só abraçou a causa hitlerista porque a instauração do novo regime era para ele ocasião de uma promoção institucional à qual, em tempos normais, nunca teria acesso por sua medíocre competência. Como Felix Boehm* ou Harald Schultz-Hencke*, como Werner Kemper* ou Carl Müller-Braunschweig*, invejava os brilhantes colegas judeus, médicos, psiquiatras e psicoterapeutas, que desfrutavam de situação melhor que a sua antes de 1933. Assim, foi um verdadeiro anti-semita, tanto porque estava convencido da influência perniciosa que podia ter o pretenso "espírito judaico" sobre os diferentes ramos da psicoterapia (inclusive a psicanálise*), quanto porque se sentia intelectualmente inferior a esses judeus, freudianos na maioria, que detinham as rédeas das principais instituições alemãs, de Berlim a Frankfurt: Max Eitingon*, Ernst Simmel*, Otto Fenichel*, Erich Fromm*, Karl Landauer* etc. Ocultamente, contribuiu primeiro para o exílio forçado deles, e depois para o seu extermínio.

Como todos os anti-semitas, explicava a quem quisesse ouvi-lo que tinha, entre seus próximos, "amigos judeus" ou ainda que "protegia" da Gestapo as esposas judias de alguns de seus colaboradores. Chegou a revelar, em 1937, que antes do advento do nazismo tratara de onze pacientes judeus, que respeitava profundamente. Infelizmente, acrescentava, não pudera fazer nada por eles por causa da "diferença racial". A partir de 1933, endeusou o Führer a ponto de pedir a todos os psicoterapeutas pelos quais era responsável que fizessem de *Mein Kampf* a bíblia da nova ciência psicológica do Reich.

Esse era o homem com quem, através de Boehm, Ernest Jones* aceitou negociar em 1936, para instaurar, em nome da International Psychoanalytical Association* (IPA), a política dita de "salvamento" da psicanálise na Alemanha*, cuja história complexa só seria revelada publicamente a partir dos anos 1980, na Alemanha por Regine Lockot e por trabalhos diversos realizados no exterior e no interior da IPA, na França pelo psicanalista René Major, nos Estados Unidos* pelo historiador Geoffrey Cocks.

Em 1928, Göring começou a infiltrar-se na Allgemeine Ärztliche Gesellschaft für Psychotherapie (AÄGP), sociedade alemã composta de psiquiatras, psicoterapeutas e psicanalistas, que seria presidida por Ernst Kretschmer* até 1933, e depois por Carl Gustav Jung* durante um ano. Posteriormente, enquanto Jones aceitava em 1935 a exclusão de todos os membros judeus da Deutsche Psychoanalytische Gesellschaft (DPG), Göring procedeu à nazificação completa da AÄGP. Enfim, em maio de 1936, criou sua obra-prima institucional, o Deutsche Institut für Psychologische Forschung (Instituto Alemão de Pesquisa Psicológica e de Psicoterapia), que não tardou a tomar o nome de Göring-Institut. Um mês depois de se encontrar em Basiléia com Jones, Abraham Arden Brill*, Boehm e Carl Müller-Braunschweig, obteve o vínculo de seu instituto com a falecida DPG e a conversão do Berliner Psychoanalytisches Institut* (BPI) em um instituto "arianizado". Suprema humilhação: confiscou para si os locais do BPI e da Policlínica, cuja arquitetura fora concebida por Ernst Freud*. Reagrupou então sob seu comando diversos membros das escolas de psicoterapias que aceitaram a nazificação da sua doutrina e da sua prática. Entre eles, encontravam-se adlerianos, junguianos e terapeutas independentes (Joannes Schultz*, por exemplo, o fundador do *training* autógeno).

Oficializado em 1938, na presença de altos dignitários do regime, o Göring-Institut foi posto sob a proteção direta de Hitler e beneficiou-se, até 1945, de meios financeiros consideráveis, tendo como missão principal determinar as leis do desenvolvimento da personalidade humana e dos fenômenos coletivos, de acordo com a política de "hierarquia das raças" instaurada pelo nazismo*. Foi nesse contexto que Felix Boehm realizou seus "trabalhos" sobre a homossexualidade*, enviando para os campos de concentração os sujeitos julgados inaptos para a integração, e que Werner Kemper tratou pessoalmente da seleção dos neuróticos no exército. Quanto a Schultz-Hencke, contribuiu para o melhoramento da capacidade de resistência e comando dos quadros militares, enquanto Schultz experimentava terapias breves com oficiais da aeronáutica, traumatizados pelos bombardeios.

O Göring-Institut também pôde se glorificar por ter promovido, depois do ex-BPI, o tratamento psicanalítico ou psicoterapêutico gratuito ou reembolsável de muitos pacientes comuns, de todas as classes sociais e portadores de simples neuroses* ou de doenças mentais: psicoses*, epilepsia, retardo. À exceção dos judeus, é claro. Todas essas pessoas foram "tratadas" em vista de uma adaptação à política *völkisch* do Grande Reich, fundada na idéia de supremacia da alma germânica. Com o mesmo espírito, o instituto realizou a formação de muitos psicoterapeutas e psicanalistas, que se tornariam depois os clínicos reconhecidos na Alemanha do pós-guerra. Esse laço "familiar", semelhante ao dos primeiros discípulos foi até mesmo reconstituído: Erna, a mulher de Göring, analisou-se com Kemper, que afirmou depois tê-la espionado a fim de salvar John Rittmeister*, e seu filho Ernst foi formado na análise didática, contra a opinião do pai, por Müller-Braunschweig. Assim, a psicanálise foi "salva" por esse grupo de homens, que aceitaram, além disso, modificar sua terminologia, julgada excessivamente "judaica", e riscar o nome detestado de Freud de todas as publicações e reuniões oficiais. A palavra "psicanálise" foi substituída por "psicoterapia das profundezas", o Édipo* foi simplesmente varrido, a sexualidade* suprimida.

Em 1945, o instituto foi inteiramente destruído pelos bombardeios aliados. Assim desapareceram todos os vestígios do passado: o belo instituto de 1920 e a sinistra lembrança de sua "arianização". Sobre essas ruínas simbólicas, e sem nenhuma depuração, foi reconstruído por Kemper e Schultz-Hencke, na parte oeste de Berlim, o Instituto Central de Psicoterapia, financiado pelas caixas do seguro-saúde.

Feito prisioneiro pelas tropas russas, Göring morreu de tifo em algum lugar, no Leste, em um campo de internamento.

• *Les Années brunes. La Psychanalyse sous le IIIᵉ Reich*, textos traduzidos e apresentados por Jean-Luc Evard, Paris, Confrontation, 1984 • Chaim S. Katz (org.), *Psicanálise e nazismo*, Rio de Janeiro, Taurus, 1985 • Geoffrey Cocks, *La Psychothérapie sous le IIIᵉ Reich* (Oxford, 1985), Paris, Les Belles Lettres, 1987 • Regine Lockot, *Erinnern und Durcharbeiten*, Frankfurt, Fischer, 1985 • *Ici la vie continue de manière surprenante*, seleção de textos traduzidos por Alain de Mijolla,

Paris, Association Internationale d'Histoire de la Psychanalyse (AIHP), 1987 • Ludger M. Hermanns, "Condições e limites da produtividade científica dos psicanalistas na Alemanha de 1933 a 1945", *Revista Internacional da História da Psicanálise*, 1 (1988), Rio de Janeiro, Imago, 1990, 67-86 • Karen Brecht, "A psicanálise na Alemanha nazista: adaptação à instituição, relações entre psicanalistas judeus e não judeus", ibid., 87-98.

➤ AICHHORN, AUGUST; BJERRE, POUL; LAFORGUE, RENÉ; MAUCO, GEORGES; MITSCHERLICH, ALEXANDER; NAZISMO; SUÍÇA.

gozo

al. *Genuss*; esp. *goce*; fr. *jouissance*; ing. *enjoyment, jouissance*

Raramente utilizado por Sigmund Freud*, o termo gozo tornou-se um conceito na obra de Jacques Lacan*.

Inicialmente ligado ao prazer sexual, o conceito de gozo implica a idéia de uma transgressão da lei: desafio, submissão ou escárnio. O gozo, portanto, participa da perversão*, teorizada por Lacan como um dos componentes estruturais do funcionamento psíquico, distinto das perversões sexuais.

Posteriormente, o gozo foi repensado por Lacan no âmbito de uma teoria da identidade sexual, expressa em fórmulas da sexuação* que levaram a distinguir o gozo fálico do gozo feminino (ou gozo dito suplementar).

O termo gozo surgiu no século XV, para designar a ação de fazer uso de um bem com a finalidade de retirar dele as satisfações que ele supostamente proporcionava. Nesse contexto, o termo reveste-se de uma dimensão jurídica, ligada à noção de usufruto, que define o direito de gozar de um bem pertencente a terceiros. Em 1503, o termo foi enriquecido por uma dimensão hedonista, tornando-se sinônimo de prazer, alegria, bem-estar e volúpia.

A língua alemã faz uma distinção entre *Genuss*, termo que abrange as duas acepções francesas da palavra *jouissance*, e *Lust*, que exprime as idéias de prazer, desejo e vontade. Essa distinção era impossível de estabelecer na língua inglesa, onde existia apenas a palavra *enjoyment*, até o surgimento, em 1988, do termo *jouissance*, no *Shorter Oxford English Dictionary*.

Freud utiliza o termo gozo uma única vez, em seus *Três ensaios sobre a teoria da sexuali-*

dade*: a propósito dos "invertidos" (homossexuais) que, em virtude de sua aversão pelo objeto do sexo oposto, não conseguem extrair "nenhum gozo" da relação com ele. Vamos reencontrar o termo no capítulo VI de seu ensaio *Os chistes e sua relação com o inconsciente**. Ali, Freud examina a situação em que, repetindo-se o chiste, ele corre o risco de não mais provocar o riso, já que se suprime o recurso da surpresa. É lícito pensar que em tal caso, entretanto, diz ele, "recupera-se uma parte da possibilidade de gozo que falta em conseqüência da ausência da novidade, extraindo-o da impressão produzida pelo chiste no novo ouvinte". Nesse contexto, o gozo não é apenas sinônimo de prazer, mas é sustentado por uma identificação* e articulado com a idéia de repetição*, tal como esta seria empregada mais tarde em *Mais-além do princípio de prazer**, por ocasião da elaboração do conceito de pulsão* de morte.

Embora não se faça menção explícita à idéia de gozo nessa elaboração, podemos ligá-la ao processo do apoio*, que leva ao surgimento da pulsão sexual. Retomando, como fez Jean Laplanche, o exemplo da satisfação da necessidade nutricional através da sucção do seio materno, é possível reconhecer — precisamente no momento em que a criança, satisfeita a sua necessidade orgânica, já não se entrega tanto à sucção, mas ao chuchar — o nascimento dessa atividade repetitiva, da ordem do gozo, que assinala a entrada na fase de auto-erotismo*.

Essa mesma fase do desenvolvimento psíquico, repensada por Lacan no fim da década de 1950, conduz às premissas de seu conceito de gozo. Elaborando a distinção entre necessidade, demanda e desejo*, Lacan observa que é o outro*, a mãe ou seu substituto, que confere um sentido à necessidade orgânica, expressa sem nenhuma intencionalidade pelo lactente. Em decorrência disso, a criança vê-se inscrita, à sua revelia, numa relação de comunicação em que esse outro (o outro minúsculo), pela resposta que dá à necessidade, institui a existência pressuposta de uma demanda. Em outras palavras, a partir desse instante, a criança é remetida ao discurso desse outro, cuja posição exemplar contribui para a constituição do Outro (Outro maiúsculo). A satisfação obtida pela resposta à necessidade induz à repetição do processo, escorado no investimento pulsional: a necessidade transforma-se então em demanda propriamente dita, sem que, no entanto, o gozo inicial, o da passagem da sucção para o chuchar, possa ser resgatado. O Outro originário permanece inatingível, barrado pela demanda que se tornou ilusoriamente primária. Esse Outro, objeto dessa demanda impossível, torna-se, no seminário do ano de 1959-1960, *A ética da psicanálise*, a coisa (*das Ding*), objeto impossível, "fora do significado".

Lacan estabelece então uma distinção essencial entre o prazer e o gozo, residindo este na tentativa permanente de ultrapassar os limites do princípio de prazer*. Esse movimento, ligado à busca da coisa perdida que falta no lugar do Outro, é causa de sofrimento; mas tal sofrimento nunca erradica por completo a busca do gozo.

Alimentada por sua freqüentação e sua leitura de Georges Bataille (1897-1962), essa reflexão levou Lacan a efetuar, em 1962, uma aproximação que passou muito tempo sem ser compreendida, embora se encontre na base de sua teoria da perversão. Desenvolvendo, em seu artigo intitulado "Kant com Sade", a idéia de uma equivalência entre o *bem* kantiano e o *mal* sadiano, Lacan pretende mostrar que o gozo se sustenta pela obediência do sujeito a uma ordem — quaisquer que sejam sua forma e seu conteúdo — que o conduz, abandonando o que acontece com seu desejo, a se destruir na submissão ao Outro (maiúsculo).

A partir do seminário do ano de 1969-1970 (*O avesso da psicanálise*) até o do ano de 1972-1973 (*Mais, ainda*), passando por *De um discurso que não seria do semblante* (1970-1971) e por... *Ou pior* (1971-1972), Lacan elabora sua teoria do processo da sexuação, que ele exprime por meio de um conjunto de fórmulas lógicas.

Num primeiro momento, ele destaca o impasse da idéia de complementaridade resultante da tese freudiana da libido* única, tese falocêntrica que pode ser resumida em dois axiomas: "Todos os homens têm o falo" e "Nenhuma mulher tem o falo". Tal posição, explica Lacan, leva ao *um*, isto é, à negação da diferença, e com isso, à negação da função da castração*.

Retomando o mito freudiano do pai originário, o pai da horda primeva de *Totem e tabu**, Lacan salienta que, se o conjunto constituído pelo filho submetido à castração (proibição feita sobre a posse das mulheres do chefe da horda) tem sentido, é porque, logicamente, existe um "pelo menos um" que não sofre essa submissão. Lacan fabrica nessa ocasião uma palavra-valise, tal como as produzidas pelo fenômeno da condensação*, e chama o "pelo menos um" [*au moins un*] de "homenosum" [*hommoinzun, homme moins un*]. Esse "homenosum", que funda a possibilidade da existência da totalidade dos outros, esse pai originário, pai simbólico, segundo a conceituação lacaniana, não submetido à castração, é, pois, o esteio da fantasia* de um gozo absoluto, tão inatingível quanto o é esse pai originário. Portanto, não há gozo para o homem senão um gozo fálico, isto é, limitado, submetido à ameaça da castração, gozo fálico que constitui a identidade sexual do homem.

Não existe, para as mulheres, um equivalente do pai originário, não há "homenosum" que escape à castração: o gozo do Outro, gozo esperado, aguardado e fora do alcance desse pai originário, embora igualmente impossível para a mulher, não é, todavia, atingido pela proibição da castração. O gozo feminino, portanto, é diferente e, acima de tudo, sem limite. É, pois, um "gozo suplementar" (um suplemento), enunciado como tal no brilhante seminário *Mais, ainda*, cujos contornos realmente parecem ter sido esboçados alguns anos antes por Wladimir Granoff e François Perrier*, em 1960, num relatório apresentado ao congresso de Amsterdã sobre a sexualidade feminina*. É a existência desse gozo suplementar, incognoscível para e pelo homem, mas indizível pelas mulheres, que serve de base para o aforismo lacaniano, tantas vezes criticado, de que "não existe relação sexual", desenvolvido no âmbito do seminário ...*Ou pior*.

Ao teorizar dessa maneira um gozo feminino desvinculado de qualquer referência biológica ou anatômica, Lacan não se contenta em responder às interpelações de que foi objeto por parte dos movimentos feministas da época. Volta-se para o lado das místicas, tomando o exemplo da *Santa Teresa* de Bernini, em Roma, sobre quem constata: "não há dúvida" (de que ela goza). "E com que goza ela? É claro que o testemunho essencial das místicas está justamente em dizer que elas experimentam o gozo, mas nada sabem dele."

Em referência à teoria lacaniana, o conceito de gozo é hoje utilizado numa perspectiva diferencialista, principalmente por autores — em geral mulheres e psicanalistas — que procuram elaborar os quadros teóricos de uma identidade feminina. Esse processo, que teve um importante sucesso na França* no começo dos anos 70 (com os trabalhos de Luce Irigaray, Julia Kristeva e Michèle Montrelay), assumiu a forma, mais particularmente nos Estados Unidos*, de uma corrente radical, inspirada no culturalismo* e engajada em pesquisas centradas na noção de gênero*.

• Sigmund Freud, *Três ensaios sobre a teoria da sexualidade* (1905), *ESB*, VII, 129-237; *GW*, V, 29-145; *SE*, VII, 123-243; Paris, Gallimard, 1987; *Os chistes e sua relação com o inconsciente* (1905), *ESB*, VIII, 1-266; *GW*, VI, 1-285; *SE*, VIII; Paris, Gallimard, 1988; *Totem e tabu* (1913), *ESB*, XIII, 17-192; *GW*, IX; *SE*, XIII, 1-161; Paris, Gallimard, 1993; *Mais-além do princípio de prazer* (1920), *ESB*, XVIII, 17-90; *GW*, XIII, 3-69; *SE*, XVIII, 1-64; *OC*, XV, 273-338 • Jacques Lacan, "Diretrizes para um Congresso sobre a sexualidade feminina" (1958), in *Escritos* (Paris, 1966), Rio de Janeiro, Jorge Zahar, 1998, 734-48; "Subversão do sujeito e dialética do desejo no inconsciente freudiano" (1960), ibid., 807-42; "Kant com Sade" (1962), ibid. 776-806; O Seminário, livro 7, *A ética da psicanálise (1959-1960)* (Paris, 1986), Rio de Janeiro, Jorge Zahar, 1988; O Seminário, livro 17, *O avesso da psicanálise (1969-1970)* (Paris, 1991), Rio de Janeiro, Jorge Zahar, 1992; Le Séminaire, livre XVIII, *D'un discours qui ne serait pas du semblant (1970-1971)*, inédito; Le Séminaire, livre XIX, *... Ou pire (1971-1972)*, inédito; O Seminário, livro 20, *Mais, ainda (1972-1973)*, Rio de Janeiro, Jorge Zahar, 1989; 2ª ed., "L'Étourdit", *Scilicet*, 4, 1973, 5-53 • Georges Bataille, *Madame Edwarda* (1937, 1941), in *Oeuvres complètes*, III, Paris, Gallimard, 1971, 9-31 • Michel de Certeau, *La Fable mystique*, Paris, Gallimard, 1982 • Françoise Dolto, *Sexualidade feminina* (1982), S. Paulo, Martins Fontes, 1996, 3ª ed. • Joël Dor, *Introdução à leitura de Lacan*, t.II (Paris, 1992), P. Alegre, Artes Médicas, 1996 • Dylan Evans, *An Introductory Dictionary of Lacanian Psychoanalysis*, Londres, N. York, Routledge, 1996 • Wladimir Granoff e François Perrier, *Le Désir et le féminin* (1964), Paris, Aubier, 1991 • Patrick Guyomard, *O gozo do trágico. Antígona, Lacan e o desejo do analista* (Paris, 1992), Rio de Janeiro, Jorge Zahar, 1996 • Luce Irigaray, *Spéculum de l'autre femme*, Paris, Minuit, 1974 • Julia Kristeva, *La Révolution du langage poétique*, Paris, Seuil, 1974 • Jean Laplanche, *Vida e morte em psicanálise* (Paris, 1970), P. Alegre, Artes Médicas, 1985 • Gérard Miller, *Les Pousse-au-jouir du maréchal Pétain*, Paris, Seuil, 1975 • Jean-Claude Milner, *O amor da língua* (Paris, 1978), P. Alegre, Artes Médicas, 1987 • Michèle Montrelay, *L'Ombre et le nom*, Paris, Minuit, 1977 • Élisabeth Roudinesco, *Jacques Lacan. Esboço de uma vida, história de um sistema de pensamento* (Paris, 1993), Rio de Janeiro, Companhia das Letras, 1994 • Philippe Sollers, *Femmes*, Paris, Gallimard, 1982 • Mayette Viltard, "Gozo", in Pierre Kaufmann (org.), *Dicionário enciclopédico de psicanálise: o legado de Freud e Lacan* (Paris, 1993), Rio de Janeiro, Jorge Zahar, 1996, 221-4 • Elizabeth Wright (org.), *Feminism and Psychoanalysis. A Critical Dictionary*, Oxford, Blackwell, 1992.

➤ BISSEXUALIDADE; CULTURALISMO; DIFERENÇA SEXUAL; ESTADOS UNIDOS; FRANÇA; HOMOSSEXUALIDADE; LANZER, ERNST; SEXUAÇÃO, FÓRMULAS DA; SEXUALIDADE FEMININA.

Grã-Bretanha

Foi a importância atribuída no século XVIII à liberdade individual que levou William Tuke (1732-1822) a inventar o "tratamento moral". Inspirado no ideal filantrópico do francês Philippe Pinel (1745-1826), reformador do asilo de Bicêtre, e do americano Benjamin Rush (1746-1813), Tuke fundou em York, em 1796, um estabelecimento para acolher os insanos, ao qual deu o nome de York Retreat. A experiência se tornou célebre no mundo inteiro. Seu princípio terapêutico se inspirava no ideal dos quakers, segundo o qual cada ser humano possui no fundo de si uma centelha divina, que se deve encontrar e cultivar. Essa tese se aproximava da de Pinel, que definia o tratamento moral como a procura de um resíduo de razão no cerne da loucura*.

Baseado no respeito à dignidade humana e no autocontrole, o tratamento moral praticado por Tuke consistia em socializar o doente mental, integrando-o, à força, a uma estrutura hierárquica de tipo familiar. Daí a instauração de um modelo comunitário ou de "ambiente" que se encontraria depois em todas as experiências terapêuticas inglesas, tanto entre os clínicos da antipsiquiatria* (de David Cooper* a Ronald Laing*) quanto entre os grandes representantes da escola inglesa de psicanálise* (de John Rickman* a Wilfred Ruprecht Bion*, passando por Michael Balint* e John Bowlby*).

Adepto do espiritismo* e representante da psiquiatria dinâmica*, Frederick Myers* foi o primeiro a mencionar o nome de Sigmund Freud* na Inglaterra, apresentando em 1893 à Society for Psychical Research uma conferência dedicada à "comunicação preliminar" aos *Estudos sobre a histeria**. Por sua vez, Havelock Ellis* também difundiu as teses freudianas, apresentando-as em revistas americanas de neurologia lidas pelos médicos ingleses.

Mas foi Ernest Jones* o verdadeiro introdutor da psicanálise na Grã-Bretanha. Aluno de John Hughlings Jackson*, descobriu os primeiros escritos de Freud graças a seu cunhado Wilfred Ballen Lewis Trotter (1872-1939), cirurgião honorário do rei Jorge V, erudito famoso e apaixonado por filosofia. Este o estimulou a aprender alemão e a estudar *A interpretação dos sonhos** e o caso de Ida Bauer* (Dora).

Em setembro de 1907, Jones foi a Amsterdam, nos Países Baixos*, para assistir ao primeiro grande congresso de psiquiatria, neurologia e assistência aos alienados. Ali, encontrou todos os grandes nomes da psiquiatria européia: Otto Gross*, Theodor Ziehen (1862-1950), Hermann Oppenheim (1858-1919), Ludwig Binswanger*, Pierre Janet* e principalmente Carl Gustav Jung*. Em uma carta a Freud de 11 de setembro de 1907, este o descreveu nestes termos: "Para minha grande surpresa, encontrava-se entre os ingleses um jovem de Londres, o dr. Jones (um celta do País de Gales), que conhece muito bem seus textos e trabalha psicanaliticamente. Provavelmente, ele lhe fará uma visita depois."

Convidado por Jung a trabalhar na clínica do Hospital Burghölzli, então dirigida por Eugen Bleuler*, Jones encontrou-se com Freud pela primeira vez em abril de 1908 em Salzburgo, por ocasião de um congresso que reuniu todas as sociedades psicanalíticas já constituídas na Europa. No mês seguinte, foi a Viena e em setembro, depois de ter problemas com pacientes, instalou-se no Canadá*. Era o início de uma longa amizade e de uma bela correspondência entre o mestre e seu primeiro discípulo inglês: 671 cartas.

Trabalhador infatigável, hábil político, Jones desenvolveu então uma fantástica atividade para instalar a causa freudiana em todos os países anglófonos: Canadá*, Estados Unidos*, Índia* e Grã-Bretanha. Apaixonado pela psicologia dos povos e por folclore, logo participou dos debates da antropologia* inglesa a propósito de *Totem e tabu**. Depois de criar a American Psychoanalytic Association* (APsaA), permaneceu ainda um ano em Toronto em condições difíceis, voltou a Londres e foi em seguida para Budapeste em junho de 1913. Ali, fez uma análise de dois meses com Sandor Ferenczi*. Em agosto, estabeleceu-se definitivamente em Londres.

Participou então com Jung do congresso internacional de medicina em Londres, que reuniu os principais representantes da psiquiatria dinâmica européia e americana, entre os quais Adolf Meyer*, Isador Coriat*, David Eder*, David Forsyth* etc. O tema era considerável: a 12ª seção do congresso decidiu pôr na ordem do dia um debate muito esperado sobre a psicanálise, e sabia-se que Pierre Janet, muito em voga na época, iria apresentar um relatório hostil ao que se chamava então o pansexualismo* freudiano: "Existe em Viena, diria ele, uma atmosfera sexual especial, uma espécie de gênio, de espírito local, que reina epidemicamente sobre a população e nesses meios. Um observador é fatalmente levado a dar uma importância excepcional às questões relativas à sexualidade."

Muito mal recebida pela opinião científica inglesa, a tese de Janet sobre a origem da doutrina sexual de Freud não encontrou eco na comunidade científica anglo-americana: a hostilidade dos protestantes e puritanos ao pansexualismo era de outra natureza. Assim, a conferência de Janet contribuiu para reforçar o impacto das teses freudianas no mundo anglo-americano. Com isso, Jones pôde permitir-se estigmatizar a inveja do psicólogo francês, denunciando o absurdo de seu raciocínio. Três semanas depois, em Munique, no congresso da International Psychoanalytical Association* (IPA), consumava-se o divórcio entre Zurique e Viena, entre Jung e Freud.

A partir de então, depois dessa terceira dissidência na história da psicanálise, e às vésperas da Primeira Guerra Mundial, a Grã-Bretanha começou a desempenhar um papel central na Europa para a difusão do freudismo. Em outubro de 1913, Jones fundou a London Psychoanalytic Society (LPS), composta de 14 membros, entre os quais um canadense, Frederic Davidson (1870-1946) e três psiquiatras coloniais: o capitão Owen Berkeley-Hill (1879-1944) e o coronel W.D. Sutherland (?-1920), ambos residentes na Índia, e Watson Smith, a serviço em Beirute, aos quais se acrescentaram um irlandês de Belfast (dr. Graham) e nove ingleses: David Eder*, Douglas Bryan, David Forsyth*, Bernard Hart (1879-1966), Constance Long, Leslie Mackenzie (Edimburgo), Maurice Nicoll, Maurice Wright, dr. Devine. Convidado a juntar-se ao grupo, Havelock Ellis recusou-se, preferindo conservar uma certa distância em relação às instituições.

Se Jones continuou sendo o principal organizador do movimento psicanalítico nos meios médicos, foi através do grupo de Bloomsbury que se formaram, a partir de 1905, dois dos maiores representantes do freudismo inglês: Alix Strachey* e James Strachey*. Reunidos em torno de Lytton Strachey (1870-1932), de Leonard e Virginia Woolf (1882-1941), de Dora Carrington (1893-1932), de Roger Fry (1856-1934) e de John Maynard Keynes (1883-1946), os escritores do grupo adotaram as teorias freudianas um pouco à maneira dos surrealistas franceses. Hostis à "ditadura" puritana, combatiam o espírito vitoriano, pregando o "amor livre" e exibindo sua bissexualidade* ou sua homossexualidade*. Diante de Jones e dos médicos, representavam o não-conformismo. O irmão de Virginia Woolf, Adrien Stephen (1883-1948) e sua esposa, Karin Stephen (1889-1953) se tornaram psicanalistas. Quanto a Leonard Woolf, fundou em 1917 a prestigiosa Hogarth Press, que publicaria não só as obras completas de Freud na tradução* de Strachey, mas também muitas obras dos membros da escola psicanalítica inglesa. Durante a guerra, Jones continuou sua obra de propaganda, mas não pôde evitar os conflitos internos na sociedade londrina, principalmente com os partidários de Jung (Long e Nicoll) e principalmente com Eder, cujo renome invejava e que também se voltou para o junguismo. Para sair do impasse, decidiu dissolver o grupo e formar outro: a alguns membros antigos juntaram-se outros terapeutas já formados na psicanálise.

A 20 de fevereiro de 1919, fundou a British Psychoanalytical Society (BPS), que logo teria muitos associados, entre os quais as principais figuras da primeira geração* psicanalítica inglesa (segunda na ordem mundial): Edward Glover*, James Glover (1882-1926), Barbara Low (1877-1955), John Rickman, W.H.B. Stoddart, John Carl Flugel (1884-1955), Eric Hiller, Sylvia Payne (1880-1976), Joan Riviere*, Ella Sharpe*, Susan Isaacs* e os dois Strachey. Um ano depois, criou o *International Journal of Psycho-Analysis (IJP)**, primeira revista de psicanálise em língua inglesa, que se tornaria uma espécie de órgão oficial da IPA.

Em 1924, John Rickman instalou um instituto de psicanálise a partir do modelo do Berliner Psychoanalytisches Institut* (BPI), e dois anos depois a BPS conseguiu, graças a um mecenas americano, criar uma clínica psicanalítica (London Clinic of Psycho-Analysis), para oferecer tratamentos gratuitos. Durante cinqüenta anos, cerca de 3.000 pessoas seriam tratadas nessa clínica: "Existia um acordo mútuo, escreveu Pearl King, segundo o qual os clínicos deviam dedicar uma sessão gratuita por dia à clínica ou realizar um trabalho equivalente." A partir de 1930, a segunda geração psicanalítica inglesa (terceira na ordem mundial) aderiu à BPS: Marjorie Brierley (1893-1984), John Bowlby, William Gillespie, Donald Woods Winnicott*, Wilfred Ruprecht Bion.

Por volta de 1926, Jones e Glover se enfrentaram na questão da análise leiga*, quando a Associação dos Médicos Britânicos decidiu fazer um inquérito sobre a validade da prática da psicanálise por não-médicos. Três anos depois, uma solução positiva surgiu. O comitê da associação adotou a idéia de que a psicanálise podia ser reconhecida como uma disciplina independente, capaz de resolver por si mesma, e em suas próprias instituições, os seus conflitos e problemas de formação.

Depois da Primeira Guerra Mundial, o surgimento das neuroses de guerra* reativou o debate sobre as origens traumáticas dos distúrbios psíquicos e levou a inovações no campo das psicoterapias*. Foi nesse contexto que Hugh Crichton-Miller fundou em 1920 a famosa Tavistock Clinic, destinada a tratar o que se chamavam *shell-shocks*, isto é, os traumas nervosos provocados por obuses: tremores incontroláveis, paralisias, alucinações etc. A partir de 1930, sob a direção de John Rees, as atividades da Tavistock se estenderam ao tratamento dos delinqüentes, seja por terapias individuais, seja pela criação de comunidades terapêuticas, grupos etc. Progressivamente, a Tavistock se tornou um dos pilares do desenvolvimento das teses psicanalíticas: freudianas primeiramente, e depois kleinianas, sob a influência, principalmente, de Rickman e de Bion. Depois da Segunda Guerra Mundial, a partir de 1946, John Bowlby daria à Tavistock Clinic uma nova orientação, de acordo com o espírito do grupo dos Independentes*. Introduziu notadamente a terapia familiar*, e Balint desenvolveu ali sua técnica dos grupos.

Muito diferente do freudismo berlinense, por um lado, e da tradição vienense, por outro, a escola inglesa de psicanálise adquiriu assim, desde 1920, uma grande autonomia no interior da IPA. Se era dotada de notáveis clínicos e realizava uma política de formação e uma técnica do tratamento de tipo pragmático, não tinha, entretanto, um sólido arcabouço teórico. Jones sabia disso e desde 1924 compreendeu que as inovações kleinianas eram capazes de oferecer aos práticos ingleses o sistema conceitual que tanto lhes faltava.

Não se enganava. Em 1926, a instalação de Klein em Londres revolucionou totalmente a situação da psicanálise na Grã-Bretanha. Não só Melanie Klein deu um impulso considerável ao grupo já constituído, como também formou em torno de si uma nova corrente. Desde então, a BPS tornou-se majoritariamente kleiniana. Em 1929, as divergências se tornaram tais entre Viena e Londres (especialmente sobre a psicanálise de crianças*, a sexualidade feminina*, as relações arcaicas com a mãe, o complexo de Édipo*, a fantasia*, o narcisismo* e a realidade psíquica*) que Jones ficou preocupado. Assim, decidiu, junto com Paul Federn*, organizar intercâmbios com a Wiener Psychoanalytische Vereinigung (WPV), para que as divergências pudessem ser mutuamente compreendidas. Duas conferências tentaram explicar, em 1935 e 1936, as posições de cada grupo: uma, de Robert Wälder (futuro Waelder, 1900-1967), tratou da psicologia do eu*, a outra, de Joan

Riviere, foi dedicada à gênese do conflito psíquico na primeira infância. Esses "intercâmbios de conferências", como foram chamados, não evitaram nem as oposições nem a continuação das querelas entre os partidários de Anna Freud* e os de Melanie Klein.

O advento do nazismo* transformou mais ainda a situação da BPS. Entre 1933 e 1940, todas as grandes sociedades psicanalíticas européias desapareceram. Nos países em que o fascismo não as destruiu, elas foram marginalizadas, reduzidas ao mínimo ou obrigadas a suspender provisoriamente suas atividades. Por conseguinte, a BPS era a única fortaleza psicanalítica ainda viva no Velho Continente — a única, de qualquer forma, capaz de garantir a continuidade do freudismo diante da poderosa escola americana.

Uma primeira brecha foi aberta na BPS com a chegada, em 1932, de Melitta Schmideberg*. Apoiada por Glover, ela começou a atacar as teses da sua mãe.

No ano seguinte, outra clivagem se produziu com a chegada dos novos exilados à BPS. Paula Heimann* foi a primeira a entrar, seguida de Barbara Lantos (1888-1962) e de Kate Friedländer*. Em Londres, essas mulheres vindas de Berlim descobriram um outro discurso psicanalítico, uma outra conceitualidade, um vocabulário diferente da língua freudiana na qual elas tinham sido formadas.

A chegada dos vienenses — Willi Hoffer (1897-1967) e Hedwig Hoffer (1888-1961) — e posteriormente da família Freud agravou consideravelmente a situação: "Velho e frágil, ele [Freud] ficou tão feliz com sua casa de Hampstead, escreveu Melitta Schmideberg, e com a acolhida que a Inglaterra lhe ofereceu que, quando meu marido foi visitá-lo, ele o saudou com um *Heil Hitler* [...]. Cada movimento do maxilar o fazia sofrer. Mas fez uma observação que nunca esquecerei. Era na época de Munique e eu lhe disse: 'Não é estranho que possamos passar anos tentando ajudar um paciente, enquanto milhares de seres humanos podem ser mortos por uma bomba em um segundo?' A resposta de Freud me deixou perplexa: 'Não se poderia dizer qual desses destinos o homem merece mais'. [...] O próprio Freud não se interessava mais pela BPS. Morreu em 23 de setembro de 1939. Anna estava decidida a estabelecer-se e devolver a BPS ao freudismo. Os poucos analistas alemães refugiados [...] se juntaram ao grupo vienense."

Decidida a não deixar a BPS nas mãos dos kleinianos, mas sensível à acolhida que os psicanalistas ingleses deram à sua família, Anna Freud procurou a qualquer preço evitar a cisão. Todavia, seu desejo de pacificação não se harmonizava com os sentimentos dos vienenses, confrontados com as inovações kleinianas. Na verdade, todos tinham a impressão de que o grupo kleiniano, difundindo suas teorias sobre a destruição, o ódio, a inveja*, a fragmentação, a agressão etc., contribuía para arruinar totalmente o freudismo que eles amavam. Ora, este acabava justamente de ser destruído, sob os seus olhos, pela peste marrom.

Do lado dos kleinianos, o olhar era igualmente severo: representava-se o grupo vienense como uma tribo estática, apegada ao passado e identificada com o cadáver do pai morto. Mas, naturalmente, ninguém pensava em excluir das fileiras da BPS esses imigrantes que acabavam de ser acolhidos tão generosamente e que encarnavam a legitimidade freudiana.

Diante dessas duas tendências, emergiu então uma terceira via, o *middle group*, cuja orientação Strachey expressou muito bem em uma carta a Glover, de julho de 1940: "Essas atitudes das duas partes são, é claro, puramente religiosas, e por isso mesmo antitéticas em si mesmas e em relação à ciência. Penso que elas também são, de ambos os lados, inspiradas por um desejo de dominar a situação e especialmente o futuro — razão pela qual cada uma dá tanta importância à formação dos candidatos; na realidade, evidentemente, é uma ilusão megalomaníaca pensar que é possível controlar as opiniões daqueles que analisamos, além de um limite muito restrito [...]. De qualquer forma, creio que toda sugestão de uma clivagem na sociedade deve ser condenada, e é preciso opor-se a isso radicalmente."

Com efeito, cada uma das três correntes reivindicava uma leitura da obra freudiana e cada uma um modo diferente de formar psicanalistas. Todos se pretendiam freudianos e ninguém tinha a intenção de deixar a IPA.

A explosão da Segunda Guerra Mundial obrigou a comunidade psicanalítica inglesa a engajar-se contra a Alemanha nazista. Assim, antes mesmo que a BPS tivesse tempo de assimilar os recém-chegados, já devia enfrentar a dispersão de seus membros. Os ataques aéreos afastaram de Londres vários clínicos, e os outros se empenharam na luta. Anna Freud e Dorothy Burlingham* abriram as Hampstead War Nurseries, enquanto Glover instalava, na London Clinic, um centro de auxílio psicológico para os tratamentos de urgência. Outros praticantes uniram-se ao Emergency Medical Service, para tratar das vítimas dos bombardeios. Por sua vez, Rees, Rickman, Bion, Ronald Hargreaves, Jock Sutherland e muitos outros mais foram nomeados para postos de conselheiros do comando do exército, a fim de reorganizar a psiquiatria de guerra sob a direção do War Office Selection Board (WOSB). Foi ali que se elaborou a teoria dos pequenos grupos, tão admirada por Jacques Lacan* e retomada depois por Bion.

No centro dos combates, os membros da comunidade psicanalítica inglesa, de todas as tendências, compreenderam que seu país estava mudando e que a guerra faria surgir um mundo diferente. Impunha-se a necessidade de fazer explodirem os conflitos teóricos e clínicos entre os diversos grupos: se o mundo estava mudando, a BPS também devia preparar o seu futuro.

Foi nesse contexto que ocorreu, em outubro de 1942, o início das Grandes Controvérsias* (*Controversial Discussions*), que resultariam no reconhecimento legal de três tendências: os annafreudianos, os kleinianos, os Independentes.

Essa recusa da cisão*, essa manutenção das aparências, era certamente imputável a uma concepção da política que tinha sua fonte na tradição inglesa tão admirada por Freud. Com efeito, esse país soube se reformar e conservar o seu ritual monárquico, sem recorrer, como a França, à revolução. Mas, assim como a ausência de revolução não poupou à Inglaterra violentas desordens sociais, a ausência de cisão não impediu a BPS de mergulhar permanentemente em intermináveis conflitos, que se traduziram por uma esclerose institucional, por demissões individuais (as de Charles Rycroft, de Ronald Laing ou de Donald Meltzer, por exemplo), pelo desinteresse ou pelo absenteísmo (Bion, Bowlby etc.) e enfim por exclusões (Masud Khan*).

Em uma carta de 3 de junho de 1954, dirigida simultaneamente a Anna Freud e a Melanie Klein, Winnicott denunciou ferozmente a esclerose da BPS: "Considero de absoluta importância vital para a Sociedade que ambas destruam seus grupos no que eles têm de oficial [...]. Não tenho razões para pensar que viverei mais tempo que as senhoras, mas ter que lidar com agrupamentos rígidos que, com a sua morte, se tornariam automaticamente uma instituição de Estado, é uma perspectiva que me apavora."

Havia portanto um grande paradoxo na situação inglesa da psicanálise. Ela não devia sua notoriedade internacional a uma instituição mais poderosa ou mais bem organizada que as outras, mas aos talentos individuais de seus membros, que acabaram por desertar da BPS para tratar de outras coisas além da formação e da transmissão da doutrina. Depois da Segunda Guerra, Jones compilou arquivos e tornou-se o historiador do movimento e o biógrafo de Freud; Strachey encarregou-se da *Standard Edition*; Bowlby, Winnicott e Bion continuaram com seus trabalhos clínicos, distantes das questões institucionais.

Melanie Klein, por sua vez, veria sua doutrina implantar-se em quase todos os países do mundo, na Argentina* e no Brasil* principalmente. Vários de seus alunos desenvolveriam suas teses: Susan Isaacs*, Herbert Rosenfeld*, Hanna Segal, Esther Bick (1901-1983).

A partir dos anos 1970, como nos outros países, a psicanálise britânica enfrentou o florescimento das diversas psicoterapias, das quais algumas se diziam adeptas do freudismo (como a Philadelphia Association ou a Guild of Psychotherapists). Diante dessa eclosão, a escola psicanalítica inglesa decidiu abrir-se a algumas delas, correndo o risco de transformar-se radicalmente. Certos grupos lacanianos conseguiram implantar-se no terreno dos estudos de psicologia: o Center for Freudian Analysis and Researchs (CFAR) e o London Circle.

No fim do século XX, a BPS conta em suas fileiras com 405 membros, mais 57 alunos, para uma população de 58 milhões de habitantes: ou seja, oito psicanalistas (IPA) para um milhão de habitantes, uma das densidades mais fracas do mundo para a única escola capaz de conquistar o conjunto do planeta. Os autores ingleses foram traduzidos para todas as línguas e suas obras são ensinadas em todas as universidades. A clínica inglesa, além disso, tornou-se um modelo de referência maior para a maioria dos institutos de psicanálise. Os currículos conservaram uma grande rigidez: obrigação de quatro ou cinco sessões por semana e vigilância estrita de todos os candidatos julgados "marginais" (homossexuais, por exemplo).

• Pierre Janet, "La Psycho-analyse", relatório para o XVII Congresso Internacional de Medicina em Londres, *Journal de Psychologie*, XI, março-abril de 1914, 97-130 • H.V. Dicks, *Fifty Years of the Tavistock Clinic*, Londres, Routledge & Paul Kegan, 1970 • Robert Waelder, "La Psychologie analytique du moi" (1935), in *Les Fondements de la psychanalyse*, Paris, Payot, 1962, 167-96 • Joan Riviere, "Sur la genèse du conflit psychique dans la toute petite enfance" (1936), in Melanie Klein (org.), *Os progressos da psicanálise* (Londres, 1952), Rio de Janeiro, Zahar, 1978 • Melitta Schmideberg, "Contribution à l'histoire du mouvement psychanalytique en Angleterre" (1971), *Cahiers Confrontation*, 3, primavera de 1980, 11-22 • Claude Girard, *Ernest Jones*, Paris, Payot, 1972; "La Psychanalyse en Grande-Bretagne", in Roland Jaccard (org.), *Histoire de la psychanalyse*, vol.2, Paris, Hachette, 1982, 313-61 • Élisabeth Roudinesco, *História da psicanálise na França*, vol.2 (Paris, 1982), Rio de Janeiro, Jorge Zahar, 1988 • Jacques Postel e Claude Quétel, *Nouvelle histoire de la psychiatrie*, Toulouse, Privat, 1983 • Phyllis Grosskurth, *O mundo e a obra de Melanie Klein* (1986), Rio de Janeiro, Imago, 1992 • Donald Woods Winnicott, *Lettres vives* (Londres, 1987), Paris, Gallimard, 1989 • Pearl King, "Sobre as atividades e a influência dos psicanalistas britânicos durante a Segunda Guerra Mundial", *Revista Internacional da História da Psicanálise*, 1 (1988), Rio de Janeiro, Imago, 1990, 119-46 • Riccardo Steiner, "É uma nova forma de diáspora...' A política de emigração dos psicanalistas segundo a correspondência de Ernst Jones com Anna Freud", ibid. 231-82 • Eric Rayner, *Le Groupe des "Indépendants" et la psychanalyse britannique* (Londres, 1990), Paris, PUF, 1994 • Pearl King e Riccardo Steiner (org.), *Les Controverses Anna Freud/Melanie Klein, 1941-1945* (Londres, 1991), Paris, PUF, 1996 • *The Complete Correspondance of Sigmund Freud and Ernest Jones, 1908-1939*, Andrew R. Paskauskas (org.), introdução de Riccardo Steiner, Cambridge, Londres, Harvard University Press, 1993 • R.D. Hinshelwood, "Le Mythe du compromis britannique", in *Topique*, 57, 1995, 229-45 • Julia Borossa, *Narratives of the Clinical Encounter and the Transmission of Psychoanalytic Knowledge* (tese), Cambridge, Newnham College, 1995.

➢ ANÁLISE DIRETA; ANNAFREUDISMO; *EGO PSYCHOLOGY;* FAIRBAIRN, RONALD; HISTORIOGRAFIA;

IDENTIFICAÇÃO PROJETIVA; LACANISMO; MATTE-BLANCO, IGNACIO; OBJETO (BOM E MAU); OBJETO, RELAÇÃO DE; OBJETO TRANSICIONAL; PHANTASIA; POSIÇÃO DEPRESSIVA/ESQUIZO-PARANÓIDE; *SELF PSYCHOLOGY*; TRADUÇÃO (DAS OBRAS DE SIGMUND FREUD); TRANSFERÊNCIA.

Graf, Herbert (1903-1973), caso Pequeno Hans

Até 1972, data da publicação das "Memórias de um homem invisível", transcrição das quatro entrevistas concedidas por Herbert Graf ao jornalista Francis Rizzo, não se conhecia a identidade do "menino de cinco anos" que se celebrizou sob o nome de "Pequeno Hans", graças ao relato feito por Sigmund Freud* sobre sua análise, realizada sob a condução de Max Graf*, pai do paciente.

Considerado um dos grandes casos da história da psicanálise*, o tratamento do Pequeno Hans ocupou rapidamente um lugar especial nos anais do freudismo*, a começar pelo fato de que o paciente (pela primeira vez) era uma criança e, além disso, porque Freud, em vez de ficar na posição de analista, interviera como supervisor.

A análise propriamente dita do Pequeno Hans desenrolou-se durante o primeiro semestre do ano de 1908. Foi contemporânea da de Ernst Lanzer*, o Homem dos Ratos. Freud, com a autorização do pai do menino, publicou o relato em 1909, mas já se referira ao Pequeno Hans em dois artigos sobre a sexualidade infantil, publicados em 1907 e 1908. Na verdade, desde 1906, quando o menino ainda não tinha três anos, seu pai, conquistado pela psicanálise ao escutar sua mulher lhe falar de seu tratamento com Freud, tomava notas sobre tudo o que dizia respeito à sexualidade* do filho, a fim de transmiti-las ao mestre, para quem se tornara uma pessoa da família. Max Graf não era o único a se entregar a esse tipo de observação: Freud, como lembrou no início de seu relato, incitara seus colegas das reuniões da Sociedade Psicológica das Quartas-Feiras* a se dedicarem a esse tipo de exercício, de modo a lhe levarem provas da solidez de fundamento de suas teses sobre a sexualidade infantil, expostas algum tempo antes nos *Três ensaios sobre a teoria da sexualidade*.

Desde as primeiras anotações do pai, o Pequeno Hans parecia muito preocupado com a parte do corpo a que chamava seu "faz-pipi". Sucessivamente, perguntou à mãe se ela também tinha um, atribuiu um à vaca leiteira, à locomotiva que soltava água, ao cachorro e ao cavalo, mas não o atribuiu à mesa nem à cadeira. Esse interesse, como assinalou Freud com humor, não se limitava à teoria: levou Hans a ser surpreendido pela mãe quando se entregava a bulir no pênis. A ameaça brandida por esta, de mandar que lhe cortassem o "faz-pipi" se ele continuasse a se dedicar àquele tipo de atividade, não chegou a induzir nenhum sentimento de culpa, mas, como assinalou ainda Freud, fez com que ele adquirisse o complexo de castração*. Prosseguindo em suas explorações, o menino procurou averiguar se seu pai também tinha um "faz-pipi" e ficou surpreso ao saber que a mãe, adulta, não tinha um "faz-pipi" do tamanho do de um cavalo.

Durante esse período, "o grande acontecimento da vida de Hans foi o nascimento de sua irmãzinha Anna, quando ele tinha exatamente três anos e meio". As observações do pai evidenciaram uma distância entre os ditos do menino, que pareciam dar crédito à história da cegonha que traz os bebês, e sua atenção à maleta do médico e às bacias de água suja de sangue no quarto da parturiente, atenção essa que parecia indicar, como assinalou Freud, a presença das primeiras suspeitas quanto à verdade da fábula. Hans precisaria de uns seis meses para superar seu ciúme e se convencer de sua superioridade em relação à irmã caçula. Assistindo ao banho desta, constatou que ela possuía um "faz-pipi (...) ainda pequeno" e, benevolente, previu que ele se tornaria maior quando Anna crescesse. Comentando as observações seguintes, Freud destacou as manifestações de auto-erotismo, logo seguidas por uma *escolha de objeto* exatamente como no adulto". Assim, Hans deu mostras de inconstância e de uma predisposição à poligamia, mas também apresentou traços de homossexualidade*, tudo isso levando Freud, visivelmente satisfeito por assim acompanhar, passo a passo, a confirmação de sua teoria, a dizer: "Nosso Pequeno Hans realmente parece ser um modelo de todas as perversidades."

Hans atravessou em seguida um período marcado pela busca de emoções eróticas — apaixonou-se por uma menina e insistiu com os pais em que ela fosse à sua casa para que lhe fosse possível dormir com ela —, num prolongamento das emoções que sentira em suas incursões à cama dos pais. Um sonho*, quando ele contava quatro anos e meio, traduziu seu desejo, desde então recalcado, de se entregar novamente ao exibicionismo a que se dedicara no ano anterior, diante das meninas. Esse período encerrou-se com o reconhecimento, por parte do menino, ao assistir outra vez ao banho da irmã, da diferença entre os órgãos genitais masculinos e femininos.

Alguns dias depois desse sonho e dessa constatação, a "doença" do Pequeno Hans se declarou. Os diálogos entre o pai e o filho, fielmente transcritos pelo pai e transmitidos a Freud, permitiram a este orientar o tratamento e, em seguida, reconstituir a evolução dos distúrbios e seu desaparecimento, numa sanção da "cura" anunciada desde a primeira linha da narrativa.

Esse período iniciou-se com uma carta do pai, preocupado com a agitação nervosa de que o menino se mostrava subitamente vítima e disposto a atribuir esse estado ao excesso de ternura manifestada pela mãe. Freud, que defenderia sistematicamente sua ex-paciente, a "bela mãe" de Hans, "boníssima e muito dedicada", refutou esse ponto de vista. Na análise, sublinhou, não se trata de "*compreender* imediatamente um caso patológico"; a compreensão só é possível "na seqüência", após nos darmos tempo de observar e acumular as impressões.

Pouco antes da eclosão do estado ansioso, Hans tivera um sonho, um "sonho de punição", diz Freud, no qual a mãe querida, com quem ele podia "fazer denguinho", tinha ido embora. Esse sonho era um eco dos privilégios obtidos quando a mãe o levava para sua cama, no ano anterior, todas as vezes que ele manifestava ansiedade e também todas as vezes que seu pai estava ausente. Alguns dias depois, passeando com a babá, Hans começou a chorar e pediu para voltar para casa, para "fazer denguinho com a mamãe". No dia seguinte, a mãe resolveu levá-lo pessoalmente para passear. A princípio ele

recusou, chorou e, depois, deixou-se levar, porém manifestando um medo intenso, do qual só falou na volta: "Eu estava com medo que o cavalo me mordesse." À noite, nova crise de angústia ante a idéia do passeio do dia seguinte e medo de que o cavalo entrasse em seu quarto. A mãe perguntou-lhe, então, se por acaso ele estivera pondo a mão no "faz-pipi". Ao obter sua resposta afirmativa, ela lhe ordenou que parasse com aquilo, o que mais tarde ele confessou só conseguir fazer precariamente.

"Aí está, portanto", comenta Freud, "o começo da angústia e da fobia*", que devem ser distinguidas. A crescente ternura pela mãe traduz uma aspiração libidinal recalcada, à qual corresponde o surgimento da angústia. Essa transformação da libido* em angústia é irreversível e a angústia tem que encontrar um objeto substituto, que constituirá o material fóbico. Nesse momento, ainda é cedo demais para compreender a origem do material da fobia de Hans, os cavalos e o risco da mordida deles. Nesse estádio, Freud aconselha o pai de Hans a dizer ao menino que a história dos cavalos é uma "besteira" — esse foi o termo que o pai e o filho passaram a empregar para designar a fobia — e que o medo provém de seu interesse exagerado pelo "faz-pipi" dos cavalos. Freud sugere, além disso, que se promova a iniciação sexual do menino, em especial para que ele possa admitir que "sua mãe e todas as outras criaturas femininas, como ele pode perceber pela pequena Anna, não possuem um 'faz-pipi'".

Passado algum tempo, a fobia retorna e se estende a todos os animais grandes, girafas, elefantes e pelicanos. Após um comentário de Hans sobre o enraizamento de seu "faz-pipi", que o menino espera ver crescer junto com ele, Freud explica que os animais grandes lhe dão medo porque o remetem à dimensão atual e insatisfatória de seu órgão peniano. Quanto ao enraizamento, ele é uma resposta, diz ainda Freud, à ameaça de castração, expressa muito antes pela mãe e cujo efeito se manifesta, assim, a posteriori*, no momento em que a inquietação do menino aumentou, depois de feito o anúncio oficial sobre a ausência do "faz-pipi" nas mulheres.

Certa manhã, Hans dá conta de sua incursão noturna à cama dos pais explicando que havia em seu quarto uma grande girafa e uma girafa amassada. "A grande", diz ele, "gritou que eu tinha tirado dela a amassada. Depois ela parou de gritar, e aí eu me sentei em cima da girafa amassada." O pai relaciona essa fantasia com uma situação que se repete: enquanto ele se opõe à vinda do filho para o leito conjugal, a mãe responde que não há nada de grave nisso, desde que não se perpetue. A girafa grande, portanto, seria o grande pênis paterno, enquanto a girafa amassada representaria os órgãos genitais femininos. Freud acrescenta que o "sentar-se" sobre a girafa amassada representa uma "tomada de *posse*", baseada numa fantasia* de desafio ao pai e na satisfação de menosprezar sua proibição, tudo isso revestindo-se do medo de que a mãe ache o "faz-pipi" do menino muito pequeno, em comparação ao do pai. Sobrevém então uma série de fantasias de invasão e de desrespeito às proibições, nas quais o pai é associado ao filho — marca da suspeita de Hans de que o pai faz coisas com a mãe das quais quer privá-lo.

Em 30 de março de 1908, Hans vai com o pai ao consultório de Freud. A conversa é curta. Freud pergunta ao menino, que falou num negrume ao redor da boca dos cavalos, se estes usam óculos. Em seguida a sua resposta negativa, formula-lhe a mesma pergunta a respeito de seu pai. A resposta, evidentemente, é também negativa. Freud então explica a Hans que ele tem medo do pai "justamente por ele gostar tanto de sua mãe".

Uma melhora se faz sentir depois dessa entrevista. A explicação dada à criança, diz Freud, provocou o enfraquecimento de suas resistências, o que deverá permitir-lhe dar nome a seus temores. Efetivamente, numa conversa com o pai, enquanto manifesta seu medo de ver levarem um tombo os cavalos atrelados a uma carruagem, Hans explica que um dia, no qual, apesar da "besteira", saiu para passear com a mãe, ele realmente viu dois cavalos que puxavam uma carruagem caírem na rua, e achou que um deles estava morto. A mãe confirma a veracidade do relato.

Essa informação constitui uma guinada na evolução da análise. A fobia se declara quando a angústia, que originalmente nada tinha a ver com os cavalos, transpõe-se para esses animais, assim elevados, comenta Freud, "à dignidade

do objeto de angústia", por razões ligadas à história do menino: quando menor, Hans tivera paixão por cavalos, vira um de seus coleguinhas cair de um cavalo e se lembrava da história de um cavalo branco que era capaz de morder os dedos. A eclosão da fobia datava do incidente real do cavalo caído: Hans experimentara, naquele momento, o desejo (e, ao mesmo tempo, o medo) de que seu pai caísse assim e morresse, o que lhe abriria caminho para a posse da mãe, mas também o exporia aos riscos de uma comparação que lhe seria pouco favorável. Desse dia em diante, Hans ganhou mais liberdade com o pai, chegando a querer mordê-lo, prova de que o identificara com o tão temido cavalo. Mas isso não impediu que o medo dos cavalos persistisse.

A análise tomou então um rumo diferente. A mãe, momentaneamente esquecida, voltou ao primeiro plano, por intermédio de fantasias excrementícias e reações fóbicas à visão de calças amarelas e pretas. Seguiram-se então a fantasia do bombeiro, que furava o estômago de Hans com uma broca, e o medo de tomar banho numa banheira grande. A fantasia do bombeiro, fantasia de procriação, encontraria sua significação mais tarde, ao ficar claro que o menino nunca havia acreditado na história da cegonha, e ficara zangado com o pai por lhe contar essas mentiras.

Freud levou a análise mais longe, insistindo na justaposição do medo da banheira com as fantasias excrementícias — o interesse e, em seguida, o nojo de Hans pelas fezes, que ele chamava de "lumfs" —, por sua vez ligadas ao prazer que o menino obtinha ao acompanhar sua mãe ao banheiro. Parece que, para Hans — e Freud se felicitou por encontrar nisso, mais uma vez, a confirmação do que escrevera anos antes —, os veículos, assim como os ventres das mães, eram carregados de filhos-excrementos: a queda dos cavalos, tal como a dos "lumfs", era a representação de um nascimento, e Freud sublinha, nessa oportunidade, o caráter significante da expressão "deitar cria". O cavalo que cai, portanto, não é apenas o pai que morre, mas também a mãe que dá à luz. Hans passa a poder verbalizar seu desejo de ver o pai ir embora e a reconhecer seu desejo de possuir a mãe. Todavia, encontra uma solução para essa situação, ainda geradora de angústia: seu pai será avô dos filhos que ele, Hans, tiver com a mãe. Para aplacar a cólera sempre possível desse pai assim desalojado, o menino o imagina casado com a mãe dele, a avó paterna de Hans. Uma última fantasia, na qual um bombeiro lhe troca seu "faz-pipi" por outro maior, marca sua saída do Édipo* e sua vitória sobre o medo da castração.

Diversamente dos outros casos princeps expostos por Freud, o do pequeno Hans não foi objeto de nenhuma revisão historiográfica exaustiva. Entretanto, deu margem a numerosas leituras críticas.

Num primeiro momento, enquanto era impensável abordar tão de perto a lendária "inocência infantil", os psicanalistas fizeram desse caso o paradigma de todos os processos de psicanálise de crianças*. Foi preciso esperar que os primeiros passos fossem dados nesse campo por Hermine von Hug-Hellmuth*, e sobretudo aguardar a revolução efetuada por Melanie Klein*, para que essa concepção fosse ultrapassada no movimento psicanalítico.

Por outro lado, algumas leituras tomaram como ângulo de ataque a interpretação freudiana do caso e desenvolveram uma nova reflexão sobre o estatuto da fobia. Por último, outros trabalhos optaram por reinscrever a análise e o personagem do Pequeno Hans no fio de sua história e de sua identidade — as de Herbert Graf, filho de Max Graf e Olga König-Graf, amigos de Sigmund Freud.

Jacques Lacan* dedicou a segunda parte de seu seminário do ano de 1956-1957, intitulado *A relação de objeto*, ao caso do pequeno Hans. Seu objetivo era elaborar uma clínica lacaniana da análise de crianças, da qual Jenny Aubry* e Françoise Dolto* eram as grandes mestras, que fosse capaz de rivalizar com a escola inglesa, enriquecida pelas contribuições contraditórias de Melanie Klein, Anna Freud* e Donald Woods Winnicott*. Para Lacan, a fobia de Hans sobreviera com a descoberta de seu pênis real e com seu conseqüente pavor de ser devorado pela mãe, investida de uma onipotência imaginária. A fobia, portanto, só podia ser ultrapassada, senão curada, pela intervenção do Pai real (Max Graf), apoiada pelo Pai simbólico (Freud), que teve como efeito separar o menino da mãe e garantir seu avanço do imaginário* para o simbólico*. Lacan interpretou os mitos

dos animais que funcionaram na análise em termos levi-straussianos. Longe de buscar em cada um deles uma significação particular, ele os relacionou uns com os outros, a fim de captar a reiteração do semelhante num sistema. O cavalo, portanto, ora remete ao pai, ora à mãe, e funciona como elemento significante*, isolado do significado. A torção que com isso Lacan imprime à teoria freudiana do Édipo* está ligada a sua concepção do declínio da função paterna na sociedade ocidental, que ele expusera em 1938 em seu artigo sobre a família. Diante desse declínio, do qual ele faz a causa essencial do aparecimento da psicanálise em Viena*, Lacan pretende revalorizar uma noção de paternidade baseada na intervenção da fala e denunciar o perigo da onipotência materna, que ele estigmatiza ao falar de uma "mãe insaciável e insatisfeita", pronta para devorar seu filho.

Em 1987, o psicanalista francês Jean Bergeret relacionou as dificuldades de Hans com as que o próprio Freud teria conhecido na infância. Observando que os dois únicos textos que Freud não publicou em vida (o que ele dedicara aos personagens psicopáticos no palco, cujo manuscrito entregou a Max Graf no começo da análise de Hans, e o que foi encontrado e publicado por Ilse Grubrich-Simitis sob o título de *Neuroses de transferência: uma síntese*) têm em comum o tema da violência irrepresentável, indizível, produzida por uma incitação sexual precoce demasiadamente intensa, Bergeret defendeu a hipótese de que a análise do Pequeno Hans teria sido construída com base na denegação de um trauma conhecido.

Por ocasião da publicação, à guisa de suplementos à revista *L'Unebévue*, das traduções que fizera desse texto de Freud sobre os personagens psicopáticos no palco, do de Max Graf dedicado a Freud e das *Memórias* de Herbert Graf, o psicanalista francês François Dachet publicou, em 1993, nesse mesma revista, um estudo que almejava elucidar a complexidade da relação entre Freud e Max Graf. Em particular, Dachet observou que, se nessa relação Max Graf foi evocado por Freud como o pai do Pequeno Hans, como o discípulo e amigo que reconhecia nele um talento artístico do qual os "remendões da alma" eram desprovidos, e como o destinatário competente de um manuscrito que versava sobre problemas cenográficos, ele nunca o foi como marido da mãe do Pequeno Hans, que era ex-paciente de Freud. Nesse aspecto, salientou François Dachet, a leitura lacaniana do caso mereceria "ser reconsiderada". Em 1996, Peter L. Rudnytsky, um professor universitário norte-americano, propôs considerar o caso do Pequeno Hans mais como um exemplo de "terapia de família" do que como a análise de uma criança. Sua abordagem do caso referiu-se às teses feministas desenvolvidas, em especial, por Luce Irigaray. Ela o conduziu a discernir nessa análise os elementos fundamentais da concepção freudiana da diferença sexual* e da sexualidade feminina*, que apareceria sob sua forma definitiva em 1933, nas *Novas conferências introdutórias sobre psicanálise**. A conclusão de Rudnytsky não teve apelação. Ele estigmatizou "os preconceitos burgueses" que, a seu ver, subjazem às posturas teóricas de Freud sobre as questões da homossexualidade e da sexualidade feminina.

Voltando ao caso em seu seminário do ano de 1968-1969, intitulado *De um Outro ao outro*, Lacan evocou a cura proclamada por Freud e exclamou: "... o Pequeno Hans não tem mais medo dos cavalos, e daí?"

E daí? Em 1922, Freud acrescentou um "epílogo" a seu texto de 1909; nele, relatou brevemente a visita, naquele mesmo ano, de um rapaz que se apresentara a ele como sendo o Pequeno Hans. Para Freud, essa visita constituiu, antes de mais nada, um contundente desmentido das sinistras previsões enunciadas na época da análise. Para sua grande alegria, ele se felicitou, numa frase ambígua, pelo fato de o rapaz ter conseguido superar as dificuldades inerentes ao divórcio e às segundas núpcias de seus pais, e finalmente observou, com uma voracidade teórica não dissimulada, que Hans/Herbert esquecera tudo de sua análise, inclusive a própria existência dela.

No entanto, a leitura do texto de Max Graf, "Reminiscências do Prof. Sigmund Freud", publicado em 1942, bem como a das *Memórias* (sob a forma de entrevistas) de Herbert Graf, traz um certo número de informações capazes de relativizar a satisfação de Freud e constituir os primeiros elementos para uma revisão do caso.

Em seu artigo, Max Graf evoca, de maneira simultaneamente afetuosa e crítica, o clima das noites de quarta-feira para as quais era convidado por Freud, a personalidade deste, e os ódios, paixões e conflitos que a intransigência dele era capaz de suscitar. Embora, na época, a análise do Pequeno Hans fosse um assunto freqüentemente evocado nessas reuniões das noites de quarta-feira, Max Graf não faz a menor alusão a ela. É mais prolixo no que concerne ao que o psicanalista holandês Harry Stroeken propôs chamar de "a relação entre a família Graf e Freud". Assim ficamos sabendo, entre outras coisas, que Freud, que se associava com facilidade aos festejos familiares dos Graf, levou para o Pequeno Hans, de presente por seu terceiro aniversário, um... cavalo de balanço!

Em suas *Memórias*, Herbert Graf manifesta, no ocaso da vida, um fervor e uma admiração pelo pai que impressionam ainda mais pelo fato de ele não dizer uma só palavra sobre a mãe ao longo dessas quatro entrevistas. Essa clivagem* parece ilustrar bem o que foi a vida do Pequeno Hans quando transformado em adulto, caracterizada pelo contraste entre seu sucesso profissional e seus fracassos afetivos.

Com efeito, Herbert Graf conheceu, na juventude, por intermédio do pai, tudo o que Viena tinha a oferecer em matéria de personalidades do mundo artístico da época. Gustav Mahler* foi seu padrinho, enquanto Arnold Schönberg (1874-1951), Richard Strauss (1864-1949) e Oskar Kokoschka (1886-1980) estiveram entre os freqüentadores da casa dos Graf. Quando, ante as risadas dos outros estudantes, que registraram isso no livro das "burrices do ano" — mais uma "besteira"? —, Herbert Graf anunciou seu desejo de se tornar diretor cênico de ópera, profissão da qual seria o inventor, seu pai lhe deu apoio financeiro. Na trilha direta dos primeiros passos desse pai, ele defendeu uma tese sobre a cenografia wagneriana que lhe valeu o reconhecimento oficial da família do autor dos *Mestres cantores*. Depois de se arriscar sem sucesso na arte lírica, assumiu a direção cênica da Ópera de Münster. Em seguida, emigrou para os Estados Unidos* e se tornou diretor titular da Metropolitan Opera de Nova York, onde colaborou estreitamente com Arturo Toscanini e Bruno Walter, entre outros.

Sua fama o levou a Salzburgo e à Itália*, seu país favorito, onde realizou mais de sessenta produções, em Verona, Milão, Veneza e Florença (onde trabalharia com Maria Callas). Posteriormente, assumiu a direção da Ópera de Zurique, da qual se demitiu em razão da falta de recursos, e a seguir a do Grand Théâtre de Genebra, até sua morte, em 1973.

Ao lado dessa brilhante carreira, pontilhada por alguns textos audaciosos e sempre atuais sobre a questão da ópera popular, a vida particular de Herbert Graf parece ter sido balizada por sofrimentos. Ao contrário da apreciação de Freud, ele parece nunca se haver refeito por completo do choque causado pelo divórcio e pelas segundas núpcias de seus pais. Atormentado por conflitos conjugais, retomou uma análise com Hugo Solms, que o incitou, em 1970, quando se realizou em Genebra um congresso de psicanálise, a ir se apresentar a Anna Freud, visita esta que não teve nenhuma conseqüência.

Atingido por um câncer renal que se revelou incurável, Herbert morreu em 5 de abril de 1973 em decorrência de uma queda, provavelmente acarretada por vertigens provocadas por seu estado.

• Sigmund Freud, "O esclarecimento sexual das crianças" (1907), ESB, IX, 137-48; GW, VII, 19-27; SE, IX, 129-39; in La Vie sexuelle, Paris, PUF, 1969, 7-13; "Sobre as teorias sexuais das crianças" (1908), ESB, IX, 213-32; GW, VII, 171-88; SE, IX, 205-26; in La Vie sexuelle, Paris, PUF, 1969, 14-27; "Análise de uma fobia em um menino de cinco anos" (1909), ESB, X, 15-152; GW, VII, 243-377; SE, X, 1-147; in Cinq psychanalyses, Paris, PUF, 1954, 93-198; "Personagens psicopáticas no palco" (1906), ESB, VII, 321; GW, Nachtragsband, 655-61; SE, VII, 303-10; in Résultats, idées, problèmes, vol.I, Paris, PUF, 1984, 123-30; Novas conferências introdutórias sobre psicanálise (1933), ESB, XXII, 15-226; GW, XV; SE, XXII, 5-182; OC, XIX, 83-268 • Freud/Jung: correspondência completa (Paris, 1975), Rio de Janeiro, Imago, 1993. • Les Premiers psychanalystes, Minutes de la Société psychanalytique de Vienne, vol.I, 1906-1908, vol.II, 1908-1910 (1962), Paris, Gallimard, 1976 • Jean Bergeret, Le "Petit Hans" et la réalité ou Freud face à son passé, Paris, Payot, 1967 • François Dachet, "De la 'sensibilité artistique' du professeur Freud", L'Unebévue, 3, 1993, 7-38 • François Dachet e Mayette Viltard, "Présentation du texte de Freud de 1905-1906: 'Personnages psychopathiques sur la scène'", ibid., 129-48 • Henri F. Ellenberger, Histoire de la découverte de l'inconscient (N. York, Londres, 1970, Villeurbanne, 1974), Paris, Fayard, 1994 • Max Graf, "Réminiscences sur le professeur Freud" (1942), Tel quel, 88, 1981, 52-101 •

Herbert Graf, "Mémoires d'un homme invisible" (1972), suplemento do nº 3 de L'Unebévue, 1993 • Henri-Louis de La Grange, Gustav Mahler. Chronique d'une vie, Paris, Fayard, 1984 • Luce Irigaray, Spéculum de l'autre femme, Paris, Minuit, 1974 • Ernest Jones, A vida e a obra de Sigmund Freud, 3 vols. (N. York, 1953, 1955, 1957), Rio de Janeiro, Imago, 1989 • Jacques Lacan, Os complexos familiares na formação do indivíduo (1938, Paris, 1984), Rio de Janeiro, Jorge Zahar, 1987; O Seminário, livro 4, A relação de objeto (1956-1957) (Paris, 1994), Rio de Janeiro, Jorge Zahar, 1995; Le Séminaire, livre XVI, D'un Autre à l'autre (1968-1969), inédito • Patrick Mahony, "The dictator and his cure", IJP, 74, 1993, 1245-51 • Brigitte e Jean Massin (orgs.), História da música ocidental (Paris, 1985), Rio de Janeiro, Nova Fronteira, 1998 • Peter L. Rudnytsky, "Maman, as-tu, toi aussi, un fait-pipi? La Représentation de la sexualité féminine dans le cas du petit Hans", in André Haynal (org.), La Psychanalyse: cent ans déjà, Genebra, Georg, 1996, 185-205 • Harry Stroeken, En analyse avec Freud, Paris, Payot, 1987.

➤ FALOCENTRISMO; PATRIARCADO.

Graf, Max (1873-1958)

crítico e musicólogo austríaco

Nascido em Viena*, em uma família judia originária da Galícia, Max Graf era filho de um jornalista conhecido, Josef Graf, que se casara com sua prima Regina Lederer. Em 1898, depois de estudar direito e música, casou-se com uma atriz, Olga König. O casal teve dois filhos, Herbert*, nascido em 1903, e Hanna, nascida três anos e meio depois, que se suicidaria nos Estados Unidos* no começo dos anos 1950.

Tornando-se musicólogo, Max Graf redigiu duas obras sobre Richard Wagner. A segunda, consagrada ao Navio fantasma, foi publicada por Sigmund Freud* em 1911, na série Schriften zur angewandten Seelenkunde*. Tradutor de Romain Rolland* e de várias obras de história da música, Max Graf tentou a composição mas renunciou rapidamente, a conselho de Johannes Brahms (1833-1897). Ensinou história da música e estética musical em Viena, e quando de seu exílio nos Estados Unidos, durante o período do nazista*, na New School for Social Research em Nova York, e na Universidade de Filadélfia. Max Graf interveio também no campo da política, como editorialista da Neue Frei Press.

Encontrou-se com Freud em 1900, através de "uma senhora que eu conhecia", como explicou enigmaticamente, e da qual Freud tratava nessa época. "Depois de suas sessões com Freud, escreveu ainda Max Graf, essa senhora me falava desse notável tratamento por meio de perguntas e respostas. A partir dos relatos dessas entrevistas, familiarizei-me com a nova maneira de considerar os fenômenos psicológicos, com o desenlace artístico do tecido do inconsciente e com a técnica da análise do sonho." Tudo leva a pensar que essa "senhora" que introduziu Max Graf junto a Freud era Olga, sua mulher, que Freud, em seu relatório da "Análise de uma fobia em um menino de cinco anos", chama de "bonita mãe" do Pequeno Hans, Herbert Graf, esclarecendo que conseguira aliviá-la da neurose* de que ela se tornara "vítima".

Em 1902, Freud propôs a Max Graf participar das reuniões da Sociedade Psicológica das Quartas-Feiras*. Graf aceitou e assistiu regularmente às sessões. Teria oportunidade de apresentar várias comunicações originais. Durante a reunião de 11 de dezembro de 1907, enfatizou que "a técnica de Freud, apenas, não torna ninguém mais inteligente ou profundo", e que ela não era útil para nenhum "manipulador de almas". Nesse período, no fim do ano de 1905, Freud lhe confiou o manuscrito do artigo "Personagens psicopáticos no palco", do qual nunca mais falaria. Max Graf traduziu esse texto para o inglês, fazendo cortes inexplicáveis; seria publicado nos Estados Unidos em 1942, acompanhado de suas "Reminiscências sobre o professor Freud".

Em 1908, Max Graf dirigiu, sob a supervisão de Freud, a análise de seu filho Herbert. O relato do caso seria publicado no ano seguinte.

Uma frase de Freud, em uma carta de 2 de fevereiro de 1910 a Carl Gustav Jung*, faz pensar que depois da análise do filho, Max Graf conduziu o segundo tratamento de sua mulher: "Eu consideraria a análise da própria mulher como absolutamente impossível. O pai do Pequeno Hans me provou que isso funciona muito bem. A regra técnica da qual suspeito há pouco tempo, 'superar a contratransferência*', se torna, apesar de tudo, excessivamente difícil nesse caso." Posteriormente, o casal se divorciou e Max Graf se casaria de novo por duas vezes.

Em seu livro *A oficina interior do músico*, publicado em 1910, ele se inspirou nas teses freudianas para explicar certas diferenças entre o classicismo e o romantismo na história da música. Em sua opinião, o compositor romântico deixa falar em si os vestígios de sua infância, enquanto o músico clássico domina seu inconsciente.

Em 1947, ao voltar a Viena, retomou suas atividades de crítico em *Die Weltpress* até 1957. Em dezembro de 1952, Max Graf deu a Kurt Eissler, responsável pelos Sigmund Freud Archives (SFA), depositados na Biblioteca do Congresso*, em Washington, uma longa entrevista sobre sua família e seus filhos. Deixou muitas obras consagradas à vida musical vienense.

• Max Graf, *Die innere Werkstatt des Musikers*, Stuttgart, Ferdinand Encke, 1910; *Richard Wagner in "Fliegenden Holländer"*, Leipzig e Viena, Franz Deiticke, 1911; "Réminiscences sur le professeur Freud" (1942), *Tel Quel*, 88, 1981, 52-101; "Entretien du père du petit Hans (Max Graf) avec Kurt Eissler", 16 de dezembro de 1952, *Le Bloc-notes de la psychanalyse*, 14, 1996, 123-59 • Herbert Graf, *Mémoires d'un homme invisible* (N. York, 1972), suplemento ao nº 3 de *L'Unebévue*, 1993 • Sigmund Freud, "Personagens psicopáticas no palco" (1942), *ESB*, VII, 321; retraduzido in *Résultats, idées, problèmes*, vol.1, Paris, PUF, 1984; "Análise de uma fobia em um menino de cinco anos" (o pequeno Hans) (1909), *ESB*, X, 15-152; *GW*, VII, 243-377; *SE*, X, 1-147; in *Cinq psychanalyses*, Paris, PUF, 1954 • *Freud/Jung: correspondência completa* (Paris, 1975), Rio de Janeiro, Imago, 1993 • François Dachet, "De la 'sensibilité artistique' du professeur Freud", *L'Unebévue*, 3, 1993, 7-37 • François Dechet e Mayette Viltard, "Présentation du texte de Freud de 1905-1906: 'Personnages psychopathique sur la scène'", ibid., 129-48 • Henri-Louis de La Grange, *Gustave Mahler. Chronique d'une vie*, Paris, Fayard, 1984 • André Michel, *Psychanalyse de la musique* (1951), Paris, PUF, 1984 • Elke Mühlleitner, *Biographisches Lexikon der Psychoanalyse. Die Mitglieder der psychologischen Mittwoch-Gesellschaft un der Wiener psychoanalytischen Vereinigung von 1902-1938*, Tübingen, Diskord, 1992 • *Les Premiers psychanalystes. Minutes de la Société Psychanalytique de Vienne*, I, 1906-1908 (1962), Paris, Gallimard, 1976.

➢ FILIAÇÃO; MELANCOLIA; PSICANÁLISE APLICADA; PSICANÁLISE DE CRIANÇAS; SUICÍDIO.

Graf, Rosa, *née* Regina Debora Freud (1860-1942), irmã de Sigmund Freud

Nascida em Viena*, terceira entre os filhos de Jacob e Amalia Freud*, Rosa era a segunda irmã de Sigmund Freud* depois de Anna Bernays* (nascida Freud). Também era sua preferida, e tinha como ele (e como Emanuel Freud*, seu meio-irmão), uma tendência à neurastenia*. Rosa teve um destino trágico.

Em maio de 1896, casou-se com Heinrich Graf, um célebre jurista vienense, que morreu pouco tempo depois do casamento. Seu filho único, Hermann, morreu em combate durante a Primeira Guerra Mundial e sua filha Caecilia (apelidada Mausi), amiga de Hans Lampl* e muito ligada à sua prima Anna Freud*, suicidou-se em 1922, com a idade de 23 anos, tomando veronal enquanto estava grávida de uma relação extra-matrimonial.

No processo de Nuremberg, em 26 de fevereiro de 1946, uma testemunha contou como Rosa Graf morrera na câmara de gás do campo de extermínio de Treblinka, por volta do mês de outubro de 1942: "Uma mulher de certa idade aproximou-se de Kurt Franz [comandante delegado do campo], apresentou um *Ausweis* e disse ser irmã de Sigmund Freud. Pediu que a deixassem fazer um trabalho fácil de escritório. Franz examinou com cuidado o *Ausweis* e disse que se tratava provavelmente de um erro; conduziu-a ao quadro de horários da estação de trem e disse que dentro de duas horas um trem voltaria para Viena. Ela podia deixar ali todos os seus objetos de valor, documentos, ir até as duchas, e depois do banho seus pertences e sua passagem para Viena estariam à sua disposição. A mulher entrou no banheiro e nunca mais voltou."

• Ernest Jones, *A vida e a obra de Sigmund Freud*, vols. 1 e 3 (N. York, 1953, 1954), Rio de Janeiro, Imago, 1989 • Peter Gay, *Freud: uma vida para o nosso tempo* (N. York, 1988), S. Paulo, Companhia das Letras, 1995 • Élisabeth Young-Bruehl, *Anna Freud: uma biografia* (N. York, 1988), Paris, Payot, 1992 • Harald Leupold-Löwenthal "A emigração da família Freud em 1938", *Revista Internacional da História da Psicanálise*, 2 (1989), Rio de Janeiro, Imago, 1992.

➢ FREUD, ADOLFINE; FREUD, JACOB; FREUD, MARIA; NAZISMO; SUICÍDIO; WINTERNITZ, PAULINE.

Grandes Controvérsias (*Controversial Discussions*)

Deu-se o nome de Grandes Controvérsias, ou *Controversial Discussions*, a um episódio do movimento psicanalítico inglês que se desenrolou em Londres entre novembro de 1940 e fevereiro de 1944, e durante o qual se opuseram, através de longas discussões, os freudianos de todas as tendências, reunidos na Grã-Bretanha* no seio da British Psychoanalytical Society (BPS).

Após a destruição das sociedades psicanalíticas do continente pelo nazismo*, a BPS tornou-se o último bastião da psicanálise* na Europa. Entre 1933 e 1939, ela acolheu inúmeros imigrantes, dentre os quais os vienenses, inclusive a família Freud. Ora, desde 1926, a escola vienense (em especial os partidários de Anna Freud*) opunha-se a Melanie Klein* e seu grupo, que representavam a corrente majoritária da escola inglesa.

Adeptos de uma concepção dita ortodoxa (ou continental) da psicanálise, os annafreudianos pretendiam ser os porta-vozes da tradição do pai fundador: um freudismo* clássico, centrado na primazia do patriarcado*, no complexo de Édipo*, nas defesas* e na clivagem* do eu*, na neurose* e numa prática da psicanálise de crianças* ligada à pedagogia.

Frente a esse freudismo, que já deslizava para o annafreudismo*, os freudianos chamados kleinianos eram os artífices de uma clínica moderna das relações de objeto*, centrada nas psicoses* e nos distúrbios narcísicos, nos fenômenos de regressão, nas relações arcaicas e inconscientes com a mãe e na exploração do estádio* pré-edipiano.

Entretanto, as Controvérsias não opuseram apenas o kleinismo* ao annafreudismo. Também puseram em cena um caso de família. Filha de Melanie Klein e analisada na infância pela mãe, Melitta Schmideberg* havia iniciado o combate contra esta antes da chegada dos vienenses a Londres, então apoiada por Edward Glover*, um dos fundadores da BPS. Conservador e não conformista, este passara a defender, em oposição ao annafreudismo e ao kleinismo, um "outro" freudismo: o da primeira geração* inglesa, que iria desaparecer com a guerra.

As Grandes Controvérsias tiveram início quando os membros da comunidade psicanalítica reunidos na BPS conscientizaram-se da mudança que se vinha operando em seu país. Uma vez que a guerra deveria dar origem a um mundo diferente do que eles haviam conhecido, impunha-se a necessidade de fazer com que eclodissem os conflitos teóricos e clínicos entre os diversos grupos. Criou-se então um comitê para examinar as questões concernentes à formação (*training committee*).

Mas já uma outra tendência ia emergindo, definindo-se como um *middle group*. Ela reuniu os grandes clínicos da segunda geração inglesa (Donald Woods Winnicott*, John Bowlby*), que aceitavam tanto o freudismo quanto o kleinismo, mas recusavam a se curvar a quaisquer dogmas. Eles foram acompanhados por um dos "veteranos", James Strachey*, analisado por Freud e oriundo da tradição literária dos vitorianos do grupo de Bloomsbury. Strachey encarnaria até o fim as virtudes de um meio termo, ao mesmo tempo preocupado com a estética e não conformista. Outros clínicos da mesma geração alinharam-se nessa tendência: Ella Sharpe*, Sylvia Payne (1880-1976) e Marjorie Brierley (1893-1984).

Inicialmente kleiniano, John Rickman*, reformador da psiquiatria inglesa, defendeu então o *middle group*, antes de ser violentamente atacado por Glover. Através dessa outra controvérsia opuseram-se igualmente duas concepções da psicanálise: uma (a de Glover) avessa a qualquer psicologização do freudismo, outra (a de Rickman) derivada do pragmatismo adaptativo, o qual, convém dizer, levaria a algumas aberrações.

Ernest Jones*, o pai fundador da escola inglesa, controlou a situação, ora se ausentando dos debates, ora os organizando com paciência e eqüidade. Partidário de uma conciliação, fora ele que, contrariando Sigmund Freud*, havia favorecido a ida de Melanie Klein para Londres. Todavia, próximo de Anna Freud, encarnava com ela a legitimidade familiar, ao mesmo tempo que procurava salvaguardar o poder inglês, que corria o risco de ser superado pela expansão das correntes norte-americanas.

Durante quatro anos, as Controvérsias dilaceraram a BPS. A cisão* foi evitada por pouco, ao preço da demissão espetacular de Glover, da emigração de Melitta Schmideberg para os Estados Unidos* e da demissão de Anna Freud do *training committee*. O grupo britânico organizou-se então em torno do reconhecimento oficial de três tendências: os annafreudianos, os kleinianos e os Independentes* (o antigo *middle group*). Assim, a BPS optou por conservar uma unidade de fachada, a fim de preservar a participação comum na IPA, que garantiu a internacionalização das diversas correntes.

Em novembro de 1946, assinou-se um compromisso que instituiu dois tipos de formação: uma linha A, majoritária, agrupou os kleinianos e os Independentes, enquanto uma linha B reuniu os annafreudianos. Na realidade, foi uma vitória dos kleinianos: o poder coube *de facto* aos que dirigiam a BPS antes da chegada dos vienenses.

Publicadas em 1991, sob os cuidados de Pearl King e Riccardo Steiner, as Grandes Controvérsias são um dos mais apaixonantes documentos de arquivo da história do freudismo.

• Pearl King e Riccardo Steiner (orgs.), *Les Controverses Anna Freud/Melanie Klein, 1941-1945* (Londres, 1991), Paris, PUF, 1996 • Luiz Eduardo Prado de Oliveira, "Un transfert venu d'ailleurs. Réévaluation des controverses entre Melanie Klein e Anna Freud (du bruit et du silence)", *Psychiatrie de l'Enfant*, 1, XXXVIII, 1995, 203-46.

gratidão
➤ INVEJA.

Groddeck, Walter Georg (1866-1934)
médico alemão

Groddeck, que Sigmund Freud* qualificou um dia de "soberbo analista", e que reivindicava para si o título de "analista selvagem", tinha o temperamento de um Wilhelm Fliess* ou de um Wilhelm Reich*. Pertencia à longa linhagem dos médicos herdeiros da tradição romântica, cujas teorias eram impregnadas de cientificismo, iluminismo e de *Naturphilosophie*. Thomas Mann* se inspirou nele para criar o personagem do doutor Edhin Krokovski em *A montanha mágica*. Médico no Hospital Berghof, Krokovski foi apresentado como um hipnotizador à antiga que ainda não teria chegado às luzes da razão, mas que seria, como Freud, obcecado pela questão da sexualidade* humana: "Ei-lo que surge", escreveu o narrador, "ele que conhece todos os segredos de nossas mulheres. Observem o simbolismo refinado de suas roupas. Veste-se de negro para mostrar que o campo específico de seus estudos é a noite."

Krokovski manifestava um pessimismo radical em relação à saúde humana, a ponto de ver no homem apenas um sujeito habitado pela doença. Evoluindo entre o materialismo e o ocultismo*, dedicou-se a experiências de telepatia* que o mergulharam no universo faustiano de um subconsciente desordenado.

Irrompendo no novimento psicanalítico em torno de 1920, brandindo uma palavra que teria sucesso, o isso* (Es), Groddeck abalou o conformismo dos discípulos de Freud, manteve com este uma relação de fascínio e de rejeição, para compartilhar depois com Sandor Ferenczi* uma longa cumplicidade fundada em uma crença comum nos benefícios "maternantes" da natureza biológica do homem. Com sua doutrina, foi o inventor de uma medicina psicossomática* de inspiração psicanalítica, da qual se alimentariam posteriormente, sem confessar, muitos herdeiros de Freud.

Nascido em Bad Kösen, Georg Groddeck era filho de Carl Theodor Groddeck, médico conceituado que dirigia um estabelecimento de banhos salinos. Depois dos acontecimentos de 1848, este redigira um livro ultraconservador, De morbo democratico nova insaniae forma (A doença democrática, uma nova espécie de loucura), que passava por ter marcado a obra nietzschiana. O autor assimilava a idéia democrática a um flagelo, a uma epidemia capaz de "contaminar" a Europa e fazer desaparecer nos indivíduos qualquer forma de consciência de si. Essa tese, que também se encontrava entre os sociólogos das multidões e notadamente em Gustave Le Bon (1841-1931), fazia de Carl Theodor Groddeck um partidário do chanceler Bismarck.

A mãe de Georg, Caroline, era filha de August Koberstein, historiador conhecido por seus trabalhos sobre a literatura alemã. Ela o admirava tanto que educou seus cinco filhos de maneira fria e distante, no culto ao avô venerado. Georg sofreu com essa educação e com esse poder materno que, a seus olhos, eclipsava a figura do pai. Freud não deixaria de apontar-lhe esses fatos ao longo da correspondência que mantiveram. O jovem Georg seria o único sobrevivente dessa família numerosa: seus irmãos e sua irmã morreram prematuramente de diversas doenças orgânicas.

Estimulado pelo pai, ingressou na carreira médica, tornando-se assistente de Ernst Schweninger (1850-1924), que se celebrizara ao tratar com sucesso do chanceler Bismarck. Também ultraconservador, Schweninger transpôs para a medicina os princípios do autoritarismo prussiano, instaurando com seus pacientes uma relação de sugestão e submissão absoluta das quais fazia depender o tratamento e a própria natureza da cura. Sua divisa "Natura sanat, medicus curat" (A natureza cura, o médico trata) foi retomada por Groddeck em 1913, quando da publicação de seu primeiro livro, Nasamecu.

Em 1900, com sua irmã Lina e sua primeira mulher Else von Goltz-Neumann, Groddeck abriu em Baden-Baden um sanatório com quinze leitos. Ali, aplicou os princípios de seu mestre e elaborou um método original de tratamento, fundado na hidroterapia, no regime alimentar, nas massagens e nas conversas entre médicos e pacientes. À sua maneira, combatia, como Freud, o niilismo terapêutico de uma medicina exclusivamente centrada no diagnóstico, sem nenhuma compaixão pelo sofrimento do paciente. Como ele, procurava apreender o ser humano em sua totalidade. Daí a escolha de uma medicina psicossomática atenta à fala do sujeito*.

Em 1913, em Nasamecu, Groddeck prestou uma vibrante homenagem ao ensino de Schweninger, fazendo simultaneamente considerações higienistas que coincidiam com as teses conservadoras de seu pai. Na mais pura tradição da hereditariedade-degenerescência* e da crença nos valores do sangue e da nação, reivindicava a idéia de uma "pureza das raças" e propunha que todo cidadão alemão casado com um estrangeiro fosse despojado de seus direitos civis. Em 1929, nas Lebenserinnerungen (Lembranças de vida), lamentou sua atitude de então e a corrigiu, sem nunca renunciar à utopia higienista que a sustentava. Nesse mesmo livro, atacou vigorosamente a psicanálise, advertindo o leitor contra os perigos de uma técnica freqüentemente mal dominada por praticantes incompetentes. Em 1915, encontrou-se com uma sueca, Emmy von Voigt (1874-1961), que seria sua analisanda e posteriormente sua segunda mulher e sua assistente. Também seria uma das primeiras tradutoras da obra freudiana na Suécia.

Rapidamente, Groddeck mudou de atitude e dirigiu-se diretamente a Freud, através de uma primeira troca de cartas. Essa correspondência duraria de 1917 a 1934. Logo de saída, Groddeck interpretou sua hostilidade pela psicanálise como uma expressão de inveja em relação a seu fundador. Depois, aproximou-se das teses psicanalíticas sobre a resistência*, a sexualidade* e a transferência*, mas preservando a originalidade de seu percurso. Foi então que uma espécie de desafio se instaurou entre ambos. Quanto mais Groddeck se dirigia a Freud como um discípulo que esperava do mestre aprovação e reconhecimento de sua singularidade, mais Freud se comportava como soberano preocupado antes de tudo em fazer esse recém-chegado ingressar na "horda selvagem": "Certamente, eu lhe daria um grande prazer se o expulsasse para longe de mim, para o lugar onde estão os Adler, Jung e outros. Mas não posso fazer isso. Devo afirmar que você é um soberbo analista, que apreendeu a essência da coisa, e não pode mais perdê-la. Aquele que reconhece que transferência e resistência são os eixos do tratamento, queira ou não, pertence irremediavelmente à horda selvagem. E não faz diferença que ele chame o inconsciente* de 'isso'".

Freud apreciava muito esse médico não-conformista, adorado por seus pacientes mas considerado um curandeiro pela medicina oficial. Assim, convidou-o a participar das atividades do movimento psicanalítico, a inscrever-se na Associação berlinense, a publicar seus artigos nas revistas da International Psychoanalytical Association* (IPA) e enfim a editar seus livros na Psychoanalytischer Verlag de Viena*. Entretanto, não compartilhava nem sua concepção de ciência nem sua técnica terapêutica: em sua opinião, o sábio devia afastar-se do exagero narcísico e dos impulsos do princípio de prazer*, para aderir a um ideal de cientificidade externo à subjetividade. Do mesmo modo, o psicanalista devia distinguir-se do magnetizador, renunciando a qualquer forma de poder oculto ou autoritário: "A experiência mostrou, escreveu um dia a Groddeck, que um ambicioso indomado salta [...] em um determinado momento e se torna, para prejuízo da ciência e de

seu próprio desenvolvimento, um solitário." Nesse ponto, o mal-entendido entre os dois nunca se dissiparia. Um continuaria adepto da medicina alternativa e da psicoterapia*, enquanto o outro sempre desejaria incluir a psicanálise no campo da ciência.

No Sanatório de Baden-Baden, Groddeck recebia pacientes que sofriam de todo tipo de doenças orgânicas, para os quais a medicina da época era impotente. A fim de fazê-los participar de seu próprio tratamento, teve a idéia, a partir de 1916, de fazer conferências para eles e de criar uma revista, a *Satanarium*, na qual podiam expressar-se em pé de igualdade com o terapeuta. Groddeck tratava de câncer, úlceras, reumatismo, diabete, pretendendo encontrar no aspecto da doença a expressão de um desejo orgânico. Assim, via em um bócio um desejo infantil e no diabete um desejo do organismo de ser adoçado. Na mesma perspectiva, sexualizava os órgãos do corpo, situando o nervo óptico no lado da masculinidade e as cavidades cardíacas no lado da feminilidade.

Esse desejo provinha daquilo que ele chamava de "isso". Com esse pronome neutro (*Es*, em alemão), tomado por empréstimo a Nietzsche (1844-1900), Groddeck designava uma substância arcaica, anterior à linguagem, uma espécie de natureza selvagem e irredutível, que submergia as instâncias subjetivas. A cura consistia em deixar agir no sujeito o jorro do isso, fonte da verdade.

Em contato com a psicanálise, Groddeck modificou as suas teorias e levou em consideração a eficácia simbólica do tratamento pela fala. Mas conservou o essencial de sua doutrina do isso e decidiu exprimi-la por métodos narrativos originários da literatura.

Em 1921, publicou um "romance psicanalítico", *O pesquisador de almas*, no qual contava a epopéia de um homem transfigurado pela revelação de seu inconsciente e perseguindo pelo mundo percevejos e "imagens de alma". Freud admirou o estilo picaresco do autor, que lhe lembrava o *Dom Quixote* de Cervantes. Entretanto, a obra causou escândalo, sobretudo para o pastor Oskar Pfister*, que a julgou excessivamente rabelaisiana.

Dois anos depois, Groddeck publicou o famoso *Livro d'isso*, no qual encenava sua relação epistolar com Freud, através de cartas fictícias dirigidas por um dos narradores, Patrick Troll, a uma amiga. Queria popularizar assim os conceitos da psicanálise e sua própria doutrina. Em 1923, Freud retomou o termo no âmbito de sua segunda tópica*, mas modificando radicalmente sua definição.

Em 1931, Groddeck escreveu um texto curioso, "O duplo sexo do ser humano", no qual se expressava um antijudaísmo já visível no *Pesquisador de almas*, e que remetia a certos aspectos invertidos do "ódio de si judeu" dos vienenses do fim do século, de Karl Kraus* a Otto Weininger*. Enquanto estes assimilavam a judeidade* a uma essência feminina responsável pela decadência da civilização patriarcal, Groddeck pregava, ao contrário, a necessidade de reencontrar em cada ser humano uma bissexualidade* original, recalcada na religião judaica pela prática da circuncisão. Em sua opinião, essa prática favorecera a afirmação de uma unissexualidade do homem e a rejeição de sua essência feminina, diante de um Deus bissexual e onipotente. Com essa hostilidade pela religião do pai, e em nome de uma busca messiânica da feminilidade, única capaz de salvar a humanidade, Groddeck rejeitava a judeidade por razões opostas às de Weininger. Mas a problemática era a mesma: por um lado, o judeu era assimilado a uma mulher e todo o mal da civilização vinha da feminilidade, por outro lado, ele encarnava o mal ao recalcar os benefícios do feminino.

Do ponto de vista clínico, Groddeck prenunciava os pós-freudianos, que se interrogavam sobre a origem das psicoses*, a natureza da bissexualidade e as formas pré-edipianas da relação com a mãe. Daí a proximidade de seu percurso com o dos culturalistas americanos, especialistas em esquizofrenia*, como Harry Stack Sullivan*.

Em 1934, depois de criticar severamente o regime hitlerista, Groddeck deixou a Alemanha e foi para a Suíça*. Morreu perto de Zurique, assistido pelo psiquiatra Maeder Boss.

Os grandes representantes freudianos da medicina psicossomática, como Franz Alexander* e Alexander Mitscherlich*, não conservaram nada da doutrina groddeckiana, considerada extravagante e incompatível com o desenvolvimento da biologia moderna. E foi na França*, entre 1975 e 1980, que esse personagem romântico foi finalmente exumado, graças ao imenso trabalho de seu tradutor, Roger Lewinter, que teve de enfrentar uma polêmica injusta sobre o pretenso racismo de seu herói. Assim, em pleno período de crise interna no movimento psicanalítico francês, Groddeck ressurgiu sob os traços de um simpático dissidente que caíra na armadilha da temível tirania do mestre. Quanto às suas teorias, foram curiosamente comparadas às de Jacques Lacan* sobre a linguagem e a fala. Posteriormente, elas caíram em desuso.

• Georg Groddeck, *Un Problème de femme* (Leipzig, 1903), Paris, Mazarine, 1979; *Le Pasteur de Langewiesche* (Leipzig, 1903), Paris, Mazarine, 1981; *Nasamecu, la Nature guérit* (Leipzig, 1913), Paris, Aubier-Montaigne, 1980; *Conférences psychanalytiques à l'usage des malades (1915-1916)*, 3 vols., Paris, Champ Libre-Roger Lewinter, 1978, 1979, 1981; *Le Chercheur d'âme* (Viena, 1921), Paris, Gallimard, 1982; *O livro d'isso* (Viena, 1923, Paris, 1963), S. Paulo, Perspectiva, 1991; *Lebenserinnerungen* (1929), in *O homem e seu Isso* (Wiesbaden, 1970), S. Paulo, Perspectiva, 1994; "Le Double sexe de l'Être humain" (1931), *Nouvelle Revue de Psychanalyse*, 7, primavera, 1973, 193-9; *L'Être humain comme symbole* (Viena, 1933), Paris, Gérard Lebovici, 1991; *La Maladie, l'art et le symbole*, Paris, Gallimard, 1969; *Ça et Moi. Lettres à Freud, Ferenczi et quelques autres* (Wiesbaden, 1970), Paris, Gallimard, 1977 • Georg Groddeck e Sandor Ferenczi, *Correspondance*, Paris, Payot, 1982 • Lawrence Durrell, *Groddeck*, Wiesbaden, Limes Verlag, 1961 • Carl e Sylvia Grossman, *L'Analyste sauvage Georg Groddeck* (N. York, 1965), Paris, PUF, 1978 • Roger Lewinter, "(Anti)judaïsme et bisexualité", *Nouvelle Revue de Psychanalyse*, 7, primavera de 1973, 199-205; *Groddeck et le royaume millénaire de Jérôme Bosch. Essai sur le paradis en psychanalyse*, Paris, Champ Libre, 1974; *L'Apparat de l'âme*, Paris, Mazarine, 1980; "Présentation du texte *Du ventre et de son âme*", *Nouvelle Revue de Psychanalyse*, 3, 1971, 211-6 • François Roustang, *Um destino tão funesto* (Paris, 1977), Rio de Janeiro, Taurus, 1987 • *L'Arc*, número especial sobre Georg Groddeck, 78, 1980 • F. Garnier, "Groddeck (Georg), 1866-1934)", *Encyclopaedia universalis*, suplemento, Paris, 1980, 690-1 • Jean Laplanche, *O inconsciente e o id* (Paris, 1981), S. Paulo, Martins Fontes, 1992 • Pamela Tytell, *La Plume sur le divan*, Paris, Aubier, 1982 • Michel Lalive d'Epinay, *Groddeck*, Paris, Éditions Universitaires, 1983 • *Groddeck-Almanach*, Stroemfeld-Roter Stern, Frankfurt, 1986 • H. Will, *Georg Groddeck. Die Geburt der Psychosomatik*, Munique, Deutscher Taschenbuch Verlag, 1987 • Jacques Le Rider, *Modernité viennoise et crises de l'identité* (1990), Paris, PUF, 1994 • Jacquy Chemouni, "Psychopathologie de la démocratie", *Frénésie*, 10, primavera de 1992, 265-82.

➤ *EU E O ISSO, O*; HORNEY, KAREN; KLEINISMO; PICHON, ÉDOUARD; PSICANÁLISE SELVAGEM; *SELF PSYCHOLOGY*; TRADUÇÃO (DAS OBRAS DE SIGMUND FREUD).

Gross, Otto (1877-1920)
psiquiatra austríaco

As relações de Sigmund Freud* com Wilhelm Fliess* e Hermann Swoboda* mostram até que ponto a história do movimento psicanalítico foi marcada, principalmente no início, por uma temática do plágio, do roubo de idéias, da droga e da loucura*. O "caso Otto Gross", como os que envolveram Viktor Tausk* e Sabina Spielrein*, é um dos episódios mais violentos.

Nascido em Feldbach na Estíria (Áustria), Otto Gross era filho do jurista Hans Gross (1847-1915), um dos fundadores da criminologia*. Desde a infância, apresentou sinais de desequilíbrio mental, aos quais o pai, muito rígido, não soube dar nenhuma resposta. Sonhando fazer do filho um adepto de suas teorias sobre as características antropológicas dos criminosos, orientou-o para os estudos psiquiátricos. Mas logo depois de seu doutorado, Otto Gross embarcou como médico de bordo nos navios da linha Hamburgo-América do Sul. À procura de identidade, usou diversas drogas: cocaína, ópio, morfina. Ao voltar, depois de vários estágios em clínicas neurológicas de Munique e de Graz, submeteu-se a um primeiro tratamento de desintoxicação na clínica do Hospital Burghölzli, onde trabalhava Carl Gustav Jung*, sob a direção de Eugen Bleuler*.

Em 1903, casou-se com Frieda Schloffer e, através dela, ficou conhecendo Marianne Weber, mulher do sociólogo Max Weber (1862-1920), e as duas irmãs von Richtofen, Else e Frieda. Uma delas era casada com o economista Edgar Jaffé, a outra com o filósofo inglês Ernest Weekley, que ela deixou em 1912 para se casar com o escritor David Herbert Lawrence (1885-1926).

Nomeado *Privatdozent* e professor de psicopatologia*, Gross tornou-se assistente de Emil Kraepelin* em Munique e entusiasmou-se pela obra freudiana. Depois de se encontrar com Freud, orientou-se para a prática da psicanálise*, freqüentando os meios intelectuais do bairro de Schwabing, onde se misturavam, no começo do século, os discípulos de Stefan George (1868-1933) e de Ludwig Klages (1872-1956): "O nietzscheísmo tomava a forma de uma metafísica do 'eros cosmogônico', escreveu Jacques le Rider, no qual se manifestava a nostalgia de um dionisismo arcaico inspirado pelas pesquisas mitológicas de Bachofen sobre o 'matriarcado' das culturas anteriores à emergência do racionalismo grego."

Foi através desse culto, e pregando o imoralismo sexual, que Gross militou pela psicanálise. Nessa época, era amante de ambas as irmãs Richtofen. Em 1906, em Ascona, foi envolvido no suicídio* de Lotte Chattemer, uma militante anarquista. Era suspeito de ter fornecido drogas à jovem e tê-la estimulado a matar-se. Em 1907, três anos depois de seu primeiro encontro com Freud, publicou uma obra, *A ideogenidade freudiana e sua significação na alienação maníaco-depressiva de Kraepelin*, na qual relacionava o conceito freudiano de clivagem* (*Spaltung*) com o de dissociação de Kraepelin. Propunha substituir o termo *dementia praecox* por *dementia sejunctiva*, tomado ao psiquiatra Karl Wernicke (1848-1905), para designar a idéia de disjunção, abrindo assim o caminho para a idéia bleuleriana de esquizofrenia*. Um ano depois, a pedido de seu pai, foi internado na Clínica do Burghölzli, para um segundo tratamento de desintoxicação.

Na verdade, Gross era considerado simultaneamente um discípulo da tribo freudiana e um doente perigoso. A pedido de Freud, Jung assumiu sua análise e relatou ao mestre, ao longo de suas cartas, o desenrolar desse estranho tratamento. Elogiando ao mesmo tempo seus méritos de teórico, apresentou sucessivamente dois diagnósticos: neurose obsessiva* e demência precoce. Quanto a Ernest Jones*, este falaria mais tarde de esquizofrenia. Assim rotulado doente mental, Gross tornou-se uma cobaia entre um mestre e um discípulo, este futuro dissidente. Permitiu que Jung defendesse junto a Freud a validade da noção de demência precoce à qual este resistia. O tratamento terminou em fracasso: Gross fugiu da clínica e foi tratado depois, sem mais sucesso, por Wilhelm Stekel*. Logo, os partidários da causa freudiana o consideraram um perigoso extremista capaz de prejudicar o movimento. Devasso, imoral, anarquista, violentamente apegado à temática da revolução pela sexualidade*, foi sumariamente abandonado por Freud: "Infelizmente, não há nada a dizer sobre ele; ele caiu e só poderá causar muitos males à nossa causa."

Apesar desse rótulo, Gross continuou a praticar a psicanálise e a dizer-se partidário do freudismo. Em 1908, depois de provocar escândalo ao tratar de uma jovem em revolta contra a autoridade parental, viveu com Sophie Benz, uma jovem pintora e anarquista, que se suicidou em 1911. Acusado novamente de incitação ao suicídio, várias vezes internado, procurado pela polícia, que não deixava de persegui-lo por "atividades subversivas", Otto Gross terminou sua vida errante em uma rua de Berlim, morto de frio e fome.

Nenhum dos astros da "esquerda freudiana" — de Wilhelm Reich* a Otto Fenichel* — prestaria homenagem a essa figura maldita da revolta anti-autoritária. Foram escritores como Max Brod (1884-1968), Blaise Cendrars (1887-1961) e principalmente Franz Kafka (1883-1924), mais sensível que outros à relação pai/filho), que saudaram a memória daquele que tanto perturbara a ordem moral do freudismo* incipiente, e cuja obra refletiu o transtorno sofrido pela sociedade ocidental na virada do século: "Mal conheci Otto Gross, escreveu Kafka, mas senti que algo de importante estendia a mão para mim, sobre um fundo de ridículo. O ar desorientado de sua família e de seus amigos (a mulher, o cunhado e até o bebê misteriosamente silencioso no meio dos sacos de viagem — para que não caísse da cama quando ficasse sozinho — que bebia café preto, comia frutas e tudo o que lhe davam) me fazia pensar no desemparo dos discípulos do Cristo aos pés do crucificado."

• Otto Gross, *Das Freudsche ideogenitätsmoment und seine Bedeutung im manisch-depressiven Irresein Kraepelins*, Leipzig, 1907; *La Révolution sur le divan*, seleção de textos de 1908 a 1920, apresentados por Jacques Le Rider, Paris, Solin, 1988 • *Freud/Jung: correspondência completa* (Paris, 1975), Rio de Janeiro, Imago, 1993 • Martin Green, *Les Soeurs von Richthofen* (N. York, 1974), Paris, Seuil, 1979 • Emmanuel Hurwitz, *Otto Gross. Paradies-Sucher zwischen Freud und Jung*, Zurique, 1979 • Michel Schneider, *Blessures de mémoire*, Paris, Gallimard, 1980 • Pierre Morel (org.), *Dicionário biográfico psi* (Paris, 1995), Rio de Janeiro, Jorge Zahar, 1997.

➢ JUDEIDADE; MATRIARCADO; SCHREBER, DANIEL PAUL; *TOTEM E TABU*; VIENA; WEININGER, OTTO.

Guattari, Félix (1930-1992)
psicanalista francês

Nascido em Villeneuve-les-Sablons, membro da École Freudienne de Paris* e analisado por Jacques Lacan*, Félix Guattari pertencia à quarta geração* psicanalítica francesa. Engajado na esquerda, militante anticolonialista, principalmente durante a guerra da Argélia, fundador da revista *Recherches* e de diversas associações de contestação da ordem psiquiátrica oficial, ecologista e grande viajante a serviço de todas as formas de tolerância, combateu durante muitos anos pelos mais belos valores do engajamento libertário no coração do lacanismo* dos anos 1970, já ameaçado de dogmatismo. Psicólogo de formação, participou da história do movimento psicanalítico de três maneiras: como psicanalista lacaniano, como terapeuta ligado à experiência da psicoterapia institucional* realizada na Clínica de La Borde, em Cour-Cheverny, sob a direção de Jean Oury, e enfim como co-autor de várias obras escritas com o filósofo Gilles Deleuze (1925-1995), entre as quais *O anti-Édipo*, que foi, em 1972, o verdadeiro manifesto de uma antipsiquiatria* à francesa e teve um estrondoso sucesso.

Os dois autores criticavam o edipianismo freudiano que, em sua opinião, encerrava a libido* plural da loucura em um quadro excessivamente estreito, de tipo familiar. Para sair desse impasse "estrutural", eles se propunham a traduzir a polivalência do desejo* humano em uma conceitualidade adequada. Daí a idéia de opor à psicanálise* freudiana e lacaniana, articulada em torno da prioridade do Édipo* e do significante*, uma psiquiatria materialista fundada na "esquizo-análise", isto é, na possível liberação dos fluxos desejantes. Nascido de um ensino oral dado por Gilles Deleuze na Universidade de Paris-VIII (1969-1972) e de uma escrita a dois, *O anti-Édipo* tomava assim como alvo maior o conformismo psicanalítico de todas as tendências, anunciando com vigor o esgotamento trágico do lacanismo dos últimos tempos.

• Félix Guattari, *Psychanalyse et transversalité*, Paris, Maspero, 1972; *Chaosmose*, Paris, Galilée, 1992 • Félix Guattari e Gilles Deleuze, *O anti-Édipo, Capitalismo e esquizofrenia* (Paris, 1972), Rio de Janeiro, Imago, 1976; *Rhizome*, Paris, Minuit, 1976; *Mille Plateaux*, Paris, Minuit, 1980 • Élisabeth Roudinesco, *História da psicanálise na França*, vol.2 (Paris, 1986), Rio de Janeiro, Jorge Zahar, 1988 • Yannick Oury-Pulliero, "Félix Guattari, 1930-1992", in *Encyclopaedia universalis*, 1993, 544-5.

➢ COOPER, DAVID; ESQUIZOFRENIA; FRANÇA; FREUDO-MARXISMO; LAING, RONALD; REICH, WILHELM.

Guilbert, Yvette (1867-1944)

O pintor Henri de Toulouse-Lautrec (1864-1901) fez vários retratos dessa cantora francesa de café-concerto. Com suas longas luvas negras, célebre na Paris da Belle Époque pelo seu repertório, interpretava ora a mocinha ingênua ora a bêbada ou a prostituta.

Foi a conselho da mulher de Jean Martin Charcot* que Sigmund Freud* foi pela primeira vez a um recital de Yvette Guilbert, em 1889. Depois disso, eles trocaram uma correspondência amistosa. Freud gostava especialmente da famosa canção *Dites-moi si je suis belle*, que Yvette Guilbert interpretou em 1938, com a idade de 71 anos, por ocasião do congresso da International Psychoanalytical Association* (IPA) em Paris, diante de todos os psicanalistas da Europa, reunidos pela última vez antes da Segunda Guerra Mundial. Ela se casou com um biólogo vienense, Max Schiller, e a sobrinha deste, Eva Rosenfeld (1892-1977), amiga de Anna Freud*, se tornaria psicanalista e membro da British Psychoanalytical Society (BPS).

H

Haas, Ladislav (1904-1985)

médico e psicanalista eslovaco

Grande personalidade do freudo-marxismo* europeu, Ladislav Haas, originário da Eslováquia, foi durante toda a vida um militante comunista e um freudiano rigoroso, apesar da tortura, do exílio e da perseguição. Ao lado de Theodor Dosuzkov* e de Otakar Kucera (1906-1980), exerceu suas atividades psicanalíticas em um país onde o freudismo* não teve repercussão alguma.

Depois de fazer os estudos secundários na Hungria*, Haas se orientou para a psiquiatria em Berlim, descobriu as obras de Sigmund Freud* e freqüentou a "esquerda freudiana", sobretudo Wilhelm Reich*. Em 1926, tornou-se membro do Partido Comunista Alemão. A partir de 1933, instalando-se em Praga, exerceu a profissão de clínico geral. Em 1934, ficou preso durante seis semanas em função de seu engajamento político. Posteriormente, integrou-se ao grupo dos psicanalistas de Praga, mas, no momento da ocupação da Tchecoslováquia pelos nazistas, emigrou para a Grã-Bretanha*.

Em 1945, voltou a seu país e em Kosice, cidade próxima da fronteira com a União Soviética, trabalhou como neurologista em um hospital. Nessa época, tratou do dirigente político Klement Gottwald.

Depois da instauração do regime comunista em 1948, adotou, como Dosuzkov, as teses pavlovianas. Apesar do stalinismo, que ele reprovava, continuou sendo militante. Mesmo praticando oficialmente a psiquiatria, e enquanto presidia o Instituto Nacional de Saúde em Praga, recebia analisandos privadamente, fosse para tratá-los, fosse para formá-los como psicanalistas. Acusado brutalmente de alta traição em 1952, foi preso e torturado, sendo libertado dois anos depois. Retomou então o seu trabalho, interessando-se pelos pacientes com tendências ao suicídio*.

Em 1964, deixou Praga e foi instalar-se em Londres, onde se tornou membro da British Psychoanalytical Society (BPS). Conservou-se sempre ligado a seu país e a seus amigos, nunca renegando suas escolhas políticas e ideológicas.

• Michael Sebek, "La Psychanalyse, les psychanalystes et la période stalinienne de l'après-guerre. La Situation tchécoslovaque", *Revue Internationale d'Histoire de la Psychanalyse*, 5, 1992, 553-65 • Eugenia Fischer "Czechoslovakia", in Peter Kutter (org.), *Psychoanalysis International. A Guide to Psychoanalysis throughout the World*, vol.1, Stuttgart, Frommann-Holzboog, 1992, 34-50.

➢ COMUNISMO; FEDERAÇÃO EUROPÉIA DE PSICANÁLISE; NAZISMO; RÚSSIA.

Haeckel, Ernst Heinrich (1834-1920)

médico e zoólogo alemão

Ernst Heinrich Haeckel nasceu em Potsdam, em uma família protestante marcada pelo patriotismo prussiano. Seu pai, originário da Silésia, era jurista e sua mãe veio da Renânia.

Haeckel apaixonou-se muito cedo pela botânica e estudou medicina na Universidade de Würzburg, cidade cujo espírito rigidamente católico contribuiria para o desenvolvimento de seu ódio ao papismo. Obteve seu título de doutor em medicina na Universidade de Berlim em 1857, e depois completou sua formação em Viena*, com Johannes Peter Müller (1801-1858), que reconheceria como "um dos maiores naturalistas do século XIX".

Em 1860, leu com paixão a primeira tradução alemã da *Origem das espécies*, de Charles Darwin (1809-1882), de quem se tornou admirador entusiasta e mediador corajoso no conjunto dos países germânicos, mas também um propagandista um tanto simplificador. Nomeado aos 28 anos como professor extraordinário da Universidade de Iena e diretor do museu zoológico dessa cidade, Haeckel se tornou também um dos líderes mais célebres da filosofia monista, a serviço da qual aplicou as teses darwinianas.

A obra científica e filosófica de Haeckel está hoje superada, mas teve em seu tempo uma influência considerável em toda a Europa, inclusive na França*, onde contribuiu para reforçar a hostilidade ao darwinismo, em benefício do pensamento lamarckiano.

Em 1866, Haeckel publicou uma *Morfologia geral*, logo seguida de uma *História da criação*. Depois de outras obras e muitas viagens à Ásia e à América, publicou em 1899 uma obra de divulgação, *Os enigmas do universo*. Esse livro teria 400 mil exemplares vendidos na Alemanha* e chegou até o gabinete de Lenin (1870-1924), que apreciou seu materialismo militante.

Ao contrário de Carl Claus*, de Theodor Meynert*, de Ernst Brücke* ou de Franz Brentano*, Haeckel não foi um dos mestres de Sigmund Freud*. Todavia, foi através de sua popularidade, pela leitura de suas obras e de suas conferências, várias vezes reeditadas, que Freud tomou conhecimento das idéias de Darwin e encontrou a célebre lei da recapitulação ("a ontogênese repete a filogênese"), de que faria uso ininterrupto ao longo de sua obra, a despeito das reservas e das críticas de alguns dos seus discípulos, como Ernest Jones* e depois Ernst Kris*.

Essas críticas não eram injustificadas, mas encobriam um mal-entendido grave, cuja trama Lucille B. Ritvo, em seu livro *A influência de Darwin sobre Freud*, reconstituiu minuciosamente, descrevendo as modalidades sob as quais Freud teve acesso ao pensamento darwiniano e o lugar específico de Haeckel nesse percurso intelectual.

Se Haeckel foi realmente o inventor das noções de ecologia, de filogênese e de ontogênese, não foi o autor dessa lei da recapitulação, que lhe é geralmente atribuída, embora tenha feito dela um dos eixos de sua concepção do evolucionismo. Na verdade, os prolegômenos

dessa lei são apresentados no capítulo XIII da *Origem das espécies*. Mas o próprio Darwin diria que Haeckel e Fritz Müller (1822-1897), ambos alunos de Johannes Müller, "sem dúvida alguma, [...] elaboraram [essa lei] de maneira mais profunda, e sob certos aspectos mais corretamente do que eu".

A essa confusão acrescentou-se outra, ligada à assimilação que se fez, em 1917, entre essa lei e a hereditariedade dos caracteres adquiridos: "Ao contrário do que Freud pensa", escreveu Lucille B. Ritvo, "a teoria da recapitulação não depende da hereditariedade dos caracteres adquiridos e é por isso que ela sobreviverá à queda do lamarckismo [...]. Os discípulos de Freud que reprovaram o seu neolamarckismo não lhe reprovam as suas aplicações da recapitulação; deploram que ele tenha fundado a recapitulação na hereditariedade dos caracteres adquiridos." Toda a discussão científica se referia à questão de saber se a lei da recapitulação implicava ou não a idéia de que era o estado adulto ancestral que era repetido no embrião. Evidentemente, as respostas de Müller, de Haeckel, mas também de Darwin, foram positivas. Freud, em seguida a eles, pensava que era esse adulto ancestral que se reproduzia no desenvolvimento psicossexual da criança.

A tese da recapitulação foi abandonada durante os anos 1930-1940, mas a saudade dessa idéia sedutora acompanharia durante longo tempo muitos pesquisadores.

Fascinado pelo alcance dessa lei, que fundamentava a continuidade entre o desenvolvimento psicológico individual e o da humanidade, Freud estava consciente dos perigos ligados à sua utilização excessivamente sistemática. Daí sua renúncia a prosseguir e publicar o seu ensaio metapsicológico "Neuroses de transferência; uma síntese", essa "fantasia filogenética" encontrada por Ilse Grubrich-Simitis.

Acima dos erros e impasses que marcaram esse percurso intelectual e essas lutas entre sábios do século XIX, Lucille B. Ritvo e Ilse Grubrich-Simitis, em perspectivas diferentes, demonstraram o duplo interesse dessa aventura teórica e epistemológica. A convicção, a obstinação e o abandono freudiano dessa questão ilustram a complexidade e o caráter trágico da pesquisa científica, quando as exigências de rigor se chocam com a paixão e com a força pulsional da curiosidade. Mas, por outro lado, as questões exploradas por meio do recurso à chamada lei de Haeckel continuam sendo da mais viva atualidade para todos aqueles, psicanalistas ou biólogos, que não se satisfazem apenas com a perspectiva estritamente organicista e que persistem, na linhagem de Freud e de Darwin, em interrogar os mistérios das origens.

• Sigmund Freud, *Neuroses de transferência: uma síntese* (Frankfurt, 1985), Rio de Janeiro, Imago, 1987; *Totem e tabu* (1913), *ESB*, XIII, 17-192; *GW*, IX; *SE*, XIII, 1-161; Paris, Gallimard, 1993; *A história do movimento psicanalítico* (1914), *ESB*, XIV, 16-88; *GW*, X, 44-113; *SE*, XIV, 7-66; Paris, Gallimard, 1991; *Moisés e o monoteísmo: três ensaios* (1939), *ESB*, XXIII, 16-167; *GW*, XVI, 103-246; *SE*, XXIII, 1-137; Paris, Gallimard, 1986 • Paul-Laurent Assoun, *Introduction à l'épistémologie freudienne*, Paris, Payot, 1981; "Freudisme et darwinisme", in Patrick Tort (org.), *Dictionnaire du darwinisme et de l'évolution*, vol.2, Paris, PUF, 1996, 1741-63 • Françoise Carasso, *Freud médecin*, Arles, Inserm-Actes Sud, 1992 • Yvette Conry, *L'Introduction du darwinisme en France au XIXe siècle*, Paris, Vrin, 1974 • Henri F. Ellenberger, *Histoire de la découverte de l'inconscient* (N. York, Londres, 1970, Villeurbanne, 1974,) Paris, Fayard, 1994 • Sandor Ferenczi, *Thalassa* (1924), S. Paulo, Martins Fontes, 1990 • Ilse Grubrich-Simitis, "Metapsicologia e metabiologia", in Sigmund Freud, *Neuroses de transferência: uma síntese* (Frankfurt, 1985), Rio de Janeiro, Imago, 1987; "Trauma or drive — drive and trauma", in Albert J. Solnit, Peter B. Neubauer, Samuel Abrams e A. Scott Dowling (org.), *The Psychoanalytic Study of the Child*, Yale, Yale University Press, 1988, vol.43, 3-32 • Dominique Lecourt, *L'Amérique entre la Bible et Darwin*, Paris, PUF, 1992 • Liliane Maury, *Les Émotions de Darwin à Freud*, Paris, PUF, 1993 • Marie Moscovici, "Un meurtre construit par les produits de son oubli", in *Il est arrivé quelque chose*, Paris, Payot, 1991, 387-416 • Lucille B. Ritvo, *A influência de Darwin sobre Freud* (1990), Rio de Janeiro, Imago, 1992 • Jacques Roger, "Darwin, Haeckel et les Français", in *De Darwin au darwinisme*, atas do Congresso Internacional pelo centenário da morte de Darwin, Paris, Vrin, 1983 • Britta Rupp-Eisenreich, "Haeckel", in Patrick Tort (org.), *Dictionnaire du darwinisme et de l'évolution*, vol.2, Paris, PUF, 1996, 2072-114 • Frank J. Sulloway, *Freud, Biologist of the Mind*, N. York, Basic Books, 1979.

➤ FANTASIA; *MOISÉS E O MONOTEÍSMO*; SEXUALIDADE; *TOTEM E TABU.*

Haitzmann, Christopher (?-1700)

Foi a pedido de um conselheiro áulico, R. Payer Thurn, que descobrira na Biblioteca dos Fideicomissos um manuscrito proveniente do monastério de Mariazell, onde se relatava a história da cura "miraculosa" do pintor bávaro Christopher Haitzmann, que Sigmund Freud* redigiu e publicou em 1923 um artigo intitulado "Uma neurose demoníaca do século XVII". Nesse livro, estudou detalhadamente o caso desse homem, que sofria de convulsões em 1677, oito anos depois de assinar um pacto com o diabo, tendo sido posteriormente curado pelo exorcismo.

Freud mostrou que o diabo era, para o pintor, um substituto do pai. Mas principalmente, ridicularizou o exorcismo, enfatizando que Haitzmann, que se tornou Irmão Crisóstomo, nunca se curou. Em seu mosteiro de Mariazell, continuou até a morte sendo importunado pelo Maligno, principalmente depois de beber mais do que devia. Em outras palavras, Freud opunha nesse artigo os benefícios da psicanálise*, segundo ele capaz de tratar as neuroses*, às práticas religiosas e ocultas dos tempos antigos, pouco compatíveis com a *Aufklärung*.

Já em sua correspondência com Wilhelm Fliess*, Freud se interessara pelo diabo e, em janeiro de 1909, quando de uma conferência de Hugo Heller* na Wiener Psychoanalytische Vereinigung (WPV), declarou que via nesse personagem não só a própria essência da sexualidade* humana (a libido* única), mas também uma fantasia coletiva, construída a partir do modelo de um delírio paranóico.

Apesar de todas as precauções tomadas por Freud, seu estudo sobre Christopher Haitzmann sofria de um defeito próprio a todos os trabalhos de patografia e de psicanálise aplicada*, aos quais se dedicavam nessa época os seus discípulos. Ele interpretava retroativamente os fenômenos de possessão como casos patológicos que a "ciência" moderna (a psicanálise) pretendia esclarecer de acordo com uma racionalidade nova. Daí um certo número de especulações dificilmente admissíveis: por exemplo, aquela em que Freud "analisa" a reação melancólica do pintor depois da morte de seu pai como se tratasse de um paciente no seu divã.

Como todos os grandes casos freudianos, esse estudo foi revisto pelos herdeiros do mestre, em função do pensamento de suas respectivas escolas. Assim, em 1950, Geza Roheim* sublinhou que o diabo, longe de ser um substituto do pai, era antes uma espécie de supereu*. Seis anos depois, dois clínicos kleinianos, Richard Hunter e Ida Macalpine, que já tinham revisto o caso de Daniel Paul Schreber*, fizeram uma exegese completa da história de Haitzmann, publicando sua autobiografia e suas obras pictóricas. Evidentemente, invalidaram o diagnóstico freudiano e, para eles, o pintor era um perfeito esquizofrênico segundo a terminologia bleulero-kleiniana. Não contentes em assimilar Haitzmann a um novo Schreber, multiplicando interpretações tão duvidosas quanto as de Freud, os dois autores acrescentaram à sua revisão uma análise do "caso" de Freud, enfatizando que suas interpretações* sobre o "diabo substituto do pai" tinham como origem a questão não resolvida da morte de seu próprio pai em 1896.

Foi preciso esperar os trabalhos do historiador francês Michel de Certeau (1926-1986) para retirar o texto freudiano dessa espiral interpretativa e dar-lhe um conteúdo novo. Segundo ele, Freud "fabricava" ficções a partir de fatos históricos, contribuindo assim, sem saber, para reintroduzir no trabalho do historiador um modelo de inteligibilidade subjetiva que a historiografia excluíra ao se tornar positivista.

• Sigmund Freud, "Uma neurose demoníaca do século XVII" (1923), *ESB*, XIX, 91-138; *GW*, XIII, 317-53; *SE*, XIX; *OC*, XVI, 213-51 • *Les Premiers psychanalystes. Minutes de la Société Psychanalytique de Vienne*, II, 1908-1910 (N. York, 1967), Paris, Gallimard, 1978, 121-7 • Geza Roheim, "Psychologie et histoire ou 'La tragédie de l'homme'" (1950), in *Psychanalyse et anthropologie* (N. York, 1950), Paris, Gallimard, 1967, 513-39 • Ida Macalpine e Richard A. Hunter, *Schizophrenia 1677. A Psychiatric Study of an Illustrated Autobiographical Record of Demoniacal Possession*, Londres, Dawsson and Sons, 1956 • Michel Foucault, "Médecins, juges et sorciers au XVIIe siècle" (1969), in *Dits et Écrits*, vol.1, Paris, Gallimard, 1994, 753-66 • Michel de Certeau, *L'Écriture de l'histoire*, Paris, Gallimard, 1975 • Luisa de Urtubay, *Freud et le diable*, Paris, PUF, 1983.

Halberstadt, Sophie, *née* Freud (1893-1920), filha de Sigmund Freud

Nascida em Viena*, Sophie era a quarta entre os filhos de Sigmund Freud* e de sua mulher Martha*, e a segunda filha depois de Mathilde Hollitscher* e antes de Anna Freud*.

Seu nome foi escolhido em homenagem a Sophie Schwab, uma bela mulher que era sobrinha de Emil Hammerschlag, ex-professor de hebraico de Freud. Como sua irmã mais velha, foi educada nos princípios da burguesia vienense, que fixava como único destino para as mulheres tornarem-se esposas modelares e mães perfeitas. Entre os filhos de Freud, educados dessa maneira, repetiram-se os conflitos e rivalidades que a geração precedente conhecera.

Mais bonita ainda que Mathilde, Sophie foi a preferida da mãe e teve que enfrentar o ciúme de sua irmã Anna, que sofria com seu físico ingrato e com uma inaptidão quase total para os trabalhos de costura e bordado, para os quais Sophie era dotada de um talento fora do comum: "Você devia ser generosa com sua irmã", escreveu Freud a Anna, "senão vocês acabarão como suas duas tias, que nunca conseguiram se entender na infância e que foram castigadas, tornando-se incapazes de se separar — pois o amor e o ódio não são muito diferentes."

Em 1913, Sophie casou-se com Max Halberstadt, fotógrafo e retratista famoso de Hamburgo. O casamento foi preparado com cuidado, mas a pobre Anna, convalescente em Merano de uma apendicectomia, não pôde assistir a ele. Consciente da infelicidade de sua última filha, Freud lhe enviou entretanto uma carta incrivelmente cruel, sugerindo que certamente ela tinha ciúme de Max, que soubera conquistar o amor de Sophie.

Na verdade, era Freud, patriarca tirânico, compulsivamente apegado ao amor de suas filhas, que não suportava o casamento de Sophie, depois do de Mathilde, a tal ponto que Sandor Ferenczi* diagnosticou nele um "complexo de Sophie", exortando-o a aceitar normalmente essa perda.

Depois de um aborto terapêutico, que fez com que a família temesse uma esterilidade semelhante à de Mathilde, Sophie deu à luz dois filhos: Ernst (apelidado Ernstl) em 1914, e Heinz (apelidado Heinerle) em 1918. Parecia feita para a felicidade conjugal, mas em 1920 morreu subitamente durante uma epidemia de gripe que devastava o norte da Alemanha*. Freud tinha acabado de ser informado da morte de Anton von Freund*. Não foi ao enterro, ao qual seus dois filhos, Ernst e Martin, assistiram em companhia de Max Eitingon*, que viera de Berlim. Deprimido, melancólico, Max Halberstadt nunca se recuperou da morte da esposa. Enquanto Mathilde se responsabilizava pelo pequeno Heinerle, que sucumbiria tragicamente a uma tuberculose miliar três anos depois, Anna se ocupava de Ernstl, pensando até em adotá-lo.

Freud comunicou sua dor a Oskar Pfister*, mencionando a dureza dos tempos: "A felicidade [de Max e Sophie] estava apenas no seu coração, não na sua vida: a guerra, a mobilização, o ferimento, a diminuição de seus recursos, apesar disso eles continuavam corajosos e alegres [...]. A perda de um filho parece ser uma ofensa grave, narcísica; o que se chama luto só vem, provavelmente, depois."

A morte de Heinerle foi para ele ainda mais terrível: "É verdade que perdi uma filha querida com a idade de 27 anos, mas estranhamente suportei bem. Foi em 1920, estávamos desgastados pela miséria da guerra, preparados há anos para ficar sabendo que perdêramos um filho, ou mesmo três. Assim, a submissão ao destino se preparava [...]. Depois da morte de Heinerle, não gosto mais dos meus netos e não me alegro mais com a vida. Aí também está o segredo da indiferença. Chamaram isso de coragem, diante da ameaça que pesa sobre a minha própria vida."

Em 1924, Fritz Wittels* quis demonstrar que a teorização de Freud sobre a noção de pulsão de morte* em *Mais-além do princípio de prazer* era o contragolpe da dor sentida com a morte de Sophie. Não era nada disso e Freud enfatizou, em uma carta a Eitingon de julho de 1920, que a obra já estava em fase de conclusão bem antes dessa tragédia. Aliás, a idéia de um instinto de morte já fora formulada por Sabina Spielrein*.

Na obra, Freud contou a história de uma criança amada pelos pais, que não os perturbava à noite e nunca chorava quando a mãe se ausentava, mas que adquirira o hábito de brincar com um carretel de madeira atado a um barbante. Ele lançava e tornava a apanhar o carretel, gritando "*fort-da*", expressando assim o sofrimento que lhe causava a perda do objeto e o prazer que tinha em fazê-lo reaparecer. Esse "menino do carretel", célebre em toda a literatura freudiana,

era o filho mais velho de Sophie, Ernstl. Depois de estudar em Berlim, Ernstl fez várias viagens. Foi a Jerusalém para estar com Eitingon, que emigrara para Moscou, e pensou em se instalar em Londres. Analisado por Wilhelm (Willi) Hoffer (1897-1967), discípulo vienense de Freud naturalizado inglês, tornou-se psicanalista, membro da International Psychoanalytical Association* (IPA), e trabalhou na Hampstead Child Therapy Clinic, onde se especializou no estudo das relações precoces entre o bebê e a mãe. Tratou também de crianças prematuras. À procura de uma identidade que o ligasse ao avô, adotou o nome de solteira de sua mãe e fez-se chamar Ernest W. Freud. Com a morte de Anna, renunciou a herdar o apartamento londrino de Maresfield Gardens, que se tornou o Freud Museum*, e foi exercer a psicanálise na Alemanha.

Assim, o "menino do carretel", que aliás esqueceu o episódio contado pelo avô em *Mais-além do princípio de prazer*, foi o único descendente masculino da família Freud que se tornou psicanalista.

• Sigmund Freud, *Mais-além do princípio de prazer* (1920), *ESB*, XVIII, 17-90; *GW*, XIII, 3-69; *SE*, XVIII, 1-64; *OC*, XV, 273-339; *La Naissance de la psychanalyse* (Londres, 1950), Paris, PUF, 1956; *Chronique la plus brève. Carnets intimes, 1929-1939*, anotado e apresentado por Michael Molnar (Londres, 1992), Paris, Albin Michel, 1992 • Sigmund Freud e Sandor Ferenczi, *Correspondência*, vol. I, *1908-1914* (Paris, 1992), Rio de Janeiro, Imago, 1994, 1995, vol. II *(1914-1919)*, Paris, Calmann-Lévy, 1996 • Ernest Jones, *A vida e a obra de Sigmund Freud*, vols. 1 e 2 (N. York, 1953, 1955), Rio de Janeiro, Imago, 1989 • Martin Freud, *Freud, mon père* (Londres, 1957), Paris, Denoël, 1975 • Max Schur, *Freud: vida e agonia, uma biografia*, 3 vols. (N. York, 1972), Rio de Janeiro, Imago, 1981 • Élisabeth Young-Bruehl, *Anna Freud: uma biografia* (N. York, 1988), Rio de Janeiro, Imago, 1992 • Peter Gay, *Freud: uma vida para o nosso tempo* (N. York, 1988), S. Paulo, Companhia das Letras, 1995.

Hall, Granville Stanley (1844-1924)
psicólogo americano

Fundador americano da psicologia genética, inspirada no darwinismo e em uma pedagogia evolucionista, pioneiro da introdução da psicanálise* nos Estados Unidos*, com James Jackson Putnam* e Adolf Meyer*, Stanley Granville Hall nasceu em Ashfields, em uma velha família de fazendeiros puritanos da Nova

Inglaterra. Destinando-se inicialmente à teologia e ao ministério sacro, orientou-se para a filosofia, depois de uma forte rebelião contra seu pai e uma experiência amorosa.

Com o psicólogo William James (1842-1910), obteve seu doutorado aos 30 anos, e, com James Jackson Putnam, começou a se interessar pelas crianças deficientes e retardadas. Durante uma viagem à Europa, foi a Leipzig para estudar psicologia com Wilhelm Wundt (1832-1920) e visitou os grandes mestres da patologia da época: Jean Martin Charcot* em Paris, Theodor Meynert* em Viena*, Hippolyte Bernheim* em Nancy. Mesmo apaixonado pela hipnose*, ensinou psicologia na Johns Hopkins University, e depois, de 1889 a 1920, na Clark University de Worcester. Em 1887, fundou o *American Journal of Psychology* e teve uma intensa atividade editorial, lançando três outros periódicos: o *Pedagogical Seminary* (que se tornaria o *Journal of Genetic Psychology*), o *Journal of Applied Psychology* e enfim o *Journal of Religious Psychology*.

Em 1909, convidou Sigmund Freud* a fazer conferências na Clark University, depois de dar ele próprio cursos sobre psicanálise. Posteriormente, voltou-se para a escola de psicologia individual de Alfred Adler*, e se dedicou ao estudo da religião e à gerontologia.

• Granville Stanley Hall, *Life and Confessions of a Psychologist*, N. York, D. Appleton and Co., 1923 • Dorothy Ross, "G. Stanley Hall, 1844-1924. Aspects of science and culture in the nineteenth century", tese, Departamento de História, Columbia University, 1965 • *L'Introduction de la psychanalyse aux États-Unis. Autour de James Jackson Putnam* (Londres, 1968), Paris, Gallimard, 1978, precedido de uma "Introduction" por Nathan G. Hale, 17-86 • Nathan G. Hale, *Freud and the Americans. The Beginnings of Psychoanalysis in the United States, 1876-1917*, t.I (1971), N. York, Oxford University Press, 1995 • L. Zusne, *Names in the History of Psychology. A Biographical Sourcebook*, N. York, Londres, A Halsted Press Book, John Wiley & Sons, 1975, 375-7.

➤ *CINCO LIÇÕES DE PSICANÁLISE.*

Hampstead Child Therapy Clinic

➤ FREUD, ANNA.

Hans, Pequeno (caso)

➤ GRAF, HERBERT.

Happel, Clara, *née* Pinkus (1889-1945)
médica e psicanalista alemã

Nascida em Berlim, em uma família judia, Clara Happel logo se interessou pela psicanálise e foi formada por Hanns Sachs*. Em 1920, participou da criação do Instituto Psicanalítico de Frankfurt. Depois, instalou-se em Hamburgo, para trabalhar com August Waterman*. Em 1934, emigrou para os Estados Unidos* com seus dois filhos, em condições difíceis. No consulado americano, anotaram em seus documentos: "Mulher com dois filhos. Será um fardo para os Estados Unidos." Assim, logo que chegou, foi conduzida a Ellis Island. Sandor Rado* foi procurá-la para acolhê-la em sua casa e ajudá-la a integrar-se. Foi em Detroit, onde não havia nenhum grupo freudiano, que ela decidiu finalmente instalar-se e praticar a psicanálise. Em 1941, depois do ataque de Pearl Harbor, foi denunciada à polícia como inimiga da América por um ex-paciente psicótico e passou seis semanas na prisão. Ao sair, não conseguiu mais exercer a profissão e mergulhou na melancolia*. Em 1944, pobre e solitária, partiu para viver em Nova York, onde se suicidou um ano depois com uma dose maciça de barbitúricos.

• Volker Friedrich, "Cartas da América de Clara Happel a seu filho Peter: 1936-1945", in *Revista Internacional da História da Psicanálise*, 1 (1988), Rio de Janeiro, Imago, 1990, 283-306.

➤ SUICÍDIO.

Hartmann, Heinz (1894-1970)
psiquiatra e psicanalista americano

Fundador da corrente da *Ego Psychology** e grande expoente da escola nova-iorquina de psicanálise*, Heinz Hartmann nasceu em Viena* e foi educado em um meio intelectual sem confissão religiosa, fenômeno raro na época. Era proveniente da grande burguesia vienense elitista e refinada. Seu pai foi professor de história, antes de ser embaixador em Berlim, e seu avô materno era o famoso ginecologista

Rudolf Chrobak (1843-1910), que sugerira a Sigmund Freud* uma etiologia sexual da histeria*. Na juventude, Hartmann fora tratado por Josef Breuer*. Assim, tinha laços com a família freudiana.

Depois de ter sido aluno de Julius Wagner-Jauregg*, foi a Berlim, onde se familiarizou com o pensamento de Max Weber (1864-1920) e de Kurt Lewin (1890-1947). Paralelamente, fez uma primeira análise didática* com Sandor Rado*, no prestigioso Berliner Psychoanalytisches Institut* (BPI). Voltando a Viena, integrou-se em 1925 à Wiener Psychoanalytische Vereinigung (WPV), e depois fez uma segunda análise com Sigmund Freud*, que o considerava um de seus melhores alunos no que se convencionara chamar de segunda geração*. A partir de 1932, foi um dos diretores do *Internationale Zeitschrift für Psychoanalyse*, e depois empenhou-se, desde 1937, na revisão da segunda tópica* freudiana, o que o levaria à *Ego Psychology*.

De passagem por Paris em 1938, foi involuntariamente envolvido nos conflitos da Sociedade Psicanalítica de Paris (SPP) a propósito da eleição de Jacques Lacan* ao título de membro titular. Rudolph Loewenstein* recusou esse título a Lacan, e Édouard Pichon* se interpôs, trocando a nomeação de Hartmann pela de Lacan. Posteriormente, Hartmann continuaria a opor-se firmemente a Lacan por ocasião das duas cisões* do movimento psicanalítico francês. Quanto a Lacan, não hesitou em tratar a *Ego Psychology* de "cancro constituído pelos álibis recorrentes do psicologismo" e em qualificar a psicanálise americana, encarnada em sua opinião pelos trabalhos de Hartmann, como uma psicologia desviada, a serviço da livre empresa. Aliás, Freud também não era mais indulgente quando acusava os americanos, a respeito da *Questão da análise leiga*, de terem transformado sua doutrina em "pau para toda obra da psiquiatria".

Obrigado a se evadir da França em 1939, Hartmann se refugiou na Suíça*, na casa de Raymond de Saussure*, e encontrou-se com Loewenstein. Ambos emigraram para os Estados Unidos* em 1941, e em Nova York Hartmann começou uma segunda carreira de chefe de escola, tornando-se o principal representante

da ortodoxia freudiana, ao lado de Anna Freud*. Com ela e com Ernst Kris*, criou em 1945 a revista *Psychoanalytic Study of the Child*, órgão representativo do annafreudismo* no campo da psicanálise de crianças*. René Spitz* publicaria muitos textos nessa revista. Diretor do Instituto de Nova York de 1948 a 1951, presidente da New York Psychoanalytical Society (NYPS) de 1952 a 1954, presidente da International Psychoanalytical Association* (IPA) de 1953 a 1959, morreu coberto de honrarias, não sem ter sido violentamente criticado no próprio âmago da internacional freudiana, especialmente por Heinz Kohut*, pela imagem desastrosa que deu da psicanálise através de sua teoria do eu, de sua ortodoxia e de sua apologia dos tratamentos clássicos, cronometrados, silenciosos e de preço inacessível.

• Heinz Hartmann, *La Psychologie du moi et le problème de l'adaptation* (Viena, 1939, N. York, 1958), Paris, PUF, 1968; "Commentaires sur la théorie psychanalytique du moi" (1950), *Revue Française de Psychanalyse*, 31, 3 1967, 339-66; "Les Influences réciproques du moi et du ça dans le développement" (1952), ibid., 379-402; *Essays on Ego Psychology*, N. York, International Universities Press, 1964 • Heinz Hartmann, Ernst Kris e Rudolph Loewenstein, *Éléments de psychologie psychanalytique*, Paris, PUF, 1975 • Rudolph Loewenstein, "Obituary. Heinz Hartmann, 1894-1970", *IJP*, 51, 1970, 317-419 • Élisabeth Roudinesco, *História da psicanálise na França*, vol.2 (Paris, 1986), Rio de Janeiro, Jorge Zahar, 1988; *Jacques Lacan. Esboço de uma vida, história de um sistema de pensamento* (Paris, 1993), S. Paulo, Companhia das Letras, 1994.

Heimann, Paula (1899-1982)
médica e psicanalista inglesa

Nascida em Dantzig de pais russos, Paula Heimann estudou em várias universidades alemãs, antes de se instalar em Berlim. Orientou-se então para a psicanálise*, fazendo um tratamento com Theodor Reik*. Membro da Deutsche Psychoanalitische Gesellschaft (DPG) em 1932, foi obrigada a emigrar no ano seguinte, e Ernest Jones* a convidou para viver em Londres e integrar-se à British Psychoanalytical Society (BPS). Logo fez amizade com Melanie Klein*, de quem foi confidente depois da morte trágica de seu filho mais velho. Na verdade, tornou-se, de certa forma, sua filha adotiva. Depois, fez com ela uma nova análise e foi uma discípula assídua. Durante o período das Grandes Controvérsias*, Paula a apoiou lealmente. Depois da Segunda Guerra Mundial, tornando-se uma das didatas mais importantes da BPS, redigiu muitos artigos clínicos e distinguiu-se por seus trabalhos sobre a contratransferência*, a identificação projetiva* e as relações de objeto*.

Em 1949, entrou em conflito com Melanie Klein a propósito da publicação de seu artigo sobre a contratransferência. Sentindo-se tratada "como escrava", rebelou-se e foi rejeitada implacavelmente pelos kleinianos. Reuniu-se então ao Grupo dos Independentes*.

• Paula Heimann, "On counter-transference", *IJP*, 31, 1950, 81-4; "Quelques aspects du rôle de la projection et de l'introjection dans les tout premiers stades du développement", in *Melanie Klein* (org.), *Os progressos da psicanálise* (Londres, 1952), Rio de Janeiro, Zahar, 1978; *About Children and Children-no-longer. The Work of Paula Heimann, 1942-1980*, Margaret Tonnesmann (org.), Londres, Routledge, 1989 • Phyllis Grosskurth, *O mundo e a obra de Melanie Klein* (1986), Rio de Janeiro, Imago, 1992 • R.D. Hinshelwood, *Dicionário do pensamento kleiniano* (Londres, 1991), P. Alegre, Artes Médicas, 1992 • *Les Controverses Anna Freud/Melanie Klein* (Londres, 1991), Pearl King e Riccardo Steiner (orgs.), Paris, PUF, 1996.

Heller, Hugo (1870-1923)

editor austríaco

Vienense de origem húngara, Hugo Heller participou a partir de 1902 das reuniões da Sociedade Psicológica das Quartas-Feiras*. Sua célebre livraria era um ponto de encontro de escritores e poetas. Heller foi o primeiro editor da revista *Imago** e do *Internationale Zeitschrift für Psychoanalyse**.

• Elke Mühlleitner, *Biographisches lexikon der Psychoanalyse. Die Mitglieder der psychologischen Mittwoch-Gesellschaft und der Wiener Psychoanalytischen Vereinigung von 1902-1938*, Tübingen, Diskord, 1992.

Helmholtz, Hermann Ludwig Ferdinand von (1821-1894)

fisiologista e físico alemão

Nascido em Potsdam, Hermann von Helmholtz estudou na escola dos médicos militares prussianos. Nomeado inicialmente professor de fisiologia na Universidade de Königsberg em 1849, ocupou depois, na mesma disciplina, a cátedra de Heidelberg, antes de ensinar em Berlim, onde foi criada para ele uma cátedra de física.

Para compreender o lugar da obra de Helmholtz na história da descoberta do inconsciente, e em geral na das ciências, é preciso reportá-la à fisiologia moderna, cujo terreno se consolidou no fim do século XIX através dos trabalhos dos grandes positivistas: "Entre a experimentação fisiológica do século XVIII e a do século XIX, escreveu Georges Canguilhem, a diferença radical está na utilização sistemática, por esta, de todos os instrumentos e aparelhos que as ciências físico-químicas em pleno desenvolvimento lhe permitiram adotar e construir, tanto para a detecção quanto para a mensuração dos fenômenos."

Aluno do embriologista Johannes Peter Müller (1801-1858), Helmholtz soube aliar à exigência de mensuração e quantificação, que era estranha ao seu mestre, o sentido filosófico da unidade da natureza que este lhe transmitira. Dominando todas as ciências de sua época, interessou-se pelos fenômenos de percepção e criou a expressão *inferência inconsciente* para designar o processo de reconstrução que permite a cada sujeito perceber uma experiência ou um objeto a distância da simples impressão dos órgãos.

Em 1847, em sua monografia *Sobre a conservação da força*, apresentou uma audaciosa demonstração da aplicação ao conjunto do universo físico de uma lei que se tornaria um princípio fundamental da termodinâmica. Na mesma perspectiva, interessou-se pela óptica e pela acústica, e inventou dois aparelhos: o oftalmômetro e o oftalmoscópio. Um servia para explorar o olho, o outro para medir suas curvaturas. O caminho estava assim aberto para o desenvolvimento experimental da óptica fisiológica.

Siegfried Bernfeld* foi o primeiro, em 1944, a mostrar a importância dos trabalhos da escola de Helmholtz na gênese da doutrina freudiana. Se Johannes Müller inculcara em seus alunos a convicção de que a fisiologia devia triunfar sobre a velha medicina romântica, ele continuava ligado à doutrina do vitalismo*. Foi essa doutrina que Helmholtz e seus colegas Emil Du Bois-Reymond (1818-1896), Carl Ludwig (1816-1895) e Ernst Wilhelm von Brücke*, todos eles alunos de Müller, combateram. Em 1845, animados por um espírito de cruzada, formaram um pequeno grupo cujo objetivo era impor a verdade de que "só as forças físicas e químicas, com exclusão de qualquer outra, agem no organismo". Em trinta anos, tornaram-se os chefes incontestáveis da medicina e da fisiologia de língua alemã e impuseram uma corrente mecanicista e organicista à neurologia e à psicologia a fim de isolá-las de todo modelo filosófico. Assim, realizaram a união da neurologia e da psicologia.

Grande admirador dos trabalhos de Helmholtz, Sigmund Freud* foi apresentado a seu pensamento através do ensino de Brücke. Tomou por empréstimo à fisiologia de sua época a referência à dinâmica, que se encontra em sua primeira tópica*, assim como as noções de conflito, oposição e formação de compromisso, que estruturam sua descrição do aparelho psíquico.

• Siegfried Bernfeld, "Freud's earliest theories and the school of Helmholtz", *Psychoanalytic Quarterly*, XIII, 1944, 341-62 • Ernest Jones, *A vida e a obra de Sigmund Freud*, vol.1 (N. York, 1953), Rio de Janeiro, Imago, 1989 • Georges Canguilhem, *Études d'histoire et de philosophie des sciences*, Paris, Vrin, 1868 • J.-L. Breteau, "Helmholtz Hermann Ludwig Ferdinand von", *Encyclopaedia universalis* (1968), vol.8, nona publicação, janeiro de 1976, 299-300 • Paul-Laurent Assoun, *Metapsicologia freudiana: uma introdução* (Paris, 1981), Rio de Janeiro, Jorge Zahar, 1996.

Herbart, Johann Friedrich (1776-1841)

filósofo alemão

Sucessor de Immanuel Kant (1724-1804) na cátedra de Königsberg em 1809 e aluno de Johann Fichte (1762-1814), Johann Friedrich Herbart foi um dos fundadores da psicologia moderna. Em sua principal obra, *A psicologia como ciência fundada na experiência, na metafísica e na matemática*, tentou fundar uma ciência do homem sobre o ensino das ciências naturais, do associacionismo inglês e do idealismo especulativo alemão.

Embora nunca tenha posto os pés na Áustria, foi certamente o filósofo mais admirado nesse país, onde conquistou adeptos e teve discípulos entre os católicos, os médicos e os pedagogos leigos (que tentaram reformar o ensino nos liceus e nas universidades a partir das suas teorias). Foi o caso sobretudo de Franz Brentano*, ou ainda de Franz Exner (1802-1853) e de seu aluno Gustav Adolf Lindner (1822-1877), ambos autores de manuais de psicologia empírica amplamente difundidos a partir dos anos 1850.

Antes de Herbart, Johann Fichte criticou o *cogito* cartesiano e o ato do conhecimento kantiano como tomada de consciência do pensamento cognoscente. Definia o eu* como um sujeito transcendental que se apresenta a si mesmo para si mesmo. Esse eu é infinito e, para realizar-se, tem necessidade, como se dizia, de um não-eu. Era esse drama da relação do eu com o não-eu que caracterizava, segundo Fichte, a identidade do sujeito moderno, sempre obrigado a afirmar sua realidade através de uma atividade.

A partir dessa concepção do eu, Herbart desenvolveu uma doutrina completa em torno das noções de representação*, de pulsão* e de recalque*. Fragmentou a identidade já dividida do sujeito da filosofia pós-kantiana em múltiplas representações definidas como átomos da alma: recalcadas no limiar da consciência, elas lutam umas contra as outras para invadir esta última.

Através dessa teoria, Herbart descrevia todas as modalidades do inconsciente dinâmico, nas quais Sigmund Freud* se inspiraria para a elaboração de sua primeira tópica.

Partidário da ordem e do conservadorismo político, Herbart fez uma obra de pedagogo, apoiando-se nos princípios de uma disciplina semifeudal que convinha ao ideal conservador do império josefista. Preferindo o saber adquirido ao espírito inventivo, preconizava um sistema educativo que favorecia os especialistas e os conhecedores, em detrimento dos criadores. Daí seu sucesso nos meios acadêmicos vienenses.

Em uma conferência de 1911, publicada três anos depois, Luise von Karpinska, uma psicóloga polonesa, foi a primeira a estudar a importância da doutrina dinâmica de Herbart na gênese do pensamento freudiano. Depois dela,

Maria Dorer tentou mostrar que Freud fora marcado pelo herbartismo, através do ensino de seu mestre Theodor Meynert*. Posteriormente, Siegfried Bernfeld* pôs em evidência a importância que a leitura do manual de Lindner, *Lehrbuch der Psychologie von Standpunkte des Realismus und nach genetischer Methode*, publicado em 1857, tivera para o jovem Freud. Enfim, Ernest Jones* e principalmente Ola Andersson* estudaram de modo mais sistemático o lugar do herbartismo na doutrina freudiana.

• Johann Friedrich Herbart, "Psychologie als Wissenschaft, Neugegründet auf Erfahrung, Metaphysik und Mathematik" (1824), in *Sämtliche Werke*, Leipzig, Voss, 1850 • Luise von Karpinska, "Über die psychologischen Grundlagen des Freudismus", *IZP*, vol.2, 1914, 305-26 • Maria Dorer, *Historiche Grundlagen der Psychoanalyse*, Leipzig, Felix Meiner, 1932 • Siegfried Bernfeld, "Freud's scientific beginnings", *American Imago*, vol.6, 1949, 163-96 • Ernest Jones, *A vida e a obra de Sigmund Freud*, vol.1 (N. York, 1953), Rio de Janeiro, Imago, 1989 • Lancelot Whyte, *L'Inconscient avant Freud* (N. York, 1960), Paris, Payot, 1971 • Ola Andersson, *Freud avant Freud. La Préhistoire de la psychanalyse* (1962), Paris, Synthélabo, col. "Les empêcheurs de penser en rond", 1997 • William M. Johnston, *L'Esprit viennois. Une histoire intellectuelle et sociale, 1848-1938* (1972), Paris, PUF, 1985 • Paul-Laurent Assoun, *Metapsicologia freudiana: uma introdução* (Paris, 1981), Rio de Janeiro, Jorge Zahar, 1996 • Wilhelm W. Hemecker, *Vor Freud. Philosophiegeschtliche Voraussetzungen der Psychoanalyse*, Munique, Philosophia, 1991.

hereditariedade-degenerescência

Proveniente do darwinismo social, o termo hereditariedade-degenerescência invadiu, no fim do século XIX, todos os campos do saber, desde a psiquiatria até a biologia, passando pela literatura, filosofia e criminologia*. Encontramos grandes vestígios dele nas teorias da sexualidade de Richard von Krafft-Ebing*, na nosografia de Emil Kraepelin*, nas teses de Cesare Lombroso (1835-1909) sobre o "criminoso nato", nas de Gustave Le Bon (1841-1931) sobre a psicologia das massas e de Georges Vacher de Lapouge sobre o eugenismo, e também nas obras de Hippolyte Taine (1828-1893) sobre a Revolução Francesa, no romance *À rebours*, de Karl Huysmans (1848-1907), lançado em 1884, no de Émile Zola (1840-1902) intitulado *Le Docteur Pascal*, publicado em 1893, e, acima

de tudo, no mesmo ano, no célebre livro de Max Nordau (1849-1923) chamado *Degenerescência*, que impregnou toda a geração dos judeus vienenses atormentados pela questão do "ódio judeu de si" e da bissexualidade*.

O despontar dessa configuração foi perfeitamente descrito, em 1976, por Michel Foucault (1926-1984). Foi o fim da crença no privilégio social que favoreceu a afirmação de um ideal "biológico", onde o culto da raça "boa" apoiou-se no anti-semitismo, no não-igualitarismo e no ódio pelas massas (de criminosos, histéricos, marginais etc.), para propor uma teoria geral das relações entre o corpo social, o corpo individual e o domínio do mental, concebidos como entidades orgânicas e descritos em termos de norma e de patologia.

Assim, a doutrina da hereditariedade-degenerescência submeteu a análise dos chamados fenômenos patológicos (loucura*, neurose*, crimes, doenças sexuais, anomalias diversas) à observação de estigmas ou traços que revelassem as taras (sociais ou individuais), as quais tinham por conseqüência fazer o homem mergulhar na degradação e a nação na decadência. A partir desse eixo desenharam-se dois caminhos antagônicos. Um tomou a degenerescência ao pé da letra e anunciou a queda final da humanidade, vítima de seus instintos. Teve seu desfecho lógico no eugenismo e no genocídio. Contra o mal radical, o remédio tinha que ser radical: seleção, de um lado, para preservar a "boa raça", e eliminação, do outro, para fazer desaparecer a "ruim".

O outro caminho foi higienista e progressista. Acreditava na cura do homem pelo homem. Por isso, propôs-se combater as taras e a patologia através da profilaxia, da pedagogia e da reeducação das almas e dos corpos. Em oposição à idéia de queda, desenvolveu a de redenção do homem pela ciência e, desse modo, reatou com a tradição da filosofia do Iluminismo, de onde saíra a psiquiatria dinâmica*.

Por sua ruptura radical com as teorias hereditaristas do inconsciente* e da sexualidade*, Sigmund Freud* inscreveu a psicanálise nessa tradição progressista e higienista, muito embora, na condição de herdeiro do romantismo, sua consciência hesitasse entre o crítico e o trágico, entre o discurso "racional" da ciência e o apego ao "irracional" da pulsão*, da loucura e do sonho*.

A doutrina da hereditariedade-degenerescência teve, na França*, um destino particular na história da implantação do freudismo*, em virtude da eclosão do caso Dreyfus em 1894, da irrupção de uma vigorosa corrente germanófoba e da constituição, através das diversas teorias psicológicas, sobretudo a de Pierre Janet*, de um modo de resistência à psicanálise de natureza chauvinista, xenófoba e anti-semita. Daí a tentativa da primeira geração* psicanalítica francesa de elaborar um freudismo "nacional", livre de sua pretensa "barbárie alemã".

• Henri F. Ellenberger, *Histoire de la découverte de l'inconscient* (N. York, Londres, 1970, Villeurbanne, 1974), Paris, Fayard, 1994 • Yvette Conry, *L'Introduction du darwinisme en France*, Paris, Vrin, 1974 • Michel Foucault, *História da sexualidade*, vol. I, *A vontade de saber* (Paris, 1976), Rio de Janeiro, Graal, 1985, 6a. ed. • Zeev Sternhell, *La Droite révolutionnaire*, Paris, Seuil, 1978 • Jean Borie, *Mythologies de l'hérédité au XIXᵉ siècle*, Paris, Galilée, 1981 • Patrick Wald Lasowski, *Syphilis*, Paris, Gallimard, 1982 • Élisabeth Roudinesco, *História da psicanálise na França*, vol.1 (Paris, 1982), Rio de Janeiro, Jorge Zahar, 1989 • Jacques Le Rider, *Modernité viennoise et crises de l'identité* (1990), Paris, PUF, 1994 • Michel Plon, "Freud et les psychanalystes français", in Michel Drouin (org.), *L'Affaire Dreyfus de A à Z*, Paris, Flammarion, 1994 • Delphine Bechtel, Dominique Bourel e Jacques Le Rider (orgs.), *Max Nordau, 1849-1923*, Paris, Cerf, 1996.

➤ HESNARD, ANGELO; HISTÓRIA DA PSICANÁLISE; PANSEXUALISMO; PICHON, ÉDOUARD; PSICOLOGIA CLÍNICA; *PSICOLOGIA DAS MASSAS E ANÁLISE DO EU*.

hermafroditismo
➤ TRANSEXUALISMO.

Hermann, Imre (1889-1984)
médico e psicanalista húngaro

Um dos expoentes da escola húngara de psicanálise, Imre Hermann foi o único (com Istvan Hollos*) a permanecer no país. Por sua longevidade, garantiu a continuidade do freudismo* sob o regime comunista a partir de 1945.

Filho de um dirigente da Companhia Ferroviária, passou a infância em Zagreb. Desde cedo se interessou pela matemática e pela psi-

cologia experimental, e depois decidiu tornar-se médico. Membro da Sociedade Psicanalítica de Budapeste em 1919, foi analisado por Erzsebet Revesz (1887-1923), primeira mulher de Sandor Rado*, por Sandor Ferenczi* e enfim por Wilma Kovacs (1882-1940). Em 1922, casou-se com Alice Czinner, que se tornou psicanalista, e com quem teve três filhas.

Autor de dez obras e de uma centena de artigos, Hermann foi, como Ferenczi e como quase todos os representantes da escola húngara, um excelente clínico, partidário da técnica ativa* e da necessidade de uma transferência* maternalizante nos casos de psicose*. Nesse ponto, suas teses antecipam as da *Self Psychology*, especialmente no campo da sexualidade feminina* e do narcisismo*.

Tentou elaborar modelos matemáticos para apoiar a psicanálise em dados biológicos. Foi nessa perspectiva que forjou a expressão "instinto de agarramento", para designar um modo de frustração* que consiste em uma renúncia progressiva da criança aos hábitos do macaco. Na verdade, segundo Hermann, a mãe e a criança formam uma unidade biológica que se desfaz e dá lugar a um "enganchamento a distância", isto é, a uma relação de amor. Melanie Klein* seria fortemente marcada pelos trabalhos de Hermann.

• Imre Hermann, *La Psychanalyse comme méthode* (Budapeste, 1993), Paris, Denoël, 1979; *L'Instinct filial* (Budapeste, 1943), Paris, Denoël, 1972; *Parallélismes* (Budapeste, 1945), Paris, Denoël, 1980; *Psychanalyse et logique*, Paris, Denoël, 1978 • Gyorgy Vikar, "L'École de Budapest", *Critique*, 346, março de 1976, 236-52 • Eva Brabant-Gerö, *Ferenczi et l'école hongroise de psychanalyse*, Paris, L'Harmattan, 1993.

➤ ESTÁDIO; FECHNER, GUSTAV; HUNGRIA.

Hesnard, Angelo (1886-1969)
psiquiatra e psicanalista francês

Ninguém pode contestar o título de primeiro pioneiro da psicanálise* na França* de Angelo Hesnard. Esse navegador incansável, autor de uma bela obra sobre o universo do pecado, posta no *Index* pela Santa Sé, recusou-se durante toda a vida a ser analisado. Foi principalmente um polígrafo oportunista, marcado pela tradição francesa da hereditariedade-degenerescência*. Adotando logo de saída as teses da escola francesa de psiquiatria, através do ensino de seu mestre Emmanuel Régis, (1855-1918), foi um puro representante da "psicanálise à francesa" germanófoba e hostil ao pretenso pansexualismo* freudiano.

Assim, tornou-se, na primeira geração da Sociedade Psicanalítica de Paris (SPP), o artífice principal de uma corrente chauvinista, cujas teses podem ser resumidas assim: Sigmund Freud* era um intelectual como outro qualquer, suas teses eram tomadas por empréstimo da psiquiatria de Zurique (Eugen Bleuler*, Carl Gustav Jung*) e a noção de inconsciente* era apenas uma variante da de subconsciente (Pierre Janet*). Quanto à teoria freudiana da sexualidade*, esta era, como o simbolismo* (no sonho*), a expressão de uma mística germânica e radical (logo, pansexualista), que era preciso adaptar ao "gênio latino" e à racionalidade "cartesiana".

Daí a pretensão de transformar o freudismo* em uma doutrina *pro domo et pro patria*", da qual a tradição psiquiátrica francesa seria a melhor expressão: contra Zurique, por um lado, contra Viena*, por outro. Daí também o paradoxo que se encontra em vários outros países: o primeiro pioneiro da psicanálise na França, embora apaixonado pelo freudismo, não foi nem analisado nem verdadeiramente freudiano.

Em 1905, o jovem Angelo Hesnard entrou para a escola principal do serviço de saúde da Marinha, em Bordeaux. A escola bordalesa de psiquiatria gozava então de muito prestígio, graças à personalidade de Albert Pitres (1848-1928), neurologista, aluno de Jean Martin Charcot*, e conhecido por seus trabalhos sobre a grande histeria*, e de Emmanuel Régis, aluno de Benjamin Ball (1833-1893), herdeiro da nosografia hereditarista proveniente do magistério de Valentin Magnan (1835-1916).

Designado como médico para o serviço de saúde da Marinha em Toulon, e depois embarcado no cruzador-encouraçado *Amiral Charner*, Hesnard começou a trabalhar com Régis, que o encarregou de fazer um estudo aprofundado dos trabalhos de Freud. Graças a seu irmão, Oswald, professor de alemão, pôde realizar esse projeto, e em 1912, dirigiu a Freud uma

carta na qual se desculpava pela indiferença da França pela psicanálise. Dois anos depois, publicou com Régis a famosa obra *A psicanálise das neuroses e das psicoses*, verdadeiro manifesto germanófobo em favor de uma latinização da psicanálise, que seria considerada como o primeiro texto de implantação das teses freudianas na França pela via médica.

Freud acolheu friamente essa "interpretação" de seu pensamento, e foi Sandor Ferenczi* quem se encarregou, em plena guerra, de atacar sem rodeios os artífices desse chauvinismo. Seu artigo de 1915, "A psicanálise vista pela escola psiquiátrica de Bordeaux" ridicularizava o argumento da "clareza latina" e opunha ao nacionalismo dos autores uma argumentação fundada na necessidade, para toda ciência, de reconhecer simultaneamente a complexidade dos fatos e a autonomia da conceitualização.

Membro fundador em 1926 da Sociedade Psicanalítica de Paris (SPP), Hesnard continuou a defender os princípios da latinidade no seio da corrente chauvinista, representada por Adrien Borel*, Henri Codet (1889-1939), e teorizada, em uma nova perspectiva, pelo gramático Édouard Pichon*. Entretanto, isso não o impediu de renegar a obra de 1914, por oportunismo. Em 1929, um ano depois da morte de Régis, em uma nova edição, anunciou que os capítulos chauvinistas, tão criticados por Ferenczi, tinham sido escritos por seu co-autor, que não estava mais ali para se defender.

Durante toda a sua vida, Hesnard formou psicanalistas no sul da França, entre Marselha, Toulon e Montpellier, onde era o único a exercê-la, gozando do renome que devia à sua reputação de primeiro pioneiro. Criou um grupo de estudos para a região mediterrânea. Amava a vida, sabia mostrar-se caloroso e às vezes aparecia nas festas com uniforme de gala, como um almirante saído diretamente dos romances de Pierre Loti.

Entretanto, depois da Segunda Guerra Mundial, no momento em que a SPP, preocupada em esquecer seu passado chauvinista, se adaptava aos critérios de formação em vigor em todas as sociedades componentes da International Psychoanalytical Association* (IPA), Hesnard foi marginalizado em função de sua recusa categórica de uma análise didática*. Em 1953, quando da primeira cisão* do movimento francês, encontrou-se com René Laforgue* nas fileiras da Sociedade Francesa de Psicanálise (SFP). Dez anos depois, quando da segunda cisão, foi impedido de praticar a formação, ao mesmo tempo que Jacques Lacan* e Françoise Dolto*, pelo comitê consultivo da IPA, presidido por Pierre Turquet. Em 1964, foi integrado por Lacan nas fileiras da École Freudienne de Paris* (EFP), onde prosseguiu suas atividades de didata, redigindo muitas obras de divulgação.

A trajetória de Hesnard não se parece nem com a de Édouard Pichon, apóstolo também do afrancesamento da psicanálise e membro da Ação Francesa, nem com a de René Laforgue, que não foi chauvinista e "fracassou" em sua colaboração com os nazistas, e tampouco com a de Georges Mauco*, que foi o único psicanalista francês a ser ao mesmo tempo anti-semita ativo e colaboracionista adepto do nazismo*. Entretanto, a prosa chauvinista de Hesnard não está isenta de certos vestígios de anti-semitismo, como mostra seu artigo "Sobre o israelismo de Freud", redigido entre novembro de 1942 e maio de 1943, e publicado em 1946, em que o filo-semitismo proclamado, em nome de uma psicologia dos povos, faz pensar irresistivelmente no bom e velho discurso do anti-semitismo francês. Na verdade, a defesa da pretensa superioridade da "raça latina" era de fato a confissão de um anti-semitismo que não ousava dizer o seu nome e tomava como alvo a *Kultur* alemã, julgada inferior à civilização* francesa.

Esse anti-semitismo recalcado, que nunca se manifestaria em suas publicações ou em seus atos políticos, Hesnard só o expressava privadamente, como se pode constatar em uma carta enviada ao editor Bernard Grasset (1881-1955), cuja análise com René Laforgue terminara mal: "Peço-lhe, escreveu em 1932, que deixe de lado toda essa quinquilharia, toda essa grandiloqüência, esses 'édipos'. Você, latino sutil e maravilhosamente intuitivo, não se deixe desviar por esses espectros da feitiçaria judaico-germânica." Em 1990, a publicação dessa carta por Jean Bothorel, biógrafo de Grasset, suscitou polêmicas e atingiu em cheio os alunos de Hesnard, que sempre tinham considerado o discurso latinizante de seu mestre como a expressão de uma ideologia comum a toda uma época, sem analisar seu verdadeiro conteúdo.

• Angelo Hesnard e Emmanuel Régis, *La Psychoanalyse des névroses et des psychoses. Ses applications médicales et extra-médicales* (1914), Paris, Alcan, 1929 • Angelo Hesnard, *L'Inconscient*, Paris, Doin, 1923; *La Psychanalyse, théorie sexuelle de Freud*, Paris, Stock, 1924; *Manuel de sexologie* (1933), Paris, Payot, 1959; *Freud dans la société d'après-guerre. Action et pensée*, Genebra, Mont Blanc, 1946; *L'Univers morbide de la faute*, Paris, PUF, 1949; *L'Oeuvre de Freud et son importance dans le monde moderne*, Paris, Payot, 1960 • Sandor Ferenczi, "A psicanálise vista pela escola psiquiátrica de Bordéus" (1915), in *Psicanálise II, Obras completas, 1913-1919* (Paris, 1970), S. Paulo, Martins Fontes, 1992, 227-48 • Élisabeth Roudinesco, *História da psicanálise na França*, vol.1 (Paris, 1982), Rio de Janeiro, Jorge Zahar, 1989; "A propos d'une lettre d'Angelo Hesnard", *Les Carnets de Psychanalyse*, 2, inverno de 1991-1992 • Édith Félix-Hesnard, *Le Docteur Hesnard et la naissance de la psychanalyse en France*, tese de doutorado em filosofia, Universidade de Paris I, 1984 • Jean Bothorel, *Bernard Grasset. Vie et passions d'un éditeur*, Paris, Grasset, 1989.

➤ IGREJA; JUDEIDADE; TRADUÇÃO (DAS OBRAS DE SIGMUND FREUD).

heterologia
➤ REAL.

Hilferding, Margarethe, *née* Hönigsberg (1871-1942)
médica austríaca

Nascida em Viena* e originária de uma família judia, Margarethe Hilferding foi a primeira mulher a participar das reuniões da Wiener Psychoanalytische Vereinigung (WPV). Ali, interveio notadamente, em novembro de 1910, por ocasião de uma conferência de Wilhelm Stekel*, intitulada "Escolha de uma profissão e neurose", na qual este "aplicava" a psicanálise* de maneira selvagem, para explicar a escolha de uma profissão. Falava dos jornalistas e dos médicos, que adotavam essas profissões uns por paixão pelas prostitutas e outros por sadismo, voyeurismo e exibicionismo.

Sendo ao mesmo tempo médica e mulher de um brilhante economista da República de Weimar, também jornalista, Margarethe refutou polidamente essas bobagens. Em janeiro de 1911, expôs à Sociedade a suas idéias, em "Os fundamentos do amor materno", mostrando que este não era inato, mas adquirido. Freud* a cumprimentou. Como seu marido, fundador da revista *Marx Studien*, tornou-se militante social-democrata e, no momento da ruptura entre Freud e Adler*, acompanhou este último. Foi deportada pelos nazistas para o campo de concentração de Theresienstadt e exterminada em Maly Trostinec. Rudolf Hilferding morreu no campo de concentração de Auschwitz.

• Margarethe Hilferding, Teresa Pinheiro, Helena Besserman Vianna, *As bases do amor materno*, S. Paulo, Escuta, 1991.

hipnose

al. *Hypnose*; esp. *hipnósis*; fr. *hypnose*; ing. *hypnosis*

Termo derivado do grego hupnos *(sono) e sistematizado, entre 1870 e 1878, para designar um estado alterado de consciência (sonambulismo ou estado hipnóide) provocado pela sugestão* de uma pessoa em outra.*

Hipnotismo foi um termo cunhado em 1843 pelo médico escocês James Braid (1795-1860), para definir o conjunto das técnicas que permitiam provocar um estado de hipnose num sujeito, com finalidades terapêuticas. A sugestão se dava, nesse caso, entre um médico hipnotizador e um paciente hipnotizado. As duas palavras, hipnose e hipnotismo, são freqüentemente utilizadas na mesma acepção.

Em 1784, no exato momento em que, em Paris, a teoria do magnetismo animal de Franz Anton Mesmer* era condenada pelos especialistas da Academia de Ciências e da Real Sociedade de Medicina, o marquês Armand de Puységur (1751-1825) demonstrava, em sua cidadezinha de Buzancy, a natureza psicológica e não "fluídica" da relação terapêutica, substituindo o tratamento magnético por um estado de "sono desperto" ou "sonambulismo". Em especial, ele observou que Victor Race (seu "paciente"), longe de cumprir suas ordens, antecipava-se a elas e chegava até a impor sua vontade a seu magnetizador pelas palavras, pela verbalização de seus sintomas, sem experimentar nenhuma crise convulsiva. Foi assim que, às vésperas da Revolução de 1789, nasceu a idéia

de que um mestre (um cientista, um médico ou um nobre) podia ser cerceado no exercício de seu poder por um sujeito* capaz de falar, mesmo que este lhe fosse inferior (um criado, um doente, um camponês etc.).

Em 1813, o abade José Custódio de Faria (1756-1819) retomou a mesma idéia, depois de haver participado do movimento revolucionário. Criticando todas as teorias do "fluido", inaugurou em Paris um curso público sobre o "sono lúcido" e demonstrou que era possível fazer os sujeitos adormecerem, concentrando a atenção deles num objeto ou num olhar. O sono, portanto, não dependia do hipnotizador, mas do hipnotizado. Em 1845, Alexandre Dumas (1802-1870) fez do abade Faria um personagem lendário em seu romance *O conde de Montecristo*.

Antes que essa bela idéia da liberdade da fala, própria da filosofia do Iluminismo, percorresse seu caminho e fosse retomada por Sigmund Freud*, foi preciso que se instalasse sobre as ruínas do magnetismo a longa aventura da hipnose.

Progressivamente libertos do "fluido", os magnetizadores da primeira metade do século XIX começaram a praticar um hipnotismo espontâneo, provocando estados sonambúlicos nos doentes nervosos. Esse método de exploração favorecia a revelação de segredos patogênicos nocivos, enterrados no inconsciente* e responsáveis pelo mau estado psíquico dos sujeitos.

A partir de 1840, espalhou-se pela Europa e Estados Unidos* uma grande onda de espiritismo*. Entre as mulheres que se transformavam em videntes, dotadas de personalidades múltiplas, e os médicos que hesitavam em acreditar numa possível comunicação com o além, o hipnotismo permitiu conferir um estatuto racional à relação terapêutica. James Braid, que introduziu a palavra, refutou definitivamente a teoria fluídica em prol de uma explicação de tipo fisiológico, e substituiu a técnica mesmeriana dos "passes" pela fixação num objeto brilhante, na qual Faria já havia pensado.

Foi Auguste Liébeault* quem retomou os ensinamentos de Braid, seguindo-se a ele Hippolyte Bernheim*. Em 1884, os dois fundaram a Escola de Nancy, que se tornou a grande rival da Escola da Salpêtrière, dominada pelo ensino de Jean Martin Charcot*.

A querela entre essas duas escolas, que teve por pivô fundamental a questão da histeria*, durou uns bons dez anos. Enquanto Charcot assimilava a hipnose a um estado patológico, a uma crise convulsiva, e utilizava o hipnotismo para retirar a histeria da simulação e lhe conferir o estatuto de neurose*, Bernheim a considerava um processo normal. Assim, via no hipnotismo uma técnica de sugestão que permitia tratar dos pacientes. Reatando com o projeto de instituir uma terapia fundamentada numa pura relação psicológica, ele abriu caminho para a expansão das diversas psicoterapias* da segunda psiquiatria dinâmica*. Foi por isso que acusou Charcot de "fabricar" histéricas através da sugestão.

Essa disputa, que opôs as duas escolas e mobilizou todos os especialistas europeus nas doenças da alma, indicou o quanto a hipnose era portadora de uma nova esperança de cura, muito embora a nosografia psiquiátrica do fim do século XIX se esgotasse no niilismo terapêutico, de tanto preconizar tratamentos inúteis — camisas-de-força, banhos, eletricidade etc. — e construir classificações rígidas, das quais o sofrimento do sujeito era banido.

Simultaneamente marcado pelo ensino de Charcot e pelo de Bernheim, Freud logo abandonou a hipnose em favor da catarse*, como mostram os *Estudos sobre a histeria**. As razões desse abandono e desse desinteresse foram objeto de múltiplos comentários contraditórios. No entanto, são bastante simples. Se Freud não gostava da hipnose e se considerava o hipnotismo uma técnica bárbara, que só podia ser aplicada a um número restrito de doentes, era porque a adoção da psicanálise*, como técnica de verbalização dos sintomas pela fala, enfim permitia ao doente falar com liberdade e com plena consciência, sem necessidade de se entregar a um sono artificial.

Um século depois de Puységur, e na mais pura tradição do Iluminismo, Freud reatualizou, assim, a grande idéia da liberdade do homem e de seu direito à fala, destruindo de um só golpe as teses de Charcot e Bernheim. O primeiro só utilizava a hipnose para fins de demonstração, e o segundo só fornecia tratamento ao preço de encerrar o doente na sugestão. Afastando-se das duas escolas, Freud foi o único estudioso de sua época a inventar um tratamento que, libertando o enfermo dos últimos resquícios de um magnetismo transformado em hipnotismo e sugestão, propunha uma filosofia da liberdade, baseada no reconhecimento do inconsciente e de sua via real: o sonho*.

Com a expansão do freudismo* teve início o declínio do hipnotismo. Mas sua prática nem por isso desapareceu. Recorreu-se a ele entre 1914 e 1918, no momento do primeiro conflito mundial, para tratar os sintomas histéricos dos soldados atingidos pelas neuroses de guerra*. Além disso, a cada crise do movimento psicanalítico, a questão da hipnose e de seu possível retorno voltou a se colocar. Assediados por suas origens, diversos psicoterapeutas formados no freudismo tenderam, ao longo de todo o século XX, a retornar ao hipnotismo, fosse para demonstrar a existência de um resíduo de sugestão no interior da relação transferencial, fosse para denunciar os impasses terapêuticos do tratamento freudiano clássico, fosse ainda para afirmar, numa ótica revisionista, que Freud não teria inventado nada de novo e se haveria deixado ludibriar por simuladoras em estado de hipnose.

Seja como for, continuou-se a praticar a hipnose, sobretudo na Rússia*, depois que ali se extinguiu o movimento psicanalítico. Ela se expandiu na terra da teoria pavloviana. Nos Estados Unidos*, passou por uma reativação a partir de 1960, com os trabalhos do psiquiatra Milton Erickson (1901-1980), que a reinstaurou num lugar de honra, numa perspectiva de eficácia e empatia, tanto para cuidar de pacientes afetados por distúrbios da personalidade quanto no âmbito das terapias de família* de curta duração. Na França*, a técnica do "sonho acordado dirigido", de Jacques Desoille, foi um derivado do hipnotismo e da sugestão, do mesmo modo que o *training* autógeno de Johannes Schultz*, na Alemanha*.

Hippolyte Bernheim, *Hypnotisme, suggestion, psychothérapie* (1891), Paris, Fayard, col. "Corpus des oeuvres de philosophie en langue française", 1995 • Josef Delboeuf, *Le Sommeil et les rêves* (1885), Paris, Fayard, col. "Corpus des oeuvres de philosophie en langue française", 1993 • Pierre Janet, *Les Médications psychologiques*, Paris, Alcan, 1919 • Léon Chertok, *L'Hypnose* (1963), Paris, Payot, 1965 • Henri F. Ellenberger, *Histoire de la découverte de l'inconscient* (N.

York, Londres, 1970, Villeurbanne, 1974), Paris, Fayard, 1994 • Léon Chertok e Raymond de Saussure, *Naissance du psychanalyste* (1973), Paris, Synthélabo, col. "Les empêcheurs de penser en rond", 1997 • J.-B. Fages, *Histoire de la psychanalyse après Freud* (Toulouse, 1976), Paris, Odile Jacob, 1996 • Jacques Nassif, *Freud, l'inconscient*, Paris, Galilée, 1977 • Élisabeth Roudinesco, *História da psicanálise na França*, vol.1 (Paris, 1982), Rio de Janeiro, Jorge Zahar, 1989 • Mikkel Borch-Jacobsen, *Le Sujet freudien*, Paris, Flammarion, 1982; *Hypnoses*, em colaboração com E. Michaud e Jean-Luc Nancy, Paris, Galilée, 1984 • Milton H. Erickson, *L'Hypnose thérapeutique. Quatre conférences*, Paris, ESF, 1986 • Jacques-Antoine Malarewicz e J. Godin, *Milton H. Erickson, de l'hypnose clinique à la psychothérapie stratégique*, Paris, ESF, 1988 • François Roustang, *Um destino tão funesto* (Paris, 1976), Rio de Janeiro, Taurus, 1987; *Qu'est-ce que l'hypnose?*, Paris, Minuit, 1994 • Malcolm Macmillan, *Freud Evaluated*, Amsterdã, Elsevier, 1990 • Jacques Postel, "Hypnose", in *Grand dictionnaire de la psychologie*, Paris, Larousse, 1991, 348-9 • Marcel Gauchet, *L'Inconscient cérébral*, Paris, Seuil, 1992.

➢ CHERTOK, LÉON; HISTORIOGRAFIA.

Hirschfeld, Magnus (1868-1935)

psiquiatra alemão

Nascido em Kolberg, na Pomerânia, Magnus Hirschfeld foi um dos grandes especialistas alemães em doenças nervosas e um dos fundadores da sexologia*. Em 1899, criou a primeira revista especializada na questão da homossexualidade*, o *Jahrbuch für sexuelle Zwischenstufen unter besonderer Berücksichtigung der Homosexualität*. Como Havelock Ellis*, Richard von Krafft-Ebing* e Sandor Ferenczi*, militou por uma melhor compreensão dos fenômenos da sexualidade*, principalmente ao propor uma reforma da legislação alemã sobre os homossexuais, considerados nessa época sodomitas depravados e logo privados dos direitos mais elementares. Publicou muitas obras sobre os "estados sexuais intermediários", o "terceiro sexo" e os "travestis".

Com Ivan Bloch (1872-1922), Heinrich Körber e Otto Juliusburger*, foi um dos fundadores da Associação Psicanalítica de Berlim em 1908. Deixou essa associação em 1911, quando ela se tornou a Deutsche Psychoanalytische Gesellschaft (DPG), integrada à International Psychoanalytical Association* (IPA).

• Pierre Morel (org.), *Dicionário biográfico psi* (Paris, 1996), Rio de Janeiro, Jorge Zahar, 1997.

➢ ALEMANHA; BISSEXUALIDADE; GÊNERO; PERVERSÃO; TRANSEXUALISMO.

histeria

al. *Hysterie*; esp. *histeria*; fr. *hystérie*; ing. *hysteria*

Derivada da palavra grega **hystera** *(matriz, útero), a histeria é uma neurose* caracterizada por quadros clínicos variados. Sua originalidade reside no fato de que os conflitos psíquicos inconscientes se exprimem de maneira teatral e sob a forma de simbolizações, através de sintomas corporais paroxísticos (ataques ou convulsões de aparência epiléptica) ou duradouros (paralisias, contraturas, cegueira).*

As duas principais formas de histeria teorizadas por Sigmund Freud* foram a histeria de angústia, cujo sintoma central é a fobia*, e a histeria de conversão, onde se exprimem através do corpo representações sexuais recalcadas. A isso se acrescentam duas outras formas freudianas de histeria: a histeria de defesa*, que se exerce contra os afetos desprazerosos, e a histeria de retenção, onde os afetos não conseguem se exprimir pela ab-reação*.

A expressão **histeria hipnóide** *pertence ao vocabulário de Freud e Josef Breuer* no período de 1894-1895. Foi também empregada pelo psiquiatra alemão Paul Julius Moebius (1853-1907). Designa um estado induzido pela hipnose* e que produz uma clivagem* no seio da vida psíquica.*

A expressão **histeria traumática** *pertence ao vocabulário clínico de Jean Martin Charcot* e designa uma histeria consecutiva a um trauma físico.*

Certos termos (histeria, inconsciente*, sexualidade*, sonho*) acham-se tão ligados à gênese da doutrina psicanalítica que se tornaram "termos freudianos". E, se os *Estudos sobre a histeria**, publicados em 1895, são vistos como o livro inaugural da psicanálise*, a histeria permanece como a doença princeps e proteiforme que possibilitou não apenas a existência de uma clínica freudiana, mas também o nascimento de um novo olhar sobre a feminilidade.

Sob esse aspecto, a noção tanto remete aos sofrimentos psíquicos das burguesas ricas da sociedade vienense, escutadas por Freud em sigilo, quanto à miséria mental das loucas do povo, exibidas por Charcot no palco do Hospital da Salpêtrière. Entre uma cidade e outra, a histeria do fim de século fez estremecer o corpo das européias, sintoma de uma rebelião sexual que serviu de motor para sua emancipação política: "A histeria não é *uma* doença", sublinhou Gladys Swain, "mas *a* doença em estado puro, aquela que não é nada em si, mas é passível de assumir a forma de todas as demais. É mais *estado* do que acidente: o que torna a mulher doente por essência."

Na língua grega, *histera* significa matriz. Na Antigüidade, e sobretudo em Hipócrates, a histeria era considerada uma doença orgânica de origem uterina e, portanto, especificamente feminina, que tinha a particularidade de afetar o corpo em sua totalidade, por "sufocações da matriz". Em seu *Timeu*, Platão retomou a tese hipocrática, sublinhando que a mulher, diferentemente do homem, trazia em seu seio um "animal sem alma". Próximo da animalidade: assim foi, durante séculos, o destino da mulher, e mais ainda da histérica.

Na Idade Média, sob a influência das concepções agostinianas, renunciou-se à abordagem médica da histeria e a palavra em si quase deixou de ser empregada. As convulsões e as famosas sufocações da matriz eram consideradas a expressão de um prazer sexual e, por conseguinte, de um pecado. Por isso, foram atribuídas a intervenções do demônio: um demônio enganador, capaz de simular doenças e entrar no corpo das mulheres para "possuí-las". A histérica tornou-se a feiticeira, redescoberta de maneira positiva no século XIX por Jules Michelet (1798-1874).

No Renascimento, médicos e teólogos disputaram o corpo das mulheres. Em 1487, com a publicação do *Malleus maleficarum*, a Igreja* católica romana e a Inquisição dotaram-se de um manual aterrador, que permitia "detectar" os casos de bruxaria e mandar para o carrasco todos os seus representantes, mais particularmente as mulheres. Durante mais dois séculos, a caça às bruxas fez inúmeras vítimas, embora a opinião médica tentasse resistir a essa concepção demoníaca da possessão. Assim, o médico alemão Jean Wier (1515-1588) tentou, no século XVI, opor-se ao poder da Igreja, e assumiu a defesa das "possuídas", sublinhando que elas não eram responsáveis por seus atos e que era preciso considerar toda sorte de convulsivas como doentes mentais. Em 1564, em Basiléia, em plena guerra religiosa, Wier publicou um livro, *Da impostura do diabo*, que teve grande repercussão. Os teólogos viram nele a marca do demônio e por pouco o autor conseguiu evitar as perseguições, graças a proteções principescas. Gregory Zilboorg* consideraria Jean Wier o pai fundador da primeira psiquiatria dinâmica*.

Na realidade, foi mesmo com Franz Anton Mesmer* que se operou, em meados do século XVIII, a passagem de uma concepção demoníaca da histeria — e portanto, da loucura* — para uma concepção científica. Através da falsa teoria do magnetismo animal, Mesmer sustentou que as doenças nervosas tinham como origem um desequilíbrio na distribuição de um "fluido universal". Assim, bastava que o médico, transformado em "magnetizador", provocasse crises convulsivas nos pacientes, em geral mulheres, para curá-los mediante o restabelecimento do equilíbrio do fluido. Dessa concepção nasceu a primeira psiquiatria dinâmica, que enaltecia os "tratamentos magnéticos". Assim, a histeria escapou da religião, transformando-se numa doença dos nervos. Henri F. Ellenberger* sublinhou que foi em 1775 que se efetuou a passagem do sagrado para o profano, data em que Mesmer obteve sua grande vitória sobre o exorcista Josef Gassner (?-1779), ao demonstrar que as curas obtidas por este decorriam do magnetismo.

Durante todo esse período, a tese da presunção uterina não parou de ser contestada. Contornando a questão da possessão demoníaca, inúmeros médicos achavam que a doença provinha do cérebro e atingia os dois sexos: daí a idéia da existência de uma histeria masculina, que Charles Lepois (1563-1633), um médico francês originário da cidade de Nancy, foi o primeiro a estabelecer, em 1618. A hipótese cerebral conduziu a uma "dessexualização" da histeria, sem pôr fim à velha concepção da animalidade da mulher. Entretanto, no século XVII, pôde-se invocar, em vez da antiga sufocação da matriz, o papel das emoções, dos "vapores" e dos "humores", a ponto, aliás, de confundir numa mesma entidade a histeria e a melancolia*: "Até o fim do século XVIII", escreveu Michel Foucault, "até Pinel, o útero e a matriz continuaram presentes na patologia da histeria, porém graças a sua difusão pelos humores e pelos nervos, e não por um prestígio particular de sua natureza."

Em 1859, antes de entrarem em cena as teses de Charcot, a hipótese cerebral foi afirmada mais uma última vez pelo médico francês Pierre Briquet (1796-1881), que fez com que entrassem na histeria fenômenos "sociológicos" ou "materiais", tais como as condições de vida e de trabalho, os ciclos da natureza e até os movimentos dos astros. O advento da sociedade industrial (e sobretudo a generalização das estradas de ferro, com seu cortejo de acidentes traumáticos, que *primeiro* atingiram os homens) abriu caminho para um amplo debate sobre a histeria masculina.

A revolução pineliana deu origem ao alienismo moderno e pôs fim às teses demonológicas em prol de uma concepção psiquiátrica da doença mental, que incluía a histeria. Duas tendências se confrontaram: os defensores do organicismo, de um lado, e os artífices da psicogênese, de outro. Para os primeiros, a histeria era uma doença cerebral, de natureza fisiológica ou de substrato hereditário, e para os últimos, uma afecção psíquica, ou seja, uma neurose. Esse termo, que faria fortuna, fora introduzido em 1769 por um médico escocês, William Cullen (1710-1790). Ele incluía nessa categoria as afecções mentais sem origem orgânica, qualificando-as de "funcionais", isto é, sem inflamação nem lesão do órgão em que aparecia a dor. Essas afecções, portanto, eram *doenças nervosas*.

Paralelamente, sobre as ruínas do magnetismo mesmeriano desenvolveu-se uma corrente terapêutica que iria desembocar, via hipnose*, na invenção das psicoterapias modernas, dentre estas a mais inovadora: a psicanálise.

Em 1840, todos os grandes corpos da medicina desestimularam os estudos sobre o magnetismo, e foi na Inglaterra que, em 1843, o médico escocês James Braid (1795-1860) cunhou a palavra hipnotismo (do grego *hipnos*: sono). Ele substituiu a antiga teoria fluídica pela noção de estimulação físico-químico-psicológica, assim mostrando a inutilidade das intervenções de tipo magnético.

Ligando o hipnotismo e a neurose, Charcot devolveu dignidade à histeria. Não somente abandonou a tese da presunção uterina, a ponto de se recusar a levar oficialmente em conta a etiologia sexual, como também, fazendo da doença uma neurose, libertou as histéricas da suspeita de simulação.

A moderna noção de neurose histérica veio à luz ao mesmo tempo que se produzia, no mundo ocidental, entre 1880 e 1900, uma verdadeira epidemia de sintomas histéricos. Escritores, médicos e historiadores concordavam em ver nas crises da sociedade industrial sinais convulsivos de natureza feminina. Assim, as massas trabalhadoras eram chamadas de histéricas quando entravam em greve, enquanto as multidões eram remetidas a seus "furores uterinos" quando ameaçavam a ordem estabelecida.

Remetida a uma causa traumática que tinha ligação com o sistema genital, a histeria de Charcot tornou-se, durante esse período, uma doença funcional, de origem hereditária, que tanto afetava os homens quanto as mulheres. Daí a retomada das teses de Lepois sobre a existência de uma histeria masculina, à qual se atribuía uma causa traumática — como os acidentes ferroviários, por exemplo.

Teorizador da neurose, Charcot utilizava a hipnose não para curar ou tratar de seus doentes, mas para demonstrar a solidez de fundamento de suas hipóteses. Hipnotizando as "loucas" da Salpêtrière, ele fabricava experimentalmente sintomas histéricos, a fim de suprimi-los de imediato e demonstrar o caráter neurótico da doença. Por isso, foi acusado por Hippolyte Bernheim*, aluno de Ambroise Liébeault* e líder da Escola de Nancy, de fabricar sintomas histéricos por sugestão* e de atentar contra a dignidade dos doentes, que, em vez de serem tratados, serviam de cobaias para as demonstrações de um mestre que só estava preocupado com as classificações.

Na verdade, duas grandes correntes do pensamento médico enfrentaram-se nesse debate. Oriunda da neurologia e da tradição do alienismo, a Escola da Salpêtrière, movida por um ideal republicano e pela valorização dos "grandes patronos", transformados em monarcas do saber, colocava a pesquisa teórica no centro de suas preocupações. Inversamente, a Escola de

Nancy, mais culturalista, pautava-se numa medicina dos pobres e excluídos, e portanto, numa tradição terapêutica em que o bem-estar dos enfermos preponderava sobre todo o resto.

Simultaneamente teórico e terapeuta, Freud tinha muito maior admiração, no entanto, por Charcot (a quem considerava um mestre) do que por Bernheim. Todavia, inspirou-se tanto na Escola da Salpêtrière quanto na de Nancy para reivindicar, contrariando os médicos de Viena* (Theodor Meynert* ou Richard von Krafft-Ebing*), as hipóteses francesas. Seu procedimento foi dialético. Ele cotejou as teses de Charcot com as de Bernheim, retirando de uma e de outra lições frutíferas. Se o primeiro abrira caminho para uma nova conceituação da histeria, o segundo havia mostrado, *opondo-se* ao primeiro, o princípio de seu tratamento psíquico.

Entre 1888 e 1893, portanto, Freud forjou um novo conceito de histeria. Retomou de Charcot a idéia da origem traumática. Todavia, pela teoria da sedução*, afirmou que o trauma tinha causas sexuais, sublinhando que a histeria era fruto de um abuso sexual realmente vivido pelo sujeito na infância.

No fim do século, todos os especialistas em doenças nervosas reconheciam a importância do fator sexual na gênese dos sintomas neuróticos, sobretudo no tocante à histeria. Nenhum deles, porém, sabia como teorizar essa constatação. E foi Freud quem resolveu a questão. Num primeiro momento, até 1897, ele adotou as idéias compartilhadas por numerosos médicos da época e elaborou sua teoria da origem traumática (sedução real). Depois, num segundo momento, renunciou a esta para inventar a noção de fantasia* e retirar da sexologia* a noção de libido*.

Três homens lhe haviam sugerido a idéia da origem traumática sexual: Charcot, Bernheim e o ginecologista vienense Rudolf Chrobak (1843-1906). O primeiro lhe sussurrara no ouvido, um dia: "Nesses casos, é sempre a coisa genital, sempre..." O segundo lhe falara em "segredos de alcova". Quanto ao terceiro, a propósito de uma paciente ainda virgem após dezoito anos de casamento, ele enunciara em sua presença, em latim, a seguinte prescrição: "*Penis normalis, dosim repetatur.*"

Sob o aspecto da técnica terapêutica, Freud retomou de Bernheim a idéia de sugestão, da qual não gostava. Abandonou-a em seguida, em prol de uma elaboração da noção de transferência*, depois de haver passado do método catártico de Breuer para o da associação livre*.

Nos *Estudos sobre a histeria*, obra magistral, tanto por sua contribuição teórica quanto pela exposição clínica dos casos patológicos, propuseram-se os grandes conceitos de uma nova apreensão do inconsciente*: o recalcamento*, a ab-reação*, a defesa*, a resistência* e, por fim, a conversão, graças à qual tornou-se possível compreender como uma energia libidinal se transformava numa inervação somática, numa *somatização* dotada de uma significação simbólica.

Após o abandono da teoria da sedução, e também da publicação, em 1900, de *A interpretação dos sonhos**, o conflito psíquico inconsciente é que foi reconhecido por Freud como a principal causa da histeria. Ele afirmou, a partir de então, não mais que as histéricas sofriam de "reminiscências", como nos *Estudos*, mas de fantasias. Mesmo que, na infância, elas houvessem sofrido abusos ou violências, o trauma já não servia como explicação exclusiva sobre a questão da sexualidade humana. Ao lado da realidade material, afirmou Freud, existia uma realidade psíquica* igualmente importante em termos da história do sujeito*. Do mesmo modo, a conversão devia ser encarada como um modo de realização do desejo*: um desejo sempre insatisfeito.

Em seguida, a teorização da sexualidade infantil permitiu a Freud identificar o conflito "nuclear" da neurose histérica (a impossibilidade de o sujeito liquidar o complexo de Édipo* e evitar a angústia de castração*, que o leva a rejeitar a sexualidade): "Considero histérica, sem hesitação", declarou Freud a propósito de Dora, "qualquer pessoa em quem uma oportunidade de excitação sexual provoque, sobretudo e exclusivamente, uma sensação de asco, quer essa pessoa apresente ou não sintomas somáticos." A elaboração desses diversos temas pode ser apreendida na maneira como Freud redigiu, em janeiro de 1901, o relato da análise conduzida com Ida Bauer*. Sob o pseudônimo de Dora, essa jovem iria tornar-se o caso princeps da histeria, na concepção freudiana chegada a sua maturidade. Ele seria comentado por toda a literatura pós-freudiana, tanto quanto o caso de Anna O. (Bertha Pappenheim*). Nessa época, todavia, Freud sustentava a idéia de que a histeria, sem se originar num trauma, podia decorrer de um mecanismo hereditário. Com efeito, ele estimava que os descendentes de pessoas atingidas pela sífilis eram predispostos a neuroses graves.

As epidemias histéricas do fim do século XIX contribuíram de tal maneira para o nascimento e a difusão do freudismo*, que a própria noção de histeria desapareceu do campo da clínica. Não apenas os doentes não mais apresentaram os mesmos sintomas, uma vez que eles tinham sido claramente reconhecidos e desvinculados de qualquer simulação, como também, quando porventura esses sintomas ressurgiam, já não eram classificados no registro da neurose, mas no da psicose*: começou-se então a falar de *psicose histérica*, termo que Freud havia descartado, e depois esta foi misturada à nova nosografia bleuleriana da esquizofrenia*. A partir de 1914, ninguém mais ousou falar em histeria, a tal ponto a palavra foi identificada com a própria psicanálise.

Na França*, essa noção foi desmembrada pelos dois principais alunos de Charcot: Pierre Janet* e Joseph Babinski*. O primeiro considerou-a "um estreitamento do campo da consciência" e o segundo a substituiu pelo termo pitiatismo.

Foi preciso esperar pela conturbada época da Primeira Guerra Mundial e pela entrada em cena de uma nova forma de etiologia traumática para que ressurgisse o debate sobre a histeria, através da discussão que se travou a respeito das neuroses de guerra*. Em seguida, na França, o movimento surrealista reivindicou a expressão "beleza convulsiva", para fazer da histeria o emblema de uma arte nova, enquanto Jules de Gaultier inventava a noção de bovarismo para designar uma neurose narcísica de conotação melancólica (e marcante conteúdo histérico). Jacques Lacan* utilizou-a com proveito em seu relato do caso Aimée (Marguerite Anzieu*). Por fim, depois da Segunda Guerra Mundial, o termo histeria de conversão recuperou um vigor particular, com o desenvolvimento dos trabalhos da medicina psicossomática de inspiração psicanalítica (Franz Alexander*, Alexander Mistcherlich*). Quanto à idéia de personalidade histérica, herdada da de personalidade múltipla*, fez fortuna a partir da década de 1960, quando começaram os grandes debates norte-americanos e ingleses sobre a *Self Psychology** e os *borderlines**.

• Platão, *Timée, Oeuvres complètes*, vol.II, Paris, Gallimard, "Bibliothèque de la Pléiade", 1943 • Jean Martin Charcot, *Leçons sur les maladies du système nerveux (recueillies et publiées par MM. Babinski, Bernard, Féré, Guinon, Marie et Gilles de La Tourette), Oeuvres complètes*, vol.III, Paris, Lecrosnier & Babé, 1890; *Leçons du mardi à la Salpêtrière (notes de cours de MM. Blin, J.M. Charcot e H. Colin)*, 2 vols., *1887-1888* e *1888-1889*, Paris, Progrès Médical-Bataille, 1892 • Sigmund Freud, "Histeria" (1888), *ESB*, I, 79-100; *SE*, I, 39-59; *Cahiers Confrontation*, 7, 1982, 153-69; "Sobre a teoria dos ataques histéricos", em colaboração com Josef Breuer (1892), *ESB*, I, 212-22 (esboço C da "Comunicação preliminar"); *SE*, I, 151-4; in *Résultats, idées, problèmes*, vol.I, Paris, PUF, 1984, 25-30; "Algumas considerações para o estudo comparativo das paralisias motoras orgânicas e histéricas" (1893), *ESB*, I, 223-42; *SE*, I, 157-72; in *Résultats, idées, problèmes*, vol.I, Paris, PUF, 1984, 45-61, "Sobre o mecanismo psíquico dos fenômenos histéricos: Comunicação preliminar" (1893), *ESB*, II, 43-62; *Studienausgabe*, VI, 9-24; *SE*, II, 1-17; in *Esquisses psychanalytiques*, 19, primavera de 1993, 93-108; "As psiconeuroses de defesa" (1894), *ESB*, III, 57-74; *GW*, 1, 57-74; *SE*, III, 41-61; *OC*, III, 1-18; "A etiologia da histeria" (1896), *ESB*, III, 217-54; *GW*, I, 423-59; *SE*, III, 187-221; *OC*, III, 147-80; "Fragmento da análise de um caso de histeria" (1905), *ESB*, VII, 5-128; *GW*, V, 163-286; *SE*, VII, 1-122; in *Cinq psychanalyses*, Paris, PUF, 1954, 1-91 • Pierre Janet, *L'État mental des hystériques* (1893), Marselha, Laffitte Reprints, 1983 • Michel Foucault, História da Loucura na idade clássica (Paris, 1962), S. Paulo, Perspectiva, 1978 • Ilza Veith, *Histoire de l'hystérie* (Chicago, 1965), Paris, Seghers, 1973 • Jean Laplanche e Jean-Bertrand Pontalis, *Vocabulário da psicanálise* (Paris, 1967), S. Paulo, Martins Fontes, 1991, 2ª ed. • Thérèse Lempérière, "Hystérie", *Encyclopaedia universalis*, vol.8, 1968, 686-90 • René Major, "The revolution of hysteria", *IJP*, 55, 1974, 385-92 • Henri F. Ellenberger, *Histoire de la découverte de l'inconscient* (N. York, Londres, 1970, Villeurbanne, 1974), Paris, Fayard, 1994; *Médecines de l'âme. Essais d'histoire de la folie et des guérisons psychiques*, Paris, Fayard, 1995 • Mary R. Lefkowitz, *Heroines and Hysterics*, Londres, Duckworth, 1981 • Élisabeth Roudinesco, *História da psicanálise na França*, 2 vols. (Paris, 1982, 1986), Rio de Janeiro, Jorge Zahar, 1989, 1988 • Albrecht Hirschmüller, *Josef Breuer* (Berna, 1978), Paris, PUF, 1991 • Georges Didi-Huberman, *Invention de l'hystérie*, Paris, Macula, 1982 • Étienne Trillat, *Histoire de l'hystérie*, Paris, Seghers, 1986 •

Gladys Swain, *Dialogue avec l'insensé*, Paris, Gallimard, 1994.

➤ AUGUSTINE; BISSEXUALIDADE; CATARSE; DIFERENÇA SEXUAL; ESPIRITISMO; GÊNERO; GOZO; LAIR LAMOTTE, PAULINE; LIEBEN, ANNA VON; MATEMA; MOSER, FANNY; NARCISISMO; ÖHM, AURELIA; SEXUALIDADE FEMININA.

histeria de angústia

➤ FOBIA; *INIBIÇÕES, SINTOMAS E ANGÚSTIA*.

histeria masculina

➤ CHARCOT, JEAN MARTIN; HISTERIA; MEYNERT, THEODOR.

história da psicanálise

Em 1992, num livro coletivo, Peter Kutter fez um levantamento de 41 países onde a psicanálise exerceu um impacto (grande ou pequeno) desde o início do século: Alemanha*, Argentina*, Austrália*, Áustria (Viena*), Bélgica*, Brasil*, Bulgária, Canadá*, Chile, China, Colômbia, Coréia (do Sul), Croácia, Escandinávia* (Dinamarca, Finlândia, Noruega e Suécia), Eslovênia, Espanha*, Estados Unidos*, França, Grã-Bretanha*, Grécia, Hungria*, Índia*, Israel, Itália*, Japão*, Lituânia, México, Países Baixos*, Peru, Polônia, Portugal, Romênia*, Rússia, Sérvia, Tchecoslováquia, Suíça, Uruguai e Venezuela.

A International Psychoanalytical Association* (IPA), por seu lado, afirma haver-se implantado em 32 países. A diferença deve-se ao fato de a IPA ainda não haver incorporado todos os grupos em processo de formação nos países onde o comunismo* desmoronou depois de 1989.

Como quer que seja, todos os estudos mostram que a psicanálise implantou-se em quatro dos cinco continentes, com forte predomínio na Europa e na América (do Norte e do Sul).

Ligada à industrialização e ao enfraquecimento das crenças religiosas e do patriarcado* tradicional, a psicanálise constitui, no mundo inteiro, um fenômeno urbano. O freudismo, portanto, administra seu ensino e erige seus institutos e associações em cidades grandes,

onde os habitantes, de modo geral, acham-se desvinculados de suas raízes, voltados para um núcleo familiar restrito e imersos no anonimato ou no cosmopolitismo. Será essa solidão mesmo propícia à exploração do inconsciente?

Na África, apenas um pioneiro, Wulf Sachs*, emigrado da Rússia, conseguiu formar um grupo, que depois veio a se desfazer. Neste final do século XX, um novo grupo está em vias de reconstituição (na África do Sul, depois do fim do apartheid).

No que concerne ao continente asiático, a psicanálise implantou-se na Índia graças a um pioneiro, Girîndrashekhar Bose*, e por intermédio da colonização inglesa, mas sem assumir a forma de um verdadeiro movimento. No Japão, em contrapartida, existe uma forte corrente de psiquiatria dinâmica* e um pequeno movimento psicanalítico, composto por diversas tendências (lacanismo*, freudismo* e kleinismo*). Este último estendeu-se a alguns grupos coreanos a partir de 1930, essencialmente em torno dos trabalhos da escola inglesa (Melanie Klein*, Donald Woods Winnicott* etc.). Em Israel, Max Eitingon* e Moshe Wulff* fundaram (na Palestina) uma sociedade psicanalítica, enquanto, no Líbano, libaneses e franceses de origem libanesa criaram, em 1980, a Sociedade Libanesa de Psicanálise (SLP).

Na China, após um movimento de higiene mental e reforma dos manicômios marcado pela introdução da terminologia de Emil Kraepelin* e as teses de Adolf Meyer*, o regime comunista impediu, depois de 1949, qualquer implantação da psicanálise. Todavia, diversos livros de Freud foram traduzidos e são lidos por intelectuais ou terapeutas: *A interpretação dos sonhos*, *Três ensaios sobre a teoria da sexualidade*, *Totem e tabu*￼ e *O mal-estar na cultura*.

Portanto, foi somente na chamada área da civilização ocidental que a psicanálise se expandiu num movimento de massa, passando por diferenças consideráveis de um país para outro.

Na Europa, as diferenças estão ligadas à evolução das nações e Estados entre 1900 e 1990. No começo do século, a psicanálise desenvolveu-se num espaço dominado por quatro potências centrais: ao norte, o autoritário Império Prussiano, no centro, o Império Austro-Húngaro em declínio, a leste, o Império Russo às vésperas de uma revolução, e ao sul, o Império Otomano, em processo de deslocamento.

Nos dois primeiros impérios (e em parte do terceiro), disseminaram-se comunidades judaicas perpassadas por diversas correntes de pensamento. Dentre elas encontravam-se os judeus do Iluminismo (a Haskalah), onde foi recrutada a quase totalidade dos primeiros freudianos. Quer fossem alemãs, vienenses, húngaros, tchecos, croatas, eslovacos, poloneses ou russos, todos esses judeus eram de língua e cultura alemãs, mesmo nos casos em que tinham sido "magiarizados" (como na Hungria). Nesses impérios constituira-se, a partir do fim do século XVIII, um movimento de reforma do saber psiquiátrico que havia transformado o tratamento da loucura* e das doenças psíquicas.

No sul, cinco Estados instauraram novas monarquias, ao mesmo tempo em que continuavam subordinados ao Império Otomano: a Bulgária, a Romênia, a Sérvia, a Grécia e Montenegro. Nesses países de fronteiras incertas, as minorias judaicas eram importantes, mas não existiu um movimento de reforma passível de favorecer a implantação do saber psiquiátrico e a afirmação de uma nova visão da loucura. Em conseqüência disso, neles a psicanálise permaneceu como um fenômeno marginal, ligado a uns poucos pioneiros que se abriam para a cultura do Ocidente.

Nos outros países da Europa (França, Grã-Bretanha, Itália, Suíça, Bélgica, Holanda, Suécia, Noruega e Dinamarca), constituíram-se democracias modernas: monarquias constitucionalistas ou democracias parlamentares. Foi nesses países que a psicanálise se expandiu a partir de 1913, transformando-se radicalmente à medida que foram desmoronando os antigos impérios centrais onde havia nascido. Houve uma exceção: a Península Ibérica (Espanha e Portugal). No começo do século, ela era a única parte da Europa ocidental a ter conservado um regime monárquico tradicional, embora em visível declínio. Não se mostraria uma terra acolhedora para a psicanálise, e os partidários desta emigrariam para a América Latina por ocasião da guerra civil (1936-1938). Em seguida, o franquismo constituiria um obstáculo à implantação do freudismo.

Nascida no coração do Império Austro-Húngaro, portanto, a psicanálise seduziu, inicialmente, uma primeira geração* de pioneiros de língua alemã, provenientes de todos os cantos da Mitteleuropa e, de modo geral, oriundos de um meio de comerciantes ou intelectuais judeus. Entre 1902 e 1913, ela veio então a conquistar três "terras prometidas" (ou Estados democráticos) onde se haviam desenvolvido, segundo o ideal da ética protestante, os princípios gerais da psiquiatria dinâmica*: Suíça, Grã-Bretanha e Estados Unidos.

A partir de 1913, e sobretudo depois da Primeira Guerra Mundial, ela progrediu nos países "latinos" (França e Itália) e, em seguida, nos países nórdicos (Suécia, Dinamarca, Holanda, Noruega e Finlândia), onde se chocou com resistências específicas, ligadas às crises políticas da IPA.

A derrocada dos grandes impérios e a assinatura dos tratados de Versalhes, do Trianon e de Saint-Germain vieram então convulsionar o mapa da Europa, redesenhando as fronteiras e fazendo emergirem novos Estados (Polônia, Tchecoslováquia e Iugoslávia), que nem sequer teriam tempo de se estruturar antes do advento do nacional-socialismo.

A vitória do stalinismo, na Rússia, e do nazismo, na Alemanha, modificou as modalidades de implantação e organização da psicanálise na Europa. Entre 1933 e 1941, os freudianos da primeira e segunda gerações deixaram a Europa em ondas sucessivas: russos e húngaros refugiados na Alemanha e na França desde 1920, alemães caçados pelo nazismo, italianos e espanhóis perseguidos pelo fascismo e pelo franquismo, e austríacos após a ocupação das tropas alemãs. A partir de 1939, os suíços instalados na França retornaram a seu país, alguns franceses abandonaram a terra natal (como Marie Bonarparte*) e outros se esconderam ou interromperam qualquer atividade pública.

Esse movimento migratório drenou um quarto da comunidade freudiana continental para a Grã-Bretanha, três quartos para os Estados Unidos e uma ínfima minoria para o continente sul-americano (Argentina e Brasil). A emigração teve três conseqüências: o reforço do poder burocrático da IPA, a fragmentação do freudismo clássico em diversas correntes (com cisões*) e o fim da supremacia da língua alemã em prol da língua inglesa.

Essa distribuição geográfica mostra que a aceitação ou a rejeição da psicanálise não se explicaram, em primeiro lugar, por um obstáculo mental ou cultural, mas pelo contexto histórico, por um lado, e pela situação política, por outro.

Há duas condições para a implantação das idéias freudianas e para a formação de um movimento psicanalítico: por um lado, a constituição de um saber psiquiátrico, isto é, de uma visão da loucura capaz de conceituar a noção de doença mental em detrimento da idéia de possessão divina, sagrada ou demoníaca. Por outro, a existência de um estado de direito, passível de garantir o livre exercício do ensino freudiano.

O estado de direito caracteriza-se pelos limites que impõe a seu domínio sobre a sociedade e os cidadãos e pela consciência que tem de seus limites. Sem ele, é impossível à psicanálise ser exercida livremente, transmitida através do tratamento ou ensinada em instituições específicas. Em outras palavras, qualquer implantação da psicanálise passa pelo reconhecimento consciente da existência do inconsciente* do mesmo modo que a associação livre*, como técnica do tratamento, passa pelo princípio político da liberdade de associação.

Em geral, é a ausência de um desses elementos (ou dos dois ao mesmo tempo) que explica a não implantação ou o desaparecimento do freudismo nos países com regimes ditatoriais, assim como nas regiões do mundo marcadas pelo islamismo ou por uma organização comunitária ainda tribal. Note-se que as ditaduras militares não impediram a expansão da teoria psicanalítica na América Latina (em especial no Brasil e na Argentina). Isso se deveu à natureza delas, diferente da encontrada nos outros dois sistemas (stalinismo e nazismo) que destruíram a Europa. Os regimes de tipo caudilhista nunca instauraram um plano de eliminação do freudismo como "ciência judia", como aconteceu na Alemanha entre 1933 e 1944, nem como "ciência burguesa", como se deu na União Soviética entre 1945 e 1989.

As condições de existência da psicanálise parecem corresponder a uma concepção da liberdade humana que está em contradição com a teoria freudiana do inconsciente. Esta última, com efeito, mostra que o homem não é senhor em sua casa, a tal ponto sua liberdade está sujeita a determinações que lhe escapam. Entretanto, para que um sujeito possa ter a experiência dessa "ferida narcísica", é preciso que a sociedade em que ele vive reconheça conscientemente o inconsciente. Assim como o exercício da liberdade pressupõe esse reconhecimento, a história da psicanálise está ligada à constituição da noção de sujeito na história da filosofia ocidental. Na história das sucessivas revisões da doutrina freudiana e de seu modelo biológico, somente Jacques Lacan* procurou dar consistência a esse vínculo entre a psicanálise e a filosofia do sujeito.

Neste final do século XX, o freudismo vem recuando nas sociedades ocidentais, aquelas em que, durante cem anos, estiveram reunidas todas as condições para a implantação bem-sucedida da psicanálise. Esse enfraquecimento resulta da expansão de um novo tipo de comunitarismo, no qual o sujeito, remetido a suas raízes, seu grupo ou sua individualidade, opta mais facilmente por formas primitivas de psicoterapia* (o corpo, o grito, o grupo, o jogo, o relaxamento, a hipnose*, a magia etc.) e pelo poder de um novo organicismo, que tende a apresentar todos os comportamentos mentais como resultantes de um processo cognitivo, articulado com um substrato genético ou biológico.

• Gérard Chaliand e Jean-Pierre Rageau, Atlas politique du XX siécle, Paris, Seuil, 1988 • Édith Kurzweil, The Freudians. A Comparative Perspective, New Haven e Londres, Yale University Press, 1989 • Jacquy Chemouni, História do movimento psicanalítico (Paris, 1990), Rio de Janeiro, Jorge Zahar, 1991 • André Haynal, Psychanalyse et science. Face-à-face, Lyon, Césura, 1991 • Peter Kutter (org.), Psychoanalysis International, Guide to Psychoanalysis throughout the World, 2 vols., Stuttgart-Bad Cannstatt, Frommann-Holzboog, 1992 • Michel Foucher (org.), Fragments d'Europe, Paris, Fayard, 1993 • Roster, The International Psychoanalytical Association Trust, 1996-1997 • Élisabeth Roudinesco, Genealogias (Paris, 1994), Rio de Janeiro, Relume Dumará, 1996 • Jacques Le Rider, La Mitteleuropa, Paris, PUF, col. "Que sais-je?", 1994 • L'État du monde, Annuaire économique et géopolitique mondial, Paris, La Découverte, 1997.

➢ AMERICAN PSYCHOANALYTIC ASSOCIATION; ASSOCIAÇÃO BRASILEIRA DE PSICANÁLISE; BETLHEIM, STJEPAN; DOSUZKOV, THEODOR; EMBIRI-

COS, ANDREAS; FEDERAÇÃO EUROPÉIA DE PSICANÁLISE; FEDERAÇÃO PSICANALÍTICA DA AMÉRICA LATINA; HAAS, LADISLAS; KOURETAS, DIMITRI; SUGAR, NIKOLA; TRIANDAFILIDIS, MANOLIS.

historiografia

Os primeiros trabalhos históricos sobre a psicanálise* foram redigidos pelo próprio Sigmund Freud* primeiro em 1915, sob a forma de um longo artigo, intitulado "A história do movimento psicanalítico", e depois em 1925, através de uma autobiografia, chamada *Um estudo autobiográfico**.

Esses dois textos, de grande qualidade literária, mostram que Freud, apesar de muito atento à ciência histórica, não conseguiu desvincular-se, para contar seu próprio destino e o de seu movimento, de um modelo historiográfico arcaico, baseado no mito da autogeração da psicanálise por seu valoroso fundador: ela teria nascido de seu próprio cérebro, distante das doutrinas pré-científicas características da época anterior. No primeiro caso, Freud, travando batalhas contra dois dissidentes (Alfred Adler* e Carl Gustav Jung*), apresenta-se como pai de uma doutrina que ele pretendia gerir. No segundo, escreve uma *Bildung* na mais pura tradição alemã, segundo a qual o autor traça seu itinerário intelectual.

Essa vontade de dominar a história é constante em Freud. Ele nunca procurou dissimulá-la e nunca mentiu conscientemente a respeito de si mesmo. Era por isso que, quando alguém tomava a iniciativa de contar sua vida, como fez Fritz Wittels*, por exemplo, ele se mostrava preocupado com o respeito à estrita exatidão dos fatos. Não obstante, experimentava certo prazer com a idéia de que seus futuros biógrafos pudessem atrapalhar-se. Por isso, tentou (em vão) persuadir Marie Bonaparte* a não conservar sua correspondência com Wilhelm Fliess*. Quanto à idéia do longo prazo, própria da historiografia científica do século XX, ele praticamente não a levou em conta. Quando leu, em 1931, o livro de Stefan Zweig* intitulado *A cura pelo espírito*, onde o autor estabeleceu uma ligação entre o método de Franz Anton Mesmer* e a psicanálise, Freud procurou, em particular, corrigir tudo o que lhe dizia respeito, sem

se interessar verdadeiramente pela tese enunciada.

Foi depois da Segunda Guerra Mundial que realmente nasceu a historiografia psicanalítica, impulsionada por Ernest Jones*, o primeiro grande autor a biografar Freud. Seu magistral livro em três volumes, publicado entre 1952 e 1957 e apoiado em arquivos inéditos e parcialmente compilados por ele, bem como por Siegfried Bernfeld* e Kurt Eissler*, permitiu que começássemos a traçar a história do freudismo*.

Através de Jones, com efeito, a diáspora freudiana pôde passar a ter uma idéia de sua origem e seu movimento, sob a forma não de uma hagiografia (como se diz com demasiada freqüência), mas de uma história oficial. O modelo jonesiano não se inspirou numa concepção religiosa ou piegas da história. É pragmático, racionalista e positivista. Privilegia a idéia de que Freud conseguiu, através do poder de seu talento solitário e ao preço de um heroísmo intransigente, desprender-se das falsas ciências de sua época e revelar ao mundo a existência do inconsciente.

O verdadeiro problema dessa biografia está em ela ter sido escrita por um homem que foi, ao mesmo tempo, um cronista a serviço de um rei, o líder de um movimento político e um adversário da maioria dos atores cuja saga narrou. Jones quis ser Saint-Simon, depois de haver desempenhado, sucessivamente, os papéis de Joinville, Richelieu e Fouché. E, se forneceu de Freud um retrato convincente, não foi nada objetivo com respeito aos discípulos dele. Não apenas se mostrou de uma injustiça flagrante com Otto Rank*, Sandor Ferenczi* ou Wilhelm Reich*, como também situou mal a importância de Wilhelm Fliess e suas teorias na história das origens imediatas do freudismo. Além disso, como bom estrategista político, dissimulou os acontecimentos passíveis, a seu ver, de tirar o brilho da imagem do movimento psicanalítico: os suicídios*, os extravios, as loucuras* e as transgressões. Por último, Jones mascarou ou não reconheceu os erros terríveis que cometeu, sobretudo frente ao nazismo*, ao pôr em prática sua política de um pretenso "salvamento" da psicanálise.

O livro de Jones, portanto, é a um tempo uma obra esplêndida, um acontecimento fundador e um monumento de história oficial. Nele, vemos o personagem central evoluir desde a infância qual um herói lendário, permanentemente cônscio de sua genialidade, que inventa sua doutrina a partir do nada das "falsas ciências" e, em seguida, separa-se com dor de seus maus discípulos, ora "renegados", ora "desviantes", com exceção do mais fiel dentre todos: o próprio Jones.

Durante dez anos, de 1960 a 1970, a historiografia freudiana foi mantida como uma reserva privilegiada do legitimismo psicanalítico, sobretudo em razão da política implementada por Kurt Eissler, responsável pelos arquivos depositados na Biblioteca do Congresso*, de Washington. Em 1972, com seu livro *Freud: vida e agonia, uma biografia*, Max Schur* corrigiu a versão jonesiana, apresentando uma imagem mais vienense do mestre, que então começou a emergir sob a aparência de um cientista ambivalente, angustiado pela morte e hesitante entre o erro e a verdade. Schur revelou pela primeira vez a existência de Emma Eckstein*.

A partir de 1970, a língua inglesa passou a dominar os trabalhos historiográficos. Ao modelo jonesiano sucederam-se, por um lado, uma visão dissidente, e, por outro, uma abordagem científica. Inaugurada por Ola Andersson* em 1962, a historiografia científica expandiu-se, em 1970, com o trabalho inovador de Henri F. Ellenberger*. Sua *História da descoberta do inconsciente*, com efeito, foi a primeira a introduzir o longo prazo na aventura freudiana e a mergulhar a psicanálise na história da psiquiatria dinâmica*. Freud saiu disso desnudado e apareceu sob os traços de um cientista faustiano, dividido entre a dúvida e a certeza, entre a razão e a errância, entre a aspiração ao progresso e a atração pelo ocultismo. Ellenberger faria escola e daria origem, sem que o houvesse pretendido, a uma historiografia revisionista.

Paralelamente, os trabalhos dos historiadores norte-americanos (ou ingleses) sobre a Viena* do fim de século (Carl Schorske, William Johnston etc.) transformaram a visão que se tinha das circunstâncias sociais e políticas que cercaram a descoberta freudiana. Ao Freud jonesiano da visão oficial sucedeu-se um homem imerso no movimento de idéias que abalou o Império Austro-Húngaro da década de 1880. Esse Freud encarnou, de certa maneira, todas as aspirações de uma geração de intelectuais vienenses, atormentados pela judeidade*, pela sexualidade*, pelo declínio do patriarcado*, pela feminização da sociedade e, finalmente, por uma vontade comum de explorar as origens profundas do psiquismo humano.

Quanto à historiografia dissidente, ela surgiu em 1971, com a publicação de *Freud e seus discípulos*, de Paul Roazen. Nascido em 1936, o autor abandonou a história oficial para se tornar o cronista da memória oral do movimento. Com a ajuda de depoimentos de sobreviventes, construiu uma prosopografia do meio psicanalítico: redes de poder, filiações* etc. Acima de tudo, Roazen foi o primeiro a dar lugar plenamente aos discípulos cujo destino a história oficial havia ocultado ou deturpado: Hermine von Jugh-Hellmuth*, Victor Tausk* e Ruth Mack-Brunswick*.

A partir de 1978-1980, na França*, Alemanha*, Estados Unidos* e Grã-Bretanha*, portanto, reuniram-se as condições para que eclodisse uma verdadeira escola histórica do freudismo. Em cada país, arquivos foram coligidos por pesquisadores, dentro ou fora da International Psychoanalytical Association* (IPA), permitindo a elaboração de livros narrativos decorrentes da história científica e que versavam sobre todos os aspectos do freudismo: origens, movimento, atores, redes, conceitos, idéias, biografias etc. Desde então, os representantes da legitimidade freudiana (IPA) foram perdendo terreno e não mais puderam impedir os historiadores de produzirem obras que escapavam à imagem oficial. Eles conservaram tão-somente um monopólio: a gestão e o controle dos famosos arquivos depositados na Biblioteca do Congresso de Washington.

Ora, a política de retenção conduzida por Eissler, com a concordância de Anna Freud*, iria revelar-se catastrófica, como sublinhou o historiador Peter Gay: "A opção pelo sigilo, à qual Eissler esteve e continua muito firmemente ligado, só pode incentivar a proliferação dos mais extravagantes boatos sobre o homem (Freud) cuja reputação ele quer proteger."

Foi essa política de preservação da imagem do pai fundador que contribuiu para a expansão, a partir de 1980, de uma historiografia revisionista, no exato momento em que o movimento psicanalítico sofria, no mundo inteiro, os ataques de um novo organicismo, apoiado na farmacologia. Em vez de abrirem os arquivos a historiadores profissionais, Eissler e Anna Freud decidiram confiar a Jeffrey Moussaïeff Masson, aluno brilhante e devidamente analisado dentro do serralho, o estabelecimento da correspondência entre Fliess e Freud. Pois bem, em meio a suas pesquisas, o feliz eleito transformou-se num contestador radical não somente da legitimidade oficial, mas da própria doutrina freudiana. Sonhando-se profeta de um freudismo "revisto", passou a acreditar que a América tinha sido corrompida por uma mentira freudiana original. Assim, afirmou que as cartas de Freud revelavam que este havia abandonado a teoria da sedução* por covardia. Não ousando revelar ao mundo as atrocidades cometidas pelos adultos com crianças inocentes (estupros, maus-tratos, incestos forçados etc.), ele teria inventado a teoria da fantasia* e, por conseguinte, seria um falsário.

Na época atual, a corrente revisionista deve seu sucesso ao fato de ser contemporânea de um vasto questionamento, na universidade norte-americana, da chamada civilização ocidental, o qual visa reabilitar as vítimas dela. Dentro desse espírito, a escola revisionista assimila o freudismo a uma opressão: colonização abusiva das crianças pelos adultos, dominação das mulheres pelos homens etc.

Assistimos, depois disso, ao retorno da tradição biográfica e, em seguida, a uma explosão de diferentes correntes interpretativas. Daí a importante produção de trabalhos históricos no fim do século XX.

• Sigmund Freud, "A história do movimento psicanalítico" (1914), ESB, XIV, 16-88; GW, X, 44-113; SE, XIV, 7-66; Paris Gallimard, 1991; La Naissance de la psychanalyse (Londres, 1950), Paris, PUF, 1956; Briefe an Wilhelm Fliess, 1887-1904, Frankfurt, Fischer, 1986 • Sigmund Freud e Stefan Zweig, Correspondance (Frankfurt, 1987), Paris, Rivages, 1991 • Ernest Jones, A vida e a obra de Sigmund Freud, 3 vols. (N. York, 1953, 1955 1957), Rio de Janeiro, Imago, 1989 • Carl Schorske, Viena, fin-de-siècle (N. York, 1981), S. Paulo, Companhia das Letras, 1990 • Ola Andersson, Freud avant Freud. La Préhistoire de la psychanalyse (Estocolmo, 1962), Paris, Synthélabo, col. "Les empêcheurs de penser en rond", 1997 • Henri F. Ellenberger, Histoire de la découverte de l'inconscient (N. York, Londres, 1970, Villeurbanne, 1974), Paris, Fayard, 1994 • Paul Roazen, Freud e seus discípulos (N. York, 1971), S. Paulo, Cultrix, 1978 • Max Schur, Freud: vida e agonia, uma biografia, 3 vols. (N. York, 1972), Rio de Janeiro, Imago, 1981 • William M. Johnston, L'Esprit viennois. Une histoire intellectuelle et sociale, 1848-1938 (N. York, 1972), Paris, PUF, 1985 • Allan Janik e Stephen Toulmin, Wittgenstein, Vienne et la modernité (N. York, 1973), Paris, PUF, 1978 • Frank J. Sulloway, Freud, Biologist of the Mind, N. York, Basic Books, 1979 • Jeffrey Moussaïeff Masson, Le Réel escamoté, Paris, Aubier, 1984 • Janet Malcolm, Tempête aux Archives Freud (N. York, 1984), Paris, PUF, 1986 • Peter Gay, Freud: uma vida para o nosso tempo (N. York, 1988), S. Paulo, Companhia das Letras, 1995 • Élisabeth Roudinesco, Genealogias (Paris, 1994), Rio de Janeiro, Relume Dumará, 1996.

Hitschmann, Eduard (1871-1957)

médico e psicanalista americano

Esse clínico geral, inventivo e cheio de humor, originário de um meio de banqueiros judeus, foi introduzido na Sociedade Psicológica das Quartas-Feiras* por Paul Federn* em 1905. Com Max Graf*, foi o primeiro, no bojo desse círculo freudiano, a interessar-se pela aplicação da psicanálise à história dos "grandes homens", poetas, escritores, líderes políticos. Assim, contribuiu para transformar a tradição psiquiátrica da patografia na psicobiografia* e na psicanálise aplicada*. Tinha paixão por Goethe e imitava maravilhosamente seu estilo, a ponto de poder expressar-se como ele.

Em 1911, publicou o primeiro estudo sistemático do pensamento freudiano, no qual já se mostrava de uma fidelidade inabalável a Freud*, de quem fora analisando durante um mês. A obra era um resumo da psicanálise destinado ao grande público, e Freud lhe pedira que se abstivesse de qualquer idéia pessoal. Em 1922, tornou-se diretor do Ambulatorium, primeira clínica psicanalítica aberta em Viena*, nas instalações de um hospital militar. Foi também um dos médicos da família Freud. Em 1938, como a maioria dos vienenses, emigrou primeiro para Londres e dois anos depois para os Estados Unidos, onde se tornou um dos membros importantes da Boston Psychoanalytic Society (BoPS). Teve vários conflitos com

Helene Deutsch*, a quem não hesitou tratar de "ditadora".

Eduard (ou Edward) Hitschmann publicou muitas biografias psicanalíticas de homens célebres, escritores e músicos, principalmente Knut Hamsun (1859-1952), Franz Schubert (1797-1828), Johannes Brahms (1833-1897), Emmanuel Swedenborg (1688-1772), Friedrich Nietzsche (1844-1900), Arthur Schopenhauer (1788-1860). No plano clínico, interessou-se particularmente pela frigidez feminina, pela impotência sexual e pelo sonho*. Nunca adotou os princípios adaptadores da *Ego Psychology* e, no fim dos anos 1930, quando Anna Freud* se tornou presidente da Wiener Psychoanalytische Vereinigung (WPV), expressou seu apego à teoria freudiana clássica com este comentário humorístico: "Freud estava sentado lá e nos ensinou as pulsões; agora é Anna, e ela nos ensina as defesas."

• Paul Roazen, *Freud e seus discípulos* (N. York, 1971), S. Paulo, Cultrix, 1978 • Richard Sterba, *Réminiscences d'un psychanalyste viennois* (Frankfurt, 1985), Toulouse, Privat, 1986 • Peter Gay, *Freud: uma vida para o nosso tempo* (N. York, 1988), S. Paulo, Companhia das Letras, 1995 • Elke Mühlleitner, *Biographisches Lexikon der Psychoanalyse. Die Mitglieder der psychologischen Mittwoch-Gesellschaft und der Wiener psychoanalytischen Vereinigung von 1902-1938*, Tübingen, Diskord, 1992.

Hoch, August (1868-1919)

psiquiatra americano

Filho do diretor do hospital universitário de Basiléia, na Suíça*, Hoch emigrou para os Estados Unidos com a idade de 19 anos e foi o primeiro a introduzir a nosografia de Emil Kraepelin* na abordagem americana das psicoses*.

• Nathan G. Hale, *Freud and the Americans. The Beginnings of Psychoanalysis in the United States, 1876-1917*, t.I, (1971), N. York, Oxford, Oxford University Press, 1995.

Hoffmann, Ernst Paul (1891-1944)

médico e psicanalista austríaco

Nascido na Romênia, na província de Bukovina, Hoffmann era originário de uma família judia. Estudou medicina em Viena* e recebeu sua formação didática na Wiener Psychoanaly-tische Vereinigung (WPV), com Paul Federn*. No momento da Anschluss, encontrava-se na Bélgica*, onde pediu asilo político. Teve um papel na formação dos psicanalistas desse país. Quando da invasão da Bélgica, foi detido e depois transferido para a França e internado no campo de Gurs. Não pôde emigrar para o México, como desejava, mas conseguiu fugir do campo de Mille, perto de Marselha, onde tinha sido novamente internado. Chegou à Suíça* e morreu em conseqüência das seqüelas de uma cirurgia no estômago.

• Elke Mühlleitner, *Biographisches Lexikon der Psychoanalyse. Die Mitglieder der psychologischen Mittwoch-Gesellschaft und der Wiener psychoanalytischen Vereinigung von 1902-1938*, Tübingen, Diskord, 1992.

Hollitscher, Mathilde, *née* Freud (1887-1978), filha de Sigmund Freud.

Nascida em Viena*, Mathilde foi a primeira dos filhos de Sigmund* e Martha Freud*, a mais velha entre as mulheres e também entre todos os seis filhos do casal. Por isso, teve um papel central na vida familiar de Sigmund Freud: com Martha, sua mãe, e Minna Bernays*, sua tia, formou o núcleo feminino do círculo íntimo do pai. Como dizia Anna Freud*, "ela cumpria de modo notável o papel de irmã mais velha devotada que lhe coube. Sempre pronta a dar um conselho, um apoio ou uma informação, sua autoridade entre os jovens não era questionada." Quando nasceu, seu nome foi escolhido em homenagem a Mathilde Breuer, esposa de Josef Breuer*. Era bela, elegante e generosa. Tendo uma educação laica, como todos os filhos de Freud, mas segundo os princípios rígidos da burguesia vienense, não teve outro objetivo na vida senão tornar-se uma esposa fiel como sua própria mãe e como seu pai lhe aconselhava: "Os rapazes mais inteligentes sabem muito bem o que devem procurar em uma mulher: a gentileza, a alegria e a capacidade de tornar sua vida mais bela e mais fácil." Esse modo de educação das meninas foi admiravelmente criticado por Stefan Zweig*: "Era assim que a sociedade da época queria que a jovem fosse, tola e insignificante, bem-educada e sem identidade, curiosa e pudica, desprovida de segurança e de senso prático, e graças a essa educação estranha à vida, destinava-a logo de saída a ser mais tarde, no casamento, formada e conduzida passivamente pelo homem."

Nesse aspecto, os filhos de Freud se comportaram entre si como se tinham comportado seus tios, pais e tias na família de Jacob* e Amalia Freud*. Não só foram educados de acordo com os mesmos princípios imutáveis, mas também tiveram as mesmas rivalidades, os mesmos conflitos, as mesmas invejas que todas as famílias numerosas da época. Principalmente, resignaram-se a um modelo idêntico de divisão dos sexos e dos poderes. Na mesma medida em que Freud deixou os filhos, Martin*, Ernst* e Oliver* decidirem livremente sobre seu futuro, mostrou-se tirânico com as filhas, Sophie e Mathilde, que tiveram como único modelo as qualidades domésticas e conjugais de sua mãe e de sua avó. Em outras palavras, Freud não proporcionou às filhas nenhum benefício decorrente de suas investigações clínicas e teóricas, que questionavam a organização sexual e social da família ocidental clássica. Só Anna Freud, a caçula, travessa, sofrendo por não ser bonita e dedicada como as irmãs, teve uma trajetória moderna: exerceu uma profissão e tornou-se uma intelectual, rompendo assim com os ideais da sociedade vitoriana do fim do século XIX. Mas ficou solteira e sempre manteve com o pai uma relação passional.

Embora tenha vivido até os 90 anos, Mathilde Hollitscher teve uma saúde frágil. Na infância quase sucumbiu a uma difteria. Em 1905, aos 18 anos, esteve outra vez perto da morte, depois de uma cirurgia de apêndice, praticada pelo médico que operara Emma Eckstein*. As seqüelas a impediram de tornar-se mãe, o que lhe causou grande mágoa.

Em 1908, Freud quis casá-la com Sandor Ferenczi*. Entretanto, um ano depois, ela se casou na sinagoga com Robert Hollitscher, o homem que ela escolhera, negociante de têxteis por quem estava apaixonada e com quem foi instalar-se perto da Berggasse. Quando sua irmã, Sophie Halberstadt*, morreu de gripe, adotou o sobrinho Heinz (Heinerle), que infelizmente faleceu de tuberculose miliar, aos cinco anos de idade. Esse desaparecimento foi a causa de uma nova crise de desespero.

Como sua mãe, Mathilde foi mantida a distância da vida intelectual e profissional do pai, da qual não se falava na família, e principalmente nunca durante as refeições. Ainda que não ignorasse que Freud era um grande sábio, não foi envolvida na história do movimento psicanalítico. Mas era amiga íntima de Ruth Mack-Brunswick*, que deu à sua filha o nome de Mathilde.

Com o marido, emigrou para Londres em 1938, ao mesmo tempo que a família Freud.

• Sigmund Freud, *La Naissance de la psychanalyse* (Londres, 1950), Paris, PUF, 1956 • Sigmund Freud e Sandor Ferenczi, *Correspondência*, vol.I, *1908-1914* (Paris, 1992), Rio de Janeiro, Imago, 1994, 1995, e vol. II, *1914-1919*, Paris, Calmann-Lévy, 1996 • Stefan Zweig, *Le Monde d'hier* (Estocolmo, 1944), Paris, Belfond, 1982 • Ernest Jones, *A vida e a obra de Sigmund Freud*, vols.1 e 2 (N. York, 1953, 1955), Rio de Janeiro, Imago, 1989 • Martin Freud, *Freud, mon père* (Londres, 1957), Paris, Denoël, 1975 • Élisabeth Young-Bruehl, *Anna Freud: uma biografia* (N. York, 1988), Rio de Janeiro, Imago, 1992 • Peter Gay, *Freud: uma vida para o nosso tempo* (N. York, 1988), S. Paulo, Companhia das Letras, 1995 • Paul Roazen, *Mes rencontres avec la famille Freud* (Amherst, 1993), Paris, Seuil, 1996.

➢ DIFERENÇA SEXUAL; FREUD, EVA; FREUD, PAULINE; PAPPENHEIM, BERTHA; SEXUALIDADE FEMININA.

Hollos, Istvan (1872-1957)
psiquiatra e psicanalista húngaro

Nascido em uma modesta família judia e analisado por Paul Federn*, Istvan Hollos foi um pioneiro das teses freudianas no campo das psicoses* e um artífice da reforma do asilo na Hungria*. Co-fundador, em 1913 (com Sandor Ferenczi*, Sandor Rado* e Hugo Ignotus*), da Sociedade Psicanalítica de Budapeste, relatou em 1927, em um romance, *Meu adeus à casa amarela*, suas experiências clínicas com os loucos, dos quais se encarregara como médico-chefe do Hospital Psiquiátrico de Lipotmezo, nos arredores de Budapeste. Em 1925, foi afastado desse posto por causa de suas origens judaicas.

Sigmund Freud* lhe respondeu com uma carta que se tornou célebre: "Finalmente confessei a mim mesmo que não gostava desses doentes e que eles me irritavam por serem tão diferentes de mim e de tudo o que há de humano. É uma curiosa espécie de intolerância, que evidentemente me torna inapto para a psiquiatria [...]. Nesse aspecto, eu me comporto como faziam os médicos que nos precederam com os histéricos. Seria um resultado da escolha do intelecto, sempre mais claramente afirmada, a expressão de uma hostilidade para com o Isso?"

Em 1933, Hollos sucedeu a Ferenczi na presidência da Sociedade Húngara e, em 1944, foi salvo da deportação graças à ação do diplomata sueco Raoul Wallenberg, que conseguiu resgatar alguns judeus húngaros da milícia do almirante Horthy. Em seguida, retomou suas funções, ao lado de Imre Hermann*, na Sociedade Psicanalítica reconstituída.

• Istvan Hollos, *Mes adieux à la maison jaune* (1927), Paris, Éditions du Coq-Héron, 1986 • *Chronique la plus brève. Carnets intimes, 1929-1939*, anotado e apresentado por Michael Molnar (Londres, 1992), Paris, Albin Michel, 1992 • Eva Brabant-Gerö, *Ferenczi et l'école hongroise de psychanalyse*, Paris, L'Harmattan, 1993.

➤ LOUCURA; HISTÓRIA DA PSICANÁLISE.

Homem dos Lobos, caso
➤ PANKEJEFF, SERGUEI CONSTANTINOVITCH.

Homem dos Ratos, caso
➤ LANZER, ERNST.

homossexualidade
al. *Homosexualität*; esp. *homosexualidad*; fr. *homosexualité*; ing. *homosexuality*

*Termo derivado do grego (*homos: *igual) e criado por volta de 1860 pelo médico húngaro Karoly Maria Benkert para designar todas as formas de amor carnal entre pessoas biologicamente pertencentes ao mesmo sexo.*

Entre 1870 e 1910, o termo homossexualidade impôs-se progressivamente nessa acepção em todos os países ocidentais, substituindo assim as antigas denominações que caracterizavam essa forma de amor conforme as épocas e as culturas (inversão, uranismo, safismo, lesbianismo etc.). Definiu-se então por oposição à palavra heterossexualidade (do grego heteros: *diferente), cunhada por volta de 1880, que abrangia todas as formas de*

amor carnal entre pessoas de sexos biologicamente diferentes.

Nem Sigmund Freud* nem seus discípulos, nem tampouco seus herdeiros, fizeram da homossexualidade um conceito ou uma noção própria da psicanálise*. Por conseguinte, o freudismo*, consideradas todas as suas tendências, não produziu nenhuma teoria específica sobre essa inclinação sexual que se fez derivar da bissexualidade* característica da natureza humana e animal, e que foi inicialmente ligada ao campo das perversões sexuais e, mais tarde, ao da perversão* em geral, como elemento de uma estrutura ternária que engloba a psicose* e a neurose*.

Dada a transformação induzida pela doutrina freudiana no olhar que a ciência e o saber ocidental voltam para a sexualidade* humana, entretanto, podemos afirmar que Freud, a propósito da homossexualidade e com os meios teóricos de que dispunha, realmente rompeu com o discurso psiquiátrico do fim do século XIX. De Bénédict-Augustin Morel (1809-1873) a Valentin Magnan (1835-1916), passando por Richard von Krafft-Ebing*, esse discurso considerava a homossexualidade como uma tara ou uma degeneração, que caracterizava, aos olhos de alguns deles, uma "espécie" ou uma "raça" sempre maldita, sempre reprovada. Sob esse aspecto, convém assinalar que a figura do homossexual, desde Oscar Wilde (1856-1900) até Marcel Proust (1871-1922), no final do século, enquanto progredia o anti-semitismo, foi acolhida como um equivalente do judeu: "Ao ódio do judeu por si mesmo", escreveu Hans Mayer, "corresponde o ódio do homossexual por si mesmo." E esse ódio, em ambos os casos, podia muito bem transformar-se em ódio por si mesmo: o ódio de si judeu, como em Karl Kraus* ou Otto Weininger*, ou o ódio da parte "feminina" de si, como no Charlus que, no texto de *Em busca do tempo perdido*, ridiculariza os outros sodomitas.

Freud nunca desconheceu o papel desempenhado pela tradição judaico-cristã na longa história das perseguições físicas e morais infligidas durante séculos aos que eram acusados de transgredir as leis da família e se entregar a práticas sexuais anormais, demoníacas, desviantes, bárbaras e altamente reprovadas pela Bíblia, por

Deus, pelos profetas, pela Igreja* e pela justiça dos homens. Amante da cultura grega e apaixonado pela literatura, ele sublinhou muitas vezes que os grandes criadores eram homossexuais, e sempre foi sensível à tolerância do mundo da Antiguidade para com a pederastia, a ponto, aliás, de esquecer que mesmo entre os gregos o amor pelos rapazes podia ser reprovado como um vício que ameaçava a civilização. Em sua interpretação do mito de Édipo*, por exemplo, Freud nunca pensou em evocar o episódio "homossexual" de Laio: quando rei de Tebas, ele havia raptado o belo Crísipo. Hera, protetora do casamento, ficara escandalizada com isso e havia mandado a Esfinge aos tebanos para puni-los por terem sido demasiadamente tolerantes para com essa relação culpada.

Embora nunca tenha sido um militante da causa dos homossexuais, Freud foi marcado, como todos os cientistas de sua época, pelas grandes interrogações provenientes do darwinismo, que almejavam transformar radicalmente a representação que se tinha da sexualidade humana. Daí a inspiração que foi buscar na sexologia*, antes de se desligar dela por completo.

Como doutrina "progressista" do comportamento sexual, a sexologia inventou, tal como a criminologia*, seu vocabulário: tratava-se, na época, de dotar de uma definição "científica" certas práticas sexuais ditas patológicas, que ora se pretendia classificar como doenças hereditárias (e não mais como pecados), a fim de remetê-las à nosologia psiquiátrica, ora se queria definir como crimes ou delitos (e não mais como atos contrários à moral cristã) a fim de julgá-los perante a lei: "A homossexualidade", escreveu Michel Foucault (1926-1984), "apareceu como uma das imagens da sexualidade ao ser reduzida da prática da sodomia a uma espécie de androginia interna, a um hermafroditismo da alma. O sodomita era um pecador relapso, enquanto o homossexual é hoje uma espécie." Foi exatamente nesse contexto que se inventaram, na Hungria* e na Alemanha*, os dois termos, homossexualidade e heterossexualidade, que se impuseram definitivamente no século XX.

Em nome dessa teoria hereditarista de uma homossexualidade constitucional, inata ou natural, diversos estudiosos opuseram-se às legislações repressivas européias que concerniam à homossexualidade, como é atestado pelas batalhas lideradas por Magnus Hirschfeld* sobre o "sexo intermediário", por Havelock Ellis* sobre o "inatismo" natural da homossexualidade, e também por um jurista de Hanover: Carl Heinrich Ulrichs (1826-1895). Sendo ele próprio homossexual, Ulrichs publicou, sob o pseudônimo de Numa Numantius, uma série de livros nos quais popularizou o termo uranismo (proveniente do deus da mitologia grega Urano, castrado por seu filho, Cronos, e de Urânia, a musa da astronomia), para sustentar que a inversão sexual era uma anomalia hereditária, próxima da bissexualidade, que produzia uma "alma de mulher num corpo de homem". Seguindo-se a ele, o psiquiatra Carl Westphal (1833-1890) deu seu apoio à teoria congênita da homossexualidade, afirmando a existência de um "terceiro sexo". Entre 1898 e 1908, foram lançadas milhares de publicações sobre a homossexualidade.

Para o discurso psiquiátrico do século XX, a homossexualidade sempre foi tida como uma inversão sexual, isto é, uma anomalia psíquica, mental ou de natureza constitucional, um distúrbio da identidade ou da personalidade que podia chegar à psicose e que, não raro, conduzia ao suicídio*. A terminologia passou por múltiplas variações: com respeito às mulheres, empregavam-se os termos safismo ou lesbianismo, numa referência a Safo, a poetisa grega da ilha de Lesbos que era adepta do amor entre as mulheres; quanto aos homens, falava-se de uranismo, pederastia, sodomia, neuropatia, homofilia etc. A nosologia foi muito mais flexível quanto a esse campo do que em relação à loucura*, e a legislação foi diferente conforme os países.

Foi preciso esperar pela década de 1970, pelos trabalhos dos historiadores — de Michel Foucault a John Boswell (1947-1994) — e pelos grandes movimentos favoráveis à liberdade sexual, para que a homossexualidade deixasse de ser encarada como uma doença e passasse a ser vista como uma prática sexual distinta: falou-se então *das* homossexualidades, e não mais da homossexualidade, para deixar claro que esta era menos uma estrutura do que um componente da sexualidade humana dotado de uma pluralidade de comportamentos tão variados quanto os dos neuróticos comuns. Freud, aliás, havia apontado o caminho para essa abordagem, fazendo a homossexualidade derivar da bissexualidade e remetendo-a a uma escolha inconsciente, ligada à renegação*, à castração* e ao Édipo.

Em 1974, sob a pressão dos "movimentos de liberação", a American Psychiatric Association (APA) decidiu, através de um plebiscito, riscar a homossexualidade da lista das doenças mentais. O caso provocou um escândalo. De fato, ele indicou que a comunidade psiquiátrica norte-americana, na impossibilidade de definir cientificamente a natureza da homossexualidade, havia cedido à pressão da opinião pública, fazendo seus membros votarem sobre um problema cuja solução não dependia de um processo eleitoral. Treze anos depois, em 1987, sem a menor discussão teórica, o termo perversão* desapareceu da terminologia psiquiátrica mundial e foi substituído por parafilia, na qual não mais se incluiu a homossexualidade.

Na história da sexologia e, posteriormente, da psicanálise, Sandor Ferenczi* ocupa um lugar à parte. Em 1906, antes de seu encontro com Freud e num texto sobre os estados intermediários apresentado à Associação de Medicina de Budapeste, tomou abertamente a defesa dos homossexuais perseguidos na Hungria. Desaprovou todos os médicos que os pressionavam a se casar para encontrar "remédio" para seu "pretenso" problema. Mais tarde, em seus textos posteriores, de inspiração psicanalítica, revelou-se um excelente clínico dessa questão.

Entre 1905 e 1915, graças aos trabalhos clínicos de seus discípulos da Sociedade Psicológica das Quartas-Feiras*, que lhe levavam numerosos casos de homossexualidade (Alfred Adler*, Isidor Sadger* etc.), Freud desligou-se da sexologia. O que lhe interessava em termos imediatos não era valorizar, inferiorizar ou julgar a homossexualidade, porém compreender suas causas, sua gênese e sua estrutura, do ponto de vista de sua nova doutrina do inconsciente*. Daí o interesse voltado para a homossexualidade latente dos heterossexuais na neurose e, mais ainda, na paranóia*. Freud conservou o termo perversão para designar os comportamentos sexuais desviantes em relação a uma norma estrutural (e não mais social) e nela incluiu a homossexualidade, da qual fez uma perversão do objeto caracterizada por uma fixação da sexualidade numa inclinação bissexual. Nessa perspectiva, retirou dela qualquer caráter pejorativo, diferencialista, não igualitário ou, inversamente, valorizador. Em suma, introduziu a homossexualidade num universal da sexualidade humana e a humanizou, renunciando progressivamente a fazer dela uma disposição inata ou natural, isto é, biológica, ou então uma cultura, a fim de concebê-la como uma escolha psíquica inconsciente. Em 1905, nos *Três ensaios sobre a teoria da sexualidade**, Freud ainda falou de inversão, mas, em 1910, com "Leonardo da Vinci e uma lembrança de sua infância*", renunciou a esse termo em favor de homossexualidade. Cinco anos depois, numa nota acrescentada aos *Três ensaios*, expressou claramente sua hostilidade a qualquer forma de diferencialismo e discriminação: "A investigação psicanalítica", escreveu, "opõe-se com extrema determinação à tentativa de separar os homossexuais dos outros seres humanos como um grupo particularizado."

Em 1920, a propósito de uma jovem vienense a quem tratava, em virtude de ela gostar de uma mulher e de seus pais quererem obrigá-la a se casar, Freud deu uma definição canônica da homossexualidade, que rejeitou todas as teses sexológicas sobre o "estado intermediário", o "terceiro sexo" ou a "alma feminina num corpo de homem". Segundo a doutrina do Édipo e do inconsciente, a homossexualidade, como conseqüência da bissexualidade humana, existe em estado latente em todos os heterossexuais. Quando se torna uma escolha exclusiva de objeto, tem por origem, na mulher, uma fixação infantil na mãe e uma decepção com o pai. Nesse texto, Freud forneceu um esclarecimento clínico da questão, mostrando que era inútil procurar "curar" um sujeito de sua homossexualidade, uma vez que esta se houvesse instalado, e que o tratamento psicanalítico não devia, de maneira alguma, ser conduzido com esse objetivo. Acrescentou que, vez por outra, podia-se desobstruir o caminho que levava ao sexo oposto: nesse caso, o paciente se tornava bissexual. Mas, esclareceu Freud, "transformar um homossexual plenamente desenvolvido num heterossexual é uma empreitada com tão poucas probabilidades de êxito quanto a operação inversa (...)".

Um ano depois, em *Psicologia das massas e análise do eu**, ele deu uma definição mais clara da homossexualidade masculina: ela sobrevém depois da puberdade, nos casos em que se instaurou na infância um vínculo intenso entre o filho e a mãe. Em vez de renunciar a esta, o filho se identifica com ela, transforma-se nela e procura objetos capazes de substituir seu eu*, aos quais ele possa amar como foi amado pela mãe. Por fim, numa carta de 9 de abril de 1935 a uma norte-americana cujo filho era homossexual e que se queixara disso, Freud escreveu estas palavras: "A homossexualidade não é uma vantagem, evidentemente, mas nada há nela de que se deva ter vergonha: não é um vício nem um aviltamento, nem se pode qualificá-la de doença; nós a consideramos uma variação da função sexual provocada por uma suspensão do desenvolvimento sexual. Diversos indivíduos sumamente respeitáveis, nos tempos antigos e modernos, foram homossexuais, e dentre eles encontramos alguns dos maiores de nossos grandes homens (Platão, Leonardo da Vinci etc.). É uma grande injustiça perseguir a homossexualidade como um crime, além de ser uma crueldade. Se a senhora não acreditar em mim, leia os livros de Havelock Ellis." Freud acrescentou ainda que era inútil querer transformar um homossexual em heterossexual. Note-se que ele ficava muito mais à vontade com a homossexualidade masculina do que com a feminina, que lhe era muito mais enigmática, na medida em que ele tinha em relação às mulheres, e em particular à sua filha, um complexo paterno do qual se defendia.

Os herdeiros de Freud não seguiram nem suas diretrizes nem as de Ferenczi e, frente à homossexualidade, mostraram-se de extrema intolerância, a ponto de ela se haver tornado uma espécie de "continente negro" na história do movimento psicanalítico. A partir de dezembro de 1921 e durante um mês, essa questão dividiu os membros do Comitê Secreto* que dirigiam a International Psychoanalytical Association* (IPA). Os vienenses mostraram-se muito mais tolerantes do que os berlinenses.

Apoiados por Karl Abraham*, estes últimos consideravam, com efeito, que os homossexuais eram incapazes de ser psicanalistas, uma vez que a análise não os "curava" de sua "inversão". Apoiado por Freud, o corajoso Otto Rank* opôs-se aos berlinenses. Declarou que os homossexuais deveriam poder ter acesso normalmente à profissão de psicanalista, conforme sua competência: "Não podemos rechaçar essas pessoas sem outra razão válida, do mesmo modo que não podemos admitir que elas sejam perseguidas pela lei." Rank lembrou também que havia diferentes tipos de homossexualidade e que era preciso examinar cada caso particular. Ernest Jones* recusou-se obstinadamente a levar em conta essa posição, apoiou os berlinenses e declarou que, aos olhos do mundo, a homossexualidade era "um crime repugnante: se um de nossos membros o cometesse, atrairia para nós um grave descrédito". Assim, aquele que fora acusado de abuso sexual durante sua temporada no Canadá tornou-se, por sua vez, e durante muito tempo, o representante de uma política de discriminação que pesaria muito sobre o destino da psicanálise no mundo. Sob a pressão de Jones e dos berlinenses, os membros do Comitê cederam — inclusive Ferenczi e Freud. Assim, a homossexualidade foi banida da legitimidade freudiana, a ponto de ser novamente considerada uma "tara".

Ao longo do tempo e durante mais de 50 anos, sob a crescente influência das sociedades psicanalíticas norte-americanas, submetidas por sua vez às teses da APA, a IPA reforçou seu arsenal repressivo. Depois de se afastar das posições freudianas para ditar as normas sobre o acesso dos homossexuais à análise didática*, ela não hesitou, sempre num sentido contrário à clínica freudiana, em qualificar os homossexuais de pervertidos sexuais e em julgá-los ora inaptos para o tratamento psicanalítico, ora curáveis desde que a análise tivesse por objetivo orientá-los para a heterossexualidade. Para não ser acusada de discriminação, a direção da IPA não editou nenhuma regra escrita sobre esse assunto, mas suas sociedades evitaram, no mundo inteiro, integrar em suas fileiras candidatos que fossem oficialmente homossexuais.

Anna Freud* desempenhou um grande papel na deturpação das teses de seu pai. Estando ela mesma sob a suspeita do meio psicanalítico de manter uma ligação "culpada" com Dorothy Burlingham*, Anna militou contra o acesso dos homossexuais à análise didática. Apoiada por Jones e pelo conjunto das sociedades norte-americanas da IPA, exerceu nesse campo uma influência considerável, que não foi contrabalançada pela corrente kleiniana, mais liberal, mas pela qual a homossexualidade (latente ou consumada) era vista, sobretudo em sua versão feminina, como uma identificação com um pênis sádico, e, em sua versão masculina, como um distúrbio esquizóide da personalidade.

Em sua prática, Anna Freud sempre teve como objetivo transformar seus pacientes homossexuais em bons pais de família heterossexuais, daí o conseqüente desastre clínico. Em 1956, pediu à jornalista Nancy Procter-Gregg que renunciasse a citar no *The Observer* a célebre carta de seu pai datada de 1935: "Há várias razões para isso, uma das quais é que, hoje em dia, podemos tratar de muito mais homossexuais do que julgávamos possível a princípio. A outra razão é que os leitores poderiam ver nela uma confirmação de que tudo o que a análise pode fazer é convencer os pacientes de que suas falhas ou 'imoralidades' não são graves, e de que eles devem aceitá-las com alegria."

Jacques Lacan* foi o primeiro psicanalista da segunda metade do século a romper radicalmente com a perseguição dirigida contra os homossexuais na IPA. Não apenas aceitou em análise numerosos homossexuais — sem procurar reeducá-los, sem tratá-los como desviantes ou doentes e sem jamais impedi-los de se tornarem psicanalistas, se assim o desejassem —, como também, ao fundar em 1964 a École Freudienne de Paris* (EFP), aceitou inclusive o princípio da integração deles como didatas. Assim, o lacanismo* foi, na França* e, mais tarde, nos países onde se implantou, a ponta de lança de uma reativação da tolerância freudiana para com a homossexualidade. Essa tolerância se prendia à própria personalidade de Lacan. Libertino e sedutor das mulheres, leitor de Sade e de Bataille e grande admirador da obra de Foucault, ele não tinha nenhum preconceito em relação às diversas formas da sexualidade humana. Do ponto de vista teórico, não introduziu modificações na doutrina freudiana

do Édipo e da bissexualidade, mas, no plano clínico, pelo interesse especial que dedicou à paranóia e à sexualidade feminina*, ele, mais do que Freud e Melanie Klein*, abriu um caminho original para o estudo da homossexualidade feminina.

Nos Estados Unidos*, a partir de 1975, as teses psicanalíticas sobre a homossexualidade masculina e feminina foram radicalmente contestadas pelos "movimentos de liberação" dos homossexuais, que, travando uma luta pela igualdade de direitos entre os sexos, recorreram à noção de gênero* para explorar esse campo e mostrar que a sexualidade em geral é uma construção ideológica que escapa a qualquer realidade anatômica. Esses estudos (*gay studies, lesbian studies*) tomaram um rumo diferencialista, e vimos ressurgir uma terminologia que rejeita a própria noção de homossexualidade em prol de uma reivindicação de tipo identitário ou comunitarista. Daí a criação de um vocabulário específico, que define categorias favoráveis ou hostis às práticas homossexuais: homofobia, heterossexismo, homofilia etc.

• Sigmund Freud, *Três ensaios sobre a teoria da sexualidade* (1905), *ESB*, VII, 129-237; *GW* V, 29-145; *SE*, VII, 123-243; Paris, Gallimard, 1987; "*Leonardo da Vinci e uma lembrança de sua infância*" (1910), *ESB*, XI, 59-126; *GW*, VIII, 128-211; *SE*, XI, 63-129; *OC*, X, 79-164; "Psicogênese de um caso de homossexualidade numa mulher" (1920), *ESB*, XVIII, 185-216; *GW*, XII, 271-302; *SE*, XVIII, 145-172; *Correspondance, 1873-1939* (Londres, 1960), Paris, Gallimard, 1966 • Carl Heinrich Ulrichs (Numa Numantius), "*Memnon". Die Geschlechtsnatur des mannmännlichen Lieben* (1868), Leipzig, Max Spohr, 1898 • Sandor Ferenczi, "États sexuels intermédiaires" (1905), in *Les Écrits de Budapest*, Paris, EPEL, 1994, 243-56; "O homoerotismo; nosologia da homossexualidade masculina", in *Psicanálise II, Obras completas, 1913-1919* (Paris, 1970), S. Paulo, Martins Fontes, 1992, 117-30 • Claude Lorin, *Le Jeune Ferenczi*, Paris, Aubier, 1983; *Sandor Ferenczi, de la médecine à la psychanalyse*, Paris, PUF, 1993 • Irving Bieber (org.), *Homosexuality. A Psychoanalytic Study*, N. York, Basic Books, 1962 • Jacques Lacan, O Seminário, livro 8, *A transferência* (*1960-1961*) (Paris, 1991), Rio de Janeiro, Jorge Zahar, 1992 • Hans Mayer, *Les Marginaux. Femmes, Juifs et homosexuels dans la littérature européenne* (Frankfurt, 1975), Paris, Albin Michel, 1994 • Michel Foucault, *História da sexualidade*: vol. 2, *O uso dos prazeres*, vol. 3, *O cuidado de si* (Paris, 1984), Rio de Janeiro, Graal, 1985 • Frank J. Sulloway, *Freud, Biologist of the Mind*, N. York, Basic Books, 1979 • John Boswell, *Christianisme, tolérance sociale et homosexualité. Les Ho-*

mosexuels en Europe occidentale des débuts de l'ère chrétienne au XIVᵉ siècle (Chicago, 1980), Paris, Gallimard, 1985; *Les Unions du même sexe dans l'Europe antique et médiévale* (N. York, 1994), Paris, Fayard, 1996 • Philippe Ariès e André Béjin (orgs.), *Sexualités occidentales*, Paris, Seuil, col. "Points", 1982 • Pierre Thuillier, "L'Homosexualité devant la psychiatrie", *La Recherche*, 213, vol.20, setembro de 1985, 1128-39 • James Lieberman, *La Volonté en acte. La Vie et l'oeuvre d'Otto Rank* (N. York, 1985), Paris, PUF, 1991 • Kenneth Lewes, *The Psychoanalytical Theory of Male Homosexuality*, Londres, Quartet, 1988 • Élisabeth Young-Bruehl, *Anna Freud: uma biografia* (N. York, 1988), Rio de Janeiro, Imago, 1992 • Judith Butler, *Gender Trouble. Feminism and the Subversion of Identity*, N. York, Routledge, 1990 • Phyllis Grosskurth, *O círculo secreto* (Londres, 1991), Rio de Janeiro, Imago, 1992 • Élisabeth Badinter, *XY. Sobre a identidade masculina* (Paris, 1992), Rio de Janeiro, Nova Fronteira, 1994, 2ª ed.

➢ DIFERENÇA SEXUAL; FETICHISMO; FLIESS, WILHELM; GRODDECK, GEORG; LIBIDO; NARCISISMO; PERALDI, FRANÇOIS; PULSÃO; SADOMASOQUISMO; SPANUDIS, THEON; STOLLER, ROBERT; STRACHEY, JAMES; TRANSEXUALISMO; WEININGER, OTTO.

horda primitiva

➢ *TOTEM E TABU.*

Horney, Karen, *née* Danielsen (1885-1952)

psiquiatra e psicanalista americana

Nascida em Eilbeck, perto de Hamburgo, na Alemanha*, Karen Horney era de uma família protestante. Seu pai, de origem dinamarquesa, era capitão da Marinha, e sua mãe, vinte anos mais jovem que ele, se casara não por amor, mas por medo de ficar solteira. Filha de um arquiteto, sentia-se superior a ele socialmente e lhe reprovava sua ortodoxia luterana, seu conservadorismo, suas imprecações e suas preces. Separaram-se em 1904.

Desde a juventude, Karen dedicou um amor total à mãe e rejeitou o pai, que não queria que ela estudasse, desejando que se consagrasse aos trabalhos domésticos. Como todas as mulheres de sua geração, teve de enfrentar uma luta violenta para ter acesso à liberdade de fazer suas próprias escolhas. Apoiada pela mãe, conseguiu matricular-se na faculdade de medicina de Freiburg.

Marcada pelo desentendimento parental e preocupada em escapar ao destino que lhe reservavam, manifestou sua revolta tendo muitas relações amorosas. Assim, escapava a uma depressão latente. Entretanto, ao contrário de outras mulheres de sua época, que preferiam a liberdade à maternidade, logo teve o desejo de ter vários filhos. Em outubro de 1909, instalou-se em Berlim, onde se casou com Oskar Horney, que se tornou um rico industrial. Foi lá que ficou conhecendo Karl Abraham*, com quem entrou em análise. Rapidamente, ele atribuiu seus sintomas de depressão à atração que ela sentia pelos homens fortes e a uma admiração recalcada por seu pai. Abraham aplicava assim ao "caso Horney" a tese clássica da inveja do pênis, que seria contestada por Melanie Klein*, Ernest Jones* e a escola inglesa. Desenvolveu essa tese no congresso da International Psychoanalytical Association* (IPA) de Haia em 1920, afirmando que as mulheres desejam inconscientemente ser homens porque, na sua infância, tiveram inveja do pênis e desejaram ter um filho de seus pais. Essa interpretação simplista teve um efeito desastroso no tratamento de Karen Horney. Temendo ser submetida a uma "transferência paterna", a jovem interrompeu a análise. Posteriormente, valorizaria sempre o princípio da auto-análise* contra o tratamento clássico, e consideraria um insulto às mulheres a teoria da sexualidade feminina*. Não há nenhuma dúvida de que, através de sua crítica à obra freudiana, atacava primeiro a maneira selvagem com que Abraham a tratara.

Quando seu pai morreu, no momento em que estava grávida de sua primeira filha (teria três), atravessou um período de depressão acentuado. Alguns meses depois, logo após o parto, perdeu a mãe, "o grande amor de [sua] infância", e pensou então em retomar um tratamento com outro analista. Afinal, desistiu, preferindo refugiar-se na auto-análise.

Em 1912, apresentou um trabalho sobre a educação das crianças e depois da guerra escolheu o divã de Hanns Sachs* para fazer uma análise didática*. Integrando-se ao movimento psicanalítico, foi a primeira mulher professora no Instituto Psicanalítico Berlinense e a primeira também a criticar a famosa tese freudiana sobre a feminilidade, respondendo a Abraham no congresso da IPA em Berlim, em 1922.

No período entre-guerras, o questionamento sobre a relação precoce da criança com a mãe e sobre a especificidade da sexualidade feminina levou à reformulação teórica completa do sistema de pensamento freudiano, da qual o kleinismo* foi um dos componentes maiores. Do interesse dedicado ao pai, ao patriarcado* e ao Édipo* clássico, passou-se a uma redefinição do materno, do feminino e a uma crítica do que era sentido como um poder masculino.

Nessa perspectiva, Karen Horney deixou o terreno do freudismo* e orientou-se para o culturalismo*. Procurou então fundamentar a psicologia da mulher sobre uma identidade própria, em ruptura com a noção de universalismo da espécie humana. Em 1926, afirmou que a sociedade masculina recalcava a inveja da maternidade dos homens. Depois, em 1930, desenvolveu a tese segundo a qual a própria psicanálise, como obra do "gênio masculino", não podia de forma alguma resolver a questão feminina.

As posições de Karen Horney não estavam longe das de Wilhelm Reich* ou de Erich Fromm*, ambos em ruptura com o movimento psicanalítico internacional. Em 1923, separada há cinco anos de seu marido e marginalizada em sua sociedade, decidiu emigrar para os Estados Unidos. Instalou-se em Chicago, onde Franz Alexander*, que fora seu aluno, a nomeou *assistant director* do instituto que acabara de fundar. Um ano depois, obteve a cidadania americana e começou uma nova vida, com novas ligações amorosas. Em 1934, tornando-se companheira de Erich Fromm, que também emigrara, aceitou um lugar de professora na Sociedade Psicanalítica de Washington-Baltimore. Mas foi em Nova York que se instalou e, apesar da oposição violenta de Sandor Rado*, foi eleita membro da New York Psychoanalytic Society (NYPS) em 1935, onde, durante vários anos, teve um sucesso considerável com os estudantes em seus cursos e publicações. Quando Marianne, sua filha, abraçou a carreira de psiquiatra, ela não hesitou em fazer, durante quatro anos, uma análise com Erich Fromm.

Em dezembro de 1936, por ocasião de uma passagem por Berlim, onde devia ir para tratar de seu divórcio, Karen Horney deu uma conferência no Instituto de Psicoterapia dirigido pelo nazista Matthias Heinrich Göring*. Este se mostrou encantado com seu antifreudismo e, a seu pedido, Karen lhe mandou um exemplar do texto no qual se baseava sua conferência: "A necessidade neurótica de amor".

Nessa época, seu desejo de reconhecimento era mais forte que o seu combate em favor da feminilidade. Tornando-se célebre, Karen Horney mostrou-se então de um autoritarismo tão "masculino" quanto o que criticava nos homens, e é certamente esse amor de si que explica sua cegueira em relação a Göring. Como alguns psicanalistas homens, ela transgrediu as regras do tratamento, tendo uma ligação com um de seus analisandos.

Em 1941, invejada pelos colegas por seu sucesso, foi impedida de fazer a formação e obrigada, como mais tarde Jacques Lacan*, a deixar a NYPS. Fundou então a Association for the Advancement of Psychoanalysis (AAP), onde logo foram admitidos, como membros ou conferencistas, alguns dos grandes dissidentes do freudismo legitimista que tomaram o caminho do culturalismo, entre eles Harry Stack Sullivan*, Margaret Mead*, Abram Kardiner*, Clara Thompson (1893-1958). Mas Sullivan e Thompson logo deixaram o novo grupo, depois da proibição feita a Fromm de ensinar, porque não era médico.

A partir de 1950, Karen Horney desenvolveu uma nova teoria, a "auto-realização de si", que não deixava de ter relação com outras correntes do neofreudismo* americano, fundadas na reconstrução do *self* ou na autonomia do eu. Karen Horney morreu de câncer em 1952.

• Karen Horney, *La Psychologie de la femme* (N. York, 1967), Paris, Payot, 1969; *L'Auto-analyse* (N. York, 1943), Paris, Stock, 1993 • Susan Quinn, *A Mind of her Own. The Life of Karen Horney*, N. York, Summit Books, 1987 • Janet Sayers, *Mães da psicanálise* (Londres, 1991), Rio de Janeiro, Jorge Zahar, 1992.

➢ ANTROPOLOGIA; AUTO-ANÁLISE; CULTURALISMO; *EGO PSYCHOLOGY;* ESTADOS UNIDOS; MULHERES; RANK, OTTO; SEXUALIDADE FEMININA.

hospitalismo

al. *Hospitalismus;* esp. *hospitalismo;* fr. *hospitalisme;* ing. *hospitalism*

Termo criado por René Spitz* em 1945 para designar um estado de alteração profunda, física e psíquica, que se instala progressivamente nas crianças muito pequenas, durante os primeiros dezoito meses de vida, por ocasião de um abandono ou de uma temporada prolongada numa instituição hospitalar.

Os sinais do hospitalismo, diferentes dos da depressão anaclítica*, manifestam-se por um atraso no desenvolvimento corporal, por uma incapacidade de adaptação ao meio e, às vezes, por um mutismo que se assemelha ao autismo* e pode levar à psicose*. Nos casos de total carência afetiva, ligada à falta de qualquer vínculo materno, os distúrbios podem chegar ao marasmo e à morte. Os estudos efetuados por René Spitz conduziram, depois de 1945 e em todos os países do mundo, a uma reforma das condições de hospitalização de crianças pequenas a partir do ensino da psicanálise. Na França*, Jenny Aubry* foi a primeira a demonstrar as carências afetivas no meio hospitalar.

➤ PSICANÁLISE DE CRIANÇAS.

Hug-Hellmuth, Hermine von, *née* Hug Von Hugenstein (1871-1924)

psicanalista austríaca

Nascida em Viena*, Hermine Hug von Hugenstein era filha de um oficial do exército austro-húngaro, cuja família, impregnada de anti-semitismo, fora arruinada pela crise financeira de 1873. Com a idade de 12 anos, viu sua mãe morrer de uma longa doença e foi marcada durante toda a infância pela violenta rivalidade que a opunha à sua irmã mais velha, Antonia. Inicialmente professora primária, foi admitida na Universidade de Viena, onde defendeu tese de doutoramento sobre alguns aspectos da radioatividade. Voltou depois à sua primeira profissão e começou, aos 36 anos, uma análise com Isidor Sadger*, que também era seu médico de família. Com tal analista, Hermine teve a sua patologia acentuada: dogmatismo, rigidez, sentimento de perseguição.

Em 1913, tornou-se membro da Sociedade Psicológica das Quartas-Feiras*, sob o nome de Hermine von Hug-Hellmuth, logo depois da desgastante ruptura entre Sigmund Freud* e Carl Gustav Jung*. Freud lhe confiou a seção dedicada à psicanálise de crianças* na revista *Imago**. Foi assim que se tornou, depois dele e logo antes de Anna Freud* e Melanie Klein*, a primeira clínica nesse campo. Desenvolveu atividades de jogo e desenho, e publicou artigos sobre o tema.

Fascinados com essa "doutora", que era de uma ortodoxia sem falhas, Freud e seus fiéis não viram — ou não quiseram ver — que Hermine von Hug-Hellmuth aplicava as teses do mestre ao "caso" do seu jovem sobrinho, fazendo interpretações selvagens. Assim, quando este lhe contou em uma carta que tinha matado cinco vespas com um bastão que introduzira no ninho e que depois foi picado, ela comentou esse acontecimento em jargão psicanalítico: "Ele nos desvela boa parte de sua curiosidade sexual e de seu sadismo, que expressa no ato de perfurar o ninho [...]. Revela o desejo que sente pela mãe e seu espírito matreiro" etc.

Nascido em 1906, Rolf Hug era filho natural de Antonia, irmã consangüínea de Hermine. Quando sua mãe morreu, foi enviado para uma ama, mudou dezoito vezes de domicílio, e teve quatro tutores sucessivos, entre os quais Sadger. Com a idade de 13 anos, acabou sendo acolhido pela tia. Esta tanto experimentou nele as teses freudianas que acabou vítima de sua cobaia. Em setembro de 1924, procurando roubar-lhe dinheiro e vendo que ela começava a gritar, Rolf a estrangulou, depois de sufocá-la com uma mordaça.

A comunidade psicanalítica vienense foi atingida por esse escândalo. Condenado a doze anos de prisão, Rolf foi libertado em 1930 e apressou-se a ir pedir dinheiro a Paul Federn*, então presidente da Wiener Psychoanalytische Vereinigung (WPV). Assim, queria ser indenizado por ter servido de material humano para as experiências interpretativas da tia. Como resposta, Edward Hirschmann* o aconselhou a fazer um tratamento com Helene Deutsch*.

Hermine von Hug-Hellmuth não foi apenas a heroína desse trágico folhetim. Pioneira da psicanálise de crianças*, mostrou-se também uma notável falsificadora, fabricando inteiramente o que ficaria como sua obra maior: *Diário de uma adolescente de 11 a 14 anos e meio*. Aliás, ela tinha a quem herdar, pois em sua família sempre se dissimulara cuidadosamente a verdade e falsificara o registro civil: Antonia passava por irmã de Hermine, ao passo que era filha ilegítima e escondia sua idade real.

Realizado a partir das efetivas lembranças de infância de Hermine, o *Diário* foi apresentado ao público em 1919, por uma editora anônima, como o autêntico diário de uma verdadeira adolescente chamada Grete Lainer. O nome da autora era forjado sobre o da mãe de Hermine (Leiner). A obra era acompanhada de uma carta-prefácio de Sigmund Freud, datada de 1915, na qual se podia ler que se tratava de uma jóia, mostrando a sinceridade de que era capaz a alma infantil no estado presente da civilização. O fato de que Freud se tenha deixado iludir por essa falcatrua, que ilustrava maravilhosamente suas teses, não impediu Cyril Burt, membro da British Psychoanalytical Society (BPS), de denunciá-la. Ele conhecia muito bem o assunto porque ele próprio recorrera ao uso de dados falsos para teorizar suas hipóteses sobre a hereditariedade da inteligência.

Saudado por Stefan Zweig* e Lou Andreas-Salomé*, o *Diário* teve um sucesso considerável. Por ocasião da reedição de 1923, Hermine von Hug-Hellmuth se declarou, em um novo prefácio, datado de 1922, como editora do documento, que apresentou como o "verdadeiro" diário de uma "verdadeira" adolescente e não como uma ficção escrita por ela. Apesar disso, Freud o retirou de circulação.

Depois da morte da autora, o caso do assassinato e do falso diário foi apagado dos anais do movimento freudiano, a tal ponto que, no fim do século XX, alguns psicanalistas ainda acreditavam que o homicídio e a falsificação foram calúnias difundidas pelos inimigos de Freud. Foi preciso esperar pelos trabalhos do historiador americano Paul Roazen, do historiador austríaco Wolfgang Huber (1931-1989), da psicóloga suíça Angela Graf-Nold e enfim do germanista francês Jacques Le Rider, para que o conjunto dos fatos fosse conhecido em seus mínimos detalhes.

Aliás, esses três autores não têm o mesmo ponto de vista. Só Angela Graf-Nold adota a perspectiva de uma historiografia* revisionista e antifreudiana para contestar a realidade da sexualidade infantil.

Na França, o *Diário* foi traduzido por Clara Malraux (1897-1982) e publicado em 1928 em versão resumida. Depois, foi reeditado integralmente em 1975, depois em 1987 e 1988. Em cada uma dessas ocasiões, foi apresentado, por psicanalistas pouco preocupados com a história, como o "verdadeiro" diário de uma "verdadeira" adolescente. No volume XII das *Oeuvres complètes* de Freud, realizado pela equipe de Jean Laplanche e André Bourguignon (1920-1996) em 1988, o prefácio de Freud foi acompanhado de uma nota que não mencionava a reedição francesa de 1975 e confundia a edição vienense de 1919 com a de 1923. A autenticidade do *Diário* não era questionada, Cyril Burt foi tratado de falsificador e a história do assassinato não foi mencionada. Na edição de 1994, os autores corrigiram o erro.

• Hermine von Hug-Hellmuth, *Journal psychanalytique d'une petite fille* (Viena, 1919, 1923), Paris, Denoël, 1988, prefácio de Sigmund Freud, *ESB*, XIV, 385; *GW*, X, 456; *SE*, XIV, 341; *OC*, XIII, 305; *Essais psychanalytiques. Destin et écrits d'une pionnière de la psychanalyse*, textos reunidos, apresentados e traduzidos por Dominique Soubrenie, prefácio de Jacques Le Rider, posfácio de Yvette Tourne, Paris, Payot, 1991 • Paul Roazen, *Freud e seus discípulos* (N. York, 1971), S. Paulo, Cultrix, 1978 • Wolfgang Huber, "Die erste Kinderanalytikerin", in *Psychoanalyse als Herausforderung, Festschrift*, Viena, I.A. Caruso, 1980 • Angela Graf-Nold, "Der Fall Hermine Hug-Helmmuth", *Eine Geschicthe des frühen Kinder-Psychoanalyse*, Munique-Viena, Verlag Internationale Psychoanalyse, 1988 • George MacLean e Ulrich Rappen, *Hermine Hug-Hellmuth. Her Life and Work*, N. York e Londres, Routledge, 1991.

Hungria

No coração do Império Austro-Húngaro, Budapeste foi, depois de Viena*, sua irmã gêmea, a segunda cidade da história a abrir-se ao freudismo*. A atividade psicanalítica foi ali de uma grande riqueza, não só pelo lugar excepcional ocupado por Sandor Ferenczi*, intelectual de alto nível e notável clínico, mas também porque os meios literários e artísticos de Budapeste manifestaram, um pouco como os surrealistas em Paris, um entusiasmo imediato pelos fenômenos relativos ao inconsciente*. Imersos em uma sociedade em plena mutação, os fundadores do movimento psicanalítico húngaro tiveram assim um destino original, despojado de qualquer conformismo. A maioria deles produziu trabalhos inovadores, de Melanie Klein* a Geza Roheim*, de Imre Hermann* a Michael Balint*, passando por Franz Alexander*, René Spitz* ou Sandor Rado*.

Em março de 1849, após a derrota das revoluções na Europa, Francisco-José suprimiu a Constituição húngara para integrar o país ao Império. Recusando-se a submeter-se e estimulados pelo grande poeta Sandor Petöffi (1823-1849), os húngaros desencadearam então uma insurreição geral, da qual participou o pai de Ferenczi. Proclamaram a destituição dos Habsburgo. Mas a revolta logo foi reprimida pela intervenção do exército imperial. Lajos Kossuth (1802-1894) e Gyula Andrassy (1823-1890), organizadores do movimento de independência, foram obrigados a exilar-se.

Só no ano de 1868 surgiu um acordo pelo qual a Hungria se tornou um reino independente, mas ligado por uma união hereditária à dinastia dos Habsburgo. Favorável à causa da liberdade, a imperatriz Elisabeth teve um papel capital nas negociações com Andrassy para a criação do que foi chamado a partir de então monarquia austro-húngara. Foi coroada rainha da Hungria.

O país tomou então o caminho de uma modernização acelerada. Acentuou-se a distância entre as cidades e o campo, onde ainda reinavam estruturas herdadas do sistema feudal. Povoada por minorias — eslovaca, alemã, croata, sérvia e romena —, a Hungria foi agitada por querelas de nacionalidades. Cada um reivindicava sua diferença e sua autonomia, enquanto as classes dominantes preconizavam a "magiarização" que, favorecendo a assimilação dos judeus, faria deles aliados da burguesia liberal.

Foi nesse contexto que nasceu em Budapeste, no início do século, um grande movimento cultural e literário, cuja ambição era depurar a antiga Hungria de suas ilusões passadistas e transformá-la em um país moderno, semelhante às democracias ocidentais. Entre as numerosas revistas, como *Século XX (Huszadik Szazad)* ou *Terapêutica (Gyogyaszat)*, nas quais se debatiam sexualidade*, emancipação dos povos, homossexualidade*, Art Nouveau, ciências sociais ou estados psíquicos, *Nyugat* foi uma das que mais se interessaram pela psicanálise. Fundada em 1908 e animada por Hugo Ignotus*, amigo de Ferenczi e tradutor das obras de Sigmund Freud*, reuniu durante quarenta anos uma plêiade de escritores de orientações estéticas diversas: Endre Ady (1877-1919), Mihaly Babits (1883-1941), e depois o "poeta proletário" Attila Jozsef (1905-1937), que fez três tratamentos analíticos antes de se suicidar com soda cáustica.

"*Nyugat* abria suas páginas para todas as novas idéias vindas do Ocidente, escreveu Zsuza Gombos, à arte pela arte, ao engajamento social, ao naturalismo, ao simbolismo, ao impressionismo [...]. Encontrava público e apoio financeiro junto à burguesia urbana, principalmente a de Budapeste, também esta defensora de um radicalismo político".

Os grupos artísticos se aproximavam e mantinham contato com Viena. Assim, o pintor Robert Bereny, membro do Grupo dos Oito, tornou-se amigo pessoal de Ferenczi, enquanto Bela Balazs (1884-1949) acompanhava os seminários de Georg Simmel*. Quanto a Spitz, freqüentava o Círculo do Domingo, criado por Georg Lukacs (1885-1971).

Depois de seu encontro com Freud, Ferenczi tentou em vão despertar o interesse dos meios médicos de Budapeste pela psicanálise*. Chocou-se com uma recusa categórica. Assim, decidiu procurar apoio nos meios literários, abertos às idéias de vanguarda. A partir de 1910, desenvolveu uma intensa atividade clínica teórica e institucional. Depois de fundar a International Psychoanalytical Association* (IPA), estabeleceu o grupo húngaro. Em maio de 1913, criou a Sociedade Psicanalítica de Budapeste com Hollos, Rado e Ignotus. Essa foi a terceira instituição freudiana, depois das de Viena e Zurique. Pouco depois, Ernest Jones* fundou a London Psychoanalytic Society (LPS).

A Primeira Guerra Mundial dificultou as atividades de Ferenczi. Não obstante, depois de ser transferido para o serviço de neurologia do Hospital Maria Valeria em Budapeste, ocupou-se de neuroses de guerra*, contribuindo assim para chamar a atenção das autoridades médicas para as teses freudianas. Também conseguiu organizar na Hungria o quinto congresso da IPA. Este se realizou na Academia de Ciências de Budapeste, nos dias 28 e 29 de setembro de

1918, na presença de representantes dos governos alemão, austríaco e húngaro. O sucesso desse encontro foi considerável: "Estou nadando em satisfação, tenho o coração alegre, escreveu Freud em uma carta de 30 de setembro, pois sei que o filho-de-todos-os-meus-cuidados, a obra de minha vida, será protegida pelo interesse que você e outros manifestam, e será assim preservada para o futuro. Verei chegarem tempos melhores, nem que seja de longe."

Nomeado chefe do governo, Mihaly Karolyi (1875-1955) proclamou a República. Em janeiro de 1919, foi eleito presidente, mas, três meses depois, Bela Kun (1886-1939), aliado aos socialistas, proclamou a República dos Conselhos, inspirada na revolução bolchevique: "Estávamos em situação muito favorável, escreveu Georg Lukacs, pois com ou sem o socialismo, a vida cultural húngara era de uma grande riqueza [...]. Desde o primeiro dia, a totalidade dos intelectuais estava disposta a colaborar com o regime."

Nessa data, a Sociedade Psicanalítica de Budapeste se enriqueceu com novos membros: Melanie Klein, Zsigmond Pfeifer, Geza Roheim, Imre Hermann, Erzsebet Revesz (1887-1923). Aproveitando a instauração da Primeira República, os estudantes da faculdade de medicina redigiram uma petição pela qual solicitavam o ensino da psicanálise na universidade. Citavam os nomes de Freud, Eugen Bleuler*, James Jackson Putnam* para exigir a criação de uma cátedra, que seria confiada a Ferenczi. Depois do relatório negativo de um primeiro perito, que qualificou a psicanálise de "pornografia", a candidatura de Ferenczi foi aceita e o decreto assinado por Lukacs, comissário do povo junto à Instrução Pública e à Cultura do governo de Bela Kun. Em 10 de junho, Ferenczi inaugurou seu curso em um anfiteatro repleto de alunos entusiásticos.

Nessa ocasião, Freud redigiu um artigo publicado diretamente em húngaro, "Deve-se ensinar a psicanálise na universidade?" Nele, citava todas as matérias necessárias ao currículo do estudante de psicanálise. Não só enfatizava a necessidade de bem conhecer a história das psicoterapias*, a fim de compreender as razões objetivas da superioridade do método psicanalítico, como propunha também um programa de literatura, filosofia, arte, mitologia, história das religiões e das civilizações. Freud insistia em que, em nenhum caso, a psicanálise devia limitar seu campo de aplicação às patologias. Esse programa nunca seria realizado: nem em Budapeste, nem em Viena, nem em nenhuma universidade do mundo.

A queda da Comuna de Budapeste e a repressão sangrenta organizada pelas tropas do almirante Miklos Horthy (1868-1957), que se proclamou "regente", puseram fim a essa experiência. Ferenczi perdeu o seu lugar: "O aspecto mais repugnante dos dez primeiros anos do regime de Horthy, escreveu William Johnston, foi certamente o Terror Branco de 1920. Com um espírito de vingança [...] a tortura foi usada a torto e a direito e restabeleceu-se a flagelação pública, enquanto os assassinatos políticos eram encobertos e os judeus, refugiados desde 1914, eram expulsos."

A onda de anti-semitismo e de repressão obrigou os psicanalistas a se exilarem. A maioria deles emigrou, primeiro para Berlim, depois para Londres (Melanie Klein, Michael Balint) ou para os Estados Unidos* (Sandor Rado, Geza Roheim). Expulso por seus colegas da Sociedade Médica, Ferenczi foi obrigado a se proteger. Continuou em Budapeste, mas renunciou a qualquer atividade oficial para se dedicar à sua obra e à sua prática clínica. A despeito da partida de seus melhores membros, a pequena Associação Psicanalítica de Budapeste conseguiu manter-se, bem ou mal, com cerca de vinte membros. Em 1931, até pôde abrir uma policlínica para o tratamento de adultos.

O fascismo destruiu todas as esperanças da escola húngara de psicanálise. E foi no exílio que seus melhores representantes continuaram a servir a sua causa.

A Hungria não se recuperou do regime Horthy. Depois da morte de Ferenczi e do advento do nazismo* na Alemanha*, as condições do exercício da psicanálise se tornaram cada vez mais difíceis. As sessões da Sociedade eram vigiadas pela polícia. Primeiro aliado a Mussolini e depois a Hitler, o governo do regente se apoiou em suas milícias, os Cruzes Flechadas, para instaurar o terror contra os judeus e os oponentes. Em 1942, a associação foi proibida, e Hollos, que sucedera a Ferenczi na direção, escapou por pouco à deportação, graças à ação do diplomata sueco Raoul Wallenberg. Em março de 1944, depois da invasão da Hungria pelas tropas alemãs, vários psicanalistas pereceram nos campos de extermínio: Miklos Gimes (médico e aluno em formação), Zsigmond Pfeifer, Geza Dukes (especialista em delinqüência infantil), Nikola Sugar*, Josef Eisler (neurologista e crítico de arte). Só Imre Hermann continuou em Budapeste. Até o fim de sua vida, conseguiu manter a chama, em companhia de alguns outros clínicos.

Depois da tomada do poder pelos comunistas, a Hungria teve que sofrer a cruzada contra a psicanálise no âmbito da *Jdanovchtchina*, e a Sociedade de Budapeste foi dissolvida em 1948. Todavia, graças à presença muito "patriarcal" de Hermann, o grupo húngaro conseguiu sobreviver, oculto sob o manto da Associação Psiquiátrica Húngara.

Em 1971, depois de discussões com a direção da IPA, Hermann pediu que o grupo fosse reintegrado como sociedade componente, o que foi recusado. Os psicanalistas húngaros, que tanto lutaram para manter uma prática em Budapeste, foram tratados como iniciantes e convidados a se submeterem ao processo clássico de admissão. Reconhecida primeiramente como grupo de estudos, a sociedade foi depois aceita como sociedade provisória em 1983, no congresso da IPA em Madri, um ano antes da morte de Hermann. Tomou o nome de Magyar

Pszichoanalitikus Egyesulet (MPE) e publicou uma revista, *Psychiatria hungarica*. No fim do século XX, ela conta com 45 membros, sendo os principais deles alunos de Hermann, especialmente Livia Nemes, Gyorgy Hidas, Gyorgy Vikar, que se esforçaram para que a geração* jovem conhecesse a história da tenaz escola húngara.

• Sigmund Freud, "Sobre o ensino da psicanálise nas universidades" (1919), *ESB*, XVII, 217-24; *SE*, XVII, 169-173; in *Résultats, idées, problèmes*, I, Paris, PUF, 1984, 239-43 • *Action Poétique*, 49, número especial sobre a Comuna de Budapeste, 1972 • Gyorgy Vikar, "L'École de Budapest", *Critique*, 346, março de 1976, 237-52 • Charles Dautrey e Jean-Claude Guerlain (orgs.), *L'Activisme hongrois*, Bayeux, Goutal-Darly, 1979 • Livia Nemes, "Le Destin des psychanalystes hongrois pendant les années du fascisme", *Le Coq-Héron*, 98, 1986 • Jean-Michel Palmier, "La Psychanalyse in Hongrie", in Roland Jaccard (org.), *Histoire de la psychanalyse*, vol.2, Paris, Hachette, 1982, 145-87 • William M. Johnston, *L'Esprit viennois. Une histoire intellectuelle et sociale, 1848-1938* (N. York, 1972), Paris, PUF, 1985 • "Situation de la psychanalyse en Hongrie", entrevista com Gyorgy Hidas, in *Revue Internationale d'Historie de la Psychanalyse*, 1, 1988, 505-8 • Michelle Moreau-Ricaud, "La Création de l'école de Budapest", *Revue Internationale d'Histoire de la Psychanalyse*, 3, 1990, 419-37 • André Haynal, "La Psychanalyse hongroise sous les régimes totalitaires", *Revue Internationale d'Histoire de la Psychanalyse*, 5, 1992, 541-51 • Eva Brabant-Gerö, *Ferenczi et l'école hongroise de psychanalyse*, Paris, L'Harmattan, 1993.

➤ COMUNISMO; FREUDO-MARXISMO; HISTÓRIA DA PSICANÁLISE; TÉCNICA PSICANALÍTICA.

I

Ichspaltung

➢ CLIVAGEM (DO EU)

id

➢ ISSO.

ideal do eu

al. *Ichideal*; esp. *ideal del yo*; fr. *idéal du moi*; ing. *ego ideal*

Sigmund Freud* utilizou essa expressão para designar o modelo de referência do eu*, simultaneamente substituto do narcisismo* perdido da infância e produto da identificação* com as figuras parentais e seus substitutos sociais. A noção de ideal do eu é um marco essencial na evolução do pensamento freudiano, desde as reformulações iniciais da primeira tópica* até a definição do supereu*. No Brasil também se usa "ideal do ego".

A dimensão de um ideal como modalidade de referência do eu aparece explicitamente em Freud no texto de 1914 dedicado à introdução do conceito de narcisismo.

Para que se possa manifestar a idealidade, é preciso, com efeito, que a libido* já não seja unicamente objetal e que se desenhe a perspectiva de uma relação do sujeito* consigo mesmo, tomado como objeto amoroso. Primitivamente, diz Freud, a criança "era seu próprio ideal". É a renúncia à onipotência infantil e ao delírio de grandeza, característicos do narcisismo infantil, que possibilita o surgimento de um outro ideal. Mas Freud se interroga sobre as modalidades dessa renúncia: ela é produto da submissão às proibições enunciadas pelas figuras parentais, instaladas na posição de modelo no momento em que a estrutura edipiana começa seu declínio. Essa renúncia, portanto, situa-se na vertente do recalque*, processo que tem

sua sede no eu e cuja realização exige um critério de avaliação: "A formação do ideal seria, do lado do eu", escreve Freud, "a condição do recalque."

Em 1917, nas *Conferências introdutórias sobre psicanálise**, Freud modifica sua concepção do ideal do eu. Este converte-se então numa instância do eu* que se encarrega das funções até então atribuídas à "consciência moral" (*Gewissen*), que permitia ao eu avaliar suas relações com seu ideal. Além disso, o ideal do eu participa da formação do sonho, uma vez que é concebido como responsável pela censura* dos sonhos.

Foi em 1921, em *Psicologia das massas e análise do eu**, que Freud atribuiu ao ideal do eu um lugar de primeiro plano. Fez dele uma instância bem distinta do eu, capaz de "se engajar em conflitos com ele". A essa instância, recapitulou Freud, "chamamos *ideal do eu*, e lhe atribuímos como funções a auto-observação, a consciência moral, a censura onírica e o exercício da influência essencial no recalque. Dissemos que ela era herdeira do narcisismo primário, em cujo seio o eu da criança bastava a si mesmo". É nesse lugar do ideal do eu que o sujeito instala o objeto de sua fascinação amorosa, bem como o hipnotizador ou o líder, assim se transformando o ideal do eu no esteio do principal eixo de constituição do coletivo como fenômeno, o que Freud já dera a entender no texto de 1914 sobre o narcisismo.

Observando essa mudança de estatuto do ideal do eu, transformado em instância, Paul-Laurent Assoun comentou, em 1984, que se tratava de uma operação estranha, já que todas as características que acabavam de lhe ser atribuídas iriam, pouco tempo depois, caracterizar uma nova instância, o supereu. Em outras palavras, mal foi promovido, o ideal do eu já se viu destituído. "Sem dúvida não foi por acaso", precisa o autor com humor, "que esse 'discreto golpe de estado metapsicológico' teve por cenário o texto constituído pelo ensaio sobre a psicologia das massas, cheio de ressonâncias políticas."

De fato, dois anos depois, em *O eu e o isso**, assistimos a uma verdadeira transmissão do poder, à colocação entre parênteses do ideal do eu, como é indicado pelo título do terceiro capítulo: "O eu e o supereu (ideal do eu)".

Em 1933, nas *Novas conferências introdutórias sobre psicanálise**, a mutação está definitivamente consumada. A trigésima primeira conferência dá ensejo a uma apresentação pormenorizada da gênese e das funções do supereu, a título das quais figura o ideal do eu "com que o eu se compara, ao qual ele aspira" e cuja "reivindicação ele se esforça por satisfazer, através de um aperfeiçoamento cada vez maior." "Sem dúvida alguma, esclarece ainda Freud, esse ideal do eu é o precipitado da antiga representação parental, a expressão da admiração pela perfeição que a criança atribuía aos pais na época".

Segundo Jean Laplanche e Jean-Bertrand Pontalis, não se encontra em Freud uma "distinção conceitual" entre o ideal do eu (*Ichideal*) e o eu ideal (*Idealich*). Todavia, como Freud emprega em diversas ocasiões esses dois termos, alguns autores os diferenciam. Em seu seminário de 1953-1954, *Os escritos técnicos de Freud*, Jacques Lacan* sustenta que Freud de fato designa duas funções diferentes. Lacan inscreve essa distinção em sua tópica: "O *Ich-Ideal*, o ideal do eu, é o outro como falante, o outro na medida em que mantém comigo uma relação simbólica, sublimada, a qual, em nosso manejo dinâmico, é ao mesmo tempo igual e diferente da libido imaginária." O eu ideal, formação essencialmente narcísica, constrói-se, segundo Lacan, na dinâmica do estádio do espelho*; decorre, pois, do registro do imaginário e se torna uma "aspiração" ou um "sonho". Essa comparação é introduzida por Lacan em 1960, em sua "Observação sobre o relatório de Daniel Lagache*", onde ele responde à intervenção feita por este último no colóquio de Royaumont, em julho de 1958.

• Sigmund Freud, "Sobre o narcisismo: uma introdução" (1914), *ESB*, XIV, 89-122, *GW*, X, 138-70; *SE*, XIV, 67-102; in *La Vie sexuelle*, Paris, PUF, 1969, 81-105; *Conferências introdutórias sobre psicanálise* (1916-1917), *ESB*, XV-XVI; *GW*, XI; *SE*, XV-XVI; Paris, Payot, 1973; *Psicologia das massas e análise do eu* (1921), *ESB*, XVIII, 91-184; *GW*, XIII, 73-161; *SE*, XVIII, 65-143; *OC*, XVI, 1-83; *O eu e o isso* (1923), *ESB*, XIX, 23-76; *GW*, XIII, 237-89; *SE*, XIX, 12-59; *OC*, XVI, 255-301; *Novas conferências introdutórias sobre psicanálise* (1933), *ESB*, XXII, 15-226; *GW*, XV; *SE*, XXII, 5-182; *OC*, XIX, 83-268 • Paul-Laurent Assoun, *L'Entendement freudien*, Paris, Gallimard, 1984 • Jacques Lacan, O Seminário, livro 1, *Os escritos técnicos de Freud (1953-1954)* (Paris, 1975), Rio de Janeiro, Jorge Zahar, 1979; "Observação sobre o relatório de Daniel Lagache: 'Psicanálise e estrutura da personalidade'" (1960), in *Escritos* (Paris, 1966), Rio de Janeiro, Jorge Zahar, 1998, 653-91 • Jean Laplanche e Jean-Bertrand Pontalis, *Vocabulário da psicanálise* (Paris, 1967), S. Paulo, Martins Fontes, 1991, 2ª ed.

➤ IDENTIFICAÇÃO; *INTERPRETAÇÃO DOS SONHOS,*; *A*; OUTRO; TRANSFERÊNCIA.

identificação

al. *Identifizierung*; esp. *identificación*; fr. *identification*; ing. *identification*

Termo empregado em psicanálise* para designar o processo central pelo qual o sujeito* se constitui e se transforma, assimilando ou se apropriando, em momentos-chave de sua evolução, dos aspectos, atributos ou traços dos seres humanos que o cercam.

Se o conceito de identificação é essencial na teoria freudiana do desenvolvimento psicossexual do indivíduo, nunca recebeu, por outro lado, uma definição sistemática, e só foi elaborado tardiamente.

De maneira ainda muito descritiva, Sigmund Freud* utiliza o termo identificação em duas ocasiões em sua correspondência com Wilhelm Fliess*. Numa carta de 17 de dezembro de 1896, depois de se rejubilar pela compreensão que seu amigo tem do fenômeno da angústia, ele lhe fala da "análise de algumas fobias" e, em particular, da agorafobia nas mulheres. "Captarás o mecanismo", explica Freud a seu correspondente, "pensando nas prostitutas." Trata-se do "recalque* da compulsão de ir apanhar na rua o primeiro que aparecer, de um sentimento de ciúme das prostitutas e de identificação com elas".

Nessa etapa, a identificação é concebida como o desejo* recalcado de "agir como", de "ser como" alguém. Pouco tempo depois, no manuscrito L, enviado a Fliess em 2 de maio de 1897, quando a teoria da sedução* começa a ser questionada, Freud evoca a pluralidade das personas psíquicas, problema com que torna a se deparar na elaboração dos sonhos*. Ele assinala que a legitimidade dessa expressão repousa no processo de identificação.

Em *A interpretação dos sonhos*, a identificação começa a receber um tratamento teórico. Primeiro, no âmbito da segunda interpretação do chamado sonho da "bela açougueira". A sonhadora, a bela açougueira, deseja que o desejo de engordar, expresso por sua amiga, não se realize, a fim de que esta não seduza seu marido, o açougueiro, que tem um fraco pelas mulheres de carnes fartas. Mas, em virtude de uma inversão, o sonho adquire um novo sentido: a bela açougueira sonha com a não realização de um de seus desejos. A sonhadora, explica Freud, identificou-se com sua amiga, e sonha que lhe acontece o que deseja ver suceder com a amiga. Esse ponto encontra confirmação na vida real da sonhadora, que se recusa a realizar seu desejo de comer caviar.

Trata-se, nesse exemplo, de um caso de identificação histérica. Freud insiste em diferenciá-la do que até então era chamado de imitação histérica. A identificação histérica corresponde a deduções inconscientes, é uma *"apropriação* causada por uma etiologia idêntica; exprime um 'como se' e está relacionada a uma comunhão que persiste no inconsciente. A identificação, na maioria das vezes, é utilizada na histeria* como expressão de uma comunhão sexual. A histérica identifica-se, de preferência, mas não exclusivamente, com as pessoas com quem manteve relações sexuais ou que mantêm relações sexuais com as mesmas pessoas que ela". No capítulo VI, dedicado ao trabalho do sonho, estudando os processos oníricos de figuração, Freud observa que a semelhança é a única relação lógica preservada no sonho, sendo sua expressão facilitada pelo mecanismo de condensação*. No sonho, a semelhança ora aparece sob a forma da aproximação, ora sob a da fusão. A aproximação diz respeito às pessoas, e falamos de identificação quando uma única pessoa representa a totalidade do grupo. Trata-se, nesse caso, do processo da "pessoa compósita", ou da "pluralidade das pessoas psíquicas": uma terceira pessoa, desconhecida, irreal, e por isso capaz de escapar à censura, é composta por traços pertencentes a outras duas pessoas cujo aparecimento é passível de ser recalcado.

Se a identificação é importante no texto de 1914 consagrado ao narcisismo*, por subjazer ali, ao contrário da escolha de objeto narcísica, uma escolha de objeto por apoio* graças à qual o sujeito se constitui com base no modelo parental ou no dos substitutos dos pais, sua importância metapsicológica é verdadeiramente desenvolvida no âmbito da grande reformulação teórica da década de 1920.

Um capítulo inteiro da *Psicologia das massas e análise do eu*, o sétimo, é dedicado à identificação, postulada desde logo "como expressão primária de uma ligação afetiva com outra pessoa". Freud distingue três tipos de identificação. Em primeiro lugar, ela é concebida como desempenhando "um papel na pré-história do complexo de Édipo*". Trata-se do estádio* oral, o da incorporação* do objeto segundo o modelo canibalesco, no qual Freud esclareceria um pouco depois, em *O eu e o isso*, que é difícil distinguir a identificação do investimento*, diferenciar a modalidade do ser da modalidade do ter.

O segundo caso é o da identificação regressiva, discernível no sintoma histérico, uma de cujas modalidades de formação constitui-se da imitação não da pessoa, mas de um sintoma da pessoa amada — Freud cita o exemplo de Dora (Ida Bauer*), que imita a tosse do pai. Nesse caso, diz Freud, "a identificação toma o lugar da escolha de objeto, a escolha de objeto regride para a identificação". Ele sublinha a esse respeito que, nessas situações, a identificação pode tomar emprestado "apenas um único traço da pessoa-objeto"; trata-se do famoso traço único (o *einziger Zug*).

Por fim, existe a terceira modalidade, aquela em que a identificação se efetua na ausência de qualquer investimento sexual. Trata-se então do produto da "capacidade ou [da] vontade de colocar-se numa situação idêntica" à do outro ou dos outros. Esse caso de identificação produz-se, em especial, no contexto das comunidades afetivas. É essa forma de identificação que liga entre si os membros de uma coletividade. Ela é comandada pelo vínculo estabelecido entre cada indivíduo da coletividade e o condutor das massas. Esse vínculo é constituído pela instalação deste último na posição de ideal do eu por cada um dos participantes da comunidade.

Em 1925, em seu artigo "A dissolução do complexo de Édipo", Freud estabelece claramente a distinção entre o investimento* do objeto e a identificação. O complexo de Édipo oferece à criança duas possibilidades, ativa e passiva, de satisfação libidinal. A primeira consiste em pensar em se colocar no lugar do pai para manter relações sexuais com a mãe, e a segunda, em tomar o lugar desta. Quando se evidencia que essas duas formas de investimento do objeto não podem efetivar-se sem a realização da castração*, a perda do pênis como castigo ou a constatação de sua ausência na posição feminina, os investimentos são substituídos (é a saída do Édipo) por uma identificação: "A autoridade paterna ou parental introjetada no eu forma ali o núcleo do superego." As tendências libidinais são então inibidas quanto a seu objetivo, isto é, "dessexualizadas e sublimadas, o que provavelmente advém", acrescenta Freud, "quando de qualquer transposição para uma identificação".

Freud se refere a essa mesma concepção em 1933, em "A decomposição da personalidade psíquica", uma das *Novas conferências introdutórias sobre psicanálise*, porém exprimindo reservas muito claras a seu respeito. Deplora o caráter "complicado" do processo de identificação, "base" da "transformação da relação com os pais no superego". Ao término de sua exposição sobre o assunto, repete não estar "nem um pouco satisfeito (...) com estas elaborações sobre a identificação". Entretanto, diz contentar-se com elas, na medida em que lhe permitiram instituir a instância do superego, que considera ser um exemplo de identificação bem-sucedida com a instância parental.

Tal como Freud, Jacques Lacan* situa a identificação no cerne de seu trabalho teórico. A princípio, a identificação é situada por ele no registro do imaginário*, durante a fase do estádio do espelho*. Em seguida, ela pontua os três tempos da concepção lacaniana do Édipo, sob a forma de uma identificação com o que se presume ser o desejo da mãe, depois, sob a forma da descoberta da lei do pai e, por fim, sob a da simbolização dessa lei, que tem como efeito atribuir ao desejo da mãe seu verdadeiro lugar e permitir as identificações posteriores, constitutivas do sujeito.

Na década de 1960, Lacan consagrou um ano de seu Seminário à questão da identificação. Primeiramente, construiu seu conceito de traço unário, que, apesar de se inspirar no traço único da identificação regressiva de Freud, supera largamente seu conteúdo, uma vez que Lacan fundamenta nele sua concepção do *um*, esteio da diferença, que por sua vez é a base da identidade, distinta da abordagem lógica clássica que faz do *um* a marca do único. Daí, a partir da análise do *cogito* cartesiano, Lacan situa o fundamento da identificação inaugural, a do sujeito distinto do eu, no traço unário, essência do significante*, que é o nome próprio. Em seguida, integra em sua teoria do significante os outros dois tipos de identificação freudiana — a identificação primária, na vertente do pai simbólico, e o terceiro tipo, a identificação histérica, aquela que encontramos em ação na constituição das massas e que tem por vetor o desejo do desejo do Outro*, evocado pela pergunta "Que queres?" (*Che vuoi?*), marca da dependência incontornável do sujeito.

• Sigmund Freud, *La Naissance de la psychanalyse* (Londres, 1950), Paris, PUF, 1956; *Briefe an Wilhelm Fliess, 1887-1904*, Frankfurt, Fischer, 1986; *A interpretação dos sonho*s (1900), *ESB*, IV-V, 1-660; *GW*, II-III, 1-642; *SE*, IV-V, 1-621; Paris, PUF, 1967; "Sobre o narcisismo: uma introdução" (1914), *ESB*, XIV, 89-122; *GW*, X, 138-70; *SE*, XIV, 73-102; in *La Vie sexuelle*, Paris, PUF, 1969, 80-105; *Psicologia das massas e análise do eu* (1921), *ESB*, XVIII, 91-184; *GW*, XIII, 73-161; *SE*, XVIII, 65-143; *OC*, XVI, 1-83; *O eu e o isso* (1923), *ESB*, XIX, 23-76; *GW*, XIII, 237-89; *SE*, XIX, 12-59; *OC*, XVI, 255-301; "A dissolução do complexo de Édipo" (1924), *ESB*, XIX, 217-28; *GW*, XIII, 395-402; *SE*, XIX, 173-9; *OC*, XVII, 25-33; *Novas conferências introdutórias sobre psicanálise* (1933), *ESB*, XXII, 15-226; *GW*, XV; *SE*, XXII, 5-182; *OC*, XIX, 83-268 • Joël Dor, *Introdução à leitura de Lacan*, 2 tomos (Paris, 1985, 1992), P. Alegre, Artes Médicas, 1992, 1996 • Jacques Sédat, "Identificação", in Pierre Kaufmann (org.), *Dicionário enciclopédico de psicanálise: o legado de Freud e Lacan* (Paris, 1993), Rio de Janeiro, Jorge Zahar, 1996, 256-9 • Jacques Lacan, "O estádio do espelho como formador da função do eu" (1936,

1949), in *Escritos* (Paris, 1966), Rio de Janeiro, Jorge Zahar, 1998, 96-103; O Seminário, livro 4, *A relação de objeto (1956-1957)* (Paris, 1994), Rio de Janeiro, Jorge Zahar, 1995; Le Séminaire, livre V, *Les formations de l'inconscient* (*1957-1958*); inédito, Le Séminaire, livre IX, *L'Identification* (*1961-1962*), inédito • Jean Laplanche e Jean-Bertrand Pontalis, *Vocabulário da psicanálise* (Paris, 1967), S. Paulo, Martins Fontes, 1991, 2ª ed. • Élisabeth Roudinesco, *Jacques Lacan. Esboço de uma vida, história de um sistema de pensamento* (Paris, 1993), S. Paulo, Companhia das Letras, 1994 • Joseph Sandler (org.), *Projection, identification, identification projective* (Londres, Madison, 1988), Paris, PUF, 1991.

➤ FANTASIA; FRUSTRAÇÃO; IDENTIFICAÇÃO PROJETIVA; OBJETO, RELAÇÃO DE; PROJEÇÃO; SEXUALIDADE.

identificação projetiva

al. *Projektionsidentifizierung*; esp. *identificación proyectiva*; fr. *identification projective*; ing. *projective identification*

Conceito introduzido em 1946 por Melanie Klein* para designar um modo específico de projeção* e identificação* que consiste em introduzir a própria pessoa no objeto para prejudicá-lo.

Foi numa comunicação de 1946, apresentada à British Psychoanalytical Society (BPS) sob o título de "Notas sobre alguns mecanismos esquizóides", que Melanie Klein criou a noção de identificação projetiva. Ela vinculou esse mecanismo ao sadismo* infantil: a criança não quer simplesmente destruir a mãe, porém apossar-se dela. "Isso leva a uma forma de identificação que estabelece o protótipo de uma relação de objeto* agressiva. Proponho para esses processos o nome de 'identificação projetiva'."

A identificação projetiva é uma das modalidades da projeção* no sentido freudiano, mas é também um mecanismo de natureza psicótica encontrado em todos os sujeitos. Por isso, convém relacioná-lo ao processo binário: posição depressiva/posição esquizo-paranóide*.

A melhor ilustração da natureza clínica da identificação projetiva encontra-se num artigo de 1955, que tem por título "A propósito da identificação", no qual Melanie Klein comenta um romance de Julien Green, *Se eu fosse você...*, publicado em 1947. Nessa obra, o escritor conta a história de um Fausto moderno, Fabien, que faz um pacto com o diabo a fim de poder

assumir a identidade das pessoas cuja vida quer viver. Assim, transforma-se indefinidamente num outro. No fim do livro, reintegra seu próprio corpo e morre apaziguado, junto de sua mãe. Melanie Klein vê no destino do herói uma tentativa de ele superar suas angústias psicóticas, mas contesta o final feliz pretendido pelo autor: "A explicação desse fim abrupto não pode ser definitiva."

Ao ler esse comentário, Julien Green ficou muito surpreso por constatar que Melanie Klein enxergara longe e tinha adivinhado o verdadeiro fim do romance. De fato, ele havia redigido uma primeira versão de *Se eu fosse você...*, pessimista, na qual Fabien, depois de voltar a ser ele mesmo, tornava a se encontrar com o diabo: "A história não acabava nunca, era o inferno." Na segunda versão, ao contrário, reconciliou o herói com Deus e o fez morrer feliz.

• Melanie Klein (org.), *Os progressos da psicanálise* (Londres, 1952), Rio de Janeiro, Zahar, 1978; *Inveja e gratidão: um estudo das fontes do inconsciente*, Rio de Janeiro, Imago, 1974 • Julien Green, *Si j'étais vous...* (1947), Paris, Fayard, 1994; "La Question posée" (1970), in *Oeuvres complètes*, III, Paris, Gallimard, "Bibliothèque de la Pléiade", 1973, 1392-4; "Entretien avec Élisabeth Roudinesco", *Le Figaro*, 17 de dezembro de 1991 • Jean Laplanche e Jean-Bertrand Pontalis, *Vocabulário da psicanálise* (Paris, 1967), S. Paulo, Martins Fontes, 1991, 2ª ed. • R.D. Hinshelwood, *Dicionário do pensamento kleiniano* (Londres, 1991), P. Alegre, Artes Médicas, 1992.

➤ ESQUIZOFRENIA; INTROJEÇÃO; OBJETO (BOM E MAU); OBJETO, RELAÇÃO DE; PARANÓIA; PSICOSE.

Ignotus, Hugo, *né* Vegelsberg (1859-1949)

escritor húngaro

Redator-chefe da revista *Nyugat* (Ocidente), amigo de Sandor Ferenczi* e tradutor das obras de Sigmund Freud*, esse ensaísta foi um agente muito ativo na introdução da psicanálise* na Hungria*. Foi um dos co-fundadores, em maio de 1913, da Sociedade Psicanalítica de Budapeste. A partir de 1919, exilou-se em Viena* e depois em Berlim. Em 1938, emigrou para os Estados Unidos*, onde permaneceu dez anos antes de voltar a Budapeste. Em 1924, Ferenczi lhe dirigiu estas palavras: "Onde estão os tempos de outrora, tempos felizes antes da guerra, sob Francisco-José, época sem história, quando um poema, uma palavra certa, uma idéia científica podiam agir sobre a vida de homens maduros com a força de um verdadeiro choque emocional?"

• Sandor Ferenczi, "Ignotus, o compreensivo", *Psicanálise III, Obras completas (1919-1926)*, S. Paulo, Martins Fontes, 1993, 253-4.

Igreja

A história das relações entre a psicanálise* e a Igreja Católica Romana é inseparável, em seus primórdios, da história da implantação do freudismo* na Itália*. Começa em 1921, com a campanha antipansexualista do padre Agostino Gemelli (1878-1959), grande organizador de uma medicina mental adaptada aos princípios religiosos, e prossegue durante o entre-guerras com a cruzada antifreudiana e judeofóbica do padre Wilhelm Schmidt (1868-1954), figura de proa da escola antropológica vienense. Depois de 1945, ela implica três papas, Pio XII, Paulo VI e João XXIII, e dois países, a França*, por um lado (onde os padres e inúmeros intelectuais católicos criam um vasto movimento psicoterápico de ajuda aos religiosos), e, por outro, o México (onde um padre de origem belga tenta fazer com monges uma experiência de análise coletiva). Essa história tem inicialmente como pano de fundo a ascensão do fascismo, depois a Guerra Fria e o desenvolvimento do jdanovismo na Rússia* e, por último, a expansão do lacanismo*.

O tema da religião é onipresente na obra de Sigmund Freud*, quer ele trate da origem das sociedades, como em *Totem e tabu*, quer da história do monoteísmo, em seu último livro, *Moisés e o monoteísmo*. Mas Freud era ateu e materialista. Por isso é que, a seu ver, a religião como prática é uma neurose*, por ele associada à ilusão. Aliás, já em 1907, em seu artigo "Atos obsessivos e práticas religiosas", ele compara a neurose obsessiva* a uma religião rústica, isto é, ao que ele denomina de vertente "patológica" da religião, fazendo desta, de um modo geral, uma "neurose obsessiva universal". Do mesmo modo, em sua opinião, a histeria* é uma obra de arte deturpada, e a paranóia*, uma teoria ou uma filosofia que fracassa.

Por outro lado, Freud apaixonou-se, tal como Jean Martin Charcot*, pelas possessões demoníacas. Assim, em 1897, encomendou a seu editor o *Malleus maleficarum*, terrível manual publicado em latim, em 1487, por Jacob Sprenger e Heinrich Krammer, e depois utilizado pela Inquisição, com a aprovação do papa Inocêncio VIII, para mandar para a fogueira as supostas feiticeiras. Mais tarde, em 1909, numa discussão com Hugo Heller* durante uma reunião da Sociedade Psicológica das Quartas-Feiras*, ele expôs suas idéias sobre a questão, fazendo do diabo uma personificação das pulsões sexuais recalcadas. Por fim, em 1923, publicou um artigo, "Uma neurose demoníaca do século XVII", no qual estudou a história de Christopher Haitzmann*, um pintor da Baviera que foi exorcizado depois de ter sido seduzido pelo diabo e tomado de convulsões. Nesse episódio, Freud contrastou os benefícios da psicanálise, capaz, a seu ver, de curar as neuroses, com as práticas religiosas e ocultas de antigamente, pouco compatíveis com o *Aufklärung*.

Se Freud encarava a religião dessa maneira, embora se interessasse pela história das religiões e pelos grandes casos de possessão demoníaca, a Igreja teve desde logo uma atitude hostil perante sua doutrina, não apenas em razão dessa assimilação da religião a uma neurose e dessa condenação do exorcismo, mas sobretudo porque a psicanálise repousava numa concepção da sexualidade* e da família inaceitável para ela. Foi assim que a Igreja a rejeitou, vinculando-a a um pansexualismo*.

Todavia, no decorrer do século XIX, a Igreja havia adotado progressivamente os princípios da psiquiatria dinâmica* e da revolução pineliana, deixando de considerar a loucura* uma possessão. Além disso, a encíclica *Rerum novarum*, promulgada em 1891 pelo papa Leão XIII, valorizava as pesquisas científicas em detrimento do obscurantismo. Chegava até a incentivar os cristãos a elaborarem uma racionalidade passível de fazer frente, na Europa, ao advento dos modernos Estados leigos, cuja legitimidade seria preciso reconhecer um dia.

Foi nesse contexto de uma oposição muito firme ao freudismo, porém de uma aceitação dos princípios da psiquiatria dinâmica, que o padre Agostino Gemmelli fundou, em 1921, a

Escola de Psicologia Experimental, no seio da Universidade Católica do Sagrado Coração, em Milão. Médico e monge franciscano, ele fora aluno de Emil Kraepelin* e queria integrar os trabalhos da psicologia na neo-escolástica. Procurando insuflar no catolicismo uma teoria realista da consciência, apoiava-se no janetismo e num dualismo vago, que conferia tanto espaço ao corpo quanto ao espírito.

O combate contra o freudismo assumiu feição nitidamente mais política com a intervenção do padre Wilhelm Schmidt, que exerceu, de 1927 a 1939, a função de diretor do Museu Pontifical de Etnologia de Latrão, em Roma. Voltando-se contra *Totem e tabu** e contra *O futuro de uma ilusão**, ele denunciou o freudismo como uma teoria nociva, tão responsável quanto o comunismo* pela destruição da família cristã. A partir daí, não parou de desancar as duas doutrinas, acusadas de haverem assinado um pacto de "entendimento amigável". Diante desses ataques, Freud hesitou em publicar a terceira parte de seu livro sobre Moisés, redigido em Viena* antes do Anschluss: temia, com efeito, que ele reavivasse a hostilidade da Igreja católica austríaca, em cujo seio o padre Schmidt tinha grande influência.

Depois da Segunda Guerra Mundial, a experiência dos padres operários, conduzida na França* por jesuítas abertos ao marxismo, exprimiu, em termos mais gerais, uma aspiração a que a Igreja reavaliasse suas posições em relação à modernidade e, em especial, à psicanálise. Ora, nessa época, aos olhos da Santa Sé, o freudismo era uma doutrina tão perigosa quanto o marxismo. No entanto, se de fato condenou e proibiu a experiência dos padres operários, Pio XII foi muito prudente a respeito das teorias freudianas. Entre 1952 e 1956, certamente continuou, como Gemelli e Schmidt, a fustigar o pansexualismo* freudiano e a reafirmar a doutrina tradicional da Igreja, segundo a qual a sexualidade se fundamenta no "pecado", mas não proferiu nenhuma proibição oficial: nem do freudismo como tal, nem das experiências de psicoterapia praticadas por padres desejosos de tratar os problemas levantados pelo celibato e pela castidade.

Na França, contudo, inúmeros cristãos insurgiram-se contra Roma, tais como Maryse Choisy (1903-1979), jornalista amiga de René Laforgue* e ex-analisanda de Charles Odier*, que, em 1946, criou a revista *Psyché*; o padre Bruno de Marie-Jésus, responsável pela revista *Les Études Carmélitaines*; Albert Plé, padre dominicano que criou, em 1947, o *Supplément de La Vie Spirituelle*, onde publicou artigos sobre o freudismo*; Louis Beirnaert*, padre jesuíta que se tornou psicanalista e lacaniano; e ainda como o abade Marc Oraison (1914-1979), que publicou, em 1952, uma tese de teologia dedicada à vida cristã e aos problemas da sexualidade.

Sem ter sequer sido analisado, Oraison praticava terapias para ajudar os padres aflitos ou os fiéis que esbarravam na rigidez do dogma. Em seu livro intitulado *Vie chrétienne et problème de la sexualité*, apoiou-se sobretudo nas teses de Angelo Hesnard* para abordar frontalmente a tríplice questão da castidade, do discernimento das vocações e da sexualidade "sem pecado". Através de diversos estudos de caso, onde se revelou um evidente fascínio pela homossexualidade*, Oraison relativizou a noção de pecado, fazendo da sexualidade uma função da existência humana. A partir daí, distinguiu a verdadeira vocação da falsa. Segundo ele, a primeira repousava sobre a graça divina e permitia ao padre escolher livremente seu destino de castidade, ao passo que a segunda provinha de um pavor da sexualidade, que conduzia o postulante pela via de uma renúncia neurótica.

Em outras palavras, Oraison procurou introduzir a perícia psicológica no seio da Igreja a fim de eliminar do sacerdócio os eventuais "doentes sexuais" (neuróticos, perversos ou psicóticos) que houvessem escolhido a religião não por vocação, mas para obedecer a uma escolha pulsional. Essa posição tinha o sentido de uma maior laicização da vida religiosa e de uma melhor definição da fé num mundo cristão perpassado pela crise das vocações. Assim como a Igreja acabara aceitando uma concepção não demoníaca da loucura, ela também devia, segundo Oraison, aplicar os princípios da psicanálise à experiência sacerdotal para melhor apreender sua norma e sua patologia e conferir à espiritualidade todo o seu lugar. Mas, como definir, à luz da psicanálise, a essência da verdadeira fé e distingui-la do conteúdo neurótico ou perverso da falsa vocação, posto que o freudismo considera qualquer atitude religiosa uma neurose?

Apoiado por Pio XII, o Santo Ofício respondeu a essa questão ordenando que o livro do padre francês fosse incluído no Index, no momento mesmo em que seu autor participava, em Roma, ao lado de Beirnaert e Plé, de um congresso organizado por Maryse Choisy. Oraison foi obrigado a "corrigir seus erros" na segunda edição de seu livro e, em 1955, fez sua autocrítica publicamente. Sua condenação não pôs fim ao conflito. Assim é que numerosos padres franceses começaram a se analisar, seguidos por outros na Bélgica* e, mais tarde, na América Latina, terra de escolha de uma teologia da libertação da qual surgiria mais uma interrogação sobre o marxismo e as novas formas de espiritualidade cristã. Durante vinte anos, entre 1955 e 1975, alguns padres renunciaram ao hábito e se tornaram psicanalistas, outros exerceram a psicanálise sem tirar o hábito, e outros ainda, após a análise, viveram com mulheres ou praticaram clandestinamente uma homossexualidade até então recalcada.

Em 1957, um ano antes do início do pontificado de João XXIII, a Sagrada Congregação dos religiosos levou em conta essa situação ao editar sua nova constituição, a Sedes sapientiae, sobre a formação apostólica. O artigo 33 desse texto, dedicado à admissão dos candidatos ao noviciado, tornou obrigatória a perícia psiquiátrica a fim de afastar do sacerdócio os postulantes portadores de taras e doenças mentais. Essa medida normativa permitiu a criação de organismos destinados ao discernimento das vocações. E, por intermédio deles, uma prática até então clandestina pôde ser oficializada. Foi assim que se criou, em 1959, impulsionada por Plé e Beirnaert, a Associação Médico-Psicológica de Ajuda aos Religiosos (AMAR), destinada ao clero regular. Ela desempenhou um papel importante, não apenas orientando os candidatos ao sacerdócio para ordens que conviessem à sua personalidade, mas também difundindo um saber freudiano entre padres provenientes do mundo inteiro. Em 1966, veio à luz uma outra associação, desta vez destinada ao clero secular.

Convém dizer que, entre outubro de 1962, data da abertura do Concílio Vaticano II, e junho de 1963, data do início do pontificado de Paulo VI, a experiência do mosteiro beneditino da Ressurreição, perto de Cuernavaca, que logo se celebrizou, provou que a psicanálise trazia uma resposta, senão para a questão da religião, ao menos para a do celibato e da castidade dos padres. Nesse mosteiro mexicano, o padre Grégoire Lemercier arrastara sessenta monges para uma terapia de grupo conduzida por dois psicanalistas (um homem e uma mulher) da International Psychoanalytical Association* (IPA). Ao cabo de dois anos, o próprio Lemercier e quarenta monges abandonaram o hábito, fosse para se casar, fosse para manter relações sexuais.

Depois de condenar a experiência de Cuernavaca e fechar o mosteiro, Paulo VI adotou perante o freudismo, em 1973, uma postura de neutralidade hostil, que doravante seria o credo de uma Igreja respeitadora da laicização do saber: "Prezamos esse setor já célebre dos estudos antropológicos", disse ele, "embora nem sempre o consideremos coerente consigo mesmo, nem invariavelmente confirmado por experiências satisfatórias e salutares, nem de acordo com a ciência dos corações que temos encontrado na escola da espiritualidade católica."

Oskar Pfister*, um pastor protestante que se tornou psicanalista, havia aceitado, em 1909, a tese da primazia da sexualidade e proposto a idéia de que a verdadeira fé podia tornar-se uma proteção contra a neurose. Freud, aliás, escreveu a esse respeito: "A psicanálise é tão pouco religiosa quanto irreligiosa. É um instrumento sem partido que pode ser usado por religiosos e leigos a serviço da libertação dos seres sofredores. Muito me impressiona que eu mesmo não tenha pensado na extraordinária ajuda que o método psicanalítico é passível de levar à cura das almas, mas isso decorre, sem dúvida, do fato de que, sendo um terrível herege, todo esse campo de idéias me é estranho."

Esse campo não foi estranho a Jacques Lacan*, que era tão ateu quanto Freud, nem a Françoise Dolto*, que era cristã praticante. O papel de ambos foi considerável nas relações que se instauraram, na França, entre o catolicismo e a psicanálise, primeiro no interior da

Sociedade Francesa de Psicanálise (SFP), oriunda da primeira cisão* do movimento freudiano, e depois, na École Freudienne de Paris* (EFP). Fundada por Daniel Lagache*, a SFP atraiu os universitários e os não médicos, dentre eles padres que encontraram na doutrina lacaniana idéias filosóficas ou até teológicas que estavam ausentes da de Freud.

Iniciado por Alexandre Kojève (1902-1968) e Alexandre Koyré (1892-1964) na história das religiões, fascinado como Georges Bataille (1897-1962) pelo misticismo feminino, e apaixonado pela arte barroca e pela grandeza do catolicismo romano, Lacan tinha consciência — em agosto de 1953, no momento da redação de sua famosa conferência sobre a função da fala e da linguagem — da expansão das idéias freudianas fora do meio médico. Por isso, voltou seu olhar para as duas instituições rivais que se abriam para a psicanálise nos anos cinqüenta: a Igreja católica e o Partido Comunista Francês. Não hesitou em pedir a seu irmão, Marc-François Lacan (1908-1994), monge beneditino, que lhe conseguisse uma audiência com o papa. E, se o encontro não se deu, a EFP contou em suas fileiras com diversos jesuítas que lhe deixaram sua marca, dentre eles o grande historiador do misticismo, Michel de Certeau (1926-1986).

• Sigmund Freud, "Atos obsessivos e práticas religiosas" (1907), *ESB*, IX, 121-36; *SE*, IX, 115-27; in *L'Avenir d'une illusion* (1927), Paris, PUF, 1971; "Uma neurose demoníaca do século XVII" (1923), *ESB*, XIX, 91-138; *GW*, XIII, 317-53; *SE*, XIX, 69-105; *OC*, XVI, 213-51; *La Naissance de la psychanalyse* (Londres, 1950), Paris, PUF, 1956; *Briefe an Wilhelm Fliess, 1887-1904*, Frankfurt, Fischer, 1986 • *Correspondance de Sigmund Freud avec le pasteur Pfister (1909-1939)* (Frankfurt, 1963), Paris, Gallimard, 1966 • Wilhelm Schmidt, "Der Ödipus-K der Freudschen Psychoanalyse und die Ehegestaltung des Bolschevismus. Eine kritische Prüfung ihre ethnologischen Grundlagen", *Nationalwirtschaft*, 2, 1929, 401-36 • Marc Oraison, *Vie chrétienne et problème de la sexualité* (1950), Paris, Fayard, 1970 • Jacques Lacan, *Escritos* (Paris, 1966), Rio de Janeiro, Jorge Zahar, 1998 • Grégoire Lemercier e Françoise Verny, *Dialogue avec le Christ*, Paris, Grasset, 1966 • Michel David, *La Psicoanalisi nella cultura italiana* (1966), Turim, Boringheri, 1990 • Pierre Legendre, *L'Amour du censeur*, Paris, Seuil, 1974 • Michel de Certeau, *L'Écriture de l'histoire*, Paris, Gallimard, 1975 • Françoise Dolto, *O Evangelho à luz da psicanálise*, 2 vols. (Paris, 1977), Rio de Janeiro, Imago, 1979, 1981 • Élisabeth Roudinesco, *História da*

psicanálise na França, vol.2 (Paris, 1986), Rio de Janeiro, Jorge Zahar, 1988; *Jacques Lacan. Esboço de uma vida, história de um sistema de pensamento* (Paris, 1993), S. Paulo, Companhia das Letras, 1994 • Yosef Hayim Yerushalmi, *Le Moïse de Freud. Judaïsme terminable, judaïsme interminable* (Yale, 1991), Paris, Gallimard, 1993 • Charles Malamoud, "Psicanálise e ciência das religiões", in Pierre Kaufmann (org.), *Dicionário enciclopédico de psicanálise: o legado de Freud e Lacan* (Paris, 1993), Rio de Janeiro, Jorge Zahar, 1996, 584-93 • Mélanie Arnal, *Marc Oraison, l'Église et la psychanalyse (1914-1979)*, mestrado de história, Universidade Paris I, 1993-1994 • Philippe Levillain (org.), *Dictionnaire historique de la papauté*, Paris, Fayard, 1994.

➢ ESPIRITISMO; FREUDO-MARXISMO; HISTÓRIA DA PSICANÁLISE; JUDEIDADE; LAIR LAMOTTE, PAULINE; *QUESTÃO DA ANÁLISE LEIGA, A.*

imagem do corpo

al. *Körperschema*; esp. *imagen del cuerpo*; fr. *image du corps*; ing. *body schema*

Termo cunhado por Paul Schilder* em 1923 e inspirado na noção de esquema corporal, proposta em 1911 pelo neurologista inglês Henry Haed (1861-1940).

Paul Schilder empregou esse termo para designar uma representação ao mesmo tempo consciente e inconsciente da posição do corpo no espaço, considerado sob três aspectos: o de um suporte fisiológico, o de uma estrutura libidinal e o de uma significação social.

Sem se referir a Schilder, Françoise Dolto* retomou o termo em 1984, numa perspectiva lacaniana, para designar "a encarnação simbólica inconsciente do sujeito desejante", ou seja, uma representação inconsciente do corpo, distinta do esquema corporal, que seria sua representação consciente ou pré-consciente. (VR)

• Paul Ferdinand Schilder, *A imagem do corpo* (Londres, 1935), S. Paulo, Martins Fontes, 1994, 2ª ed. • Françoise Dolto, *A imagem inconsciente do corpo* (Paris, 1984), S. Paulo, Perspectiva, 1992 • Gérard Guillerault, *Le Corps psychique*, Paris, Éditions Universitaires, 1989.

➢ *EGO PSYCHOLOGY*; ESTÁDIO DO ESPELHO; IMAGINÁRIO; IMAGO; INCORPORAÇÃO; INTROJEÇÃO; *SELF PSYCHOLOGY*.

imaginário

al. *Imaginäre*; esp. *imaginario*; fr. *imaginaire*; ing. *imaginary*

Termo derivado do latim imago* *(imagem) e empregado como substantivo na filosofia e na psicologia para designar aquilo que se relaciona com a imaginação, isto é, com a faculdade de representar coisas em pensamento, independentemente da realidade.*

Utilizado por Jacques Lacan a partir de 1936, o termo é correlato da expressão estádio do espelho* e designa uma relação dual com a imagem do semelhante. Associado ao real* e ao simbólico* no âmbito de uma tópica, a partir de 1953, o imaginário se define, no sentido lacaniano, como o lugar do eu* por excelência, com seus fenômenos de ilusão, captação e engodo.*

Foi inspirando-se ao mesmo tempo nos trabalhos do psicólogo Henri Wallon (1879-1962), na fenomenologia hegeliana e husserliana e no conceito de *Umwelt*, extraído de Jakob von Uexküll (1864-1944), que Jacques Lacan construiu sua primeira teoria do imaginário. Esse biólogo alemão servira-se do termo *Umwelt* para definir o mundo tal como vivido por cada espécie animal. No começo do século, revolucionara o estudo do comportamento (inclusive do sujeito* humano), mostrando que o pertencimento a um meio devia ser pensado como a internalização desse meio em cada espécie. Daí a idéia de que o pertencimento de um sujeito a seu ambiente já não podia ser definido como um contrato entre um indivíduo livre e uma sociedade, mas sim como uma relação de dependência entre um meio e um indivíduo.

Esse empréstimo tomado de Uexküll levou Lacan a construir, em 1938, em *Os complexos familiares*, sua teoria do imaginário: não mais um simples fato psíquico, porém uma imago, isto é, um conjunto de representações inconscientes que aparecem sob a forma mental de um processo mais geral. Num primeiro momento, Lacan mostrou que o estádio do espelho era a passagem do especular para o imaginário, e depois, em 1953, veio a definir o imaginário como um engodo ligado à experiência de uma clivagem* entre o eu (*moi*) e o eu ([*je*] o sujeito). O simbólico foi então definido como o lugar do significante* e da função paterna, o imaginário como o das ilusões do eu, da alienação e da

fusão com o corpo da mãe, e o real como um resto impossível de simbolizar.

Lacan conferiu ao simbólico, até 1970, um lugar dominante em sua tópica. A ordem das instâncias era esta: S.I.R. Depois dessa data, ele construiu uma outra organização, centrada na primazia do real (e portanto, da psicose*), em detrimento dos outros dois elementos. S.I.R. transformou-se então em R.S.I.

• Jacques Lacan, *Os complexos familiares na formação do indivíduo*, Rio de Janeiro, Jorge Zahar, 1987; "O estádio do espelho como formador da função do eu" (1949), in *Escritos* (Paris, 1966), Rio de Janeiro, Jorge Zahar, 1998, 96-103; "Le Symbolique, l'imaginaire et le réel" (1953), *Bulletin de l'Association Freudienne*, 1, 1982, 4-13; O Seminário, livro 1, *Os escritos técnicos de Freud (1953-1954)* (Paris, 1975), Rio de Janeiro, Jorge Zahar, 1979; O Seminário, livro 2, *O eu na teoria de Freud e na técnica da psicanálise (1954-1955)* (Paris, 1978), Rio de Janeiro, Jorge Zahar, 1985; O Seminário, livro 3, *As psicoses (1955-1956)* (Paris, 1981), Rio de Janeiro, Jorge Zahar, 1988, 2a. ed.; O Seminário, livro 4, *A relação de objeto (1956-1957)* (Paris, 1994), Rio de Janeiro, Jorge Zahar, 1995; Le Séminaire, livre XXII, *R.S.I.* (1974-1975), inédito • Françoise Dolto, "Notes sur le stade du miroir", 16 de junho de 1936, inédito • Bertrand Ogilvie, *Lacan. A formação do conceito de sujeito* (Paris, 1987), Rio de Janeiro, Jorge Zahar, 1988 • Élisabeth Roudinesco, *História da psicanálise na França*, vol.2 (Paris, 1986), Rio de Janeiro, Jorge Zahar, 1988; *Jacques Lacan. Esboço de uma vida, história de um sistema de pensamento* (Paris, 1993), S. Paulo, Companhia das Letras, 1994 • Joël Dor, *Introdução à leitura de Lacan*, t. II (Paris, 1992), P. Alegre, Artes Médicas, 1996 • Dylan Evans, *An Introductory Dictionary of Lacanian Psychoanalysis*, Londres, Routledge, 1996.

➤ CASTRAÇÃO, COMPLEXO DE; COMPLEXO; ÉDIPO, COMPLEXO DE; EU IDEAL; FANTASIA; FORACLUSÃO; IDENTIFICAÇÃO; IDENTIFICAÇÃO PROJETIVA; IMAGEM DO CORPO; INTROJEÇÃO; NOME-DO-PAI; OBJETO (PEQUENO) a; OUTRO; PROJEÇÃO.

imago

*Termo derivado do latim (*imago*: imagem) e introduzido por Carl Gustav Jung*, em 1912, para designar uma representação inconsciente através da qual um sujeito designa a imagem que tem de seus pais.*

Foi em 1906 que o escritor suíço Carl Spitteler (1845-1924) publicou seu romance *Imago*, que obteve sucesso considerável no seio da comunidade psicanalítica nascente. Simultaneamente marcado pelo nietzscheanismo e pelo espiritualismo pós-romântico, o autor contava a história de um poeta (Viktor) que inventava para si uma mulher imaginária (Imago), conforme a seus desejos, para fazê-la ocupar em suas fantasias* e devaneios o lugar da burguesa bastante real e muito conformista a quem ele amava com um amor infeliz. Esse tema da mulher a um só tempo inspiradora e destrutiva fascinava o meio psicanalítico, que já havia celebrado, em 1903, o lançamento de *Gradiva*, o famoso romance comentado por Sigmund Freud*. Ele seria encontrado intacto entre os surrealistas.

Jung cunhou a noção de imago (paterna ou materna) a partir da leitura desse romance. Sob sua pena, o termo evoluiria para dar origem à *anima* ou arquétipo característico da parte feminina da alma do sujeito.

Em sua primeira teoria do imaginário*, de 1938, e sobretudo em *Os complexos familiares*, Jacques Lacan* associou a imago ao complexo*. O complexo, cujo elemento constitutivo é a imago, era, segundo ele, o fator que permitia compreender a estrutura de uma instituição familiar, presa entre a dimensão cultural que a determina e os laços imaginários que a organizam. Assim, uma hierarquia em três patamares formou o modelo de uma interpretação do desenvolvimento individual: nela encontramos o complexo de desmame, o complexo de intromissão e o complexo de Édipo*, ou seja, três posições, no sentido kleiniano do termo. Essa estrutura complexo-imago prefigurou o que viria a ser a tópica* do real*, do imaginário e do simbólico*.

• Carl Spitteler, *Imago*, Jena, Diederichs, 1906 • Carl Gustav Jung, *Métamorphoses de l'âme et ses symboles* (Leipzig-Viena, 1912, Paris, 1931), Paris, Buchet-Chastel, 1953 • Jacques Lacan, *Os complexos familiares na formação do indivíduo* (Paris, 1984), Rio de Janeiro, Jorge Zahar, 1987.

➢ *DELÍRIOS E SONHOS NA "GRADIVA" DE JENSEN*; ESTÁDIO; ESTÁDIO DO ESPELHO; POSIÇÃO DEPRESSIVA/POSIÇÃO ESQUIZO-PARANÓIDE; SONHO.

Imago

(Revista para a aplicação da psicanálise às ciências do espírito)

Revista criada por Sigmund Freud* em 1912 e dirigida por ele, juntamente com Hanns Sachs* e Otto Rank*. O título foi tomado de empréstimo ao romance publicado em 1906 pelo escritor suíço Carl Spitteler (1845-1924), Prêmio Nobel de literatura de 1919. Esse livro teve tamanha repercussão no meio psicanalítico que também deu origem a um conceito. Em 1939, a revista *Imago* fundiu-se com a *Internationale ärztliche Zeitschrift für Psychoanalyse* (*IZP*).

➢ IMAGO.

incesto

al. *Inzest*; esp. *incesto*; fr. *inceste*; ing. *incest*

Chama-se incesto a uma relação sexual, sem coerção nem violação, entre parentes consangüíneos ou afins adultos (que tenham atingido a maioridade legal), no grau proibido pela lei que caracteriza cada sociedade: em geral, entre mãe e filho, pai e filha, irmão e irmã. Por extensão, a proibição pode estender-se às relações sexuais entre tio e sobrinha, tia e sobrinho, padrasto e enteada, madrasta e enteado, sogra e genro, sogro e nora.

Na quase totalidade das sociedades conhecidas, à exceção de alguns casos, dentre eles os faraós do Egito ou a antiga nobreza havaiana, o incesto sempre foi severamente castigado e, mais tarde, proibido. Por isso é que tantas vezes é ocultado e sentido como uma tragédia por quem se entrega a ele. A proibição é a vertente negativa de uma regra positiva: a obrigação da exogamia. Nas sociedades democráticas do fim do século XX, aplica-se menos ao ato sexual incestuoso em si do que ao casamento. O ato é reprovado pela opinião pública e sempre vivido como uma tragédia proveniente da desrazão ou conducente à loucura* ou ao suicídio*, porém já não é punido como tal, caso não seja apresentada nenhuma queixa por um dos parceiros. As leis modernas, com efeito, não intervêm na vida sexual dos adultos maiores de idade. Punem apenas a pedofilia (incestuosa ou não), o estupro e o exibicionismo ou atentado ao pudor. Quanto ao casamento incestuoso, é proibido por lei em todos os países e nenhuma filiação é admissível para a criança nascida de uma relação dessa natureza: somente a mãe, nesse caso, pode reconhecer o filho, declarando-o de pai desconhecido.

O fato de o incesto sempre ter sido proibido na maioria das sociedades, quer por um castigo corporal, quer por uma proibição legal, evidencia claramente o caráter universal do tabu. Nessas condições, qualquer discurso sobre o incesto apresenta-se, antes de mais nada, como uma reflexão sobre sua proibição e sobre a necessidade do fundamento ético desta, a fim de garantir a passagem da natureza para a cultura.

Três argumentos foram invocados pelos antropólogos e sociólogos para explicar a existência dessa proibição. Lewis Morgan (1818-1881) sublinhou que ela era uma maneira de proteger a sociedade dos efeitos nefastos da consangüinidade. Havelock Ellis* e Edward Westermarck (1862-1939) afirmaram em seguida que a proibição se explicava pelo sentimento de repulsa ante o ato incestuoso. Por fim, Émile Durkheim (1858-1917) propôs compreendê-la como a sobrevivência de um conjunto de regras que impunham às sociedades a lei da exogamia.

Foi por intermédio da tragédia de Édipo* que Freud abordou essa questão numa carta de outubro de 1897 a Wilhelm Fliess*: "Todo espectador foi, um dia, em germe, na imaginação, um Édipo." Quinze anos depois, em *Totem e tabu*, contradisse todos os trabalhos antropológicos de sua época, mostrando que a proibição tinha como origem não o horror inspirado pelo incesto, mas o desejo* que ele suscitava. Através dessa inversão essencial, que inscreveu a proibição no cerne da cultura e da relação do sujeito com a lei, Freud deu início ao debate sobre a universalidade do complexo de Édipo. Sua perspectiva era evolucionista e se apoiava na lenda darwinista da horda selvagem.

Depois das disputas entre Bronislaw Malinowski* e Geza Roheim*, foi preciso esperar pela publicação de *As estruturas elementares do parentesco*, por Claude Lévi-Strauss, em 1949, para que o problema da proibição fosse colocado de outra maneira que não num quadro evolucionista ou através de uma oposição entre culturalismo* e universalismo. Em vez de buscar a gênese da civilização numa hipotética renúncia dos homens à prática do incesto (horror ao ato), ou, ao contrário, de contrastar com essa gênese o florilégio da diversidade das culturas, Lévi-Strauss mostrou que a proibição do incesto consumou a passagem da natureza para a cultura: "Ela não é nem puramente de origem cultural nem puramente de origem natural. E tampouco é uma dosagem de elementos compósitos, parcialmente retirados da natureza e parcialmente da cultura. Nesse sentido, ela pertence à natureza, pois é uma condição geral da cultura, e, por conseguinte, não há por que nos surpreendermos por vê-la extrair da natureza seu caráter formal, isto é, a universalidade."

Se a proibição do incesto é uma necessidade estrutural inerente à passagem da natureza para a cultura, ela também é, do ponto de vista freudiano, a expressão necessária da culpa do homem por um desejo incestuoso recalcado.

Note-se que o movimento psicanalítico, preocupado com os bons costumes, tendeu sempre a mascarar as tragédias de sua história — e em especial as transgressões sexuais, a loucura e os suicídios dos membros de sua comunidade. Entretanto, a partir de 1925, os discípulos de Freud transpuseram para a International Psychoanalytical Association* (IPA) a regra da proibição do incesto, proibindo, sob pena de expulsão, as práticas endogâmicas: proibição de analisar membros da própria família ou de uma mesma família (filhos, pais, cônjuges, sobrinhos, sobrinhas); proibição de qualquer forma de relação sexual ou mesmo afetiva com os pacientes; e proibição de misturar a análise com a vida privada, analisando, por exemplo, um amante ou uma amante. Naturalmente, muitas vezes essas regras foram transgredidas, justamente por aqueles que se colocavam como mestres da virtude. Todavia, sua existência nunca foi questionada por nenhuma instituição freudiana, qualquer que fosse sua tendência.

Com Marie Bonaparte*, Freud teve a oportunidade de abordar a questão da proibição do incesto no terreno clínico. Em seu *Diário*, na data de 28 de abril de 1932, a princesa anotou que seu filho, Pedro da Grécia (1908-1979), então em análise com Rudolph Loewenstein*, escrevera-lhe uma carta em que lhe confidenciava sua tentação do incesto: "Se eu passasse a noite contigo, talvez isso me curasse." Em 29 de abril, ela escreveu dizendo que sua própria tentação do incesto havia-se extinguido nos braços de seu amante. Por fim, em 30 de abril, a princesa registrou que Freud respondera à carta em que ela lhe pedira que esclarecesse a justificativa da proibição.

Essa carta foi publicada por Ernest Jones* em 1957, fora do contexto em que tinha sido redigida. Prudente, Freud começou sublinhando que a razão habitual do "tabu" era insuficiente para justificar a proibição. Depois, comparou o incesto ao canibalismo, sublinhando que, se nada proibia um sujeito de comer carne humana, nenhuma sociedade moderna autorizava um homem a matar seu vizinho para devorá-lo. Por fim, ele sublinhou que o incesto era um ato anti-social, tal como o seria a revogação das restrições sexuais necessárias à manutenção da civilização. Na verdade, Freud deu a Marie Bonaparte uma interpretação* que justificava a proibição sem proibir o ato em si.

Desse modo, ele engajou no campo clínico o poder simbólico de uma fala capaz de situar a relação do sujeito com a lei. E é bem possível que, sem essa fala, a princesa houvesse passado ao ato: "Seria possível", disse Freud, "que alguém que houvesse escapado à influência dos recalques filogenéticos praticasse o incesto sem nenhum prejuízo, mas não há meio de termos certeza disso. Essas heranças, muitas vezes, são mais poderosas do que tendemos a supor, e, além disso, a transgressão é acompanhada por sentimentos de culpa contra os quais somos totalmente impotentes." Podemos aproximar esse juízo do que ele enunciara num artigo de 1912 sobre a vida amorosa: "Para ser realmente livre e, portanto, feliz na vida amorosa, é preciso ter superado o respeito pela mulher e ter se familiarizado com a representação do incesto com a mãe ou a irmã."

O exemplo de Marie Bonaparte atesta que Freud foi o grande teorizador da proibição e da culpa. Ele mostrou que, a partir do momento em que o incesto (entre adultos que dessem seu consentimento) deixasse de ser punido por lei, a proibição psíquica só faria tornar-se mais importante. Se Freud não tivesse compreendido que a exigência da proibição internalizada era o único contrapeso possível para a decadência igualmente necessária da antiga autoridade paterna e, em outras palavras, para o advento das sociedades modernas, ele nunca poderia ter elaborado uma doutrina em que a transgressão, o desejo e a proibição mantivessem tamanha relação de proximidade.

Na Viena do fim do século, era preciso coragem para inventar tal dialética do desejo e da proibição no âmago daquela sociedade vitoriana em que o incesto era tão mais violento e ocultado na medida em que era oficialmente reprovado e ainda punido por lei. O próprio Freud experimentou, em diversas ocasiões, esse famoso desejo incestuoso: primeiro com sua jovem mãe (Amalia Freud*), como mostram sua auto-análise* e a interpretação que ele fez de seus próprios sonhos, depois com a cunhada (Minna Bernays*), que foi sua "irmã querida", também com a filha mais velha (Mathilde Hollitscher*), quando abandonou a teoria da sedução*, e, por fim, com sua filha caçula (Anna Freud*), quando resolveu tomá-la em análise. E foi justamente por ter se mantido a vida inteira como um marido fiel, capaz de se proibir qualquer transgressão sexual, que ele pôde desencavar com tamanha força os detalhes mais íntimos da vida sexual infantil e adulta.

• Sigmund Freud, "Sobre a mais geral das degradações da vida amorosa" (1912), *ESB*, XI, 163-78; *GW*, VIII, 78-91; *SE*, XI, 177-190; in *La Vie sexuelle*, Paris, PUF, 1969, 55-66; *Totem e tabu* (1913), *ESB*, XIII, 17-192; *GW*, IX; *SE*, XIII, 1-161; Paris, Gallimard, 1993; *La Naissance de la psychanalyse* (Londres, 1950), Paris, PUF, 1956 • Marie Bonaparte, *Cahiers noirs, 1925-1939*, inédito (arquivos Élisabeth Roudinesco) • Ernest Jones, *A vida e a obra de Sigmund Freud*, 3 vols. (N. York, 1953, 1955, 1957), Rio de Janeiro, Imago, 1989 • Claude Lévi-Strauss, *As estruturas elementares do parentesco* (Paris, 1949), Petrópolis, Vozes, 1976 • Françoise Héritier, *Les Deux soeurs et leurs mères. Anthropologie de l'inceste*, Paris, Odile Jacob, 1994 • Laure Razon, *L'Énigme de l'inceste*, Paris, Denoël, 1996.

➢ CASTRAÇÃO, COMPLEXO DE; RANK, OTTO.

inconsciente

al. *Unbewusste*; esp. *inconsciente*; fr. *inconscient*; ing. *unconscious*

Na linguagem corrente, o termo inconsciente é utilizado como adjetivo, para designar o conjunto dos processos mentais que não são conscientemente pensados. Pode também ser empregado como substantivo, com uma conotação pejorativa, para falar de um indivíduo irresponsável ou louco, incapaz de prestar contas de seus atos.

Conceitualmente empregado em língua inglesa pela primeira vez em 1751 (com a significação de inconsciência), pelo jurista escocês Henry Home Kames (1696-1782), o termo inconsciente foi depois vulgarizado na Alemanha*, no período romântico, e definido como um reservatório de imagens mentais e uma fonte de paixões cujo conteúdo escapa à consciência*.

Introduzido na língua francesa por volta de 1860 (com a significação de vida inconsciente) pelo escritor suíço Henri Amiel (1821-1881), foi incluído no Dictionnaire de l'Académie Française em 1878.

Em psicanálise*, o inconsciente é um lugar desconhecido pela consciência: uma "outra cena". Na primeira tópica* elaborada por Sigmund Freud*, trata-se de uma instância ou um sistema (Ics) constituído por conteúdos recalcados que escapam às outras instâncias, o pré-consciente* e o consciente* (Pcs-Cs). Na segunda tópica, deixa de ser uma instância, passando a servir para qualificar o isso* e, em grande parte, o eu* e o supereu*.

A historiografia* científica, desde Lancelot Whyte até Henri F. Ellenberger*, tem demonstrado que Freud não foi o primeiro pensador a descobrir o inconsciente ou a inventar essa palavra para defini-la. No entanto, foi ele, sem dúvida, quem acabou por fazer dele o principal conceito de sua doutrina, conferindo-lhe uma significação muito diferente da que fora dada por seus predecessores. Com Freud, de fato, o inconsciente deixou de ser uma "supraconsciência" ou um "subconsciente", situado acima ou além da consciência, e se tornou realmente uma instância a que a consciência já não tem acesso, mas que se revela a ela através do sonho*, dos lapsos*, dos jogos de palavras, dos atos falhos* etc. O inconsciente, segundo Freud, tem a particularidade de ser ao mesmo tempo interno ao sujeito* (e a sua consciência) e externo a qualquer forma de dominação pelo pensamento consciente.

Desde a Antiguidade, a idéia da existência de uma atividade diversa do funcionamento da consciência sempre foi objeto de múltiplas reflexões. Entretanto, foi com René Descartes (1596-1650) que se postulou o princípio de um dualismo entre o corpo e a mente, que levou a fazer da consciência (e do *cogito*) o lugar da razão, em contraste com o universo da desrazão.

O pensamento inconsciente foi então domesticado, quer para ser integrado na razão, quer para ser rejeitado para a loucura*.

No século XVIII, com a expansão da primeira psiquiatria dinâmica*, desenvolveu-se a idéia, já avançada por Pascal e Spinoza, de que a autonomia da consciência seria necessariamente limitada por forças vitais incognoscíveis e, com freqüência, destrutivas. Nessa perspectiva, abriu-se então o caminho para uma terapêutica fundamentada na teoria do magnetismo. Empregada por Franz Anton Mesmer*, ela levaria, no fim do século seguinte, a se encarar o inconsciente como uma dissociação da consciência: subconsciência ou automatismo mental (ou psicológico*), atingível através do hipnotismo (hipnose*) ou da sugestão*.

Por outro lado, ao longo de todo o século XIX, desde Wilhelm von Schelling (1775-1854) até Friedrich Nietzsche (1844-1900), passando por Arthur Schopenhauer (1788-1860), a filosofia alemã levou em conta uma visão do inconsciente oposta à do racionalismo e sem uma relação direta com o ponto de vista terapêutico da psiquiatria dinâmica. Ela enfatizou o lado sombrio da alma humana e procurou fazer emergir a face tenebrosa de uma psique imersa nas profundezas do ser. Foi nesse horizonte que se perfilaram os trabalhos da psicologia experimental, da medicina e da fisiologia: Johann Friedrich Herbart*, Hermann von Helmholtz*, Gustav Fechner*, Wilhelm Wundt (1832-1920), ou ainda Carl Gustav Carus (1789-1869), que seria um dos primeiros a destacar a importância das funções sexuais na vida psíquica.

Misturando essas duas tradições — psiquiatria dinâmica e filosofia alemã —, Freud inventou uma concepção inédita do inconsciente. Para começar, efetuou uma síntese do ensino de Jean Martin Charcot*, Hippolyte Bernheim* e Josef Breuer* que o conduziu à psicanálise, e, num segundo momento, forneceu um arcabouço teórico ao funcionamento do inconsciente, a partir da interpretação* do sonho.

Em 1893, em sua "Comunicação preliminar", retomada em 1895 para servir de abertura a seus *Estudos sobre a histeria**, Freud e Breuer evocaram a "dissociação" da consciência: "Estudando mais de perto esses fenômenos [histéricos], convencemo-nos cada vez mais do fato de que a dissociação do consciente, chamada de 'dupla consciência' nas observações clássicas, existe rudimentarmente em todas as histerias. A tendência para essa dissociação e, através dela, para o surgimento dos estados de consciência anormais que reunimos sob o nome de estados 'hipnóides' seriam, nessa neurose, um fenômeno fundamental." Mesmo que, oito anos depois, em 1905, no relato do caso Dora (Ida Bauer*), Freud tenha rejeitado a idéia de estado hipnóide, que atribuiu a Breuer, podemos discernir nessa declaração os primórdios da idéia freudiana do inconsciente. Seu aparecimento explícito data da famosa carta de 6 de dezembro de 1896 a Wilhelm Fliess*, na qual evocou pela primeira vez o aparelho psíquico, já formulando as instâncias constitutivas do que viria a ser a primeira tópica: o consciente, o pré-consciente e o inconsciente.

A idéia e o termo inconsciente ainda tornaram a surgir nessa correspondência em diversas ocasiões no decorrer dos anos seguintes. Em 1898, numa carta datada de 10 de março, Freud situou o nascimento do inconsciente entre 1 e 3 anos de idade, período no qual "se forma a etiologia de todas as psiconeuroses". Numa outra carta, datada de 7 de julho, ele dá uma definição divertida do inconsciente: falando do estado em que se encontra seu livro *A interpretação dos sonhos**, escreve: "Meu trabalho foime inteiramente ditado pelo inconsciente, segundo a célebre frase de Itzig, o cavaleiro amador: '— Para onde está indo, Itzig? — Não tenho a menor idéia. Pergunte a meu cavalo!'" Muito mais tarde, ao desenvolver em *O eu e o isso** diversos aspectos da segunda tópica, Freud tornou a se referir à metáfora do cavaleiro e de seu cavalo para ilustrar a relação hierárquica complexa que existe entre o eu e o isso.

À medida que se foi desenvolvendo seu trabalho sobre o sonho, ele não pôde disfarçar seu medo de ser superado por um concorrente, Theodor Lipps (1851-1914), professor de psicologia em Munique e autor de um livro, *Os fatos fundamentais da vida psíquica*, publicado em 1883. Em 31 de agosto de 1898, Freud escreveu a Fliess a esse respeito: "Encontrei em Lipps os meus próprios princípios, expostos com extrema clareza, um pouco melhor, talvez,

do que eu desejaria. (...) Segundo Lipps, o consciente seria apenas um órgão sensorial, o conteúdo psíquico, uma simples ideação, e todos os processos psíquicos seriam inconscientes. Há uma concordância até os mínimos detalhes; talvez a bifurcação de onde partirão minhas novas idéias venha a se revelar mais tarde."

Temores e dúvidas dissiparam-se rapidamente. Em novembro de 1899 foi publicada *A interpretação dos sonhos*, cujo último capítulo serviria de contexto para o enunciado da primeira tópica do aparelho psíquico.

Dessa vez, Lipps foi realmente mencionado entre os autores que haviam abandonado a psicologia, incapaz de superar a equivalência entre o psiquismo e o consciente, e reconhecido no inconsciente o fundamento da vida psíquica; entretanto, essa filiação se interrompeu no momento em que Freud falou do desejo* que "encontramos em nosso inconsciente". Ele esclareceu de imediato essa construção com o possessivo, deliberadamente utilizada para indicar que já não se tratava do inconsciente dos filósofos, nem tampouco "do de Lipps". Efetuou-se aí a ruptura que estava em gestação havia muitos anos: partindo do inconsciente descritivo caro ao romantismo alemão do começo do século XIX, e do qual Eduard von Hartmann (1842-1906) fizera uma recapitulação em seu livro *Filosofia do inconsciente*, lançado em 1868 e célebre na época, Freud definiu "seu" inconsciente de maneira original (não mais como o inverso do consciente). "A observação da vida normal de vigília" validaria essa concepção clássica do inconsciente. Mas "a análise das formações psicopatológicas [da vida cotidiana] e do sonho" fez o inconsciente surgir como "uma função de dois sistemas bem distintos". A partir de então seria preciso conceber, ao lado do consciente, dois tipos de inconsciente, ambos inconscientes no sentido descritivo, porém muito diferentes quanto à sua dinâmica e quanto ao futuro de seus conteúdos: os do inconsciente propriamente dito nunca poderiam chegar à consciência, ao passo que os conteúdos do outro, por isso denominado de pré-consciente, podiam atingi-la sob certas condições, em especial após o controle de uma espécie de censura*.

Nos anos seguintes, esse quadro teórico seria enriquecido, mas não sofreria nenhum retoque fundamental. Depois, na esteira da introdução do conceito de narcisismo*, as preocupações metapsicológicas voltariam ao primeiro plano e, em 1915, Freud dedicaria um longo artigo de sua metapsicologia* ao inconsciente.

Até então, o inconsciente era concebido por ele como instituído pelo recalque*, e seu conteúdo era assimilado ao recalcado, excetuado este dado extra-individual: o "núcleo do inconsciente", fundamento da fantasia* originária, articulado com a hipótese filogenética. Com o artigo de 1915, as coisas mudaram radicalmente, prefigurando as linhas gerais da segunda tópica. "Tudo o que é recalcado", esclareceu Freud logo no começo de seu artigo, "tem, necessariamente, que permanecer inconsciente, mas queremos deixar claro, logo de saída, que o recalcado não abrange tudo o que é inconsciente. É o inconsciente que tem a maior extensão entre os dois; o recalcado é uma parte do inconsciente." A seqüência desse artigo é um guia para quem quer conhecer os conteúdos genéricos e as leis de funcionamento do inconsciente, entendendo-se que somente o tratamento psicanalítico, na medida em que permite, uma vez superadas as resistências*, uma transposição ou uma tradução do inconsciente em consciente, pode levar o sujeito a tomar conhecimento dos elementos concretos de seu inconsciente.

Os conteúdos do inconsciente não são as pulsões* como tais, pois estas nunca podem tornar-se conscientes, mas o que Freud denomina de "representantes-representações", uma espécie de representantes das pulsões, baseados em traços mnêmicos. Esses conteúdos, fantasias e roteiros em que as pulsões estão fixadas buscam permanentemente descarregar-se de seus investimentos* pulsionais, sob a forma de "moções de desejo". Entre esses conteúdos inconscientes, as diferenças concernem apenas à natureza e à força do investimento pulsional. Esse mecanismo de investimento, cujas formas essenciais foram definidas por ocasião do estudo do trabalho do sonho — a condensação*, o deslocamento* e a figuração —, constitui o processo primário, sendo o processo secundário formado pelo sistema pré-consciente, mais estável e mais organizado. A diferença de funcionamento e a incompatibilidade entre os dois sistemas são reconhecíveis sob diversas formas,

em especial a da comicidade ou do riso provocados por alguns lapsos ou chistes, índices da irrupção de elementos do processo primário no processo secundário.

Entre 1920 e 1923, Freud empreendeu sua reformulação teórica que levou à instauração de uma segunda tópica, cujas instâncias são o eu, o supereu* e o isso. O inconsciente perdeu então sua qualidade de substantivo, transformando-se numa maneira de qualificar as três instâncias da segunda tópica: o isso, o eu e o supereu.

Caberá, nesse caso, falarmos de uma dissociação do conceito de inconsciente? Embora Freud insistisse na manutenção do inconsciente como eixo essencial de sua nova conceituação, algumas correntes do freudismo* (o annafreudismo* e a *Ego Psychology*) interpretaram a segunda tópica, progressivamente, num sentido redutor, privilegiando a parte consciente do eu. Nessa perspectiva, o eu devia tornar-se, graças ao tratamento psicanalítico, a instância mais forte da personalidade, em detrimento do isso e da parte inconsciente do eu. Assim ficou encoberto o reconhecimento dessa parcela inconsciente do eu por parte de Freud ("e Deus sabe que parcela importante do eu", exclamou ele em *O eu e o isso*), que constituía um avanço teórico essencial.

Outras correntes — as representadas por Melanie Klein* ou Karen Horney* — conservaram o inconsciente freudiano no centro de suas concepções, porém deslocando sua atenção para a relação arcaica com a mãe, em detrimento da sexualidade* e do pólo paterno.

Em 1953, em sua conferência sobre o simbólico*, o imaginário* e o real*, e também em "Função e campo da fala e da linguagem em psicanálise", Jacques Lacan* desenvolveu uma concepção radicalmente diferente do inconsciente, apoiado em sua teoria do significante*. Ele definiu o inconsciente como "o discurso do outro*" e, mais tarde, como o Outro (com maiúscula), lugar de um significante puro onde se marca a divisão (clivagem*) do sujeito*. Dois anos depois, Lacan esclareceu sua posição, optando por uma tradução inédita da célebre frase de Freud, *Wo Es war, soll Ich werden*, enunciada em 1933 nas *Novas conferências introdutórias sobre psicanálise*: "Onde era isso devo eu advir." Com essa tradução, Lacan pretendeu restituir ao inconsciente freudiano seu lugar central. Já não se tratava de privilegiar o eu para torná-lo autônomo (*Ego Psychology*), mas de fazer emergir, na trilha do isso, o advento de um "eu" ([*je*] ou sujeito do inconsciente) distinto do eu [*moi*].

Em 1958, numa exposição no Colóquio de Royaumont, intitulada "A direção do tratamento e os princípios de seu poder", Lacan enfatizou que o inconsciente tinha "a estrutura radical da linguagem". Essa idéia seria retomada em 1972-1973, no seminário *Mais, ainda*, no ensejo de um enunciado famoso: "O inconsciente é estruturado como uma linguagem", seguido de uma outra formulação: "A linguagem é a condição do inconsciente." A idéia lacaniana de uma primazia da linguagem — e, portanto, do significante — repousa no dado primordial de que o indivíduo não aprende a falar, mas é instituído (ou construído) como sujeito pela linguagem. A criança, portanto, é sujeitada logo de saída a uma ordem terceira, a ordem simbólica, cujo esteio original é a metáfora do Nome-do-Pai*. Por ser captada num universo significante, a criança começa a falar muito antes de saber conscientemente o que sua fala diz: "A linguagem, portanto", escreve Joël Dor, "aparece como a atividade subjetiva pela qual *dizemos algo totalmente diferente do que acreditamos dizer naquilo que dizemos*. Esse 'algo totalmente diferente' institui-se, fundamentalmente, como o inconsciente que escapa ao sujeito falante, por estar constitutivamente separado dele."

Foi no Colóquio de Bonneval, em 1960, que a tese lacaniana da primazia da linguagem sobre o inconsciente viu-se discutida por dois dos mais brilhantes discípulos do mestre: Serge Leclaire* e Jean Laplanche. Em sua exposição intitulada "O inconsciente: um estudo psicanalítico", cada um desses dois autores formulou uma posição diferente. Enquanto Leclaire demonstrou, através de um caso clínico (o "Homem do Licorne"), a validade da proposição da primazia do significante, Laplanche, ao contrário, inverteu-a, sustentando a idéia de que "o inconsciente é a condição da linguagem".

Posteriormente, Lacan introduziria um certo número de transformações em sua concepção, chegando, já no fim da vida, a uma repre-

sentação topológica do inconsciente, expressa por meio de nós borromeanos*.

• Sigmund Freud e Josef Breuer, *Estudos sobre a histeria* (1895), ESB, II; GW, I, 77-312; SE, II; Paris, PUF, 1956 • Sigmund Freud, *Briefe an Wilhelm Fliess, 1887-1904*, Frankfurt, Fischer, 1986; *A interpretação dos sonhos* (1900), ESB, IV-V, 1-660; GW, II-III, 1-642; SE, IV-V, 1-621; Paris, PUF, 1967; "Uma nota sobre o inconsciente na psicanálise" (1912), ESB, XII, 327-38; GW, VIII, 430-9; SE, XII, 255-66; in *Métapsychologie*, Paris, Gallimard, col. "Idées", 1968, 75-187; "O inconsciente" (1915), ESB, XIV, 191-233; GW, X, 263-303; SE, XIV, 159-204; OC, XIII, 205-43; *O eu e o isso* (1923), ESB XIX, 23-76; GW, XIII, 237-89; SE, XIX, 12-59; OC, XVI, 255-301; *Novas conferências introdutórias sobre psicanálise* (1933), ESB, XXII, 15-226; GW, XV; SE, XXII, 5-182; OC, XIX, 83-268; *Esboço de psicanálise* (1938), ESB, XXIII, 168-246; GW, XVII, 67-138; SE, XXIII, 139-207; Paris, PUF, 167 • Joël Dor, *Introdução à leitura de Lacan*, t.I (Paris, 1985), P. Alegre, Artes Médicas, 1992 • Henri F. Ellenberger, *Histoire de la découverte de l'inconscient* (N. York, Londres, 1970, Villeurbanne, 1974), Paris, Fayard, 1994 • Henri Ey (org.), *L'Inconscient. VIe Colloque de Bonneval*, Paris, Desclée de Brouwer, 1966 • Jacques Lacan, "Le Symbolique, l'imaginaire et le réel" (1953), *Bulletin de l'Association Freudienne*, 1982, 1, 4-13; "Função e campo da fala e da linguagem em psicanálise" (1953), in *Escritos* (Paris, 1966), Rio de Janeiro, Jorge Zahar, 1998, 238-324; "A coisa freudiana ou Sentido do retorno a Freud em psicanálise" (1955), ibid., 402-37; "A direção do tratamento e os princípios de seu poder" (1958), ibid, 591-652; "Posição do inconsciente" (1960), ibid., 843-64; "Prefácio" a Anika Rifflet-Lemaire, *Jacques Lacan*, Bruxelas, Dessart, 1970, 5-16; O Seminário, livro 20, *Mais, ainda (1972-1973)*, Rio de Janeiro, Jorge Zahar, 1989, 2ª ed. • Jean Laplanche, *O inconsciente e o id* (Paris, 1981), S. Paulo, Martins Fontes, 1992 • Jean Laplanche e Serge Leclaire, "L'Inconscient: une étude psychanalytique" (1960), in Henri Ey (org.), *L'Inconscient. VIe Colloque de Bonneval*, Paris, Desclée de Brouwer, 1966, 95-130 e 143-77 (discussão) • Serge Leclaire, *Psychanalyser*, Paris, Seuil, 1968 • Jacques Mousseau e Pierre-François Moreau (orgs.), *L'Inconscient*, Paris, Retz, CEPL, 1976 • Jacques Nassif, *Freud. L'Inconscient* (1977), Paris, Flammarion, col. "Champs", 1992 • Élisabeth Roudinesco, *História da psicanálise na França*, vol.2 (Paris, 1986), Rio de Janeiro, Jorge Zahar, 1988; *Jacques Lacan. Esboço de uma vida, história de um sistema de pensamento* (Paris, 1993), S. Paulo, Companhia das Letras, 1994 • Lancelot Whyte, *L'Inconscient avant Freud* (N. York, 1960), Paris, Payot, 1971.

incorporação

al. *Einverleibung*; esp. *incorporación*; fr. *incorporation*; ing. *incorporation*

Termo introduzido por Sigmund Freud*, em 1915, para designar um processo pelo qual um sujeito* faz com que um objeto penetre, fantasisticamente, no interior de seu corpo.

Próxima do termo introjeção*, introduzido por Sandor Ferenczi* em 1909, a incorporação está relacionada com o envoltório corporal. É o interior do corpo que é visado, com três objetivos: dar prazer a si mesmo através da penetração do objeto em si, destruir o objeto e assimilar as qualidades do objeto.

O termo incorporação foi amplamente retomado por Melanie Klein* e sua escola.

• Sigmund Freud, "As pulsões e suas vicissitudes" (1915), *ESB*, XIV, 137-68; *GW*, V, 443-65; *SE*, XIV, 109-40; *OC*, XII, 163-85.

➤ ESTÁDIO DO ESPELHO; IDENTIFICAÇÃO; IMAGEM DO CORPO; OBJETO, RELAÇÃO DE; POSIÇÃO DEPRESSIVA/POSIÇÃO ESQUIZO-PARANÓIDE; PROJEÇÃO; PULSÃO.

Independentes, Grupo dos

O conflito entre Anna Freud* e Melanie Klein* a propósito da psicanálise de crianças* tivera início quando Melanie Klein ainda estava em Berlim, no círculo de Karl Abraham*; iria ampliar-se quando da instalação de Klein em Londres, em 1926, a convite de Ernest Jones*, e atingir seu paroxismo após a chegada da família Freud ao solo inglês, em 1939.

Enquanto as bombas alemãs iluminavam o céu londrino e destroçavam os prédios da capital, os confrontos ou Grandes Controvérsias* campeavam entre os representantes dos dois clãs. A discussão dizia respeito a questões teóricas e à formação dos analistas. No fim da guerra, essa batalha da psicanálise na Inglaterra foi encerrada com um *lady's agreement*, laboriosamente negociado, que estipulava a livre escolha de sua formação por cada candidato, com a obrigação de que ele fizesse uma segunda supervisão* conduzida por um supervisor não pertencente a nenhum dos dois grupos.

Assim nasceu o centro, ou *middle group*, que iria transformar-se no Grupo dos Independentes, ao qual logo se ligaria um número crescente de jovens analistas repelidos pelo sectarismo dos annafreudianos e dos kleinianos.

Sob mais de um aspecto, o desenvolvimento desse Grupo dos Independentes inscreveu-se na tradição filosófica e política inglesa, que se caracteriza pela recusa das categorias totalizadoras e da militância doutrinária. Podemos resumi-la com o lema adotado pela nação britânica quando ela se libertou do autoritarismo católico: "Nada de entusiasmo, se Deus quiser!" A originalidade desse grupo, único no mundo, está em ele haver conseguido fazer escola, graças à qualidade de seus clínicos e a seus trabalhos sobre a relação de objeto* e a contratransferência*.

Os Independentes beneficiaram-se desde cedo da contribuição de Donald Woods Winnicott*. De formação kleiniana, ele sempre manteve distância da influência de Melanie Klein, recusando-se a se submeter à sua tirania. Pretendendo-se acima de tudo freudianos, os Independentes procuraram manter-se imparciais em relação a cada um dos dois campos. Entretanto, não puderam evitar aproximar-se das idéias kleinianas, que, no correr dos anos, prevaleceram na Grã-Bretanha* sobre as de Anna Freud. Testemunho disso são os trabalhos de analistas como Ella Sharpe*, Ronald Fairbairn*, John Bowlby*, Masud Khan* ou, ainda, Enid e Michael Balint*.

A partir da década de 1980, a calma restabelecida favoreceu a integração do Grupo dos Independentes. Ele acabou mesmo dominando as instituições, sem contudo obscurecer por completo as idéias de Melanie Klein, que continuaram muito presentes, sobretudo na Tavistock Clinic.

Mas os apaziguamentos e concessões também tiveram como conseqüência o enfraquecimento da exigência teórica, o que favoreceu o retorno à psicologia e à psico-sociologia, muito distintas da conceituação freudiana.

• Phyllis Grosskurth, *O mundo e a obra de Melanie Klein* (1986), Rio de Janeiro, Imago, 1992 • Pearl King e Riccardo Steiner (orgs.), *Les Controverses Anna Freud/Melanie Klein, 1941-1945* (Londres, 1991), Paris, PUF, 1996 • Éric Rayner, *Le Groupe des "Indépendants" et la psychanalyse britannique* (Londres, 1990), Paris, PUF, 1994 • Donald Woods Winnicott, *Lettres vives* (Londres, 1987), Paris, Gallimard, 1989 • Julia Borossa, *Narratives of the Clinical Encounter and the Transmission of Psychoanalytic Knowledge*, tese, Cambridge, Newnham College, 1995.

➤ ANNAFREUDISMO; CISÃO; KLEINISMO.

Índia

A tradição médica indiana (ou *Ayurveda*) elaborou uma etiologia das doenças mentais próxima da que fez o corpus hipocrático. Assim, a seu modo, essa medicina tradicional concebia a loucura* não sob a categoria de uma possessão demoníaca, como aconteceu durante muito tempo no Ocidente cristão, mas como uma patologia. Nessa perspectiva, a loucura era considerada uma acentuação delirante ou maníaca de fenômenos ditos normais. O obstáculo à introdução do saber psiquiátrico ocidental no continente indiano não foi pois de ordem religiosa, como em outros países, e, a partir do início do século XIX, as duas medicinas coexistiram. Foi nesse terreno que as idéias freudianas começaram a se introduzir a partir de 1920.

A Índia foi o primeiro país da Ásia, e o único com o Japão*, em que a prática institucional da psicanálise* pôde se implantar, aliás de maneira muito reduzida, em um contexto cultural não-ocidental. Essa implantação, realizada por apenas um homem, Girîndrashekhar Bose*, e por alguns psiquiatras coloniais, ficou limitada a duas grandes cidades, Calcutá e Bombaim, e a algumas dúzias de clínicos, durante setenta anos.

A introdução do freudismo no território indiano se operou por dois caminhos distintos: um colonial e outro de inspiração indiana. Era na província de Bengala, onde o colonialismo inglês estava instalado desde 1757, que estava localizado o maior número de instituições relativas à educação, à medicina e ao urbanismo, e ali os primeiros psicanalistas indianos começaram a tratar de pacientes também indianos. Todos pertenciam à elite ocidentalizada, adepta dos costumes e do saber europeu.

No começo do século XIX, a reforma asilar que atingia toda a Europa foi introduzida na Índia. Hospitais foram construídos para acolher doentes mentais pertencentes a todas as classes da sociedade: europeus, anglo-indianos, aristocratas ou simples soldados com saudade da metrópole. Esses asilos se tornaram depois instituições estatais, administradas por médicos militares do exército britânico.

Um deles, Owen Berkeley-Hill (1879-1944), filho de médico, estudou em Oxford, em Göttingen e em Nancy, antes de se integrar ao serviço médico do exército colonial. Entre 1910 e 1914, ocupou vários postos na Índia e foi analisado por Ernest Jones*, a quem dirigiu em 1910 uma comunicação sobre um caso clínico: "Primeira psicanálise de um sujeito indiano". Julgando o texto demasiado elementar, Jones recusou-se a publicá-lo. Apesar disso, Berkeley-Hill participou, em 1913, da criação da London Psychoanalytic Society. Durante a Primeira Guerra Mundial, serviu o império britânico na África Oriental e, em 1919, assumiu a direção do Hospital Psiquiátrico de Ranci, a noroeste de Calcutá. Depois de seu casamento com uma mulher de religião hinduísta, instalou-se definitivamente no país. Outros médicos começaram então a tratar pacientes pelo método freudiano, principalmente Claud Bangar Daly (1884-1950), que escreveu textos sobre o "complexo de menstruação".

É Bose que deve ser considerado o organizador do movimento psicanalítico na Índia. Proveniente de uma grande família de Bengala, começou a tratar de doentes mentais em 1914, depois de passar pela prática do hipnotismo*. Formou um círculo de discípulos e fundou em 1922 a Sociedade Psicanalítica Indiana, da qual foi presidente até a morte. Dez anos depois, a Sociedade criou um instituto e em 1940 contribuiu para a instalação de um pequeno hospital, o Lumbini Park Mental Health Hospital, em um imóvel que pertencia a um dos irmãos de Bose. Em 1947, foi também Bose que criou a revista da Sociedade, *Samiska*.

Enquanto Bose procurava elaborar uma doutrina do psiquismo que levasse em conta as particularidades culturais ligadas ao hinduísmo, Berkeley-Hill promovia, ao contrário, um diferencialismo de tipo colonial, afirmando, por exemplo, que o sujeito indiano se distinguia estruturalmente do sujeito ocidental por uma patologia especificamente anal. Em resumo, pensava que o indiano era inferior ao europeu por causa da interrupção do seu desenvolvimento psíquico no estádio* anal.

Em 1947, a Índia conquistou a independência e seu território foi dividido em dois Estados: a Índia, governada por uma elite nacionalista que aderia a uma filosofia política secularizada, e o Paquistão, dominado pelo Islã e pelo espírito religioso. Isolado em Lahore,

Israil Latif, um médico amigo de Bose, criou sozinho um pequeno grupo e uma revista, *The Journal of Psychoanalysis*, em 1953. Foi o primeiro analista de um homem que iria tornar-se célebre no seio da British Psychoanalytic Society (BPS): Masud Khan*.

Nacionalista moderado, Bose conduzia os tratamentos em bengali, usava roupas indianas e mantinha distância das modas de pensamento ocidentais. Assim, ao invés de procurar universalizar a questão edipiana, criando uma modalidade específica de complexo, como propunha Heisaku Kosawa* com o mito de Ajase, preferiu estudar a relação do sujeito com a mãe, abstraindo o pai. Nessa perspectiva reivindicava menos as teses kleinianas do que a cultura do hinduísmo, povoada de uma multidão de divindades femininas e masculinas que exerciam a autoridade através de uma identidade fluida e mal definida.

O advento da independência acentuou os conflitos entre as duas correntes antagonistas, colonial de um lado, culturalista do outro, enquanto os clínicos se formavam em um quadro elitista. Ao longo dos anos, enquanto a psicanálise continuava a ser o apanágio de um pequeno grupo, as teorias kleinianas tiveram um certo impacto, ao passo que as de Jacques Lacan* se desenvolveram nos anos 1970, essencialmente na universidade, nos departamentos de literatura e de cinema.

A coexistência de duas formas de diferencialismo, um colonial (que tendia a afirmar a inferioridade da cultura indiana em relação à cultura inglesa), outro nativo (que procurava promover a indianidade), constituiu finalmente um obstáculo para o desenvolvimento da psicanálise na Índia. Depois da independência, os poucos discípulos formados por Bose prosseguiram suas pesquisas no caminho traçado, mas não puderam evitar a estagnação do movimento. T.C. Sinha, e depois Sudhir Kakar e o antropólogo Stanley Kurtz redefiniram por sua vez o culturalismo* indiano, dando-lhe como missão resistir à mundialização das formas de saber oriundas do Ocidente, inclusive o universalismo freudiano. No plano clínico, foram as teses de Melanie Klein* e de Wilfred Ruprecht Bion* que acabaram se impondo no fim dos anos 1970.

• Owen Berkeley-Hill, "The anal-erotic factor in the religion, philosophy and character of the Hindus", *IJP*, 2, 1921, 306-38; "Hindu-Moslem unity", *IJP*, 6, 1925, 282-7; *All too Human. An Unconventional Autobiography*, Londres, Peter Davies, 1939 • Claud Bangar Daly, "Hindu-Mythologie und Kastrationkomplex", *Imago*, 13, 1927, 145-98 • C.V. Ramana, "On the early history and development of psychoanalysis in India", *Journal of the American Psychoanalytic Association*, 12, 1964, 110-34 • T.C. Sinha "Development of psycho-analysis in India", *IJP*, 47, 1966, 427-39 • Sudhir Kakar, "Considerações sobre a história e o desenvolvimento da psicanálise na Índia", *Revista Internacional da História da Psicanálise*, 2 (1989), Rio de Janeiro, Imago, 1992, 439-44; *Chamans, mystiques et médecins* (N. York, 1982), Paris, Seuil, 1997; "Encounters of the psychological kind: Freud, Jung and India", *The Psychoanalytic Study of Society*, 19, 1994, 263-72 • Christiane Hartnack, "British psychoanalysts in colonial India", in *Psychology in Twentieth Century Culture and Society*, Cambridge, Ash and Woodward, 1987, 233-51; "Vishnou on Freud's desk", *Social Research*, 57, 4, 1990, 921-49 • Roger-Pol Droit, *L'Oubli de l'Inde. Une amnésie philosophique*, Paris, PUF, 1989 • Stanley Kurtz, *All the Mothers are One. Hindu, India and the Cultural Reshaping of Psychoanalysis*, N. York, Columbia University Press, 1992 • Guy Mazars, *La Médecine indienne*, Paris, PUF, col. "Que sais-je?", 1995.

➤ ETNOPSICANÁLISE; FANON, FRANTZ; GRÃ-BRETANHA; HISTÓRIA DA PSICANÁLISE.

Inglaterra
➤ GRÃ-BRETANHA.

Inibições, sintomas e angústia

Livro de Sigmund Freud*, publicado em alemão, em 1926, sob o título Hemmung, Symptom und Angst. *Traduzido para o francês pela primeira vez em 1951, por Paul Jury (1878-1953) e Ernest Fraenkel, sob o título* Inhibition, symptôme et angoisse, *depois em 1965, por Michel Tort, sem modificação do título, e por último em 1992, por Joël Doron e Roland Doron, também sem alteração do título. Traduzido para o inglês em 1927, por L. Pierce Clark (et al.), sob o título* Inhibition, Symptom and Anxiety, *depois em 1935, por H.A. Bunker, sob o título* The Problem of Anxiety, *e novamente em 1936, por Alix Strachey*, sob o título* Inhibitions, Symptoms and Anxiety. *Esta última tradução foi retomada por James Strachey, com algumas modificações, em 1959.*

Nessa obra, desprovida de uma verdadeira unidade e composta de reflexões clínicas sobre temas variados, Freud aborda, em primeiro lugar, a questão da inibição e do sintoma. Algumas observações, em especial sobre as inibições alimentares (bulimia, anorexia), seriam objeto de elaborações consideráveis pelos discípulos de Freud, das mais variadas tendências.

Na medicina, o sintoma é um distúrbio que remete a um estado mórbido. Quanto à inibição, ela é definida, em geral, como uma limitação da atividade emocional ou fisiológica. Freud não se afasta dessas concepções, mas as adapta à sua doutrina. Define a inibição como uma limitação normal das funções do eu*, e o sintoma como uma manifestação (ou sinal) da modificação patológica dessas mesmas funções. O sintoma pode estar ou não ligado a uma inibição e, em geral, é o substituto de uma satisfação pulsional não ocorrida: tal como o sonho* e o ato falho*, é uma formação de compromisso entre as representações recalcadas e as instâncias recalcadoras. Assume formas particulares, de acordo com o tipo de patologia: conversão, na histeria*, e deslocamento* para um objeto externo, na fobia.

Freud distingue cinco funções sujeitas a inibições: função sexual, alimentação, locomoção, trabalho social e inibições específicas. A inibição sexual masculina assume quatro formas: impotência psíquica, falta de ereção, ejaculação precoce e falta de ejaculação. A inibição sexual feminina decorre essencialmente da histeria (assim como a inibição da marcha). A inibição no trabalho tanto remete à histeria quanto à neurose obsessiva.

Em seguida, Freud examina a perturbação da função alimentar, caracterizada pela inapetência, por um lado (anorexia), e pela intensificação do apetite, por outro (bulimia): "A compulsão a comer é motivada pela angústia da inanição; essa questão, todavia, tem sido pouco estudada. O sintoma do vômito é conhecido como uma defesa histérica contra a alimentação. A recusa do alimento, decorrente da angústia, é própria dos estados psicóticos (delírios de envenenamento)."

A parte principal do livro é dedicada à teoria da angústia. Freud responde, em particular, às teses desenvolvidas por Otto Rank* em *O trauma do nascimento*.

No que se costuma chamar de sua primeira teoria da angústia (1896-1907), Freud associa a gênese da angústia a um coito insatisfatório. Ela é, portanto, como sublinham Jean Laplanche e Jean-Bertrand Pontalis, "a manifestação do fato de que uma quantidade de energia não foi controlada".

Em 1908, em seu prefácio ao livro de Wilhelm Stekel* intitulado *Os estados nervosos de angústia e seu tratamento*, Freud muda de opinião e relaciona a angústia às fantasias uterinas. No ano seguinte, numa nota acrescentada a *A interpretação dos sonhos**, faz do nascimento o protótipo do afeto de angústia. Foi essa idéia que Rank retomou, em 1924, fazendo do nascimento um verdadeiro trauma. Da intensidade do trauma e, portanto, da quantidade de angústia surgida durante essa situação primordial, decorreria, segundo ele, a evolução do sujeito para a normalidade ou a patologia.

Em 1924, a discussão em torno do tema do trauma real reativou o debate sobre a teoria da sedução*: conviria compreender a gênese das neuroses e das psicoses como conseqüência de choques realmente sofridos (abusos sexuais, violências diversas, traumas de guerra etc.), ou, ao contrário, sustentar a idéia de que os traumas estão ligados a questões psíquicas?

Freud se posicionou em relação a Rank, criando três termos: (1) a angústia diante de um perigo real (*Realangst*); (2) a angústia automática (*automatische Angst*); (3) o sinal de angústia (*Angstsignal*). No primeiro caso, a angústia do sujeito caracteriza-se por aquilo que a motiva, isto é, por um perigo externo que tem como causa a imaturidade biológica do ser humano; no segundo caso, é uma reação a uma situação traumática de origem social, através da qual o organismo se defende espontaneamente; no terceiro, é a reprodução, sob forma atenuada, de uma situação traumática que foi primitivamente vivenciada. O sinal de angústia, portanto, é um mecanismo puramente psíquico, que funciona como um símbolo mnêmico e permite ao eu* reagir através de uma defesa*.

Essa teoria faz com que se leve em conta a realidade do trauma no sentido kantiano de evidenciar o valor paradigmático da angústia ligada à separação da mãe. Permite também não atribuir ao próprio parto (separação biológica) o valor de um trauma em si: "O fato de o homem ter em comum com os outros mamíferos o processo do nascimento, ao passo que tem em relação aos animais o privilégio de uma predisposição particular para a neurose, não depõe em favor da doutrina de Rank. Mas a objeção principal continua a ser a de que essa doutrina paira no ar em vez de se apoiar numa observação sólida. Não dispomos de nenhum bom estudo que estabeleça uma relação incontestável entre um nascimento difícil e prolongado e o desenvolvimento de uma neurose."

Note-se que esse esclarecimento fez-se necessário em 1926, em virtude de os psicoterapeutas norte-americanos haverem tomado ao pé da letra as teses de Rank, obrigando ele mesmo, aliás, a insistir no aspecto "psicológico" do trauma: "Clarence Obendorf*, por exemplo", escreveu James Lieberman, "contestou a teoria porque seu próprio nascimento fora particularmente traumático do ponto de vista obstétrico: o fórceps lhe havia amassado o crânio e ele ficara entre a vida e a morte durante meses (...). Assim, recomendou que se acompanhassem crianças nascidas de partos difíceis para efetuar um estudo a esse respeito."

Em 1932, em suas *Novas conferências introdutórias sobre psicanálise*, Freud acabou dando razão a Rank ao destacar que ele tivera o mérito de compreender a idéia da separação primordial da mãe.

Sejam quais forem suas qualidades clínicas, *Inibições, sintomas e angústia* é o livro mais fraco de Freud. Isso decorre da recusa do autor a vincular a questão da angústia às interrogações da filosofia moderna. Assim é que, em seu prefácio, Freud emite sobre a filosofia colocações bastante genéricas: "Sou hostil à fabricação de visões de mundo", diz. "Deixemo-las para os filósofos, que professam abertamente que a viagem da vida é impossível sem um *Baedecker* [guia] que lhes dê informações sobre todas as coisas. Aceitemos com humildade o desprezo com que os filósofos nos avaliam, do alto de suas exigências sublimes."

A noção de angústia, no sentido da angústia existencial, é mais bem explicitada por Freud em textos que não versam diretamente sobre esse assunto, como "O estranho", por exemplo. Nesse texto de 1919, Freud chama de *Unheimliche* ("estranha familiar") a impressão assustadora que "se liga às coisas conhecidas há

muito tempo e familiares desde sempre". Essa impressão de estranheza surge na vida cotidiana e na criação estética quando certos complexos infantis recalcados são abruptamente despertados. Manifesta-se então em diversos temas angustiantes: o medo da castração*, a figura do duplo, o movimento do autômato. Essas três modalidades do estranho têm como traço comum a reativação das forças primitivas que a civilização parecia ter esquecido e que o indivíduo supunha haver superado. Na figura do duplo ou do autômato, suspeita-se de que um ser aparentemente inanimado esteja vivo e se presume que um objeto sem vida seja animado. Quanto à angústia de castração, ela se revela nas descrições de cloacas, vampiros, membros devorados ou corpos desarticulados, próprios da literatura fantástica e do mundo do sonho.

Entre os herdeiros de Freud, foram os fenomenologistas, de um lado, e os representantes da escola inglesa, de outro, que zelaram por vincular, através da leitura das obras de Kierkegaard e Heidegger, a questão da angústia psíquica do homem à de sua angústia existencial. A contribuição de Jacques Lacan* inscreve-se nessa mesma perspectiva. Apoiando-se no *Unheimlich*, ele efetivamente mostrou que a angústia surge quando o sujeito é confrontado com a "falta da falta", ou seja, com uma alteridade onipotente (pesadelo, duplo alienante, estranheza inquietante) que o invade a ponto de destruir nele qualquer faculdade de desejar*.

• Sigmund Freud, *A interpretação dos sonhos* (1900), *ESB*, IV-V, 1-660; *GW*, II-III, 1-642; *SE*, IV-V, 1-621; Paris, PUF, 1967; "O estranho" (1919), *ESB*, XVII, 275-314; *GW*, XII, 229-68; *SE*, XVII, 217-256; in *L'Inquiétante étrangeté et autres essais*, Paris, Gallimard, 1985, 209-63; *O eu e o isso* (1923), *ESB* XIX, 23-76; *GW*, XIII, 237-89; *SE*, XIX, 12-59; *OC*, XVI, 255-303; "Inibições, sintomas e angústia" (1926), *ESB*, XX, 89-106; *GW*, XIV, 113-205; *SE*, XX, 87-172; *OC*, XVII, 208-87 • Otto Rank, *Le Traumatisme de la naissance* (Viena, 1924), Paris, Payot, 1928 • Ernest Jones, *A vida e a obra de Sigmund Freud*, 3 vols. (N. York, 1953, 1955, 1957), Rio de Janeiro, Imago, 1989 • Jacques Lacan, Le Séminaire, livre X, *L'Angoisse (1962-1963)*, inédito • Jean Laplanche e Jean-Bertrand Pontalis, *Vocabulário da psicanálise* (Paris, 1967), S. Paulo, Martins Fontes, 1991, 2ª ed. • Jean Kestemberg, Evelyne Kestemberg e Simone Decobert, *La Faim et le corps. Une étude psychanalytique de l'anorexie mentale*, Paris, PUF, 1972 • Ginette Raimbault e Caroline

Eliacheff, *Les Indomptables*, Paris, Odile Jacob, 1989 • Laurence Igoin, *La Boulimie et son infortune*, Paris, PUF, 1985 • E. James Lieberman, *La Volonté en acte. La Vie et l'oeuvre d'Otto Rank* (N. York, 1985), Paris, PUF, 1991 • Bernard Brusset e Catherine Couvreur (orgs.), *La Boulimie*, monografias da *Revue Française de Psychanalyse*, Paris, PUF, 1991 • Marie-Claude Lambotte, "Angústia", in Pierre Kaufmann (org.), *Dicionário enciclopédico de psicanálise: o legado de Freud e Lacan* (Paris, 1993), Rio de Janeiro, Jorge Zahar, 1996, 36-44.

➢ ANÁLISE EXISTENCIAL; BAUER, IDA; BOWLBY, JOHN; ESTÁDIO DO ESPELHO; FERENCZI, SANDOR; GRAF, HERBERT; INCONSCIENTE; PSICANÁLISE DE CRIANÇAS; RECALQUE; SEXOLOGIA: TRADUÇÃO (DAS OBRAS DE SIGMUND FREUD); WINNICOTT, DONALD WOODS.

injeção de Irma, sonho da
➢ IRMA, INJEÇÃO DE.

instinto
➢ PULSÃO.

instituição (psicanalítica)
➢ ANÁLISE DIDÁTICA; ASSOCIATION MONDIALE DE PSYCHANALYSE; BERLINER PSYCHOANALYTIS-CHES INSTITUT; CISÃO; ÉCOLE FREUDIENNE DE PARIS; FEDERAÇÃO EUROPÉIA DE PSICANÁLISE; FEDERAÇÃO PSICANALÍTICA DA AMÉRICA LATINA; INTERNATIONAL PSYCHOANALYTICAL ASSOCIA-TION; SOCIEDADE PSICOLÓGICA DAS QUARTAS-FEIRAS.

Instituto Psicanalítico de Berlim
➢ BERLINER PSYCHOANALYTISCHES INSTITUT.

International Federation of Psychoanalytic Societies (IFPS)
(Federação Internacional de Sociedades Psicanalíticas)

Fundada em Göttingen, na Alemanha*, após a Segunda Guerra Mundial, a International Federation of Psychoanalytic Societies (IFPS) tinha por objetivo reunir sociedades psicanalíticas de inspiração freudiana, mas não integradas na International Psychoanalytical Association* (IPA). A princípio, agrupou três associações: a William Alanson White Psychoanalytic Society, fundada por Harry Stack Sullivan*, a Deutsche Psychoanalytische Gesellschaft (DPG), reconstituída por Felix Boehm*, e a Sociedad Mexicana de Psicoanalisis, marcada pelos ensinamentos de Erich Fromm*. Tal como a Internationale Föderation der Arbeitskreise für Tiefenpsychologie*, criada por Igor Caruso*, a IFPS é uma federação em que cada sociedade conserva sua autonomia. É influente em numerosos países latino-americanos (Iracy Doyle*) e na Escandinávia*, em especial a Finlândia.

➢ INTERNATIONALE FÖDERATION DER ARBEITS-KREISE FÜR TIEFENPSYCHOLOGIE.

International Journal of Psycho-Analysis (IJP)
Fundado por Ernest Jones* em 1920, o *IJP* foi a primeira revista psicanalítica em língua inglesa. Após a destruição da psicanálise* pelo nazismo* na Alemanha* e na Áustria, bem como a extinção concomitante das revistas em língua alemã fundadas por Sigmund Freud*, o *IJP* tornou-se o órgão oficial da International Psychoanalytical Association* (IPA).

International Psychoanalytical Association (IPA)
Fundada em Nuremberg em 30 de março de 1910, por Sandor Ferenczi* e Sigmund Freud*, a internacional freudiana chamou-se, a princípio, Internationale Psychoanalytische Vereinigung (IPV). Trabalhou usando a sigla IPV até 1936, data em que a quase totalidade dos psicanalistas da Europa continental exilou-se na Grã-Bretanha* e nos Estados Unidos*. Tornou-se então anglófona e assumiu oficialmente o nome de International Psychoanalytical Association (IPA). A partir de 1945, a sigla inglesa IPA generalizou-se no seio de todas as sociedades psicanalíticas a ela filiadas, à exceção de duas sociedades francesas: a Sociedade Psicanalítica de Paris (SPP, 1926) e a Associação Psicanalítica da França (APF, 1964). Esses dois grupos, com efeito, recusaram-se a reconhecer a validade de uma sigla anglófona e obtiveram o privilégio de usar uma sigla francesa: API (Associação Psicanalítica Internacional).

A IPA teve, sucessivamente, quatro publicações oficiais: a *Zentralblatt für Psychoanalyse. Medizinische Monatschrift für Seelenkunde** (1910-1913), a *Internationale ärztlische Zeitschrift für Psychoanalyse* (*IZP*, 1913-1939), a *Internationale Zeitschrift für Psychoanalyse und Imago** (*IZP-IMAGO*, 1939-1941) e, por fim, o *International Journal of Psychoanalysis** (*IJP*), fundado por Ernest Jones* em 1920 e que substituiu os três periódicos anteriores a partir de 1941.

Foi em Salzburgo, em 1908, que teve lugar a primeira grande reunião dos "psicólogos freudianos". Quarenta e duas pessoas, provenientes de seis países — Estados Unidos, Áustria, Grã-Bretanha, Alemanha*, Hungria* e Suíça* —, participaram dela. Dois anos depois, durante o encontro em Nuremberg, impôs-se a necessidade de criar uma verdadeira associação, capaz de unir os grupos psicanalíticos dos diferentes países. Considerou-se então que o primeiro congresso da IPV fora o encontro de Salzburgo, e o segundo, o de Nuremberg. Desejoso de fazer a psicanálise sair do gueto vienense, a fim de que não fosse assemelhada a uma "ciência judia", Freud resolveu confiar a direção da IPV a um não judeu: Carl Gustav Jung*. Três anos depois, este romperia com o freudismo, como fizera antes dele Alfred Adler*.

Em seu texto inaugural de 1910, Ferenczi dividiu o movimento psicanalítico em três grandes épocas: a chamada época "heróica" (1896-1907), durante a qual Freud se vira sozinho em Viena*, cercado por alguns discípulos; a chamada época "de Jung" (1907-1909), que fora marcada pela implantação da psicanálise no campo da psicologia experimental; e a chamada época "norte-americana" (1909-1913), iniciada com a viagem de Freud para além-mar. Ferenczi afirmou a necessidade da disciplina e da racionalização, advertindo contra os perigos que qualquer organização encerra: "Conheço bem a patologia das instituições e sei com que freqüência, nos grupos políticos, sociais e científicos, imperam a megalomania pueril, a vaidade, o respeito por fórmulas vazias, a obediência cega e o interesse pessoal, em lugar de um trabalho conscencioso, dedicado ao bem comum."

Durante o quarto congresso, que se realizou em Munique em setembro de 1913, seis sociedades psicanalíticas já faziam parte da futura IPA: (1) a Wiener Psychoanalytische Vereinigung (WPV), criada por Freud em 1908 para substituir a Sociedade Psicológica das Quartas-Feiras* (1902-1908); (2) a Sociedade Sigmund Freud de Zurique, criada por Jung em 1907 e dissolvida em 1913; (3) a Deutsche Psychoanalytische Gesellschaft (DPG), fundada por Karl Abraham* em 1908; (4) a New York Psychoanalytic Society (NYPS), fundada por Abraham Arden Brill* em 1911; (5) a American Psychoanalytical Association* (APsaA), fundada por Jones e James Jackson Putnam* em 1911; e (6) a Sociedade Psicanalítica de Budapeste, criada por Ferenczi em 1913 (dissolvida em 1948).

Depois da partida de Jung e da dissolução da Sociedade de Zurique, a sétima componente da IPA seria a London Psychoanalytical Society, criada por Jones em 1913 e substituída em 1919 pela British Psychoanalytical Society (BPS). Em seguida vieram outras: a Nederlandse Vereniging voor Psychoanalyse (NVP, 1917), a Sociedade Suíça de Psicanálise (SSP, 1919), a Associação Psicanalítica Russa (1922-1928), a Sociedade Psicanalítica Indiana (1922), a Società Psicoanalitica Italiana (SPI, 1925), dissolvida em 1938 e reconstituída em 1946, a Sociedade Psicanalítica de Paris (SPP, 1926) e a Sociedade Brasileira de Psicanálise (SBP, 1927). A elas se juntaram a Sociedade Psicanalítica Japonesa (1932), os dois grupos escandinavos (dano-norueguês e fino-sueco, 1934), a Asociación Psicoanalitica Argentina (APA, 1942) e, por último, a Association des Psychanalystes de Belgique* (1949), que se transformaria, em 1960, na Sociedade Belga de Psicanálise (SBP).

Podemos dividir a história da IPA em quatro grandes períodos (por convenção, os historiadores fazem-na começar em 1910). Entre 1910 e 1925, ela foi apenas um organismo de coordenação dos diferentes grupos locais que gozavam de grande autonomia no que concerne à formação dos psicanalistas. Entre 1925 e 1933, mudou radicalmente de feição, ao ser instaurada a obrigatoriedade da análise didática* e da supervisão*. A partir daí, transformou-se numa organização centralizada, dotada de regras de formação e admissão que visavam normatizar as análises e afastar da formação os analistas "selvagens" ou transgressores, considerados psicóticos demais, gurus demais ou feiticeiros demais para terem o direito de clinicar. Foram igualmente proibidas todas as práticas ditas "incestuosas": proibição de o analista analisar os membros de sua família e os de uma mesma família, e proibição de manter relações sexuais com pacientes, qualquer que fosse sua forma. Note-se que, através de uma decisão tomada no seio do Comitê Secreto* em dezembro de 1921, o acesso à profissão de psicanalista foi definitivamente recusado aos homossexuais. Essa regra nunca foi abolida.

Entre 1933 e 1965, largamente dominada pela língua inglesa e pelas grandes correntes de um freudismo que já não tinha nada a ver com o classicismo vienense (annafreudismo*, kleinismo*, Independentes*, *Ego Psychology*, *Self Psychology**), a IPA teve que enfrentar, primeiro, o advento do nazismo*, e, depois, a continuação da terrível batalha em torno da análise leiga*, iniciada em 1926 e que dividiu a Europa e os Estados Unidos. A partir de 1935, a IPA entrou na era das grandes cisões*, que afetaram inicialmente os Países Baixos* e a Grã-Bretanha (as Grandes Controvérsias*), depois as sociedades norte-americanas e, por fim, a França e a Argentina. Tornou-se então um organismo de gestão dos interesses profissionais das diferentes sociedades que lhe eram filiadas e, para essa finalidade, proveu-se de múltiplos comitês, comissões e subcomissões. Foi dentro desse espírito que impôs um quadro técnico rígido para a formação dos psicanalistas.

Por fim, a partir de 1965, a IPA foi perpassada por múltiplas crises e, aos poucos, deixou de ser a única potência institucional do freudismo no mundo. Não apenas sofreu a concorrência da considerável expansão das escolas de psicoterapia*, como, além disso, perdeu o monopólio da legitimidade freudiana: com efeito, outras correntes freudianas desenvolveram-se fora dela, em especial o lacanismo*, os círculos de psicologia profunda de Igor Caruso* (Internationale Föderation der Arbeitskreise für Tiefenpsychologie) e toda sorte de grupos independentes e sem esteio institucional.

A IPA da década de 1990 compõe-se de quatro tipos de grupos, organizados de acordo com uma hierarquia precisa — os grupos de estudos (*study groups*), as sociedades provisórias (*provisional societies*), as sociedades-membro (*component societies*) e as associações regionais (*regional associations*) — e de três tipos de membros: os titulares (*members*), os associados (*associate members*) e os membros individuais (*direct associate members*). O título de membro titular ou associado é adquirido mediante a adesão pessoal a um grupo de estudos, a uma sociedade-membro ou a uma sociedade provisória. O título de membro individual é outorgado pela direção da IPA em casos muito precisos: inexistência de sociedades num determinado país, crise transitória de um grupo ameaçado de cisão etc. Somente a APsaA beneficia-se da condição de associação regional, composta não por membros, mas por sociedades (sociedades-membros, provisórias, grupos de estudos). Quanto à Associação Brasileira de Psicanálise* (ABP), ela não é mais que um simples agrupamento dos cinco componentes brasileiros (sociedades e grupos de estudos) da IPA. Note-se que os alunos em formação nas sociedades da IPA não são computados como membros. Em geral, são tão numerosos quanto estes.

A essas quatro categorias de sociedade somam-se os institutos de formação, construídos, a partir de 1920, com base no modelo do Berliner Psychoanalytisches Institut* (BPI). Eles podem fazer parte da IPA independentemente de suas ligações com esta ou aquela sociedade.

Por último, ao lado da potência da APsaA existem duas federações: a Federação Psicanalítica da América Latina* (FEPAL), que reúne todas as sociedades psicanalíticas da América Latina, e a Federação Européia de Psicanálise* (FEP), que reúne as da Europa.

Desde 1908, os congressos pontuam a vida da IPA. Realizam-se a cada dois anos, nas diferentes cidades do mundo onde a psicanálise foi implantada. Até 1975, eles foram organizados na Europa; dessa data em diante, realizaram-se alternadamente no continente americano (norte e sul) e no europeu.

A partir de 1934, os presidentes da IPA, em geral eleitos para um mandato renovável de dois anos, foram ingleses ou norte-americanos, à exceção de um francês (Serge Lebovici) e um argentino (Horacio Etchegoyen). Foi Ernest Jones, o mais hábil político da história do freudismo, quem passou mais tempo à frente da associação (de 1934 a 1949). Ele foi o grande organizador de suas instituições e o artífice de sua expansão.

Neste final do século XX, a IPA está implantada em 32 países: Alemanha, Argentina*, Austrália*, Áustria (Viena*), Bélgica, Brasil*, Canadá*, Chile, Colômbia, Espanha*, Estados Unidos*, França*, Grã-Bretanha*, Grécia, Hungria*, Índia*, Israel, Itália*, Japão*, México, Países Baixos, Escandinávia* (Dinamarca, Suécia, Finlândia e Noruega), Peru, Portugal, Sérvia, Suíça, Tchecoslováquia, Uruguai e Venezuela.

Nesses países distribuem-se uma associação regional, 45 sociedades (membros ou provisórias), nove grupos de estudos e 49 institutos, para aproximadamente 10.500 membros (titulares ou associados). Se somarmos os alunos, isso elevará a cerca de 20.000 o número de psicanalistas (da IPA) no mundo. Todos esses institutos, grupos e sociedades pautam-se no artigo 2 dos estatutos da IPA, que estipula que "o termo psicanálise relaciona-se com uma teoria da estrutura e funcionamento da personalidade, com a aplicação dessa teoria nos campos do conhecimento e, por fim, com uma técnica psicoterápica específica. Esse conjunto de conhecimentos repousa sobre as descobertas fundamentais de Sigmund Freud, que estão em sua origem".

De inspiração legitimista, a IPA se baseia, portanto, em Freud e na psicanálise. Mas admite em seu seio todas as divergências doutrinais e todas as correntes que se pautam no freudismo. Em contrapartida, proíbe a transgressão das regras técnicas, que se caracterizam pela obrigatoriedade de que todo candidato se submeta a uma análise, cuja duração, periodicidade e didata responsável são controlados e impostos por comissões e por um sistema de padronização mundial: a duração das sessões é fixada em 50 minutos, o número de sessões em quatro por semana, e o número de supervisões (além da análise didática) em duas.

O número dos freudianos não membros da IPA é difícil de determinar. A Association Mondiale de Psychanalyse* (AMP) reúne 1.800 membros. Quanto aos outros freudianos (lacanianos ou não), é difícil conhecer seu número: cerca de 3.500 na França, menos de 1.000 na Argentina e 1.500 no Brasil, ou seja, aproximadamente 6.000 psicanalistas freudianos (não pertencentes à IPA) nesses três países.

• Sándor Ferenczi, "Sobre a história do movimento psicanalítico" (1911), in *Psicanálise I, Obra completas, 1908-1912* (Paris, 1968), S. Paulo, Martins Fontes, 1991, 145-54 • *Die Freudianer auf dem 13. Internationalen psychoanalytischen Kongress 1934 in Luzern*, Viena e Munique, Verlag internationale Psychoanalyse, 1990 • Peter Kutter (org.), *Psychoanalysis International. A Guide to Psychoanalysis throughout the World*, vol.1, Stuttgart, Frommann-Holzboog, 1992 • Élisabeth Roudinesco, *Jacques Lacan. Esboço de uma vida, história de um sistema de pensamento* (Paris, 1993), S. Paulo, Companhia das Letras, 1994 • *La Psychanalyse et l'Europe de 1993*, monografias da *Revue Française de Psychanalyse*, Paris, PUF, 1993 • *Roster. The International Psychoanalytical Association Trust*, 1996-1997.

➢ DOSUZKOV, THEODOR; EMBIRICOS, ANDREAS; HAAS, LADISLAV; HISTÓRIA DA PSICANÁLISE; HISTORIOGRAFIA; HOMOSSEXUALIDADE; KOURETAS, DIMITRI; NAZISMO; SACHS, WULF.

Internationale Föderation der Arbeitskreise für Tiefenpsychologie

(Confederação Internacional dos Círculos de Trabalho sobre a Psicologia Profunda)

Foi em Viena*, em 1947, que Igor Caruso* criou o primeiro círculo de trabalho da psicologia profunda (Wiener Arbeitskreis für Tiefenpsychologie), que logo se estendeu a diversas cidades da Áustria, como Innsbruck, Linz, Klagenfurt e Salzburgo, e se transformou nos Österreichische Arbeitskreise für Psychoanalyse (ÖAP). Os "círculos Caruso" formaram então uma associação internacional, a Internationale Föderation der Arbeitskreise für Psychologie (IFAP). De inspiração freudiana, esta é influente em numerosos países, em especial na Argentina*, no Brasil* e no México.

➢ INTERNATIONAL FEDERATION OF PSYCHOANALYTIC SOCIETIES.

Internationale Psychoanalytische Vereinigung (IPV)

➢ INTERNATIONAL PSYCHOANALYTICAL ASSOCIATION.

Internationale Zeitschrift für Psychoanalyse und Imago (IZP-IMAGO)

Em 1913, após o conflito com Carl Gustav Jung*, Sigmund Freud* criou a *Internationale ärztlische Zeitschrift für Psychoanalyse (IZP)*, para substituir o *Jahrbuch für psychoanalytische und psychopathologische Forschungen*. Essa revista tornou-se o órgão oficial do Internationale Psychoanalytische Vereinigung (IPV), o ancestral da International Psychoanalytical Association* (IPA), até 1939, data em que não mais foi publicada em Viena*, porém em Londres. Em seguida (em 1939), fundiu-se com a revista *Imago*, dando origem à *Internationale Zeitschrift für Psychoanalyse und Imago (IZP-IMAGO)*, que deixaria de ser publicada em 1941. Foi então que o *International Journal of Psycho-Analysis* (IJP), fundado por Ernest Jones* em 1920, tornou-se o órgão oficial da IPA.

interpretação

al. *Deutung*; esp. *interpretación*; fr. *interprétation*; ing. *interpretation*

Termo extraído do vocabulário corrente e utilizado por Sigmund Freud* em A interpretação dos sonhos* para explicar a maneira como a psicanálise* pode dar uma significação ao conteúdo latente do sonho*, a fim de evidenciar o desejo* inconsciente de um sujeito*.

Por extensão, o termo designa qualquer intervenção psicanalítica que vise a fazer um sujeito compreender a significação inconsciente de seus atos ou de seu discurso, quer estes se manifestem através de um dito, um lapso*, um sonho, um ato falho*, de uma resistência*, da transferência* etc.

Como sublinham Jean Laplanche e Jean-Bertrand Pontalis, a interpretação acha-se no cerne da doutrina e da técnica freudianas. Desde a publicação de *A interpretação dos sonho*s, Freud sempre se pautou numa longa tradição filosófica (de Aristóteles ao romantismo alemão) que afirma que o sonho tem uma significação. Contudo, ao enfatizar o esteio do simbolismo na pessoa humana, ele fez do sonho a expressão da vida fantasística do homem e a tradução de seu desejo inconsciente. Em função disso construiu uma técnica de interpretação que tinha que ser parte integrante da própria técnica psicanalítica*, isto é, da dinâmica da análise: "Afirmo", escreveu ele num artigo de 1911, "que a interpretação dos sonhos não deve ser praticada ao longo do tratamento psicanalítico como uma arte em si, mas que seu manejo está sujeito às regras técnicas a que deve obedecer a totalidade do tratamento."

Nesse sentido, a interpretação não deve decorrer de um delírio, nem de uma selvageria nem de uma mania. Não é um jogo gratuito nem fruto de um gozo* ou de um princípio de prazer*. Por isso, deve ser manejada em função de um certo número de regras, dentre elas o cuidado de não ceder a uma atitude supersticiosa, paranóica, interpretativa ou sugestiva, segundo a qual *tudo* seria interpretável. Em *A psicopatologia da vida cotidiana*, ao falar dos paranóicos, Freud indica claramente o que a interpretação não deve ser: estes, diz ele em síntese, interpretam os pequenos detalhes do comportamento corriqueiro da vida alheia e, com freqüência, dão mostras de uma lucidez maior que a do sujeito normal. Essa qualidade, entretanto, tem como contrapartida um desconhecimento radical deles mesmos.

Se Freud define dessa maneira negativa o que a interpretação não deve ser na psicanálise, é porque essa noção abrange muitas variações, desde a simples explicação significativa até o delírio, passando pela selvageria e pela mania.

Na nosografia psiquiátrica, chama-se delírio de interpretação a uma forma de delírio crônico, caracterizada pela preponderância de um tema persecutório e de um raciocínio mono-ideativo, que impele o sujeito a proceder a construções alucinatórias, convencido de que todas as manifestações da realidade externa se referem a ele.

Se esse delírio de interpretação é próprio da psicose* em geral e da paranóia* em particular, a interpretação selvagem é uma das modalidades de funcionamento da transferência* na análise. E, para caracterizá-la, Freud emprega o termo psicanálise selvagem. Já em 1901, em seu artigo sobre a psicoterapia*, ele cita uma declaração feita por Hamlet aos dois cortesãos (Rosenkranz e Guildenstern) encarregados pelo rei de vigiá-lo: "Julgais", indaga o príncipe, "que sou mais fácil de tocar do que uma flauta? Chamai-me do instrumento que quiserdes, pois, se podeis desafinar-me, ainda assim não me podeis tocar". Depois, em 1910, a propósito de um médico novato que cometera o erro de explicar "selvagemente" a uma paciente que ela sofria de falta de atividade sexual, ele dá pela primeira vez o nome de "psicanálise selvagem" a um erro técnico cometido pelos praticantes ignorantes, que consiste em atirar no rosto do paciente, logo no primeiro encontro, os segredos que eles adivinharam. Nesse caso, seja ela "verdadeira" ou "falsa", a interpretação é inaceitável, já que provém de um completo desconhecimento da estrutura psíquica do sujeito, de suas resistências e de seu recalque.

Em 1929, numa carta ao historiador francês Maxime Leroy (1873-1957), que lhe pedira que interpretasse três sonhos de René Descartes (1596-1650), Freud sublinhou a dificuldade que tinha em trabalhar com tal material na ausência do principal interessado. Nessa mesma perspectiva, condenou as tentativas de "diagnóstico relâmpago", assimilando-as a um verdadeiro abuso de poder.

Freud sempre foi atento à mania de interpretação, tais os estragos que ela provocava. (Seus primeiros discípulos da Sociedade Psicológica das Quartas-Feiras*, aliás, não escaparam a ela.) Essa mistura de psicanálise selvagem, delírio interpretativo e utilização dogmática da doutrina freudiana, para fins de explicação da realidade, manifestou-se desde muito cedo entre os que pretendiam servir-se do freudismo* para fazer surgir verdades ocultas de um texto ou de um indivíduo.

O gozo interpretativo, longe de regredir diante das advertências de Freud, chegou até a aumentar de intensidade à medida que o movimento interessou-se pela clínica das psicoses e dos *bordelines**. Para tratar desses casos, o analista, amiúde também marcado pela loucura*, era levado a manejar a interpretação em plena transferência fusional com o analisando. Daí seu caráter desenfreado. Essa paixão, que aliás foi denunciada pelos próprios psicanalistas (Edward Glover*, Heinz Kohut* e muitos outros), permitiu que os adversários de Freud se apoiassem em tolices publicadas por autores medíocres para apresentar a doutrina vienense como uma nova variedade de charlatanismo: vidência, astrologia, ocultismo*, superstições etc.

Consciente do perigo, também Jacques Lacan*, em 1958, no contexto de sua teoria do significante*, tratou de revisar essa noção e sua utilização técnica. Colocou ênfase na necessidade de interrogar incessantemente, no correr da análise, o desejo* do analisando, sem no entanto despejar sobre ele verdades já prontas. Mas seus discípulos, por seu turno, cederam à mania da interpretação. Enquanto os freudianos faziam surgir por toda parte símbolos sexuais e os kleinianos "adivinhavam" por trás de todo discurso o ódio arcaico à mãe, os lacanianos inventaram um novo jargão interpretativo, feito de trocadilhos, matemas* e nós borromeanos*.

Se a doutrina freudiana teve tanta dificuldade para se proteger dessa paixão, foi porque o mecanismo da interpretação é inerente a seu sistema de pensamento. Por isso é que Freud sempre procurou temperar a onipotência da interpretação com um outro processo: a construção.

Foi em 1937 que ele conferiu a esse termo um verdadeiro conteúdo teórico, definindo-o como uma elaboração que o analista certamente deve realizar na análise (tal como um cientista em seu laboratório) para reconstituir literalmente a história infantil e inconsciente do sujeito. Nesse aspecto, pode-se dizer que a construção é, ao mesmo tempo, a quintessência da interpretação e uma crítica da interpretação, na medida em que permite restabelecer de modo coerente a significação global da história de um sujeito em vez de se ater à apreensão de alguns detalhes sintomáticos. Freud usava permanentemente esse processo de construção, tanto em suas análises (na da Serguei Constantinovitch Pankejeff*, por exemplo, durante a qual literalmente inventou a cena do "coito *a tergo*") quanto em suas hipóteses sobre a metapsicologia* ou a pulsão de morte*, ou ainda em suas obras literárias sobre Leonardo da Vinci (1452-1519) ou Moisés.

Duas correntes filosóficas comentaram a noção freudiana de interpretação. A primeira, representada por Karl Popper (1902-1994) e seus herdeiros, afirmou que a psicanálise, na medida em que não é refutável, não pode ser promovida à categoria de ciência. A segunda, próxima de Paul Ricoeur e da fenomenologia, reivindicou para o freudismo o estatuto positivo de uma hermenêutica, passível de fornecer à filosofia os instrumentos de uma verdadeira crítica das ilusões da consciência*.

• Sigmund Freud, "Sobre a psicoterapia" (1905), *ESB*, VII, 267-82; *GW*, V, 13-26; *SE*, VII, 255-68; in *La Technique psychanalytique*, Paris, PUF, 1953, 9-23; "Psicanálise selvagem" (1910), *ESB*, XI, 207-16; *GW*, VIII, 118-25; *SE*, XI, 221-7; *OC*, X, 205-15; "O manejo da interpretação de sonhos na psicanálise" (1911), *ESB*, XII, 121-32; *GW*, VIII, 350-7; *SE*, XII, 89-96; in *La Technique psychanalytique*, Paris, PUF, 1953, 43-50; "Alguns sonhos de Descartes: uma carta a Maxime Leroy" (1929), *ESB*, XXI, 235-9; *GW*, XIV, 558-60; *SE*, XXI, 203-4; *OC*, XVIII, 231-3, "Construções em análise" (1937), *ESB*, XXIII, 291-308; *GW*, XVI, 243-56; *SE*, XXIII, 255-69; in *Résultats, idées, problèmes*, II, *1921-1938*, Paris, PUF, 1985, 269-83 • Edward Glover, *La Technique de la psychanalyse* (Londres, 1928), Paris, PUF, 1958 • Jacques Lacan, Le Séminaire, livre VI, *Le Désir et son interprétation (1958-1959)*, inédito • Karl Popper, *Conjectures et réfutation. La Croissance du savoir scientifique* (Londres, 1963), Paris, Payot, 1985 • Paul Ricoeur, *Da interpretação — Ensaio sobre Freud* (Paris, 1965), Rio de Janeiro, Imago, 1977 • Jean Laplanche e Jean-Bertrand Pontalis, *Vocabulário da psicanálise* (Paris, 1967), S. Paulo, Martins Fontes, 1991, 2ª ed. • René Major, "The language of interpretation", *IJP*, 1, 1974, 425-35.

➢ GRODDECK, GEORG; *LEONARDO DA VINCI E UMA LEMBRANÇA DE SUA INFÂNCIA*; *MOISÉS E O MONOTEÍSMO*; PSICANÁLISE APLICADA.

Interpretação dos sonhos, A

Livro de Sigmund Freud*, publicado em novembro de 1899 sob o título Die Traumdeutung, *porém datado de 1900 pelo editor. Traduzido para a língua francesa pela primeira vez em 1926, por Ignace Meyerson (1888-1983), sob o título* La Science des rêves. *Tradução revista e ampliada em 1967 por Denise Berger, e reeditada sob o título* L'Interprétation des rêves. *Traduzido para o inglês pela primeira vez, em 1913, por Abraham Arden Brill*, sob o título* The Interpretation of Dreams, *e depois por James Strachey*, em 1953, sem alteração do título.*

Expressando sua admiração por esse "livro extraordinário", Henri F. Ellenberger* lamentou não podermos "ter uma idéia da impressão" que ele produziu ao ser lançado.

Em sua investigação da gênese de *Die Traumdeutung*, percorrendo o labirinto dos sonhos, das descobertas e dos impasses atestados pelas cartas a Wilhelm Fliess*, Didier Anzieu salientou que o título alemão evoca muito mais a interpretação popular dos sonhos das adivinhadoras do futuro e da astrologia (*Sterndeutung*) do que um tratado científico.

*A interpretação dos sonho*s, e não do sonho* em geral, como esclarece Freud em 1935 numa nota acrescentada a sua autobiografia ("Um estudo autobiográfico"*), é um livro-ponte, que funciona à maneira de um balseiro. Abandonando como que a contragosto as margens povoadas de cientistas loucos e artistas visionários do romantismo alemão, Freud se dirige para a margem ainda aprazível do modernismo científico, o da sexualidade revelada e da fala não refreada.

O interesse de Freud por seus próprios sonhos já era antigo no momento em que ele se lançou nessa aventura. Algumas cartas a sua noiva, Martha Bernays (Freud*), confirmam isso, em especial a de 19 de julho de 1883, onde ele fala de um "caderno de anotações pessoais sobre os sonhos" composto a partir de sua experiência. Esse interesse desenvolveu-se na escuta dos pacientes. Livres das restrições da hipnose* e da sugestão*, eles falavam e contavam seus sonhos. Em 1894, Freud anunciou orgulhosamente a Josef Breuer* que sabia interpretar sonhos. Numa carta de 4 de março de 1895, confiou a Wilhelm Fliess sua tese sobre o sonho como realização de um desejo*, contando-lhe o sonho* de Rudi Kaufmann, um jovem médico, sobrinho de Breuer, que detestava acordar cedo. Certa manhã, ele havia alucinado uma tabuleta de hospital que levava seu nome. Assim, voltara a dormir, convencido de já estar no trabalho.

Em meados de julho de 1875, passando uma temporada com a família nas montanhas de Viena*, Freud teve um sonho, o chamado "sonho da injeção de Irma"*, do qual forneceu uma interpretação parcial no *Projeto para uma psicologia científica*. Esse seria o exemplo inaugural e um dos mais importantes de seu livro.

O ano de 1896 foi marcado, para ele, pela morte de seu pai, Jacob Freud*. No prefácio à segunda edição de *Die Traumdeutung*, em 1908, Freud indicou como esse trabalho fora uma maneira de reagir àquele acontecimento, "a parte mais dilacerante da vida de um homem". Durante os meses seguintes, esse tema da morte do pai e as lembranças ligadas a ele apareceram como a fonte de diversos sonhos, sobretudo os que Freud denominou "sonhos de Roma". Entre essas lembranças, a da humilhação que o pai lhe contara haver sofrido como judeu estava ligada ao quarto desses sonhos romanos, no qual se manifestara seu desejo de ver realizar-se em Roma, em vez de Praga, um encontro previsto com Fliess. "Minha nostalgia por Roma", escreveu Freud numa carta a este último, datada de 3 de dezembro de 1897, "tem um caráter profundamente neurótico. Está ligada a meu amor ginasiano por Aníbal, o herói semita; de fato, tal como ele, mais uma vez não pude, este ano, ir do lago Trasímeno até Roma." O relato da humilhação paterna provocara no jovem Sigmund uma transposição da admiração para o personagem de Aníbal. Didier Anzieu sublinhou que essa identificação* com Aníbal foi a primeira das identificações heróicas de Freud, que "são, ao mesmo tempo, identificações masoquistas", coisa de que ele se aperceberia alguns meses depois por ocasião de seu encontro com o mito edipiano. Fliess, esclareceu ainda Anzieu, representou na época uma imagem paterna que frustrou Freud em um desejo cujo sonho constituiu a realização.

Os progressos de sua reflexão sobre a dinâmica das psiconeuroses e a etiologia da histeria* caminharam *pari passu* com suas primeiras dúvidas sobre a teoria da sedução*. O sonho afigurou-se então a Freud como o único meio de avançar para a solução da qual ele tinha o pressentimento. Em 16 de maio de 1897, escreveu a Fliess: "Tudo borbulha e fermenta dentro de mim e estou apenas à espera de novos impulsos (...) tenho-me sentido obrigado a trabalhar na questão dos sonhos; ali me sinto muito seguro, ainda mais que você me incentiva."

Aos poucos, a teoria do sonho como realização de um desejo* inconsciente* foi estendida à elaboração das fantasias* e ao aparecimento dos sintomas. O projeto de um livro sobre os sonhos era portador de "toda uma psicologia das neuroses", como ele escreveu a Fliess em 7 de julho de 1897. No outono de 1897, ao voltar da viagem à Itália durante a qual não conseguiu chegar a Roma, Freud endereçou ao amigo berlinense sua célebre declaração: "Não acredito mais em minha *neurotica*." Contudo, no fim dessa mesma carta, enunciou esta constatação não menos essencial: "Nesse desmoronamento geral, só a psicologia permanece intacta. O sonho certamente conserva seu valor, e tenho um apreço cada vez maior por meus primórdios na metapsicologia*. Que pena, por exemplo, que a interpretação dos sonhos não baste para se ganhar a vida!"

Nas semanas seguintes, Freud registrou o que tinham sido seus sentimentos amorosos por sua mãe e descobriu a universalidade do mito edipiano, realização, como o sonho, de desejos infantis inconscientes, tudo isso constituindo coisas que ele registraria no capítulo V de *Die Traumdeutung*.

Uma primeira versão do livro foi preparada no começo do ano de 1898. Freud mergulhou sem reservas no trabalho, mas, em julho, esbarrou no que tornou a chamar de "psicologia do sonho", o futuro capítulo VII. Sua atenção foi então retida por outros fenômenos, estranhamente comparáveis ao sonho — os esquecimentos, os atos falhos* e as lembranças encobridoras*, que constituiriam o material de um próximo livro, *A psicopatologia da vida cotidiana*. No outono, às voltas com a dúvida, foi tomado por um sentimento de morte e anunciou a Fliess, em 23 de outubro, o abandono de seu projeto: "O livro sobre os sonhos foi irremediavelmente posto de lado. Falta-me o estímulo para preparar sua publicação, e suas lacunas na psicologia, bem como as que ainda subsistem no exemplo analisado a fundo, atrapalham minha conclusão. Esses são obstáculos que ainda não pude superar." A esperança renasceu logo no início de 1899. Em 3 de janeiro, sempre dirigindo-se a Fliess, declarou: "(...) cintila uma luz, e certamente surgirá alguma outra coisa nos próximos dias. (...) o esquema do sonho pode ter uma utilização muito geral e (...) a chave da histeria está realmente incluída no sonho. Agora também entendo por que, apesar de todos os meus esforços, não pude solucionar a questão do sonho. Se esperar mais um pouco, conseguirei descrever o processo psíquico dos sonhos de tal modo que nele se inclua o processo de formação dos sintomas histéricos. Portanto, esperemos."

A partir do mês de maio de 1899, Freud empenhou-se integralmente na redação do livro, à custa de um trabalho extenuante. Em 11 de setembro de 1899, pôde enfim escrever a Fliess: "Terminei, isto é, o manuscrito inteiro foi despachado. Podes imaginar em que estado me encontro: o de um aumento da depressão, o que é normal depois de qualquer exaltação." Concluída sua impressão por volta de 20 de outubro, *Die Traumdeutung* foi posta à venda em 4 de novembro de 1899.

Freud inaugurou nesse livro um método ao qual se manteria fiel nos livros seguintes, o que ele dedicaria à psicopatologia e o que intitularia de *Os chistes e sua relação com o inconsciente**. Tratava-se de construir a teoria de seu objeto a partir de sua experiência clínica e das observações colhidas a seu redor. No caso, a formação do sonho, o trabalho do sonho e sua interpretação, que demonstravam a solidez de fundamento da tese da realização de um desejo inconsciente, foram estudados a partir de exemplos de sonhos, alternadamente utilizados como ponto de partida, fontes de formulação de interrogações e como ponto de chegada, ilustração da correção das hipóteses propostas.

As múltiplas reformulações de que o livro seria objeto — Peter Gay observou que, ao cabo de algumas edições, o sexto capítulo por si só tornou-se tão extenso quanto os cinco primeiros — dificultaram vez por outra o acesso a ele, e as traduções, por outro lado, só conseguiram verter de maneira imperfeita as múltiplas facetas do percurso de Freud, quer se tratasse de certas sutilezas teóricas, quer de alusões às diversas culturas de que ele estava impregnado, ou de detalhes que remetiam à vida vienense da época.

A despeito desses obstáculos, *Die Traumdeutung* continua a ser um livro excepcional, cujo autor é simultaneamente o sonhador, o intérprete, o teórico e o narrador. Para levar a cabo sua empreitada, Freud utilizou 223 sonhos: 47 seus e 176 provenientes de pacientes ou pessoas de seu círculo. Se é fato que, na análise que fez de seus próprios sonhos, Freud revelou muito mais detalhes concernentes à sua vida íntima do que fez em sua autobiografia, por exemplo, sem dúvida é abusivo ver nesse livro, como sustentaram alguns comentaristas, "uma forma ingênua e distorcida de autobiografia" (Peter Gay) ou "uma autobiografia disfarçada" (Henri F. Ellenberger). Octave Mannoni* desloca justificadamente essa questão, explicando que nenhum dos sonhos utilizados por Freud, nem os dele nem os de terceiros, pode ser objeto de uma interpretação exaustiva, já que "todo sonho tem um *umbigo* através do qual se comunica com o desconhecido". Além disso, observa Mannoni, quando Freud analisa seus próprios sonhos, faz questão da discrição que é devida a outrem. "Assim, a análise do sonho da injeção de Irma detém-se exatamente no ponto em que Freud nos dissera o bastante para compreendermos que sua própria mulher estava em jogo."

Que *Die Traumdeutung* tenha sido o primeiro dos 23 livros publicados pelo autor não foi obra do acaso. Freud esclareceu essa prioridade nas primeiras páginas de sua análise do caso Dora (Ida Bauer*), que publicou em 1905. Era impossível, disse, avançar na compreensão das psiconeuroses sem ter previamente efetuado "um estudo laborioso e aprofundado dos sonhos".

Podemos discernir três partes em *A interpretação dos sonhos*. O capítulo inaugural, resenha bibliográfica detalhada dos trabalhos sobre o sonho efetuados antes de Freud, constitui a primeira parte. O método de interpretação dos sonhos, a teoria da formação do sonho, sua função e o trabalho do sonho compõem a segunda parte, ou seja, cinco capítulos essenciais, modificados diversas vezes. Por último, a terceira parte compõe-se do célebre capítulo VII, dedicado à exposição da teoria do funcionamento do aparelho psíquico, no qual Freud expõe as instâncias de sua primeira tópica*, consciente*, pré-consciente* e inconsciente.

Freud só escreveu o primeiro capítulo de seu livro seguindo as insistentes recomendações de Fliess. Aliás, durante aquele verão de 1899, não deixou de participar ao amigo o quanto a redação desse *pensum* o irritava, nem tampouco dissimulou suas dúvidas quanto à utilidade daquela compilação enfadonha. Essa ligeira discordância foi rapidamente solucionada. Em 6 de agosto de 1899, Freud reconheceu que o problema não era o lugar conferido a essa literatura sobre o sonho, mas, acima de tudo, essa própria literatura, que, como ele escreveu, "nos desagrada". A inserção daquele levantamento era um mal necessário destinado a "evitar fornecer aos *pontífices* um machado com que rachar de alto a baixo este pobre livro". Na realidade, esse incidente e as comunicações agridoces a que ele deu ensejo fizeram parte, com outros incidentes contemporâneos, do início da deterioração do relacionamento entre os dois amigos.

Desde o começo do segundo capítulo, Freud se empenhou em sublinhar a originalidade de sua abordagem. Primeiro, distinguiu entre as concepções que ignoram até a própria idéia de interpretação*, por não considerarem o sonho como um ato mental, mas como um fato somático, e as concepções oriundas do bom senso popular e das crenças tradicionais, nas quais reconheceu uma prioridade verdadeira por elas tocarem "mais de perto na verdade do que nossas doutrinas atuais". Para essas antigas concepções, o sonho tem uma significação oculta a ser descoberta. Freud discerniu nelas um cuidado de interpretação que havia permitido, através dos séculos, o desenvolvimento de dois métodos.

O primeiro, a interpretação *simbólica*, trata o sonho como uma totalidade que ela se esforça por substituir por outro conteúdo, análogo porém mais inteligível. Esse método, observou Freud, convém muito aos sonhos artificiais, os que são inventados pelos romancistas e pelos poetas. A propósito disso, citou numa nota um romance de Wilhelm Jensen (1837-1911), *Gradiva*, ao qual dedicaria, em 1907, um estudo específico, intitulado *Delírios e sonhos na "Gradiva" de Jensen**. A interpretação *simbólica* exige dons particulares, dos quais já falava Aristóteles, mas não tem nenhuma serventia ao ser confrontada com sonhos confusos. Um segundo método, chamado por Freud de *método de decifração*, trata o sonho como um texto codificado ou "cifrado", no qual cada sinal ou elemento pode ser traduzido caso possuamos uma chave fixa, a "chave dos sonhos". Esse método, diversamente do anterior, não considera o sonho uma totalidade, mas um conjunto de elementos que devem ser abordados separadamente.

As dificuldades próprias desses dois métodos, a precariedade de sua fidedignidade, a falta de garantia ligada às "chaves", sejam elas quais forem, tudo isso atacava a credibilidade da própria idéia de interpretação.

Constatando esse impasse, Freud anunciou que "pudera dar um passo adiante". Ocorrera-lhe a idéia, ao escutar os pacientes lhe contarem seus sonhos da mesma forma que seus sintomas mórbidos, que o sonho, a exemplo da fantasia* e do sintoma, era um estado psíquico passível de constituir, também ele, o ponto de partida de associações livres.

Por razões de conveniência, ligadas à natureza de uma exposição escrita, Freud foi levado a escolher seus próprios sonhos como material de trabalho, ainda que isso implicasse, para ele, momentos de incômodo difíceis de assumir. A fim de apresentar seu método interpretativo, referiu-se sem maiores rodeios a um de seus sonhos, o chamado "sonho da injeção de Irma*", o primeiro, recordou, a ser objeto de uma análise pormenorizada. Nessa oportunidade, Freud estabeleceu um protocolo que permaneceria imutável ao longo de todo o livro.

Antes da narrativa do sonho propriamente dito aparece o "relato preliminar", um resumo mais ou menos detalhado do contexto recente ou antigo, dos lugares, acontecimentos e pessoas a que o sonho faz referência. O relato do sonho constitui o segundo tempo do protocolo. A análise do sonho, baseada nas associações evocadas por cada um de seus elementos, marca o terceiro tempo, pontuado por observações teóricas e metodológicas.

A análise do sonho sobre Irma permite a Freud afirmar que o sonho "... tem um sentido (...) que não é, em absoluto, a expressão de uma atividade fragmentada do cérebro", e que é sempre a realização de um desejo do dia anterior ao sonho.

Mas, não haveria outros sonhos além dos desejantes? Que dizer dos sonhos de conteúdo penoso nos quais não se vê o menor indício de realização de um desejo e que parecem contradizer a tese defendida?

Para responder a essa objeção, Freud enuncia uma distinção essencial entre o *conteúdo manifesto* do sonho, seu relato por parte do sonhador acordado, e o *conteúdo latente* do sonho, progressivamente revelado através de sua análise, isto é, do estabelecimento da relação entre as associações evocadas por cada elemento do conteúdo manifesto. Mas por que alguns sonhos — que, submetidos à análise, revelam ser realmente sonhos desejantes — não exprimem mais claramente esse desejo? É que o sonho é o lugar de uma *deformação*. O conteúdo manifesto é uma deformação do conteúdo latente, o que equivale a dizer que o conteúdo latente dissimula-se por trás do conteúdo manifesto. Essa deformação é a marca de uma defesa* contra o desejo veiculado pelo sonho. Freud compara a deformação do sonho à polidez, que muitas vezes consiste em disfarçar pensamentos agressivos ou negativos através de fórmulas amáveis. Portanto, efetua-se no sonho uma censura* inconsciente a uma moção de desejo: "quanto mais severa é a censura", escreve Freud, "mais completo é o disfarce".

Um sonho de conteúdo doloroso, portanto, pode ser a realização de um desejo: o conteúdo doloroso é produto do travestimento, é a deformação do que o sonhador desejava. Para ilustrar essa tese, Freud analisa um certo número de sonhos cujo conteúdo manifesto é explicitamente penoso. É o caso do chamado sonho da "bela açougueira", que ilustra o processo de identificação* histérica e que seria comentado por Jacques Lacan* em 1958. Como confirmam essas diversas análises, a deformação do sonho é realmente obra da censura e, desse modo, Freud pode aperfeiçoar sua tese sobre a essência do sonho: "O sonho é a realização (disfarçada) de um desejo (reprimido, recalcado)."

Quais são as fontes do sonho e de onde provém seu material? Essas perguntas são objeto do capítulo V, por sua vez dividido em quatro seções, respectivamente consagradas à antiguidade do material onírico, às fontes de origem infantil, às fontes somáticas e, por fim, ao que Freud denomina de "sonhos típicos".

A questão da antiguidade do material do sonho é a mais importante das que são abordadas nesse capítulo. Como afirma Freud, nossos sonhos são sempre provocados "por um acon-

tecimento após o qual ainda não tivemos uma noite de sono". Mais exatamente, as fontes de nossos sonhos podem estar inscritas num passado mais ou menos distante, porém, para que o sonho se produza, é preciso que sejam ligadas a uma impressão ou um acontecimento da véspera. Para ilustrar essa tese, Freud recorre sobretudo a seu chamado sonho da "monografia de botânica", do qual fornece o seguinte relato: "Eu tinha escrito uma monografia sobre uma certa planta. O livro estava diante de mim e eu virava precisamente numa página dobrada em que havia uma prancha colorida. Cada exemplar continha um espécime seco da planta, como um herbário."

Esse sonho torna a ser utilizado no mesmo capítulo a propósito do material infantil. Permite então deixar claro que um desejo reprimido da véspera só pode dar margem a um sonho quando se associa a um desejo reprimido da infância. Por fim, Freud torna a utilizá-lo no capítulo VI, para ilustrar o mecanismo de condensação*.

"Fomos os únicos", escreve ele no início desse capítulo VI, tantas vezes reformulado, "a levar em conta uma coisa diferente", a não nos contentarmos com o relato manifesto do sonho para interpretá-lo. Se o sonho é de fato um ato psíquico carregado de sentido, é preciso, para demonstrar isso, ir além de seu conteúdo manifesto, de modo a atingir seu conteúdo latente. Daí a indagação central que é objeto desse capítulo: qual é a natureza da relação entre conteúdo manifesto e pensamentos latentes? Por quais processos "estes produziram aquele", de que é feito esse "trabalho do sonho"?

"O sonho é um rébus, e nossos predecessores cometeram o erro de querer interpretá-lo como um desenho. Por isso é que ele lhes pareceu absurdo e sem valor."

Será possível dizermos que o conteúdo manifesto seria uma *tradução* dos pensamentos latentes, texto original escrito numa outra língua? Freud emprega o verbo traduzir (*übertragen*), mas Octave Mannoni salienta que essa representação do trabalho do sonho é um tanto reducionista. Ele propõe a idéia de *reconstituição*, ilustrada por uma bela imagem: tratar-se-ia, explica o autor, de reconstituir o latim original (os pensamentos latentes) a partir da versão, conteúdo manifesto, de um "mau aluno", e de encontrar, por exemplo, o texto latente, *summa diligentia*, a partir do texto manifesto, "o auge da diligência". Esse trabalho permitiria evidenciar "por quais leis os maus alunos traduzem o latim, da maneira como a análise do sonho nos informa sobre o trabalho do inconsciente".

Essas leis são em número de quatro, mas a ênfase é depositada nas duas mais fundamentais, o trabalho de condensação e o trabalho de deslocamento*, dois processos inerentes ao funcionamento do inconsciente e que encontramos em outras formações.

A hipótese do processo de condensação foi sugerida a Freud em 1898 pela constatação do laconismo e da pobreza do conteúdo manifesto de alguns sonhos comparados à riqueza dos pensamentos latentes desses mesmos sonhos quando analisados. Examinando diversos exemplos de sonhos, Freud mostra que a condensação se organiza em torno de alguns dos termos do conteúdo manifesto, espécie de pontos de sutura sob os quais se efetuou uma fusão entre diversos pensamentos latentes muito diferentes entre si. O mecanismo da condensação, quando se efetiva a propósito de palavras ou nomes, pode levar à formação de palavras ou nomes novos, às vezes de ressonância cômica.

Freud identifica um segundo mecanismo na formação do sonho, ao qual dá o nome de deslocamento. O deslocamento resulta de transferências da intensidade psíquica de alguns elementos para outros, de tal maneira que alguns deles, ricos, tornam-se sem interesse, podendo assim escapar à censura, enquanto outros se descobrem supervalorizados.

Em seguida, Freud estuda um terceiro mecanismo, os processos de figuração no sonho. Ele mostra que o sonho, via real de acesso ao inconsciente, não pode representar relações lógicas entre os elementos que o compõem (alternativas, contradições ou causalidades), mas pode, em contrapartida, modificá-las ou maquiá-las, cabendo à interpretação a tarefa de restabelecer essas relações apagadas pelo trabalho do sonho. Nessa mesma seção, torna a falar da importância da identificação no sonho, meio pelo qual duas pessoas podem ser uma só ou ser representadas por uma só coisa que lhes é co-

mum. Por outro lado, a identificação funciona no sonho como um meio de o sonhador se disfarçar: "É a própria pessoa do sonhador", sublinha Freud, "que aparece em cada um de seus sonhos, e não encontrei nenhuma exceção a essa regra. O sonho é absolutamente egoísta."

E há um quarto processo responsável pela formação do sonho, a elaboração secundária. Freud constata que, em alguns casos, o conteúdo de um sonho não provém unicamente dos pensamentos do sonho, mas que uma função psíquica, por intermédio de nosso pensamento consciente, de nossas fantasias*, pode fornecer ao sonho outros elementos. Essa instância psíquica, que habitualmente exerce uma função de censura, parece capaz de produzir, vez por outra, adendos ou acréscimos ao sonho, facilmente reconhecíveis pelo fato de serem, em geral, timidamente introduzidos por meio da expressão "como se...".

Em 1914, Freud fez um acréscimo substancial a seu sexto capítulo. Retomando uma seção do capítulo anterior, dedicada aos "sonhos típicos", categoria na qual havia agrupado sonhos que supostamente teriam a mesma significação para todo o mundo, ele dedicou uma longa exposição, ilustrada por numerosos exemplos devidos a Wilhelm Stekel*, daquilo a que chamou "figuração por símbolos". Subitamente, Freud parece haver-se apercebido do perigo representado por essa abordagem, passível de levar à constituição de uma nova "chave dos sonhos" e de abolir o alcance da ruptura constituída por seu próprio método de interpretação. Aliás, ele dá mostras de prudência: se é verdade que, confrontados com alguns sonhos, os sujeitos podem ver-se na impossibilidade de fazer associações ou de descobrir outras associações que não sejam símbolos repertoriados e impessoais, "não há como, por motivos de crítica científica, nos entregarmos ao bel-prazer do intérprete, como fez a Antiguidade e como procedem as estranhas explicações de Stekel. Por isso é que seremos levados a combinar duas técnicas: vamos apoiar-nos nas associações de idéias do sonhador e suprir o que faltar com o conhecimento dos símbolos do interpretador".

Mas isso não impede, "formulados esses limites e essas ressalvas", que Freud se empenhe na enumeração comentada e ilustrada de um verdadeiro catálogo, dosado apenas pelo enunciado de uma advertência que esclarece que, embora as duas técnicas devam complementar-se, "a tradução em símbolos intervém apenas a título de auxílio". Essa seção da *Traumdeutung* raramente é comentada pelos analistas, a não ser para censurar Freud por ela. Conviria, sem dúvida, ir além disso para questionar o sentido dessa espécie de digressão, já identificável na época do *Projeto*, mas também em outras épocas e sob outras formas, quer se trate das tentações interpretativas, das aplicações aproximativas ou ainda das "fantasias filogenéticas".

O último capítulo de *Die Traumdeutung* constitui um livro à parte, um tratado cujo poder e alcance evocam os das obras da reformulação da década de 1920, *Além do princípio de prazer** ou *O eu e o isso**. Ali, Freud estabelece sua concepção do aparelho psíquico, retomando inúmeros elementos contidos nos "manuscritos" enviados a Fliess ao longo dos anos precedentes. Pela primeira vez, desenvolve sua concepção do inconsciente, a oposição entre processo primário e processo secundário, prefiguração da oposição entre princípio de realidade* e princípio de prazer*, e sua concepção do recalque*.

Durante muito tempo, prevaleceu a idéia de que a *Traumdeutung* teve uma acolhida precária. Ratificada pelo próprio Freud, essa apresentação dos fatos foi retomada por Ernest Jones* e por gerações de analistas. Em seu prefácio à segunda edição, em 1908, Freud evocou o "silêncio de morte" que acolhera seu livro. Em 1909, no primeiro pós-escrito acrescentado ao capítulo 1, novamente participou sua amargura e se queixou de que seu trabalho não fora evocado pelos outros autores nem levado em consideração pelos críticos. Quanto aos que o resenharam, seus artigos "são tão repletos de incompreensão e mal-entendidos, que eu não poderia responder aos críticos de outro modo senão pedindo-lhes que releiam o livro. Talvez eu devesse simplesmente dizer: que o leiam". Ainda em 1925, ele escreveu em sua autobiografia: "*A interpretação dos sonhos*, publicada em 1900, mal chegou a ser mencionada nas revistas especializadas."

Apoiando-se em trabalhos norte-americanos, Henri F. Ellenberger contestou radicalmente essa "lenda". O estudo atento dos fatos por Norman Kiell sugere moderação. As cifras não confirmam as afirmações de Freud: segundo Kiell, houve 22 resenhas da obra entre 1899 e 1902 e 20 entre 1903 e 1915. Incontestavelmente, alguns artigos foram negativos ou até desagradáveis, fato que Ellenberger ignora ou sobre o qual silencia. Na verdade, parece haver um mal-entendido na origem dessas apreciações antagônicas. Os meios prezados por Freud, aqueles dos quais ele esperava entusiasmo, foram incontestavelmente os menos apressados a saudar o acontecimento. Outros círculos, entretanto, filosóficos, literários ou artísticos, aos quais Freud não atribuía grande importância, expressaram sua aprovação. Esse mal-entendido não poderia ser mais bem ilustrado do que pelo que aconteceu entre Freud e o movimento surrealista francês. Freud nunca compreendeu, como é atestado sobretudo pelo relato da visita que lhe foi feita por André Breton (1896-1966) em 1921, o sentido da "revolução surrealista", para a qual *A interpretação dos sonhos* constituiu um breviário, emblema da "revolução freudiana".

• Sigmund Freud, *A interpretação dos sonhos* (1900), *ESB*, IV-V, 1-660; *GW*, II-III, 1-642; *SE*, IV-V, 1-621; Paris, PUF, 1967; "Fragmento da análise de um caso de histeria" (1905), *ESB*, VII, 5-129; *GW*, V, 163-286; *SE*, VII, 1-122; in *Cinq psychanalyses*, Paris, PUF, 1954, 1-91; *A psicopatologia da vida cotidiana* (1901), *ESB*, VI; *GW*, IV; *SE*, VI; Paris, Payot, 1973; *Os chistes e sua relação com o inconsciente* (1905), *ESB*, VIII; *GW*, VI, 1-285; *SE*, VIII; Paris, Gallimard, 1988; *La Naissance de la psychanalyse* (Londres, 1950), Paris, PUF, 1956; *Briefe an Wilhelm Fliess, 1887-1904*, Frankfurt, Fischer, 1986; "Observações sobre a teoria e a prática da interpretação de sonhos" (1923), *ESB*, XIX, 139-58; *GW*, XIII, 301-14; *SE*, XIX, 109-21; *OC*, XVI, 165-79; *Um estudo autobiográfico* (1925), *ESB*, XX, 17-88; *GW*, XIV, 33-96; *SE*, XX, 7-70; *OC*, XVII, 51-122; *Correspondance, 1873-1919* (Londres, 1960), Paris, Gallimard, 1966 • Sarane Alexandrian, "Le Rêve dans le surréalisme", *Nouvelle Revue de Psychanalyse*, 1972, 5, 27-50 • Didier Anzieu, *A auto-análise de Freud e a descoberta da psicanálise* (Paris, 1959), P. Alegre, Artes Médicas, 1989; "Étude littérale d'un rêve de Freud", *Nouvelle Revue de Psychanalyse*, 1972, 5, 83-100 • André Breton, *Les Vases communicants* (1932), Paris, Gallimard, col. "Idées", 1977 • Henri F. Ellenberger, *Histoire de la découverte de l'inconscient* (N. York, Londres, 1970, Villeurbanne, 1974), Paris, Fayard, 1994 • Peter Gay, *Freud: uma vida para o nosso tempo* (N. York, 1988), S. Paulo, Companhia das Letras, 1995 • André Green, "De l'*Esquisse* à *L'Interprétation des rêves*: coupure et clôture", *Nouvelle Revue de Psychanalyse*, 1972, 5, 155-80 • Alexander Grinstein, *On Sigmund Freud's Dreams*, Detroit, Wayne State University Press, 1968; "Un rêve de Freud: Les Trois Parques", *Nouvelle Revue de Psychanalyse*, 1972, 5, 57-82 • Ernest Jones, *A vida e a obra de Sigmund Freud*, 3 vols. (N. York, 1953, 1955, 1957), Rio de Janeiro, Imago, 1989 • Norman Kiell, *Freud without Hindsight. Review of his Work 1893-1939*, Madison, International Universities Press, 1988 • Jacques Lacan, "A direção do tratamento e os princípios de seu poder" (1958), in *Escritos* (Paris, 1966), Rio de Janeiro, Jorge Zahar, 1998, 591-652 • Octave Mannoni, *Freud, uma biografia ilustrada* (Paris, 1968), Rio de Janeiro, Jorge Zahar, 1994; *Clefs pour l'imaginaire ou l'Autre Scène*, Paris, Seuil, 1969 • Jean-Bertrand Pontalis, "La Pénétration du rêve", *Nouvelle Revue de Psychanalyse*, 1972, 5, 257-72 • Nicolas Rand e Maria Torok, *Questions à Freud*, Paris, Les Belles Lettres-Archimbaud, 1995 • Élisabeth Roudinesco, *História da psicanálise na França*, vol.2 (Paris, 1986), Rio de Janeiro, Jorge Zahar, 1988.

➢ FRANÇA.

introjeção

al. *Introjektion*; esp. *introjeccion*; fr. *introjection*; ing. *introjection*

Termo introduzido por Sandor Ferenczi* em 1909, para designar, em simetria com o mecanismo de projeção* e introversão* (ensimesmamento auto-erótico), a maneira como um sujeito* introduz fantasisticamente objetos de fora no interior de sua esfera de interesse.

Foi num artigo intitulado "Transferência e introjeção" que Ferenczi comparou o psiquismo do neurótico ao do psicótico: "... enquanto o paranóico projeta para o exterior as emoções que se tornaram penosas, o neurótico procura incluir em sua esfera de interesse uma parcela tão grande quanto possível do mundo externo para dela fazer objeto de fantasias conscientes ou inconscientes (...). Proponho chamar esse processo, inverso à projeção, de introjeção."

Sigmund Freud* adotaria o termo, próximo de incorporação*, mas foram sobretudo Melanie Klein* e os kleinianos que o retomaram para descrever todos os mecanismos ligados à relação de objeto*, segundo uma trilogia: introjeção, projeção e reintrojeção de objetos, identificação* projetiva.

• Sándor Ferenczi, *Psicanálise I, Obras completas, 1908-1912* (Paris, 1968), S. Paulo, Martins Fontes, 1991.

➢ AUTISMO; PARANÓIA; POSIÇÃO DEPRESSIVA/POSIÇÃO ESQUIZO-PARANÓIDE.

introversão

al. *Introversion*; esp. *introversión*; fr. *introversion*; ing. *introversion*

Termo criado por Carl Gustav Jung*, em 1910, para designar o retraimento da libido* para o mundo interno do sujeito*.

➢ AUTISMO; AUTO-EROTISMO; NARCISISMO.

inveja

al. *Neid*; esp. *envidia*; fr. *envie*; ing. *envy*

Termo introduzido por Melanie Klein*, em 1924, para designar um sentimento primário e inconsciente de avidez em relação a um objeto que se quer destruir ou danificar. A inveja aparece desde o nascimento e é inicialmente dirigida contra o seio da mãe. Na posição esquizo-paranóide ou depressiva*, a inveja ataca o objeto bom* para dele fazer um objeto mau, assim produzindo um estado de confusão psicótica.

Como quase todos os termos do vocabulário kleiniano, inveja opõe-se a um outro: gratidão. Na concepção freudiana clássica, a inveja só é estudada no contexto da gênese da sexualidade feminina* e na categoria de inveja do pênis. Ora, Melanie Klein deu-lhe extensão bem maior e central na história da relação de objeto*. Assim, o domínio do ódio, da morte, da destruição e, sobretudo, da agressividade primária é repensado de maneira mais arcaica, mais radical e mais interna ao sujeito* do que no freudismo* clássico. Se é verdade que Sigmund Freud* foi o grande teorizador da sexualidade* humana, podemos dizer que Melanie Klein, como aliás também Jacques Lacan*, foi a grande clínica da agressividade e da relação odiosa do homem com seu semelhante.

O termo gratidão só apareceu em 1957, para definir a natureza interativa e dialética do dualismo amor/ódio. Na perspectiva kleiniana, a existência da gratidão não permite que se imponha o menor limite à natureza invasiva da inveja. Daí o crescente ceticismo de Melanie Klein quanto à própria possibilidade de um resultado terapêutico positivo nas análises em que a relação de objeto primária foi vivida de um modo destrutivo.

• Melanie Klein, *Psicanálise da criança* (Londres, 1932), S. Paulo, Mestre Jou, 1975, 2ª ed.; *Contribuições à psicanálise* (Londres, 1948), S. Paulo, Mestre Jou, 1970; *Inveja e gratidão: um estudo das fontes do inconsciente* (Londres, 1957), Rio de Janeiro, Imago, 1974 • Hanna Segal, *Introdução à obra de Melanie Klein* (Londres, 1973), Rio de Janeiro, Imago, 1975 • Phyllis Grosskurth, *O mundo e a obra de Melanie Klein*, (1986), Rio de Janeiro, Imago, 1992 • R.D. Hinshelwood, *Dicionário do pensamento kleiniano* (Londres, 1991), P. Alegre, Artes Médicas, 1992.

inveja do pênis

➤ SEXUALIDADE FEMININA.

investimento

al. *Besetzung*; esp. *comando, destinación*; fr. *investissement*; ing. *cathexis*

Termo extraído por Sigmund Freud* do vocabulário militar para designar uma mobilização da energia pulsional que tem por consequência ligar esta última a uma representação, a um grupo de representações, a um objeto ou a partes do corpo. No Brasil também se usa "catexia".

➤ LIBIDO; OBJETO, RELAÇÃO DE; PULSÃO.

IPA

➤ INTERNATIONAL PSYCHOANALYTICAL ASSOCIATION.

Irma, injeção de

Na noite de 23 para 24 de julho de 1897, enquanto passava uma temporada no castelo de Bellevue, perto de Viena*, Sigmund Freud* teve um sonho* que relatou em *A interpretação dos sonhos** e ao qual deu o título de "sonho da injeção de Irma". Foi nessa ocasião que começou a interpretar seus sonhos.

Esse sonho pôs em cena um Freud que observava manchas acinzentadas na boca de uma mulher de nome Irma. Chamou em seu socorro o Dr. M., que confirmou o diagnóstico de infecção. Dois outros amigos, Leopold e Otto, apro-

ximaram-se dela. Otto aplicou-lhe então uma injeção de ácido de trimetilamina.

O "sonho da injeção de Irma" foi comentado em treze páginas por Freud e, mais tarde, em dezenas de ocasiões, por psicanalistas de todas as tendências. Tal como a auto-análise* de Freud, tornou-se um mito por conter uma espécie de romance familiar* das origens e da história da psicanálise*. Nele se encontram Oskar Rie* (Otto), cunhado de Wilhelm Fliess* e médico da família Freud, Ernst von Fleischl-Marxow* (Leopold), Josef Breuer* (o Dr. M.) e, por fim, a própria Irma, condensação de Emma Eckstein* e Anna Lichtheim (?-1938), filha de Samuel Hammerschlag (?-1904), professor e benfeitor de Freud. Transformada em professora primária depois de sua viuvez, Anna Lichtheim foi uma das pacientes preferidas de Freud (que deu o prenome dela a sua filha).

Em julho de 1897, Ida Bondy (1869-1941), mulher de Fliess e ex-paciente de Breuer, estava grávida do filho mais velho, Robert Fliess*, que se tornaria psicanalista. Nessa ocasião, Martha Freud* também estava grávida de sua última filha, Anna Freud*, que seria analisada pelo próprio pai. A filha de Rie, Marianne, terceira e última da fratria, tornar-se-ia psicanalista (Marianne Kris*) depois de uma análise com Freud. Viria a se casar com Ernst Kris*, futuro editor, em 1950, com Anna Freud, sua analista, e Marie Bonaparte*, de uma versão expurgada das cartas de Freud a Fliess, publicada sob o título de *O nascimento da psicanálise*. Margarethe, uma outra filha de Rie, segunda da fratria, tornou-se psicanalista e se casou com Hermann Nunberg*, que se encarregaria da edição das *Atas* da Sociedade Psicológica das Quartas-Feiras*, primeira instituição da história do freudismo*.

• Sigmund Freud, *A interpretação dos sonhos* (1900), *ESB*, IV-V, 1-660; *GW*, II-III, 1-642; *SE*, IV-V, 1-621; Paris, PUF, 1967; *La Naissance de la psychanalyse* (Londres, 1950), Paris, PUF, 1956; *Briefe an Wilhelm Fliess, 1887-1904*, Frankfurt, Fischer, 1986 • *Freud/Fliess: correspondência completa, 1887-1904* (Cambridge, 1985), Rio de Janeiro, Imago, 1997 • Didier Anzieu, *A auto-análise de Freud e a descoberta da psicanálise* (Paris, 1959), P. Alegre, Artes Médicas, 1989 • Élisabeth Roudinesco, *Genealogias* (Paris, 1994), Rio de Janeiro, Relume Dumará, 1996.

➤ *ESTUDOS SOBRE A HISTERIA*; FILIAÇÕES; GERAÇÃO; INTERPRETAÇÃO; REAL; SEDUÇÃO, TEORIA DA.

Isaacs, Susan, *née* Fairhurst (1885-1948)

pedagoga e psicanalista inglesa

Nascida no Lancashire, Susan Isaacs estudou filosofia na Universidade de Manchester, e psicologia em Cambridge. Ensinou lógica, pedagogia e psicologia, antes de se voltar para a psicanálise* e integrar-se à British Psychoanalytical Society (BPS) em 1921. Analisada inicialmente por Otto Rank*, por John Carl Flugel (1884-1955) e Joan Riviere*, tornou-se depois uma fiel discípula de Melanie Klein*, ficando ao mesmo tempo muito próxima de Donald Woods Winnicott*. Diretora, entre 1924 e 1927, da Malting House School de Cambridge, escola experimental destinada às crianças até sete anos, foi a primeira terapeuta a introduzir os métodos psicanalíticos no campo do desenvolvimento infantil. Dessa experiência, extraiu duas obras, que tiveram uma influência importante no campo da educação das crianças pequenas.

A Malting House foi objeto de um escândalo permanente até o seu fechamento, a ponto de ser chamada de "bordel pré-genital". Freqüentada pelos filhos da burguesia não-conformista de Cambridge, favorecia a expressão aberta dos interesses sexuais precoces, com a condição de que fossem canalizados sob os olhos vigilantes da ciência. Esse escândalo não impediu Susan Isaacs de continuar uma longa e ilustre carreira de pedagoga, paralelamente à sua atividade psicanalítica. Membro do Instituto Real de Antropologia, foi também diretora do departamento do desenvolvimento da criança na Universidade de Londres.

Susan Isaacs inventou a grafia *phantasy* para distinguir phantasia* de fantasia* (*fantasy*).

• Susan Isaacs, *Intellectual Growth in Young Children*, Londres, Routledge, 1930; *Social Development in Young Children*, Londres, Routledge, 1933; "Natureza e função do fantasma" (1948), in Melanie Klein (org.), *Os progressos da psicanálise* (Londres, 1952), Rio de Janeiro, Zahar, 1978 • D.E.M. Gardner, *Susan Isaacs*, Londres, Methuen Educational, 1969 • Phyllis Groskurth, *O mundo e a obra de Melanie Klein* (1986), Rio de Janeiro, Imago, 1992 • R.D. Hinshelwood, *Dicionário do pensamento kleiniano* (Londres, 1991), P. Alegre, Artes Médicas, 1992 • *Les Controverses Anna Freud/Melanie Klein* (Londres, 1991), Pearl King e Riccardo Steiner (org.), Paris, PUF, 1996.

isso

al. *Es*; esp. *ello*; fr. *ça*; ing. *id*

Termo introduzido por Georg Groddeck* em 1923 e conceituado por Sigmund Freud* no mesmo ano, a partir do pronome alemão neutro da terceira pessoa do singular (Es), para designar uma das três instâncias da segunda tópica* freudiana, ao lado do eu* e do supereu*. O isso é concebido como um conjunto de conteúdos de natureza pulsional e de ordem inconsciente. A tradução francesa foi introduzida por Édouard Pichon* e a inglesa, por James Strachey*. No Brasil também se usa "id".

A introdução do conceito de isso por Freud na teoria psicanalítica está intrinsecamente ligada à grande reformulação dos anos de 1920-1923. Sabemos que esta se caracterizou pela modificação da teoria das pulsões, pela elaboração de uma nova psicologia do eu, que levava em conta suas funções inconscientes de defesa* e recalque*, e pela definição de uma nova tópica, na qual o isso veio a ocupar o lugar que fora do inconsciente* na tópica anterior.

Foi em seu ensaio *O eu e o isso** que Freud introduziu o termo pela primeira vez, insistindo na solidez de fundamento da acepção definida por Groddeck: a de uma vivência passiva do indivíduo, confrontado com forças desconhecidas e impossíveis de dominar.

A primeira tópica era uma descrição cômoda dos processos psíquicos. Permitia distinguir entre o consciente* e duas modalidades de inconsciente, o inconsciente propriamente dito, cujos conteúdos só raramente (ou nunca) podiam ser transformados em pensamentos conscientes, e o pré-consciente*, feito de pensamentos latentes, passíveis de se tornar ou de voltar a se tornar conscientes.

Aos poucos, a partir de 1915, ao preço de lenta maturação fundamentada na experiência clínica, Freud chegou à conclusão de que grandes partes do eu e do supereu eram inconscientes. Daí em diante, tornou-se impossível afirmar a existência de uma identidade entre o eu e o consciente, de um lado, e o recalcado e o inconsciente, de outro. Assim, foi preciso revisar por completo a concepção das relações consciente-inconsciente expressa pela primeira tópica. Daí a introdução do termo isso para designar o inconsciente, considerado um reservatório pulsional desorganizado, assimilado a um verdadeiro caos, sede de "paixões indomadas" que, sem a intervenção do eu, seria um joguete de suas aspirações pulsionais e caminharia inelutavelmente para sua perdição.

Ao mesmo tempo, o eu perdeu sua autonomia pulsional, tornando-se o isso a sede da pulsão* de vida e da pulsão de morte. Diversamente de sua abordagem descritiva da primeira tópica, a abordagem dinâmica da segunda não instaurou nenhuma separação radical entre as instâncias que a compunham: os limites do isso deixaram de ter a precisão dos que marcavam a separação entre o inconsciente e o sistema consciente-pré-consciente, e o eu deixou de ser estritamente diferenciado do isso no qual o supereu mergulha suas raízes.

No contexto da trigésima primeira das *Novas conferências introdutórias sobre psicanálise**, que versava sobre "A decomposição da personalidade psíquica", Freud inaugurou uma reflexão sobre os respectivos futuros do eu e do isso e sobre a missão que, sob esse ponto de vista, cabia à psicanálise*. Nesse contexto, enunciou sua célebre frase *"Wo Es war, soll Ich werden"*, que daria margem a diversas leituras, por sua vez articuladas com as modalidades de interpretação da segunda tópica. Uma primeira leitura, a da *Ego Psychology**, privilegiou o papel do eu, considerado como tendo que dominar o isso ao término de uma análise bem conduzida. Inversamente, Jacques Lacan* forneceu da frase freudiana uma tradução baseada em sua teoria da linguagem. Enfatizou a emergência dos desejos inconscientes para os quais a análise deve abrir caminho, em oposição às defesas do eu, posição esta que ele recapitulou em 1967 por meio de uma formulação que se tornou famosa: "isso fala!"

• Sigmund Freud, "O inconsciente" (1915), *ESB*, XIV, 191-233; *GW*, X, 263-303; *SE*, XIV, 159-204; *OC*, XIII, 205-43; *O eu e o isso* (1923), *ESB* XIX, 23-76; *GW*, XIII, 237-89; *SE*, XIX, 12-59; *OC*, XVI, 255-301; *Novas conferências introdutórias sobre psicanálise* (1933), *ESB*, XXII, 15-226; *GW*, XV; *SE*, XXII, 5-182; *OC*, XIX, 83-268 • Jacques Lacan, "A coisa freudiana ou Sentido do retorno a Freud em psicanálise" (1955), in *Escritos* (Paris, 1966), Rio de Janeiro, Jorge Zahar, 1998, 402-37; O Seminário, livro 11, *Os quatro conceitos fundamentais da psicanálise (1964)* (Paris, 1973), Rio de Janeiro, Jorge Zahar, 1979; O Seminário, livro 14, *La*

Logique du fantasme (1966-1967), inédito, sessão de 11 de janeiro de 1967.

Itália

Atormentado pela dúvida, desejando tranqüilidade, Sigmund Freud* escreveu a Wilhelm Fliess* em 14 de agosto de 1897: "Para isso, é da Itália que eu precisaria." Entre 1876 e 1923, Freud foi cerca de vinte vezes à Itália. Roma, Florença, Orvietto, Pompéia, a Antigüidade romana e os artistas do Renascimento, Leonardo da Vinci e Michelangelo seriam referências maiores na obra freudiana, o que não impediu a psicanálise* de encontrar muitas dificuldades para se implantar e desenvolver nesse país.

Durante a primeira parte do século XX, o cenário intelectual, ideológico e político italiano estava dominado por correntes de pensamento que tinham em comum, acima de suas diferenças, a rejeição às idéias freudianas.

O idealismo espiritualista, de inspiração hegeliana, de Benedetto Croce (1866-1952) e de Giovanni Gentile (1875-1944), que dominou inteiramente a filosofia italiana até o fim dos anos 1930, concebia a psicologia como uma ramificação da filosofia. Tornando-se ministro da educação, no início da era mussolinista, Gentile concretizou essa idéia, suprimindo a psicologia do ensino secundário e reduzindo a duas as cátedras de psicologia experimental no ensino superior. Os objetivos e as pretensões do pensamento freudiano eram combatidos por todos os meios, inclusive pelo recurso a formas de psicologia afastadas tanto do positivismo quanto das idéias freudianas, a psicologia de Alfred Adler* e a de Pierre Janet*. Gentile opunha assim o subconsciente janetiano ao inconsciente* freudiano, e Croce, por sua vez, se parece ter favorecido em 1930 a tradução e a publicação de *Totem e tabu**, não escondia sua atração pelas idéias de Carl Gustav Jung*.

Herdeira das teorias organicistas de Cesare Lombroso (1835-1909), cuja repercussão tinha sido considerável nos meios universitários e médicos, a corrente de pensamento positivista, em luta contra a filosofia idealista, favoreceu o desenvolvimento de uma psicologia experimental, que se inscrevia na perspectiva aberta pelos trabalhos de Wilhelm Wundt (1833-1920). Ao mesmo tempo, os psiquiatras insatisfeitos com a orientação estritamente organicista se encaminharam para a escola alemã de Emil Kraepelin* em Munique.

A psicanálise aparecia então como pura especulação metafísica, acusada de não ter valor científico.

No plano político, os pensadores e burocratas mussolinistas parecem ter ignorado, inicialmente, a existência das teses freudianas, assim como seus raros representantes italianos. Mas, desenvolvendo sua ideologia voluntarista, fundada no mito da virilidade conquistadora e da "sã latinidade", o regime fascista logo se opôs aos valores do freudismo*. A partir de 1934, o advento de Hitler e a adesão do ditador italiano às teses racistas e anti-semitas dos nazistas acarretaram o desaparecimento da psicanálise na Itália.

Poderosa e triunfante até meados dos anos 1950, a Igreja* católica, que soube compor-se com o regime fascista, condenou todas as outras doutrinas: o liberalismo, o positivismo, o idealismo e, evidentemente, a psicanálise, reprovada por seu ateísmo, pela importância que atribuía à sexualidade* (o pansexualismo*), por sua adesão às teses darwinianas e pela idéia de culpa inconsciente, oposta à noção teológica de pecado.

Foi em 1908, ou seja, um ano antes da morte de Lombroso, que o nome de Freud foi evocado pela primeira vez na Itália. Dois artigos, um de Luigi Baroncini, psicólogo no Hospital Psiquiátrico de Imola, o outro de Gustavo Modena, psiquiatra em Ancona, baseados em informações parciais, apresentaram de maneira favorável, mas muito prudente, os trabalhos de Freud, que foi informado desse primeiro sinal de reconhecimento na Itália por Karl Abraham* em uma carta datada de 4 de outubro de 1908. Ao mesmo tempo, um médico veneziano instalado em Florença, Roberto Assagioli, animava um grupo de reflexão sobre a sexualidade. Consagrou sua tese à psicanálise e participou, em 1910, do Congresso de Nuremberg. Publicou depois diversos artigos de introdução à psicanálise na *Rivista di Psicologia*, que seria até 1917 uma das tribunas mais abertas às idéias freudianas, na revista cultural *La Vóce*, onde apresentou as teses de Freud sobre a sexualidade, e em um número especial dedicado à psicanálise da revista *Psyche*, da qual era um dos animadores.

Modena e Assagioli tinham descoberto a psicanálise graças a Ernest Jones*, que encontraram em Munique quando faziam um estágio no serviço de Kraepelin.

A esses pioneiros, cujo interesse pela psicanálise desapareceu bastante rapidamente, é preciso acrescentar o nome de Sante De Sanctis (1862-1935), psiquiatra e psicólogo de origem romena que mais tarde promoveu a vinda de Edoardo Weiss* a Roma e publicou em 1890 uma compilação da literatura dedicada ao sonho (que Freud citou em *A interpretação dos sonhos** e no fim de seu ensaio *Sobre o sonho**).

Às vésperas da guerra, enquanto um sentimento antigermânico, e mais especificamente anti-austríaco, se instalava no conjunto do país, Freud observava com lucidez em seu ensaio "A história do movimento psicanalítico", que "na Itália, depois de um começo muito promissor, a participação no movimento cessou".

Em virtude de sua situação geográfica e política, que a submeteu ao domínio austríaco até 1918, a cidade de Trieste, via de passagem entre a Mitteleuropa e a Península Italiana que Freud usou várias vezes, era o cenário de uma atividade intelectual específica. O bilingüismo permitia a seus habitantes ter acesso direto à cultura alemã e austríaca, e conseqüentemente aos trabalhos de Freud; além disso, a prioridade que as autoridades do império dos Habsburgo dava aos diplomas austríacos sobre os diplomas italianos incitava os estudantes a deixarem a cidade juliana para se formarem em Berlim ou em Munique, mas de preferência em Viena, o que fez, especialmente, o jovem Edoardo Weiss.

Depois da Primeira Guerra Mundial, a Itália, humilhada por seus feitos bélicos pouco gloriosos, estava dominada por um ressentimento nacionalista que anunciava a chegada do regime fascista. Por sua vez, os meios intelectuais estavam amplamente conquistados pelas idéias positivistas. Nesse contexto, Marco Levi-Bianchini*, psiquiatra judeu originário da região de Pádua que decidira já em 1909 divulgar a psicanálise nos meios psiquiátricos italianos, apareceu como pioneiro. Espírito fervilhante mas confuso, Levi-Bianchini desenvolveu uma atividade considerável, que o levou a dar à psicanálise seus primeiros fundamentos institucionais sob a forma de revistas e coleções. Em 1925, quando era diretor do Hospital Psiquiátrico de Teramo, pequena cidade dos Abruzos, fundou a primeira Società Psicoanalitica Italiana (SPI).

No mesmo ano, Weiss apresentou os grandes eixos da teoria psicanalítica ao Congresso Nacional de Psiquiatria. Sua intervenção, acolhida com grande reserva, foi duramente criticada por Enrico Morselli (1852-1929), presidente da Sociedade Italiana de Psiquiatria. Este publicou alguns meses depois uma suma em dois volumes, intitulada *La psicoanalisi*. Longe de apresentar objetivamente as teses freudianas a um público que ignorava tudo sobre elas, a obra de Morselli pretendia ser um ensaio crítico que tomava emprestado aos adversários franceses da psicanálise, a Charles Blondel principalmente, uma parte de seus argumentos. Transformava Freud em um Satã lúbrico e suas teses sobre a sexualidade em um catálogo pornográfico. Para denunciar o caráter decadente e pernicioso do freudismo, Morselli desenvolveu uma argumentação organicista e explorou sem pudor a sensibilidade nacionalista fascistizante, assim como a ideologia da pretensa "virgindade latina", que ele dizia protegida das "perversões germânicas" graças à piedade religiosa. Acusando o recebimento do livro, Freud respondeu amavelmente a seu autor e lamentou suas reservas em relação à "nossa jovem ciência", sem todavia medir a influência que, apesar de sua mediocridade intelectual, esse livro teria na Itália.

Foi em torno de Weiss, instalado em Roma a partir de 1931, que se formaram os verdadeiros pioneiros da psicanálise, entre eles Emilio Servadio*, Nicola Perrotti* e Cesare Musatti*, que seria aluno e depois assistente de Vittorio Benussi*.

Fundada em 1932 por Weiss, a *Rivista Italiana di Psicoanalisi* publicou artigos de Jones, de Marie Bonaparte*, de Paul Federn*, traduções de Freud por Weiss e por Servadio, assim como trechos acirrados de uma violenta controvérsia com alguns representantes da nova geração crociana. Nesse mesmo ano, ocorreu a reforma da SPI, cuja sede ficaria a partir de então em Roma.

O movimento psicanalítico italiano nascente — a Sociedade Italiana de Psicanálise foi reconhecida pela International Psychoanalytical Association* (IPA) em 1935 — não teve tempo de se desenvolver. Logo foi asfixiado e destruído pelos ataques conjugados da Igreja católica e do regime fascista.

Desde 1925, a Igreja combatia as teses freudianas, baseando-se nas de Janet e Blondel. A partir de 1932, os ideólogos fascistas se inspiraram nos clichês da teoria da hereditariedade-degenerescência* para denunciar o caráter mórbido e desmoralizante das idéias freudianas. E, se em 1934, foram as autoridades fascistas que tomaram a decisão de proibir a jovem *Rivista Italiana de Psicanalisi*, essa medida foi efetivamente inspirada pelo Vaticano, aconselhado pelo padre Wilhelm Schmidt (1868-1954), jesuíta vienense, adversário determinado da psicanálise muito conhecido de Freud, que o designaria explicitamente como o responsável por essa medida em uma carta a Arnold Zweig*.

Nesse contexto, um homem influente, o frade franciscano Agostino Gemelli (1878-1959), psiquiatra, discípulo de Lombroso, aluno de Kraepelin* e admirador de Janet, fundador em 1921 da Universidade Católica de Milão, que o ministro Gentile reconheceria oficialmente em 1923, desempenhou um papel dos mais obscuros. Se, nessa época, não se declarava explicitamente adversário da psicanálise — o que faria depois da Segunda Guerra Mundial, pois até tomara partido a favor de Weiss e dos seus alunos atacados por filósofos crocianos —, Gemelli não interveio a seu favor em 1934, a despeito de sua posição junto à Cúria romana e de seu trânsito nos círculos fascistas.

Em 1938, enquanto o pequeno grupo de Weiss estava a ponto de dispersar-se, Gemelli publicou o primeiro número da revista que ele comprara de Levi-Bianchini, *Archivi di Neurologia, Psichiatria e Psicoanalisi*, depois de substituir a última palavra do título por *Psicoterapia*. Na verdade, com um grande senso de oportunidade política, Gemelli tinha feito sua, desde essa época, a posição da Igreja católica romana que, ao contrário da Igreja da França, recusava qualquer compromisso com a psicanálise.

Durante ainda alguns anos, a SPI tentou sobreviver. Em 1936, por ocasião do 80º aniversário de Freud, a Bibliotèca Psicoanalitica Internazionale publicou o que restou como única coletânea de textos dos psicanalistas daquele tempo. Simultaneamente, os psicanalistas italianos acolhiam em Roma o pediatra berlinense Ernst Bernhardt, que deixara Berlim para escapar às perseguições dos nazistas. Bernhardt abandonaria posteriormente as idéias de Freud, adotando as de Jung, e fundaria a escola junguiana italiana, que em reconhecimento por essa acolhida sempre manteria relações pacíficas com a SPI.

A partir de 1937, a censura aumentou sua pressão e as perseguições se multiplicaram. Em 1938, as leis anti-semitas proibiram que os judeus exercessem profissões liberais. Os psicanalistas foram obrigados a se esconder e a viver de expedientes (foi o caso de Musatti e de Perrotti), ou então a exilar-se (como fariam, especialmente, Servadio e Weiss, o primeiro na Índia*, o segundo nos Estados Unidos*).

Em setembro de 1939, por uma estranha astúcia da história e do espírito, que certamente teria feito Freud sorrir, o *L'osservatore romano*, jornal do Vaticano, foi o único órgão de imprensa italiano a anunciar sua morte.

Com o fim da guerra, a reformulação política e ideológica, que fez da Itália uma peça-chave na geopolítica da guerra fria, transformou radicalmente a paisagem intelectual do país. As duas grandes correntes de pensamento hostis, que dividiam os espíritos, se abriram para a psicanálise: a Igreja católica, por um lado, abalada durante os anos 1960 pelo terremoto que foi o Concílio Vaticano II; por outro lado, o marxismo, cujas certezas seriam questionadas pelo radicalismo das revoltas políticas dos anos 1970.

Em 1946, realizou-se em Roma o primeiro congresso da SPI, estimulado por Joachim Flescher, aluno de Weiss, que acabava de publicar um livro, *Psicanalisi della vita istintiva*, depois de ter ficado na clandestinidade durante toda a guerra. Perrotti era o presidente da nova sociedade, Musatti vice-presidente, e entre os membros presentes, além de Servadio, que voltara da Índia, estavam a princesa de Lampedusa, Alessandra Tomasi (1897-1982), mulher do

autor do *Leopardo*, que provavelmente foi analisada por Felix Boehm* em Berlim.

O segundo congresso da SPI se realizou igualmente em Roma, em 1950. Foi dedicado ao tema da agressividade.

Durante esses anos, Cesare Musatti se impôs como patrono da psicanálise na Itália, graças principalmente à sua intensa atividade editorial e institucional.

Com a morte do papa Pio XII em 1959 e a de Gemelli no mesmo ano, terminava um período marcado, por um lado, pela flexibilização da posição pontifical diante da idéia de psicoterapia*, expresso no âmbito de duas intervenções, em 1952 e em 1953, e, por outro lado, por condenações radicais da psicanálise, enunciadas por filósofos católicos, apoiadas e ampliadas por Gemelli.

No Concílio Vaticano II, ouviu-se pela primeira vez o nome de Freud pronunciado sob a cúpula da Basílica de São Pedro. O Vaticano decidira abrir-se à psicanálise, abertura efetuada também no plano universitário pelo sucessor de Gemelli em Milão, Leonardo Ancona, amigo de Musatti, que publicou em 1963 *La psicoanalisa*, obra de reabilitação das idéias de Freud e de apresentação das terapias de grupo, que teriam um imenso sucesso na Itália.

O renascimento do movimento psicanalítico italiano, sancionado em 1969 pela integração oficial da SPI à IPA (que realizou nesse ano seu congresso em Roma), não deve, entretanto, mascarar os limites e fraquezas da sua implantação.

Ao contrário do que ocorria na França na mesma época, a psicanálise tinha pouca influência nos meios intelectuais, nos quais dominava o pensamento marxista que, por seu fechamento a qualquer forma de psicologia, aparecia paradoxalmente como herdeiro da filosofia idealista de antes da guerra. Certamente por causa do sofrimento de sua mulher, acometida de uma depressão crônica, Antonio Gramsci (1891-1937), fundador do Partido Comunista Italiano, sempre tivera um interesse ambíguo mas real por tudo o que dizia respeito ao funcionamento psíquico. Mas esse detalhe foi ignorado por seus sucessores, exclusivamente preocupados com a figura do intelectual coletivo e militante, para quem só deveriam ter importância o político e o social.

O exemplo mais impressionante dessa forma de resistência à psicanálise foi dado pela experiência conduzida por Franco Basaglia*. Hostil à psicanálise, Basaglia criou uma corrente de pensamento, síntese do marxismo fenomenológico lukacsiano, da herança binswangeriana da Escola de Frankfurt e do existencialismo sartriano, que tinha como objetivo o fechamento dos hospitais psiquiátricos e a criação de comunidades terapêuticas territoriais. Essa versão italiana da antipsiquiatria inglesa desenvolveu a tese de que a doença mental era determinada pelas condições sociais. A conjuntura política garantiria, em 1979, uma vitória para essa revolta psiquiátrica sob a forma da promulgação da lei 180, mas a deficiência dos meios econômicos postos a serviço da reforma limitaria consideravelmente seu alcance.

Confinada na sua ortodoxia ipeísta, isolada das correntes intelectuais em plena efervescência, a SPI não conseguia ter um papel motor na tempestade ideológica que se aproximava. A realização, em 1969, ao lado do congresso oficial da IPA, de um contra-congresso dirigido principalmente por Elvio Fachinelli*, psicanalista milanês, constituiu a primeira manifestação de envergadura nessas turbulências.

A partir dessa data, sob a liderança de Massimo Fagiolo, Giovanni Jervis, Enzo Morpurgo, Diego Napolitani, todos eles psicanalistas ou psiquiatras adeptos da contestação e desejosos de explodir os quadros rígidos da SPI, as formas de experiências terapêuticas mais diversas se multiplicaram, a maioria dentro de uma perspectiva militante. Todas essas iniciativas eram dominadas pelo radicalismo político que caracterizou o clima intelectual italiano dos anos 1970.

Mas essas aberturas favoreceram bem mais a psicologia em geral do que a psicanálise. Assim, embora a SPI fosse objeto de críticas radicais, seu poder nunca seria ameaçado pela fundação de uma organização rival, capaz de constituir o quadro institucional de uma renovação psicanalítica. A discrição que cercava, naquele momento, os trabalhos do psicanalista e lógico chileno Ignacio Matte-Blanco*, radicado em Roma durante longos anos, mostrava

que a psicanálise não se preocupava verdadeiramente com a nova geração. A obra mestra de Matte-Blanco, *Unconscious as Infinite Set*, publicada em Londres em 1973, só seria traduzida para o italiano em 1981.

A maneira pela qual as idéias de Jacques Lacan* foram recebidas e utilizadas mostra igualmente essa ambigüidade. O Lacan crítico da *Ego Psychology** e da ordem médica foi privilegiado (no âmbito da "luta anti-imperialista") em detrimento do Lacan teórico, preocupado em reelaborar as condições da prática e da escuta psicanalíticas. Aliás, se a França*, na época, exportava suas idéias, foi a temática da liberação do desejo, tal como expressa por Gilles Deleuze e Félix Guattari* no *Anti-Édipo*, que conquistou a adesão dos radicais.

Em oposição a essa espécie de neo-freudomarxismo, desenvolveu-se, às custas de uma nova ambigüidade, a aventura do analisando de Lacan Armando Verdiglione, cuja repercussão internacional eclipsaria os trabalhos menos ruidosos, porém mais rigorosos, de jovens psicanalistas lacanianos como Giacomo Contri, Sergio e Virginia Finzi, entre outros. Psicanalista, editor, organizador de colóquios multidisciplinares através do mundo, Verdiglione, cujo sucesso foi tão intenso quanto os ataques e processos que sofreu posteriormente, fracassou em sua tentativa de implantar o pensamento lacaniano e o estruturalismo na Itália.

No limiar dos anos 1980, em uma conjuntura marcada pela volta triunfante do positivismo por um lado (sob a forma das neurociências e da cultura eletrônica), e do espiritualismo, por outro (religioso ou ecologista), a psicanálise, mesmo tendo se desenvolvido no plano institucional, não conseguiu libertar-se totalmente do provincianismo que caracterizou a vida intelectual italiana durante toda a primeira parte do século XX.

A SPI, com aproximadamente 500 membros, reúne a maioria dos psicanalistas italianos, cuja formação realiza em seus institutos de Milão e Roma. Essa implantação e essa organização, internacionalmente reconhecidas, não podem ocultar o fato de que não existe escola de pensamento psicanalítico italiano, e o essencial dos trabalhos publicados é influenciado pelas correntes da psicanálise inglesa, quer se trate das idéias de Melanie Klein*, de Donald Woods Winnicott*, de Masud Khan* ou de Wilfred Ruprecht Bion*. Essa fraqueza é, provavelmente, uma das causas da forte e rápida implantação na Itália das diversas formas de psicoterapia: terapias familiares*, cognitivistas ou ainda terapias coletivas as mais diversas.

Por sua vez, os lacanianos italianos, dispersos em muitos grupos ou escolas, não conseguiram estruturar-se. Assim, não conseguem dialogar com a SPI ou com os junguianos, herdeiros de Bernhardt, que são particularmente influentes nos meios culturais e artísticos, como mostrou, entre outras celebridades, o cineasta Federico Fellini.

• Sigmund Freud, *A interpretação de sonhos* (1900), *ESB*, IV-V, 1-660; *GW*, I-II, 1-642; *SE*, IV-V, 1-621; Paris, PUF, 1967; *Sobre os sonhos* (1901), *ESB*, V, 671-751; *GW*, II-III, 643-700; *SE*, V, 629-989; Paris, Gallimard, 1988; "A história do movimento psicanalítico" (1914), *ESB*, XIV, 16-88; *GW*, X, 44-113; *SE*, XIV, 7-66; Paris, Gallimard, 1991; *La Naissance de la psychanalyse* (Londres, 1950), Paris, PUF, 1956; *Correspondance, 1873-1939*, Paris, Gallimard, 1966 • Sigmund Freud e Karl Abraham, *Correspondance, 1907-1926* (Frankfurt, 1965), Paris, Gallimard, 1969 • Sigmund Freud e Arnold Zweig, *Correspondance, 1927-1939* (Frankfurt, 1968), Paris, Gallimard, 1973 • Anna Maria Accerboni, "Psicanálise e fascismo. Duas abordagens incompatíveis. O difícil papel de Edoardo Weiss", *Revista Internacional da História da Psicanálise*, 1 (1988), Rio de Janeiro, Imago, 1990, 199-216 • Didier Anzieu, *A auto-análise de Freud e a descoberta da psicanálise* (1959), P. Alegre, Artes Médicas, 1989 • Sergio Benvenuto, "A glance at psychoanalysis in Italy", inédito • Paolo Boringhieri, "L'Édition des *Opere di Sigmund Freud*", *Revue Internationale d'Histoire de la Psychanalyse*, 4, 1991, 323-9 • Contardo Calligaris, "Petite histoire de la psychanalyse en Italie", *Critique*, 333, fevereiro de 1975 • Jacquy Chemouni, *História do movimento psicanalítico* (Paris, 1990), Rio de Janeiro, Jorge Zahar, 1991 • Marco Conci, "Psychoanalysis in Italy: a reappraisal", *Int. Forum Psychoanal.*, 3, 1994, 117-26 • Michel David, *La psicoanalisi nella cultura italiana* (1966), Turim, Bollati Boringhieri, 1990; "La Psychanalyse en Italie", in Roland Jaccard (org.), *Histoire de la psychanalyse*, vol.2, Paris, Hachette, 1982, 259-313 • Franco Fornari, "Aventures de la psychanalyse", *Silex*, 5-6. 1978 • Antonietta e Gérard Haddad, *Freud en Italie. Psychanalyse du voyage*, Paris, Albin Michel, 1995 • Jacques Nobécourt, "Freud et le 'Triskeles'", *Critique*, 435-6, 1983; "La Transmission de la psychanalyse freudienne en Italie *via* Trieste", ibid • Arnaldo Novelletto, "Italy", in Peter Kutter (org.), *Psychoanalysis International. Guide to Psychoanalysis throughout the World*, vol.1, Stuttgart-Bad Cannstatt, Frommann-Holzboog, 1992, 195-213 • Michele Ranchetti, "Les *Oeuvres complètes* et l'édition des *Opere di Sigmund Freud*", *Revue Internationale d'Histoire de la Psychanalyse*, 4, 1991, 331-55 • Giorgio Voghera, *Gli anni della psicoanalisa*, Pordenone, Studio Tesi, 1980.

J

Jackson, John Hughlings (1835-1911)

médico e neurologista inglês

Fundador da neurologia moderna, Hughlings Jackson foi durante quarenta e cinco anos médico no National Hospital de Londres. Em 1884, elaborou a teoria da dissolução das funções nervosas pela doença, retomada em parte por Sigmund Freud* e introduzida na França* pelo psicólogo Théodule Ribot (1839-1916). Na história do saber psiquiátrico, o jacksonismo teria um papel considerável nos Estados Unidos*, servindo de substrato para a implantação das teses freudianas. Na França, seria utilizado por Henri Ey*, para a elaboração da noção de organo-dinamicismo.

A tese jacksoniana afirmava a prioridade da hierarquia das funções sobre a sua organização estática. Considerava as funções psíquicas como dependentes umas das outras, de cima para baixo. Assim, a dissolução das atividades superiores acarretava uma liberação ou um desligamento das atividades inferiores anteriormente controladas por elas.

• John Hughlings Jackson, "Evolution and dissolution of the nervous system", reed., in *Selected Writings*, Londres, 1931 • Jacques Nassif, *Freud, l'inconscient*, Paris, Galilée, 1977.

➤ BABINSKI, JOSEPH; *CONTRIBUIÇÃO À CONCEPÇÃO DAS AFASIAS*; SULLIVAN, HARRY STACK.

Jacobson, Edith (1897-1978)

médica e psicanalista americana

Grande especialista em relação de objeto*, em *self (Self Psychology*)*, em depressão e em *borderlines**, Edith Jacobson nasceu na Alta Silésia. Em 1928, depois de estudar medicina, aderiu à Deutsche Psychoanalytische Gesell-

schaft (DPG), fazendo parte de seu comitê de ensino. Militante social-democrata, começou desde 1933 a lutar contra o nazismo* na rede de resistência Neu Beginnen (Começar de novo), sem que a International Psychoanalytical Association* (IPA) nem a DPG soubessem de seu engajamento.

Quando foi detida pela Gestapo, e depois presa a 25 de outubro de 1935, Ernest Jones*, que estava implementando a política de "salvamento" da psicanálise na Alemanha* com a colaboração de Felix Boehm* e de Carl Müller-Braunschweig*, ficou ao mesmo tempo furioso e consternado, a ponto de pensar que ela teria enlouquecido: a DPG, para agradar aos novos dignitários do regime, proibira a seus membros analisarem pacientes engajados na Resistência.

Temendo que Edith Jacobson fosse enviada para um campo de concentração, Jones providenciou sua defesa, consultando um advogado nazista. Foi acusada de alta traição e condenada a dois anos e meio de prisão. Em 1937, aproveitando uma permissão para submeter-se a uma cirurgia, fugiu para Praga, de onde foi para os Estados Unidos*. Reuniu-se então à New York Psychoanalytic Society (NYPS).

• Edith Jacobson, *Le Soi et le monde objectal*, Paris, PUF, 1975; *Les Dépressions. États normaux, névrotiques et psychotiques*, Paris, Payot, 1985 • *Les Années brunes. La Psychanalyse sous le IIIe Reich*, textos traduzidos e apresentados por Jean-Luc Evard, Paris, Confrontation, 1984 • Geoffrey Cocks, *La Psychothérapie sous le IIIe Reich* (Oxford, 1985), Paris, Les Belles Lettres, 1987 • Regine Lockot, *Erinnern und Durcharbeiten*, Frankfurt, Fischer, 1985 • *Ici la vie continue de manière surprenante*, seleção de textos traduzidos por Alain de Mijolla, Paris, Association Internationale d'Histoire de la Psychanalyse (AIHP), 1987 • Ludger M. Hermanns, "Condições e limites da produtividade científica dos psicanalistas na Alemanha de 1933 a 1935", *Revista Internacional da História da Psicanálise*, 1 (1988), Rio de Janeiro, Imago, 1990, 67-86 • Karen

Brecht, "A psicanálise na Alemanha nazista: adaptação à instituição, relações entre psicanalistas judeus e não judeus", ibid., 87-98 • Russel Jacoby, *Otto Fenichel. Destins de la gauche freudienne* (N. York, 1983), Paris, PUF, 1986.

➤ COMUNISMO; FENICHEL, OTTO; FREUDO-MAR-XISMO; GÖRING, MATTHIAS HEINRICH; RITTMEIS-TER, JOHN.

Jahrbuch für psychoanalytische und psychopathologische Forschungen

(*Anais de pesquisas psicanalíticas e psicopatológicas*)

Criado em 1909, por iniciativa de Sigmund Freud* e Eugen Bleuler*, o *Jahrbuch* foi a primeira revista oficial do movimento psicanalítico, antes da criação da Internationaler Psychoanalytischer Verlag (IPV), futura International Psychoanalytical Association* (IPA). Deixou de existir em 1913, após o conflito entre Freud e Carl Gustav Jung*, e Freud criou a *Internationale ärztliche Zeitschrift für Psychoanalyse (IZP)*, que em seguida (em 1939) fundiu-se com a revista *Imago** para dar origem à *Internationale Zeitschrift für Psychoanalyse und Imago (IZP-IMAGO)*, que deixaria de ser publicada em 1941. Surgiu então o *International Journal of Psycho-analysis* (IJP)*, fundado por Ernest Jones* em 1920, que se tornaria o órgão oficial da IPA.

Janet, Pierre (1859-1947)
médico e psicólogo francês

Teórico do automatismo* psicológico e fundador na França* da corrente da análise psicológica, Pierre Janet foi, como Théodore Flournoy* e Sigmund Freud*, seu grande rival, um dos principais artífices da segunda psiquiatria dinâmica*. Até 1915, seus trabalhos foram mais célebres que os de Freud, comentados no mundo inteiro por todos os especialistas em doenças nervosas.

Nascido em Paris, Pierre Janet era de uma família de classe média, que cultivava o racionalismo e os valores republicanos. Desde a infância, admirava o seu tio, professor de filosofia, que o ajudou a fazer uma brilhante carreira universitária. Foi com seu irmão, Jules Janet,

especialista em urologia e apaixonado por psicologia, que começou a se interessar pelos fenômenos do sonambulismo e das personalidades múltiplas*. Nomeado professor para o liceu do Havre em 1883, ficou conhecendo, dois anos depois, o doutor Gilbert, que lhe apresentou Léonie. Magnetizada no passado, essa camponesa revivia, sob hipnose*, as façanhas de antigos magnetizadores, cujas obras haviam caído no esquecimento. Assim, recebia facilmente sugestões*, às quais obedecia com perfeição.

No dia 30 de novembro de 1885, quando o jovem Freud estava em Paris, Paul Janet apresentou à Sociedade de Psicologia Fisiológica de Paris um relatório de seu sobrinho sobre o "caso Léonie". O trabalho foi acolhido com entusiasmo por Jean Martin Charcot*. Durante vários anos, os apaixonados por espiritismo*, principalmente Charles Richet (1850-1935) e Frederick Myers*, visitaram a "vidente" do Havre. Esta teve depois um curioso destino. Em 1895, foi levada pelo doutor Gilbert, ardoroso partidário de Dreyfus, até Mathieu Dreyfus, que procurava então as "provas" da inocência de seu irmão, o capitão Alfred Dreyfus (1859-1935). Mathieu instalou Léonie em sua casa em Paris e adquiriu o hábito de hipnotizá-la. Quando ela se encontrava em estado de sonambulismo, explicava os "segredos" do caso que ninguém conhecia ainda: assim, ela afirmou que o verdadeiro culpado era um oficial do Ministério da Guerra que tinha contato com um agente alemão.

Em junho de 1889, Janet defendeu sua tese de filosofia sobre o automatismo psicológico, diante de uma banca presidida por Émile Boutroux (1845-1921), mestre incontestável da filosofia francesa, professor de Henri Bergson (1859-1941) e anti-hegeliano. Em agosto, fez parte, com Hippolyte Bernheim*, August Forel* e Jules Déjerine (1849-1917), do comitê de organização do Congresso Internacional de Hipnotismo, do qual participaria um médico ainda desconhecido: Sigmund Freud.

Foi então que Janet, já conhecido pela publicação de sua tese, começou a estudar medicina e passou uma boa parte de seu tempo no Hospital da Salpêtrière. Em 1893, defendeu sua tese de medicina, *O estado mental das histéricas (estigmas e acidentes mentais)*, diante de uma banca composta por Charcot e Richet.

Sua reputação se estendeu então além da França, e a sua teoria da histeria* se impôs. Freud tomou conhecimento dela e insistiu com Josef Breuer* para que publicasse os *Estudos sobre a histeria**. Queria demonstrar que Janet não era o primeiro estudioso a elaborar uma nova abordagem desse campo. A querela das prioridades começou nessa data, quando Janet se tornara, na França e no estrangeiro, o grande especialista em doenças nervosas.

Entre 1889 e 1893, criou seu método de psicoterapia*, ao qual deu o nome de análise psicológica. Ele se baseava em três regras fundamentais: exame do doente face a face e sem testemunhas, anotação rigorosa das palavras pronunciadas (ou método da caneta), exploração dos antecedentes e dos tratamentos aos quais o doente fora submetido. Janet fundamentava sua análise psicológica na *investigação* consciente, e não na *escuta* de um discurso inconsciente. Embora reconhecesse a existência de um "deslocamento afetivo", não procurou aprofundar essa noção, ao contrário de Freud, com a transferência*. Enfim, contra a tradição do romantismo alemão, reivindicou, em lugar da palavra "inconsciente"*, a palavra "subconsciente", originária da filosofia da consciência* e da herança do cartesianismo francês.

Essa substituição ocorreu em duas etapas. Em um primeiro tempo, em *O automatismo psicológico* (1889), Janet utilizou a palavra "inconsciente". Mas, quatro anos depois (1893), em *O estado mental das histéricas*, optou definitivamente por "subconsciente". Daí o fato de nunca ter levado em conta o mecanismo do recalque*. O automatismo psicológico janetiano era bastante próximo da noção de escrita automática, criada por William James (1842-1910) e que se tornaria célebre graças aos surrealistas. Tratava-se realmente de definir uma atividade espontânea ou "inferior" da consciência: associações pré-organizadas.

Note-se que o automatismo psicológico de Janet era diferente do automatismo mental de Gaëtan Gatian de Clérambault*. Para o primeiro, o automatismo era interno à consciência, ao passo que para o segundo ele era constituído por um conjunto de sintomas que surgiam fora da consciência do sujeito, à maneira da irrupção de um delírio.

Quanto à histeria*, Janet considerava uma doença puramente psicológica. Em sua opinião, era uma afecção funcional ligada a uma constituição hereditária. Quer fosse denominada tuberculose "psíquica" quer sífilis "mental", ela não recebia nenhuma etiologia sexual. Mostrava, no doente, um "estreitamento do campo da consciência", causado por uma "fraqueza psicológica". A análise da histeria levou Janet a abordar "a outra" grande neurose*: a neurastenia*. Substituiu o termo pelo de psicastenia*, que inclui a neurose obsessiva*.

A partir de 1903, tornando-se professor no Collège de France, Janet se dedicou a fazer a síntese de suas teorias. Expôs o essencial destas em *As medicações psicológicas, A medicina psicológica* e enfim em *Da angústia ao êxtase*. Em 1904, fundou com Georges Dumas (1866-1946) o *Journal de Psychologie Normale et Pathologique*, e em 1913, foi eleito membro da Academia de Ciências. Durante muitos anos, acumulou observações e publicou estatísticas referentes a mais de 3.500 doentes: um "trabalho de formiga", que tinha como objetivo "provar" a existência dos fenômenos psíquicos. Nessa perspectiva, continuou a experimentar os princípios de sua análise psicológica em muitos pacientes, entre os quais a célebre Madeleine Lebouc (Pauline Lair Lamotte*) e o escritor Raymond Roussel (1877-1933).

Desde 1895, Janet rejeitava cruamente os trabalhos de Freud. Sua atitude deu origem a uma corrente antifreudiana particularmente violenta, que consistia em explicar, por um lado, que Freud roubara os conceitos janetianos, dotando-os de uma nova denominação, e, por outro lado, que sua doutrina era a expressão de um espírito vienense obcecado pela sexualidade*. Janet assumia assim a famosa tese do *genius loci*, popularizada pelo psiquiatra alemão Adolf Albrecht Friedländer (1870-1949), quando de um congresso internacional de medicina realizado em Budapeste em 1909. Atacando violentamente a psicanálise, Friedländer explicou que esta devia seu sucesso à mentalidade vienense, que atribuía uma importância considerável aos fenômenos da sexualidade. Essa tese se tornara, em alguns anos, o cavalo de batalha dos antifreudianos, que culpavam a psicanálise* por todos os pecados de um pretenso pansexualismo*.

Em Londres, em 1913, reuniram-se todos os representantes da psiquiatria dinâmica, da Suíça*, dos Estados Unidos* e da Grã-Bretanha*, por ocasião do XVII Congresso Internacional de Medicina. Janet intitulou o relatório que apresentou como "A psico-análise". Segundo ele, Freud e Breuer tinham modificado "algumas palavras na descrição psicológica que fizeram. Chamaram de psico-análise o que eu chamara de análise psicológica. Chamaram de *complexus* o que eu chamara de sistema psicológico para designar o conjunto de fenômenos psicológicos e de movimentos seja dos membros, seja das vísceras, que ficavam associados para constituir a lembrança traumática. Batizaram com o nome de *catarse** o que eu designara como uma dissociação ou uma desinfecção moral".

Nessa época, Janet apresentava assim Freud e Breuer como plagiários e fazia a psicanálise passar por uma obscenidade vienense. E embora não fosse nem chauvinista, nem nacionalista, contribuiu para a difusão da tese prenunciada por Angelo Hesnard*, segundo a qual a teoria freudiana era demasiado "germânica" para adaptar-se ao "gênio latino". Desde sua volta de Londres, não parou de atacar o freudismo*. Comparou os psicanalistas a detetives que aterrorizavam os doentes, perseguindo os seus traumas, e, em 1919, em *As medicações psicológicas*, afirmou que a psico-análise era "um inquérito criminal, que tinha que descobrir um culpado, um acontecimento passado responsável pelos distúrbios atuais, o reconhecia e o perseguia sob todos os seus disfarces."

Em Londres, a exposição de Janet foi mal recebida. Com efeito, nessa data, os trabalhos de Freud tinham conquistado o mundo científico ocidental e sua escola se tornara um poderoso movimento internacional. Além disso, todos os especialistas em doenças nervosas sabiam que Freud tomara um caminho diferente do de Janet. A acusação de desvio das noções janetianas era pois inadmissível.

Freud nunca perdoou a Janet seus ataques de 1913. Em 1925, em sua autobiografia (*Um estudo autobiográfico**), ele o responsabilizou pelas acusações feitas contra ele pela imprensa francesa e reafirmou que quando estivera em Paris, em 1885, já havia sido iniciado por Breuer, entre 1880 e 1882, na questão da etiologia das neuroses histéricas.

Em 1937, Édouard Pichon* escreveu a Freud para lhe pedir que recebesse Janet, que estava de passagem por Viena*. Freud respondeu em uma carta enviada a Marie Bonaparte* e publicada por Jones: "Não, não receberei Janet. Não posso deixar de acusá-lo de ter-se comportado injustamente em relação à psicanálise e em relação a mim, pessoalmente, e de nunca ter feito nada para reparar isso. Ele foi bastante burro para dizer que a etiologia sexual das neuroses só podia germinar na atmosfera de uma cidade como Viena. Depois, quando os escritores franceses espalharam o boato de que eu teria assistido a suas conferências e roubado suas idéias, caberia a ele, com apenas uma palavra, pôr fim a esses comentários, pois na verdade nunca falei com ele nem nunca ouvi falar dele durante o período Charcot [...]. Não, não o receberei." Graças a uma carta de Édouard Pichon a Henri Ey*, datada de 14 de junho de 1939, sabe-se que, apesar de tudo, em abril de 1937, Janet bateu à porta da casa de Freud. Foi despachado pela governanta, que lhe respondeu que o professor estava ausente.

• Pierre Janet, "Note sur quelques phénomènes de somnambulisme", *Bulletin de la Société de Psychologie Physiologique*, 1, 1885, 24-32; *L'Automatisme psychologique* (1889), Paris, Éditions de la Société Pierre-Janet, 1973; *L'État mental des hystériques* (Paris, 1893-1894, 1911), Marselha, Laffitte-Reprints, 1983; *Névroses et idées fixes*, 2 vols., Paris, Alcan, 1903; *Les Névroses*, Paris, Flammarion, 1909; "La Psycho-analyse", relatório para o XVII Congresso Internacional de Medicina de Londres, *Journal de Psychologie*, XI, março-abril de 1914, 97-130; *Les Médications psychologiques*, Paris, Alcan, 1919; *La Médecine psychologique* (1923), Paris, Éditions de la Société Pierre-Janet, 1980; *De l'angoisse à l'extase. Études sur les croyances et les sentiments*, t.1, Paris, Alcan, 1926, t.2, ibid., 1928; *L'Amour et la haine*, Paris, Maloine, 1932 • A.A. Friedländer, "Hysterie und moderne Psychoanalyse", *Psychiatrie*, atas do XVI Congresso Internacional de Medicina, Budapeste, 1909, seção XII, 146-72 • Ernest Jones, *A vida e a obra de Sigmund Freud*, vol. 3 (N. York, 1957), Rio de Janeiro, Imago, 1989 • Henri F. Ellenberger, *Histoire de la découverte de l'inconscient* (N. York, Londres, 1970, Villeurbanne, 1974), Paris, Fayard, 1994 • Henri-Jean Barraud, *Freud et Janet*, Toulouse, Privat, 1971 • Claude M. Prévost, *La Psycho-philosophie de Pierre Janet*, Paris, Payot, 1973; *Janet, Freud et la psychologie clinique*, Paris, Payot, 1973 • Élisabeth Roudinesco, *História da psica-*

nálise na França, 2 vols. (Paris, 1982 e 1986), Rio de Janeiro, Jorge Zahar, 1989 e 1988 • Jacqueline Carroy, *Hypnose, suggestion et psychologie*, Paris, PUF, 1991 • Jean-Denis Bredin, *L'Affaire*, Paris, Fayard-Julliard, 1993 • "Lettre d'Édouard Pichon à Henri Ey du 14 juin 1939", *Bulletin du Centre de Documentation Henri-F.-Ellenberger*, 6, 2º trimestre de 1994.

➢ CLAUDE, HENRI; DELAY, JEAN; FAVEZ-BOUTO-NIER, JULIETTE; LAGACHE, DANIEL; PSICOLOGIA CLÍNICA.

Japão

"Em quinze anos, de 1853 a 1868, escreveu Maurice Pinguet," o Japão atravessou a crise mais grave de sua história, tão aguda e profunda quanto a Revolução Francesa." Esse período, a era Meiji, nome do imperador que foi um de seus iniciadores, viveu o desmoronamento da ordem feudal, depois de mais de dois séculos de reinado dos shoguns da dinastia Tokugawa. A ordem feudal era simbolizada pelo personagem do samurai. Nele, encarnavam-se os ideais do Japão ancestral, e entre suas múltiplas prerrogativas estava o *seppuku*, o direito de se suicidar com um sabre, por evisceração da esquerda para a direita, segundo um ritual imutável.

Ora, com a instauração dos princípios do Código de Napoleão e dos valores do capitalismo ocidental, essa prática da morte voluntária foi moralmente banida da sociedade japonesa. Mas sobretudo no momento em que se implantava nas novas universidades imperiais a nosografia psiquiátrica alemã, proveniente do ensino de Emil Kraepelin*, ela foi progressivamente assimilada a uma doença da alma, ou considerada como a expressão melancólica de um niilismo individual. Menos de um século depois da revolução pineliana, o Japão entrava assim na era da psiquiatria dinâmica*, julgando o heroísmo feudal, ou seja, uma de suas tradições, como uma psicopatologia*.

Como em outros países, a psicanálise* se implantou no Japão, no início do século XX, sobre um substrato de saber psiquiátrico. Ao contrário da Índia*, segundo país do continente asiático a se interessar pelas idéias freudianas, o Japão não conheceu nem a colonização nem o isolamento. A psiquiatria se desenvolveu ali, como o pensamento psicanalítico, graças às viagens de estudos que alguns pioneiros fize-

ram aos Estados Unidos*, a Viena* e a Londres, e através da assimilação das teses ocidentais pela cultura japonesa.

Kenji Otsuki*, homem de letras e tradutor de literatura alemã, foi o primeiro a mencionar o nome de Sigmund Freud* em um artigo de 1912 dedicado ao esquecimento e à memória. Dois anos depois, Yoshihide Kubo (1883-1942), professor de psicologia na Universidade de Hiroshima Bunri, publicou uma série de artigos sobre o sonho*, antes de ir para a Universidade Clark de Worcester, onde Stanley Grandville Hall*, que recebera Freud em 1905, o iniciou nas teses freudianas. Ao retornar, em 1917, publicou o primeiro grande livro japonês de introdução à psicanálise*. Falava da sexualidade* infantil, do chiste, dos atos falhos*, dos lapsos*, da psicanálise aplicada*, sem esquecer de mencionar todos aqueles que criticaram Freud: Pierre Janet*, Alfred Adler*. Para traduzir a palavra psicanálise, propôs *seishinbunseki: seishin* contém dois caracteres (ou *kanji*) e significa alma, e *bunseki*, também com dois caracteres, significa análise.

Como Kubo, o psiquiatra Kiyoyasu Marui (1886-1953) foi aos Estados Unidos em 1916, e junto a Adolf Meyer* pôde constatar o impacto da psicanálise no saber psiquiátrico americano da época. Em 1919, foi nomeado professor de psiquiatria na Universidade Tohuku de Sendai, no nordeste do Japão, onde desempenhou um papel maior na implantação do freudismo*.

Nesse ínterim, o psicólogo Yaekichi Yabe foi à Grã-Bretanha*, onde fez um estágio sob a direção de Ernest Jones*. Em 1928, com Kenji Otsuki, criou em Tóquio o primeiro Instituto Psicanalítico Japonês, que seria filiado à International Psychoanalytical Association* (IPA) em 1932, no Congresso de Wiesbaden. Em maio de 1930, Yabe foi visitar Freud em Viena e constatou o interesse que ele tinha pelos objetos chineses e asiáticos: dois *kannons*, três budas, camelos, cavalos, estatuetas etc. Os dois discutiram as analogias entre a noção de pulsão* de morte e a doutrina do budismo. Yabe voltou depois à Grã-Bretanha, para fazer uma análise com Edward Glover*. Em 1933, Marui foi a Viena para um tratamento de um mês com Paul Federn*.

Durante esse período de expansão, as resistências à psicanálise foram as mesmas que nos outros países. Tinham como alvo o pretenso pansexualismo* de Freud. Assim como na França* a teoria da sexualidade era julgada excessivamente "germânica" para se adaptar à cultura dita "latina", e na Suécia excessivamente "latina" para ser assimilada pelos países nórdicos, ela foi recebida no Japão como excessivamente "ocidental" para ser aceita por uma sociedade de tradição budista.

Enquanto em Tóquio a psicanálise se desenvolvia graças a Yabe inicialmente, e depois a Otsuki, que lhe sucedeu à frente do grupo, Marui estabelecia em Sendai um círculo de jovens psiquiatras, entre os quais se destacava aquele que seria o pai fundador do freudismo japonês: Heisaku Kosawa*. Em 1932, este foi a Viena*, onde permaneceu por um ano, para ser analisado por Freud e por Richard Sterba*. Voltando ao Japão, criou com Marui, em Sendai, em 1933, um grupo de estudos que logo se filiou à IPA. Iniciou, em especial, uma vasta reflexão sobre as condições de implantação do freudismo no Japão, inventando o complexo de Ajase, espécie de complexo de Édipo* revisto e corrigido à luz do budismo.

Tratava-se de levar em conta as diferenças entre a organização da família ocidental, na qual a criança era destinada a tornar-se um sujeito* emancipado da sua mãe através de uma identificação* paterna, e a da família japonesa, na qual o pertencimento ao clã predominava sobre a identidade individual. Daí a dependência culpada (ou *amae*) do homem japonês em relação à sua mãe (complexo de Ajase), e uma simbiose específica, através da qual esse vínculo se tornava uma espécie de "valor moral", como diria mais tarde Maurice Pinguet: "Nosso pensamento [ocidental] culpa a dependência (captação, castração*) e joga o erro sobre a mãe possessiva e o pai abusivo. A tendência japonesa é estabelecer uma intimidade estreita e culpar a independência, jogando o erro sobre o filho infiel e frívolo [...]. Em suma, o supereu* japonês é a consciência do vínculo, o supereu ocidental a consciência da lei."

A partir de meados dos anos 1930, a história da psicanálise no Japão foi dominada pela figura de Kosawa, que fez escola, formou discípulos

e organizou o movimento freudiano em seu país.

Depois de 1935, em reação contra a era Meiji e a ascensão do movimento comunista internacional, o Japão sonhou com a volta da antiga ordem. A instauração de um regime militar de tendência fascista foi favorecida pelo advento, na Europa, dos regimes ditatoriais e pela crise econômica que se apoderou do país depois da quebra da bolsa de Wall Street. Foi então que o nacionalismo radical pregou o renascimento das virtudes guerreiras do antigo samurai. Aliando-se à Alemanha*, o Japão entrou na guerra em 1941, o que provocou a retração completa das atividades freudianas. Foi necessário que esse sonho feudal fosse aniquilado e que os principais responsáveis militares se suicidassem (segundo o rito do antigo *seppuku*, sob os muros do palácio imperial, depois do bombardeio de Hiroshima), para que o Japão adotasse definitivamente os princípios da democracia, com um espírito de abertura para o Ocidente semelhante ao da era Meiji. O movimento freudiano retomou então seu desenvolvimento.

Depois que Otsuki sucedeu a Yabe à frente do instituto de Tóquio, seus membros se dispersaram por não ter sido possível integrar os psiquiatras. Em 1953, com a morte de Marui, Kosawa assumiu a direção do grupo de Sendai e, com o consentimento de Anna Freud* e de Ernest Jones, deslocou seu centro para Tóquio. Dois anos depois, formou a Nippon Seishin-Bunseki Kyoukai (Sociedade Japonesa de Psicanálise, NSBK), que se tornou uma sociedade componente da IPA. Reuniu cerca de trinta membros, e apenas no fim dos anos 1990. Paralelamente, foi criada, sempre sob a égide de Kosawa, a Associação Psicanalítica Japonesa, não filiada à IPA e aberta a todas as tendências da psiquiatria dinâmica: do neofreudismo* à farmacologia, passando pelas diversas terapias e pela análise existencial*. Essa associação acabaria reunindo 1.500 membros.

Todo esse período foi marcado por uma intensa atividade de tradução. Assim, os japoneses puderam ler em sua língua as obras dos grandes autores da saga freudiana: Wilfred Ruprecht Bion*, Anna Freud*, Heinz Hartmann*, e principalmente Melanie Klein* e Donald

Woods Winnicott*, que tiveram especial sucesso pelo interesse que dedicaram à questão do vínculo arcaico com a mãe. A obra de Carl Gustav Jung* também fez muitos adeptos, graças à atividade pioneira de H. Kawai. Formado em Zurique, este se tornou em 1965 o primeiro psicoterapeuta junguiano de língua japonesa. Como os freudianos, interessou-se particularmente por essa famosa neurose de dependência (*amae*), que considerava uma especificidade da sociedade japonesa dita matriarcal.

A questão da *amae* tomou, aliás, uma extensão considerável para todos os discípulos formados por Kosawa, e particularmente para seus dois principais herdeiros: Doï Takeo e Keigo Okonogi. A partir de 1956, Doï Takeo assumiu as teses do mestre sobre o complexo de Ajase, mas as infletiu em um sentido culturalista. Na mesma medida em que Kosawa se inscrevera em uma perspectiva universalista, mostrando que o complexo de Ajase era uma variante do complexo de Édipo própria da organização específica da família japonesa, Takeo se interessou principalmente pela problemática da diferença cultural. Em 1950, quando de sua primeira permanência na costa oeste dos Estados Unidos, sentiu um verdadeiro choque: se ficou ofuscado pela riqueza da América, logo se sentiu estranho a esse modo de pensamento, que privilegiava a ética individualista em detrimento do sentimento de vinculação. Depois de passar pela clínica de Karl Menninger* em Topeka, no Kansas, seguiu uma formação psicanalítica em São Francisco, orientando-se depois para a psiquiatria transcultural.

Posteriormente, Doï Takeo tentou explicar as razões do relativo fracasso da implantação do freudismo no Japão. Segundo ele, o freudismo, doutrina judaico-cristã, era inassimilável por uma sociedade de tradição budista e xintoísta, na qual o desejo de emancipação subjetiva não tinha lugar. Mesmo continuando a ser freudiano, ele adotava assim, nesse debate clássico, a posição que fora a da escola culturalista anglo-americana, de Bronislaw Malinowski* a Ruth Benedict (1887-1948).

Por sua vez, Keigo Okonogi prosseguiu a reflexão sobre o complexo de Ajase, baseando-se na obra de Marianne Krüll dedicada a Rebekka Freud*, segunda esposa de Jacob Freud*, e

nos trabalhos dos kleinianos e de Heinz Kohut*. Procurou mostrar a especificidade da *amae* japonesa, menos na diferença cultural do que em sua relação com todas as formas de simbiose materna descritas pelos pós-freudianos.

No fim dos anos 1960, enquanto os meios psiquiátricos japoneses eram perpassados pelas interrogações nascidas da antipsiquiatria*, um jovem filósofo, Tagatsuku Sasaki, aluno de Doï Takeo, começou a se interessar pela obra de Jacques Lacan*. Em 1969, iniciou a tradução integral dos *Escritos*, e foi através desse imenso trabalho de reflexão sobre a língua teórica da psicanálise, e principalmente sobre a maneira de transpor os conceitos freudianos para uma cultura nova, que o lacanismo* se implantou em terras japonesas.

Lacan, ao contrário de Freud, era fascinado pelo Japão. Em 1963, descobriu maravilhado as grandes obras da estatuária budista, nos templos de Kioto e Nara. No coração do Extremo Oriente, onde Alexandre Kojève (1902-1968), seu professor de filosofia, acreditara ter cruzado o conceito hegeliano de "fim da história", Lacan foi seduzido pelo refinamento dessa cultura ancestral. Em sua busca do absoluto, privilegiando o matema* e os nós borromeanos*, quis dar corpo a uma representação formalizada do laço social, a fim de construir um modelo de liberdade humana fundado no primado da estrutura e do "coletivo". Também ele, de certa forma, foi tomado, como Kosawa, por uma reflexão sobre a *amae*.

Em 1971, Lacan voltou ao Japão para uma viagem de estudos, no momento em que Sasaki acabava a tradução da primeira parte dos *Escritos*. Ao retornar, impôs-se o dever de definir a "coisa japonesa", esse modo específico de gozo* que ele atribuía ao "sujeito japonês" e cuja manifestação detectava na escrita. Transcreveu com um simples traço horizontal a pureza dessa caligrafia, impossível de atingir, segundo ele, pelo sujeito ocidental. A esse traço, ou "letra", deu o nome de *littoral*.

No fundo, Lacan apenas atualizava a tese da famosa "diferença" japonesa, fundada no vínculo materno, tal como ela fora exposta, desde 1932, por Kosawa. Mas em vez de situar a diferença na organização das identificações, Lacan a localizava no significante*. Foi por isso que Sasaki, seu discípulo e tradutor, fez escola dedicando-se a transcrever em termos lacanianos o que Kosawa já designara como a característica da identidade japonesa: uma relação específica de dependência à mãe e ao grupo. Em um livro publicado em 1980, *Chichioya hahaoya okite* (O pai, a mãe e a lei), fez do sujeito japonês um ser dilacerado entre a onipotência dita imaginária da mãe e a fraqueza aparente do pai, reduzido a uma função de simulacro. Nesse mesmo ano, enquanto acabava a tradução integral dos *Escritos*, publicou outra obra, *Kai no uchidenokozuchi* (O pequeno malho mágico do prazer), na qual divulgava os principais temas do pensamento lacaniano. Ao longo dos anos, vários grupos lacanianos se constituíram no Japão. Como os outros freudianos de todas as tendências, eles não cessaram de se interrogar sobre as condições específicas da organização mental do sujeito japonês.

Seja ela pensada sob a categoria da *amae* japonesa, seja sob a expressão "coisa japonesa", essa questão remete certamente menos à diferença real da família nipônica do que à maneira pela qual os psicanalistas japoneses procuraram, conscientemente ou não, adaptar o freudismo a uma cultura não-ocidental. Formulando esse paradigma da dependência e do vínculo materno, eles fizeram as mesmas perguntas que o freudismo ocidental. De 1896 a 1920, Freud e seus discípulos da primeira geração tomaram efetivamente a função paterna e a paternidade como objeto de reflexão, e a partir de 1920, com o impulso dado por Melanie Klein, a reflexão se deslocou para o estudo da relação com a mãe.

• Yoshihide Kubo, *Seishinbuseki ho* (A psicanálise), Kinsei shinrigaku Bunko III, Shinrigaku Kenkyukai, 1917 • James Clark Moloney, *Understanding the Japanese Mind*, N. York, Philosophical Library, 1954 • Doï Takeo, "Some aspects of japanese psychiatry", *American Journal of Psychiatry*, vol.3, 1955, 691-5; *Le Jeu de l'indulgence* (Tóquio, 1971), Paris, L'Asiathèque, 1988 • D.T. Suzuki, Erich Fromm e Richard de Martino, *Bouddhisme zen et psychanalyse* (N. York, 1963), Paris, PUF, 1971 • George A. de Vos (org.), *Socialisation for Achievement. Essays on the Cultural Psychology of the Japanese*, Berkeley, Los Angeles, Londres, University of California Press, 1973 • M. Yamamura, "Reviewing the 25 years of the Japan psychoanalytical association", *Japanese Journal of Psychoanalysis*, 24, 4, 1975, 215-9 • Tooru Takahashi, "La Psychanalyse au Japon", in Roland Jaccard (org.), *Histoire de la psychanalyse*, Paris, Hachette, 1982, 363-81 • Mau-

rice Pinguet, *La Mort volontaire au Japon*, Paris, Gallimard, 1984 • Keigo Okonogi, "Japan", *Psychoanalysis International. A Guide to Psychoanalysis throughout the World*, vol.2, Peter Kutter (org.), Stuttgart, Frommann-Holzboog, 1995, 123-42 • Takatsugu Sasaki, *Chichioya hahaoya okite* [O pai, a mãe e a lei], Tóquio, Serika, 1980; *Kai no uchidenokozuchi* [O pequeno malho mágico do prazer], Tóquio, Asahi Shuppan, 1980 • Jacques Lacan, "Avis au lecteur japonais", 2 de janeiro de 1972, *Lettre Mensuelle de l'ECF*, setembro de 1981; Le Séminaire, livre XVIII, *D'un discours que ne serait pas du semblant (1970-1971)*, inédito, sessão de 12 de maio de 1971; "Lituraterre", *Littérature*, 3, outubro de 1971 • Jacques-Alain Miller (org.), *Lacan et la chose japonaise*, Paris, Analytica, 1988 • Élisabeth Roudinesco, *Jacques Lacan. Esboço de uma vida, história de um sistema de pensamento* (Paris, 1993), S. Paulo, Companhia das Letras, 1994.

➤ ANTROPOLOGIA; CULTURALISMO; ETNOPSICANÁLISE; HISTÓRIA DA PSICANÁLISE; HISTORIOGRAFIA; HORNEY, KAREN; PATRIARCADO; SUICÍDIO.

Jekels, Ludwig, *né* Louis Jekeles (1861-1954)
psiquiatra e psicanalista americano

Discípulo da primeira geração vienense, Ludwig Jekels criou em 1897, em Bistrai, na Silésia, um sanatório para doentes nervosos. Em 1908, participou do congresso da International Psychoanalytical Association* (IPA) em Salzburgo e, no ano seguinte, dos trabalhos da Sociedade Psicológica das Quartas-Feiras*, que se tornou a Wiener Psychoanalytische Vereinigung (WPV). Foi analisado por Sigmund Freud*, primeiro como paciente, depois como aluno. Depois da morte de Oskar Rie*, tornou-se seu principal parceiro no jogo de cartas.

Nascido em Lemberg, na Galícia polonesa, era filho de um advogado judeu. Seu nome ficou associado à introdução das idéias freudianas na Polônia. Com efeito, foi o primeiro tradutor das obras do mestre para o polonês, e abriu seu sanatório à prática da psicanálise*.

Jekels sempre se mostrou pessimista quanto à validade terapêutica da psicanálise. Muito cedo, confidenciou a Richard Sterba*: "Um dia desses ainda vamos pagar caro pelas esperanças que depositamos na eficácia da nossa terapia." Ele profetizou, como disse Sterba, que "o público se sentiria enganado pela nossa certeza quanto ao poder curativo do método analítico. Eu não conhecia Ludwig Jekels o bastante para saber se devia atribuir essa observação a um acesso de depressão momentânea ou a uma atitude depressiva em geral. Todavia, não me lembro de tê-lo visto rir."

De qualquer forma, esse freudiano da primeira hora exibia o famoso niilismo terapêutico que caracterizava a sociedade vienense do fim do século. E ele não se enganava sobre o futuro da psicanálise: tornando-se americano, ele pôde assistir à realização de suas predições nos Estados Unidos*.

A pedido de Freud, partiu para Estocolmo na primavera de 1934, com a missão de formar didatas na jovem Sociedade Fino-Sueca de Psicanálise. Entretanto, no verão de 1937, deixou o país sem ter cumprido a tarefa. Voltou a Viena* e depois emigrou para os Estados Unidos, passando pela Austrália*. Freud o recomendou a Smith Ely Jelliffe*: "Entre os imigrantes que estão em Nova York, encontra-se o doutor Jekels, que é não só um analista ilustre, mas um bom amigo meu. Gostaria de que você pudesse fazer algo para facilitar sua vida, enviando-lhe pacientes."

Nos Estados Unidos, Jekels continuou muito pessimista, mas adaptou-se à prática americana. Na verdade, considerava que todo sujeito é portador de um masoquismo* instintivo, à base de regressão oral, e gostava de enfatizar que esse dado fundamental constituía a quarta ferida narcísica infligida ao homem (as três primeiras foram descritas por Freud). Jekels também se interessou pela psicanálise aplicada* (publicou um artigo sobre Napoleão, desse ponto de vista) e pelo marxismo.

• Ludwig Jekels, "Le Tournant décisif de la vie de Napoléon" (1914), *RFP*, III, 1929; "Psychoanalysis and dialectics", *Psychoanalytical Review*, 28, 1941; *Selected Papers*, Londres, N. York, Imago Publishing, 1952 • Edmund Bergler, "Ludwig Jekels (1867-1954)", *IJP*, vol.XXXVI, 71-3 • Richard Sterba, *Réminiscences d'un psychanalyste viennois* (Detroit, 1982), Toulouse, Privat, 1986 • Sigmund Freud, *Chronique la plus brève. Carnets intimes, 1929-1939*, anotado e apresentado por Michael Molnar (Londres, 1992), Paris, Albin Michel, 1992 • Elke Mühlleitner, *Biographisches Lexikon der Psychoanalyse. Die Mitglieder der psychologischen Mittwoch-Gesellschaft und der Wiener psychoanalytischen Vereinigung von 1902-1938*, Tübingen, Diskord, 1992.

➤ ESCANDINÁVIA; HISTÓRIA DA PSICANÁLISE; NARCISISMO; VIENA.

Jelliffe, Smith Ely (1866-1945)
médico e psicanalista americano

Como Georg Groddeck*, Felix Deutsch* ou Franz Alexander*, Smith Ely Jelliffe se interessou igualmente pela psicanálise*, pela botânica e pela medicina psicossomática*, da qual foi um dos pioneiros nos Estados Unidos*, enquanto defendia, contra Abraham Arden Brill*, os princípios da análise leiga*. Nascido em Nova York, de um pai que dirigia o liceu batista da cidade, orientou-se rapidamente para a medicina e foi para a Europa em 1890, onde seguiu o ensino de Jean Martin Charcot*. Apaixonado pelas teorias de Darwin e da geologia, foi influenciado por William Alanson White*, que despertou seu interesse pelo freudismo, e por Adolf Meyer*, que lhe apresentou a escola de psiquiatria suíça.

Em 1912, integrou-se ao movimento psicanalítico. Lançou então, com White, *The Psychoanalytic Review*, primeiro órgão freudiano de língua inglesa no continente americano. Em 1921, foi a Viena* para visitar Sigmund Freud*. Trocou com ele, depois, uma longa correspondência. Fez uma análise com Otto Rank*.

Ardente polemista de espírito rabelaisiano, Jelliffe publicou mais de 400 textos até 1937. Foi um psicanalista renomado em Nova York.

• Smith Ely Jelliffe, "Psychopathology and organic disease", *Arch. Neurol. Psychiat.*, 1922, 8, 639-51; *Sketches in Psychosomatic Medicine*, "Nervous and mental disease monograph series", Washington e N. York, Nervous and Mental Disease Publishing Company, 69, 1939 • Smith Ely Jelliffe e Elida Evans, "Psoriasis as an hysterical conversion symptom", *New York Medical Journal* 104, 1916, 1077-86; "Psychotherapy and tuberculosis", *American Review*, 119, 3, 417-28 • Abram Arden Brill, "In memoriam: Smith Ely Jelliffe", *J. Nerv. Ment. Dis.*, 106, 1947, 221-7 • N.D.C. Lewis, "Smith Ely Jelliffe, 1866-1945. Medicina psicossomática na América", in Franz Alexander, Samuel Eisenstein e Martin Grotjahn (orgs.), *A história da psicanálise através de seus pioneiros* (N. York, 1966), Rio de Janeiro, Imago, 1981 • Karl Menninger e Georges Devereux, "Smith Ely Jelliffe, father of psychosomatic medicine", *Psychoanalytical Review*, 35, outubro de 1948, 351 • *L'Introduction de la psychanalyse aux États-Unis. Autour de James Jackson Putnam* (Londres, 1968), Nathan G. Hale (org.), Paris, Gallimard, 1978, 17-86 • Nathan G. Hale, *Freud and the Ameri-*

cans. *The Beginnings of Psychoanalysis in the United States*, t.I, *1876-1917* (1971), N. York, Oxford University Press, 1995; *Freud and the Americans. The Rise and Crisis of Psychoanalysis in the United States*, t.II, *1917-1985*, N. York, Oxford, Oxford University Press, 1995.

➤ *QUESTÃO DA ANÁLISE LEIGA, A.*

Jones, Ernest (1879-1958)
psiquiatra e psicanalista inglês

Fundador da psicanálise* na Grã-Bretanha*, criador do Comitê Secreto*, artífice do debate sobre a antropologia*, organizador e presidente da International Psychoanalytical Association* (IPA) durante dois períodos cruciais (1920-1924 e 1934-1949), excelente negociador durante as Grandes Controvérsias*, pioneiro da historiografia* psicanalítica e da tradução* inglesa da obra freudiana (por James Strachey*), Ernest Jones teve um papel considerável na história política do freudismo*. Durante muitos anos, foi o líder incontestável do movimento, e, se porventura se comprometeu com o nazismo, acreditando assim "salvar" a psicanálise* na Alemanha*, também ajudou os emigrantes alemães, austríacos e húngaros a encontrar acolhimento nos países anglófonos, Estados Unidos* e Inglaterra. Sigmund Freud* não gostava dele, mas ao longo dos anos, embora desaprovando muitas vezes as suas iniciativas, confiou nele para administrar os assuntos políticos do movimento, especialmente depois da partida de Max Eitingon* para a Palestina.

A despeito de sua personalidade difícil, de sua linguagem crua, das complicações de sua vida amorosa, que lhe valeram a hostilidade das ligas puritanas, e da maneira direta com que falava do erotismo ou dos defeitos do corpo, Jones era um homem insinuante e principalmente um trabalhador infatigável, preocupado em dominar todos os campos do saber. Tinha paixão pela "causa analítica" e queria defendê-la à sua maneira, se necessário contra o próprio Freud, o que explica seu apoio às inovações kleinianas e sua ambivalência em relação à análise leiga*.

Conservador, pragmático e racionalista, mostrou-se injusto para com Otto Rank* e Wilhelm Reich*, intratável com a "esquerda freudiana" (na Rússia*, por exemplo) e com os homossexuais, e

bastante invejoso de seu analista, Sandor Ferenczi*, clínico bem melhor que ele e discípulo preferido de Freud. Entretanto, conseguiu que a psicanálise européia sobrevivesse diante do poder crescente dos Estados Unidos*.

Nascido em Gowertown, no País de Gales, Jones era filho de um engenheiro de minas, que começara sua carreira como funcionário de escritório de um negociante de carvão. Autoritário e incapaz de admitir que podia errar, acreditava na superioridade dos adultos sobre as crianças. Não admitia nenhuma insubordinação. Sua mulher era conservadora, piedosa e fortemente ligada à cultura galesa: "Nasci em 1º de janeiro de 1879, escreveu Jones, em uma aldeia chamada Rhosfelyn. Fui o primeiro e único filho. A grande estrada de ferro do Oeste rebatizou a aldeia como Gower Road, nome que meu pai conseguiu mudar depois para o híbrido Gowertown."

Desde muito cedo, o pequeno Jones conheceu perfeitamente todas as práticas sexuais, não hesitando em falar francamente: "A prática do coito já me era familiar aos seis ou sete anos de idade, escreveu em sua autobiografia; depois, eu a interrompi e só a retomei depois dos 24 anos; esse era um hábito bastante comum entre as crianças da aldeia."

Depois de estudar na Universidade de Cardiff, orientou-se para a medicina, foi aluno de John Hughlings Jackson* e instalou-se em Londres. Graças a seu futuro cunhado, Wilfred Ballen Lewis Trotter (1872-1939), cirurgião honorário do rei Jorge V, erudito ilustre e apaixonado por filosofia, interessou-se pelos textos de Freud e começou a aprender alemão para ler a *Interpretação dos sonhos*.

Em 1903, entrou para o North Eastern Hospital, do qual seria demitido seis meses depois por insubordinação. Rotulado como "indivíduo problemático", teve posteriormente muita dificuldade para se integrar a outros serviços hospitalares. Interessado pela hipnose*, a neurologia e as doenças mentais, começou a praticar espontaneamente a psicanálise em 1906. No ano seguinte, foi a Amsterdã para o primeiro congresso de neurologia, psiquiatria e assistência aos alienados, e ficou conhecendo Carl Gustav Jung*, que o convidou a trabalhar na clínica do Hospital Burghölzli, dirigida por Eugen Bleuler*. Em 1908, encontrou-se com

Freud pela primeira vez, no congresso da IPA em Salzburgo.

Sua nova orientação e a rudeza com que evocava os problemas da sexualidade* na Inglaterra, ainda muito vitoriana, lhe valeram novos problemas. Denunciado publicamente pelo irmão de uma de suas pacientes, desejosa de divorciar-se depois de uma análise, Jones foi depois acusado de ter falado de maneira indecente com duas crianças pequenas, que estava submetendo a um teste. Registrou-se queixa contra ele, que passou uma noite na prisão, antes de ser absolvido de qualquer suspeita pela justiça e pela imprensa.

Não obstante, decidiu deixar a Grã-Bretanha e radicar-se no Canadá*, com sua jovem companheira Loe Kann, que ele fazia passar por sua esposa. Foi o início de uma longa correspondência com Freud: 671 cartas no total. Como observou Ernst Falzeder, faltam, nessa correspondência "a intimidade, a amplitude, o dinamismo e o caráter trágico que caracterizam outras correspondências de Freud [...]. O estilo inimitável de Freud sofre com isso...". Na verdade, tem-se a impressão de que o tom de Freud é de um "homem de negócios". De qualquer forma, se Freud via em Jones o aliado indispensável, este se apresentava a ele como o Thomas Henry Huxley (1825-1895) de Charles Darwin, isto é, como o primeiro discípulo da doutrina freudiana em solo inglês.

Depois de passar cinco anos em Toronto e ser mais uma vez alvo de acusações "sexuais", Jones voltou a Londres em julho de 1912 tendo criado a American Psychoanalytic Association* (APsaA) e feito um importante trabalho de implantação das idéias freudianas no Canadá e nos Estados Unidos. Em junho de 1913, a conselho de Freud, passou dois meses em Budapeste, para fazer uma análise didática* com Ferenczi. Foi então que se formou um daqueles imbróglios transferenciais característicos dos primeiros anos da prática psicanalítica.

A pedido de Jones, Freud aceitou analisar Loe Kann. Sofrendo de cálculos renais que a obrigavam a sucessivas operações, a jovem tinha adquirido o hábito de tomar morfina. Assim, tornou-se toxicômana. Aliás, suas relações com Jones haviam se degradado, principalmente quando este começou uma relação com

uma de suas amigas, Lina. Ao longo das sessões, Freud se apegou a Loe Kann. Quando Jones começou o seu tratamento com Ferenczi, ignorava que a sua companheira estava prestes a deixá-lo para se casar com um americano chamado Herbert Jones (apelidado Jones II), e também que Freud informava Ferenczi de tudo o que ocorria durante as sessões de Loe.

A partir do mês de junho, Ferenczi, por sua vez, descreveu a Freud o desenrolar do tratamento de Jones: "Jones é muito agradável como amigo e colega. Na análise, seu excesso de bondade constitui um obstáculo; seus sonhos se resumem a ironizar-me e ridicularizar-me, o que ele tem que admitir sem que consiga acreditar realmente nessas particularidades de seu caráter, ocultas nele. Parece também temer que eu lhe conte tudo o que fico sabendo na análise. Assim, peço-lhe que nunca mencione nossa correspondência diante da sra. Jones [...]. Ele não se permite nenhuma dependência, o que é compensado depois por uma tendência para as intrigas, para os triunfos secretos e para a perfídia. Creio que as semanas passadas lhe serão proveitosas. Já o acho um pouco menos modesto, isto é, mais franco com os outros e consigo mesmo." Freud lhe respondeu, em 9 de julho: "O que você escreveu sobre Jones me alegra muito. Agora, sinto-me menos culpado quanto ao resultado do processo com sua mulher, a partir do momento em que a vejo expandir-se na liberdade. Apeguei-me extraordinariamente a Loe e junto dela desenvolvi um sentimento muito caloroso, completamente inibido sexualmente, como raramente aconteceu antes (provavelmente graças à idade)." Loe se tornaria amiga de Anna Freud*.

Em junho de 1914, sem dizer a Jones, Freud assistiu em Budapeste ao casamento de Loe com Herbert Jones. Um mês depois, Anna Freud, com 18 anos, fez uma viagem a Londres. Ernest Jones a acolheu e a levou para visitar os melhores lugares da cidade, não hesitando em cortejá-la. Prevenido por Loe, a quem Anna contava tudo, Freud interveio duramente, para impedir a filha de ceder à sedução de seu novo discípulo: "Sei de fonte segura [isto é, através de Loe], escreveu ele, que o doutor Jones tem a séria intenção de te fazer a corte. É a primeira vez que isso te acontece e não tenho nenhuma intenção de te dar a liberdade de escolha de que gozaram tuas irmãs." E acrescentou que Jones não seria um bom marido para ela.

Quarenta e nove anos depois, em uma carta de 3 de julho de 1953, Jones declararia a Anna: "Ele [Freud] parece ter esquecido a existência da pulsão* sexual, pois eu a achei e ainda a acho muito atraente. É verdade, eu queria substituir Loe, mas não tinha nenhum ressentimento para com ela, sua partida foi para mim um alívio. De qualquer forma sempre amei você, e de uma maneira bastante honrosa."

Em 1916, Jones casou-se com Morfydd Owen (1891-1918), uma jovem artista, professora na Royal Academy of Music. Destinava-se à carreira de pianista e compositora, mas morreu bruscamente, dois anos depois, de uma crise de apendicite.

Foi em 1919, aos 40 anos de idade, que Jones conseguiu formar uma família, casando-se com Katherine Jolk, uma vienense de origem tcheca, que Hanns Sachs* lhe apresentou e com quem teria quatro filhos: Gwenith, morta de pneumonia com a idade de oito anos, Mervyn, Nesta e Lewis. Katherine Jones, Gwenith e Mervyn foram analisados por Melanie Klein* em 1926.

A partir de 1913, a vida de Jones se misturou estreitamente à história do movimento psicanalítico inglês e internacional. Durante a Primeira Guerra Mundial, prosseguiu suas atividades, mas por causa da publicação de diversos artigos no *Jahrbuch für psychoanalytische und psychopathologische Forschungen**, foi acusado pelo *Times* de colaboração com o inimigo. Todavia, depois de um inquérito feito pela Scotland Yard, foi oficialmente autorizado a receber, através da Suíça, periódicos em língua alemã. Assim, conseguiu manter contato com os psicanalistas dos países beligerantes. Em 1919, fundou a British Psychoanalytical Society (BPS). No ano seguinte, criou o *International Journal of Psycho-Analysis** (*IJP*) e, em 1922, no congresso da IPA em Berlim, lançou o grande debate sobre a sexualidade feminina*, que durante muito tempo dividiria a escola inglesa e a escola vienense. Enfim, em 1926, ajudou Melanie Klein a instalar-se definitivamente em Londres. Deu assim uma sólida base à BPS e à psicanálise de crianças* na Grã-Bretanha. Com isso, irritou profundamente Freud e sua filha.

Confrontado com a questão da análise leiga, em especial com Abraham Arden Brill*, que barrava o acesso dos não-médicos à New York Psychoanalytic Society (NYPS), Jones tentou uma conciliação no congresso da IPA em Oxford, em 1929. Brill cedeu e aceitou a filiação dos não-médicos, mas no Congresso de Wiesbaden, em 1932, o assunto ressurgiu. Uma nova regulamentação foi então adotada, estipulando que os critérios de seleção dos candidatos dependeriam, a partir de então, das sociedades locais, que se tornavam mais autônomas.

Em dezembro de 1935, Jones aceitou presidir a sessão da Deutsche Psychoanalytische Gesellschaft (DPG) durante a qual os membros judeus foram obrigados a se demitir. Adepto da tese do "salvamento", apoiava assim a política de Felix Boehm* e de Carl Müller-Braunschweig*, que resultaria na integração dos freudianos ao Deutsche Institut für Psychologische Forschung, fundado por Matthias Heinrich Göring*.

Em 1949, depois de atravessar a turbulência das Grandes Controvérsias e de participar da reintegração na IPA dos antigos terapeutas alemães colaboracionistas, Jones se aposentou. Apesar de uma trombose coronariana, começou a redigir a primeira grande biografia, em três volumes, dedicada à vida e à obra de Freud. Além de todos os livros publicados, conseguiu localizar e ler cerca de 5.000 cartas manuscritas da correspondência de Freud, dando assim sua contribuição a Kurt Eissler, que estava coletando os arquivos e realizando entrevistas com os grandes discípulos da primeira hora. Esse trabalho gigantesco, redigido em sete anos e baseado em uma impressionante quantidade de documentos, faria de Jones o fundador da historiografia freudiana. Traduzida no mundo inteiro, essa obra serviria de ponto de partida para todos os trabalhos posteriores da historiografia erudita. Antes mesmo de concluir o terceiro volume, Jones teve que se submeter com urgência à exerese de um tumor vesical. Em 1957, mesmo tendo tido um segundo ataque coronariano, nada deixava transparecer de seu estado e foi ao congresso da IPA em Paris.

Morreu em 11 de fevereiro de 1958, com a mesma coragem do herói do livro que acabava de escrever. Suas cinzas repousam no crematório de Golders Green, próximas às de Freud.

• Ernest Jones, *Théorie et pratique de la psychanalyse* (Londres, 1948), Paris, Payot, 1969; *Hamlet et Oedipe* (Londres, 1949), Paris, Gallimard, 1967; *Essais de psychanalyse* (Londres, 1950), Paris, Payot, 1966; *Essais de psychanalyse appliquée*, I, *Essais divers*, II, *Psychanalyse, folklore et religion* (Londres, 1923-1964), Paris, Payot, 1973; *Free Associations. Memoirs of a Psychoanalyst*, N. York, Basic Books, 1959; *A vida e a obra de Sigmund Freud*, 3 vols. (N. York, 1953, 1955, 1957), Rio de Janeiro, Imago, 1989 • Vincent Brome, *Les Premiers disciples de Freud* (Londres, 1967), Paris, PUF, 1978; *Ernest Jones. Freud's alter ego*, N. York, Norton, 1983 • Claude Girard, *Jones*, Paris, Payot, 1972 • E. James Lieberman, *La Volonté en acte. La Vie et l'oeuvre d'Otto Rank* (N. York, 1985), Paris, PUF, 1991 • Phyllis Grosskurth, *O mundo e a obra de Melanie Klein* (1986), Rio de Janeiro, Imago, 1992; *O círculo secreto* (Londres, 1991), Rio de Janeiro, Imago, 1992 • Élisabeth Young-Bruehl, *Anna Freud: uma biografia* (N. York, 1988), Rio de Janeiro, Imago, 1992 • Riccardo Steiner, "'É uma nova forma de diáspora...' A política de emigração dos psicanalistas segundo a correspondência de Ernst Jones com Anna Freud", *Revista Internacional da História da Psicanálise*, 1 (1988), Rio de Janeiro, Imago, 1990, 231-82 • Sigmund Freud e Sandor Ferenczi, *Correspondência*, vol.I, 2 tomos, *1908-1914* (Paris, 1992), Rio de Janeiro, Imago 1994, 1995 • *The Complete Correspondance of Sigmund Freud and Ernest Jones, 1908-1939*, Andrew R. Paskauskas (org.), introdução por Riccardo Steiner, Cambridge, Londres, Harvard University Press, 1993 • Ernst Falzeder, "Note de lecture sur la correspondance Freud/Jones", *Psychothérapies*, vol.XIV, 2, 1994, 115-6.

➤ AFÂNISE; ANDERSSON, OLA; AUSTRÁLIA; AUTO-ANÁLISE; BERNFELD, SIEGFRIED; BIBLIOTECA DO CONGRESSO; BREUER, JOSEF; ÉDIPO, COMPLEXO DE; ELLENBERGER, HENRI F.; ÍNDIA; JUDEIDADE; KEMPER, WERNER; PAPPENHEIM, BERTHA; RIVIERE, JOAN; SCHUR, MAX; TELEPATIA.

judeidade

al. *Judesein*; esp. *judeidad*; fr. *judéité*; ing. *jewishness*

Chama-se judaísmo à religião monoteísta dos judeus, bem como à doutrina e às instituições judaicas.

No judaísmo distinguem-se vários grandes movimentos: a emancipação, que começou no século XVII, com o reconhecimento dos direitos civis; a *Haskalah*, ou movimento judaico do Iluminismo, que se afirmou no fim do século XVIII e foi acompanhado por uma assimilação progressiva; o judaísmo ortodoxo, nascido em 1795, hostil à *Haskalah* e à emancipação; o

hassidismo, movimento pietista judaico de renovação da fé, nascido na Europa oriental na mesma época; e o judaísmo reformado, inspirado no protestantismo (primeiro na Alemanha*, depois nos Estados Unidos*), que incita à prática liberal da religião. A estes se juntam todos os movimentos nascidos depois do fim do século XIX: o judaísmo humanista e leigo, que se define pelo abandono da religião e por uma tendência ao ateísmo; o sionismo, que designa (desde 1890) uma ideologia e um movimento político que visam o renascimento e a independência do povo judeu nas terras de Israel; o judaísmo conservador, forma norte-americana do judaísmo ortodoxo, nascido em 1886, que insiste na renovação ética; e, por fim, o judaísmo reconstrutivista (também norte-americano), nascido em 1922, que considera o judaísmo uma cultura religiosa fundamentada num nacionalismo espiritual.

Chama-se judeidade ao fato e à maneira de alguém se sentir ou ser judeu, independentemente do judaísmo. O sentimento de judeidade ou de identidade judaica é uma maneira de ele continuar a se pensar judeu no mundo moderno, a partir do fim do século XIX, mesmo sendo descrente, agnóstico, humanista, leigo ou ateu. Essa reivindicação de judeidade rejeita a idéia de pertencimento enunciada pela jurisprudência rabínica (*Halakha*, nascida da Torah), que designa como judia qualquer pessoa nascida de mãe judia ou qualquer pessoa convertida ao judaísmo nas condições exigidas pela lei religiosa.

Como sublinha Jacques Le Rider, os intelectuais judeus vienenses descobriram-se numa situação particular de crise no fim do século XIX, quando foram confrontados com o choque do anti-semitismo, que substituiu a antiga judeofobia religiosa por uma forma dita "científica" de hierarquia das "raças". Provenientes das comunidades disseminadas pelos impérios centrais, emancipados desde longa data do judaísmo tradicional e identificados com a cultura e a língua alemãs, eles foram brutalmente relembrados de sua identidade por seus inimigos, em especial Houston Stewart Chamberlain (1855-1927), Georg von Schoenerer (1842-1921) e Karl Lueger (1844-1910), que queriam excluí-los do corpo social, e pelos diferentes movimentos de renovação judaica que se desenvolveram como reação ao anti-semitismo, em particular o de Theodor Herzl (1860-1904). Nesse momento, eles tiveram que reinventar a definição da palavra judeu e o sentido de sua judeidade. A essa necessidade correspondeu uma pluralidade de atitudes: conversão, renegação, ódio judeu de si mesmo, sionismo, rejeição da assimilação e do Iluminismo, retorno ao judaísmo, culto do comunitarismo e do diferencialismo, ou adoção do ideal universalista.

Ao contrário de numerosos intelectuais judeus vienenses, como Karl Kraus* ou Otto Weininger*, Sigmund Freud* tinha horror ao ódio judeu de si mesmo (*Jüdischer Selbsthass*) e à fuga para a conversão. Descrente e hostil às práticas religiosas, rejeitava as tradições, os ritos e as festas e, no seio de sua própria família, combatia as atitudes religiosas de sua mulher (Martha Freud*). No entanto, nunca renegou sua judeidade e a reivindicou todas as vezes que se confrontou com o anti-semitismo. Testemunho disso, se necessário, é a lembrança infantil que implicava seu pai (Jacob Freud*), relatada por ele na *Interpretação dos sonhos**.

Se adotou uma atitude de cientista universalista e de judeu espinosista (característica do chamado *Aufklärung* sombrio), como mostra Yirmiyahu Yovel, nem por isso Freud foi poupado das oscilações e ambivalências próprias da crise da identidade judaica no fim de século. Esta se refletiu no vocabulário que empregou. Com efeito, não hesitou em falar de "raça judaica", "pertencimento racial" ou diferenças entre os judeus e os "arianos". Além disso, muitas vezes designou os não judeus como "arianos". Nada o obrigava a retomar dessa maneira a terminologia de sua época, e poderia igualmente ter-se mantido distante de tal vocabulário. Em Freud, entretanto, a utilização dessas expressões nunca desembocou num diferencialismo teórico, como em Carl Gustav Jung*. Aliás, numa carta a Sandor Ferenczi*, datada de 8 de julho de 1913, ele se posicionou claramente contra qualquer psicologia dos povos ou das mentalidades: "Decerto existem grandes diferenças entre o espírito judaico e o espírito ariano. Podemos observá-las todos os dias. Daí vêm, com certeza, aqui e ali, pequenas discrepâncias na maneira de conceber a vida e a arte. Mas a existência de uma ciência ariana e uma

ciência judaica é inconcebível. Os resultados científicos têm que ser idênticos, seja qual for a maneira de apresentá-los. Quando essas diferenças se refletem na apreensão dos parâmetros científicos objetivos, é porque alguma coisa não está funcionando direito."

Cônscio do fato de que seus primeiros discípulos vienenses eram todos judeus, Freud temia que sua nova ciência fosse assimilada a uma "questão judaica", isto é, a um particularismo sujeito às leis do *genius loci*. Nada lhe causava mais horror do que ouvir seus adversários reduzirem a psicanálise* a um produto do "espírito judaico" ou da "mentalidade vienense".

Contudo, em vez de afirmar claramente essa posição, ele iria oscilar entre duas atitudes que contradiziam sua concepção da cientificidade da psicanálise. Até 1913, manteve Jung à testa da International Psychoanalytical Association* (IPA) e reivindicou a "desjudaização" do movimento, em nome da ciência: "Nossos colegas arianos são-nos realmente indispensáveis", escreveu a Karl Abraham* em 26 de dezembro de 1908, "e sem eles a psicanálise cairia presa do anti-semitismo."

Depois do rompimento com Jung, Freud deu meia volta e afirmou que a judeidade do movimento não poderia criar obstáculos à invenção de uma ciência universal. A Enrico Morselli (1852-1929), escreveu: "Não sei se o senhor tem razão em ver na psicanálise um produto direto do espírito judaico, mas, se assim fosse, eu não me sentiria nem um pouco envergonhado. Apesar de alheio há muito tempo à religião de meus ancestrais, não perdi o sentimento de pertencer a meu povo e me solidarizar com ele, e penso com satisfação que o senhor mesmo se define como aluno de um de meus companheiros de raça, o grande Lombroso."

Único não judeu da primeira geração* freudiana depois da partida de Jung, Ernest Jones*, que era galês e, como costumava dizer, pertencia a uma "raça oprimida", sentia-se próximo dos judeus vienenses da primeira geração freudiana, que Carl Gustav Jung costumava chamar de "ciganos". Não sendo judeu, entretanto, teve que enfrentar, durante o período do Comitê, o fanatismo "anti-ariano" que se manifestou contra Jung: "Todos eles eram extremamente sensíveis ao anti-semitismo, inclusive Freud", contaria ele a Vincent Brome. "Às vezes, ele [Freud] me olhava com um jeito irônico: que é que você está fazendo entre nós, você, um não judeu cuja língua materna não é o alemão? Na condição de judeu, Freud não havia escapado à perseguição, muito pelo contrário, e era movido a inverter esse movimento. Numa ou duas ocasiões, houve quem duvidasse de mim, e chegaram até a me colocar sob suspeita; assim, descobri-me em conflito com os outros e, pelo menos uma vez, achei que o fato de não ser judeu tinha alguma coisa a ver com isso."

Jones foi acusado de anti-semitismo por seus adversários em virtude de uma conferência, "A psicologia da questão judaica", proferida num colóquio dedicado aos judeus e aos "gentios" em 1945. Nessa ocasião, com efeito, declarou que os judeus eram tão responsáveis pelo anti-semitismo quanto os anti-semitas, em razão de sua arrogância e de sua concepção de povo eleito. E acrescentou que eles tinham uma particularidade: "O nariz hitita, que tanto evoca uma deformidade e que, infelizmente, os judeus adquiriram em suas andanças; por um azar, ele está associado a um gene dominante." Nessa ocasião, de fato, Jones alinhou-se com as posições clássicas da psicologia dos povos, que quase sempre levam a esse tipo de derrapagem (como aconteceu, com muito maior gravidade, com Jung).

Quando o nazismo* fez da psicanálise uma "ciência judaica", Freud reivindicou sua judeidade. Registremos, a título de lembrete, que quase todos os psicanalistas judeus que não conseguiram emigrar pereceram nos campos de extermínio nazistas.

Foi em 1938, em *Moisés e o monoteísmo*, que Freud formulou sua terceira tese sobre a questão judaica, afirmando a existência de uma possível transmissão hereditária do sentimento de judeidade. Esse livro daria margem a múltiplas interpretações.

A questão da judeidade atravessa toda a história da psicanálise, assim como a do culturalismo* e do universalismo. Encontra-se na origem de um bom número de clivagens no seio das sociedades psicanalíticas.

• Sigmund Freud, *Moisés e o monoteísmo* (1939), *ESB*, XXIII, 1-167; *GW*, XVI, 103-246; *SE*, XXIII, 1-137; Paris, Gallimard, 1986 • Sigmund Freud e Karl Abraham, *Correspondance, 1907-1926* (Frankfurt, 1965), Paris, Gallimard, 1969 • Sigmund Freud e Sandor Ferenczi, *Correspondência completa*, vol.I, *1908-1914*, (Paris, 1992), Rio de Janeiro, Imago, 1994, 1995 • Ernest Jones, "Psychologie de la question juive" (1945), in *Essais de psychanalyse appliquée*, I, *Essais divers* (Londres, 1923-1964), Paris, Payot, 1973, 230-244 • David Bakkan, *Freud et la tradition mystique juive* (New Jersey, 1958), Paris, Payot, 1977 • Carl Schorske, *Viena, fin-de-siècle* (N. York, 1981), S. Paulo, Companhia das Letras, 1990 • Vincent Brome, *Les Premiers disciples de Freud (Londres, 1967), Paris, PUF, 1978* • William M. Johnston, *L'Esprit viennois. Une histoire intellectuelle et sociale, 1848-1938* (N. York, 1972), Paris, PUF, 1985 • Allan Janik e Stephen Toulmin, *Wittgenstein, Vienne et la modernité* (N. York, 1973), Paris, PUF, 1978 • Marthe Robert, *D'Oedipe à Moïse*, Paris, Calmann-Lévy, 1974 • Marianne Krüll, *Sigmund Freud, fils de Jacob* (Munique, 1979), Paris, Gallimard, 1983 • *Sabina Spielrein entre Freud et Jung*, dossiê descoberto por Aldo Carotenuto e Carlo Trombetta (Roma, 1980), edição francesa de Michel Guibal e Jacques Nobécourt, Paris, Aubier-Montaigne, 1981 • René Major, *De l'élection. Freud face aux idéologies allemande, américaine et soviétique*, Paris, Aubier, 1986 • Peter Gay, *Um judeu sem Deus* (1987), Rio de Janeiro, Imago, 1992 • *Dictionnaire encyclopédique du judaïsme* (Jerusalém, 1989), Paris, Cerf-Robert Laffont, col. "Bouquins", 1993 • Yirmiyahu Yovel, *Spinoza et autres hérétiques* (1989), Paris, Seuil, col. "Libre examen", 1991 • Jacques Le Rider, *Modernité viennoise et crises d'identité* (1990), Paris, PUF, 1994 • Yosef Hayim Yerushalmi, *Le Moïse de Freud. Judaïsme terminable et interminable* (Yale, 1991), Paris, Gallimard, 1993 • Michel Plon, "Freud et les psychanalystes français", in Michel Drouin (org.), *L'Affaire Dreyfus de A à Z*, Paris, Flammarion, 1994 • Sélim Abou, "L'Universel et la relativité des cultures", in *L'Idée d'humanité. Colloque des intellectuels juifs*, Paris, Albin Michel, 1995.

➢ ANTROPOLOGIA; ETNOPSICANÁLISE; GÊNERO; GÖRING, MATTHIAS HEINRICH; HISTÓRIA DA PSICANÁLISE; HOMOSSEXUALIDADE; IGREJA; ITÁLIA; JANET, PIERRE; MAUCO, GEORGES; PANSEXUALISMO; SOCIEDADE PSICOLÓGICA DAS QUARTAS-FEIRAS; SPIELREIN, SABINA.

Juliusburger, Otto (1867-1952)

psiquiatra e psicanalista americano

Com Ivan Bloch (1872-1922), Heinrich Körber e Magnus Hirschfeld*, Otto Juliusburger foi um dos fundadores da Associação Psicanalítica de Berlim, criada em 1908 por Karl Abraham*. Deixou essa associação e emigrou para os Estados Unidos* em 1941, instalando-se em Nova York.

➢ ALEMANHA.

Jung, Carl Gustav (1875-1961)
psiquiatra suíço, fundador da psicologia analítica

Fundador de uma escola de psicoterapia*, amigo e discípulo de Sigmund Freud* de 1907 a 1913, introdutor com Eugen Bleuler* da psicanálise* na Suíça alemã, especialista em psicoses* e fascinado pelo orientalismo, Carl Gustav Jung realizou uma obra tão abundante quanto a de Freud, cuja tradução em francês está muito longe de ser concluída. Dezenas de obras, artigos e comentários foram escritos sobre Jung, e o junguismo se implantou em vários países: Grã-Bretanha*, Estados Unidos*, Itália* e Brasil*.

Nascido em 26 de julho de 1875, em Kesswill, no cantão de Turgóvia, Carl Gustav Jung era descendente de uma longa linhagem de pastores. Seu avô paterno, Carl Gustav Jung (1799-1864), dito Senior, médico originário de Mannheim, encontrara refúgio na Suíça em 1819 e se tornou reitor da Universidade de Basiléia. Uma lenda tenaz fazia dele o filho natural de Johann Wolfgang Goethe (1749-1832). Contava-se na família que Sophie Ziegler-Jung tivera uma ligação com o escritor e que o filho ilegítimo dessa aventura fora depois reconhecido por seu marido, Franz Ignaz Jung, pai de Carl Gustav Senior. Quanto a Samuel Preiswerk (1799-1871), avô materno de Carl Gustav Junior, também era pastor e adepto do espiritismo*. Com sua prima, Hélène Preiswerk* e sua mãe, Émilie Preiswerk-Jung (1848-1923), o jovem Carl Gustav também adquiriu o hábito de se dedicar ao espiritismo.

Em 1895, Jung começou a estudar medicina em Basiléia. Em 1900, tonou-se assistente de Bleuler na clínica do Hospital Burghölzli e, dois anos depois, defendeu tese sobre o caso de uma jovem médium, que depois se revelou ser Hélène Preiswerk. Em 1903, foi a Paris, para seguir os cursos de Pierre Janet* e ao voltar casou-se com Emma Rauschenbach, filha de um rico industrial de Schaffhouse, com quem teria cinco filhos: Agathe, Anna, Franz, Marianne, Emma.

Emma Rauschenbach-Jung (1882-1955) tornou-se discípula do marido, depois de ser analisada por ele. Em 1905, Jung foi nomeado *Privatdozent*, no momento em que, em contato com Bleuler, experimentava o teste de associação verbal* que o levaria à psicanálise.

Em abril de 1906, enviou a Freud os seus *Diagnostisch Assoziationsstudien* (Estudos diagnósticos de associação), inaugurando assim uma longa correspondência: um total de 359 cartas. Para Freud, esse encontro foi de importância crucial, pois abria para a psicanálise o "novo continente" das psicoses*. Logo se iniciou um grande debate entre Freud, Jung e Bleuler sobre o estatuto da esquizofrenia* (que ainda era chamada *dementia praecox*), e sobre a questão do auto-erotismo* e do autismo*.

Quando encontrou Freud, Jung já tinha uma concepção do inconsciente* e do psiquismo, herdada de Théodore Flournoy*, de Janet e de todos os artífices da subconsciência. Não só não compartilhava as hipóteses vienenses, como também estava em desacordo com a concepção freudiana da sexualidade* infantil, do complexo de Édipo* e da libido*. O que o aproximava de Freud era, por um lado, o fascínio por uma obra na qual acreditava encontrar a confirmação de suas hipóteses sobre as idéias fixas subconscientes, as associações verbais e os complexos*, e por outro lado, a atração por um ser excepcional com o qual podia se medir. Jung era homem de uma poderosa inteligência, habitado por um mundo interior feito de sonhos*, de introspecção, de busca de si mesmo e de gosto pelo oculto. Era dotado de grande força física, apreciava os contatos humanos, os exercícios corporais e o convívio das mulheres; dizia-se polígamo. Interessado desde sempre pelos espíritas, loucos, marginais e excêntricos, gostava dos personagens fora do comum. Também apreciava contar histórias, espalhar boatos, confundir razão e desrazão, fazer sessões espíritas, construir mitos e interpretações*. E, se tomava o partido de Freud, era antes de tudo porque considerava seus adversários como médicos retrógrados, incapazes de conceber uma nova teoria psíquica.

Durante sete anos, entusiasmou-se pelo aspecto espiritual da aventura psicanalítica. Mas, em contato com o movimento, elaborou uma doutrina completamente estranha ao sistema de pensamento freudiano, embora se alimentasse dele. E é evidente que esse encontro permitiu a

Jung tornar mais claras suas divergências com o freudismo*.

Quanto a Freud, o apego e o amor que ele dedicava a Jung mostravam uma vontade determinada de tirar a psicanálise do gueto da judeidade* vienense. Se Sandor Ferenczi* era para ele o melhor dos filhos, aquele que mais amaria (com Otto Rank*), Carl Gustav Jung teria outro destino. Estranho à tribo vienense, mas de cultura alemã (e conseqüentemente mais próximo dele do que Ernest Jones*), era de fato considerado como um filho enfim capaz de reinar sobre a causa analítica, e até de conduzi-la a outras conquistas. Sem nenhuma dúvida, Freud suspeitava que Jung era anti-semita. Mas, pelas necessidades da causa, queria absolutamente reconciliar os judeus e os anti-semitas, como escreveu em uma carta a Karl Abraham*, a 23 de julho de 1908: "Presumo que o anti-semitismo contido dos suíços se refere um pouco a você [...]. Nós devemos, como judeus [...], mostrar um certo masoquismo, estar dispostos a que nos prejudiquem um pouco."

Entre 1907 e 1909, tornando-se o príncipe herdeiro da causa, Jung fundou a Sociedade Sigmund Freud de Zurique e o *Jahrbuch für psychoanalytische und psychopathologische Forschungen*, animou o debate sobre a demência precoce através do "caso Otto Gross*," enfrentou as peripécias de sua paixão por Sabina Spielrein*, e enfim acompanhou Freud quando este fez uma viagem de conferências aos Estados Unidos*. Aliás, voltaria a esse país em 1912, obtendo um grande sucesso. Em 1909, deixou o Hospital Burghölzli para se dedicar à sua clientela particular e retirou-se para uma bela casa espaçosa, construída segundo seus planos e situada em Küsnacht, perto do lago de Zurique. Ficaria ali durante toda a vida.

Em 1910, em Nuremberg, foi eleito primeiro presidente da Internationale Psychoanalytische Vereinigung (IPV), futura International Psychoanalytical Association* (IPA). Aos vienenses invejosos, Freud declarou: "Vocês são judeus na maioria, e por isso inaptos para conquistar amigos para a nova doutrina. Os judeus devem se contentar com um papel modesto, que consiste em preparar o terreno. É absolutamente essencial que eu estabeleça laços com os meios científicos menos restritos. Não sou mais jovem e estou cansado de lutar. Estamos todos em perigo. Os suíços nos salvarão, eles me salvarão e a todos vocês." Fritz Wittels* transcreveu essas palavras em sua biografia de Freud.

Em 1912, o conflito entre Freud e Jung se tornou evidente, quando Jung preparou a publicação de *Metamorfoses da alma e seus símbolos*, que teria muitas reedições. A discordância foi completa a respeito da teoria da libido. Mas a gota d'água foi um acontecimento menor. Freud foi visitar Ludwig Binswanger*, operado de um tumor maligno e não passou por Küsnacht, que ficava apenas a cinqüenta quilômetros de Kreuzlingen. Jung interpretou esse gesto como uma ofensa. Depois de várias disputas, durante as quais Jung tentou convencer Freud da necessidade de dessexualizar sua doutrina (nem que fosse, disse ele, para que ela fosse mais bem acolhida), a ruptura se consumou em 1913. Freud tomou a iniciativa de romper, depois de ter uma síncope em Munique durante o jantar do congresso da IPA.

A partir de 1914, Jung se demitiu progressivamentee de todas as suas funções. Nas sociedades psicanalíticas já formadas, os junguianos se separaram dos freudianos para organizar seu próprio movimento. Mas este nunca teria amplitude do de Freud.

Depois de um longo período de crise interior e depressão, que coincidiu com a duração da Primeira Guerra Mundial, Jung iniciou a elaboração de sua obra. Deu o nome de psicologia analítica à corrente de pensamento em que se baseia seu método de psicoterapia. Com essa denominação, pretendia significar que a psique não tinha nenhum substrato biológico. Quanto à clínica, ela tinha como objetivo reconduzir o sujeito à realidade e libertá-lo de seus "segredos patogênicos", segundo a expressão de Moritz Benedikt*. O método junguiano se inscrevia assim na continuidade das antigas "curas de alma" dos pastores protestantes.

Em 1919, Jung elaborou a noção de arquétipo, oriunda da noção de imago*, para definir uma forma preexistente inconsciente que determina o psiquismo e provoca uma representação simbólica que aparece nos sonhos, na arte ou na religião. Os três principais arquétipos são o *animus* (imagem do masculino), a *anima* (imagem do feminino) e o *selbst* (si-mesmo), verdadeiro centro da personalidade. Os arquétipos constituem o inconsciente coletivo, base da psique, estrutura imutável, espécie de patrimônio simbólico próprio de toda a humanidade. Essa representação da psique é complementada por "tipos psicológicos", isto é, características individuais articuladas em torno da alternância introversão*/extroversão, e por um processo de individuação, que conduz o ser humano à unidade de sua personalidade através de uma série de metamorfoses (os estádios* freudianos). A criança emerge assim do inconsciente coletivo para ir até a individuação, assumindo a *anima* e o *animus*.

Com a noção de arquétipo, Jung se afastou radicalmente do universalismo freudiano, mesmo desejando encontrar o universal nas grandes mitologias religiosas. Na verdade, é antes com a idéia de *pattern*, próxima dos culturalistas, que se pode comparar o arquétipo. E Jung a aprofundou, aliás, ao se interessar cada vez mais pelo estudo etnológico das civilizações ditas "arcaicas". Por ocasião de várias viagens, que o levariam até tribos indígenas ou africanas (México, Quênia), adotou as teses da psicologia dos povos e afirmou que existiam diferenças radicais entre as "raças", as culturas e as mentalidades.

Foi nessa época que foi criado em Ascona, perto do Lago Maior, um grupo de intercâmbio entre as filosofias orientais e ocidentais. Tomou o nome de Eranos, e reuniu todos os anos, em torno de Jung, intelectuais, psicólogos, historiadores das religiões e das ciências, entre os quais Henry Corbin (1903-1978) e Mircea Eliade (1907-1986).

Em 1933, quando se tornou um chefe de escola, Jung aceitou substituir Ernst Kretschmer* à frente da Allgemeine Ärztliche Gesellschaft für Psychotherapie (AÄGP, Sociedade Alemã de Psicoterapia). Reunindo membros de vários países, mas baseada na Alemanha e logo sob controle nazista, a AÄGP tornou-se com Jung uma associação realmente internacional. Os psicoterapeutas judeus podiam aderir a ela a título individual, mesmo sendo excluídos da filial alemã. Jung pretendia assim protegê-los.

Entretanto, em janeiro de 1934, em um texto intitulado "A situação presente da psicoterapia" ("Zur gegenwärtigen Lage der Psychothera-

pie") e publicado na *Zentralblatt für Psychotherapie* (*ZFP*) assumiu posições nitidamente anti-semitas. Essa revista da AÄGP acabava de passar ao controle de Matthias Heinrich Göring*.

Depois de distinguir o inconsciente "ariano" do inconsciente "judeu", Jung afirmou que o primeiro possuía um "potencial superior ao segundo", e acrescentou que o judeu "tem algo do nômade e é incapaz de criar uma cultura que lhe seja própria: todos os seus instintos e seus dons exigem, para se desenvolver, um povo-hospedeiro mais ou menos civilizado". Jung acusava a psicologia médica de ter aplicado aos alemães categorias judaicas. Enfim, evocando a lembrança de Freud, observou que este suspeitava que ele, Jung, fosse anti-semita: "Essa suspeita emanava de Freud. Ora, Freud, não compreende nada da psique alemã, como aliás os seus epígonos germânicos. O grandioso fenômeno do nacional-socialismo, que o mundo inteiro contempla com olhos admirados, os esclareceu?"

Atacado em fevereiro de 1934 pelo psiquiatra suíço Gustav Bally (1893-1966), que se surpreendia com o fato de que Jung pudesse presidir uma associação que tinha a função de eliminar os judeus e os adversários do nacional-socialismo, este tentou justificar-se em março do mesmo ano em um artigo intitulado "Zeitgenössisches", no qual evocava as diferenças entre as "raças" e as "psicologias": "Deveríamos realmente pensar que uma tribo que atravessa a história há milhares de anos como povo eleito por Deus não tivesse sido levada a uma tal idéia por uma disposição psicológica particular? Enfim, se não existe diferença, o que faz com que os judeus sejam reconhecidos? Diferenças psicológicas existem entre todas as nações e todas as raças, e até entre os habitantes de Zurique, de Basiléia e de Berna [...]. É por isso que combato toda psicologia uniformizante quando pretende a universalidade, como a de Freud e a de Adler, por exemplo."

O percurso de Jung ficaria pois marcado por esse episódio. Fundando suas hipóteses doutrinárias sobre uma tipologia psicológica, não podia evitar que o seu discurso assumisse tons racistas e anti-semitas. E se esse anti-semitismo jamais tomaria a forma de um engajamento militante, suas afirmações inigualitárias levariam a que sua doutrina fosse utilizada pela política de nazificação da psicoterapia alemã.

A comunidade internacional junguiana se dividiria sobre a questão da responsabilidade de Jung, e foi Andrew Samuels, psicoterapeuta junguiano, membro da Sociedade Londrina de Psicologia Analítica, que redigiu em 1992 um dos comentários mais notáveis sobre esse período doloroso da história. Dizendo-se ele próprio adepto do culturalismo*, mostrou que foi a tentativa de instaurar uma psicologia das nações que conduziu Jung a aderir à ideologia nazista e conclamou os "pós-junguianos" a reconhecer a verdade.

Na França*, no número especial dos *Cahiers Junguiens de Psychanalyse* dedicado a esse episódio, o artigo da *Zentralblatt* de janeiro de 1934 ("Zur gegenwärtigen Lage der Psychotherapie") foi suprimido da lista dita "completa" das declarações de Jung entre 1933 e 1936, o que permitiu aos diversos comentadores isentar Jung de qualquer suspeita de anti-semitismo.

Carl Gustav Jung morreu em sua casa de Küsnacht em 6 de junho de 1961. Suas cinzas foram depositadas no túmulo da família, que ele próprio decorara. Nessa época, seus adversários continuavam a tratá-lo de colaboracionista, enquanto seus amigos e próximos afirmavam que ele nunca participara da menor tomada de posição em favor do nazismo ou do anti-semitismo.

• Carl Gustav Jung, *Gesammelte Werke*, 20 vols. (com um índice e um volume de bibliografia), Zurique, Rascher Verlag, e Olten, Walter Verlag, 1960-1991; *The Collected Works*, 21 vols. (com um índice, um volume de bibliografia e um suplemento), Londres, Routledge e Paul Kegan, 1957-1983; *A energia psíquica* (1902-1934, *GW*, I, VIII), Petrópolis, Vozes, 1983; *Métamorphoses de l'âme et ses symboles* (Leipzig-Viena, 1912-1952, *GW*, IV, V, Paris, 1931, sob o título *Métamorphoses et symboles da libido*), Paris, Buchet-Chastel, 1953; *Tipos psicológicos* (1921, *GW*, VI), Petrópolis, Vozes, 1991; *Dialectique du moi et de l'inconscient* (1928, *GW*, VII), Paris, Gallimard, 1964; *Commentaire sur le mystère de la fleur d'or* (1929, *GW*, XIII), Paris, Albin Michel, 1978; *La Guérison psychologique* (1929-1934, *GW*, IV, X, XVI), Paris, Buchet-Chastel, 1953; *Problèmes de l'âme moderne* (1929-1948, *GW*, VIII, X, XV, XVII), Paris, Buchet-Chastel, 1961; *L'Homme à la découverte de son âme* (1931-1948, *GW*, VIII, XVI), Paris, Albin Michel, 1987; *Psicologia e alquimia* (1935-1936, *GW*, XII), Petrópolis, Vozes, 1991; *Les Racines de la conscience* (1934-1954, *GW*, IX, XIII), Paris, Buchet-Chastel, 1970; *Aspectos do drama contempo-*

râneo (1936, *GW*, X), Petrópolis, Vozes, 1988; "Documents inédits en français" (1933-1937, *GW*, X, sob o título *Zivilisation im Übergang*), *Cahiers Jungiens de Psychanalyse (CJP)*, 82, primavera de 1995; 5-35; "Zur gegenwärtigen Lage der Psychotherapie", *Zentralblatt für Psychotherapie*, 7, 1934, 1-16 (não traduzidos em *CJP*); *Psicologia e religião* (1938-1940, *GW*, XI), Petrópolis, Vozes, 1979; *Psicologia do inconsciente* (1943, *GW*, VII), Petrópolis, Vozes, 1978; *Psychologie du transfert* (1946, *GW*, XVI), Paris, Albin Michel, 1980; *Essays on Contemporary Events. Reflections on Nazi Germany* (1946), Princeton, Princeton University Press, 1989, precedido de um prefácio de Andrew Samuels; *Aion* (1950-1951, *GW*, VIII, IX), Paris, Albin Michel, 1983; *Resposta a Jó* (1952), Petrópolis, Vozes, 1979; *Ma vie* (Zurique, 1962), Paris, Gallimard, 1966; *Conflits de l' âme enfantine. La Rumeur. L'Influence du père*, Paris, Aubier-Montaigne, 1935; *O eu e o inconsciente*, Petrópolis, Vozes, 1978; *Phénomènes occultes*, Paris, Aubier-Montaigne, 1939; *Le Mythe moderne*, Paris, Gallimard, 1961; *Mysterium conjunctionis*, I e II (*GW*, XIV), Petrópolis, Vozes, 1990; *Correspondance*, 1906-1961, 5 vols., Paris, Albin Michel, 1992-1997; *Carl Gustav Jung parle. Rencontres et entretiens*, Paris, Buchet-Chastel, 1985 • *Freud/Jung: correspondência completa* (Paris, 1975), Rio de Janeiro, Imago, 1993 • Fritz Wittels, *Freud, l'homme, la doctrine, l'école* (Viena, Leipzig, Zurique, 1924), Paris, Alcan, 1929 • Gustav Bally, "Deutschstammige Psychoterapie", *Neue Zücher Zeitung*, 343, 27 de fevereiro de 1934 • *Entretiens avec Carl Gustav Jung*, Payot, 1964 • Henri F. Ellenberger, *Histoire de la découverte de l'inconscient* (N. York, Londres, 1970, Villeburbanne, 1974), Paris, Fayard, 1994; *Médecines de l'âme. Essais d'histoire de la folie et des guérisons psychiques*, Paris, Fayard, 1995 • André Virel (org.), *Vocabulaire des psychothérapies*, Paris, Fayard, 1977 • Vincent Brome, *Carl Gustav Jung. L'Homme et le mythe* (Londres, 1978), Paris, 1986 • Peter Homans, *Jung in Context*, Chicago, The University of Chicago Press, 1979 • *A Critical Dictionary of Jungian Analysis*, Andrew Samuels, Bani Shorter e Fred Plaut (orgs.), Londres, N. York, Routledge e Paul Kegan, 1986 • Linda Donn, *Freud et Jung. De l'amitié à la rupture* (N. York, 1988), Paris, PUF, 1995 • Sonu Shamdasani, "A woman called Frank", *A Journal of Archetype and Culture*, 50, primavera de 1990, 26-56 • Andrew Samuels, *Jung and the Post-jungians*, Londres, Routledge e Paul Kegan, 1985; "Psychologie nationale, national-socialisme et psychologie analytique: réflexions sur Jung et l'antisémitisme", *Revue Internationale d'Histoire de la Psychanalyse*, 5, Paris, 1992, 183-221 • Yosef Haiym Yerushalmi, *Le Moïse de Freud. Judaïsme terminable et interminable* (New Haven, 1991), Paris, Gallimard, 1993 • *Cahiers Jungiens de Psychanalyse*, "Jung et l'histoire, les années 30", 82, primavera de 1995.

➢ *CINCO LIÇÕES DE PSICANÁLISE*; GROSS, OTTO; SPIELREIN, SABINA.

K

Kardiner, Abram (1891-1981)

antropólogo e psicanalista americano

Ao contrário de Margaret Mead*, Bronislaw Malinowski*, Geza Roheim* ou Georges Devereux*, Abram Kardiner não foi um etnólogo de campo, mas um clínico da antropologia*, que se apoiava nos trabalhos etnográficos dos seus amigos e contemporâneos, Ruth Benedict (1887-1948), Cora Dubois e Ralph Linton (1893-1953), para propor uma análise global das modalidades de adaptação do homem à sociedade. Foi com eles, e numa perspectiva culturalista*, que Kardiner desenvolveu durante o período entre as duas guerras a corrente Cultura e Personalidade, que foi uma das vias de implantação da psicanálise* nos Estados Unidos*, ao lado do neofreudismo*. À idéia freudiana de uma estruturação psíquica própria a cada sujeito*, ele opunha a de uma estruturação psicológica característica dos membros de uma mesma cultura, chamando-a de personalidade básica.

Nascido em Nova York, Kardiner se orientou inicialmente para a psiquiatria, antes de fazer um primeiro tratamento com Horace Frink*, analisado por Sigmund Freud* e cujo destino seria trágico. Insatisfeito com essa experiência, Kardiner foi então a Viena*, onde durante quase dois anos, 1921 e 1922, fez sua formação com Freud. Dessa experiência maior, extraiu, no fim da vida, uma obra fascinante, *Minha análise com Freud*, que é o mais belo testemunho escrito sobre a rotina da prática do mestre. Nela, descobre-se um Freud inédito, que fala de seu desejo*, de seu pessimismo, do suicídio*, da loucura*, de seu complexo paterno, da sua contratransferência* e de seu interesse pelo valor terapêutico da psicanálise.

Nessa época, os estrangeiros afluíam a Viena para se analisar com o fundador da psicanálise. Assim, Freud não recebia mais "casos" como outrora, e todos os seus pacientes eram alunos em formação: suíços, ingleses, americanos. Dividia o tempo entre seus escritos e suas análises didáticas, entre as quais a de sua filha Anna Freud*. Certo dia, Kardiner lhe perguntou que julgamento fazia sobre a sua prática e sobre si mesmo: "Gosto dessa pergunta, respondeu Freud, porque, falando francamente, os problemas terapêuticos não me interessam muito. Agora, estou impaciente demais. Sofro com um certo número de dificuldades que me impedem de ser um grande analista. Além disso, sou excessivamente pai. Em segundo lugar, trato demais de teoria [...]. Em terceiro lugar, não tenho paciência para ficar com as pessoas por muito tempo. Canso-me delas e prefiro estender a minha influência."

Voltando a Nova York, Kardiner organizou um seminário sobre a psicologia das sociedades ditas "primitivas", no Instituto Psicanalítico ligado à New York Psychoanalytical Society (NYPS) e ensinou nas Universidades de Cornell e Columbia. Foi nesse contexto que abordou a antropologia. Estudou muitos trabalhos de campo e reuniu em torno de si brilhantes etnólogos, que expuseram as suas pesquisas: Benedict, Linton, Edward Sapir (1884-1939) etc.

Essa problemática marcou sua primeira obra, que ele dedicou em 1939 ao indivíduo e à sociedade. Desenvolveu a noção de personalidade básica, que seria utilizada com a de *pattern* por todos os representantes da antropologia americana de orientação culturalista, principalmente Margaret Mead. Para ele, tratava-se de pôr em evidência o papel das instituições ditas "primárias" (sistema educativo) e "secundárias" (sistemas de crenças) na formação das regras de conduta que cada sociedade considera fundamentais e que agem sobre o indivíduo.

Em 1937, Cora Dubois utilizou o teste de Hermann Rorschach* em um estudo com habitantes das ilhas de Alor (Indonésia). Ajudado por Emil Oberholzer*, Kardiner efetuou um trabalho de interpretação desse material para provar a validade das suas teses. Depois, estudou também a personalidade básica do negro americano e do americano médio.

Com Sandor Rado*, cujas orientações não compartilhava, criou em 1942 a Associação de Medicina Psicanalítica, provocando uma segunda cisão* no seio de NYPS. Cinco anos depois, ambos estabeleceram um instituto psicanalítico de formação, integrado à faculdade de medicina de Columbia. Este foi reconhecido pela American Psychoanalytical Association* (APsaA). Mas, em 1955, Kardiner se separou de Rado e abriu uma clínica psicanalítica. Entre 1961 e 1968, ensinou na Universidade Emory, em Atlanta. Morreu em 1981 em Nova York.

• Abram Kardiner, *L'Individu dans la société. Essai d'anthropologie psychanalytique* (N. York, 1939), Paris, Gallimard, 1969; *Introduction à l'éthnologie* (Cleveland, 1961), Paris, Gallimard, 1966; *Mon analyse avec Freud* (N. York, 1977), Paris, Belfond, 1976 • Abram Kardiner, Ralph Linton et al., *The Psychological Frontiers of Society*, N. York, Columbia University Press, 1945 • Olivier de Sardan, "Abram Kardiner", *Encyclopaedia universalis*, vol.9, 1968, 626-7.

➤ CULTURALISMO; HORNEY, KAREN; *TOTEM E TABU.*

Katharina, caso
➤ *ESTUDOS SOBRE A HISTERIA*; ÖHM, AURELIA.

Kemper, Ana Katrin, *née* Van Wickeren (1905-1979)
psicanalista alemã

Nascida em Bochum, na Alemanha*, o destino de Ana Kemper foi estranho e o seu itinerário enigmático. O mistério se deve ao silêncio que ela manteve sobre as circunstâncias de sua vida entre 1933 e 1944, quando seu esposo Werner Kemper* colaborava com o regime nazista, ao lado de Matthias Heinrich Göring*.

Não adotou a nacionalidade brasileira, mas teria o título de "cidadã honorária do Rio de Janeiro".

Inicialmente grafóloga, casou-se com Kemper em 1934 e foi no seio do Instituto Göring que fez sua formação psicanalítica, com Harald Schultz-Hencke*. Em 1948, emigrou para o Brasil*, com o marido e três filhos, Jochen, Mathias e Christian, participando no Rio da criação da Sociedade Psicanalítica do Rio de Janeiro (SPRJ). Tornou-se membro desta, mas em 1962, uma comissão de inquérito foi nomeada para examinar o seu "caso". Era acusada de nunca ter sido analisada segundo os critérios da International Psychoanalytical Association* (IPA). Na verdade, era sua formação com Schultz-Hencke que não era aceita, pois este fora excluído da IPA depois da Segunda Guerra Mundial. A comissão recomendou a Katrin que fizesse uma supervisão* em Buenos Aires, com Marie Langer*. Depois de muitos conflitos, demitiu-se da SPRJ. Na mesma época, separou-se de Werner Kemper.

Tomou então um outro caminho. Seu encontro com Igor Caruso* foi determinante. Em março de 1969, criou, com quatro de seus ex-pacientes e quatro outros clínicos, o Círculo Psicanalítico da Guanabara, ligado à Internationale Föderation der Arbeitskreise für Tiefenpsychologie*. Dois anos depois, com Hélio Pellegrino*, organizou os Encontros Psicodinâmicos, cujo objetivo era receber casais em situação difícil.

Dessa experiência coletiva nasceu em 1973 a famosa Clínica Social de Psicanálise, destinada a promover tratamentos para os carentes, adultos e crianças, psicóticos e neuróticos. Marcados pelos trabalhos de Sandor Ferenczi*, de Melanie Klein* e de Donald Woods Winnicott*, os praticantes da Clínica, entre os quais Chaim Samuel Katz, fizeram dela o laboratório de um freudismo* anti-dogmático e libertário.

Em 1974, em plena ditadura militar, a SPRJ fez pressão sobre Katrin Kemper para que a clínica mudasse de nome e se tornasse Clínica Social de Psicoterapia. Esse pedido visava marginalizar uma experiência julgada pouco ortodoxa, no momento em que a Associação Brasileira de Psicanálise* (ABP) queria impor uma lei que permitia limitar o exercício da psicanálise aos médicos e aos membros das instituições filiadas à IPA. Katrin Kemper recusou-se a fazer essa concessão. Depois de sua morte, a Clínica recebeu o seu nome, em homenagem à atividade que ali realizara.

No plano terapêutico, desenvolveu a psicanálise de crianças*, baseando-se na idéia de que o analista devia estimular a transferência* e a contratransferência* através de passagens ao ato*. Assim, não hesitava, em certas situações, em andar de quatro, para instaurar com a criança uma relação que não fosse simplesmente a da palavra. Na mesma perspectiva, adotou algumas teses de Schultz-Hencke sobre a possibilidade de desinibir o eu* pela rememoração afetiva. Todavia, não recusou, como ele fizera, o conceito de inconsciente* freudiano.

• Ana Katrin Kemper, "Reações contratransferenciais de influência decisiva para a comunicação verbal num caso de mutismo de criança de 3 a 4 anos", *Estudos de Psicanálise*, 6, 1973 • Helena Besserman Vianna, *Não conte a ninguém...*, Rio de Janeiro, Imago, 1994.

➤ ANÁLISE DIDÁTICA; ANÁLISE LEIGA; DOYLE, IRACY; *INIBIÇÕES, SINTOMAS E ANGÚSTIA*; KLEINISMO; NAZISMO; NEUROSE; PSICOSE; PSICOTERAPIA.

Kemper, Werner (1899-1976)

psicanalista alemão

Sem a política de "salvamento" da psicanálise*, defendida por Ernest Jones* na Alemanha* depois da tomada do poder pelos nazistas, Werner Kemper teria sido um funcionário obscuro. Mas, graças à orientação adotada pela International Psychoanalytical Association* (IPA) em 1933, ele fez parte, com Felix Boehm*, Carl Müller-Braunschweig* e Harald Schultz-Hencke*, dos psicoterapeutas alemães que decidiram fazer carreira sob o nazismo*, quando a profissão foi proibida a todos os judeus do país. Ernest Jones ratificou essa situação de fato e depois recusou-se, em 1945, a qualquer depuração, mais preocupado com a questão de saber quem no passado fora um bom ou um mau freudiano, quem era adleriano e conseqüentemente "desviante", quem tinha um bom currículo etc. Querendo estender o freudismo para além da Europa*, decidiu enviar Werner Kemper para o Brasil a fim de fazer uma nova carreira.

Membro em 1933 da Deutsche Psychoanalytische Gesellschaft (DPG), Kemper foi analisado por Müller-Braunschweig e supervisionado por Boehm, Otto Fenichel* e Ernst Simmel*. Estranha filiação, aproximando dois futuros partidários do nazismo e dois representantes da "esquerda freudiana"! Depois da demissão forçada dos psicanalistas judeus, tornou-se professor no Instituto Psicanalítico de Berlim e posteriormente no Deutsche Institut für Psychologische Forschung (Instituto Alemão de Pesquisa Psicológica e Psicoterapia, ou Göring Institut), fundado por Matthias Heinrich Göring*. A partir de 1942, tomou a direção da policlínica do Instituto e permaneceu nesse posto até o fim da guerra. Nunca explicou qual foi o seu papel na detenção, pela Gestapo, do militante comunista John Rittmeister*, que fora seu analisando.

Segundo o depoimento dado por Müller-Braunschweig a John Rickman* em 1946, Kemper teria sido analista da mulher de Matthias Göring. Aliás, ele teria sido membro do Partido Comunista Alemão, no mesmo momento em que declarava sua adesão ao nazismo. De qualquer forma, conseguiu convencer Rickman, que viera interrogá-lo em 1946 sobre seu passado, de que tivera uma atitude positiva em relação à psicanálise entre 1933 e 1945. Disse que conseguira preservar a integridade do freudismo* sob o nazismo, graças à influência que tinha sobre a mulher de Göring, através do tratamento desta. Ao contrário de Müller-Braunschweig e de Boehm, Kemper foi o único terapeuta que Rickman julgou apto a formar didatas, no âmbito da reconstrução da psicanálise na Alemanha. Fez dele um perfil elogioso, sem nunca interrogá-lo sobre suas ambigüidades, seus silêncios e sua capacidade de manipular os enigmas.

Entretanto, por várias vezes Kemper se declarou favorável às teses nacional-socialistas, por ocasião de tomadas de posição de tipo eugenista e quanto a problemas de saúde pública. Como diretor do Instituto, participou da elaboração das diretrizes da Wehrmacht em relação às neuroses de guerra*. Assim, foi um funcionário zeloso da política de seleção inaugurada pelo III Reich, que consistia em enviar para a morte, em batalhões disciplinares, os sujeitos que apresentassem "anomalias psíquicas". Entre estas, estavam a angústia, a astenia e a hipocondria.

Depois da capitulação da Alemanha, Kemper se transformou em militante marxista e participou, com Schultz-Hencke, de uma reunião de psiquiatras na parte leste de Berlim, ocupada pelas tropas soviéticas. Contribuiu assim para a reconstrução, na República Democrática Alemã (DDR), de uma escola de psicoterapia* de tipo pavloviano, visando liquidar o freudismo. Depois de colaborar com o nazismo para a destruição da psicanálise por motivo de judeidade*, contribuía com igual zelo para a política stalinista de rejeição às teses freudianas, que iria estender-se a todos os países dominados pelo socialismo de inspiração soviética depois da partilha de Yalta.

Em dezembro de 1948, Kemper se instalou no Rio de Janeiro, em companhia de sua mulher Ana Katrin* e seus três filhos: Jochen, Matthias e Christian. Como quase todos os ex-colaboradores dos nazistas, dissimulou cuidadosamente seu passado para seus próximos e principalmente para seus filhos, enfatizando que tinha sido "obrigado" a trabalhar no Instituto Göring sob pena de sanções. Sua mulher também silenciou sobre as antigas atividades do esposo, que pôde assim começar uma nova vida freudiana em um outro continente.

Na mesma época, um psicanalista de outra origem, Mark Burke*, também foi instalar-se no Rio de Janeiro, com o apoio de Jones. Judeu polonês naturalizado inglês, combateu contra o nazismo* nas fileiras do exército britânico e ignorava o passado do colega. Ambos começaram a formar alunos a fim de criar no Rio uma segunda grande sociedade psicanalítica brasileira, depois daquela fundada por Durval Marcondes* em São Paulo. Logo surgiram conflitos entre os dois. Depois de denunciar o comportamento "patológico" de Burke, Kemper foi acusado de "exercício ilegal da medicina". Sua mulher, que praticava a psicanálise, não foi aceita como didata; era acusada de nunca ter sido analisada. Mas ela diria que fizera sua formação com Harald Schultz-Hencke. O que ela fez durante o período nazista permanece ainda mais enigmático do que as atividades do esposo.

Cansado de conflitos, Burke voltou para a Inglaterra em 1953, no mesmo ano em que Kemper fundou a Sociedade Psicanalítica do Rio de Janeiro (SPRJ), que seria reconhecida pela IPA dois anos depois. Em 1959, os alunos de Burke formaram por sua vez uma segunda sociedade, rival da primeira, que assumiu o nome de Sociedade Brasileira de Psicanálise do Rio de Janeiro (SBPRJ).

Marcada pelo não-dito e pela ocultação do passado de seu principal fundador, a SPRJ atravessaria tormentas idênticas às que perturbaram o movimento psicanalítico alemão depois de 1945, quando foi reconstruído sem a menor depuração. Do mesmo modo que na Alemanha vários pesquisadores revelaram progressivamente, a partir dos anos 1980, as atividades daqueles que colaboraram com Göring, a experiência da ditadura militar no Brasil constituiu ocasião para reconsiderar o itinerário de Werner Kemper.

Separado da mulher no começo dos anos 1960, Kemper voltou para a Alemanha em 1967, sem nunca ter assumido a nacionalidade brasileira. Redigiu uma autobiografia apologética, na qual tentava explicar que, durante o período nazista, protegera judeus e ajudara Wilhelm Reich* e John Rittmeister. Durante esse tempo, Ana Katrin Kemper, sempre muda a respeito do passado, tornou-se militante da esquerda brasileira, feminista e hostil à ditadura. Em 1971, criou com o escritor e psicanalista Hélio Pellegrino* uma clínica social aberta aos trabalhadores e desfavorecidos, a Clínica Social de Psicanálise Ana Katrin Kemper.

Em 1973, o passado de Kemper começou a emergir em função de um caso que iria dilacerar a SPRJ durante vinte anos. Em outubro desse ano, o jornal clandestino *Voz Operária* revelou que um médico militar, Amílcar Lobo Moreira da Silva, psicanalista em formação com Leão Cabernite, era um torturador a serviço da ditadura instaurada em 1964. Ora, Cabernite, psicanalista judeu, didata e presidente nessa época da SPRJ, tinha sido analisado por Werner Kemper. Dez anos depois, com a publicação dos trabalhos dos historiadores alemães sobre o Instituto Göring, as atividades de Kemper começaram a ser conhecidas na Europa. Mas só vários anos depois, estabeleceu-se uma ligação, no Brasil, entre as antigas atividades de Kemper sob o nazismo e o fato de que ele acabara formando um discípulo que se tornou cúmplice de um torturador, durante uma análise com objetivo didático. Essa fato seria sublinhado pelo psicanalista francês René Major.

Com a idade de 40 anos, Jochen Kemper, filho de Werner, tornou-se psicanalista. Aderiu ao Círculo Psicanalítico do Rio de Janeiro (CPRJ), fundado em 1969 por um grupo ligado à sua mãe e filiado à Internationale Föderation der Arbeitskreise für Tiefenpsychologie*. Corajosamente, tentou defender a memória do pai, recusando-se a tomar conhecimento dos documentos publicados pelos historiadores alemães sobre o Instituto Göring. Foi Helena Besserman Vianna, psicanalista de esquerda, ligada a Ana Katrin Kemper e membro da SBPRJ, que revelaria, em 1994, todo esse caso de família, em um livro que afirma que a direção da IPA, em 1973, sob a presidência do psicanalista francês Serge Lebovici, recusou-se a admitir a cumplicidade de Cabernite com os torturadores.

• Werner Kemper, *Psychotherapie in Selbstdarstellungen*, Berna, Stuttgart, Viena, Hans Huber Verlag, 1973 • *Les Années brunes. La Psychanalyse sous le IIIᵉ Reich*, textos traduzidos e apresentados por Jean-Luc Evard, Paris, Confrontation, 1984 • Chaim S. Katz (org.), *Psicanálise e nazismo*, Rio de Janeiro, Taurus, 1985 • Geoffrey Cocks, *La Psychothérapie sous le IIIᵉ Reich* (Oxford, 1985), Paris, Les Belles Lettres, 1987 • René Major, *De l'élection*, Paris, Aubier, 1986 • *Ici la vie continue de manière surprenante*, seleção de textos traduzidos por Alain de Mijolla, Paris, Association Internationale d'Histoire de la Psychanalyse (AIHP), 1987 • Ludger M. Hermanns, "Condições e limites da produtividade científica dos psicanalistas na Alemanha de 1933 a 1935", *Revista Internacional da História da Psicanálise*, 1 (1988), Rio de Janeiro, Imago, 1990, 67-86 • Karen Brecht, "A psicanálise na Alemanha nazista: adaptação à instituição, relações entre psicanalistas judeus e não judeus", ibid., 87-98 • "Compte rendu du séjour du docteur John Rickman à Berlin pour interroger les psychanalystes, 14 e 15 octobre 1946", *Revue Internationale de l'Histoire de la Psychanalyse*, 1, 1988 • Helena Besserman Vianna, *Não conte a ninguém...*, Rio de Janeiro, Imago, 1994.

Kempner, Salomea (1880-194?)

médica e psicanalista alemã

Nascida em Plock, na Polônia, de família judia, Salomea Kempner estudou medicina na Suíça* e tornou-se membro, em 1919, da Sociedade Suíça de Psicanálise (SSP). Participou, em 1923, dos trabalhos da Wiener Psychoanalytische Vereinigung (WPV) e apresentou nessa ocasião uma comunicação sobre o erotismo oral. Aderiu à Sociedade Psicanalítica de Berlim. No momento da nazificação da Deutsche Psychoanaytische Gesellschaft (DPG), foi proibida de ensinar, por ser "judia estrangeira", e depois excluída, em 1935, junto com todos os outros psicanalistas judeus, que emigraram para a Grã-Bretanha* ou para os Estados Unidos. Salomea Kempner ficou em Berlim até 1940, e posteriormente desapareceu no gueto de Varsóvia.

• Elke Mühlleitner, *Biographisches Lexikon der Psychoanalyse. Die Mitglieder der psychologischen Mittwoch-Gesellschaft und der Wiener psychoanalytischen Vereinigung von 1902-1938*, Tübingen, Diskord, 1992.

➢ ALEMANHA; JUDEIDADE; NAZISMO.

Khan, Mohammed Masud Raza (1924-1989)

psicanalista inglês

Amigo de Donald Woods Winnicott* e membro, como este, da British Psychoanalytic Society (BPS), Masud Khan nasceu em Jhelum, na Índia ainda colonial. Seu pai era um rico proprietário de terras, criador de cavalos, e sua mãe uma jovem cortesã e bailarina, que tinha 19 anos no momento em que nasceu Masud. Seu casamento tinha provocado escândalo.

O jovem estudou letras na Universidade de Pundjab, em Faisalabad e Lahore, e defendeu uma tese sobre um romance de James Joyce (1882-1941), *Ulisses*. A morte da irmã, seguida de perto pela do pai, levou Masud Khan a fazer uma psicoterapia com um médico que o estimulou a se informar sobre as atividades da BPS. Foi assim que ele chegou a Londres em 1946, sendo logo aceito em formação psicanalítica antes mesmo de começar os seus estudos na Universidade de Oxford.

Depois das Grandes Controvérsias*, teve como mestres os membros mais prestigiosos da BPS: Anna Freud* e Melanie Klein* como supervisoras, Ella Sharpe* e John Rickman* como analistas. Os dois últimos morreram antes do término do tratamento, e Masud Khan fez então uma outra análise com Donald Winnicott. Recebeu o título de didata em 1959.

Sua carreira no seio da International Psychoanalytical Association* (IPA) foi impressionante. Editor da *International Psychoanalytic Library*, do *International Journal of Psycho-Analysis**, e co-editor da *Nouvelle Revue de Psychanalyse*, foi também um didata muito requisitado, que formou alguns dos analistas mais conhecidos do Grupo dos Independentes*. Seus escritos foram notáveis, principalmente *O Self oculto* e *Figuras da perversão*. Acima de tudo, Masud Khan soube *contar* os casos, não hesitando em descrever os pacientes e o próprio analista. Em seus trabalhos, encontra-se uma exposição original das grandes questões da clínica: a regressão*, a transferência*, os *borderlines**. Por sua reflexão sobre as relações entre o paciente e o analista, Masud Khan se inscreve na linhagem de Sandor Ferenczi.

Durante os anos 1970, sua prática começou a ser contestada no seio da BPS. Masud Khan tinha a aparência de um príncipe e reivindicava seus gostos de aristocrata. Não-conformista e extravagante, não hesitava em exibir sua fortuna e suas aventuras sexuais, das quais algumas com pacientes suas. Levantaram-se queixas contra ele e, em 1975, depois de muita hesitação, a comissão de ensino da BPS lhe retirou o título de didata. Nesse momento, era portador de um câncer de pulmão. Durante quinze anos, lutou corajosamente contra a doença, continuando a escrever, a fazer seu trabalho de analista e protestando contra a esclerose da BPS, na qual sempre se sentiu um estrangeiro.

Em 1988, em sua última obra, *When Spring Comes*, dedicada a sete estudos de caso, descrevia-se a si mesmo insultando um analisando judeu e homossexual com tendências suicidas. Justificava essa atitude como um modo específico de utilizar a contratransferência* na técnica do tratamento. O livro causou escândalo e muitos membros da BPS afirmaram que Masud Khan enlouquecera, embora a sua prática, próxima do *management* winnicottiano, não tivesse se modificado. Também foi acusado de ser bissexual. Daí as violentas críticas, às vezes baseadas em boatos, que resultaram em sua exclusão.

Só três anos depois de sua morte foi reabilitado por um necrológio de Adam Limentani (1913-1994), então presidente da IPA, no qual não se mencionavam os motivos do debate. O autor declarava apenas que Masud Khan tivera "relações sociais" com seus pacientes. Dentro do mesmo espírito e sem abordar diretamente os verdadeiros problemas ligados à natureza transgressora de tal prática, seu amigo Jean-Bertrand Pontalis lhe prestou uma vibrante homenagem, dedicando-lhe um número especial da *Nouvelle Revue de Psychanalyse*.

• Masud Khan, *Le Soi caché* (Londres, 1974), Paris, Gallimard, 1979; *Figures de la perversion* (Londres, 1979), Paris, Gallimard, 1981; *Passion, solitude et folie* (Londres, 1983), Paris, Gallimard, 1985; *Quando a primavera chegar* (Londres, 1988), S. Paulo, Escuta, 1991 • Adam Limentani, "Obituary: Masud R.Khan (1924-1989)", *International Journal of Psycho-Analysis*, 73, 1992, 155-9 • *Nouvelle Revue de Psychanalyse*, "In Memoriam", Paris, Gallimard, 40, 1989 • Judy Cooper, *Speak of me as I am. The Life and Work of Masud Khan*, Londres, Karnac, 1993 • Julia Borossa, *Narratives of the Clinical Encounter and the Transmission of Psychoanalytic Knowledge*, tese, Cambridge, Newnham College, 1995.

Kingsley Hall

➢ ANTIPSIQUIATRIA; COOPER, DAVID; LAING, RONALD.

Klajn, Hugo (1894-1981)
médico e psicanalista iugoslavo

Analisado por Paul Schilder*, Hugo Klajn praticou a psicanálise em Belgrado e foi tradutor das obras de Sigmund Freud* em servo-croata. Apaixonado por literatura, arte e cultura, também foi diretor de teatro.

• Jacquy Chemouni, *História do movimento psicanalítico* (Paris, 1990), Rio de Janeiro, Jorge Zahar, 1991.

➢ BETLHEIM, STJEPAN; HISTÓRIA DA PSICANÁLISE; SUGAR, NIKOLA.

Klein, Melanie, *née* Reizes (1882-1960)
psicanalista inglesa

Melanie Klein foi o principal expoente do pensamento da segunda geração* psicanalítica mundial. Deu origem a uma das grandes correntes do freudismo*, o kleinismo*, e graças a Ernest Jones*, que a chamou para a Grã-Bretanha*, contribuiu para o desenvolvimento considerável da escola inglesa de psicanálise*. Transformou totalmente a doutrina freudiana clássica e criou não só a psicanálise de crianças*, mas também uma nova técnica de tratamento e de análise didática*, o que fizera dela uma chefe de escola. Sua obra, composta essencialmente de cerca de cinqüenta artigos e de um livro, *A psicanálise de crianças*, foi traduzida em quinze línguas e reunida em quatro volumes. Acrescenta-se uma *Autobiografia* inédita e uma importante correspondência. A tradução francesa, realizada em parte por Marguerite Derrida, é de excepcional qualidade. Muitas obras foram dedicadas a Melanie Klein, entre as quais as de Hannah Segal, sua principal comentadora, e a de Phyllis Grosskurth, sua biógrafa. Um dicionário dos conceitos kleinianos foi realizado por R.D. Hinshelwood em 1991.

Nascida em Viena* em 30 de março de 1882, de pai judeu polonês, originário de Lemberg, na Galícia, que se tornou clínico geral graças a uma ruptura com pais tradicionalistas, e de mãe judia eslovaca, cuja família, erudita e culta, era dominada por uma linhagem de mulheres, Melanie Klein, pouco desejada, foi a quarta entre os filhos desse casal que não se entendia. Quando, por sua vez, se tornou mãe, também sofreria em sua vida particular as intrusões de sua mãe, Libussa, personalidade tirânica, possessiva e destruidora.

A juventude de Melanie foi marcada por uma série de lutos, muito provavelmente responsáveis pela culpa, cujos vestígios se encontram em sua obra teórica.

Tinha quatro anos quando sua irmã Sidonie morreu de tuberculose com a idade de 8 anos; tinha 18 quando o pai, debilitado há longos anos, desapareceu, deixando-a com a mãe; tinha 20 quando seu irmão Emmanuel, que a influenciara muito e a quem estava ligada por uma relação de tons incestuosos, morreu esgotado pela doença, pelas drogas e pelo desespero. Phyllis Grosskurth observou que Melanie se casou pouco depois desse falecimento, pelo qual se sentia culpada, o que, acrescentou, "provavelmente tinha sido o objetivo perseguido por Emmanuel".

As dificuldades econômicas que se seguiram à morte do pai parecem ter sido a causa de sua renúncia aos estudos de medicina, que ela decidira empreender com o objetivo de ser psiquiatra. Essas mesmas dificuldades explicariam igualmente seu casamento precipitado, em 1903, com Arthur Klein, engenheiro de caráter sombrio, que ela conhecera dois anos antes e do qual se divorciaria em 1922. Em 1910, por insistência de Melanie, cronicamente deprimida, o casal, cujo desentendimento era alimentado pelas incessantes intervenções de Libussa, se fixou em Budapeste. Em 1914, sua mãe morreu e nasceu seu terceiro filho, Erich Klein (futuro Eric Clyne), que ela analisaria, como Hans e Melitta, o irmão e a irmã mais novos. Mas esse ano de 1914 foi também o de sua primeira leitura de um texto de Sigmund Freud*, *Sobre os sonhos*, e do início de sua análise com Sandor Ferenczi*.

Melanie Klein logo começou a participar das atividades da Sociedade Psicanalítica de Budapeste, da qual se tornou membro em 1919. Antes, em 28 e 29 de setembro de 1918, sob a presidência de Karl Abraham*, o V Congresso da International Psychoanalytical Association* (IPA) se realizou nessa cidade, que Freud considerava como o centro do movimento psicanalítico. Era a primeira vez que Melanie Klein via Freud. Escutou-o ler, na tribuna, sua comunicação "Os novos caminhos da terapêutica psicanalítica" e, fortemente impressionada, tomou consciência de seu desejo de se consagrar à psicanálise. Em julho de 1919, levada por Ferenczi, apresentou, diante da Sociedade Psicanalítica de Budapeste, seu primeiro estudo de caso, dedicado à análise de uma criança de cinco anos, que na realidade era o seu próprio filho Erich. Uma versão reformulada dessa intervenção, na qual ela dissimulou a identidade do jovem paciente chamando-o de Fritz, constituiu seu primeiro escrito, publicado no *Internationale Zeitschrift für Psychoanalyse*. Um ano depois, uma terceira versão desse trabalho apareceu em *Imago*: "A criança de que se trata, Fritz, escreveu ela, é um menino cujos pais, que são de minha família, habitam na minha vizinhança imediata. Isso permitiu encontrar-me muitas vezes, e sem nenhuma restrição, com a criança. Além do mais, como a mãe segue todas as minhas recomendações, posso exercer uma grande influência sobre a educação de seu filho."

O terror branco e a onda de anti-semitismo que assolavam Budapeste depois do fracasso da ditadura comunista de Bela Kun (1886-1937) obrigaram os Klein a deixar a capital e a exilar-se. Em 1920, Melanie Klein participou em Haia do Congresso Internacional da IPA. Ali, encontrou Hermine von Hug-Hellmuth* e principalmente, graças à recomendação de Ferenczi, Karl Abraham. Este acabava de fundar, com a ajuda de Max Eitingon*, a famosa policlínica do Berliner Psychoanalytisches Institut* (BPI), onde eram acolhidos muitos pacientes traumatizados pela guerra. Atraída pela personalidade de Abraham e pela vitalidade do grupo de analistas que o cercava, Melanie Klein se instalou, em 1921, na capital alemã. Um ano depois, tornou-se membro da Deutsche Psychoanalytische Gesellschaft (DPG) e, em setembro de 1922, assistiu ao VII Congresso da IPA, durante o qual participou das primeiras discussões sobre a questão da sexualidade feminina*, depois da contestação das teses freudianas por Karen Horney*.

No começo de 1924, Melanie Klein começou uma segunda análise, com Karl Abraham, de quem adotaria algumas idéias para desenvolver suas próprias perspectivas sobre a organização do desenvolvimento sexual. Em abril, no VIII Congresso da IPA em Salzburgo, apresentou uma comunicação altamente controvertida sobre a psicanálise de crianças pequenas, na qual começava a questionar certos aspectos do complexo de Édipo*. Foi apoiada por Abraham e também por Ernest Jones, que, seduzido por esse discurso contestatário, até interviria junto a Freud para que este aceitasse levar em consideração essas declarações heréticas. Em 17 de dezembro do mesmo ano, Melanie foi a Viena* para fazer uma comunicação sobre a psicanálise de crianças* na Wiener Psychoanalytische Vereinigung (WPV), e nessa ocasião confrontou-se diretamente com Anna Freud. O debate estava então aberto, e trataria do que *devia* ser a psicanálise de crianças: uma forma nova e aperfeiçoada de pedagogia (posição defendida por Anna Freud) ou a oportunidade de uma exploração

psicanalítica do funcionamento psíquico desde o nascimento (como queria Melanie Klein)?

Em Berlim, Melanie fez amizade com Alix Strachey*, também analisanda de Abraham. Com a ajuda do marido, James Strachey*, que estava em Londres, Alix introduziu Melanie na British Psychoanalytical Society (BPS). Graças também ao apoio de Ernest Jones, fez uma série de conferências em Londres, em julho de 1925. Essa permanência na Inglaterra a encantou, a ponto de despertar nela o desejo de se estabelecer além-Mancha, o que se realizaria mais cedo do que ela imaginava em virtude da morte de Karl Abraham em dezembro de 1925. A pedido de Jones, que a convidou a passar um ano na Inglaterra, Melanie Klein deixou Berlim em setembro de 1926. Sua instalação em Londres marcou efetivamente a abertura das hostilidades entre a escola vienense e a escola inglesa: quaisquer que fossem os esforços de Jones para convencê-lo de que as teses kleinianas se inscreviam na lógica das suas, Freud, desejando apoiar Anna, manifestaria um descontentamento crescente.

Em Londres, Melanie Klein experimentou suas teorias, tratando dos filhos perturbados de alguns de seus colegas: o filho e a filha de Jones, por exemplo. Sua personalidade invasiva provocou à sua volta paixões e repulsas. Em março de 1927, Anna Freud fez uma comunicação ao grupo berlinense da DPG. Na verdade, tratava-se de um verdadeiro ataque contra as teses kleinianas em matéria de análise de crianças. Houve críticas e Freud irritou-se. A discordância entre ambas não parava de crescer, referindo-se especialmente à oportunidade da análise de crianças: parte integrante da educação geral de toda criança, afirmava Melanie Klein; necessária apenas quando a neurose* se manifesta, replicava Anna, que circunscrevia a análise de crianças apenas à expressão do mal-estar parental, enquanto Melanie autonomizava a criança, tanto em sua demanda quanto no tratamento.

Em setembro de 1927, durante o X Congresso Internacional em Innsbruck, o conflito se ampliou: Klein apresentou uma comunicação, "Os estádios precoces do conflito edipiano", na qual expunha explicitamente suas discordâncias com Freud sobre a datação do complexo de Édipo, sobre seus elementos constitutivos e sobre o desenvolvimento psicossexual diferenciado dos meninos e das meninas. Em outubro de 1927, apoiada pela renovada confiança de Jones, Melanie foi eleita para a BPS.

Em janeiro de 1929, começou a tratar de uma criança autista de quatro anos, filha de um dos seus colegas da BPS, à qual deu o nome de Dick. Logo percebeu que ele apresentava sintomas que ela nunca havia encontrado. Não expressava nenhuma emoção, nenhum apego, e não se interessava pelos brinquedos. Para entrar em contato com ele, colocou dois trenzinhos lado a lado e designou o maior como "trem papai" e o menor como "trem Dick". Dick fez o trem com o seu nome andar e disse a Melanie: "Corta!". Ela desengatou o vagão de carvão e o menino guardou então o brinquedo quebrado em uma gaveta, exclamando: "Acabou!". A história desse caso se tornaria célebre, por mostrar como alguns psicanalistas não conseguem dar aos filhos o amor que esperam deles.

Dick continuou a análise com Melanie Klein até 1946, com uma interrupção durante a Segunda Guerra Mundial. Quando Phyllis Grosskurth se encontrou com ele, então com cerca de 50 anos, não tinha mais nada a ver com o menino fechado de outrora. Era até francamente tagarela.

Em 1932, Melanie Klein publicou sua primeira obra de síntese, *A psicanálise de crianças*, na qual expunha a estrutura de seus futuros desenvolvimentos teóricos, sobretudo o conceito de posição (posição esquizo-paranóide/posição depressiva*), assim como sua concepção ampliada da pulsão* de morte. Mas, nesse mesmo ano, que inaugurou um aparente período de calma institucional para ela, sua vida particular foi perturbada por conflitos que teriam, alguns anos depois, pesadas repercussões em sua vida profissional. Sua filha Melitta Schmideberg*, casada com Walter Schmideberg*, amigo da família Freud e de Ferenczi, tornou-se analista. Sem perceber, Melanie repetiu com sua filha o comportamento que Libussa tivera com ela. Foi por ocasião de uma retomada de análise com Edward Glover* que Melitta se afastou de Melanie. Logo seria publicamente apoiada em sua atitude por seu analista, que não hesitou em manipular as tensões familiares para reforçar

suas próprias posições teóricas diante de Melanie.

A partir de 1933, Melanie Klein, que sofria os ataques incessantes de Glover e de Melitta, via com terror a chegada a Londres dos analistas vienenses e berlinenses que fugiam do nazismo*. Confidenciou a Donald Woods Winnicott* que pressentia, na instalação desses refugiados que lhe eram na maioria hostis, a iminência de um "desastre". Alguns meses depois da chegada dos Freud a Londres, as hostilidades irromperam efetivamente. Em julho de 1942, a tensão no seio da BPS atingiu um ponto crítico. Enquanto Londres era bombardeada, tomava-se a decisão de fazer reuniões para discutir os pontos de discordância científicos e clínicos. Assim começou o período das Grandes Controvérsias*, inaugurado por um ataque violento de Edward Glover contra a teoria e a prática dos kleinianos. Ernest Jones, em quem Melanie Klein acreditava ter um fiel aliado, saía freqüentemente dessa cena, cujos atores eram essencialmente mulheres, umas reunidas em torno de Melanie, outras em torno de Anna Freud. Os confrontos assumiram tal intensidade que Donald Woods Winnicott, partidário de Melanie, interrompeu uma noite os debates para observar que um ataque aéreo estava ocorrendo e era urgente procurar abrigo.

Em novembro de 1946, depois de intermináveis negociações, marcadas principalmente pela demissão de Edward Glover, um *lady's agreement* se produziu — mas que nem sempre foi respeitado —, resultando na institucionalização de uma divisão da BPS entre kleinianos, annafreudianos e Independentes*.

Em 1955, Melanie Klein, que nada perdera de seu dinamismo e de sua agressividade, interveio de maneira esmagadora no Congresso da IPA em Genebra, apresentando uma comunicação intitulada "Um estudo sobre a inveja e a gratidão", na qual desenvolvia o conceito de inveja*, que articulava com uma extensão da pulsão de morte, à qual dava um fundamento constitucional. Ao fazer isso, reatava com aquele que sempre considerara o seu mestre, Karl Abraham. Melanie Klein acabava assim de dar partida a uma nova controvérsia, que, se não teve a amplitude das precedentes, a levou à ruptura com Winnicott e com Paula Heimann*, que fora a mais inteligente e a mais ardorosa dos adversários de Glover em 1943.

Nunca tendo se reconciliado com sua filha Melitta, deixando inacabada uma autobiografia parcelar e seletiva, Melanie Klein morreu de câncer do cólon em Londres, a 22 de setembro de 1960.

• *The Writings of Melanie Klein*, R.E. Money Kyrle, B. Joseph, E. O'Shaughnessy e Hanna Segal (orgs.), 4 vols., Londres, Hogarth Press, 1975 • Melanie Klein, *A psicanálise de crianças* (Londres, 1932), Rio de Janeiro, Imago, 1997; *Amor, ódio e separação* (Londres, 1937), Rio de Janeiro, Imago, 1975; *Ensaios psicanalíticos* (Londres, 1948), Paris, Payot, 1967; *Inveja e gratidão e outros trabalhos* (Londres, 1957), Rio de Janeiro, Imago, 1994; *Psicanálise da criança* (Londres, 1961), S. Paulo, Mestre Jou, 1975; *Le Transfert et autres écrits* (Londres, 1975), Paris, PUF, 1995; (org.), *Os progressos da psicanálise* (Londres, 1952), Rio de Janeiro, Zahar, 1978 • Melanie Klein e Joan Riviere, *L'Amour et la haine* (Londres, 1937), Paris, Payot, 1968 • Hanna Segal, *Introdução à obra de Melanie Klein* (Londres, 1968), Rio de Janeiro, Imago, 1975 • Phyllis Grosskurth, *O mundo e a obra de Melanie Klein* (N. York, 1986), Rio de Janeiro, Imago, 1992 • R.D. Hinshelwood, *Dicionário do pensamento kleiniano* (Londres, 1991), P. Alegre, Artes Médicas, 1992 • Pearl King e Riccardo Steiner (orgs.), *Les Controverses Anna Freud/Melanie Klein* (Londres, 1991), Paris, PUF, 1996.

➢ IDENTIFICAÇÃO PROJETIVA; INVEJA; OBJETO (BOM E MAU); OBJETO, RELAÇÃO DE; POSIÇÃO DEPRESSIVA/ESQUIZO-PARANÓIDE.

kleinismo

al. *Kleinianismus*; esp. *kleinismo*; fr. *kleinisme*; ing. *Kleinism*

Na história do movimento psicanalítico, deu-se o nome de kleinismo, em oposição ao annafreudismo*, a uma corrente representada pelos diversos partidários de Melanie Klein*, dentre os quais se incluem os pós-kleinianos que se pautam em Wilfred Ruprecht Bion*. Foi depois do período das Grandes Controvérsias*, que desembocara, em 1954, numa clivagem da British Psychoanalytical Society (BPS) em três tendências, que o termo se impôs.

Diversamente do annafreudismo, o kleinismo não é uma simples corrente, mas uma escola comparável ao lacanismo*. Com efeito, constituiu-se como um sistema de pensamento a partir de um mestre (no caso, uma mulher) que

modificou inteiramente a doutrina e a clínica freudianas, cunhando novos conceitos e instaurando uma prática original da análise, da qual decorreu um tipo de formação didática diferente da do freudismo* clássico.

A partir do ensino de Karl Abraham*, Melanie Klein e seus sucessores fizeram escola, integrando na psicanálise* o tratamento das psicoses* (esquizofrenia*, *borderlines*, distúrbios da personalidade ou do *self*), inventando o próprio princípio da psicanálise de crianças* (por uma rejeição radical de qualquer pedagogia parental) e, por fim, transformando a interrogação freudiana sobre o lugar do pai, sobre o complexo de Édipo* e sobre a gênese da neurose* e da sexualidade* numa elucidação da relação arcaica com a mãe, numa evidenciação do ódio primitivo (inveja*) próprio da relação de objeto* e, por último, numa busca da estrutura psicótica (posição depressiva/posição esquizo-paranóide*) que é característica de todo sujeito*. Assim, os kleinianos, tal como os lacanianos, inscreveram a loucura* bem no âmago da subjetividade humana.

Por outro lado, definiram um novo âmbito para a análise, muito diferente do dos freudianos, baseado em regras precisas e, em especial, num manejo da transferência* que tende a excluir da situação analítica qualquer forma de realidade material em prol de uma realidade psíquica* pura, conforme à imagem que o psicótico tem do mundo e de si mesmo. Daí a criação do termo *acting in*, decorrente de *acting out**.

O kleinismo define-se, portanto, ao lado do lacanismo e diversamente do annafreudismo, como uma verdadeira doutrina, que tem sua coerência própria, um corpo conceitual específico, um saber clínico autônomo e um modo de formação didática particular. Como reformulação da doutrina freudiana original, ele faz parte do freudismo, do qual reconhece os fundamentos teóricos, os conceitos e a anterioridade histórica. É uma das modalidades interpretativas do freudismo, articulada com o antigo suporte biológico e darwinista deste último. Nessas condições, não revisou os fundamentos epistemológicos dele nem propôs qualquer teoria do sujeito*, como fez o lacanismo.

No plano político, o kleinismo é um dos grandes componentes do moderno legitimismo freudiano, uma vez que se desenvolveu como escola no interior da International Psychoanalytical Association* (IPA), sem contestar a idéia, própria do freudismo e da psicanálise, da necessidade de uma organização universalista (e não comunitarista) do movimento psicanalítico.

Enquanto o annafreudismo encarna, através da figura da filha do pai, o vínculo de identidade que interligou os membros da antiga diáspora vienense exilada nos Estados Unidos* e na Grã-Bretanha*, o kleinismo é uma doutrina em expansão, sobretudo nos países latino-americanos (Brasil* e Argentina*), onde ajuda a psicanálise a enfrentar as outras escolas de psicoterapia que começaram a ameaçá-la, a partir da década de 1970, em virtude de sua falta de criatividade.

Por ser uma escola de pensamento que alia um saber clínico a uma teoria, o kleinismo erigiu-se sobre uma crítica da forma dogmática do freudismo, para em seguida produzir, no próprio interior do freudismo de que nasceu, uma nova idolatria do mestre fundador, uma historiografia* de tipo hagiográfico e um novo dogmatismo. E ainda não suscitou, como o freudismo, as condições internas para uma crítica a esse dogmatismo.

• Phyllis Grosskurth, *O mundo e a obra de Melanie Klein* (N. York, 1986), Rio de Janeiro, Imago, 1992 • R.D. Hinshelwood, *Dicionário do pensamento kleiniano* (Londres, 1991), P. Alegre, Artes Médicas, 1992 • Elizabeth Whrigt (org.), *Feminism and Psychoanalysis. A Critical Dictionary*, Oxford, Basil Blackwell, 1992.

➤ ABERASTURY, ARMINDA; ANÁLISE DIRETA; BLEGER, JOSÉ; CISÃO; *EGO PSYCHOLOGY;* GERAÇÃO; HEIMANN, PAULA; HISTÓRIA DA PSICANÁLISE; INDEPENDENTES, GRUPO DOS; NEOFREUDISMO; OBJETO (BOM E MAU); SEXUALIDADE FEMININA.

Koch, Adelheid Lucy, *née* Schwalle (1896-1980)
psiquiatra e psicanalista brasileira

Judia berlinense de origem e formada segundo as regras da International Psychoanalytical Association* (IPA) por Otto Fenichel*, supervisionada por Salomea Kempner*, Adelheid Koch foi a primeira psicanalista européia a se instalar no continente latino-americano, quando, no Brasil*, nenhum dos pais fundadores do freudismo (Durval Marcondes*, Francisco da Rocha* etc.) ainda tinha sido analisado. Depois de um difícil périplo, chegou ao Brasil em outubro de 1936 e tornou-se uma das figuras importantes da Sociedade Brasileira de Psicanálise de São Paulo (SBPSP), que ela contribuiu para que fosse reconhecida pela IPA. Foi ela quem iniciou na psicanálise o próprio Marcondes e a geração seguinte, particularmente Virgínia Leone Bicudo e Flávio Rodrigues Dias.

• Durval Marcondes, "Homenagem póstuma à Dra. Adelheid Koch", *Revista Brasileira de Psicanálise* (16), 119, S. Paulo, 1982.

Kohut, Heinz (1913-1981)
psiquiatra e psicanalista americano

Como Wilfred Ruprecht Bion*, Jacques Lacan*, Donald Woods Winnicott* e Marie Langer*, Heinz Kohut pertencia à terceira geração* psicanalítica mundial. Assim como eles, confrontou-se com a esclerose das instituições da International Psychoanalytical Association* (IPA) e com a necessidade de renovar o freudismo* clássico. Foi nessa perspectiva que se tornou, nos Estados Unidos*, um verdadeiro chefe de escola e o principal iniciador da corrente da *Self Psychology**, fundada sobre uma nova clínica dos distúrbios narcísicos.

Nascido em Viena* de uma família judia culta e amante da música, Kohut teve uma infância triste e solitária. Seus pais não se ocupavam dele e o menino sofria com isso. Tornando-se médico em 1938, depois de uma análise com August Aichhorn*, quis conhecer Sigmund Freud*. Para isso, no dia da partida do mestre para o exílio em Londres, Heinz foi para a estação e o saudou, olhando o trem afastar-se. Dizem que Freud lhe fez um sinal amistoso, cuja lembrança ele guardaria por toda a vida.

Obrigado a fugir do nazismo*, instalou-se em Chicago, onde fez a sua segunda análise com Ruth Eissler-Selke (1906-1989), uma vienense originária de Odessa, ela mesma analisada por Theodor Reik* antes de sua emigração para os Estados Unidos* com o seu esposo Kurt Eissler.

Kohut tornou-se neurologista em 1944 e psiquiatra três anos depois. Integrou-se então ao prestigioso Instituto de Chicago, fundado por Franz Alexander* a partir do modelo do Berliner Psychoanalytisches Institut*. Seria presidente da American Psychoanalytic Association* (APsaA) em 1964, e vice-presidente da IPA entre 1965 e 1973. Renunciou depois às tarefas administrativas, preferindo dedicar-se à clínica.

Como todos os freudianos de sua geração, Kohut enfrentou nos anos 1960 uma crise generalizada na clínica psicanalítica. De fato, nessa época o annafreudismo*, a *Ego Psychology** e até o kleinismo* em sua versão dogmática, não permitiam uma solução clínica para os distúrbios da personalidade que não eram nem de natureza neurótica nem assimiláveis a uma psicose. Assim, era chamados de *borderlines**. Aliás, as regras fixas do tratamento clássico, com seus rituais, seus silêncios e sua exploração cirúrgica do inconsciente* e da libido*, davam uma imagem desastrosa da psicanálise*. Era pois urgente instaurar uma verdadeira revolução cultural no interior do *establishment* freudiano a fim de que o tratamento reencontrasse a sua inspiração humanista: "A preocupação com a humanização e a desumanização não é estranha, escreveu Agnès Oppenheimer (1948-1997), ao que Kohut viveu no momento do nazismo."

Formado no seio de uma diáspora desejosa de se adaptar ao pragmatismo da psiquiatria americana, Kohut se revoltava portanto contra um sistema clínico e teórico que, pensava ele, levava a psicanálise a um impasse normativo e adaptativo. Procurava resgatar a paixão que animou os primeiros freudianos da Sociedade Psicológica das Quartas-Feiras*. Daí o apelido que lhe deram: *Mister* Psicanálise.

A primeira geração freudiana fizera da sexualidade* a chave da elucidação das neuroses*. Depois dela, os kleinianos situaram o ódio e a destruição no centro de toda relação de objeto*: para eles, tratava-se de inventar um tratamento psicanalítico apropriado à psicose*. Herdeiro dessas duas tendências, e marcado pelos problemas da sociedade americana (puritanismo, individualismo, liberalismo), Kohut propôs uma terceira via, que consistia em recen-trar a psicanálise em distúrbios mistos, ligados às representações e à identidade de si. De Freud a Kohut, passava-se assim da idéia (freudiana) da clivagem do eu* à idéia (kleiniana) de um objeto clivado, modelando o eu por incorporação* ou introjeção*, e depois à idéia (kohutiana) de um si (*self*) que se tornou objeto de todos os investimentos narcísicos. Para ele, o mito de Narciso suplantava o de Édipo*, no seio de um mundo dominado pela fragmentação definitiva da família patriarcal e pela valorização de uma figura da subjetividade mergulhada na contemplação infantil e desesperada de si: "A psicanálise clássica, escreveu Kohut em 1978, descobriu o desespero da criança na profundeza do adulto — realidade do passado; a psicologia do *self* descobriu o desespero do adulto na profundeza da criança — realidade do futuro."

Diferentemente de Lacan, que preconizava uma volta aos textos de Freud e desejava garantir uma nova ortodoxia, Kohut propunha "superar" ou ir além da doutrina original. E do mesmo modo que Lacan forjou uma nova teoria do sujeito* a partir da lingüística e da filosofia, Kohut construiu uma nova teoria do eu*, acrescentando ao *Ich* freudiano (traduzido em inglês por *ego*), uma noção de *self* que não era estranha à de falso *self*, introduzida por Winnicott em 1960.

Tendo sofrido na infância a falta de afeição materna, constatou em meados dos anos 1950 que muitos distúrbios psíquicos tinham como causa uma deficiência arcaica do *self*. Esta ocorria em sujeitos que não tiveram uma mãe suficientemente amorosa e que assim eram incapazes, em sua vida social, de chegar a uma relação verdadeira com seus próximos. Estavam "vazios" e, para mascarar o núcleo central de sua mutilação original, construíam para si uma armadura: um si falso, de caráter puramente defensivo. Esses sujeitos se caracterizavam por seu mal-estar relacional, sua vulnerabilidade constante, sua incapacidade de instaurar relações duradouras com os outros. Ora cediam a um excesso de arrogância, ora a um sentimento de inferioridade.

Com esses pacientes, a análise clássica não funcionava. Assim, Kohut preconizou, como Otto Rank* e Sandor Ferenczi*, a introdução no tratamento da "empatia" do analista, a fim de permitir ao analisando, através de uma transferência* "criativa", avançar na direção de uma restauração do seu *self*.

Depois de definir a empatia, em 1959, como um elemento central da técnica psicanalítica*, Kohut introduziu em 1964 o termo *self* (ou si) grandioso. Definiu assim a *imago** parental idealizada, isto é, uma instância pulsional, anterior ao ideal do eu*, onde se condensa um imaginário* exibicionista tendo que superar os ferimentos e humilhações antigamente infligidos ao si arcaico. Ao terror e à angústia, sucedem, graças ao si grandioso, atividades criativas compensadoras. Daí a necessidade de instaurar no tratamento uma "transferência narcísica" destinada a fazer o paciente retornar a um narcisismo* normal. O analista devia então abster-se de toda ingerência interpretativa, e deixar o paciente regredir para o estádio do "si arcaico fragmentado". Kohut distinguia três espécies de relações transferenciais: em primeiro lugar, a transferência idealizante, proveniente da mobilização da *imago* parental idealizada; depois a transferência em espelho, proveniente do si grandioso; enfim a contratransferência* do analista, que respondia à transferência idealizante.

O narcisismo segundo Kohut era portanto um equivalente da pulsão* de morte freudiana. Era uma doença da personalidade, uma patologia, e levava a uma "raiva" de destruição do outro*, que era apenas a contrapartida do medo que o *self* tinha de ser vítima de seu próprio aniquilamento.

A partir de 1970, Kohut estendeu sua análise do narcisismo a fenômenos coletivos (ou *self* grupal), interessando-se principalmente pela maneira pela qual se construíam as relações paranóides nos grupos compostos de um chefe e seus adeptos. Observe-se que ele próprio não evitaria ser atingido por aquilo que denunciava. Muito narcísico, não suportava as críticas que lhe dirigiam e constituiu em torno de si um séquito de fiéis, apegados à sua imagem e à sua pessoa. Obcecado pela sua teoria, aplicava-a à literatura, à história, à política, a ponto aliás de atribuir todas as neuroses a uma patologia narcísica. A cada vez, o esquema era o mesmo: no lugar da deficiência arcaica do eu, o sujeito, segundo Kohut, reconstruía um si grandioso

estruturado por uma imago parental idealizada. Nessa perspectiva, Kohut transformava o personagem de Hamlet em um herói não edipiano, mas narcísico, cujo *self* enfraquecido não resistiu às tragédias de uma sociedade que perdera seus valores. Do mesmo modo, fazia de Hitler um doente narcísico invadido pela obsessão do "micróbio judeu". Quanto a Édipo, este se tornava, na versão kohutiana, um homem ferido e humilhado, aniquilado pelo desejo* de morte de seus pais.

Em 1972, quando era portador, havia um ano, de leucemia, e quando sua mãe morreu depois de sofrer de distúrbios psicóticos, teve que enfrentar os ataques da ortodoxia freudiana e principalmente os de Anna Freud*. Depois de aceitar suas inovações, a filha do mestre declarou que estas eram "antipsicanalíticas". Deve-se dizer que, na IPA, Kohut aparecia como um "guru": não só não respeitava as regras clássicas do tratamento, como também fez escola, levando consigo muitos alunos em formação. Além disso, analisava em termos narcísicos a evolução do movimento psicanalítico. Em 1970, qualificou assim a esclerose institucional de "defesa narcísica" contra a criatividade, e em 1971, mostrou que os filhos dos psicanalistas sofriam de distúrbios de identidade pelo menos tão graves quanto os dos pacientes de quem eles tratavam.

Em 1979, célebre nos Estados Unidos, provocou um verdadeiro escândalo clínico, publicando um extraordinário relato de caso, "As duas análises do Sr.Z.", do qual alguns elementos apresentavam fortes semelhanças com os de sua própria história. Tratava-se de um homem de 25 anos, órfão de pai, morando com a mãe. Foi analisado pela primeira vez para tratar de angústias, de fantasias masturbatórias e de acessos de raiva e de depressão. Durante o primeiro tratamento, Kohut interpretou em termos edipianos a fixação regressiva do seu paciente a uma mãe onipotente. Quatro anos depois do fim do tratamento, o mesmo paciente voltou, enquanto sua mãe sofria de um delírio alucinatório. Mas Kohut tinha mudado de teoria. Conseqüentemente, ao invés de "edipianizar" o Sr.Z, ele deixou agir a transferência idealizante e a mobilização do si grandioso.

Essa publicação, primeira do gênero, valorizava sem reservas a problemática transferencial, em detrimento da potência doutrinária. Além disso, mostrava claramente a natureza das querelas psicanalíticas características da própria interpretação*. Foi por isso que o caso suscitou muitos comentários e levantou numerosas polêmicas. A maioria dos colegas e amigos de Kohut, assim como sua mulher e seu filho, pensou que o "caso" tratado não era outro senão o do próprio autor. Ruth Eissler teria sido a analista do primeiro tratamento, enquanto a pretensa segunda etapa seria uma auto-análise*, feita por Kohut quando da doença de sua mãe e do aparecimento de sua leucemia.

Kohut morreu em Chicago, aos 68 anos. Seu filho se tornou historiador e publicou um livro sobre Guilherme II, inspirado nas teorias do pai.

• Heinz Kohut, "Formes et transformations du narcissisme" (1966), in Harold P. Blum (org.), *Dix ans de psychanalyse en Amérique*, Paris, PUF, 1981, 117-45; *Le Soi* (N. York, 1971), Paris, PUF, 1991; *A restauração do self* (N. York, 1977), Rio de Janeiro, Imago, 1988; *The Search for the Self* I e II, N. York, International Universities Press, 1978; *Les Deux analyses de M. Z.* (1979), Paris, Navarin, 1985; *Analyse et guérison* (Chicago, 1984), Paris, PUF, 1991; *The Search of the Self* III, Madison, International Universities Press, 1990 • Charles B. Strozier, "Glimpses of a life. Heinz Kohut", in *Progress in Self Psychology*, vol.2, Arnold Goldberg (org.), N. York, Guilford Press, 1985 • Geoffrey Cocks (org.), *The Curve of Life. The Correspondance of Heinz Kohut, 1923-1983*, Chicago, The University of Chicago Press, 1994 • Philip Cushman, *Constructing the Self, Constructing America. A Cultural History of Psychotherapy*, N. York, Addison-Wesley, 1995 • Agnès Oppenheimer, *Kohut et la psychologie du self*, Paris, PUF, 1996.

➢ ANÁLISE DIRETA; ANÁLISE EXISTENCIAL; ESTÁDIO DO ESPELHO; IDENTIFICAÇÃO; IMAGEM DO CORPO; OBJETO, RELAÇÃO DE; PROJEÇÃO; SULLIVAN, HARRY STACK.

Koller, Carl (1857-1944)

médico americano

De origem vienense e tendo emigrado para os Estados Unidos*, Carl Koller era um oftalmologista amigo de Sigmund Freud*. Foi o primeiro a utilizar as propriedades analgésicas da cocaína para operar um olho sob anestesia local. Freud também se apaixonara por essa droga, a ponto de consumir uma quantidade considerá-vel dela para lutar contra seus acessos de neurastenia e dá-la à sua noiva Martha Bernays (Freud*) e ao seu amigo Ernst von Fleischl-Marxow*.

Em 1883, procurando fazer uma grande descoberta para tornar-se célebre, Freud fez experiências com o alcalóide da coca. Em 1884, publicou um artigo no qual recomendava o uso da cocaína para vômitos e distúrbios da digestão. Redigiu depois cinco outros textos sobre o tema. Foi ele quem sugeriu a seus colegas oftalmologistas Leopold Königstein (1850-1924) e Carl Koller o uso da cocaína. Em 15 de setembro de 1884, Koller fez no Congresso de Oftalmologia de Heidelberg uma conferência que lhe traria notoriedade, fazendo dele o "pai" da anestesia local. O episódio da cocaína, que reaparece no famoso sonho da "Injeção de Irma*", foi comentado pelo próprio Freud em sua autobiografia e suscitou múltiplas interpretações por parte dos historiadores do freudismo* e dos psicanalistas, principalmente de Siegfried Bernfeld*.

• Sigmund Freud, *Cocaine Papers*, Robert Byck (org.), anotado por Anna Freud, N. York, Stonehill Publishing Co., 1974 • Siegfried Bernfeld, "Freud's studies on cocaine, 1884-1887", *Journal of the American Psychoanalytic Association*, 1, 1953, 581-613.

Kosawa, Heisaku (1897-1968)

psiquiatra e psicanalista japonês

No Japão*, onde as idéias freudianas tiveram uma difusão ao mesmo tempo limitada e tardia (depois de 1950), Heisaku Kosawa ocupou certamente o lugar de um mestre. Esse pioneiro foi o único de sua geração a receber em Viena* uma formação psicanalítica clássica, e também soube refletir sobre as condições específicas de introdução da teoria freudiana em seu país. Assim, fez escola no Japão como psiquiatra, como psicanalista didata e como fundador de uma doutrina original, através da qual o Oriente dialogava com o Ocidente, e a tradição budista com o judeu-cristianismo. Sem abandonar os princípios do universalismo freudiano, lançou as bases de uma pesquisa comparativa sobre as diferenças entre a família japonesa e a família ocidental, e propôs interpretar os mitos da Grécia antiga, tão comentados por Sigmund Freud*, à luz das lendas budistas.

Inicialmente estudante na Universidade de Tohuku, em Sendai, descobriu o freudismo* graças ao ensino do grande psiquiatra Kiyoyasu Marui (1886-1953), que se formara nos Estados Unidos* junto a Adolf Meyer*. Em 1925, estabeleceu contato com Freud e Paul Federn* para ir a Viena, onde finalmente permaneceu de 1932 a 1933. Analisado primeiro por Freud*, a quem ofereceu uma soberba estampa de Kiyoschi Yoshida representando o Monte Fuji-Yama, fez uma segunda etapa, didática, com Richard Sterba*, e uma supervisão com Federn.

Antes de voltar a seu país, Kosawa confiou a Freud um trabalho sobre o complexo* de Ajase (ou *Azaje*), que ele acabava de redigir e que iria tornar-se um clássico da literatura psicanalítica japonesa. Mas o mestre vienense não se interessou por essa pesquisa consagrada a um príncipe mítico, cuja história remontava à lenda budista do *Kanmuryojukyo*. Entretanto, essa lenda se aparentava a todas que Otto Rank* reunira em sua grande obra de 1909, *O mito do nascimento do herói*. Aliás, ela reforçava a tese freudiana do romance familiar*, pois o personagem de Ajase se assemelhava muito aos heróis que fascinavam os pioneiros da Sociedade Psicológica das Quartas-Feiras*: Édipo*, Hamlet, Moisés, Lohengrin etc.

Eis o mito: no antigo reino da Índia*, a rainha Idaike, esposa do rei Binbashara, temia perder a beleza e conseqüentemente o amor do marido. Consultou uma vidente, que lhe disse que um sábio que vivia na floresta morreria dentro de três anos e se tornaria seu filho por reencarnação. Impaciente e egoísta, Idaike não esperou ficar grávida e matou o sábio. Antes de morrer, este fez a seguinte predição: "Teu filho reencarnado matará um dia o próprio pai." Idaike ficou grávida no mesmo momento do assassinato. Temendo a cólera do sábio reencarnado em seu ventre, decidiu matar o filho, dando-o à luz no alto de uma grande torre. Mas este sobreviveu à queda, quebrando um dedo, o que lhe valeu o apelido de Ajase: príncipe do dedo quebrado. (A palavra *Ajatasaru* significa, em sânscrito, ao mesmo tempo dedo quebrado e rancor pré-natal.) Depois de uma infância feliz, durante a qual idealizou a mãe, Ajase

soube da verdade por Daibadatta, o inimigo de Buda. Ficou tão acabrunhado que tentou matar Idaike. Então, teve um grande sentimento de culpa e foi atingido por uma terrível doença de pele (eczema). O mau cheiro que se formou sobre seu corpo tornou impossível qualquer relação com os outros. Apesar dessa punição e dos cuidados atentos de Idaike, Ajase não recuperou seu equilíbrio. Tentou mais uma vez matar a mãe que, procurando tranqüilidade, pediu conselho a Buda. As palavras de Buda a mergulharam em um longo conflito interior, ao fim do qual, depois de anos de sofrimento, Ajase ficou em paz consigo mesmo. Recobrou a saúde e tornou-se um soberano respeitado.

Segundo outras versões do mito, o príncipe Ajase, tornando-se rei, aprisionou o pai e, depois da morte deste, ouviu sua voz no céu. Foi até Buda para lhe pedir ajuda, pois tinha medo de ir para o inferno. Buda o recebeu com compaixão.

Analisando o mito como Freud fizera com Édipo, Kosawa deu o nome de complexo de Ajase a um complexo de dependência do filho em relação à mãe. Encontrava ali o fundamento da organização da família japonesa, na qual as relações de dependência, disciplina, submissão, sacrifício de si e simbiose da criança com a mãe predominavam sobre a idéia de individualidade ou de liberdade. Esse complexo resultava portanto, segundo ele, de um sentimento de culpa que não tinha como origem o assassinato do pai pelos filhos, mas a dependência culpada e hostil dos filhos em relação à mãe. Pacientes japoneses marcados pela *amae* (dependência), isto é, por uma tradição social ainda feudal, manifestaram esses traços no tratamento.

A criação do complexo de Ajase apenas demonstrava como cada cultura se apropria do mito edipiano das origens imprimindo-lhe uma modulação peculiar. Era por isso que, através dele, se desenhavam as condições de uma implantação possível da psicanálise* fora da esfera judaico-cristã: uma espécie de freudismo oriental.

A ascensão do fascismo e a explosão da Segunda Guerra Mundial impediram a continuação dos trabalhos de Kosawa, que retomou suas atividades profissionais em 1945, no Japão transtornado pela derrota e pela capitulação do regime militar. A partir de então, contribuiu para o desenvolvimento da psiquiatria e da psicanálise que marcou a sociedade nipônica durante a segunda metade do século e fez do Japão uma terra de acolhimento para todas as doutrinas vindas dos Estados Unidos*: *Ego Psychology*, *Self Psychology*, farmacologia etc.

Em 1953, com a morte de Marui, Kosawa assumiu a direção do grupo de estudos de Sendai, filiado à International Psychoanalytical Association* (IPA) desde 1933 e criou a Nippon Seishin-Bunseki Kyoukai (Sociedade Psicanalítica Japonesa), cujo desenvolvimento foi muito limitado, pois reunia apenas cerca de trinta membros em 1997. Ali, fez escola, esclarecendo suas teorias sobre a *amae*, formou didatas e discípulos rigidamente freudianos, realizando ao mesmo tempo atividades de didata, professor e clínico na Associação Psicanalítica Japonesa, não filiada à IPA, muito mais poderosa em número de aderentes e aberta a todas as outras correntes da psiquiatria dinâmica*.

• Sigmund Freud, *Chronique la plus brève. Carnets intimes, 1929-1939*, anotado e apresentado por Michael Molnar (Londres, 1992), Paris, Albin Michel, 1992 • Heisaku Kosawa, "Two types of guilt consciousness — Oedipus and Azase", *Tokyo Journal os Psychoanalysis (Seishin Bunseki)*, março-abril de 1935 • James Clark Moloney, "Understanding the paradox of Japanese psychoanalysis", *IJP*, vol. XXXIV, 4, 1953, 292-303 • Keigo Okonogi, "Dr. Heisaku Kosawa as a great pioneer of Japonese psychoanalysis", *Japanese Journal of Psychoanalysis*, 15, 4, 1969, 1-15; "Japan", in Peter Kutter (org.)., *Psychoanalysis International. A Guide to Psychoanalysis throughout the World*, vol.2, Stuttgart, 1995, 123-42.

➢ ANTROPOLOGIA; CULTURALISMO; HISTÓRIA DA PSICANÁLISE; *MOISÉS E O MONOTEÍSMO;* OTSUKI, KENJI; *TOTEM E TABU.*

Kouretas, Dimitri (1901-1985)
médico e psicanalista grego

Analisado por Andreas Embiricos*, Dimitri Kouretas aderiu primeiramente às teses de Alfred Adler*, antes de se tornar freudiano e participar da criação do primeiro grupo psicanalítico grego. Depois da exclusão de Embiricos desse grupo, permaneceu em seu país para estimular a prática da psicanálise* em torno de um

grupo de estudos reconhecido pela International Psychoanalytical Association* (IPA).

➢ FEDERAÇÃO EUROPÉIA DE PSICANÁLISE; FRANÇA; HISTÓRIA DA PSICANÁLISE; TRIANDAFILIDIS, MANOLIS.

Kraepelin, Emil (1856-1926)
psiquiatra alemão

Fundador da nosografia psiquiátrica do século XX e criador dos termos demência precoce e psicose maníaco-depressiva*, Emil Kraepelin foi aluno, em Leipzig, de Wilhelm Wundt (1832-1920), cujos métodos de psicologia experimental adotou. Em 1878, defendeu uma tese sob a orientação de Bernhard von Gudden (1824-1886), com o tema "O lugar da psicologia na psiquiatria". A partir de 1903, ocupou a cátedra de psiquiatria de Munique, dirigindo também a Königlische Psychiatrische Klinik, que conquistaria graças a ele um renome internacional.

Desde essa data, apaixonado pelo comparativismo, foi a Java a fim de estudar a presença entre os indígenas das patologias mentais observadas na Europa. Nessa ocasião, forjou a expressão "psiquiatria comparada" para designar o que se tornaria a etnopsiquiatria e a etnopsicanálise*: "Kraepelin é descrito como um personagem reservado, escreveu Pierre Morel, meticuloso, respeitador da ordem e da autoridade, grande admirador de Bismarck."

Esse conservador pôs ordem e clareza na compreensão da loucura*, construindo uma classificação racional das doenças ditas mentais. Distinguia três grupos fundamentais de psicoses*: a paranóia*, a loucura maníaco-depressiva, que se tornaria depois psicose maníaco-depressiva, a demência precoce, que compreendia a psicose alucinatória crônica, caracterizada por um delírio mal sistematizado, a hebefrenia, ou psicose da adolescência, com excitação intelectual e motora (tagarelice, neologismos, maneirismos), a catatonia, que se reconhecia pelo negativismo do sujeito*: mutismo, recusa da alimentação, reações estereotipadas. Segundo Kraepelin, a paranóia diferia da demência precoce pelo fato de que, nesta última, a personalidade corporal do sujeito era lesada: forças estranhas pareciam agir sobre o organismo, sobre as sensações e sobre o pensamento, à maneira da telepatia*.

Mesmo inovador, Kraepelin continuava apegado à tradição da psiquiatria medicalizada que considerava o louco não como um sujeito, mas como um objeto a observar e um indivíduo perigoso. Assim, o sistema kraepeliniano foi contestado pelos artífices da psiquiatria dinâmica* e pelos adversários do niilismo terapêutico: principalmente por Eugen Bleuler*, inventor do termo esquizofrenia*, e mais tarde pelos representantes da antipsiquiatria*.

Houve realmente uma era kraepeliniana na história da psiquiatria, como houve uma era pineliana, que marcou o apogeu do alienismo. Nesse aspecto, comparou-se o sistema de pensamento freudiano com a classificação de Kraepelin.

Entretanto, se Sigmund Freud* adotou parte dos conceitos do mestre de Munique, inscreveu sua clínica em uma trajetória radicalmente inversa à sua. Fundando sua prática na escuta do sujeito, situava-se na posição oposta a Kraepelin, que era herdeiro de uma clínica do olhar fundada na prevalência do corpo, na ausência do doente. Kraepelin pensava, efetivamente, que a ignorância da língua e da fala do paciente garantia, na medicina mental, a melhor observação.

• Emil Kraepelin, *Compendium der Psychiatrie*, Leipzig, Abel, 1883; *Introduction à la psychiatrie clinique* (Leipzig, 1901), Paris, Vigot, 1907; *Leçons cliniques sur la démence précoce et la psychose maniaco-dépressive* (Leipzig, 1907), Toulouse, Privat, 1970; *La Folie maniaque-dépressive* (Leipzig, 1909), Grenoble, Jérôme Millon, 1993 • Paul Bercherie, *Os fundamentos da clínica* (Paris, 1980), Rio de Janeiro, Jorge Zahar, 1989 • Jacques Postel (org.), *La Psychiatrie*, Paris, Larousse, 1994 • Pierre Morel (org.), *Dicionário biográfico psi* (Paris, 1996) Rio de Janeiro, Jorge Zahar, 1997.

Krafft-Ebing, Richard von (1840-1902)

psiquiatra austríaco

Nascido em Mannheim, Richard von Krafft-Ebing foi não só um dos fundadores da sexologia*, como também um ilustre professor de psiquiatria em Viena*, para onde foi nomeado em 1889. Três anos depois, tornou-se titular da cátedra de Theodor Meynert*. Antes da invenção, por Eugen Bleuler*, da palavra "esquizo-frenia", foi o teórico da noção de loucura histérica, que seria retomada posteriormente sob a expressão "psicose histérica", depois que Sigmund Freud* e seus alunos, Karl Abraham* principalmente, diferenciaram a esquizofrenia como psicose* e a histeria* como neurose*.

Mas foi sobretudo com sua obra *Psychopathia sexualis*, publicada em 1886 e traduzida no mundo inteiro, que Krafft-Ebing se tornou célebre. Fazia uma descrição extraordinária, a partir de casos precisos, de todas as formas possíveis de perversões* sexuais: uma espécie de catálogo sofisticado, do qual Freud adotou várias noções e que o Marquês de Sade não teria desaprovado.

• Richard von Krafft-Ebing, *Manuel de psychiatrie* (1879), Paris, Baillière, 1897; *Psychopathia sexualis* (Stuttgart, 1886, Paris, 1907), Paris, Payot, 1969 • Jacques Postel (org.), *La Psychiatrie*, Paris, Larousse, 1994.

➤ FETICHISMO; HISTERIA; HOMOSSEXUALIDADE; SADOMASOQUISMO; SEXUALIDADE; TRANSEXUALISMO.

Kraus, Karl (1874-1936)

escritor austríaco

Jornalista, escritor, polemista e fundador do jornal *Die Fackel* (A Tocha), que se opunha à *Neue Freie Presse*, Karl Kraus foi uma das grandes figuras da modernidade vienense do fim do século XIX. Judeu e adepto do ódio de si judeu, foi contrário a Dreyfus e se converteu ao catolicismo, que depois renegou. Denunciou a corrupção da imprensa e a feminilização da arte e da sociedade, que poderiam reduzir a sociedade a nada, e adotou as teses da bissexualidade*. Mas, ao contrário de Otto Weininger*, de quem era próximo, pensava que os princípios feminino e masculino deviam complementar-se.

Analisado por Fritz Wittels*, que fez uma interpretação* selvagem em seu caso por ocasião de uma reunião da Sociedade Psicológica das Quartas-Feiras*, declarando-o portador de uma frustração* edipiana, Kraus sempre criticou os aspectos ridículos da psicanálise* e as manias de seus adeptos neófitos. Inventou alguns maravilhosos aforismos, que se tornariam célebres: "A psicanálise é aquela doença do espírito da qual ela própria se considera o remédio", ou ainda: "É a ele [Freud] que cabe o mérito de ter dado uma organização à anarquia do sonho, mas ali tudo acontece como na Áustria."

• "Karl Kraus", número especial da revista *L'Herne*, 1975 • Carl Schorske, *Viena, fin-de-siècle* (N. York, 1981), S. Paulo, Companhia das Letras, 1990 • Allan Janik e Stephen Toulmin, *Wittgenstein, Vienne et la modernité* (N. York, 1973), Paris, PUF, 1978 • Jacques Le Rider, *Modernité viennoise et crises de l'identité* (1990), Paris, PUF, 1994.

➢ JUDEIDADE; VIENA.

Kretschmer, Ernst (1888-1964)
psiquiatra alemão

Nascido em Wurstenrot e filho de pastor, Ernst Kretschmer teve de enfrentar, como muitos psiquiatras da sua geração*, a questão das neuroses de guerra*. Em 1915, quando era médico militar em Tübingen, foi obrigado a mandar de volta à frente de batalha soldados com traumas psíquicos que, normalmente, teriam que ser tratados. Todavia, ao contrário de Joseph Babinski* e de Julius Wagner-Jauregg*, não aderiu ao ideal patriótico do exército que servia.

Em 1929, publicou uma obra sobre os homens de gênio que exaltava a importância da "mistura de raças" para a evolução da humanidade. Quatro anos depois, em virtude de sua hostilidade ao nazismo*, foi obrigado a se demitir da Allgemeine Ärztliche Gesellschaft für Psychotherapie (AÄGP, Sociedade Alemã de Psicoterapia), que presidia havia sete anos. Carl Gustav Jung* o substituiu em suas funções e Matthias Heinrich Göring* liquidou a sociedade em 1936. Depois da Segunda Guerra Mundial, apoiado pelas autoridades francesas e americanas por suas posições claras a respeito do nacional-socialismo, Kretschmer desempenhou um papel maior na reconstrução da psiquiatria alemã, nas Universidades de Marburgo e de Tübingen.

Teórico de uma morfotipologia que questionava o constitucionalismo de Emil Kraepelin* e que se inspirava em certas hipóteses freudianas, relacionou diferentes modos de organização da personalidade: assim, classificou os "grandes magros" (tipo leptossômico) na categoria da esquizofrenia*, e os "pequenos gordos" (tipo pícnico) na categoria da psicose maníaco-depressiva*. Foi como clínico da causalidade psíquica que ele marcou a psiquiatria moderna, e principalmente a obra de Jacques Lacan*, que lhe prestou homenagem em sua tese de medicina de 1932.

• Ernst Kretschmer, *Paranoïa et sensibilité. Contribution au problème de la paranoïa et à la théorie psychiatrique du caractère* (Berlim, 1918), Paris, PUF, 1963; *La Structure du corps et du caractère* (Berlim, 1921), Paris, Payot, 1830 • Jacques Lacan, *Da psicose paranóica e suas relações com a personalidade* (1932), Rio de Janeiro, Forense Universitária, 1987 • Paul Bercherie, *Os fundamentos da clínica* (Paris, 1980), Rio de Janeiro, Jorge Zahar, 1989 • Jacques Postel (org.), *La Psychiatrie*, Paris, Larousse, 1994.

Kris, Ernst (1900-1957)
psicanalista americano

Embora seja conhecido como um dos fundadores da *Ego Psychology**, com Heinz Hartmann* e Rudolph Loewenstein*, foi principalmente no campo da arte que Ernst Kris produziu trabalhos interessantes.

Nascido em Viena*, em uma família da burguesia judaica, estudou filosofia e foi, como seu amigo Otto Kurz (1908-1975) e como Ernst Gombrich, aluno de Julius von Schlosser (1866-1938), o célebre representante da escola vienense de história da arte. Nomeado responsável pelo departamento de escultura e artes aplicadas do museu de Viena, tornou-se o melhor especialista em jóias gravadas e entalhes do Renascimento, tema sobre o qual publicou um estudo exemplar em 1929.

Paralelamente, aderiu à Wiener Psychoanalytische Vereinigung (WPV), depois de seu casamento com Marianne Rie, que se tornaria psicanalista com o nome de Marianne Kris*. Assim, fez parte do círculo íntimo que cercava a família de Sigmund Freud*. Analisado por Helene Deutsch* entre 1924 e 1927, praticou a psicanálise* sem abandonar suas atividades no museu. Antes das nove da manhã e depois das seis da tarde, recebia seus pacientes, e durante o dia trabalhava em seu escritório no museu de Viena.

Em 1932, redigiu um estudo sobre o escultor barroco austríaco Franz Xaver Messerschmidt, cuja obra evocava a tradição fisiognomônica: o artista esculpira uma série de bustos retratando diversos tipos de personalidade. Através de uma análise minuciosa dos rostos, Kris evidenciou a loucura* do escultor. Dois anos depois, com a colaboração de Kurz, publicou uma obra dedicada ao nascimento da noção de artista na história da arte. Os dois autores mostravam que essa noção fora construída através dos mitos e lendas veiculados por biógrafos ou hagiógrafos, que descreviam o artista como um herói que desafiava, desde a infância até a maturidade, as normas de seu tempo.

Prosseguindo nesse caminho ao mesmo tempo interpretativo e evolucionista, Kris fez com Ernst Gombrich um estudo sobre a caricatura. Para explicar seu aparecimento tardio, supunha, como o próprio Gombrich observou em uma entrevista com Didier Eribon, que ela nascera com o fim da magia: "Enquanto a intenção agressiva, dizia ele, esteve ligada a uma ameaça de ordem mágica, era inconcebível brincar com a fisionomia de um dignitário como faria Bernini em sua caricatura do papa, por exemplo. Enquanto a humanidade se submeteu ao medo da magia, transformar a imagem de alguém não era, no sentido próprio, uma brincadeira. A caricatura só pôde nascer quando a magia desapareceu [...]. Kris, como o próprio Freud [...] estava sob o domínio de uma interpretação evolucionista da história humana, concebida como um longo percurso desde a irracionalidade primitiva até o triunfo da razão."

Finalmente, Gombrich e Kris escreveriam juntos apenas um artigo sobre esse tema. E em 1940, Gombrich publicou uma obra importante sobre a caricatura, redigida somente por ele, mas assinada também por Kris.

Fugindo do nazismo*, Kris e sua família chegaram a Londres ao mesmo tempo que os Freud. Foi logo trabalhar na rádio britânica, para analisar o conteúdo dos programas nacional-socialistas. Em 1940, emigrou para os Estados Unidos*, onde prosseguiu suas atividades de denúncia do totalitarismo. Depois, com sua mulher, integrou-se à New York Psychoanalytic Society (NYPS), onde se tornou um dos representantes mais ardorosos da ortodoxia freudia-

na. Em 1945, participou da criação da revista *The Psychoanalytic Study of the Child*, e cinco anos depois, com Marie Bonaparte* e Anna Freud*, assinou o prefácio de *O nascimento da psicanálise*, versão expurgada das cartas de Freud a Wilhelm Fliess*.

• Ernst Kris, *Psychanalyse de l'art* (N. York, 1952), Paris, PUF, 1978 • Ernst Kris e Otto Kurz, *L'Image de l'artiste, légende, mythe et magie. Un essai historique* (Viena, 1934, New Haven, 1979), Paris, Rivages, 1987; *Caricature*, Harmondsworth, Middlesex, King Penguin Books, 1940 • Ernst Kris e Ernst Gombrich, "The principles of caricature" (1938), in *Psychanalyse de l'art*, op. cit. • Ernst Gombrich, "Souvenirs de collaboration avec Ernst Kris", in *Vienne, 1880-1938. La Joyeuse apocalypse*, catálogo da exposição editado por Jean Clair, Paris, Centre Pompidou, 1986 • Ernst Gombrich e Didier Eribon, *Ce que l'image nous dit. Entretiens sur l'art et la science*, Paris, Adam Biro, 1991.

Kris, Marianne, *née* Rie (1900-1980)
médica e psicanalista americana

Por sua história e sua genealogia familiar, Marianne Kris era filha da psicanálise*, e até mesmo uma heroína daquilo que se poderia chamar de romance familiar* da psicanálise. Seu pai, Oskar Rie*, era o parceiro de Sigmund Freud* no jogo de cartas e médico da família. Sua mãe, Melanie Rie, *née* Bondy, era irmã de Ida Bondy (1869-1941), ex-paciente de Josef Breuer*, que se casara com Wilhelm Fliess* em 1892.

Ligada assim à história do nascimento da psicanálise, Marianne Rie, judia vienense de origem, estudou medicina antes de se orientar para o freudismo*. Com Franz Alexander*, fez sua formação didática em Berlim, em 1927. Ao voltar, integrou-se à Wiener Psychoanalytische Vereinigung (WPV) e conheceu Ernst Kris*, com quem se casou.

Supervisionada por Anna Freud*, de quem se tornou amiga, logo foi adotada por Sigmund Freud, que a chamava de "minha filha". Em 1938, emigrou para a Grã-Bretanha* com toda a família e, dois anos depois, deixou definitivamente a Europa, para se instalar em Nova York, onde se tornou membro da New York Psychoanalytic Society (NYPS), continuando uma brilhante carreira de psicanalista de adultos e crianças, no âmbito da *Ego Psychology** e do annafreudismo*. Segundo o costume instaurado por Freud, deu à sua filha um nome de que ela gostava particularmente: Anna.

Guardiã da historiografia oficial, impediu Marilyn Monroe (1926-1962), sua analisanda, de aceitar o papel de Anna O., ao lado de Montgomery Clift (1920-1966), no filme *Freud, além da alma*, de John Huston, realizado em 1962 a partir do roteiro de Jean-Paul Sartre (1905-1980), sobre as origens da psicanálise (Fliess, Breuer, teoria da sedução* etc.). O cineasta fora repelido por Anna Freud, que não tolerava o menor desvio na hagiografia com a qual ela homenageava o pai, e Marianne Kris, por sua vez, adotou a mesma atitude, sem nem mesmo ler o roteiro do filósofo nem a sinopse do cineasta.

Antes de se suicidar, a atriz deixou à sua analista uma importante soma de dinheiro, pedindo-lhe que a confiasse a uma obra de sua escolha. Marianne Kris doou a quantia à Hampstead Clinic, e Anna lhe respondeu com estas palavras: "Estou realmente pesarosa por Marilyn Monroe. Sei exatamente o que você sente, pois me aconteceu a mesma coisa com um de meus pacientes, que tomou cianureto antes que eu voltasse dos Estados Unidos há alguns anos. Repassa-se tudo na cabeça, sem parar, a fim de descobrir o que se poderia ter feito de melhor e isso traz um terrível sentimento de derrota. Mas, você sabe, penso que nesses casos somos verdadeiramente vencidos por algo mais forte do que nós e contra o qual a análise, apesar de seu poder, é uma arma fraca demais."

• Jean-Paul Sartre, *Freud, além da alma* (Paris, 1984), Rio de Janeiro, N. Fronteira, 1987, 2ª ed. • Elisabeth Young-Bruehl, *Anna Freud: uma biografia* (Londres, 1988), Rio de Janeiro, Imago, 1992 • Élisabeth Roudinesco, "Sartre, lecteur de Freud", *Les Temps Modernes*, 531-3, outubro-dezembro de 1990, 589-613.

➤ FILIAÇÃO; IRMA, INJEÇÃO DE; PAPPENHEIM, BERTHA.

Kulovesi, Yrjö (1887-1943)
médico e psicanalista finlandês

Pioneiro do freudismo na Finlândia, Kulovesi era filho de um alfaiate. Durante toda a vida, preocupou-se em estender às classes populares os benefícios dos métodos de inspiração psicanalítica. Em 1924, foi a Viena* pela primeira vez. Analisado por Paul Federn*, aderiu à Wiener Psychoanalytische Vereinigung (WPV) em 1931. Colaborou na *Internationale Zeitschrift für Psychoanalyse** e participou de um grupo de estudos da Escandinávia* com Alfhild Tamm* e Harald Schjelderup*, que resultaria, em 1934 — no Congresso da International Psychoanalytical Association* (IPA) de Lucerna —, no reconhecimento da Finsk-Svenska Psykoanalytika Förening (Sociedade Fino-Sueca de Psicanálise). Tornou-se membro desta em 1935.

Em 1933, redigiu a primeira obra de iniciação à psicanálise* em língua finlandesa. Contribuiu também para implantar as idéias freudianas nos meios literários finlandeses.

• Elke Mühlleitner, *Biographisches Lexikon der Psychoanalyse. Die Mitglieder der Psychologischen Mittwoch-Gesellschaft und der Wiener Psychoanalytischen Vereinigung von 1902-1938*, Tübingen, Diskord, 1992.

L

Lacan, Jacques, *né* Jacques-Marie (1901-1981)

psiquiatra e psicanalista francês

Dentre os grandes intérpretes da história do freudismo*, Jacques Lacan foi o único a dar à obra freudiana uma estrutura filosófica e a tirá-la de seu ancoramento biológico, sem com isso cair no espiritualismo. O paradoxo dessa interpretação inovadora única é que ela reintroduziu na psicanálise* o pensamento filosófico alemão, do qual Sigmund Freud* se tinha voluntariamente afastado. Essa poderosa contribuição fez de Lacan o único verdadeiro mestre da psicanálise na França*, o que lhe valeu muita hostilidade. Mas se alguns de seus ferozes adversários foram injustos, ele se prestou à crítica ao cercar-se de discípulos pedantes, que contribuíram para obscurecer um ensino certamente complexo e muitas vezes enunciado em uma língua barroca e sofisticada, mas perfeitamente compreensível (pelo menos até 1970).

Lacan sofria de inibições na escrita e precisou de ajuda para publicar seus textos e transcrever o famoso seminário público, que se realizou de 1953 a 1979. Nove seminários entre vinte e cinco foram "estabelecidos" e publicados por seu genro, Jacques-Alain Miller, entre 1973 e 1995. O vigésimo sexto seminário, do ano 1978-1979, é "silencioso", pois Lacan não mais podia falar.

Jacques Lacan redigiu cerca de 50 artigos, em geral oriundos de conferências: 34 deles, os mais importantes, foram reunidos pelo editor François Wahl em 1966, em uma imponente obra de 900 páginas, intitulada *Écrits*, à qual se devem acrescentar as "variantes" realizadas em 1994 por Angel de Frutos Salvador. Um grande artigo de Lacan, publicado em 1938, foi editado em livro por Jacques-Alain Miller em 1984 (*Les complexes familiaux*), outro, "L'Étourdit", foi publicado na revista *Scilicet*, fundada por Lacan. Enfim, duas entrevistas foram realizadas, uma por Robert Georgin para a Rádio Televisão Belga ("Radiophonie"), outra por Jacques-Alain Miller, para um filme do serviço de pesquisas da ORTF, realizado por Benoît Jacquot (*Télévision*). Jacques Lacan escreveu apenas um livro, sua tese de medicina de 1932 publicada sob o título *Da psicose paranóica em suas relações com a personalidade*, na qual relatou o caso de Marguerite Anzieu*.

Seus outros artigos, assim como suas numerosas intervenções em colóquios ou na École Freudienne de Paris* (EFP) estão dispersos em várias revistas. Sua correspondência é quase inexistente: 247 cartas recenseadas por Élisabeth Roudinesco em 1993. A obra de Lacan está traduzida em 16 línguas, e Joël Dor realizou a melhor bibliografia do conjunto de títulos, publicados e inéditos.

Jacques Lacan reinterpretou quase todos os conceitos freudianos, assim como os grandes casos (Herbert Graf*, Ida Bauer*, Serguei Constantinovitch Pankejeff*, Ernst Lanzer* e Daniel Paul Schreber*) e acrescentou ao corpus psicanalítico sua própria conceitualidade.

Existem dois dicionários dos conceitos lacanianos: um em inglês, realizado por Dylan Evans, outro em espanhol, por Ignacio Garate e José Miguel Marinas. Alguns dos mais belos comentários da obra de Lacan foram escritos por filósofos: Louis Althusser (1918-1990), Jacques Derrida, Christian Jambet, Jean-Claude Milner e Bernard Sichère.

Nascido em Paris, em 14 de abril de 1901, em uma família de fabricantes de vinagres de Orléans (os Dessaux), Jacques-Marie Émile Lacan pertencia à média burguesia católica e conservadora. Como se fizera com seus outros irmãos, acrescentou-se ao seu nome o da Virgem Maria. Progressivamente, renunciaria a esse nome, nos diversos textos escritos no período entre-guerras. Seu pai, Alfred Lacan (1873-1960) era um homem fraco, esmagado pelo poder de seu próprio pai, Émile Lacan (1839-1915). Quanto à sua mãe, Émilie Baudry (1876-1948), mais intelectual, era inteiramente voltada para a religião. Esse clima familiar, até mesmo banal, horrorizava o jovem Lacan.

Depois dele, viriam uma irmã, Madeleine, nascida em 1903, um irmão, Raymond, morto na infância e enfim Marc-François (1908-1994), que teria por ele grande afeição. Em 1929, Marc-François se tornou monge beneditino e entrou para a abadia de Hautecombe, situada às margens do lago do Bourget.

Depois de estudos no Colégio Stanislas, Lacan rompeu com o catolicismo. Com a idade de 16 anos, admirava a *Ética* de Baruch Spinoza (1632-1677). Um ano depois, voltou-se para o nietzscheísmo, e durante algum tempo ficou fascinado com Charles Maurras (1868-1952), cujo estetismo e gosto pela língua adotou. Enfim, interessou-se pela vanguarda literária. Alfred Lacan, que desejava que seu filho mais velho assumisse a sucessão de seus negócios e desse um impulso decisivo ao comércio de mostarda, não compreendia nem aprovava sua evolução. Quanto a Émilie Lacan, ignorava tudo sobre a vida que o filho levava, fora dos caminhos da religião e do conformismo burguês.

Na Paris dos anos 1920, este aspirava à glória, comparava-se a Rastignac, freqüentava a livraria de Adrienne Monnier e os surrealistas, assistia com entusiasmo à leitura pública do *Ulisses* de James Joyce (1882-1941), ligando-se a escritores e poetas. Tornando-se residente no Hospital Sainte-Anne, onde foi aluno de Henri Claude* ao mesmo tempo que seu amigo Henri Ey*, orientou-se para a psiquiatria, seguindo os ensinamentos de Georges Heuyer (1884-1977), Georges Dumas (1866-1946) e Gaëtan Gatian de Clérambault*, cujo estilo deixaria nele uma forte marca. Em junho de 1932, começou sua análise didática* com Rudolph Loewenstein* e, no fim do ano, publicou sua tese sobre a história de uma mulher crimi-

nosa (Marguerite Anzieu), da qual fez um caso de paranóia* de auto-punição (o caso Aimée).

Magnífica síntese de todas as aspirações freudianas e anti-organicistas da nova geração psiquiátrica francesa dos anos 1920, esse trabalho foi imediatamente considerado uma obra-prima por René Crevel (1900-1935), Salvador Dalí (1904-1989) e Paul Nizan (1905-1940), principalmente, que apreciaram a utilização feita por Lacan dos textos romanescos da paciente e da força doutrinária de sua posição quanto à loucura* feminina. No ano seguinte, na revista *Le Minotaure*, Lacan dedicou um artigo ao crime cometido em Mans por duas domésticas (as irmãs Papin) contra suas patroas. Viu nesse ato, de uma intensa selvageria, uma mistura de delírio a dois, de homossexualidade* latente, mas antes de tudo o surgimento de uma realidade inconsciente que escapava às próprias protagonistas. Desse drama Jean Genet (1910-1986) tirou uma peça, *Les Bonnes*, e Claude Chabrol um filme, sessenta anos depois, *La Cérémonie*.

Se era estimado como um brilhante intelectual fora dos meios psicanalíticos franceses, Lacan sofreu por não ser reconhecido pela Sociedade Psicanalítica de Paris (SPP), na qual seus trabalhos não eram levados em conta e seu anticonformismo causava irritação.

Sua análise com Loewenstein durou seis anos e meio, e acabou com um fracasso e um desentendimento duradouro entre ambos. Finalmente, graças à intervenção de Édouard Pichon*, Lacan foi titularizado em 1938. Pichon reconhecia seu gênio e queria fazer dele, apesar de seu hegelianismo, o herdeiro de uma tradição "francesa" do freudismo. Lacan nunca obedeceria a essa injunção.

Em 1934, casou-se com Marie-Louise Blondin (1906-1983), irmã de seu amigo Sylvain Blondin (1901-1975), apelidada Malou. A viagem de núpcias foi na Itália*. Pela primeira vez, Lacan descobriu com encantamento a cidade de Roma, pela qual se apaixonou, como Freud. Mas a cidade antiga lhe interessava menos do que a Roma católica e barroca. Durante horas, contemplou os êxtases de Bernini e a arquitetura das igrejas e dos monumentos.

Desde o início, o casamento foi insatisfatório. Malou acreditara ter-se casado com um homem perfeito, cuja fidelidade conjugal estaria à altura de seus sonhos de felicidade. Ora, Lacan não era esse homem, nem nunca seria. Três filhos nasceram: Caroline (1937-1973), Thibaut, Sibylle.

A partir de 1936, Lacan iniciou-se na filosofia hegeliana, no seminário que Alexandre Kojève (1902-1968) dedicou à *Fenomenologia do espírito*. Ficou conhecendo Alexandre Koyré (1892-1964), Georges Bataille (1897-1962) e Raymond Queneau (1903-1976). Freqüentou a revista *Recherches Philosophiques* e participou das reuniões do Collège de Sociologie. Desses anos de grande riqueza cultural e teórica, tirou a certeza de que a obra freudiana devia ser relida "ao pé da letra" e à luz da tradição filosófica alemã.

Em 1936, cruzou pela primeira vez a história do freudismo internacional indo a Marienbad para o Congresso da International Psychoanalytical Association* (IPA). Nesse congresso, apresentou uma exposição sobre o estádio do espelho*. Mas Ernest Jones cortou-lhe a palavra apenas com dez minutos de sua exposição. Foi em seguida para Berlim assistir aos Jogos Olímpicos. O triunfo do nazismo* provocou nele um sentimento de repugnância.

Em 1938, a pedido de Henri Wallon (1879-1962) e de Lucien Febvre (1878-1956), fez um balanço sombrio das violências psíquicas próprias da família burguesa em um verbete da *Encyclopédie française*. Constatando que a psicanálise nascera do declínio do patriarcado*, Lacan apelava para a revalorização de sua função simbólica no mundo ameaçado pelo fascismo.

Desde 1937, apaixonou-se por Sylvia Maklès-Bataille (1908-1993). Separada nessa época de Georges Bataille mas continuando a ser sua esposa, atuou em um filme de Jean Renoir (1894-1979), *Une partie de campagne*. Era mãe de uma menina, Laurence Bataille (1930-1986), que se tornaria uma notável psicanalista.

Proveniente de uma família judia romena, Sylvia Bataille integrou-se à alegre equipe do grupo Octobre, com Jacques-Bernard Brunius, Raymond Bussières e Joseph Kosma. Sob a direção de Jacques (1900-1977) e Pierre Prévert, os outubristas procuravam renovar o teatro popular, inspirando-se em Bertolt Brecht

(1898-1956) e Erwin Piscator (1893-1966). A irmã mais velha de Sylvia, Bianca, se casou com o poeta surrealista Theodor Frankel, a mais nova, Rose, com André Masson (1896-1987) e a terceira, Simone, com Jean Piel, diretor da revista *Critique*.

Quando a guerra começou, Sylvia se refugiou na zona livre. A cada quinze dias, Lacan a visitava. Em Paris, ele interrompeu toda sua atividade pública, recebendo apenas sua clientela particular. Sem pertencer à Resistência, manifestou claramente hostilidade a todas as formas de anti-semitismo. Tinha horror do regime de Vichy e de tudo o que se referisse, de perto ou de longe, à Colaboração.

Entretanto, era principalmente com sua vida privada que ele se preocupava durante os dois primeiros anos de guerra. Em setembro de 1940, Lacan encontrou-se em uma situação insustentável. Anunciou à sua mulher legítima, que estava grávida de oito meses, que Sylvia, sua companheira, também esperava um filho. Malou pediu o divórcio imediatamente e foi em plena crise de depressão que deu à luz, a 26 de novembro, uma menina à qual deu o nome de Sibylle. "Quando eu nasci, escreveria esta em 1994, meu pai não estava mais conosco. Até poderia dizer que, quando fui concebida, ele já estava em outro lugar [...]. Sou o fruto do desespero. Alguns dirão que sou fruto do desejo, mas não creio nisso." Oito meses depois, em 3 de julho de 1941, Sylvia deu à luz a quarta dos filhos de Lacan, Judith, registrada com o sobrenome de Bataille. Só poderia usar o nome do pai em 1964. Essa impossibilidade de transmitir o sobrenome seria uma das determinações inconscientes da elaboração do conceito lacaniano de Nome-do-Pai*.

No início do ano de 1941, Lacan instalou-se na rue de Lille nº 5. Ficaria ali até a morte. Em dezembro, seu casamento com Marie-Louise Blondin foi desfeito por divórcio e em 1943 Sylvia se instalou no nº 3 da mesma rua com suas duas filhas, Laurence e Judith. Em julho de 1953, divorciada de Georges Bataille desde agosto de 1946, casou-se com Lacan, na prefeitura de Tholonet, perto de Aix-en-Provence. Durante muitos anos, a pedido de Malou, Lacan não revelaria aos filhos de seu primeiro casamento a existência do segundo lar, onde criava duas filhas, a sua e a de Bataille. Essa confusão teria conseqüências dramáticas para as duas famílias.

"Lacan não tinha absolutamente, como objetivo, reinventar a psicanálise, escreveu Jacques-Alain Miller. Pelo contrário, situou o começo de seu ensino sob o signo de um 'retorno a Freud'; apenas perguntou, a respeito da psicanálise: sob que condição ela é possível?" Em 1950, Lacan começou esse retorno aos textos de Freud, baseando-se, ao mesmo tempo, na filosofia heideggeriana, nos trabalhos da lingüística saussuriana e nos de Lévi-Strauss. Da primeira, adotou um questionamento infinito sobre o estatuto da verdade, do ser e de seu desvelamento; da lingüística, extraiu sua concepção do significante* e de um inconsciente* organizado como uma linguagem; do pensamento de Lévi-Strauss deduziu a noção de simbólico*, que utilizou em uma tópica* (simbólico, imaginário*, real*: S.I.R.), assim como uma releitura universalista da interdição do incesto* e do complexo de Édipo*.

Revalorizando o inconsciente e o isso*, em detrimento do eu*, Lacan atacou uma das grandes correntes do freudismo, a *Ego Psychology**, da qual seu ex-analista se tornara um dos representantes, e que ele assimilava a uma versão edulcorada e adaptativa da mensagem freudiana. Chamava-a de "psicanálise americana" e lhe opunha a peste*, isto é, uma visão subversiva da teoria freudiana, centrada na prioridade do inconsciente. Como fizera no período entreguerras, Lacan continuou então a estabelecer fortes relações fora do meio psicanalítico: com Roman Jakobson (1896-1982), Claude Lévi-Strauss, Maurice Merleau-Ponty (1908-1961). Graças a Jean Beaufret (1907-1982), de quem era analista, encontrou-se com Martin Heidegger (1889-1976).

Na SPP, Lacan atraiu muitos alunos, fascinados pelo seu ensino e desejosos de romper com o freudismo acadêmico da primeira geração francesa. Começou então a ser reconhecido ao mesmo tempo como didata e como clínico. Seu senso agudo da lógica da loucura*, sua abordagem original do campo das psicoses* e seu talento lhe valeram, ao lado de Françoise Dolto*, um lugar especial aos olhos da jovem geração psiquiátrica e psicanalítica.

Em 1951, Lacan comprou uma casa de campo, a Prévôté, situada em Guitrancourt, a cerca de cem quilômetros de Paris. Retirava-se para lá aos domingos, para trabalhar e também para receber seus pacientes ou dar recepções. Adorava fazer teatro para os amigos, fantasiar-se, dançar, divertir-se e às vezes usar roupas extravagantes. Nessa casa, colecionou um número considerável de livros que, ao longo dos anos, formaram uma imensa biblioteca, cuja simples consulta demonstra o tamanho de sua paixão pelo trabalho intelectual. Em um cômodo que dava para o jardim, organizou um escritório repleto de objetos de arte. No jirau que dominava a peça única, pendurou o famoso quadro de Gustave Courbet (1819-1877) *A origem do mundo*, que comprou a conselho de Bataille e de Masson.

Como todos os outros países, depois da Segunda Guerra Mundial, a França freudiana entrou na era dos conflitos, das crises e das controvérsias. A primeira cisão* francesa se produziu em 1953, e se desenrolou em torno da criação de um novo instituto de psicanálise e da questão da análise leiga*. Tendo como líder Sacha Nacht*, os adeptos da ordem médica se opunham aos universitários liberais, que cercavam Daniel Lagache* e defendiam os alunos do instituto, revoltados com o autoritarismo de Nacht.

Contestado, ao longo dessa crise, pela sua prática das sessões de duração variável (ou sessões curtas), que questionavam o ritual da duração obrigatória (45-50 minutos), imposto pelos padrões da IPA, Lacan ficou do lado dos universitários. Certamente, mostrava-se favorável à análise leiga, mas não compartilhava nenhuma das teses de Lagache sobre a psicologia clínica*. Recusando qualquer idéia de assimilação da psicanálise a uma psicologia qualquer, considerava os estudos de filosofia, de letras ou de psiquiatria como as três melhores vias de acesso à formação dos analistas. Reatou assim com o programa projetado por Freud, quando do congresso da IPA em Budapeste, em 1918.

Violentamente hostil a Lacan e impressionada com a agitação de seus alunos, Marie Bonaparte*, mesmo favorável à análise leiga, deu apoio ao grupo de Nacht, provocando assim a partida dos liberais e da grande maioria dos alunos. Lagache fundou então a Sociedade Francesa de Psicanálise (SFP, 1953-1963), formada por Lacan, Dolto, Juliette Favez-Boutonier*, e pelos principais representantes da terceira geração psicanalítica francesa: Didier Anzieu, Jean Laplanche, Jean-Bertrand Pontalis, Serge Leclaire*, François Perrier*, Daniel Wildlöcher, Jenny Aubry*, Octave Mannoni*, Maud Mannoni e Moustapha Safouan. À exceção de Wladimir Granoff, todos estavam (ou tinham estado) em análise ou em supervisão* com Lacan. Quando do primeiro congresso da SFP, que se realizou em Roma em setembro de 1953, Lacan fez uma notável intervenção, "Função e campo da fala e da linguagem na psicanálise" (ou "Discurso de Roma"), na qual expôs os principais elementos de seu sistema de pensamento, provenientes da lingüística estrutural e de influências diversas, oriundas da filosofia e das ciências. Elaborou vários conceitos (sujeito, imaginário, simbólico, real, significante), que desenvolveria ao longo dos anos enriquecendo-os com novas formulações clínicas e depois lógico-matemáticas: foraclusão*, Nome-do-Pai, matema*, nó borromeano*, sexuação*.

Graças a seu amigo Jean Delay*, obteve um anfiteatro no Hospital Sainte-Anne. Durante dez anos, duas vezes por mês, realizou ali seu seminário, comentando sistematicamente todos os grandes textos do corpus freudiano e dando assim origem a uma nova corrente de pensamento: o lacanismo*. O "Discurso de Roma" foi publicado no primeiro número de La Psychanalyse, revista da SFP. A cada ano, Lacan daria a essa revista o texto de suas melhores conferências, que eram uma espécie de resumo dos temas do seminário. Também publicaria nela artigos de Martin Heidegger, Émile Benveniste, Jean Hyppolite (1907-1968) e muitos outros.

Durante dez anos, o ensino de Lacan deu à comunidade freudiana francesa um desenvolvimento considerável: "nossos mais belos anos", diriam os ex-combatentes desse grupo em crise e desse movimento em busca de reconhecimento.

Ao deixar a SPP, os fundadores da SFP tinham perdido, sem se dar conta, sua filiação à IPA. A partir de 1953, iniciaram-se negociações com a executiva central, para que esse segundo grupo francês fosse filiado. Nessa época, ninguém pensava em se emancipar da legitimidade freudiana, muito menos Lacan. Apoiados por ele, Granoff, Leclaire e Perrier formaram uma "tróica", cuja tarefa era negociar a reintegração da SFP. Depois de anos de discussão e intercâmbio, o comitê executivo da IPA recusou a Lacan e a Dolto o direito de formar didatas. As razões dessa recusa eram complexas. Lacan era acusado de transgressão das regras técnicas, principalmente das que determinavam a duração das sessões. Quanto a Dolto, o problema era, em parte, sua maneira de praticar a psicanálise de crianças*, mas também sua formação didática: nessa época, os alunos de René Laforgue* foram convidados a fazer uma nova análise.

A segunda cisão ("excomunhão", como diria Lacan) do movimento psicanalítico ocorreu durante o inverno de 1963. Foi vivida como um desastre por todos os membros da SFP, tanto pelos alunos quanto pelos negociadores: Leclaire, Lacan, Granoff, Perrier, e Pierre Turquet pela Grã-Bretanha*.

Em 1964, a SFP foi dissolvida e Lacan fundou a École Freudienne de Paris (EFP), enquanto a maioria de seus melhores alunos se posicionou ao lado de Lagache, na Associação Psicanalítica da França (APF), reconhecida pela IPA. Obrigado a deslocar seu seminário, Lacan foi acolhido, graças à intervenção de Louis Althusser, em uma sala da École Normale Supérieure (ENS), na rue d'Ulm, onde pôde prosseguir seu ensino.

Em um artigo de 1964, Althusser fez um belo retrato de Lacan, bastante preciso. Apreendeu muito bem suas grandezas e fraquezas, seu rigor teórico, sua dor nos combates: "Daí a paixão contida, escreveu ele, a contenção apaixonada da linguagem de Lacan, que só pode viver e sobreviver em estado de alerta e prevenção. Linguagem de um homem assediado e condenado, pela força esmagadora das estruturas e das corporações, a prever seus golpes, a pelo menos fingir que responde a eles antes de recebê-los, desencorajando assim o adversário de abatê-lo sob os seus [...]. Tendo que ensinar a teoria do inconsciente a médicos, analistas ou analisados, Lacan lhes dá, na retórica de sua fala, o equivalente mimético da linguagem do inconsciente, que é, como todos sabemos, em sua essência última, *Witz*, trocadilho, metáfora, bem ou malsucedida: o equivalente da experiência vivida em sua prática, seja ela de analista ou de analisado."

Na ENS, Lacan conquistou um novo auditório, uma parte da juventude filosófica francesa, à qual Althusser confiou o cuidado de trabalhar seus textos. Entre eles, encontrava-se Jacques-Alain Miller, que se casou com Judith Lacan em 1966. Tornou-se redator dos seminários do sogro, seu executor testamentário e o iniciador, a partir de 1975, de uma corrente neolacaniana no próprio interior da EFP.

Em 1965, com o estímulo de François Wahl, Lacan fundou a coleção "Champ Freudien" nas Éditions du Seuil e, no ano seguinte, em 15 de dezembro de 1966, publicou os *Escritos*. A obra mostrava os vestígios de sua difícil elaboração: reescrita do próprio Lacan, correções múltiplas de Wahl, comentários de Miller. Lacan recebeu enfim a consagração esperada e merecida: 5.000 exemplares foram vendidos em 15 dias, antes mesmo que aparecessem resenhas na imprensa. Mais de 50.000 exemplares foram vendidos na edição comum e a venda da edição de bolso bateria todos os recordes para um conjunto de textos tão difíceis: mais de 120.000 exemplares o primeiro volume, mais de 55.000 o segundo. Doravante, Lacan seria reconhecido, celebrado, odiado ou admirado como um pensador de envergadura, e não mais apenas como um mestre da psicanálise. Sua obra seria lida e comentada por inúmeros filósofos, entre os quais Michel Foucault (1926-1984) e Gilles Deleuze (1925-1995).

Antes mesmo do aparecimento do seu *opus magnum*, Lacan foi aos Estados Unidos*, convidado para o simpósio sobre o estruturalismo organizado em outubro de 1966 por René Girard e Eugenio Donato, na Universidade Johns Hopkins, de Baltimore: "Em Baltimore, escreveu Derrida, ele me falou sobre como pensava que o leriam, especialmente eu, depois de sua morte [...]. A outra inquietação que ele me confidenciou se referia aos *Écrits*, que ainda não tinham sido publicados, mas que logo o seriam. Lacan estava preocupado, um pouco descontente, pareceu-me, com aqueles

que na editora lhe aconselharam reunir tudo em um único grosso volume [...]. Você verá, disse ele, fazendo um gesto com a mão, vai soltar." Lacan voltou aos Estados Unidos em 1976, para fazer uma série de conferências nas universidades da costa leste. A leitura de sua obra ficaria limitada aos intelectuais, às feministas e aos professores de literatura francesa.

Confrontado com o gigantismo da EFP, Lacan tentou resolver os problemas de formação com a introdução do passe*, novo procedimento de acesso à análise didática. Aplicado a partir de 1969, provocou a partida de um grupo de analistas oponentes (Perrier, Piera Aulagnier*, Jean-Paul Valabrega), que formaram uma nova escola: a Organização Psicanalítica de Língua Francesa (OPLF) ou Quarto Grupo. Essa cisão, a terceira da história do movimento francês, marcou a entrada da EFP em uma crise institucional que resultou em sua dissolução a 5 de janeiro de 1980, e depois na dispersão do movimento lacaniano em cerca de vinte associações.

Em 1974, Lacan dirigiu, na Universidade de Paris-VIII, no departamento de psicanálise, fundado por Serge Leclaire em 1969, um ensino do "Campo freudiano", cuja responsabilidade confiou a Jacques-Alain Miller. Encorajou então a transformação progressiva de sua doutrina em um corpo de doutrina fechado, enquanto trabalhava para fazer da psicanálise uma ciência exata, baseada na lógica do matema* e na topologia dos nós borromeanos*.

Atingido por distúrbios cerebrais e por uma afasia parcial, Lacan morreu em 9 de setembro de 1981, na Clínica Hartmann de Neuilly, depois da ablação de um tumor maligno do cólon.

Certo dia, quando conversava com sua amiga Maria Antonietta Macciocchi, Lacan lhe fez uma confidência: "Ah, minha cara, os italianos são tão inteligentes! Se eu pudesse escolher um lugar para morrer, seria em Roma que eu gostaria de acabar os meus dias. Conheço todos os ângulos de Roma, todas as fontes, todas as igrejas... Se não fosse Roma, eu me contentaria com Veneza ou Florença: eu sou sob o signo da Itália."

• Jacques Lacan, *Da psicose paranóica e suas relações com a personalidade* (1932), Rio de Janeiro, Forense Universitária, 1987; *Os complexos familiares*

(1938), Rio de Janeiro, Jorge Zahar, 1987; *Escritos* (Paris, 1966), Rio de Janeiro, Jorge Zahar, 1998; "Radiophonie", *Scilicet*, 203, 1970, 55-99; "L'Étourdit", *Scilicet*, 4, 1973, 5-52; *Televisão* (Paris, 1974), Rio de Janeiro, Jorge Zahar, 1993; O Seminário, 25 livros (1953-1979), 9 publicados: 1, *Os escritos técnicos de Freud (1953-1954)*, Rio de Janeiro, Jorge Zahar, 1979; 2, *O eu na teoria de Freud e na técnica da psicanálise (1954-1955)*, Rio de Janeiro, Jorge Zahar, 1985; 3, *As psicoses (1955-1956)*, Rio de Janeiro, Jorge Zahar, 1988, 2ª ed.; 4, *A relação de objeto (1956-1957)*, Rio de Janeiro, Jorge Zahar, 1995; 7, *A ética da psicanálise (1959-1960)*, Rio de Janeiro, Jorge Zahar, 1995, 2ª ed; 8, *A transferência (1960-1961)*, Rio de Janeiro, Jorge Zahar, 1992; 11, *Os quatro conceitos fundamentais da psicanálise (1964)*, Rio de Janeiro, Jorge Zahar, 1995, 2ª ed.; 17, *O avesso da psicanálise (1969-1970)*, Rio de Janeiro, Jorge Zahar, 1992; *Mais, ainda (1972-1973)*, Rio de Janeiro, Jorge Zahar, 1989 2ª ed. • Louis Althusser, "Freud et Lacan", in *Écrits sur la psychanalyse*, Paris, Stock, 1993, 15-53 • Anika Lemaire, *Jacques Lacan* (1969), Bruxelas, Pierre Mardaga, 1977 • Guy Lardreau e Christian Jambet, *L'Ange*, Paris, Grasset, 1976 • Jacques-Alain Miller, "Jacques Lacan" (1979), *Ornicar?*, 24, outono de 1981, 35-44 • Bernard Sichère, *Le Moment lacanien*, Paris, Grasset, 1983 • Jean-Claude Milner, *Les Noms indistincts*, Paris, Seuil, 1983; *A obra clara* (Paris, 1995), Rio de Janeiro, Jorge Zahar, 1996 • Alain Juranville, *Lacan e a filosofia* (Paris, 1984), Rio de Janeiro, Jorge Zahar, 1987 • Philippe Julien, *Pour lire Jacques Lacan* (Toulouse, 1985), Paris, Seuil, col. "Points", 1995 • Joël Dor, *Introdução à leitura de Lacan*, 2 tomos (Paris, 1985, 1992), P. Alegre, Artes Médicas, 1992, 1996; *Nouvelle bibliographie des travaux de Jacques Lacan*, Paris, EPEL, 1994 • Élisabeth Roudinesco, *História da psicanálise na França*, vol.2 (Paris, 1986), Rio de Janeiro, Jorge Zahar, 1988; *Jacques Lacan. Esboço de uma vida, história de um sistema de pensamento* (Paris, 1993), S. Paulo, Companhia das Letras, 1994 • Marcelle Marini, *Lacan: a trajetória do seu ensino* (Paris, 1986), P. Alegre, Artes Médicas • François Roustang, *Lacan, de l'équivoque à l'impasse*, Paris, Minuit, 1986 • Bertrand Ogilvie, *Lacan. A formação do conceito de sujeito* (Paris, 1987), Rio de Janeiro, Jorge Zahar, 1988 • John P. Muller e William Richardson (orgs.) *The Purloined Poe*, Baltimore, The Johns Hopkins University Press, 1988 • Pierre Rey, *Uma temporada com Lacan: relato* (Paris, 1989), Rio de Janeiro, Rocco, 1990 • Mikkel Borch-Jacobsen, *Lacan, le maître absolu*, Paris, Flammarion, 1990 • Angel de Frutos Salvador, *Los Escritos de Jacques Lacan. Variantes textuales*, Madri, Siglo XXI, 1990 • Jacques Derrida, "Pour l'amour de Lacan" (1990), in *Résistances de la psychanalyse*, Paris, Galilée, 1996 • Judith Miller, *Album Jacques Lacan. Visages de mon père*, Paris, Seuil, 1991 • Malcolm Bowie, *Lacan*, Londres, Fontana, 1991 • Sibylle Lacan, *Un père*, Paris, Gallimard, 1994 • Patrick Guyomard, "Jacques Lacan", in *Le Nouveau dictionnaire des auteurs*, II, Paris, Bompiani-Laffont, 1994, 1759-61 • Dylan Evans, *An Introductory Dictionary of Lacanian Psychoanalysis*, Londres, Routledge, 1996 • Ignacio Ga-

rate e José Miguel Marinas, *Lacan en castellano*, Madri, Quipu Ediciones, 1996 • Wladimir Granoff, "Entretien sur Jacques Lacan: le fil russe", *L'Infini*, 57, primavera de 1997.

➤ ASSOCIATION MONDIALE DE PSYCHANALYSE; BEIRNAERT, LOUIS; BION, WILFRED RUPRECHT; BOUVET, MAURICE; *CHISTES E SUA RELAÇÃO COM O INCONSCIENTE, OS*; CRIMINOLOGIA; DESEJO; DIFERENÇA SEXUAL; FANTASIA; GOZO; GUATTARI, FÉLIX; HARTMANN, HEINZ; IGREJA; JAPÃO; KLEINISMO; KOHUT, HEINZ; MASOTTA, OSCAR; *PSICOPATOLOGIA DA VIDA COTIDIANA, A; SELF PSYCHOLOGY*; SEXUALIDADE FEMININA; TÉCNICA PSICANALÍTICA.

lacanismo

al. *Lacanianismus*; esp. *lacanismo*; fr. *lacanisme*; ing. *Lacanianism*

Na história do movimento psicanalítico, chama-se lacanismo a uma corrente representada pelos diversos partidários de Jacques Lacan*, sejam quais forem suas tendências. Foi entre 1953 e 1963 que ganhou corpo, na França*, a reformulação lacaniana, que depois desembocou, com a criação da École Freudienne de Paris* (EFP), em 1964, num vasto movimento institucional e, em seguida, numa nova forma de internacionalização, num rompimento definitivo com a International Psychoanalytical Association* (IPA). Depois da morte de Lacan, em 1981, o lacanismo fragmentou-se numa multiplicidade de tendências, grupos, correntes e escolas que formam uma poderosa nebulosa, implantada de maneiras diversas em muitos países.

Tal como o annafreudismo*, o kleinismo* e várias outras correntes externas ou internas à IPA, o lacanismo pertence à constelação freudiana, na medida em que se reconhece na doutrina fundada por Sigmund Freud* e se distingue claramente das outras escolas de psicoterapia* por sua adesão à psicanálise*, ou seja, ao tratamento pela fala como lugar exclusivo do tratamento psíquico, e aos grandes conceitos freudianos fundamentais: o inconsciente*, a sexualidade*, a transferência*, o recalque* e a pulsão*.

Entretanto, diversamente do annafreudismo*, da *Ego Psychology** e da *Self Psychology**, o lacanismo não é uma simples corrente, mas uma verdadeira escola. Com efeito, constituiu-se como um sistema de pensamento, a partir de um mestre que modificou inteiramente a doutrina e a clínica freudianas, não só forjando novos conceitos, mas também inventando uma técnica original de análise da qual decorreu um tipo de formação didática diferente da do freudismo* clássico. Nesse sentido, é comparável ao kleinismo, nascido dez anos antes; na verdade, aparenta-se sobretudo com o próprio freudismo, o qual reivindica em linha direta, à parte os outros comentários, leituras ou interpretações da doutrina vienense.

O lacanismo acha-se, portanto, numa situação excepcional. Lacan foi, com efeito, o único dos grandes intérpretes da doutrina freudiana a efetuar sua leitura não para "ultrapassá-la" ou conservá-la, mas com o objetivo confesso de "retornar literalmente aos textos de Freud". Por ter surgido desse retorno, o lacanismo é uma espécie de revolução às avessas, não um progresso em relação a um texto original, mas uma "substituição ortodoxa" desse texto.

Assim, o lacanismo situa-se na direção inversa à das outras tendências do freudismo, em especial de todas as suas variações norte-americanas, pejorativamente qualificadas de "psicanálise norte-americana". Por esse vocábulo, Jacques Lacan e, depois dele, seus discípulos e herdeiros designam o neofreudismo*, o anna-freudismo e a *Ego Psychology*. Todas essas correntes remetem, segundo eles, a uma concepção "desviada" da psicanálise, isto é, a uma doutrina centrada no eu* e esquecida do isso*, a uma visão adaptativa ou culturalista do indivíduo e da sociedade.

O lacanismo tem em comum com o kleinismo o fato de haver estendido a clínica das neuroses* a uma clínica das psicoses*, e de ter levado mais longe do que o freudismo clássico a interrogação sobre a relação arcaica com a mãe. Nesse sentido, inscreveu a loucura* bem no cerne da subjetividade humana. Mas, ao contrário do kleinismo, perseguiu, sem aboli-la, a interrogação sobre o lugar do pai, a ponto de ver na deficiência simbólica deste a própria origem da psicose. Daí seu interesse pela paranóia*, mais do que pela esquizofrenia*. Por outro lado, o lacanismo procedeu a uma completa reformulação da metapsicologia* freudiana, inventando uma teoria do sujeito* (distinto

do eu, do ego, do *self* etc.), isto é, introduzindo uma filosofia do sujeito e do ser bem no coração do freudismo. Além disso, para pensar o inconsciente, apoiou-se não mais num modelo biológico (darwinista), mas num modelo lingüístico.

Pretendendo-se mais freudiano do que as diferentes correntes do freudismo dos anos cinqüenta, e pretendendo até mesmo expulsá-las em nome de um retorno à pureza originária, o lacanismo ocupa, portanto, um lugar único na história da psicanálise da segunda metade do século XX. Não apenas não é separável, como teoria, da obra original da qual pretende ser o comentário, como está condenado a se transformar na própria essência do freudismo cuja bandeira reergue, assimilando-o a uma revolução permanente ou a uma peste* subversiva. Donde o seguinte paradoxo: o lacanismo só existe por se constituir historicamente como um freudismo e, mais ainda, como a essência do "verdadeiro" freudismo. Por isso, só pode fundar-se acrescentando o próprio nome de Freud a sua trajetória e suas instituições.

É por isso que, depois de ser expulsa da IPA, lugar supremo da legitimidade freudiana, a corrente lacaniana viu-se obrigada, a partir de 1964, a criar um novo modelo de associação, mais legítimo do que a antiga legitimidade: assim, chamou de escola o que era denominado de sociedade ou associação, para expressar o caráter platônico de sua reformulação, e se apoderou do adjetivo "freudiano", para deixar bem claro que se pautava no verdadeiro mestre, e não em seus herdeiros.

No plano político, o lacanismo implantou-se maciçamente, exportando o modelo institucional francês, em dois países do continente latino-americano — a Argentina* e o Brasil* —, onde, no entanto, fragmentou-se numa centena de grupos e tendências, e onde coabita com um kleinismo muito poderoso no interior da Federação Psicanalítica da América Latina* (FEPAL), ramo latino-americano da IPA. Obteve uma penetração importante na parte francófona do Canadá*. Na Europa, o lacanismo conheceu um progresso variável, conforme os diferentes países. Foi na França que se implantou melhor. Na década de 1990, recensearam-se cerca de cinqüenta grupos e escolas, distribuídos pela totalidade do território.

O legitimismo lacaniano é encarnado, na França, por Jacques-Alain Miller, executor testamentário e genro de Jacques Lacan. É ele quem dirige, além disso, a internacional lacaniana, a Association Mondiale de Psychanalyse* (AMP).

Fora da França, da Espanha e dos países da América Latina, e especialmente nos países anglófonos (Estados Unidos*, Grã-Bretanha*, Austrália*), o lacanismo pouco se expandiu. Mas, em alguns casos, desenvolveu-se na universidade, nos departamentos de filosofia e literatura, onde a obra de Lacan é ensinada e comentada, independentemente de qualquer formação psicanalítica. É o que acontece em muitas universidades norte-americanas.

Quando começou a se implantar como método clínico, por volta de 1970, o lacanismo enveredou no mundo inteiro pelo caminho da psicologia clínica*, assim se tornando, frente a um freudismo amplamente medicalizado, o instrumento de uma expansão da análise leiga* no campo das diversas escolas de psicoterapia e, em alguns casos, até no interior da IPA.

É interessante notar que emergiram correntes separatistas a partir de 1990, tendendo a fazer do lacanismo um movimento externo ao freudismo, embora sem renegar este último. Testemunho disso é, por exemplo, o primeiro dicionário publicado em língua inglesa sobre o assunto, em 1996. Seu título e seu conteúdo dão a entender que existiria uma "psicanálise lacaniana" (coisa que Lacan jamais desejou).

Assim como o kleinismo, o lacanismo gerou um fenômeno de idolatria do mestre fundador, uma hagiografia, um dogmatismo específico e algumas "súmulas" que fazem o inventário de seus conceitos e sua história.

• Bice Benvenuto e Roger Kennedy, *The Work of Jacques Lacan*, Londres, Free Association Books, 1986 • Joël Dor, *Introdução à leitura de Lacan*, 2 tomos (Paris, 1985, 1992), P. Alegre, Artes Médicas, 1992, 1996; *Nouvelle bibliographie des travaux de Jacques Lacan*, Paris, EPEL, 1994 • Élisabeth Roudinesco, *História da psicanálise na França*, vol.2 (Paris, 1986), Rio de Janeiro, Jorge Zahar, 1988; *Jacques Lacan. Esboço de uma vida, história de um sistema de pensamento* (Paris, 1993), S. Paulo, Companhia das Letras, 1994 • Slavoj Zizek, *Looking Awry. An Introduction to Lacan through Popular Culture*, Boston, Massachusetts University Press, 1991 • Judith Miller, *Album Jacques Lacan. Visages de mon père*, Paris, Seuil, 1991 •

Elizabeth Whrigt (org.), *Feminism and Psychoanalysis. A Critical Dictionary*, Oxford, Basil Blackwell, 1992 • Pierre Kaufmann (org.), *Dicionário enciclopédico de psicanálise: o legado de Freud e Lacan* (Paris, 1993), Rio de Janeiro, Jorge Zahar, 1996 • Jean-Louis Henrion, *La Cause du désir. L'Agalma de Platon à Lacan*, Paris, Point Hors Ligne, 1993 • Jean-Claude Milner, *A obra clara. Lacan, a ciência, a filosofia* (Paris, 1995), Rio de Janeiro, Jorge Zahar, 1997 • Bruce Fink, *O sujeito lacaniano: entre a linguagem e o gozo* (N. Jersey, 1965), Rio de Janeiro, Jorge Zahar, 1998 • Dylan Evans, *An Introductory Dictionary of Lacanian Psychoanalysis*, Londres, Routledge, 1996 • Ignacio Garate e José Miguel Marinas, *Lacan en Castellano*, Madri, Quipu Ediciones, 1996.

➤ AUBRY, JENNY; CISÃO; DOLTO, FRANÇOISE; FORACLUSÃO; GOZO; HISTÓRIA DA PSICANÁLISE; IMAGINÁRIO; JAPÃO; LECLAIRE, SERGE; MATEMA; NÓ BORROMEANO; NOME-DO-PAI; OBJETO (PEQUENO) a; PERRIER, FRANÇOIS; *QUESTÃO DA ANÁLISE LEIGA, A*; REAL; SEXUALIDADE FEMININA; SIGNIFICANTE; SIMBÓLICO; TÉCNICA PSICANALÍTICA.

Lafora, Gonzalo Rodriguez (1886-1971)
psiquiatra espanhol

Nascido em Madri, Gonzalo Rodriguez Lafora foi um dos introdutores das teses freudianas na Espanha*. Formado em psiquiatria em Berlim, Paris e Munique, publicou em 1914 artigos favoráveis à psicanálise* e fundou em 1925 o Instituto Médico-Pedagógico e o Sanatório de Carabanchel.

Como muitos psiquiatras pelo mundo, contribuiu para divulgar a psicanálise, abordando-a de maneira crítica. Acusava Sigmund Freud* pelo que se convencionou chamar de pansexualismo*, pelo caráter dogmático de sua teoria, que devia, segundo ele, ser reexaminado à luz da experiência e considerava a psicanálise uma psicoterapia* entre outras, comparando-a até à confissão.

Em 1923, fez em Buenos Aires conferências de divulgação, que contribuíram fortemente para a difusão da obra freudiana na Argentina*.

Em 1938, fugindo do regime franquista, exilou-se no México e só voltou à Espanha no fim de sua vida.

• Gonzalo Rodriguez Lafora, "Teoria psicoanalitica de Freud", *Revista de Medicina y Ci. Praticas*, 116, 3, 1917 • Francisco Carles Egea, *La introducción del psicoanálisis en España (1893-1922)*, tese para a obtenção do grau de doutor em medicina, Universidade de Murcia, 1983 • Hugo Vezzetti, "Psychanalyse et psychiatrie à Buenos Aires", *L'Information Psychiatrique*, 4, abril de 1989, 398-411.

➤ ORTEGA Y GASSET, JOSÉ.

Laforgue, René (1894-1962)
psiquiatra e psicanalista francês

Fundador do movimento psicanalítico francês, René Laforgue teve um destino tão tumultuado quanto a maioria dos pioneiros europeus de sua geração. Como muitos deles, sua infância foi difícil e ele encontrou na psicanálise* um meio de enfrentar problemas pessoais. Foi um notável clínico das psicoses e um excelente praticante do inconsciente*, à maneira de Sandor Ferenczi*. Deixou também sua marca na história, formando um bom número de psicanalistas franceses, entre os quais Françoise Dolto*, sua principal herdeira.

Laforgue nasceu em Thann, na Alsácia, quando essa província ainda pertencia à Alemanha*. Daí o paradoxo: o primeiro freudiano da França* foi alemão antes de ser francês e introduziu a psicanálise no país mais germanófobo da Europa, onde a doutrina vienense era considerada uma "ciência boche".

Laforgue era de uma família modesta, marcada por problemas de filiação. Seu pai, operário gravador, não era legalmente filho de seu próprio pai, e sua mãe, com tendência à depressão e ao suicídio, era filha ilegítima, cujos pais não puderam se casar por causa dos conflitos entre católicos e protestantes. Assim, ela navegava entre três religiões. Mandava o filho ora à igreja católica, ora ao culto protestante. À noite, na falta de sinagoga, fazia com que ele recitasse suas orações em hebraico.

Durante toda a vida, Laforgue foi um revoltado. Depois de receber uma educação rígida que não lhe convinha, foi enviado a um severo internato, de onde fugiu. Foi em Berlim, na casa de Franz Oppenheimer, um fisiologista reputado, que encontrou refúgio e orientou-se para a medicina e a psiquiatria. Em 1913, descobriu a doutrina vienense lendo *A interpretação dos sonhos** e, um ano depois, foi mobilizado pelo exército alemão para a frente leste. Quando a Alsácia voltou a ser francesa, Laforgue foi resi-

dente em um hospital psiquiátrico de Estrasburgo. Ali, revelou-se um notável clínico da esquizofrenia*. Defendeu uma tese sobre esse tema, iniciando-se nos trabalhos da escola de Zurique: Eugen Bleuler*, Carl Gustav Jung*.

Em 1922, casou-se com Paulette Erikson, filha de um farmacêutico de Colmar. Com ela, foi instalar-se em Paris, onde encontrou Eugénie Sokolnicka*, que o analisou, assim como René Allendy* e Édouard Pichon*. Logo reuniu à sua volta todos aqueles que se tornariam, em 1926, os fundadores da Sociedade Psicanalítica de Paris (SPP).

Nesse ínterim, em 1923, Henri Claude* lhe confiou um posto de assistente no Hospital Sainte-Anne. Ali, sucedeu a Eugénie Sokolnicka, que acabava de ser dispensada porque não era médica. Começou então uma longa correspondência com Sigmund Freud*, que se prolongaria até 1937.

Em novembro de 1925, um drama o atingiu duramente: sua mulher teve que se submeter a uma histerectomia, que a impediu de ser mãe. Laforgue tentou esconder-lhe a verdade durante muito tempo e enviou-a para análise a Sokolnicka. Posteriormente, Paulette Erikson se tornaria psicanalista, depois de uma supervisão com Heinz Hartmann*.

As cartas trocadas entre Freud e Laforgue continham muitas informações sobre o início do movimento psicanalítico francês: criação da *Revue Française de Psychanalyse* e do grupo Evolução Psiquiátrica, discussão sobre a noção da escotomização, apreciação da análise de Marie Bonaparte*, enviada por Laforgue a Freud.

A entrada em cena da princesa na história do movimento francês foi de uma importância considerável. A partir de 1925, ajudada por Rudolf Loewenstein* e adulada por Freud, ela suplantou Laforgue no papel de líder desse frágil grupo parisiense, dividido em duas tendências: os internacionalistas de um lado, desejosos de impor as regras técnicas da International Psychoanalytical Association* (IPA) à formação didática, os chauvinistas do outro, decididos a fundar uma "psicanálise francesa", livre de qualquer "germanidade".

Laforgue não conseguiu dominar os conflitos e perdeu progressivamente sua autoridade. Seu amigo Édouard Pichon o acusava de não saber exercer o comando, e seus adversários de ser uma espécie de guru, obcecado por uma imensa necessidade de reconhecimento, incapaz de escapar à sua neurose* de fracasso e excessivamente preocupado consigo mesmo para fazer-se respeitar.

Depois de separar-se de Paulette Erikson em 1938, casou-se com Delia Clauzel, sua ex-paciente. Filha de diplomata, pertencia à grande burguesia de direita e era apaixonada por orientalismo e esoterismo. Através dela, afastou-se progressivamente do freudismo* clássico, para voltar-se para questões espiritualistas. Para cúmulo de infelicidade, Delia deu à luz, em 1942, uma filha deficiente, que morreria quatro anos depois.

Foi então que começou o período mais negro da vida de Laforgue. Mobilizado para Saint-Brieuc em 1939 e como sempre incapaz de escolher o seu lado, acreditou que a vitória alemã era certa e que era preciso "entender-se" com o inimigo para não submeter a psicanálise ao bel-prazer dos nazistas. Enquanto o conjunto do movimento francês cessou toda atividade pública, tendo alguns emigrado, outros passado para a clandestinidade, outros ainda à espera de dias melhores, Laforgue fez contato com Matthias Heinrich Göring* e começou uma importante correspondência com ele. Propôs-lhe publicar novamente a *Revue Française de Psychanalyse* sob tutela alemã e criar em Paris um instituto "arianizado", a partir do modelo do Instituto de Berlim.

A tentativa fracassou. Os nazistas desconfiavam desse freudiano da primeira hora, membro da Liga Contra o Anti-Semitismo e hostil às teses do nacional-socialismo. No verão de 1942, pressentindo a vitória dos Aliados, Laforgue mudou outra vez de orientação. Refugiado em sua casa de Chabert, no sul da França, protegeu judeus e fugitivos do Serviço de Trabalho Obrigatório (STO), facilitou a partida para o estrangeiro de Oliver Freud* e sua esposa, e dirigiu o tratamento de Eva Freud*, filha do casal, que se recusou a deixar o território francês.

Com a Libertação, conduzido diante de um tribunal de depuração por John Leuba (1884-1952), novo presidente da SPP e germanófobo convicto, Laforgue foi imediatamente solto,

graças aos vários depoimentos dos que ele protegera e principalmente porque, nessa época, não existia prova alguma dessa estranha colaboração fracassada. Apesar da absolvição do tribunal em 1946, os boatos persistiam. Para seus inimigos, Laforgue se tornara um colaboracionista infame, ou mesmo um anti-semita. Para os amigos, prontos à hagiografia, continuava um pioneiro heróico, ou mesmo um Resistente. O exame minucioso dos arquivos, e principalmente da correspondência com Göring, exumados pela primeira vez em 1986 por Élisabeth Roudinesco, mostraram que, se Laforgue foi maldito pelo movimento psicanalítico, isso se deveu menos à sua pretensa colaboração com o inimigo, da qual ninguém tinha provas na época, do que à sua prática didática, considerada transgressora e inadaptada às normas da IPA.

Em 1950, no primeiro congresso mundial de psiquiatria, organizado por Henri Ey*, Laforgue começou a denunciar o fanatismo das sociedades psicanalíticas. Três anos depois, no momento da cisão de 1953, pediu demissão da SPP, para integrar-se às fileiras da nova Sociedade Francesa de Psicanálise (SFP), fundada por Daniel Lagache* e Juliette Favez-Boutonier*.

Algum tempo depois, fugindo das querelas parisienses, instalou-se em Casablanca, onde criou um pequeno círculo de discípulos no centro do qual ocupou o lugar de um mestre deposto mas admirado, dividido entre o amor ao exílio e a saudade da pátria perdida. Estudou a mentalidade das populações autóctones e interessou-se pelo problema da redenção. Mas, principalmente, adotou as teses diferencialistas da psiquiatria colonial francesa, segundo as quais a "mentalidade nativa" seria "inferior" à ocidental, dita "civilizada", extraindo disso análises psicopatológicas, ao afirmar, por exemplo, que os métodos educativos em vigor entre os árabes favoreciam o aparecimento de um "eu paranóico". Compartilhava esse tipo de análise com a fração chauvinista da primeira geração francesa. Essa temática levara, efetivamente, Angelo Hesnard*, Édouard Pichon etc., a recusar a "germanidade" das teorias freudianas, em nome da "francidade" das suas. Entretanto, não se pode considerar Laforgue um verdadeiro racista ou um anti-semita, como era seu discípulo e amigo Georges Mauco*, que colaborou com o nazismo*. Laforgue morreu das seqüelas de uma cirurgia.

As obras de psicanálise aplicada* que ele dedicou a Talleyrand e a Baudelaire, assim como seus textos clínicos, foram esquecidos.

• René Laforgue, *Relativité de la réalité*, Paris, Denoël e Steele, 1932; *Psychopathologie de l'échec*, Genebra, Mont-Blanc, 1963; *Au-delà du scientisme*, Genebra, Mont-Blanc, 1963; *Réflexions psychanalytiques*, Genebra, Mont-Blanc, 1965 • "La Correspondance entre Freud et Laforgue, 1923-1937", apresentada por André Bourguignon, *Nouvelle Revue de Psychanalyse*, 15, primavera de 1977, 236-314 • Élisabeth Roudinesco, *História da psicanálise na França*, 2 vols. (Paris, 1982, 1986), Rio de Janeiro, Jorge Zahar, 1989, 1988; "René Laforgue ou la Collaboration manquée, Paris-Berlin, 1939-1942. Documents concernant l'histoire de la psychanalyse en France durant l'Occupation", *Cahiers Confrontation*, 16, outono de 1986, 243-78; "Réponse à Alain de Mijolla à propos de l'affaire Laforgue", *Frénésie*, 6, 1988, 219-29; "Kollaboration? René Laforgue et Matthias Heinrich Göring", *Psyche*, 42, dezembro de 1988, 1041-80 • Alain de Mijolla, "A psicanálise e os psicanalistas na França entre 1949 e 1945", *Revista Internacional da História da Psicanálise*, 1 (1988), Rio de Janeiro, Imago, 1990, 147-98 • Jean-Pierre Bourgeron, *Marie Bonaparte et la psychanalyse, à travers ses lettres à René Laforgue et les images de son temps*, Genebra, Champion-Slatkine, 1993 • Jalil Bennani, *La Psychanalyse au pays des saints*, Casablanca, Le Fennec, 1996.

➤ ANTROPOLOGIA; BJERRE, POUL; CISÃO; ETNOPSICANÁLISE; FANON, FRANTZ; FRANÇA; IGREJA; JUNG, CARL GUSTAV; ÍNDIA; MANNONI, OCTAVE; TÉCNICA PSICANALÍTICA.

Lagache, Daniel (1903-1972)

psiquiatra e psicanalista francês

Como Sacha Nacht*, Françoise Dolto*, Maurice Bouvet* e muitos outros, Daniel Lagache pertencia à segunda geração* psicanalítica francesa. Na história da psicanálise* na França*, desempenhou um papel importante, ao mesmo tempo como herdeiro de Pierre Janet*, no campo da psicologia clínica*, e como introdutor da psicanálise na universidade. Contra Nacht, que preconizava o vínculo da psicanálise com a medicina, e contra Lacan*, que queria desvincular a psicanálise da psicologia, através de um retorno rigoroso aos textos freudianos, foi o artífice da separação entre a filosofia e a psicologia, e da síntese entre esta e a psicanálise. Tornou-se assim, pela universidade, o líder de uma corrente favorável à análise leiga* (ou *Laïenanalyse*), mas que permitia, principalmente, o acesso maciço dos psicólogos à profissão de psicanalistas.

Essa política levou Lagache, depois de uma primeira cisão*, a fundar, em 1953, a Sociedade Francesa de Psicanálise (SFP), no seio da qual conviveria durante dez anos com o seu maior rival: Jacques Lacan. Teriam, em 1958, um debate teórico sobre a noção de personalidade. Depois de uma segunda cisão, seria co-fundador, em 1964, da Associação Psicanalítica da França (APF), ao lado dos psicanalistas mais prestigiosos da terceira geração, entre os quais Didier Anzieu, Wladimir Granoff, Jean Laplanche, Jean-Bertrand Pontalis.

Nascido em Paris, Daniel Lagache era de uma família burguesa, originária da Picardia. Seu pai, advogado, morreu quando ele tinha 13 anos e, muito jovem, sofreu com a preferência da mãe pelo irmão mais novo. Concebeu um terrível ciúme, patologia à qual iria dedicar, durante toda a vida, um interesse clínico.

Em 1924, ingressou na École Normale Supérieure, na mesma classe que Jean-Paul Sartre (1905-1980), Paul Nizan (1905-1940), Raymond Aron (1905-1983) e Georges Canguilhem (1904-1995). Como muitos *normaliens* de sua geração, assistiu às apresentações de doentes de Georges Dumas (1866-1946), amigo de Pierre Janet violentamente hostil às teses freudianas. Professor de filosofia, residente dos hospitais psiquiátricos e chefe de clínica de doenças mentais e do encéfalo, foi aluno de Gaëtan Gatian de Clérambault* na enfermaria especial. Enfim, em 1934, defendeu sua tese de medicina sobre as alucinações verbais.

Como todos os clínicos franceses de sua geração — Jacques Lacan, Henri Ey*, Paul Schiff* etc. — participou da reformulação da psiquiatria dinâmica* e centrou seus primeiros trabalhos no estudo das psicoses passionais e da paranóia*. Ao mesmo tempo que Lacan, mais velho que ele dois anos, iniciou-se nos textos alemães, interessou-se pela loucura feminina e pela criminologia*, descobriu a obra de Karl Jaspers (1883-1969), a fenomenologia e seguiu os cursos de Henri Claude*.

Ao contrário de Lacan e de Nacht, relatou seu tratamento com Rudolph Loewenstein* em um artigo publicado em inglês em 1966, no qual fornecia muitas informações sobre sua infância e sua vida privada. Essa análise se desenrolou entre 1933 e 1936, sob condições difíceis, o que levaria Lagache a fazer uma segunda etapa, com Maurive Bouvet.

Depois de uma primeira comunicação à Sociedade Psicanalítica de Paris (SPP) sobre o trabalho do luto, Lagache foi nomeado, em 1937, *maître de conférences* de psicologia na Faculdade de Estrasburgo, onde sucedeu a Charles Blondel, outro professor violentamente hostil à psicanálise, amigo do historiador Marc Bloch (1886-1944). Em Paris, em junho de 1938, conheceu Sigmund Freud* na recepção dada em honra deste por Marie Bonaparte*, antes do exílio em Londres.

Em 1947, sucedeu a Paul Guillaume na cátedra de psicologia geral. Foi então que iniciou sua tese *O ciúme amoroso*, passando ao mesmo tempo a desempenhar papel de primeiro plano no seio do movimento psicanalítico francês. Dois anos depois, em sua aula inaugural, *A unidade da psicologia*, reatualizou o termo "psicologia clínica", que caíra em desuso depois que Janet quis dotar a psicologia de uma "medicina" que não devesse nada ao ensino médico. Mas, enquanto Janet era um antifreudiano convicto, Lagache se tornara, nessa data, um freudiano de estrita obediência. Daí uma posição insustentável, pois ela consistia em querer integrar o freudismo ao janetismo, em virtude do princípio da unidade da psicologia como ciência. Segudo Lagache, era preciso unificar o ramo dito naturalista da psicologia, compreeendendo o behaviorismo e as teorias da aprendizagem (com a estatística e a experimentação), e o seu ramo dito humano, reunindo a psicologia clínica e a psicanálise, esta definida como ultraclínica. Ele fazia ambas derivarem da fenomenologia de Karl Jaspers.

Em 1956, em uma célebre conferência pronunciada no Collège Philosophique, Georges Canguilhem, embora amigo de longa data de Lagache, destruiu esse programa, tratando a psicologia de "filosofia sem rigor", de "ética sem exigência" e de "medicina sem controle". Dez anos depois, após a ruptura entre Lagache e Lacan, esse artigo seria utilizado pelos alunos de Louis Althusser (1918-1990) na École Normale Supérieure, no âmbito de uma reformulação filosófica dos conceitos freudianos hostis a toda forma de psicologia.

Paralelamente a seus trabalhos pessoais e às suas atividades universitárias, Lagache desenvolveu um vasto programa editorial, criando, na Presses Universitaires de France (PUF), a "Biblioteca de Psicanálise e de Psicologia Clínica", que se tornaria a "Biblioteca de Psicanálise". Nela, publicou 42 volumes, entre os quais obras de Freud, a biografia deste por Ernest Jones* e, enfim, as obras dos grandes autores americanos ainda ignorados pelo público francês: Melanie Klein*, Heinz Hartmann*, Otto Fenichel*, Edward Glover*, Helene Deutsch*, René Spitz* etc. O carro-chefe de sua coleção seria o famoso *Vocabulário da psicanálise*, realizado sob sua direção por Laplanche e Pontalis e traduzido hoje em mais de vinte línguas.

Embora não tivesse tido, como didata, papel equivalente ao de Lacan ou de Nacht, Lagache também foi um técnico do tratamento e um supervisor. Trabalhou muito a questão da transferência* e, depois de Edward Bibring*, teorizou a noção de mecanismos de separação, no âmbito de sua doutrina da personalidade: "Sua qualidade psicanalítica principal, escreveu Didier Anzieu, foi a firmeza. Certamente, sabia temperá-la com momentos de benevolência. Mas o que todos os seus alunos aprenderam, a começar por mim, foi a importância da regularidade dos horários, de uma duração fixa e suficientemente longa das sessões, da manutenção da austeridade das regras e da situação diante das demandas manipulatórias do paciente, de uma interpretação por etapas, precisa, sóbria, concreta."

• Daniel Lagache, *Oeuvres complètes (1932-1968)*, 5 vols., edição estabelecida e apresentada por Eva Rosenblum, Paris, PUF, 1977-1982 • Jacques Lacan, *Escritos* (Paris, 1966), Rio de Janeiro, Jorge Zahar, 1998 • Georges Canguilhem, *Études d'histoire et de philosophie des sciences*, Paris, Vrin, 1968 • Didier Anzieu, "Daniel Lagache (1903-1972)", *Bulletin de Psychologie*, 305, XXVI, 10-11, 532-42 • Documents et Débats, "Hommage à Daniel Lagache", 11, maio de 1975 • Élisabeth Roudinesco, *História da psicanálise na França*, vol.2 (Paris, 1986), Rio de Janeiro, Jorge Zahar, 1988; "Situation d'un texte: qu'est-ce que la psychologie?", in *Georges Canguilhem, philosophe, historien des sciences*, Paris, Albin Michel, 1993, 135-45.

➤ FREUDISMO; LACANISMO.

Laing, Ronald David (1927-1989)
psiquiatra e psicanalista inglês

Poeta, escritor, militante de todas as causas a favor dos marginais, dos excluídos, dos oprimidos e dos povos colonizados, Ronald Laing é uma das mais belas figuras desse movimento de revolta que abalou durante vinte anos, de 1950 a 1970, o conjunto dos ideais da burguesia ocidental. Marcado simultaneamente pelo heideggerianismo, pelo existencialismo e pela experiência com a mescalina e o LSD, procurou durante toda a vida, através de uma longa viagem no interior do eu, o meio de compreender o grande enigma da loucura* humana.

Nascido em Glasgow, foi psiquiatra no exército britânico e membro do Grupo dos Independentes*, no seio da British Psychoanalytical Society (BPS), antes de fundar com David Cooper* o movimento antipsiquiátrico inglês. Ambos criaram assim a Philadelphia Association and Mental Health Charity, assim como o Hospital de Kingsley Hall, onde eram acolhidos esquizofrênicos.

Próximo de Donald Woods Winnicott*, de quem foi aluno, e analisado por Charles Rycroft, afastou-se do freudismo* clássico e da psiquiatria no fim dos anos 1950, construindo uma doutrina do *self* inspirada ao mesmo tempo nas noções winnicottianas, no existencialismo sartriano e nas teses de um outro dissidente célebre: Harry Stack Sullivan*.

Como todos os artífices do movimento antipsiquiátrico, Laing via na loucura a história de uma passagem, de uma situação e não de uma doença: "uma estratégia inventada pelo sujeito para viver uma situação impossível de ser vivida". Em sua obra de 1960, *O eu dividido*, mostrava que quando o indivíduo se sente estranho a si mesmo, fabrica um "falso *self**" para lutar contra o desespero.

Na mesma perspectiva, a loucura não era nada mais, em sua opinião, do que uma reação racional do homem diante de um mundo que perdera a razão. Quanto ao homem dito normal, este seria apenas um doente que se ignora. Em

1967, Laing comparou três figuras, o louco, o criminoso e o revolucionário. Apresentou-os como aventureiros da mística, que contestam uma ordem social fundada no ódio e na depreciação do homem pela tecnologia.

Em 1972, depois de uma permanência na Índia*, Ronald Laing evoluiu para o orientalismo, encontrando no budismo e nas teorias da reencarnação uma filosofia do sofrimento e da subjetividade capaz, segundo ele, de subverter o racionalismo ocidental.

Em sua autobiografia de 1985, reconheceu o fracasso de seus métodos de tratamento da esquizofrenia* e renegou a maioria das suas teses anteriores.

• Ronald Laing, *O eu dividido* (1960), Petrópolis, Vozes, 1975; *A política da família* (1964), S. Paulo, Martins Fontes; *La Politique de l'expérience* (1967), Paris, Stock, 1979; *Laços* (1970), Petrópolis, Vozes, 1976; *Sagesse, déraison et folie. La Fabrication d'un psychiatre* (1985), Paris, Seuil, 1986.

➤ ANTIPSIQUIATRIA; PSICOSE; PSICOTERAPIA INSTITUCIONAL.

Lair Lamotte, Pauline (1853-1918), caso Madeleine Lebouc

Tal como Augustine* ou Blanche Wittmann, Pauline Lair Lamotte foi, sob o nome de Madeleine Lebouc, uma das histéricas mais célebres do Hospital da Salpêtrière*. Seu caso foi estudado por Pierre Janet*.

Nascida em Mayenne, ela provinha da média burguesia republicana. Aos 20 anos de idade, dois anos depois da Comuna de Paris, partiu para Londres ao descobrir a miséria do operariado. Recusando-se a se curvar às exigências da religião oficial, deu livre curso a uma fala carregada de misticismo, identificando-se com o destino errante do subproletariado urbano. Seus escritos "inspirados", como mais tarde ocorreria com os de Marguerite Anzieu*, evocam irresistivelmente alguns textos de Arthur Rimbaud (1854-1891): "Sim, senti o cheiro dos cadáveres putrefatos", escreveu ela, "e vi correr o sangue nos regatos da noite."

Internada na Salpêtrière em 1896, em decorrência de estigmas, contraturas e êxtases, foi tratada por Janet, que reduziu sua história a uma patologia de origem histérica, chegando a identificá-la com a de outra "louca", Teresa de Ávila, qualificada por ele de "padroeira das histéricas". Essa postura restritiva, que negava qualquer coerência teórica no discurso místico, correndo o risco de dissolver a loucura* na patologia, valeu a Janet críticas terríveis: primeiramente, da parte dos surrealistas, que, sem citarem Madeleine, celebraram em 1928 a "beleza convulsiva" das histéricas da Salpêtrière, e depois, da parte do padre Bruno de Jésus-Marie, que, em 1931, distinguiu o verdadeiro misticismo de Teresa de Ávila, baseado numa espiritualidade livre de qualquer ilusão, da loucura mística de Pauline, ancorada no gozo da abjeção e, portanto, na incapacidade de ter acesso ao conhecimento místico.

A verdadeira história de Pauline foi trazida à luz pela primeira vez em 1993, por Jacques Maître.

• Pierre Janet, *De l'angoisse à l'extase*, vol.1, Paris, Alcan, 1926 • Henri F. Ellenberger, *Histoire de la découverte de l'inconscient* (N. York, Londres, 1970, Villeurbanne, 1974), Paris, Fayard, 1994 • Michel de Certeau, *La Fable mystique*, Paris, Gallimard, 1982 • Jacques Maître, *Une inconnue célèbre. La Madeleine Lebouc de Janet*, Paris, Anthropos, 1993.

➢ CHARCOT, JEAN MARTIN; ESPIRITISMO; HISTERIA; IGREJA; PERSONALIDADE MÚLTIPLA; SURREALISMO.

Lampl, Hans (1889-1958)

médico e psicanalista neerlandês

Judeu vienense e colega de classe de Martin Freud*, Hans Lampl concluiu seu curso de medicina em 1912, orientando-se para a anatomo-patologia, a serologia e a bacteriologia. Desde 1916, interessou-se pela psicanálise*. Dois anos depois, apaixonou-se por Anna Freud* e decidiu casar-se com ela. Esta começou então a ser analisada pelo pai, que se opunha formalmente a esse casamento. Freud tinha afeto por Lampl, mas temia seu caráter, chegando a pensar que sofria de paranóia*. Anna obedeceu. Mais tarde, ela se felicitaria por ter obedecido ao pai e manteve com Lampl uma excelente amizade. Este era um homem cheio de encanto e humor, amante da arte, da boa cozinha e das viagens.

Em 1921, Lampl partiu para se formar em Berlim, onde fez uma análise com Hanns Sachs*, enquanto Jeanne De Groot, psiquiatra neerlandesa, começava no ano seguinte, em Viena*, um tratamento com Freud que duraria três anos. Em 1925, Hans Lampl casou-se com ela. À medida que ela se aproximava de Freud e se tornava uma de suas discípulas preferidas, ele dava livre curso a seu ciúme e atacava o que considerava como idolatria. Freud, temendo para Jeanne esses acessos de perseguição, sugeriu-lhe então uma análise. Ele recusou.

Em 1938, fugindo do nazismo*, Jeanne Lampl-De Groot* e seu marido se instalaram em Haia. Ali, atravessaram as diferentes crises que afetavam o movimento psicanalítico dos Países Baixos*. Tornaram-se muito amigos de Anna. Hans morreu em 1958 em um grave acidente de carro, ao qual sua mulher sobreviveu.

• Maria Montessori, "Dr. Hans Lampl", Obituary, *IJP*, vol.XLI, 1960 • Élisabeth Young-Bruehl, *Anna Freud: uma biografia* (1988), Rio de Janeiro, Imago, 1992 • Sigmund Freud, *Chronique la plus brève. Carnets intimes, 1929-1939*, anotado e apresentado por Michael Molnar (Londres, 1992), Paris, Albin Michel 1992 • Elke Mühlleitner, *Biographisches Lexikon der Psychoanalyse. Die Mitglieder der Psychologischen Mittwoch-Gesellschaft und der Wiener Psychoanalytischen Vereinigung von 1902-1938*, Tübingen, Diskord, 1992.

Lampl-de Groot, Jeanne, *née* De Groot (1895-1987)

médica e psicanalista neerlandesa

Nascida em Schieden, na Holanda, Jeanne De Groot foi, antes mesmo de casar-se com Hans Lampl*, uma das mulheres preferidas de Sigmund Freud*, com Marie Bonaparte*, Ruth Mack-Brunswick* e Joan Riviere*. Depois de ter sido aluna de Gerbrandus Jelgersma (1859-1942), decidiu escrever a Freud a fim de conhecê-lo. Em 1922, foi a Viena* para analisar-se com ele. O tratamento durou três anos, com seis sessões de 55 minutos por semana. Em 1927, participou do grande debate sobre a sexualidade feminina*, defendendo o ponto de vista monista da escola vienense.

Em Berlim, encontrou Hans Lampl, que se tornaria seu esposo. Ambos ficaram em Viena até 1938, quando, para fugir do nazismo*, instalaram-se em Haia, nos Países Baixos*, onde ainda vivia a mãe de Jeanne. Esta aderiu então à Nederlandse Vereniging voor Psychoanalyse (NVP), que acabava de reintegrar em suas fileiras a sociedade rival, formada em 1933 por Johan H.W. Van Ophuijsen*. Ali, teve um papel importante.

Instalada em Amsterdã em 1943, formou um grupo ao qual transmitiu sua força de convicção, sua ortodoxia e a lembrança muito viva de sua longa cumplicidade com Freud. Aliás, era muito próxima de Anna Freud* e de toda a corrente vienense no exílio. Em 1947, quando era uma das personalidades mais poderosas da legitimidade freudiana, enfrentou uma cisão* que dava prosseguimento aos conflitos de antes da guerra, que René De Monchy* conseguira acalmar. J.H. Van der Hoop e Westerman Holstijn fundaram uma nova associação, de inspiração mais liberal, a Nederlandse Genootschap voor Psychoanalyse (NGP), que nunca seria integrada à International Psychoanalytical Association* (IPA).

Jeanne Lampl-De Groot continuou a formar muitos psicanalistas na tradição do freudismo* clássico. Ao lado de Anna Freud, Marianne Kris* e Dorothy Burlingham*, foi considerada pelas jovens gerações da psicanálise* como uma das "quatro grandes damas" da família freudiana. Os 47 artigos que compõem sua obra, e dos quais muitos se referem à sexualidade e à feminilidade, foram reunidos em 1965 e depois atualizados vinte anos mais tarde, quando da celebração de seu nonagésimo aniversário.

• Jeanne Lampl-De Groot, *Collected Papers of Jeanne Lampl-De Groot*, N. York, International Universities Press, 1965; *Souffrance et jouissance*, Paris, Aubier, 1983 • Ilse Bulhof, *Freud en Nederland*, Ambo, Baarn, 1983 • Paul-Laurent Assoun, "Freud et la Hollande", in Harry Stroeken, *En analyse avec Freud* (1985), Paris, Payot, 1987, 200-35.

Landauer, Karl (1887-1945)
médico e psicanalista alemão

Nascido em Munique em uma família judia, Karl Landauer estudou medicina antes de ir a Viena* para fazer uma análise com Sigmund Freud*. Aderiu à Wiener Psychoanalytische Vereinigung (WPV), e depois instalou-se em Frankfurt, onde se ligou a vários filósofos, es-

pecialmente Max Horkheimer (1895-1973), de quem foi analista. Depois da chegada ao poder dos nazistas, emigrou para os Países Baixos*, onde entrou em conflito com seus colegas neerlandeses, que não quiseram integrá-lo à Nederlandse Vereniging voor Psychoanalyse (NVP) porque os seus diplomas médicos não eram reconhecidos na Holanda. Preso em 1943, foi deportado para o campo de extermínio de Bergen-Belsen, onde morreu em janeiro de 1945.

• *Les Années brunes. La Psychanalyse sous le IIIe Reich*, textos traduzidos e apresentados por Jean-Luc Evard, Paris, Confrontation, 1984 • *Ici la vie continue de manière surprenante*, seleção de textos traduzidos por Alain de Mijolla, Paris, Association Internationale d'Histoire de la Psychanalyse (AIHP), 1987.

➢ ALEMANHA; NAZISMO; OPHUIJSEN, JOHAN VAN.

Langer, Marie, *née* Glas (1910-1987)
psiquiatra e psicanalista argentina

Figura eminente do movimento psicanalítico latino-americano, Marie Langer, apelidada Mimi por seus próximos, adotou as três grandes doutrinas do engajamento intelectual do século XX: freudismo*, marxismo, feminismo. Orgulhosa, inteligente e corajosa, tão sensível ao sofrimento psíquico quanto à miséria econômica, lutou durante toda a vida contra o fascismo e a esclerose do freudismo ortodoxo, conservando ao mesmo tempo suas qualidades de clínica.

Nascida em Viena*, em uma família da grande burguesia judaica assimilada, Marie Glas pertencia à geração* de jovens austríacos cuja infância foi marcada pela guerra e pela lenta agonia do velho mundo austro-húngaro. Sua mãe, mulher culta, sofria com sua judeidade* a ponto de dar à filha um nome católico, por não poder batizá-la. Segundo Marie, ela se parecia com a Dora de Sigmund Freud* (Ida Bauer*). Como tinha como amante Eugen Steinach, um amigo de seu marido, gostava de manter a dúvida sobre o nascimento da sua filha. Tratada de bastarda, Marie pensou durante muito tempo que seu pai legal talvez não fosse seu verdadeiro progenitor. De qualquer forma, aos 13 anos revoltou-se contra a família e, depois de uma crise religiosa, tornou-se resolutamente atéia.

Apoiada por seu pai, estudou em uma escola particular dirigida por uma mulher excepcional, Frau Schwarzwald, militante feminista e social-democrata formada em Zurique, no início do século, entre os revolucionários russos no exílio. E foi em contato com essa mulher que Marie começou a ler as obras de Freud e de Marx.

Depois de duas ligações amorosas, aceitou um casamento apressado com um jovem da burguesia católica e conservadora, enquanto sua família se encontrava arruinada pela grande crise de 1930. Começou então a estudar medicina e provocou escândalo no seu meio, com suas idéias e o seu comportamento de mulher livre. Voltando a Viena em 1932, depois de uma viagem à Alemanha*, divorciou-se e aderiu ao Partido Comunista Austríaco, no mesmo momento em que este se tornava clandestino. Desde as revoltas socialistas de 1927 e sob a pressão da extrema direita e dos meios fascistas, o governo populista da jovem República austríaca decretara fora-da-lei todos os partidos de esquerda. Marie passou assim à luta clandestina.

Inicialmente anestesista, encaminhou-se depois para a psiquiatria, no serviço de Heinz Hartmann*, a quem pediu que a analisasse. Alegando o preço muito elevado de suas sessões, este a enviou para o divã de Richard Sterba*. Durante essa primeira formação didática, Marie participou dos trabalhos da Wiener Psychoanalytische Vereinigung (WPV), da qual nunca foi membro, em virtude de suas atividades políticas. Para não se chocar com o regime ditatorial do chanceler Dollfuss (1892-1934), que perseguia os militantes clandestinos, Paul Federn* proibira qualquer engajamento aos alunos da WPV, sob pena de exclusão, aceitando até que um policial assistisse às reuniões. Marie se recusou a se submeter a essa imposição. Denunciada por uma analisanda, não tardou a ser excluída das fileiras dos alunos, apesar da intervenção em seu favor de Kurt Eissler. Foi então a Berlim, para acompanhar o seminário de Helene Deutsch* e fazer uma supervisão* com Jeanne Lampl-de Groot*.

Mas o nazismo* a obrigou a se exilar, e como a guerra civil começava na Espanha*, decidiu continuar ali sua luta, como médica anestesista nas Brigadas Internacionais. Na frente de batalha, conheceu seu segundo marido, Max Langer, cirurgião militar encarregado de vários hospitais de campanha. Com a derrota dos republicanos, partiram juntos para o Uruguai, depois de uma passagem pelo sul da França*.

Seu percurso de freudiana e marxista no continente latino-americano a levou primeiro a Montevidéu, onde fez conferências no Comitê de Solidariedade com os republicanos espanhóis, e depois a Buenos Aires, onde se instalou em 1942. Logo que chegou, fez contato com Angel Garma*, que viera da Espanha depois de passar dois anos na França. Integrada ao grupo argentino, participou, com Garma, Celes Cárcamo* e Enrique Pichon-Rivière*, da fundação da Asociación Psicoanalítica Argentina (APA), da qual seria membro durante 29 anos.

Para não entrar em conflito com a APA, como acontecera com a WPV, decidiu separar radicalmente suas atividades políticas de sua prática clínica. Só Pichon-Rivière, em razão de sua simpatia antiga pela República espanhola, foi informado dos laços clandestinos de Marie com o Partido Comunista Argentino. Depois de uma segunda análise de supervisão com Cárcamo, lançou-se em trabalhos clínicos.

Mãe de um primeiro filho chamado Tomas — teria depois três outros, Martin, Ana, Veronica — Marie Langer se interessou pela condição das mulheres de sua geração, preocupadas em conciliar o duplo desejo de emancipação e de maternidade. Em 1951, publicou *Maternidad y sexo*, que se tornaria um clássico da literatura psicanalítica argentina. Nesse livro, relatava o caso de uma paciente estéril que engravidara depois de nove meses de tratamento.

Dedicava-se sobretudo a uma longa reflexão histórica e teórica sobre a sexualidade feminina*. Levando em consideração as posições de Karen Horney* e do culturalismo*, afastou-se do relativismo partindo para uma concepção unitária do corpo biológico e do corpo psíquico fundada na medicina psicossomática* e no kleinismo*. Concluía, ao contrário de todas as teses feministas da segunda metade do século, que do ponto de vista do inconsciente existia na mulher uma relação constante entre a aceitação do orgasmo e do prazer e o desejo de maternidade.

Segundo ela, só a psicanálise podia servir de mediação entre a cultura e o determinismo biológico. Foi a partir desse trabalho que Marie Langer adotou a causa do feminismo, estudando os mitos que cercavam a vida de Eva Duarte Perón (1919-1952), a legendária Evita.

Personalidade rebelde, Marie sempre criticou a esclerose da instituição, exigindo que a psicanálise não se limitasse a exercícios formais visando reproduzir gerações de terapeutas conformistas. Como Wilhelm Reich* outrora, desejava que o freudismo estivesse no centro de todas as transformações sociais do século. De 1959 a 1970, enquanto o caudilhismo ia de golpes de Estado a derrubadas de coronéis, teve um papel considerável na APA, despertando as consciências e formando alunos para a contestação da ordem dominante.

Em 1966, Ana, sua filha mais velha, pediu-lhe que participasse de um encontro universitário de ex-combatentes das Brigadas Internacionais. Para a jovem, que se tornara militante como a mãe, o objetivo era organizar comitês de solidariedade em prol do Vietnã em luta contra o "imperialismo americano". Marie aceitou.

Três anos depois, fez parte do Grupo Plataforma que, com o início das grandes revoltas estudantis, visava transformar de cima a baixo a política da psicanálise e as modalidades de formação dos terapeutas. Em 1971, no congresso da IPA em Viena, sua cidade natal, pronunciou uma conferência intitulada "Psicanálise e/ou Revolução", na qual apelava para uma mutação radical da sociedade: "Desta vez, disse ela, não renunciaremos nem a Freud nem a Marx." Foi duramente criticada por Hanna Segal, guardiã da ortodoxia kleiniana, e a publicação de sua conferência foi recusada pela direção da IPA. Demitiu-se então da APA, com 30 didatas e 20 alunos em formação do Grupo Documento. A cisão* foi um desastre para o freudismo argentino: ela ocorria no momento em que se operava no país uma radicalização das lutas contra a dominação militar.

A partir da volta ao poder de Juan Perón (1895-1974) em 1973, grupos paramilitares começaram a perseguir os adversários políticos, praticando o seqüestro e a tortura. Marie Langer procurou então intervir através da psicanálise. Supervisionou assim o trabalho de um estudante de psiquiatria que desejava apoiar os prisioneiros torturados. Este relatava a situação em cartas cifradas enviadas à sua mãe e Marie as decodificava, dando depois suas instruções pelos mesmos meios.

Ameaçada por um esquadrão da morte depois da volta de Perón ao poder, emigrou para o México para continuar sua luta. A partir de 1976, a Argentina naufragou no terror, sob o mando do general Videla. Em 1981, Marie formou a Brigada México-Nicarágua de internacionalistas para a saúde mental e lançou um plano de desenvolvimento de métodos curativos inspirados na psicanálise. Como observou Nancy Caro Hollander, esse trabalho de solidariedade se estendeu a todas as formas de repressão que assolavam a América Latina: "Marie Langer e seu grupo notaram os efeitos psicológicos da repressão política e do exílio forçado. Observaram, entre os refugiados, a multiplicação dos casos daquilo que eles chamam de 'dor gelada'. As pessoas atingidas eram incapazes de chorar a perda dos que amavam." Na verdade, elas apresentavam sintomas múltiplos: despersonalização, distúrbios psicossomáticos etc.

Enfim, em 1986, Marie Langer foi a Cuba encontrar-se com Fidel Castro a fim de organizar na ilha um colóquio sobre psicanálise e suicídio*. "Você é a prima de Freud, disse ele, a famosa austríaca!" E pediu-lhe que preparasse um strudel. Ela começou a fazer a massa mas logo desistiu: "Eu sou feminista, disse ela, e você me manda para a cozinha. Além disso, você disse que leu as obras de Freud e é mentira." Atingida por um câncer de pulmão, morreu em Buenos Aires, onde seu amigo Fernando Ulloa, companheiro de todas as lutas, foi o seu último confidente.

• Marie Langer, *Maternidade e sexo* (1951), P. Alegre, Artes Médicas; *Fantasias eternas a la luz del psicoanálisis*, B. Aires, Nova, 1957; "Vicisitudes del movimiento psicoanalítico argentino", in Franco Basaglia (org.), *Razón, locura y sociedad*, México, Siglo Veintiuno, 1978; (org.), *Cuestionamos* I, II, B. Aires, Granica, 1971, 1972 • Marie Langer, Jaime del Palacio e Enrique Guinsberg, *Memoria, historia y diálogo psicoanalítico*, México, Folios, 1983 • Hugo Vezzetti, "Isabel I, Lady Macbeth, Eva Perón", *Punto de Vista*, 52, agosto de 1995, 44-8; "Marie Langer. Psicoanálisis y maternidad", inédito • Élisabeth Roudinesco, entrevista com Fernando Ulloa, 12 de outubro de 1995.

➢ ABERASTURY, ARMINDA; BLEGER, JOSÉ; COMU-
NISMO; DIFERENÇA SEXUAL; FREUDO-MARXISMO;
GÊNERO; RACKER, HEINRICH.

Lanzer, Ernst (1878-1914), caso Homem dos Ratos

Segundo grande tratamento psicanalítico conduzido por Sigmund Freud*, depois de Dora (Ida Bauer*) e antes do Homem dos Lobos (Serguei Constantinovitch Pankejeff*), a história do Homem dos Ratos é, sem sombra de dúvida, a mais elaborada, a mais estruturada e a mais rigorosamente lógica. A análise durou cerca de nove meses, de outubro de 1907 a julho de 1908, e Freud falou dela em cinco oportunidades nas reuniões da Sociedade Psicológica das Quartas-Feiras*, antes de apresentar o caso no primeiro congresso da International Psychoanalytical Association* (IPA) em Salzburgo, em 26 de abril de 1908, num relatório verbal de cinco horas. Em suas memórias, publicadas em 1959, Ernest Jones* narra o acontecimento: "Sentado na ponta da longa mesa à qual todos estávamos acomodados, ele falou em sua voz baixa, mas nítida, como numa conversa. Começou às oito horas da manhã e nós o escutamos com profunda atenção. Às onze, fez uma pausa, sugerindo que já tínhamos ouvido o bastante. Mas estávamos todos tão interessados, que insistimos em que continuasse, o que fez até a uma da tarde."

Durante esse mesmo ano, Freud ajudou seu amigo Max Graf* a analisar o filho (Herbert Graf*), o que lhe permitiu comprovar a exatidão de suas teses de 1905 sobre a sexualidade* infantil. E, com o destino dramático desse homem obcecado, que parecia um personagem do romance de Joseph Roth (1894-1939) intitulado *A marcha de Radetzky*, finalmente deparou com um caso de neurose obsessiva* conforme a suas hipóteses e digno de ser narrado. Em ambas as análises, lidou com aquilo que o apaixonava: a relação entre um filho e um pai.

A identidade do Homem dos Ratos foi revelada pela primeira vez em 1986, pelo psicanalista canadense Patrick Mahony, num notável trabalho de pesquisa: "Ao compararmos as contratransferências de Freud com seus principais pacientes", escreveu Mahony, "temos a sensação de que nutria mais simpatia e empatia pelo Homem dos Ratos do que em relação a Dora ou ao Homem dos Lobos. Se Freud foi um procurador com Dora, foi um educador amistoso com Lanzer."

Nascido em Viena*, numa família judia da média burguesia, Ernst Lanzer era o quarto rebento de uma fratria que contava sete. Seu pai, Heinrich Lanzer, amara inicialmente uma mulher pobre, mas acabara se casando com a rica Rosa Saborsky, futura mãe de Ernst. Em 1897, este iniciou seus estudos de direito. Logo se apaixonou por uma prima pouco abastada, Gisela Adler, a quem começou a cortejar contra a vontade do pai, que preferia uma mulher rica para seu filho. Para cúmulo da infelicidade, a moça teve que se submeter a uma ovariectomia, o que a impediu de ser mãe.

Depois da morte de Heinrich, ocorrida em 1898, Ernst, tal como o pai, abraçou a carreira militar, ingressando no terceiro regimento de atiradores tiroleses do exército imperial. Foi em 1901 que começou a ser dominado por estranhas obsessões sexuais e mórbidas. Com efeito, manifestava um gosto especial por funerais e ritos de morte, adquirira o hábito de olhar seu pênis num espelho para se certificar de seu grau de ereção, e tinha inúmeras tentações suicidas, baseadas em censuras e acusações dirigidas contra si mesmo, prontamente acompanhadas por resoluções beatas e orações. Ora queria cortar sua garganta, ora planejava afogar-se.

Em 1905, portanto, aos 27 anos de idade, sofria de uma grave neurose obsessiva. Embora houvesse rejeitado o projeto dos pais, que queriam fazê-lo casar-se com uma mulher rica, ainda não conseguira decidir-se a casar com Gisela. Consultou então o célebre psiquiatra Julius Wagner-Jauregg*, por causa de uma compulsão a se apresentar numa prova sempre cedo demais e despreparado. O médico respondeu-lhe que a obsessão era muito salutar e não fez nada pelo rapaz.

Foi durante o verão de 1907 que se produziram os dois grandes acontecimentos que ocupariam o cerne de sua análise com Freud. Em julho, durante um exercício militar na Galícia, ouviu o cruel capitão Nemeczek, adepto dos castigos corporais, contar a história de um suplício oriental que consistia em obrigar o prisioneiro a se despir e a se ajoelhar no chão com o dorso curvado para a frente. Nas nádegas do homem fixava-se então, por meio de uma correia, uma grande vasilha furada onde um rato se agitava. Privado de alimento e atiçado por um pedaço de ferro em brasa introduzido num orifício da vasilha, o animal procurava fugir da queimadura e penetrava no reto do supliciado, infligindo-lhe feridas sangrentas. Ao cabo de mais ou menos meia hora, morria sufocado, ao mesmo tempo que o prisioneiro.

Nesse dia, Lanzer perdeu seu pincenê durante um exercício. Telegrafou a seu oculista, em Viena, para lhe encomendar outro, que deveria ser enviado pela volta do correio. Dois dias depois, recebeu o objeto por intermédio do mesmo capitão, que lhe informou que as despesas postais deveriam ser reembolsadas ao tenente David, funcionário do correio.

Obrigado a fazer o reembolso, Lanzer teve então um comportamento delirante em torno do tema obsedante do pagamento da dívida. A história do suplício misturou-se com a da dívida e fez surgir na memória do Homem dos Ratos um outro episódio envolvendo dinheiro. Um dia, seu pai contraíra uma dívida de jogo: fora salvo da desonra por um amigo que lhe emprestara a soma necessária para o pagamento. Heinrich havia tentado, findo o seu serviço militar, reencontrar esse homem, mas não conseguira fazê-lo. Por isso, a dívida com certeza nunca fora paga.

Foi esse homem, obcecado por ratos e por uma dívida, que entrou no consultório do Dr. Freud no dia 1º de outubro de 1907. Entrou de imediato no jogo da associação livre* e começou espontaneamente a evocar lembranças sexuais que remontavam a seus seis anos de idade. Todas as noites, Freud redigia o diário dessa análise, para reproduzir seus diálogos com exatidão. Em muito pouco tempo, Lanzer entrou na história dos ratos. Entretanto, não suportando descrever os detalhes do suplício, levantou-se de repente do divã e suplicou a Freud que o poupasse dessa tarefa. Com firmeza, este o obrigou a prosseguir em seu relato, ao mesmo tempo que lhe expunha sua concepção da resistência*. O paciente manifestou imediatamente uma incapacidade de pronunciar certas palavras. "Estaria querendo falar de empala-

ção?", escreveu Freud. "Não, não era isso. Amarrava-se o condenado (ele se exprimia de maneira tão obscura, que não pude depreender de pronto em que posição o supliciado era amarrado), e se virava sobre suas nádegas uma vasilha em que eram introduzidos ratos, os quais — ele se levantara e manifestava todos os sinais do horror e da resistência — *se enfiavam*. 'No ânus', tive que completar." E Freud acrescenta: "A cada momento do relato, observava-se em seu rosto uma expressão complexa e bizarra, expressão que eu não saberia traduzir de outra maneira senão como *o horror a um gozo* que ele mesmo ignorava.*"

Ao contrário do que se passaria na análise de Serguei Pankejeff ou de Marie Bonaparte*, Freud não inventou, no caso de Lanzer, uma cena sexual original. Neste, ele agiu verdadeiramente como um terapeuta desejoso de fazer seu paciente *confessar* seus tormentos, ainda que tivesse que tranqüilizá-lo, afirmando-lhe que não tinha nenhum pendor para a crueldade. Foi através dessa técnica da confissão, na qual ocupou para Lanzer o lugar de um pai, que Freud conseguiu relacionar o complexo paterno com a obsessão dos ratos. Enunciou a hipótese de que, por volta dos seis anos de idade, o pequeno Ernst teria praticado uma má ação de ordem sexual, relacionada com a masturbação, e teria sido castigado pelo pai. Lanzer aceitou essa interpretação, que correspondia a suas lembranças, e evocou uma outra cena, contada por sua mãe, da época em que ele tinha quatro anos. Nessa ocasião, depois de haver mordido alguém, levara uma surra do pai. Furioso, havia-o xingado, cumulando-o de nomes de objetos: "'Seu' lâmpada! 'Seu' guardanapo!" Heinrich exclamara então: "Ou esse menino vai se tornar um grande homem, ou será um grande criminoso."

Ao relatar essa cena, da qual não tinha nenhuma lembrança, Lanzer duvidou dos sentimentos de ódio que teria nutrido pelo pai. Cedo, porém, em seus sonhos e associações, começou a insultar grosseiramente seu terapeuta, de quem, ao mesmo tempo, reivindicava um castigo. Esse episódio permitiu rapidamente a Freud mostrar a seu paciente como a "dolorosa via da transferência" levava, de fato, a uma confissão do ódio inconsciente pelo pai.

E Freud tratou de resolver o enigma: fora o relato do castigo pelos ratos, disse ele, em essência, que havia redespertado o erotismo anal de Lanzer e lhe recordara a antiga cena da mordida, narrada por sua mãe. Fazendo-se defensor de uma punição corporal através dos ratos, o capitão assumira para o doente o lugar do pai e atraíra para si uma animosidade comparável à que outrora tinha reagido à crueldade de Heinrich. Segundo Freud, o rato revestiu-se ali da significação do dinheiro e, portanto, da dívida, que se manifestou na análise por uma associação verbal, "florim/rato" ou "quota/rato", já que, desde o início do tratamento, o paciente adquirira o hábito de contar o montante dos honorários dizendo: "Tantos florins, tantos ratos."

Em 1910, Ernst Lanzer casou-se com sua querida Gisela e, em 1913, tornou-se advogado. Convocado pelo exército imperial em agosto de 1914, foi feito prisioneiro pelos russos em novembro e morreu sem ter tido tempo de aproveitar os benefícios proporcionados por sua análise. Numa nota de 1923, Freud acrescentou estas palavras: "O paciente a quem a análise que acaba de ser relatada restituiu a saúde psíquica foi morto durante a Grande Guerra, como tantos jovens valorosos em quem era possível depositar muitas esperanças."

O caso do Homem dos Ratos foi considerado a única terapia perfeitamente bem-sucedida de Freud. Decerto isso não foi por acaso, já que Freud foi o inventor do termo neurose obsessiva, já que descreveu a si mesmo, numa carta a Carl Gustav Jung*, como o protótipo do neurótico obsessivo, e já que considerava essa neurose o objeto mais "interessante e mais fecundo da pesquisa psicanalítica". Sob esse aspecto, como sublinhou Patrick Mahony, o encontro entre Freud e o Homem dos Ratos "é uma versão vienense do drama de Sófocles que opõe Édipo* à Esfinge". Ele pôs em cena a essência do amor edipiano pela mãe e do ódio pelo pai.

Dentre os inúmeros comentários feitos sobre esse caso figura o de Jacques Lacan*, de 1953, "O mito individual do neurótico". Aplicando uma grade de leitura retirada das *Estruturas elementares do parentesco*, de Claude Lévi-Strauss, Lacan conferiu um estatuto de mito à neurose obsessiva do Homem dos Ratos, mostrando que ela era o próprio modelo da estrutura complexa e da dilaceração originária pelas quais todo sujeito se liga a uma constelação simbólica cujos elementos se permutam e se repetem de geração em geração, como o memorial de uma história genealógica.

• Sigmund Freud, "Notas sobre um caso de neurose obsessiva" (1909), *ESB*, X, 159-258; *GW*, VII, 381-463; *SE*, X, 151-249; in *Cinq psychanalyses*, Paris, PUF, 1954, 199-261; *L'Homme aux rats. Journal d'une analyse* (notas de Freud transcritas por Elza Ribeiro Hawelka), Paris, PUF, 1974 • *Les Premiers psychanalystes, Minutes de la Société Psychanalytique de Vienne, 1906-1918*, 4 vols. (1962-1975), Paris, Gallimard, 1976-1983 • Ernest Jones, *Théorie et pratique de la psychanalyse* (Londres, 1913, Paris, 1925), Paris, Payot, 1969; *Free Associations. Memoirs of a Psychoanalyst*, N. York, Basic Books, 1959 • Claude Lévi-Strauss, *As estruturas elementares do parentesco* (Paris, 1949), Petrópolis, Vozes, 1976 • M. Kanzer, "The transference neurosis of the Rat Man", *Psychoanalytic Quarterly*, 21, 1952, 181-9 • Elizabeth R. Zetzel, "1965: Additional notes upon a case of obsessional neurosis, Freud, 1909", *IJP*, XLVII, 1966, 123-9 • René Major, "Interprétation 1907. Contribution à l'étude de la technique analytique", *Revue Française de Psychanalyse*, 35, 1971, 527-42 • Samuel D. Lipton, "The advantages of Freud's technique as shown in his analysis of the Rat Man", *IJP*, LVIII, 1977, 255-79 • Patrick J. Mahony, *Freud et l'Homme aux rats* (New Haven e Londres, 1986), Paris, PUF, 1990 • Peter Gay, *Freud, uma vida para o nosso tempo* (N. York, 1988), S. Paulo, Companhia das Letras, 1995 • Jacques Lacan, "Le mythe individuel du névrosé ou Poésie et vérité dans la névrose" (1953), *Ornicar?*, 17-18, 1979, 289-307 • Élisabeth Roudinesco, *Jacques Lacan. Esboço de uma vida, história de um sistema de pensamento* (Paris, 1993), S. Paulo, Companhia das Letras, 1994.

➢ *TRÊS ENSAIOS SOBRE A TEORIA DA SEXUALIDADE.*

lapso

al. *Versprechen*; esp. *lapsus*; fr. *lapsus*; ing. *slip of the tongue*

Termo latino utilizado na retórica para designar um erro cometido por inadvertência, quer na fala (lapsus linguae), quer na escrita (lapsus calami), e que consiste em colocar outra palavra no lugar da que se pretendia dizer.

Com respeito a esse tipo de erros, repertoriados por todos os dicionários dos processos literários, Sigmund Freud* foi o primeiro a mostrar que eles têm uma significação oculta e devem ser relacionados com as motivações inconscientes de quem os comete. É o caso da mulher que conta que seu marido, enfermo, não está sujeito a nenhum regime: "Ele pode comer e beber tudo o que *eu* quiser." Em alemão, Freud emprega *Versprechen* (falha, insuficiência) para designar o que chamamos lapso.

➢ ATO FALHO; *CHISTES E SUA RELAÇÃO COM O INCONSCIENTE, OS; PSICOPATOLOGIA DA VIDA CO-TIDIANA, A*; TRADUÇÃO (DAS OBRAS DE SIGMUND FREUD).

Lechat, Fernand (1895-1959)
psicanalista belga

Nascido em Mont-sur-Marchienne, na Bélgica*, Fernand Lechat exerceu várias profissões, entre as quais a de securitário, antes de se interessar pelas idéias freudianas. Tornando-se psicotécnico, ficou conhecendo Maurice Dugautiez* e tomou-o como modelo: supervisões na França com John Leuba (1884-1952) e Marie Bonaparte*, análise com Ernst Paul Hoffmann*. Como Dugautiez, seria afastado da Sociedade Belga de Psicanálise, que fundara em 1947.

Leclaire, Serge, *né* Liebschutz (1924-1994)
psiquiatra e psicanalista francês

Originário de uma família judia, Serge Leclaire nasceu em Estrasburgo, com o nome de Serge Liebschutz. Durante seus estudos secundários, ficou conhecendo Wladimir Granoff, que se tornaria psicanalista como ele. A partir dos acordos de Munique, seu pai, fundador de uma malharia, deixou a Alsácia com toda a sua família para fazer uma longa viagem, que o levou a Marselha. Ali, conseguiu documentos falsos em nome de Leclaire e, com a Libertação, adotou legalmente esse sobrenome, que seria aceito por seu filho.

Depois de estudar psiquiatria, Leclaire ouviu falar pela primeira vez em psicanálise* por um monge hindu, que lhe aconselhou a procurar Françoise Dolto*. Conheceu então seu colega Granoff no Hospital da Salpêtrière e se engajou, com ele, na via do freudismo. Durante três anos, fez sua formação didática com Jacques Lacan*, relacionando-se, na Sociedade Psicanalítica de

Paris (SPP), com homens e mulheres da terceira geração* francesa, principalmente Jean Laplanche e Anne-Lise Stern. Progressivamente, Serge Leclaire se tornou discípulo de um mestre excepcional, Jacques Lacan, que admirou sem servilismo nem submissão. Seria o primeiro lacaniano da história.

Em 1953, quando da primeira cisão* do movimento psicanalítico francês, seguiu a fração dita liberal e universitária, representada por Daniel Lagache*, Françoise Dolto e Jacques Lacan, e participou assim da criação da Sociedade Francesa de Psicanálise (SFF, 1953-1963). Seria o seu secretário e depois o presidente. Entre 1961 e 1965, gozou do estatuto de membro a título pessoal da International Psychoanalytical Association* (IPA).

Com Wladimir Granoff e François Perrier*, dedicou então os melhores anos de sua vida à luta pela integração da SFP à IPA. A ele coube a tarefa de conduzir as negociações secretas com a direção da internacional freudiana, que rejeitava não o lacanismo como doutrina, mas a técnica psicanalítica* transgressora inaugurada por Lacan e fundada na noção de sessão de duração variável, também chamada sessão curta.

Finalmente, em 1963, a política praticada por Leclaire resultou na ruptura definitiva entre o lacanismo* e a legitimidade freudiana. Desesperado com esse fracasso, mas profundamente fiel e animado por uma forte paixão pelo sonho profético e o espiritualismo, seguiu Lacan na fundação da École Freudienne de Paris* (EFP), cujos estatutos redigiu em parte. Tornando-se o clínico mais apreciado da França* freudiana, tentaria durante 30 anos unificar a comunidade psicanalítica francesa, sempre em processo de dispersão e conflitos.

Em 1969, depois de criar o primeiro departamento de ensino da psicanálise na universidade francesa (Paris-VIII), seria também, em 1983, o único psicanalista de envergadura a ousar enfrentar os riscos do "tratamento ao vivo" pela televisão, no programa *Psy-show*. Quando essa experiência revelou seus limites (vulgaridade e exibicionismo perverso), renunciou a ela. Em 1989, pela última vez, trabalhou pelo seu sonho unificador, criando a Association pour une Instance des Psychanalystes

(APUI), destinada a proteger a psicanálise de seus velhos demônios: as terapias corporais, a hipnose* e o ocultismo*.

A obra escrita de Serge Leclaire reflete seus ideais. Na linhagem direta do ensino lacaniano, ele soube permanecer como um clínico de obediência freudiana, dotado de um belo humanismo e de um espírito de tolerância herdado da filosofia iluminista. A partir de Freud, sabemos que os relatos de casos, para evitar a mediocridade da literatura piegas, devem ser construídos à maneira da ficção. Nesse aspecto, Leclaire foi um dos raros psicanalistas franceses, com Michel de M'Uzan, a saber descrever seus casos na tradição inglesa, como mostra seu livro inaugural *Psicanalisar*, no qual é exposta pela primeira vez a história do Homem do Licorne: uma neurose obsessiva* descrita a partir da concepção lacaniana do significante. Leclaire a apresentou pela primeira vez no Colóquio de Bonneval, durante o outono de 1960, organizado por Henri Ey*, no Hospital de Bonneval.

• Serge Leclaire, *Psychanalyser*, Paris, Seuil, 1968; *Démasquer le réel*, Paris, Seuil, 1971; *On tue un enfant*, Paris, Seuil, 1975; *Rompre les charmes*, Paris, Inter-Éditions, 1981; *O país do outro*, (Paris, 1991), Rio de Janeiro, Jorge Zahar, 1991; *Écrits pour la psychanalyse*, 1, 1954-1993, Estrasburgo, Arcanes, 1996 • Élisabeth Roudinesco, *História da psicanálise na França*, vol.2 (Paris, 1986), Rio de Janeiro, Jorge Zahar, 1988.

lembrança encobridora

al. *Deckerinnerung*; esp. *recuerdo encubridor*, fr. *souvenir-écran*; ing. *screen memory*

Expressão composta e empregada por Sigmund Freud* num artigo autobiográfico de 1899 e, posteriormente, em *A psicopatologia da vida cotidiana*, para designar uma lembrança infantil insignificante que, por deslocamento*, passa a mascarar uma outra lembrança recalcada ou não guardada.

• Sigmund Freud, "Lembranças encobridoras" (1899), *ESB*, III, 333-58; *GW*, I, 529-54; *SE*, III, 299-322; *OC*, III, 255-76.

➤ FLUSS, GISELA; FREUD, PAULINE; RECALQUE; TRADUÇÃO (DAS OBRAS DE SIGMUND FREUD).

Leonardo da Vinci e uma lembrança de sua infância

Livro de Sigmund Freud, publicado em alemão em 1910, sob o título* Ein Kindheitserinnerung des Leonardo da Vinci. *Traduzido para o francês pela primeira vez por Marie Bonaparte*, em 1927, sob o título* Un souvenir d'enfance de Léonard de Vinci, *e depois, em 1987, por Janine Altounian, Odile Bourguignon, André Bourguignon (1920-1996), Pierre Cotet e Alain Rauzy, sem modificação do título. Traduzido para o inglês pela primeira vez por Abraham Arden Brill*, em 1916, sob o título* Leonardo da Vinci, *e depois, por Alan Tyson, em 1957, sob o título* Leonardo da Vinci and a Memory of his Childhood.

Assim como Aníbal ou Moisés, Leonardo da Vinci (1452-1509) pertence ao panteão de grandes homens e heróis aos quais Freud consagrava uma admiração particular.

Numa carta a Wilhelm Fliess* de 9 de outubro de 1898, ele manifestou seu interesse por alguns pormenores da vida desse gênio do Renascimento. Observou que Leonardo era canhoto e que não se conhecia nenhuma história de amor a seu respeito. Dez anos depois, em 17 de outubro de 1909, mal retornara dos Estados Unidos*, escreveu a Carl Gustav Jung* para lhe comunicar uma descoberta: o enigma do caráter de Leonardo tornara-se transparente para ele, de uma hora para outra. A seu ver, Leonardo se tornara sexualmente inativo ou homossexual depois de haver convertido sua sexualidade inacabada (infantil) numa pulsão* de saber. Freud acrescentou que acabara de encontrar a mesma problemática num neurótico desprovido de talento.

Pouco depois, lançou-se ao trabalho e redigiu o livro entre janeiro e março de 1910, para publicá-lo em maio. Entrementes, em abril, sempre igualmente ambivalente a respeito de sua produção, escreveu a Ernest Jones*: "Não deposite muitas esperanças nesse *Leonardo* que sairá no mês que vem. Não espere encontrar nele o segredo da *Virgem dos rochedos* nem a solução para o problema da *Gioconda*; para que o livro lhe agrade, não tenha expectativas elevadas demais."

Essa é uma bela denegação, pois Freud na verdade se interessou pelo sorriso de Mona Lisa, a mulher do florentino Francesco del Giocondo: quis até captar sua quintessência, estudando o desenvolvimento psicológico e intelectual do pintor, cujo destino, segundo disse, não poderia escapar às "leis que regem com igual rigor as condutas normais e patológicas".

Consciente de que sua obra corria o risco de provocar um escândalo, ao abordar a sexualidade* de um dos mais célebres criadores do mundo, Freud advertiu o leitor de que todo ensaio biográfico deve evitar os falsos pudores e não silenciar sobre a vida sexual do herói escolhido. Pois bem, acrescentou, pouco se sabe sobre a de Leonardo, que manifestava uma frieza evidente e rara num artista habituado a pintar a beleza feminina.

O "pouco" de que dispunha Freud eram algumas leituras: uma importante biografia de Edmondo Solmi, publicada em 1908, a de Giorgio Vasari (1511-1574) e, acima de tudo, um romance histórico de Dmitri Sergueievitch Merejkovski (1865-1941). Nesse livro, o escritor russo traçou um retrato de Leonardo, imaginando que um aluno mantinha um diário sobre o mestre. Em todos esses textos, faltava um elemento central, concernente à sexualidade do pintor. Freud acabou por encontrá-lo nos *Cadernos* de Leonardo da Vinci. Ali, com efeito, descobriu esta frase, a propósito do interesse do pintor pelo vôo dos pássaros: "Parece que eu já estava predestinado a me interessar fundamentalmente pelo abutre, pois me ocorre como primeiríssima lembrança que, quando eu ainda estava no berço, um abutre desceu até mim, abriu-me a boca com a cauda e bateu várias vezes em meus lábios com essa mesma cauda."

Freud resolve então submeter essa "fantasia do abutre em Leonardo" a uma escuta psicanalítica. Discerne nessa lembrança o vestígio de uma felação, que não passa da repetição de uma situação mais antiga: "Na idade da amamentação, segurávamos na boca o mamilo da mãe ou da ama-de-leite para sugá-lo. A impressão orgânica produzida em nós por esse primeiro gozo* vital ficou, sem dúvida, indelevelmente marcada (...). Agora podemos compreender por que Leonardo remeteu aos anos em que foi amamentado a lembrança da experiência pretensamente vivida com o abutre."

O júbilo de Freud é compreensível: ele acabara de descobrir nisso uma reminiscência em perfeito acordo com as perspectivas teóricas desenvolvidas em 1905, nos *Três ensaios sobre a teoria da sexualidade**, e em 1908, em seu artigo "Sobre as teorias sexuais das crianças", e ilustradas durante a análise do Pequeno Hans (Herbert Graf*).

Entretanto, persistiam algumas interrogações: por que um abutre, e como articular isso com a homossexualidade* de Leonardo? Para responder a essas perguntas, Freud presume que Leonardo da Vinci tenha-se inspirado em mitos da civilização egípcia. Com efeito, a palavra "mãe" era escrita nela por meio de um pictograma que remetia à imagem do abutre, animal cuja cabeça representava uma divindade materna e cujo nome se pronunciava como *Mut* (próximo, nesse aspecto, do alemão *Mutter*, mãe). Por outro lado, prossegue Freud, nas lendas de inspiração cristã, o abutre é uma espécie que só existe no gênero feminino. Num certo período, esses abutres fêmeas param em pleno vôo, abrem a vagina e são fecundados pelo vento. Encarnam, assim, a virgem imaculada.

A reminiscência do abutre e a conotação sexual passiva ligada a ela são então relacionadas à infância do grande pintor. Filho ilegítimo, criado pela mãe, Leonardo foi objeto exclusivo do amor desta. Não houve um pai com quem se identificar no momento da emergência de sua sexualidade. Freud estabelece uma relação de causalidade entre a relação infantil do pintor com a mãe e sua homossexualidade posterior: "Não nos arriscaríamos a inferir uma relação dessa ordem a partir da reminiscência deformada de Leonardo se não soubéssemos, pelos exames psicanalíticos de nossos pacientes homossexuais, que tal relação existe, e que é até mesmo uma relação essencial e necessária."

Freud manifesta nesse ponto sua simpatia pelos homossexuais e, em seguida, no intuito de desenvolvê-las, retoma as etapas da organização da sexualidade infantil e as modalidades dessa organização que são passíveis de levar um sujeito masculino à homossexualidade. Depois, interpreta esta última como um fechamento na fase de auto-erotismo* durante a qual o indivíduo só consegue amar substitutos de sua própria pessoa. Nesse ponto, fala pela primeira vez do narcisismo*, que mais tarde se transformaria num conceito.

Resta, pois, o enigma do sorriso da Mona Lisa. Para Freud, esse famoso sorriso é o de Catarina, a mãe de Leonardo. Assim, as belas cabeças de crianças são reproduções de sua própria pessoa infantil, e as mulheres sorridentes, réplicas de sua mãe, que outrora estampara esse sorriso pelo qual se havia apaixonado.

Freud procede a uma outra aproximação. Observa, com efeito, que o quadro de Leonardo da Vinci que fica cronologicamente mais próximo da *Gioconda* é *Santana, a Virgem e o menino*, onde aparecem Santana, Maria e o menino Jesus. Depois de observar que esse tema raramente surge na pintura italiana, Freud discerne no quadro, que representa duas mulheres junto a um menino, o vestígio de uma outra lembrança infantil de Leonardo. Mais ou menos aos três anos de idade, este se haveria encontrado com o pai, que tornara a se casar; assim, teria tido duas mães, como o menino Jesus do quadro, cercado por duas jovens de sorriso delicado. Como explicar de outra maneira aquela transfiguração de Santana? — indaga Freud. Porventura a mãe de Maria, e portanto, avó de Cristo, não aparece no quadro tão moça quanto a filha?

Peter Gay observa que Freud nunca teve a pretensão de haver explicado a genialidade de Leonardo da Vinci: quando muito, procurou esclarecer o processo de sublimação* que levou ao desenvolvimento das pulsões de investigação e ao adormecimento das pulsões sexuais. Sublinhou também um traço de caráter particular de Leonardo: a tendência a jamais concluir as obras iniciadas, na qual Freud viu o efeito de uma identificação com o pai que abandonara o filho em sua mais tenra infância.

Em 3 de julho de 1910, Freud escreveu a Karl Abraham*: "Recebi a primeira crítica do *Leonardo*, a de Havelock Ellis* no *Journal of Mental Science*: é amável, como sempre. O texto agrada a todos os amigos, e tenho a expectativa de que provoque aversão em todos os que não estão conosco."

Em 1923, um leitor especializado no Renascimento italiano escreveu à direção do *Burlington Magazine for Connoisseurs*, onde se publicara um artigo elogioso sobre o livro de Freud. O correspondente apontou um erro que lhe parecia pôr seriamente em dúvida a validade da interpretação freudiana. Freud, escreveu o autor da carta, parecia haver-se fiado, em sua leitura dos *Cadernos* de Leonardo da Vinci, numa versão alemã, na qual o termo italiano *nibbio* fora traduzido pela palavra alemã *Geier*, que significa abutre. Ora, o italiano *nibbio* significa "milhafre", e não "abutre".

Essa observação crítica foi solenemente ignorada pelos meios psicanalíticos da época, e Ernest Jones apenas a registrou, trinta anos depois, em meia dúzia de linhas anódinas. Como escreveu Jean-Bertrand Pontalis, em seu prefácio a uma das edições francesas do livro: "Foi preciso, acima de tudo, que Meyer Schapiro, o grande historiador da arte, publicasse seu estudo intitulado 'Leonardo e Freud' para que a comunidade psicanalítica se mexesse." Se, em seu trabalho publicado em 1956, Schapiro deu mostras de um imenso respeito por Freud e se absteve de qualquer polêmica, ainda assim ressaltou que o erro de Freud fora real e se devera a uma leitura superficial da lembrança registrada nos *Cadernos*. Schapiro sublinhou que a evocação desse tipo de lembrança era um procedimento retórico corriqueiro, na época de Leonardo, para descrever presságios, de modo que não se tratava de uma verdadeira lembrança.

A crítica era impossível de rechaçar, mas Kurt Eissler, diretor dos Arquivos Freud* e figura eminente da ortodoxia psicanalítica, decidiu batalhar mais uma vez contra os adversários do mestre. Longe de reconhecer os erros de Freud e de encontrar neles material para uma reflexão sobre os riscos inerentes à psicanálise aplicada*, Eissler fez questão de justificar o conjunto do procedimento de Freud, colocando-se, portanto, a serviço de uma historiografia* oficial. Pontalis assim resumiu a essência da argumentação eissleriana: "O erro é mínimo: substituir 'milhafre' por 'abutre' não altera a essência em si da fantasia nem sua significação sexual de avidez oral e passividade. O erro é pontual: não contesta o conjunto das contribuições do livro, quer elas digam respeito ao narcisismo, ali introduzido pela primeira vez, [quer] à gênese da homossexualidade masculina (...) trata-se menos de um erro que de um lapso* [como se, acrescenta Pontalis com humor, um lapso não fosse também um erro...]

(...). Que importa um erro factual, refira-se ele ao abutre ou aos acontecimentos infantis, se a lógica interna — da construção ou da fantasia, seu homólogo — e a lógica do texto que a registra funcionam? Felizes dos psicanalistas, que sempre caem de pé!"

A crítica de Schapiro não parou por aí. O historiador sublinhou um outro erro de Freud, este mais grave, a propósito do quadro que representa *Santana, a Virgem e o menino*. Esse tema, explicou ele, longe de ser raramente abordado na época de Leonardo da Vinci, como Freud pareceu supor, era, ao contrário, um dos temas prediletos do Renascimento italiano. Assim, o culto a Santana foi particularmente desenvolvido, por iniciativa do papa Sexto IV (1414-1484), entre 1481 e 1510. E Schapiro dá uma aula de rigor: "A primeira coisa a fazer, quando se quer explicar uma nova imagem artística, é estabelecer sua prioridade (...). Quanto a esse aspecto, o psicanalista deve dirigir-se à disciplina da história da arte e aos campos culturais vizinhos, a história da religião e da vida social."

É difícil não nos interrogarmos sobre o fundamento do apego de Freud a esse ensaio, sobre o qual ele diria, em cartas simultaneamente endereçadas a Lou Andreas-Salomé* e Sandor Ferenczi*, em fevereiro de 1919, que "É a única coisa bonita que escrevi".

Segundo Peter Gay, além do fascínio de Freud pelo grande homem do Renascimento, existem razões mais subterrâneas. Gay cita uma carta a Jung, escrita em 2 de dezembro de 1909, logo depois da apresentação, na qual Freud afirma ter-se livrado de uma "obsessão" ao fazer uma exposição sobre Leonardo na Sociedade Psicológica das Quartas-Feiras*. Os vestígios dolorosos do relacionamento com Fliess e seu reavivamento por ocasião do rompimento com Alfred Adler* atestam a persistência, em Freud, do que ele próprio identificou como sendo "as mesmas coisas paranóicas".

O interesse fundamental desse livro é de ordem teórica. A *Lembrança*, com efeito, foi prenunciadora do estudo, então em andamento, sobre as *Memórias de um doente dos nervos*, de Daniel Paul Schreber*, onde Freud enunciou sua tese essencial de que a tendência recalcada para a homossexualidade é um componente fundamental da paranóia*.

• Sigmund Freud, *La Naissance de la psychanalyse* (Londres, 1950), Paris, PUF, 1956; *Briefe an Wilhelm Fliess, 1887-1904*, Frankfurt, Fischer, 1986; *Três ensaios sobre a teoria da sexualidade* (1905), *ESB*, VII, 129-237; *GW*, V, 29-145; *SE*, VII, 123-243; Paris, Gallimard, 1987; "Delírios e sonhos na *Gradiva*, de Jensen", *ESB*, IX, 17-96; *SE*, IX, 1-95; Paris, Gallimard, 1986, 9-23; "Sobre as teorias sexuais das crianças" (1908), *ESB*, IX, 213-32; *GW*, VII, 171-188; *SE*, IX, 205-26; in *La Vie sexuelle*, Paris, PUF, 1969, 14-27; "Escritores criativos e devaneio" (1908), *ESB*, IX, 149-62; *GW*, VII, 213-33; *SE*, IX, 141-53; in *L'Inquiétante Étrangeté et autres essais*, Paris, Gallimard, 1985, 29-46; "Análise de uma fobia em um menino de cinco anos" (1909), *ESB*, X, 15-152; *GW*, VII, 243-377; *SE*, X, 1-147; in *Cinq psychanalyses*, Paris, PUF, 1954, 93-198; *Leonardo da Vinci e uma lembrança de sua infância* (1910), *ESB*, XI, 59-126; *GW*, VIII, 128-211; *SE*, XI, 57-137; *OC*, X, 79-164; "Notas psicanalíticas sobre um relato autobiográfico de um caso de paranóia (*Dementia paranoïdes*)" (1911), *ESB*, XII, 23-104; *GW*, VIII, 240-316; *SE*, XII, 1-79; *OC*, X, 225-304 • Sigmund Freud e Karl Abraham, *Correspondance, 1907-1926* (Frankfurt, 1965), Paris, Gallimard, 1969 • Sigmund Freud e Sandor Ferenczi, *Correspondance, 1914-1919*, Paris, Calmann-Lévy, 1966 • *Freud/Jung: correspondência completa* (Paris, 1975), Rio de Janeiro, Imago, 1983 • *Freud/Lou Andreas-Salomé: correspondência completa*, pref. de Ernst Pfeiffer (Frankfurt, 1966, N. York, 1972), Rio de Janeiro, Imago, 1975 • *Les Premiers psychanalystes, Minutes de la Société Psychanalytique de Vienne* (1962), Paris, Gallimard, 1976 • Kurt R. Eissler, *Léonard de Vinci. Étude psychanalytique* (N. York, 1961), Paris, PUF, 1980 • Peter Gay, *Freud: uma vida para o nosso tempo* (N. York, 1988), S. Paulo, Companhia das Letras, 1995 • Ernest Jones, *A vida e a obra de Sigmund Freud* (N. York, 1953), Rio de Janeiro, Imago, 1989 • Norman Kiell, *Freud without Hindsight. Review of his Work 1893-1939*, Madison, International Universities Press, 1988 • Jean Laplanche, *A sublimação* (Paris, 1980), S. Paulo, Martins Fontes, 1989 • Philippe Levillain (org.), *Dictionnaire historique de la papauté*, Paris, Fayard, 1994 • Dmitri S. Merejkovski, *Le Roman de Léonard de Vinci* (S. Petersburgo, 1902), Paris, Gallimard, 1934 • Meyer Schapiro, "Léonard et Freud" (1956), in *Style, artiste et société*, Paris, Gallimard, 1982 • Giorgio Vasari, *La Vie des meilleurs peintres, sculpteurs et architectes italiens* (1550, Florença, 1919), vol.V, traduzido sob a direção de André Chastel, Paris, Berger-Levrault, 1983.

➤ BIBLIOTECA DO CONGRESSO; ÉDIPO, COMPLEXO DE; HOMOSSEXUALIDADE; ITÁLIA; PSICOSE; SEXUALIDADE.

Levi-Bianchini, Marco (1875-1961)
psiquiatra italiano

Psiquiatra judeu originário da região de Pádua, Marco Levi-Bianchini começou em 1909 a divulgar a psicanálise nos meios da psiquiatria italiana através de artigos e de traduções aproximativas.

Espírito efervescente e confuso, que acabaria manifestando simpatia pelo regime fascista, esse incansável militante da causa psicanalítica era a encarnação do que Michel David chamou de "um não-psicanalista involuntário": incapaz, como a maioria de seus antecessores, de apreender a essência da conceitualidade freudiana, na verdade jamais se arriscou a realizar uma análise. Entretanto, a atividade institucional de Levi-Bianchini foi considerável e tão apreciada em Viena* que Sigmund Freud* respondeu a Edoardo Weiss* que desejava convencê-lo dos perigos da ambivalência e da inabilidade desse psiquiatra italiano, que "muitas vezes o continente precede o conteúdo".

Em 1915, quando dirigia o Hospital Psiquiátrico de Nocera Inferiore, na região napolitana, Levi-Bianchini fundou a "Biblioteca Internacional de Psicanálise", na qual publicou algumas de suas traduções da obra freudiana, principalmente a das Cinco lições de psicanálise, para a qual Freud redigiu um breve prefácio, como mencionou em uma carta de 9 de novembro de 1914 a Sandor Ferenczi*. Em 1920, criou o Archivio Generale di Neurologia e Psichiatria, que transformou no ano seguinte em Archivio Generale di Neurologia, Psichiatria e Psicoanalisi, revista na qual Weiss colaborou. Enfim, em 1925, quando acabava de ser nomeado diretor do Hospital Psiquiátrico de Teramo, pequena cidade dos Abruzos na qual o filho de Freud, Martin, passara uma parte da sua convalescença em 1919, Levi-Bianchini fundou a Società Psicoanalitica Italiana (SPI), da qual Weiss era então o único membro autenticamente psicanalista.

• Michel David, La psicoanalisi nella cultura italiana (1966), Turim, Bollatti Boringhieri, 1990 • Sigmund Freud e Edoardo Weiss, Lettres sur la pratique psychanalytique (1970), Toulouse, Privat, 1975 • Sigmund Freud e Sandor Ferenczi, Correspondance, 1914-1919 (1992), Paris, Calmann-Lévy, 1996.

➤ BENUSSI, VITTORIO; FREUD, MARTIN; ITÁLIA; MUSATTI, CESARE; PERROTTI, NICOLA; PSIQUIATRIA DINÂMICA; SERVADIO, EMILIO.

libido

Termo latino (libido = desejo*), inicialmente utilizado por Moriz Benedikt* e, mais tarde, pelos fundadores da sexologia* (Albert Moll* e Richard von Krafft-Ebing*), para designar uma energia própria do instinto sexual, ou libido sexualis.

Sigmund Freud* retomou o termo numa acepção inteiramente distinta, para designar a manifestação da pulsão* sexual na vida psíquica e, por extensão, a sexualidade* humana em geral e a infantil em particular, entendida como causalidade psíquica (neurose*), disposição polimorfa (perversão*), amor-próprio (narcisismo*) e sublimação*.

Foi com a introdução da palavra libido que Sigmund Freud construiu o que desde então passou a ser chamado de sua teoria da sexualidade, enunciada de maneira programática em 1905 nos *Três ensaios sobre a teoria da sexualidade**. Esse livro *princeps* seria reformulado a cada reedição, em função da evolução das teses do autor sobre o assunto, em especial à luz de sua reflexão de 1914 sobre o narcisismo, à luz, em 1920, de *Mais-além do princípio de prazer**, no contexto da instauração da segunda tópica, centrada no eu* e no isso*, e, por último, à luz da *Psicologia das massas e análise do eu**, em 1921. Num artigo de 1923 sobre psicanálise e libido, destinado a uma enciclopédia sobre a sexologia, o próprio Freud redigiria um histórico muito claro da gênese desse conceito em sua teoria. Assim, nessa teoria, a sexualidade como tal só se torna um conceito através das diferentes etapas pelas quais Freud expõe o termo libido.

No fim do século XIX, todos os cientistas e os médicos da alma, alemães, franceses e ingleses, estavam obcecados pela sexualidade, e todos buscavam uma nova definição da identidade do homem que levasse em conta suas práticas sexuais efetivas, fossem elas consideradas "normais" ou "patológicas". Sob esse aspecto, o nascimento da sexologia (ou ciência da atividade sexual) está ligado ao da criminologia* (ciência do comportamento criminal) como construção de uma nova antropologia*, fundamentada na hereditariedade-degenerescência*: em ambos os casos, trata-se de definir o homem a partir de seu "instinto biológico" (sua "raça", sua hereditariedade, seu sexo) e de integrar nele um componente degenerativo ou destrutivo (o crime, as perversões sexuais). Daí a idéia de dar um novo nome (homossexualidade*) à forma mais conhecida e mais antiga de "inversão", a fim de contrastá-la com uma nova norma: a heterossexualidade.

A adoção da palavra libido pelos cientistas do fim do século XIX remete à construção dessa nova maneira de dizer e pensar a sexualidade, ornando-a com um jargão. De fato, os termos latinos sempre tiveram uma função ambivalente na história da psicopatologia, da medicina e da psiquiatria. Sob um véu de ciência e erudição, eles descrevem uma realidade bruta (o corpo, a morte, o amor, a doença etc.) carregada de proibições e segredos, e cujo conteúdo se pretende mascarar do principal interessado: o próprio homem, transformado em doente sexual, criminoso, invertido etc.

Foi nessa perspectiva de apropriação erudita das coisas da sexualidade que os sexólogos utilizaram a palavra libido para descrever todas as variações possíveis da atividade sexual humana, no sentido de atividade genital. O emprego generalizado desse termo indica, aliás, o rompimento que se efetuou nessa época entre esse novo discurso sobre a sexualidade (como *libido sexualis*) e a antiga terminologia filosófica, baseada no *Eros* (amor) platônico, da qual foram conservados apenas um adjetivo — erógeno —, para designar uma zona do corpo ou uma atividade ligada à excitação sexual, e um substantivo — auto-erotismo* —, para definir uma emoção sexual sem objeto.

A sexologia e seus grandes representantes — de Havelock Ellis* a Magnus Hirschfeld* — instauraram uma concepção geral da *libido sexualis* cujo objetivo era compreender e descrever a sexualidade sob todas as suas formas, quer para sancioná-la, quer para reivindicá-la como uma "diferença" positiva. Daí os catálogos, à maneira de Cuvier (1769-1832) ou Sade (1740-1814), que descrevem as múltiplas práticas de uma sexualidade desde então exibida aos olhos dos juristas, dos médicos e dos higienistas. Se essa eflorescência alimentou fartamente o pensamento freudiano, isso não quer dizer que Freud não tenha inventado nada nesse campo.

A iniciativa de Freud consistiu, em primeiro lugar, em retirar a libido desse jardim das delícias, a um tempo perverso, genital, normativo e

literário, no qual o haviam encerrado os sexólogos, para dela fazer um componente essencial da sexualidade como fonte do conflito psíquico, para integrá-la na definição da pulsão e na relação de objeto* (libido objetal) e, por fim, para lhe encontrar uma identidade narcísica (a libido do eu), a partir de 1914. Ao término desse percurso, portanto, Freud teria tomado emprestada a terminologia da sexologia para abrir caminho para uma nova concepção do Eros platônico, na qual a libido, identificada com a pulsão sexual, tornou-se uma pulsão de vida (*Eros*), em oposição à pulsão de morte (*Thanatos*). O escândalo da teoria freudiana da libido, que seria chamada de pansexualismo*, veio, portanto, do fato de Freud haver normalizado um campo do qual a ciência e a medicina se haviam apropriado em detrimento do principal interessado, o próprio sujeito. Ao abandonar a hipnose*, Freud devolveu ao sujeito a liberdade da fala e reavivou a esperança de cura, em oposição ao niilismo terapêutico. Do mesmo modo, ao retirar a *libido sexualis* do jardim dos sexólogos, Freud fez dela o principal determinante da psique humana. Daí a obsessão com a sexualidade que observamos na maneira como ele conduziu suas três grandes análises, de Ida Bauer*, Ernst Lanzer* e Serguei Constantinovitch Pankejeff*, e como "dirigiu" a do Pequeno Hans. Entre seus primeiros discípulos, Fritz Wittels* e Isidor Sadger*, assim como em Hermine von Hug-Hellmuth*, essa obsessão descambaria para o delírio interpretativo, o qual, por sua vez, viria a alimentar o horror dos antifreudianos à libido freudiana.

Essa modificação da *libido sexualis* não se efetuou linearmente, mas através de conflitos, reformulações, sofrimentos, cisões* e ódios que com freqüência levaram Freud a se mostrar feroz e intolerante para com seus próximos e seus adversários. Alfred Adler* e Carl Gustav Jung* pagaram o preço dessa intransigência.

Num primeiro momento, em junho de 1894, num manuscrito enviado a Wilhelm Fliess*, Freud empregou o termo no sentido de uma libido psíquica. Nessa época, ele ainda atribuía à histeria* uma causalidade sexual, decorrente de uma sedução* vivida na infância, e, tal como Jean Martin Charcot*, definiu uma zona histerogênica, ou seja, uma região do corpo que era libidinalmente investida e cuja excitação era acompanhada por um prazer sexual capaz de levar ao ataque histérico. Daí Freud passou para a noção de zona erógena, que tomou emprestada dos sexólogos. Após o abandono da teoria da sedução, em 1897, a causalidade sexual serviu para explicar o conflito psíquico produtor da neurose: o histérico sofria de reminiscências e, depois, de fantasias* e sonhos*, cujo conteúdo convinha explorar através da psicanálise*. Para isso, era preciso voltar à infância e, portanto, às primeiras experiências sexuais do sujeito. Foi assim que Freud se orientou, por volta de 1900, para a elucidação da sexualidade infantil, que, a partir da publicação dos *Três ensaios*, em 1905, tornou-se o eixo da sexualidade humana.

Num primeiro tempo, ele fez da libido uma "energia", isto é, a manifestação dinâmica, na vida psíquica, do impulso (ou pulsão) sexual. Isso o levou a esta grande redefinição: a libido já não era *sexualis*, não mais constituía uma atividade somática, mas era um desejo sexual que procurava satisfazer-se, fixando-se em objetos. Se era um desejo, tinha uma essência única: daí a adoção freudiana, a partir de 1905, da tese do monismo sexual, segundo a qual a libido seria de natureza masculina, quer se manifestasse no homem ou na mulher.

Em janeiro de 1909, numa reunião da Wiener Psychoanalytische Vereinigung (WPV) dedicada ao diabo e a suas manifestações na história, Freud justificou essa teoria de um modo muito estranho: "Conviria ainda chamar atenção para o fato de que o demônio é uma personalidade masculina por excelência, o que sustenta uma tese da teoria da sexualidade segundo a qual a libido, onde quer que apareça, é sempre masculina (a única criatura diabólica feminina é a avó do demônio)." A tese do monismo, que seria contestada pela escola inglesa, no contexto do grande debate dos anos vinte sobre a sexualidade feminina*, ficou ligada para Freud a essa idéia de que o diabo personifica, na tradição ocidental, um componente essencial e recalcado da sexualidade humana.

Todavia, a libido, que é uma dimensão fundamental da pulsão, fixa-se em objetos: essa libido objetal pode deslocar-se em seus investimentos*, mudando de objeto e de objetivo. É então sublimada, ou seja, derivada para um objetivo não sexual, onde investe objetos socialmente valorizados: a arte, a literatura, o intelectualismo, a atividade passional.

A essa teoria da sublimação, que ele desenvolveria em 1910, em *Leonardo da Vinci e uma lembrança de sua infância*, Freud acrescentou uma descrição das zonas erógenas, características da atividade libidinal. Se a libido pode se deslocar quanto ao objeto e quanto ao objetivo, ela também pode diversificar-se quanto à sua fonte de excitação: há, portanto, uma diversificação das zonas erógenas, que se distribuem por quatro regiões do corpo: oral, anal, uretro-genital e mamária. A cada zona correspondem uma ou mais atividades eróticas, dentre as quais Freud situou os atos mais simples da vida cotidiana das crianças: sucção do polegar ou do seio da mãe, defecação e masturbação. Chegou até a estender a noção de erotogenia ao corpo inteiro, inclusive os órgãos internos.

Dessa descrição da libido como diversificação em zonas erógenas decorreu uma organização "evolucionista" da sexualidade (a teoria dos estádios*), tão central na reformulação freudiana quanto a relação objetal. De fato, se é preciso retornar à infância para compreender a gênese da sexualidade adulta, é porque a libido se organiza de maneira diferenciada com respeito a cada zona, conforme as etapas da vida. A cada idade, a cada estádio corresponde uma modalidade da relação de objeto. Depois de múltiplas reformulações, Freud distinguiu quatro deles: o estádio oral, o estádio anal, o estádio fálico e o estádio genital. Posteriormente, a teoria dos estádios seria reformulada muitas vezes pelas diversas escolas.

Se há uma diversificação das zonas erógenas, isso significa que a pulsão sexual (cuja manifestação é a libido) divide-se em pulsões parciais: duas delas estão ligadas a regiões do corpo (pulsão oral e pulsão anal), enquanto as outras se definem por seu alvo (a pulsão de dominação, por exemplo). No contexto da libido objetal de 1905, toda pulsão parcial busca satisfação no próprio corpo. Daí a introdução da noção de auto-erotismo, tomada de Havelock Ellis, mas rejeitada por Eugen Bleuler* (que substituiria esse termo por autismo*).

Que Freud tenha preferido o termo auto-erotismo permite compreender o pivô da discussão com Jung, que sobreveio a partir de 1906, ou seja, um ano após a publicação dos *Três ensaios*, e que levaria ao rompimento entre os dois homens e... a duas novas definições da libido.

Jung rejeitou a idéia freudiana, considerando que a libido era um "impulso" voluntário. Foi em 1911, com a publicação de uma primeira versão do que iria transformar-se em *As metamorfoses da alma e seus símbolos*, que a divergência tornou-se manifesta. Jung revisou a totalidade da teoria freudiana, rejeitou o complexo de Édipo* e a idéia do desejo incestuoso*, recusou qualquer origem sexual na neurose e, por último, identificou a libido com uma energia psíquica sem pulsão sexual: uma libido originária, que poderia ser sexualizada ou dessexualizada. Além disso, em 1910, renunciando ao auto-erotismo, inventou a noção de introversão*, para designar o retraimento da libido para o mundo interno do sujeito.

No mesmo ano, numa conferência intitulada "A concepção psicanalítica da perturbação psicogênica da visão", Freud falou em pulsão do eu para designar, por oposição à pulsão sexual, aquilo que, em 1905, incluía na categoria das funções de autoconservação do eu.

Da libido do eu para a pulsão do eu há apenas um passo, e Freud o deu em seus trabalhos de metapsicologia* de 1914-1915, onde se enunciou um novo dualismo pulsional (pulsão do eu/pulsão sexual), logo questionado pelo artigo "Sobre o narcisismo: uma introdução". Nessa resposta a Jung sobre a dupla problemática da introversão e da libido, a oposição libido do eu/libido do objeto veio substituir o antigo dualismo pulsional, e a pulsão do eu foi prontamente assimilada ao amor-próprio e, portanto, a uma libido do eu, logo reconvertida em libido narcísica, termo que abriu caminho para todas as teorias da *Self Psychology**, para uma concepção da neurose narcísica, intermediária entre a neurose e a psicose, e para a abordagem teórica dos *borderlines**.

Vê-se, portanto, o caminho percorrido por Freud. Contrariando os sexólogos, que a reduziam ao sexual no sentido genital, ele estendeu a libido a uma pulsão sexual generalizada, e, opondo-se a Jung, que, ao contrário, pretendia dissolvê-la numa instância assexual, inscreveu-a como componente central de um Eros enfim reencontrado, o do amor platônico, simultaneamente desejo, sublimação e sexualidade em todas as suas formas humanas (homossexualidade*, bissexualidade*). Compreende-se, portanto, por que ele também se oporia a Wilhelm Reich*, herdeiro da sexologia, que quis ressexualizar a libido no contexto de uma teoria biológica da satisfação orgástica.

Em *Mais-além do princípio de prazer*, onde se organizou um novo dualismo pulsional (pulsão de vida/pulsão de morte), a libido foi assimilada a Eros: "A libido de nossas pulsões sexuais coincide com o Eros dos poetas e filósofos, que mantém a coesão de tudo aquilo que vive." E, no *Esboço de psicanálise**, os dois termos se fundiram: "toda a energia de Eros, que doravante denominaremos de libido."

No entanto, a imagem de Eros não aboliu a de libido, à qual Freud se apegava acima de tudo, na medida em que, sendo uma palavra latina, ela traduzia a universalidade do conceito de sexualidade e, desse modo, não exigia uma transcrição em outras línguas. Sob esse aspecto, ao conservar esse termo em latim, Freud subverteu o velho jargão dos especialistas. Fez da libido o móbil de um escândalo, que apareceria, a partir de 1910, nas múltiplas resistências opostas à psicanálise em todos os países, sendo ela sempre e por toda parte qualificada de doutrina pansexualista: "germânica" demais aos olhos dos franceses, "latina" demais para os escandinavos, "judaica" demais para o nazismo* e "burguesa" demais, enfim, para o comunismo, ou seja, tal como para Jung, sempre "sexual" em demasia.

• Sigmund Freud, "A concepção psicanalítica da perturbação psicogênica da visão" (1910), *ESB*, XI, 197-206; *GW*, VIII, 94-102; *SE*, XI, 209-18; *OC*, X, 177-87; "Sobre o narcisismo: uma introdução" (1914), *ESB*, XIV, 89-122; *GW*, X, 138-70; *SE*, XIV, 73-102; in *La Vie sexuelle*, Paris, PUF, 1969, 80-105; "A história do movimento psicanalítico" (1914), *ESB*, XIV, 16-88; *GW*, X, 44-113; *SE*, XIV, 7-66; Paris, Gallimard, 1991; "Dois verbetes de enciclopédia: (A) Psicanálise, (B) A teoria da libido" (1923), *ESB*, XVIII, 287-307; *GW*, XIII, 211-33; *SE*, XVIII, 235-59; *OC*, XVI, 181-208; "A organização genital infantil da libido (uma interpolação na teoria da sexualidade)" (1923), *ESB*, XIX, 179-88; *GW*, XIII, 293-8; *SE*, XIX, 141-5; *OC*, XVI, 303-9; "Tipos libidinais" (1931), *ESB*, XXI, 251-8; *GW*, XIX, 509-13; *SE*, XXI, 215-20; *OC*, XIX, 1-6; *La Naissance de la psychanalyse* (Londres, 1950), Paris, PUF, 1956 • *Freud/Jung: correspondência completa* (Paris, 1975), Rio de Janeiro,

Imago, 1983 • *Les Premiers psychanalystes, Minutes de la Société Psychanalytique de Vienne*, II, *1908-1910* (N. York, 1967), Paris, Gallimard, 1978, 121-7 • Richard von Krafft-Ebing, *Psychopathia sexualis* (Stuttgart, 1886, Paris, 1907), Paris, Payot, 1969 • Albert Moll, *Untersuchungen über die Libido sexualis*, Berlim, Fischers Medizinische Buchhandlung, H. Kornfeld, 1897 • Havelock Ellis, *Études de psychologie sexuelle*, vol.1 (Londres, 1897), Paris, Mercure de France, 1904 • Carl Gustav Jung, *Les Métamorphoses de l'âme et ses symboles* (Leipzig-Viena, 1912, Paris, 1931), Paris, Buchet-Chastel, 1953; *Ma vie* (Zurique, 1962) Paris, Gallimard, 1966 • Ernest Jones, *A vida e a obra de Sigmund Freud*, 3 vols. (N. York, 1953, 1955, 1957), Rio de Janeiro, Imago, 1989 • Jean Laplanche e Jean-Bertrand Pontalis, *Vocabulário da psicanálise* (Paris, 1967), S. Paulo, Martins Fontes, 1991, 2ª ed. • Henri F. Ellenberger, *Histoire de la découverte de l'inconscient* (N. York, Londres, 1970, Villeurbanne, 1974), Paris, Fayard, 1994 • Frank J. Sulloway, *Freud, Biologist of the Mind*, N. York, Basic Books, 1979.

➤ FETICHISMO; SADOMASOQUISMO; TRANSEXUALISMO.

Library of Congress
➤ BIBLIOTECA DO CONGRESSO.

Liébeault, Ambroise Auguste (1823-1904)
médico francês

Pai espiritual da Escola de Nancy, Auguste Liébeault era o décimo segundo filho de uma família de camponeses lorenos. Quando estudava medicina, descobriu o magnetismo, em um relatório de 1848, redigido por Henri-Marie Husson (1772-1853), e se entusiasmou por esse método, em uma época em que era condenado pelo conjunto dos médicos na Europa. Tornando-se clínico rural em Pont-Saint-Vincent, perto de Nancy, tratou gratuitamente dos pobres pelo método do sono artificial. Acusado de charlatanismo por seus colegas, adquiriu entretanto uma grande reputação como hipnotizador, tratando tanto as doenças orgânicas (úlceras, tuberculose pulmonar) quanto as afecções psíquicas. Dois anos depois, criou em Nancy a famosa clínica do doutor Liébeault, na qual recebeu muitos doentes.

Sua técnica era sempre a mesma: adormecia os pacientes, pedindo-lhes que o olhassem fixamente nos olhos, e lhes ordenava que tivessem cada vez mais vontade de dormir. Esse método

de sugestão* por fixação do olhar e injunção de dormir fora inventado em 1813 pelo padre português José Custódio de Faria (1756-1819). Como o marquês Armand de Puységur (1751-1825), Faria abandonara completamente a idéia de fluido magnético e adotara noções de concentração e de sono lúcido, julgando que o sono artificial provinha da vontade do paciente e não da do hipnotizador. Assim, abrira o caminho para tratamentos por sugestão hipnótica, que não precisavam mais de um suporte tangível (o fluido), para demonstrar a eficácia terapêutica de uma relação dual, que James Braid (1795-1860) classificou na categoria do hipnotismo e que Sigmund Freud* teorizou mais tarde sob o termo "transferência"*.

Na história da primeira psiquiatria dinâmica*, Liébeault foi assim, depois de Puységur, Faria e Braid, o quarto grande pioneiro do abandono do magnetismo mesmeriano e um dos inventores do hipnotismo moderno, que daria origem às diversas psicoterapias* da segunda psiquiatria dinâmica, entre as quais a mais brilhante e a mais inovadora: a psicanálise*.

Em 1882, Hippolyte Bernheim* foi visitá-lo. Converteu-se às suas idéias, declarou-se seu aluno e seu amigo, e introduziu a sugestão na medicina oficial hospitalar-universitária, opondo-se logo a Jean Martin Charcot*, grande mestre da escola da Salpêtrière, empenhado em uma nova abordagem da histeria*.

Em sua autobiografia de 1925, Sigmund Freud evocou a lembrança desse médico impressionante: "Com a intenção de aperfeiçoar minha técnica hipnótica, no verão de 1889 fui a Nancy, onde passei várias semanas. Vi o velho Liébeault, que era comovente no trabalho que fazia com as mulheres e as crianças pobres da população operária."

• Auguste Liébeault, *Du sommeil et des états analogues, considérés surtout au point de vue de l'action du moral sur le physique*, Paris, Masson, 1866 • Henri F. Ellenberger, *Histoire de la découverte de l'inconscient* (N. York, Londres, 1970, Villeurbanne, 1974), Paris, Fayard, 1994 • Léon Chertok e Raymond de Saussure, *Naissance du psychanalyste* (1973), Paris, Synthélabo, col. "Les empêcheurs de penser en rond", 1997 • Pierre Morel (org.), *Dicionário biográfico psi* (Paris, 1996), Rio de Janeiro, Jorge Zahar, 1997.

➤ ESPIRITISMO; *ESTUDO AUTOBIOGRÁFICO, UM*; HIPNOSE; MESMER, FRANZ ANTON.

Lieben, Anna von, *née* von Todesco (1847-1900), caso Cäcilie M.

Anna von Lieben foi uma das pacientes de Sigmund Freud* e Josef Breuer* cujo caso é relatado nos *Estudos sobre a histeria**, sob o nome de *Frau* Cäcilie M. Sofrendo de violentas nevralgias faciais, a doente fora tratada sem resultado por todos os métodos habituais: escova elétrica, águas alcalinas, laxantes etc. Depois, um dentista a submetera a uma cruel operação cirúrgica, a extração de sete dentes perfeitamente sadios, sem obter o menor resultado. Foi então que Freud utilizou a hipnose* e lançou sobre as dores uma "proibição sumamente enérgica". Um ano depois, a paciente apresentou múltiplos sintomas histéricos. Freud utilizou novamente a hipnose e, em seguida, recorreu à fala. *Frau* Cäcilie explicou então uma antiga cena traumática, uma briga conjugal em que seu marido a havia insultado. Ao narrar esse acontecimento, ela pôs a mão no rosto e exclamou: "Foi como uma bofetada no rosto."

Freud notou que as dores cessaram em razão de um processo de simbolização (ou conversão simbolizante). Feita essa descoberta, deu continuidade ao tratamento e conseguiu fazer a paciente contar as afrontas que havia sofrido desde sua infância. Assim, aos 15 anos de idade, ela havia sentido uma violenta dor de cabeça quando a avó a fitara com seu olhar penetrante, que lhe havia "penetrado" no cérebro. *Frau* Cäcilie permitiu a Freud compreender a relação entre um sintoma histérico e uma simbolização. Era pela linguagem que eram provocados, segundo ele, os acessos de nevralgia. Nesse ataque histérico, havia uma conversão das palavras num fenômeno somático.

Durante o verão de 1889, quando passou uma temporada em Nancy, Freud fez-se acompanhar por *Frau* Cäcilie e pediu a Hippolyte Bernheim* que a hipnotizasse: "Era uma histérica de grande distinção", disse, "genialmente dotada, que fora entregue a meus cuidados porque ninguém sabia o que fazer com ela. Em minha ignorância da época, eu atribuía o fato de ela ter recaídas sistemáticas de tempos em tempos ao fato de sua hipnose nunca haver atingido o grau de sonambulismo acompanhado de amnésia. Assim, Bernheim fez diversas tentativas, porém sem melhores resultados do que eu."

Em 1986, o historiador Peter Swales identificou *Frau* Cäcilie pela primeira vez e formulou a hipótese de que se trataria de Anna von Lieben, uma rica aristocrata vienense que fora inicialmente tratada por Jean Martin Charcot* e Theodor Meynert*. Segundo Swales, entre 1889 e 1893, ela fez uma longa análise com Freud, no decorrer da qual ele elaborou os princípios do método psicanalítico. Na grande saga dos casos princeps, Anna von Lieben pode ser encarada, portanto, como a primeira mulher psicanalisada da história do freudismo*. Desse modo, teria sido a "mestra" de Freud, sua *prima-donna*, entregando-lhe o inconsciente* "numa bandeja de prata".

• Sigmund Freud, "Um estudo autobiográfico" (1925), *ESB*, XX, 17-88; *GW*, XIV, 33-96; *SE*, XX, 7-70; *OC*, 51-122 • Peter Swales, "Freud, his teacher, and the birth of psychoanalysis", in Paul E. Stepansky (org.), *Freud, Appraisals and Reappraisals*, vol.1, N. Jersey, The Analytic Press, 1986, 3-83 • Lisa Appignanesi e John Forrester, *Freud's Women*, N. York, Basic Books, 1992.

➤ AUGUSTINE; CATARSE; ECKSTEIN, EMMA; HISTERIA; HISTORIOGRAFIA; LIÉBEAULT, AUGUSTE; MOSER, FANNY; ÖHM, AURELIA; PAPPENHEIM, BERTHA; SEXUALIDADE; SUGESTÃO.

Loewald, Hans (1906-1993)
psiquiatra e psicanalista americano

Nascido na Alsácia de um pai judeu que morreu muito cedo, Hans Loewald foi educado em Berlim por sua mãe. Em Freiburg, onde estudou filosofia como aluno de Martin Heidegger (1889-1976), ficou profundamente chocado com a aproximação deste com o partido nazista. Deixou então a Alemanha* e foi para Roma, onde estudou medicina e psiquiatria. Fugindo do fascismo italiano, tentou em vão tornar-se cidadão francês, emigrando em 1939 para os Estados Unidos*.

Fez sua formação psicanalítica no Instituto da Baltimore-Washington Psychoanalytic Society (que se cindiria em duas sociedades distintas) e publicou os seus primeiros artigos psicanalíticos no início dos anos 1950. Tornou-se então uma das figuras eminentes da escola psicanalítica da Nova Inglaterra, em New Haven, e ensinou psiquiatria na Universidade Yale.

Na introdução que redigiu, em 1980, para a publicação de um volume que reunia suas principais contribuições, lembrou que a filosofia foi o seu "primeiro amor". Declarou sua dívida intelectual para com a filosofia de Heidegger, a permanência de sua adesão a algumas das teses essenciais do autor de *Ser e tempo* (*Sein und Zeit*), e mencionou mais uma vez sua ruptura definitiva com o mestre da Floresta Negra.

Nem que seja apenas a título da sua cultura filosófica e dessa inspiração heideggeriana, Hans Loewald foi uma figura de exceção no mundo psicanalítico americano, cujas opções positivistas recusou, mostrando-se particularmente crítico em relação à corrente da *Ego Psychology**.

Sua formação filosófica, a acuidade de sua leitura de Freud, sua recusa a qualquer redução da segunda tópica* freudiana, sua concepção deliberadamente não-biológica da teoria das pulsões e o seu interesse particular pela pulsão* de morte, o privilégio que atribuía à linguagem são características que confirmaram a idéia de um parentesco entre a abordagem de Loewald e o sistema de pensamento desenvolvido por Jacques Lacan*. Mas essa comparação deve ser matizada por diferenças irredutíveis, quer se trate da adesão de Loewald aos padrões da International Psychoanalytical Association* (IPA) em matéria de prática psicanalítica, ou da ausência, em seus trabalhos, de referência explícita ou de aplicação direta de sua cultura filosófica.

Loewald desenvolveu uma problemática de inspiração fenomenológica, centrada na dinâmica da organização pré-edipiana, no narcisismo* primário e na proximidade existente durante esse período do desenvolvimento psíquico entre o eu* e a realidade. Em um de seus artigos traduzidos para o francês, expõe a idéia de que a prática psicanalítica é uma arte, e a neurose* de transferência* é comparada ao registro da teatralidade. O lugar de intervenção do analista é constituído, segundo Loewald, pelo espaço transicional entre a fantasia* interior e a realidade, espécie de terceiro lugar, comparável ao terreno dos jogos elaborado por Donald Woods Winnicott*

• Hans Loewald, *Papers on Psychoanalysis*, New Haven, Yale University Press, 1980; "La Psychanalyse en tant qu'art et la dimension imaginaire de la situation analytique" (1974), in Harold P. Blum (org.), *Dix ans de psychanalyse en Amérique. Anthologie du Journal of the American Psychoanalytic Association*, Paris, PUF, 1981, 309-28 • Martin Heidegger, *Ser e tempo*, 2 vols. (1927), Petrópolis, Vozes, 1988 • Alan Bass, comunicação inédita ao Colóquio de Cerisy sobre o tema "Depuis Lacan", julho de 1996 • Phyllis Tyson e Robert L. Tyson, *Teorias psicanalíticas do desenvolvimento* (New Haven, Londres, 1990), P. Alegre, Artes Médicas, 1993.

➢ ANÁLISE EXISTENCIAL; OBJETO, RELAÇÃO DE; OBJETO TRANSICIONAL; *SELF PSYCHOLOGY*.

Loewenstein, Rudolph (1898-1976)

psiquiatra e psicanalista americano

Nascido em Lodz, Rudolph Loewenstein era de uma família judia radicada na Galícia polonesa integrada ao império russo. Estudou medicina e, fugindo do anti-semitismo, emigrou para Zurique, onde refez seu curso de medicina e descobriu a nova psiquiatria bleuleriana. Interessado pela psicanálise*, foi então a Berlim, onde, pela terceira vez, recomeçou os seus estudos.

Analisado por Hanns Sachs*, não tardou a realizar um velho sonho, instalando-se na França, pátria dos direitos humanos. Graças a Marie Bonaparte*, de quem foi amante durante um curto período, obteve sua naturalização, depois de refazer pela quarta vez seus estudos de medicina. Em Paris, onde chegou em 1925, encontrou os pioneiros do freudismo francês e participou da fundação do grupo da Evolução Psiquiátrica* e da Sociedade Psicanalítica de Paris (SPP), ao lado de René Laforgue*, Eugénie Sokolnicka*, Édouard Pichon* etc.

Entre 1926 e 1939, apoiado por Marie Bonaparte, Raymond de Saussure* e Charles Odier*, Loewenstein se tornou o representante da corrente ortodoxa da SPP, e depois, diante de Laforgue, foi o principal didata do grupo parisiense. Como tal, formou os três grandes representantes da segunda geração psicanalítica francesa: Sacha Nacht*, Daniel Lagache* e principalmente Jacques Lacan*, com o qual as relações foram difíceis, conflituosas.

Loewenstein teria permanecido francês e desempenharia na França um papel importante, se a guerra não o tivesse obrigado a uma nova emigração. Depois de ser mobilizado, em 1939, pelo exército francês, refugiou-se na casa de Marie Bonaparte em Saint-Tropez, e dali passou para a Suíça, onde se encontrou com Heinz Hartmann*, também no exílio e acolhido por Saussure. Em 1942, os três se integraram à New York Psychoanalytical Society (NYPS). No ano seguinte, Loewenstein assumiu a responsabilidade pelo ensino no instituto dependente da sociedade e, de 1959 a 1961, foi o seu presidente. Exerceu também, em 1957-1958, as funções de presidente da poderosa American Psychoanalytic Association* (APsaA).

Depois de redigir artigos técnicos durante o tempo que passou na França, participou, no contexto da grande expansão do movimento psicanalítico americano, da elaboração da corrente da Ego Psychology*, da qual Heinz Hartmann foi o fundador. Publicou também uma obra sobre o anti-semitismo.

• Rudolph Loewenstein, "La Technique psychanalytique", Revue Française de Psychanalyse, II, 1, 1928, 113-34; "Remarques sur le tact dans la technique psychanalytique", Revue Française de Psychanalyse, IV, 2, 1930-1931, 266-75; Psychanalyse de l'antisémitisme, Paris, PUF, 1952 • Élisabeth Roudinesco, História da psicanálise na França, 2 vols. (Paris, 1982; 1986), Rio de Janeiro, Jorge Zahar, 1989; 1988; Jacques Lacan. Esboço de uma vida, história de um sistema de pensamento (Paris, 1993), S. Paulo, Companhia das Letras, 1994.

➢ ESTADOS UNIDOS; FRANÇA; TÉCNICA PSICANALÍTICA.

logoterapia
➢ ANÁLISE EXISTENCIAL.

loucura
al. Wahnsinn; esp. locura; fr. folie; ing. madness

Quer ela seja chamada de furor, mania, delírio, fúria, frenesi ou alienação, quer o insano seja designado por um termo popular (doido, pancada, degringolado, maluco, biruta, tantã), a loucura sempre foi considerada como o outro da razão. Extravagância, perda do juízo, perturbação do pensamento, divagação do espírito, domínio das paixões, tais são as imagens dessa doença que atinge os homens desde a noite dos tempos e cuja origem é buscada ora na magia (possessão demoníaca ou divina), ora no cérebro ou nos humores (medicina hipocrática), ora, ainda, nos movimentos da alma (psicologia). Foi com Descartes e a famosa primeira frase das Meditações que se concretizou, no século XVII, a idéia de que a loucura talvez fosse inerente ao próprio pensamento: "E como poderia eu negar que estas mãos e este corpo são meus, a não ser que me compare àqueles insensatos cujo cérebro é tão perturbado e ofuscado pelos negros vapores da bile, que eles constantemente asseguram ser reis, quando são muito pobres, estar vestidos de ouro e púrpura, quando estão nus, ou imaginam ser cântaros ou ter um corpo de vidro? Mas, qual! Eles são loucos, e eu não seria menos extravagante se me pautasse por seus exemplos."

Há três maneiras de pensar o fenômeno da loucura desde que ela foi arrancada do universo da magia ou da religião: a primeira consiste em introduzi-la no quadro nosológico construído pelo saber psiquiátrico e considerá-la uma psicose* (paranóia*, esquizofrenia*, psicose maníaco-depressiva*); a segunda visa elaborar uma antropologia* de suas diferentes manifestações de acordo com as culturas (etnopsiquiatria, etnopsicanálise*, sociologia, psiquiatria transcultural); a terceira, finalmente, propõe abordar a questão pelo ângulo de uma escuta transferencial da fala, do desejo* ou da vivência do louco (psiquiatria dinâmica*, análise existencial*, fenomenologia, psicanálise*, antipsiquiatria*).

De fato, essas três maneiras de conceber a loucura sempre se cruzaram. É difícil, com efeito, conceber a verdade da loucura independentemente da razão que a pensa, mesmo que essa verdade ultrapasse a razão. E, se a psicanálise nasceu de um grande desejo de tratar e curar as doenças nervosas, ela sempre se implantou, ao mesmo tempo, no campo do tratamento da loucura, numa reação contra o niilismo terapêutico de uma psiquiatria mais preocupada em classificar entidades clínicas do que em escutar o sofrimento dos enfermos. Testemunho disso, se necessário, foi a experiência princeps de Eugen Bleuler* na Clínica do Burghölzli, em Zurique.

Os discípulos e sucessores de Freud (sobretudo Karl Abraham*, Melanie Klein* e seus alunos) foram os primeiros a elaborar uma clínica da loucura. Jacques Lacan*, por seu lado, foi o único dentre os herdeiros de Freud a realizar uma verdadeira reflexão filosófica sobre o estatuto da loucura. Desde 1932, preconizou em sua tese que o saber psiquiátrico fosse repensado segundo o modelo do inconsciente* freudiano e, em 1946, comentou a famosa frase das *Meditações*, sustentando que a fundação do pensamento moderno por Descartes não excluía o fenômeno da loucura.

Por volta de 1960, a generalização da farmacologia no tratamento das doenças mentais pôs fim à nosografia oriunda de Emil Kraepelin* e à abordagem freudo-bleuleriana, substituindo o manicômio pela camisa-de-força química, a clínica pelo diagnóstico comportamental e a escuta do sujeito pela "tecnologização" dos corpos. Daí o esfacelamento do vínculo dialético e crítico que unia as três antigas maneiras de pensar a loucura. É dessa crise e dessa ruptura que dá conta o livro de Michel Foucault (1926-1984) intitulado *História da loucura na idade clássica*: "Este livro não pretendeu fazer a história dos loucos ao lado das pessoas sensatas, perante elas, nem tampouco a história da razão em sua oposição à loucura. Tratava-se de escrever a história da separação incessante mas sempre modificada entre elas." Partindo dessa idéia de separação, tomada da "parte maldita" de Georges Bataille (1897-1962), Foucault como que inventou sua cena primária*: separação entre a desrazão e a loucura, entre a loucura ameaçadora dos quadros de Bosch e a loucura domesticada do discurso de Erasmo, entre uma consciência crítica (onde a loucura se transforma em doença) e uma consciência trágica (onde ela se abre para a criação, como em Goya, Van Gogh ou Artaud), e separação interna, enfim, no *cogito* cartesiano, onde a loucura é excluída do pensamento no momento em que deixa de pôr em perigo os direitos deste último.

A propósito do *cogito*, Foucault tomou, nesse ponto, uma posição inversa à de Lacan, o que lhe valeu uma crítica argumentada por parte de Jacques Derrida.

Precipitando o declínio da psiquiatria clássica por um ato "psiquatricida", como diria Henri Ey*, esse livro abriu caminho para uma nova abordagem historiográfica da loucura, cujo impacto podemos avaliar pela acolhida negativa que ele recebeu e pelas múltiplas resistências que suscitou. Ele foi, sem sombra de dúvida, o ponto de partida para uma inversão de perspectiva entre a razão e a loucura, a qual foi levada em conta na quase totalidade dos trabalhos posteriores sobre o assunto, fossem eles foucaultianos ou não. Entretanto, essa abordagem não surtiu nenhum efeito no tratamento psiquiátrico da loucura, que evolui cada vez mais, neste fim do século XX, para um niilismo terapêutico e um organicismo comparáveis aos que Freud combateu cem anos atrás.

• Jacques Lacan, "Formulações sobre a causalidade psíquica" (1946), in *Escritos* (Paris, 1966), Rio de Janeiro, Jorge Zahar, 1998, 152-95 • Michel Foucault, *Doença mental e psicologia* (Paris, 1954), Rio de Janeiro, Tempo Brasileiro, 1975; *História da loucura na idade clássica* (Paris, 1962), S. Paulo, Perspectiva, 1978 • Jacques Derrida, "*Cogito* e a história da loucura" (1964), in *A escritura e a diferença* (Paris, 1967), S. Paulo, Perspectiva, 1971; "Fazer justiça a Freud" (Paris, 1992), in Élisabeth Roudinesco, Georges Canguilhem, René Major e Jacques Derrida, *Leituras da história da loucura*, Rio de Janeiro, Relume Dumará, 1994, 53-107 • Alphonse de Waelhens, "Folie (phénoménologie)", *Encyclopaedia universalis*, 7, 1968, 92-95 • Henri F. Ellenberger, *Histoire de la découverte de l'inconscient* (N. York, Londres, 1970, Villeurbanne, 1974), Paris, Fayard, 1994 • Jeanne Favret-Saada, *Les Mots, la mort, les sorts. La Sorcellerie dans le bocage*, Paris, Gallimard, 1977 • Gladys Swain, *Le Sujet de la folie*, Toulouse, Privat, 1977; *Dialogue avec l'insensé*, Paris, Gallimard, 1994 • Gladys Swain e Marcel Gauchet, *La Pratique de l'esprit humain*, Paris, Gallimard, 1980 • Jacques Postel, *Genèse de la psychiatrie*, Paris, Le Sycomore, 1981 • Jackie Pigeaud, *La Maladie de l'âme*, Paris, Les Belles Lettres, 1989 • Élisabeth Roudinesco, "Leituras da história da loucura. Introdução", in Élisabeth Roudinesco et al., *Leituras da história da loucura*, op. cit., 7-32.

➤ BINSWANGER, LUDWIG; *BORDERLINES*; ELLENBERGER, HENRI F.; FORACLUSÃO; HAITZMANN, CHRISTOPHER; HISTERIA; MELANCOLIA; PSICOTERAPIA INSTITUCIONAL; SCHREBER, DANIEL PAUL; *SELF PSYCHOLOGY*; ZILBOORG, GREGORY.

Lucy, *Miss* (caso)

➤ *ESTUDOS SOBRE A HISTERIA*.

Luria, Aleksandr Romanovitch (1902-1977)

médico e neuropsicólogo russo

Nascido em Kazan, Aleksandr (ou Alexandre) Romanovitch Luria estudou medicina antes de se voltar para a psicologia. Apaixonado pelas ciências sociais e pelo socialismo utópico, entrou em correspondência com Sigmund Freud* com a idade de 19 anos e, em março de 1922, decidiu fundar a Sociedade Psicanalítica de Kazan. Composta na maioria de médicos e compreendendo sete mulheres — caso raro na época — essa sociedade se integrou depois à que foi formada em Moscou por Moshe Wulff* e Ivan Dimitrievitch Ermakov*, para tornar-se a Associação Psicanalítica Russa.

Em sua primeira apresentação para o círculo de Kazan, Luria falou da psicologia do vestuário e da diferença sexual*: "Os motivos inconscientes do vestuário diferem no homem e na mulher. Os motivos primitivos que determinam a forma da roupa feminina são de natureza sexualmente passiva, enquanto que, no homem, eles são de natureza ativa. Encontram-se os motivos femininos em momentos de enfraquecimento da censura (festa, dança, carnaval) e os motivos masculinos nas fileiras do exército e entre os revolucionários."

No mesmo ano, comparou a doutrina psicanalítica e seus métodos com as teorias reflexológicas de Vladimir Bekhterev (1857-1927), concluindo que essas duas escolas podiam se aproximar no terreno do materialismo. Instalando-se em Moscou no outono de 1923, trabalhou ainda para o desenvolvimento do movimento psicanalítico russo, publicando vários artigos de informação na *Internationale Zeitschrift für Psychoanalyse*. Em 1925, com seu amigo Lev Semenovitch Vygotski (1896-1934), redigiu um prefácio para a tradução russa de *Mais-além do princípio de prazer*.

Participou depois das discussões entre os freudo-marxistas e os antifreudianos sobre a questão do materialismo da psicanálise*. Desenvolveu então a idéia de que a psicanálise podia integrar-se a um sistema de psicologia "monista". Sonhava construir uma ponte entre a nova ciência do psiquismo e a psicologia experimental. Sua última contribuição para a psicanálise data de 1928. Posteriormente, Luria tornou-se um dos grandes especialistas no estudo do cérebro, principalmente das funções corticais superiores.

Durante uma reunião em 1974 na Sociedade dos Psicólogos de Moscou, evocou com humor e emoção as lembranças de sua juventude freudiana.

• Aleksandr Romanovitch Luria, "Russische psychoanalytische Vereinigung", *IZP*, 1, 1924, 113-5; 2, 1924, 126-37; 1, 1926, 125-6; 2, 1926, 227-9; 2, 1927, 226-7; "La Psychanalyse en tant que système de psychologie moniste" (em russo), in M. Kornilov, *Psychologie et marxisme*, Moscou, Institut de Psychologie Expérimentale, 1925; "Die moderne Psychologie und der dialektische Materialismus", *Unter dem Banner des Marxismus* [Sob a bandeira do marxismo], 2, 1928, 506-24 • Jean Marti, "La Psychanalyse en Russie (1909-1930)", *Critique*, 346, março de 1976, 199-237 • Alberto Angelini, *La psicoanalisi in Russia*, Nápoles, Liguori Editore, 1988.

luto

➤ MELANCOLIA.

M

Mack-Brunswick, Ruth, *née* Mack (1897-1946)

psiquiatra e psicanalista americana

Como Marie Bonaparte* e Jeanne Lampl-De Groot*, Ruth Mack-Brunswick pertencia ao "círculo das mulheres" de Sigmund Freud*. Foi sua paciente e depois tornou-se uma de suas discípulas mais fervorosas, a tal ponto que logo entrou na intimidade familiar do mestre e viu-se finalmente sob sua dependência, um pouco à maneira de sua filha Anna Freud*. Entretanto, teve um destino bem mais trágico que os outros alunos de Freud. Sua análise foi um desastre e sua morfinomania, combinada a muitas doenças, impediu-a de desenvolver seus verdadeiros talentos de clínica e teórica.

Nascida em Chicago e proveniente da rica burguesia judaica, era filha de um brilhante jurista e filantropo. Diplomada pelo Radcliffe College, estudou posteriormente medicina e psiquiatria, na escola médica do Colégio de Tuft. Casando-se muito jovem com um médico, Hermann Blumgart, cujo irmão, Leonard Blumgart (1881-1951) fora a Viena* para fazer uma análise com Freud, também fez essa viagem em 1922 e começou um tratamento, a fim de curar-se de uma grave hipocondria.

Nessa época, Freud analisava muitos americanos, que às vezes permaneciam vários anos em Viena para se tratar ou se tornar psicanalistas. Foi nessas circunstâncias que Ruth Mack encontrou Mark Brunswick. Ele era primo de sua mãe e apaixonou-se em segredo por ela desde que assistira a seu casamento. Sofrendo de distúrbios da personalidade, fazia uma análise com Freud ao mesmo tempo que seu irmão David, que estudava psicologia. Já separada do marido, Ruth ficou encantada com Mark, mais ainda porque Freud lhe explicava o seu caso,

como se faz em uma análise de supervisão*. Mark tinha um caso com uma jovem, mas finalmente, em 1928, depois de quatro anos de tratamento, decidiu casar-se com Ruth. Freud e Oscar Rie* foram escolhidos como testemunhas.

Enquanto isso, Ruth se tornara uma verdadeira freudiana, especializada no tratamento das psicoses* e apaixonada pela questão das relações pré-edipianas. Como recusava as teses de Melanie Klein*, Freud a apoiava, enviando-lhe muitos pacientes entre seus próximos: Max Schur* e sua mulher em 1924, Muriel Gardiner* e Serguei Constantinovitch Pankejeff* (o Homem dos Lobos) em 1926, assim como Robert Fliess*, filho de Wilhelm Fliess*, e Karl Menninger*.

Logo depois do casamento, Ruth e Mark voltaram por um ano aos Estados Unidos*, onde nasceu sua filha, chamada Mathilde em homenagem a Mathilde Hollister*. Ao voltar, ambos retomaram seus tratamentos com Freud. Os sintomas de Mark pioravam e os de Ruth também se agravavam. Sofrendo com seus distúrbios digestivos, ela tomou o hábito de acalmar a dor com repetidas injeções de morfina. À medida que sua análise avançava, a dependência transferencial em relação a Freud aumentava, assim como a toxicomania. Doente há vários anos, o mestre não hesitava em se fazer tratar ora por ela, ora por Max Schur, que se tornaria seu médico assistente.

Decepcionado com sua incapacidade de curar sua querida discípula, Freud continuou todavia a mantê-la sob sua dependência, manifestando-lhe ao mesmo tempo sentimentos negativos e continuando a analisar o seu marido. Em 1937, depois de anos de dramas e conflitos decorrentes dessa inverossímil confusão, Ruth

e Mark decidiram divorciar-se, mas logo voltaram a se casar.

Em 1938, Ruth acompanhou Freud em seu
exílio em Londres. Depois da morte de Freud,
instalou-se em Nova York, onde teve um pequeno papel na história do movimento psicanalítico
americano. Mark tornou-se alcoólatra e separou-se dela. Ruth começou então outra análise
com Hermann Nunberg*. No momento em que
parecia curada, foi encontrada morta em seu
banheiro, depois de uma queda atribuída a uma
"crise cardíaca induzida por uma pneumonia".

• Paul Roazen, *Freud e seus discípulos* (N. York, 1971),
S. Paulo, Cultrix, 1978.

Madeleine Lebouc, caso
➤ JANET, PIERRE; LAIR LAMOTTE, PAULINE.

Maeder, Alphonse (1882-1971)
psiquiatra e psicanalista suíço

Foi na clínica do Hospital Burghölzli, junto
a Carl Gustav Jung* e no contexto do desenvolvimento da nova psiquiatria dinâmica* de inspiração bleuleriana, que Alphonse (ou Alfons)
Maeder se apaixonou pelas teses freudianas.
Logo se dedicou a fazer uma auto-análise* e
praticou a técnica do tratamento interpretando
seus sonhos* e seus atos falhos*. A partir de
1907, publicou artigos em francês sobre a doutrina psicanalítica, nos quais recusava o predomínio da sexualidade*. Teve um papel importante na introdução do freudismo* na França*,
através de Zurique.

Em 1912, quando começava a polêmica entre
Carl Gustav Jung e Sigmund Freud*, trocou cartas
com este a respeito do sonho e da questão judaica.
Freud o acusara de não compreender nada do
simbolismo* do sonho e de ser anti-semita. Nessa
data, o debate sobre a judeidade* ou a não-judei-
dade da psicanálise* estava no cerne do conflito
interno na International Psychoanalytical Association* (IPA) e Freud, depois de ter afirmado a
opinião contrária, dizia que a psicanálise* era
"assunto dos semitas". Maeder, como Jung, acreditava na psicologia diferencial dos povos e
reivindicou contra Freud e os judeus vienenses
uma possível "identidade cristã" (no caso, protestante) da psicanálise.

Depois da ruptura de 1913, ficou ao lado de
Jung. Posteriormente aderiu ao Rearmamento
Moral, movimento que visava a "regeneração
do homem", fundado por Frank Buchman. Como muitos pioneiros do freudismo, e à maneira
dos médicos higienistas, missionários, calvinis-
tas ou puritanos, interessou-se por técnicas terapêuticas que nada mais tinham a ver com a
psicanálise, assemelhando-se às antigas terapias da alma, de inspiração religiosa ou culturalista. Distinguia três tipos de curandeiros: o
"profano", que recorria à racionalidade, o "mágico" que agia por sugestão*, o "religioso",
sobre o qual o doente podia projetar o "arquétipo do Salvador", e esse último modelo, bem
junguiano, tinha sua adesão.

• Alphonse Maeder, "Contribuition à la psychopathologie de la vie quotidienne", *Archives de Psychologie*, VI,
abril de 1907, 149-52; "Essai d'interprétation de quelques rêves", ibid., 354-75; "Sur le mouvement psychanalytique, un point de vue nouveau en psychologie",
L'Année Psychologique, 1912, XVIII, 389-418; "Lettres
à Sigmund Freud", *Le Bloc-notes de la Psychanalyse*,
8, 1988, 219-26; *La Personne du médecin, un agent
psychothérapeutique*, Neuchâtel, Delachaux et Niestlé, 1953; *De la psychanalyse à la psychothérapie
appellative*, Paris, Payot, 1970 • Jean-Pierre Mordier,
Les Débuts de la psychanalyse en France, Paris, Maspero, 1981 • Marcel Scheidhauer, *Le Rêve freudien en
France*, Navarin, Paris, 1985 • Jacquy Chemouni, "Entre Vienne et Zurich", *Le Bloc-notes de la Psychanalyse*, 8, 1988, 227-52.

➤ ANTROPOLOGIA; BLEULER, EUGEN; CISÃO;
ELLENBERGER, HENRI F.; ESTADOS UNIDOS; ET-
NOPSICANÁLISE; HIPNOSE; PSICOTERAPIA; SUÍÇA;
TÉCNICA PSICANALÍTICA.

magnetismo
➤ BENEDIKT, MORIZ; BERNHEIM, HIPPOLYTE;
BREUER, JOSEF; CATARSE; CHARCOT, JEAN MAR-
TIN; ESPIRITISMO; HIPNOSE; HISTERIA: JANET, PIER-
RE; LIÉBEAULT, AUGUSTE; MESMER, FRANZ AN-
TON; PERSONALIDADE MÚLTIPLA; PSICOTERAPIA;
PSIQUIATRIA DINÂMICA; SUGESTÃO.

Mahler, Gustav (1860-1911)
compositor austríaco

Nascido em Kalischt na Boêmia, e originário de uma modesta família judia, Gustav Mahler teve uma infância marcada pela tragédia. Era

o mais velho de doze filhos, dos quais nove morreriam antes da idade adulta. Um de seus irmãos se suicidou. Convertido ao catolicismo, foi nomeado regente e depois diretor artístico da Ópera de Viena* em 1897, onde por dez anos renovou o teatro lírico e a tradição musical, o que lhe valeu muitas inimizades: "Ele foi o primeiro a reger de pé", escreveu William Johnston, e um pioneiro na arte de usar "técnicas de regência expressiva, servindo-se das duas mãos ao mesmo tempo, para modular cada frase". Em 1902, casou-se com uma pianista, Alma-Maria Schindler (1879-1964), com quem teve uma filha, Maria-Anna, apelidada Putzi, que morreu em 1907.

Apesar da intensidade de seu trabalho de músico e compositor, que se desenvolveu nos Estados Unidos*, Mahler mergulhou em um estado melancólico: "O mistério da morte sempre estivera presente em seu espírito, escreveu Bruno Walter, mas agora estava literalmente sob os seus olhos. Sobre o universo de Mahler, sobre sua própria vida, pairava agora a sombra sinistra e muito próxima da morte."

A conselho de Bruno Walter, que consultara Sigmund Freud* por motivo de inibições, Mahler aceitou marcar um encontro com o mestre da psicanálise*, em férias nos Países Baixos*. Depois de vários cancelamentos e atos falhos*, a entrevista se realizou em Leiden, em 26 de agosto de 1910. A "análise" de Mahler durou quatro horas, o tempo de uma longa caminhada pelas ruas da cidade: "Suponho, disse Freud, que sua mãe se chamava Maria. Algumas de suas frases, nessa entrevista, me fazem pensar isso. Como é que o sr. se casou com uma mulher com outro nome, Alma, já que a sua mãe teve, evidentemente, um papel predominante em sua vida?" Mahler respondeu que tinha o hábito de chamar a sua mulher de Maria (e não Alma). Durante a entrevista, Mahler também conseguiu compreender por que a sua música ficava, de certo modo, "prejudicada" pela intrusão repetitiva de uma melodia banal. Na infância, depois de uma cena particularmente violenta entre seus pais, ele fugira para a rua e ouvira um realejo tocar uma melodia popular vienense. Essa música se fixara na sua memória e retornava sob a forma de uma melodia obsessiva.

• Ernest Jones, *A vida e a obra de Sigmund Freud*, vol.2 (N. York, 1955), Rio de Janeiro, Imago, 1989 • William M. Johnston, *L'Esprit viennois. Une histoire intellectuelle et sociale, 1848-1938* (N. York, 1972), Paris, PUF, 1985 • Allan Janik e Stephen Toulmin, *Wittgenstein, Vienne et la modernité* (N. York, 1973), Paris, PUF, 1978 • Henry-Louis de La Grange, *Gustav Mahler. L'Âge d'or de Vienne (1900-1907)*, vol.2, Paris, Fayard, 1983; *Gustav Mahler. Le Génie foudroyé (1907-1911)*, vol.3, Paris, Fayard, 1984 • Ginette Raimbault, *Lorsque l'enfant disparaît*, Paris, Odile Jacob, 1996.

Mahler, Margaret, *née* Schönberger (1897-1985)

médica e psicanalista americana

Grande especialista no tratamento das psicoses* infantis, Margaret Schönberger nasceu em Sopron, na Hungria*, em uma família da burguesia judaica intelectual. Começou a estudar pediatria em Budapeste, onde encontrou Sandor Ferenczi*, e depois instalou-se em Viena*, orientando-se para a psicanálise*.

Analisada por Helene Deutsch* e depois por August Aichhorn*, com quem criou um centro de orientação infantil, foi supervisionada por dois analistas vienenses, Robert Wälder (1900-1967) e Grete Bibring (1899-1977). Em 1933, tornou-se companheira de Aichhorn e participou regularmente dos trabalhos da Wiener Psychoanalytische Vereinigung (WPV), iniciando-se na psicanálise de crianças* no seminário de Anna Freud*. Em 1936, casou-se com Paul Mahler, engenheiro químico, com quem emigrou primeiro para a Grã-Bretanha*, em 1938, e para os Estados Unidos*, dois anos depois, seguindo assim a trajetória clássica dos freudianos de sua geração*, expulsos da Europa central pelo nazismo*. Em Nova York, fez uma outra análise com Edith Jacobson*, quando soube que sua mãe fora deportada para Auschwitz.

A partir de 1949, dedicou-se à etiologia das psicoses e ao autismo*, publicando várias obras coletivas sobre esse tema. Em 1957, criou com Manuel Furer um centro de acolhimento e pesquisas sobre o desenvolvimento dos processos de individuação e de separação, o Masters Children Center, e um centro terapêutico para o tratamento das psicoses da criança, o Masters Therapeutic Nursery. Nessas duas instituições, as crianças eram recebidas com suas mães.

Embora fosse marcada pelos trabalhos de Melanie Klein*, Margaret Mahler se inspirou primeiramente nas posições de René Spitz* e nas de Donald Woods Winnicott*. Continuou fiel à corrente annafreudiana e às teses da *Ego Psychology**, isto é, à tradição vienense da psicanálise, acusando os kleinianos por seu dogmatismo e seus excessos de imaginação, que os levavam, dizia ela, a "inventar" uma vida fantasística para o lactente.

A partir de suas observações, criou a noção de separação-individuação, para definir um processo intrapsíquico, que se realiza entre o 4º e o 36º meses. A separação é a emergência da criança para fora da fusão simbiótica com a mãe, e a individuação é a aceitação, pela criança, de suas próprias características individuais. Daí a idéia de um "nascimento psicológico do indivíduo", que leva à emergência de uma autonomia do eu*, tal como a define a *Ego Psychology*.

Como muitos freudianos exilados nos Estados Unidos, Margaret Mahler enfrentou a questão da integração da psicanálise ao *american way of life*. Não hesitou em teorizar sua própria integração, com a ajuda das noções que ela própria forjara ao longo da sua experiência clínica: "Creio que, nos casos positivos, a emigração é seguida de uma segunda individuação, de um novo nascimento psicológico e talvez de uma nova visão do mundo [...]. Eis o que foi para mim a emigração: ela me arrancou, eu e minhas idéias sonolentas, dessa cápsula psicológica que era então Viena; ela me expôs a um ambiente estranho, cuja novidade agravava as vulnerabilidades da transição. Mas uma vez dominadas a angústia e a insegurança iniciais, ela me levou a tornar-me produtiva e a fazer emergir minha teoria do desenvolvimento."

• Margaret Mahler e Manuel Furer, *Psychose infantile. Symbiose humaine et individuation* (N. York, 1968), Paris, Payot, 1973; • Margaret Mahler, Fred Pine e Anni Bergman, *Symbiose humaine et individuation. La Naissance psychologique de l'être humain* (N. York, 1975), Paris, Payot, 1980 • Pamela Tytell e Catherine Tourette-Turgis, "Margaret S. Mahler, 1897-1985", *Encyclopaedia universalis*, 1986, 576-7 • Elke Mühlleitner, *Biographisches Lexikon der Psychoanalyse. Die Mitglieder der Psychologischen Mittwoch-Gesellschaft und der Wiener Psychoanalytischen Vereinigung von 1902-1938*, Tübingen, Diskord, 1992 • Claudine e Pierre Geissmann, *Histoire de la psychanalyse de l'enfant*, Paris, Bayard, 1992.

➤ ANNAFREUDISMO; AUBRY, JENNY; BETTELHEIM, BRUNO; DOLTO, FRANÇOISE; ESTÁDIO DO ESPELHO; HORNEY, KAREN; HUG-HELLMUTH, HERMINE VON; KLEINISMO; MORGENSTERN, SOPHIE; OBJETO, RELAÇÃO DE; *SELF PSYCHOLOGY*.

Mais-além do princípio de prazer

Livro de Sigmund Freud, publicado em 1920 sob o título **Jenseits des Lustprinzips**. Traduzido para o francês pela primeira vez por Samuel Jankélévitch, em 1927, sob o título **Au-delà du principe de plaisir**, revisto por Angelo Hesnard* em 1966 e retraduzido por Jean Laplanche e Jean-Bertrand Pontalis em 1981, sem alteração do título. Novamente retraduzido sem mudança de título, em 1996, por André Bourguignon (1920-1996), Pierre Cotet, Alain Rauzy e Janine Altounian. Traduzido para o inglês em 1922 por C.J.M. Hubback, sob o título* **Beyond the Pleasure Principle**, *e retraduzido por James Strachey* em 1950, sem mudança do título.*

Mais-além do princípio de prazer, redigido entre março e maio de 1919, modificado durante o inverno de 1920 e publicado no outono desse mesmo ano, inaugurou o que se denominou a "grande reformulação" ou "grande virada" dos anos vinte, uma reorganização teórica fundamental à qual outros dois livros, *Psicologia das massas e análise do eu**, por um lado, e *O eu e o isso**, por outro, conferiram suas dimensões definitivas.

As circunstâncias em que o livro foi concebido e o destino inicial que Sigmund Freud parecia atribuir-lhe estiveram na origem de múltiplas ambigüidades.

Em março de 1919, enquanto Freud redigia a primeira versão de *Mais-além do princípio de prazer*, Lou Andreas-Salomé* escreveu-lhe perguntando em que ponto ele estava em sua metapsicologia*, cujas cinco primeiras partes ela havia lido. As outras, como sabemos, nunca vieram à luz, mas é lícito supormos, a julgar pela resposta dada por Freud algum tempo depois, que ele ainda não havia renunciado inteiramente a tal projeto nessa ocasião. De fato, justificando-se mediante a alegação da dificuldade do assunto, da parcialidade de suas experiências e de sua falta de inspiração, Freud prometeu escrever outras contribuições, caso viesse a sobreviver, psíquica e materialmente, à trágica situação da Áustria naqueles tempos subseqüentes à derrota. Depois, como que para confirmar essa resolução, acrescentou que uma das primeiras contribuições "desse tipo estaria contida em *Mais-além do princípio de prazer*", a propósito do qual declarou esperar, por parte de sua correspondente, "uma apreciação sintético-*crítica*".

Todavia, em julho de 1919, numa nova carta a Lou, amplamente dedicada à evocação do suicídio* de Viktor Tausk*, Freud evocou seu trabalho em andamento num tom completamente diverso: "Agora escolhi como alimento o tema da morte, ao qual cheguei ao esbarrar numa curiosa idéia das pulsões, e eis que me vejo obrigado a ler tudo o que diz respeito a essa questão, como, por exemplo, e pela primeira vez, Schopenhauer. Mas não o leio com prazer." Essa é uma frase importante, que ajuda a discernir a lógica da elaboração em andamento: essa "curiosa idéia das pulsões" parece constituir, de fato, o indício de uma modificação de seu pensamento.

Insatisfeito, sem dúvida, com as reformulações introduzidas em sua teoria das pulsões em 1914, ele se viu obrigado a ler, sem prazer, a obra de Schopenhauer (1788-1860), e a se alimentar do tema da morte. Essa declaração, aliás, pode ser entendida como uma resposta antecipada àqueles que, pouco à vontade com a idéia da pulsão de morte ou desejosos de retirar dela seu peso teórico, iriam esforçar-se por não ver nela senão uma noção circunstancial, produto do contexto econômico e político já evocado pelo próprio Freud, ou efeito dos falecimentos ocorridos ao redor dele nessa época — falecimento de Tausk, de Anton von Freund* e, acima de tudo, alguns dias depois, em 25 de janeiro de 1920, de sua filha Sophie Halberstadt*, cuja morte o deixou transtornado, como ele mesmo disse em numerosas cartas a Ludwig Binswanger* ou Oskar Pfister*. Essa idéia de uma relação causal entre a morte de Sophie e a elaboração do conceito de pulsão de morte seria desenvolvida, em especial, em 1923, pelo primeiro dos biógrafos de Freud, Fritz Wittels*, a quem Freud daria conhecimento de sua discordância. Preocupado em se opor a essa espécie de psicanálise aplicada* e como que prevendo

sua eventualidade, Freud teve o cuidado de afirmar, numa carta a Max Eitingon* datada de 18 de julho de 1920: "O *Mais-além* foi finalmente concluído. Você poderá confirmar que já tinha sido escrito até a metade na época em que Sophie ainda estava viva e florescente." Essa anotação não impediria Max Schur* de continuar a considerar a morte de Sophie como a causa essencial da elaboração do conceito de pulsão de morte. Ainda recentemente, Peter Gay sustentou essa interpretação, relativizando-a.

Mais-além do princípio de prazer, que Jean Laplanche disse ser "o texto mais fascinante e mais desnorteante da obra freudiana", tamanha a ousadia e a liberdade nele evidenciadas por seu autor, foi rejeitado por numerosos psicanalistas, inclinados a considerar a ousadia como falta de rigor e a liberdade de tom como uma deriva especulativa.

O ensaio se apóia, de conformidade com a promessa feita a Lou Andreas-Salomé, na concepção metapsicológica desenvolvida em 1915: examinam-se nele, antes de mais nada, o funcionamento do princípio do prazer*, segundo o qual o aparelho psíquico procura manter no nível mais baixo possível a quantidade de excitação presente, e a subordinação desse princípio ao princípio de constância enunciado por Gustav Theodor Fechner*. Se essas idéias já ocupavam um lugar essencial no *Projeto para uma psicologia científica* e em *A interpretação dos sonhos**, esses lembretes iniciais dão a Freud o ensejo de repetir que esse princípio constitui, ao lado das dimensões tópica* e dinâmica, a dimensão econômica da metapsicologia.

Essa perspectiva, todavia, é rapidamente ultrapassada e abandonada em prol de uma discussão sobre os limites da dominação do princípio de prazer: "A rigor, entretanto, devemos dizer que é inexato falar de uma dominação do princípio de prazer sobre o curso dos processos psíquicos. Se tal dominação existisse, a imensa maioria de nossos processos psíquicos seria acompanhada de prazer ou conduziria ao prazer; ora, a experiência mais genérica contradiz flagrantemente essa conclusão. Por isso, deve-se admitir o seguinte: existe no psiquismo uma forte tendência para o princípio de prazer, mas algumas outras forças ou condições se opõem a ela, de modo que o desfecho nem sempre pode corresponder à tendência para o prazer." A primeira limitação ao predomínio do princípio de prazer é bastante conhecida: trata-se do princípio de realidade*, enunciado desde 1911 no artigo "Formulações sobre os dois princípios do funcionamento mental". Ali, o princípio de realidade é concebido como o substituto do princípio de prazer, sob a influência das pulsões de autoconservação do eu*. Também se conhece uma segunda limitação, sob a forma do recalque* das pulsões, que contraria o desenvolvimento unitário do eu. Talvez pareça, esclarece então Freud, que não haveria por que buscar outras limitações para esse princípio de prazer. Mas a observação das reações psíquicas a algumas formas de perigo externo — até esse momento, tratara-se apenas da organização referente a pulsões e conflitos internos — leva a reconsiderar inteiramente esse problema.

Como primeira forma de perigo externo, existem as catástrofes naturais, os acidentes graves ou os atos de guerra, circunstâncias capazes de provocar neuroses traumáticas ou neuroses de guerra*. Curiosamente, os sonhos que acompanham esses tipos de neuroses remetem reiteradamente os sujeitos às circunstâncias traumáticas de seus acidentes, embora eles não pensem no assunto durante o dia. Num primeiro momento, essa fixação psíquica no trauma é assemelhada por Freud às reminiscências que, juntamente com Josef Breuer*, havia considerado como a causa fundamental do sofrimento dos histéricos. Uma segunda forma de perigos externos é a ilustrada pela brincadeira de algumas crianças muito pequenas. Freud observou que seu neto (Ernstl), filho de Sophie Halberstadt, costumava divertir-se, quando sua mãe se ausentava, atirando para longe da cama os objetos pequenos que estivessem ao alcance de sua mão. Esse gesto era acompanhado por uma expressão de satisfação que assumia a forma vocal de um "o-o-o-o" prolongado, no qual se podia reconhecer o significado alemão *fort*, isto é, "fora". Um dia, conta Freud, o menino se entregou a essa mesma brincadeira de sumir usando um carretel de madeira preso a um barbante: atirava o carretel, acompanhando o movimento com seu famoso "o-o-o-o", e de-

pois, puxando o barbante, fazia-o voltar, saudando o carretel com um alegre *da*, "aqui"! Mediante essa brincadeira, Ernstl parecia transformar uma situação em que era passivo, e sofria o perigo ou o desprazer causado pela partida da mãe, numa situação da qual era senhor, fosse qual fosse o caráter doloroso do que se repetia nela. A essa primeira interpretação Freud acrescentou uma segunda, complementar: o menino, através daquela brincadeira, encontrava um meio de exprimir sentimentos hostis, inconfessáveis na presença da mãe, porém capazes de satisfazer seu desejo de vingança decorrente da partida dela. Em outras palavras, o menino não conseguiria suportar o desagrado acarretado no jogo pela repetição de uma separação, a não ser pelo fato de "um ganho de prazer de outra natureza, porém direto, estar ligado a essa repetição". Seria lícito concluirmos dessas duas observações, reunidas sob o rótulo de "perigo externo", pela existência de tendências psíquicas mais originárias, situadas além do princípio de prazer?

Em vez de responder de imediato, Freud faz um desvio pela situação analítica, caracterizada pelas resistências* do paciente e por sua transferência* para a pessoa do analista. Conscientizar o que está inconsciente não se revela uma tarefa simples. Como mostrou a observação, a rememoração voluntária é ineficaz, e o paciente é obrigado a repetir na análise o recalque, em especial o de sua vida sexual infantil, marcada pela fase edipiana, para conseguir se instalar numa nova neurose*, a neurose de transferência, substituta daquela que o fez procurar o analista. No tratamento, portanto, assistimos de fato ao aparecimento de um processo idêntico aos que se observam na atividade onírica dos sujeitos afetados por neuroses traumáticas ou na brincadeira do *fort/da*, processos estes que Freud denomina de compulsão à repetição*, e cuja apreciação adequada implica o questionamento da idéia de resistência inconsciente.

Nesse ponto, sem advertir o leitor, e talvez sem que ele mesmo se aperceba, Freud se antecipa à reformulação tópica que iria constituir o objeto de seu livro *O eu e o isso**, assim fornecendo a prova de que, já em 1919, a grande reviravolta teórica estava em andamento. Com efeito, para avançar no raciocínio esboçado, trata-se de abandonar a oposição consciente*/inconsciente* e substituí-la pelo confronto entre o eu, cuja maior parte é inconsciente, e o recalque, totalmente inconsciente e sempre ameaçador para o eu. As resistências do analisando são de fato inconscientes, mas devem ser situadas nesse eu que já não é totalmente possível de ser assimilado ao consciente; a compulsão à repetição, que opera notadamente na análise e é fonte de desprazer para o eu, deve ser inscrita, ao contrário, do lado do recalque.

Qual é, pois, a relação entre essa compulsão à repetição e o princípio de prazer? O desprazer não contradiz o princípio de prazer, como já mostrou a interpretação da brincadeira do *fort/da*, onde a dimensão desprazerosa é compensada pelo prazer ligado à expressão da hostilidade. Mas a compulsão à repetição também dá ensejo a um retorno de experiências anteriores que não comporta prazer algum. Para ilustrar sua colocação, Freud toma o exemplo das pessoas condenadas a conhecer o fracasso reiteradamente, como se obedecessem a uma ordem "demoníaca". Quanto a esse ponto, Freud se apóia em observações que fez algumas semanas antes de iniciar a redação do *Mais-além*, quando estava terminando seu artigo sobre "O estranho", onde abordou o tema do duplo e do "eterno retorno do mesmo". Ele reconhece que "efetivamente existe, na vida psíquica, uma compulsão à repetição que se coloca acima do princípio de prazer". Mas, qual é sua função, quais são as condições de sua intervenção e como entender sua relação com o princípio de prazer?

Os adversários desse texto censuraram-no por seu caráter especulativo. No entanto, Freud adverte seu leitor quanto a isso, e a seqüência de sua exposição é, com efeito, pura especulação motivada pelo desejo de saber, mesmo com o risco de errar. Todos são livres, diz ele, para acompanhá-lo ou não ir adiante.

Todavia, antes de se entregar a essa "especulação", Freud propõe um resumo recapitulativo, primeiro, do tratamento diferencial que o aparelho psíquico dá às excitações externas, filtradas pelo que ele denomina de "pára-excitação" (*Reizschutz*), uma espécie de aparelho que envolve o organismo para protegê-lo, e

segundo, da maneira como os efeitos das pulsões internas se distribuem por um leque de sensações, que vão do prazer ao desprazer. Tudo isso se traduz numa prevalência das sensações de prazer-desprazer e num funcionamento psíquico essencialmente dirigido contra essas excitações internas, portadoras de desprazer. Daí a tendência a tratar as excitações internas como se fossem externas, para poder proteger-se delas através da pára-excitação: é esse o fundamento do mecanismo, identificado na observação clínica da neurose, ao qual se deu o nome de projeção*. Todos esses são elementos que permitem situar a especificidade do trauma, constituído por excitações externas suficientemente fortes para furar a pára-excitação e, desse modo, criar uma perturbação no aparelho psíquico. Nessa situação, o princípio de prazer já não tem nenhuma serventia e, para o organismo, trata-se apenas de tentar dominar essa invasão. Isso pressupõe uma mobilização de todas as energias disponíveis, que se faz, inevitavelmente, em detrimento do bom funcionamento dos outros sistemas psíquicos, sobretudo os normalmente mobilizados para enfrentar o desprazer ocasionado pelas excitações internas. Nessa perspectiva, pode-se formular a hipótese de que a neurose traumática, objeto da observação inicial, se deveria a uma invasão maciça da pára-excitação.

O efeito traumático não é tanto o choque em si, mas o susto ou a surpresa sentidos, conseqüência de uma falta de angústia, posto que a angústia é o meio através do qual os sistemas que têm que enfrentar as excitações externas são mobilizados. Os sonhos em que os sujeitos às voltas com uma neurose traumática revivem a situação do acidente "têm por objetivo o domínio retroativo da excitação", recriam uma situação em que a angústia, que foi insuficiente na realidade, acha-se agora bastante presente. Aqui começamos a perceber a possível existência de um modo de funcionamento do aparelho psíquico que é independente do princípio de prazer. Esses sonhos constituem uma exceção à lei do sonho como realização de desejo: obedecem à compulsão à repetição, que, por sua vez, está a serviço do desejo inconsciente de permitir que o recalcado retorne.

Além da especificidade de cada uma dessas situações, as manifestações da compulsão à repetição, tanto na brincadeira infantil como no tratamento psicanalítico, apresentam o mesmo caráter pulsional independente do princípio de prazer. Mas, qual é a natureza da relação entre o pulsional e a compulsão à repetição?

Para responder a essa pergunta, Freud é levado a dar mais um passo: é o ponto decisivo do livro. Aos enunciados em forma de esboço sucede-se uma afirmação explícita: "A pulsão seria um impulso, inerente ao organismo vivo, em direção ao restabelecimento de um estado anterior (...) seria (...) a expressão da inércia na vida orgânica." Freud tem plena consciência da ousadia que há em reconhecer no ser vivo a existência de uma dimensão *conservadora*. Daí a continuação do ensaio ser dedicada à busca de argumentos e provas capazes de corroborar essa hipótese.

Se a observação de certos comportamentos animais e o estudo de alguns processos embriológicos atestam a existência dessas forças conservadoras, como explicar sua coexistência com as forças vitais responsáveis pelo desenvolvimento do organismo? A contradição é apenas aparente: esses movimentos vitais, essas forças do desenvolvimento, são desvios no "caminho que leva à morte", e são sempre dominados pelas pulsões conservadoras, senhoras do desenvolvimento global do organismo, submetido a uma finalidade regressiva. Todo ser vivo é convocado a morrer, enuncia Freud, e acrescenta: "A meta de toda vida é a morte e, olhando para trás, o não vivo existia antes do vivo."

Até esse ponto, a concepção freudiana inscreve-se de modo bem amplo na esteira daquelas desenvolvidas por numerosas correntes da filosofia alemã dos séculos XVIII e XIX, desde Gothulf Heinrich von Schubert (1780-1860), que afirmava a coexistência, no homem, de uma "nostalgia do amor" e uma "nostalgia da morte", até Friedrich Nietzsche (1844-1900), passando por Novalis (1772-1801) e, é claro, por Arthur Schopenhauer, a quem Freud se refere explicitamente.

A originalidade da contribuição freudiana reside na construção de um novo dualismo pulsional, que opõe as pulsões de vida, ainda designadas pelo termo *Eros*, que reúnem as pulsões sexuais e as pulsões do eu, às pulsões de morte, às vezes denominadas de pulsões de destruição, ou, quando se trata de especificar a orientação delas para o exterior, pulsões de agressão. Nesse contexto, atribui-se às pulsões de morte uma posição funcional, e elas não mais decorrem do registro do inefável. Se as pulsões de vida não escapam por completo ao movimento regressivo geral, na medida em que sua satisfação implica um retorno a um estado anterior, nem por isso são menos resistentes às influências externas e, mais ainda, às outras pulsões, inteiramente voltadas para a morte.

O que se tem aí é uma concepção global da vida psíquica cujo funcionamento seria ritmado por um movimento pendular que faz alternar certas pulsões, premidas a atingirem a meta final da vida, com outras que estão mais voltadas para fazer o percurso dessa vida durar.

Em seu penúltimo capítulo, Freud examina as críticas que esse trabalho parece fadado a provocar. Começa procurando, no campo da biologia, argumentos passíveis de invalidar a hipótese da existência de pulsões de morte. É uma busca inútil, que o leva a retornar, dessa vez numa perspectiva positiva, às diferentes etapas da construção da teoria analítica, a fim de reafirmar a solidez de fundamento do dualismo pulsional. Nesse processo, ele responde simultaneamente às acusações de pansexualismo* e à concepção junguiana de uma libido geral, não sexual, reafirmando a permanência de sua concepção dualista e sua recusa a ceder ao monismo junguiano.

O fato, porém, é que ainda não foi possível fornecer nenhuma prova conclusiva da existência das pulsões de morte. Essa constatação de uma "obscuridade" que se mantém na teoria das pulsões agiria como um incentivo à continuação da busca. Daí o exame de questões ainda não elaboradas, como a do ódio e a do sadismo, que só encontrariam suas respostas definitivas em 1924, no artigo "O problema econômico do masoquismo". Esse retorno também dá a Freud a oportunidade de citar o trabalho de Sabina Spielrein* sobre o componente sádico da pulsão sexual, que, já em 1911, ela caracterizava por sua dimensão destrutiva.

As últimas páginas do livro atestam o nível de exigência de Freud, a angústia inerente ao trabalho teórico e a coragem intelectual do cientista.

Freud empenha-se em encontrar argumentos que corroborem sua construção teórica tanto no que concerne às pulsões de morte quanto à compulsão à repetição que atua nas pulsões sexuais, a fim de fundamentar a idéia da dominação máxima e geral das pulsões de morte. Retomando o reconhecimento inicial do princípio de constância como fundamento econômico do princípio de prazer, ele assim ratifica a idéia, enunciada pela psicanalista inglesa Barbara Low (1877-1955), de um princípio do nirvana. Este lhe parece exprimir "a tendência predominante da vida psíquica e, talvez, da vida nervosa em geral", visando "à redução, à constância e à eliminação da tensão de excitação interna". Freud pensa encontrar nesse funcionamento um de seus "motivos mais poderosos para acreditar na existência das pulsões de morte". Esse percurso, novamente qualificado de "especulação" por seu autor, termina numa evocação do *Banquete* de Platão, no qual Freud julga poder discernir o enunciado de uma primazia originária de uma pulsão destrutiva, cujos efeitos poderiam ser atenuados, se não apagados, pela ação das pulsões sexuais. Essa passagem é que viria a ser comentada por Jacques Derrida em *La Carte postale*.

Cansado dessa busca de argumentos, Freud acaba dizendo com toda a clareza o que pensa, o que sente e o que lhe parece essencial. Certo de não haver convencido ninguém, confessa que ele próprio não está seguro, mas o faz para negar prontamente ao afeto qualquer valor na discussão científica. O essencial continua a ser a curiosidade... e os riscos que ela leva a correr. Reconhecendo de bom grado o que pode haver de intuitivo e até de parcial em seu trabalho, Freud nem por isso mostra-se menos decidido a não ceder, esclarecendo com humor que a autocrítica não exige a "tolerância para com as opiniões divergentes".

Na medida em que o desenvolvimento da biologia trazia o risco de destruir essa bela construção especulativa, podemos indagar-nos por que razões Freud se permitiu expô-la ao público. Simplesmente, respondeu ele, porque algumas das ligações e relações assim descobertas lhe pareceram "dignas de consideração".

Pela altivez de seu tom, o último capítulo anuncia a firmeza de que Freud daria mostra em seguida, sobretudo em *O mal-estar na cultura** e no *Esboço de psicanálise**, frente aos ataques do qual esse avanço teórico seria objeto. Empenhado em defender seu ponto de vista, ele esclarece em poucas linhas, como se esse fosse um argumento esquecido, que, diversamente das pulsões de vida, ruidosas em suas buscas e perigosas em razão das tensões internas que provocam, as pulsões de morte são silenciosas e, como tais, mais difíceis de localizar. Este último comentário inspirou-lhe uma profissão de fé epistemológica que condenou sem apelação as crenças científicas. E conferiu a esse livro o toque final de modernidade a que grande parte do pensamento do século XX não deixaria de render homenagens.

• Sigmund Freud, *A interpretação dos sonho*s (1900), *ESB*, IV-V, 1-660; *GW*, II-III, 1-642; *SE*, IV-V, 1-621; Paris, PUF, 1967; "Formulações sobre os dois princípios do funcionamento mental" (1911), *ESB*, XII, 277-90; *GW*, VIII, 230-8; *SE*, XII, 213-26; in *Résultats, idées, problèmes*, vol.I, Paris, PUF, 1984, 135-43, "O estranho" (1919), *ESB*, XVII, 275-314; *GW*, XII, 229-68; *SE*, XVII, 217-56; in *L'Inquiétante Étrangeté et autres essais*, Paris, Gallimard, 1985, 209-63; *Mais-além do princípio do prazer* (1920), *ESB*, XVIII, 17-90; *GW*, XIII, 3-69; *SE*, XVIII, 1-64; *OC*, XV, 273-339; *Psicologia das massas e análise do eu* (1921), *ESB*, XVIII, 91-184; *GW*, XIII, 73-161; *SE*, XVIII, 65-143; *OC*, XVI, 1-83; *O eu e o isso* (1923), *ESB* XIX, 23-76; *GW*, XIII, 237-89; *SE*, XIX, 12-59; *OC*, XVI, 255-301; "O problema econômico do masoquismo" (1924), *ESB*, XIX, 199-216; *GW*, XIII, 371-83; *SE*, XIX, 139-45; *OC*, XVII, 9-23; *O mal-estar na cultura* (1930), *ESB*, XXI, 81-178; *GW*, XIV, 421-506; *SE*, XXI, 64-145; *OC*, XVIII, 245-333; *Esboço de psicanálise* (1938), *ESB*, XXIII, 168-246; *GW*, XVII, 67-138; *SE*, XXIII, 139-207; Paris, PUF, 1967; *Novas conferências introdutórias sobre psicanálise* (1933), *ESB*, XXII, 15-226; *GW*, XV; *SE*, XXII, 5-182; *OC*, XIX, 83-268; *La Naissance de la psychanalyse* (Londres, 1950), Paris, PUF, 1956; *Briefe an Wilhelm Fliess, 1887-1904*, Frankfurt, Fischer, 1986 • Sigmund Freud e Ludwig Binswanger, *Correspondance, 1908-1938* (Frankfurt, 1992), Paris, Calmann-Lévy, 1995 • *Correspondance de Sigmund Freud avec le pasteur Pfister, 1909-1939* (Frankfurt, 1963), Paris, Gallimard, 1966 • *Freud/Lou Andreas-Salomé: correspondência completa* (Frankfurt, 1966, N. York, 1972), Rio de Janeiro, Imago, 1975 • Jacques Derrida, *La Carte postale*, Paris, Aubier-Flammarion, 1980 • Henri F. Ellenberger, *Histoire de la découverte de l'inconscient* (N. York, Londres, 1970, Villeurbanne,

1974), Paris, Fayard, 1994 • Sandor Ferenczi, "Prefácio da edição húngara de *Mais-além do princípio de prazer*" (1923), *Psicanálise III, Obras completas, 1919-1926* (Paris, 1974), S. Paulo, Martins Fontes, 1993, 223-4 • *Les Premiers psychanalystes, Minutes de la Société Psychanalytique de Vienne*, vol.I, 1906-1908 (N. York, 1962), Paris, Gallimard, 1976 • Peter Gay, *Freud: uma vida para o nosso tempo* (N. York, 1988), S. Paulo, Companhia das Letras, 1995 • Jean Laplanche e Jean-Bertrand Pontalis, *Vocabulário da psicanálise* (Paris, 1967), S. Paulo, Martins Fontes, 1991, 2ª ed. • Jean Laplanche, *Vida e morte em psicanálise* (Paris, 1970), P. Alegre, Artes Médicas, 1985 • Ernest Jones, *A vida e a obra de Sigmund Freud*, 3 vols. (N. York, 1953, 1955, 1957), Rio de Janeiro, Imago, 1989 • Max Schur, *Freud: vida e agonia, uma biografia*, 3 vols. (N. York, 1972), Rio de Janeiro, Imago, 1981 • Sabina Spielrein, *Entre Freud et Jung* (Roma, 1980), Paris, Aubier, 1981 • Michel de M'Uzan, *De l'art à la mort*, Paris, Gallimard, 1977.

Mal-estar na cultura, O

Livro de Sigmund Freud* publicado em 1930, sob o título **Das Unbehagen in der Kultur***. Traduzido pela primeira vez para o francês em 1934, por Charles Odier*, sob o título* **Malaise dans la civilisation***, e depois, em 1994, por Pierre Cotet, René Lainé e Johanna Stute-Cadiot, sob o título* **Le Malaise dans la culture***. Traduzido para o inglês por Joan Riviere*, em 1930, sob o título* **Civilization and its Discontents***, retomado sem modificação por James Strachey* em 1961.*

Durante muito tempo, *O mal-estar na cultura* foi considerado proveniente da categoria de escritos freudianos qualificados, não sem uma certa condescendência, de sociológicos ou antropológicos. Longe de ratificar esse ponto de vista, Jacques Lacan*, no seminário do ano de 1959-1960, dedicado à ética da psicanálise, falou dele como um "livro essencial", no qual Freud realizara "a síntese de sua experiência" e discorrera sobre a tragédia da condição humana. Peter Gay, por seu turno, estima que *O mal-estar na cultura* é o texto "mais sombrio" de Freud, aquele em que se aborda sem disfarce e no tom mais grave a questão da "miséria humana", à qual a crise econômica, a quebra da bolsa de Nova York, ocorrida dias antes de Freud entregar o manuscrito a seu editor, e a ascensão do partido hitlerista na Alemanha conferem toda a sua amplitude.

Com esse ensaio, Freud pretende estender à cultura em geral o exame que fez da religião em *O futuro de uma ilusão**. Como que para sublinhar a continuidade entre as duas obras, começa registrando, para criticá-lo, um comentário que a leitura de *O futuro de uma ilusão* havia sugerido a seu amigo Romain Rolland*. Escrevendo a Freud para lhe agradecer pela remessa do livro, o autor de *Acima da confusão* lastimara que, no texto, não se abordasse a questão da origem do "sentimento religioso". Com esse termo Rolland designava uma "sensação religiosa", isto é, o "fato simples e direto da sensação do 'eterno'", e a qualificava de "sentimento oceânico".

Freud rejeita de imediato a idéia de que tal sensação possa constituir a essência da religiosidade: a seu ver, ela é, em vez disso, uma repetição do sentimento de plenitude que o bebê experimenta antes da separação psicológica da mãe, sentimento de plenitude este que é característico do eu* primário, do eu-prazer do qual o eu adulto, um eu apequenado pelo encontro com o princípio de realidade, sente saudade periodicamente. Se acreditamos encontrar nesse "sentimento oceânico" a fonte da necessidade religiosa, é por esquecermos que essa necessidade não é primária, que não passa de uma reformulação da necessidade de proteção pelo pai: o "sentimento oceânico" evocado por Romain Rolland, definitivamente, é apenas uma tendência ao restabelecimento do narcisismo* ilimitado que é específico do eu primário.

Feito esse esclarecimento, Freud recapitula brevemente as teses desenvolvidas em *O futuro de uma ilusão*: lembra que a vida humana se caracteriza pelo fato de que os objetivos do princípio de prazer*, a busca do gozo* máximo e a evitação da dor, não podem ser atingidos, em razão da própria "ordem do universo". Decorre daí que o homem está muito mais apto a vivenciar a infelicidade: aquela que lhe é infligida pelo sofrimento do corpo, pela hostilidade do mundo externo e pela insatisfação que lhe proporcionam as relações com os outros. Assim como o princípio de prazer submete-se ao princípio de realidade* ao se confrontar com o mundo externo, o homem, frente a esses obstáculos, renuncia à felicidade, para a qual obviamente não foi feito, e procura meios de atenuar ou eliminar o sofrimento. Freud faz o levantamento de três meios essenciais, a neurose*, a intoxicação e a psicose*, cujas formas são próprias a cada indivíduo. É precisamente essa especificidade que a religião procura suprimir ao propor uma modalidade uniforme de adaptação à realidade cujas características são uma desvalorização da vida terrena, a substituição do mundo real por um mundo delirante e uma inibição intelectual.

Dentre as três causas do sofrimento humano, Freud opta por estudar nesse ensaio a que nasce do caráter insatisfatório das relações humanas. É papel da cultura, por meio das instituições que a materializam — o Estado, a família —, remediar essa causa de sofrimento, mas, na medida em que os remédios propostos pela cultura são coercitivos e se afiguram outros tantos limites à busca do prazer, ela logo se evidencia como uma nova fonte de sofrimento. E, nessa condição, é objeto de recusas, freqüentemente acompanhadas de apelos por um retorno ao estado natural e elogios ao estilo de vida dos primitivos, que não dependiam dos progressos da tecnologia moderna.

Freud afirma que é possível explicar essa rejeição da cultura, mas se recusa a justificá-la, porque ela se fundamenta no esquecimento do caráter protetor desta última. Esse esquecimento é, antes de mais nada, o da já antiga constatação feita por Hobbes (1588-1679) e confirmada por Freud sem hesitação: "O homem é o lobo do homem." Ora, essa dimensão, que seria preciso nomear e teorizar, dá uma razão de ser ao aspecto coercitivo da cultura e confere à organização social seu estatuto de compromisso precário: o homem não pode viver plenamente feliz nela, mas não consegue sobreviver sem ela. O homem e a mulher, portanto, estão presos num antagonismo: precisam dos outros, mas sonham viver afastados dessa sociedade que lhes limita as pulsões sexuais. Para tentar aplacar os sofrimentos de que esse antagonismo é fonte, a cultura se esforça por criar vínculos substitutos: laços amorosos, laços libidinais desviados de seus objetivos sexuais. É o caso do mandamento que o cristianismo retomou à sua maneira — "Amarás o próximo como a ti mesmo" —, bem como o da utopia comunista, sobre a qual Freud proferiu uma condenação inapelável nesse contexto. Essas tentativas só podem estar fadadas ao fracasso, na medida em

que se fundamentam numa negação da constatação formulada por Hobbes, num desconhecimento voluntário da universalidade da hostilidade dos homens uns para com os outros, numa recusa a levar em conta a agressividade e a crueldade inerentes ao gênero humano, dimensões estas cuja permanência é demonstrada tanto pela história quanto pela atualidade.

É o exame dessa dimensão da agressividade, da hostilidade e da crueldade que constitui o eixo central da seqüência da reflexão de Freud.

Se a agressividade é inerente à natureza humana, é por também ser fonte de prazer e, como tal, ser complementar ao amor. Testemunho disso são as tentativas que se fazem de unir os homens por laços amorosos desviados de seu objetivo sexual. Elas só podem ser bem-sucedidas, com efeito, sob a condição de abandonarem outros homens, que se transformam no alvo da agressividade. Freud depara, nesse ponto, com a problemática desenvolvida em *Psicologia das massas e análise do eu** e, em particular, com a dimensão do "narcisismo das pequenas diferenças", que Lacan reformulou, em "Situação da psicanálise e formação do psicanalista em 1956", falando de "terror conformista". Para dar um fundamento teórico a essa dimensão da agressividade, Freud previne o leitor da necessidade de levar em conta a parte da teoria psicanalítica cuja elaboração lhe deu maior dificuldade: a teoria das pulsões. Nesse ponto, a meta do ensaio torna-se explícita: trata-se de analisar a natureza do "mal-estar" com a ajuda da dualidade pulsional forjada alguns anos antes, em *Mais-além do princípio de prazer**, a dualidade que opõe amor e ódio, Eros e morte.

Esses confrontos pulsionais imperam tanto na vida inconsciente do indivíduo quanto em sua vida social. Daí esta definição da cultura e de seu desenvolvimento: "O combate da espécie humana pela vida."

Cabe, portanto, apreender por que meios a cultura pode conseguir controlar essa agressividade, manifestação explícita da pulsão* de morte. Um deles é identificável na história do desenvolvimento psicológico do homem: nesta se constata, com efeito, que a agressividade é voltada contra o eu, introjetada nele, para então ser retomada por uma parte do eu, o supereu*, que se coloca em oposição à parte restante do eu. O supereu, essa "consciência moral", manifesta em relação ao eu, portanto, a agressividade que o eu desejaria exprimir a respeito dos outros, e a tensão que assim se instala entre o eu e o supereu dá margem ao "sentimento consciente de culpa". É possível, por conseguinte, afirmar que a cultura domina a agressividade dos indivíduos fazendo com que ela seja vigiada por intermédio de um intruso, o supereu, que funciona como um governador dentro de "uma cidade conquistada".

O que acontece com esse sentimento de culpa, que surge com tamanha constância, quer o mal tenha sido praticado, quer tenha permanecido em estado de intenção? Na verdade, ele tem uma origem dupla. Para começar, é produto da angústia sentida pela criança diante da autoridade paterna (origem externa): temendo não mais ser amada, a criança é levada a renunciar a satisfazer as pulsões, guiadas unicamente pela busca do prazer. Mas, quando a autoridade é internalizada no supereu, por intermédio da introjeção* da agressividade que suscitava, a origem do sentimento de culpa passa a ser interna: desse momento em diante, já não é possível mascarar do supereu aquilo que persiste no eu do desejo de satisfazer a pulsão. O sentimento de culpa, gerado pela cultura (representada pelo supereu), permanece então predominantemente inconsciente e, na maioria das vezes, é vivido sob a forma de um mal-estar ao qual se atribuem outras causas.

Se o supereu realmente desempenha o papel que acaba de lhe ser reconhecido no processo cultural, não poderíamos ficar tentados a falar de civilizações ou épocas "neuróticas", que clamariam por soluções terapêuticas? Freud, que em inúmeras outras ocasiões revelou-se um adepto, às vezes audacioso demais, do raciocínio analógico, demonstra aqui extrema prudência, lembrando que os conceitos, assim como os seres humanos, "não podem ser arrancados sem perigo da esfera em que nasceram e se desenvolveram". De fato, havendo chegado a esse ponto de seu ensaio, Freud sente com clareza que a questão que se coloca diante dele já não está ligada à ciência, mas ao prognóstico. Serão essas sociedades civilizadas capazes de dominar a pulsão destrutiva, passível de levá-las à perdição? Freud se recusa a dar a essa pergunta a resposta consoladora que esperam e estão prontos a fornecer os revolucionários e os pietistas, reunidos numa mesma ilusão. Deixa a questão em aberto, atribuindo a agitação e angústia crescentes de seus contemporâneos à sua capacidade tecnológica de exterminarem uns aos outros, até o último deles. "E agora", conclui, "é de se esperar que a outra das duas 'potências celestes', o Eros eterno, empenhe um esforço para se afirmar na luta que trava contra seu adversário não menos imortal."

Um ano depois, em 1931, havendo o partido nazista acabado de obter quase 39% dos votos nas eleições, Freud acrescentou, como que para se livrar de um resto de otimismo: "Mas, quem pode presumir o sucesso e o desfecho?"

• Sigmund Freud, *O mal-estar na cultura* (1930), *ESB* XXI, 81-178; *GW*, XIV, 421-506; *SE*, XXI, 64-145; *OC*, XVIII, 245-333; *Psicologia das massas e análise do eu* (1921), *ESB*, XVIII, 91-184; *GW*, XIII, 73-161; *SE*, XVIII, 65-143; *OC*, XVI, 1-83; *O futuro de uma ilusão* (1927), *ESB*, XXI, 15-81; *GW*, XIV, 325-80; *SE*, XXI, 5-56; *OC*, XVIII, 141-97, *Mais-além do princípio de prazer* (1920), *ESB*, XVIII, 17-90; *GW*, XIII, 3-69; *SE*, XVIII, 1-64; in *Essais de psychanalyse*, Paris, Payot, 1981, 41-115 • Peter Gay, *Freud: uma vida para o nosso tempo* (N. York, 1988), S. Paulo, Companhia das Letras, 1995 • Jacques Lacan, O Seminário, livro 8, *A transferência (1960-1961)* (Paris, 1991), Rio de Janeiro, Jorge Zahar, 1992; *Escritos* (Paris, 1966), Rio de Janeiro, Jorge Zahar, 1998 • Henri Vermorel e Madeleine Vermorel, *Sigmund Freud et Romain Rolland, Correspondance, 1923-1936*, Paris, PUF, 1993.

➢ TRADUÇÃO (DAS OBRAS DE SIGMUND FREUD).

Malinowski, Bronislaw (1884-1942)
antropólogo inglês

Fundador da antropologia funcionalista moderna, criador da pesquisa "de campo" e defensor dos princípios do culturalismo*, Bronislaw Malinowski era de uma família católica da grande burguesia polonesa. Nascido em Cracóvia, e súdito do Império Austro-Húngaro, começou a estudar física, matemática e filosofia em sua cidade natal, sob a autoridade de mestres formados segundo a tradição positivista de Ernst Mach (1838-1916) e de Richard Avenarius (1843-1896). Depois de fazer, em Leipzig, o curso de psicologia experimental de Wilhelm Wundt (1833-1920), orientou-se para a etnologia. Contra esse mestre alemão, que privilegiava a "psicologia dos povos", começou a estudar, a partir das fontes escritas disponíveis, o funcionamento da família entre os aborígenes australianos. Foi então que partiu para a Inglaterra, onde se desenrolavam os grandes debates fundadores dessa nova área. Na Universidade de Cambridge, em 1910, tornou-se aluno de Charles Seligman (1873-1940), de Williams Rivers (1864-1922) e de Edward Westermarck (1862-1939).

Adepto de uma concepção neopositivista da unidade da ciência, marcado pelos trabalhos de Émile Durkheim (1858-1917), que introduzira o estudo do funcionamento das sociedades renunciando à metafísica de suas origens, Malinowski recusava o modelo do evolucionismo darwiniano sobre o qual Sigmund Freud* se baseara em *Totem e tabu*. Escolhendo o empirismo, privilegiava um método fundado na descrição correta e exata dos fatos, conservando ao mesmo tempo a idéia, cara a Durkheim, segundo a qual toda sociedade é um sistema integrado, em que cada elemento tem um papel "funcional": costume, instituição, norma etc.

Todavia, para estudar esse funcionamento, faltava ao jovem Malinowski a experiência de campo. Graças a seu mestre Seligman, reuniu os fundos necessários à organização de uma missão etnográfica à Nova Guiné e deixou a Inglaterra no momento em que irrompia a Primeira Guerra Mundial. Como cidadão austríaco, tornava-se bruscamente "inimigo" dos ingleses. Além disso, no momento em que realizava seu sonho de chegar a esse mundo melanésio tão estranho ao seu, encontrou-se diante da grande querela das nações, que transformaria radicalmente a sociedade ocidental.

Para Malinowski, a experiência de campo junto aos povos ditos "primitivos" foi uma verdadeira busca de identidade. Longe dos campos de batalha, sonhava com a Europa dilacerada: ora se sentia polonês e odiava a Inglaterra, identificando-se com as minorias oprimidas ou colonizadas, ora rejeitava sua Polônia natal para afirmar sua anglofilia. Como mostra seu *Diário*, que seria publicado muito tempo depois de sua morte, ele se dedicou durante quatro anos, primeiro na região dos Mailu, depois nas ilhas Trobriand, a uma espécie de auto-análise*.

Sozinho "no coração das trevas", observava-se a si mesmo tanto nos desejos eróticos que sentia pelas mulheres indígenas ou por suas amantes longínquas, quanto na sensação de ter que enfrentar forças instintivas comuns a todos os homens. Nesse contexto, persuadiu-se da futilidade das hipóteses de Lucien Lévy-Bruhl (1857-1939) sobre a mentalidade primitiva e renunciou ao postulado de uma consciência coletiva, para aderir a um novo humanismo, fundado na análise do homem vivo.

Complementou essa análise com a elaboração do método da "observação participante", verdadeiro programa para a etnologia moderna, centrado na experiência de campo. Com Malinowski, o trabalho do antropólogo não se resumia mais a uma pesquisa erudita sobre a origem dos mitos e das religiões, à maneira de James Frazer (1854-1941); tornava-se uma ciência da observação, ligada a uma aventura iniciática pela qual o pesquisador punha em jogo sua própria subjetividade em uma relação transferencial com o objeto observado. Daí a proximidade com a psicanálise*.

Enquanto Malinowski se iniciava no campo pelo desejo*, pela fantasia* e pelo sonho*, Seligman descobria a psicanálise tratando das neuroses de guerra*. Em 1917, dirigiu uma documentação a seu aluno pedindo-lhe que testasse junto aos indígenas a validade da tese freudiana segundo a qual o sonho é a expressão de um desejo recalcado. Mas nessa data, Malinowski se preparava para deixar as ilhas Trobriand.

Voltando a Londres, inteiramente transformado por sua experiência na Oceania, foi nomeado responsável pelos cursos de antropologia social. Foi então que, ao longo de uma bela carreira universitária que o levaria aos Estados Unidos*, tomou parte ativa nos debates sobre as relações entre antropologia e a psicanálise, criticando as teses enunciadas por Freud em *Totem e tabu*.

Apaixonado pela vida sexual dos melanésios, Malinowski abordou a obra freudiana sem a menor reticência. E foi ao procurar, ao mesmo tempo, aplicar os conceitos da psicanálise à antropologia e modificá-los à luz dos dados da etnografia, que ele deslizou para uma crítica e uma revisão da doutrina do Édipo* e do universalismo freudiano.

Observara que, entre os trobriandeses, a existência de uma estrutura social de tipo matrilinear levava ao não-reconhecimento do papel do pai na procriação: a criança era concebida pela mãe e pelo espírito do ancestral, enquanto o lugar do pai ficava vazio. Por conseguinte, a figura da lei era encarnada pelo tio materno, sobre quem se concentrava a rivalidade da criança. A proibição do incesto* se referia à irmã e não à mãe. Malinowski não negava a existência de um complexo nuclear, mas afirmava sua variabilidade em função da constituição familiar segundo as diferentes formas de sociedades. Assim, tornava caducas as duas hipóteses freudianas de um Édipo universal e de um parricídio original. A primeira só se aplica a sociedades de tipo patrilinear e a segunda não explicava a diversidade das culturas, pois, efetivamente, nenhuma transição da natureza para a cultura explicava tal diversidade.

Foi Ernest Jones* quem se encarregou, em 1924, a convite de Seligman, de criticar a posição de Malinowski. Afirmou que a ignorância da paternidade entre os trobriandeses era apenas uma renegação tendenciosa da procriação paterna. Conseqüentemente, o complexo de Édipo descrito por Freud era mesmo universal, pois o sistema matrilinear, com seu complexo avuncular, exprimia pela negativa uma tendência edipiana recalcada.

Essa defesa ortodoxa das teses freudianas não resolvia o problema das relações entre a antropologia e a psicanálise, nem a questão do universalismo edipiano, nem a da oposição entre patriarcado e matriarcado. E Jones perdeu a batalha, na medida em que não lhe cabia questionar a autoridade etnográfica que Malinowski adquirira com sua experiência de campo e com seus métodos de observação. Para que o debate pudesse ser relançado em novas bases, seria preciso esperar pelos trabalhos de Geza Roheim*, primeiro psicanalista a se tornar etnólogo, isto é, a adquirir a competência necessária para contestar as teses culturalistas e funcionalistas a partir de uma experiência de campo.

Apesar da intensidade dos conflitos, Malinowski sempre teria uma atitude respeitosa em relação a Freud, e, quando este chegou a Londres em 1938, seria um dos primeiros intelectuais da comunidade inglesa a lhe manifestar sua admiração e a procurar ajudá-lo. Pouco tempo depois, instalou-se nos Estados Unidos, onde morreu bruscamente de um acidente cardíaco.

• Bronislaw Malinowski, *Argonautas do Pacífico ocidental* (Londres, 1922), S. Paulo, Abril Cultural, 1984; *La Sexualité et sa répression dans les sociétés primitives* (Londres, 1927), Paris, Payot, 1932; *La Vie sexuelle des sauvages au nord-ouest de la Mélanésie* (Londres, 1929), Paris, Payot, 1930; *Trois essais sur la vie sociale des primitifs* (Londres, 1926, Paris, 1933), Paris, Payot, 1968; *Les Jardins de corail* (Londres, 1935), Paris, Maspero, 1974; *Uma teoria científica da cultura* (North Carolina, 1944), Rio de Janeiro, Zahar, 1983; *Les Dynamiques de l'évolution culturelle* (Londres, 1945), Paris, Payot, 1970; *Magic, Science and Religion* (1948), N. York, Doubleday, 1954; *Journal d'ethnographe* (Londres, 1967), Paris, Seuil, 1985 • Michel Panoff, *Bronislaw Malinowski*, Paris, Payot, 1972 • Ernest Jones, *Essais de psychanalyse appliquée*, vol.II (Londres, 1951), Paris, Payot, 1973 • Jean Poirier, *Histoire de l'ethnologie*, Paris, PUF, 1974 • George W. Stocking, "L'Anthropologie et la science de l'irrationnel. La Rencontre de Malinowski avec la psychanalyse freudienne" (1983), *Revue Internationale d'Histoire de la Psychanalyse*, 4, 1991, 449-491 • Bertrand Pulman, "Ernest Jones et l'anthropologie", *Revue Internationale d'Histoire de la Psychanalyse*, 4, 1991, 493-521.

➤ ANTROPOLOGIA; AUSTRÁLIA; DIFERENÇA SEXUAL; KARDINER, ABRAM; MEAD, MARGARET; PSICANÁLISE APLICADA.

Mann, Thomas (1875-1955)
escritor alemão

Thomas Mann nasceu em Lübeck, no norte da Alemanha*, em 6 de junho de 1875, de mãe mestiça de origem brasileira, cuja beleza exótica e sensual inspiraria ao romancista alguns de seus personagens femininos mais fascinantes, e de um pai originário de uma das mais ilustres famílias protestantes da cidade.

Em 1892, depois da morte de seu pai, dificuldades financeiras levaram a família a instalar-se em Munique, onde Thomas Mann publicou sua primeira novela em 1894. Aquele que se tornaria um dos maiores escritores alemães do século XX conheceu o sucesso desde 1901, com seu romance *Os Buddenbrook*, grandioso painel da decadência de uma família burguesa, amplamente inspirado na história de sua própria família paterna.

Em 1905, casou-se com Katja Pingsheim, com quem teria seis filhos: Erika, que se tornaria escritora e recolheria as confidências da mãe no fim de sua vida; Klaus, também escritor, que se suicidaria em 1949 em Cannes, depois de concluir *Le Tournant*, sua segunda autobiografia; Golo, jornalista; Monika, nascida em 1910, no ano do suicídio* de Carla, uma das irmãs de Thomas Mann; Elisabeth e Michael.

Herdeiro do mundo prometeico da literatura romântica alemã, Thomas Mann foi ligado durante toda a vida à filosofia de Arthur Schopenhauer (1788-1860), à de Friedrich Nietzsche (1844-1890) e ao universo wagneriano. Esse fascínio pelas grandes epopéias líricas, pelos sábios loucos e pelos mágicos, sua hostilidade pelas formas de pensamento racionais, suspeitas, a seus olhos, de reducionismo, estavam na origem dos erros e das ambigüidades que caracterizariam sua relação com a política e a psicanálise*.

O ódio que Thomas Mann sentia pelos valores do mundo ocidental, do qual excluía a Alemanha, quer se tratasse do parlamentarismo, do internacionalismo, dos ideais socialistas e mais ainda da psicologia, o levou a tomar partido pelo imperialismo prussiano já em 1914. A guerra lhe parecia então uma cruzada em defesa da cultura germânica. Assim, indispôs-se com seu irmão mais velho, Heinrich (1871-1950), também escritor e jornalista, apaixonado pela França* e pela Itália*, que se engajou em 1914 contra o empreendimento militarista da Alemanha guilhermina. Em 1918, Thomas Mann, amargurado com a derrota alemã, publicou uma obra-prima panfletária, *Considerações de um apolítico*, de tom populista e nacionalista, na qual atacava novamente, com incrível violência, a psicologia sob todas as suas formas, que acusava de cultivar a evidência e de não respeitar a arte e a criação.

Em 1924, depois de se reconciliar com o irmão, publicou uma de suas obras mais célebres, *A montanha mágica* (*Der Zauberberg*), que lhe valeu uma reputação internacional: o escritor alemão mais conhecido do mundo recebeu o Prêmio Nobel de literatura em 1929. Durante esses anos, suas opiniões políticas mudaram. Desde o surgimento dos primeiros sintomas anunciadores da ascensão do nazismo*,

aliou-se às forças de esquerda, empenhando todo o seu prestígio nas campanhas eleitorais, multiplicando as conferências para a juventude, colaborando com os sindicatos para impedir a volta da barbárie. Consternado, tomou consciência de uma reviravolta histórica: o nazismo triunfante tomava para si, de modo caricatural mas eficaz, os valores da Alemanha romântica aos quais ele era tão apegado. O justo combate dos filósofos românticos se tornou anacrônico; não era mais hora para a apologia do instinto e do irracional contra a alienação moderna; era preciso mobilizar todas as forças disponíveis para socorrer a civilização ameaçada.

Sem questionar a sinceridade e a força desse engajamento, parece, entretanto, que ele não foi tão espontâneo e enérgico quanto se relata geralmente. Em 1996, sua filha Erika, que foi uma Resistente ao nazismo desde a primeira hora, publicou um livro de memórias no qual transcreveu cartas trocadas com o pai, entre 1933 e 1936. Algumas dessas cartas mostram a demora do escritor, então na Suíça*, em assumir uma posição pública contra os novos senhores de seu país. A seu irmão Klaus, Erika escreveu: "Cabe a nós, apesar de nossa juventude, uma pesada responsabilidade, na pessoa do nosso pai menor." Em fevereiro de 1936, Thomas Mann publicou em um jornal suíço uma tomada de posição isenta de ambigüidade, que o reconciliaria com a filha, como prova o telegrama que ela lhe dirigiu: "Obrigada, parabéns, bênção."

Considerando-se os temas dominantes da obra de Thomas Mann, a doença, a sexualidade* e a morte, poder-se-ia pensar que seu encontro com a obra freudiana foi rápido e simples. Ora, não foi nada disso.

Contraditório em suas declarações, Thomas Mann até se desculparia, em uma carta de 3 de janeiro de 1930 a Sigmund Freud*, pelo caráter tardio de sua compreensão da teoria psicanalítica e de sua adesão aos valores de que ela era portadora, enquanto havia declarado, em 1925, que sua novela *Morte em Veneza*, publicada em 1912, havia sido escrita sob a influência direta de Freud. Na verdade, ele sempre cultivou a ambigüidade quanto a esse ponto.

Na primeira parte de sua vida e de sua obra, seu ódio a toda espécie de psicologia, seu temor de vê-la apoderar-se da arte e da literatura, se não permitem formular a tese de uma ignorância absoluta da descoberta freudiana, explicam entretanto sua distância em relação à psicanálise e a ironia com a qual a comentava. Quanto a isso, Jean Finck observou: "Em um primeiro tempo, Thomas Mann desloca para a psicanálise, pelo menos parcialmente, suas suspeitas em relação à ação supostamente desmoralizadora e inimiga da vida que ele atribui à psicologia."

Por outro lado, é verdade, e o próprio Thomas Mann reconheceria, que, por sua cultura e suas leituras, por seu amor à filosofia romântica alemã, ele estava preparado para abordar as idéias freudianas. Aliás, nunca deixaria de enfatizar, às vezes excessivamente, a filiação, evidente para ele, entre Schopenhauer e Freud. Mas só em meados dos anos 1920, quando se esboçava sua virada política, Thomas Mann se confrontou francamente com a obra de Freud, cuja influência é evidente em *José e seus irmãos*, esse grande afresco iniciado em 1926.

A partir de então, seu interesse, sua simpatia e até sua admiração pela psicanálise, e talvez mais ainda pela pessoa de Freud, se expressariam de maneira sonora, quase como um engajamento moral.

Dois textos célebres ilustram esse reconhecimento: "Freud e o futuro", escrito em 1936, por ocasião do 80º aniversário do inventor da psicanálise, e "Freud e o pensamento moderno", publicado em 1929, ano do Prêmio Nobel, sem dúvida um dos textos mais admiráveis redigidos sobre Freud, como certas linhas de Stefan Zweig*.

"Freud e o pensamento moderno" é um texto de combate filosófico e político. À maneira de Nietzsche, sob cuja inspiração ele inscreveu seu percurso, Thomas Mann revia algumas de suas posições anteriores, mas principalmente, como verdadeiro estrategista da luta das idéias, desmontava a utilização pervertida que as forças das trevas faziam dos valores ligados à cultura (e singularmente daqueles provenientes do romantismo alemão).

Em sua época, Nietzsche tinha analisado e criticado a trajetória dos pensadores alemães que acreditavam discernir nos valores do *Aufklärung* os germes do progresso, apelando para que se deixasse de considerar a filosofia român-

tica como uma obra reacionária e mostrando principalmente que a filosofia de Schopenhauer, na verdade, retornava aos valores tão elogiados por Petrarca, Erasmo e Voltaire.

Thomas Mann retomou essa bandeira e fez o elogio de *Totem e tabu**, que acabava de reler. Esse livro, escreveu ele, "nos incita mais do que a uma simples meditação sobre a espantosa origem psíquica do fenômeno religioso e sobre a natureza profundamente conservadora de toda reforma." Freud, explorador das profundezas, se inscrevia evidentemente na linhagem dos pensadores dos séculos precedentes que, em vez de ignorar ou idolatrar a face noturna do ser, lançaram as premissas de seu conhecimento. Não acreditemos, prosseguiu o autor de *Mário, o mágico*, que Freud, por explorar o obscuro, analisar o glauco e visitar a cloaca, fosse um obscurantista.

Defendendo assim o pensamento freudiano, Thomas Mann estava de pleno acordo consigo mesmo. O inconsciente freudiano era, efetivamente, o golpe fatal para essa psicologia clássica que ele detestava, e o anti-racionalismo de Freud "equivale a compreender a superioridade afetiva e dominante do instinto sobre o espírito; ele não equivale a uma prosternação admiradora diante dessa superioridade, a uma ironia do espírito". O narcisismo e a pulsão de morte eram reconhecidos, nas entrelinhas, por Thomas Mann, na obra de Novalis e "o que se chamou erroneamente de pansexualismo* de Freud, a sua teoria de libido, é, em resumo e sem qualquer mística, um romantismo que se tornou científico." E Mann encontrou tons beethovenianos, como os do *Hino à alegria*, para concluir sua análise: a psicanálise "é essa forma de irracionalismo moderno que resiste claramente a todo abuso reacionário que se faz dele. Ela é, declaramo-nos convictos, uma das pedras mais sólidas que contribuíram para edificar o futuro, morada de uma humanidade libertada, que chegou ao conhecimento."

Em 1930, por ocasião de uma reedição de sua autobiografia, Freud acrescentou algumas linhas à guisa de conclusão, pelas quais ele aceitava enfim que o classificassem entre os grandes pensadores da humanidade. Ao fazer isso, era Thomas Mann quem ele saudava: "Foi em 1929, lembrava, que Thomas Mann, um dos autores que mais tinham vocação para porta-voz do povo alemão, me atribuiu um lugar na história do espírito moderno, em frases tão ricas de conteúdo quanto de amabilidade."

Em 8 de maio de 1936, quando os nazistas não faziam mais mistério de suas intenções, Thomas Mann pronunciou em Viena* um discurso lírico em honra do "psicólogo do inconsciente [...], verdadeiro filho do século de Schopenhauer e de Ibsen, entre os quais nasceu". Demonstrou sua humildade, lembrando nessa ocasião que foi mais a psicanálise que veio a ele do que ele a ela, e explicou que "mal ousava" falar de Freud, que devia ser honrado "como pioneiro de um humanismo do futuro". Um mês depois, em 14 de junho de 1936, foi visitar Freud para ler-lhe pessoalmente esse texto. Max Schur* relatou como esse elogio impressionou Freud, que escreveu, em uma carta de 17 de junho de 1936 a Arnold Zweig*, como essa visita o emocionara: "Thomas Mann, que fez uma conferência sobre mim em cinco ou seis lugares diferentes, teve a gentileza de repeti-la para mim, no domingo, dia 14 deste mês, para mim pessoalmente, no meu quarto, aqui em Grinzing. Para mim e os meus, que estavam presentes, foi uma grande alegria."

Mann deixou a Alemanha e foi para os Estados Unidos em 1938. Ensinou em Princeton, antes de fixar residência na Califórnia. Em 1944, adquiriu a nacionalidade americana e dedicou, a partir dessa data, muito de sua energia a descobrir as raízes do cataclisma cuja responsabilidade coletiva, a seus olhos, cabia a seu país natal. Como observou Jean-Michel Palmier, essa posição seria duramente criticada por Bertolt Brecht (1898-1956), que o acusaria de confundir alemão e nazista.

Em 1945, em um texto intitulado "Por que não volto à Alemanha", explicou seu percurso intelectual e político e seu abandono progressivo das raízes alemãs: "É verdade, disse ele, que a Alemanha se tornou estranha para mim durante todos esses anos. Hão de convir comigo que é um país que dá medo." Acusando os alemães em geral por sua participação, mesmo passiva, nessa "pavorosa guerra", exclamou: "Que grau de insensibilidade não foi necessário para ouvir o *Fidelio* na Alemanha de Himmler,

sem cobrir o rosto com as mãos e sair do teatro correndo!"

Em 1952, Thomas Mann deixou definitivamente os Estados Unidos e fixou-se na Suíça, a partir de onde percorreu a Europa fazendo conferências, inclusive na Alemanha. Morreu em Zurique, em 12 de agosto de 1955.

• Thomas Mann, "Freud et la pensée moderne", in *Sur le mariage. Lessing, Freud et la pensée moderne. Mon temps* (1929), Paris, Aubier-Flammarion, 1970, edição bilíngüe, 1906-149; "Freud et l'avenir" (1936), in Roland Jaccard (org.), *Freud. Jugements et témoignages*, Paris, PUF, 1976, 13-43; "Pourquoi je ne rentre pas en Allemagne", in *Être écrivain allemand à notre époque*, ensaios e textos inéditos reunidos e apresentados por André Gisselbrecht, Paris, Gallimard, 1996 • Erika Mann, *Mein Vater, der Zauberer*, Frankfurt, Rowohlt, 1996 • Klaus Mann, *Le Tournant* (1982), Paris, Solin, 1984 • *Journal. Les Années brunes, 1931-1936*, Paris, Grasset, 1996 • "Thomas Mann et les siens", dossier dirigido por Lionel Richard, *Le Magazine Littéraire*, setembro de 1996 • Jean Finck, *Thomas Mann et la psychanalyse*, Paris, Les Belles Lettres, 1982, precedido de "Thomas Mann et l'irrationnel" por Jean-Michel Palmier, 5-33 • Sigmund Freud, *Totem e tabu* (1913), *ESB*, XIII, 17-192; *GW*, IX; *SE*, XIII, 1-161; Paris, Gallimard, 1993; *Um estudo autobiográfico* (1925), *ESB*, XX, 17-88; *SE*, XX, 7-70; *GW*, XIV, 33-96; *OC*, XVII, 51-122 • Sigmund Freud e Arnold Zweig, *Correspondance, 1927-1939* (Frankfurt, 1968), Paris, Gallimard, 1973 • Max Schur, *Freud: vida e agonia, uma biografia*, 3 vols. (1972), Rio de Janeiro, Imago, 1981.

Mannoni, Octave (1899-1989)

psicanalista francês

Nascido em Lamotte-Beuvron, Sologne, Octave Mannoni era de uma família de professores primários originários da Córsega. Seu pai era diretor de uma casa de correção. Depois de estudar filosofia, foi nomeado professor no liceu Gallieni de Tananarive, em Madagascar, onde permaneceu durante vinte anos, de 1925 a 1945. Favorável à independência da ilha, foi chamado a Paris pela administração. Cinco anos depois, em 1950, publicou a sua *Psicologia da colonização*, que suscitou muitos comentários. Inspirando-se em Prospero e Caliban, personagens de *A tempestade*, de William Shakespeare, tentou distinguir a personalidade malgaxe da personalidade colonial européia. Segundo ele, a primeira caracterizava-se por um complexo de dependência e um sistema religioso hierárquico, no qual os mortos formavam uma instância moral superior, um super-eu*, que determinava a conduta dos vivos. A segunda, ao contrário, se singularizava por seu individualismo e sua emancipação em relação a costumes, tradições e religião.

Ora, a colonização tecia laços entre os dois sistemas. Segundo Mannoni, os malgaxes efetuavam uma transferência* de dependência que os levava a considerar o homem branco (o colonialista) um equivalente do ancestral morto e a lhe pedir proteção e segurança. Daí decorria, para o europeu, a idéia de que o negro colonizado era um inferior que aceitava sua inferioridade. Mannoni qualificava de interpretação* abusiva essa transformação, pelo colonizador, de um sentimento de dependência em um complexo de inferioridade, concluindo que a dependência dos negros em relação aos brancos era resultado de um medo recíproco de natureza projetiva: os brancos projetavam nos indígenas seus próprios pavores, dizia ele, e os negros projetavam uma transferência de dependência sobre os brancos. Daí a fórmula: "O negro é o medo que o branco tem de si mesmo."

Mannoni apenas retomava, com um espírito universalista, as teses da etnopsicanálise*, acrescentando uma interpretação fenomenológica. A obra era, sem dúvida alguma, anticolonialista, mas em razão de seu psicologismo e de um certo preciosismo, que dava a entender que as diferenças entre os colonizados e os colonizadores, entre o homem branco e o homem negro, entre o carrasco e a vítima, eram apenas efeito de uma teatralidade, ou até de uma ilusão de ótica, foi recebida erroneamente como um manifesto hostil à libertação dos povos oprimidos. Manonni foi acusado, principalmente por Aimé Césaire, de utilizar uma terminologia sofisticada para comparar os "pobres negros" com crianças grandes, incapazes de se ocidentalizar.

Foi sobretudo Frantz Fanon* que, em 1952, deu um golpe terrível no autor, em um livro militante, Pele negra, máscaras brancas, que se tornaria um clássico na luta anticolonial. Psiquiatra formado na psicoterapia institucional* por François Tosquelles (1912-1994), Fanon adotava a tese clássica do culturalismo*, revista e corrigida pela fenomenologia sartriana, para mostrar que a psicanálise e seu complexo de Édipo* eram incompatíveis com a negritude.

Octave Mannoni respondeu muitas vezes a essa crítica, fosse para defender o seu livro, fosse para rever algumas de suas posições. Orientou-se depois para a psicanálise*.

Depois de um tratamento com Jacques Lacan* e de seu casamento em 1948 com Maud Van der Spoel (Maud Mannoni), jovem terapeuta neerlandesa, formada por Maurice Dugautiez*, integrou-se à Sociedade Francesa de Psicanálise (SFP) e depois à École Freudienne de Paris* (EFP), na qual se tornou um brilhante didata, publicando ao mesmo tempo textos na revista de Jean-Paul Sartre (1905-1980), Les Temps Modernes.

Em 1966, cinco anos depois da morte de Fanon e do fim da guerra da Argélia, tentou, na revista Race, explicar mais uma vez, à luz da sua experiência de analista, os defeitos e as qualidades de sua Psicologia da colonização, enfatizando que assumira o risco de desrespeitar certas "místicas úteis à causa anticolonialista". Criticou todavia a utilização que ele próprio fizera da noção de dependência e sua negligência da questão econômica, e insistiu na necessidade de escrever um livro sobre a psicologia da descolonização.

Anticolonialista, homem de esquerda sensível à marginalidade e ao desvio, permaneceu um freudiano erudito, participando até a morte de todas as atividades de sua esposa Maud Mannoni, que teria um renome internacional no campo da psicanálise de crianças*. A seu lado, foi na França* um dos defensores das teses da antipsiquiatria* inglesa e marcou com sua presença a escola experimental de Bonneuil-sur-Marne, inaugurada em 1969.

Publicou muitas obras, entre as quais um notável ensaio sobre Sigmund Freud*, traduzido no mundo inteiro, vários estudos de crítica literária e um artigo no qual propunha chamar de análise original a auto-análise* de Freud.

• Octave Mannoni, Prospero et Caliban. Psychologie de la colonisation (1950), Paris, Éditions Universitaires, 1985; La Machine (1951), Paris, Tchou, 1977; Freud, uma biografia ilustrada (Paris, 1966), Rio de Janeiro, Jorge Zahar, 1994; Clefs pour l'imaginaire ou l'Autre Scène, Paris, Seuil, 1969; Ficções freudianas (Paris, 1978), Rio de Janeiro, Taurus, 1986 • Frantz Fanon, Peau noire, masques blancs, Paris, Seuil, 1952 • Michelle Moreau-Ricaud, "Octave Mannoni (1899-1989)", Revue Internationale d'Histoire de la Psychanalyse, 3,

1990, 478-9 • Guillaume Suréna, "Psychanalyse et anticolonialisme. L'Influence de Frantz Fanon", ibid., 5, 1992, 431-44.

➢ ANTROPOLOGIA; DIFERENÇA SEXUAL; MALINOWSKI, BRONISLAW; ROHEIM, GEZA.

Marcinowski, Jaroslaw (1868-1935)
médico alemão

Nascido em Breslau, na Polônia, Jaroslaw (Johannes) Marcinowski aderiu às idéias freudianas no início do século e dirigiu um sanatório de convalescença para doentes nervosos em Holstein. Em junho de 1909, escreveu a Sigmund Freud* a fim de se reunir ao círculo vienense. Na linguagem militar que lhe era costumeira, Freud o descreveu assim a Carl Gustav Jung*: "Ele se apresenta como um partidário convicto e como um camarada pronto para o combate."

Depois da Primeira Guerra Mundial, Marcinowski comprou uma fazenda em Bad Heilbrunn, na Baviera, que transformou em sanatório. Com sua mulher, enfermeira diplomada, compartilhava a vida de seus pacientes. Lou Andreas-Salomé* lhe fez uma visita em 1920 e admirou a maneira como era organizado esse local de acolhimento. Marcinowski foi membro da Wiener Psychoanalytische Vereinigung (WPV) entre 1919 e 1925, mas foi principalmente um terapeuta da vida comunitária. Escreveu inúmeros artigos.

• *Freud/Lou Andreas-Salomé: correspondência completa (1912-1913)* (Frankfurt, 1966), Rio de Janeiro, Imago, 1975 • Elke Mühlleitner, *Biographisches Lexikon der Psychoanalyse. Die Mitglieder der Psychologischen Mittwoch-Gesellschaft und der Wiener Psychoanalytischen Vereinigung von 1902-1938*, Tübingen, Diskord, 1992.

Marcondes, Durval, *né* Durval Marcondes Bellegarde (1899-1981)
psiquiatra e psicanalista brasileiro

Nascido em São Paulo, Durval Marcondes deve ser considerado como o fundador do movimento psicanalítico brasileiro. Esse psiquiatra erudito, de estilo aristocrático, tornou-se um notável clínico da psicanálise e ocupou durante toda a vida o lugar mais importante na cena freudiana de seu país. Foi ele quem promoveu a vinda de Adelheid Koch* de Berlim a São Paulo, a fim de que ela analisasse e formasse didatas segundo os critérios da International Psychoanalytical Association* (IPA). Foi também ele o melhor organizador do movimento, depois que este foi reconhecido por Ernest Jones*. Assim, deu a São Paulo uma posição de relevo em relação às outras cidades de implanta ção do freudismo: Rio de Janeiro, principalmente, mas também Salvador, Porto Alegre, Recife etc.

Em 1926, publicou um livro sobre o simbolismo* que abriu caminho para uma crítica literária de inspiração psicanalítica no Brasil*. No ano seguinte, fundou com Francisco Franco da Rocha* a Sociedade Brasileira de Psicanálise, primeira sociedade freudiana do continente latino-americano, que, depois de dissolvida, renasceria para se tornar em junho de 1944 o Grupo Psicanalítico de São Paulo e posteriormente, em 1951, no congresso da IPA em Amsterdam, a Sociedade Brasileira de Psicanálise de São Paulo (SBPSP).

Em 1928, Marcondes criou a *Revista Brasileira de Psicanálise*, que foi acolhida com entusiasmo por Freud. Redigiu muitas obras de introdução à psicanálise*. Foi também um pioneiro da higiene mental nas instituições escolares e inaugurou a primeira cátedra de psicologia na Universidade de São Paulo.

• Marialzira Perestrello, "Histoire de la psychanalyse au Brésil des origines à 1937", *Frénésie*, 10, primavera de 1992, 283-301.

➢ BRASIL; BURKE, MARK; KEMPER, WERNER; PORTO-CARRERO, JÚLIO PIRES; RAMOS DE ARAÚJO PEREIRA, ARTHUR; SPANUDIS, THEON.

Marcuse, Herbert (1898-1979)
filósofo americano

Nascido em Berlim, Herbert Marcuse foi inicialmente aluno de Edmund Husserl (1859-1938) e de Martin Heidegger (1889-1976), antes de participar dos trabalhos do Institut für Sozialforschung, onde encontrou Theodor Adorno (1903-1969), Max Horkheimer (1895-1973) e Leo Lowenthal. Núcleo fundador da futura Escola de Frankfurt, esse instituto de pesquisas sociais foi a origem da elaboração da teoria crítica, doutrina sociológica e filosófica que se baseava ao mesmo tempo na psicanálise*, na fenomenologia e no marxismo para refletir sobre as condições de produção da cultura no seio de uma sociedade dominada pela racionalidade tecnológica e prestes a naufragar na barbárie.

Fugindo do nazismo*, Marcuse deixou a Alemanha* e emigrou para os Estados Unidos* em 1934, onde ensinou em diversas universidades, antes de se tornar professor na de San Diego, na Califórnia. Ao contrário de Horkheimer, só depois do exílio começou a se interessar de perto pelo pensamento freudiano: "Foi preciso esperar pelo choque e pelas questões perturbadoras que tanto a guerra civil espanhola quanto os processos de Moscou suscitaram, escreveu Martin Jay, para que Marcuse começasse a estudar seriamente Freud. Sua consciência cada vez mais clara das insuficiências do marxismo, mesmo em sua versão hegeliano-marxista, o levou, como Horkheimer e Adorno antes dele, a refletir sobre os obstáculos propriamente psicológicos que se opõem a uma verdadeira mudança social."

Como seus amigos, Marcuse criticava o totalitarismo e os fracassos do socialismo, mas com isso não admitia os supostos benefícios de uma sociedade liberal, voltada para a tecnologia e o lucro, e alienante para o indivíduo à procura de liberdade. Daí a idéia de desenvolver um pensamento crítico fundado no espírito rebelde e capaz de despertar as consciências.

Para compreender a posição de Marcuse, é preciso situá-la no contexto da polêmica lançada por Adorno em 1946 contra o neofreudismo* e o culturalismo*, isto é, contra a influência daqueles que — de Karen Horney* a Erich Fromm* — "revisavam" a doutrina freudiana, no sentido de uma redução do isso* em proveito do eu*, de um abandono da teoria das pulsões* e de uma rejeição da sexualidade*. Através dessa supervalorização do cultural, os revisionistas apenas reintroduziam, segundo Adorno, o princípio de uma adaptação social de acordo com os ideais da sociedade industrial.

Em 1955, em *Eros e civilização*, Marcuse retomou essa argumentação, derrubando ao mesmo tempo a concepção freudiana das pulsões. Em lugar de ver na pulsão* de morte o principal motor do destino humano, afirmava que o *eros* (ou princípio de prazer*) era a única força capaz de lutar contra a ordem estabelecida (princípio de realidade*) e contra *thanatos*, fonte de todas as resignações e de todos os pessimismos. Para ele, tratava-se, exatamente como fazia Jacques Lacan* na mesma época, mas por outros meios, de dar novamente ao freudismo* aquele estatuto de doutrina subversiva que perdera às custas de edulcorar-se em contato com as psicoterapias* higienistas e pragmáticas das sociedades industriais normalizadas.

Marcuse preconizava assim uma teoria da libertação que o conduzia a imaginar uma sociedade fundada na superação dos conflitos e na possível "pacificação da existência". Essa utopia o afastava da teoria crítica de Adorno e de Horkheimer, que permanecia ligada à tese freudiana da pulsão de morte. Marcuse conquistou um sucesso mundial junto aos jovens, no momento das grandes revoltas estudantis dos anos 1960, depois da publicação de *O homem unidimensional*. Nesse livro profético e muito mais freudiano, apesar das aparências, do que *Eros e civilização*, o filósofo, longe de pregar a superação dos conflitos, atacava a unificação das consciências e do pensamento. Enfatizando que o homem "unidimensional" da sociedade industrial tinha perdido todo o seu poder de negação à força de se submeter aos imperativos de uma falsa consciência, conclamava as massas a reatarem com a ética da grande recusa e a se revoltarem contra a ordem social dominante, em nome de uma nova estética da existência.

• Herbert Marcuse, *Eros e civilização* (Boston, 1955), Rio de Janeiro, Paz e Terra, 1978; *L'Homme unidimensionnel* (Boston, 1964), Paris, Minuit, 1968 • Paul Robinson, *The Freudian Left. Wilhelm Reich, Geza Roheim, Herbert Marcuse*, N. York, Harper and Row, 1969 • Martin Jay, *L'Imagination dialectique. Histoire de l'École de Francfort, 1923-1950* (Boston, 1973), Paris, Payot, 1977.

➢ FREUDO-MARXISMO; *MAIS-ALÉM DO PRINCÍPIO DE PRAZER*; REICH, WILHELM.

masoquismo

al. *Masochismus*; esp. *masoquismo*; fr. *masochisme*; ing. *masochism*

Termo criado por Richard von Krafft-Ebing* em 1886, e cunhado a partir do nome do escritor austríaco Leopold von Sacher-Masoch (1835-1895), para designar uma perversão* sexual — fustigação, flagelação, humilhação física e moral — em que a satisfação provém do sofrimento vivido e expresso pelo sujeito* em estado de humilhação.

Esse termo pertence essencialmente ao vocabulário da sexologia*, mas foi retomado por Sigmund Freud* e seus herdeiros no contexto mais genérico de uma teoria da perversão estendida a outros atos, além das perversões sexuais. Nesse sentido, foi acoplado ao termo sadismo* para dar origem a um novo vocábulo, sadomasoquismo*, que então se impôs na terminologia psicanalítica.

Masotta, Oscar Abelardo (1930-1979)
filósofo argentino

Introdutor do lacanismo* na Argentina* e depois na Espanha*, Oscar Masotta não exerceu a psicanálise*. Entretanto, por seu ensino e suas iniciativas institucionais, desempenhou um papel de didata junto aos discípulos que formou com a leitura dos textos de Jacques Lacan* e uma prática lacaniana do tratamento.

Proveniente da pequena burguesia de Buenos Aires, viveu uma juventude tipicamente portenha, no centro de um grupo de filhos de imigrantes, marxistas e existencialistas, apaixonados pela cultura francesa e pelo cinema hollywoodiano. Masotta gostava das mulheres. Seus melhores amigos, Carlos Correas e José Sebreli, eram homossexuais. Rejeitando energicamente o regime peronista, procuravam, através da leitura de Sartre e de Merleau-Ponty, uma filosofia do homem simultaneamente universal e radical. Com a idade de 25 anos, Masotta começou a publicar artigos em *Clase Obrera*, revista do movimento operário comunista, meio populista, meio marxista.

Em 1960, atravessou uma fase de tendência ao suicídio, uma "doença mental" entre a histeria* e a esquizofrenia*, como ele mesmo disse, e começou uma análise com Jorge Carpinacci, membro da Asociación Psicoanalítica Argentina (APA). Em sua primeira obra, consagrada a Roberto Arlt (1900-1942), publicada em 1965, Masotta se identificava com o escritor

para reivindicar a bastardia (no sentido sartriano), a clivagem*, o desespero e o niilismo.

Filho de imigrante prussiano e de mãe austríaca, Arlt teve uma infância miserável, marcada pela revolta contra a opressão paterna. Tornando-se escritor e jornalista no período entre-guerras, criou um comitê de apoio aos republicanos espanhóis, ao qual Enrique Pichon-Rivière aderiu. Seus livros faziam uma descrição violenta da pequena burguesia argentina, confrontada com personagens de trapaceiros, bandidos e prostitutas: um universo como o dos filmes "noirs", como a atmosfera de Faulkner, de Dashiell Hammett e de Sartre em *A náusea*.

A descoberta do estruturalismo e a leitura da *Antropologia estrutural* de Claude Lévi-Strauss determinaram a evolução de Masotta, que abraçou, sem renunciar ao niilismo, o culto da estrutura. Pichon-Rivière foi o seu iniciador. Emprestou-lhe números da revista *La Psychanalyse* que continham textos de Lacan e convidou-o, em 1964, a fazer uma exposição no seu Instituto de Psicologia Social, "Lacan e o inconsciente no fundamento da filosofia".

Recusando-se a fazer uma carreira universitária clássica, Masotta reuniu em torno de si um grupo de estudos freqüentado por psicólogos, intelectuais e psicanalistas da APA. Depois, no Centro Superior de Artes, onde dava cursos, ficou conhecendo Juan-David Nasio, que também se interessava pela obra de Lacan e pelos textos de Louis Althusser (1918-1990) e de Georges Politzer (1903-1942). Juntos, formaram em 1968 um grupo lacaniano informal. Nessa época, sob a ditadura do general Ongania, muitos círculos culturais particulares floresciam à margem da universidade, servindo muitas vezes de refúgio a professores expulsos de seus postos pelo golpe de Estado.

Depois de criar em 1969 os *Cuadernos Sigmund Freud*, primeira revista hispanófona de difusão do pensamento lacaniano, Masotta, apoiado por Serge Leclaire*, Maud e Octave Mannoni*, organizou com eles uma mesa redonda, da qual participaram vários membros da APA: Marie Langer*, Emilio Rodrigué, Arminda Aberastury*, José Bleger*, Fernando Ulloa. O objetivo era legitimar o movimento lacaniano, referindo-se à tradição eclética do freudismo* argentino.

Enquanto Masotta começava a publicar obras de introdução ao pensamento lacaniano, seu grupo aproveitava a crise institucional da APA para oferecer uma via clínica aos terapeutas não-médicos e não-diplomados. Um verdadeiro movimento lacaniano emergiu desse contexto, no início dos anos 1970, ao mesmo tempo que era publicada a tradução espanhola dos *Écrits*, realizada por Tomas Segovia e revista por Nasio. Este emigrara em 1969, depois de uma análise com Emiliano del Campo, analisado por José Bleger, e se integrara à École Freudienne de Paris* (EFP). Em 1986, criou o seu próprio grupo: os Seminários Psicanalíticos de Paris (SéPP).

Em 28 de junho de 1974, Masotta fundou, com 19 psicanalistas, entre os quais Isidoro Vegh e Germán Leopoldo Garcia, a Escuela Freudiana de Buenos Aires (EFBA), cujos estatutos, estruturas e modalidades de análise didática eram calcados nos da EFP. Um ano depois, foi a Paris para apresentar sua escola, no momento em que a comunidade lacaniana já estava em meio a uma crise de sucessão.

Tornando-se membro da EFP, Masotta deixou a Argentina algum tempo antes do golpe de Estado do general Videla. Depois de uma permanência em Londres, instalou-se, em 1976, em Barcelona, onde desenvolveu uma extraordinária atividade editorial e institucional, lançando as bases de uma implantação do lacanismo na Espanha*, enquanto o fim do regime franquista e o advento da democracia tornavam possível a restauração do freudismo nesse país. Em 18 de fevereiro de 1977, criou a Biblioteca Freudiana de Barcelona, primeira instituição lacaniana hispanófona da Europa, e durante dois anos, organizou colóquios e cursos em várias grandes cidades, dando origem a um verdadeiro movimento. Em 1979, uma cisão irrompeu na EFBA. De Barcelona, Masotta fundou um novo grupo, a Escuela Freudiana de Argentina, da qual derivariam, através de várias cisões, todos os pequenos grupos do lacanismo argentino.

Grande fumante, morreu em alguns meses, com a idade de 49 anos, de um câncer de pulmão.

• Oscar Masotta, *Sexo y traición en Roberto Arlt*, B. Aires, Jorge Alvarez, 1965; *Consciencia y estructura*, B. Aires, Jorge Alvarez, 1968; *Introducción a la lectura de Jacques Lacan* (1970), B. Aires, Corregidor, 1974; *Ensayos lacanianos*, Madri, Abagrama, 1976; "Sur la fondation de l'École Freudienne de Buenos Aires", *Ornicar?*, 20-21, 1980, 227-35 • Carlos Correas, *La operación Masotta (cuando la muerte tambien fracasa)*, B. Aires, Catalogos, 1991 • Hugo Vezzetti, "Oscar Masotta y Carlos Correas", *Punto de Vista*, 41, dezembro de 1991, 35-7 • Raúl Giordano, *Notice historique du mouvement psychanalytique en Argentine*, dissertação para o CES de psiquiatria, sob a direção de Georges Lantéri-Laura, Universidade de Paris-XII, s/d • *Analitica del Litoral*, 5, Dossier: "La entrada del pensamiento de Jacques Lacan en lengua española (1)", Santa Fe, 1995.

matema

al. *Mathem*; esp. *matema*; fr. *mathème*; ing. *matheme*

Termo criado por Jacques Lacan*, em 1971, para designar uma escrita algébrica capaz de expor cientificamente os conceitos da psicanálise*, e que permite transmiti-los em termos estruturais, como se tratasse da própria linguagem da psicose*.

Foi no âmbito de sua última reformulação lógica, baseada numa leitura da obra de Ludwig Wittgenstein (1889-1951) e orientada para a análise da essência da loucura* humana, que Lacan inventou, simultaneamente, o matema e o nó borromeano*: de um lado, um modelo da linguagem, articulado com uma lógica da ordem simbólica*; do outro, um modelo estrutural, baseado na topologia e efetuando um deslocamento radical do simbólico para o real*.

A palavra matema foi proposta por Lacan pela primeira vez em 2 de dezembro de 1971. Cunhada a partir do mitema de Claude Lévi-Strauss e do termo grego *mathema* (conhecimento), ela não pertence ao campo da matemática. Evocando a loucura do matemático Georg Cantor (1845-1918), Lacan explicou que, se essa loucura não era motivada por perseguições objetivas, estava relacionada à própria incompreensão matemática, isto é, à resistência* provocada por um saber julgado incompreensível. Comparou então seu ensino ao de Cantor: seria a incompreensão em que esbarrava esse ensino um sintoma?

Foi para responder a essa pergunta que Lacan inventou o matema. Em 1972 e 1973, forneceu diversas definições dele, passando do singular ao plural e, depois, do plural ao singular. Acima de tudo, porém, ele definiu como decorrentes do matema os quatro discursos (ou quadrípodes) com que havia organizado a lógica em seu seminário do ano de 1969-1970, *O avesso da psicanálise*: discurso do mestre, discurso universitário, discurso histérico e discurso psicanalítico. Mostrou, então, que o matema é a escrita "do que não é dito, mas pode ser transmitido". Em outras palavras, Lacan colocou-se ao contrário de Wittgenstein: recusando-se a concluir pela separação dos incompatíveis, tentou arrancar o saber do inefável e lhe conferir uma forma integralmente transmissível. Essa forma é justamente o matema, porém o matema não é sede de uma formalização integral, uma vez que pressupõe sempre um resto que lhe escapa. Assim definido, o matema inclui os matemas, isto é, todas as fórmulas algébricas que pontuam a história da doutrina lacaniana e permitem sua transmissão: o significante*, o estádio do espelho*, o desejo* com seus grafos, o sujeito*, a fantasia*, o Outro*, o objeto (pequeno) *a** e as fórmulas da sexuação*.

A inclusão dos quatro discursos no matema teria uma conseqüência política. Em 1969, Lacan mostrara que o discurso universitário era incompatível com a psicanálise, ao passo que, a partir da introdução do matema, sublinhou, ao contrário, a compatibilidade entre os dois. Assim, em 1974, o matema permitiu-lhe apoiar seus partidários, em especial Jacques-Alain Miller, em sua vontade de introduzir a psicanálise na universidade francesa, depois da grande onda de contestação de 1968.

• Jacques Lacan, O Seminário, livro 17, *O avesso da psicanálise (1969-1970)* (Paris, 1991), Rio de Janeiro, Jorge Zahar, 1992; Le Séminaire, livre XIX, *...Ou pire (le savoir du psychanalyste)* (1971-1972), inédito; "L'Étourdit", Scilicet, 4, 1973, 5-52; O Seminário, livro 20, *Mais, ainda (1972-1973)*, Rio de Janeiro, Jorge Zahar, 1989, 2a. ed. • Número especial das Lettres de l'École Freudienne sobre o tema "A transmissão" (IX Congresso da École Freudienne de Paris, 9 de julho de 1978), 25, 2 vols., 1979 • Jean-Claude Milner, Les Noms indistincts, Paris, Seuil, 1983; A obra clara. Lacan, a ciência, a filosofia (Paris, 1995), Rio de Janeiro, Jorge Zahar, 1997 • Marc Darmon, "Mathème", in Grand dictionnaire de la psychologie, Paris, Larousse, 1991, 454-7 • Élisabeth Roudinesco, História da psicanálise na França, vol.2 (Paris, 1986), Rio de Janeiro, Jorge Zahar, 1988; Jacques Lacan. Esboço de uma vida, história de um sistema de pensamento (Paris, 1993), S. Paulo, Companhia das Letras, 1994 • Nathalie Charraud, Infini et inconscient. Essai sur Georg Cantor, Paris, Anthropos, 1994.

➤ FORACLUSÃO; NOME-DO-PAI; PASSE.

Mathilde H., caso

➤ *ESTUDOS SOBRE A HISTERIA.*

Matte-Blanco, Ignacio (1908-1995)

psiquiatra e psicanalista chileno

Nascido em Santiago do Chile e analisado por Allende Navarro (1890-1981), que formou alguns freudianos no Chile, Ignacio Matte-Blanco foi inicialmente um dos representantes da escola inglesa de psicanálise*, próxima do Grupo dos Independentes*. Entre 1943 e 1966, residiu em Santiago, onde formou um grupo de estudos que seria reconhecido pela International Psychoanalytical Association* (IPA). Depois, emigrou para a Itália* e instalou-se em Roma, para continuar o seu ensino e suas atividades de clínico. Como vários freudianos de sua geração*, Matte-Blanco se interessou pelos distúrbios narcísicos, pela questão do *self* e pelo tratamento da esquizofrenia*. Nesse contexto, tentou pensar a organização inconsciente com o auxílio da teoria dos conjuntos, a fim de definir uma lógica da psicose*.

• Ignacio Matte-Blanco, The Unconscious as Infinite Sets. An Essay in Bi-Logic, Londres, Duckworth, 1975 • Eric Rayner, Le Groupe des "Indépendants" et la psychanalyse britannique (Londres, 1990), Paris, PUF, 1994.

➤ KOHUT, HEINZ; LACAN, JACQUES; SULLIVAN, HARRY STACK.

Mauco, Georges (1899-1988)

psicanalista francês

Nascido em Paris, em um meio de pequenos comerciantes de origem provinciana, Georges Mauco foi o único psicanalista da história do freudismo* francês que teve, entre 1939 e 1944, atividades colaboracionistas. Não só aderiu ao regime de Vichy e publicou textos violentamente anti-semitas, como também testemunhou em agosto de 1941 contra o "perigo judeu", diante do Supremo Tribunal de Justiça em Riom.

Depois de estudar história e obter um posto de professor na École Normale des Instituteurs de la Seine, iniciou-se nos trabalhos da pedagogia psicanalítica, lendo a obra de René Spitz* e fazendo uma análise com René Laforgue*. Ficou conhecido como etnógrafo, publicando em 1933 uma obra pioneira: *Os estrangeiros na França, seu papel na atividade econômica*. Já proclamava teses racistas e nacionalistas sobre a "hierarquia das etnias" e afirmava que alguns estrangeiros não eram integráveis à sociedade francesa: entre estes, os africanos, os asiáticos e os levantinos.

Apesar de seu conteúdo, essa obra foi acolhida favoravelmente tanto pela direita (sensível ao preconceito inigualitarista) quanto pelos especialistas em demografia (que encontraram nela, pela primeira vez, um estudo real dos laços entre imigração e identidade nacional).

Durante a Ocupação nazista, Mauco passou do racismo ao anti-semitismo e colaborou com Georges Montandon na revista *L'Ethnie Française*, foco da propaganda anti-semita do regime de Vichy, na qual todos os artigos visavam denunciar "o tipo judeu" segundo os critérios adotados pelo nazismo*. Mauco publicou dois artigos, pretendendo mobilizar a psicanálise* para evidenciar a "neurose judaica".

No momento da Libertação, conseguiu dissimular seu passado colaboracionista e fez-se nomear, pelo general de Gaulle, secretário do comitê de população e família. Tornou-se então um "outro personagem": filantropo, humanista e preocupado com o bem-estar da infância e da adolescência em dificuldades. Em 1946, criou o primeiro consultório psicopedagógico da França, no liceu Claude-Bernard. Foi assim que começou a aventura francesa dos Centros Claude-Bernard, que se inspiravam em experiências similares realizadas na Suíça* com o objetivo de agir sobre a inadaptação escolar através de intervenções terapêuticas fora do terreno hospitalar, médico ou psiquiátrico. Nesse âmbito, militou pela psicanálise leiga* e mobilizou todos aqueles que se interessavam na França pela expansão da psicologia clínica e pela psicanálise de crianças*: Daniel Lagache*, André Berge (1902-1996), Juliette Favez-Boutonier*, Françoise Dolto*, Didier Anzieu.

Ao longo dos anos, e apesar de um anti-semitismo manifesto, que não conseguia disfarçar, fez-se passar por Resistente e foi reconhecido nos meios psicanalíticos como pioneiro da psicopedagogia e benfeitor da infância. Coberto de honrarias, publicou vários livros de divulgação e foi membro da International Psychoanalytical Association* (IPA) até a morte através de sua filiação à Associação Psicanalítica da França (APF). Seu passado de colaboracionista e adepto do anti-semitismo foi revelado pela primeira vez pelo historiador Patrick Weil em 1991.

• Georges Mauco, *Les Étrangers en France, leur rôle dans la vie économique*, Paris, Armand Colin, 1932; "L'Immigration étrangère en France et le problème des réfugiés", *L'Ethnie Française*, 6 de março de 1942, 6-15; "La Situation démographique de la France", ibid., 7 de janeiro de 1943, 15-9; *L'Inconscient et la psychologie de l'enfant* (1936), Paris, PUF, 1970; *Psychanalyse et éducation* (1968), Paris, Flammarion, col. "Champs", 1993; *L'Évolution de la psychopédagogie*, Toulouse, Pragma-Privat, 1975; *Vécu, 1899-1982*, Paris, Émile-Paul, 1982 • Patrick Weil, *La France et ses étrangers*, Paris, Calmann-Lévy, 1991; "Racisme et discrimination dans la politique française de l'immigration, 1938-1945/1974-1995", *Vingtième Siècle*, 47, julho-setembro de 1995, 77-102 • Élisabeth Roudinesco, "Georges Mauco (1899-1988): un psychanalyste au service de Vichy. De l'antisémitisme à la psychopédagogie", *L'Infini*, 51, outono de 1995, 73-84.

➤ ANTROPOLOGIA; FRANÇA; HESNARD, ANGELO; JUDEIDADE; MONTESSORI, MARIA; SCHMIDT, VERA; ZULLIGER, HANS.

Mead, Margaret (1901-1978)

antropóloga americana

Aluna de Franz Boas (1858-1942) e de Ruth Benedict (1887-1948), de quem se tornou amiga, casada com Gregory Bateson*, que ficou conhecendo em 1933, quando estudava os Chambouli, na Nova Guiné, principal representante de Cultura e Personalidade, corrente que foi violentamente criticada por Geza Roheim* em 1950, Margaret Mead nasceu em Filadélfia em um meio intelectual que se interessava pelas ciências sociais. Depois de estudar psicologia e antropologia*, dedicou-se ao trabalho de campo, entre 1925 e 1938, para estudar duas tribos de índios americanos e sete sociedades da Oceania: uma situada nas ilhas Samoa, na Polinésia, quatro (Mundugumor, Arapesh, Chambouli, Iatmul) na Nova Guiné (Melanésia Ocidental) e duas outras em Manus e nas ilhas do Almirantado.

Constatando a existência de diferenças irredutíveis de caráter, organização social, sentimentos, costumes e hábitos sexuais no interior dessas sociedades, Mead criticou todas as teses da antropologia que opunham uma mentalidade dita "primitiva", dos povos não-civilizados, à mentalidade ocidental, dita lógica ou racional.

Em uma perspectiva culturalista, e adotando um novo ponto de vista sobre a sexualidade* e as relações da criança com a mãe, extraído da psicanálise*, recusou o biologismo freudiano e a assimilação, feita em *Totem e tabu**, do selvagem à criança, assim como a idéia de uma possível universalidade do complexo de Édipo* e dos estádios* da evolução psíquica humana. Preferindo as noções de personalidade básica ou de *pattern* (próprias do culturalismo* americano) aos conceitos da psicanálise, fez da personalidade um reflexo da cultura, condicionando a educação e tentando criar um modelo próprio a um grupo ou a uma comunidade. A partir dessa análise, demonstrou o caráter "cultural" de todo comportamento e de toda identidade. Daí a idéia de um diferencialismo generalizado: sexual (entre homem e mulher), social (entre as comunidades, as sociedades, os grupos), psíquico (entre as personalidades subjetivas).

Nos anos 1940, como muitos antropólogos de sua geração, começou a aplicar seus métodos de análise das sociedades da Oceania às culturas ocidentais e tomou como campo de experiência a própria sociedade americana. Foi em Samoa, onde reinava a liberdade sexual, que ela decidiu lutar para transformar os modelos educativos de seu próprio país. Lutou então em duas frentes: contra o racismo e pela integração das diferenças étnicas e culturais. Nesse sentido, foi também adepta de um verdadeiro universalismo, fundado na aceitação das diferenças.

• Margaret Mead, *Moeurs et sexualité en Océanie* (1928-1933), Paris, Plon, 1963; *L'Un et l'autre sexe. Les Rôles d'homme et de femme dans la société* (N. York, 1949), Paris, Gonthier, 1966 • M.C. Bateson, *Regard sur mes parents. Une évocation de Margaret Mead et de Gregory Bateson* (N. York, 1984), Paris, Seuil, 1989.

➢ Devereux, Georges; diferença sexual; etnopsicanálise; gênero; Kardiner, Abram; Malinowski, Bronislaw; sexualidade feminina.

melancolia

al. *Melancholie*; esp. *melancolía*; fr. *mélancolie*; ing. *melancholy*

Termo derivado do grego melas (negro) e kholé (bile), utilizado em filosofia, literatura, medicina, psiquiatria e psicanálise* para designar, desde a Antigüidade, uma forma de loucura* caracterizada pelo humor sombrio, isto é, por uma tristeza profunda, um estado depressivo capaz de conduzir ao suicídio*, e por manifestações de medo e desânimo que adquirem ou não o aspecto de um delírio.

Embora a melancolia ocupe um lugar importante no dispositivo freudiano, os mais belos estudos sobre essa questão não foram produzidos pelo discurso psiquiátrico ou psicanalítico, mas pelos poetas, filósofos, pintores e historiadores, que souberam garantir-lhe um estatuto teórico, social, médico e subjetivo.

Desde a descrição de Homero sobre a tristeza de Belerofonte, herói perseguido pelo ódio dos deuses por ter querido escalar o céu, até a teorização do "espírito melancólico" por Aristóteles, passando pelo relato mítico de Hipócrates sobre Demócrito, o filósofo "louco" que ria de tudo e dissecava os animais para neles encontrar a causa da melancolia do mundo, essa forma de deploração perpétua sempre foi, ao mesmo tempo, a expressão mais incandescente de uma rebeldia do pensamento e a manifestação mais extrema de um desejo* de auto-aniquilamento, ligado à perda de um ideal. Daí a idéia, desenvolvida por Erwin Panofsky (1892-1968), de que a história da melancolia seria a história de uma transferência permanente entre o campo da doença e o do espírito que contaria a intensa e sombria irradiação do sujeito da civilização às voltas com a deficiência de seu desejo.

Foi a teoria hipocrática dos quatro humores que, durante séculos, permitiu descrever, de maneira mais ou menos idêntica, os sintomas clínicos dessa doença: ânimo entristecido, sentimento de um abismo infinito, extinção do desejo e da fala, impressão de hebetude, seguida de exaltação, além de atração irresistível pela morte, pelas ruínas, pela nostalgia e pelo luto. Assim, a melancolia era associada à bile negra, ao lado dos outros três humores: "O sangue imita o ar, aumenta na primavera e impera na infância. A bile amarela imita o fogo, aumenta no verão e impera na adolescência. A melancolia ou bile negra imita a terra, aumenta no outono e impera na maturidade. A fleuma imita a água, aumenta no inverno e reina na velhice."

Doença da maturidade, do outono e da terra, a melancolia também pode diluir-se nos outros humores e caminhar de mãos dadas com a alegria e o riso (o sangue), a inércia (a fleuma) e o furor (a bile amarela): através dessas misturas, portanto, ela afirmaria sua presença em todas as formas de expressão humana. Daí nasceria a idéia de uma alternância cíclica entre um estado e outro (mania e depressão), característica da nosografia psiquiátrica moderna.

Entretanto, como humor sombrio, a melancolia estaria ligada à doença de Saturno, deus terreno dos romanos, mórbido e desesperado, identificado com o Cronos da mitologia grega, que havia castrado o pai (Urano) antes de devorar os filhos. Assim, os melancólicos eram chamados de saturninos, mas cada época construiu sua própria representação da doença.

Se o médico inglês Thomas Willis (1621-1675) foi o primeiro, no século XVII, a aproximar a mania da melancolia para definir um ciclo maníaco-depressivo, foi o filósofo Robert Burton (1577-1640) quem forneceu, em 1621, com *Anatomy of Melancholy*, a versão canônica de uma nova concepção da melancolia, já introduzida nos costumes. A partir do fim da Idade Média, com efeito, o termo tornou-se sinônimo de uma tristeza sem causa, e a antiga doutrina dos humores foi progressivamente substituída por uma causalidade existencial. Falava-se então de temperamento melancólico, pensando em Hamlet, que, na virada do século, tinha-se tornado a imagem por excelência do drama da consciência européia: um sujeito entregue a si mesmo, num mundo perpassado pelo advento da revolução copernicana. Embora conservasse o antigo vocabulário humoral, Burton assimilou

a melancolia, portanto, a um desespero do sujeito abandonado por Deus.

No fim do século XVIII e, em especial, às vésperas da Revolução Francesa, a melancolia surgiu como o grande sintoma do tédio destilado pela velha sociedade. Parecia atingir tanto os jovens burgueses, excluídos dos privilégios conferidos pelo nascimento, quanto os decaídos na escala social, que haviam perdido todos os referenciais. Grassava também entre os aristocratas ociosos, privados do direito de fazer fortuna. Tédio da felicidade, felicidade do tédio, sentimento de derrisão ou aspiração à felicidade de superar o tédio, a melancolia funcionava como um espelho onde se refletiam a falência geral da ordem monárquica e a aspiração à intimidade pessoal: "Todas as histórias universais e as buscas das causas me entediam", dizia a escritora Marie Deffand; "esgotei todos os romances, contos e peças teatrais; somente as cartas, a vida particular e as memórias escritas pelos que fazem sua própria história ainda me divertem e me inspiram certa curiosidade. A moral e a metafísica provocam-me um tédio mortal. Que posso dizer-lhes? Vivi demais." Acreditava-se também que alguns climas favoreciam a doença, mais freqüente nos países nórdicos do que nas regiões meridionais. Por fim, na mulher, ela era freqüentemente aproximada da doença dos vapores, ora atribuída ao baço, fonte da bile negra, ora ao útero, lugar imaginário da sexualidade feminina*.

Com a instauração do saber psiquiátrico no século XIX, a melancolia foi submetida a numerosas variações terminológicas, inicialmente destinadas a transformar essa estranha "felicidade por estar triste" (como diria Victor Hugo) numa verdadeira doença mental, sem floreios literários ou filosóficos, e depois, a inscrevê-la numa nova nosografia, dominada pela divisão entre psicose* e neurose*. Chamada de lipemania por Jean-Étienne Esquirol (1772-1840), a melancolia assumiu posteriormente o nome de loucura circular, sob a pena de Jean-Pierre Falret (1794-1870), sendo então aproximada da mania. No fim do século, foi integrada por Emil Kraepelin* à loucura maníaco-depressiva, fundindo-se em seguida à psicose maníaco-depressiva*.

Se os herdeiros da nosografia alemã tenderam a fazer a melancolia submergir no vocabulário técnico do discurso psiquiátrico, os fenomenologistas conservaram o termo, também eles efetuando uma aproximação da mania. Foi o que se deu, em particular, com Ludwig Binswanger*, que designou a melancolia como uma alteração da experiência temporal, e a mania, como uma deficiência da relação intersubjetiva.

Pouco interessado nessa psiquiatrização do estado melancólico, Sigmund Freud* renunciou a aproximar a mania da depressão, preferindo revigorar a antiga definição da melancolia: não uma doença, mas um destino subjetivo.

Já em 1895 ele se interrogava sobre a melancolia e, num manuscrito enviado a Wilhelm Fliess*, aproximou-a do luto, isto é, do "pesar por alguma coisa perdida", comparou-a à anorexia e a relacionou com uma falta de excitação sexual somática. Foi somente em 1917, entretanto, que publicou um texto magistral sobre a questão, "Luto e melancolia", fazendo desse segundo termo a forma patológica do primeiro. Enquanto o sujeito, no trabalho do luto, consegue desligar-se progressivamente do objeto perdido, na melancolia, ao contrário, ele se supõe culpado pela morte ocorrida, nega-a e se julga possuído pelo morto ou pela doença que acarretou sua morte. Em suma, o eu* se identifica com o objeto perdido, a ponto de ele mesmo se perder no desespero infinito de um nada irremediável.

Antes da publicação, Freud enviou esse texto a Karl Abraham*, grande especialista freudiano nas psicoses e, em especial, na melancolia, sob a forma da psicose maníaco-depressiva, à qual dedicaria diversos artigos.

Enquanto os freudianos associaram os dados da nosografia psiquiátrica à reflexão psicanalítica sobre o luto, a escola kleiniana, marcada desde o início pelo trabalho de Abraham, acentuou a problemática da perda do objeto e da posição depressiva* inscrita no âmago da realidade psíquica*.

No fim do século XX, a depressão, forma atenuada da melancolia, vai se tornando, nas sociedades industriais avançadas, uma espécie de equivalente da histeria* da Salpêtrière, outrora exibida por Jean Martin Charcot*: uma verdadeira doença de época. Se esta última, no entanto, se afigurara aos olhos dos contemporâneos como uma revolta do corpo feminino contra a opressão patriarcal, a depressão, ao contrário, cem anos depois, parece ser a marca de um fracasso do paradigma da revolta, num mundo desprovido de ideais e dominado por uma poderosa tecnologia farmacológica, muito eficaz no plano terapêutico.

Por outro lado, existe um dado invariável na estrutura melancólica, como mostrou Freud. Ele reside na impossibilidade permanente de o sujeito fazer o luto do objeto perdido. E é isso, sem dúvida, que explica a presença do famoso "temperamento melancólico" nos grandes místicos, sempre ameaçados de se afastar de Deus, nos revolucionários, sempre à procura de um ideal que se esquiva, e em alguns criadores, sempre em busca de uma auto-superação.

• Sigmund Freud, "Luto e melancolia" (1917), *ESB*, XIV, 275-92; *GW*, X, 427-46; *SE*, XIV, 237-58; *OC*, XIII, 259-78; *La Naissance de la psychanalyse* (Londres, 1950), Paris, PUF, 1956 • Aristóteles, *L'Homme de génie*, prefácio e apresentação de Jackie Pigeaud, Paris, Rivages, 1988 • Karl Abraham, "Notas sobre as investigações e o tratamento psico-analítico da psicose maníaco-depressiva e estados afins", in Karl Abraham, *Teoria psicanalítica da libido. Sobre o caráter e o desenvolvimento da libido*, Rio de Janeiro, Imago, 1970, 32-50 • Ludwig Binswanger, *Mélancolie et Manie* (Pfullingen, 1960), Paris, PUF, 1987 • Jean Starobinski, *Histoire du traitement de la mélancolie des origines à 1900*, Geigy S.A., Suíça, novembro de 1960 • Michel Foucault, *História da loucura na idade clássica* (Paris, 1961), Petrópolis, Vozes, 1976 • Hubertus Tellenbach, *La Mélancolie* (Heidelberg, 1961), Paris, PUF, 1979 • Raymond Kibansky, Erwin Panofsky e Fritz Saxl, *Saturne et la Mélancolie* (N. York, 1964), Paris, Gallimard, 1989 • Julia Kristeva, *Soleil noir. Dépression et mélancolie*, Paris, Gallimard, 1987 • Élisabeth Roudinesco, *Théroigne de Méricourt. Une femme mélancolique sous la Révolution*, Paris, Seuil, 1989 • Marie-Claude Lambotte, *Le Discours mélancolique*, Paris, Anthropos, 1993 • Jacques Hassoun, *La Cruauté mélancolique*, Paris, Aubier, 1995.

➤ ANÁLISE EXISTENCIAL; ESQUIZOFRENIA; MOSER, FANNY; OBJETO, RELAÇÃO DE; PARANÓIA.

Meng, Heinrich (1887-1975)
médico e psicanalista suíço

Pioneiro da aplicação da psicanálise* ao campo da higiene mental, que chamava de "higiene psíquica", militante socialista e antifascista convicto, Heinrich Meng era de uma família de professores primários protestantes. Nasceu na Alemanha*, na aldeia de Hohnhurst, perto de Estrasburgo. Com a idade de 2 anos, contraiu uma longa doença, à qual sobreviveu, segundo ele, "graças ao amor indefectível e à fé religiosa de sua mãe". Vegetariano, apaixonado por nutrição, história das religiões, filosofia e fisiologia, começou a estudar medicina em Freiburg em 1907. Ali, ouviu falar pela primeira vez de Sigmund Freud*, quando de uma conferência dada por August Forel*. Depois de fazer vários estágios e uma pesquisa sobre o alcoolismo, instalou-se em Stuttgart, onde abriu um consultório como clínico geral. Praticou então o hipnotismo, a sugestão* e interessou-se pela homeopatia.

Pacifista durante a Primeira Guerra Mundial, serviu como médico nos campos de prisioneiros e nos hospitais da frente de batalha. Em 1918, interessou-se pela psicanálise e começou uma correspondência com Freud. Em Viena*, durante uma permanência de nove meses, analisou-se com Paul Federn*, e assistiu às reuniões da Wiener Psychoanalytische Vereinigung (WPV). Em 1923, aceitou um posto de assessor médico no Kremlin para estudar as teorias pavlovianas. Tentou em vão aproximar-se de Lenin, e deixou Moscou, voltando para Stuttgart, onde organizou conferências para operários sobre a profilaxia das doenças psíquicas. Dali, foi a Berlim para integrar-se à equipe da prestigiosa policlínica do Berliner Psychoanalytisches Institut* (BPI), criada por Max Eitingon* e Ernst Simmel*. Fez então uma segunda análise com Hanns Sachs*, e seguiu os cursos de Karl Abraham*.

Adepto de uma concepção unitária da medicina, interessou-se por todas as formas de psicoterapia*, visando popularizar as descobertas da psicanálise. A partir de 1928, residindo em Frankfurt com Karl Landauer*, dirigiu o Instituto de Psicanálise e trabalhou como psicoterapeuta com adolescentes portadores de diversos distúrbios, principalmente anorexia. Em 1933, depois de se indispor publicamente com Carl Gustav Jung*, cuja atitude em relação ao nacional-socialismo reprovava, recusou a política de "salvamento" da psicanálise na Alemanha*, preconizada por Ernest Jones*, e solida-

rizou-se com seus colegas judeus expulsos pelos nazistas. Como eles, tomou o caminho do exílio e instalou-se em Basiléia, onde foi criada para ele a primeira cátedra de "higiene psíquica", que ocupou até sua aposentadoria em 1956.

Tornando-se um dos grandes especialistas da pedagogia psicanalítica, foi a Israel em 1959 e encontrou-se não só com o filósofo Martin Buber (1878-1965), que se tornou seu amigo, mas também com os organizadores da prevenção da delinqüência, que se inspiraram em seus trabalhos.

No fim da vida, aceitou voltar à Alemanha, para fazer conferências em várias universidades.

• Heinrich Meng, Strafen und Erziehen, Berne, Huber, 1934; Protection de la santé mentale (Basiléia, 1940), Paris, Payot, 1944; Leben als Begegnung, Stuttgart, Hippokrates Verlag, 1971 • Heinrich Meng e Paul Federn, Das psychoanalytische Volksbuch, Stuttgart, Hippokrates Verlag, 1927 • Adolf Friedemann, "Heinrich Meng, b.1887, Psicanálise e higiene mental", in Franz Alexander, Samuel Eisenstein e Martin Grotjahn (orgs.), A história da psicanálise através de seus pioneiros (N. York, 1966), Rio de Janeiro, Imago, 1981 • Jeanne Moll, "Heinrich Meng", inédito.

➢ Aichhorn, August; Bernfeld, Siegfried; Judeidade; Nazismo; Pfister, Oskar; Suíça; Zulliger, Hans.

Menninger, Karl (1893-1990)

psiquiatra e psicanalista americano

Nascido em Topeka, no Kansas, e analisado por Franz Alexander* e Ruth Mack-Brunswick*, Karl Menninger era filho de um homeopata de origem berlinense que se casara com uma mulher de religião presbiteriana, fundadora de uma escola bíblica. Com seu irmão William, Karl desempenhou um papel considerável na história da implantação da psicanálise* e da psiquiatria dinâmica* em solo americano, ao mesmo tempo como presidente da American Psychoanalytic Association* (APsaA) e como fundador, a partir de 1926, em pleno coração dos Estados Unidos*, do maior centro de formação psiquiátrica e psicanalítica do mundo, ao qual deu seu nome: a Menninger School of Psychiatry. A ela, foram incorporados o Instituto Psicanalítico de Topeka, pertencente à International Psychoanalytical Association * (IPA) e a extraordinária Menninger Clinic, lugar de passagem obrigatória de todos os terapeutas expulsos da Europa pelo nazismo* a partir de 1933. Grande reformador da psiquiatria tradicional, Menninger se inspirou ao mesmo tempo na experiência berlinense de Ernst Simmel* e na tradição suíça de Eugen Bleuler*, para militar por um tratamento humanista da loucura* carcerária. Durante toda a vida, combateu calorosamente pelos direitos das crianças e das mulheres, de todos os oprimidos, qualquer que fosse a cor de sua pele. Enfim, desejou mudar radicalmente o regime das prisões. Assim, a sua célebre clínica se tornou, ao longo dos anos, "a Meca da psiquiatria e da psicanálise", o laboratório de todas as teorias e de todas as terapias, desde a etnopsiquiatria* até a *Self Psychology**, passando pelo freudismo clássico: bela ilustração do seu engajamento internacionalista. Georges Devereux* esteve na clínica, assim como Henri F.Ellenberger*, que fez dela uma descrição idílica: "É difícil encontrar palavras, escreveu em 1952, para expressar a extraordinária perfeição dessa organização [...]. Nela, há uma multidão de médicos vindos de todos os países, alemães, austríacos, húngaros, suíços, holandeses, russos, tchecos, e muitos mais [...]. Não se percebe nenhuma revalidade entre eles e os de origem americana [...]. Na verdade, há várias coisas diferentes, embora ligadas: a fundação propriamente dita (a 'kaaba' dessa Meca), que antigamente era uma casa de saúde particular, da qual se originou todo o resto, pouco a pouco. Depois, o Winter Veteran Hospital, gigantesco estabelecimento de 1.400 doentes, com um imenso pessoal. Há quilômetros e quilômetros de galerias, e no início só se pode andar com um guia..."

Foi no espírito dessa experiência menningeriana que se inspiraram vários filmes hollywoodianos dos anos 1950, dedicados à expansão da psicanálise nos Estados Unidos: por exemplo, *A casa do doutor Edwards*, de Alfred Hitchcock (1899-1980) ou ainda *A febre no sangue* de Elia Kazan.

• Karl Menninger, *Man against Himself*, N. York, Harcourt and Brace, 1938 • Nathan G.Hale, *Freud and the Americans, 1917-1985. The Rise and Crisis of Psychoanalysis in the United States*, t.II, N. York, Oxford, Oxford University Press, 1995 • Henri F. Ellenberger, *Médecines de l'âme. Essais d'histoire de la folie et des guérisons psychiques*, Paris, Fayard, 1995.

Mesmer, Franz Anton (1734-1815)
médico austríaco

Nascido em Iznang, pequena aldeia da margem alemã do Lago de Constança, Franz Anton Mesmer foi o iniciador da primeira psiquiatria dinâmica*. Amigo de Wolfgang Amadeus Mozart (1756-1791), que lhe inspirou a idéia de que o poder sugestivo da música podia ser encontrado na experiência magnética, foi muitas vezes confundido com seu duplo, Joseph Balsamo (1743-1795), dito Cagliostro, célebre aventureiro imortalizado por Alexandre Dumas (1802-1870).

Esses dois homens não se pareciam, mas ambos pertenciam às lojas maçônicas e freqüentavam os círculos iluministas: "Essas filiações, escreveu Robert Amadou, lhes abriram as portas dos meios mais cultos do século das Luzes. Mas Cagliostro [...] só tocou no magnetismo por acidente e se apresentava como um alquimista fazedor de ouro e um necromante invocador de fantasmas. Sob essa máscara, era um prestidigitador hábil e um escroque de rica imaginação. Mesmer era autenticamente médico da Faculdade de Viena* e conhecedor da física, da filosofia e da teologia do seu tempo. Acrescentara aos seus conhecimentos ciências proibidas, como a astrologia e a química. Como Fausto, sabia coisas demais, e não tinha gênio suficiente para tirar delas um sistema coerente e aceitável pelos sábios que conheciam as descobertas de Newton."

Em 1773, Mesmer popularizou a doutrina do magnetismo animal, que daria origem ao hipnotismo (hipnose*) inventado por James Braid (1795-1860), à sugestão* e à teoria freudiana da transferência*. Afirmava que as doenças nervosas provinham de um desequilíbrio na distribuição de um "fluido universal", que circulava no organismo humano e animal. Com Oesterline, uma jovem de 29 anos, que sofria de distúrbios histéricos, vômitos, sufocações e cegueira, experimentou pela primeira vez um tratamento dito magnético.

Mesmer deu assim um conteúdo racional à teoria fluídica. Afirmava que o fluido se aparentava ao "ímã", do qual já se serviam os médicos para extirpar do corpo (por imantação) o mal psíquico (histeria*, melancolia*), de que sofriam os pacientes, em geral mulheres, mas enfatizando que o ímã não era o verdadeiro agente da cura. A virtude curativa provinha, segundo ele, do próprio médico, portador de um fluido magnético, emanando, por exemplo, do brilho dos seus olhos. Para restabelecer o equilíbrio da circulação fluídica, devia-se pôr o doente em estado de sonambulismo e provocar nele estados convulsivos, por uma série de manipulações, chamadas passes magnéticos.

Atacado por todas as academias da Europa, Mesmer conquistou todavia um sucesso estrondoso com os seus tratamentos magnéticos. Na Baviera, na Eslováquia, na Suábia, na Hungria*, na Suíça* e em Viena, curou doenças psíquicas, acreditando na ação do seu fluido. A 23 de novembro de 1775, a pedido do príncipe-eleitor da Baviera, preocupado em combater o poder da Igreja* em nome das Luzes e em pôr fim às práticas de feitiçaria, Mesmer foi convidado a confrontar-se com o padre Johann Joseph Gassner (?-1779). Humilde sacerdote rural e célebre exorcista de Würtemberg, Gassner praticava a expulsão do mal "demoníaco" do corpo das histéricas, depois de ter experimentado o método no seu próprio corpo, por ocasião de um confronto com o diabo. Ora, na presença da corte e das autoridades, Mesmer provocou e curou convulsões em um doente, sem recorrer ao exorcismo. Declarou que Gassner era um homem honesto, mas curava os seus doentes sem saber, graças ao magnetismo: "Foi assim, escreveu Henri F. Ellenberger*, que Franz Anton Mesmer operou em 1775 a guinada decisiva do exorcismo para a psicoterapia* dinâmica."

Em Viena, Mesmer tratou, pelo magnetismo, de Maria-Theresia Paradis, uma jovem musicista de 18 anos. Em um primeiro tempo, ela recobrou a visão, mas a sua cura foi contestada e ela voltou à cegueira. Abalado com esse fracasso, Mesmer mergulhou na depressão e depois deixou a Áustria, para instalar-se em Paris.

Ali, a partir de 1778, e até as vésperas da Revolução, o magnetismo fez um enorme sucesso. Tornando-se uma espécie de mago, Mesmer formou discípulos, que fundaram a Sociedade da Harmonia Universal, destinada a restabelecer os vínculos entre os homens, pela força de um fluido. Graças à sua famosa "tina", ele tratava coletivamente dos numerosos doentes que acorriam à sua suntuosa mansão. Em uma tina cheia d'água eram depositados pedaços de vidro, pedras e hastes metálicas, cujas pontas tocavam os pacientes, ligados entre si por uma corda, que permitia a circulação do fluido.

Em 1784, uma comissão composta de peritos da Academia de Ciências e da Sociedade Real de Medicina, entre os quais Benjamin Franklin (1706-1790) e Antoine de Lavoisier (1743-1794), condenou o mesmerismo e suas práticas, assim como a teoria do fluido, e declarou que os efeitos terapêuticos obtidos por Mesmer se deviam ao poder da imaginação humana. Nessa data, o marquês Armand de Puységur (1751-1825) demonstrou na sua aldeia de Buzancy a natureza psicológica, e não fluídica, da relação terapêutica, substituindo o tratamento magnético por um estado de "sono desperto" ou "sonambulismo".

Em 1931, quando Sigmund Freud* leu a obra que Stefan Zweig* acabava de dedicar a Mesmer e à história da "cura pelo espírito", atribuiu o devido lugar a esse médico das Luzes na história da invenção da sugestão: "Penso, como você, que a verdadeira natureza da sua descoberta, isto é, a sugestão, ainda não está identificada." Isso se faria pelos trabalhos da historiografia* erudita.

• Franz Anton Mesmer, *Le magnétisme animal*, obras publicadas por Robert Amadou, Paris, Payot, 1971 • Robert Darnton, *La fin des Lumières. Le mesmérisme et la Révolution* (Cambridge, 1968), Paris, Perrin, 1984 • Henri F. Ellenberger, *Histoire de la découverte de l'inconscient* (N. York, Londres, 1970, Villeurbanne, 1974), Paris, Fayard, 1994 • Étienne Trillat, *Histoire de l'hystérie*, Toulouse, Privat, 1986 • Sigmund Freud e Stefan Zweig, *Correspondance* (Frankfurt, 1987), Paris, Rivages, 1995.

➢ Bernheim, Hippolyte; espiritismo; Haitzmann, Christopher; Liébeault, Auguste; psicanálise.

metáfora

➢ condensação; significante.

metapsicologia

al. *Metapsychologie*; esp. *metapsicología*; fr. *métapsychologie*; ing. *metapsychology*

Termo criado por Sigmund Freud*, em 1896, para qualificar o conjunto de sua concepção teórica e distingui-la da psicologia clássica. A abordagem metapsicológica consiste na elaboração de modelos teóricos que não estão diretamente ligados a uma experiência prática ou a uma observação clínica; ela se define pela consideração simultânea dos pontos de vista dinâmico, tópico* e econômico.

Foi numa carta a Wilhelm Fliess*, datada de 13 de fevereiro de 1896, que Freud utilizou pela primeira vez, e sem maiores explicações, o termo metapsicologia: "A psicologia — ou melhor, a metapsicologia — preocupa-me ininterruptamente." Menos de dois meses depois, em 2 de abril de 1896, sempre se dirigindo a Fliess, forneceu um primeiro esclarecimento sobre "algumas questões metapsicológicas" que lhe pareciam ligadas em um "nível superior" à simples "psicologia das neuroses": reconheceu que, para ele, na passagem da medicina para a psicologia, tratava-se de realizar seu desejo inicial de se dedicar aos conhecimentos filosóficos, não sendo a atividade terapêutica mais do que uma conseqüência anexa e imprevista dessa mudança de orientação. A psicologia clássica e a psicologia da consciência não podiam ser objeto de uma iniciativa intelectual cuja realização requeria um quadro teórico e uma forma de cientificidade que, pautando-se no encaminhamento filosófico, levassem a pensar a articulação dos processos psíquicos com os fundamentos biológicos.

Numa outra carta a Fliess, datada de 10 de março de 1898, Freud evocou o trabalho em andamento sobre a interpretação* dos sonhos e escreveu: "Parece-me que a explicação através da realização de um desejo fornece uma solução psicológica, mas não uma solução biológica, e sim metapsicológica." E acrescentou entre parênteses: "Aliás, é preciso que me digas seriamente se posso dar à minha psicologia, que desemboca no pano de fundo do consciente, o nome de metapsicologia."

Essas anotações encontraram uma forma de expressão mais elaborada em *A psicopatologia da vida cotidiana**: se a metafísica constitui uma espécie de modelo formal para a futura metapsicologia, o objetivo não é nos encerrarmos nela, mas avaliá-la e estabelecer que as construções filosóficas (mitológicas, religiosas), assim como todas as formas de crenças e delírios que delas podem derivar, não constituem outra coisa senão uma "psicologia projetada no mundo externo". E Freud esclarece imediatamente: "O conhecimento obscuro dos fatores e fatos psíquicos do inconsciente (em outras palavras, a percepção endopsíquica desses fatores e fatos) reflete-se (...) na construção de uma *realidade supra-sensível* que a ciência retransforma numa *psicologia do inconsciente*. Poderíamos atribuir-nos a tarefa de decompor, colocando-nos nesse ponto de vista, os mitos relativos ao paraíso e ao pecado original, ao mal e ao bem, à imortalidade etc., e de traduzir a *metafísica* em *metapsicologia*."

Passados uns quinze anos, no artigo dedicado ao inconsciente*, Freud dá uma definição precisa do termo metapsicologia: "Proponho falar de apresentação *metapsicológica* quando lograrmos descrever um processo psíquico em suas relações *dinâmica, tópica e econômica*. É de se prever que, no atual estado de nossos conhecimentos, só consigamos fazê-lo com respeito a pontos isolados." É essa mesma definição, enunciada com maior vigor, que vamos encontrar nas primeiras linhas de *Mais-além do princípio de prazer**: "Cremos que um modo de exposição em que tentemos apreciar o fator econômico, além dos fatores tópico e dinâmico, é o mais completo que podemos conceber na atualidade, e que ele merece ser destacado pelo termo *metapsicologia*."

A nos atermos a essas definições, seria preciso agruparmos sob o rótulo de metapsicologia uma grande parte da obra freudiana. É um pouco mais restritivo o uso que guarda como escritos metapsicológicos o "Projeto para uma psicologia científica", o sétimo capítulo de *A interpretação dos sonhos**, as "Formulações sobre os dois princípios do funcionamento mental", o ensaio "Sobre o narcisismo: uma introdução", e ainda *Mais-além do princípio de prazer**, *O eu e o isso** e o *Esboço de psicanálise**.

Um outro uso, introduzido por Freud, pretende que agrupemos sob essa denominação os cinco textos metapsicológicos que ele começou a redigir em 1915. Esses cinco textos — "As pulsões e suas vicissitudes"*, "Recalque"*, "O inconsciente", "Suplemento metapsicológico à teoria dos sonhos" e "Luto e melancolia" —, publicados entre 1915 e 1917, participaram do projeto de Freud de escrever seus *Elementos para uma metapsicologia*, doze ensaios que teriam constituído uma espécie de testamento. A primeira redação do conjunto foi concluída no início do mês de agosto de 1915. Algumas cartas a Lou Andreas-Salomé*, datadas do outono de 1915 e da primavera de 1916, assim como uma carta a Karl Abraham* de 11 de novembro de 1917, atestam que, no espírito de Freud, os últimos sete textos teriam que ser seriamente reformulados para que pudessem ser publicados. Podemos formular a hipótese de que, nesse momento, Freud estava começando a conceber uma abordagem diferente: a que daria origem, nos anos do pós-guerra, ao que se denominou de "grande reformulação", caracterizada pela introdução de uma nova dualidade pulsional e de uma nova tópica, que marcaram uma ruptura com as idéias do projeto metapsicológico.

Não se havendo encontrado os manuscritos dos sete ensaios não publicados, impôs-se a hipótese de sua destruição pelo próprio Freud.

Em 1983, quando fazia em Londres o levantamento dos documentos deixados por Sandor Ferenczi* aos cuidados de Michael Balint*, Ilse Grubrich-Simitis encontrou um manuscrito de Freud: o esboço do último dos doze ensaios metapsicológicos, dedicado às neuroses de transferência*. Uma carta a Ferenczi anunciava o envio do texto e deixava a critério do destinatário a opção de "jogá-lo fora ou guardá-lo".

O texto compõe-se de uma primeira parte dedicada aos seis fatores — recalque, contra-investimento*, formação substitutiva, formação de sintoma, relação com a função sexual e predisposição à neurose — que interferem nas três neuroses de transferência: histeria* de angústia (fobia*), histeria de conversão e neurose obsessiva*. Na segunda parte, Freud abandona o terreno clínico e a perspectiva ontogenética para estudar o papel das predisposições hereditárias na etiologia das neuroses. É o começo do que Ilse Grubrich-Simitis denomina de "aventura da reconstituição filogenética", cuja

lógica leva Freud a ultrapassar seu tema inicial para nele incluir as "neuroses narcísicas" (psicoses*). No decorrer dessa "aventura", Freud se permite desenvolver hipóteses que considera um punhado de "fantasias". Nesse ponto, depara novamente com a questão da hereditariedade dos traços adquiridos e com a famosa lei, chamada lei da recapitulação, atribuída a Ernst Heinrich Haeckel*, referências das quais ele já se servira amplamente nos *Três ensaios sobre a teoria da sexualidade** e em *Totem e tabu**. No momento em que redige o esboço desse décimo segundo ensaio, sua reflexão filogenética é estimulada por Ferenczi, que, por sua vez, estava entregue a uma especulação "bioanalítica". Os dois homens desenvolvem profusamente essas questões em sua correspondência dos anos de 1915-1917. Em especial, são as teses de Jean-Baptiste Lamarck (1744-1829) que retêm sua atenção, a ponto de nascer a idéia de uma obra comum dedicada ao tema "lamarckismo e psicanálise": no começo do ano de 1917, Freud remete a Ferenczi um "Esboço para o trabalho sobre Lamarck". Rapidamente, contudo, e mesmo sem abandonar suas referências à filogênese, a Haeckel e a Lamarck, cujos vestígios encontramos em seus últimos trabalhos (*Moisés e o monoteísmo** e *Esboço de psicanálise*), Freud abandona esses projetos, entregando a direção deles a seu discípulo húngaro, que lhes dedicaria uma elaboração em seu livro *Thalassa. Ensaio sobre a teoria da genitalidade*, publicado em 1924.

A fragilidade de certas referências freudianas, quer se trate do princípio de constância de Gustav Theodor Fechner*, e, em termos mais genéricos, dos dados da psicofísica de sua época — os quais, de resto, ele trata apenas como hipóteses —, quer se trate das especulações lamarckianas — que ele tem menos disposição a colocar em dúvida —, constituiu, para um grande número de psicanalistas, muito antes da publicação desse manuscrito perdido, um argumento para duvidar da validade e da utilidade da metapsicologia.

Esses questionamentos deram ensejo a um enfraquecimento da teoria psicanalítica, ilustrado, em particular, pela corrente norte-americana da *Ego Psychology**. E foi em reação a esses desvios que Jacques Lacan* empreendeu seu "retorno a Freud", que acabaria desembocando na substituição do apoio biológico freudiano pelo recurso à lingüística moderna e, mais tarde, à lógica formal e à topologia matemática.

Freud tinha plena consciência de que seu objetivo assintótico, a teorização da articulação do psiquismo com o substrato biológico, colocava todo o conjunto de seu trabalho à mercê das futuras descobertas da biologia, que um dia poderiam fazer ruir o edifício que ele construíra pacientemente. Entretanto, longe de desanimar diante dessa perspectiva, ele parece haver considerado que a reflexão metapsicológica, com suas inevitáveis especulações, constituía a única defesa epistemológica em condições de erguer uma barreira contra as derivas psicologizantes ou organicistas que, já em sua época, constituíam o principal perigo para essa nova ciência. É assim que podemos entender esta sua declaração tardia, sob a forma de uma profissão de fé: "Sem especular nem teorizar — eu quase diria fantasiar — metapsicologicamente, não se dá um passo adiante."

• Sigmund Freud, *La Naissance de la psychanalyse* (Londres, 1950), Paris, PUF, 1956; *Briefe an Wilhelm Fliess, 1887-1904*, Frankfurt, Fischer, 1986; *A interpretação dos sonhos* (1900), *ESB*, IV-V, 1-660; *GW*, II-III, 1-642; *SE*, IV-V, 1-621; Paris, PUF, 1967; *A psicopatologia da vida cotidiana* (1901), *ESB*, VI; *GW*, IV; *SE*, VI; Paris, Payot, 1973; *Três ensaios sobre a teoria da sexualidade* (1905), *ESB*, VII, 129-237; *GW*, V, 29-145; *SE*, VII, 123-243; Paris, Gallimard, 1987; *Totem e tabu* (1913), *ESB*, XIII, 17-192; *GW*, IX; *SE*, XIII, 1-161; Paris, Gallimard, 1993; "As pulsões e suas vicissitudes" (1915), *ESB* XIV, 137-68; *GW*, X, 209-32; *SE*, XIV, 109-40; *OC*, XIII, 161-85; "Recalque" (1915), *ESB* XIV, 169-90; *GW*, X, 247-61; *SE*, XIV, 141-58; *OC*, XIII, 188-201; "O inconsciente" (1915), *ESB*, XIV, 191-233; *GW*, X, 263-303; *SE*, XIV, 159-204; *OC*, XIII, 205-43; "Suplemento metapsicológico à teoria dos sonhos" (1915), *ESB*, XIV, 253-74; *GW*, X, 411-26; *SE*, XIV, 217-35; *OC*, XIII, 243-58; "Luto e melancolia" (1915-1917), *ESB*, XIV, 275-92; *GW*, X, 427-46; *SE*, XIV, 237-58; *OC*, XIII, 259-78; *Neuroses de transferência: uma síntese* (1915) (Frankfurt, 1985), Rio de Janeiro, Imago, 1987; *GW, Nachtragsband*, 1987, 634-51; Paris, Gallimard, 1986; "Análise terminável e interminável" (1937), *ESB*, XXIII, 247-90; *GW*, XVI, 59-99; *SE*, XXIII, 209-53; in *Résultats, idées, problèmes*, vol.2, 1921-1938, Paris, PUF, 1985, 231-68; *Esboço de psicanálise* (1938), *ESB*, XXIII, 168-246, *GW*, XVII, 67-138; *SE*, XXIII, 139-207; Paris, PUF, 1967; *Moisés e o monoteísmo* (1939), *ESB*, XXIII, 1-167; *GW*, XVI, 103-246; *SE*, XXIII, 1-137; Paris, Gallimard, 1986 • Sigmund Freud e Karl Abraham, *Correspondance (1907-1926)* (Frankfurt, 1965), Paris, Gallimard, 1969 • Paul-Laurent Assoun, *Metapsicologia freudiana: uma introdução* (Paris, 1993), Rio de Janeiro, Jorge Zahar, 1996 • Sandor Ferenczi, "A metapsicologia de Freud" (1922), in *Psicanálise IV, Obras completas, 1927-1933* (Paris, 1974), S. Paulo, Martins Fontes, 1994, 223-34; "Thalassa, ensaio sobre teoria da genitalidade" (1924), in *Psicanálise III, Obras completas, 1919-1926* (Paris, 1974), S. Paulo, Martins Fontes, 1993, 255-326 • Ilse Grubrich-Simitis, "Metapsicologia e metabiologia", in Sigmund Freud, *Neuroses de transferência: uma síntese* (1915; Frankfurt, 1985), Rio de Janeiro, Imago, 1987 • Jacques Lacan, *Escritos* (Paris, 1966), Rio de Janeiro, Jorge Zahar, 1998 • Élisabeth Roudinesco, *Jacques Lacan. Esboço de uma vida, história de um sistema de pensamento* (Paris, 1993), S. Paulo, Companhia das Letras, 1994 • *Freud/Lou Andreas-Salomé: correspondência completa*, pref. de Ernst Pfeiffer (Frankfurt, 1966, N. York, 1972), Rio de Janeiro, Imago, 1975 • Daniel Widlöcher, *Métapsychologie du sens*, Paris, PUF, 1986.

➤ INCONSCIENTE; MATEMA: NÓ BORROMEANO; PULSÃO; RECALQUE; TÓPICA.

método catártico
➤ CATARSE.

metonímia
➤ CONDENSAÇÃO; DESLOCAMENTO; SIGNIFICANTE; SONHO.

Meyer, Adolf (1866-1950)
psiquiatra americano

Filho de pastor e fundador da escola americana de psiquiatria dinâmica*, Adolf (ou Adolph) Meyer foi um dos pioneiros da introdução da psicanálise* nos Estados Unidos*. Nascido na Suíça*, em Niederweningen, perto de Zurique, iniciou-se na psiquiatria na clínica do hospital Burghölzli, com August Forel*. Depois de uma permanência em Londres, onde seguiu os cursos de Hughlings Jackson*, e depois em Paris, onde assistiu ao de Jean Martin Charcot*, emigrou para os Estados Unidos em 1893. Até 1896, foi patologista no Illinois Eastern Hospital for the Insane, em Kankakee. Depois dessa experiência, ensinou na Clark University de Worcester, onde Sigmund Freud* iria em 1909, a convite de Stanley Hall*. Foi também chefe de clínica no Worcester Insane Hospital, onde James Jackson Putnam* e William James constataram que ele estudava cada caso como um todo. Na verdade, na tradição da escola de Zurique, que deu origem a essa nova psiquiatria dinâmica, da qual Freud e Eugen Bleuler* foram também artífices, ele considerava a origem da doença mental ao mesmo tempo como uma reação a um meio patogênico e como uma estrutura, na qual se misturavam a organogênese e a psicogênese.

Entre 1902 e 1910, dirigiu o New York State Psychiatric Institute, onde introduziu, para o tratamento da demência precoce (esquizofrenia*), os testes associativos de Carl Gustav Jung* e a técnica da psicanálise. Assim, esse instituto se tornou um dos centros mais importantes da difusão das idéias freudianas nos Estados Unidos. Muitos foram os psiquiatras, entre os alunos de Meyer, que tomaram depois o caminho da psicanálise. Em 1913, continuou a ensinar em Baltimore, na John Hopkins University, onde também os seus alunos de psiquiatria se orientaram para o freudismo*. Embora fosse ele próprio membro da American Psychoanalytic Association* (APsaA), não adotou a teoria freudiana do inconsciente* e convenceu-se de que só o pensamento consciente poderia favorecer a integração do homem na sociedade. Nisso, representava perfeitamente os ideais dessa psicanálise à americana, de todas as tendências, centrada, apesar da sua adesão à doutrina vienense, na prioridade da consciência e numa concepção da adaptação estranha ao freudismo original.

Em 1907, depois da publicação da obra de um ex-doente mental, que explicava como fora curado, Meyer começou a definir um programa de higiene mental, fundado na prevenção das desordens da alma no meio hospitalar. De acordo com a ética protestante, que inspirou tanto a escola suíça de psiquiatria dinâmica, de Forel a Bleuler, passando por Jung e Oskar Pfister*, foi um pedagogo cujos princípios morais agiram perfeitamente bem em um país marcado pela tradição puritana.

• L'Introduction de la psychanalyse aux États-Unis. Autour de James Jackson Putnam (Londres, 1968), Nathan G. Hale (org.), Paris, Gallimard, 1978, 17-86 • Nathan G. Hale, Freud and the Americans. The Beginnings of Psychoanalysis in the United States, 1876-1917, t.I, (1971), N. York, Oxford University Press, 1995

• Jacques Postel e Claude Quétel (org.), Nouvelle histoire de la psychiatrie, Toulouse, Privat, 1983.

Meyers, Donald Campbell (1863-1927)
médico canadense

Nascido em Trenton, na província de Ontario, Donald Campbell Meyers estudou medicina e neurologia no Trinity College Medical School de Toronto, antes de ir à Europa, principalmente à França*, para acompanhar os cursos de Jean Martin Charcot*. Voltando em 1894, foi o primeiro canadense a aplicar os princípios da psicanálise* ao tratamento das neuroses* e a abrir uma sala para os doentes nervosos no hospital geral de Toronto. Depois, fundou uma clínica particular. Severamente criticado por essa inovação pelo psiquiatra Edward Ryan, foi firmemente convidado pelo governo da província de Ontario a fazer parte de uma comissão de observação e estudos de psiquiatria na Europa, na qual seria o rival de Charles Kirk Clarke*.

• Alan Parkin, An History of Psychoanalysis in Canada, Toronto, The Toronto Psychoanalytic Society, 1987.

➢ AUSTRÁLIA; CANADÁ; GLASSCO, GERALD STINSON; JONES, ERNEST.

Meynert, Theodor (1833-1892)
psiquiatra alemão

Esse mestre da psiquiatria vienense, amante da música, da arte e da literatura, foi, como Hermann Nothnagel*, aluno de Karl Rokitanski (1804-1878). A partir de 1873 até a morte, ocupou o posto de médico-chefe do hospital psiquiátrico da cidade. Personagem de caráter difícil e ambivalente, era conhecido por suas cóleras passionais, e talvez essa atitude não tenha sido estranha ao interesse que ele dedicou à amentia, ou seja, a confusão mental. Grande anatomista do cérebro, inspirou-se no modelo herbartiano para diferenciar o córtex superior, do qual fez uma instância socializada, do córtex inferior, de natureza primitiva ou arcaica. Essa descrição lhe possibilitou formular, depois de Wilhelm Griesinger (1817-1869), a hipótese de um eu* primário e de um eu secundário, que seria retomada por Freud em 1895, no seu "Projeto para uma psicologia científica", e depois pelos fundadores da *Ego Psychology**. Segundo Meynert, o eu primário era a parte geneticamente primeira e inconsciente da vida mental, que se manifestava no momento em que a criança tomava consciência da separação entre o seu corpo e o ambiente. O eu secundário era, ao contrário, o instrumento de um controle da percepção.

Querendo reduzir todos os fenômenos psicológicos a um substrato orgânico, Meynert acabou por elaborar uma verdadeira "mitologia cerebral". Por conseguinte, adotou o ponto de vista do niilismo terapêutico, desprezando os tratamentos da alma e não procurando curar os alienados que estavam sob seus cuidados.

Sigmund Freud* foi seu aluno em 1883. Passou cinco meses na sua clínica psiquiátrica, onde, pela única vez na sua vida, teve a ocasião de observar várias dezenas de doentes mentais hospitalizados: "Há uma grande diferença, escreveu Albrecht Hirschmüller, entre a maneira pela qual Freud aborda os casos estritamente neurológicos e os casos psiquiátricos, no sentido moderno do termo. No que se refere aos primeiros, ele se mostra um clínico perspicaz [...], mas não consegue abordar os doentes gravemente psicóticos de um ponto de vista psicológico."

Graças a Meynert e ao apoio dado por Nothnagel e Ernst von Brücke*, Freud obteve, em setembro de 1885, o ambicionado posto de *Privatdozent*. Todavia, as relações entre ambos foram conflituosas. Freud não acreditava no modelo neuro-anatômico de Meynert; além disso, não gostava desse homem colérico, desprovido, a seus olhos, de autoridade. Em Paris, durante o inverno de 1885-1886, encontrou o mestre que procurava, Jean Martin Charcot*. Depois dessa viagem à França, Freud entrou na controvérsia entre Viena* e Paris, a respeito da hipnose* e da natureza da histeria* masculina: a partir de então, sua oposição a Meynert se tornou cada vez mais violenta.

Charcot distinguia uma forma clássica de histeria masculina, determinada pela hereditariedade, e uma forma "pós-traumática", na qual a hereditariedade não tinha nenhum papel. Assimilava os sintomas desta (principalmente as paralisias) a distúrbios funcionais, desprovidos de substrato hereditário ou de lesão orgânica.

Para evidenciá-la, Charcot recorria ao hipnotismo: as paralisias traumáticas apresentavam realmente, segundo ele, uma sintomatologia idêntica à das paralisias produzidas sob hipnose*. Ao contrário da escola francesa, a escola vienense recusava essa doutrina, apegando-se à concepção clássica da histeria masculina, organicista e hereditarista.

Foi nesse contexto que, a 15 de outubro de 1886, Freud fez a famosa conferência sobre a histeria masculina (não publicada), para a Sociedade dos Médicos de Viena, na presença de Meynert e de Heinrich von Bamberger (1822-1888), durante a qual expôs aos médicos vienenses as teses de Charcot, às quais acabava de aderir. E no seu entusiasmo, atribuiu ao mestre da Salpêtrière a paternidade da noção de histeria masculina, já conhecida em Viena. Daí uma terrível confusão.

À controvérsia sobre a histeria masculina, acrescentava-se uma outra, sobre o hipnotismo. Não só Meynert recusava as teses de Charcot, mas também considerava o hipnotismo como uma "psicose produzida experimentalmente", e condenava os métodos terapêuticos fundados na sugestão*. Em sua opinião, o sujeito em estado de hipnose se tornava uma criatura degenerada, sem razão nem vontade. Assim, a crítica meynertiana da escola francesa -de Charcot a Hippolyte Bernheim* — anunciava a que o próprio Freud faria depois sobre esses diferentes métodos, quando renunciou à hipnose.

Em 1932, Maria Dorer foi a primeira a demonstrar o papel de Meynert na gênese de alguns conceitos freudianos. Foi em parte através dele que Freud tomou conhecimento dos modelos elaborados por Johann Friedrich Herbart*, um dos fundadores da psicologia moderna.

Na *Interpretação dos sonhos**, Freud relatou que, em 1892, seu velho mestre, às vésperas da morte, lhe confiou, sob segredo, que ele próprio era um caso de histeria masculina. Assim, havia mentido durante toda a vida, atormentado por seus sintomas e seu sofrimento. Daí nasceu a lenda, retomada por Ernest Jones* e pela historiografia* freudiana oficial, segundo a qual Meynert e os médicos vienenses teriam negado a existência da histeria masculina, enquanto que só Freud teria sido capaz de demonstrar o seu mecanismo. Em 1968, Henri F.Ellenberger* restabeleceu a verdade, duvidando da "confidência" de Meynert e restituindo a complexidade de um debate através do qual Freud conseguiu construir uma nova definição da histeria.

Inspirando-se na biografia de Jones, Jean-Paul Sartre (1905-1980) fez de Meynert, no seu *Roteiro Freud*, um admirável personagem de médico romântico, excêntrico, alcoólatra e neurótico, obcecado pela má-fé e torturado pelos sintomas da doença histérica, cuja natureza funcional ele tanto quisera desconhecer.

• Theodor Meynert, "L'Amentia", in Christine Lévy-Friesacher, *Meynert, Freud, l'Amentia*, Paris, PUF, 1983 • Jacques Postel (org.), *La Psychiatrie*, Paris, Larousse, 1994 • Sigmund Freud, "Esquisse d'une psychologie scientifique" (1895), in *La Naissance de la psychanalyse* (Londres, 1950), Paris, PUF, 1956; *Um estudo autobiográfico* (1925), *ESB*, XX, 17-88; *GW*, XIV, 33-96, *SE*, XX, 7-70; Paris, Gallimard, 1984 • Maria Dorer, *Historische Grundlagen der Psychoanalyse*, Leipzig, Felix Meiner, 1932 • Ernest Jones, *A vida e a obra de Sigmund Freud*, vol.1 (N. York, 1953), Rio de Janeiro, Imago, 1989 • Henri F. Ellenberger, *Médecines de l'âme. Essais d'histoire de la folie et des guérisons psychiques*, Paris, Fayard, 1995 • William M. Johnston, *L'Esprit viennois. Une histoire intellectuelle et sociale, 1848-1938* (1972), Paris, PUF, 1985 • Frank J. Sulloway, *Freud, Biologist of the Mind*, N. York, Basic Books, 1979 • Jean-Paul Sartre, *Freud, além da alma* (Paris, 1984), Rio de Janeiro, Nova Fronteira, 1986 • Lucille B. Ritvo, *A influência de Darwin sobre Freud* (1990), Rio de Janeiro, Imago, 1992 • Albrecht Hirschmüller, "Freud, Meynert et Mathilde", *Revue Internationale d'Histoire de la Psychanalyse*, 6, 1993, 271-286.

➢ EU; HAECKEL, ERNST; HERBART, JOHANN FRIEDRICH; INCONSCIENTE; PSICOSE; RECALQUE.

Middle Group

➢ INDEPENDENTES, GRUPO DOS.

Minkowski, Eugène (1885-1972)

psiquiatra francês

Proveniente de um meio de judeus lituanos ortodoxos, Eugène Minkowski, nascido em São Petersburgo, tinha sete anos quando seus pais se estabeleceram em Varsóvia. Estudou medicina e filosofia em Munique, e depois partiu para Kazan, onde encontrou a sua mulher. A declaração de guerra de 1914 o surpreendeu em Munique, para onde voltara. Refugiado na Suíça, formou-se em Zurique, na clínica do hospital Burgölzli, com Eugen Bleuler*. Emigrou para a França em 1915, engajando-se no exército como médico militar. Em 1925, ao lado de sua mulher Françoise Minkowska e de Paul Schiff*, foi um dos fundadores do grupo da Evolução Psiquiátrica. Marcado pela filosofia de Husserl e pela análise existencial* de Ludwig Binswanger*, introduziu a fenomenologia no saber psiquiátrico francês, desempenhando assim um papel de primeiro plano para a geração seguinte, principalmente para Jacques Lacan* e Henri Ey*. Sua mulher introduziu na França o teste de Hermann Rorschach*.

• Eugène Minkowski, *Traité de psychopathologie*, Paris, PUF, 1966 • Henri F. Ellenberger, "La Psychopathologie d'Eugène Minkowski", *Dialogue*, vol.IX, Montreal, 1970, nº 1, 93-100 • Élisabeth Roudinesco, *História da psicanálise na França*, vol.1 (Paris, 1982), Rio de Janeiro, Jorge Zahar, 1989.

Mitscherlich, Alexander (1908-1982)

médico e psicanalista alemão

Intelectual de esquerda, praticante da medicina psicossomática*, fundador da prestigiosa revista *Psyche*, iniciador de uma longa reflexão sobre o nazismo* e a psicanálise*, Alexander Mitscherlich foi o grande renovador do freudismo* na Alemanha* vencida dos anos 1950, enquanto começavam a florescer múltiplas escolas de psicoterapia* e a política de Ernest Jones* consistia em uma reintegração à International Psychoanalytical Association * (IPA) dos ex-colaboradores do Göring-Institut. A esse respeito, por seus numerosos trabalhos e pelo seu não-conformismo, ocupou, na terceira geração* psicanalítica mundial, um lugar comparável ao de Heinz Kohut* nos Estados Unidos*, ao de Wilfred Ruprecht Bion na Grã-Bretanha* ou ao de Marie Langer* na Argentina*.

Nascido em Munique, Mitscherlich era o filho único de um engenheiro químico herdeiro de uma longa linhagem de químicos célebres, especialmente Eilhard Mitscherlich (1794-1963), que descobriu a isomorfia dos cristais. As relações entre Alexander e seu pai Harbord foram difíceis e angustiantes: "Meu pai, escreveu ele na sua autobiografia, era um alemão nacionalista e reacionário, que negava tudo o que era novo, sem com isso apresentar soluções para a nova realidade política."

Educado segundo princípios autoritários e rígidos, Alexander logo contestou as opiniões paternas, apoiando-se na mãe, mulher alegre e bem disposta. Em 1928, na Universidade de Munique, orientou-se para a história, sob a direção de um professor judeu, Paul Johachimsen. Fazendo uma pesquisa sobre a imagem de Lutero na historiografia alemã, descobriu que esse personagem tinha tantos rostos diferentes quanto biógrafos. Foi nessa época que se interessou pela obra freudiana, lendo *Leonardo da Vinci e uma lembrança da sua infância**, e se tornou amigo do escritor Ernst Jünger, cujas opiniões de direita compartilhou durante algum tempo.

Em 1932, com a morte de Johachimsen, o sucessor deste, Karl Alexander von Müller, que se recusava a aceitar os estudantes que tivessem um professor judeu, impediu Mitscherlich de preparar o seu doutorado. O jovem deixou então a universidade, instalou-se em Berlim com a sua primeira mulher e a sua filha e abriu uma livraria, começando ao mesmo tempo a estudar medicina. No círculo de Jünger, ficou conhecendo Ernst Niekisch, que dirigia um grupo de estudantes "nacional-bolchevique".

O advento do nazismo* o obrigou a fechar a livraria, a deixar a Alemanha e a refugiar-se em Zurique, onde sua mulher deu à luz dois outros filhos, uma menina e um menino. Em 1937, voltou a Munique para ajudar Niekisch, foi detido pela Gestapo e preso durante oito meses. Libertado, teve a ocasião de passar o resto da guerra como assistente de Viktor von Weiszäcker na clínica de Heidelberg, onde conheceu Karl Jaspers (1883-1969), que vivia uma situação de "exílio interior" desde a sua demissão em 1937: "Mitscherlich, escreveu Jacques Le Rider, sofreu a amarga experiência da resistência ignorante à psicanálise, como faziam os grandes mandarins da universidade alemã. Apesar de longas discussões, ele não conseguiu convencê-lo a corrigir o julgamento sumário que a sua *Psicopatologia geral* fazia sobre a teoria freudiana."

Em 1945, depois de um segundo casamento e do nascimento de outro filho, Mitscherlich foi nomeado pelo exército americano de ocupação ministro da saúde e da alimentação no *Land* Reno-Sarre. Logo deixou esse posto, depois de um conflito com as autoridades francesas, que tomaram o lugar dos americanos e cujos métodos ele desaprovava. Um ano depois, assistiu em Nuremberg ao processo dos médicos acusados de crimes de guerra e de crimes contra a humanidade. Diante de todas essas atrocidades, decidiu consagrar-se à criação de um nova medicina humanista, livre de qualquer tecnologia que coagisse corpos e espíritos. Daí o seu interesse pela psicossomática, método segundo o qual o sujeito é levado, com o médico, a estabelecer uma ligação entre o seu ser e o soma. Pelas mesmas razões, dedicou-se a uma longa reflexão sobre o passado nazista da Alemanha. Essas duas orientações fariam dele um marginal nos meios médicos e universitários, e um pensador célebre no seu país e no estrangeiro, pela sua coragem e pela originalidade dos seus trabalhos.

Na Suíça*, conheceu a mulher que seria a sua terceira esposa e principal colaboradora: Margarete Nielsen. Médica de origem dinamarquesa, foi formada em análise em Londres, por Michael Balint*. Através dela, interessou-se mais ainda pelo freudismo, e principalmente pelos trabalhos da escola inglesa. Juntos, fundaram em 1947 a revista *Psyché*, que seria durante 40 anos o único lugar de expressão da psicanálise em um país esvaziado do seu potencial criador, pela emigração maciça dos judeus freudianos em 1935. No início, era uma revista de psicologia das profundezas e de antropologia, mas progressivamente, sob a influência de Mitscherlich, que fora analisado em Londres por Paula Heimann*, ela se transformou em revista de psicanálise e de psicanálise aplicada*.

Fundador da clínica psicossomática de Heidelberg em 1950, professor oito anos depois na universidade, fundador, em 1960, do Sigmund Freud Institut de Frankfurt, onde elaborou todas as suas reflexões sobre a Alemanha do pós-guerra, iniciador de uma nova edição alemã das obras de Sigmund Freud* (os *Studiengabe*), Mitscherlich salvou a honra da psicanálise no seu país, aderindo à Deutsche Psychoanalytische Vereinigung (DPV), filiada à International Psychoanalytical Association * (IPA), instaurando laços estreitos com os filósofos da Escola de Frankfurt e reunindo na sua revista os mais prestigiosos nomes da diáspora freudiana, exilada nos quatro cantos do mundo.

Em 1970, fez um julgamento muito pessimista sobre a situação do freudismo na Alemanha Ocidental, chegando a acusar os seus compatriotas de ter inteiramente ignorado essa nova doutrina: "Sejamos claros e falemos francamente: a ciência da psicanálise fundada por Freud ficou inacessível e estranha aos alemães — não digo apenas a um grande número, mas à maioria dos alemães; ou melhor, aos alemães. Eles desenvolveram contra ela uma antipatia coletiva, da qual se glorificaram por muito tempo."

No seu livro sobre a sociedade sem pais, publicado em 1963, interessou-se pelo rebaixamento da função paterna nas sociedades ocidentais, aderindo assim, à sua maneira, às preocupações de Jacques Lacan* e da escola kleiniana, isto é, da terceira geração psicanalítica. Em 1967, em *O luto impossível*, dedicou-se a uma espécie de psico-história, analisando através da apresentação dos distúrbios psicossomáticos de alguns pacientes, o recalque* coletivo das lembranças do III Reich na República Federal Alemã. O livro causou escândalo, e mais ainda porque, no ano seguinte, Mitscherlich defendeu o movimento estudantil em revolta contra a sociedade de consumo. Até denunciou, em 1970, a brutal repressão policial e estatal, que atingia os estudantes que se tornaram terroristas. Via nisso apenas ódio e intolerância.

Atingido pela doença de Parkinson, lutou até o fim, apesar do pessimismo e da depressão, e morreu no auge da sua glória, cercado de respeito.

• Alexander Mitscherlich, *Vers la société sans pères* (Munique, 1963), Paris, Gallimard, 1969; *Krankheit als Konflikt. Studien zur psychosomatische Medizin*, I e II, Frankfurt, Suhrkamp, 1966 e 1967; *L'Idée de paix et l'agressivité humaine* (Frankfurt, 1969), Paris, Gallimard, 1970; *Versucht, die Welt besser zu verstehen*, Frankfurt, Suhrkamp, 1970; *Ein Leben für die Psychoanalyse. An Merkungen zu meiner Zeit*, Frankfurt, Suhrkamp, 1980; *Gesammelte Schriften*, I-X, Frankfurt, Suhrkamp, 1983 • Alexander Mitscherlich e Margarete Mitscherlich, *Le Deuil impossible* (Munique, 1967), Paris, Payot, 1972 • Jacques Le Rider, "La Psychanalyse en Allemagne", in Roland Jaccard (org.), *Histoire de la psychanalyse*, Paris, Hachette, 1982, 106-43 • "In Me-

moriam Alexandre Mitscherlich", *Psyche*, 4, 37, abril de 1983, e 10, 37, outubro de 1983 • Hans Martin Lohman, *Psychoanalyse und National-Sozialismus*, Frankfurt, Fischer, 1984; *Alexander Mitscherlich*, Hamburgo, Rowohlt, 1987 • Ilse Grubrich-Simitis, "Histoire de l'édition des oeuvres de Freud en langue allemande" (1989), *Revue Internationale d'Histoire de la Psychanalyse*, 4, 1991, 13-71.

➢ ALEXANDER, FRANZ; BOEHM, FELIX; FENICHEL, OTTO; FREUDO-MARXISMO; GÖRING, MATTHIAS HEINRICH; MARCUSE, HERBERT; MÜLLER-BRAUNSCHWEIG, CARL; RITTMEISTER, JOHN; SCHULTZ-HENCKE, HARALD.

Moisés e o monoteísmo

Livro de Sigmund Freud, publicado em Amsterdam em 1939, em alemão, sob o título Der Mann Moses und die monotheistische Religion. Drei Abhandlungen. *Traduzido para o francês pela primeira vez por Anne Berman (1889-1979), em 1948, sob o título* Moïse et le monothéisme, *e mais tarde, em 1986, por Cornélius Heim, sob o título* L'Homme Moïse et la religion monothéiste. Trois essais. *Traduzido para o inglês pela primeira vez em 1939, por Katherine Jones, sob o título* Moses and Monotheism, *e depois por James Strachey*, em 1964, sob o título* Moses and Monotheism. Three Essays.

Livro do exílio, simultaneamente publicado em Amsterdam e Londres no mesmo ano da morte do autor, *Moisés e o monoteísmo* é uma das obras mais audaciosas de Sigmund Freud*, uma das mais comentadas e também a que suscitou, ao lado de *Totem e tabu*, da qual é a conseqüência lógica, as maiores polêmicas entre os especialistas. O livro é uma obra-prima, e o historiador Salo Wittmayer Baron não se enganou ao classificá-lo, desde sua publicação, de "esplêndido castelo suspenso no ar", e ao declarar: "Quando um pensador da estatura de Freud se posiciona quanto a uma questão que lhe é de interesse vital, o mundo deve escutá-lo."

Fazia muito tempo que Freud era obcecado pela figura do profeta que havia arrancado seu povo da letargia, impondo-lhe leis, apontando-lhe a terra prometida e decretando os princípios de uma nova espiritualidade. Diante da escalada do anti-semitismo, Freud se indagou mais uma vez como o judeu se tornara judeu e por que havia atraído sobre si um ódio eterno. Logo encontrou um estilo e concebeu um projeto:

escrever um "romance histórico". Ao querer demonstrar que Moisés era egípcio, ele não pretendia chocar o catolicismo austríaco, que protegia os judeus do nazismo*, nem despojar simbolicamente o povo judeu de seu evento fundador (a saída do Egito e o recebimento da Torah no Sinai), no momento em que o regime hitlerista começava a persegui-lo. Inicialmente publicados sob a forma de artigos, os três ensaios foram reunidos em livro depois que Freud se instalou em Londres.

Numa carta a Lou Andreas-Salomé*, datada de 6 de janeiro de 1935, Freud resumiu o conteúdo de seu livro e concluiu com as seguintes palavras: "As religiões devem seu poder coercitivo ao retorno do recalcado, são reminiscências de processos arcaicos desaparecidos e altamente eficazes da história da humanidade. Já afirmei isso em *Totem e tabu*. E agora o condenso numa fórmula: o que fortalece a religião não é sua verdade real, mas sua verdade histórica."

Foi através de Roma e do catolicismo que Freud abordou pela primeira vez a história de Moisés, ao visitar, em 1909, a igreja de S. Pietro in Vincoli, onde se encontra a estátua esculpida por Michelangelo (1475-1564) para o túmulo do papa Julio II: "Nenhuma obra produziu em mim efeito mais intenso." Em 1914, ele publicou um artigo anônimo em que invertia a interpretação clássica. A tradição via nessa obra a imagem de um Moisés descido do Sinai, segurando as tábuas da Lei e prestes a atirá-las no chão, por ter descoberto seu povo adorando o bezerro de ouro. Pois bem, Freud mostrou que, ao contrário, Michelangelo havia representado um Moisés engolindo sua cólera e apertando as tábuas contra o peito, pois elas corriam o risco de se quebrar. E, com efeito, o escultor havia forjado um Moisés absolutamente insólito.

No comentário, entretanto, Freud falou de algo além da estátua: apontou para sua própria situação na história do movimento psicanalítico, e isso não escapou a ninguém. Depois de procurar fazer de Carl Gustav Jung* o garante de uma psicanálise desjudaizada (a fim de demonstrar a seus adversários que ela não era uma "ciência judaica"), Freud havia mudado de idéia, reivindicando, com seu movimento, uma

ética da fidelidade, calcada num sentimento de pertencer à judeidade*. O artigo sobre Moisés traduziu essa reviravolta e a ambivalência do autor ante sua própria judeidade: frente à traição dos seus, o profeta controlou sua cólera e salvou a unidade do povo em nome de uma nova doutrina, à qual passou desde então a se dedicar.

Mas, que doutrina? Qual é a especificidade desse monoteísmo judaico que, através das eras, induz a tamanho sentimento de participação num grupo, mesmo quando desaparece qualquer vestígio de prática religiosa? Que significa ser judeu, quando já não se recorre ao judaísmo?

Em 1922, Ernst Sellin havia publicado um livro que causara grande rebuliço: *Moisés e sua significação para a história israelita e judaica*. Historiador berlinense, especializado na Bíblia, ele pertencia à escola exegética alemã. Segundo a tradição do protestantismo liberal, do qual era um dos representantes, julgava que a pregação moral resumida nos Dez Mandamentos era a própria essência da revelação bíblica. Por isso, considerava Moisés o fundador da religião de Israel.

Partindo de uma leitura interpretativa dos livros dos profetas, Sellin propusera a hipótese de que Moisés teria sido vítima de um assassinato coletivo cometido por seu povo, que teria rejeitado sua mensagem e preferido o culto dos ídolos. Transformada numa tradição esotérica, a doutrina mosaica teria então sido transmitida por um círculo de iniciados, cujos sucessores seriam os profetas do século VIII a.C.: Oséias, Isaías, Amós e Miquéias. Nesse terreno nasceriam a fé exibida por Jesus, também ele um profeta assassinado, e, mais tarde, o cristianismo.

Nem era preciso tanto para fascinar Freud, que havia adotado, em *Totem e tabu*, uma tese mais ou menos similar. A isso ele acrescentou o tema da naturalidade egípcia de Moisés, afirmado pela tradição do *Aufklärung* e por escritores, historiadores e egiptólogos preocupados em fornecer uma interpretação histórica, e não mais religiosa, da história do profeta. Aliás, Freud viu nisso a ilustração de suas hipóteses e das de Otto Rank* sobre o romance familiar*. No caso de Moisés, elas confirmavam a naturalidade egípcia, invertendo a lenda do menino encontrado: a "verdadeira" família era a do faraó, e a família de adoção, a dos hebreus.

Eis a essência do livro: o monoteísmo não é uma invenção judaica, mas egípcia, e o texto bíblico só fez deslocar sua origem, posteriormente, para um tempo mítico, atribuindo sua fundação a Abraão e seus descendentes. Na realidade, ele proveio do faraó Amenófis IV, que fez dele uma religião, baseada no culto ao deus solar Aton. Para banir o antigo culto, ele se fez denominar de Aquenaton. Seguindo-se a ele, Moisés, alto dignitário egípcio e partidário do monoteísmo, assumiu a chefia de uma tribo semita e deu ao monoteísmo uma forma espiritualizada. Para distingui-la das outras, introduziu o rito egípcio da circuncisão, com isso pretendendo mostrar que Deus teria "eleito", através dessa "aliança", o povo escolhido por Moisés. Mas o povo não suportou a nova religião, matou o homem que se pretendia profeta e recalcou a lembrança do assassinato, que retornou com o cristianismo: "O antigo Deus", escreveu Freud, "o Deus-Pai, passou para o segundo plano. Cristo, seu filho, assumiu seu lugar, como teria querido fazer, numa época passada, cada um dos filhos rebelados. Paulo, continuador do judaísmo, foi também seu destruidor. Se logrou êxito, isso certamente se deu porque, primeiro, graças à idéia de redenção, ele conseguiu conjurar o espectro da culpa humana, e segundo, abandonou a idéia de que o povo judeu era o povo eleito e renunciou ao sinal visível dessa eleição: a circuncisão. Assim, a nova religião pôde tornar-se universal e se dirigir a todos os homens."

Mais uma vez, Freud contou nesse livro a história de "sua" descoberta do inconsciente*, universalizada mediante a renúncia a qualquer apoio numa religião eletiva. Mais do que isso, entretanto, expôs a história de sua relação ambivalente com sua própria judeidade. Ao desjudaizar Moisés, ele mostrou como o criador ou o fundador — numa palavra, o "grande homem" — é sempre um exilado: quer um estranho na cidade, quer em ruptura com sua época, quer dividido em seu próprio íntimo. É sob essa condição que ele consegue inverter a tradição, suplantar a religião do pai, ter acesso a uma outra cultura e criar novas formas.

Mas Freud iria ainda mais longe, arriscando-se a reexaminar a seu modo uma grande tese do anti-semitismo. Com efeito, ele afirmou que o ódio aos judeus era alimentado pela crença destes na superioridade do povo eleito e pela angústia de castração suscitada pela circuncisão como sinal da eleição. Esse rito, segundo Freud, visava enobrecer os judeus e fazê-los desprezarem os outros, os incircuncisos.

Nessa mesma perspectiva, Freud tomou ao pé da letra a principal queixa do antijudaísmo, ou seja, a recusa dos judeus a admitirem o assassinato de Deus: "O povo judeu", disse ele, "obstina-se em negar o assassinato do pai, e os cristãos não param de acusá-lo de deicida. Aqui, porém, conviria acrescentar: 'Nós (os cristãos) fizemos a mesma coisa, mas o confessamos e desde então fomos redimidos.'" Freud concluiu que essa recusa expunha os judeus ao ressentimento dos outros povos: "Atrevo-me a afirmar que, ainda hoje, o ciúme em relação ao povo que se pretende o filho primogênito, favorecido por Deus Pai, não foi superado pelos outros."

Depois de afirmar que os judeus eram responsáveis pelo antijudaísmo dos cristãos, Freud explicou que o anti-semitismo das nações modernas era um deslocamento, para os judeus, de um ódio referente ao cristianismo: "Os povos que hoje se entregam ao anti-semitismo só se cristianizaram tardiamente e, em muitos casos, foram obrigados a fazê-lo por uma coerção sangrenta. Dir-se-ia que todos foram 'mal batizados'; sob uma tênue capa de cristianismo, continuaram, como seus ancestrais, apaixonados por um politeísmo bárbaro. Não superaram sua aversão pela nova religião, mas a deslocaram para a fonte de onde lhes veio o cristianismo (...). Seu anti-semitismo, no fundo, é um anticristianismo, e não surpreende que, na revolução nacional-socialista alemã, essa relação íntima entre as duas religiões monoteístas encontre expressão tão clara no tratamento hostil de que ambas são objeto."

A novidade do procedimento freudiano, portanto, consistiu em expor as raízes inconscientes do anti-semitismo a partir do próprio judaísmo, e não mais como um fenômeno externo a ele. Essa foi sua maneira de retomar a problemática de *Totem e tabu*, à qual *Moisés e o monoteísmo* deu prosseguimento.

Se a sociedade fora realmente gerada por um crime cometido contra o pai, pondo fim ao reino despótico da horda selvagem, e pela instauração de uma lei em que a figura simbólica do pai fora revalorizada, isso queria dizer que o judaísmo obedecia ao mesmo roteiro. Após o assassinato de Moisés, ele havia gerado o cristianismo, baseado no reconhecimento da culpa: o monoteísmo, portanto, era a história interminável da instauração dessa lei do pai, sobre a qual Freud erigiu toda a sua doutrina da proibição do incesto* e do Édipo — a ponto, aliás, de se esquecer de mencionar, em sua obra de 1939, o artigo que Karl Abraham*, seu mais fiel discípulo, dedicara a Amenófis IV. Esse texto de 1912 expusera a religião do faraó como uma reforma da herança paterna essencialmente suscitada por uma influência materna, a da mãe de Amenófis. Porventura o esquecimento desse detalhe não remeteu ao grande debate que opôs o kleinismo* ao freudismo* clássico, a partir dos anos vinte?

Freud obedeceu a uma ordem de retornar à Bíblia e à religião de seus pais. Mas, longe de adotar a solução da conversão como resposta ao anti-semitismo, redefiniu-se como "um judeu sem Deus". Sem ceder ao ódio judeu de si mesmo, desvinculou o judaísmo do sentimento de judeidade característico dos judeus descrentes, que rejeitavam a Aliança e a eleição.

No exato momento em que desjudaizou Moisés, ele conferiu à judeidade, entendida como essência e como marca de inclusão, uma situação de perenidade. Esse sentimento, pelo qual um judeu se mantém judeu em sua subjetividade, mesmo sendo descrente, era experimentado pelo próprio Freud, que não hesitou em assimilá-lo a uma herança filogenética.

Tal como em *Totem e tabu*, e sempre preocupado com um modelo biológico, Freud apoiou-se na chamada tese "neolamarckista" da hereditariedade dos caracteres adquiridos, para afirmar que a judeidade era transmitida de geração para geração, "pelos nervos e pelo sangue", ou seja, por intermédio de um inconsciente hereditário.

Tomada por Darwin do evolucionismo lamarckista, a tese da hereditariedade dos caracteres adquiridos fora invalidada por August Weismann (1834-1914) já no fim do século XIX, e definitivamente abandonada em 1930. Para fundamentar o princípio de sua judeidade perpétua e transmissível, portanto, Freud foi de encontro não somente a toda a ciência de sua época, mas também à sua própria concepção do inconsciente.

Situado sob o signo da paixão, esse testamento do grande homem deu margem a múltiplas interpretações, contraditórias e, muitas vezes, extravagantes. Três orientações principais se configuraram. A primeira, que se deveu a David Bakkan, inscreveu a doutrina freudiana na tradição de laicização da mística judaica; a segunda, de Marthe Robert (1916-1996) a Peter Gay, evidencia, ao contrário, um Freud ateu, descentrado de sua judeidade e às voltas com a problemática dupla da dissidência spinozista e da integração na cultura alemã. Finalmente, a terceira, mais interpretativa (Ilse Grubrich-Simitis), situa o *Moisés* como um devaneio que ajudou Freud a superar a angústia causada pelas perseguições nazistas.

Em 1991, o historiador Yosef Hayim Yerushalmi pôs-se "à escuta de Freud" para publicar o comentário mais erudito e mais completo que já se escreveu sobre esse livro. Ele sublinha que Freud fez da psicanálise o prolongamento de um judaísmo sem Deus: uma judeidade "interminável".

• Sigmund Freud, "O Moisés de Michelangelo" (1914), *ESB*, XIII, 253-78; *GW*, X; *SE*, XIII, 209-38; in *L'Inquiétante étrangeté et autres textes*, Paris, Gallimard, 1985, 83-125; *Moisés e o monoteísmo* (1939), *ESB*, XXIII, 1-167; *GW*, XVI, 103-246; *SE*, XXIII, 1-137; Paris, Gallimard, 1986 • *Freud/Lou Andreas-Salomé: correspondência completa*, pref. de Ernst Pfeiffer (Frankfurt, 1966, N. York, 1972), Rio de Janeiro, Imago, 1975 • Karl Abraham, "Amenhotep IV (Echnaton). Contribution psychanalytique à l'étude de sa personnalité et du culte monothéiste d'Aton" (1912), in *Oeuvres complètes*, I, *1907-1914*, Paris, Payot, 1965, 232-57 • Ernst Sellin, *Mose und seine Bedeutung für die israelitische Religionsgeschichte*, Leipzig, A. Deichertsche Verlagsbuchhandlung, 1922 • Salo Wittmayer Baron, "Moses and monotheism", sinopse, *American Journal of Sociology*, 45, 1939, 471-7 • David Bakkan, *Freud et la tradition mystique juive* (N. Jersey, 1958), Paris, Payot, 1977 • Marthe Robert, *D'Oedipe à Moïse*, Paris, Calmann-Lévy, 1974 • René Major, *De l'Élection. Freud face aux idéologies allemande, américaine et soviétique*, Paris, Aubier, 1986 • Norman Kiell, *Freud without Hindsight. Review of his Work 1893-1939*, Madison,

International Universities Press, 1988 • Peter Gay, *Um judeu sem Deus* (1987), Rio de Janeiro, Imago, 1992 • Jacques Le Rider, *Modernité viennoise et crises d'identité* (1990), Paris, PUF, 1994 • Yosef Hayim Yerushalmi, *Le Moïse de Freud. Judaïsme terminable et interminable* (New Haven, 1991), Paris, Gallimard, 1993 • Ilse Grubrich-Simitis, *Freuds Moses Studie als Tagtraum. Ein biographischer Essay* (1990), Frankfurt, Fischer, 1994.

➢ PATRIARCADO.

Moll, Albert (1862-1939)

médico alemão

Com Richard von Krafft-Ebing* e Havelock Ellis*, Albert Moll foi um dos fundadores da sexologia*. Filho de um comerciante judeu, estudou medicina e neurologia em Berlim, Viena e Paris, onde freqüentou, como Sigmund Freud*, o salão de Jean Martin Charcot*, antes de iniciar-se na prática da sugestão*, com Hippolyte Bernheim* em Nancy. Em 1889, publicou um livro sobre a hipnose* que o tornou célebre no mundo inteiro, e depois consagrou-se ao tratamento das perversões* sexuais. Em 1897, publicou *Untersuchungen über die Libido sexualis*, obra monumental em que, ao contrário dos seus antecessores, incluía o campo das perversões sexuais no da sexualidade* dita normal, marcando assim uma etapa importante na história da sexologia. Sublinhava também que era preciso desconfiar das acusações de abuso sexual feitas pelas crianças contra os adultos.

Freud inspirou-se nessa obra para a elaboração da sua teoria da sexualidade infantil, mas modificou completamente a sua perspectiva, estendendo a noção de sexualidade a um outro domínio, diferente da genitalidade, e inventando a idéia de uma "disposição perversa polimorfa". Descontente, Moll publicou em 1908 um livro dedicado à sexualidade da criança, na qual não mencionava a importância dos *Três ensaios sobre a teoria da sexualidade**. Freud ofendeu-se e, por ocasião de uma sessão da Sociedade Psicológica das Quartas-Feiras*, atacou violentamente o sexólogo, atribuindo a si mesmo a descoberta da sexualidade infantil: "Ele [Moll] é um indivíduo mesquinho, rancoroso e limitado. Nunca exprime uma opinião firme [...]. Soube servir-se de uma vantagem: a incapaci-

dade do grande público de imaginar que algumas idéias possam também ser expressas em um número restrito de páginas."

• Albert Moll, *Untersuchungen über die Libido sexualis*, Berlim, Fischers Medizinische Buchhandlung, H.Kornfeld, 1897; *Das Sexualleben des Kindes*, Berlim, H.Walter, 1908 • *Les Premiers psychanalystes, Minutes de la Société psychanalytique de Vienne*, II, 1908-1910 (N. York, 1967), Paris, Gallimard, 1978 • Frank J. Sulloway, *Freud, Biologist of the Mind*, N. York, Basic Books, 1979.

➢ HOMOSSEXUALIDADE; LIBIDO; SEDUÇÃO, TEORIA DA.

Monchy, René de (1893-1969)

médico e psicanalista neerlandês

Filho de uma família de comerciantes, René De Monchy encontrou-se com Sigmund Freud* pela primeira vez no congresso da International Psychoanalytical Association * (IPA) em Haia, em 1920. Em 1934, depois da partida de Johan Van Ophuijsen* para os Estados Unidos*, tentou resolver os terríveis conflitos ocorridos nos Países Baixos* entre a Nederlandse Vereniging voor Psychoanalyse (NVP), fundada em 1917, e a nova Vereniging voor Psychoanalyse in Nederland (VPN), criada no ano anterior. Primeiro nitidamente hostil aos imigrantes judeus, fez declarações anti-semitas. Depois, mudou completamente de opinião, após um ano passado em Viena*, fazendo uma análise com Ruth Mack-Brunswick*. Foi nessa época também que casou-se em primeiras núpcias com Vera Palmstierna, judia sueca, membro fundador da Associação Psicanalítica Fino-Sueca.

Com o apoio de Freud, que visitou em 1938, conseguiu fundir os dois grupos, recriando uma NVP unificada.

Em 1939, escreveu a Anna Freud*, então em Londres, para lhe propor que fosse morar em Amsterdam, onde a situação seria menos penosa para ela. Ele sabia de suas dificuldades com Melanie Klein*. Em 1943, como sua mulher não podia mais praticar a psicanálise* na Holanda, instalaram-se em Estocolmo, onde ele se tornou, por sua vez, um estrangeiro como aqueles que ele outrora quisera banir.

Na Suécia, teve então um papel determinante, em razão da sua posição na IPA e do seu status de grande profissional da clínica freudiana. Em 1952, voltou à Holanda, continuando a manter contato com analisandos suecos.

• Nigel Moore, "Psychoanalyse in Scandinavia, Part one, Sweden and Findland", *The Scandinavian Psychoanalytical Review*, 1, vol.1, Copenhague, 1978 • C. Brjnkgreve, *Psychoanalyse in Nederland*, Amsterdam, De Arbeiderspers, 1984 • H. Groen-Prakken, "The psychoanalytical society and the analyst", *The Dutch Annual of Psychoanalysis*, 1993 • Per Magnus Johansson, entrevista com Maj De Monchy, 1994.

➤ ESCANDINÁVIA.

Monografias de Psicanálise Aplicada
➤ *SCHRIFTEN ZUR ANGEWANDTEN SEELENKUNDE.*

Montessori, Maria (1870-1952)
médica e pedagoga italiana

Herdeira da tradição das Luzes, Maria Montessori começou a aplicar os seus métodos educativos para jardins de infância em 1906, nos bairros populares de Roma, onde as mulheres trabalhavam. Ali, fundou a Casa dei Bambini (Casa das Crianças). Seu método, que consistia em deixar a criança livre para aprender por si mesma e sem constrangimentos, foi a origem de muitas experiências similares, de inspiração psicanalítica ou não. Foi na escola Montessori de Viena*, a Haus des Kinder, que Anna Freud* se iniciou na pedagogia. Em 1937, graças à contribuição financeira de Edith Jackson (1895-1977), uma ex-analisanda americana de Freud, Anna criou a sua *nursery*, destinada às crianças pequenas, e obedecendo ao modelo Montessori.

➤ BETTELHEIM, BRUNO; PSICANÁLISE DE CRIANÇAS; SCHMIDT, VERA.

Moreira, Juliano (1873-1933)
psiquiatra brasileiro

Nascido em Salvador, Bahia, mas de cultura germânica, Juliano Moreira era um médico negro. Amigo pessoal de Emil Kraepelin*, introduziu a sua nosografia das doenças mentais no Brasil*, depois de uma viagem à Europa e de se formar em psiquiatria dinâmica*. Foi o primei-ro, no seu país, a dar às idéias freudianas um lugar importante, primeiro na Bahia e depois no Rio de Janeiro, onde dirigiu o hospital nacional de alienados. Foi também um reformador dos asilos. Humanizou os métodos de tratamento dos doentes mentais, principalmente suprimindo os instrumentos clássicos do confinamento. Não praticou pessoalmente a psicanálise*, mas criou em 1928, no Rio de Janeiro, a primeira filial da Sociedade Brasileira de Psicanálise, fundada no ano anterior por Durval Marcondes*, em São Paulo.

• A. Passos, *Juliano Moreira, vida e obra*, Rio de Janeiro, São José, 1975 • Marialzira Perestrello, "Histoire de la psychanalyse au Brésil des origines à 1937", *Frénésie*, 10, primavera de 1992, 283-301.

Moreno, Jacob Levy, *né* Jacob Levy (1889-1974)
psiquiatra americano

Nascido em Bucareste, Jacob Levy era de uma família judia sefardita. Seu pai, Moreno Nissim Levy (1858-1925), de origem búlgara mas de nacionalidade turca até a independência da Bulgária em 1878, se especializara no comércio de objetos funerários. Passava o tempo viajando nos Bálcans e navegando no Mar Negro. Por volta de 1896, instalou-se em Viena* com sua família e, em 1904, estabeleceu-se em Berlim. Seus negócios na empresa funerária foram desastrosos.

Infeliz na Alemanha*, seu filho decidiu voltar a Viena, onde estudou psiquiatria sob a direção de Otto Pötzl (1877-1962), aluno e assistente de Julius Wagner-Jauregg*, apaixonando-se ao mesmo tempo pela filosofia e principalmente pelo teatro.

Em 1921, criou o teatro de improvisação (*Stegreiftheater*), no qual durante três anos experimentou com atores a idéia da interpretação espontânea ou improviso catártico, que serviria de base para a sua futura reflexão sobre o psicodrama*. Depois de uma passagem difícil pela cidade termal de Bad Vöslau, onde começou a tomar-se por um "fazedor de milagres" e a desenvolver o que ele chamava de sua "megalomania existencial", realizou o sonho da sua vida — e o do seu pai — emigrando para os Estados Unidos* em dezembro de 1925. Apresentou suas idéias em Filadélfia, onde recebeu a aprovação de William Alanson White*. Instalou-se depois em Beacon, às margens do Hudson, onde abriu uma clínica psiquiátrica e, em 1936, graças ao dinheiro da mulher do ator Franchot Tone (1903-1968), fundou o primeiro teatro de terapia psicodramática. Posteriormente, fez uma carreira internacional, popularizando o psicodrama e a sociometria (estudo das reações de rejeição em organizações grupais). Mudando de continente e de nacionalidade, Jacob Levy transformou a sua identidade, tomando como sobrenome o nome do seu pai. A partir de então, fez-se chamar J.L.Moreno. Aliás, inspirou uma incrível lenda sobre suas origens, falsificando a sua data de nascimento e contando que sua mãe o dera à luz em um navio, durante uma tempestade, ao fazer a travessia do Mar Negro. Passou então por ser um "messias do Danúbio", miraculosamente salvo das águas.

Do mesmo modo, inventou um encontro em Viena com Sigmund Freud* e atribuiu a si próprio a glória de ter fundado uma nova doutrina, superior à psicanálise*: "Doutor Freud, teria ele declarado naquele dia, eu começo onde o sr. parou. O sr. se encontrou com pessoas no ambiente artificial do seu escritório. Quanto a mim, eu as encontro na rua, em suas casas, no seu ambiente natural. O sr. analisa os seus sonhos, o sr. os decompõe em mil pedaços. Eu lhes dou a coragem de sonhar mais, de explorar concretamente os seus conflitos e de ser criadores."

No fim da vida, sofrendo de distúrbios cardíacos, Moreno encenou a sua própria morte, segundo os princípios do psicodrama. Parou de comer, só falava alemão e romeno, e recebeu durante três semanas, à sua cabeceira, todos os seus fiéis, vindos do mundo inteiro.

Foi o historiador romeno Gheorghe Bratescu que, pela primeira vez em 1975, invalidou as lendas forjadas por Moreno.

• Jacob Levy Moreno, *Fondements de la sociométrie* (Washington, 1934, Paris, 1954), Paris, PUF, 1970; *Psychothérapies de groupe et psychodrame* (Beacon), Paris, Retz, 1975; "The autobiography of J.L.Moreno MD (Abridget)", *Journal of Group Psychotherapy, Psychodrama and Sociometry*, 42, 1, 1989 • Gheorghe Bratescu, "The date and birth place of J.L. Moreno", *Group Psychotherapy and Psychodrama*, 28, 1975, 2-3 • René Marineau, *J.L. Moreno et la troisième révolution psychanalytique*, Paris, Métaillié, 1989.

Morgenstern, Sophie, *née* Kabatschnik (1875-1940)

psiquiatra e psicanalista francesa

Nascida em Grodno, na Polônia, Sophie Morgenstern foi a primeira psicanalista de crianças na França, ao lado de Eugénie Sokolnicka*. Teve, como esta, um destino trágico. Inicialmente médica voluntária na clínica do hospital Burghölzli*, junto a Eugen Bleuler*, conheceu Eugène Minkowski*, que reencontrou em Paris em 1924.

Assistente de Georges Heuyer (1884-1977), durante quinze anos, membro da Sociedade Psicanalítica de Paris e do grupo da Evolução Psiquiátrica, desenvolveu teses sobre o desenho, o brinquedo e a relação das crianças com os pais, que a situam na linhagem do ensino de Anna Freud*. Foi amiga de Françoise Dolto*, que sempre a reconheceu como inspiradora. Em 1937, publicou *Psicanálise infantil*. Essa obra, acompanhada de um prefácio elogioso de Heuyer, era dedicada à memória de sua única filha, Laure, morta depois de uma cirurgia. Sophie Morgenstern nunca se recuperou dessa perda. No dia da chegada dos nazistas a Paris, 16 de junho de 1940, ela decidiu suicidar-se, como outros judeus imigrantes. Esse suicídio* não foi mencionado na nota oficial que lhe consagrou Georges Parcheminey (1888-1953) em *L'Évolution psychiatrique*, assim como foi banida desse artigo qualquer referência à sua judeidade*. O autor mencionava simplesmente que essa mulher, de origem "polonesa" se extinguira "tranqüilamente" em Paris, depois de ter "perdido acidentalmente sua filha".

• Sophie Morgenstern, *Psychanalyse infantile. Symbolisme et valeur clinique des créations imaginatives chez l'enfant*, Paris, Denoël, 1937 • Élisabeth Roudinesco, *História da psicanálise na França*, vol.1 (Paris, 1982), Rio de Janeiro, Jorge Zahar, 1989 • Mireille Fleury, *Sophie Morgenstern. Éléments de sa vie et de son oeuvre*, dissertação para o CES de psiquiatria, Universidade de Bordeaux-II, 1988.

Moser, Fanny, *née* von Sulzer-Wart (1848-1925), caso Emmy von N.

Juntamente com Anna O., Lucy R., Katharina, *Frau* Cäcilie M. e Elisabeth von R., Emmy von N. é uma das pacientes cuja história foi apresentada por Josef Breuer* e Sigmund

Freud* nos *Estudos sobre a histeria*. Freud relata haver utilizado o método catártico (catarse*) pela primeira vez no tratamento dessa livoniana de 40 anos, sobre cuja verdadeira identidade silenciou. Viúva e mãe de duas filhas, também elas afetadas por distúrbios nervosos, essa mulher manifestava uma grave fobia* ante a visão de certos animais. A análise durou seis semanas, durante as quais Freud lhe fez massagens no corpo, prescreveu-lhe banhos e procurou, através do sono artificial, da hipnose* e de um diálogo catártico, libertá-la de seus afetos dolorosos. Afirmou tê-la curado. Em 1º de maio de 1889, numa crise de pânico, ela lhe ordenou que se afastasse e não a tocasse mais: "Fique tranqüilo", disse, "não fale comigo... Não toque em mim!"

Na história oficial e mítica das origens da psicanálise*, atribuiu-se a Emmy von N., portanto, a invenção da cena psicanalítica, assim como se atribuiu a Anna O. a invenção do tratamento psicanalítico (por "limpeza de chaminé"). Emmy fabricou, segundo se disse, as proibições necessárias a uma nova técnica de tratamento, fundamentada na retirada do olhar. Depois dela, o médico tornou-se psicanalista e se instalou fora da visão do doente, renunciando a tocá-lo e se obrigando a escutá-lo.

Foi em Amsterdam, em 1965, no congresso da International Psychoanalytical Association* (IPA), que o historiador sueco Ola Andersson* expôs o verdadeiro destino de Fanny Moser. Levando em conta o que havia acontecido com Ernest Jones* depois da divulgação da identidade de Bertha Pappenheim* (Anna O.), ele aguardou quatorze anos para publicar sua comunicação, na qual, aliás, não revelou o nome de Emmy von N. Em 1977, apoiando-se no trabalho de Andersson, o historiador Henri F. Ellenberger* publicou a primeira revisão do caso, fornecendo a identidade da moça e acrescentando um estudo sobre o destino de suas duas filhas, Fanny (filha) e Mentona.

Graças a esses trabalhos, sabemos que Fanny Moser não inventou a famosa cena da psicanálise moderna — mesmo que a frase seja autêntica — e que nunca foi curada de sua neurose*, nem por Freud nem por seus sucessivos médicos. Fanny Moser, aliás, era mais sujeita à melancolia* do que à histeria*, e sua vida foi uma mescla de romance policial com narrativa balzaquiana.

Aos 23 anos, ela desposou um negociante riquíssimo, quarenta anos mais velho e já pai de dois filhos, o qual, ao morrer, legou-lhe toda a sua fortuna. Por isso, foi acusada de tê-lo envenenado. A suspeita de assassinato lhe pesou a tal ponto que ela nunca conseguiu realizar seu mais caro anseio: ser recebida nos salões da aristocracia européia. Levou uma vida errante, teve amantes entre seus médicos e acabou se apaixonando por um rapaz que lhe roubou parte de sua fortuna.

Suas duas filhas foram marcadas, cada qual à sua maneira, pelos significantes da neurose materna: uma se especializou em zoologia e a outra se rebelou contra os valores da classe dominante da qual era um produto puro. Tornou-se militante comunista e, mais tarde, também se interessou pelos animais, havendo publicado, em 1941, uma coletânea de histórias destinadas às crianças.

Recentes trabalhos questionam os diferentes diagnósticos de histeria ou melancolia feitos por Freud e seus sucessores e propõem que, na verdade, Fanny Moser sofria da doença dos tiques convulsivos descritos por Georges Gilles de La Tourette (1857-1904). Nesse debate, ressurge com vigor a antiga querela que sempre opôs os adeptos da psicogênese aos da organogênese.

• Ola Andersson, *Freud avant Freud. La Préhistoire de la psychanalyse* (Estocolmo, 1961), Paris, Synthélabo, col. "Les empêcheurs de penser en rond", 1997 • Henri F. Ellenberger, *Médecines de l'âme. Essais d'histoire de la folie et des guérisons psychiques*, Paris, Fayard, 1995.

mulheres

➢ ANDREAS-SALOMÉ, LOU; BAUER, IDA; BERNAYS, MINNA; BONAPARTE, MARIE; DEUTSCH, HELENE; DOLTO, FRANÇOISE; FREUD, AMALIA; FREUD, ANNA; FREUD, MARTHA; HALBERSTADT, SOPHIE; HOLLITSCHER, MATHILDE; HORNEY, KAREN; HUG-HELLMUTH, HERMINE VON; KLEIN, MELANIE; LANGER, MARIE; PAPPENHEIM, BERTHA; PSICANÁLISE DE CRIANÇAS; SEXUALIDADE FEMININA; VIENA; WEININGER, OTTO.

Müller-Braunschweig, Carl
(1881-1958)

psicanalista alemão

Com Felix Boehm*, Werner Kemper* e Harald Schultz-Hencke*, Carl Müller-Braunschweig foi um dos psicanalistas colaboradores do Deutsche Institut für Psychologische Forschung (ou Göring-Institut, ou Instituto Alemão de Pesquisa Psicológica e Psicoterapia), fundado por Matthias Heinrich Göring* em 1936, no âmbito da nazificação da psicanálise* na Alemanha* e da política de "salvamento" desta, defendida por Ernest Jones*.

Analisado por Karl Abraham* e por Hanns Sachs*, tornou-se secretário do comitê de ensino da Deutsche Psychoanalytisches Gesellschaft* (DPG) de 1923 a 1933 e membro em 1930 do Berliner Psychoanalytisches Institut* (BPI). Freudiano do círculo mais íntimo, especialista em metapsicologia* e nas relações entre psicanálise e filosofia, foi o principal artífice da política de manutenção da DPG sob o regime hitlerista, desde o advento do nazismo*. Em 1935, obrigou os judeus da DPG a pedirem demissão, para que esta pudesse "arianizar-se", e participou dos trabalhos do Göring-Institut. Depois de manobras visando garantir a autonomia da Wiener Psychoanalytische Vereinigung (WPV) e das Edições Psicanalíticas de Viena*, foi proibido de ensinar e se indipôs com Göring. A partir de 1938, teve crises de depressão. Em 1946, com Felix Boehm e o apoio de Jones e Anna Freud*, reconstruiu a psicanálise na Alemanha, sem preocupar-se com depurações.

Entretanto, quando John Rickman* foi a Berlim para interrogar os poucos psicanalistas que tinham permanecido na Alemanha sob o nazismo, a fim de avaliar a sua capacidade de formar candidatos didatas, julgou Müller-Braunschweig, assim como Boehm, inapto para exercer essa função, não por sua colaboração com Göring, mas por razões de deterioração psíquica. O representante da International Psychoanalytical Association * (IPA), notável reformador da psiquiatria inglesa durante a guerra, participou efetivamente de uma política de reconstrução da DPG, consistindo não em julgar os psicanalistas em função do seu engajamento no nazismo, mas em avaliar a sua suposta normalidade psíquica.

Em 1950, acreditando escapar à desonra que pesava sobre a DPG, por causa do seu passado nazista, Müller-Braunschweig se separou de Boehm e criou uma nova sociedade, a Deutsche Psychoanalytische Vereinigung (DPV), que foi integrada à IPA no ano seguinte, no congresso de Amsterdam, enquanto a DPG ficava definitivamente afastada. Entretanto, as duas sociedades rivais propagaram durante quarenta anos a mesma visão apologética do passado, visando justificar a antiga política de colaboração.

• *Les Années brunes. La Psychanalyse sous le IIIe Reich*, textos traduzidos e apresentados por Jean-Luc Evard, Paris, Confrontation, 1984 • Chaim S.Katz (org.), *Psicanálise e nazismo*, Rio de Janeiro, Taurus, 1985 • Geoffrey Cocks, *La Psychothérapie sous le IIIe Reich* (Oxford, 1985), Paris, Les Belles Lettres, 1987 • Regine Lockot, *Erinnern und Durcharbeiten*, Frankfurt, Fischer, 1985 • *Ici la vie continue de manière surprenante*, seleção de textos traduzidos por Alain de Mijolla, Paris, Association Internationale d'Histoire de la Psychanalyse (AIHP), 1987 • Ludger M.Hermanns, "Condições e limites da produtividade científica dos psicanalistas na Alemanha de 1933 a 1935", *Revista Internacional da História da Psicanálise*, 1 (1988), Rio de Janeiro, Imago, 1990, 67-86 • Karen Brecht, "A psicanálise na Alemanha nazista: adaptação à instituição, relações entre psicanalistas judeus e não judeus, ibid., 87-98 • "Compte rendu du séjour du docteur John Rickman à Berlin pour interroger les psychanalystes, 14 et 15 octobre 1946", *Revue Internationale de l'Histoire de la Psychanalyse*, 1, 1988, 157-63.

➤ Bjerre, Poul; Jung, Carl Gustav; Laforgue, René; Mauco, Georges; Mitscherlich, Alexander.

Musatti, Cesare (1897-1989)

psicanalista italiano

Nascido em Dolo, na província de Veneza, de mãe católica e pai judeu, advogado, militante socialista e antifascista que fora eleito senador, Cesare Musatti estudou matemática e filosofia na universidade de Pádua, onde encontrou Vittorio Benussi*, professor de psicologia experimental, que também fazia conferências sobre psicanálise*. Tornou-se seu assistente e seu sucessor em 1928. Sua relação com a psicanálise parece, entretanto, mais antiga. Como indica o título de um dos seus livros, ele se apresentava, com humor, como o "irmão gêmeo da psicanálise", fazendo referência assim à sua data de nascimento: 20 de setembro de 1897.

Naquele dia, Sigmund Freud* passara de trem diante da sua casa natal, vindo de Pádua. No dia seguinte, em Viena*, redigiu a sua célebre declaração a Wilhelm Fliess*: "Não acredito mais na minha *neurotica*."

Professor e diretor do Instituto de Psicologia Experimental, Musatti participou, com Emilio Servadio*, Nicola Perrotti* e alguns outros, do pequeno grupo que se constituiu em torno de Edoardo Weiss* em Roma, para formar a nova Società Psicoanalitica Italiana (SPI). De 1932 a 1934, deu um ciclo de cursos sobre a psicanálise, que constituiria o fundamento do seu futuro tratado. O conteúdo desse livro, e também as origens judaicas do autor, formariam, em 1938, a matéria da acusação principal que resultou na sua exclusão da universidade.

Ensinando psicologia durante alguns meses na universidade livre de Urbino, autorizado a permanecer na Itália, trabalhou mais ou menos clandestinamente durante a guerra na empresa Olivetti, onde fundou o primeiro laboratório de psicologia industrial.

Em 1945, Musatti reintegrou-se ao ensino superior, como professor de psicologia na universidade de Milão. Fez pesquisas sobre questões de epistemologia e sobre o estudo experimental da percepção do espaço, do movimento e da visão das cores. Fato notável, esse interesse contínuo pela psicologia experimental nunca lhe pareceria contraditório com seu trabalho de psicanalista. Sempre procuraria fundar a unidade da psicologia sobre a noção de racionalidade. Entretanto, bem rapidamente seu interesse pela psicanálise predominou sobre as suas outras atividades: retomou seus cursos na universidade de Pádua e publicou em 1949 o célebre *Trattato di Psicoanalisi*, apresentação rigorosa e ortodoxa da teoria freudiana, acompanhada por alguns exemplos dos seus próprios trabalhos. Em 1955, voltou a publicar a *Rivista italiana di psicoanalisi*. Esta substituiu as duas efêmeras revistas nascidas depois da Liberação, *Psicoanalisi*, fundada por Joachim Flescher, e *Psyche*, fundada por Perrotti. Ela se tornou assim novamente o órgão oficial da SPI, da qual Musatti seria presidente entre 1951 e 1955 e de 1959 a 1963. Em 1963, começou a dirigir, para o editor Boringhieri, em Turim, a edição das obras completas de Freud, que ficou terminada

em 1980 e permanece como modelo no plano filológico. Essa atividade institucional e editorial, ao lado de uma produção prolífica, fez de Musatti o verdadeiro "pai" da psicanálise na Itália, embora ele recusasse esse título, que gostaria de atribuir a Edoardo Weiss.

Nos anos 1960, Musatti foi confrontado com aquilo que considerava um duplo perigo para a psicanálise na Itália*: ou que esta se tornasse um discurso de consolação, na perspectiva do humanismo cristão originário do concílio Vaticano II, ou que se transformasse em arma a serviço de uma revolução social e política, conduzida à luz de um marxismo liberalizado. Ao mesmo tempo, Musatti, que em 1949-1950 militara por uma psicanálise livre de qualquer ideologia, especialmente por ocasião de uma violenta polêmica nas colunas do diário comunista *L'Unità* com o filósofo marxista Antonio Banfi (que acusava a psicanálise de ser apenas uma ideologia burguesa pansexualista), tornou-se o defensor intransigente de uma psicanálise perfeitamente de acordo com as normas da International Psychoanalytical Association * (IPA), e como tal cada vez menos subversiva. Por isso foi, a partir dos anos 1970, um dos mais combativos adversários da difusão das idéias de Jacques Lacan* na Itália. Assim, era considerado o representante das idéias mais conservadoras, ao passo que continuara sendo um homem de esquerda, com sua liberdade de expressão, no que era fiel à tradição familiar.

No fim da vida, usando o seu talento pedagógico e o seu carisma, Musatti multiplicou as intervenções na mídia, popularizando as idéias psicanalíticas por meio de artigos de difusão e de crônicas televisadas, que lhe valeram uma imensa fama e um enorme capital de simpatia.

• Sergio Benvenuto, *A glance at psychoanalysis in Italy*, inédito • Paolo Boringhieri, "L'Édition des *Opere di Sigmund Freud*', *Revue Internationale d'Histoire de la Psychanalyse*, 4, 1991, 323-30 • Contardo Calligaris, "Petite histoire de la psychanalyse en Italie", *Critique*, 333, fevereiro de 1975, 175-95 • Michel David, *La Psicoanàlisi nella cultura italiana* (1966), Turim, Bollati Boringhieri, 1990 • Sigmund Freud, *La Naissance de la psychanalyse* (Londres, 1950), Paris, PUF, 1956; *Briefe an Wilhelm Fliess, 1887-1904*, Frankfurt, Fischer, 1986 • Cesare Musatti, *Trattato di Psicoanalisi* (1949), Turim, Boringhieri, 1977; *Mia sorella gemella la psicoanalisi*, Roma, Editori Riuniti, 1982; (org.), *Opere di Sigmund Freud*, 12 vols., Turim, Boringhieri, 1967-

1980 • Arnaldo Novelletto, "Italy", in Peter Kuetter (org.), *Psychoanalysis International. Guide to psychoanalysis throughout the world*, Stuttgart, Frommann-Holzboog, 1992, 195-213 • Michele Ranchetti, "Les *Oeuvres complètes* et l'édition des *Opere di Sigmund Freud*", *Revue Internationale d'Histoire de la Psychanalyse*, 4, 1991, 330-56 • Antonio Alberto Semi (org.), *Trattato di psicoanalisi*, vol.2, XXXVI-XLI, Milão, Raffaello Cortina, 1988 • Silvia Vegetti Finzi, *Storia della psicoanalisi*, Milão, Mondadori, 1986; "Cesare Musatti, 1897-1989", *Encyclopaedia Universalis*, 1990.

➢ COMUNISMO; FREUDISMO; FREUDO-MARXISMO; IGREJA; LACANISMO; PANSEXUALISMO.

Museu Freud

➢ FREUD MUSEUM.

Myers, Frederick William Henry (1843-1901)

psicólogo e escritor inglês

Fundador, em 1882, da Society for Psychical Research e inventor da palavra "telepatia"*, Frederick Myers foi o principal representante inglês da corrente da psiquiatria dinâmica*, herdada do magnetismo mesmeriano, que levaria ao hipnotismo, através da experiência do espiritismo*, isto é, da busca de um mais-além da consciência* (ou eu subliminar). Preocupado em provar experimentalmente a existência do mundo espiritual, admitia a hipótese da vida depois da morte e a possibilidade de comunicação com os espíritos dos mortos. Assim, foi um dos teóricos do automatismo mental* e por isso um dos pioneiros da história da descoberta do inconsciente*. Também foi o primeiro autor inglês a falar dos trabalhos de Sigmund Freud* na Grã-Bretanha*. Théodore Flournoy* e André Breton (1896-1966) se inspiraram nas suas teses.

• Frederick Myers, *La Personnalité humaine, ses survivances, ses manifestations supra-normales* (Londres, 1903), Paris, Alcan, 1919 • Jean Starobinski, "Freud, Breton, Myers", *L'Arc*, 34, 1968, 87-96.

➢ HIPNOSE; PERSONALIDADE MÚLTIPLA; PREISWERK, HÉLÈNE; SUGESTÃO.

N

Nacht, Sacha (1901-1977)
psiquiatra e psicanalista francês

Como Maurice Bouvet*, Daniel Lagache*, Françoise Dolto* e Jacques Lacan*, de quem foi amigo, Sacha Nacht pertencia à segunda geração* dos psicanalistas franceses. Nascido em Racaciuni, na Romênia*, era de uma família de judeus convertidos. Em 1919, emigrou para Paris, a fim de continuar seus estudos de medicina, já começados no seu país, e em 1922, descobriu a obra freudiana, quando da representação da peça de Henri Lenormand (1882-1951), *O comedor de sonhos*. Aluno de Henri Claude* e médico dos hospitais psiquiátricos, fez uma análise aos 27 anos com Rudolph Loewenstein*, tornando-se assim, no seio da Sociedade Psicanalítica de Paris (SPP), o mais jovem titular de sua geração. Foi o único a ter um contato pessoal com Sigmund Freud*. Logo após o congresso da International Psychoanalytical Association * (IPA) em Marienbad, em 1936, Nacht foi a Viena* para pedir a Freud que o analisasse. Este aceitou, mas como Nacht não falava alemão e o mestre não entendia mais o francês para conduzir o tratamento, foi encaminhado para Heinz Hartmann*.

Recusando-se a emigrar e também a usar a estrela amarela, Nacht ficou na França durante a Ocupação nazista. Em 1942, engajou-se em uma rede da Resistência. Depois da guerra, tornou-se, na SPP, adversário declarado da análise leiga* e líder da corrente médica, desejando, como muitos psicanalistas americanos da IPA, reservar apenas para os médicos a prática do tratamento. Daí o papel "conservador" que desempenhou quando da cisão* de 1953, diante de Daniel Lagache, que representava a corrente liberal e universitária, aberta à análise leiga (*Laienanalyse*).

Clínico notável, sempre preocupado com o que chamava de "eficácia terapêutica", foi também um excelente didata. Sacha Nacht deixou a sua marca na França*, formando muitos psicanalistas da terceira geração francesa. Na SPP, cujo instituto reorganizou, ocupou-se durante toda a sua vida do ensino da psicanálise e de sua transmissão aos alunos. Seus trabalhos abordaram a técnica psicanalítica*, o eu* e o masoquismo*.

• Sacha Nacht, *Le Masochisme* (1938), Paris, Payot, 1975; *De la pratique à la théorie psychanalytique*, Paris, PUF, 1950; *La Psychanalyse d'aujourd'hui*, 2 vols., Paris, PUF, 1956; *La Présence du psychanalyste*, Paris, PUF, 1963 • Denise Saada, *S. Nacht*, Paris, Payot, 1972 • Élisabeth Roudinesco, *História da psicanálise na França*, vol.2 (Paris, 1986), Rio de Janeiro, Jorge Zahar, 1988.

Naesgaard, Sigurd (1885-1956)
psicanalista dinamarquês

De formação filosófica, Sigurd Naesgaard se interessou pelas idéias freudianas depois da Primeira Guerra Mundial. Foi um pioneiro em seu país, onde a psicanálise* teve apenas poucos representantes. Em 1922, defendeu uma tese de doutorado sobre "a estrutura da consciência", e depois começou a praticar a psicanálise, sem ter recebido nenhuma formação. Generoso e apaixonado pelo freudismo*, era de certa forma adepto da psicanálise selvagem e não hesitava em assumir riscos consideráveis, principalmente com pacientes psicóticos. Em agosto de 1931, participou, com Alfhild Tamm*, Harald Schjelderup* e Yrjö Kulovesi* da famosa reunião dos psicanalistas escandinavos, que levaria à criação de duas sociedades, uma reunindo a Suécia e a Finlândia, outra a Dinamarca e a Noruega.

Em 1933, publicou uma obra em dois volumes sobre a psicanálise, que enviou a Sigmund Freud*. No mesmo ano, aproximou-se de Wilhelm Reich*, quando este permaneceu em Copenhague de maio a novembro. Reich lhe propôs que fizesse uma análise, mas ele recusou porque não sentia necessidade disso. Enviou-lhe um paciente, que se suicidou depois de algumas semanas de tratamento. Esse suicídio* provocou escândalo, precipitando a partida de Reich, já tratado de "pornógrafo" pela imprensa dinamarquesa. No dia 10 de novembro, o psicanalista Erik Carsten se dirigiu a Freud para tomar a defesa de Reich, dizer que Naesgaard era louco e que sua atividade prejudicava consideravelmente a psicanálise. Além disso, pedia ao mestre de Viena* que assumisse uma posição clara sobre a obrigação, para os clínicos, de recorrer à análise didática*. Freud não respondeu, limitando-se a confirmar que Reich era realmente psicanalista, apesar de sua "ideologia política".

Como muitos outros pioneiros de sua geração*, Naesgaard se desviou do freudismo clássico e organizou formações de terapeutas "selvagens", estimulando, por exemplo, alguns de seus pacientes a praticarem a psicanálise. Para isso, criou uma associação, Psychoanalytisk Samfund, na qual ensinou, e para a qual convidou alguns oradores estrangeiros. Redigiu também cerca de trinta livros sobre educação, psicologia e filosofia.

• *Reich parle de Freud* (N. York, 1967), Paris, Payot, 1970 • Reimer Jensen e Henning Paikin, "On psychoanalysis in Denmark", *Scandinavian Psychoanalytic Review*, vol.3, 1980, 103-16.

➢ ESCANDINÁVIA

narcisismo

al. *Narzissmus*; esp. *narcisismo*; fr. *narcissisme*; ing. *narcissism*

Termo empregado pela primeira vez em 1887, pelo psicólogo francês Alfred Binet (1857-1911), para descrever uma forma de fetichismo* que consiste em se tomar a própria pessoa como objeto sexual. O termo foi depois utilizado por Havelock Ellis*, em 1898, para designar um comportamento perverso relacionado com o mito de Narciso. Em 1899, em seu comentário sobre o artigo de Ellis, o crimino-logista Paul Näcke (1851-1913) introduziu o termo em alemão.

Na tradição grega, o termo narcisismo designa o amor de um indivíduo por si mesmo. A lenda e o personagem de Narciso foram celebrizados por Ovídio na terceira parte de suas *Metamorfoses*.

Filho do deus Céfiso, protetor do rio do mesmo nome, e da ninfa Liríope, Narciso era de uma beleza ímpar. Atraiu o desejo de mais de uma ninfa, dentre elas Eco, a quem repeliu. Desesperada, esta adoeceu e implorou à deusa Nêmesis que a vingasse. Durante uma caçada, o rapaz fez uma pausa junto a uma fonte de águas claras: fascinado por seu reflexo, supôs estar vendo um outro ser e, paralisado, não mais conseguiu desviar os olhos daquele rosto que era o seu. Apaixonado por si mesmo, Narciso mergulhou os braços na água para abraçar aquela imagem que não parava de se esquivar. Torturado por esse desejo impossível, chorou e acabou por perceber que ele mesmo era o objeto de seu amor. Quis então separar-se de sua própria pessoa e se feriu até sangrar, antes de se despedir do espelho fatal e expirar. Em sinal de luto, suas irmãs, as Náiades e as Díades, cortaram os cabelos. Quando quiseram instalar o corpo de Narciso numa pira, constataram que havia se transformado numa flor.

Até o fim do século XIX, o termo narcisismo foi utilizado pelos sexólogos para designar seletivamente uma perversão sexual caracterizada pelo amor dedicado pelo sujeito* a si mesmo.

Em 1908, Isidor Sadger* falou do narcisismo, a propósito do amor próprio, como uma modalidade de escolha de objeto* nos homossexuais; distinguiu-se de Havelock Ellis ao considerar o narcisismo não como uma perversão*, mas como um estádio normal da evolução psicossexual do ser humano.

O termo narcisismo surgiu pela primeira vez na pena de Freud numa nota acrescentada em 1910 aos *Três ensaios sobre a teoria da sexualidade*. Falando dos "invertidos" e, portanto, ainda não utilizando a palavra "homossexual", Freud escreveu que eles "tomam a si mesmos como objetos sexuais" e, "partindo do narcisismo, procuram rapazes semelhantes à sua própria pessoa, a quem querem amar tal como sua mãe os amou".

Em 1910, em seu ensaio "Leonardo da Vinci e uma lembrança de sua infância" (1910), e em 1911, no estudo que fez sobre o caso Schreber*, Freud, a exemplo de Sadger, considerou o narcisismo um estádio* normal da evolução sexual.

Foi em 1914, em "Sobre o narcisismo: uma introdução", que o termo adquiriu o valor de um conceito. Fenômeno libidinal, o narcisismo passou então a ocupar um lugar essencial na teoria do desenvolvimento sexual do ser humano. A elaboração desse texto apoiou-se no estudo das psicoses* e, principalmente, na contribuição da Karl Abraham*. Sem utilizar essa palavra, o berlinense, num texto de 1908 que versava sobre a demência precoce, havia descrito o processo de desinvestimento do objeto e convergência da libido* para o sujeito: "O doente mental dedica a si mesmo, como objeto sexual único, toda a libido que o homem normal volta para o meio vivo ou animado. A superestimação sexual diz respeito tão-somente a ele." Freud adotaria essa definição da psicose na vigésima sexta lição das *Conferências introdutórias sobre psicanálise*.

No texto de 1914, a observação do delírio de grandeza no psicótico levou Freud a definir o narcisismo como a atitude resultante da transposição, para o eu* do sujeito*, dos investimentos libidinais antes feitos nos objetos do mundo externo. Freud observou então que esse movimento de retirada só pode produzir-se num segundo tempo, este precedido de um investimento dos objetos externos por uma libido proveniente do eu. Assim, podemos falar de um narcisismo primário, infantil, que a observação das crianças, bem como a dos "povos primitivos", ambos caracterizados por sua crença na magia das palavras e na onipotência do pensamento, viria confirmar. O narcisismo primário diria respeito à criança e à escolha que ela faz de sua pessoa como objeto de amor, numa etapa precedente à plena capacidade de se voltar para objetos externos.

Assim, Freud é levado, no que constitui um dos pontos fortes desse texto, a considerar a existência permanente e simultânea de uma oposição entre a libido do eu e a libido do objeto, e a formular a hipótese de um movimento de gangorra entre as duas, de tal sorte que, se uma enriquece, a outra empobrece, e vice-versa. Nessa perspectiva, a libido de objeto, em seu desenvolvimento máximo, caracteriza o estado amoroso, ao passo que, inversamente, em sua expansão máxima, a libido do eu fundamenta a fantasia* do fim do mundo no paranóico.

O desenvolvimento teórico constituído por esse texto implicou uma primeira reformulação da teoria das pulsões*, desaparecendo a separação entre pulsões do eu e pulsões sexuais e sendo o eu definido como "um grande reservatório de libido".

Antes desse avanço teórico, porém, Freud deparou com um obstáculo a propósito do narcisismo primário no momento de definir a relação deste com o auto-erotismo* que fora identificado nos *Três ensaios sobre a teoria da sexualidade*. Assim, postulou um desenvolvimento do eu em dois tempos, com "uma nova ação psíquica" seguindo-se ao auto-erotismo, para que fosse possível atingir o estádio do narcisismo primário. Quando queremos estabelecer uma correspondência entre esse desenvolvimento e a evolução pulsional, a passagem das pulsões sexuais parciais para sua unificação, somos levados a considerar que o narcisismo infantil ou primário é contemporâneo da constituição do eu.

Como se pode constatar, e o próprio Freud o reconheceu, a questão da localização do narcisismo primário levanta inúmeras dificuldades. Ele é, segundo Freud, mais difícil de observar que de deduzir. Todavia, a título de observação indireta, Freud destacou a admiração parental por "*his majesty the baby*" como sendo a manifestação, nos pais, de seu próprio narcisismo primário abandonado, em cujo lugar constituiu-se progressivamente seu ideal do eu. "O amor dos pais", escreveu Freud, "tão tocante e, no fundo, tão infantil, não é outra coisa senão seu narcisismo renascido, que, a despeito de sua metamorfose em amor de objeto, manifesta inequivocamente sua antiga natureza."

No contexto da elaboração da segunda tópica*, Freud retornou a essa questão da localização do narcisismo primário, que foi então situado como o primeiro estado da vida — anterior, portanto, à constituição do eu —, característico de um período em que o eu e o isso* são indiferenciados, e cuja representação concreta poderíamos conceber, por conseguinte, sob a forma da vida intra-uterina. Como assinalam Jean Laplanche e Jean-Bertrand Pontalis, essa nova formulação teve por conseqüência apagar qualquer distinção entre o auto-erotismo o narcisismo, e "é difícil discernir, do ponto de vista tópico, o que é investido no narcisismo primário entendido dessa maneira".

A definição do narcisismo secundário é menos problemática e a formulação da segunda tópica não modifica sua concepção, muito embora, a partir da redação de *Mais-além do princípio de prazer**, Freud viesse a abandonar cada vez mais esse conceito, cuja ausência convém assinalarmos no *Esboço de psicanálise**. O narcisismo secundário ou narcisismo do eu, portanto, no início da década de 1920, mantém-se como o resultado, manifesto na clínica da psicose, da retirada da libido de todos os objetos externos. Mas o narcisismo secundário não se limita a esses casos extremos, uma vez que o investimento libidinal do eu coexiste, em todo ser humano, com os investimentos objetais, havendo Freud postulado a existência de um processo de equilíbrio energético entre as duas formas de investimento que participam de Eros, a pulsão de vida, e de seu combate contra as pulsões de morte. Por outro lado, e isso atesta o caráter incontornável que teve esse conceito na evolução da teoria freudiana do desenvolvimento psíquico, o narcisismo constitui, desde o texto de 1914, o primeiro esboço do que viria a se transformar no ideal do eu*.

A despeito de suas insuficiências e de seu estatuto ambíguo, o conceito de narcisismo serviu de ponto de partida para inúmeras elaborações pós-freudianas.

Efetuando uma análise espectral do conceito de narcisismo, André Green, em 1976, fez o recenseamento do "destino do narcisismo" depois de Freud, sublinhando que os psicanalistas "dividiram-se em dois campos conforme sua posição a respeito da autonomia do narcisismo". Em nome da defesa dessa autonomia, convém assinalar a contribuição do psicanalista francês Bela Grunberger, que concebeu o narcisismo como uma instância psíquica da mesma ordem que as instâncias freudianas da segunda tópica, e a do psicanalista norte-americano Heinz Kohut*, que, a partir da clínica dos dis-

túrbios narcísicos, contribuiu para o desenvolvimento da corrente da *Self Psychology**. Em contraste com essas concepções, Melanie Klein*, postulando a existência primária de relações de objeto, foi levada a rejeitar tanto a idéia de narcisismo primário quanto a de estádio narcísico, falando tão-somente em estados narcísicos ligados a retornos da libido para objetos internalizados.

Foi sobre o ponto até hoje confuso da localização do narcisismo primário e de sua relação com a constituição do eu que se fundamentou a concepção lacaniana do estádio do espelho*, desenvolvida em 1949. Para Jacques Lacan*, o narcisismo originário constitui-se no momento em que a criança capta sua imagem no espelho, imagem esta que, por sua vez, é baseada na do outro, mais particularmente da mãe, constitutiva do eu. O período de auto-erotismo, portanto, corresponde à fase da primeira infância, período das pulsões parciais e do "corpo despedaçado", marcado por aquele "desamparo originário" do bebê humano cujo retorno sempre possível constitui uma ameaça, a qual se encontra na base da agressividade.

Articulada com a teoria lacaniana, que reconhece a existência do narcisismo primário antes mesmo do estádio do espelho, a reflexão de Françoise Dolto* situou as raízes do narcisismo no momento da experiência privilegiada que é constituída pelas palavras maternas, mais centradas na satisfação de desejos do que no atendimento de necessidades.

• Sigmund Freud, *Três ensaios sobre a teoria da sexualidade* (1905), *ESB*, VII, 129-237; *GW*, V, 29-145; *SE*, VII, 123-243; Paris, Gallimard, 1987; *Leonardo da Vinci e uma lembrança de sua infância* (1910), *ESB*, XI, 59-126; *GW*, VIII, 128-211; *SE*, XI, 63-129; *OC*, X, 79-164; "Notas psicanalíticas sobre um relato autobiográfico de um caso de paranóia (*Dementia paranoides*)" (1911), *ESB*, XII, 23-104; *GW*, VIII, 240-316; *SE*, XII, 1-79; in *Cinq psychanalyses*, Paris, PUF, 1954, 263-321; *Totem e tabu* (1913), *ESB*, XIII, 17-192; *GW*, IX; *SE*, XIII, 1-161; Paris, Gallimard, 1993; "Sobre o narcisismo: uma introdução" (1914), *ESB*, XIV, 89-122; *GW*, X, 138-70; *SE*, XIV, 73-102; in *La Vie sexuelle*, Paris, PUF, 1969, 80-105; *Conferências introdutórias sobre psicanálise* (1916-1917), *ESB*, XV-XVI; *GW*, XI; *SE*, XV-XVI; Paris, Payot, 1973; *Mais-além do princípio de prazer* (1920), *ESB*, XVIII, 17-90; *GW*, XIII, 3-69; *SE*, XVIII 1-64; in *Essais de psychanalyse*, Paris, Payot, 1981, 41-115; *Psicologia das massas e análise do eu* (1921), *ESB*, XVIII, 91-184; *GW*, XIII, 73-161; *SE*,

XVIII, 65-143; *OC*, XVI, 1-83, *O eu e o isso* (1923), *ESB* XIX, 23-76; *GW*, XIII, 237-89; *SE*, XIX, 1-59; in *Essais de psychanalyse*, 219-52, Paris, Payot, 1981; *Esboço de psicanálise* (1938), *ESB*, XXIII, 168-246; *GW*, XVII, 67-138; *SE*, XXIII, 139-207; Paris, PUF, 167 • Karl Abraham, "Les Différences psychosexuelles entre l'hystérie et la démence précoce" (1908), in *Oeuvres complètes*, vol.I, 1907-1914, Paris, Payot, 1965 • Lou Andreas-Salomé, *L'Amour du narcissisme*, Paris, Gallimard, 1980 • *Dictionnaire des personnages*, Paris, Laffont, col. "Bouquins", 1986 • Françoise Dolto, *No jogo do desejo. Ensaios clínicos* (Paris, 1981), S. Paulo, Ática, 1996; *A imagem inconsciente do corpo* (Paris, 1984), S. Paulo, Perspectiva, 1992 • Pierre Dessuant, *Le Narcissisme*, Paris, PUF, col. "Que sais-je?", 1994 • André Green, "Le Narcissisme primaire, structure ou état?", *L'Inconscient*, 1966, 1, 127-56, 1967, 2, 89-116; "Un, Autre, Neutre: valeurs narcissiques du même", *Nouvelle Revue de Psychanalyse*, 1976, 13, 37-79 • Bela Grunberger, *Le Narcissisme. Essais de psychanalyse*, Paris, Payot, 1971; "Étude sur le narcissisme", *Revue Française de Psychanalyse*, 1965, 29, 5-6; *Narcisse et Anubis*, Paris, Des Femmes, 1989 • Heinz Kohut, *Le Soi* (N. York, 1971), Paris, PUF, 1991 • Jacques Lacan, "O estádio do espelho como formador da função do eu, tal como nos é revelada na experiência psicanalítica" (1949), in *Escritos* (Paris, 1966), Rio de Janeiro, Jorge Zahar, 1998, 96-103; *O Seminário, livro 1, Os escritos técnicos de Freud (1953-1954)* (Paris, 1975), Rio de Janeiro, Jorge Zahar, 1979 • Marie-Claude Lambotte, "Narcisismo", in Pierre Kaufmann (org.), *Dicionário enciclopédico de psicanálise: o legado de Freud e Lacan* (Paris, 1993), Rio de Janeiro, Jorge Zahar, 1996, 347-56 • Jean Laplanche e Jean-Bertrand Pontalis, *Vocabulário da psicanálise* (Paris, 1967), S. Paulo, Martins Fontes, 1991, 2ª ed.• Jacques Le Rider, *Modernité viennoise et crises d'identité*, Paris, PUF, 1990 • Michèle Montrelay, "Narcissisme", *Encyclopaedia universalis*, vol.11, 552-4 • Guy Rosolato, "Le Narcissisme", *Nouvelle Revue de Psychanalyse*, 1976, 13, 5-36 • Joël Schmidt, *Dictionnaire de la mythologie grecque et romaine*, Paris, Larousse, 1985 • Donald Woods Winnicott, *O brincar e a realidade* (Londres, 1971), Rio de Janeiro, Imago, 1979.

➤ HOMOSSEXUALIDADE; IDENTIFICAÇÃO; IMAGEM DO CORPO.

narco-análise

➤ PSICOTERAPIA.

nazismo

Desde sua chegada ao poder, Adolf Hitler (1889-1945) aplicou a doutrina nacional-socialista (ou nazismo), da qual um dos objetivos principais era a eliminação de todos os judeus da Europa como "raça inferior". Do mesmo modo, ele procurava livrar-se, além das demais "raças inferiores", de todos os homens considerados "tarados" ou incômodos para o corpo social. Assim, a homossexualidade* e a loucura* foram tratadas pelo nacional-socialismo como equivalentes da judeidade*, tudo isso com base na teoria da hereditariedade-degenerescência*.

Em 1939, criaram-se institutos de eutanásia para executar, por meio de venenos diversos, três categorias de pessoas: os doentes que sofriam de distúrbios mentais ou neurológicos (esquizofrênicos, dementes senis, epiléticos etc.); os pacientes hospitalizados por mais de cinco anos; os alienados criminais e, com eles, todos os sujeitos visados pela legislação racista. Foi na antiga prisão de Brandemburgo-Havel, transformada em instituto de eutanásia, que se deu, em janeiro de 1940, a primeira tentativa de execução mediante o uso de gás, o que demonstrou a "superioridade" desse processo em relação às drogas e às outras técnicas habitualmente empregadas.

Dentre todas as escolas de psiquiatria dinâmica*, a psicanálise* foi a única a receber como tal a qualificação de "ciência judaica", tão temida por Sigmund Freud*. É nesse contexto que se pode compreender por que o nazismo acrescentou a seu projeto a destruição radical da psicanálise, de seu vocabulário, seus conceitos, suas obras, seu movimento, suas instituições e seus praticantes.

Esse projeto foi progressivamente realizado, sob a direção de Matthias Heinrich Göring*, com a colaboração de psicoterapeutas de todas as tendências (junguianos, freudianos, adlerianos etc.), que concordaram em servir aos princípios de uma nova "psicologia ariana" e em trabalhar, a partir de maio de 1936, no Deutsche Institut für psychologische Forschung (Instituto Alemão de Pesquisa Psicológica e Psicoterapia), mais conhecido pelo nome de Instituto Göring. Desse instituto, instalado em Berlim, baniu-se tudo o que pudesse evocar qualquer forma de judeidade: a palavra psicanálise não mais devia ser pronunciada. A prática da psicoterapia* foi proibida aos judeus e nenhum tratamento podia ser conduzido com pacientes judeus.

O nazismo transformou radicalmente o movimento psicanalítico, expulsando da Europa (Alemanha*, Hungria*, Itália* e Áustria) a quase totalidade dos psicanalistas — judeus, em sua maioria —, que emigraram para os Estados Unidos*, a Grã-Bretanha* ou os países latino-americanos. E os que não conseguiram fugir pereceram em campos de concentração.

• Hannah Arendt, *Origens do totalitarismo* (1951), S. Paulo, Companhia das Letras, 1989; *Le Système totalitaire*, Paris, Seuil, col. "Points", 1972 • Eugen Kogon, Hermann Langbein e Adalbert Rukerl, *Les Chambres à gaz, secret d'État* (Frankfurt, 1983), Paris, Minuit, 1984 • *Les Années brunes. La Psychanalyse sous le IIIᵉ Reich*, textos traduzidos e apresentados por Jean-Luc Evard, Paris, Confrontation, 1984 • *On forme des psychanalystes. Rapport original sur les dix ans de l'Institut Psychanalytique de Berlin*, apresentação de Fanny Colonomos, Paris, Denoël, 1985 • Chaim S. Katz (org.), *Psicanálise e nazismo*, Rio de Janeiro, Taurus, 1985 • Geoffrey Cocks, *La Psychothérapie sous le IIIᵉ Reich* (Oxford, 1985), Paris, Les Belles Lettres, 1987 • Regine Lockot, *Erinnern und Durcharbeiten*, Frankfurt, Fischer, 1985 • *Ici la vie continue de manière surprenante*, seleção de textos traduzidos por Alain de Mijolla, Paris, Association Internationale d'Histoire de la Psychanalyse (AIHP), 1987 • Ian Kershaw, *Hitler. Um perfil do poder* (N. York, 1991), Rio de Janeiro, Jorge Zahar, 1993; "Nazisme et stalinisme", *Le Débat*, 89, março-abril de 1996, 177-91.

➢ BJERRE, POUL; BOEHM, FELIX; COMUNISMO; JONES, ERNEST; JUNG, CARL GUSTAV; KEMPER, WERNER; LAFORGUE, RENÉ; MAUCO, GEORGES; MÜLLER-BRAUNSCHWEIG, CARL; SCHULTZ, JOHANNES; SCHULTZ-HENCKE, HARALD.

necessidade
➢ DESEJO.

neofreudismo
al. *Neofreudianismus*; esp. *neofreudismo*; fr. *néofreudisme*; ing. *neofreudianism*

Na história do movimento psicanalítico, deu-se o nome de neofreudismo a escolas de psicoterapia* simultaneamente diferentes entre si e em dissidência com o freudismo*. Essas escolas inspiraram-se no culturalismo* e na psicologia individual de Alfred Adler*. Contrariamente ao annafreudismo* e ao kleinismo*, a corrente neofreudiana desenvolveu-se, após cisões* ou rupturas individuais, fora da legiti-

midade freudiana encarnada pela International Psychoanalytical Association* (IPA), o que significa que renunciou a alguns dos grandes conceitos freudianos (sexualidade*, pulsão*, recalque*, transferência* etc.), ou então os modificou a ponto de se instalar nas margens do freudismo. Para os neofreudianos, o freudismo figura como uma doutrina original que, embora historicamente reivindicada, deve ser "ultrapassada". Os neofreudianos, com efeito, contestam o dogmatismo freudiano e seu universalismo. Daí o caráter avulso e atomizado desse movimento, que, em virtude de suas convicções culturalistas, sempre rejeitou o próprio princípio de uma organização centralizada, de espírito internacionalista.

Entre os principais representantes do neofreudismo figuram Karen Horney*, Erich Fromm* e Harry Stack Sullivan*.

Os filósofos da Escola de Frankfurt, em especial Theodor Adorno (1903-1969) e Herbert Marcuse*, criticaram duramente o neofreudismo a partir de 1946, assimilando-o a um "revisionismo".

➢ ALEMANHA; *EGO PSYCHOLOGY*; HISTORIOGRAFIA; LACANISMO; *SELF PSYCHOLOGY*.

neopsicanálise,
➢ PSICOTERAPIA; SCHULTZ-HENCKE, HARALD.

neurastenia
al. *Neurasthenie*; esp. *neurastenia*; fr. *neurasthénie*; ing. *neurasthenia*

Termo introduzido em 1879 pelo neurologista norte-americano George Beard (1839-1883), para designar um estado de fadiga psicológica e física acompanhada de diversos distúrbios funcionais e própria da sociedade industrial do Novo Mundo.

➢ JANET, PIERRE; NEUROSE; PSICASTENIA.

neurose
al. *Neurose*; esp. *neurosis*; fr. *névrose*; ing. *neurosis*

Termo proposto em 1769 pelo médico escocês William Cullen (1710-1790) para definir as doenças nervosas que acarretavam distúrbios da persona-

lidade. Foi popularizado na França* por Philippe Pinel (1745-1826) em 1785. Retomado como conceito por Sigmund Freud* a partir de 1893, o termo é empregado para designar uma doença nervosa cujos sintomas simbolizam um conflito psíquico recalcado, de origem infantil.

Com o desenvolvimento da psicanálise*, o conceito evoluiu, até finalmente encontrar lugar no interior de uma estrutura tripartite, ao lado da psicose* e da perversão*.

Em conseqüência disso, do ponto de vista freudiano, classificam-se no registro da neurose a histeria* e a neurose obsessiva*, às quais é preciso acrescentar a neurose atual, que abrange a neurose de angústia e a neurastenia*, e a psiconeurose, que abarca a neurose de transferência* e a neurose narcísica.

A expressão neurose de caráter provém da terminologia de Edward Glover* e da doutrina de Wilhelm Reich*, enquanto a noção de neurose de fracasso foi cunhada por René Laforgue*, e a de neurose de abandono, pela psicanalista suíça Germaine Guex (1904-1984).

O termo neurose foi inventado por William Cullen, durante a segunda metade do século XVIII, e atesta a renovação do olhar clínico que pusera em voga a abertura de cadáveres e, portanto, a observação "direta" e *post mortem* dos órgãos que tinham sofrido de diversas patologias. Daí a idéia de criar uma palavra genérica para designar o conjunto dos problemas da sensibilidade e da motricidade que não apresentavam febre nem relação com qualquer órgão.

Assim nasceu a definição moderna da neurose, que permitiu construir uma nosografia pela negativa, incluindo em seu campo o domínio das doenças para as quais a nova medicina anatomopatológica não encontrava nenhuma explicação orgânica. Philippe Pinel logo retomou o termo e, um século depois, Jean Martin Charcot* o popularizou, fazendo da histeria uma doença funcional (e, portanto, uma neurose), enquanto seu aluno Pierre Janet* orientou-se para a idéia de uma pura causalidade psíquica. Na terminologia janetiana, que marcaria todos os clínicos franceses do entre-guerras, a neurose tornou-se uma doença da personalidade, caracterizada por conflitos psíquicos que perturbavam as condutas sociais. Janet distinguiu dois tipos de neuroses: a histeria, na qual aparecia uma redução do campo da consciência, e

a psicastenia*, onde se manifestava um rebaixamento da função de adaptação à realidade.

Após seu encontro com Charcot, Freud também começou a definir a histeria como uma neurose, porém numa perspectiva inteiramente diversa da de Janet. Ele desvinculou definitivamente a histeria da presunção uterina, associando-lhe uma etiologia sexual e um enraizamento no inconsciente*. A partir daí e após a publicação dos *Estudos sobre a histeria**, em 1895, a histeria no sentido freudiano tornou-se o protótipo, para o discurso psicanalítico, da neurose como tal. Esta passou desde então a ser definida como uma doença nervosa na qual, antes de mais nada, um trauma intervinha. Daí a idéia, defendida por Freud, de que os pacientes afetados pela neurose histérica, em geral mulheres, teriam sofrido sevícias sexuais reais em sua infância. Mais tarde, depois do abandono dessa chamada teoria da sedução*, em 1897, a neurose tornou-se uma afecção ligada a um conflito psíquico inconsciente, de origem infantil e dotado de uma causa sexual. Ela resulta de um mecanismo de defesa* contra a angústia e de uma formação de compromisso entre essa defesa e a possível realização de um desejo*.

Paralelamente, a partir de 1894, Freud adotou o termo psiconeurose, que depois abandonaria, para ampliar a definição da neurose. De um lado, classificou fenômenos de defesa (ou psiconeuroses de defesa) decorrentes de uma situação edipiana (fobia*, obsessões, histeria), e de outro, problemáticas narcísicas (ou psiconeuroses narcísicas), decorrentes de uma situação pré-edipiana. As primeiras seriam catalogadas como neuroses e as últimas se classificariam na categoria das psicoses, com as novas definições, no início do século XX, da paranóia* e da esquizofrenia*.

Ao lado da histeria e no quadro das psiconeuroses de defesa, Freud instaurou, já em 1894, uma definição da neurose obsessiva: "Foi-me preciso começar meu trabalho por uma inovação nosográfica. Ao lado da histeria, encontrei razões para situar a neurose das obsessões (*Zwangsneurose*) como uma afecção autônoma e independente, embora a maioria dos autores classifique as obsessões entre as síndromes que constituem a degenerescência mental ou as confunda com a neurastenia." Quatro anos depois, em 1898, Freud empregou o termo neurose atual para designar a neurose de angústia (ou excitabilidade nervosa) e a neurastenia, que não eram, segundo ele, da alçada do tratamento psicanalítico. Tratava-se, nesses casos, de neuroses em que o conflito provinha da atualidade do sujeito, e não de sua história infantil, e nas quais o sintoma não se manifestava de maneira simbolizada.

Entre 1914 e 1924, Freud conservou a definição clássica que dera à neurose nos primórdios de suas descobertas e de suas experiências clínicas. Todavia, após os grandes debates com Carl Gustav Jung* e Eugen Bleuler* sobre a dissociação, o auto-erotismo* e o narcisismo*, e depois, com a entrada em cena da segunda tópica*, organizada em torno da trilogia composta pelo eu*, isso* e supereu*, Freud deu uma organização estrutural ao par formado pela neurose e pela psicose, às quais acrescentou a perversão.

Partindo da distinção entre o narcisismo* primário, no qual o sujeito investe a libido* por ela mesma, e o narcisismo secundário, onde há uma retirada da libido para as fantasias*, Freud passou a definir a oposição entre neurose e psicose como o resultado de duas atitudes provenientes de uma clivagem* do eu. Na neurose, há um conflito entre o eu e o isso e a coabitação de uma atitude que contraria a exigência pulsional com outra que leva em conta a realidade, ao passo que, na psicose, há uma perturbação entre o eu e o mundo externo, que se traduz na produção de uma realidade delirante e alucinatória (a loucura*).

Freud completou esse edifício estrutural introduzindo nele um terceiro elemento: a perversão. Após ter feito da neurose, em 1905, nos *Três ensaios sobre a teoria da sexualidade**, o "negativo da perversão", ele caracterizou esta última como uma manifestação bruta e não recalcada da sexualidade infantil (perversa polimorfa). Nessa perspectiva, os três termos acabariam sendo reunidos: a neurose como resultado de um conflito com recalque*, a psicose como reconstrução de uma realidade alucinatória, e a perversão como renegação* da castração*, com uma fixação na sexualidade infantil.

A partir da década de 1950, esse modelo do freudismo clássico foi questionado, em especial

nos Estados Unidos* e na Grã-Bretanha*, com o aparecimento, por um lado, da noção de *borderlines**, e por outro, das novas concepções da neurose provenientes dos trabalhos de Donald Woods Winnicott* e Heinz Kohut*, centralizados na questão do *self*.

• Sigmund Freud, "As neuropsicoses de defesa" (1894), *ESB*, III, 57-74, *GW*, 1, 57-74; *SE*, III, 41-61; *OC*, III, 1-18; "Obsessões e fobias (seu mecanismo psíquico e sua etiologia)" (1895), escrito em francês, *ESB*, III, 89-98; *GW*, I, 343-53; *SE*, III, 69-82; *OC*, III, 19-29; "A hereditariedade e a etiologia das neuroses" (1896), escrito em francês, *ESB*, III, 165-86; *SE*, III, 141-56; *OC*, III, 105-21; "Novos comentários sobre as neuropsicoses de defesa" (1896), *ESB*, III, 187-216; *GW*, I, 377-403; *SE*, III, 157-85; *OC*, III, 121-46; "A sexualidade na etiologia das neuroses" (1898), *ESB*, III, 289-317; *SE*, III, 259-85; *OC*, III, 215-41; "Sobre o narcisismo: uma introdução" (1914), *ESB*, XIV, 89-122; *GW*, X, 138-70; *SE*, XIV, 73-102; in *La Vie sexuelle*, Paris, PUF, 1969, 80-105; "Neurose e psicose" (1924), *ESB*, XIX, 189-98; *GW*, XIII, 387-91; *SE*, XIX, 149-53; *OC*, XVII, 1-9; "A perda da realidade na neurose e na psicose" (1924), *ESB*, XIX, 229-38; *GW*, III, 363-8; *SE*, XIX, 183-7; *OC*, XVII, 35-43; *La Naissance de la psychanalyse* (Londres, 1950), Paris, PUF, 1956 • Pierre Janet, *Les Névroses*, Paris, Flammarion, 1909 • Edward Glover, "The neurotic character", *IJP*, VII, 1926, 11-30 • Germaine Guex, *La Névrose d'abandon*, Paris, PUF, 1950 • Jean Laplanche e Jean-Bertrand Pontalis, *Vocabulário da psicanálise* (Paris, 1967), S. Paulo, Martins Fontes, 1991, 2ª ed. • Jacques Postel, "Névrose", in *Grand dictionnaire de la psychologie*, Paris, Larousse, 1991, 512-4 • Georges Lantéri-Laura, "Névrose et psychose: questions de sens, questions d'histoire", *Autrement*, 117, outubro de 1990, 23-31.

➤ REPETIÇÃO, COMPULSÃO À; *SELF PSYCHOLOGY*.

neurose atual
➤ NEUROSE.

neurose criadora
➤ ELLENBERGER, HENRI F.

neurose de abandono
➤ NEUROSE.

neurose de angústia
➤ FOBIA; *INIBIÇÕES, SINTOMAS E ANGÚSTIA*; NEUROSE.

neurose de caráter

➢ GLOVER, EDWARD; NEUROSE; REICH, WILHELM.

neurose de defesa

➢ DEFESA; HISTERIA; NEUROSE; NEUROSE OBSESSIVA.

neurose de destino

➢ REPETIÇÃO, COMPULSÃO À.

neurose de fracasso

➢ LAFORGUE, RENÉ; REPETIÇÃO, COMPULSÃO À.

neurose de guerra

al. *Kriegsneurose*; esp. *neurosis de guerra*; fr. *névrose de guerre*; ing. *war neurosis*

A neurose de guerra não é em si uma entidade clínica. Provém da categoria da neurose traumática, definida em 1889 por Hermann Oppenheim (1858-1919), que a descreveu como uma afecção orgânica consecutiva a um trauma real, provocando uma alteração física dos centros nervosos, por sua vez acompanhada por sintomas psíquicos: depressão, hipocondria, angústia, delírio etc.

Sabemos do uso que Sigmund Freud* fez dessa neurose em sua discussão da etiologia da histeria*, a partir da doutrina funcionalista de Jean Martin Charcot*: a idéia de trauma foi então transposta do domínio físico e orgânico para o plano psíquico, a fim de se abrir para uma nova concepção da neurose, inicialmente fundamentada na teoria da sedução* e, mais tarde, na do conflito defensivo. Assim, a neurose tornou-se uma afecção puramente psíquica, fazendo caducar a idéia de simulação, tanto para os adeptos do organicismo quanto para os partidários do funcionalismo ou da causalidade psíquica.

Com a Primeira Guerra Mundial, o interminável debate sobre a origem traumática da neurose foi reiniciado. Os psiquiatras de toda parte, com efeito, tiveram seus serviços solicitados pelas hierarquias militares, que procuravam desmascarar os simuladores, alvo da suspeita, como outrora acontecera com os histéricos, de

serem falsos doentes e, portanto, mentirosos, desertores e maus patriotas.

Foi nesse contexto que se deu em Viena*, em 1920, por ocasião de uma estrondosa polêmica, o primeiro grande debate sobre o estatuto da neurose de guerra. O poder dos Habsburgo havia desmoronado e, no mapa da Europa, como sublinhou Stefan Zweig*, a Áustria já não passava de um "clarão crepuscular, uma sombra acinzentada, incerta e sem vida, da antiga monarquia imperial". O processo, que seria inteiramente exumado por Kurt Eissler, começou com uma queixa apresentada pelo tenente Walter Kauders contra o psiquiatra Julius Wagner-Jauregg*, acusado de haver utilizado um tratamento à base de eletricidade para cuidar de soldados afetados por neurose de guerra e, na verdade, considerados simuladores. Freud foi então convocado, na condição de perito, a comparecer perante uma comissão de inquérito a fim de dar seu parecer sobre a eventual prevaricação de Wagner-Jauregg.

Em seu parecer, Freud mostrou-se muito moderado com respeito ao psiquiatra, mas, em contrapartida, criticou com grande violência não apenas o método elétrico, mas também a ética médica dos que o utilizavam. Lembrou que o dever do médico, sempre e em toda parte, é se colocar a serviço do doente, e não de qualquer poder estatal ou bélico, e estigmatizou a idéia de simulação, inadequada a qualquer definição da neurose, fosse esta de origem traumática ou psíquica: "Todos os neuróticos são simuladores", disse: "simulam sem saber, e essa é sua doença."

A progressiva implantação da psicanálise* nos diferentes países ocidentais transformou a visão psiquiátrica sobre a questão da neurose de guerra, e foi na Grã-Bretanha*, durante a Segunda Guerra Mundial, que se desenvolveu uma nova reflexão em torno das teses de John Rickman* e Wilfred Ruprecht Bion*, enquanto, na Alemanha*, diversos psicanalistas participaram, sob a direção de Matthias Heinrich Göring*, da elaboração de uma psicoterapia* de guerra a serviço do nacional-socialismo.

Historicamente, a questão da neurose de guerra é tão antiga quanto a guerra em si. A idéia de que as sangrentas tragédias da história possam induzir em sujeitos "normais" modifi-

538 neurose de transferência

cações da alma ou do comportamento remonta à noite dos tempos. Todos os trabalhos do século XX sobre os traumas ligados à guerra, à tortura, à prisão ou às situações extremas confirmam a formulação freudiana: esses traumas são, a um só tempo, específicos de uma dada situação e reveladores, em cada indivíduo, de uma história que lhe é peculiar. Em outras palavras, os chamados períodos de "distúrbios" menos favorecem a eclosão da loucura* ou da neurose do que o esgotamento dos sintomas destas, retransformados num trauma. Assim, o suicídio* explícito e a melancolia* são menos freqüentes quando a guerra autoriza o heroísmo da morte, e as neuroses são tão mais numerosas e manifestas quanto mais a sociedade na qual se exprimem tem todas as aparências de estabilidade. Charcot teatralizou a histeria quinze anos depois da Comuna de Paris, no momento em que a serenidade republicana parecia haver triunfado sobre as "convulsões" revolucionárias, e Freud identificou as causas sexuais da neurose, renunciando ao trauma real, no seio de uma sociedade aparentemente imersa na quietude imóvel de seu sonho burguês.

• Sigmund Freud, "Introdução a *A psicanálise e as neuroses de guerra*" (1919), *ESB*, XVII, 259-64; *GW*, XII, 321-4; *SE*, XVII. 205-10; in *Résultats, idées, problèmes*, I, *1890-1920*, Paris, PUF, 1984; *Mais-além do princípio do prazer* (1920), *ESB*, XVIII, 17-90; *GW*, XIII, 3-69; *SE*, XVIII, 1-64; in *Essais de psychanalyse*, Paris, Payot, 1981, 41-115 • Sandor Ferenczi, "Psicanálise das neuroses de guerra" (1918), in *Psicanálise III, Obras completas, 1919-1926* (Paris, 1974), S. Paulo, Martins Fontes, 1993, 13-30 • Kurt Eissler, *Freud sur le front des névroses de guerre* (Viena, 1979), Paris, PUF, 1992.

➤ Babinski, Joseph; Bettelheim, Bruno; Pulsão.

neurose de transferência

➤ NEUROSE; TRANSFERÊNCIA.

neurose demoníaca (ou diabólica)

➤ Haitzmann, Christopher; Histeria; Igreja; Ocultismo.

neurose fóbica

➤ FOBIA; HISTERIA; NEUROSE.

neurose narcísica

➤ AUTISMO; NARCISISMO; NEUROSE; PARANÓIA; PSICOSE; *SELF PSYCHOLOGY*.

neurose obsessiva

al. *Zwangsneurose*; esp. *neurosis obsessiva*; fr. *névrose obsessionnelle*; ing. *obsessional neurosis*

Forma fundamental de neurose* identificada por Sigmund Freud* em 1894, a neurose obsessiva (ou neurose de coerção) é, ao lado da histeria*, a segunda grande doença nervosa da classe das neuroses, segundo a doutrina psicanalítica. Tem como origem um conflito psíquico infantil e uma etiologia sexual caracterizada por uma fixação da libido* no estádio* anal. No plano clínico, manifesta-se através de ritos conjuratórios de tipo religioso, sintomas obsedantes e uma ruminação mental permanente, na qual intervêm dúvidas e escrúpulos que inibem o pensamento e a ação.

O alienista francês Jules Falret (1824-1902) introduziu o termo obsessão para sublinhar o fenômeno de ascendência através do qual o sujeito* é assediado por idéias patológicas e por uma culpa que o persegue e o obceca a ponto de fazer dele um morto vivo. Em seguida, o termo foi traduzido para o alemão por Richard von Krafft-Ebing*, que optou por usar a palavra *Zwang*, que remete a uma idéia de coerção e compulsão: o sujeito se obriga a agir e a pensar contra sua vontade. Foi a Freud, entretanto, que coube o mérito de, pela primeira vez, conferir um conteúdo teórico à antiga clínica das obsessões, não apenas situando a doença no registro da neurose, mas também fazendo dela, frente à histeria, o segundo grande componente da estrutura neurótica humana.

Enquanto a histeria era conhecida desde a Antigüidade, a obsessão apareceu tardiamente na clínica das doenças nervosas. No entanto, as duas entidades estão ligadas à história da religião no Ocidente. Ambas, com efeito, aparentam-se com os antigos fenômenos de possessão e com a divisão entre a alma e o corpo. No caso da histeria, a possessão é mais sonambúlica, passiva, inconsciente e "feminina": é o demônio que se apodera de um corpo de mulher para torturá-lo. Na obsessão, ao contrário, ela é ativa e "masculina": é o próprio sujeito que é internamente torturado por uma força diabólica, embora permaneça lúcido quanto a seu estado. De um lado, a mulher, assimilada a uma feiticeira, é culpada através de um corpo diabólico, oferecido à luxúria, e de outro, o homem é invadido por uma sujeira moral que o obriga a se tornar seu próprio inquisidor. A histeria é uma arte "feminina" da sedução e da conversão, e a obsessão, um rito "masculino" comparável a uma religião.

Essa diferença entre o feminino e o masculino, entre o ativo e o passivo, entre o corpo convulsivo e a consciência culpada, encontra-se na maneira como Freud contrasta, numa carta a Wilhelm Fliess* de outubro de 1895, a neurose obsessiva com a histeria: "Imagine só: pressinto, entre outras coisas, o seguinte condicionamento estrito: no que concerne à histeria, que ocorreu uma experiência sexual primária (antes da puberdade) em meio ao asco e ao susto, e, no que concerne à neurose obsessiva, que essa experiência se deu com prazer (...). A histeria é a conseqüência de um pavor sexual pré-sexual. A neurose obsessiva é a conseqüência de um prazer sexual pré-sexual, que depois se transforma em recriminação." Assim, até 1897, no contexto da teoria freudiana da sedução* (trauma sexual infantil), a sexualidade* das meninas desenrola-se sob o signo da passividade e do pavor, e a dos meninos, sob o signo de um prazer ativo, vivido como um pecado.

Depois do abandono da teoria da sedução, Freud só voltou à questão da neurose obsessiva em 1907: apresentou então à Sociedade Psicológica das Quartas-Feiras*, pela primeira vez, o começo da história de um doente afetado por essa neurose: Ernst Lanzer*, celebrizado sob o nome de Homem dos Ratos. Essa exposição magistral serviria de modelo para todos os comentários posteriores consagrados à noção de obsessividade.

Apesar de manter uma certa correlação entre passividade e histeria, por um lado, e atividade e obsessão, por outro, Freud rejeitou essencialmente essa bipolarização e a substituiu por uma explicação etiológica baseada em sua nova teoria da sexualidade. A neurose obsessiva passou então a ser uma neurose que afeta tanto os homens quanto as mulheres e que tem como origem um conflito psíquico. A principal mudança apareceu, na verdade, com a publicação em 1905 dos *Três ensaios sobre a teoria da sexualidade**, onde Freud evidenciou a sexualidade infantil, a perversão* polimorfa e o erotismo anal, que suscitariam uma impressionante hostilidade por parte dos adversários da psicanálise*, donde a acusação de pansexualismo* levantada contra Freud.

Entre 1907 e 1926, Freud transformou sua concepção da neurose obsessiva. Na história do Homem dos Ratos, é o erotismo anal que domina a organização sexual do obsessivo, e essa analidade acha-se igualmente presente, assinala Freud, nas "práticas religiosas". Constatando a analogia entre a religião (cujos rituais são portadores de um sentido) e o cerimonial da obsessão (onde esses mesmos rituais correspondem apenas a uma significação neurótica), ele passou a caracterizar a neurose como uma religião individual e a religião como uma obsessão universal.

Em 1913, Freud retomou essa temática com a publicação de um livro, *Totem e tabu**, e de um artigo, "A predisposição para a neurose obsessiva". Comparada à histeria, definida como uma linguagem pictórica, e à paranóia*, vista como uma filosofia fracassada, a neurose de compulsão foi novamente colocada sob o signo da religião: "As neuroses, por um lado, apresentam concordâncias impressionantes e profundas com as grandes produções sociais da arte, da religião e da filosofia; por outro, aparecem como distorções destas. Poderíamos arriscar-nos a dizer que uma histeria é a imagem distorcida de uma criação artística, uma neurose de compulsão, a de uma religião, e um delírio paranóico, a de um sistema filosófico." Todavia, a obsessão deveria ser igualmente relacionada a uma regressão da vida sexual a um estádio* anal, tendo por corolário um sentimento de ódio que é característico da própria constituição do sujeito humano. Isso porque, segundo Freud, é o ódio, antes do amor, que estrutura o conjunto das relações entre os homens, obrigando-os a se defenderem dele através da elaboração de uma moral.

Em 1926, em *Inibições, sintomas e angústia**, essa teoria foi reformulada à luz da segunda tópica* e da noção de pulsão* de morte. O desencadeador da neurose obsessiva foi então caracterizado como sendo o medo que o eu* tem de ser punido pelo supereu*. Enquanto o supereu age sobre o eu à maneira de um juiz severo e rígido, o eu é obrigado a resistir às pulsões destrutivas do isso*, desenvolvendo formações reativas que assumem a forma de sentimentos de escrúpulo, ou a de piedade, limpeza e culpa. Por isso, o sujeito é mergulhado num verdadeiro inferno do qual nunca consegue escapar.

Pois bem, esse inferno não é outra coisa senão a versão patológica de um sistema institucional patriarcal e judaico-cristão do qual, aliás, Freud tanto enaltece as fraquezas quanto os méritos. De fato, em sua análise do Homem dos Ratos e, mais tarde, em *Totem e tabu*, ele liga os progressos da ciência e da razão ao advento do patriarcado*, com isso mostrando que o freudismo*, como expressão dessa ciência e dessa razão, pode servir de proteção contra as diversas tentativas de abolição da família e contra o inelutável declínio do pai na sociedade ocidental do século XX. Em 1938, na última etapa da reflexão que ele conduziu em paralelo sobre a religião e a lógica da estrutura obsessiva, Freud expôs abertamente, com *Moisés e o monoteísmo**, a ambivalência amor-ódio que era, a seu ver, sintomática da "relação com o pai". E essa ambivalência remete, é claro, à função da proibição do incesto*, sustentada pelo pai no mundo judaico-cristão.

Assim, a neurose obsessiva inventada por Freud sempre seria, para ele, um verdadeiro objeto de fascinação, na medida em que põe em cena a essência da relação edipiana. Numa carta de 1907 a Carl Gustav Jung*, Freud pintou um retrato de si mesmo sob as feições de um obsessivo e encarou seu herdeiro como histérico: "Se você, que é um homem sadio, realça o tipo histérico, devo reivindicar para mim o tipo obsessivo." Noutro texto, a propósito de um rapaz que estava em tratamento, ele caracterizou a história de Édipo como um caso de neurose obsessiva: "Trata-se de um indivíduo sumamente dotado, de tipo edipiano, amor pela mãe, ódio pelo pai (o próprio Édipo antigo, com

efeito, é um caso de neurose obsessiva — a questão da Esfinge), doente desde os onze anos, diante da revelação dos fatos sexuais."

Tal como a histeria, portanto, a neurose obsessiva é correlata da história da psicanálise*, em sua tentativa clínica e antropológica de dar uma resposta ao enigma da diferença sexual* e da organização da família e das sociedades.

• Sigmund Freud, "As neuropsicoses de defesa" (1894), *ESB*, III, 57-74; *GW*, 1, 57-74; *SE*, III, 41-61; *OC*, III, 1-18; "Obsessões e fobias: seu mecanismo psíquico e sua etiologia" (1895), escrito em francês, *ESB*, III, 89-98; *GW*, I, 343-53; *SE*, III, 69-82; *OC*, III, 19-29; "A hereditariedade e a etiologia das neuroses" (1896), escrito em francês, *ESB*, III, 165-86; *SE*, III, 141-56; *OC*, III, 105-21; "Novos comentários sobre as neuropsicoses de defesa" (1896), *ESB*, III, 187-216; *GW*, I, 377-403; *SE*, III, 157-85; *OC*, III, 121-46; "A sexualidade na etiologia das neuroses" (1898), *ESB*, III, 289-316; *SE*, III, 259-85; *OC*, III, 215-41; "Atos obsessivos e práticas religiosas" (1907), *ESB*, IX, 121-36; *SE*, IX, 115-27; in *L'Avenir d'une illusion* (1927), Paris, PUF, 1971; "A predisposição para a neurose obsessiva" (1913), *ESB*, XII, 399-414; *GW*, VIII; *SE*, XII, 313-26; in *Névrose, psychose et perversion*, Paris, PUF, 1973, 189-97; "Notas sobre um caso de neurose obsessiva" (1909), *ESB*, X, 159-62; *GW*, VII, 381-463; *SE*, X, 151-249; in *Cinq psychanalyses*, Paris, PUF, 1954, 199-261; "Sobre o narcisismo: uma introdução" (1914), *ESB*, XIV, 89-122; *GW*, X, 138-70; *SE*, XIV, 73-102; in *La Vie sexuelle*, Paris, PUF, 1969, 80-105; "Neurose e psicose" (1924), *ESB*, XIX, 189-98; *GW*, XIII, 387-91; *SE*, XIX, 149-53; *OC*, XVII, 1-9; "A perda da realidade na neurose e na psicose" (1924), *ESB*, XIX, 229-38; *GW*, III, 363-8; *SE*, XIX, 183-7; *OC*, XVII, 35-43; *La Naissance de la psychanalyse* (Londres, 1950), Paris, PUF, 1956 • *Freud/Jung: correspondência completa* (Paris, 1975), Rio de Janeiro, 1993 • Pierre Janet, *Les Obsessions et la psychasthénie*, 2 vols., Paris, Alcan, 1903 • *Confrontations Psychiatriques*, número especial sobre as obsessões, 20, 1981 • Patrick J. Mahony, *Freud et l'Homme aux rats* (New Haven e Londres 1986), Paris, PUF, 1990 • Evelyne Pewzner, *L'Homme coupable. La Folie et la faute en Occident*, Toulouse, Privat, 1992 • Charles Baladier, "Neurose obsessiva", in Pierre Kaufmann (org.), *Dicionário enciclopédico de psicanálise: o legado de Freud e Lacan* (Paris, 1993), Rio de Janeiro, Jorge Zahar, 1996, 358-66.

➤ ANTROPOLOGIA; ESQUIZOFRENIA; *FUTURO DE UMA ILUSÃO, O*; IGREJA; PSICASTENIA.

neurose traumática

➤ HISTERIA; NEUROSE DE GUERRA; PSICOSSOMÁTICA, MEDICINA; SEDUÇÃO, TEORIA DA.

nó borromeano

al. *Borromäische Knoten*; esp. *nudo borromeano*; fr. *noeud borroméen*; ing. *Borromean knot*

Expressão introduzida por Jacques Lacan*, em 1972, para designar as figuras topológicas (ou nós trançados) destinadas a traduzir a trilogia do simbólico*, do imaginário* e do real*, repensada em termos de real/simbólico/imaginário (R.S.I.) e, portanto, em função da primazia do real (isto é, da psicose*) em relação aos outros dois elementos.

Foi no âmbito de sua última retomada lógica, apoiada numa leitura da obra de Ludwig Wittgenstein (1889-1951) e voltada para a análise da essência da loucura* humana, que Lacan inventou simultaneamente o matema* e o nó borromeano: de um lado, um modelo de linguagem articulado com uma lógica da ordem simbólica; de outro, um modelo estrutural, fundamentado na topologia e efetuando um deslocamento radical do simbólico para o real.

Desde 1950, juntamente com seu amigo Georges T. Guilbault, Lacan vinha-se entregando a exercícios topológicos que se assemelhavam aos jogos com números e às periodicidades que Sigmund Freud* e Wilhelm Fliess* faziam no chamado período da autoanálise*. Essa atividade lúdica consistia em atar pedaços de barbante indefinidamente, em encher bóias de criança, trançar e recortar, em suma, em transcrever uma doutrina em figuras topológicas. Assim, a banda de Moebius, sem avesso nem direito, forneceu a imagem do sujeito* do inconsciente*, assim como o toro ou a câmara de ar designavam um furo ou uma hiância, isto é, um "lugar constitutivo que, no entanto, não existe".

Durante 25 anos, essas figuras tiveram tãosomente uma função ilustrativa na doutrina lacaniana, e foi em 9 de fevereiro de 1972 que surgiu pela primeira vez no discurso lacaniano a expressão nó borromeano, que remetia à história da ilustre família Borromeu. As armas dessa dinastia milanesa, com efeito, compunham-se de três anéis em forma de trevo, simbolizando uma tríplice aliança. Se um dos anéis se retirasse, os outros dois ficariam soltos, e cada um remetia ao poder de um dos três ramos da família.

A partir dessa data, os exercícios topológicos baseados no trançado de nós, cada qual simbolizando um elemento da trilogia (real/simbólico/imaginário), começaram a assumir um lugar considerável no ensino lacaniano. Em 1975, Lacan acrescentou ao tríptico uma quarta volta, para a qual cunhou uma palavra-valise, "santhomem" [*sinthome*, combinando *symptôme* e *homme*, além de aludir a *saint*], em homenagem ao *Finnegans Wake*, de James Joyce (1882-1941). Tratava-se de designar o escritor por seu "sintoma", isto é, por sua teoria da criação, a "epifania" ou êxtase místico, retirada de S. Tomás ("santo homem").

Em 1979, afetado por distúrbios cerebrais, Lacan tornou-se afásico a ponto de não mais conseguir exprimir-se a não ser pela exibição de seus jogos topológicos, dos quais participava um grupo de jovens matemáticos franceses de alto nível, empolgados com os derradeiros lampejos de inspiração de um mestre atormentado.

• Jacques Lacan, Le Séminaire, livre XVIII, *D'un discours qui ne serait pas du semblant (1970-1971)*, inédito; Le Séminaire, livre XIX, *...Ou pire (le savoir du psychanalyste) (1971-1972)*, inédito; O Seminário, livro 20, *Mais, ainda (1972-1973)*, Rio de Janeiro, Jorge Zahar, 1989, 2ª ed; Le Séminaire, livre XXI, *Les nondupes errent (1973-1974)*, inédito; Le Séminaire, livre XXII, *R.S.I. (1974-1975)*, inédito; Le Séminaire, livre XXIII, *Le Sinthome (1975-1976)*, inédito; Le Séminaire, livre XXIV, *L'Insu que sait de l'une-bévue s'aile à mourre (1976-1977)*, inédito; Le Séminaire, livre XXV, *Le Moment de conclure (1977-1978)*, inédito • Jean-Claude Milner, *Les Noms indistincts*, Paris, Seuil, 1983; *A obra clara. Lacan, a ciência, a filosofia* (Paris, 1995), Rio de Janeiro, Jorge Zahar, 1997 • Pierre Soury, *Chaînes et noeuds*, 3 vols., 1988, org. de Michel Thomé e Christian Léger • Élisabeth Roudinesco, *Jacques Lacan. Esboço de uma vida, história de um sistema de pensamento* (Paris, 1993), S. Paulo, Companhia das Letras, 1994.

➤ FORACLUSÃO; NOME-DO-PAI; PASSE; TÉCNICA PSICANALÍTICA.

Nome-do-Pai

al. *Name-des-Vaters*; esp. *nombre del padre*; fr. *nom-du-père*; ing. *name-of-the-father*

Termo criado por Jacques Lacan* em 1953 e conceituado em 1956, para designar o significante* da função paterna.

Esse conceito não tem, na doutrina lacaniana, o mesmo estatuto que os demais. Com efeito, não foi retirado de um *corpus* existente. Tem sua fonte primordial e inconsciente na vida de Lacan e em sua experiência pessoal e dolorosa da paternidade.

Primeiro, como filho, ele teve de suportar as falhas de seu pai, Alfred Lacan (1873-1960), esmagado pela tirania de seu próprio pai, Émile Lacan (1839-1915). Em seguida, havendo-se tornado pai pela quarta vez em julho de 1941, nos tempos mais sombrios da Ocupação, Lacan não pôde dar seu nome a sua filha, que foi registrada em cartório com o sobrenome Bataille, uma vez que sua mãe, Sylvia Bataille (1908-1993), ainda era a esposa legítima de Georges Bataille (1897-1962). Esse imbróglio infernal do nome do pai, decorrente da legislação francesa sobre a filiação, duraria até 1964 e o mergulharia, como manifestou Lacan em diversas ocasiões, numa culpa terrível.

Testemunhos disso, se necessário fosse, são seu seminário de 1961-1962 sobre a identificação*, ao longo do qual atacou violentamente seu avô paterno, "... aquele personagem horrível graças ao qual tive acesso, em idade precoce, à função fundamental de maldizer a Deus", e, mais tarde, suas conferências de 1975 sobre James Joyce (1882-1941), nas quais, evocando a relação do escritor com sua filha esquizofrênica, ele falou, dissimuladamente, de seu próprio drama de pai.

Tal como Sigmund Freud*, Lacan foi acossado pela questão da paternidade. Em 1938, em seu artigo magistral sobre a família, mostrou que a psicanálise* nascera, em Viena*, de um sentimento de declínio da imago* paterna e da vontade freudiana de revalorizá-la. Lacan adotou o mesmo modelo de reformulação simbólica da paternidade, embora integrando as teses kleinianas referentes às relações arcaicas com a mãe.

Foi em 1953, num comentário do caso do Homem dos Ratos (Ernst Lanzer*), que surgiu pela primeira vez em sua pena o sintagma do nome do pai (sem hífens). Apoiando-se num livro de Claude Lévi-Strauss, *As estruturas elementares do parentesco*, publicado em 1949, Lacan mostrou que o Édipo* freudiano podia ser pensado como uma passagem da natureza para a cultura. Segundo essa perspectiva, o pai exerce uma função essencialmente simbólica: ele nomeia, dá seu nome, e, através desse ato,

encarna a lei. Por conseguinte, se a sociedade humana, como sublinha Lacan, é dominada pelo primado da linguagem, isso quer dizer que a função paterna não é outra coisa senão o exercício de uma nomeação que permite à criança adquirir sua identidade.

Lacan passou então a definir essa função como "função do pai", depois, "função do pai simbólico" e, ainda mais tarde, "metáfora paterna", o que o levou a interpretar o complexo de Édipo não mais em referência a um modelo de patriarcado* ou matriarcado, mas em função de um sistema de parentesco*. Em 1956, quando de seu seminário sobre as psicoses* e seu comentário sobre a paranóia* de Daniel Paul Schreber*, ele conceituou a função em si, grafando-a como Nome-do-Pai. O conceito foi então associado ao de foraclusão*. Evocando a natureza da relação de Daniel Paul Schreber com o pai, Lacan fez da psicose do filho uma "foraclusão do nome-do-pai". Mais tarde, estendeu esse protótipo à própria estrutura da psicose.

Mediante essa interpretação inteiramente inédita do caso, Lacan foi o primeiro dos comentadores de Freud a teorizar o vínculo existente entre o sistema educacional de um pai e o delírio de um filho. É possível que essa idéia lhe tenha ocorrido a partir da lembrança da relação entre seu pai (Alfred) e seu avô (Émile), dramaticamente vivida por ele.

Nessa perspectiva e no âmbito da teoria lacaniana do significante, a transição edipiana da natureza para a cultura efetua-se da seguinte maneira: sendo a encarnação do significante, por chamar o filho por seu nome, o pai intervém junto a este como privador da mãe, dando origem ao ideal do eu* na criança. No caso da psicose, essa estruturação não se dá. Sendo então foracluído o significante do Nome-do-Pai, ele retorna no real* sob a forma de um delírio contra Deus, encarnação de todas as imagens malditas da paternidade.

• Jacques Lacan, *Os complexos familiares na formação do indivíduo* (Paris, 1984), Rio de Janeiro, Jorge Zahar, 1987; "Le Mythe individuel du névrosé ou Poésie et vérité dans la névrose" (1953), *Ornicar?*, 17-18, 1979, 289-307; O Seminário, livro 3, *As psicoses (1955-1956)* (Paris, 1981), Rio de Janeiro, Jorge Zahar, 1988, 2ª ed.; Le Séminaire, livre IX, *L'identification (1962-1963)*, inédito; Le Séminaire, livre XXI, *Les non-*

dupes errent (1973-1974), inédito; "Joyce, le symptôme, I" (1975), in Jacques Aubert (org.), *Joyce avec Lacan*, Paris, Navarin, 1987, 21-9; "Joyce, le symptôme, II" (1975), ibid., 31-6; Le Séminaire, livre XXIII, *Le Sinthome (1975-1976)*, inédito, publicação parcial in *Ornicar?*, 6, 7, 8, 9, 10, 11, 1976-1977 • Élisabeth Roudinesco, *Jacques Lacan. Esboço de uma vida, história de um sistema de pensamento* (Paris, 1993), S. Paulo, Companhia das Letras, 1994; "Bataille entre Freud et Lacan: une expérience cachée", in Denis Hollier (org.), *Georges Bataille après tout*, Paris, Belin, 1995, 191-212.

➢ ANTROPOLOGIA; FALOCENTRISMO; FREUD, ERNST; FREUD, JACOB; FREUD, MARTIN; IMAGINÁRIO; *MOISÉS E O MONOTEÍSMO*; SEXUALIDADE FEMININA; SIMBÓLICO; *TOTEM E TABU*.

Noruega

➢ ESCANDINÁVIA.

Nothnagel, Hermann (1841-1905)
médico alemão

Aluno do grande anatomista Karl Rokitansky (1804-1878), Hermann Nothnagel, que viera da Prússia, exerceu as funções de professor de medicina interna na Universidade de Viena*, de 1892 a 1905. Hostil ao niilismo terapêutico preconizado por seu mestre e por uma parte do corpo médico vienense, foi um clínico humanista, estimado por seus alunos e preocupado com o sofrimento dos doentes. Isso não o impediu de basear o seu ensino no diagnóstico anátomo-patológico, interessando-se pela patologia do sistema nervoso, do coração e dos órgãos digestivos. Sigmund Freud* trabalhou como "aspirante" em sua clínica durante seis meses e meio, de outubro de 1882 a abril de 1883.

• Ernest Jones, *A vida e a obra de Sigmund Freud*, vol.1 (N. York, 1953), Rio de Janeiro, Imago, 1989.

Novas conferências introdutórias sobre psicanálise

Livro de Sigmund Freud* publicado em alemão, em 1933, sob o título Neue Folge der Vorlesungen zur Einführung in die Psychoanalyse. *Traduzido para o francês pela primeira vez em 1936, por Anne Berman (1889-1979), sob o título* Nouvelles conférences sur la psychanalyse, *mais tarde, em 1984,* por Rose-Marie Zeitlin, sob o título Nouvelles conférences d'introduction à la psychanalyse, *e novamente em 1995, por Janine Altounian, André Bourguignon (1920-1996), Pierre Cotet, Alain Rauzy e Rose-Marie Zeitlin, sob o título* Nouvelle suite des leçons d'introduction à la psychanalyse. *Traduzido para o inglês pela primeira vez em 1933, por W.J.H. Sprott, e depois em 1964, por James Strachey*, sob o título* New Introductory Lectures on Psycho-Analysis.

No início do ano de 1932, a situação econômica da Internationaler Psychoanalytischer Verlag, a editora fundada por Freud em 1918 graças a uma doação de seu amigo húngaro Anton von Freund*, estava no fundo do poço, em conseqüência da grande crise de 1929. Para tentar sanear as finanças da empresa, Freud teve a idéia de escrever uma nova série de conferências, com base no modelo das *Conferências introdutórias sobre psicanálise**, sabendo, entretanto, que dessa vez não poderia proferi-las em público, em virtude de sua doença.

A continuidade entre as duas séries de conferências é evidente. Não apenas ela se materializa na numeração das novas lições, a primeira das quais leva o número 29, como também se manifesta pela permanência dos objetivos: não mascarar nada da complexidade das questões abordadas, não dissimular coisa alguma das lacunas e incertezas persistentes.

Ao longo dessas sete conferências, como testemunham a clareza do estilo e a firmeza da argumentação, Freud está convencido, como atesta uma carta de 27 de novembro de 1932 a Arnold Zweig*, de que acaba de escrever seu último livro. Ele expressa essa mesma idéia, com uma ponta de ironia, numa carta a Max Eitingon* datada de 20 de março de 1932, afirmando que "sempre se deve estar fazendo alguma coisa, mesmo com o risco de ser interrompido — mais vale isso", esclarece, "do que desaparecer em estado de preguiça".

Embora intitule a primeira dessas conferências de "Revisão da teoria do sonho", Freud reconhece explicitamente que, nesse campo, "não houve nenhuma descoberta nova" nos últimos quinze anos. Obviamente, ele ignora ou pretende ignorar a repercussão que teve sua *Interpretação dos sonhos** no movimento surrealista, bem como a importância que lhe atribuiu André Breton (1896-1966). Concentrado em sua descoberta, ele se felicita pelo fato de suas concepções sobre o sonho* haverem resistido à prova do tempo. Havendo o estudo do sonho permitido que Freud desse o passo "que leva de um procedimento psicoterápico a uma psicologia das profundezas", é normal que ele seja o objeto da primeira aula dessa coletânea. Valendo-se, como faz com freqüência, de uma metáfora de ressonâncias militares, Freud sublinha que, com a teoria do sonho, a psicanálise* tomou "um novo pedaço de terra, conquistado da crendice popular e do misticismo". A originalidade da contribuição da psicanálise nesse domínio conferiu ao sonho, diz ainda Freud, o papel de um *schibboleth*, uma espécie de senha ou sinal de reconhecimento mediante o qual se efetua a separação entre os adeptos da psicanálise e aqueles para quem ela será eternamente incompreensível.

Mas, se nada veio enriquecer esse tema, por que repetir sua apresentação? Simplesmente porque, examinando bem o que fazem e dizem a esse respeito "as pessoas pretensamente cultas", dentre elas "os inúmeros psiquiatras e psicoterapeutas que cozinham sua sopa em nossa fogueira", parece que, na maioria das vezes, *A interpretação dos sonhos* foi mal lida, ou não foi lida de todo.

Após uma recapitulação dos grandes avanços expostos naquela obra pioneira — a distinção entre o conteúdo manifesto e os pensamentos latentes do sonho, a função do recalque* e das resistências* na formação do sonho, e os processos essenciais do trabalho do sonho, a condensação* e o deslocamento* —, Freud retorna à questão da simbolização sem renunciar às correspondências que, a seu ver, constituem um elo entre a atividade psíquica inconsciente individual e o registro do patrimônio cultural da humanidade, em especial sob a forma dos mitos e lendas.

Em seguida, responde às objeções que lhe foram feitas a propósito de sua tese sobre o sonho como realização de um desejo* inconsciente, contestada por seus adversários com a existência dos sonhos de punição e dos sonhos de angústia.

Tal como fizera num artigo de 1923, escrito por ocasião de uma reedição de *A interpretação dos sonhos*, Freud diferencia essas duas categorias de sonhos, os sonhos de punição e os sonhos de angústia. Por não constituírem a realização de uma moção pulsional, os sonhos de punição lhe parecem uma resposta positiva a um requisito daquela instância que, quando das versões precedentes da teoria do sonho, ainda não era conhecida: o supereu*. Quanto aos sonhos de angústia, ligados aos acontecimentos traumáticos, que sabemos haverem constituído, em *Mais-além do princípio de prazer*, o ponto de partida da idéia da compulsão à repetição*, premissa da conceituação da pulsão* de morte, Freud se mantém prudente. Em 1923, ele considerava esses sonhos como a única verdadeira exceção a sua tese. Dez anos depois, acha bastante difícil "adivinhar" qual moção de desejo seria passível de se satisfazer com o retorno de acontecimentos penosos, e admite que sua tese, por mais correta que seja, ainda assim venha a passar por modificações ligadas à existência de outras forças psíquicas contraditórias: "Se os senhores levarem em conta estas últimas objeções", aconselha — ou admite — Freud, "ao menos digam que o sonho *tenta* ser uma realização de desejo."

A segunda conferência trata da questão do ocultismo*, objeto de vivas controvérsias no movimento psicanalítico durante a década de 1920-1930. Sempre ambivalente, ora Freud se recusa a abordar a questão, conformando-se com os desejos de Ernest Jones* e Max Eitingon*, preocupados em preservar a respeitabilidade científica da psicanálise, ora concorda em promover as manifestações do irracional, convencido de que a psicanálise tem interesse em abordar essas zonas de sombra que o mundo anglo-americano pretende deixar entregue aos adeptos do espiritismo*.

À parte suas trocas epistolares, suas discussões e suas sessões de espiritismo com Sandor Ferenczi*, Freud abordou a questão do ocultismo, em pelo menos duas ocasiões, sob a rubrica mais geral da telepatia, na década de 1920. A conferência intitulada "Sonho e ocultismo" não se afasta das linhas gerais dessas duas intervenções, muito pelo contrário. Com efeito, em 1932, Freud já não está fazendo uma primeira e inexperiente tentativa. A questão do poder foi resolvida, na International Psychoanalytical Association* (IPA), em favor da corrente anglo-americana, e o ancião já não teme as reprimendas do Comitê Secreto*.

Numa declaração de princípios não isenta de ironia, ele anuncia querer desvincular-se de todos os preconceitos, em especial da "pusilanimidade escolar" que refreia o exercício da reflexão. Trata-se, pois, de proceder com os fenômenos ocultos como em relação a qualquer objeto da ciência, antes de mais nada estabelecendo a existência deles, para então tentar explicá-los.

Três tipos de dificuldade, intelectual, psicológica e histórica, criam obstáculos a esse procedimento. Manejando alternadamente o bom senso e o humor, Freud chama a atenção, em primeiro lugar, para a deformação intelectual que consiste, para não discutir uma proposição bizarra, em julgar quem o faz. A esse respeito, ele lembra os ataques que sofreu nos primórdios da psicanálise. Quanto à credulidade humana, freqüentemente invocada para rejeitar o ocultismo*, ela de modo algum constitui uma informação sobre a natureza do objeto. Por fim, a proximidade entre o ocultismo e as religiões não deve levar a que se rejeite o primeiro a pretexto de uma desconfiança em relação a estas últimas.

Afastados esses obstáculos, Freud se volta para os pretensos sonhos telepáticos (uma pessoa sonha com um acontecimento que se produz na realidade). Admitindo a hipótese de uma mensagem telepática cuja recepção fosse favorecida pelo estado de sono, ainda assim ele submete esse fenômeno ao trabalho de interpretação psicanalítica e demonstra que a dimensão telepática funciona, na realidade, como um resíduo diurno, modificado pelo trabalho do sonho. Após o exame de um certo número de exemplos, impõe-se a conclusão: como tal, o sonho telepático continua hermético e somente o trabalho psicanalítico do sonho permite apreender seu sentido. Não sendo o sonho, portanto, um instrumento útil para confirmar a existência dos fenômenos ocultos, convém abordar esses fenômenos fora dos sonhos, a fim de verificar se a explicação psicanalítica é capaz de dar conta deles.

Dentre a série de exemplos submetidos ao exame figura a história de uma paciente que havia experimentado um apego fortíssimo pelo pai. Feliz no casamento, essa mulher não conseguira ter filhos, ou seja, não soubera fazer com que seu marido fosse pai. Ao descobrir a esterilidade do marido, havia mergulhado numa intensa depressão. Durante uma viagem de passeio a Paris, escondida do marido, ela fora consultar um vidente, que lhe predissera que ela teria dois filhos aos 32 anos. A profecia não se havia realizado, mas a paciente lembrava-se dela com prazer. Freud desloca-se então pelo terreno psicanalítico para interpretar a profecia: a mãe da paciente havia-se casado muito tarde e se vira com dois filhos aos 32 anos. O dito do vidente podia ser entendido da seguinte maneira: "Console-se, a senhora ainda é muito moça. Terá o mesmo destino que sua mãe, que também teve de esperar muito tempo para ter filhos, e terá dois filhos aos 32 anos." Ter o mesmo destino que a mãe significava, para essa paciente, tomar o lugar da mãe junto ao pai que ela tanto prezava. Tal profecia só poderia cumulá-la de satisfação. Mas, como explicar a introdução do número 32 pelo adivinho, que não tinha nenhum conhecimento dessa história? São duas as respostas possíveis, diz Freud, não sem uma certa malícia: ou a história é falsa, ou houve, efetivamente, uma transmissão de pensamento! Na realidade, a hipótese que ele conserva é diferente: ao contar essa história a seu analista, 16 anos depois de ela se haver produzido (Freud não destaca o fato de que 32 é múltiplo de 16), é lícito supor que a paciente tenha retirado o número 32 de seu inconsciente, para inscrevê-lo em sua lembrança.

O estudo de outros exemplos desemboca na mesma conclusão: a interpretação psicanalítica permite, na maioria das vezes, explicar fenômenos que com demasiada facilidade são atribuídos ao ocultismo. Isso não impede que algumas histórias inviabilizem uma análise excessivamente apressada, como é o célebre caso do Dr. David Forsyth*. Havendo mais uma vez conseguido dar conta, com a ajuda da psicanálise, do sentido da sucessão de coincidências que adornam esse caso, Freud reconhece, no entanto, a existência de um resíduo inexplicável. Chega a admitir que, segundo seu "sentimento, a balança pende, também nesse caso, para a transmissão de pensamento". Para corroborar esse juízo, ele se apressa a citar um certo número de observações idênticas feitas por Helene Deutsch*. Prevendo as objeções que não deixarão de lhe ser dirigidas, Freud permite que desponte sua paixão pela aventura e pelo maravilhoso, sua curiosidade e sua audácia intelectuais que, cerca de trinta anos antes, haviam-no levado a se lançar na epopéia psicanalítica, em companhia de Wilhelm Fliess*. Não apenas se confessa incapaz de se alinhar sisudamente sob a bandeira do racionalismo, como exorta seus leitores "a pensar com mais benevolência na possibilidade objetiva da transmissão de pensamento e, por isso mesmo, da telepatia".

Num discurso proferido por ocasião do octogésimo aniversário de Freud, Thomas Mann* referiu-se à terceira dessas novas conferências: a inspiração que nela se manifesta, sua forma e seu conteúdo, e a descrição que nela se faz do "mundo mental do inconsciente e do isso", tudo atesta, para o grande escritor, que Freud é filho do "século dos Schopenhauers e dos Ibsens em cujo meio nasceu".

Em poucas linhas, Freud resume o longo caminho percorrido pela psicanálise: a atenção inicialmente voltada para os sintomas, que abriu caminho para o inconsciente*, a vida pulsional e a sexualidade*, o conflito entre as moções inconscientes e as resistências e, por fim, a grande virada, caracterizada pelo papel essencial atribuído ao eu*, que até então permanecera inscrito na perspectiva da psicologia popular. É da nova concepção do eu que se trata, acima de tudo. Essa conferência, portanto, constitui uma exposição definitiva e magistral das teses que foram desenvolvidas nas grandes obras da década de 1920, em especial *Mais-além do princípio de prazer* e *O eu e o isso**. Apoiando-se em observações clínicas e aprimorando as elaborações especulativas que tanto lhe foram censuradas, Freud retorna a sua descoberta da clivagem do eu, que permitira o surgimento de uma nova instância — uma instância observadora, que prepara para o julgamento e a sanção, sem se reduzir à simples consciência moral —, que assumiria o nome de supereu*.

O estudo das etapas de formação desse supereu leva Freud a sublinhar o papel essencial da identificação* precoce com a estrutura parental e lhe permite situar o supereu como herdeiro do Édipo*. Nessa oportunidade, Freud esclarece a relação entre o supereu e o ideal do eu*. Eu e supereu são, em grande parte, instâncias inconscientes, o que implica uma revisão fundamental da concepção psicanalítica das relações entre consciente* e inconsciente. Freud explica como, a partir de um questionamento da primeira tópica*, ele foi levado a introduzir, em 1923, o conceito do isso*, para designar o inconsciente em sua perspectiva dinâmica. É a essa instância, bem como às relações entre o isso e o eu, que é dedicado o final dessa conferência.

Coloca-se a questão da relação conflitiva que se estabelece entre essas duas instâncias. Para esclarecê-la, Freud escreve uma frase que se tornaria célebre no mundo inteiro, e cujas diversas traduções cristalizariam as fraturas do movimento psicanalítico: "*Wo Es war, soll Ich werden*". Trata-se de designar a nova tarefa que compete à cultura através da psicanálise, e cuja importância lhe parece tão grande para a humanidade quanto a secagem do Zuiderzee.

Na França*, Anne Berman optou, em 1936, por uma tradução* de tipo adaptativo, baseada na prevalência do eu: "O eu deve desalojar o isso." Vinte anos depois, numa conferência sobre a "coisa freudiana", feita em Viena em 1955, Jacques Lacan* contestou essa tradução e propôs uma nova transcrição: "Ali, onde isso era eu devo advir." Desse modo, ele expressou a primazia do isso em relação ao eu: ali onde isso era o eu deve ser. Posteriormente, duas novas traduções foram preservadas, uma em 1984 ("Ali onde era isso deve advir eu") e outra em 1995 ("Ali onde era isso, eu deve advir").

James Strachey, por sua vez, recorreu na tradução inglesa à tese inversa à de Lacan, optando pela idéia de que o eu deve vir no lugar do isso: "*Where id was, there ego shall be*."

A quarta conferência é dedicada à angústia e à vida pulsional. A questão da angústia fora objeto de uma das aulas da primeira coletânea. Freud retoma suas linhas gerais para expor novamente, com maior clareza do que em *Inibições, sintomas e angústia**, as modificações por que passou a abordagem dessa questão desde a introdução da segunda tópica. Doravante, somente o eu pode produzir e sentir angústia. Isso leva a distinguir três formas de angústia: a angústia real (correspondente à dependência do eu em relação ao mundo externo), a angústia neurótica (resultante da dependência do eu em relação ao isso) e a angústia moral (produzida pela relação do eu com o supereu). Em seguida, ele reformula sua concepção das relações entre a angústia, a castração* e o recalque. Nesse ponto, Freud presta uma insistente homenagem a Otto Rank*, a quem "a psicanálise deve muitas belas contribuições", e que teve o mérito, em especial, de mostrar a importância do ato do nascimento como primeira separação da mãe. Essa evocação vem corroborar o que muitos outros indícios permitem presumir, ou seja, que, diferentemente das rupturas havidas com Alfred Adler* ou Carl Gustav Jung*, sem dúvida Freud mais sofreu do que desejou aquela que o afastou de Rank.

Se o tema da angústia foi objeto, portanto, de uma profunda reformulação teórica, Freud lembra que o campo das pulsões não teve destino melhor, tendo sido e continuando a ser ainda maiores as dificuldades quanto a esse aspecto. As etapas da transformação da teoria das pulsões são passadas em revista, o que dá a Freud o ensejo de insistir naquela pulsão de morte que "não pode estar ausente de nenhum processo de vida". Quanto a isso, Freud faz questão de reafirmar sua postura, deixando claro que não fica nem um pouco aborrecido por ver censurado o perfil filosófico de sua colocação, uma vez que a filosofia de que se trata é a do grande Schopenhauer.

Com a quinta conferência, Freud retorna a um terreno onde nunca se sentiu muito à vontade: o da sexualidade feminina*, uma faceta do que ele denomina, em termos mais gerais, "o enigma da feminilidade". Como no texto de 1931 consagrado a esse tema, ele dá mostras de prudência e diz querer referir-se, essencialmente, às pesquisas conduzidas por suas "colegas" que se debruçaram sobre o assunto. Sem registrar claramente suas intenções, Freud parece querer corrigir sua concepção, conferindo um papel essencial à mãe na instauração e na resolução do complexo de Édipo*, bem como na evolução do complexo de castração na menina — mas com a condição de que esse texto em nada perturbe sua tese da libido* única e sua concepção falicista. Por isso é que ele seria criticado, em particular ao ser novamente discutida a questão da sexualidade feminina, a partir do congresso de Amsterdam organizado sobre o assunto, em 1958, por iniciativa de Jacques Lacan, assim como, mais tarde, em todos os trabalhos feministas.

A conferência seguinte trata de três questões de ordem prática. Primeiro, Freud evoca o lugar da psicanálise e sua acolhida na sociedade, bem como as reações dos psicanalistas frente a essa realidade. Renova suas advertências contra a utilização abusiva do saber psicanalítico, contra todas as formas de interpretação* selvagem e, em termos mais gerais, contra o proselitismo. Em seguida, detém-se no reconhecimento e justificação das modalidades de inscrição da conduta analítica nos campos das "ciências do espírito". Esse é um pleito em favor dos diversos aspectos de que pode revestir-se a psicanálise aplicada*, sendo a ênfase colocada nas questões pedagógicas e educativas, para as quais ele foi sensibilizado tanto por Anna Freud* quanto por August Aichhorn*. Os problemas relativos à psicanálise como terapia compõem a terceira parte dessa conferência. Embora tome o cuidado de relembrar seu pequeno entusiasmo pela terapia, Freud aproveita a oportunidade para prestar alguns esclarecimentos sobre questões técnicas, tais como as indicações de utilização da psicanálise ou a duração do tratamento, que ele toma o cuidado de frisar que, na maioria das vezes, é impossível de abreviar. Se o valor terapêutico da psicanálise não existisse, conclui Freud, "ela não teria sido descoberta no contato com os doentes e não se teria desenvolvido durante mais de trinta anos".

A última lição constitui um dos textos mais célebres de Freud. A reflexão que ele desenvolve ali é apenas parcialmente nova, mas pretende ser uma resposta definitiva a uma pergunta freqüentemente formulada: constitui a psicanálise uma visão de mundo (*Weltanschauung*), ou conduz ela a isso? Destacando que o termo *Weltanschauung* é especificamente alemão e que só com muita dificuldade se presta a uma tradução* rigorosa, Freud procura definir, antes de mais nada, o que designa por esse termo: "... uma *Weltanschauung* é uma construção intelectual que, de maneira homogênea, resolve todos os problemas de nossa vida a partir de uma hipótese que tudo domina, na qual, por conseguinte, nenhum problema se mantém em aberto, e onde tudo aquilo por que nos interessamos encontra um lugar determinado."

Depois, ele responde à pergunta formulada e sua posição é clara: como procedimento científico, como "psicologia do inconsciente", a psicanálise não é nem pode ser uma concepção do mundo, não pode fazer sua a *Weltanschauung* da ciência, cuja definição é muito menos ambiciosa. Muitos são os que censuram a *Weltanschauung* científica por não ser portadora de nenhuma esperança, porquanto ela desconhece as exigências do espírito humano. Para Freud, essas objeções são inaceitáveis, uma vez que ignoram o papel da psicanálise, o qual consiste, justamente, em ela se encarregar, dentro do continente científico, da parte do psiquismo.

Nem a arte, bastante inofensiva, nem a filosofia, cheia de boas intenções, mas muitas vezes incoerente e por demais hermética, constituem inimigos da ciência: somente a religião desempenha esse papel, pois tem um poder gigantesco e "dispõe das mais fortes emoções dos seres humanos". A religião tranqüiliza os homens, dando-lhes a ilusão de poder responder a suas perguntas mais angustiantes. Em algumas páginas, Freud entrega-se a uma crítica sistemática da religião, tal como fizera em alguns de seus livros anteriores, novamente aproximando a infância do indivíduo e a da humanidade. Embora lamentando sua incompetência, ele enveda em seguida pela crítica de uma outra concepção de mundo, cujo questionamento já esboçou em *O futuro de uma ilusão** e *O mal-estar na cultura**. Assim avaliando a força e a fraqueza do marxismo, escreve o seguinte: "Por sua realização no bolchevismo russo, o marxismo teórico adquiriu agora o vigor, a coerência e o caráter excludente de uma *Weltanschauung*, bem como, ao mesmo tempo, uma inquietante semelhança com aquilo que ele combate. Inicialmente concebido, ele próprio, como parte da ciência (...), [o marxismo] decretou, no entanto, uma proibição de

pensar tão inexorável quanto o foi, em sua época, a da religião."

Freud conclui essa última conferência moderando seu entusiasmo pela *Weltanschauung* científica, cônscio da insatisfação que não pode deixar de ser provocada por um procedimento dogmático, demasiadamente submetido às exigências da verdade e professando uma recusa de qualquer ilusão.

• Sigmund Freud, *A interpretação dos sonhos* (1900), *ESB*, IV-V, 1-660; *GW*, II-III, 1-642; *SE*, IV-V, 1-621; Paris, PUF, 1967; *Conferências introdutórias sobre psicanálise* (1916-1917), *ESB*, XV-XVI; *GW*, XI; *SE*, XV-XVI; Paris, Payot, 1973; *Mais-além do princípio de prazer* (1920), *ESB*, XVIII, 17-90; *GW*, XIII, 3-69; *SE*, XVIII, 1-64; in *Essais de psychanalyse*, Paris, Payot, 1981, 41-115, "Psicanálise e telepatia" (1941), *ESB*, XVIII, 217-38; *GW*, XVII, 27-44; *SE*, XVIII, 177-93; *OC*, XVI, 99-118; "Sonhos e telepatia" (1922), *ESB*, XVIII, 239-70; *GW*, XIII, 165-91; *SE*, XVIII, 197-220; *OC*, XVI, 119-44; "Observações sobre a teoria e a prática da interpretação de sonhos" (1923), *ESB*, XIX, 139-58; *GW*, XIII, 301-14; *SE*, XIX, 109-21; *OC*, XVI, 165-79; *O eu e o isso* (1923), *ESB*, XIX, 23-76; *GW*, XIII, 237-89; *SE*, XIX, 12-59; *OC*, XVI, 255-301; *O futuro de uma ilusão* (1927), *ESB*, XXI, 15-80; *GW*, XIV, 325-80; *SE*, XXI, 5-56; *OC*, XVIII, 141-97; *Inibições, sintomas e angústia* (1925), *ESB*, XX, 107-98; *GW*, XIV, 113-205; *SE*, XX, 87-172; *OC*, XVII, 203-86; *O mal-estar na cultura* (1930), *ESB*, XXI, 81-178; *GW*, XIV, 421-506; *SE*, XXI, 64-145; *OC*, XVIII, 245-333; "Sexualidade feminina" (1931), *ESB*, XXI, 259-82; *GW*, XIV, 517-37; *SE*, XXI, 225-243; *OC*, XVI, 7-29; *Novas conferências introdutórias sobre psicanálise* (1933), *ESB*, XXII, 15-226; *GW*, XV; *SE*, XXII, 5-182; *OC*, XIX, 83-268 • Sigmund Freud e Arnold Zweig, *Correspondance (1927-1939)* (Frankfurt, 1968), Paris, Gallimard, 1973 • Piera Aulagnier-Spairani, "Remarques sur la féminité et ses avatars", in id., Jean Clavreul, François Perrier, Guy Rosolato e Jean-Paul Valabrega, *Le Désir et la perversion*, Paris, Seuil, 1967, 53-89 • Françoise Dolto, *A sexualidade feminina* (1982), S. Paulo, Martins Fontes, 1996, 3ª ed. • Wladimir Granoff e François Perrier, *Le Désir et le féminin* (1964), Paris, Aubier, 1991 • Wladimir Granoff, François Perrier e Jean-Michel Rey, *L'Occulte, objet de la pensée freudienne*, Paris, PUF, 1983 • Marie-Christine Hamon, *Pourquoi les femmes aiment-elles les hommes et non pas plutôt leur mère?*, Paris, Seuil, 1992; *Féminité mascarade*, Paris, Seuil, 1994 • Luce Irigaray, *Speculum de l'autre femme*, Paris, Minuit, 1974 • Ernest Jones, *A vida e a obra de Sigmund Freud*, 3 vols. (N. York, 1953, 1955, 1957), Rio de Janeiro, Imago, 1989 • Norman Kiell, *Freud without Hindsight. Review of his Work 1893-1939*, Madison, International Universities Press, 1988 • Sara Kofman, *L'Énigme de la femme*, Paris, Galilée, 1980 • Julia Kristeva, *La Révolution du langage poétique*, Paris, Seuil, 1974 • Jacques Lacan, "A coisa freudiana ou Sentido do retorno a Freud em psicanálise" (1955), in *Escritos* (Paris, 1966), Rio de Janeiro, Jorge Zahar, 1998, 402-37; O Seminário, livro 11, *Os quatro conceitos fundamentais da psicanálise (1964)* (Paris, 1973), Rio de Janeiro, Jorge Zahar, 1979; Le Séminaire, livre 14, *La Logique du fantasme (1966-1967)*, inédito, sessão de 11 de janeiro de 1967 • Thomas Mann, "Freud et l'avenir" (1936), in Roland Jaccard (org.), *Freud, jugements et témoignages*, Paris, PUF, 1976, 13-43 • Michèle Montrelay, *L'Ombre et le nom*, Paris, Minuit, 1977.

➤ DIFERENÇA SEXUAL; FOBIA; FREUD, AMALIA.

Nunberg, Hermann (1883-1970)
psiquiatra e psicanalista americano

Nascido em Brendzin, na Galícia, província da Polônia ligada ao império russo, Hermann Nunberg era de uma família judia culta, na qual se falava alemão. Fez os estudos secundários em Cracóvia, depois foi a Zurique, para a clínica do Hospital Burghölzli*, a fim de estudar psiquiatria com Eugen Bleuler* e Carl Gustav Jung*. Iniciou-se na hipnose* e continuou a sua formação em outras clínicas suíças, em Schaffhausen e em Waldau. Voltando a Cracóvia, trabalhou no sanatório de Ludwig Jekels*, onde descobriu a obra freudiana.

Em 1915, tornou-se membro da Wiener Psychoanalytische Vereinigung (WPV), depois de uma análise com Paul Federn*. Antes, assistira às reuniões como convidado, e enriqueceu o círculo freudiano com seu conhecimento da escola psiquiátrica de Zurique. Em 1932, publicou uma obra intitulada *Princípios de psicanálise. Sua aplicação às neuroses*, para a qual Sigmund Freud* redigiu um prefácio. Ele já fazia parte do círculo íntimo de Freud, porque se casara em 1929 com a filha de Oskar Rie*,

Margarethe, que se tornaria psicanalista, depois de um tratamento no divã de Freud.

Praticante ortodoxo do freudismo*, Nunberg foi o primeiro, no congresso da International Psychoanalytical Association * (IPA) em Budapeste, em 1918, a propor que uma das condições exigidas para a profissão de psicanalista fosse uma análise prévia. Essa moção, que definia o estatuto de uma possível análise didática*, foi rejeitada por Otto Rank* e por Sandor Ferenczi*.

As contribuições de Nunberg para a edificação da doutrina freudiana tratam essencialmente da função do eu*, do processo de cura e da experiência do tratamento. Ao contrário dos outros representantes do neofreudismo*, Nunberg aceitava a noção de pulsão* de morte.

Em 1913, emigrou para os Estados Unidos*, primeiro para Filadélfia e depois para Nova York, onde se integrou à New York Psychoanalytic Society com muita dificuldade. Abraham Arden Brill* lhe pediu que condenasse a análise leiga* e formasse apenas médicos. Ele negou, o que não o impediu de se tornar presidente da sociedade em 1950. Foi a ele que Paul Federn confiou a publicação das Minutas da Sociedade Psicanalítica de Viena.

• Hermann Nunberg, *Principes de psychanalyse. Leur application aux névroses* (Berlim, 1932), Paris, PUF, 1957; *Memoirs, recollections, ideas, reflections*, N. York, The Psychoanalytic Research and Development Fund, 1969 • Bertram D.Lewin, "Obituary Hermann Nunberg, 1884-1970", *IJP*, 51, 1970, 421-3.

➤ IRMA, INJEÇÃO DE; SOCIEDADE PSICOLÓGICA DAS QUARTAS-FEIRAS.

O

Oberholzer, Emil (1883-1958)

psiquiatra e psicanalista americano

Analisado por Sigmund Freud*, Emil Oberholzer foi co-fundador, com Oskar Pfister*, Hermann Rorschach* e Hans Walser, da Sociedade Suíça de Psicanálise (SSP), em 1919. Hostil à análise leiga*, fundou em 1927, com o psiquiatra Rudolf Brun (1885-1969), a Associação Médica de Psicanálise, à qual aderiram vários membros da SSP. Freud tomou o partido de Oskar Pfister e da SSP, e a nova associação não foi reconhecida pela International Psychoanalytical Association* (IPA). Ela deslocou-se quando Oberholzer emigrou para os Estados Unidos com sua mulher, Mira Oberholzer-Gingburg (1887-1949). Ambos se tornaram membros da New York Psychoanalytic Society (NYPS).

➢ SUÍÇA.

Oberndorf, Clarence Paul (1882-1954)

psiquiatra e psicanalista americano

Originário de uma família do Alabama, no sul dos Estados Unidos*, e criado por uma babá negra, Oberndorf foi para a Europa, a fim de estudar psiquiatria. Foi aluno de Emil Kraepelin* e um dos fundadores, com Abraham Arden Brill*, da New York Psychoanalytic Society (NYPS). Posteriormente, foi eleito por duas vezes presidente da American Psychoanalytic Association* (APsaA).

Analisado por Sigmund Freud* em Viena, em 1921, fazia parte dos americanos que o mestre tratava com desprezo. Abram Kardiner* relatou um episódio a esse respeito. Oberndorf se indispôs com Freud desde o primeiro dia de sua análise, quando lhe contou um sonho* no qual ele se via em uma carruagem puxada por dois cavalos, um negro e um branco. Freud interpretou o sonho explicando a Oberndorf que ele nunca se casaria, pois não conseguia decidir-se entre uma mulher branca e outra negra. "Essa interpretação* pôs Oberndorf fora de si", escreveu Kardiner, "e eles discutiram sobre esse sonho durante meses, até que Freud encerrou a análise."

Oberndorf sempre se mostrou hostil à análise leiga*. Por isso foi, como Brill, um dos representantes mais ortodoxos do freudismo* americano, baseado em uma assimilação pura e simples da psicanálise* ao saber psiquiátrico. Em 1953, redigiu a primeira obra oficial sobre a história da psicanálise nos Estados Unidos.

• Clarence P. Oberndorf, *A History of Psychoanalysis in America*, N. York, Grune and Stratton, 1953 • Abram Kardiner, *Mon analyse avec Freud* (N. York, 1978), Paris, Belfond, 1978.

➢ HISTORIOGRAFIA; *QUESTÃO DA ANÁLISE LEIGA, A.*

objeto

➢ OBJETO (BOM E MAU); OBJETO (PEQUENO) a; OBJETO, RELAÇÃO DE; OBJETO TRANSICIONAL; PULSÃO; *TRÊS ENSAIOS SOBRE A TEORIA DA SEXUALIDADE.*

objeto (bom e mau)

al. *Gutes, böses Objekt*; esp. *objeto (bueno y malo)*; fr. *bon, mauvais objet*; ing. *good, bad object*

Termo introduzido por Melanie Klein, em 1934, para designar uma modalidade da relação de objeto* tal como aparece na vida fantasística da criança, e que remete a uma clivagem* do objeto em bom e mau (por exemplo, mãe boa, mãe má), conforme*

esse objeto seja sentido como frustrante ou grati-
ficante.

Essa idéia teria grande futuro, abrindo caminho, após 1945, para uma reformulação geral
da idéia do objeto em psicanálise*, da qual tanto
decorreriam o objeto transicional* de Donald
Woods Winnicott* quanto o objeto (pequeno)
a* de Jacques Lacan*.

Foi a partir da reflexão de Karl Abraham*
sobre os estádios* da libido* que Melanie Klein
introduziu simultaneamente, numa mesma
conferência, os conceitos de posição depressiva* e de objeto (bom e mau). Sigmund Freud*
só se interessara pelo objeto no contexto de sua
teoria das pulsões* e dos estádios (no sentido
evolucionista), reservando ao eu* a característica da clivagem. Preocupado em ampliar a
clínica psicanalítica, estendendo-a ao campo
dos distúrbios mentais, Abraham revisou os
conceitos freudianos para tentar descrever as
relações arcaicas da criança com seu meio,
única maneira de compreender a origem precoce dos estados psicóticos. Assim, desmem-
brou a noção clássica de objeto e de estádio e
substituiu o objeto total pelo objeto parcial. Em
seus *Três ensaios sobre a teoria da sexualidade**, Freud havia mostrado a importância
disso ao sublinhar a existência não de objetos
parciais, mas de pulsões* parciais. Estas,
segundo ele, tomam por objeto algumas partes
do corpo ou matérias desligadas do corpo: o
seio, as fezes (matéria fecal) ou o fetiche.

Em 1934, partindo da revisão de Abraham,
Melanie Klein introduziu a clivagem no objeto
a fim de cindi-lo em objeto bom e mau. O objeto
parcial, tal como o seio, por exemplo, foi então
clivado num seio ideal, objeto do desejo da
criança (objeto bom), e num seio persecutório,
objeto de ódio e de medo, percebido como
fragmentado.

Essa terminologia permitiu repensar radicalmente o campo da realidade psíquica* e
mostrar a que ponto o universo fantasístico
infantil, povoado por angústia, terror, ódio e
idealização, encontra-se não somente na psicose*, na qual o sujeito não consegue ver sua
mãe como um objeto total e continua a apreen-
dê-la à maneira de uma clivagem entre o bom e
o mau objetos, mas também na evolução normal, uma vez que todo sujeito, no sentido klei-

niano, passa pela posição depressiva para sair
do estado persecutório (paranóico) que é próprio da perda da mãe como objeto parcial.

• Melanie Klein, "Uma contribuição à psicogênese dos estados maníaco-depressivos" (1934), in *Contri-buições à psicanálise* (Londres, 1948), S. Paulo, Mes-tre Jou, 1970 • Karl Abraham, "Breve estudo do desen-volvimento da libido, visto à luz das perturbações men-tais" (1924), in *Teoria psicanalítica da libido. Sobre o caráter e o desenvolvimento da libido*, Rio de Janeiro, Imago, 1970 • Hanna Segal, *Introdução à obra de Melanie Klein* (Londres, 1973), Rio de Janeiro, Imago, 1975 • Phyllis Grosskurth, *O mundo e a obra de Mela-nie Klein* (1986), Rio de Janeiro, Imago, 1992 • R.D. Hinshelwood, *Dicionário do pensamento kleiniano* (Londres, 1991), P. Alegre, Artes Médicas, 1992.

➤ IDENTIFICAÇÃO PROJETIVA; INTROJEÇÃO; INVEJA.

objeto parcial

➤ OBJETO (BOM E MAU); OBJETO (PEQUENO) a; OBJETO, RELAÇÃO DE; OBJETO TRANSICIONAL; PUL-SÃO; *TRÊS ENSAIOS SOBRE A TEORIA DA SEXUALI-DADE*.

objeto (pequeno) a

al. *Objekt (klein) a*; esp. *objeto (pequeño) a*; fr. *objet (petit) a*; ing. *object (little) a*.

Termo introduzido por Jacques Lacan, em 1960,*
para designar o objeto desejado pelo sujeito e que*
se furta a ele a ponto de ser não representável, ou
de se tornar um "resto" não simbolizável. Nessas
condições, ele aparece apenas como uma "falha-
a-ser", ou então de forma fragmentada, através de
quatro objetos parciais desligados do corpo: o
seio, objeto da sucção, as fezes (matéria fecal),
objeto da excreção, e a voz e o olhar, objetos do
próprio desejo.*

A concepção lacaniana do objeto (pequeno)
a, como "causa do desejo que se furta ao sujeito", proveio diretamente da reflexão de 1936
sobre o estádio do espelho* e de uma concepção
da relação de objeto* elaborada em 1956-1957,
e baseada na consideração da trilogia priva-
ção/frustração*/castração*. Elemento preponderante de uma terminologia específica, relativa à alteridade, o objeto (pequeno) a é, portanto,
uma das variações do outro* no interior do par
formado pelo grande Outro e pelo pequeno
outro: "Há dois *outros* por distinguir, pelo menos dois — um outro com maiúscula e um outro

com minúscula, que é o eu. O *Outro*, é dele que se trata na função da fala."

Por outro lado, o conceito de objeto (pequeno) a é inseparável das idéias de objeto bom e mau* e de objeto transicional*, tais como as encontramos em Melanie Klein* e Donald Woods Winnicott*. A criação lacaniana de uma nova categoria de objeto, portanto, entra no âmbito das discussões sobre a relação de objeto conduzidas pela escola inglesa de psicanálise* durante a segunda metade do século XX.

Partindo da idéia de pulsão parcial, que levou Freud, nos *Três ensaios sobre a teoria da sexualidade*, a distinguir as fezes e o seio como objetos especificamente investidos, Lacan, em sua conferência de 1960 sobre a dialética do desejo, referiu-se ao objeto parcial de Karl Abraham* e ao objeto bom e mau de Melanie Klein para introduzir outros dois objetos do desejo, o olhar e a voz: "Observemos que esse traço do corte não é menos evidentemente prevalente no objeto descrito pela teoria analítica: mamilo, cíbalo, falo* (objeto imaginário), fluxo urinário. (Lista impensável se não lhe forem acrescentados o fonema, o olhar, a voz — o nada.)"

Passados alguns meses, na sessão de 1º de fevereiro de 1961 de seu seminário sobre a transferência*, parcialmente dedicado a um comentário sobre o *Banquete* de Platão, Lacan introduziu pela primeira vez seu objeto (pequeno) a. Sabemos que esse grande diálogo sobre o amor gira em torno da questão do *Agalma*, definido por Platão como o paradigma de um objeto que representa a idéia do Bem. Assim, Lacan define esse *Agalma* como o bom objeto kleiniano, que ele reconverte prontamente no objeto (pequeno) a: objeto do desejo que se esquiva e que, ao mesmo tempo, remete à própria causa do desejo. Em outras palavras, a verdade do desejo permanece oculta para a consciência, porque seu objeto é uma "falta-a-ser". Em março de 1965, Lacan resumiria essa proposição num aforismo deslumbrante: "O amor é dar o que não se tem a alguém que não o quer."

Sem dúvida alguma, ele estava pensando nesse momento no artigo de 1912 intitulado "Sobre a mais universal das degradações da vida amorosa", no qual Freud mostra como funciona o objeto do desejo em algumas pessoas cuja vida amorosa divide-se entre um "amor celestial" e um "amor terreno": "Onde elas amam, não desejam, e onde desejam, não conseguem amar. Elas buscam objetos aos quais não tenham necessidade de amar, a fim de manter sua sensualidade longe de seus objetos amorosos."

A partir de 1967, com a introdução do "passe" e conforme a importância que foi sendo adquirida pelo conceito de real* na trilogia do simbólico*, do real e do imaginário*, Lacan transformou esse pequeno a (esse nada que sempre falta ali onde é esperado) num resto (um resto heterogêneo) impossível de simbolizar. O objeto do desejo identificou-se, assim, com o gozo* puro, com aquilo que se desvincula do simbólico e do significante* para "cair", mesmo com o risco de ressurgir no real sob forma alucinatória (foraclusão*). Daí a idéia de que o término de uma análise coloca o psicanalista didata na posição do objeto (pequeno) a: ele desaparece, cai, para deixar que o sujeito advenha em sua verdade.

• Sigmund Freud, "Sobre a mais geral das degradações da vida amorosa" (1912), *ESB*, XI, 163-78; *GW*, VIII, 78-91; *SE*, XI, 177-90; in *La vie sexuelle*, Paris, PUF, 1969, 55-66 • Jacques Lacan, O Seminário, livro 4, *A relação de objeto (1956-1957)* (Paris, 1994), Rio de Janeiro, Jorge Zahar, 1995; "Subversão do sujeito e dialética do desejo no inconsciente freudiano" (1960), in *Escritos* (Paris, 1966), Rio de Janeiro, Jorge Zahar, 1998, 807-42; O Seminário, livro 8, *A transferência (1960-1961)* (Paris, 1991), Rio de Janeiro, Jorge Zahar, 1992; Le Séminaire, livre X, *L'Angoisse (1962-1963)*, inédito; O Seminário, livro 11, *Os quatro conceitos fundamentais da psicanálise (1964)* (Paris, 1973), Rio de Janeiro, Jorge Zahar, 1979; Le Séminaire, livre 12, *Problèmes cruciaux de la psychanalyse (1964-1965)*, inédito; O Seminário, livro 17, *O avesso da psicanálise (1969-1970)* (Paris, 1991), Rio de Janeiro, Jorge Zahar, 1992 • Jean-Louis Henrion, *La Cause du désir. L'Agalma de Platon à Lacan*, Paris, Point Hors Ligne, 1993 • Dylan Evans, *An Introductory Dictionary of Lacanian Psychoanalysis*, Londres, Routledge, 1996.

objeto, relação de

al. *Objektbeziehung*; esp. *relación de objeto*; fr. *relation d'objet*; ing. *object-relation*

Expressão empregada pelos sucessores de Sigmund Freud* para designar as modalidades fantasísticas da relação do sujeito* com o mundo externo, tal como se apresentam nas escolhas de objeto que esse sujeito efetua.

Para compreender a extensão adquirida na psicanálise* por essa problemática durante a segunda metade do século XX, é preciso partir da concepção freudiana da pulsão* e seu objeto, aquilo através do que ela procura atingir seu alvo, "a saber, um certo tipo de satisfação", sublinham Jean Laplanche e Jean-Bertrand Pontalis. "Pode tratar-se de uma pessoa ou de um objeto parcial, de um objeto real ou de um objeto fantasístico."

Para Freud, não existe como tal nenhuma conceituação da relação, e a questão da relação do sujeito com o objeto é pensada sob a categoria dos estádios*, no sentido evolucionista e biológico do termo. Em 1924, Karl Abraham* reviu essa teoria, dividindo os diferentes estádios até lhes atribuir uma posição (estrutural), em vez de um encaminhamento biológico, e introduzindo a idéia de que as atividades do sujeito são moldadas pelos próprios objetos, ou, mais precisamente, pela maneira como o sujeito se constrói numa relação com objetos parciais.

Abriu-se assim caminho para uma inversão radical da perspectiva freudiana. Em vez de pensar a evolução do sujeito de acordo com os sucessivos rearranjos da relação pulsional e sexual com o objeto, passou-se a procurar mostrar como se organiza estruturalmente a atividade fantasística precoce, conforme os tipos de relações objetais. Em 1934, seguindo-se a Abraham, Melanie Klein abandonou a noção de estádio em favor da de posição e, ao mesmo tempo, inventou o conceito de objeto (bom e mau)*. A ênfase foi então colocada na clivagem* do objeto, e não mais do eu*.

Passados dois anos, em 1936, Jacques Lacan* seguiu o mesmo caminho, teorizando a idéia walloniana do estádio do espelho*. Tanto num caso como no outro, tratou-se, para o movimento psicanalítico, de explorar as bases da personalidade humana: o si mesmo (self) como imagem ou relação com outrem (o outro*), com o objeto como incorporado, introjetado, projetado, persecutório ou, ao contrário, gratificante. No plano terapêutico, o objetivo foi introduzir a técnica psicanalítica no campo da educação infantil e lutar contra o niilismo terapêutico da psiquiatria no terreno do tratamento da loucura* e do autismo*.

O kleinismo* e o lacanismo*, portanto, têm em comum uma intensa vontade de apreender a vida fantasística e inconsciente do homem fora do evolucionismo biológico. Daí a substituição da noção de estádio pela de relação de objeto e a ênfase depositada no papel primordial da mãe, enquanto Freud sempre havia privilegiado o pai.

Depois da Segunda Guerra Mundial e das Grandes Controvérsias* que dividiram em três correntes a British Psychoanalytical Society (BPS), a clínica das relações de objeto assumiu tamanha amplitude que, ao mesmo tempo, ultrapassou o kleinismo e o annafreudismo*: falou-se então de uma *Object-Relations School* (escola das relações de objeto), ilustrada pelos trabalhos de Michael Balint*, Wilfred Ruprecht Bion*, Ronald Fairbairn*, Donald Woods Winnicott* e, em termos mais gerais, pelo grupo dos Independentes*. A contribuição kleiniana continuou presente, mas a análise das relações objetais deixou de visar unicamente a realidade psíquica ou fantasística; estendeu-se ao estudo de todas as formas de ambiente (familiar, social etc.). Daí por diante, tratar-se-ia de compreender as modalidades da inserção do eu na cultura (*Ego Psychology**, neofreudismo*), a fenomenologia das transições entre o não-eu e o eu (objeto transicional*), e os distúrbios narcísicos ligados à radicalização do individualismo, num mundo ocidental dominado pela razão econômica (*Self Psychology**). A relação de objeto, portanto, tornou-se a grande palavra de ordem da idade áurea da psicanálise anglófona.

Na verdade, a ampliação do âmbito dessa expressão acompanhou a expansão da própria psicanálise. Ao se tornar uma prática de massa, o freudismo* da segunda metade do século foi não apenas confrontado com cisões*, mas também forçado a repensar sua doutrina através de uma reflexão sobre a maneira pela qual o homem constrói sua personalidade em suas relações com o meio.

Na França*, foi esse espaço crescente conferido ao fenômeno "relacional" que Lacan atacou em seu seminário de 1956-1957, o mesmo ano em que se celebrou o centenário do nascimento de Freud. Preocupado em resgatar o objeto em si (no sentido freudiano), mas também em poupar os autores ingleses a quem admirava e em quem se inspirava, Lacan criticou violentamente os clínicos da escola francesa, em especial Maurice Bouvet*, membro da Société Psychanalytique de Paris (SPP) e autor de um artigo sobre a relação de objeto, inspirado nos trabalhos anglo-saxões.

Lacan forneceu então sua concepção pessoal da relação de objeto, a meio caminho entre o freudismo clássico, o kleinismo e as teses de Winnicott. Formulando a questão do objeto em termos de falta e de perda, ele instaurou uma espécie de geometria variável da objetalidade, na qual intervinham três modalidades relacionais: a privação, a frustração* e a castração*, hierarquizadas conforme três ordens, o real*, o imaginário* e o simbólico*. A privação foi definida como a falta real de um objeto simbólico, a frustração, como a falta imaginária de um objeto real (uma reivindicação infundável), e a castração, como a falta simbólica de um objeto imaginário (resolução do enigma da diferença sexual*: o pênis falta na mulher, mas sem por isso inferiorizá-la). Três anos depois, tal como seus predecessores, Lacan introduziria sua própria concepção do objeto: o objeto (pequeno) a*.

• Karl Abraham, "Breve estudo do desenvolvimento da libido, visto à luz das perturbações mentais" (1924), in *Teoria psicanalítica da libido. Sobre o caráter e o desenvolvimento da libido*, Rio de Janeiro, Imago, 1970 • Melanie Klein, "Uma contribuição à psicogênese dos estados maníaco-depressivos" (1934), in *Contribuições à psicanálise* (Londres, 1948), S. Paulo, Mestre Jou, 1970 • Jacques Lacan, O Seminário, livro 4, *A relação de objeto (1956-1957)* (Paris, 1994), Rio de Janeiro, Jorge Zahar, 1995 • Jean Laplanche e Jean-Bertrand Pontalis, *Vocabulário da psicanálise* (Paris, 1967), S. Paulo, Martins Fontes, 1991, 2ª ed. • R.D. Eric Rayner, *Le Groupe des "Indépéndants" et la psychanalyse britannique* (Londres, 1990), Paris, PUF, 1994 • R.D. Hinshelwood, *Dicionário do pensamento kleiniano* (Londres, 1991), P. Alegre, Artes Médicas, 1992.

objeto transicional

al. *Übergangsobjekt*; esp. *objeto transicional*; fr. *objet transitionnel*; ing. *transitional object*

Expressão criada em 1951 por Donald Woods Winnicott* para designar um objeto material (brinquedo, animal de pelúcia ou pedaço de pano) que tem para o bebê e a criança um valor eletivo, que lhe permite efetuar a transição necessária entre a primeira relação oral com a mãe e uma verdadeira relação de objeto.

Essa notável conceituação — de uma realidade observável por qualquer pai ou mãe na criança pequena que guarda junto de si por vários anos um objeto de eleição, muitas vezes se recusando a largá-lo — inscreve-se no contexto da elaboração da questão da relação de objeto* pelo kleinismo*. Foi proposta pela primeira vez durante uma conferência da British Psychoanalytical Society (BPS), em 30 de maio de 1951.

Notável clínico da infância, Winnicott situou o objeto transicional na área da ilusão e da brincadeira. Embora seja "possuído" pelo bebê como substituto do seio, esse objeto não é reconhecido como fazendo parte da realidade externa: é a "primeira propriedade 'não-eu'". Por isso, está destinado a proteger a criança da angústia da separação no processo de diferenciação entre o eu* e o não-eu. Um objeto é transicional por marcar a passagem, na criança, de um estado em que ela se encontra unida ao corpo da mãe para um estado em que é capaz de reconhecer a mãe como diferente de si e separar-se dela: há aí uma transição da relação fusional (não-eu) para uma simbolização da realidade objetal (eu).

Foi de uma leitura fenomenológica da cultura cristã que surgiu essa concepção do objeto transicional, como mostra Winnicott em seu prefácio de 1971 a *O brincar e a realidade*, onde evoca a célebre controvérsia sobre a transubstanciação. Winnicott faz da transformação do pão e do vinho em corpo e sangue de Cristo um fenômeno de tipo transicional.

• Donald Woods Winnicott, "Objetos transicionais e fenômenos transicionais" (1953), in *Da pediatria à psicanálise* (Londres, 1958), Rio de Janeiro, Francisco Alves, 1970; *O brincar e a realidade* (Londres, 1971), Rio de Janeiro, Imago, 1979.

➢ ESTÁDIO; ESTÁDIO DO ESPELHO; IMAGINÁRIO; OBJETO (BOM E MAU); OBJETO (PEQUENO) a; *SELF* (FALSO E VERDADEIRO); *SELF PSYCHOLOGY*; SIMBÓLICO.

Oceania

➢ ANTROPOLOGIA; AUSTRÁLIA; ETNOPSICANÁLISE; HISTÓRIA DA PSICANÁLISE; MALINOWSKI, BRONISLAW; ROHEIM, GEZA.

ocultismo

al. *Okkultismus*; esp. *ocultismo*; fr. *occultisme*; ing. *occultism*

Movimento neo-espiritualista que reúne taumaturgos, filósofos, magos e místicos, o ocultismo surgiu no fim do século XIX, numa reação contra o positivismo dos saberes lecionados nas universidades dos países ocidentais. Tratava-se de uma tentativa que almejava reunir num sincretismo popular, difundido por diferentes seitas, temas comuns às religiões ocidentais e orientais. O objetivo desse movimento era a ressurreição dos chamados saberes ocultos ou recalcados, tanto através da ciência oficial quanto das religiões instituídas como igrejas.

Na história da psicanálise* e de suas origens, empregam-se o adjetivo oculto ou o substantivo ocultismo para designar um campo do irracional que é, ao mesmo tempo, interno e externo à doutrina freudiana, e no qual são situados o espiritismo* e a telepatia*.

➢ *NOVAS CONFERÊNCIAS INTRODUTÓRIAS SOBRE PSICANÁLISE.*

Odier, Charles (1886-1954)

psiquiatra e psicanalista suíço

Formado em psiquiatria em Viena*, por Julius Wagner-Jauregg*, e analisado em Berlim, entre 1923 e 1928 por Karl Abraham* e Franz Alexander*, Charles Odier teve uma trajetória clássica na história do freudismo.

De família protestante originária da Normandia e refugiada na Suíça* depois da revogação do Edito de Nantes, participou do nascimento da psicanálise em Genebra e depois, em 1926, com Raymond de Saussure*, da fundação da Sociedade Psicanalítica de Paris (SPP), onde formou didatas.

Durante a Segunda Guerra Mundial, voltou à Suíça e instalou-se em Lausanne, onde publicou muitos artigos clínicos, nos quais desenvolveu uma teoria psicogenética do eu, inspirada nas teses de Jean Piaget (1896-1980). Morreu prematuramente, de câncer de fígado.

• Élisabeth Roudinesco, *História da psicanálise na França*, vol.1 (Paris, 1982), Rio de Janeiro, Jorge Zahar, 1989.

Öhm, Aurelia, *née* Kronich (1875-1929), caso Katharina

Aurelia Kronich é uma das pacientes de Sigmund Freud*, cujo caso é apresentado sob o nome de Katharina nos *Estudos sobre a histeria*. Sob a forma de um diálogo, Freud relata um encantador encontro que tiveram em 1893 nos Alpes austríacos (o Raxalpe), quando se encontrava de férias. Em uma taberna, uma jovem garçonete, com a idade de 18 anos, pede conselhos ao doutor Freud a propósito de seus sintomas "nervosos"; falta de ar, vertigens, sensação de sufocamento. Questionada por ele, evoca a cena de sedução* traumatizante à qual assistira dois anos antes entre seu tio, o dono do albergue, e sua prima Franziska. Estavam os dois deitados um sobre o outro em uma cama e, ao ver esse espetáculo, Katharina teve acessos de vômitos e de vertigens. Foi em seguida contar a cena à sua tia, que decidiu então abandonar o marido, enquanto Franziska encontrava-se grávida dele.

Explorando suas lembranças, Katharina descobre cenas anteriores. Lembra que, quando tinha 14 anos, seu tio tentara igualmente seduzi-la. Freud conclui, de acordo com sua teoria da sedução de antes de 1896: "Desse ponto de vista, o caso de Katharina é típico. Em todas as análises de histeria* fundadas em traumas sexuais, descobrimos que certas impressões sentidas em uma época pré-sexual, e que não haviam tido efeito algum sobre a criança, conservam mais tarde seu poder traumatizante enquanto lembrança, uma vez que a moça ou a mulher tenha adquirido a noção da sexualidade."

Em 1924, acrescentará uma nota para esclarecer que Katharina não era a sobrinha, mas a filha do dono do albergue.

Albrecht Hirschmüller e Gerhard Fichtner foram os primeiros a revelar em 1985 a verdadeira identidade de Katharina. Tratava-se de Aurelia Kronich, a segunda filha de um casal de ricos hoteleiros vienenses. O pai, Julius Kronich, seduziu efetivamente Barbara Göschl, sua sobrinha por aliança, quando esta tinha 25 anos. Em seguida, desposou-a e teve com ela dois filhos. Quanto a Aurelia, casou-se com um húngaro, teve seis filhos e depois voltou a viver em 1903 em seus Alpes austríacos, onde morreu vinte e seis anos mais tarde. Peter Swales considerou esse "caso princeps" como a primeira psicanálise selvagem.

• Gerhard Fichtner e Albrecht Hirschmüller, "Freuds 'Katharina'. Hintergrund Entstehungsgeschichte und Bedeutung einer frühen psychoanalytischen Krankengeschichte", *Psyche* 39, 1985, 220-40 • Peter Swales, "Freud, Katharina and the first 'wild analysis'", in Paul E. Stepansky (org.), *Freud, Appraisals and Reappraisals*, N. Jersey, The Analytic Press, vol.3, 1988, 81-167 • Lisa Appignanesi e John Forrester, *Freud's Women*, N. York, Basic Books, 1992.

Ophuijsen, Johan H.W. van (1882-1950)
psiquiatra e psicanalista americano

Nascido em Sumatra, Johan van Ophuijsen foi um dos pioneiros da psicanálise* nos Países Baixos e um clínico notável. Toda a sua vida foi marcada pelos conflitos institucionais particularmente vivos da Sociedade Psicanalítica Neerlandesa, que ele enfrentou com coragem e inteligência.

Depois de estudar medicina em Leiden e de passar pela clínica do Hospital Burghölzli em Zurique, fundou em 1917 a Nederlandse Vereniging voor Psychoanalyse (NVP), com August Stärke*, Jan van Emden*, o psiquiatra Gerbrandus Jelgersma (1859-1942), o hipnotizador Albert Willem van Renthergem (1845-1939) e o neurologista A. van der Chijs (1875-1926).

Em 1918, fez oposição a Jelgersma a respeito da admissão dos não-médicos à NVP. Este recusava os psicanalistas leigos e logo se associou a alguns junguianos para fundar um novo grupo, que se tornaria em 1934 a Associação Neerlandesa de Psicopatologia e Psicanálise Psiquiátrica.

Dois anos depois, Ophjuisen organizou o congresso da International Psychoanalytical Association * (IPA) em Haia e, em 1922, foi à Alemanha* para fazer sua formação didática no Berliner Psychoanalytisches Institut* (BPI) com Karl Abraham*. Interessou-se especialmente pela melancolia*, pela perseguição, pelo sadismo* e pelos distúrbios da sexualidade* masculina.

Depois de ser vice-presidente e tesoureiro da IPA, criou em Haia, em 1930, um instituto de psicanálise, segundo o modelo do de Berlim,

que não conseguiu funcionar adequadamente, em razão de vários conflitos. Foi fechado dois anos mais tarde. Em 1933, pediu demissão da NVP, que se recusava a admitir em suas fileiras os imigrantes que fugiam do nazismo*, notadamente August Watermann*, Karl Landauer*, Theodor Reik*. Fundou então uma nova sociedade, a Vereniging voor Psychoanalyse in Nederland (VPN), logo reconhecida pela IPA, e que se fundiu em 1938 com a antiga NPV, graças à intervenção de René De Monchy*.

Em 1934, Ophuijsen emigrou para a África do Sul, e um ano depois foi para os Estados Unidos*. Instalou-se em Detroit, e depois em Nova York.

• Johan H.W. Van Ophuijsen, "Contribution au complexe de masculinité chez la femme" (1917), in *Féminité mascarade. Études psychanalytiques*, textos reunidos por Marie-Christine Hamon, Paris, Seuil, 1994, 13-27 • Ilse Bulhof, *Freud en Nederland*, Ambo, Baarn, 1983 • Paul-Laurent Assoun, "Freud et la Hollande", in Harry Stroeken, *En analyse avec Freud* (1985), Paris, Payot, 1987, 200-35.

➢ CISÃO; *QUESTÃO DA ANÁLISE LEIGA, A.*

oral, estádio
➢ ESTÁDIO.

organodinamicismo
➢ EY, HENRI.

orgonoterapia (ou vegetoterapia)
➢ PSICOTERAPIA; REICH, WILHELM.

Ortega y Gasset, José (1883-1955)
filósofo espanhol

Inventor de um sistema de pensamento (o raciovitalismo), parcialmente inspirado na filosofia heideggeriana, José Ortega y Gasset foi um dos intelectuais espanhóis mais célebres de sua geração e, em companhia de alguns psiquiatras, um dos primeiros introdutores do freudismo* na Espanha*.

Nascido em Madri, em uma família da média burguesia, foi aluno dos jesuítas, antes de se iniciar na filosofia alemã, permanecendo em Leipzig, Berlim e Marburgo entre 1905 e 1907.

Três anos depois, começou a ensinar na Universidade de Madri, o que faria até 1936.

Fundador, em 1923, da *Revista de Occidente*, consagrou uma parte de sua energia a difundir no seu país as diversas correntes da filosofia alemã do século XX. Foi assim que começou a se interessar pelas teorias freudianas. Em 1911, publicou um artigo, "A psicanálise, uma ciência problemática", no qual propunha uma interpretação fenomenológica do pensamento freudiano. Dez anos depois, decidiu publicar, pela editora de José Ruiz Castillo, as obras completas de Sigmund Freud* em língua espanhola. Confiou esse trabalho a Luis Lopez Ballesteros e logo recebeu a aprovação de Freud, que tinha um bom conhecimento da literatura espanhola, a partir de sua correspondência com seu amigo Eduard Silberstein* a respeito do *Dom Quixote*. Dezessete volumes foram publicados até 1934. No prefácio do primeiro volume, Ortega y Gasset enfatizava a importância do saber freudiano para o campo da psiquiatria, acrescentando que a doutrina vienense tinha um belo futuro.

Entretanto, esse empreendimento de tradução, único no gênero por sua qualidade e precocidade, não permitiu ao freudismo difundir-se na Espanha. A guerra civil e principalmente a vitória do franquismo marcaram uma pausa na implantação da psicanálise no país. O próprio Ortega y Gasset desinteressou-se. Depois de residir no estrangeiro até 1945, voltou a Madri, onde continuou a ensinar. Durante esse tempo, o interesse pela psicanálise se deslocou para o continente latino-americano, sobretudo para a Argentina*, onde outro editor deveria assumir, para novas obras completas de Freud, o trabalho realizado na Espanha antes da guerra.

• José Ortega y Gasset, "Prólogo a la primera edición" (1922), in Sigmund Freud, *Obras completas*, t.1, Madri, Biblioteca Nueva, 1948 • Francisco Carles Egea, *La introducción del psicoanálisis en España (1893-1922)*, tese de doutorado em medicina, Universidade de Murcia, 1983 • Hugo Vezzetti, "Freud en langue espagnole", *Revue Internationale d'Histoire de la Psychanalyse*, 4, 1991, 189-207.

➤ HISTÓRIA DA PSICANÁLISE; LAFORA, GONZALO RODRIGUEZ; TRADUÇÃO (DAS OBRAS DE SIGMUND FREUD).

Ossipov, Nikolaï Ievgrafovitch (1877-1934)

psiquiatra e psicanalista russo

Aluno do grande psiquiatra Wladimir Petrovitch Serbski (1858-1917), Nikolaï Ossipov foi um dos pioneiros da psicanálise na Rússia*. Depois de sua exclusão da Universidade de Moscou em 1899, por ter participado de uma greve de estudantes, continuou seus estudos de psiquiatria na Suíça*, em Berna, Zurique e Basiléia. Consternado com o niilismo terapêutico, interessou-se logo pela hipnose*, pelo tratamento moderno das neuroses* e depois, a partir de 1907, pelas teses de Sigmund Freud*. Voltando a Moscou, apoiado por Serbski, criou com dois colegas uma "ambulância terapêutica", que ele mesmo dirigia duas vezes por semana. Começou assim a popularizar o tratamento psicanalítico das neuroses e a difundir as idéias freudianas. Em 1909, com Moshe Wulff* e Nicolas Vyrubov (1869-?), fundou a revista *Psychotherapia*.

Durante o verão de 1910, foi a Viena* para encontrar-se com Freud e também passou por Zurique, onde esteve com Eugen Bleuler* e Carl Gustav Jung*.

Quando Serbski foi demitido pelo regime tzarista por causa de suas opiniões liberais, Ossipov o seguiu com a maioria de seus colegas. Fundaram juntos uma pequena associação de psiquiatras independentes, cujos membros se reuniam às sextas-feiras, para "freudianizar". "As sessões das 'pequenas sextas-feiras' logo se tornaram muito apreciadas", escreveu Jean Marti, "e freqüentadas por muitas pessoas."

Ao contrário de Wulff*, de Vera Schmidt* e de Ivan Dimitrievitch Ermakov*, ele não aceitou o novo poder soviético e emigrou para Praga em 1921, sem participar da criação da Sociedade Psicanalítica da Rússia. Assim, foi o primeiro freudiano da nova Tchecoslováquia, saída do desmantelamento do Império Austro-Húngaro, e formou em Praga alguns alunos, antes da chegada de Otto Fenichel*, que analisaria Theodor Dosuzkov*. Como Ermakov, de quem foi o maior rival, interessou-se pela literatura e estudou as obras de Gogol, Dostoievski e Puchkin. Conservador mas liberal, simultaneamente antitzarista e antibolchevista, fez interpretações psicanalíticas sobre o fenômeno revolucionário, comparando "uma nação em estado de direito a um indivíduo em estado de vigília e uma nação em estado de revolução a um indivíduo em estado de sonho*'". Enfatizava que o sonho e a revolução eram uma manifestação de narcisismo* em graus diversos.

• Nikolaï Ievgrafovitch Ossipov, *La Vie et la mort. Essai biographique*, editado por Bem, Dosuzkov, Losski, Praga, 1935 • Jean Marti, "La Psychanalyse en Russie (1909-1930)", *Critique*, 346, março de 1976, 199-237 • Alberto Angelini, *La psicoanalisi in Russia*, Nápoles, Liguori Editore, 1988 • Alexandre Etkind, *Histoire de la psychanalyse en Russie* (1993), Paris, PUF, 1995.

➤ COMUNISMO; FREUDO-MARXISMO; LURIA, ALEKSANDR ROMANOVITCH; ROSENTHAL, TATIANA; SPIELREIN, SABINA; ZALKIND, ARON BORISSOVITCH.

Otsuki, Kenji (1891-1952)

psicanalista japonês

De formação literária, Kenji Otsuki (ou Ohtski) foi um dos primeiros japoneses a divulgar a literatura psicanalítica entre os seus compatriotas. Criou com Yaekichi Yabe o Instituto Psicanalítico de Tóquio, filiado à International Psychoanalytical Association * (IPA) no Congresso de Wiesbaden em 1932, e depois fundou a primeira revista freudiana no Japão*, a *Seishin-Bunseki*. Principalmente, foi o mais notável tradutor das obras de Sigmund Freud* em língua nipônica, com a publicação, em 1931, de *Psicopatologia da vida cotidiana**, e em 1932 de uma coletânea de três textos, sob o título *Contribuição à psicologia da vida amorosa*. Em 1933, publicou *A técnica psicanalítica*. Escreveu regularmente a Freud para informá-lo de suas atividades, e este o estimulou a vencer as resistências: "O que você diz a respeito das resistências que encontra não me surpreende", escreveu ele em 20 de maio de 1933. "É exatamente isso que devemos esperar, mas estou convencido de que você deu uma base sólida à psicanálise no Japão e que ela não corre o risco de desaparecer."

• Kenji Otsuki, "Womanliness of the japanese spirit", *Tokyo Journal of Psychoanalysis (Seishin-Bunseki)*, julho-agosto de 1940; "Character defects of the japanese and their cause", ibid., março-abril de 1941 • Sigmund Freud, *Chronique la plus brève. Carnets intimes, 1929-1939*, anotado e apresentado por Michael

Molnar (Londres, 1992), Paris, Albin Michel, 1992 • Jacquy Chemouni, *História do movimento psicanalítico* (Paris, 1990), Rio de Janeiro, Jorge Zahar, 1991 • Keigo Okonogi, "Japan", in *Psychoanalysis International. A Guide to Pschoanalysis throughout the World*, vol.2, Peter Kutter (org.), Stuttgart, 1995, 123-42.

➤ KOSAWA, HEISAKU.

outro

al. *Andere (der)*; esp. *otro*; fr. *Autre*; ing. *other*

Termo utilizado por Jacques Lacan* para designar um lugar simbólico — o significante*, a lei, a linguagem, o inconsciente, ou, ainda, Deus — que determina o sujeito*, ora de maneira externa a ele, ora de maneira intra-subjetiva em sua relação com o desejo*.

Pode ser simplesmente escrito com maiúscula, opondo-se então a um outro com letra minúscula, definido como outro imaginário ou lugar da alteridade especular. Mas pode também receber a grafia grande Outro ou grande A, opondo-se então quer ao pequeno outro, quer ao pequeno a, definido como objeto (pequeno) a*.

Como todos os freudianos, Lacan situou a questão da alteridade, isto é, da relação do homem com seu meio, com seu desejo* e com o objeto, na perspectiva de uma determinação inconsciente. Mais do que os outros, entretanto, procurou mostrar o que distingue radicalmente o inconsciente freudiano — como outra cena*, ou como lugar terceiro que escapa à consciência* — de todas as concepções do inconsciente oriundas da psicologia. Por isso é que cunhou uma terminologia específica (Outro/outro) para distinguir o que é da alçada do lugar terceiro, isto é, da determinação pelo inconsciente freudiano (Outro), do que é do campo da pura dualidade (outro) no sentido da psicologia.

Foi em 25 de maio de 1955, no contexto da elaboração progressiva de sua tópica do simbólico*, do imaginário* e do real*, durante o seminário anual dedicado a *O eu na teoria de Freud e na técnica da psicanálise*, que Lacan introduziu pela primeira vez o termo grande Outro, distinguindo-o do pequeno outro: "Há dois *outros* por distinguir, pelo menos dois — um outro com maiúscula e um outro com minúscula, que é o eu. O *Outro*, é dele que se trata na função da fala." Antes disso, em 1953, em "Função e campo da fala e da linguagem em psicanálise", e depois, em fevereiro de 1954, em sua resposta ao filósofo Jean Hyppolite (1907-1968), Lacan ainda confundia os dois termos, inicialmente sublinhando que "o inconsciente do sujeito é o discurso do outro" e, mais tarde, que "o inconsciente é o discurso do Outro".

Em sua concepção do estádio do espelho* de 1936, retomada em 1938 em *Os complexos familiares*, Lacan foi buscar essa idéia no psicólogo Henri Wallon (1879-1962), transformando-a à luz da filosofia hegeliana. Tratava-se, na ocasião, a partir de uma teoria da alteridade centrada no especular e no imaginário, de designar o outro como um outro si-mesmo, ou como uma representação do eu* marcada pela prevalência da relação dual com a imagem do semelhante. A isso se juntou, através da leitura da *Fenomenologia do espírito*, de Hegel, feita pelo filósofo Alexandre Kojève (1902-1968), a idéia de uma dialética da negatividade, segundo a qual todo reconhecimento do outro passa por uma luta de morte. Nesse caso, o outro não tem nenhuma existência, já que o desejo do homem se define, antes de mais nada, como o desejo que todo indivíduo tem de fazer com que seu desejo seja reconhecido de maneira absoluta, mesmo que anulando o outro (outrem) num processo de mortificação.

Após 1949, data em que, impulsionado por sua leitura das *Estruturas elementares do parentesco*, de Claude Lévi-Strauss, Lacan teorizou sua noção de simbólico, surgiu uma nova concepção da alteridade, que desembocou na invenção do termo "grande Outro" e se separou de todas as concepções pós-freudianas da relação de objeto* que estavam em vigor na época. Além das representações do eu, especulares ou imaginárias, o sujeito é determinado, segundo Lacan, por uma ordem simbólica designada como "lugar do Outro" e perfeitamente distinta do que é do âmbito de uma relação com o outro. Daí a idéia, afirmada nesse mesmo seminário do ano de 1954-1955, de que "não existe metalinguagem". Em outras palavras, não existe determinação anterior à linguagem que possa garantir a existência de uma linguagem.

No contexto de sua concepção estruturalista dos anos da maturidade (1950-1965), na qual a teoria do inconsciente freudiano foi revista e corrigida à luz da lingüística saussuriana, Lacan estabeleceu um vínculo entre o desejo, o sujeito, o significante* e a questão do Outro. Em 1955, em "A coisa freudiana ou Sentido do retorno a Freud em psicanálise", ele definiu o Outro como o lugar onde se constitui o sujeito. Tratava-se, pois, de mostrar que este último é representado pelo significante numa cadeia que o determina. Em maio de 1956, em seu seminário sobre as psicoses, Lacan falou do "Outro absoluto" como sendo aquele de quem "nunca podemos saber se não está nos enganando". A questão era mostrar de que forma Deus é interpelado no discurso delirante de Daniel Paul Schreber*, ou seja, na loucura* e, em termos mais genéricos, nessa forma "lógica" de loucura que é a paranóia*. Schreber, o louco místico, transforma-se em mulher para se submeter ao coito com Deus. Através de sua história, vemos que, na loucura, a relação extasiada com o Outro só é possível, segundo Lacan, mediante um auto-aniquilamento do sujeito e um surgimento da heterogeneidade radical de um Outro absoluto, na figura de um Deus apavorante.

Decorridos mais dois anos, em "A psicanálise e seu ensino", Lacan acrescentou a essa definição a idéia de uma relação de comunicação inversa: "O inconsciente é o discurso do Outro no qual o sujeito recebe, sob a forma invertida que equivale à promessa, sua própria mensagem esquecida." Assim como não há garantia da existência da linguagem fora da própria linguagem, não há transparência da comunicação. A linguagem não é um instrumento, mas a condição de produção de qualquer forma de comunicação.

Em 1957, em "A direção do tratamento e os princípios de seu poder", Lacan ampliou sua definição na relação transferencial. O Outro tornou-se então a *outra cena* (o inconsciente) descrita por Freud, mas compreendida, segundo a terminologia lacaniana, como o "lugar de desdobramento da fala" onde o "desejo do homem é o desejo do Outro". O sujeito se pergunta "que quer o Outro?" e, nessa interrogação, interroga sua própria identidade, sobretudo a sexual.

Mas há uma verdadeira tragédia do desejo, que Lacan sempre comenta de maneira muito hegeliana, indo buscar seus exemplos na literatura. Durante o ano de 1958-1959, em seu seminário *O desejo e sua interpretação*, ele toma por objeto de estudo, acompanhando Ernest Jones*, o personagem de Hamlet, e em 1964-1965, interessa-se pela aposta de Pascal em seu seminário *Problemas cruciais para a psicanálise*. Em ambos os casos, Lacan elabora variações sobre o tema da metalinguagem impossível e da falta de uma referência original passível de garantir o exercício da verdade: "Não existe Outro do Outro." Com efeito, a peça de Shakespeare põe em cena a impossibilidade de agir. Hamlet não se decide a matar Claudio, o assassino de seu pai e amante de sua mãe, e não consegue amar Ofélia. Quanto ao pai morto, ele é condenado a vagar à procura de um resgate impossível.

Em seu célebre diálogo do artigo III dos *Pensamentos*, Pascal conclui pela necessidade que o homem tem de apostar na existência de Deus: "Pesemos o ganho e a perda, fazendo a opção de que Deus existe. Estimemos estes dois casos: se ganhares, ganharás tudo; se perderes, não perderás nada." Tal como a propósito de Hamlet, Lacan sublinha aqui a tragédia do desejo na história do cristianismo: a aposta pascaliana é uma tentativa desesperada do jansenismo de resolver a questão da ausência. Esta se dá à semelhança da ausência do pai, cuja função reduziu-se no Ocidente. Há, pois, uma ausência no lugar do Outro. O Outro (Deus ou o pai) não responde, não dá nenhuma garantia. A aposta de Pascal é menos a afirmação da certeza da salvação através da graça do que uma interrogação patética do sujeito diante da ausência de Deus e de sua encarnação impossível no lugar do Outro.

Essa tese é retomada em 1968-1969, no seminário *De um Outro ao outro*, bem como em 1975, em *Mais, ainda*. Neste último seminário, Lacan estabelece a ligação entre sua teoria da sexualidade feminina* como "suplemento" impossível de simbolizar e a questão da relação extática com o Outro. A partir de um comentário sobre a escultura de Bernini denominada *O êxtase de Santa Teresa*, ele mostra que a diferença sexual*, segundo a concepção freudiana de uma libido* única, é uma questão de significação. O homem e a mulher ocupam, cada um deles, uma função significante, e só se distinguem sexualmente em referência a um significante da diferença: entre função fálica e gozo* feminino

(suplemento). O Outro torna-se então "o Outro sexo", isto é, o lugar a partir do qual se enuncia uma diferença para cada sujeito. No misticismo cristão, que confina com a loucura, Deus é o suporte de um gozo que podemos qualificar de feminino. O místico, com efeito, experimenta um gozo, mas nada sabe dizer dele. Relaciona-o com Deus como lugar do Outro. Sob esse aspecto, o discurso místico é "feminino": produz-se no homem — em São João da Cruz, por exemplo — *apesar* do falo*, quando surge a idéia de que há um "mais-além" da função fálica. Assim como Schreber, paranóico, transforma-se em mulher para copular com Deus, o místico faz a experiência da passagem por um suplemento para chegar a Deus. Aqui vemos de que maneira, para cunhar seus conceitos, Lacan utilizou sua cultura cristã — católica, romana e barroca —, mais ou menos do modo como Freud mobilizara sem parar os ensinamentos provenientes da tradição judaica.

No contexto da reformulação lógica de seus próprios conceitos, Lacan tenderia a dar um conteúdo cada vez mais algébrico a sua teoria do Outro, utilizando grafos. Assim, a partir de 1960, em "Subversão do sujeito e dialética do desejo", começou a traduzir as fórmulas "O desejo do homem é o desejo do Outro" e "Não existe Outro do Outro", fazendo girar em torno de um eixo as funções S (sujeito, que pode ser ou não "barrado"), s (significante), a e A. Essa álgebra é que passaríamos progressivamente a encontrar, muitas vezes utilizada de maneira dogmática, nas obras dos diferentes grupos lacanianos.

• Jacques Lacan, *Escritos* (Paris, 1966), Rio de Janeiro, Jorge Zahar, 1998; *Os complexos familiares na formação do indivíduo* (Paris, 1984), Rio de Janeiro, Jorge Zahar, 1987; O Seminário, livro 1, *Os escritos técnicos de Freud (1953-1954)* (Paris, 1975), Rio de Janeiro, Jorge Zahar, 1979; O Seminário, livro 3, *As psicoses (1955-1956)* (Paris, 1981), Rio de Janeiro, Jorge Zahar, 1988, 2ª ed.; O Seminário, livro 20, *Mais, ainda (1972-1973)*, Rio de Janeiro, Jorge Zahar, 1989, 2ª ed.; Le Séminaire, livre VI, *Le Désir et son interprétation (1958-1959)*, inédito: os trechos referentes a Hamlet aparecem em *Ornicar?*, 24, 1981, 25, 1982, e 26-27, 1983; Le Séminaire, livre XII, *Problèmes cruciaux de la psychanalyse (1964-1965)*, inédito; Le Séminaire, livre XVI, *D'un Autre à l'autre (1968-1969)*, inédito.

➢ ÉDIPO, COMPLEXO DE; EU; OBJETO (BOM E MAU); OBJETO TRANSICIONAL.

P

Países Baixos

Em 1907, Hugo Heller* solicitou a Sigmund Freud* que lhe enviasse uma lista de seus dez livros preferidos. Freud incluiu na seleção de seus autores favoritos o nome de um escritor neerlandês, Edward Douwes Dekker (1820-1887), mais conhecido pelo pseudônimo de Multatuli. Racionalista, ateu, revoltado e atingido por uma certa mania de perseguição, à maneira de August Strindberg, Multatuli lutou contra o colonialismo quando era funcionário em Java. "Freud apreciava em especial", escreveu Paul-Laurent Assoun, "o modo ao mesmo tempo realista e racionalista com o qual Multatuli abordava a questão da relação das crianças com a sexualidade*."

Entretanto, não foi sob o signo da revolta e da defesa da liberdade sexual que a psicanálise* se implantou nos Países Baixos no início do século, quando os valores dominantes eram o conformismo burguês, o utilitarismo, o egoísmo individual e a aceitação dos princípios mais rigorosos do protestantismo. Assim, a situação neerlandesa da psicanálise era bastante peculiar na Europa, pois a história do movimento foi essencialmente marcada pelas relações conflituosas e as cisões* entre clínicos preocupados com o sucesso profissional e financeiro, que se tornaram ao longo dos anos os melhores especialistas no *training* (formação didática).

Como em todos os países da Europa, as teses freudianas foram introduzidas principalmente por via médica e se chocaram com a mesma resistência* que em outros lugares: eram acusadas do que os seus adversários chamavam de pansexualismo*. A expansão da psicanálise ficou limitada a três cidades da província da Holanda: Amsterdam, Haia, Leiden.

Depois do trabalho pioneiro de August Stärcke*, que começou a traduzir as obras de Freud para o neerlandês*, um grupo se formou em torno de Jan Van Emden*, com Gerbrandus Jelgersma (1849-1952), A. Van der Chijs (1875-1926) e Albert Willem Van Renterghem (1845-1939).

Professor na Universidade de Leiden, Jelgersma teve um papel importante em 1914, ao intitular o seu discurso reitoral "Vida psíquica não-sabida". Declarava-se favorável à psicanálise, o que motivou o seguinte comentário de Freud, um ano depois: "O primeiro reconhecimento oficial da interpretação do sonho* e da psicanálise foi obra do psiquiatra Jelgersma, reitor da Universidade de Leiden, em seu discurso inaugural de 9 de fevereiro de 1914."

Só no fim da Primeira Guerra Mundial, a 24 de março de 1917, Johan Van Ophuijsen* fundou em Amsterdam a Nederlandse Vereniging voor Psychoanalyse (NVP), com os membros do grupo de Van Emden: treze pessoas no total, e nem um único não-médico. Seis tinham efetuado uma formação psicanalítica, dos quais cinco com Carl Gustav Jung*, porque o preço de suas sessões era a metade das de Freud. Em 1920, o congresso da International Psychoanalytical Association* (IPA) se realizou em Haia. Jelgersma e Stärcke participaram dele.

Já em 1921, o grupo holandês sofreu graves conflitos, a respeito da análise leiga*. Como nos Estados Unidos*, só os médicos, amplamente majoritários, eram considerados como membros plenos. Os outros, não tendo nem direito de voto, nem o de assistir às reuniões administrativas, não possuíam nenhum status. Ophuijsen defendeu então a obrigação, para todos os membros, de se submeterem a uma análise didática*. Mas como não existia nenhum didata na Holanda e a permanência no estrangeiro custava excessivamente caro, o projeto foi rejeitado.

Os conflitos e as dificuldades de integração dos candidatos levaram Jelgersma a fundar outra sociedade: a Sociedade de Leiden para a Psicanálise e a Psicopatologia, que se tornaria a Associação Neerlandesa, em 1934. Esse novo grupo tomou parte ativa na difusão do freudismo*, no mesmo momento em que muitos psiquiatras neerlandeses manifestavam sua hostilidade em relação à nova doutrina.

Incansável, Ophuijsen, que já trabalhara pela análise leiga, criou em Haia, em 1930, um Instituto de Psicanálise, a partir do modelo do Berliner Psychoanalytisches Institut* (BPI), e para inaugurá-lo, convidou Theodor Reik*. Ao fim de dois anos, o instituto fechou as portas, porque só atraía os não-médicos. Nessa data, Jelgersma aposentou-se da universidade, pondo fim à produtiva colaboração entre as atividades psicanalíticas e o ensino do freudismo. Seu sucessor não era favorável às teses vienenses. Em 1932, a situação da psicanálise nos Países Baixos se tornara desastrosa, tanto pelos conflitos entre os próprios clínicos quanto por razões externas. A NVP tinha então apenas 21 membros.

A partir de 1933, com a chegada dos exilados expulsos pelo nazismo*, principalmente Theodor Reik, Karl Landauer*, August Watermann* e mais tarde Anny Rosenberg-Katan, psicanalista de crianças, os conflitos se agravaram. Dois grupos se defrontaram com violência, cada um deles apoiado por um fundador prestigioso da primeira geração: de um lado, os partidários da integração à IPA, dirigidos por Ophuijsen e favoráveis à análise leiga; do outro, os adeptos da psicanálise médica, defendidos por Jelgersma e hostis à admissão dos imigrantes na NVP.

No outono, Ophuijsen decidiu corajosamente combater pelos estrangeiros, mas sua proposta foi rejeitada por Jelgersma. Ficando em minoria, demitiu-se da NVP e criou em Haia uma segunda sociedade, a Vereniging voor Psychoanalyse in Nederland (VPN), logo reconhecida pela IPA graças ao apoio de Ernest Jones*. Preocupado em promover sua política de "salvamento" da psicanálise na Alemanha*, este também procurava proteger os judeus exilados. Assim, criticou duramente a estreiteza de espírito dos neerlandeses e sua falta de generosidade. Decepcionado, Ophuijsen deixou a Holanda e foi para os Estados Unidos, enquanto Reik também se exilava.

Em 1934, René De Monchy* sucedeu a Ophuijsen na direção da VPN, na qual se mostrou inicialmente muito hostil aos imigrantes judeus, como mostra uma carta nitidamente anti-semita dirigida a Westerman Holstijn, e citada por H. Groen-Prakken. Dava a entender que os judeus tinham oprimido "silenciosamente" os "arianos" e que a vez destes tinha chegado: "Compreendo a atitude do nacional-socialismo na Alemanha, embora não concorde com tudo. A opressão judia silenciosa de uma nação ariana é naturalmente inaceitável. Estarei ao lado de vocês quando quiserem impedir a instalação dos judeus aqui."

Depois de sua permanência em Viena* e de seu casamento, mudou completamente de opinião e tentou unificar as duas sociedades neerlandesas, uma em Amsterdam, outra em Haia. Em 1938, realizou-se um acordo, que resultou na integração da NVP à NPV. Todavia, os problemas da prática leiga não ficaram resolvidos com isso. Os não-médicos não obtiveram exatamente o mesmo status legal que os médicos e foram obrigados a receber apenas casos julgados "não-patológicos", o que, nos planos clínico e teórico, era evidentemente absurdo.

Criticado tanto por sua prática quanto por seus trabalhos teóricos, Westerman Holstijn demitiu-se da NVP. Quanto a Watermann e a Landauer, morreram na deportação: um em Auschwitz, o outro em Bergen-Belsen. Anny Rosenberg-Katan e seu marido, Maurits Katan, emigraram para os Estados Unidos.

Em 1945, a NVP foi reconstituída, mas Holstijn recusou-se a fazer parte dela e em 1947, depois de uma cisão, criou o seu próprio grupo com J.H. Van der Hoop, um ex-analisando de Jung, a Nederlandse Genootschap voor Psychoanalyse (NGP). Essa sociedade, que se assemelhava muito à que Jelgersma tinha antes da guerra, nunca foi admitida na IPA. Entretanto, reunia muitos praticantes, em torno de uma perspectiva menos ortodoxa e mais aberta do que a NVP.

Chegando à Holanda em 1938, Jeanne Lampl-De Groot* começou a exercer um papel maior na NVP durante a guerra. Graças a doações americanas recolhidas por Hans Lampl*, ela criou em 1946 um novo instituto de psicanálise, inaugurado oficialmente por Anna Freud* no ano seguinte, quando do congresso da IPA em Amsterdam.

A NVP tornou-se uma das sociedades mais ortodoxas da IPA, do ponto de vista da obediência às regras técnicas, o que não a impediu de abrir-se para todas as correntes: annafreudismo*, kleinismo*, *Self Psychology**. Foi durante esse período que a psicanálise ultrapassou os estreitos limites da Holanda, principalmente em Groningen, onde se formou um terceiro pólo freudiano. Entre 1952 e 1955, foram feitas modificações nos estatutos da NVP, que resolveram em parte o problema da psicanálise leiga: para se tornarem membros titulares, os não-médicos ficavam a partir de então obrigados a receber uma formação universitária equivalente à dos médicos.

A partir de 1958, os psicanalistas da NVP, já com a experiência dos conflitos institucionais, se tornaram, no seio da IPA, grandes técnicos em *training*. Foi o caso principalmente de Pieter Jan Van der Leeuw, que teve um papel considerável em todos os comitês para a unificação das regras da análise didática na Europa. Seria eleito presidente da IPA no Congresso de Amsterdam de 1965, e ocuparia essa função durante dois mandatos.

Na NVP, os conflitos prosseguiram, ao mesmo tempo que as questões psicanalíticas eram resolvidas por decisões administrativas. Assim, para evitar a gerontocracia e o mandarinato, a sociedade atribuiu automaticamente o título de didata a todo clínico com a idade de 50 anos, com a única condição de que pudesse provar que dedicava mais da metade de seu tempo à psicanálise. Do mesmo modo, o título de associado foi progressivamente concedido a todo clínico que fizesse uma exposição teórica e clínica e que tivesse realizado pelo menos três tratamentos julgados positivos.

Essa democratização foi estimulada pela criação, em 1958, de uma fundação que permitia aos candidatos à análise didática fazer um empréstimo para pagar sua formação, e depois pela aprovação, em 1967, de uma lei de auxílio social, que autorizava o reembolso dos tratamentos psicanalíticos. Esse sistema contribuiu amplamente para a implantação do ensino do freudismo na universidade. Em Leiden, em Amsterdam, em Rotterdam e em Groningen, psicanalistas ocuparam cátedras de psiquiatria e de psicologia clínica*. Quanto à psicanálise de crianças*, esta tomou um impulso importante nos Países Baixos, em parte graças ao apoio pessoal de Anna Freud.

No fim dos anos 1990, A NVP tinha 213 membros, e a NGP 150, para uma população de quinze milhões e meio de habitantes, ou seja, uma densidade de 24 psicanalistas para um milhão de habitantes.

Como em quase todos os países do norte, o lacanismo* só se implantou na Holanda graças ao trabalho minoritário de alguns intelectuais, leitores da obra de Jacques Lacan*. Foi o caso, notadamente, de A.W.N. Mooij, psiquiatra e psicanalista em Utrecht, que trabalhou em ligação com a Escola Belga de Psicanálise (EBP). Ao contrário dos lacanianos de todos os outros países, os raros clínicos holandeses que se filiaram a essa corrente mantiveram o princípio da sessão de 45 minutos.

• Sigmund Freud, "Contribuição a um questionário sobre leitura" (1907) *ESB*, IX, 251-2; *SE*, IX, 245-7; *A história do movimento psicanalítico* (1914), *ESB*, XIV, 16-88; *GW*, X, 44-113; *SE*, XIV, 7-66; Paris, Gallimard, 1991 • J. Spanjaard e R.U. Mekking, "Psychoanalyse in die Niederlanden", in *Die Psychologie des 20. Jahrhunderts*, vol.20, Zurique, Kinder Verlag, 1975 • L. Bujhof, *Freud en Nederland*, Baarn, Ambo, 1983 • C. Brinkgreve, *Psychoanalyse in Nederland*, Amsterdam, De Arbeiderspers, 1984 • Paul-Laurent Assoun, "Freud et la Hollande", in Harry Stroeken, *En analyse avec Freud* (1985), Paris, Payot, 1987, 200-35 • Harry Stroeken, "The reception of psychoanalysis in the Netherlands", *The Dutch Annual of Psychoanalysis*, vol.1, 1993 • H. Groen-Prakken, "The Psychoanalytical Society and the analyst", *The Dutch Annual of Psychoanalysis*, 1993.

➤ BÉLGICA; *EU E O ISSO, O*; FEDERAÇÃO EUROPÉIA DE PSICANÁLISE; MAHLER, GUSTAV; *NOVAS CONFERÊNCIAS INTRODUTÓRIAS SOBRE PSICANÁLISE*; *QUESTÃO DA ANÁLISE LEIGA, A*; ROMÊNIA; TÉCNICA PSICANALÍTICA.

Palo Alto, Escola de
➤ BATESON, GREGORY.

Pankejeff, Serguei Constantinovitch (1887-1979), caso Homem dos Lobos

Terceiro e último grande tratamento psicanalítico conduzido por Sigmund Freud*, depois de Dora (Ida Bauer*) e do Homem dos Ratos (Ernst Lanzer*), a história do Homem dos Lobos (Serguei Constantinovitch Pankejeff) é única nos anais do freudismo. Comentada inúmeras vezes por todas as escolas psicanalíticas e pelos mais diversos autores, também o foi pelo próprio paciente, que, depois de sobreviver às duas guerras mundiais, redigiu uma autobiografia que analisava seu próprio caso, revelando sua verdadeira identidade. Essa análise foi também a mais longa das três: começou em janeiro de 1910 e terminou exatamente em 28 de junho de 1914, data do assassinato, em Sarajevo, do arquiduque Francisco Ferdinando. O paciente não ficou "curado": retomou uma "etapa" de análise com Freud no pós-guerra e, mais tarde, com uma aluna dele, Ruth Mack Brunswick*. Instalado em Viena depois da derrota do nazismo,* foi sustentado pelo movimento psicanalítico. Analisado a cada verão por Kurt Eissler, tratado por Wilhelm Solms-Rödelheim e, finalmente, ajudado por Muriel Gardiner* na redação de suas memórias, tornou-se um personagem mítico: mais o Homem dos Analistas do que o Homem dos Lobos, símbolo, afinal, do caráter "interminável" da análise freudiana.

Serguei Constantinovitch Pankejeff nasceu no sul da Rússia, numa rica família da aristocracia rural, e foi criado em Odessa, ao lado de sua irmã Anna, por três governantas (Gruscha, Nania e *Miss* Owen) e alguns preceptores. Sua mãe, afetada por diversos distúrbios psicossomáticos, preocupava-se exclusivamente com sua saúde, enquanto o pai, depressivo, levava a vida ativa de um político conhecido por suas opiniões liberais.

Os membros da família, de ambos os lados da genealogia, assemelhavam-se a personagens de um dos romances de Dostoiévski, *Os irmãos Karamazov*. O tio Pedro, primeiro irmão do pai, sofria de paranóia* e foi tratado pelo psiquiatra Serguei Korsakov (1854-1900). Fugindo do contato humano, viveu como um selvagem em meio aos animais e terminou a vida num hospício. O tio Nicolau, segundo irmão do pai, quis raptar a noiva de um de seus filhos e desposá-la

à força: em vão. Um primo, filho da irmã da mãe, foi internado num manicômio de Praga, também ele afetado por uma forma de delírio de perseguição.

Em 1896, aos 10 anos de idade, o pequeno Serguei apresentou os primeiros sinais de uma neurose grave*. Em 1905, sua irmã Anna suicidou-se e, dois anos depois, foi a vez de seu pai tirar a própria vida. Nessa época, Serguei freqüentava o ginásio. Conheceu uma mulher do povo, Matrona, com quem contraiu gonorréia (ou blenorragia). Mergulhou então em acessos freqüentes de depressão, que em pouco tempo, de sanatórios para hospícios e de clínicas de repouso para termas medicinais, levaram-no a se transformar num doente ideal para o saber psiquiátrico do fim do século. Tratado por Vladimir Bekhterev, que utilizou a hipnose*, por Theodor Ziehen (1862-1950), em Berlim, e finalmente, por Emil Kraepelin*, em Munique, que emitiu um diagnóstico de psicose maníaco-depressiva*, Serguei descobriu-se no sanatório de Neuwittelsbach, onde seguiu tratamentos tão diversificados quanto inúteis — massagens, banhos etc. Ali se apaixonou por uma enfermeira, Teresa Keller, um pouco mais velha do que ele e mãe de uma garotinha (Else). Iniciou-se então um relacionamento passional ao qual se opunham sua família (porque a moça era plebéia) e seu psiquiatra (convencido de que a sexualidade* era o pior dos remédios nos casos de loucura*). Depois de romper e retomar essa ligação, Pankejeff voltou a Odessa, onde se fez tratar por um jovem médico, Leonid Droznes (1880-19?), que logo decidiu conduzi-lo a Viena para uma consulta com Freud.

Numa frase contundente, Freud estigmatizou o niilismo terapêutico de seus colegas psiquiatras: "Até o momento", disse ele a Pankejeff, "o senhor esteve procurando a causa de sua doença num urinol." Essa interpretação* tinha uma significação dupla. Freud aludia tanto à inutilidade dos tratamentos anteriores quanto à patologia de Serguei, que sofria de distúrbios intestinais permanentes, em particular uma constipação crônica. A análise começou. Em vez de proibir o Homem dos Lobos de rever Teresa, Freud simplesmente lhe pediu que esperasse o fim do tratamento. Não se opôs ao casamento: "Teresa", disse, "é o impulso para a mulher." Numa carta a Sandor Ferenczi*, datada de fevereiro de 1910, Freud assinalou a violência das manifestações transferenciais de seu paciente: "O jovem russo rico que recebi, por causa de uma paixão amorosa compulsiva, confessou-me, após a primeira sessão, as seguintes transferências: judeu escroque, ele gostaria de me agarrar por trás e me cagar na cabeça. Aos 6 anos de idade, o primeiro sintoma manifesto consistiu em injúrias blasfematórias contra Deus: porco, cachorro etc. Quando via três punhados de cocô na rua, sentia-se mal, por causa da Santíssima Trindade, e procurava ansiosamente um quarto punhado para destruir a evocação."

Pela primeira vez, Pankejeff teve a impressão de ser escutado, e não mais tratado como doente. Acima de tudo, manteve com Freud relações quase amistosas e acabou por venerá-lo: no fim do tratamento, Freud tinha muita simpatia por ele. Serguei reencontrou-se com Teresa e concordou com o casamento, que foi celebrado em Odessa, em 1914. Ele se sentiu curado e frisou que a análise lhe permitira desposar a mulher amada.

Duas semanas após a suspensão do tratamento, a Áustria entrou em guerra com a Rússia*. Freud teve então a fantasia* de que seu filho mais velho, Martin Freud*, que acabara de ser convocado, poderia tombar na frente de batalha sob as balas de seu ex-paciente. Foi nesse estado de espírito e em meio à tormenta da guerra que, em dois meses, de outubro a novembro de 1914, redigiu a história do caso, sem jamais utilizar a denominação Homem dos Lobos. O relato foi publicado em 1918, sob o título "História de uma neurose infantil".

Contrariamente ao caso do Homem dos Ratos, em que a lógica da análise fora exposta de maneira implacável, Freud se entregou, para escrever a história do Homem dos Lobos, a um verdadeiro trabalho de criação romanesca, a ponto de "inventar", por meio de interpretações, acontecimentos que talvez nunca houvessem realmente tido lugar, centrando-se todo o relato na infância do paciente e girando toda a reconstrução de sua vida em torno de sua sexualidade.

O quadro familiar era composto pela mãe, pai, irmã e três empregadas: a babá (Nania), a governanta inglesa (*Miss* Owen) e a criada (Gruscha). Segundo Freud, que se apoiava nas lembranças de Serguei, este fora objeto de uma tentativa de sedução aos três anos de idade, por parte de sua irmã, Anna, que lhe mostrara seu "popô", ao passo que depois ele se havia exibido diante de Nania, que o repreendera. Mais ou menos aos 10 anos, por sua vez, ele quisera seduzir a irmã, que o havia repelido. Posteriormente, preferira escolher mulheres de situação inferior à sua. Afastando-se de todos os diagnósticos de melancolia* e psicose* formulados pelos outros médicos antes dele, Freud viu nesse caso uma histeria* de angústia com fobia* aos animais, que depois se transformara numa neurose obsessiva* ou numa neurose infantil, donde o título dado ao texto.

Foi interpretando um sonho* que Serguei tivera aos 4 anos de idade, e que fora contado e desenhado por ele durante a análise, que Freud reconstruiu a origem da neurose infantil: "'Sonhei', disse ele, 'que era noite e eu estava deitado em minha cama (...). Eu sabia que era inverno. De repente, a janela se abriu sozinha e, com enorme susto, vi que havia uns lobos sentados na grande nogueira em frente à janela. Eram uns seis ou sete. Os lobos era inteiramente brancos e mais pareciam raposas ou cães pastores, pois suas caudas eram compridas como as das raposas e eles tinham as orelhas em pé, como os cães quando prestam atenção a alguma coisa. Com grande medo, obviamente, de ser devorado pelos lobos, gritei e acordei.'"

A partir desse sonho e de diversas lembranças do paciente a respeito de sua sexualidade infantil, Freud inventou, com detalhes de uma precisão inaudita, uma estarrecedora cena primária* que se tornaria célebre nos anais da psicanálise, e que seria muitas vezes comentada. Patrick Mahony resumiu-a muito bem: "Numa tarde quente de verão, o pequeno Serguei, então com 18 meses de idade e sofrendo de malária, dormia no quarto de seus pais, para onde também estes se retiraram, parcialmente despidos, a fim de tirar uma sesta; às cinco horas da tarde, provavelmente no auge da febre, Serguei acordou e, com a atenção fixa, observou seus pais, parcialmente trajados com roupas de baixo brancas, ajoelhados sobre lençóis também brancos, entregarem-se por três vezes ao coito *a tergo*: reparando nos órgãos genitais dos pais e no prazer estampado no rosto da mãe, o bebê, habitualmente passivo, teve um movimento intestinal repentino e começou a chorar, assim interrompendo o jovem casal."

Dois outros episódios da vida de Serguei foram objeto de uma série de interpretações. Um deles dizia respeito a Gruscha, cujas nádegas, comparadas a asas de borboleta e, depois, ao número V romano, remetiam aos cinco lobos do sonho e à hora em que teria ocorrido o famoso coito, e o outro episódio estava ligado a uma alucinação visual. Em sua infância, Serguei *vira* seu dedo mínimo ser decepado por um canivete, e depois se apercebera da inexistência do ferimento. Freud deduziu disso que seu paciente manifestara nesse episódio uma atitude de rejeição (*Verwerfung*) que consistia em só ver a sexualidade pelo prisma de uma teoria infantil: a relação sexual pelo ânus.

Depois desse grande mergulho na infância do paciente, Freud teve certeza de havê-lo curado. Serguei entrou então na tormenta da guerra e sua vida modificou-se por completo. Até a primavera de 1918, morou em Odessa, dividido entre sua mãe e Teresa, que não se davam bem. Retomou os estudos e recebeu seu diploma de advogado. Pouco depois, Teresa foi obrigada a sair da Rússia para ir ao encontro da filha, que morreu em Viena, onde Serguei foi juntar-se à mulher. A Revolução de Outubro o havia arruinado e o ex-aristocrata transformou-se num outro homem, um emigrante pobre e sem recursos, obrigado a aceitar um emprego numa companhia de seguros, no qual permaneceria até se aposentar.

As mudanças ocorridas em sua vida mergulharam-no numa nova depressão, que o obrigou a retornar a Freud. Este o acolheu de bom grado, presenteou-o sem demora com o texto de seu caso, que acabara de publicar, e em seguida tomou-o novamente em análise, de novembro de 1919 a fevereiro de 1920. Segundo ele, essa "pós-análise" serviu para liquidar um resto de transferência* não analisado e finalmente curar o paciente.

Na realidade, este continuava a apresentar os mesmos sintomas, até mesmo agravados em decorrência da situação financeira precária. Quanto a esse aspecto, Freud o ajudou, coletan-

do dinheiro para ele no círculo de seus discípulos vienenses. Foi então que Serguei Pankejeff começou a se identificar com a história de seu caso e a se tomar realmente pelo Homem dos Lobos. Em 1926, afetado pelos mesmos sintomas, foi novamente consultar Freud, que se recusou a tratá-lo uma terceira vez e o encaminhou a Ruth Mack Brunswick. Serguei tornou-se então presa de um incrível imbróglio transferencial. Não apenas Freud estava analisando, ao mesmo tempo, Ruth, o marido dela e o irmão deste, como também, ainda por cima, nesse ano ele encaminhou para o divã de Ruth uma norte-americana, Muriel Gardiner, que iria tornar-se amiga e confidente de Pankejeff à medida que se desenrolavam suas respectivas análises.

Mais enferma que seu paciente, Ruth Mack Brunswick havia adquirido o hábito de tratar suas dores vesiculares com morfina. Como toda a geração* psicanalítica da década de 1920, interessava-se pelas psicoses e pelos mecanismos pré-edipianos identificados por Melanie Klein*. Foi por isso que, depois de haver analisado Pankejeff de outubro de 1926 a fevereiro de 1927, identificou nele não uma neurose, mas uma paranóia. Em 1928, ela publicou uma segunda versão do caso, sob o título de "Suplemento à história de uma neurose infantil". Pela primeira vez, atribuiu ao paciente o nome que passaria desde então a designá-lo: o Homem dos Lobos. Mack Brunswick o descreveu como um homem perseguido, antipático, avarento, sórdido, hipocondríaco e obcecado com sua imagem, em especial com uma pústula que lhe corroía o nariz. Através desse novo diagnóstico, o movimento psicanalítico dividiu-se em dois campos: os partidários da psicose, de um lado, e os da neurose, de outro.

A eclosão da Segunda Guerra Mundial transformou mais uma vez a triste vida de Pankejeff. Em 1938, dias depois da entrada dos nazistas em Viena, ele encontrou sua mulher morta no apartamento do casal: tinha-se suicidado.

A partir de 1945 e por todo o resto de sua vida, o Homem dos Lobos, ainda e sempre melancólico, foi auxiliado pelo movimento freudiano de uma maneira a um tempo inédita e espetacular. Estimulado por Muriel Gardiner e subvencionado por uma "pensão" fornecida por Kurt Eissler em nome dos Arquivos

Sigmund Freud, ele tratou de redigir suas memórias e comentar a história de seu caso na própria linguagem do discurso psicanalítico. Elas foram publicadas em 1971, traduzidas no mundo inteiro e mil vezes comentadas.

Passados alguns anos, contrariando a opinião dos guardiães do templo freudiano, Pankejeff concordou em responder a uma longa entrevista de uma jornalista vienense, Karin Obholzer, que o fez contar sua vida num outro estilo, mais direto e menos compassado. Ele então declarou que a famosa cena do coito *a tergo* certamente nunca haveria acontecido, porque, na Rússia, as crianças jamais dormiam no quarto dos pais. Sempre venerando o talento terapêutico de Freud, ele tomou o partido do diagnóstico enunciado por este e se pôs contra o de Ruth Mack Brunswick. Bem diante do nariz e das barbas dos psicanalistas da International Psychoanalytical Association* (IPA), que o haviam transformado numa espécie de arquivo, o Homem dos Lobos metamorfoseou-se mais uma vez: tornou-se, a seu próprio respeito, mais competente do que a maioria dos comentadores de seu caso, que não tinham, como ele, o privilégio de ser um trecho inalterável da obra freudiana.

Pankejeff morreu em Viena, assistido por seu médico, o conde Wilhelm Solms-Rödelheim, que, em 1945, ao lado de August Aichhorn* e do barão Alfred von Winterstein*, tinha sido um dos novos fundadores da antiga Wiener Psychoanalytische Vereinigung (WPV), tragada pela guerra. (VR)

• Sigmund Freud, "História de uma neurose infantil" (1918), *ESB*, XVII, 19-152; *GW*, XII, 27-157; *SE*, XVII, 1-122; *OC*, XIII, 1-119 • Sigmund Freud e Sandor Ferenczi, *Correspondência, 1908-1914*, vol.I, 2 tomos (Paris, 1992), Rio de Janeiro, Imago, 1994, 1995 • Jacques Lacan, O Seminário, livro 3, *As psicoses (1955-1956)* (Paris, 1981), Rio de Janeiro, Jorge Zahar, 1988, 2ª ed.; *Escritos* (Paris, 1966), Rio de Janeiro, Jorge Zahar, 1998 • Serge Leclaire, "À propos de l'épisode psychotique que présenta l'Homme aux Loups", *La Psychanalyse*, 4, 1958, 83-111; "Les Éléments en jeu dans une psychanalyse (à propos de l'Homme aux loups)", *Cahiers pour l'Analyse*, 5, novembro-dezembro de 1966, 1-36 • Muriel Gardiner, *L'Homme aux loups par ses psychanalystes et lui-même* (N. York, 1971), Paris, Gallimard, 1981 • Nicolas Abraham e Maria Torok, *Cryptonymie. Le verbier de l'Homme aux loups*, precedido por *Fors*, de Jacques Derrida, Paris, Aubier-Flammarion, 1976 • Karin Obhol-zer, *Conversas com o Homem dos Lobos* (Hamburgo, 1980), Rio de Janeiro, Jorge Zahar, 1993 • Patrick Mahony, *Les Hurlements de l'Homme aux loups* (N. York, 1984), Paris, PUF, 1995.

➢ ABRAHAM, NICOLAS; FORACLUSÃO; PAPPENHEIM, BERTHA; *TRÊS ENSAIOS SOBRE A TEORIA DA SEXUALIDADE*.

pansexualismo

al. *Pansexualismus*; esp. *pansexualismo*; fr. *pansexualisme*; ing. pansexualism

Em filosofia, o prefixo *pan* é ligado a um grande número de termos, em dois sentidos principais. Em primeiro lugar, assinala que não existe nada fora do que é designado pelo termo ligado a esse prefixo, e equivale, em segundo, ao adjetivo "universal", unido ao termo de que se trata.

Em todos os países onde a psicanálise* foi implantada, o termo pansexualismo é utilizado para designar pejorativamente a doutrina freudiana da sexualidade*, concebida sob a categoria de uma causalidade única, tanto porque ela recusaria qualquer explicação do psiquismo fora da etiologia sexual quanto pelo fato de que se pretenderia universal, isto é, aplicável a todas as culturas e a todos os indivíduos. Nesse aspecto, os defensores da crítica do pansexualismo da doutrina freudiana afirmam que esta não passa da expressão de uma cultura nacional que almeja dominar as outras.

A famosa tese do *genius loci* foi popularizada pelo psiquiatra alemão Adolf Albrecht Friedländer (1870-1949), por ocasião de um congresso internacional de medicina realizado em Budapeste, em 1909. Atacando violentamente a psicanálise, Friedländer explicou que ela devia seu sucesso à mentalidade vienense, que atribuía uma importância considerável à sexualidade. Em poucos anos, essa tese, retomada em 1913 por Pierre Janet*, tornou-se o cavalo de batalha dos antifreudianos, permitindo-lhes acusar Sigmund Freud* de todos os pecados de um pretenso pansexualismo.

O termo pansexualismo surgiu após a publicação, em 1905, dos *Três ensaios sobre a teoria da sexualidade*. Na França*, país particularmente germanófobo, esse pretenso pansexualismo freudiano serviu à tese do *genius loci*: a teoria sexual foi assimilada a uma visão bárbara da chamada sexualidade "germânica", "nórdica", "teutônica" ou "boche". A essa *Kultur* alemã opôs-se a luminosidade cartesiana e latina da "civilização" francesa, a única capaz de universalidade, ao passo que, nos países escandinavos*, ao contrário, acusou-se o freudismo* de privilegiar uma concepção "latina" da sexualidade, inaceitável para a "mentalidade" nórdica.

No prefácio de 1920 a seu livro, Freud rechaçou esse termo: "Em sua sede de fórmulas bombásticas", disse, "as pessoas chegaram até a falar do 'pansexualismo' da psicanálise e a lhe fazer a censura absurda de que ela explica tudo pela sexualidade."

• Adolf Albrecht Friedländer, "Hysterie und moderne Psychoanalyse", in *Psychiatrie*, atas do XVI Congresso Internacional de Medicina, Budapeste, 1909, seção XII, 146-72 • André Lalande, *Vocabulário técnico e crítico da filosofia* (Paris, 1926), S. Paulo, Martins Fontes, 1993 • Jacques Mousseau e Pierre-François Moreau (orgs.), *L'Inconscient*, Paris, CEPL, 1976.

➤ AUTISMO; CULTURALISMO; JAPÃO; JUNG, CARL GUSTAV; LIBIDO.

Pappenheim, Bertha (1860-1936), caso Anna O.

A história de Anna O. é um dos mitos fundadores da psicanálise*. O relato do caso dessa moça vienense, que contava 21 anos na época de sua doença, foi exposto por Josef Breuer* em 1895, nos *Estudos sobre a histeria**. Desde essa publicação, mediante a qual os autores propuseram, ao mesmo tempo, uma nova definição da histeria* como doença das reminiscências psíquicas, e a invenção de um método de tratamento inédito (baseado na catarse* e na ab-reação*), o caso Anna O. não parou de ser comentado, tanto por historiadores quanto por clínicos. Uma imensa literatura, em diversas línguas, foi consagrada a essa mulher a quem se atribuiu a invenção da psicanálise*. Com efeito, tratada por Breuer entre julho de 1880 e junho de 1882, Anna O. deu o nome de *talking cure* a um tratamento que era feito pela fala, e empregou o termo *chimney sweeping* para designar uma forma de rememoração por "limpeza de chaminé". Quanto a Breuer, chamou esses dois

processos de catarse e apresentou o caso Anna O. como o protótipo do tratamento catártico.

Nos *Estudos sobre a histeria*, Anna O. é descrita como uma jovem inteligente, enérgica e obstinada. Dotada de talento poético, falava diversas línguas e demonstrava grande sensibilidade em relação aos pobres e aos doentes. Breuer dividiu em quatro períodos as fases durante as quais se manifestaram os diversos sintomas histéricos de Anna, ligados à doença e morte de seu pai. Durante a chamada fase de incubação latente, a paciente ficou sujeita a alucinações, contraturas e acessos de tosse. Durante a chamada fase da doença manifesta, de 11 de dezembro de 1880 a 1º de abril de 1881, ela teve distúrbios da visão, da linguagem e da motricidade. Misturava diversas línguas, não sabia mais se expressar em alemão e acabou escolhendo o inglês. Sua personalidade dividiu-se e Breuer a acalmou através dos processos do tratamento pela fala e da "limpeza de chaminé". Durante a terceira fase, os sintomas se agravaram: Breuer, então, fez com que Anna O. fosse internada num sanatório e a tratou pelo método da auto-hipnose. Por fim, o último período caracterizou-se pelo desaparecimento progressivo dos sintomas e pela cura. Graças à rememoração de suas lembranças traumáticas, Anna O. reencontrou seu verdadeiro eu, tornou a falar alemão e se curou de sua paralisia. "Deixou Viena* para fazer uma viagem", escreveu Breuer, "mas foi preciso muito tempo para que recuperasse seu equilíbrio psíquico. Desde então, goza de perfeita saúde."

Foi em 1953, no primeiro volume de *A vida e a obra de Sigmund Freud*, que Ernest Jones* revelou pela primeira vez a verdadeira identidade dessa paciente, o que desagradou seus herdeiros. Anna O. tornou-se então Bertha Pappenheim. Oriunda da burguesia judaica ortodoxa, foi criada por uma mãe rígida e conformista. Sua família era estreitamente ligada à de Martha Bernays, a noiva de Freud, que era sua amiga. Após o tratamento, ela se voltou para atividades humanitárias. Inicialmente diretora de um orfanato judaico em Frankfurt, mais tarde viajou aos Bálcãs, ao Oriente Próximo e à Rússia* para realizar pesquisas sobre o tráfico de mulheres brancas. Em 1904, fundou o Judischer Frauenbund (a Liga das Mulheres Judias) e, três anos depois, um estabelecimento de ensino filiado a essa organização. Muito apegada ao judaísmo, desenvolveu estudos sobre a situação das mulheres judias e dos criminosos judeus. Quando Hitler assumiu o poder, ela se pronunciou contra a emigração para a Palestina. Após a Segunda Guerra Mundial, tornou-se uma figura lendária na história das mulheres e do feminismo através de sua ação social, a ponto de o governo alemão haver honrado sua memória com um selo que trazia sua efígie. Já no fim da vida, havendo-se tornado devota e autoritária como fora sua mãe, reeditou antigas obras de religião e redigiu a história de uma de suas ancestrais.

Embora revelando a verdadeira identidade de Anna O., Jones narrou uma versão fantasiosa do término de seu tratamento com Josef Breuer. Este, explicou Jones em síntese, ficou assustado com o caráter sexual da transferência* amorosa da paciente para ele e, em particular, com uma gravidez nervosa (pseudociese) ocorrida nessa ocasião. Assim, interrompeu o tratamento e partiu em lua-de-mel para Veneza, onde foi concebida sua filha Dora. Dez anos depois, ele chamou Freud para consultá-lo num caso idêntico. Quando este lhe indicou que os sintomas da doente revelavam uma fantasia* de gravidez, Breuer não pôde suportar tal repetição de um acontecimento passado: "Sem dizer uma só palavra, apanhou sua bengala e seu chapéu e saiu às pressas da casa."

Jones construiu essa versão da história a partir de diversas lembranças de Freud e de um resumo que Marie Bonaparte* lhe dera de seu diário inédito. Ora, se consultarmos esse diário, bem como a correspondência entre Martha Bernays e Freud em 1883, exumada por John Forrester e Peter Swales, constataremos que essa história de gravidez histérica foi uma reconstrução de Freud, à qual Jones deu legitimidade arquivística e médica ao lhe conferir o nome de pseudociese.

Numa carta de 31 de outubro de 1883, Freud informou Martha sobre a saúde de sua amiga Bertha, afirmando que ela estava melhor e vinha se livrando de seu envenenamento pela morfina. Depois, acrescentou que Breuer havia interrompido o tratamento, "porque este vinha ameaçando a felicidade de seu casamento (...)

Podes guardar isso para ti, Martchen? Não há nada de vergonhoso, mas é uma coisa muito íntima (...). Naturalmente, ouvi isso dele em pessoa." Segundo Freud, Mathilde Breuer não teria suportado o interesse que seu marido tinha pela paciente e teria adoecido.

Se em 1909, em suas cinco conferências sobre a psicanálise, proferidas na Universidade Clark, em Worcester, Freud falou do caso Anna O. seguindo a versão dos *Estudos sobre a histeria*, cinco anos depois, ao contrário, em sua contribuição para a história da psicanálise, ele retomou a tese do amor transferencial (implícita em sua carta de 31 de outubro de 1883): "Ocorre que tenho fortes razões para supor que Breuer, depois de haver afastado todos os sintomas, deve necessariamente ter descoberto, com base em novos indícios, a motivação sexual dessa transferência, mas a natureza geral desse fenômeno inesperado lhe escapou, de modo que, impressionado com um *untoward event*, ele suspendeu por completo sua investigação. Ele não me deu essas informações diretamente, mas, em diferentes épocas, forneceu-me pontos de referência suficientes para justificar essa suposição." Freud sublinha em seguida que Breuer lhe exprimira sua reprovação a propósito da etiologia sexual das neuroses.

Em sua autobiografia de 1925, Freud retomou essa versão, sublinhando que Breuer havia interrompido o tratamento em virtude de um amor transferencial da paciente por ele. A mesma idéia foi retomada no necrológio que ele dedicou a Breuer, no qual esclareceu que a história do caso fora "abreviada e censurada em consideração à discrição médica" e que sua publicação se tornara necessária por razões científicas: era preciso provar que o tratamento de Anna O. fora anterior aos conduzidos por Pierre Janet* com pacientes idênticas. Entretanto, sete anos depois, numa carta de 2 de junho de 1932 a Stefan Zweig*, Freud acrescentou a história da fantasia da gravidez de Bertha e afirmou que Dora Breuer, a filha de Josef Breuer, havia confirmado a existência desse fato, depois de interrogar o pai: "Na noite do dia em que todos os sintomas tinham sido superados, ele voltou a ser chamado; encontrou-a delirando, contorcendo-se em cãibras no baixo ventre. Ao lhe perguntar o que estava acontecendo, ela respondeu: 'É o filho que estou esperando do Dr. B. que está chegando.'"

Em 1927, ele fizera essa mesma confidência a Marie Bonaparte, que relatou que a "doença" de Mathilde Breuer levara a uma tentativa de suicídio: "Em 16 de dezembro, em Viena", escreveu a princesa, "Freud me contou a história de Breuer. Sua mulher tentara suicidar-se no final do tratamento de Anna = Bertha. A seqüência é conhecida: a recaída de Anna, sua fantasia de gravidez e a fuga de Breuer."

Essas diferentes versões propostas por Freud ao longo dos anos deixam transparecer, evidentemente, a fragilidade do testemunho humano. Freud teve lembranças "falsas", reconstruiu os acontecimentos e os interpretou à sua maneira.

A fábula da gravidez nervosa de Anna O., todavia, foi aceita como uma certeza pelo conjunto da comunidade freudiana, não importa de qual tendência. Nascida de uma fala de Freud, foi posteriormente utilizada por seu biógrafo para fins de história oficial. Para Jones, em 1953, a questão era pintar Freud com os traços de um cientista heróico, o único, contrariando a ciência de sua época, capaz de compreender a etiologia sexual da histeria e inventar uma nova teoria da sexualidade*. Assim, foi lançado um descrédito sobre o personagem de Breuer, apresentado como indolente e ignorante. Quanto a Anna O., tornou-se, ao lado de Emmy von N. (Fanny Moser*), uma figura mítica das origens do freudismo, curada de sua histeria graças ao método catártico do qual nasceu a psicanálise, triunfalmente.

Em 1963, Dora Edinger, que havia trabalhado com Bertha Pappenheim, reuniu as cartas e textos desta última, além de alguns testemunhos. Forneceu sobre Bertha Pappenheim e seu destino posterior uma imagem diferente da fornecida por Jones, sublinhando, em especial, que a moça sempre se abstivera de evocar a época de sua vida em que estivera em tratamento com Breuer. E até, explicou Edinger, "se opunha com veemência a qualquer sugestão de tratamento psicanalítico para as pessoas das quais se encarregava, para grande surpresa dos que trabalhavam com ela".

Foi em 1970 que o historiador Henri F. Ellenberger* empreendeu as pesquisas que permitiriam revisar a historiografia* oficial e compreender quem foi Bertha Pappenheim e por que seu caso foi relatado dessa maneira. Dora Edinger havia aconselhado Ellenberger a visitar as clínicas da Áustria, da Alemanha* ou da Suíça*. Intrigado com uma fotografia de Bertha em trajes de montaria, na qual estava gravada uma palavra ilegível, ele mandou que a foto fosse examinada pelo laboratório da polícia de Montreal. Viu surgir então o nome da cidade de Konstanz, onde ficava o famoso Sanatório Bellevue, em Kreuzlingen, dirigido de pai para filho pela dinastia dos Binswanger*. Foi lá que descobriu um documento que invalidava a tese de Jones: um relatório inédito de Breuer sobre o caso, muito diferente do relato proposto nos *Estudos sobre a histeria*. Em 1972, Ellenberger publicou sua revisão da história, que estabeleceu, por um lado, que Dora Breuer nasceu em 11 de março de 1882, e portanto, não poderia ter sido concebida em junho, e por outro, que a famosa gravidez nervosa nunca aconteceu.

O relatório de Breuer foi publicado pela primeira vez em 1978, por Albrecht Hirschmüller, seu rigoroso biógrafo, que acrescentou outros elementos à pesquisa de Ellenberger. Esse documento apresenta Anna O. com seu sobrenome verdadeiro e relata como que o avesso da história idílica dos *Estudos sobre a histeria*. Não apenas a verdadeira paciente não foi curada de seus sintomas histéricos durante o tratamento, como também, além disso, não foi tratada pelo método catártico. Breuer recorreu, em vez dele, à hipnose*, e depois, para tratar as dolorosas nevralgias da paciente, a doses importantes de cloral e morfina, que a transformaram numa morfinômana. Só muito depois, fora de qualquer intervenção médica, foi que ela encontrou um certo equilíbrio. Em outras palavras, se o tratamento pela fala servia — às vezes, unicamente — para fazer desaparecerem alguns sintomas, de modo algum era um método claramente identificado. O mesmo se aplicava à "limpeza de chaminé", que consistia, para Bertha, em desafogar seu espírito de histórias imaginadas nos dias anteriores. Breuer sublinhou também que o diagnóstico de histeria não era evidente, pensando em diversas doenças cerebrais.

Ellenberger concluiu seu levantamento frisando que o famoso "protótipo de uma cura catártica não foi nem cura nem catarse", e talvez nem sequer tivesse sido uma histeria. O historiador confirmou que Freud e Breuer decidiram publicar a história desse caso sob a forma de caso princeps a fim de melhor reivindicar, em oposição a Janet, a prioridade na descoberta do tratamento catártico. Quanto a Bertha Pappenheim, Ellenberger a apresentou como uma trágica mulher do fim do século XIX, que conseguiu sublimar sua personalidade ao se engajar numa grande causa a favor do trabalho social e dos direitos da mulher.

Essa notável revisão só fez corroborar a idéia, progressivamente admitida pelo próprio Freud, de que a cura em psicanálise é uma maneira de o sujeito converter seus sintomas patológicos numa sublimação*. Acima de tudo, ela mostrou que Breuer e Freud conseguiram, em alguns anos, como quase todos os mestres da psicopatologia*, transformar histórias de doentes em ficções, isto é, em relatos de caso destinados a comprovar a validade de suas teses.

Em 1978, Albrecht Hirschmüller confirmou a hipótese de Ellenberger de que a opção de publicar o caso Anna O. nos *Estudos sobre a histeria* tivera por objetivo enfatizar a anterioridade do método de Breuer em relação ao de Janet (que havia lançado *O automatismo psicológico* em 1889). Em 1895, fazia muito tempo que Breuer havia abandonado o campo do tratamento catártico, e estava em discordância de Freud quanto a diversos pontos. Não obstante, ele fora realmente o inventor desse método, e somente a publicação da história do tratamento de Bertha Pappenheim poderia fornecer a prova disso. Ciente das dificuldades que tivera com a moça, não apenas quanto à questão da relação transferencial, mas também quanto à de sua cura, ele hesitou em publicar o relato. Freud insistiu e, como Bertha houvesse deixado a cidade de Viena, onde era conhecida, Breuer resolveu contar sua história nos *Estudos sobre a histeria* sob a forma de um tratamento catártico seguido de cura, considerando que, mesmo que a evolução da saúde de Bertha não fosse satisfatória, de fato ocorrera, na época do tratamento, uma cura de certos sintomas histéricos por meio de uma psicoterapia de tipo catártico.

Apesar do trabalho pioneiro de Ellenberger e da contribuição de Hirschmüller, que mostrou que Bertha Pappenheim superou sua doença através de um engajamento militante do qual foi banida qualquer relação carnal com os homens, os psicanalistas mais sérios continuaram a considerar os cânones da historiografia oficial como uma verdade intocável.

Foi esse o caso, em especial, do psicanalista francês Moustapha Safouan, em 1988. Apoiando-se num romance de Lucy Freeman dedicado a Anna O., ele formulou a hipótese de que a "gravidez nervosa" de Anna O. teria sido induzida por um desejo* inconsciente de Breuer de associar três figuras femininas que tinham o prenome Bertha: sua filha, sua mãe e sua paciente. Esse raciocínio remeteu, em parte, ao do psicanalista norte-americano George Pollock, que havia assinalado, em 1968, a analogia entre esses três prenomes, concluindo pela repetição, em Breuer, de uma situação edipiana não resolvida. O uso da teoria lacaniana do significante*, assim, veio corroborar a lenda inventada por Jones em 1953 e as interpretações mais clássicas da escola norte-americana.

Nos Estados Unidos*, a partir de 1985 e sob o impulso da historiografia revisionista, diversos pesquisadores fizeram questão de demonstrar que Freud era um mistificador. Apropriando-se do corpo das mulheres para atender às necessidades de sua propaganda, ele teria, a princípio com Breuer e depois contra ele, falsificado a verdade, no intuito de promover a psicanálise como o único método de cura das doenças psíquicas. Depois dele, Jones teria corroborado, sempre em oposição a Breuer, a imagem oficial do herói solitário. Nessa perspectiva, que negava a própria idéia de uma possível inovação freudiana, Bertha Pappenheim tornou-se uma simuladora. Segundo Peter Swales e Mikkel Borch-Jacobsen, adeptos dessa tese, a paciente teria fingido ser histérica para zombar de seu médico. Vingança de uma mulher e da identidade feminina contra a ciência dos homens! Por desconhecer a história da consciência subjetiva dos cientistas, por reduzir os mitos fundadores a mistificações e por passar do culto positivista do arquivo para a denúncia antifreudiana, a historiografia revisionista norte-americana, portanto, acabou adotando a propósito de

Anna O., em 1995, o método interpretativo denunciado por Jones, e acolhendo, em nome da defesa da diferença sexual*, as mais retrógradas teses dos médicos do fim do século XIX, que encaravam a histeria como uma simulação.

• Sigmund Freud e Josef Breuer, *Estudos sobre a histeria* (1895), *ESB*, II; *SE*, II; Paris, PUF, 1956 • Sigmund Freud, "A história do movimento psicanalítico" (1914), *ESB*, XIV, 16-88; *GW*, X, 44-113; *SE*, XIV, 7-66; Paris, Gallimard, 1991, "Josef Breuer" (1925), *ESB*, XIX, 349-54; *GW*, XIV, 562-3; *SE*, XIX, 279-80*; OC*, XVII, 155-7 • Marie Bonaparte, *Cahiers noirs* (diário), 1925-1939, inédito (arquivos Élisabeth Roudinesco) • Dora Edinger, *Bertha Pappenheim. Leben und Schriften*, Frankfurt, 1963 • George H. Pollock, "The possible significance of childhood object loss in the Josef Breuer-Bertha Pappenheim-Sigmund Freud relationship", *Journal of the American Psychoanalytical Association*, 16, 1968, 711-39 • Lucy Freeman, *L'Histoire d'Anna O.* (N. York, 1972), Paris, PUF, 1977 • Ernest Jones, *A vida e a obra de Sigmund Freud*, 3 vols. (N. York, 1953, 1955, 1957), Rio de Janeiro, Imago, 1989 • Henri F. Ellenberger, *Histoire de la découverte de l'inconscient* (N. York, Londres, 1970, Villeurbanne, 1974), Paris, Fayard, 1994; *Médecines de l'âme. Essais d'histoire de la folie et des guérisons psychiques*, Paris, Fayard, 1995 • Albrecht Hirschmüller, *Josef Breuer* (Berna, 1978), Paris, PUF, 1991 • Frank J. Sulloway, *Freud Biologist of the Mind*, N. York, Basic Books, 1979 • John Forrester, "The true story of Anna O.", *Social Research*, vol.53, 2, verão de 1986 • Peter Swales, "Anna O. in Ischl", *Werkblatt*, 5, 1988, 57-64 • Moustapha Safouan, *A transferência e o desejo do analista* (Paris, 1988) Papirus, 1991 • Mikkel Borch-Jacobsen, *Souvenirs d'Anna O. Une mystification centenaire*, Paris, Aubier, 1995.

➢ ANZIEU, MARGUERITE; BAUER, IDA; *CINCO LIÇÕES DE PSICANÁLISE*; ECKSTEIN, EMMA; LIEBEN, ANNA VON; LOUCURA; ÖHM, AURELIA; PERSONALIDADE MÚLTIPLA; SEDUÇÃO, TEORIA DA; SEXUALIDADE FEMININA; *ESTUDO AUTOBIOGRÁFICO, UM*; TRANSFERÊNCIA.

parafrenia
➢ ESQUIZOFRENIA; PARANÓIA.

paranóia
al. *Paranoia*; esp. *paranoia*; fr. *paranoïa*; ing. *paranoia*

Termo derivado do grego (para = contra, noos = espírito), que designa a loucura* no sentido da exaltação e do delírio. Na nosografia psiquiátrica alemã, o termo foi introduzido em 1842 por Johann

Christian Heinroth (1773-1843), a partir de um vocábulo cunhado em 1772, e na nosografia francesa, em 1887, por Jules Séglas (1856-1939). Com os trabalhos de Wilhelm Griesinger (1817-1868), Emil Kraepelin*, Eugen Bleuler* e, mais tarde, Gaëtan Gatian de Clérambault*, a paranóia tornou-se, ao lado da esquizofrenia* e da psicose maníaco-depressiva*, um dos três componentes modernos da psicose* em geral. Caracteriza-se por um delírio sistematizado, pela predominância da interpretação* e pela inexistência de deterioração intelectual. Nela se incluem o delírio de perseguição, a erotomania, o delírio de grandeza e o delírio de ciúme.

Foi nesse sentido que Sigmund Freud* retomou o termo, em 1911, designando a paranóia como uma defesa* contra a homossexualidade*. Depois dele, Melanie Klein* e Jacques Lacan* desenvolveram para a psicanálise* uma concepção estrutural da paranóia, uma aproximando-a da esquizofrenia (posição esquizo-paranóide*), no contexto de uma definição da relação de objeto*, o outro fazendo dela a própria essência do processo psicótico.

Essa forma de loucura, que Freud preferia comparar a um sistema filosófico em razão de seu modo de expressão lógico e de sua intelectualidade próxima do raciocínio "normal", já fora descrita na Antigüidade não apenas por Hipócrates, mas também pelos grandes autores trágicos, Ésquilo e Eurípides. No entanto, foi preciso esperar pelo século XIX e pelos trabalhos fundadores da escola alemã de psiquiatria para que o termo viesse a figurar numa classificação geral das doenças mentais. Depois de Heinroth, que introduziu o termo, Griesinger, em 1845, no contexto de uma nosografia organicista, deu a esse tipo de delírio o nome de *Verrücktheit* (perturbação do espírito). Seguindo-se a ele, Kraepelin impôs a palavra paranóia para descrever um fenômeno idêntico.

A novidade do sistema de classificação de Kraepelin decorreu de ele introduzir ordem e clareza na anarquia das nosografias anteriores. Ele distinguiu três grupos de psicoses: a paranóia, a demência precoce e a loucura maníaco-depressiva, ou psicose maníaco-depressiva (herdada da antiga melancolia*). A eles acrescentou-se um termo intermediário, a parafrenia, que designava um delírio crônico, situado entre a demência precoce e a paranóia.

Nesse quadro, Kraepelin definiu a paranóia como o "desenvolvimento insidioso, na dependência de causas internas e segundo uma evolução contínua, de um sistema delirante, duradouro e inabalável, que se instaura com uma completa preservação da clareza e da ordem no pensamento, no querer e na ação". Segundo ele, tratava-se de uma doença "constitucional" que repousava em dois mecanismos fundamentais: o delírio de referência e as ilusões de memória, ambos produtores de diferentes temas de perseguição, ciúme e grandeza. Por isso, o paranóico é um doente crônico que se toma por profeta, imperador, grande homem, inventor, reformador etc.

Inspirando-se nessa classificação, que jamais contestaria, Freud propôs uma outra abordagem do mecanismo da paranóia a partir do fim do século, notadamente num manuscrito remetido a Wilhelm Fliess* em 24 de janeiro de 1895. Contornando o problema das classificações e procurando tratar dos pacientes e sair do niilismo terapêutico que caracterizava a psiquiatria da época, ele alinhou as idéias delirantes ao lado das idéias obsessivas e deu uma definição da paranóia inspirada em sua concepção da defesa histérica: "A paranóia crônica, em sua forma clássica, é um modo patológico de defesa, como a histeria*, a neurose obsessiva* e os estados de confusão alucinatória. As pessoas tornam-se paranóicas por não conseguirem tolerar algumas coisas — desde que, naturalmente, seu psiquismo esteja predisposto a tanto." A isso Freud acrescentou um mecanismo de projeção* segundo o qual o paranóico se defende de uma "representação inconciliável com o eu*, projetando seu conteúdo no mundo externo", e uma definição das modalidades do delírio: os paranóicos "amam seu delírio como amam a si mesmos, esse é o segredo". Numa carta de dezembro de 1899, Freud distinguiu a histeria da paranóia, mostrando que a primeira é alo-erótica e se manifesta por uma identificação* com uma pessoa amada, enquanto a segunda é auto-erótica e cinde o eu em diversas pessoas estranhas.

Foi somente em 1911, no âmbito de sua grande discussão com Carl Gustav Jung* e Eugen Bleuler*, que Freud, preocupado em estender o saber psicanalítico ao campo do tratamento das doenças mentais, foi levado a fornecer da paranóia a definição canônica que serviria de referência para seus comentadores posteriores.

O debate nosográfico que teve lugar entre os três homens pôs em jogo uma violenta relação transferencial e teve como saldo uma ruptura: entre Freud e Jung, entre Jung e Bleuler e entre Freud e Bleuler. Opondo-se ao novo termo, esquizofrenia, inventado por Bleuler para substituir a antiga demência precoce krapeliniana, Freud optou pelo termo paranóia (no sentido de Kraepelin), enquanto Jung preferiu manter a antiga expressão, demência precoce. Nessa perspectiva, para Freud, tratava-se não de construir uma nova nosografia psiquiátrica, como pretendia Bleuler, mas de dar à psicose uma definição que permitisse integrá-la no quadro estrutural da doutrina psicanalítica e, portanto, defini-la em oposição à neurose, de um lado, e à perversão*, de outro. Num primeiro momento, portanto, Freud retomou o termo parafrenia, contrariando Jung, para designar a demência precoce, e depois, num segundo tempo, incluiu a esquizofrenia de Bleuler na categoria da paranóia. Por fim, num terceiro momento, aceitou a nosografia bleuleriana e renunciou simultaneamente a designar a demência precoce como parafrenia e a classificar a esquizofrenia na categoria da paranóia. Assim, deixou o campo livre para o possível desenvolvimento de uma concepção psicanalítica da esquizofrenia — o que seria feito por seus herdeiros, em especial a escola norte-americana da *Self Psychology** —, ao mesmo tempo elaborando uma doutrina da psicose baseada na noção de paranóia, o que ele concretizaria em seu célebre estudo de 1911 dedicado à análise das *Memórias* de Daniel Paul Schreber*.

Assim, na terminologia freudiana clássica, a paranóia tornou-se o modelo paradigmático da organização das psicoses em geral. Ao delírio de grandeza, de perseguição, de interpretação e ao auto-erotismo* Freud acrescentou dois grandes elementos: a paranóia passou desde então a ser definida como uma defesa contra a homossexualidade*, e o paranóico não mais foi encarado como um doente mental no sentido da nosografia psiquiátrica. A propósito de Schreber, com efeito, Freud desenvolveu a idéia originalíssima de que o conhecimento delirante que o louco tem de si mesmo talvez seja tão verdadeiro quanto o outro, racional, construído pelo clínico para explicar a loucura. Entretanto, somente este último reveste-se de um estatuto teórico.

Foi ao redigir seu estudo sobre Leonardo da Vinci que Freud elaborou uma abordagem da homossexualidade que iria servir para a análise do caso Schreber, e foi por ocasião do rompimento com Alfred Adler* e de longas conversas com Sandor Ferenczi* que lhe ocorreu a idéia de ligar o conhecimento paranóico a um investimento homossexual, e o conhecimento teórico, a uma rejeição desse investimento. Esse rompimento, de fato, reavivara nele o sofrimento experimentado quando da separação de Fliess. Daí estas duas frases, uma endereçada a Ferenczi, numa carta de outubro de 1910 — "Desde o caso Fliess (...), uma parte do investimento homossexual desapareceu e eu me servi dele para ampliar meu próprio eu. Logrei êxito onde o paranóico fracassa" —, e a outra dirigida a Jung em 1908: "Fliess desenvolveu uma bela paranóia, depois de se livrar de sua inclinação por mim. É a ele que devo essa idéia [do componente homossexual da paranóia]."

Psiquiatra por formação, Jacques Lacan abordou a paranóia e o campo das psicoses em geral de um modo totalmente diferente do de Freud. Enquanto o mestre vienense sempre procurara levar a loucura quer para o quadro das neuroses, quer para o de uma concepção da psicose que escapava ao discurso psiquiátrico, Lacan fez exatamente o contrário. Havendo abordado o freudismo pelo caminho da clínica psiquiátrica de inspiração francesa e alemã, e sendo ele mesmo um grande clínico da psicose, Lacan sempre se interessou muito mais pelo campo da loucura que pelo das patologias comuns. E, dentre as psicoses, a paranóia é que foi para ele o modelo paradigmático da loucura em geral: Lacan era fascinado pela lógica do discurso paranóico a ponto de achar que o tratamento psicanalítico devia assemelhar-se a uma paranóia dirigida. Nesse aspecto, desde a publicação de sua tese de medicina de 1932, dedicada à personalidade paranóica, ele se uniu às posições de Freud por um caminho que não foi realmente o de Kraepelin, mas, antes, o de Gaëtan Gatian de Clérambault: como Freud, ele vinculou a homossexualidade e o conhecimento paranóico. Contudo, tendo que descrever, com a história de Marguerite Anzieu*, seu caso princeps, uma loucura criminosa feminina, ele fez da erotomania um componente central da paranóia. E faria o mesmo, um ano depois, em seu artigo dedicado ao crime das irmãs Papin.

A partir de 1946, a escola kleiniana orientou-se para uma concepção da paranóia que relacionava esta última a um processo arcaico em que já não aparecia o componente homossexual descrito por Freud e Ferenczi. Nessa perspectiva, todo sujeito, em sua infância, passa forçosamente por uma fase psicótica (ou posição esquizo-paranóide*), na medida em que a psicose é definida como um estado de fixação num estádio primitivo, ou de regressão a ele. O caso Schreber foi então comentado e revisto à luz das teses kleinianas, principalmente por Ida Macalpine e Richard Hunter.

Dez anos depois, Lacan tomou um rumo diferente e, por sua vez, comentou a história de Schreber, em especial em seu seminário do ano de 1955-1956 consagrado às psicoses. Contrariamente à escola kleiniana, conservou o essencial da doutrina freudiana, acrescentando-lhe dois conceitos que ele havia cunhado — a foraclusão* e o Nome-do-Pai* — e que deram origem ao que se convencionou chamar de clínica lacaniana da paranóia e da psicose em geral.

• Wilhelm Griesinger, *Die Pathologie und Therapie der psychischen Krankheiten*, Stuttgart, A. Krable, 1845 • Emil Kraepelin, *Compendium der Psychiatrie*, Leipzig, 1883-1915 • Jules Séglas, "La Paranoïa", *Archives de Neurologie*, 1887, 221-93 • Sigmund Freud, "Notas psicanalíticas sobre um relato autobiográfico de um caso de paranóia (*Dementia paranoides*)" (1911), *ESB*, XII, 23-104; *GW*, VIII, 240-316; *SE*, XII, 1-79; in *Cinq psychanalyses*, Paris, PUF, 1954, 263-321, "Um caso de paranóia que contraria a teoria psicanalítica da doença" (1915), *ESB*, XIV, 297-310; *GW*, X, 234-46; *SE*, XIV, 261-72; *OC*, XIII, 305-17; "Psicogênese de um caso de homossexualidade numa mulher" (1920), *ESB*, XVIII, 217-38; *GW*, XII, 309-12; *SE*, XVIII, 263-5; in *Névrose, psychose et perversion*, Paris, PUF, 1973, 245-71; "Alguns mecanismos neuróticos no ciúme, na paranóia e na homossexualidade" (1922), *ESB*, XVIII, 271-87; *GW*, V, 387-99; *SE*, XVIII, 223-32; *OC*, XVI, 85-99; *La Naissance de la psychanalyse* (Londres, 1950), Paris, PUF, 1956 • *Freud/Jung: correspondência completa*, Rio de Janeiro, Imago, 1983 • Sigmund Freud e Sandor Ferenczi, *Correspondência 1908-1914*, vol.I, 2 tomos (Paris, 1992), Rio de Janeiro, Imago, 1994, 1995 • Sandor Ferenczi, "O papel da homossexualidade na patogênese da paranóia", in *Psicanálise I, Obras completas, 1908-1912* (Paris, 1968) S. Paulo, Martins Fontes, 1991, 153-72 • Eugen Bleuler, *Dementia praecox ou groupe des schizophrénies* (Leipzig, 1911), Paris, EPEL-GREC, 1993 • Gaëtan Gatian de Clérambault, *Oeuvre psychiatrique*, 2 vols., Paris, PUF, 1942; *L'Érotomanie*, Paris, Synthélabo, col. "Les empêcheurs de penser en rond", 1993 • Richard Hunter e Ida Macalpine, *Three Hundred Years of Psychiatry*, Oxford, Oxford University Press, 1963 • Jean Laplanche e Jean-Bertrand Pontalis, *Vocabulário da psicanálise* (Paris, 1967), S. Paulo, Martins Fontes, 1991, 2ª ed. • Chawki Azouri, *"J'ai réussi là où le paranoïaque échoue"*, Paris, Denoël, 1990 • Jacques Postel e Nicolle Kress-Rosen, "Paranoïa", in *Grand dictionnaire de la psychologie*, Paris, Larousse, 1991, 543-6 • Jacques Postel, *La Psychiatrie*, Paris, Larousse, 1994 • Pierre Kaufmann, "Paranóia", in id. (org.), *Dicionário enciclopédico de psicanálise: o legado de Freud e Lacan* (Paris, 1993), Rio de Janeiro, Jorge Zahar, 1996, 390-8 • Jacques Lacan, *Da psicose paranóica e suas relações com a personalidade*, Rio de Janeiro, Forense Universitária, 1987; O Seminário, livro 3, *As psicoses (1955-1956)* (Paris, 1981), Rio de Janeiro, Jorge Zahar, 1988, 2ª ed. • Élisabeth Roudinesco, *Jacques Lacan. Esboço de uma vida, história de um sistema de pensamento* (Paris, 1993), S. Paulo, Companhia das Letras, 1994 • Luiz Eduardo Prado de Oliveira, *Schreber et la paranoïa. Le meurtre de l'âme*, Paris, L'Harmattan, 1996.

➤ AUTISMO; CRIMINOLOGIA; *LEONARDO DA VINCI E UMA LEMBRANÇA DE SUA INFÂNCIA*; NARCISISMO.

parentesco
al. *Verwandtschaft*; esp. *parentesco*; fr. *parenté*; ing. *kinship*

O estudo do parentesco foi iniciado em 1861 pelo jurista inglês Henry Maine (1822-1888), e a expressão "sistema de parentesco" foi introduzida em 1871, pelo antropólogo norte-americano Lewis Henry Morgan (1818-1881), para designar um conjunto estruturado de atitudes fixadas pelas normas sociais e observadas pelos indivíduos aparentados por sangue ou por casamento. Os trabalhos antropológicos sobre os sistemas de parentesco baseiam-se no quádruplo estudo da aliança (o casamento), dos laços de filiação*, da genealogia e das gerações*. Conforme a orientação adotada (evolucionismo, funcionalismo, estruturalismo etc.), cada escola privilegia um elemento em relação a outro.

Foi Jacques Lacan*, marcado pelos trabalhos de Claude Lévi-Strauss, quem introduziu na psicanálise* uma reflexão sobre os sistemas de parentesco, substituindo as interrogações do freudismo* e do kleinismo* sobre os respectivos lugares do pai e da mãe no complexo de Édipo* por uma teorização da função paterna no inconsciente* do sujeito*.

➤ ANTROPOLOGIA; INCESTO; MALINOWSKI, BRONISLAW; *MOISÉS E O MONOTEÍSMO*; NOME-DO-PAI; PATRIARCADO; SEXUALIDADE FEMININA; SIGNIFICANTE; *TOTEM E TABU*.

passagem ao ato
➤ *ACTING OUT*.

passe
al. *Passe/Übergang*; esp. *pase*; fr. *passe*; ing. *pass*

Termo empregado em 1967 por Jacques Lacan* para designar um processo de travessia que consiste em o analisando (passante) expor a analistas (passadores), que prestarão contas disso a um júri dito de credenciamento, aqueles dentre os elementos de sua história que sua análise o levou a considerar como suscetíveis de dar conta de seu desejo de se tornar analista.

Na linguagem corrente, o termo passe comporta diversas acepções. Em especial, pode designar o ato de passar ou avançar, ou então, o lugar ou o momento precisos de uma passagem.

Desde o início dos anos cinqüenta, Lacan contestou os padrões de acesso à análise didática* enunciados por Max Eitingon* em 1925, no congresso da International Psychoanalytical Association* (IPA) de Bad-Homburg.

Em 1964, ao fundar a École Freudienne de Paris* (EFP), Lacan aboliu a clássica distinção entre análise pessoal (ou terapêutica) e análise didática, instituindo um regulamento que não obrigava os candidatos a escolherem seus didatas numa lista de titulares estabelecida de antemão, como é a norma na quase totalidade das sociedades psicanalíticas da IPA.

Essa abolição visou restituir uma significação real ao desejo* de cada sujeito* de se tornar analista. Em vez de se conformar com um curso preestabelecido, portanto, este ficou livre para escolher um analista a seu critério, fosse entre os membros da EFP, fosse noutros grupos. Poderia então ser aceito nas fileiras da EFP, de acordo com o processo de admissão definido pelos estatutos, mas sem ser obrigado a refazer uma "etapa" de análise com um didata recomendado pela instituição.

Com essa transformação, Lacan sublinhou que a análise pessoal podia ou não revelar-se didática a posteriori*. Ninguém pode decidir "de antemão" sobre a validade didática de uma psicanálise. Trata-se, pois, de restituir pertinência a duas perguntas formuladas por Sigmund Freud* desde a origem do movimento: por que alguém se torna psicanalista? Como acontece isso?

Foi em 9 de outubro de 1967, após uma crise na EFP, que Lacan decidiu conferir um caráter institucional a essa noção de passagem. Por isso, proferiu um discurso memorável, no qual propôs "fundamentar, numa condição suficientemente duradouro para ser submetido à experiência, as garantias com que nossa Escola poderá autorizar por sua formação um psicanalista — e, portanto, responder por ele".

O passe foi então definido como um rito de passagem, que permitia a um simples membro (ME) que houvesse feito uma análise ter acesso ao título de analista da escola (AE), até então reservado aos que tinham sido oficialmente "titulados" quando da fundação da EFP. O processo era assim: o candidato ao passe (chamado passante) tinha de fazer um depoimento sobre o que fora sua análise perante dois analistas (chamados passadores), estes encarregados de transmitir o conteúdo desse testemunho ao júri de credenciamento. Esse júri era composto por membros eleitos pela assembléia geral da EFP e que já houvessem recebido o título de AE. A "proposição de outubro" distinguiu a noção de *gradus* da noção de hierarquia e inscreveu o término da análise numa dialética do "des-ser" e da "destituição subjetiva". Lacan denominou de "queda do sujeito suposto saber" a situação de fim de análise pela qual o analista fica na posição de "resto" ou de objeto (pequeno) a*, depois de ter sido investido, ao longo de toda a análise, de uma onipotência imaginária ou "suposto saber".

Lacan propôs então uma fórmula que só apareceria na segunda versão de sua proposta — a única a ser publicada (em 1968): "O psicanalista só se autoriza por si mesmo." Com essa proposição, que faria correr muita tinta, frisava que a passagem para o ser-analista decorre de uma prova subjetiva ligada à transferência, a qual, do lado do analisando, leva a uma "destituição subjetiva", e, do lado do analista, leva a um "des-ser". Essa prova assemelha-se, de certo modo, ao que Georges Bataille (1897-1962) chamava de experiência dos limites.

Longe de ficar reduzida a uma sanção institucional, a idéia de término da análise, que era tão cara a Freud, retransformou-se, portanto, num objeto teórico que precisava ser trabalhado. Em vez da sacrossanta liquidação da transferência*, a qual, segundo as regras clássicas, supõe-se que marque a conclusão de uma análise bem-sucedida, Lacan descreveu um processo mais sutil: o de uma dupla prova subjetiva (analisando/analista), na qual aparece um estado de perda, de castração ou até mesmo de depressão melancólica.

E, se ele preservou a denominação "psicanálise didática", foi para lhe dar uma nova significação, baseada numa inversão: a ordem institucional, que ele (Lacan) chamava de "psicanálise em *extensão*", devia, com efeito, ser submetida ao primado da teoria, isto é, à "psicanálise em *intensão*", única maneira de evitar a esclerose burocrática que costuma ser induzida pela hierarquia tradicional entre professores e alunos.

O processo almeja, aliás, eliminar qualquer idéia de hierarquia entre o título de AME e o de AE, podendo o AME ser um excelente clínico, sem que se haja interrogado sobre a famosa passagem, ao passo que se presume que um ME sem a mínima experiência terapêutica pode revelar-se capaz, no passe, de fazer uma contribuição teórica sobre a questão da análise didática.

A proposição de Lacan foi amplamente discutida na EFP. Sedutora para alguns, incompreensível para outros, suscitou a hostilidade de vários membros da escola, eleitos ou nomeados segundo o antigo processo. Esses deram rapidamente a conhecer sua opinião sobre os riscos da permissividade e os perigos de um processo que permitisse a qualquer analisando ser postulante ao título de AE.

Em 6 de dezembro de 1967, Lacan respondeu às críticas, mas anunciou sua decisão de deixar que a discussão prosseguisse. Não queria impor esse procedimento à força. Mas, com os acontecimentos de maio de 1968, resolveu submetê-lo à votação numa assembléia geral, convencido que estava de colher a maioria dos votos: com efeito, a moção foi acolhida com entusiasmo pela quarta e quinta gerações* psicanalíticas francesas, que acabavam de participar da revolta estudantil e, como nas outras sociedades da IPA, desejavam transformar de ponta a ponta as formações habituais.

A instauração do passe na EFP provocou a partida de três grandes discípulos de Lacan: François Perrier*, Piera Aulagnier* e Jean-Paul Valabrega. Juntos, eles fundaram a Organisation Psychanalytique de Langue Française (OPLF) ou Quarto Grupo. Também em desacordo com o passe, Guy Rosolato havia-se aliado às fileiras da Association Psychanalytique de France (APF) algum tempo antes.

Em pouco tempo, as falhas dessa proposição, suas aproximações e suas ambigüidades tornaram sua aplicação aleatória e irregular. Atacada de gigantismo, a EFP não conseguiu impedir o desenvolvimento da esclerose que o passe supostamente combateria.

Em 1973, durante as assembléias da EFP, procedeu-se a uma primeira avaliação. Sem mascarar seu desencanto, Lacan sublinhou que pelo menos se havia "passado alguma coisa". No que tinha razão. Foi dentro desse espírito que ele endereçou sua "nota italiana" a três de seus discípulos, Muriel Drazien, Giacomo Contri e Armando Verdiglione. Sugeriu que se pudesse constituir um grupo unicamente composto por analistas que tivessem feito o passe e sido nomeados AE depois desse processo. Sem dúvida alguma, estava sonhando com uma sociedade ideal, parecida, talvez, com a famosa Sociedade Psicológica das Quartas-Feiras*: uma academia de eleitos. Como quer que fosse, como sublinharia Marie-Magdeleine Chatel, Lacan desejava que esse novo modelo de grupo não ficasse imerso nos ritos institucionais clássicos.

Em 1978, quando das novas assembléias da EFP, o fracasso do passe foi constatado pelo próprio Lacan, que o comparou a um "impasse" e deplorou que a massificação do lacanismo tivesse criado obstáculos à realização dessa bela utopia: "Que pode haver na cachola de alguém para que ele se autorize a ser analista? Eu quis ter depoimentos, e naturalmente não tive nenhum (...) é claro que esse passe é um completo fracasso." Quanto às causas do malogro, elas nunca seriam objeto de uma reflexão teórica. Os diversos grupos provenientes da dissolução da EFP contentaram-se ou em retomar o procedimento do passe, ou em renunciar a ele, sem que essas atitudes dessem margem a qualquer texto de peso.

• Jacques Lacan, "Situação da psicanálise e formação do psicanalista em 1956" (1956), in Escritos (Paris, 1966), Rio de Janeiro, Jorge Zahar, 1998, 461-97; "Acte de fondation" (1964), Annuaire de l'École Freudienne de Paris, 1965; "Proposition du 9 octobre 1967 sur le psychanalyste de l'École", Scilicet, 1968, 1, 14-30. Versão inicial publicada em Analytica, 8, suplemento a Ornicar?, 15, 1978; "Discours à l'EFP", Scilicet, 2-3, 1970, 9-29; "L'Expérience de la passe", Lettres de l'École Freudienne, 23, 1978; "Sur l'expérience de la passe" (1978), Ornicar?, 25, 1982; "Note italienne" (1973), Ornicar?, 25, 1982, 7-10 • Marie-Magdeleine Chatel, "Passe", in Pierre Kaufmann (org.), Dicionário enciclopédico de psicanálise: o legado de Freud e Lacan (Paris, 1993), Rio de Janeiro, Jorge Zahar, 1996, 398-413 • Jacques-Alain Miller, "Introduction aux paradoxes de la passe", Ornicar?, 12-13, 1977 • Élisabeth Roudinesco, História da psicanálise na França, vol.2 (Paris, 1986), Rio de Janeiro, Jorge Zahar, 1988; Jacques Lacan. Esboço de uma vida, história de um sistema de pensamento (Paris, 1993), S. Paulo, Companhia das Letras, 1994 • Moustapha Safouan, Jacques Lacan et la question de la formation des analystes, Paris, Seuil, 1983.

➢ FRANÇA; HISTÓRIA DA PSICANÁLISE.

patriarcado

al. Patriarchat; esp. patriarcado; fr. patriarcat; ing. patriarchy

O patriarcado é um sistema político-jurídico em que a autoridade e os direitos sobre os bens e as pessoas obedecem a uma regra de filiação* chamada patrilinear, isto é, concentram-se nas mãos do homem que ocupa a posição de pai fundador, sobretudo nas sociedades ocidentais. Entretanto, o sistema patriarcal raramente se apresenta com toda essa pureza, na medida em que coexiste, em numerosas sociedades, com uma filiação matrilinear, que decide sobre a pertença do indivíduo referindo-se a laços genealógicos que passam pelas mulheres.

O debate sobre a oposição entre o patriarcado e o matriarcado foi contemporâneo das hipóteses evolucionistas do século XIX, desde Henry Lewis Morgan (1818-1881) até Friedrich Engels (1820-1895), passando por Johann Jakob Bachofen (1815-1887). Teóricos e juristas julgavam que o patriarcado era uma forma tardia de organização social que sucedera a um estádio mais primitivo, ou matriarcado. Engels via no advento do patriarcado a grande derrota do sexo feminino, enquanto Bachofen, cujo pensamento influenciou intensamente os escritores vienenses do fim do século, acossados pela decadência do pai, profetizava o declínio irreversível do patriarcado, símbolo da consciência ocidental, e estigmatizava os perigos de um matriarcado que encarnasse a onipotência irracional das forças da natureza.

Nenhuma sociedade teve realmente a experiência do matriarcado assim definido. No entanto, essa tese permaneceu como um dos mitos fundadores dos sistemas de pensamento modernos: ora o reino do matriarcado é apresentado como fonte de caos, anarquia e desordem, e se opõe ao do patriarcado, sinônimo de razão e cultura, ora se dá o inverso, e o reino do matriarcado é descrito como um paraíso natural que o patriarcado teria destruído através de seu despotismo autoritário.

Como as do culturalismo* e da diferença sexual*, essa questão atravessa toda a história da psicanálise*. Em Sigmund Freud*, entretanto, coloca-se menos em termos de oposição histórica ou mítica do patriarcado ao matriarcado do que como uma reflexão estrutural em torno do complexo de Édipo*.

Nas diferentes escolas, as atitudes variam com respeito à estrutura edipiana conforme se privilegiem as respectivas posições do pai e da mãe dentro da configuração parental. Se o freudismo* clássico tende a privilegiar o papel do pai, o kleinismo*, ao contrário, faz toda a teoria edipiana pender para o lado do pólo materno, através de uma nova concepção da relação de objeto*. Quanto a Jacques Lacan*, ele integra as duas tendências: relações arcaicas com a mãe, por um lado, e revalorização simbólica da função paterna, por outro. Desde 1938, em *Os complexos familiares*, ele observa que a psicanálise nasceu do declínio da função paterna na sociedade ocidental. Essa tese, aliás, era compartilhada pelos filósofos da Escola de Frankfurt, como atesta uma brilhante carta de Max Horkheimer (1895-1973) endereçada, em 1942, a Leo Lowenthal: "Foi justamente a decadência da vida familiar burguesa que permitiu à sua teoria chegar ao novo estádio que aparece em *Mais-além do princípio de prazer** e nos textos que vieram depois."

A partir de 1949, marcado pelos trabalhos de Claude Lévi-Strauss, Lacan introduziu na psicanálise uma teoria do significante* que deslocou o estudo da configuração edipiana para o campo da reflexão sobre o lugar dos sistemas de parentesco* no inconsciente do sujeito*.

• Johann Jakob Bachofen, *Le Droit maternel. Recherche sur la gynécocratie de l'Antiquité dans sa nature religieuse et juridique* (1861), Lausanne, L'Âge d'Homme, 1996 • Friedrich Engels, *L'Origine de la famille, de la propriété privée et de l'État* (1884), Paris, Éditions Sociales, 1983 • Jacques Lacan, *Os complexos familiares na formação do indivíduo* (Paris, 1984), Rio de Janeiro, Jorge Zahar, 1987 • Martin Jay, *L'Imagination dialectique. Histoire d l'École de Francfort, 1923-1950* (Boston, 1973), Paris, Payot, 1977.

➢ ANTROPOLOGIA; COMPLEXO; FREUD, JACOB; IMAGO; INCESTO; ÍNDIA; JAPÃO; JUDEIDADE; MALINOWSKI, BRONISLAW; *MOISÉS E O MONOTEÍSMO*; NOME-DO-PAI; SEXUALIDADE FEMININA; *TOTEM E TABU*; WEININGER, OTTO.

pavlovismo
➢ COMUNISMO; FREUDO-MARXISMO; RÚSSIA.

pedofilia
➢ HOMOSSEXUALIDADE; PERVERSÃO; SEXOLOGIA; *TRÊS ENSAIOS SOBRE A TEORIA DA SEXUALIDADE*.

pedologia
Esse termo foi cunhado na Rússia*, depois da Revolução de outubro, para designar uma "ciência da infância" que almejava criar um "novo homem" soviético. Seus principais representantes foram pedagogos e psicólogos como Pavel Petrovitch Blonski (1884-1941) e Stanislas Theophilovitch Chatski (1878-1948), ou ainda Aron Borissovitch Zalkind*. Depois de ter sido o emblema de uma utopia revolucio-

nária e servido de filtro para a implantação de freudismo* e sua avaliação, no decorrer das discussões dos anos de 1924-1930 entre anti-freudianos e freudo-marxistas, a pedologia foi condenada como um desvio por decisão do comitê central do Partido Comunista da União Soviética em 4 de julho de 1936.

➤ COMUNISMO; PFISTER, OSKAR; PSICANÁLISE DE CRIANÇAS; SCHMIDT, VERA.

Pellegrino, Hélio (1924-1988)
psiquiatra e psicanalista brasileiro

Nascido em Belo Horizonte e filho de médico, Hélio Pellegrino pertencia à quarta geração* do freudismo* mundial e foi uma das grandes figuras da psicanálise* no Brasil*. Profundamente cristão, interessou-se pelo destino dos pobres e dos oprimidos, militou contra a ditadura e empenhou-se em um combate de esquerda para promover os valores de uma psicanálise social, humanista e libertária. Foi simultaneamente clínico, poeta e homem de cultura, próximo de muitos escritores, principalmente de Mário de Andrade (1893-1945), com quem se correspondia. Casado pela primeira vez na Igreja*, teve sete filhos, dos quais dois se tornariam psicanalistas.

Em 1952, depois de estudar medicina e psiquiatria, instalou-se no Rio de Janeiro e fez a sua primeira análise com Iracy Doyle*, no Instituto de Medicina Psicológica. Depois da morte de Doyle, prosseguiu sua formação com Ana Katrin Kemper*. Em 1956, tornou-se membro da Sociedade Psicanalítica do Rio de Janeiro (SPRJ). Permaneceu nela até sua morte, sem ser reconhecido oficialmente como didata e tornou-se também membro titular, em 1978, da Sociedade de Psicoterapia Analítica de Grupo do Rio de Janeiro. Esse grupo reunia vários dissidentes da SPRJ.

Em 1968, quatro anos depois da instauração do poder militar, começou a insurgir-se contra o regime, situando a psicanálise do lado da luta pela liberdade. Um ano depois, denunciou abertamente a ditadura em artigos publicados no *Correio da Manhã*. Essa atitude corajosa lhe valeu uma prisão de dois meses e um processo por violação da lei dita de "segurança nacional". O testemunho do grande dramaturgo Nel-son Rodrigues (1912-1980) e sua filiação à fé católica permitiram a Pellegrino escapar por pouco da condenação. Isso não o impediu de prosseguir suas atividades militantes e foi assim que, em 1971, criou, com Ana Katrin Kemper, a famosa Clínica Social de Psicanálise, destinada a oferecer tratamento analítico aos mais carentes. Na mesma perspectiva política, fundou em 1979, com outros militantes, o Partido dos Trabalhadores, que se tornaria um dos componentes maiores da esquerda brasileira.

Sempre preocupado em reagir contra a esclerose das instituições, decidiu, com dois de seus colegas, Eduardo Mascarenhas (1942-1997) e Wilson de Lyra Chebabi, criticar firmemente os princípios da análise didática* próprios da IPA, o preço exorbitante dos tratamentos, a discriminação política de que eram vítimas os membros e a ignorância generalizada quanto à leitura das obras de Sigmund Freud*. Todas essas críticas foram resumidas em um artigo de grande repercussão, escrito por Roberto Mello e publicado a 23 de setembro de 1980 no *Jornal do Brasil*, sob o título "Os barões da psicanálise".

Sem citar o nome da SPRJ, os três protagonistas denunciavam, em entrevistas que acompanhavam o artigo, o estado desastroso de sua instituição. A resposta não se fez esperar. Um mês depois, Pellegrino e Mascarenhas foram excluídos da SPRJ, por terem formulado suas críticas no exterior da associação. Na verdade, eram acusados de falarem de "coisas proibidas" (a ditadura) e de pôr em perigo um ensino acadêmico, fundado na rotina e no clientelismo.

De fato, Pellegrino tomara partido em um caso que devastava a SPRJ desde 1971: a aceitação, por Leão Cabernite, nas fileiras dos alunos da sociedade, de Amílcar Lobo Moreira da Silva (1939-1997), oficial de polícia e torturador a serviço da ditadura. "É claro", escreveu Pellegrino em uma carta de março de 1981, "que o nome da SPRJ foi denegrido e maculado [...]."

O caso foi levado aos tribunais, e depois de um processo os excluídos foram reintegrados à SPRJ. Quanto a Cabernite, este replicou em um artigo de outubro de 1986 que Pellegrino queria desacreditá-lo por "razões pessoais" e que o "caso" Lobo servia de pretexto para um ataque generalizado à psicanálise pelos seus inimigos.

O engajamento de Pellegrino marcou profundamente a jovem geração brasileira, principalmente Joel Birman e Jurandir Freire Costa.

Embora tivesse redigido mais de 500 artigos, Pellegrino publicou durante a vida apenas uma coletânea de suas melhores crônicas publicadas na imprensa. Duas outras obras foram editadas a título póstumo.

No plano teórico, Pellegrino afastou-se do freudismo clássico, misturando uma perspectiva kleiniana sobre a prioridade das relações pré-edipianas a uma análise política fundada na necessidade de um pacto social libertador. Assim, via no período anterior ao Édipo* uma espécie de estado selvagem, dominado pelo reino das pulsões* anárquicas, psicóticas ou perversas, comparável ao da ditadura e da barbárie. Segundo ele, esse estado devia ser substituído por um pacto social edipiano, necessário ao desenvolvimento da cultura e da democracia.

De acordo com essa posição, Pellegrino propunha uma inovação próxima da de Sandor Ferenczi*. Chamava de "técnica da intimidade" (intimização) uma técnica psicanalítica* que permitia ao terapeuta e ao paciente abordarem o recalque* através de uma relação afetiva situada aquém da comunicação verbal. Daí uma concepção da linguagem na qual a língua seria a garantia simbólica de uma ordem social, enquanto a fala seria o domínio próprio da invenção subjetiva.

Hélio Pellegrino morreu de ataque cardíaco.

• Hélio Pellegrino, *Crise na psicanálise*, Rio de Janeiro, Graal, 1982; *A burrice do demônio*, Rio de Janeiro, Rocco, 1988; *Minérios domados*, Rio de Janeiro, Rocco, 1993 • Roberto Mello, "Os barões da psicanálise", *Jornal do Brasil*, 23 de setembro de 1980 • Helena Besserman Vianna, *Não conte a ninguém...*, Rio de Janeiro, Imago, 1994.

➢ BRASIL, KEMPER, WERNER; KLEINISMO.

pênis

➢ FALO; FALOCENTRISMO; SEXUALIDADE FEMININA.

pênis, inveja do (*Penisneid*)

➢ FALO; FALOCENTRISMO; INVEJA; SEXUALIDADE FEMININA.

Pequeno Hans

➢ GRAF, HERBERT.

Peraldi, François (1938-1993)
psicanalista francês

Não foi na França*, mas no Canadá*, e principalmente em Montreal, que François Peraldi marcou a história do lacanismo*. De origem corsa, começou a estudar medicina em Paris, mas logo se orientou para a psicanálise*, fazendo um tratamento com objetivo didático com Simone Decobert, na Sociedade Psicanalítica de Paris (SPP). Intelectual brilhante, Peraldi pertencia à quarta geração* psicanalítica francesa, para a qual o engajamento no freudismo* era fundado na paixão intelectual, na crítica radical da ordem estabelecida e na contestação violenta das instituições psiquiátricas e psicanalíticas.

Esse engajamento só podia resultar na ruptura ou no exílio. Aluno de Roland Barthes (1915-1980), leitor de Louis Althusser (1918-1990), de Michel Foucault (1926-1984) e de Gilles Deleuze (1925-1995), não conseguiu encontrar seu lugar no universo estreito da SPP. Homossexual, não tinha nenhuma possibilidade de tornar-se psicanalista. Depois de ser categoricamente recusado, voltou-se para a École Freudienne de Paris* (EFP), mais liberal em relação à homossexualidade*. Ali, continuou sua formação didática por uma supervisão* com Serge Leclaire* e fez uma sólida amizade com Michèle Montrelay, Françoise Dolto* e Luce Irigaray. Em 1969, começou a praticar a psicanálise, depois de uma experiência de psicoterapia institucional* com crianças psicóticas, na região do Jura.

Sensível a todas as formas de exílio e de cosmopolitismo, apaixonado por cinema, jazz e cultura americana, logo se sentiu mal na atmosfera do lacanismo parisiense dos anos 1970, quando o ensino do mestre se inclinava para o dogmatismo e para o culto da personalidade. Principalmente, os seus costumes e seu modo de vida chocavam o conformismo burguês. Sabia-se que era apaixonado por sadomasoquismo* e causava espanto a presença de um píton em seu apartamento em Paris.

Da mesma forma que os pioneiros do freudismo, como Ernest Jones* no início do século, Peraldi sonhava conquistar a América, para implantar ali a grande renovação do freudismo promovida por Jacques Lacan*.

Depois de pensar em ensinar literatura na Universidade Harvard e de fazer contatos com intelectuais americanos, principalmente William Richardson e John Muller, futuros fundadores em Boston do Lacanian Forum, deixou a França em 1974 para tentar inventar "outra cena" para a psicanálise. No ano seguinte, em Montreal, abriu um seminário de iniciação ao pensamento lacaniano, no departamento de lingüística e tradução da universidade.

Seu talento de orador lhe permitiu exercer um verdadeiro magistério com os jovens estudantes de língua francesa e inglesa. Não só Peraldi foi um notável professor, mas também se revelou um surpreendente clínico, capaz de formar discípulos sem nunca ceder à idolatria tão característica dos pequenos grupos pós-lacanianos. Ao longo dos anos, desempenhou um papel maior tanto na universidade, onde orientava teses, quanto no hospital ou em sua clínica particular, e encontrou assim seu lugar na "margem" psicanalítica de Quebec, entre todos aqueles (psicólogos anônimos ou estudantes sem orientação), que não conseguiam integrar-se à Sociedade Canadense de Psicanálise (SCP).

Mestre dotado de virtudes socráticas, Peraldi não quis fundar, todavia, nem uma instituição nem um sistema de pensamento. À tirania do chefe, opunha um gosto nietzschiano pela fraternidade intelectual, como se pode ver na maioria de seus artigos. Em seus escritos, e às vezes em duas línguas, falava da morte, das proibições, do sofrimento coletivo do povo do Quebec, do crime, do sexo e das minorias, à maneira dos heróis dos romances de John Steinbeck (1902-1968).

Longe de fazer escola, contentou-se em animar um grupo, fundando em 1986 a Rede dos Cartéis, amplamente aberta a psicanalistas de diversos horizontes, e em participar da criação de três novas revistas: *Frayages, Trans, Filigrane*. Quanto à sua homossexualidade, esta não o prejudicou de modo algum em sua prática da psicanálise. Peraldi não foi nem um militante do movimento *gay*, exibindo comportamentos extravagantes, nem um homossexual envergonhado, preocupado em normalizar-se. Assim, evitou criar qualquer coisa que se assemelhasse a um círculo de jovens iniciados e tratava de todos, não apenas de homossexuais. Nesse ponto, foi um clínico de um gênero novo. Capaz, ao mesmo tempo, de não se envergonhar de sua diferença e de experimentar o extremo em matéria sexual, nunca transgrediu as regras da ética analítica, o que lhe garantiu uma ótima reputação nessa cidade, obcecada por abusos sexuais de todos os tipos: "Quando os boatos afirmam que sou homossexual, e você sabe que eles não se privam disso", explicou ele a Jean Forest em 1988, "eles não dizem nada quanto à minha sexualidade*, pois justamente aqueles de quem vêm esses boatos e aqueles e aquelas que os transmitem ignoram tudo sobre a minha vida particular, que sempre separei radicalmente da minha vida pública e profissional; em contrapartida, eles são uma tentativa de controlar aquilo que o meu discurso 'a-doxal' ou paradoxal pode ter de ameaçador, precisamente quando ataco a *doxa*, a fala especular e alienante dos aparelhos de poder."

François Peraldi morreu de AIDS aos 55 anos. Quando descobriu a doença, tornou-se colérico, violento, não aceitando a morte. Continuou a trabalhar até o último suspiro, redigindo a crônica de sua genealogia familiar. Desejava transmitir a seus sobrinhos e amigos fragmentos da sua história imersa no século. "François sabia receber como um príncipe, escreveu Régine Robin. Nós nos encontrávamos pelos quatro cantos do planeta [...]. Ele gostava de falar sobre suas leituras, nunca sobre seus pacientes. Ele os respeitava. Era uma zona proibida. Ninguém se aventurava nela."

• François Peraldi, "La Castration sadique-anale de votre père", *Interprétation*, 21, 1978, 87-100; "Polysexuality", in id. (org.), *Semiotext (e)*, vol.4, 10, 1981; "La Psychanalyse se meurt. La Psychanalyse est morte. Vive la GRC psychiatrique", *Santé Mentale au Québec*, vol.VI, 2, novembro de 1981, 106-17; "Voyage dans l'entre-deux-morts", *Frayages, La Psychanalyse est-elle mortelle?*, Montréal, 1984, 17-39; "L'Exil accompli", *Frayages, Exil*, Montreal, 1985, 173-85; "La Marge psychanalytique", *Frayages, La Naissance de la psychanalyse à Montréal*, Montreal, 1987, 127-41; "1760 ou Dolto en terre d'exil", in *Quelques pas sur le chemin de Françoise Dolto*, Paris, Seuil, 1988, 142-62; "Le Désir de la Chose. Lettres à Jean Forest", *Moebius*, 38, Montreal, 1988, 7-27; "Mais comment peut-on être lacanien?", in Gilles Dupuis, Mona Gauthier Cano, Robert Richard (orgs.), *L'Instant freudien. Psychanalyse et culture*, Montreal, VLB, 1989, 37-54; "Franco et sa mort", *Trois*, vol.6, 3-4, 1991, 212-6; • "Transmission, filiation et institution psychanalytique. Rencontre avec François Peraldi", por Marie Hazan, *Filigrane*, 3, 1994, 135-61 • Chantal Saint-Jarre, "Rompre l'interminable silence", *Discours social*, 6, 3-4, 1994, 155-68 • Entrevistas com Hervé Bouchereau, Régine Robin, Jacques Mauger, Claude Bossé, Patrick Mahony, Daniel Puskas, Jean-Paul Allaire, 21-22 de maio de 1996.

➤ ANTIPSIQUIATRIA; BIGRAS, JULIEN; CHENTRIER, THÉODORE; CLARKE, CHARLES KIRK; ESTADOS UNIDOS; GLASSCO, GERALD STINSON; MASOTTA, OSCAR; MEYERS, DONALD CAMPBELL; PRADOS, MIGUEL; SLIGHT, DAVID.

perlaboração
➤ ELABORAÇÃO.

Perrier, François (1922-1990)
psiquiatra e psicanalista francês

Analisado primeiramente por Maurice Bouvet* e depois por Jacques Lacan*, François Perrier se tornou, com Serge Leclaire*, Wladimir Granoff, Jean-Bertrand Pontalis e alguns outros, um dos mais brilhantes representantes da terceira geração psicanalítica francesa. Em Amsterdam, em 1960, por ocasião de um congresso organizado pela Sociedade Francesa de Psicanálise (SFP), apresentou, com Granoff, um relatório sobre a sexualidade feminina*, inspirado em teses de Lacan. Depois da segunda cisão* da história do movimento francês, acompanhou Lacan na fundação da École Freudienne de Paris* (EFP), mas deixou-a em 1969, em razão de um desacordo sobre o passe*, para criar, com Piera Aulagnier* e Jean-Paul Valabrega, a Organização Psicanalítica de Língua Francesa (OPLF), também chamada Quarto Grupo.

• François Perrier, *La Chaussée d'Antin* (1978), Paris, Albin Michel, 1994 • François Perrier com Wladimir Granoff, *Le Désir et le féminin* (1979), Paris, Aubier, 1991 • Élisabeth Roudinesco, *História da psicanálise*

na França, vol.2 (Paris, 1986), Rio de Janeiro, Jorge Zahar, 1988.

➤ FRANÇA; GOZO.

Perrotti, Nicola (1897-1970)
médico e psicanalista italiano

Nicola Perrotti foi o único aluno de Edoardo Weiss* que não era judeu e o único que estudou medicina. Inicialmente médico, voltou-se depois para a psicanálise*, que exerceu inspirando-se nos curandeiros que se encontravam em sua região natal, os Abruzos, a nordeste de Roma.

Atraído pela filosofia da história e pelas questões sociais, interveio muito cedo na luta contra o fascismo, publicando já em 1925, na revista marxista *Critica Sociale*, artigos sobre a psicologia das massas, na linhagem dos trabalhos de Sigmund Freud*.

Percebendo imediatamente os limites da trajetória de Marco Levi-Bianchini*, e também os do pensamento de Pierre Janet*, Perrotti colaborou na revista romana *Il Saggiatore*, na qual encontrou jovens intelectuais em luta contra a filosofia idealista. Com eles, reuniu-se a Weiss, para lançar as bases da nova Società Psicoanalitica Italiana (SPI).

Sob a influência de Weiss, Perrotti deu um lugar mais importante à psicanálise em sua reflexão social e política, tendo como objetivo ajudar a consciência humana em crise a escapar ao domínio do discurso idealista, que considerava como um obstáculo à consideração da sexualidade*.

Combatente antifascista durante a guerra, Perrotti participou em 1943 da reorganização do Partido Socialista Italiano, do qual seria um dos dirigentes no momento da Libertação. Eleito deputado em 1948, foi nomeado alto comissário para a higiene, em 1950. Paralelamente, contribuiu para o renascimento da psicanálise na Itália* libertada e tornou-se presidente da SPI de 1946 a 1951, data em que seu amigo e colega de partido Cesare Musatti* lhe sucedeu nesse posto. Em 1948, quando a revista de Joachim Flescher, *Psicanalisi*, deixou de ser publicada, fundou a revista *Psiche*, que, durante algum tempo, teria relações com sua homônima francesa, dirigida por Maryse Choisy (1903-

1979), mas que logo manifestaria a sua sensibilidade de esquerda, desenvolvendo temas caros a Perrotti, como uma psicanálise aplicada* voltada para a vida social e artística, principalmente para a música e o cinema.

• Contardo Calligaris, "Petite histoire de la psychanalyse en Italie", *Critique*, 333, fevereiro de 1975, 175-95 • Michel David, *La psicoanalisi nella cultura italiana* (1966), Turim, Bollati Boringhieri, 1990; "La Psychanalyse en Italie", in Roland Jaccard (org.), *Histoire de la psychanalyse*, vol.2, Paris, Hachette, 1982 • Arnaldo Novelletto, "Italy", in Peter Kutter (org.), *Psychoanalysis International. Guide to Psychoanalysis throughout the World*, Stuttgart, Frommann-Holzboog, 1992 • Silvia Vegetti Finzi, *Storia della psicoanalisi*, Milão, Mondadori, 1986.

➤ IGREJA.

personalidade múltipla

al. *umgtauschte Persönlichkeit*; esp. *personalidad multiple*; fr. *personnalité multiple*; ing. *multiple personality (disorder)*

Distúrbio da identidade que se traduz pela coexistência, num sujeito, de duas ou várias personalidades separadas entre si, cada uma das quais pode assumir, alternadamente, o controle do conjunto dos modos de ser do indivíduo em questão, a ponto de fazê-lo levar vidas duplas.

A noção de personalidade múltipla teve sua origem no magnetismo e provém de uma concepção do inconsciente* anterior à doutrina freudiana. Está ligada aos fenômenos de sonambulismo, espiritismo* e automatismo mental*, do modo como estes apareciam, em meados e no fim do século XIX, na história da primeira psiquiatria dinâmica*. O primeiro caso foi descrito em 1815 pelo médico norte-americano John Kearsley Mitchell, que narrou a história de Mary Reynolds, uma jovem de 19 anos, afetada por uma completa dissociação* da personalidade. Ela levou duas vidas diferentes até os 35 anos de idade e, em seguida, viveu em seu estado secundário até a morte, sem nunca mais sair dele. Em seu primeiro estado, ela era calma e predominantemente depressiva, ao passo que, no segundo, mostrava-se maníaca, criativa e transbordante de atividade e imaginação.

Na França*, o termo foi empregado em 1840 pelo Dr. Despine, um clínico geral de Aix-en-Provence, que descreveu de maneira quase idêntica o caso de Estella, uma moça afetada por diferentes sintomas histéricos. Depois dele, os representantes da escola francesa de psicologia, Pierre Janet*, Théodule Ribot (1839-1916) e Alfred Binet (1857-1911), deram um destaque especial a essa noção, fosse descrevendo casos de mulheres videntes, místicas ou espíritas, fosse classificando os diferentes tipos de alteração da personalidade. Com a segunda psiquiatria dinâmica e a maciça entrada em cena do hipnotismo, que levaram à reformulação freudiana e a uma nova descrição da histeria*, a noção de personalidade múltipla caiu em desuso (por volta de 1910) e foi substituída por conceitos provenientes da nosografia bleuleriana ou da psicanálise: dissociação, clivagem*, despersonalização. Foi Théodore Flournoy*, em 1900, com a história da espírita Catherine-Élise Müller (1861-1929), quem forneceu uma das melhores descrições da vida dupla.

• Théodule Ribot, *Les Maladies de la personnalité*, Paris, Alcan, 1888 • Pierre Janet, *L'Automatisme psychologique* (1889), Paris, Alcan, 1973 (reed.) • Alfred Binet, *Les Altérations de la personnalité*, Paris, Alcan, 1892 • Théodore Flournoy, *Des Indes à la planète Mars* (1990), Paris, Seuil, 1983 • Henri F. Ellenberger, *Histoire de la découverte de l'inconscient* (N. York, Londres, 1970, Villeurbanne, 1974), Paris, Fayard, 1994 • Jacqueline Carroy, *Les Personnalités doubles et multiples*, Paris, PUF, 1993 • Nicole Edelman, *Voyantes, guérisseuses et visionnaires en France, 1785-1914*, Paris, Albin Michel, 1995.

➤ BERNHEIM, HIPPOLYTE; BLEULER, EUGEN; CHARCOT, JEAN MARTIN; ESQUIZOFRENIA; HIPNOSE; IMAGEM DO CORPO; MESMER, FRANZ ANTON; SUGESTÃO.

perversão

al. *Perversion*; esp. *perversión*; fr. *perversion*; ing. *perversion*

Termo derivado do latim pervertere (perverter), empregado em psiquiatria e pelos fundadores da sexologia* para designar, ora de maneira pejorativa, ora valorizando-as, as práticas sexuais consideradas como desvios em relação a uma norma social e sexual. A partir de meados do século XIX, o saber psiquiátrico incluiu entre as perversões práticas sexuais tão diversificadas quanto o incesto*, a homossexualidade*, a zoofilia, a pedofilia, a pederastia, o fetichismo*, o sadomasoquismo*, o

travestismo, o narcisismo*, o auto-erotismo*, a co-profilia, a necrofilia, o exibicionismo, o voyeurismo e as mutilações sexuais. Em 1987, a palavra per-versão foi substituída, na terminologia psiquiátrica mundial, por parafilia, que abrange práticas sexuais nas quais o parceiro ora é um sujeito* reduzido a um fetiche (pedofilia, sadomasoquis-mo), ora o próprio corpo de quem se entrega à parafilia (travestismo, exibicionismo), ora um ani-mal ou um objeto (zoofilia, fetichismo).

Retomado por Sigmund Freud* a partir de 1896, o termo perversão foi definitivamente adotado co-mo conceito pela psicanálise, que assim conser-vou a idéia de desvio sexual em relação a uma norma. Não obstante, nessa nova acepção, o con-ceito é desprovido de qualquer conotação pejora-tiva ou valorizadora e se inscreve, juntamente com a psicose* e a neurose*, numa estrutura tripartite.

Se o conceito de neurose pertence propria-mente ao domínio de eleição da psicanálise, e se o de psicose participa da origem da história da nosologia psiquiátrica, o termo perversão abrange um campo muito mais amplo, na me-dida em que os comportamentos, as práticas e até as fantasias* que ele engloba só podem ser apreendidos em relação a uma norma social que, por sua vez, induz a uma norma jurídica. Além disso, a perversão sempre esteve ligada a todas as formas possíveis de arte erótica no Oriente e no Ocidente; por isso, as variações sobre o tema das perversões são múltiplas, conforme as épocas, os países, as culturas ou os costumes. Ora elas são violentamente rejeita-das, por serem marginalizadas e vistas como uma abjeção, ora, ao contrário, são valorizadas pelos escritores, poetas e filósofos, que as consi-deram superiores às chamadas práticas sexuais normais.

Assim, em certas regiões da África, admite-se um ritual tribal de mutilação sexual (excisão ou infibulação) que, em contrapartida, seria crime na Europa. O mesmo se aplica à emascu-lação dos homens no antigo Egito ou na Índia*, que também pôde ser considerada uma perver-são, ao serem os mores tradicionais contestados quer por um movimento de emancipação que almejava libertar o corpo das mulheres, quer por uma política colonial que procurava psiquiatri-zar práticas outrora encaradas como costumes. Foi esse, aliás, o destino da homossexualidade. Considerada na Grécia antiga como a forma

suprema do amor, depois encarada como um vício satânico pelo cristianismo, e por fim clas-sificada como uma degenerescência pelo saber psiquiátrico do século XIX, ela acabou sendo reconhecida, em 1974, como uma forma de sexualidade entre outras, na maioria dos países democráticos modernos, a ponto de não mais figurar no catálogo das novas "parafilias" do terceiro *Manual diagnóstico e estatístico dos distúrbios mentais* (*DSM* III), editado em 1987 pela American Psychiatric Association (APA). É a Geza Roheim*, e sobretudo a Georges Devereux*, que cabe o mérito pela demons-tração, através da etnopsicanálise*, de como se pode compreender o mecanismo geral desse relativismo cultural em sua relação com o uni-versalismo.

Sob esse aspecto, a teoria de Freud em ma-téria de perversão (e principalmente de homos-sexualidade) é tão ambivalente quanto sua dou-trina da sexualidade feminina*. Por um lado, ele estende a "disposição perverso-polimorfa" ao homem em geral e, com isso, rejeita todas as definições diferencialistas e não igualitárias da classificação psiquiátrica do fim do século, segundo a qual o perverso seria um "tarado" ou um "degenerado", porém, por outro, ele conser-va a idéia de norma e de um desvio em matéria de sexualidade*. Daí sua impossibilidade de fazer da perversão uma estrutura universal do psiquismo que ultrapasse o âmbito das diversas práticas sexuais ditas perversas.

A classificação das perversões (no plural) pertence, tradicionalmente, ao campo da psi-quiatria e da sexologia, enquanto a psicanálise faz questão de dar uma definição estrutural ao conceito de perversão (no singular). Em Freud, todavia, as coisas não são tão simples. Como atesta sua obra inaugural de 1905, os *Três en-saios sobre a teoria da sexualidade**, ele prefere empregar o termo no plural (as perversões sexuais) e fala com mais freqüência de in-versões do que de perversões. Sua terminologia sofreria, posteriormente, numerosas inflexões, no sentido de uma interpretação mais estrutural dessa idéia.

Foi sempre em referência a um processo de negatividade e numa relação dialética com a neurose que Freud definiu a perversão. Com efeito, de início, numa carta a Wilhelm Fliess*

de 24 de janeiro de 1897 e, em seguida, nos *Três ensaios*, ele fez da neurose "o negativo da perversão". Com isso sublinhou o caráter selvagem, bárbaro, polimorfo e pulsional da sexualidade perversa: uma sexualidade infantil em estado bruto, cuja libido* se restringe à pulsão* parcial. Ao contrário da sexualidade dos neuróticos, essa sexualidade perversa não conhece nem a proibição do incesto*, nem o recalque*, nem a sublimação*.

Se a sexualidade perversa não tem limites, é porque se organiza como um desvio em relação a uma pulsão, a uma fonte (órgão), um objeto e um alvo. A partir desses quatro termos, Freud distinguiu dois tipos de perversões: as perversões do objeto e as perversões do alvo. Nas perversões do objeto, caracterizadas por uma fixação num único objeto em detrimento dos demais, ele incluiu, por um lado, as relações sexuais com um parceiro humano (incesto, homossexualidade, pedofilia, auto-erotismo) e, por outro, as relações sexuais com um objeto não humano (fetichismo, zoofilia, travestismo). Nas perversões do alvo, distinguiu três espécies de práticas: o prazer visual (exibicionismo, voyeurismo), o prazer de sofrer ou fazer sofrer (sadismo, masoquismo), e o prazer pela superestimação exclusiva de uma zona erógena (ou de um estádio*), isto é, ou da boca (felação, cunilíngua) ou do aparelho genital.

A partir de 1915, Freud fez numerosas modificações em sua primeira concepção da perversão, em decorrência, a princípio, de sua metapsicologia* e de sua nova teoria do narcisismo*, e depois, de sua segunda tópica* e sua elaboração da diferença sexual*. Assim, passou de uma descrição das perversões sexuais para a idéia de uma possível organização *da* perversão em geral como modelo de uma organização do eu* baseada na clivagem*. Num artigo de 1923, "A organização genital infantil", e depois, em outro, de 1924, "A perda da realidade na neurose e na psicose", Freud introduziu o conceito de renegação* (*Verleugnung*), para mostrar que as crianças negam a realidade da falta do pênis na menina, e para afirmar que esse mecanismo de defesa caracteriza a psicose, em oposição ao mecanismo de recalque que encontramos na neurose: enquanto o neurótico recalca as exigências do isso*, o psicótico renega a realidade*.

Em 1927, no contexto de uma discussão com René Laforgue* sobre a questão da escotomização, Freud abordou a renegação a partir do fetichismo, afirmando que, nessa forma de perversão, o sujeito faz coexistirem duas realidades: a recusa e o reconhecimento da ausência do pênis na mulher. Daí uma clivagem do eu que caracteriza não somente a psicose, mas igualmente a perversão. A partir desse ponto, a perversão se inscreveu numa estrutura tripartite. Ao lado da psicose, definida como a reconstrução de uma realidade alucinatória, e da neurose, resultante de um conflito interno seguido de recalque, a perversão aparece como uma renegação ou um desmentido da castração, com uma fixação na sexualidade infantil.

De 1905 a 1927, portanto, Freud passou de uma descrição das perversões sexuais para uma teorização do mecanismo geral da perversão que já não era apenas o resultado de uma predisposição polimorfa da sexualidade infantil, mas a conseqüência de uma atitude do sujeito humano confrontado com a diferença sexual. Nesse sentido, a perversão existe tanto no homem quanto na mulher, mas não se distribui da mesma maneira entre os dois sexos no que concerne ao fetichismo e à homossexualidade.

A partir dessa definição da perversão, baseada na clivagem do eu, os herdeiros de Freud não se cansaram de estudar as diferentes formas de práticas sexuais perversas masculinas e femininas, assim retirando da sexologia o privilégio de suas classificações sofisticadas. Mas, em vez de levar o movimento psicanalítico a uma nova abordagem das perversões, esses trabalhos tiveram, num primeiro momento, de 1930 a 1960, o efeito inverso. Tidos como incuráveis, ou submetidos na análise a uma pretensa normalização de sua sexualidade, os perversos não foram autorizados a praticar a psicanálise em nenhuma das sociedades integrantes da International Psychoanalytical Association* (IPA). Essa proibição, que visava essencialmente os homossexuais, foi sentida como uma grande discriminação, especialmente depois de 1972, quando a homossexualidade deixou de ser assimilada pela psiquiatria a uma doença mental e, quinze anos mais tarde, a uma perversão.

Colocou-se então, tanto para a psiquiatria quanto para a psicanálise, a questão de uma possível redefinição do estatuto da perversão em geral e das perversões sexuais em particular.

A implantação da psicanálise nos grandes países ocidentais teve como conseqüência, efetivamente, desalienar os perversos e afastar a homossexualidade como tal do campo das perversões sexuais. O aparecimento do termo parafilia no *DSM* III restringiu o campo das anomalias e desvios a práticas sexuais coercitivas e fetichistas, baseadas na ausência de qualquer parceiro humano livre e anuente. Assim, fez-se sentir a necessidade de a própria psicanálise abandonar qualquer forma de terapia "normalizadora", em prol de uma clínica do desejo* capaz de compreender as escolhas sexuais de sujeitos cujas práticas libidinais já não eram todas punidas por lei, nem vividas como um pecado, nem tampouco concebidas como um desvio em relação a uma norma.

Quanto a esse aspecto, a revisão da doutrina freudiana original já havia começado por volta de 1960, antes das transformações da terminologia psiquiátrica dos anos de 1970-1980.

Na teoria kleiniana, a perversão é sempre descrita em função de uma norma e de uma patologia, mas qualquer idéia de desvio é afastada. Por isso, ela é encarada como um distúrbio da identidade de natureza esquizóide, ligado a uma pulsão feroz de autodestruição e destruição do objeto. Longe de ser a expressão de uma "aberração" sexual, ela se torna a manifestação da pulsão de morte em estado bruto, a ponto de dar origem, no âmbito da análise, a uma reação terapêutica negativa (ou perversão da transferência*). Quanto à homossexualidade, ela é remetida a uma fixação na posição esquizo-paranóide*, que pode desembocar numa paranóia*. As perversões sexuais são assimiladas a uma organização patológica do narcisismo. Assim, o kleinismo* tende a puxar a perversão para a psicose, afastando-se do diagnóstico de incurabilidade.

Foi a Jacques Lacan* e a seus discípulos franceses (Jean Clavreul, François Perrier*, Piera Aulagnier*, Wladimir Granoff e Guy Rosolato) que coube o mérito, único na história de freudismo, de finalmente retirar a perversão do campo do desvio, para fazer dela uma verdadeira estrutura. Amigo de Georges Bataille (1897-1962), grande leitor de Sade, de Henry Havelock Ellis*, da poesia erótica e da filosofia platônica, Lacan foi muito mais sensível do que Freud, os freudianos e os kleinianos à questão do Eros, da libertinagem e, acima de tudo, da natureza homossexual, bissexual, fetichista, narcísica e polimorfa do amor. Ele mesmo um libertino, preferia pensar que somente os perversos sabem falar da perversão. Daí o privilégio que conferiu desde o início a duas noções — o desejo e o gozo* —, para fazer da perversão um grande componente do funcionamento psíquico do homem em geral, uma espécie de provocação ou desafio permanente à lei. A fórmula disso foi fornecida em 1962 num artigo célebre, "Kant com Sade", destinado a servir de apresentação a dois livros de Sade, *Justine ou os infortúnios da virtude* e *A filosofia na alcova*. Lacan fez do *mal*, no sentido sadiano, um equivalente do *bem* no sentido kantiano, para mostrar que a estrutura perversa se caracteriza pela vontade do sujeito de se transformar num objeto de gozo oferecido a Deus, tanto ridicularizando a lei quanto por um desejo inconsciente de se anular no mal absoluto e na auto-aniquilação. Ao assim retirar a perversão do campo das perversões sexuais, a corrente lacaniana abriu caminho para novas perspectivas terapêuticas: não somente a perversão deixou de ser atingida pelo diagnóstico de incurabilidade, como também o perverso, já não sendo forçosamente catalogado como um pervertido sexual, pôde ter acesso à prática da psicanálise sem constituir um "perigo" para a comunidade. Essa concepção da perversão como estrutura levaria Lacan e sua escola a tratar a homossexualidade no quadro da perversão.

Na época em que os alunos de Lacan assim comentavam a teoria clássica de Freud, o grande psicanalista Robert Stoller* questionou-a de ponta a ponta, em especial ao introduzir a noção de diferenciação sexual e de gênero* (*gender*). Seu principal livro, *Sex and Gender*, publicado em 1968 e traduzido para o francês, dez anos depois, sob o título de *Recherches sur l'identité sexuelle*, assim como inúmeros outros trabalhos, renovariam a abordagem clínica do conjunto das perversões (em especial do fetichismo feminino e do transexualismo*).

Na perspectiva da psicologia do *self**, foi Joyce McDougall, psicanalista francesa, quem contribuiu, a partir de 1972, com uma das melhores revisões da doutrina freudiana da perversão. Em seu *Plaidoyer pour une certaine anormalité*, ela constatou que a estrutura tripartite (neurose, psicose, perversão) é rígida demais para explicar os distúrbios sexuais ligados às diferentes perturbações narcísicas do eu [*soi*]. Por isso, deu o nome de neo-sexualidade e de sexualidade aditiva a formas de sexualidade perversas, próximas da droga e da toxicomania, mas que permitem a alguns sujeitos à beira da loucura* encontrarem o caminho da cura, da criatividade e da auto-realização.

• Sigmund Freud, *Três ensaios sobre a teoria da sexualidade* (1905), *ESB*, VII, 129-237; *GW*, V, 29-145; *SE*, VII, 123-243; Paris, Gallimard, 1987; "Bate-se numa criança" (1919), *ESB*, XVII, 225-58; *GW*, XII, 197-226; *SE*, XVII, 175-204; in *Névrose, psychose et perversion*, Paris, PUF, 1973, 219-243; "A organização genital infantil da libido: uma interpolação na teoria da sexualidade" (1923), *ESB*, XIX, 179-88; *GW*, XII, 293-8; *SE*, XIX, 139-45; *OC*, XVI, 303-9; "O problema econômico do masoquismo" (1924), *ESB*, XIX, 199-216; *GW*, XIII, 371-83; *SE*, XIX, 139-45; *OC*, XVII, 9-23, "A perda da realidade na neurose e na psicose" (1924), *ESB*, XIX, 229-38; *GW*, III, 363-8; *SE*, XIX, 183-7; *OC*, XVII, 35-43; "Fetichismo" (1927), *ESB*, XXI, 189-88; *GW*, XIV, 311-7; *SE*, XXI, 147-57; in *La Vie sexuelle*, Paris, PUF, 1969; "A clivagem do eu no processo de defesa" (1938), *ESB*, XXIII, 309-15; *GW*, XVII, 59-62; *SE*, XXIII, 271-8; in *Résultats, idées, problèmes*, II, Paris, PUF, 1985, 283-7; *La Naissance de la psychanalyse* (Londres, 1950), Paris, PUF, 1956 • William H. Gillespie, "Notes on the analysis of sexual perversions", *IJP*, XXXIII, 397, 1952 • Jacques Lacan, "Kant com Sade" (1963), in *Escritos* (Paris, 1966), Rio de Janeiro, Jorge Zahar, 1998, 776-806 • *The Pathology and Treatment of Sexual Deviation* (col.), Oxford, Oxford University Press, 1964 • Wladimir Granoff e François Perrier, *Le Désir et le féminin* (1964), Paris, Aubier, 1991 • Piera Aulagnier-Spairani, Jean Clavreul, François Perrier, Guy Rosolato e Jean-Paul Valabrega, *Le Désir et la perversion*, Paris, Seuil, 1967 • Piera Aulagnier-Spairani, "La Perversion comme structure", *L'Inconscient*, 2, 1967 • Guy Rosolato, "Généalogie des perversions", ibid. • Jean Clavreul, *Le Désir et la loi*, Paris, Denoël, 1987 • Horacio Etchegoyen, "Perversión de transferencia. Aspectos teóricos y técnicos" (1977), in Leon Grinberg (org.), *Prácticas psicoanalíticas comparadas en las psicosis*, B. Aires, Paidós, 1977, 58-83 • Joyce McDougall, *Em defesa de uma certa anormalidade* (Paris, 1978), P. Alegre, Artes Médicas, 1991; *Théatre du Je*, Paris, Gallimard, 1982 • Georges Lantéri-Laura, *Leitura das perversões: história de sua apropriação médica* (Paris, 1979), Rio de Janeiro, Jorge Zahar, 1994 •

Robert Stoller, *Recherches sur l'identité sexuelle* (N. York, Londres, 1968), Paris, Gallimard, 1979; *L'Excitation sexuelle* (N. York, 1979), Paris, Payot, 1984 • Gérard Bonnet, *Les Perversions sexuelles*, Paris, PUF, col. "Que sais-je?", 1983; "Le Sexuel freudien. Une énigme originaire et toujours actuelle", in *Les Troubles de la sexualité*, monografias da *Revue Française de Psychanalyse*, Paris, PUF, 1993, 10-46 • R.D. Hinshelwood, *Dicionário do pensamento kleiniano* (Londres, 1991), P. Alegre, Artes Médicas, 1992 • Michel Erlich, *Les Mutilations sexuelles*, Paris, PUF, col. "Que sais-je?", 1991 • Joël Dor, "Perversão", in Pierre Kaufmann (org.), *Dicionário enciclopédico de psicanálise: o legado de Freud e Lacan* (Paris, 1993), Rio de Janeiro, Jorge Zahar, 1996, 415-23.

➤ BISSEXUALIDADE; DENEGAÇÃO; FORACLUSÃO; GOZO; LIBIDO; OBJETO (PEQUENO) a.

peste

Numa conferência proferida em Viena*, em 1955, Jacques Lacan* afirmou ter ouvido da boca de Carl Gustav Jung*, a quem acabara de fazer uma visita, a seguinte história: em 1909, ao aportar no continente norte-americano para ir à Universidade Clark, em Worcester, para ali proferir suas cinco lições de psicanálise, Sigmund Freud* teria segredado no ouvido de seu discípulo: "Eles não sabem que lhes estamos trazendo a peste." Lacan comentou esse dito, sublinhando que Freud se enganara: ele havia acreditado que a psicanálise seria uma revolução para a América, e, na realidade, a América é que tinha devorado sua doutrina, retirando-lhe seu espírito subversivo.

Na França,* acreditou-se que esse dito tinha sido realmente proferido. No entanto, o estudo dos textos, da correspondência e dos trabalhos da totalidade dos comentadores da história do freudismo mostra que Jung reservou essa confidência unicamente para Lacan. Em todas as partes do mundo, afirma-se que Freud teria simplesmente dito: "Eles ficarão surpresos quando souberem o que temos a dizer."

Propagado por Lacan, esse dito tornou-se, na França, um mito fundador do freudismo* e do lacanismo*. Com efeito, a França é o único país do mundo onde, através dos surrealistas e do ensino de Lacan, a doutrina de Freud foi encarada como "subversiva" e assimilada a uma "epidemia", parecida com o que fora a revolução de 1789 e, pelo menos, irredutível a qualquer forma de psicologia adaptativa.

• Jacques Lacan, *Escritos* (Paris, 1966), Rio de Janeiro, Jorge Zahar, 1998 • Élisabeth Roudinesco, *Jacques Lacan. Esboço de uma vida, história de um sistema de pensamento* (Paris, 1993), S. Paulo, Companhia das Letras, 1994; *Genealogias* (Paris, 1994), Rio de Janeiro, Relume Dumará, 1996.

➤ *Cinco Lições de Psicanálise;* Estados Unidos; História da Psicanálise; Inconsciente; Surrealismo.

Pfister, Oskar (1873-1956)
pastor e psicanalista suíço

"Oskar Pfister, pastor em Zurique": era assim que se apresentava esse homem original, quando assinava suas contribuições à psicanálise*. Recusando todos os dogmas e praticando o tratamento de maneira não-conformista, teve que enfrentar, em seu país, os adversários da análise leiga*. Tinha um verdadeiro afeto por Sigmund Freud*, que o retribuía e que sempre confiou nele, apesar de sua desconfiança em relação à religião. Pfister soube manter com o mestre vienense uma relação desprovida de obsequiosidade ou idolatria, nunca hesitando em polemizar, quando surgia entre eles uma discordância, principalmente a respeito da fé: "Freud tinha por ele [Pfister] uma verdadeira paixão, escreveu Ernest Jones*, admirava seus hábitos fortemente morais, seu altruísmo generoso, assim como o seu otimismo em relação à natureza humana. A idéia de ser amigo de um pastor protestante, a quem ele podia endereçar cartas que começavam por 'Caro homem de Deus' certamente devia diverti-lo, ainda mais porque o 'herético impertinente', como definia a si mesmo, sempre podia contar com a tolerância do pastor."

Pioneiro da psicanálise na Suíça* alemã, Pfister aliou a técnica freudiana à antiga "cura de almas" (*Seelsorge*) protestante, com entusiasmo. Queria também transformar a pedagogia em uma "pedanálise".

Nascido em Wiedikon, subúrbio de Zurique, Oskar Pfister, filho de pastor, tinha apenas três anos quando seu pai morreu. Depois de estudar teologia e filosofia, teve seu primeiro cargo em Wald, onde se instalou com sua primeira mu-

lher, Erika Wunderli, e seu filho, que se tornaria psiquiatra. Em 1902, foi designado para a paróquia dos Pregadores de Zurique, onde ficou até 1939. Posteriormente, casou-se pela segunda vez com uma viúva, Martha Zuppinger-Urner, que tinha dois filhos, que ele criou como seus.

Impressionado com o espetáculo da degradação moral ligada à industrialização, e principalmente com a incapacidade da velha teologia abstrata e escolástica de responder às angústias do homem moderno, Pfister voltou-se para a psicologia. Foi assim que teve a ocasião de pedir conselho a Carl Gustav Jung* a respeito de uma mãe de família, atormentada por cartas anônimas e inscrições insultuosas que encontrava em seu caminho. Jung fez um diagnóstico de estado crepuscular e de mania de perseguição: "A ajuda amável de Jung", escreveu Pfister, "me permitiu progredir na análise, que prometia explicar esses comportamentos anormais." Uma sólida amizade se estabeleceu entre os dois, ambos filhos de pastores.

Através de Ludwig Binswanger*, Oskar Pfister encontrou-se com Freud em Viena*, em 25 de abril de 1909. Presenteou-o com uma réplica em prata do Monte Cervin, que Freud logo instalou em sua escrivaninha. "Esse pequeno pedaço da Suíça, homenagem do único país onde me sinto ricamente provido dos bens que são a simpatia do coração e do espírito de homens fortes e bons." Seguiu-se uma bela correspondência, da qual apenas uma centena de cartas foi publicada em 1963 por Anna Freud* e Ernst Freud*. A censura visava ocultar a encantadora história de amor de Pfister com uma jovem mulher, da qual este falava muito livremente com Freud, que aliás a evocava também livremente em sua correspondência com Jung e com Sandor Ferenczi*.

Logo Pfister juntou-se à Associação Psicanalítica de Zurique (ex-Sociedade Freud), fundada por Jung. Participou depois da implantação das teses freudianas na Suíça, que eram denunciadas ali como "perversões vienenses". Por várias vezes, teve que submeter-se a severos inquéritos eclesiásticos, dos quais sempre saiu vitorioso. Sua prática, que consistia numa mistura de cura de almas e tratamento psicanalítico, desagradava tanto as autoridades religiosas quanto a hierarquia médica, o que provocaria este comentário de Freud, em um *post-scriptum* à *Questão da análise leiga**: "O analista não-médico, mas que tem uma preparação profissional, não terá nenhuma dificuldade em conquistar a estima e a consideração que lhe são devidas como pastor de almas secular."

Na verdade, Pfister considerava que o papel do analista-pastor era levar o paciente infeliz a reconhecer, pelo tratamento, o valor da fé cristã e converter-se a ela, depois de se livrar da neurose*. A cura de almas devia pois ser enriquecida com a psicanálise.

No momento da ruptura de 1913, Pfister tomou claramente o partido de Freud: "Abandonei completamente a maneira junguiana, disse ele em uma carta de julho de 1922. Essa 'interpretice' que apresenta todas as imundícies como uma geléia espiritual de um gênero elevado, todas as perversidades como oráculos e mistérios sagrados, e introduz fraudulentamente um pequeno Apolo e um pequeno Cristo nas almas extravagantes não vale nada. É o hegelianismo traduzido em psicologia." Em março de 1919, criou a Sociedade Suíça de Psicanálise (SSP), com Emil Oberholzer*, Hermann Rorschach* e Hans Walser. Assim, conseguiu reconstruir um movimento freudiano na Suíça. O novo grupo não tardaria a conhecer dificuldades de funcionamento. Em 1927, a prática não-conformista de Pfister foi contestada, não só porque não obedecia às regras da International Psychoanalytical Association* (IPA), mas também e principalmente porque Oberholzer e Rudolph Brun (1885-1949) eram hostis à análise leiga. Assim, fundaram uma associação médica de psicanálise, que só reconhecia médicos. Raymond de Saussure* também tomou partido contra a técnica de Pfister, mas sem por isso deixar a SSP: "O sr. pratica psicanálises muito curtas, escreveu-lhe em 1922, e que não correspondem exatamente ao que Freud entende atualmente por psicanálise. Daí resulta que os médicos de sua cidade, que fazem questão de observar a técnica do nosso mestre de Viena, tenham grandes dificuldades."

Essa tentativa de normalizar a prática de Pfister em nome do respeito ao mestre de Viena foi inteiramente repelida por Freud, que sempre protegeu o seu caro pastor, sem com isso deixar de criticá-lo. Freud dizia que se opunha tanto à

subestimação quanto à superestimação da prática de Pfister, mas desaprovava as "análises abreviadas" (tratamentos curtos).

Em 1927, quando Freud publicou *O futuro de uma ilusão**, Pfister lhe respondeu com um longo artigo crítico, "A ilusão de um futuro", no qual afirmava que a verdadeira fé era uma proteção contra a neurose e que a posição freudiana era, ela própria, uma ilusão, pois passava ao largo da atitude autêntica do cristão. Freud respondeu: "Em si, a psicanálise não é nem religiosa nem irreligiosa. É um instrumento sem partido, do qual podem servir-se religiosos e leigos, desde que o façam unicamente a serviço do alívio dos seres que sofrem."

• Oskar Pfister, *Die psychoanalytische Methode. Eine erfahrungswissesnschaftliche systematische Darstellung*, Leipzig, Klinkhardt, 1913; *Au viel Évangile par un chemin nouveau. La Psychanalyse au service de la cure d'âme* (1918), Berna, Bircher, 1920; *La Psychanalyse au service des éducateurs*, Berna, Bircher, 1920; *Selbstdarstellung*, Leipzig, Felix Meiner, 1927; "L'Illusion d'un avenir", (1928), *Revue Française de Psychanalyse*, vol.40, 3, 1977, 503-46; *Psychoanalyse und Weltanschauung*, Leipzig, Viena, Internationale Psychoanalytisches Verlag, 1928 • Sigmund Freud, "Introdução a *The psycho-analytic method*, de Pfister" (1913), *ESB*, XII, 415-22; *GW*, X, 448-50; *SE*, XII 327-31; *Correspondance de Sigmund Freud avec le pasteur Pfister, 1909-1939* (Frankfurt, 1963), Paris, Gallimard, 1966 • Ernest Jones, *A vida e a obra de Sigmund Freud*, vol.2 (N. York, 1955), Rio de Janeiro, Imago, 1989 • Mireille Cifali, *Freud pédagogue*, Paris, InterÉditions, 1982; "De quelques remous helvétiques autour de l'analyse profane", *Revue Internationale d'Histoire de la Psychanalyse*, 3, 1990, 145-59; "La Cure des enfants en Suisse. De l'hypnotisme à la psychanalyse", *Études Freudiennes*, 36, novembro de 1995, 170-88 • André Haynal, "Les Suisses. En Psychanalyse", *Le Bloc-notes de la Psychanalyse*, 4, 1984, 163-79 • Pier Cesare Bori, "Oskar Pfister, 'pasteur à Zurich', et analyse laïque", *Revue Internationale d'Histoire de la Psychanalyse*, 3, 1990, 129-45 • Patrick Avrane, "Index de la correspondance de Freud avec le pasteur Pfister", *Esquisses Psychanalytiques*, 14, outubro de 1990, 205-13 • Peter Widmer, "Situation de la psychanalyse en Suisse alémanique", *Le Bloc-notes de la Psychanalyse*, 10, 1991, 69-81 • Laurent Lethiais, *Oskar Pfister et la cure d'âme psychanalytique*, dissertação de DES de psicologia clínica e patológica, Universidade de Paris X, junho de 1995.

➢ ELLENBERGER, HENRI F.; HAITZMANN, CHRISTOPHER; IGREJA; MENG, HEINRICH; SCHJELDERUP, HARALD; TÉCNICA PSICANALÍTICA; ZULLIGER, HANS.

phantasia

al. *Phantasie*; esp. *fantasía*; fr. *phantasme*; ing. *phantasy*.

Grafia adotada por Susan Isaacs*, em 1948, para distinguir a chamada fantasia* (fantasy) consciente, escrita com f, da phantasia (phantasy) dita inconsciente, grafada com ph.

A palavra *fantasme* foi adotada em francês pelos primeiros tradutores de Freud (Marie Bonaparte*, Édouard Pichon*), a partir do grego *phantasma* (aparição, transformada, em latim, em fantasma ou espectro) para traduzir o que, na palavra alemã *Phantasie*, refere-se a uma formação imaginária, isto é, a um conceito, e não a uma fantasia no sentido da atividade imaginativa. Assim, onde Freud emprega uma só palavra alemã (*Phantasie*) para designar duas coisas diferentes (um conceito, por um lado, e uma atividade, por outro), a língua francesa utiliza dois termos: *fantasme* (ou *phantasme*) e *fantaisie*. Sob esse aspecto, portanto, não há em francês nenhuma diferença entre as duas grafias, que são utilizadas de maneira equivalente, inclusive pelos tradutores da obra de Melanie Klein*.

Alguns autores, como Piera Aulagnier*, sistematizaram a grafia *ph*, enquanto outros preferiram não estabelecer nenhuma distinção. Na terminologia inglesa, na qual a palavra *fantasy* significa, como no alemão, tanto phantasia quanto fantasia, o emprego da palavra *phantasy* só se generalizou entre os pós-kleinianos, a ponto, aliás, de substituir a palavra *fantasy*. Há nisso uma certa lógica, uma vez que o kleinismo* tende a situar toda a clínica psicanalítica do lado da realidade psíquica* e dos fenômenos mais inconscientes e mais arcaicos.

Em 1967, Jean Laplanche e Jean-Bertrand Pontalis ressaltaram que a distinção entre as duas grafias, a rigor, era inútil, já que, em Freud, o conceito de phantasia pertencia aos dois registros, consciente* e inconsciente*. Podemos, no entanto, dizer que existe uma diferença conceitual entre *fantasy* e *phantasy*, ou seja, entre os kleinianos anglófonos e os outros freudianos anglófonos, ao passo que, na França, a adoção desta ou daquela grafia não é pertinente, a não ser quando um autor se refere explicitamente à terminologia kleiniana. Em alemão, a distinção kleiniana tampouco acarreta uma mudança gráfica.

Em 1989, os responsáveis pela nova tradução* francesa dos livros de Freud, no intuito de criar uma língua "freudológica", baniram da conceituação psicanalítica a palavra *fantasme*, em favor de *fantaisie*. Com isso, reduziram um conceito a uma palavra. Em francês, com efeito, a palavra *fantaisie* não pode abranger a dimensão conceitual de *fantasme* nem tampouco instaurar uma distinção de tipo kleiniano entre consciente e inconsciente.

• Susan Isaacs, "A natureza e a função da phantasia", in Melanie Klein et al., *Os progressos da psicanálise* (Londres, 1952), Rio de Janeiro, Zahar, 1978 • Jean Laplanche e Jean-Bertrand Pontalis, *Fantasia originária, fantasia das origens, origens da fantasia* (Paris, 1985), Rio de Janeiro, Jorge Zahar, 1988; *Vocabulário da psicanálise* (Paris, 1967), S. Paulo, Martins Fontes, 1991, 2ª ed. • André Bourguignon, Pierre Cotet, Jean Laplanche e François Robert, *Traduzir Freud* (Paris, 1989), S. Paulo, Martins Fontes, 1992.

➢ SEDUÇÃO, TEORIA DA.

Pichon, Édouard (1890-1940)

médico e psicanalista francês

Pediatra, médico hospitalar, gramático, monarquista, ideólogo de um absoluto afrancesamento da doutrina freudiana, membro da liga Action Française, Édouard Pichon foi o personagem mais original, mais contraditório e mais inteligente da primeira geração* psicanalítica francesa. Genro de Pierre Janet*, sem ser janetiano, tinha paixão pela psicanálise* sem ser realmente freudiano. Depois de sua análise com Eugénie Sokolnicka*, não formou didatas, preferindo a medicina hospitalar à prática do consultório. Se aderiu sem reservas às teses anti-semitas de Charles Maurras (1868-1952), foi partidário de Dreyfus. Não publicou nenhum texto suspeito e nunca teve, na vida cotidiana, a menor atitude anti-semita em relação a seus colegas da SPP e do grupo da Évolution Psychiatrique. Ao contrário de Angelo Hesnard* e de muitos psiquiatras franceses da sua geração, não foi germanófobo.

Sua crença na superioridade da "civilização' francesa sobre todas as outras culturas se devia menos ao chauvinismo do que à política. Defendendo a "civilização" contra a *Kultur*, Pichon reivindicava um catolicismo racionalista, único capaz, em sua opinião, ao contrário do judaísmo e do protestantismo, de representar os valores de uma espiritualidade ocidental capaz de servir de contrapeso ao bolchevismo, ao feminismo, ao liberalismo, ao nazismo*, aos ideais da revolução de 1789. Daí suas posições ultraconservadoras em favor da família tradicional, do casamento único, da virgindade das jovens e da educação das crianças.

Pelo seu rigor teórico, e apesar do fracasso radical de seu programa de afrancesamento da doutrina vienense, Pichon teve um papel considerável na gênese de um freudismo* francês, enfatizando desde então a relação entre a linguagem e o inconsciente*, liderando, no seio da Sociedade Psicanalítica de Paris (SPP), uma comissão para a tradução e a unificação do vocabulário freudiano e introduzindo noções que Jacques Lacan* utilizaria posteriormente: a foraclusão*, por exemplo. Foi o professor de pediatria de Françoise Dolto*, que dele herdou um estilo brilhante e uma maneira de falar em que se misturavam a tradição da direita maurrassiana e um realismo poético saído diretamente dos filmes de Jean Renoir (1894-1979).

Nascido em Sarcelles, em uma família originária da Bourgogne, Édouard Pichon foi educado em um espírito leigo e republicano. Quando criança, foi atingido por um reumatismo articular hereditário — do qual morreria — que lhe sugeriu o tema para a sua tese de medicina. Com seu tio, Jacques Damourette, grande literado, apaixonado por língua e literatura, começou ainda muito jovem a tarefa mais importante de sua vida: a edificação de uma gramática descritiva da língua francesa entre 1911 e 1940. A obra se intitulava *Das palavras ao pensamento* e compreeendia sete enormes volumes, acompanhados de um *Glossário dos termos especiais*, onde eram listados todos os neologismos inventados pelos dois eruditos.

Em 1927, casou-se com Hélène Janet, com quem teve um filho, Étienne Pichon. Nesse mesmo ano, dirigiu a Charles Maurras sua carta de adesão à Action Française: "Senhor e admirável mestre, não sou um racionalista puro. Seja qual for a beleza, a utilidade que a razão tenha, parece-me que o coração, se ouso expressar-me assim, é mais divino ainda [...]. O papa está se tornando protestante; essa é a razão do meu humilde pedido de adesão [...]. Uma última observação: sou psicanalista. Os resultados obtidos pelo método freudiano obrigaram a minha boa-fé a aceitar essa disciplina. Escrevi recentemente um artigo para mostrar que a adoção da psicanálise como método terapêutico não implicava de modo algum a renúncia a qualquer estilo metafísico, moral ou religioso."

Durante o período entre as duas guerras, publicou muitos artigos, entre os quais três se tornaram essenciais à compreensão da conceitualidade própria ao movimento psicanalítico francês: "A gramática como modo de exploração do inconsciente", "Sobre a significação psicológica da negação em francês" e "A pessoa e a personalidade à luz do pensamento idiomático francês". Esses textos mostram que Pichon foi o primeiro, antes de Lacan, a perceber que a descoberta freudiana do inconsciente apresentava, para a lingüística saussuriana, uma questão fundamental. Eles também sublinham até que ponto a sua posição de gramático estava em contradição com sua leitura psicanalítica dos textos freudianos. Efetivamente, a idéia de uma prioridade da língua sobre o pensamento levava Pichon a afirmar, na gramática, o princípio de uma prioridade do inconsciente sobre a consciência*, ao passo que, em sua abordagem da obra freudiana, negava a existência de um inconsciente "psicológico". Assim, foi através da gramática que ele teve acesso à natureza do inconsciente freudiano. E foi o primeiro a detectar, a partir da língua, uma junção entre a linguagem e o inconsciente, que seria retomada por Lacan.

Em 1938, Pichon polemizou com Lacan a respeito de um texto intitulado "Os complexos familiares", encomendado a Lacan por Lucien Febvre (1878-1956) e Henri Wallon (1879-1962), para a *Enciclopédie Française*. Se Pichon compartilhava com Lacan a idéia de que a família era um agente da tradição e não da hereditariedade, rejeitava o procedimento da antropologia* cultural, e foi com essa ótica que recusou o antropologismo lacaniano, que julgava "marxista" e "hegeliano". Do mesmo modo que o universalismo de Lacan era baseado, desde essa época, na idéia de uma universalidade da razão e da cultura diante da natureza, assim também o universalismo pichoniano (maurrassiano) repousava sobre a pretensa superioridade universalizante da civilização francesa. Pichon admirava Lacan com lucidez e pensava que ele era o único que podia assumir, depois dele, a função de ideólogo de um freudismo a ser afrancesado.

• Édouard Pichon, "La Grammaire en tant que mode d'exploration de l'inconscient", *L'Évolution Psychiatrique*, 1, 1925, 238-57; "Sur la signification psychologique de la négation en français" (1928), *Le Bloc-notes de la Psychanalyse*, 5, 1985, 111-33; "La Personne et la personnalité vues à la lumière de la pensée idiomatique française", *Revue Française de Psychanalyse*, 10, 3, 1938, 447-59; "A l'aise dans la civilisation", ibid., 10, 1, 1938, 3-49; "La Famille devant M. Lacan" (1938), *Cahiers Confrontation*, 3, 1980, 179-209 • Édouard Pichon e Jacques Damourette, *Des mots à la pensée. Essai de grammaire de la langue française*, D'Artrey, 7 vols., Paris, 1911-1940 • Jacques Lacan, *Os complexos familiares* (Paris, 1938), Rio de Janeiro, Jorge Zahar, 1987 • Élisabeth Roudinesco, *História da psicanálise na França*, vol.1 (Paris, 1982), Rio de Janeiro, Jorge Zahar, 1989; *Jacques Lacan. Esboço de uma vida, história de um sistema de pensamento* (Paris, 1993), S. Paulo, Companhia das Letras, 1994.

➤ DENEGAÇÃO; FRANÇA; ISSO; JUDEIDADE; SIGNIFICANTE; TRADUÇÃO (DAS OBRAS DE SIGMUND FREUD).

Pichon-Rivière, Enrique (1907-1977)

psiquiatra e psicanalista argentino

Verdadeiro pai fundador do freudismo* argentino, Enrique Pichon-Rivière exerceu com o seu magistério oral (conferências, cursos, seminários), muito mais do que por seus escritos (póstumos, na maioria), um extraordinário poder de fascínio sobre seus amigos, discípulos e contemporâneos. Foi o maior analista argentino e até mesmo — ao lado de Marie Langer*, de quem era muito diferente —, a figura mais eminente da escola psicanalítica latino-americana.

Nasceu em Genebra, de uma família de origem francesa que se estabeleceu em 1911 no Chaco e depois em Goya, no norte do país, região povoada por índios guaranis. Ali passou uma infância melancólica, dizendo depois que seu desejo de ser analista lhe adveio de uma vontade de ver com clareza entre duas culturas. Seu pai, proprietário de uma plantação de algo-

dão, já tinha cinco filhos de um primeiro casamento com a irmã de sua segunda mulher, que por sua vez tinha um único filho, Enrique. Ela criou em Goya a escola profissional e o colégio nacional.

Com a idade de 19 anos, começou a estudar medicina na Faculdade de Buenos Aires. Sempre melancólico e bebendo para "tratar" de suas depressões, interessou-se tanto pela medicina quanto pela política e pela poesia. Em 1934, começou a escrever críticas de arte para a revista *Nervio*. Tendo descoberto a obra freudiana ao ler artigos de Carl Gustav Jung* e de Alfred Adler*, criou na revista uma seção de psicanálise*.

No hospital de Torres, onde praticava a psiquiatria e estudava os problemas sexuais dos doentes mentais, organizou uma equipe de futebol. Trabalhou depois no Instituto Charcot e como cronista literário em um jornal. Durante todos os seus estudos, teve ao seu lado o amigo mais caro, Frederico Aberastury, psiquiatra como ele, cuja irmã, Arminda, desposou em 1936. No mesmo ano, engajou-se com entusiasmo no comitê de apoio aos republicanos espanhóis, com o escritor Roberto Arlt (1900-1942).

Em 1938, ficou conhecendo Arnaldo Rascovsky*. Entusiasmados com a psicanálise, ambos sonhavam salvá-la do perigo fascista, oferecendo-lhe uma nova terra prometida. Com essa finalidade, reuniram um círculo de eleitos, que formou o núcleo fundador do freudismo argentino: Luiz Rascovsky, irmão de Arnaldo, Matilde Wencelblat, sua mulher, Simon Wencelblat, irmão desta, Arminda Aberastury*, Guillermo Ferrari Hardoy e Luisa Gambier Alvarez de Toledo. Com os imigrantes, Celes Cárcamo*, Angel Garma*, Marie Langer, e seus amigos, Pichon-Rivière fundou em 1942 a Asociación Psicoanalítica Argentina (APA), da qual se afastaria em 1959. Analisado inicialmente por Garma e supervisionado por Cárcamo, foi depois para a Grã-Bretanha*, onde fez uma segunda supervisão* com Melanie Klein*.

Como todos os representantes da terceira geração* psicanalítica mundial, Pichon-Rivière teve acesso à obra freudiana pela leitura e não por um contato direto com o mestre vienense. Por conseguinte, e também por amor à independência, recusando fechar-se num dogma, elaborou um ensino muito pouco ortodoxo, permeado por múltiplas influências: uma espécie de paradigma do freudismo argentino.

Simultaneamente socialista e adepto da psiquiatria dinâmica*, desenvolveu todas as formas de psicoterapias* das psicoses*, que questionavam a nosografia clássica, o niilismo terapêutico e o confinamento. Assim, orientou-se para diversas formas de práticas de grupo, desde a criação em 1947 do que ele chamava "grupo operativo", que tinha como tarefa responder às duas angústias fundamentais da vida social e institucional (o medo e a perda), até a fundação, em 1959, da Escola de Psicologia Social, onde pôde transmitir não só sua concepção da "doença única" (*enfermedad única*), mas também um ensino original e aberto às aspirações da juventude estudantil.

Com a expressão "doença única", criada em 1947, ele atribuía, como observou Hugo Vezzetti, um quadro psicossomático* à psicose em geral, aproximando três entidades: a melancolia*, a epilepsia, a esquizofrenia*. Da primeira, fazia o núcleo central de toda psicose, descrevendo a perda do objeto como um equivalente a uma morte induzida por um supereu* sadomasoquista; da segunda, derivava, segundo ele, o protótipo de uma crise capaz de restaurar provisoriamente o equilíbrio pulsional; da terceira, Pichon-Rivière tirava o modelo de todas as formas de regressão para o eu*. Nessa perspectiva, a neurose* e a psicose se diferenciavam menos por sua estrutura do que pela profundidade das posições regressivas que elas geravam.

Sob a denominação de doença única estavam pois reunidas várias tradições clínicas, que se reencontram no kleinismo*, na antipsiquiatria* e na *Self Psychology**.

Marcado pelo surrealismo, Pichon-Rivière encontrou-se com André Breton (1896-1966) e interessou-se pelos dois grandes escritores da modernidade literária que exprimiram, através de uma nova escrita poética, a idéia de mudar o homem a partir do "Eu é um outro": Arthur Rimbaud (1854-1891) e Lautréamont (1846-1870). Nesse ponto, seus trabalhos contribuíram para estabelecer uma ligação entre as duas vias de implantação da psicanálise na Argentina: a via literária e cultural e a via terapêutica (psicologia, psiquiatria).

Em 1955, entrou em contato com Jacques Lacan*, que o recebeu em sua casa em companhia de Tristan Tzara (1896-1963). Interessado em sua personalidade e nessa nova maneira de pensar o freudismo, ele teria um papel fundamental, dez anos depois, na introdução do lacanismo* em seu país, estimulando o jovem filósofo Oscar Masotta* a ler os textos do mestre francês.

Por volta de 1965, desinteressou-se da análise didática*, mas o seu seminário, para o qual acorria a juventude, continuou a lhe garantir um lugar incontestável de líder intelectual, apesar do álcool e dos medicamentos: "Sua vida foi uma verdadeira deriva, escreveu Masotta, e de qualquer forma ela nos atingiu a todos, de um modo ou de outro. Ele tinha algo da imagem do Santo, a quem tudo é perdoado".

• Enrique Pichon-Rivière, *Del psicoanálisis a la psicologia social*, I e II, B. Aires, Galerna, 1970; *Psicoanálisis del conde de Lautréamont*, B. Aires, Argonauta, 1992 • Zito Lema, *Conversaciónes con Pichon-Rivière*, B. Aires, Timerman, 1976 • Oscar Masotta, "Sur la fondation de l'École Freudienne de Buenos Aires", *Ornicar?*, 20-21, 1980, 227-35 • Antonio Cucurullo, Haydée Faimberg e Leonardo Wender, "La Psychanalyse en Argentine", in Roland Jaccard (org.), *Histoire de la psychanalyse*, vol.2, Paris, Hachette, 1982, 395-444 • Jorge Balán, *Cuéntame tu vida. Una biográfica colectiva del psicoanálisis argentino*, B. Aires, Planeta, 1991 • Raúl Giordano, *Notice historique du mouvement psychanalytique en Argentine*, dissertação para o CES de psiquiatria, sob a orientação de Georges Lantéri-Laura, Universidade de Paris XII, s/d. • Hugo Vezzetti, *Aventuras de Freud en el país de los Argentinos*, B. Aires, Paidos, 1996 • Élisabeth Roudinesco, entrevista com Isidoro Vegh, 16 de fevereiro de 1990.

➢ FRANÇA.

Piggle, Pequena (caso)
➢ WINNICOTT, DONALD WOODS.

Plataforma
➢ ARGENTINA; CISÃO; LANGER, MARIE.

Popescu-Sibiu, Ioan (1901-1974)
psiquiatra e psicanalista romeno

Ioan Popescu-Sibiu, médico militar, foi, com Constantin Vlad*, um dos dois pioneiros da psicanálise na Romênia*. Em 1927, defendeu sua tese de medicina sobre a doutrina freudiana na Universidade de Iasi. Reeditado até 1946, esse trabalho serviu de fonte principal de informação para aqueles que se iniciavam no freudismo*. Depois da Segunda Guerra Mundial, Popescu-Sibiu criticou o pansexualismo* freudiano e orientou-se para o que se convencionou chamar de neopsicanálise*, mas participou, com Vlad, da criação da Sociedade Romena de Psicopatologia e de Psicoterapia.

• Gheorghe Bratescu, *Freud si psihanaliza in Romania*, Bucareste, Humanitas, 1994.

Popper, Gisela
➢ FLUSS, GISELA.

Porto-Carrero, Júlio Pires (1887-1936)
psiquiatra e psicanalista brasileiro

Nascido em Olinda, Porto-Carrero foi um dos fundadores da psicanálise no Brasil*. Com Juliano Moreira*, estabeleceu em 1927, no Rio de Janeiro, uma filial da Sociedade Brasileira de Psicanálise (SBP), criada por Durval Marcondes* em São Paulo. Psiquiatra da marinha e criminologista, dedicou a sua primeira obra, *Ensaios de psicanálise*, publicada em 1929, a um estudo das teses de Sigmund Freud* e de seus principais discípulos: Karl Abraham*, Wilhelm Stekel*, Carl Gustav Jung*, Alfred Adler* etc. Quando Freud recebeu o livro, declarou: "Os seus belos *Ensaios*, que me foram dedicados, chegaram exatamente no dia 5 de maio e foram para mim o mais feliz presente de aniversário. O doutor [Max] Eitingon*, de Berlim, estava me visitando, e mostrei-lhe sua carta. Nós nos alegramos com as boas notícias sobre os jovens do grupo brasileiro e ficamos impressionados com a grande quantidade de temas que o seu livro examina."

Como todos os fundadores do freudismo* brasileiro, Porto-Carrero não foi analisado, considerando-se aliás, publicamente, como um psicanalista selvagem. Trabalhou pela reforma da justiça penal, indo até a propor que os juízes

se submetessem a um tratamento, a fim de abstrair-se, no exercício de suas funções, de qualquer sentimento de vingança.

• Júlio Pires Porto-Carrero, *Ensaios de psicanálise*, Rio de Janeiro, Flores e Mano, 1934 • Marialzira Perestrello, "Histoire de la psychanalyse au Brésil des origines à 1937", *Frénésie*, 10, primavera de 1992, 283-301.

posição depressiva/posição esquizo-paranóide
al. *Depressive Einstellung/paranoide-schizoide Einstellung*; esp. *posición depresiva/posición esquizo-paranoid*; fr. *position dépressive/position paranoïde-schizoïde*; ing. *depressive position/paranoid-schizoid position*.

A idéia de posição depressiva foi introduzida por Melanie Klein*, em 1934, para designar uma modalidade da relação de objeto* consecutiva a uma posição persecutória (ou paranóide). Esta intervém durante o quarto mês de vida e vai sendo superada ao longo da infância, sendo depois reativada, durante a vida adulta, no luto ou, de maneira mais grave, nos estados depressivos.

Em 1942, Melanie Klein introduziu, em lugar da idéia de posição persecutória, a de posição esquizo-paranóide, o que permitiu, do ponto de vista evolutivo, definir a passagem da posição esquizo-paranóide para a posição depressiva como a marca fundamental, em todo sujeito*, da passagem de um estado arcaico de psicose* para um funcionamento normal.

Tal como Sigmund Freud* e Donald Woods Winnicott*, muitas vezes Melanie Klein erigiu seus conceitos sobre uma oposição binária. Foi o que aconteceu, em especial, com as idéias de objeto bom e mau, de inveja e gratidão e, finalmente, das posições (depressiva, de um lado, e esquizo-paranóide, de outro, uma introduzida em 1934, a outra oito anos depois).

Desde seus primeiros trabalhos, Melanie Klein rejeitou a palavra inglesa *phase* (estádio* [fase]), em favor de posição. Com efeito, a palavra *phase* pressupõe um começo, um fim e uma suspensão definitiva do estado descrito, ou seja, uma duração exata. Ao contrário, a palavra *posição* mostra com clareza que o estado (depressivo, paranóide, esquizóide) intervém num dado momento da existência do sujeito*, num estádio preciso do desenvolvimento, mas pode repetir-se depois, estruturalmente, em certas etapas da vida. Além disso, o termo exprime a idéia de que a criança muda de atitude ou desloca sua posição quanto à relação de objeto. Foi depois de haver começado a estudar as relações arcaicas da criança com a mãe e de ter deslocado a clínica freudiana para uma interrogação sobre a origem das psicoses que Melanie Klein introduziu o conceito de posição depressiva, ao mesmo tempo que o de objeto* (bom e mau), durante uma conferência de 1934, intitulada "Uma contribuição à psicogênese dos estados maníaco-depressivos". Ela mesma acabava de atravessar um grave período de depressão, consecutivo à morte acidental de seu filho Hans. Inspirando-se nos trabalhos de Freud (sobre o luto e a melancolia*) e de Karl Abraham* (sobre os estados maníacos e depressivos, sobre a depressão primária), ela introduziu progressivamente no campo da psicanálise o domínio que a psiquiatria designara na categoria das doenças mentais. Não é de surpreender, portanto, que encontremos no par kleiniano posição depressiva/posição esquizo-paranóide os três adjetivos que remetem aos três grandes componentes modernos da psicose* no século XX: a esquizofrenia (Eugen Bleuler*), a paranóia (Emil Kraepelin*/Freud) e a psicose maníaco-depressiva*, herdeira da antiga melancolia*.

A idéia de posição depressiva ilustra o fato de que o desenvolvimento normal da criança apresenta uma analogia com o quadro clínico da depressão. Ela serve para introjetar no eu* um objeto interno suficientemente bom para superar o estado persecutório (paranóico) próprio da perda da mãe como objeto parcial. Quando não consegue ver a mãe como um objeto total, e tampouco como uma clivagem entre o bom e o mau objetos, a criança corre o risco de evoluir para a psicose (paranóia ou depressão). No caso inverso, ela supera esse estado de destruição do eu pela posição depressiva, que assinala, portanto, para qualquer sujeito preso numa situação pré-edipiana, um momento capital entre o processo de fixação da neurose* e o da psicose.

Em 1946, numa comunicação apresentada à British Psychoanalytical Society (BPS) sob o título de "Notas sobre alguns mecanismos esquizóides", Melanie Klein inventou o conceito de identificação projetiva*, para designar um modo específico de projeção* e identificação* que consiste em introduzir a própria pessoa no objeto para prejudicá-lo. Ao mesmo tempo, ela transformou a noção de posição persecutória no conceito de posição esquizo-paranóide. Esse termo fora empregado em 1941 por Ronald Fairbairn*, grande especialista inglês no tratamento da esquizofrenia*, para descrever a clivagem* original do eu. Tratava-se, na ocasião, de ampliar a clínica psicanalítica, passando de uma teoria do eu para uma psicologia do *self*. Em 1942, Melanie Klein tomou emprestado o termo de Fairbairn para destacar a coexistência, na posição esquizo-paranóide, de uma clivagem esquizofrênica e uma angústia persecutória, mas sobretudo para mostrar a coerência interna da construção, para o sujeito, de suas relações objetais. Klein esclareceria seu pensamento num artigo de 1952, intitulado "Algumas conclusões teóricas a propósito da vida emocional dos bebês".

Com a conceituação dessas duas noções concluiu-se o edifício da teoria kleiniana das posições, que permite pensar a organização subjetiva não mais em termos de estádios mais ou menos biológicos, porém de acordo com um sistema em que o mundo fantasístico do eu, do *self*, do objeto, da projeção, da identificação e da introjeção* organiza-se numa estrutura coerente e distinta do mundo da realidade objetiva. Sob esse aspecto, o pensamento kleiniano assemelha-se ao pensamento lacaniano, na medida em que ambos, diversamente do sistema freudiano, atribuem um espaço preponderante à construção do imaginário* e ao lugar da loucura* no cerne da realidade subjetiva.

• Melanie Klein, *Contribuições à psicanálise* (Londres, 1948), S. Paulo, Mestre Jou, 1970 • Melanie Klein et al., *Os progressos da psicanálise* (Londres, 1952), Rio de Janeiro, Zahar, 1978 • Karl Abraham, "Breve estudo do desenvolvimento do libido, visto à luz das perturbações mentais" (1924), in *Teoria psicanalítica da libido. Sobre o caráter e o desenvolvimento da libido*, Rio de Janeiro, Imago, 1970 • Jean-Bertrand Pontalis, "Nos débuts dans la vie selon Melanie Klein", in *Après Freud*, Paris, Gallimard, 1968, 191-214 • Jean Laplanche e Jean-Bertrand Pontalis, *Vocabulário da psicanálise* (Paris, 1967), S. Paulo, Martins Fontes, 1991, 2ª ed. • Hanna Segal, *Développement d'une pensée* (Londres, 1979), Paris, PUF, 1982 • Gérard Bléandonu, *L'École de Melanie Klein*, Paris, Le Centurion, 1985 • R.D.

Hinshelwood, *Dicionário do pensamento kleiniano* (Londres, 1991), P. Alegre, Artes Médicas, 1992.

➤ BION, WILFRED RUPRECHT; *BORDERLINES*; ESTÁDIO DO ESPELHO; KOHUT, HEINZ; NARCISISMO; OBJETO TRANSICIONAL; *SELF* (FALSO E VERDADEIRO); SULLIVAN, HARRY STACK.

posterioridade

➤ A POSTERIORI.

Prados, Miguel (1894-1969)

psiquiatra e psicanalista canadense

Nascido em Málaga, na Espanha*, Miguel Prados foi aluno de Emil Kraepelin* antes de se engajar, em 1937, no serviço de transfusão de sangue do exército republicano. Depois da vitória do franquismo, tomou o caminho do exílio e instalou-se em Londres, onde ficou até 1944, com sua mulher e suas duas filhas. Dali, partiu para Montreal e tornou-se professor na Universidade McGill. Em 1946, fundou o Círculo Psicanalítico de Montreal, primeira instituição freudiana do Canadá*, que se enriqueceria, ao longo dos anos, de vários profissionais formados no estrangeiro. Seis anos depois, após ser eleito membro da British Psychoanalytical Society (BPS), Prados criou a Sociedade dos Psicanalistas Canadenses, que deu continuidade ao Círculo de Montreal. Em 1953, esta tomou o nome francês de Société Canadienne de Psychanalyse e inglês de Canadian Psychoanalytic Society (SCP/CPS). Foi reconhecida como sociedade componente da International Psychoanalytical Association* (IPA) no Congresso de Paris, em julho de 1957.

Depois de desempenhar um papel pioneiro na fundação do movimento psicanalítico canadense, Miguel Prados voltou à Espanha em 1960. Mas retornou a Montreal para tratar de um câncer, do qual morreu com a idade de 74 anos.

• Arquivos Jean Baptiste Boulanger.

➤ CHENTRIER, THÉODORE; CLARKE, CHARLES KIRK; GLASSCO, GERALD STINSON; MEYERS, DONALD CAMPBELL; SLIGHT, DAVID.

preclusão

➤ FORACLUSÃO.

pré-consciente

al. *Vorbewusst*; esp. *preconciente*; fr. *préconscient*; ing. *preconscious*

Sigmund Freud* utilizou o termo pré-consciente como substantivo para designar uma das três instâncias, com as do consciente* e do inconsciente*, de sua primeira tópica*. Empregado como adjetivo, o termo qualifica os conteúdos dessa instância ou sistema que, apesar de não estarem presentes na consciência*, continuam acessíveis a ela, diversamente dos conteúdos do sistema inconsciente.

No contexto da segunda tópica freudiana, o pré-consciente, distinto do eu* e sobretudo da parte inconsciente deste, inscreve-se, todavia, no domínio dessa instância.

Assim como os termos consciente, inconsciente ou eu, pré-consciente é uma expressão que preexistiu a Freud. Podemos encontrá-la nas principais obras dos filósofos e psicólogos alemães do século XIX, principalmente no livro de referência de Eduard von Hartmann (1842-1906), *Filosofia do inconsciente*, publicado em 1868.

O termo surgiu pela primeira vez na pena de Freud na famosa carta a Wilhelm Fliess* de 6 de dezembro de 1896, ao mesmo tempo que a expressão aparelho psíquico. Desse momento em diante, a palavra foi alçada à categoria de conceito e recebeu uma definição pormenorizada: o pré-consciente está ligado às representações verbais e corresponde "a nosso eu oficial. Os investimentos desse *Precs.* [mais tarde, Freud escreveria *Pcs*] tornam-se conscientes de acordo com certas leis". No último capítulo de *A interpretação dos sonhos**, o pré-consciente é objeto de definições mais precisas. É concebido, a princípio, na reformulação do aparelho psíquico, "como o último dos sistemas na extremidade motora, para indicar que, desse ponto, os fenômenos de excitação podem chegar à consciência sem maior demora, desde que sejam atendidas outras condições, como, por exemplo, um certo grau de intensidade, uma certa distribuição da função a que chamamos atenção. Ao mesmo tempo, trata-se do sistema que contém as chaves da motricidade voluntária". Por oposição, o inconsciente é situado muito "mais atrás: não pode ter acesso à consciência *a não ser passando pelo pré-consciente*, e, durante essa travessia, o processo de excitação tem que se curvar a certas modificações". No final desse mesmo capítulo, quando Freud estabelece a distinção entre sua noção de inconsciente e a de seus predecessores, o pré-consciente é considerado inconsciente no sentido descritivo, mas distingue-se do inconsciente no sentido dinâmico, freudiano, pelo fato de que seus conteúdos podem chegar à consciência, "talvez somente depois do controle de uma nova censura, mas sem consideração pelo sistema inconsciente".

Essa distinção foi retomada quase 25 anos depois, em *O eu e o isso**, onde o pré-consciente é qualificado de inconsciente latente, passível de se tornar consciente e distinto do inconsciente recalcado, "que em si, e numa palavra, é incapaz de se tornar consciente".

Situado entre o inconsciente e o consciente, o pré-consciente separa-se do inconsciente por uma censura* severa. Esta impede o acesso dos conteúdos inconscientes ao pré-consciente, na medida em que, na extremidade oposta, a censura entre o pré-consciente e o consciente é permeável. A propósito disso, Freud fala ainda do sistema "pré-consciente/consciente" (*Pcs-Cs*). Em outras palavras, do ponto de vista da economia da organização psíquica, caracterizada pela busca da menor tensão e pela adaptação ao princípio de realidade*, o pré-consciente não é muito confiável, porquanto é suscetível de deixar que as moções de desejo inconscientes passem para o consciente com demasiada facilidade.

Assim, o pré-consciente age como um protetor do consciente: faz triagens e seleciona, com a finalidade de afastar as moções desagradáveis que possam importunar o consciente. Nesse sentido, está ligado ao processo secundário, mas essa distinção, que implica uma correlação entre o inconsciente e o processo primário, é freqüentemente questionada por Freud, precisamente quando essa atividade organizadora se exerce a propósito dos restos diurnos: nossa atenção, que resulta da atividade pré-consciente, pode muito bem abandonar certos pensamentos, mas nem por isso estes deixa-

rão de seguir seu curso, reaparecendo de maneira deturpada em nossos sonhos: "Chamamos esse processo de *pré-consciente*", escreve Freud, "e o consideramos inteiramente normal."

Até o fim de sua obra, e em especial no *Esboço de psicanálise**, Freud manteria essa concepção do pré-consciente, sempre sublinhando que uma das características deste relaciona-se com sua proximidade das "representações de palavra" e, portanto, da linguagem.

• Sigmund Freud, *La Naissance de la psychanalyse* (Londres, 1950), Paris, PUF, 1956; *Briefe an Wilhelm Fliess, 1887-1904*, Frankfurt, Fischer, 1986; *A interpretação dos sonhos* (1900), *ESB*, IV-V, 1-660; *GW*, II-III, 1-642; *SE*, IV-V, 1-621; Paris, PUF, 1967; "O inconsciente" (1915), *ESB*, XIV, 191-233; *GW*, X, 263-303; *SE*, XIV, 159-204; *OC*, XIII, 205-243; *O eu e o isso* (1923), *ESB*, XIX, 23-76; *GW*, XIII, 237-89; *SE*, XIX, 12-59; *OC*, XVI, 255-301; *Esboço de psicanálise* (1938), *ESB*, XXIII, 168-246; *GW*, XVII, 67-138; *SE*, XXIII, 139-207; Paris, PUF, 1967 • Pierre Kaufmann, "Pré-consciente", in id. (org.), *Dicionário enciclopédico de psicanálise: o legado de Freud e Lacan* (Paris, 1993), Rio de Janeiro, Jorge Zahar, 1996, 424-26 • Jean Laplanche e Jean-Bertrand Pontalis, *Vocabulário da psicanálise* (Paris, 1967), S. Paulo, Martins Fontes, 1991, 2ª ed.

Preiswerk, Hélène (1880-1911)

Em sua tese de medicina publicada em 1902, Carl Gustav Jung* relatou a experiência que levara a cabo com uma jovem espírita apelidada de S.W., cujo avô materno, um pastor protestante, tinha alucinações visuais, cujo irmão exibia um retardo mental e cuja irmã sofria de um certo número de anomalias mentais. Em sua exposição, Jung não poupou o lado paterno, sublinhando que a avó da paciente era histérica e sujeita a crises de sonambulismo, durante as quais "fazia profecias". Os pais eram vítimas de distúrbios mentais, dois irmãos eram excêntricos e duas irmãs apresentavam sintomas histéricos.

Durante as sessões de espiritismo*, S.W. revivia vidas anteriores. Tendo lido por acaso um livro de Justinius Kerner (1786-1862), *A vidente de Prevorst*, que relata um caso de transe magnético, ela começou a se hipnotizar e, mais tarde, a falar diversas línguas. Decorrido algum tempo, apaixonou-se por Jung, que parou de participar das sessões quando a apanhou em flagrante delito de fraude. Em sua tese, Jung referiu-se à espírita de maneira desdenhosa e a reduziu a um puro objeto de observação. Essa tese, calorosamente acolhida por Théodore Flournoy*, que acabara de ter uma experiência idêntica, provocou, no entanto, uma enxurrada de protestos indignados, em razão da maneira como foi apresentada a história de S.W.

Em 1975, Stéfanie Zumstein-Preiswerk revelou a identidade de sua tia, S.W.: tratava-se de Hélène Preiswerk (1880-1911), prima de Jung. A tese de Jung fora, na realidade, uma autobiografia disfarçada, que continha uma genealogia familiar. Samuel Preiswerk (1799-1871), o avô materno de Jung, pastor, teólogo, hebraísta e adepto do espiritismo, passara a vida inteira perto de uma cadeira especial, instalada em seu gabinete e reservada ao espírito de sua primeira mulher, que o "visitava" toda semana. Quando ele redigia seus sermões, sua filha Émilie Preiswerk (1848-1923), a futura mãe de Carl Gustav, tinha que se postar de pé atrás de sua cadeira, para impedir que os espíritos lessem por cima de seus ombros. Ela era feia e, depois do casamento, tornou-se uma mulher autoritária e depressiva, que passava o tempo em exercícios de espiritismo. Seu irmão, Rudolf Preiswerk, teve duas filhas, Hélène e Louise, e foi com elas e com a mãe que o jovem Jung adquiriu o hábito, na adolescência, de se entregar ao espiritismo, sem o conhecimento de seu pai, o reverendo Paul Jung (1842-1896), que desconhecia as atividades das mulheres da família. O pai de Paul chamava-se Carl Gustav Jung (1799-1864), dito o Velho. Ilustre personagem da vida de Basiléia, fora preso na juventude por suas idéias políticas e, mais tarde, depois de um período de exílio, dedicara-se ao tratamento das doenças da alma.

Stéphanie Zumstein-Preiswerk revelou também qual tinha sido o trágico destino de Hélène. Depois de mergulhar num estado de completa desintegração psíquica, ela morrera de tuberculose em Paris. Nunca havia perdoado o primo por tê-la assim usado como cobaia em suas experiências. Em 1993, Henri F. Ellenberger* redigiu um artigo sobre esse episódio, seu último texto antes de morrer, onde mostrou, mais uma vez, como o destino dos pacientes é diferente das narrativas dos casos feitas pelos cientistas.

• Carl Gustav Jung, "Para uma psicologia e patologia dos chamados fenômenos ocultos. Um estudo psicanalítico" (Leipzig, 1902), in *A energia psíquica* (Paris, 1956), Petrópolis, Vozes, 1983 • Henri F. Ellenberger, "Carl Gustav Jung et Hélène Preiswerk. Étude critique avec documents nouveaux" (1993), in *Médecine de l'âme. Essais d'histoire de la folie et des guérisons psychiques*, Paris, Fayard, 1995.

➢ ANZIEU, MARGUERITE; HISTERIA; PANKEJEFF, SERGUEI CONSTANTINOVITCH; PAPPENHEIM, BERTHA; PERSONALIDADE MÚLTIPLA; RORSCHACH, HERMANN; SPIELREIN, SABINA.

Presidente Thomas Woodrow Wilson, O

Livro de William Christian Bullitt (1891-1967), escrito em colaboração com Sigmund Freud* e prefaciado por Sigmund Freud em 1930. Publicado em inglês, em Londres e Boston, em 1967, sob o título Thomas Woodrow Wilson. A Psychological Study. *Traduzido para o francês por M. Tadié, em 1967, sob o título* Portrait psychologique de Thomas Woodrow Wilson. *Republicado com a mesma tradução, em 1990, sob o título* Le Président T.W. Wilson.

Em 1919, William Bullitt, oriundo de uma família abastada de Filadélfia e transformado em assessor do presidente Wilson (1856-1924), foi enviado à Rússia numa missão. Entusiasmou-se com a revolução de outubro e negociou com Lenin (1870-1924) com vistas ao restabelecimento de relações diplomáticas entre os dois países. Wilson rejeitou suas propostas e ele se demitiu. Depois de se casar com Louise Bryant, viúva de John Reed (autor de *Os dez dias que abalaram o mundo*), Bullitt atravessou um período de dez anos de afastamento do poder. Fez jornalismo, escreveu um romance de sucesso e freqüentou o meio cinematográfico.

Foi através de sua mulher, então em análise com Sigmund Freud, que se encontrou com este pela primeira vez, em Berlim, em maio de 1930. Freud estava passando uma temporada na clínica de Tegel (na casa de Ernst Simmel*), e Bullitt o achou deprimido, atormentado por seus sofrimentos e não mais pensando em outra coisa senão a morte. Para distraí-lo, falou-lhe do livro que estava preparando sobre os quatro protagonistas do Tratado de Versalhes: Thomas Woodrow Wilson, Georges Clemenceau (1841-1929), David Lloyd George (1863-1945) e Vittorio Emanuele Orlando (1860-1952). Foi então que o rosto do velho mestre se iluminou. Desde seu livro *Leonardo da Vinci e uma lembrança de sua infância*, em relação ao qual tinha enfrentado uma cruel escassez de arquivos, ele sonhava dedicar um ensaio ao destino de um personagem sobre o qual dispusesse de toda a documentação necessária. Assim, propôs a Bullitt escrever com ele um livro sobre Wilson e o tomou em análise.

Por que se interessou Freud pelo vigésimo oitavo presidente dos Estados Unidos*, um presbiteriano tacanho, de extrema feiúra e de temperamento doentio? A resposta é simples: Freud não gostava desse homem, a quem julgava responsável pelos infortúnios da Mitteleuropa. Censurava-o por haver ratificado um tratado iníquo, mediante o qual os vencedores haviam ditado sua lei aos vencidos. Com efeito, por sua submissão aos signatários francês e inglês, Wilson foi o artífice de um tratado que, humilhando a Alemanha* e desarticulando os impérios centrais, favoreceria a ascensão do nazismo* e conduziria à Segunda Guerra Mundial. Por outro lado, Freud lera um livro, publicado em 1920, onde se estudava o estilo dos discursos de Wilson.

Em outubro de 1930, Bullitt levou-lhe cerca de 1.500 páginas datilografadas de notas sobre a vida e a atividade política de Wilson. Freud tomou conhecimento delas e se tornou, ao mesmo tempo, amigo e analista do diplomata. Juntos, os dois discutiram ponto a ponto cada momento importante da vida do presidente. Freud redigiu então um primeiro rascunho de algumas partes do futuro manuscrito, enquanto Bullitt se encarregava de outras. Uma vez concluído esse trabalho, cada um leu a parte do outro, até que os dois pedaços compusessem uma obra comum. Para dar destaque ao livro, Freud concordou em que ele fosse lançado nos Estados Unidos, sob a responsabilidade de Bullitt. No intuito de não sobrecarregar o texto, os dois autores resolveram conservar apenas as notas redigidas pelo diplomata a respeito da infância e adolescência de Wilson. Como quer que fosse, em 7 de dezembro de 1930, numa carta a Arnold

Zweig*, Freud declarou estar trabalhando numa "introdução a um livro de outra pessoa".

Em janeiro de 1932, Bullitt enviou a Freud a soma de 2.500 dólares, a título de adiantamento pela edição norte-americana, mas eclodiu uma briga entre os dois. Freud manifestou uma intensa insatisfação e, de repente, modificou o texto comum, acrescentando trechos que Bullitt não aprovava. Nem um nem outro jamais revelariam o motivo dessa briga, nem tampouco o conteúdo das partes acrescentadas. Em 28 de maio, Marie Bonaparte* anotou em seu diário que o livro com Bullitt estava terminado, mas aguardava as eleições norte-americanas. Com efeito, o diplomata retornara aos Estados Unidos para participar da campanha dos democratas a favor de Roosevelt. A disputa não parece haver afetado Freud em demasia, porque, em 16 de fevereiro de 1933, ele escreveu a Jeanne Lampl de Groot*: "Bullitt é o único norte-americano que entende alguma coisa da Europa e quer fazer algo por ela. Por isso é que não consigo esperar que lhe confiem um cargo em que ele possa ser eficaz e agir à sua maneira."

Em agosto de 1933, Bullitt foi nomeado por Roosevelt embaixador dos Estados Unidos na União Soviética. Em dezembro, Freud declarou a Marie Bonaparte: "De Bullitt, nenhuma notícia; nosso livro não verá a luz."

Segundo Bullitt, os dois decidiram, após uma viva discussão, esquecer o texto por três semanas. Quando se reencontraram, no momento da partida do diplomata para Moscou, chegaram a um acordo no sentido de deixar que o livro comum amadurecesse, a fim de voltarem a ele posteriormente. Cada um dos dois homens apôs sua assinatura a cada capítulo do manuscrito. Em 20 de maio de 1935, Bullitt reapareceu em Viena como um meteoro e Freud não falou mais do livro.

Em 23 de maio de 1936, Marie Bonaparte passou o dia em Viena com Bullitt e anotou em seu diário: "Ele está vivo! Quer ajudar a Verlag, mas não pára de se queixar de que a análise lhe tira a alegria de viver." Desencantado com sua estada na URSS, estava à espera de outra nomeação. Em agosto, foi nomeado embaixador em Paris e, desse dia em diante, não parou de denunciar o perigo nazista. Quando da anexação da Áustria, assegurou-se do respaldo pessoal de Roosevelt para ir à embaixada da Alemanha em Paris e ameaçar os nazistas de escândalo, caso eles tocassem na família Freud. Quando o mestre vienense chegou a Paris, em junho de 1938, Bullitt foi recebê-lo, juntamente com Marie Bonaparte, e o acompanhou até a estação Saint-Lazare, ponto de partida para seu exílio na Grã-Bretanha.

Foi em Londres que os dois homens enfim resolveram sua querela. Segundo a versão de Bullitt, Freud concordou em suprimir as passagens acrescentadas e o diplomata integrou as novas modificações freudianas — ninguém sabe dizer quais. Tomou-se então a decisão comum de publicar o livro depois da morte da segunda mulher de Wilson. Em 17 de novembro, Marie Bonaparte indicou em seu diário que "os manuscritos de Freud foram remetidos a Bullitt na América".

A espantosa aventura desse manuscrito inverossímil não pára por aí. Quando da invasão da França*, Bullitt permaneceu em Paris e não acompanhou o governo de Paul Reynaud (1878-1966) no exílio. Achava, com justa razão, que uma intervenção norte-americana não estava na ordem do dia, mas subestimava o poder de resistência da Inglaterra, não acreditava no da França e se enganava quanto às possibilidades de uma aliança com a URSS, atitude esta que lhe seria censurada pelo general de Gaulle. Em 30 de junho de 1940, ele deixou Paris, para onde voltaria em setembro de 1944, com o grau de comandante do primeiro exército francês.

Em 1956, Bullitt fez com que o manuscrito fosse lido por Ernest Jones*, que sublinhou considerar um privilégio ser seu primeiro leitor: "Embora se trate de um trabalho em comum", disse, "não é difícil estabelecer uma distinção entre a contribuição analítica de um dos autores e a contribuição política do outro." O biógrafo de Freud nada mais disse. Em 1964, Bullitt dirigiu-se a Max Schur*, que estava redigindo *Freud: vida e agonia*. Este se mostrou interessado e lhe perguntou onde estavam as notas e documentos preparatórios redigidos por Freud. O embaixador respondeu que, em junho de 1940, por descuido, seu criado de quarto os havia queimado juntamente com arquivos da embaixada norte-americana.

Assim, portanto, todos os vestígios da colaboração entre Freud e Bullitt foram reduzidos a cinzas. Schur sugeriu que Bullitt remetesse uma cópia do manuscrito a Anna Freud*, para que ele fosse publicado no âmbito oficialíssimo da Sigmund Freud Copyrights. Bullitt despachou o texto sem pedir nenhuma ajuda a Anna, que, depois de lê-lo atentamente, declarou que somente o prefácio era de autoria de seu pai. O veredito foi inapelável. Desse dia em diante, *Wilson* foi banido da comunidade psicanalítica internacional, a ponto de ser considerado apócrifo. Bullitt encarregou-se sozinho, um ano antes de morrer, da publicação norte-americana: ela contém uma introdução de Freud, na qual este sublinha claramente haver colaborado para o livro, uma outra de Bullitt, notas deste sobre a infância de Wilson e uma elaboração comum sobre o destino político do personagem. Erik Erikson*, em 1967, e Ilse Grubrich-Simitis, em 1987 (no prefácio à edição alemã), deram uma opinião próxima da de Anna Freud. Por conseguinte, o livro não figura nas edições completas da obra de Freud (inglesa, francesa e alemã).

Portanto, as diferentes versões sobre o episódio se contradizem. Enquanto Marie Bonaparte anotou que os manuscritos de Freud tinham sido enviados a Bullitt na América, este declarou a Schur que seu criado os havia queimado em Paris. Quanto a Freud, ele nunca disse qual parte do livro tinha redigido, mas sempre apoiou o projeto, afirmando haver contribuído para ele. Sem dúvida, Anna Freud, Schur e Erikson foram imprudentes ao decidir como decidiram a questão da atribuição dos textos.

O livro em si é notável. Além do vocabulário psicanalítico e conceitual simplista, que se deve à pena de Bullitt, ele propõe uma análise espantosa da loucura de um estadista aparentemente normal no exercício de suas funções.

Identificado desde a mais tenra idade com a figura de seu "pai incomparável", um pastor presbiteriano e grande pregador de sermões, Wilson a princípio tomou-se pelo filho de Deus, antes de se converter a uma religião de sua própria lavra, na qual se atribuía o lugar de Deus. Optou por abraçar a carreira política a fim de realizar seus sonhos messiânicos. Quando se tornou presidente, nunca havia transposto as fronteiras da América, que considerava, tal como a Inglaterra de Gladstone, o mais belo país do mundo. Não conhecia a geografia da Europa e ignorava que nela se falavam diversas línguas. Foi assim que, durante as negociações do Tratado de Versalhes, esqueceu-se da existência do passo de Brenner e entregou à Itália* os austríacos do Tirol, sem saber que eles falavam alemão. Do mesmo modo, acreditou na palavra de um parente que lhe afirmou que a comunidade judaica contava cem milhões de indivíduos, distribuídos pelos quatro cantos do mundo. Odiando a Alemanha, Wilson achava que seus habitantes viviam como animais selvagens.

Para levar adiante sua política internacional, ele inventou silogismos delirantes. Uma vez que Deus é bom e a doença é ruim, ele deduziu que, se Deus existe, a doença não existe. Esse raciocínio lhe permitiu negar a realidade em prol de uma crença na onipotência de seus discursos. Essa denegação* da realidade o levou, segundo os autores, ao desastre diplomático. Assim é que ele criou a Sociedade das Nações antes de discutir as condições de paz, mediante o que os vencedores, garantidos pela segurança norte-americana, puderam despedaçar a Europa e condenar a Alemanha com toda a impunidade.

Wilson imaginou, então, deter em quatorze pontos a chave da fraternidade universal. Mas, em vez de entrar em negociações com seus parceiros, discutindo as questões econômicas e financeiras, fez-lhes um sermão da montanha. Depois disso, deixou a Europa, convencido de os haver persuadido e de haver instaurado na Terra a paz eterna.

Qualquer que tenha sido o pivô da briga entre Freud e Bullitt, esse livro, desprezado pelos historiadores e suspeito de ser apócrifo pela comunidade freudiana, traduz muito bem, no entanto, uma concepção freudiana da história. Com efeito, ele descreve o encontro entre um destino individual, no qual intervém a determinação inconsciente, e uma situação histórica precisa sobre a qual atua essa determinação. Mas o livro também faz pensar num devaneio aristotélico sobre o herói decaído. Wilson é comparado por Freud a Dom Quixote, ou seja, ao avesso ridículo do Príncipe de Nicolas Ma-

quiavel (1469-1527): o contrário de um grande homem.

• Sigmund Freud e William Bullitt, *Le Président Thomas Woodrow Wilson* (Londres, Boston, 1967), Paris, Payot, 1990 • Sigmund Freud, "Introdução" a Sigmund Freud e William C. Bullitt, *Thomas Woodrow Wilson, GW, Nachtragsband*, 685-92, *OC*, XVIII, 362-372; *Chronique la plus brève. Carnets intimes, 1929-1939*, anotado e apresentado por Michael Molnar (Londres, 1992), Paris, Albin Michel, 1992 • William Bayard Hale, *The Story of a Style*, N. York, B.W. Huebsch, 1920 • Marie Bonaparte, *Cahiers noirs* (diário), *1925-1939*, inédito (arquivos Élisabeth Roudinesco) • Ernest Jones, *A vida e a obra de Sigmund Freud*, 3 vols. (N. York, 1953, 1955, 1957), Rio de Janeiro, Imago, 1989 • Erik Erikson, "Book Review", *International Journal of Psychoanalysis*, vol.48, 1967, 462-68 • Max Schur, *Freud: vida e agonia, uma biografia*, 3 vols. (N. York, 1972) Rio de Janeiro, Imago, 1981.

➤ LOUCURA; PSICANÁLISE APLICADA.

Prince, Morton (1854-1929)
psiquiatra e psicoterapeuta americano

Contemporâneo de Sigmund Freud* e de Théodore Flournoy*, Morton Prince ocupa, na história da psicanálise* nos Estados Unidos*, o lugar correspondente ao de Pierre Janet* na França*. Adversário declarado do freudismo*, mas brilhante adepto da hipnose*, foi um dos pioneiros da Escola Bostoniana de Psicoterapia*, onde, em torno de William James (1877-1910), James Jackson Putnam*, Josiah Royce* e alguns outros, elaborou-se, entre 1895 e 1909, o método de tratamento das doenças nervosas mais racional e mais científico do mundo anglo-saxônico. Foi em Boston, e em parte graças à conversão freudiana de Putnam, que a doutrina psicanalítica pôde desenvolver-se no continente americano.

Nascido em Boston, em uma família abastada da Nova Inglaterra, Prince obteve o seu diploma de médico na Universidade Harvard, em 1879. Um ano depois, foi à França com sua mãe, para consultar Jean Martin Charcot*, pois esta sofria de distúrbios psíquicos. Em meados dos anos 1880, interessou-se pela questão das personalidades múltiplas*, iniciou-se na sugestão, encontrou Hippolyte Bernheim*, e descobriu os trabalhos de Janet e os *Estudos sobre a histeria**, publicados por Freud e Josef Breuer*, em 1895. A partir de 1902, entrou para a Tufts University com o título de professor de doenças do sistema nervoso. Em uma série de artigos, elaborou então uma teoria behaviorista das neuroses*, mostrando que seus sintomas eram provocados por associações acidentais, que se cristalizavam depois em modelos rígidos.

Em 1901, participou em Paris do IV Congresso Internacional de Psicologia, no qual se encontravam Janet, Flournoy, Théodule Ribot (1839-1916) e muitos outros. Prince apresentou o caso de Sally Beauchamp, uma jovem de 23 anos, capaz de assumir até cinco personalidades distintas, e que fora tratada pelo hipnotismo. Um ano depois, ele contou a sua história em um livro dedicado ao fenômeno da dissociação, que teve grande sucesso. Transposto para o teatro, o relato do caso foi encenado na Broadway, em salas repletas. Em 1906, tornando-se célebre, Prince fundou o *Journal of Abnormal Psychology*, primeiro periódico de língua inglesa exclusivamente dedicado à psicoterapia, no qual foram publicadas várias controvérsias a respeito da nova doutrina freudiana.

Ao contrário de seu amigo Putnam, Prince rejeitou a psicanálise e propôs um *educational treatment*: "O tratamento pode, sempre pôde e poderá fazer-se sem a psicanálise; aliás, esta se serve do método educativo e não apenas do 'princípio da luz do dia'. Desafio qualquer pessoa a utilizar a psicanálise sem utilizar ao mesmo tempo o método educativo, tal como o utilizamos." Como muitos eruditos da época, Prince recusava a teoria freudiana da sexualidade*, não aceitava o simbolismo* do sonho* e se apegava a uma concepção subconsciente do inconsciente*. Além disso, criticava duramente o fanatismo dos freudianos e sua tendência a construir uma espécie de "ciência cristã" de tipo espiritualista. Atacava particularmente Ernest Jones*, que declarava que só o método psicanalítico podia dar resultados em matéria de tratamento das doenças nervosas. Assim, engajou-se com Putnam em uma interessante controvérsia, apresentando em maio de 1912, na American Psychopathological Association, um estudo comparativo sobre o mesmo paciente. Depois, sob o pseudônimo de Fiona McLeod, publicou uma crítica radical do freudismo.

Em 1913, publicou uma volumosa obra sobre o inconsciente, que teve imenso sucesso editorial e lhe permitiu ser considerado o maior especialista americano em psiquiatria dinâmica*. Em 1926, foi nomeado professor associado do New Department of Abnormal and Dynamic Psychology na universidade. Apesar de sua hostilidade pela psicanálise, conservou boas relações com Putnam, graças a quem moderou suas críticas, a ponto de admitir, depois da Primeira Guerra Mundial, que a psiquiatria dinâmica devia a Freud duas noções maiores: o conflito e o recalque*.

• Morton Prince, "Genèse et développement des 'personnalités' des demoiselles Beauchamp" (1901), in Jacques Postel, *La Psychiatrie*, Paris, Larousse, 1994, 385-97; *La Dissociation de la personnalité* (N. York, Londres, 1908), Paris, Alcan, 1911 • A. Murray, "Morton Prince. Sketch of his life and work", *Journal of Abnormal Psychology*, 52, 1956, 291-5 • Carl Gustav Jung, *Tipos psicológicos* (N. York, 1925), Petrópolis, Vozes, 1991 • Henri F. Ellenberger, *Histoire de la découverte de l'inconscient* (N. York, Londres, 1970, Villeurbanne, 1974), Paris, Fayard, 1994 • *L'Introduction de la psychanalyse aux États-Unis. Autour de James Jackson Putnam* (Londres, 1968), Nathan G. Hale (org.), Paris, Gallimard, 1978, 17-86 • Nathan G. Hale, *Freud and the Americans. The Beginnings of Psychoanalysis in the United States, 1876-1917*, t.I, (1971), N. York, Oxford University Press, 1995.

➢ BRILL, ABRAHAM ARDEN; *CINCO LIÇÕES DE PSICANÁLISE*; MEYER, ADOLF; PANSEXUALISMO.

princípio de constância

➢ FECHNER, GUSTAV; *MAIS-ALÉM DO PRINCÍPIO DE PRAZER*.

princípio de Nirvana

al. *Nirwanaprinzip*; esp. *principio de Nirvana*; fr. *principe de Nirvana*; ing. *Nirvana principle*

Termo derivado do budismo e da filosofia de Arthur Schopenhauer (1788-1860), proposto pela psicanalista inglesa Barbara Low (1877-1955) e posteriormente retomado por Sigmund Freud*, em Mais-além do princípio de prazer*, para designar uma tendência do aparelho psíquico a aniquilar qualquer excitação e qualquer desejo*.

• Barbara Low, *Psycho-Analysis. A Brief Account of the Freudian Theory*, Londres, Allen & Unwin, 1920.

princípio de prazer/princípio de realidade

al. *Lustprinzip/Realitäts-prinzip*; esp. *principio de placer/principio de realidad*; fr. *principe de plaisir/principe de réalité*; ing. *pleasure principle/principle of reality*

Par de expressões introduzido por Sigmund Freud* em 1911, a fim de designar os dois princípios que regem o funcionamento psíquico. O primeiro tem por objetivo proporcionar prazer e evitar o desprazer, sem entraves nem limites (como o lactente no seio da mãe, por exemplo), e o segundo modifica o primeiro, impondo-lhe as restrições necessárias à adaptação à realidade externa.

• Sigmund Freud, "Formulações sobre os dois princípios do funcionamento mental" (1911), *ESB*, XII, 277-90; *GW*, VIII, 230-8; *SE*, XII, 213-26; in *Résultats, idées, problèmes*, Paris, PUF, 1984, vol.I, 135-43 • Jean Laplanche e Jean-Bertrand Pontalis, *Vocabulário da psicanálise* (Paris, 1967), S. Paulo, Martins Fontes, 1991, 2ª ed.

➤ CASTRAÇÃO; FECHNER, GUSTAV; GOZO; *MAIS-ALÉM DO PRINCÍPIO DE PRAZER*; PULSÃO; REALIDADE PSÍQUICA.

projeção

al. *Projektion*; esp. *proyección*; fr. *projection*; ing. *projection*

Termo utilizado por Sigmund Freud* a partir de 1895, essencialmente para definir o mecanismo da paranóia*, porém mais tarde retomado por todas as escolas psicanalíticas para designar um modo de defesa* primário, comum à psicose*, à neurose* e à perversão*, pelo qual o sujeito* projeta num outro sujeito ou num objeto desejos* que provêm dele, mas cuja origem ele desconhece, atribuindo-os a uma alteridade que lhe é externa.

• Jean Laplanche e Jean-Bertrand Pontalis, *Vocabulário da psicanálise* (Paris, 1967), S. Paulo, Martins Fontes, 1991, 2ª ed. • Joseph Sandler (org.), *Projeção, identificação, identificação projetiva* (Londres, 1988), P. Alegre, Artes Médicas, 1989.

➤ ESTÁDIO DO ESPELHO; IDENTIFICAÇÃO; IDENTIFICAÇÃO PROJETIVA; IMAGEM DO CORPO; IMAGO; INCORPORAÇÃO; INTROJEÇÃO; OBJETO, RELAÇÃO DE; OUTRO; POSIÇÃO DEPRESSIVA/POSIÇÃO ESQUIZO-PARANÓIDE.

psicanálise

al. *Psychoanalyse*; esp. *psicoanálisis*; fr. *psychanalyse*; ing. *psychoanalysis*

Termo criado por Sigmund Freud*, em 1896, para nomear um método particular de psicoterapia* (ou tratamento pela fala) proveniente do processo catártico (catarse*) de Josef Breuer* e pautado na exploração do inconsciente*, com a ajuda da associação livre*, por parte do paciente, e da interpretação*, por parte do psicanalista.

Por extensão, dá-se o nome de psicanálise:

1. ao tratamento conduzido de acordo com esse método;

2. à disciplina fundada por Freud (e somente a ela), na medida em que abrange um método terapêutico, uma organização clínica, uma técnica psicanalítica*, um sistema de pensamento e uma modalidade de transmissão do saber (análise didática*, supervisão*) que se apóia na transferência* e permite formar praticantes do inconsciente;

3. ao movimento psicanalítico, isto é, a uma escola de pensamento que engloba todas as correntes do freudismo*.

Como sublinha Henri F. Ellenberger*, a psicanálise é herdeira dos antigos tratamentos magnéticos inaugurados por Franz Anton Mesmer*, que deram origem, no fim do século XIX, através dos debates sobre a hipnose* e a sugestão*, à segunda psiquiatria dinâmica*. Todavia, dentre todas as escolas de psicoterapia derivadas de Hippolyte Bernheim* e da Escola de Nancy, ela foi o único método a reivindicar o inconsciente e a sexualidade* como os dois grandes universais da subjetividade humana. No plano clínico, ela é também a única a situar a transferência como fazendo parte dessa mesma universalidade e a propor que ela seja analisada no próprio interior do tratamento, como protótipo de qualquer relação de poder entre o terapeuta e o paciente e, em caráter mais genérico, entre um mestre e um discípulo. Sob esse aspecto, a psicanálise remete à tradição socrática e platônica da filosofia. Por isso é que empregou o princípio iniciático da análise didática, exigindo que se submeta à análise qualquer um que deseje tornar-se psicanalista.

Na historiografia* oficial, formulou-se uma versão lendária do nascimento da psicanálise, atribuindo sua origem a duas mulheres: Bertha Pappenheim* e Fanny Moser*. À primeira, tratada por Josef Breuer*, atribuiu-se a invenção da terapia pela fala, e da segunda, tratada por Freud, disseram que ela permitiu a invenção de uma clínica da escuta, obrigando o médico a renunciar à observação direta e a se manter recuado, atrás do paciente. Essa lenda, na qual se mesclaram os nomes dos dois autores dos *Estudos sobre a histeria**, veicula uma genealogia da psicanálise que não é estranha aos enunciados freudianos. Com efeito, Freud foi o iniciador de uma inversão do olhar médico que consistiu em levar em conta, no discurso da ciência, as teorias elaboradas pelos próprios doentes a respeito de seus sintomas e seu mal-estar. Mediante essa reviravolta, a psicanálise esteve na origem dos grandes trabalhos históricos do século XX sobre a loucura* e a sexualidade.

Foi num artigo de 1896, redigido em francês e intitulado "A hereditariedade e a etiologia das neuroses", que Freud empregou pela primeira vez a palavra psico-análise: "Devo meus resultados ao emprego de um novo método de psico-análise, ao processo explorador de Josef Breuer, um tanto sutil, mas impossível de substituir, a tal ponto ele se mostrou fértil para esclarecer as obscuras vias da ideação inconsciente."

Passados oito anos, num texto destinado a um volume coletivo, Freud deu uma excelente definição de seu próprio método, aliás falando na terceira pessoa e sempre se referindo a Breuer: "Já havendo o método catártico renunciado à sugestão*, Freud deu um passo a mais, rejeitando igualmente a hipnose. Ele trata com igualdade seus enfermos, do seguinte modo: sem procurar influenciá-los de maneira alguma, faz com que se estendam comodamente num divã, enquanto ele próprio, retirado do olhar dos pacientes, senta-se atrás deles. Não lhes pede para fecharem os olhos e evita tocá-los, bem como empregar qualquer outro procedimento passível de lembrar a hipnose. Esse tipo de sessão se passa à maneira de uma conversa entre duas pessoas em estado de vigília, uma das quais é poupada de qualquer esforço muscular e de qualquer impressão sensorial capaz de desviar sua atenção de sua própria atividade psíquica." Após muitas hesitações, cuja evolução podemos acompanhar na correspondência

entre Freud e Carl Gustav Jung*, a palavra psicanálise se imporia em francês em 1919 (em lugar de psico-análise), ao lado de *Psychoanalyse*, já aceita no alemão em 1909 (em vez de *Psychanalyse*) e de *psychoanalysis*, em inglês (muitas vezes grafada como *Psycho-analysis* ou *Psycho-Analysis*). Entre 1905 e 1914, Freud realizou três grandes tratamentos psicanalíticos: com Ida Bauer* (Dora), Ernst Lanzer* (o Homem dos Ratos) e Serguei Constantinovitch Pankejeff* (o Homem dos Lobos). Além disso, dirigiu, como se fosse uma supervisão do pai do menino (Max Graf*), a análise de Herbert Graf (o Pequeno Hans), com isso abrindo caminho para a psicanálise de crianças*. Por último, em 1911, Freud publicou um estudo das *Memórias* de Daniel Paul Schreber*, do qual fez um caso de paranóia*. Essas cinco psicanálises seriam interminavelmente comentadas ao longo de toda a história do freudismo, servindo de *corpus* clínico para todo o movimento, do mesmo modo que os casos reunidos nos *Estudos*.

Já em 1910, em "As perspectivas futuras da terapia psicanalítica", Freud delimitou um enquadre "técnico" para a análise, afirmando que esta tinha por objetivo vencer as resistências*. Essa tese seria discutida muitas vezes, e os problemas da técnica seriam objeto de diversos outros artigos, além de debates e cisões* na história do movimento psicanalítico, desde Sandor Ferenczi* até Jacques Lacan*.

Foi em 1922, em "Dois verbetes de enciclopédia: (A) Psicanálise, (B) Teoria da libido", que Freud deu sua definição mais precisa do contexto da análise, sublinhando que seus "pilares" teóricos eram o inconsciente, o complexo de Édipo*, a resistência, o recalque* e a sexualidade: "Quem não os aceita não deve incluir-se entre os psicanalistas."

Se os freudianos de todas as tendências sempre concordaram em se reconhecer nessa definição da psicanálise, nem por isso deixaram de combater uns aos outros e de se dividir quanto à questão da técnica psicanalítica e da análise didática.

Inspirando-se no modelo darwinista, Freud quis incluir a psicanálise entre as ciências da natureza, ou, pelo menos, conferir-lhe um estatuto de ciência dita "natural". Ora, como herdeira das medicinas da alma, ela decorria de uma outra tradição da ciência, segundo a qual a arte de curar consiste menos em provar a validade de uma dedução do que do que em elaborar um discurso capaz de dar conta de uma verdade simbólica e subjetiva. E foi justamente por causa dessa dupla pertença da psicanálise (ao campo das ciências da natureza e ao das artes da interpretação) que sua chamada refutação "científica" produziu-se no campo da terapêutica. Dentre essas refutações figura a de Karl Popper (1902-1994), em 1962, na qual se apoiaria toda a historiografia* revisionista, que tentaria mostrar que a doutrina freudiana reduz-se a uma simples hermenêutica e que seu método é uma técnica xamanística de influência, que consiste em agir sobre o doente por simples sugestão.

Essa argumentação não era nova e, já em 1917, no capítulo de suas *Conferências introdutórias sobre psicanálise** dedicado à terapêutica psicanalítica, Freud havia tentado dar-lhe uma resposta, insistindo mais uma vez na distância radical que separava a psicanálise de todos os outros métodos de psicoterapia baseados na sugestão. Em especial, ele refutou a idéia de que o médico, no tratamento pela fala, pudesse sugestionar o doente; nesse campo, ele reivindicava uma racionalidade baseada na interpretação verdadeira, sublinhando que a solução dos conflitos e a supressão das resistências* (a "cura") só vinham quando o terapeuta estava em condições de dar ao paciente representações dele mesmo que correspondessem à realidade: "Aquilo que, nas suposições do médico, não corresponde a essa realidade é espontaneamente eliminado no decorrer da análise, devendo ser retirado e substituído por suposições mais exatas."

A história da psicanálise mostra que as resistências erguidas contra ela, bem como seus conflitos internos, sempre foram o sintoma de seu progresso atuante, de sua propensão a fabricar dogmas e de sua capacidade de refutá-los.

• Sigmund Freud, "A hereditariedade e a etiologia das neuroses" (1896), escrito em francês, *ESB*, III, 165-86; *SE*, III, 141-56; *OC*, III, 105-21; "Novos comentários sobre as neuropsicoses de defesa" (1896), *ESB*, III, 187-216; *GW*, I, 377-403; *SE*, III, 157-85; *OC*, III, 121-46; "O método psicanalítico de Freud" (1904), *ESB*, VII, 231-8; *GW*, V, 3-10; *SE*, VII, 247-54; in *La Technique psychanalytique*, Paris, PUF, 1953, "Linhas

de progresso na terapia psicanalítica" (1918), *ESB*, XVII, 201-16; *GW*, XII, 183-94; *SE*, XVII, 157-68; in *La Technique psychanalytique*, Paris, PUF, 1953, 131-41; "Dois verbetes de enciclopédia: (A) Psicanálise, (B) Teoria da libido" (1923), *ESB*, XVIII, 287-314; *GW*, XIII, 211-33; *SE*, XVIII, 235-59; *OC*, XVI, 181-208 • *Freud/Jung: correspondência completa* (Paris, 1975), Rio de Janeiro, Imago, 1993 • Karl Popper, *Conjectures et réfutation. La Croissance du savoir scientifique* (1962), Paris, Payot, 1985 • Jean-Bertrand Pontalis, "Du vocabulaire de la psychanalyse au langage du psychanalyste" (1963), in *Après Freud*, Paris, Gallimard, 1968, 126-66 • Mireille Cifali, "Entre Genève et Paris: Vienne", *Le Bloc-Notes de la Psychanalyse*, 2, 1982, 91-133 • Jean Laplanche, *Novos fundamentos para a psicanálise* (1987), S. Paulo, Martins Fontes, 1992 • Peter Homans, *The Ability to Mourn. Disillusionment and the Social Origins of Psychoanalysis*, Chicago, University of Chicago Press, 1989 • Roger Lecuyer, "Psychanalyse", in *Grand dictionnaire de la psychologie*, Paris, Larousse, 1991, 607-9 • Michel Plon, "Les Fondements de la psychanalyse", in *Mémoires du XXᵉ Siècle, 1900-1909*, Paris, Bordas, 1991, 27-31.

➤ ABSTINÊNCIA, REGRA DE; ANÁLISE DIRETA; ANÁLISE EXISTENCIAL; ANNAFREUDISMO; ÉCOLE FREUDIENNE DE PARIS; *EGO PSYCHOLOGY*; ESPIRITISMO; INTERNATIONAL PSYCHOANALYTICAL ASSOCIATION; KLEINISMO; LACANISMO; METAPSICOLOGIA; PASSE; PSICANÁLISE APLICADA; *PSICOLOGIA DAS MASSAS E ANÁLISE DO EU*; PSICOPATOLOGIA; PSICOSSOMÁTICA, MEDICINA; *QUESTÃO DA ANÁLISE LEIGA, A*; *SELF PSYCHOLOGY*; TELEPATIA.

psicanálise aplicada

al. *angewandte Psychoanalyse*; esp. *psicoanálisis aplicada*; fr. *psychanalyse appliquée*; ing. *applied psychoanalysis*

Que Sigmund Freud*, desde muito cedo, teve o sentimento de estar desenvolvendo idéias passíveis de concernir a campos externos ao estudo do funcionamento psíquico, como a criação literária ou artística, é o que testemunham pelo menos duas de suas cartas a Wilhelm Fliess*. Na primeira, datada de 15 de outubro de 1897, ele observa que todo leitor ou todo espectador da peça de Sófocles foi, um dia, "em germe, na imaginação, um Édipo", e acrescenta: "Mas passou-me uma idéia pela cabeça: não encontraríamos na história de Hamlet fatos análogos?" Na segunda, de 5 de dezembro de 1898, onde estão em pauta o contista suíço Conrad Ferdinand Meyer (1828-1898) e o entusiasmo que a leitura de seus livros proporciona a Freud, este pede a Fliess "informações sobre a vida desse escritor, sobre a ordem de publicação de seus livros, o que é indispensável", acrescenta, "para interpretá-lo".

A princípio, foi a Sociedade Psicológica das Quartas-Feiras* que serviu de contexto para as exposições e discussões, amiúde apaixonadas, que versavam sobre a aplicação da psicanálise aos campos literário, artístico, mitológico e histórico. Assim, durante a reunião de 10 de outubro de 1906, depois que Otto Rank* falou dos fundamentos de uma psicologia da criação literária, Adolf Häutler (1872-1938) o criticou, afirmando que só se podia "aplicar a noção de recalque* aos indivíduos, e não à vida psíquica de um povo". Nessa mesma reunião, Häutler rejeitou a idéia de uma correspondência mecânica entre a vida pessoal do criador e suas obras, advertindo contra o excesso de interpretação*. Freud interveio, por seu turno, para criticar o uso incorreto que se fizera do conceito de recalque. Na reunião de 24 de outubro de 1906, dedicada à segunda parte da exposição de Rank, Häutler reiterou suas críticas, embora declarando que "aplicar as teorias de Freud a outros domínios e descobrir as ramificações da sexualidade na literatura e na mitologia é uma atividade que merece ser incentivada".

Depois, foi Alfred Meisl (1868-1942) quem assinalou sua discordância, afirmando que as teses de Rank eram frágeis demais e que aquele tipo de publicação poderia constituir um perigo: "(1) para a psicologia como ciência e (2) para as teorias de Freud", podendo as pessoas servir-se "das deficiências dos livros de Rank para rejeitar igualmente as teorias de Freud". Max Graf* recomendou prudência na interpretação de obras literárias, esclarecendo que "é somente quando alguns temas se destacam com muita nitidez e se repetem com freqüência que podemos ligá-los à vida sexual". Um ano depois, em 4 de dezembro de 1907, uma exposição de Isidor Sadger*, dedicada a Meyer, provocou um severo confronto, prelúdio para a elaboração de uma espécie de carta magna enunciada na semana seguinte, em 11 de dezembro de 1907, por ocasião da exposição de Graf dedicada à "metodologia da psicologia dos escritores". Graf entregou-se, primeiramente, a uma crítica radical das teses de Cesare Lombroso (1836-1909)

e das desenvolvidas pela escola francesa de psicologia, adepta da teoria da hereditariedade-degenerescência*. Dentro dessa perspectiva, explicou Graf, é que se haviam começado a escrever "patografias", "análises de escritores com base em experiências patológicas (...). Bem diferente é o procedimento de Freud", acrescentou ele, "que conduz ao inconsciente* e mostra que a doença psíquica é apenas uma variação da pretensa sanidade psíquica, que as doenças mentais são uma dissociação dos elementos psíquicos da pessoa sadia". Antes de expor os princípios do método psicanalítico e as regras de "sua aplicação aos artistas", Graf concluiu: "Lombroso trata os escritores da mesma maneira que um tipo de criminoso particularmente interessante"; quanto aos "psicólogos franceses, (eles) só vêem no escritor um neurótico".

A discussão deu a Freud o ensejo de mais uma vez dar apoio a Graf, que acabara de lembrar, vigorosamente: "Quem quiser conhecer um escritor deverá procurá-lo em seus livros." Retomando as teses que desenvolvera dias antes, por ocasião de uma conferência intitulada "O criador literário e a fantasia", proferida na residência do editor Hugo Heller*, — teses essas que postulavam uma relação de identidade entre o processo de produção literária e os mecanismos do devaneio —, Freud lembrou: "Todo escritor que apresenta tendências anormais pode ser objeto de uma patografia. Mas esta", insistiu, "nada nos ensina de novo. A psicanálise, em contrapartida, informa sobre o processo da criação (... [e]) merece ser colocada acima da patografia."

A empreitada da psicanálise aplicada, portanto, distinta da patografia, debutou desde muito cedo. Iria dar margem aos mais diversos exercícios de interpretação*, desde a psicobiografia (interpretação das obras em função da vida do autor) até a psicocrítica (interpretação psicanalítica dos textos), passando pela psicohistória (interpretação da história com a ajuda da psicanálise). O objetivo dessa ampliação da teoria psicanalítica e de seu campo de interpretação não tardou a ser exposto. Ludwig Binswanger* o registrou nas anotações em que relatou sua segunda visita a Freud, em 1909: "Freud continua a considerar a psicanálise uma ciência total, o grande e novo meio de pesquisa que ele gostaria de ver aplicado à religião, à história e à arte." Em 1914, em seu artigo "A história do movimento psicanalítico", Freud escreveu, a propósito de *A interpretação dos sonhos** e de um outro livro, *Os chistes e sua relação com o inconsciente*, que essas duas obras "mostraram desde logo que os ensinamentos da psicanálise não podem restringir-se ao campo médico, mas são suscetíveis de se aplicar a outras diferentes ciências do espírito".

Era realmente este o objetivo essencial: libertar-se da tutela médica, escapar ao simples registro do procedimento terapêutico, para não ficar reduzido a servir à psiquiatria, e com isso, fazer com que a psicanálise — que Freud fazia questão de estabelecer que não era uma daquelas ciências do espírito (*Geisteswissenschaften*) às quais poderia enriquecer — pudesse encontrar seu lugar na ordem das ciências da natureza (*Naturwissenschaften*). Em mais de uma ocasião, Freud fez questão de dar a esse objetivo legitimidade teórica, lembrando, sobretudo na trigésima quarta das *Novas conferências introdutórias sobre psicanálise**, que, depois de compreender o alcance da psicanálise como "psicologia das profundezas", ele fora levado a admitir que, na medida em que "nada daquilo em que os homens crêem ou que executam é compreensível sem o concurso da psicologia", daí deviam "resultar espontaneamente aplicações da psicanálise a numerosos campos do saber, em particular aos das ciências do espírito, aplicações estas que se impunham e exigiam ser elaboradas".

Essencial para o desenvolvimento da psicanálise e para a aquisição de seu estatuto de disciplina científica completa, a aventura da psicanálise aplicada seria vivida por Freud como uma conquista militar e colonial. A correspondência com Carl Gustav Jung*, Oskar Pfister* ou Sandor Ferenczi* é testemunho disso. Instaurou-se, assim, uma logística, sob a forma de proclamações institucionais (a psicanálise aplicada figura em lugar de destaque na declaração dos objetivos da International Psychoanalytical Association* [IPA]), através de uma busca sistemática de alianças com especialistas das ciências do espírito que os psicanalistas só conheciam superficialmente e, por fim, em tor-

no dos recursos editoriais. Foi assim que se criou, em 1907, com a publicação do ensaio de Freud intitulado "Delírios e sonhos na *Gradiva* de Jensen"*, a coleção dos *Schriften zur angewandten Seelenkunde** (Monografias de psicologia aplicada).

Em pouco tempo, essa série revelou-se estreita demais para garantir o desenvolvimento de um setor em plena expansão. Nasceu então a idéia de uma revista inteiramente dedicada aos trabalhos de psicanálise aplicada, "não médica", como Freud deixou claro numa carta a Jung, datada de 27 de junho de 1911, uma revista que Hanns Sachs* e Otto Rank fundariam em 1912, que levaria o nome de *Imago** e à qual Freud dedicaria muita energia e recursos. Em especial, ele publicaria ali as primeiras versões de *Totem e tabu**, bem como seu estudo sobre "O *Moisés* de Michelangelo", publicado anonimamente. Independentemente do que possa ter dito Freud — que, numa carta a Edoardo Weiss* de 12 de dezembro de 1933, referiu-se a esse texto falando de um "filho do amor", que era também um "filho não analítico" —, esse anonimato foi bem um sinal de suas hesitações quanto à validade da psicanálise aplicada. Escrevendo a Karl Abraham* em 6 de abril de 1914, ele evocou esse estudo, cujo "caráter diletante" criticou, acrescentando que tal diletantismo era algo a que "dificilmente se escapa nos trabalhos feitos para a *Imago*".

Numa outra carta ao mesmo Abraham, em 4 de março de 1915, falando de suas "Considerações atuais sobre a guerra e a morte", ele qualificou o ensaio de "conversa da atualidade", esclarecendo: "Nada disso deixa de ter, é claro, reticências internas."

A ambivalência freudiana a respeito da psicanálise aplicada refletiu-se tanto nas contribuições do próprio Freud quanto nas reações contrastantes que esse campo tem despertado na comunidade psicanalítica.

Antes de mais nada, convém assinalar que, apesar do entusiasmo despertado pela psicanálise aplicada no meio freudiano e além dele, Freud se entregou muito pouco à psicobiografia (a qual execrava, aliás, ao ser objeto dela). Exceto por uma breve cooperação num livro de Rank, *O mito do nascimento do herói*, onde desenvolveu a idéia do romance familiar*, ele adotou uma postura singular a respeito dessas questões. Em todos os seus trabalhos considerados da esfera da psicanálise aplicada, com efeito, podemos constatar a existência de um segundo objetivo, este puramente teórico, que na maioria das vezes vem substituir a aplicação pura e simples.

Assim, o estudo sobre Leonardo da Vinci (1452-1519) afasta-se das psicobiografias habituais, marcando um passo adiante na teoria da sexualidade, mais particularmente na abordagem da homossexualidade*. Do mesmo modo, *Totem e tabu** ultrapassa os limites de suas referências etnológicas, já obsoletas quando de sua publicação. Em *Psicologia das massas e análise do eu**, Freud recorre à psicossociologia francesa de Gustave Le Bon (1841-1931), mas abandona muito depressa esse contexto, para elaborar o primeiro ensaio teórico dedicado aos aspectos do que se viria a chamar de fenômeno totalitário e lançar, teórica e historicamente, as bases da segunda tópica*. É o que acontece ainda com o livro co-assinado com William C. Bullitt (1891-1967), dedicado ao Presidente Thomas Woodrow Wilson, que se mantém até hoje como a única tentativa de compreender os processos subjacentes à emergência do fenômeno do "grande homem", tema que encontramos evocado no último livro de Freud publicado em sua vida, *Moisés e o monoteísmo**.

Hoje em dia, a psicanálise aplicada é objeto de julgamentos particularmente contrastantes. Correntemente utilizada no mundo anglófono — autores tão diferentes quanto Ernest Jones* e Peter Gay classificam uma parcela importante das obras de Freud, todos dois, com o rótulo de psicanálise aplicada, sem que isso provoque o menor debate —, a expressão "psicanálise aplicada" é alvo, na comunidade psicanalítica francesa, de uma rejeição particularmente violenta.

É possível propor duas explicações para a reação francesa. A primeira corresponde à preocupação de alguns psicanalistas, dentre eles Daniel Lagache*, de restituir à psicanálise uma respeitabilidade que a leviandade de um grande número de ensaios de psicanálise aplicada a fizera perder. Mantendo-se distantes desse tipo de procedimento — ilustrado na França, em especial, pela psicobiografia de Edgar Allan Poe (1809-1849) que se deveu a Marie Bona-

parte* e por diversos livros de René Laforgue* —, e desenvolvendo trabalhos que se articulavam, antes de mais nada, com a teoria e a clínica da análise, esses psicanalistas almejavam obter para sua disciplina o reconhecimento universitário que até então lhe faltara. A outra razão foi dada por Jacques Lacan* na intervenção que fez sobre a questão da psicanálise aplicada, por ocasião de sua resenha crítica do livro de Jean Delay* intitulado *La Jeunesse d'André Gide*.

Nesse artigo, Lacan afirmou, em especial: "A psicanálise só se aplica, em sentido próprio, como tratamento, e portanto, a um sujeito que fala e que ouve", com isso indicando que qualquer outra forma de aplicação só poderia sê-lo num sentido figurado, isto é, imaginário, baseado na analogia e, como tal, desprovido de eficácia.

• Sigmund Freud, *La Naissance de la psychanalyse* (Londres, 1950), Paris, PUF, 1956; *Briefe an Wilhelm Fliess, 1887-1904*, Frankfurt, Fischer, 1986 • *Les Premiers psychanalystes, Minutes de la Société Psychanalytique de Vienne*, vol.I, *1906-1908*, 4 vols. (1962-1975), Paris, Gallimard, 1976-1983 • Sigmund Freud e Karl Abraham, *Correspondance, 1907-1926* (Frankfurt, 1965), Paris, Gallimard, 1969 • *Freud/Jung: correspondência completa* (Paris, 1975), Rio de Janeiro, Imago, 1993 • Sigmund Freud e Edoardo Weiss, *Lettres sur la pratique psychanalytique*, precedidas por *Souvenirs d'un pionnier de la psychanalyse*, Toulouse, Privat, 1975 • Sigmund Freud e Ludwig Binswanger, *Correspondance (1908-1938)* (Frankfurt, 1992), Paris, Calmann-Lévy, 1995 • Sigmund Freud, "A história do movimento psicanalítico" (1914), *ESB*, XIV, 16-88; *GW*, X, 44-113; *SE*, XIV, 7-66; Paris, Gallimard, 1991; *Novas conferências introdutórias sobre psicanálise* (1933), *ESB*, XXII, 15-226; *GW*, XV; *SE*, XXII, 5-182; *OC*, XIX, 83-268; • Jacques Lacan, *Escritos* (Paris, 1966), Rio de Janeiro, Jorge Zahar, 1998 • Nicholas Rand e Maria Torok, *Questions à Freud*, Paris, Les Belles Lettres-Archimbaud, 1995 • Guy Rosolato, *Pour une psychanalyse exploratrice de la culture*, Paris, PUF, 1993.

➤ CRIMINOLOGIA; PRESIDENTE THOMAS WOODROW WILSON, O.

psicanálise de crianças (ou infantil)

A psicanálise de crianças não é um campo isolado da psicanálise*. Em todos os países do mundo, a formação exigida para que alguém se torne psicanalista de crianças é idêntica à exigida para a prática com adultos. Se a psicanálise de crianças mantém desde sempre uma relação particular com a pedagogia, a medicina (pediatria), a psiquiatria (pedopsiquiatria) e a psicologia, não se criou nenhum termo (equivalente à pediatria ou à pedopsiquiatria) para designá-la como especialidade. Oskar Pfister*, que cedo praticou a psicanálise de crianças na Suíça* segundo a tradição dos pastores, inventou o termo pedo-análise para designar a pedagogia psicanalítica, mas a palavra não se impôs. Nem por isso deixa de persistir o fato de que os psicanalistas de crianças, apesar de serem também psicanalistas de adultos, têm com freqüência a impressão de serem diferentes dos outros psicanalistas.

Assim como a psicanálise nasceu da medicina e, depois, da psiquiatria (e da psiquiatria dinâmica*), também a prática da psicanálise de crianças é herdeira da filosofia do Iluminismo. Em todos os países, foi introduzida por quatro vias: medicina, psiquiatria, psicologia e pedagogia. Na França*, tomou o caminho da psiquiatria ou da psicologia, ao passo que, noutros países da Europa (em geral protestantes), introduziu-se mais no terreno da pedagogia e, portanto, da análise leiga*. Por toda parte, misturou-se com as disciplinas afins.

É ao encarregado de saúde francês Jean-Marc-Gaspard Itard (1774-1838), admirador de Philippe Pinel (1745-1826), que devemos a primeira descrição de um tratamento moral conduzido com uma criança: Victor de l'Aveyron (1789-1828). O caso desse "menino selvagem" seria considerado o protótipo de um tratamento de psicose* infantil com autismo*. Suscitaria inúmeros comentários e seria levado à tela por François Truffaut (1932-1984). Capturado na mata em 1800, aos 12 anos de idade, Victor foi levado ao Instituto de Surdos-Mudos de Paris: Itard tentou ensiná-lo a falar, sem jamais obter êxito.

Os trabalhos de Philippe Ariès (1914-1984) sobre a criança e a família no Antigo Regime, os de Michelle Perrot sobre a família e a vida privada, e os de Élisabeth Badinter sobre o amor materno mostraram que o lugar conferido à criança na família varia de acordo com as sociedades e, acima de tudo, modificou-se consideravelmente a partir do século XIX, sob o efeito do culto da maternidade. Foi nessa época que acabou de se impor uma visão rous-

seauniana da infância e que a criança tornou-se objeto de um apego específico, que só faria aumentar com os avanços da medicina e, mais tarde, com a generalização da contracepção nas sociedades industrializadas. Parece evidente que, quanto mais diminui a taxa de mortalidade infantil, mais dolorosa é a perda de uma criança. Do mesmo modo, quanto mais a criança é conscientemente desejada ou "planejada", mais importante parece tornar-se seu lugar na afeição parental.

Foi nesse contexto e, mais tarde, no da crise da família burguesa que a psicanálise de crianças deslanchou no começo do século, quando Sigmund Freud*, tendo evidenciado o papel fundamental da sexualidade* infantil no destino humano, propôs a seu amigo Max Graf* que analisasse seu filho, Herbert Graf* (o Pequeno Hans).

Na história da psicanálise, foi inicialmente às mulheres que coube o papel de analisar crianças. Essa função, dita "educativa", não as obrigava a fazer estudos médicos — em geral reservados aos homens — e lhes permitiu, muito rapidamente, adquirir uma grande liberdade, bem como um lugar importante no movimento freudiano. Sob esse aspecto, a análise de crianças favoreceu a emancipação feminina. Mas foi também sede de múltiplos dramas, pois, muitas vezes, as psicanalistas da primeira e segunda gerações* analisaram seus filhos, ou confiaram essa tarefa a suas colegas mais próximas. Além disso, entre as psicanalistas de crianças recenseou-se um número impressionante de mortes violentas: quatro suicídios* (Arminda Aberastury*, Sophie Morgenstern*, Tatiana Rosenthal* e Eugénie Sokolnicka*) e um assassinato (Hermine von Hug-Hellmuth*).

Depois de Sandor Ferenczi*, que foi um dos maiores clínicos da infância no início do século, e de August Aichhorn*, que cuidou de crianças delinqüentes em Viena*, outros homens dedicaram-se a esse ramo da psicanálise: Erik Erikson*, René Spitz*, Donald Woods Winnicott* e John Bowlby*, em especial.

No campo da análise de crianças, tal como no da sexualidade feminina*, duas grandes concepções enfrentaram-se no interior da International Psychoanalytical Association* (IPA), depois da publicação (em 1909) do caso do

Pequeno Hans: a da escola vienense, representada por Anna Freud*, seu pai e os primeiros discípulos deste, e a da escola inglesa, representada, a partir de 1924, por Melanie Klein*. Para a escola vienense, a análise de uma criança não deveria começar antes dos 4 anos de idade nem ser conduzida "diretamente", mas sim por intermédio da autoridade parental julgada protetora. Sigmund Freud sustentava essa concepção com a ajuda de argumentos perfeitamente coerentes, como mostra sua correspondência com Joan Riviere*: "Postulamos como consideração prévia", escreveu em 9 de outubro de 1927, "que a criança é um ser pulsional, com um eu* frágil e um supereu* justamente em vias de formação. No adulto, trabalhamos com a ajuda de um eu já firmado. Portanto, não é ser infiel à análise levar em conta, em nossa técnica, a especificidade da criança, na qual, durante a análise, o eu deve ser apoiado contra um isso* pulsional onipotente. Ferenczi fez a observação muito espirituosa de que, se a Sra. Klein estiver certa, na verdade já não haverá crianças. Naturalmente, a experiência é que dirá a palavra final. Até o momento, minha única constatação é que a análise sem uma orientação educativa só faz agravar o estado das crianças, e tem efeitos particularmente perniciosos nas crianças abandonadas, anti-sociais."

Para Melanie Klein, ao contrário, era preciso abolir todas as barreiras que impediam o psicanalista de ter acesso diretamente ao inconsciente* da criança. A proteção de que Freud falava era, a seu ver, um engodo ao qual era preciso opor uma verdadeira doutrina do infante (a criança de 2-3 anos), isto é, da criança que ainda não fala mas já não é um bebê, uma vez que recalcou o bebê dentro de si.

Se Freud foi o primeiro a descobrir no adulto a criança recalcada, Melanie Klein, por intermédio do interesse que dedicou à psicose e às relações arcaicas com a mãe, foi a primeira a identificar na criança o que já estava recalcado, isto é, o bebê. Com isso, ela propôs não apenas uma doutrina, mas também um enquadre necessário ao exercício de tratamentos especificamente infantis: "Ela fornece à criança um enquadre analítico apropriado", escreveu Hanna Segal, "ou seja, os horários das sessões são rigorosamente fixados — 55 minutos, cinco

vezes por semana. O aposento é especialmente adaptado para receber crianças. Contém apenas móveis simples e robustos, uma mesinha e uma cadeira para a criança, uma cadeira para o analista e um pequeno divã. As paredes são laváveis. Cada criança deve ter sua caixa de brinquedos, reservada unicamente para o tratamento. Os brinquedos são cuidadosamente escolhidos. Há casinhas, pequenos bonecos homens e mulheres, de preferência de tamanhos diferentes, animais de fazenda e animais selvagens, cubos, bolas, bolas de gude e material: tesoura, barbante, lápis, papel e massa de modelar. Além disso, o cômodo deve ser provido de uma pia, posto que a água desempenha um papel importante em certas fases da análise."

Freud disse, em 1927, que a experiência teria a palavra final. Pois bem, no mundo inteiro, a experiência parece ter dado razão às teorias kleinianas que se impuseram com vigor entre todos os clínicos da infância. Não obstante, em toda parte elas foram revistas, corrigidas, transformadas e modificadas no sentido de uma participação maior dos pais no desenrolar da análise. Por outro lado, a herança da escola vienense foi colhida por todos os defensores das experiências sociais e educativas, de Margaret Mahler a Bruno Bettelheim*.

Se a França* é um dos raros países em que o kleinismo* não fez escola, ela é marcada, em contrapartida, por duas fortes tradições: a primeira está ligada à psiquiatria hospitalar e à Société Psychanalytique de Paris (SPP), tendo sido conduzida por Serge Lebovici e René Diatkine; a segunda forjou-se a partir da herança das grandes pioneiras, Eugénie Sokolnicka e Sophie Morgenstern. A princípio, foi representada por Françoise Dolto* e, mais tarde, por Jenny Aubry*, Ginette Raimbault e Maud Mannoni, todas quatro ligadas a Jacques Lacan* e à École Freudienne de Paris* (EFP).

Fortemente influenciada por Winnicott, Maud Mannoni, cujos trabalhos são conhecidos no mundo inteiro, criou em 1969 a Escola Experimental de Bonneuil-sur-Marne, que acolhe crianças e adolescentes psicóticos.

• Sigmund Freud, "Análise de uma fobia em um menino de cinco anos" (1909), *ESB*, X, 15-152; *GW*, VII, 243-377; SE, X, 1-147; in *Cinq psychanalyses*, Paris, PUF, 1954, 93-198, "Lettres de Sigmund Freud à Joan

Riviere (1921-1939)", apresentadas por Athol Hugues, *Revue Internationale d'Histoire de la Psychanalyse*, 6, 1993, 429-81 • Philippe Ariès, *L'Enfant et la vie familiale sous l'Ancien Régime* (1960), Paris, Seuil, 1973 • Michelle Perrot, *Le Mode de vie des familles bourgeoises*, Paris, Armand Colin, 1961 • Maud Mannoni, *A criança retardada e a mãe* (Paris, 1964), S. Paulo, Martins Fontes; *A criança, sua doença e os outros* (Paris, 1967), Rio de Janeiro, Zahar, 1983; *Educação impossível* (Paris, 1973), Rio de Janeiro, Francisco Alves, 1988; *Un lieu pour vivre. Les Enfants de Bonneuil, leurs parents et l'équipe des soignants*, Paris, Seuil, 1976 • Ginette Raimbault, *Médecins d'enfants*, Paris, Seuil, 1973 • Élisabeth Badinter, *L'Amour en plus*, Paris, Flammarion, 1980 • Thierry Gineste, *Victor de l'Aveyron, dernier enfant sauvage, premier enfant fou*, Paris, Le Sycomore, 1981 • Mireille Cifali, *Freud pédagogue? Psychanalyse et éducation*, Paris, Inter-Éditions, 1981.

➤ ARGENTINA; BRASIL; ÉDIPO, COMPLEXO DE; MAUCO, GEORGES; MONTESSORI, MARIA; PARENTESCO; PATRIARCADO; RAMBERT, MADELEINE; RÚSSIA; SCHMIDEBERG, MELITTA; SCHMIDT, VERA; SEXUALIDADE; *TRÊS ENSAIOS SOBRE A TEORIA DA SEXUALIDADE*; ZULLIGER, HANS.

psicanálise selvagem
➤ INTERPRETAÇÃO.

psicastenia
Termo introduzido por Pierre Janet* em 1903 para substituir "neurasteria"* e designar uma neurose equiparável, no plano clínico, ao que Sigmund Freud* denominou de neurose obsessiva*.

• Pierre Janet, *Les Obsessions et la psychasthénie*, vol.1, Paris, Alcan, 1903.

psicobiografia
➤ PSICANÁLISE APLICADA.

psicocrítica
➤ PSICANÁLISE APLICADA.

psicodrama
al. *Psychodrama*; esp. *psicodrama*; fr. *psychodrame*; ing. *psychodrama*

Método de psicoterapia* inventado por Jacob Levy Moreno*, derivado da catarse* e que consiste em o sujeito* encenar, com um objetivo terapêutico, uma situação conflitiva, isto é, em representá-la num palco de teatro improvisado.

Foi depois de sua emigração para os Estados Unidos*, em 1925, que Jacob Levy Moreno inventou o psicodrama, a fim de revelar teatralmente a verdade do paciente em suas relações com outrem. A sessão psicodramática divide-se em três partes: o *encaminhamento*, no qual o paciente é solicitado a explicar como vivencia seu papel, a *ação*, durante a qual ele representa sua vida sob a forma de um drama, e o *retorno*, no qual tem que explicar como se "encontrou" no drama. A sessão apela para toda sorte de técnicas teatrais: inversão de papéis, jogos de espelhos, desdobramento da personalidade e utilização do coro ou do monólogo. Moreno inventou também o sociodrama, que é representado "de grupo para grupo" e põe em cena conflitos coletivos: drama das minorias negras, dos prisioneiros, dos marginais etc.

Na psicanálise*, o psicodrama é utilizado como técnica de eleição no tratamento das psicoses* e dos distúrbios narcísicos infantis. Daí a invenção do termo "psicodrama psicanalítico", que fez fortuna em inúmeros países, incorporando alguns dos conceitos freudianos, como a transferência*, a projeção* ou a fantasia*.

• Jacob Levy Moreno, *Fondements de la sociométrie* (Washington, 1934, Paris, 1954), Paris, PUF, 1970; *Psychothérapies de groupe et psychodrame* (Beacon, 1946), Paris, Retz, 1975 • René Marineau, *J.L. Moreno et la troisième révolution psychanalytique*, Paris, Métailié, 1989 • Jean-François Rabain, "Le Psychodrame psychanalytique", in Alain de Mijolla e Sophie de Mijolla-Mellor, *Psychanalyse*, Paris, PUF, 1996, 629-41.

➤ GESTALT-TERAPIA.

psicogênese
➤ PSIQUIATRIA DINÂMICA; PSICOTERAPIA INSTITUCIONAL.

psico-história
➤ PSICANÁLISE APLICADA.

psicologia
➤ BRASIL; *EGO PSYCHOLOGY*; ESTADOS UNIDOS; FRANÇA; JANET, PIERRE; LAGACHE, DANIEL;

MEYER, ADOLF; PSICOLOGIA CLÍNICA; PSICOPATO-LOGIA; PSICOTERAPIA; PSIQUIATRIA DINÂMICA; *SELF PSYCHOLOGY*.

psicologia analítica, escola de

➢ JUNG, CARL GUSTAV; PSICOTERAPIA.

psicologia clínica

al. *klinische Psychologie*; esp. *psicología clínica*; fr. *psychologie clinique*; ing. *clinical psychology*

Prática terapêutica fundamentada na entrevista direta e no exame de casos a partir da observação das condutas individuais.

O termo psicologia clínica foi empregado pela primeira vez em 1896, pelo psicólogo norte-americano Lightner Witmer, que a definia como um método de pesquisa que consistia em examinar, com vistas a uma generalização, as aptidões dos sujeitos e suas deficiências. A expressão seria utilizada por Sigmund Freud* uma única vez, numa carta a Wilhelm Fliess* de 30 de janeiro de 1899: "Agora", escreveu, "a ligação com a psicologia, tal como se apresenta nos *Estudos* [*sobre a histeria*], saiu do caos. Percebo as relações com o conflito, com a vida, com tudo o que eu gostaria de chamar de psicologia clínica." Se o método psicanalítico repousa sobre uma clínica, esta renuncia, no entanto, à observação direta do doente para interpretar os sintomas em função da escuta do inconsciente*. Considerado o caminho aberto pela *Interpretação dos sonhos*, portanto, essa noção não poderia encontrar lugar no vocabulário freudiano.

Foi sob o nome de clínica psicológica que Pierre Janet* retomou essa idéia, numa descendência direta da herança da escola francesa de psicologia e dos ensinamentos de Théodule Ribot (1839-1916). Para ele, tratava-se de constituir o campo da psicopatologia* e de dotar a psicologia da chamada competência clínica, retirando da medicina o privilégio desse famoso olhar exercido junto ao leito do doente. Baseada na investigação e na abordagem das condutas, a análise janetiana ocupa-se menos das estruturas que das funções. Exclui de seu campo dois termos que são essenciais à prática psicanalítica: o inconsciente e a transferência*.

Mais tarde, a noção de psicologia clínica foi caindo em desuso, à medida que a psicologia, como ciência do sentido íntimo, viu-se suplantada por um saber freudiano introduzido no próprio terreno da psicologia, da psiquiatria e da medicina.

Todavia, a partir da década de 1960, com o desenvolvimento da psicanálise de massas e a generalização dos estudos de psicologia, a psicologia clínica obteve um novo impulso. Daniel Lagache* restituiu-lhe um vigor particular em 1949, ao impor seu programa de integração da psicanálise* com a psicologia. Seu objetivo era separar, na universidade, o ensino da psicologia e o da filosofia, bem como favorecer o acesso dos não médicos à psicanálise. Mas isso redundou, pura e simplesmente, na liquidação de um ensino verdadeiro do freudismo na universidade, em prol da psicologia ou de um freudismo edulcorado. Nesse contexto, a psicologia clínica que se leciona é definida como um estudo de casos individuais cujo método se assenta em três postulados: a dinâmica, a totalidade e a gênese. O primeiro ponto visa a investigação dos conflitos, o segundo contempla a totalidade inacabada do ser, segundo um modelo sartriano, e o terceiro pretende apreender a história do sujeito em termos de evolução e de balanço. Desses três postulados derivam os objetivos práticos: o psicólogo clínico cura doentes, educa crianças, aconselha adultos e reclassifica os inadaptados.

• Sigmund Freud, *La Naissance de la psychanalyse* (Londres, 1950), Paris, PUF, 1956 • Maurice Reuchlin, *Histoire de la psychologie*, Paris, PUF, col. "Que sais-je?", 1957 • Daniel Lagache, *L'Unité de la psychologie*, Paris, PUF, 1949 • Élisabeth Roudinesco, *História da psicanálise na França*, 2 vols. (Paris, 1982, 1986), Rio de Janeiro, Jorge Zahar, 1989, 1988.

➢ ANÁLISE LEIGA; BRASIL; ELLENBERGER, HENRI F.; ESTADOS UNIDOS; FRANÇA; LACANISMO; PSICOTERAPIA; PSIQUIATRIA DINÂMICA.

Psicologia das massas e análise do eu

Livro de Sigmund Freud* publicado em 1921, sob o título Massenpsychologie und Ich-Analyse. *Traduzido pela primeira vez para o francês em 1924, por Samuel Jankélévitch, sob o título* Psychologie collective et analyse du moi, *revisado por Angelo Hernard* em 1966. Nova tradução em 1981 por Pierre Cotet, André Bourguignon (1920-1996), Odile Bourguignon, Janine Altounian e Alain Rauzy, sob o título* Psychologie des foules et analyse du moi, *e mais tarde, em 1991, sob o título* Psychologie des masses et analyse du moi. *Traduzido para o inglês por James Strachey* em 1922, sob o título* Group Psychology and the Analysis of the Ego, *retomado sem modificação em 1955.*

Escrito em 1920, depois de *Mais-além do princípio de prazer**, *Psicologia das massas e análise do eu* constitui o segundo estágio da grande reformulação teórica da década de 1920, da qual *O eu e o isso**, publicado em 1923, seria a terceira parte.

Numa carta a Romain Rolland* de 4 de março de 1923, Freud definiu qual fora seu objetivo: "Não que eu considere esse texto particularmente bem-sucedido", esclareceu, "mas ele aponta o caminho que vai da análise do indivíduo para a compreensão da sociedade."

Explicar em termos psicológicos certos aspectos do funcionamento das sociedades humanas, em particular o que provém do psiquismo do indivíduo inserido na massa, correspondia à preocupação que tinham, na época, escritores como Arthur Schnitzler* e Hugo von Hofmannsthal (1874-1929), no sentido de esclarecer as relações entre a psique e a política. A intenção sociológica e política desse ensaio, no qual Freud se refere explicitamente à concepção aristotélica do homem como animal político, tem sido freqüentemente encoberta por traduções aproximativas. James Strachey, ao traduzir o termo alemão *Massen* por *group* [grupo], em vez de *mass* [massa], o que foi deplorado pela *Encyclopedia of Psychoanalysis* de Ludwig Eidelberg (1898-1970), optou por uma concepção reducionista do social, característica da psicologia social norte-americana, segundo a qual o grupo constitui o modelo, reduzido ou experimental, da sociedade. As diversas traduções francesas não foram mais precisas. Até 1981, privilegiou-se a dimensão quantitativa, ainda que refutada por Freud, falando-se em psicologia *coletiva*. Esse foi um travestimento ainda mais digno de nota, na medida em que, para traduzir o termo francês *foule*, utilizado por Gustave Le Bon (1841-1931), Freud preferiu o termo alemão *Massen* à palavra *Menge*, assim

privilegiando a conotação política. Preocupados em manter a ligação com a obra de Le Bon, os autores da nova tradução francesa optaram, inicialmente, pela palavra *foule* para traduzir *Massen*, antes de voltarem para "massa" em sua última versão, de conformidade com a opção freudiana.

Desde as primeiras linhas de seu livro, Freud rejeitou a oposição clássica entre psicologia individual e psicologia social, ou psicologia das massas, salientando que há sempre um outro* (modelo, objeto, rival) na vida psíquica do indivíduo, e que, portanto, a psicologia individual é sempre social. Entretanto, há uma diferença, porém no interior da psicologia individual, entre os atos sociais e os atos narcísicos, nos quais a satisfação pulsional escapa aos efeitos da alteridade.

Que é uma massa, de onde ela retira sua capacidade de modificar o indivíduo, e em que consiste essa mudança? Freud registra, para começar, as respostas dadas a essas perguntas por Gustave Le Bon, de um lado, em seu célebre livro *La Psychologie des foules*, cuja primeira edição data de 1895, e de outro, por um dos fundadores da psicologia social norte-americana, William McDougall, em seu livro *The Group Mind*, lançado em 1920.

Destacando as contribuições positivas desses dois autores, Freud mostra-se reservado, no entanto, quanto às explicações que eles fornecem sobre a modificação psicológica do indivíduo na massa. Observa que esse fenômeno se traduz por uma intensificação do afeto e uma inibição do pensamento. Em lugar da "palavra mágica" sugestão*, que já fora encontrada trinta anos antes em Hippolyte Bernheim*, e que Le Bon e McDougall consideravam passível de dar conta dos processos constitutivos de uma massa, Freud propõe usar o conceito de libido*, fonte energética das pulsões* que operam em tudo o que se relaciona ao amor. Enuncia então a hipótese de que as relações amorosas constituem a essência da alma das massas e enfatiza a função do líder na massa, parâmetro este que Le Bon e McDougall haviam negligenciado. Assim, Freud é levado a distinguir entre as massas desprovidas de um líder, às quais chama igualmente massas espontâneas, próximas do estado natural, e as massas dotadas de um líder, ou massas artificiais, que são produto da cultura. A Igreja* e o exército constituem dois exemplos dessas massas organizadas com líderes — massas artificiais, porquanto construídas a partir de coerções que criam obstáculos à sua dissolução espontânea.

O exame desses dois exemplos evidencia a existência de dois eixos estruturais: um eixo vertical, no qual se organiza a relação dos membros da massa com o líder, e um eixo horizontal, que representa a relação dos membros da massa entre si. Várias observações depõem a favor da natureza amorosa desses laços. Para começar, em cada um dos dois exemplos, presume-se que o líder (Cristo ou o comandante) ame com o mesmo amor cada um dos membros da massa. Depois, em caso de desagregação da massa, há o surgimento de um fenômeno de pânico no qual se misturam sentimentos de solidão e abandono, ligados ao enfraquecimento dos vínculos constitutivos da massa e geradores de angústia. Por fim, sempre apoiado na hipótese da natureza libidinal dos laços constitutivos da massa, Freud assinala a existência de um sentimento de hostilidade ou até de ódio por aqueles que não são membros dela, e que por isso representam um perigo para sua coesão.

Essas observações mostram que o eixo vertical, o vínculo com o líder, é determinante em relação ao eixo horizontal, a relação entre os membros da massa. E fazem surgir outras perguntas. Se o líder é indispensável à manutenção de uma massa, ele pode ser substituído, no entanto, por uma idéia ou por um sentimento negativo e unificador em relação a um objeto externo à massa, ficando o exame de todas essas questões subordinado à demonstração, distinta da simples observação, do caráter libidinal dos vínculos que constituem a massa.

Ao longo dessa demonstração, Freud é levado a abandonar por algum tempo seu objeto, a psicologia das massas, para se referir a reflexões teóricas anteriores, expostas sobretudo em um artigo de 1914 ("Sobre o narcisismo: uma introdução") e em outro de 1915 ("Luto e melancolia"). Assim, por um lado, ele propõe uma teorização completa da questão da identificação*, processo que considera o fundamento do eixo horizontal, e por outro, propõe reconsiderar a diferenciação do eu*, a fim de estabelecer uma

clara distinção entre o eu e o ideal do eu*. Essa conceituação conduziria à instauração, em 1923, em *O eu e o isso*, da segunda tópica*, onde o ideal do eu se transforma no supereu*.

Ao término de sua reflexão, Freud estabelece que uma massa organizada é produto de um processo duplo: por um lado, da instalação, por diversos indivíduos, de um mesmo objeto externo no lugar de seu ideal do eu, isto é, da constituição do eixo vertical, que Freud assimila ao vínculo entre o hipnotizado e o hipnotizador; por outro, da identificação recíproca entre esses mesmos indivíduos, ou seja, o eixo horizontal, assimilável por Freud a um vínculo amoroso cuja dimensão sexual teria sido sublimada.

Desconfiando da explicação através do fenômeno da sugestão, Freud evidencia, para esclarecer a transformação psíquica do indivíduo na massa, três mecanismos. A transformação, diz ele, é produto de uma limitação do narcisismo, aceita por todos os membros da massa. Essa limitação resulta da instalação do líder na posição de ideal do eu de cada um dos membros da massa. O vínculo amoroso que se estabelece entre os membros desta age como uma compensação, em troca do ataque narcísico aceito.

Mais do que qualquer outro, esse ensaio de Freud foi objeto de múltiplas interpretações concernentes ao contexto no qual foi elaborado e ao esclarecimento que supostamente traria sobre alguns tipos de regimes políticos.

No que tange às origens do texto, Jacques Lacan* ressaltou, em "Situação da psicanálise e formação do psicanalista em 1956", que Freud teorizou, nesse ensaio, fenômenos cujas conseqüências negativas, se lhe tivessem sido evidentes dez anos antes, talvez o houvessem levado a desconfiar da organização que ele criara na época, a International Psychoanalytical Association* (IPA), que supostamente deveria preservar e transmitir a verdade de sua descoberta. Para Lacan, a natureza dos vínculos de massa reconhecidos por Freud dera margem, na psicanálise e em sua transmissão, à instauração de um imperativo que instituía como critério do término da análise didática a identificação com o eu do analista, fonte de um conformismo e uma suficiência que se prestavam a edulcorar o caráter subversivo da descoberta freudiana.

Podemos destacar, a esse respeito, que Freud elaborou seu texto quando uma divergência o opunha a Karl Abraham*. A discordância concernia a um aspecto da organização e funcionamento da comunidade analítica. Em maio de 1920, Abraham propusera a Freud que ele fizesse uma escala em Berlim em setembro, em seu retorno do Congresso de Haia, para participar de um ciclo de conferências cujo sucesso, dessa maneira, ficaria assegurado. Freud evocou um "trabalho difícil" que estava em andamento (tratava-se da *Psicologia das massas*) e respondeu salientando que a instauração de um comitê deveria ter como efeito que se "[pudesse] prescindir cada vez mais da [sua] presença". Abraham, no entanto, insistiu na absoluta necessidade de que Freud fosse a Berlim, explicando que Jones* ou Ferenczi* ainda eram desconhecidos e que sua presença constituiria "o alvo das atenções". Freud respondeu-lhe em 4 de julho, impacientando-se um pouco: "Para agosto tenho em preparação um tema difícil, que exigirá uma concentração integral (...). Você diz que sua manifestação não tem nenhuma chance de êxito se eu não estiver presente. Mas essa é justamente a atitude contra a qual quero lutar." Portanto, foi no exato momento em que se preparava para refletir sobre a natureza da psicologia das massas, sobre a função dos chefes, dos líderes e de outros personagens supostamente "carismáticos", que Freud foi levado a se recusar a ocupar esse lugar. A coincidência merece ser frisada, mesmo que devamos lembrar a esse respeito que, a Fritz Wittels*, que postulava a existência de uma relação entre a morte da filha de Freud (Sophie Halberstadt*) e a redação de *Mais-além do princípio de prazer**, Freud respondeu: "Probabilidade nem sempre significa verdade."

Os comentadores da *Psicologia das massas*, por outro lado, entregaram-se a interpretações ambíguas. No texto já citado, Lacan circunscreveu numa frase definitiva o peso do procedimento de Freud, nele identificando uma "descoberta sensacional", que antecipou "em pouco as organizações fascistas que a tornaram patente". Pouco tempo depois, Jean-Bertrand Pontalis retomou a seu modo a apreciação lacaniana e falou de uma "primeira explicação psicológica — antecipada — do nazismo*".

Contemporâneos do clima ideológico do pós-guerra na França*, onde a sombra dos regimes do Eixo continuava a ameaçar todos os discursos, em especial após o lançamento do livro de Max Horkheimer (1895-1973) e Theodor Adorno (1903-1969) intitulado *Dialética do Esclarecimento*, esses julgamentos tomaram algumas liberdades com a história. Se o texto freudiano de fato antecipou "em pouco" uma forma de autoritarismo político, tratou-se menos da forma das futuras organizações fascistas que daquela que então se instalou na URSS, no momento mesmo em que Freud redigia esse ensaio. O autoritarismo iria concretizar-se, em particular, através da adoção da famosíssima "resolução sobre a unidade do partido", aprovada no X Congresso do partido bolchevista, em março de 1921, que proibia a formação de facções no interior do partido e impossibilitava o debate democrático. Ela se transformaria no principal instrumento do exercício da ditadura stalinista que acompanharia a instauração do "culto da personalidade".

Uma passagem do texto, situada no fim do capítulo V, permite supor, aliás, que Freud estava perfeitamente ciente da evolução do comunismo* soviético. Evocando o enfraquecimento do sentimento religioso, causa primordial da diminuição da intolerância e da crueldade outrora demonstradas pela Igreja, ele escreveu: "Quando outra ligação de massa surge em lugar da ligação religiosa, como hoje parece estar sucedendo com a ligação socialista [*sozialistischen*], daí decorre, para com os que estão fora dela, a mesma intolerância da época das lutas religiosas (...)."

Observe-se que os primeiros tradutores franceses, Samuel Jankélévitch e Angelo Hesnard, utilizaram a expressão "partido extremista" para traduzir o *sozialistischen* de Freud, enquanto Strachey, fiel nesse ponto ao texto original, falou de *socialistic tie* [vínculo socialista]. Foi preciso esperar por 1981, data da nova tradução, para que o leitor francês pudesse resgatar o sentido dessas linhas, escritas quase quinze anos antes da chegada dos nazistas ao poder.

Todavia, qualquer que possa ter sido a forma de regime político em que Freud pensou, sua insistência em privilegiar o eixo vertical da relação com o chefe levou-o a desdenhar outros modos de funcionamento do social e da política, estudados sobretudo por Maurice Merleau-Ponty (1908-1961) a partir das noções do improvável e do incerto, e sobre as quais Myriam Revault d'Allonnes, filósofa francesa, debruçou-se recentemente.

Em 1938, quando estudava o funcionamento da família, constatando o declínio da imago* paterna na civilização ocidental, Lacan já sublinhava o caráter caricatural da revalorização dessa imago na ideologia das organizações fascistas, as quais, segundo ele, colocavam a pulsão de morte na base do vínculo social. E, sete anos depois, por ocasião de uma viagem de estudos à Inglaterra, ele descobriu os trabalhos de Wilfred Ruprecht Bion* e sua utilização pelo exército inglês para consolidar sua unidade. Lacan se apercebeu, como escreveria Élisabeth Roudinesco, de que "uma teoria do *poder do grupo sem chefe*, fundamentada na prevalência do eixo horizontal, era superior a uma teoria do *poder do chefe sobre o grupo*, baseada no privilégio do eixo vertical". Nessa perspectiva, ele explorou o funcionamento desse eixo horizontal, um tanto negligenciado por Freud, para mostrar que a liberdade inscrita nele decorria de uma temporalidade que deixa a cada sujeito a possibilidade de tornar sua uma decisão lógica. Essa possibilidade, por sua vez, é função de um *tempo para compreender*, tempo de meditação que antecede o *momento de concluir*, o da decisão propriamente dita.

• Sigmund Freud e Karl Abraham, *Correspondance, 1907-1926* (Frankfurt, 1965), Paris, Gallimard, 1969 • Sigmund Freud, *Correspondance, 1873-1939* (Londres, 1960), Paris, Gallimard, 1966; "Sobre o narcisismo: uma introdução" (1914), *ESB*, XIV, 89-122; *GW*, X, 138-70; *SE*, XIV, 73-102; in *La Vie sexuelle*, Paris, PUF, 1969, 80-105; "Luto e melancolia" (1915-1917), *ESB*, XIV, 275-92; *GW*, X, 427-46; *SE*, XIV, 237-58; *OC*, XIII, 259-78; *Mais-além do princípio de prazer* (1920), *ESB*, XVIII, 17-90; *GW*, XIII, 3-69; *SE*, XVIII, 1-64; in *Essais de psychanalyse*, Paris, Payot, 1981, 41-115; *Psicologia das massas e análise do eu* (1921), *ESB*, XVIII, 91-184; *GW*, XIII, 73-161; *SE*, XVIII, 65-143; *OC*, XVI, 1-83; *O eu e o isso* (1923), *ESB*, XIX, 23-76; *GW*, XIII, 237-89; *SE*, XIX, 12-59; *OC*, XVI, 255-301 • Paul-Laurent Assoun, "Freud et la politique", *Pouvoirs*, 11, 1981, 155-81; *L'Entendement freudien. Logos et Anankè*, Paris, Gallimard, 1984 • Charles Bettelheim, *Les Luttes de classes en URSS, 1re période: 1917-1923*, Paris, Seuil-Maspero, 1974 • Ludwig Eidelberg (org.), *Encyclopedia of Psychoanalysis*, N. York e Londres, The Free Press, Collier-MacMillan, 1968 • Max Horkheimer e Theodor Adorno, *Dialética do esclarecimento* (N. York, 1944, Frankfurt, 1969), Rio de Janeiro, Jorge Zahar, 1985 • Elias Canetti, *Massa e poder* (Hamburgo, 1960), S. Paulo, Melhoramentos, 1983 • Jean Laplanche e Jean-Bertrand Pontalis, *Vocabulário da psicanálise* (Paris, 1967), S. Paulo, Martins Fontes, 1991, 2ª ed. • Jacques Lacan, "A psiquiatria inglesa e a guerra" (1947), in *A querela dos diagnósticos* (Paris, 1986), Rio de Janeiro, Jorge Zahar, 1989; *Escritos* (Paris, 1966), Rio de Janeiro, Jorge Zahar, 1998 • Jacques Le Rider, *Modernité viennoise et crises de l'identité*, Paris, PUF, 1990 • René Major, *De l'élection*, Paris, Aubier, 1986 • Maurice Merleau-Ponty, *Les Aventures de la dialectique*, Paris, Gallimard, 1955 • Michel Plon, "Au-delà et en deçà de la suggestion", *Frénésie*, 8, 1989, 89-114 • Jean-Bertrand Pontalis, *Après Freud*, Paris, Gallimard, 1968 • Myriam Revault d'Allonnes, "De la panique comme principe du lien social", *Les Temps Modernes*, 527, 1990, 39-55; "Le Doute de Merleau-Ponty", *Les Temps Modernes*, 531-3, vol.2, 1990, 551-68 • Élisabeth Roudinesco, *Jacques Lacan. Esboço de uma vida, história de um sistema de pensamento* (Paris, 1993), S. Paulo, Companhia das Letras, 1994 • Carl E. Schorske, *Viena fin-de-siècle* (N. York, 1981), S. Paulo, Companhia das Letras, 1990.

➢ EU; HIPNOSE; PSICANÁLISE APLICADA; SUGESTÃO; TÓPICA.

psicologia das profundezas, círculos de trabalho de

➢ CARUSO, IGOR; INTERNATIONALE FÖDERATION DER ARBEITSKREISE FÜR TIEFENPSYCHOLOGIE; PSICOTERAPIA.

psicologia do eu

➢ EGO PSYCHOLOGY.

psicologia do *self*

➢ SELF PSYCHOLOGY.

psicologia individual, escola de

➢ ADLER, ALFRED; PSICOTERAPIA.

psicopatologia

al. *Psychopathologie*; esp. *psicopatología*; fr. *psychopathologie*; ing. *psychopathology*

Esse termo foi utilizado, no fim do século XIX, pela medicina, psicologia, psiquiatria e psicanálise*, para designar os sofrimentos da alma e, em termos mais amplos, os distúrbios do psiquismo humano, a partir de uma distinção ou de um deslizamento dinâmico entre o normal e o patológico, variável conforme as épocas.

➢ ANTIPSIQUIATRIA; LOUCURA; PSICOLOGIA CLÍNI-CA; *PSICOPATOLOGIA DA VIDA COTIDIANA, A*; PSI-QUIATRIA DINÂMICA.

Psicopatologia da vida cotidiana, A

Livro de Sigmund Freud*, publicado em 1901 sob o título Zur Psychopathologie des Alltagslebens. *Traduzido para o francês pela primeira vez por Samuel Jankélévitch, em 1922, sob o título* Psycho-pathologie de la vie quotidienne, *e depois traduzi-do por Denis Messier sob o título* La Psychopatho-logie de la vie quotidienne. *Traduzido para o inglês pela primeira vez em 1914, por Abraham Arden Brill*, sob o título* Psychopathology of Everyday Life, *e depois por Alan Tyson, em 1960, como* The Psychopathology of Everyday Life.

Em sua biografia de Freud, Peter Gay se indaga se o inventor da psicanálise*, para marcar o "ponto de partida" de sua obra, não se haveria sentido tentado a optar pela interpreta-ção* desses fatos corriqueiros da vida cotidiana que são os esquecimentos, os lapsos* e outros atos falhos*, em lugar da dos sonhos*. Na época mesma em que estava redigindo *A interpreta-ção dos sonhos**, com efeito, Freud manifestou um interesse crescente por esses fenômenos de aparência anódina. Em 26 de agosto de 1898, numa carta a Wilhelm Fliess*, disse haver en-fim apreendido um "pequenino fato" de cuja natureza suspeitava já fazia muito tempo: o esquecimento de um nome e sua substituição "por algum elemento de um outro que se juraria ser o correto e que, sistematicamente, revela-se errado". Entretanto, Freud deplorou não poder registrar publicamente essa observação. Um mês depois, rejubilou-se junto ao mesmo Fliess por "ainda poder explicar facilmente um segun-do exemplo de esquecimento de nome", mas tornou a se interrogar: "Como e a quem tornar tudo isso plausível?" Passaram-se oito dias e ele anunciou ter escrito um pequeno artigo sobre esse exemplo: tratava-se do texto "O mecanis-mo psíquico do esquecimento", publicado, no fim do ano de 1898, na revista *Monatschrift für Psychiatrie und Neurologie*. No ano seguinte,

Freud publicou na mesma revista seu artigo sobre as "Lembranças encobridoras" e, depois disso, em 1901, um terceiro artigo, intitulado "Da psicopatologia da vida cotidiana" ("Zur Psychopathologie des Alltagslebens"), título posteriormente dado ao volume que reuniu a essência dessas três contribuições.

A psicopatologia da vida cotidiana cons-titui, ao lado de *A interpretação dos sonhos** e *Os chistes e sua relação com o inconsciente**, um tríptico que Ernest Jones* agrupou sob a etiqueta de psicanálise aplicada*, com isso marcando uma diferença em relação a outros textos da mesma época, mais precisamente os dedicados à teoria e à clínica, como os *Três ensaios sobre a teoria da sexualidade** e o relato do caso Dora (Ida Bauer*). A opção de Jones é justificável, na medida em que esses três livros comportam, efetivamente, características próprias da psicanálise aplicada.

Assim, ao optar por estudar fenômenos cor-riqueiros, como o sonho, o chiste ou os atos falhos, todos eles manifestações psíquicas que Jacques Lacan* chamaria de "formações do inconsciente", Freud pretendeu demonstrar, co-mo lembrou repetidas vezes ao longo do livro, que o campo de ação da psicanálise não podia limitar-se unicamente ao terreno da patologia.

Tratava-se igualmente de indicar, através do estudo dos lapsos, esquecimentos e atos falhos, o domínio permanente do inconsciente* sobre a totalidade da vida consciente. Com isso, Freud lembrou que sua meta era, "precisamente, cha-mar a atenção para as coisas que todo o mundo conhece e compreende da mesma maneira, ou seja, reunir fatos do dia-a-dia e submetê-los a um exame científico. Não vejo por que", pros-seguiu, "haveríamos de recusar a esse tipo de saber, que é a cristalização das experiências da vida cotidiana, um lugar entre as conquistas da ciência".

Por fim, Freud sustentou a tese do determi-nismo psíquico absoluto, que abriu caminho para um uso ilimitado da prática da interpreta-ção*, contra o qual, mais tarde, ele procuraria levantar-se, recorrendo principalmente ao processo da construção.

A despeito das avaliações negativas de Freud sobre as primeiras versões de seu traba-lho, entre outras numa carta a Fliess de 8 de maio de 1901, onde declarou esperar que o livro desagradasse ainda mais aos outros do que a ele mesmo, a *Psicopatologia da vida cotidiana* recebeu, desde sua publicação, uma acolhida favorável do grande público. Objeto de 16 artigos, em sua maioria elogiosos, nos quatro anos que se seguiram a seu lançamento, o livro foi reeditado a partir de 1907 e, na França*, comentado por Henri Claude* em 1913, em *L'Encéphale*, por ocasião de sua quarta edição alemã.

A cada reedição, Freud, que desde 1908 vinha acumulando um número considerável de exemplos de esquecimentos e lapsos (referindo-se a isso como sua "coleção"), acrescentava novos casos ao texto inicial, uns fornecidos por colegas (Alfred Adler*, Carl Gustav Jung*, Victor Tausk*, Ernest Jones, Sandor Ferenczi*, Eduard Hitschmann*, Lou Andreas-Salomé*, Otto Rank*, Hans Sachs*, Wilhelm Stekel*, Theodor Reik*) e outros provenientes de leitores anônimos.

A psicopatologia da vida cotidiana divide-se em doze capítulos, dedicados às diferentes formas de esquecimentos, lapsos, equívocos, descuidos e os mais variados atos falhos. Freud reconhece que essa divisão é essencialmente descritiva, havendo nos fenômenos estudados, na realidade, uma unidade interna que é atestada pelo livro inteiro. Aliás, em suas *Conferências introdutórias sobre psicanálise**, ele assinalaria que essa unidade era evidenciada, na língua alemã, pelo prefixo *ver*, comum a todas as palavras designativas desses "acidentes": *das Versagen* (o esquecimento), *das Versprechen* (os *lapsus linguae*), das *Vergreifen* (o equívoco da ação), das *Verlieren* (o extravio de objetos) etc.

O primeiro capítulo, que versa sobre o esquecimento de nomes próprios, abre-se com um exemplo que se tornou célebre e que fora objeto do artigo de 1898 dedicado ao mecanismo psíquico do esquecimento. Viajando com um companheiro fortuito para uma cidade da Herzegovina, Freud não mais consegue lembrar-se do nome de Luca Signorelli (1441-1523), o autor dos afrescos da catedral de Orvieto que representam os quatro "dias derradeiros". Em vez disso, vêm-lhe à mente dois outros nomes de pintores, os de Sandro Botticelli (1467-1516) e Giovanni Boltraffio (1441-1523), que ele sabe serem incorretos. Quando o nome procurado lhe é fornecido por seu companheiro de viagem, Freud não fica surpreso, mas faz questão de investigar as razões de seu esquecimento. Lembra-se então de que, antes de evocar a Itália com seu interlocutor, os dois haviam conversado sobre a mentalidade dos turcos da Bósnia-Herzegovina, em especial sobre sua resignação diante do destino — por exemplo, sua reação quando um médico lhes anuncia que a situação de um de seus parentes é desesperadora: "*Herr* [Senhor]", é mais ou menos o que eles dizem nessa situação, "não falemos mais disso; sei que, se fosse possível salvá-lo, o senhor o salvaria." Freud observa que esses dois nomes, Bósnia e Herzegovina, assim como a palavra *Herr*, têm lugar numa cadeia associativa entre *Signorelli-Botticelli* e *Boltraffio*. O *Bo* de Bósnia encontra-se nos nomes dos dois pintores que substituem o nome esquecido e procurado; quanto ao *Herr*, podemos encontrá-lo em *Her*zegovina, assim como, em sua tradução italiana, em *Signor*elli. Para explorar as razões inconscientes desse esquecimento, Freud procede como fizera ao analisar seus sonhos: esforça-se por fazer associações a partir do material manifesto. Lembra-se de ter pensado, ao longo da conversa, num outro aspecto dos costumes desses turcos da Bósnia: a importância que eles dão ao prazer sexual e seu desespero quando experimentam dificuldades nessa área, aspecto esse que Freud não quisera abordar com um desconhecido; ele se recorda também de haver pensado, naquele momento, na notícia recebida em Trafoi, no Tirol, de que um de seus pacientes, afetado por problemas sexuais incuráveis, havia-se suicidado. A proximidade entre *Trafoi* e *Boltraffio* "obriga-me a admitir", escreve Freud, "que, apesar de haver intencionalmente desviado minha atenção, eu estava sofrendo a influência dessa reminiscência". É de se notar, nesse exemplo, a especificidade da lógica inconsciente que leva a substituir o nome de Signorelli pelo de um pintor da mesma nacionalidade e da mesma época, Boltraffio, o qual contém os fonemas *Trafoi*, que remetem aos temas da morte e da sexualidade*, recalcados por Freud na conversa que antecedeu seu esquecimento. "Já não me é possível ver no esquecimento do nome Signorelli", escreve Freud, "um acontecimento acidental. Sou obrigado a ver nele o efeito de motivações psíquicas. (...) Eu queria, na verdade, esquecer uma outra coisa, e não o nome do mestre de Orvieto; mas, entre essa 'outra coisa' e o nome estabeleceu-se um elo associativo, de tal sorte que meu ato voluntário errou o alvo e, *contrariando minha vontade*, esqueci o nome, quando queria *intencionalmente* esquecer a *outra coisa*". Assim, segundo comenta Octave Mannoni*, "o nome do pintor italiano, associado a certas idéias de morte e sexualidade *recalcadas*, foi arrastado junto com elas para o desejo inconsciente. Claro está que, em si mesmas, as idéias de morte e sexualidade não têm esse efeito: Freud não havia esquecido o tema dos afrescos, nem os quatro dias derradeiros, dos quais a morte faz parte. E nem tampouco as histórias sexuais turcas: o recalque não estava nisso (ligava-se à notícia recebida em Trafoi)".

Freud enuncia então as condições necessárias para se falar no esquecimento não acidental de um nome, que são em número de três: a tendência a esquecer esse nome, a existência de um recalque* relativamente recente e a possibilidade de estabelecer uma associação *externa* entre o nome em questão e o objeto do recalque. Entretanto, Freud não se distancia de uma certa prudência, esclarecendo, para encerrar esse primeiro capítulo, que nem todos os casos de esquecimento de nomes próprios podem ser situados na categoria ilustrada pelo esquecimento do nome de Signorelli.

Quaisquer que sejam os exemplos conservados e a rubrica sob a qual Freud os arrola, é idêntico o processo, que consiste em recorrer ao método das associações livres para relacionar o conteúdo do esquecimento ou o objeto do ato falho com um elemento recalcado.

No quarto capítulo, discorrendo sobre as lembranças infantis e as lembranças encobridoras*, Freud se refere a seu artigo de 1899, modificando-o flagrantemente. As primeiras lembranças, ou as lembranças mais antigas, concernem, na maioria das vezes, a coisas secundárias, ao passo que os acontecimentos importantes parecem não haver deixado nenhum vestígio na memória. Tudo se passa, observa Freud, como se houvesse, por intermédio de uma lembrança anódina, uma representação substituta de outras impressões importantes, cuja

reprodução houvesse esbarrado numa resistência*. Daí a expressão lembrança encobridora, que põe em jogo, à maneira do que sucede nos sonhos, um mecanismo de deslocamento*.

Uma aproximação da mesma ordem opera-se na formação dos lapsos. A propósito destes, Freud evoca trabalhos anteriores que faziam do lapso um processo de contaminação resultante da proximidade e da semelhança entre duas palavras, explicação esta muito próxima do mecanismo de condensação* que ele evidenciara em seu estudo dos sonhos. O lapso, por seus efeitos de hilaridade e sideração, por sua estrutura, que é a de uma abreviação, apresenta afinidades com o chiste; como este e como o sonho, é um instrumento precioso na análise, uma ferramenta "cuja utilização", escreve Freud, "pode desfazer e suprimir os sintomas neuróticos".

Numa das sínteses recapitulativas de que o livro é pontilhado, Freud observa que, "na totalidade dos casos, o esquecimento é motivado por um sentimento desagradável". E evoca então um conflito doloroso, ao mesmo tempo que deixa escapar uma artimanha de seu próprio inconsciente. Com efeito, relata como, no verão de 1901, esqueceu-se de que não fora ele, e sim Wilhelm Fliess*, quem havia enunciado a hipótese da bissexualidade*. Ainda que, à evocação dessa lembrança, Freud afirme haver-se tornado "mais tolerante", nem por isso ele deixa de omitir nesse relato o nome de Fliess, falando de um "amigo" com quem diz ter tido "discussões muito animadas sobre questões científicas". Em 1904, a amizade com Fliess já não passava de uma lembrança distante, ainda que, em sua essência, a gestação desse livro se houvesse realizado no contexto daquela amizade. Talvez seja essa amizade desaparecida (ou os vestígios de culpa que sua destruição possa ter deixado) que se manifesta no reaparecimento do nome de Fliess, algumas páginas adiante, quando da evocação do esquecimento de um projeto anódino. Trata-se do reiterado esquecimento da compra de uma coisa desejada, um papel mata-borrão. Buscando as razões desse esquecimento, Freud é obrigado a reconhecer que, se escreve a palavra mata-borrão empregando o termo alemão *Löschpapier*, ele utiliza, para denominar oralmente esse mesmo papel, a palavra alemã que é sinônima da primeira, *Fliesspapier*! "Ora, Fliess", sublinha Freud, "é o nome de um de meus amigos de Berlim, nome este ao qual se associaram em meus pensamentos, nestes últimos dias, idéias e preocupações dolorosas."

Na medida em que os atos falhos, mais rigorosamente qualificados de atos sintomáticos, "exprimem algo de que o próprio autor do ato não desconfia, e que em geral ele tem a intenção de guardar consigo, em vez de participá-lo a outrem", podemos afirmar que, na verdade, eles são "atos bem-sucedidos", que traduzem a realização consumada de um desejo* inconsciente. Às vezes, porém, os equívocos e descuidos podem, por suas conseqüências, ultrapassar o registro do anódino. E então se coloca a questão de saber se é possível descobrirmos, através da análise, alguma intenção inconsciente, quando esses atos geram conseqüências cuja gravidade pode chegar ao ponto de pôr em risco a vida do sujeito. Quanto a esse aspecto, Freud mostra-se prudente e formula tão-somente hipóteses.

A psicopatologia da vida cotidiana encerra-se com um capítulo dedicado à questão do determinismo, da crença e da superstição, temas que Freud tornaria a evocar numa de suas conferências proferidas nos Estados Unidos* e reunidas num pequeno volume intitulado *Cinco lições de psicanálise*. Freud assinala que o determinismo psíquico, que por antífrase ele denomina de "acaso interno", para contrastá-lo com o "acaso externo", no qual as determinações psíquicas acham-se quase totalmente ausentes, é quase sempre objeto de um desconhecimento espontâneo por parte do ser humano. O supersticioso, sublinha Freud, funciona às avessas: acredita no acaso interno, no acaso psíquico, com isso demonstrando que nada quer saber das manifestações de seu inconsciente, mas se recusa a crer no acaso externo, convencido que está de poder discernir intenções ou relações que comumente lhe são ocultadas. Nesse sentido, a superstição constitui uma prova *a contrario* de um conhecimento inconsciente e recalcado da motivação dos atos falhos. A superstição é o produto de uma inversão, comparável, sob mais de um aspecto, ao modo de funcionamento do paranóico, que rejeita qualquer idéia do acidental em se tratando das

manifestações provenientes de outrem, mas é incapaz de demonstrar uma perspicácia equivalente no que concerne a seu próprio inconsciente. O paranóico, explica ainda Freud, projeta na vida psíquica dos outros o que acontece em sua própria vida em estado inconsciente, e é por isso que dá a impressão freqüente de estar parcialmente certo.

Desenvolvendo sua argumentação, Freud formula idéias que mais tarde viria a corroborar em *O futuro de uma ilusão** e *O mal-estar na cultura**. A seu ver, o raciocínio que entra em jogo na superstição é reencontrado nas concepções mitológicas do mundo e nas religiões modernas, que não são outra coisa, sublinha, senão "uma psicologia projetada no mundo externo". Freud acrescenta que "poderíamos atribuir-nos a tarefa de decompor, colocando-nos nesse ponto de vista, os mitos relativos ao paraíso e ao pecado original, ao mal e ao bem, à imortalidade etc., e de traduzir a *metafísica* em *metapsicologia**".

O paralelismo estabelecido entre os mecanismos em ação nos atos falhos, de um lado, e nos sonhos, de outro, evidencia a inexistência de uma diferença fundamental entre o homem neurótico e o homem normal. Assim, Freud é levado a declarar que "todos somos mais ou menos neuróticos", com isso sublinhando a proximidade, apontada pelo próprio título do livro, entre o "patológico" e o "cotidiano".

Essa proximidade, bem como a ancoragem na vida do dia-a-dia, é que teriam motivado o projeto da *Psicopatologia da vida cotidiana*. Sob esse aspecto, o livro é, sem sombra de dúvida, o que teria tido a recepção mais conforme ao espírito em que foi concebido. Duas anedotas atestam esse fato. A primeira concerne à elaboração do livro. Versa sobre o erro do garçom de um café que esteve a ponto de fazer Freud pagar uma despesa por um preço mais alto do que o exibido. Ao mesmo tempo em que cometia esse ato falho, o garçom cometeu um segundo, um gesto desastrado que provocou a queda de uma moeda de valor equivalente ao do aumento injustificado. Freud apontou isso ao interessado, que desapareceu, confuso, e depois voltou para pedir desculpas. Freud conta então que deu ao empregado a soma excedente, a título, segundo escreveu, "de sua contribuição para a psicopatologia da vida cotidiana". A segunda anedota ilustra o sucesso do livro, que ultrapassou em muito o círculo dos leitores especialistas: ela relata o prazer que Freud sentiu quando, no navio que o conduzia aos Estados Unidos, juntamente com Jung e Ferenczi, descobriu um comissário de bordo imerso na leitura da *Psicopatologia da vida cotidiana*.

• Sigmund Freud, *La Naissance de la psychanalyse* (Londres, 1950), Paris, PUF, 1956; *A interpretação dos sonhos* (1900), *ESB*, IV-V, 1-660; *GW*, II-III, 1-642; *SE*, IV-V, 1-621; Paris, PUF, 1967; "O mecanismo psíquico do esquecimento" (1898), *ESB*, III, 317-32; *GW*, I, 517-27; *SE*, III, 287-97; *OC*, III, 241-51; "Lembranças encobridoras" (1899), *ESB*, III, 333-58; *GW*, I, 529-54; *SE*, III, 299-322; *OC*, III, 253-76; *A psicopatologia da vida cotidiana* (1901), *ESB*, VI; *GW*, IV; *SE*, VI; Paris, Gallimard, 1997; *Os chistes e sua relação com o inconsciente* (1905), *ESB*, VIII; *GW*, VI, 1-285; *SE*, VIII; Paris, Gallimard, 1988; *Cinco lições de psicanálise* (1910), *ESB*, XI, 13-58; *GW*, VIII, 3-60; *SE*, XI, 7-55; *OC*, X, 1-55 • Didier Anzieu, *A auto-análise de Freud e a descoberta da psicanálise* (Paris, 1959), P. Alegre, Artes Médicas, 1989 • Peter Gay, *Freud: uma vida para o nosso tempo* (N. York, 1988), S. Paulo, Companhia das Letras, 1995 • Ernest Jones, *A vida e a obra de Sigmund Freud*, 3 vols. (N. York, 1953, 1955, 1957), Rio de Janeiro, Imago, 1989 • Norman Kiell, *Freud without Hindsight. Reviews of his Work 1893-1939*, Madison, International Universities Press, 1988 • Jacques Lacan, Le Séminaire, livre V, *Les Formations de l'inconscient* (1957-1958), inédito • Marcelle Marini, *Lacan: a trajetória de seu ensino* (Paris, 1986), P. Alegre, Artes Médicas • Octave Mannoni, *Freud. Uma biografia ilustrada* (Paris, 1968), Rio de Janeiro, Jorge Zahar, 1994 • Erik Porge, *Se compter trois. Le Temps logique de Lacan*, Toulouse, Eres, 1989.

psicose

al. *Psychose*; esp. *psicosis*; fr. *psychose*; ing. *psychosis*

Termo introduzido em 1845 pelo psiquiatra austríaco Ernst von Feuchtersleben (1806-1849) para substituir o vocábulo loucura* e definir os doentes da alma numa perspectiva psiquiátrica. As psicoses opuseram-se, portanto, às neuroses*, consideradas como doenças mentais da alçada da medicina, da neurologia e, mais tarde, da psicoterapia*. Por extensão, o termo psicose designou inicialmente o conjunto das chamadas doenças mentais, fossem elas orgânicas (como a paralisia geral) ou mais especificamente mentais, restringindo-se depois às três grandes formas modernas da loucura: esquizofrenia*, paranóia* e psicose maníaco-depressiva*. A palavra surgiu na França* em 1869.

Retomado por Sigmund Freud* como um conceito a partir de 1894, o termo foi primeiramente empregado para designar a reconstrução inconsciente, por parte do sujeito*, de uma realidade delirante ou alucinatória. Em seguida, inscreveu-se no interior de uma estrutura tripartite, na qual se diferencia da neurose, por um lado, e da perversão*, por outro.

Se o conceito de neurose é parte integrante do vocabulário da psicanálise*, o da psicose aparece, a princípio, como um anexo proveniente do saber psiquiátrico e adequado a uma medicina manicomial, pautada numa concepção do sujeito* que se organiza em torno da idéia de alienação e perda da razão.

Nascida de uma escuta "particular" do sofrimento humano, inventada por um homem que não era psiquiatra e que não gostava nem dos psicóticos, como ele mesmo diria a Istvan Hollos*, nem da loucura carcerária, a psicanálise desenvolveu-se no terreno de uma medicina de consultório, na qual o diálogo secreto entre o terapeuta e o paciente primava sobre a preocupação nosográfica. Sob esse aspecto, a neurose histérica das mulheres da burguesia vienense tratadas por Freud e Josef Breuer* em nada se assemelhava à loucura histérica, muito próxima da psicose, posta em cena por Jean Martin Charcot* na Salpêtrière. Todavia, do ponto de vista doutrinal, as duas formas de doenças nervosas foram catalogadas sob o rótulo de neurose.

Freud dedicava toda a sua atenção à neurose, considerada curável, em detrimento da psicose, que ele julgava quase sempre incurável. As três grandes análises que ele efetivamente conduziu foram publicadas como casos de neurose — neurose histérica em Dora (Ida Bauer*), neurose obsessiva* no Homem dos Ratos (Ernst Lanzer*) e neurose infantil no Homem dos Lobos (Serguei Constantinovitch Pankejeff*) —, enquanto seu único estudo redigido sobre um caso de psicose foi o comentário de um livro, *Memórias de um doente dos nervos*, escrito por um homem tomado de paranóia*, Daniel Paul Schreber*.

Freud soube desde cedo que sua doutrina do inconsciente* conquistaria o que ele chamava de "terra prometida da psiquiatria", trazendo uma nova visão da loucura e da organização das doenças mentais. E foram seus discípulos psiquiatras, em primeiro lugar Karl Abraham*, em Berlim, e Carl Gustav Jung*, em Zurique, que se ocuparam desse campo, numa época em que a nosografia elaborada por Emil Kraepelin* ainda dominava o discurso psiquiátrico de língua alemã. Em seguida, seus herdeiros norte-americanos, ingleses, franceses e japoneses, de Melanie Klein* a Jacques Lacan*, passando por Paul Federn* e Heisaku Kosawa*, levaram adiante uma escuta psicanalítica da loucura, depois de serem formados quer no âmbito da corrente berlinense, quer sob os auspícios da Clínica do Burghölzli, dirigida pela família Bleuler*, quer ainda segundo os princípios da fenomenologia psiquiátrica proveniente dos trabalhos de Karl Jaspers (1883-1969) ou Ludwig Binswanger*.

É na correspondência de Freud com Jung que melhor se apreende a maneira como foi elaborada a doutrina freudiana da psicose, entre 1909 e 1911. Opondo-se a Eugen Bleuler*, Freud escolheu a terminologia de Kraepelin, adotando a idéia de uma dissociação da consciência (à qual denominaria clivagem* do eu*), mas privilegiando o conceito de paranóia, em oposição à noção de esquizofrenia. A partir daí, ele fez da paranóia uma espécie de modelo estrutural da psicose em geral, assim como fizera da histeria o protótipo da neurose no sentido psicanalítico. Em 1911, no momento em que Bleuler publicava sua grande obra, *Dementia praecox*, Freud lançou suas "Notas psicanalíticas sobre um relato autobiográfico de um caso de paranóia (*Dementia paranoides*)". Pois bem, nesse estudo, ele enunciou uma teoria quase completa do mecanismo do conhecimento paranóico, que lhe serviu para definir a psicose como um distúrbio entre o eu e o mundo externo. Em seguida, no contexto de sua segunda tópica* e havendo elaborado uma nova teoria do narcisismo*, Freud inscreveu a psicose numa estrutura tripartite, opondo-a à neurose, de um lado, e à perversão*, de outro. Ela foi então definida como a reconstrução de uma realidade alucinatória na qual o sujeito fica unicamente voltado para si mesmo, numa situação sexual auto-erótica: toma literalmente o próprio corpo (ou parte deste) como objeto de amor (sem

alteridade possível). Ao lado da psicose, a neurose surge como o resultado de um conflito intrapsíquico, enquanto a perversão se apresenta como uma renegação* da castração*.

Da herança de Kraepelin, portanto, Freud conservou a noção de paranóia, da qual fez o principal conceito de qualquer psicose, e mais tarde aceitou, depois de havê-la recusado, a definição bleuleriana da esquizofrenia, com uma restrição que o conduziu a situar os sintomas dessa doença no quadro da histeria. Na verdade, ao fornecer uma nova representação da psicose, Freud renunciou a qualquer ambição nosográfica. Daí o seguinte paradoxo: ele diferenciou criteriosamente a psicose das outras duas entidades (perversão e neurose), mas, ao mesmo tempo, apagou o abismo criado pela psiquiatria entre a norma e a patologia. Sandor Ferenczi* caracterizaria de maneira notável a eliminação dessa distinção, num texto de 1926 dedicado à contribuição da psicanálise para o movimento de higiene mental: "Foi a análise da atividade psíquica no sonho*'", disse ele, "que fez desaparecer por completo o abismo entre doença mental e saúde mental, até então considerado intransponível. O mais normal dos homens torna-se psicótico durante a noite: tem alucinações, e sua personalidade, tanto no plano lógico quanto no ético e no estético, sofre uma transformação fundamental, assumindo, de modo geral, um caráter mais primitivo."

Durante cinqüenta anos, os herdeiros de Freud fariam questão de revisar a totalidade de sua doutrina, ora insistindo, como Lacan, no lugar da paternidade na gênese da psicose, ora, ao contrário, como Melanie Klein, situando a origem dela numa relação arcaica com a mãe.

A partir da década de 1960, a reflexão sobre a natureza da loucura preponderou sobre a abordagem da doença mental em termos de psicose. Disso dão testemunho, em especial, os trabalhos de Michel Foucault (1926-1984), Henri F. Ellenberger*, Georges Devereux* e diversos representantes do movimento culturalista e antipsiquiátrico.

• Sigmund Freud, "Sobre o narcisismo: uma introdução" (1914), *ESB*, XIV, 89-122; *GW*, X, 138-70; *SE*, XIV, 73-102; in *La Vie sexuelle*, Paris, PUF, 1969, 80-105; "Neurose e psicose" (1924), *ESB*, XIX, 189-98; *GW*, XIII, 387-91; *SE*, XIX, 149-53; *OC*, XVII, 1-9; "A perda da realidade na neurose e na psicose" (1924), *ESB*, XIX, 229-38; *GW*, III, 363-8; *SE*, XIX, 183-7; *OC*, XVII, 35-43 • Sigmund Freud e Karl Abraham, *Correspondance, 1907-1926* (Frankfurt, 1965), Paris, Gallimard, 1969 • *Freud/Jung: correspondência completa* (Paris, 1975), Rio de Janeiro, Imago, 1993 • Eugen Bleuler, *Dementia praecox ou groupe des schizophrénies* (Leipzig, 1911), Paris, EPEL-GREC, 1993 • Sandor Ferenczi, "A importância de Freud para o movimento da higiene mental" (1926), in *Psicanálise III, Obras completas, 1919-1926* (Paris, 1974), S. Paulo, Martins Fontes, 1993, 389-92 • Richard Hunter e Ida Macalpine, *Three Hundred Years of Psychiatry*, Oxford, Oxford University Press, 1963 • Franz Alexander e S. T. Selesnick, *Histoire de la psychiatrie* (N. York, 1966), Paris, Armand Colin, 1972 • Jean Laplanche e Jean-Bertrand Pontalis, *Vocabulário da psicanálise* (Paris, 1967), S. Paulo, Martins Fontes, 1991, 2ª ed. • Henri F. Ellenberger, *Histoire de la découverte de l'inconscient* (N. York, Londres, 1970, Villeurbanne, 1974), Paris, Fayard, 1994; *Médecines de l'âme. Essais d'histoire de la folie et des guérisons psychiques*, Paris, Fayard, 1995 • Jacques Lacan, O Seminário, livro 3, *As psicoses (1955-1956)* (Paris, 1981), Rio de Janeiro, Jorge Zahar, 1988, 2a. ed. • Paul Bercherie, *Os fundamentos da clínica* (Paris, 1980), Rio de Janeiro, Jorge Zahar, 1989 • Jacques Postel e Claude Quétel, *Nouvelle histoire de la psychiatrie* (1983), Paris, Dunod, 1994 • Jackie Pigeaud, *La Maladie de l'âme*, Paris, Les Belles Lettres, 1989 • Georges Lantéri-Laura, "Névrose et psychose: questions de sens, questions d'histoire", *Autrement*, 117, outubro de 1990, 23-31 • Jean Garrabé, *Histoire de la schizophrénie*, Paris, Seghers, 1992 • Gladys Swain, *Dialogue avec l'insensé*, Paris, Gallimard, 1994 • Thierry Vincent, *"Pendant que Rome brûle". La Clinique psychanalytique de la psychose de Sullivan à Lacan*, Estrasburgo, Arcanes, 1996 • Daniel Paul Schreber, *Memórias de um doente dos nervos*, S. Paulo, Paz e Terra, 1995.

➢ ALEMANHA; ANTIPSIQUIATRIA; AUTISMO; *BORDERLINE;* CULTURALISMO; ESTADOS UNIDOS; ETNOPSICANÁLISE; FLIESS, WILHELM; FORACLUSÃO; FRANÇA; HISTÓRIA DA PSICANÁLISE; MELANCOLIA; NOME-DO-PAI; PSICANÁLISE DE CRIANÇAS; PSICOTERAPIA INSTITUCIONAL; PSIQUIATRIA DINÂMICA; REALIDADE PSÍQUICA; SULLIVAN, HARRY STACK.

psicose maníaco-depressiva

al. *manio-depressive Psychose*; esp. *psicosis maniaco-depresiva*; fr. *psychose maniaco-dépressive*; ing. *manic-depressive psychosis*

Termo cunhado pelo saber psiquiátrico do início do século XX, a partir dos termos psicose*, mania e depressão, para designar, ao lado da paranóia* e da esquizofrenia*, o terceiro grande componente moderno da psicose em geral. Caracteriza-se por perturbações do humor, que assumem a forma de uma alternância entre estados de agitação maníaca (ou exaltação) e estados melancólicos (tristeza e depressão).

O médico inglês Thomas Willis (1621-1675) foi o primeiro a ligar duas formas de loucura já descritas desde a Antigüidade — a mania e a melancolia* — para definir um ciclo maníaco-depressivo, o que então permitiu reunir numa mesma doença mental a mania e a melancolia. Em 1852, o alienista francês Jean-Pierre Falret (1794-1870) deu o nome de loucura circular a essa entidade única e, em 1899, Emil Kraepelin* designou por loucura maníaca depressiva essa loucura circular, que iria transformar-se, no quadro de uma nosografia geral das psicoses, na psicose maníaco-depressiva.

A gênese da noção de psicose maníaco-depressiva na nosografia psiquiátrica e na clínica psicanalítica, de Sigmund Freud* a Melanie Klein*, passando por Ludwig Binswanger*, prende-se à história geral da melancolia.

➢ POSIÇÃO DEPRESSIVA/POSIÇÃO ESQUIZO-PARANÓIDE; SUICÍDIO.

psicossíntese

al. *Psychosynthese*; esp. *psicosíntesis*; fr. *psychosynthèse*; ing. *psychosynthesis*

Termo criado em 1907 pelo psiquiatra suíço Doumeng Bezzola (1868-1936) e, em 1926, institucionalizado pelo psiquiatra italiano Roberto Assagioli (1888-1966), no âmbito do Instituto de Cultura e Terapia Psíquica de Roma, para designar uma variedade de psicoterapia* pautada numa concepção integral e dinâmica do ser humano, e que não leva em conta os três conceitos freudianos em torno dos quais se organiza a psicanálise*: inconsciente*, sexualidade* e transferência*. O termo foi igualmente reivindicado, em 1924, pelo médico sueco Poul Bjerre*.

psicossomática, medicina

al. *psychosomatische Medizin*; esp. *medicina psicosomática*; fr. *médecine psychosomatique*; ing. *psychosomatic medicine*

Nascida com Hipócrates, a medicina psicossomática concerne simultaneamente ao corpo e ao espírito e, mais especificamente, à relação direta entre o *soma* e a *psyché*. Descreve a maneira como as doenças orgânicas são provocadas por conflitos psíquicos, em geral inconscientes.

Na história da psicanálise*, diversas correntes de medicina psicossomática desenvolveram-se no mundo, inicialmente com Georg Groddeck*, seu principal inspirador, e depois em torno de Franz Alexander* (Escola de Chicago), nos Estados Unidos*, Alexander Mitscherlich*, na Alemanha, e Pierre Marty (1918-1993) e Michel de M'Uzan, na França* (Escola de Paris).

Enquanto a psiquiatria (campo das doenças mentais) serviu de trampolim para a implantação das teorias psicanalíticas concernentes às psicoses*, foi através da chamada medicina psicossomática, com freqüência, que a clínica freudiana se introduziu na medicina (geral ou especializada), em particular nos grandes serviços hospitalares (hematologia, urologia, cancerologia geral, unidades especializadas em AIDS etc.) onde a abordagem psicanalítica é indispensável ao tratamento dos problemas psíquicos (específicos ou não) dos sujeitos (crianças ou adultos) atingidos por doenças orgânicas crônicas ou agudas.

➤ HISTERIA; PULSÃO.

psicoterapia

al. *Psychotherapie*; esp. *psicoterapia*; fr. *psycho-thérapie*; ing. *psychotherapy*

Método de tratamento psicológico das doenças psíquicas que utiliza como meio terapêutico a relação entre o médico e o paciente, sob a forma de uma relação ou de uma transferência. O hipnotismo, a sugestão*, a catarse*, a psicanálise* e todos os métodos terapêuticos próprios da história da psiquiatria dinâmica* estão incluídos na noção de psicoterapia.*

A palavra psicoterapia como tal generalizou-se no vocabulário clínico a partir de 1891, quando Hippolyte Bernheim* publicou *Hipnotismo, sugestão e psicoterapia*.

Historicamente, a psicoterapia nasceu, ao mesmo tempo, do antigo "tratamento moral",

aperfeiçoado pelo alienista francês Philippe Pinel (1745-1826), e do tratamento magnético inventado por Franz Anton Mesmer*. No primeiro caso, o médico recorre, no doente, a um "resto de razão" através do qual uma consciência alienada escapa à loucura*, e no segundo, ele atribui à existência de um "fluido" (ou magnetismo animal) a causa do distúrbio psíquico.

Em 1784, o marquês Armand de Puységur (1751-1825) foi o primeiro a demonstrar a natureza psicológica e não fluídica da relação terapêutica, ao substituir o tratamento magnético por um estado de "sono acordado" ou sonambulismo, que o médico escocês James Braid (1795-1860) denominaria de hipnose* em 1843. Depois disso, foi Bernheim quem substituiu o hipnotismo (como método de hipnotização) pela sugestão, abrindo assim caminho para a idéia de uma terapia fundamentada numa pura relação psicológica.

Abandonando a hipnose, a sugestão e a catarse, e depois dando o nome de transferência* à relação entre o médico e o doente, Sigmund Freud* aperfeiçoou, com a psicanálise*, o único método moderno de psicoterapia baseado numa exploração do inconsciente* e da sexualidade* (libido*), considerados como os dois grandes universais da subjetividade humana. No plano clínico, ele é também o único a reivindicar a transferência como fazendo parte dessa universalidade e a propor que ela seja analisada no próprio interior do tratamento, como protótipo de qualquer relação de poder entre o terapeuta e o paciente e, portanto, entre um professor e um aluno. Sob esse aspecto, a psicanálise é herdeira de uma tradição socrática e platônica da filosofia. Nessa perspectiva, a psicoterapia analítica (ou psicanalítica) é uma psicoterapia que se apóia nos princípios teóricos da análise freudiana, sem adotar todas as condições da técnica psicanalítica* clássica.

Desde seu nascimento, a psicanálise viu-se em conflito, em todos os países do mundo, com as outras formas de psicoterapia, fosse por se haver amalgamado com estas a ponto de desaparecer como tal, fosse por lhes haver oposto uma forte resistência, provocando cisões ou dissidências. As outras duas grandes escolas da psicoterapia do século XX são a escola de psicologia analítica fundada por Carl Gustav

Jung* e a escola de psicologia individual fundada por Alfred Adler*, ambas nascidas de dissidências com a escola fundada por Freud.

As outras escolas de psicoterapia do século XX nasceram, de um modo geral, do molde freudiano. Têm como ponto em comum rejeitar os três grandes conceitos freudianos: o inconsciente*, a sexualidade* e a transferência. Ao inconsciente freudiano elas opõem um subconsciente de natureza biológica ou uma consciência de tipo fenomenológico; à sexualidade no sentido freudiano, preferem uma teoria culturalista da diferença sexual*, ou então, uma biologia dos instintos; e por fim, opõem à transferência uma relação terapêutica derivada da relação de sugestão. Daí a tentação permanente do retorno ao hipnotismo. Ligam-se a esse tronco originário do hipnotismo e da sugestão, por um lado, o chamado método do "sonho acordado dirigido", inventado em 1945 pelo médico francês Robert Desoille (1890-1966), e que deu origem a um movimento, o Groupe International du Rêve Éveillé Dirigé de Desoille [Grupo Internacional do Sonho Acordado Dirigido de Desoille] (GIREDD), e, por outro lado, a narco-análise, ou método de exploração do psiquismo através da injeção de barbitúricos que provocam um estado de sonolência. Praticada a partir de 1932 e reativada depois da Segunda Guerra Mundial, a narco-análise não é exclusivamente da alçada do tratamento psíquico, uma vez que junta a este uma farmacologia e uma investigação quase policial do inconsciente do sujeito.

Todas as escolas de psicoterapia do século XX — havia no mundo 500 delas em 1995 — são identicamente organizadas. Sejam elas nascidas de dissidências, cisões ou separações do freudismo, todas são representadas por um líder, que serve simultaneamente de promotor da cura, terapeuta e mestre pensante para seu grupo. Criadas por homens ou mulheres que têm, cada um deles, uma doutrina própria, e que, tal como Freud, colocam-se em vida como fundadores de um sistema de pensamento, essas escolas em geral desaparecem após a morte de seus fundadores, dos quais, então, resta apenas a obra. Se, vez por outra, transmitem uma tradição clínica, elas freqüentemente desaparecem, deixando espaço para outras escolas organizadas segundo o mesmo modelo. Com efeito, com a morte do mestre, a maioria dos terapeutas formados em seu serralho se dispersa, quer para criar novas escolas, cada qual dotada de um novo mestre, novas técnicas e novos métodos, quer para se ligar a escolas já existentes.

Dentre os principais representantes das múltiplas escolas de psicoterapia, alguns tiveram um impacto importante, ligado à força de sua doutrina, como Wilhelm Reich*, Karen Horney*, Jacob Levy Moreno*, o criador do psicodrama*, ou ainda o norte-americano Carl Rogers (1902-1987), inventor da chamada análise não diretiva, que procura livrar o eu* de todos os seus aspectos psicopatológicos através de entrevistas informais. A estes juntam-se os culturalistas inspirados no neofreudismo* (Abram Kardiner*, Erich Fromm*), a escola de Palo Alto — onde se firmaram, sob a liderança do antropólogo Gregory Bateson*, as primeiras experiências de terapia de família* — e a terapia de grupo propriamente dita, com suas múltiplas variantes; seus principais representantes, na história do freudismo*, foram Trigant Burrow* e Wilfred Ruprecht Bion*.

Outros terapeutas, em contrapartida, destacaram-se mais por sua extravagância do que pela qualidade de sua doutrina: é o caso de Poul Bjerre*, por exemplo, ou de Harry Stack Sullivan*, um brilhante psiquiatra dissidente de todas as escolas, simultaneamente culturalista e defensor de uma abordagem original da esquizofrenia*. Convém também notar que dois colaboradores do Instituto Göring, Harald Schultz-Hencke* e Johannes Heinrich Schultz*, deram início a duas correntes de psicoterapia: a neopsicanálise, no caso do primeiro, e o *training* autógeno ou método de relaxamento, no do segundo.

• Hippolyte Bernheim, *Hypnotisme, suggestion, psychothérapie* (1891), Paris, Fayard, col. "Corpus des oeuvres de philosophie en langue française", 1995 • Henri F. Ellenberger, *Histoire de la découverte de l'inconscient* (N. York, Londres, 1970, Villeurbanne, 1974), Paris, Fayard, 1994 • Léon Chertok e Raymond de Saussure, *Naissance du psychanalyste*, Paris, Payot, 1973 • Gladys Swain, *Dialogue avec l'insensé*, Paris, Gallimard, 1994.

➢ ANÁLISE DIRETA; ANÁLISE EXISTENCIAL; ANÁLISE TRANSACIONAL; ANNAFREUDISMO; CARUSO,

IGOR; GESTALT-TERAPIA; HISTÓRIA DA PSICANÁ-
LISE; INTERNATIONAL PSYCHOANALYTICAL AS-
SOCIATION; KLEINISMO; LACANISMO.

psicoterapia existencial

➤ ANÁLISE EXISTENCIAL; BINSWANGER, LUDWIG;
CARUSO, IGOR.

psicoterapia institucional

*Expressão criada em 1952 pelo psiquiatra francês
Georges Daumezon (1912-1979) para designar uma
terapêutica da loucura* fundamentada na idéia da
causalidade psíquica da doença mental (ou psicogênese), e que visa reformar a instituição asilar,
privilegiando uma relação dinâmica entre os
profissionais que prestam atendimento.*

Como seu nome indica, a psicoterapia institucional é uma forma de psicoterapia* que se
exerce no âmbito da instituição: hospital geral,
hospital psiquiátrico, clínica, escola, hospital-
dia, apartamento terapêutico etc. Sob esse aspecto, a psicoterapia institucional diz respeito à
história da psiquiatria dinâmica*. A experiência
princeps foi a da Clínica do Burghölzli, em
Zurique, no início do século XX. Nesse local,
que se tornou lendário, Eugen Bleuler* elaborou, em contato com Carl Gustav Jung* e
Sigmund Freud*, uma nova abordagem dinâmica da loucura* (ou esquizofrenia*). Após a
criação das primeiras clínicas psicanalíticas
alemãs por Georg Simmel* e Max Eitingon*,
desenvolveram-se múltiplas experiências desse
gênero, em especial nos Estados Unidos* e na
Grã-Bretanha*, onde a psicanálise* se implantou no campo da psiquiatria e da higiene mental,
bem como através de locais de atendimento
abertos a todos os doentes mentais, tais como a
Menninger Clinic ou a Tavistock Clinic.

Após a Segunda Guerra Mundial, a liberalização generalizada da instituição psiquiátrica
deu origem a numerosos movimentos de
contestação dos manicômios, desde a experiência das comunidades terapêuticas criadas pelo
psiquiatra anglo-americano Maxwell Jones
(1907-1990), onde foram experimentadas novas relações hierárquicas entre terapeutas e
doentes, até a antipsiquiatria*.

Na França*, a psicoterapia institucional passou por um desenvolvimento singular, na medida em que deslanchou em 1940, em plena resistência antinazista e, portanto, no cerne de um
engajamento político para o qual o tratamento
da loucura estava associado a uma luta contra a
barbárie e a tirania. Por isso, ela foi, desde o
início, menos reformista do que as outras correntes, alemã, inglesa, suíça ou norte-americana.

Nascido em Reus, na Catalunha, François
Tosquelles (1912-1994), um militante libertário, foi o primeiro inspirador desse movimento.
Depois de fugir do franquismo, ele aceitou um
cargo no hospital psiquiátrico de Saint-Alban,
em Lozère, então dirigido por Paul Balvet, um
psiquiatra católico que logo foi substituído, em
1942, por Lucien Bonnafé, um psiquiatra
comunista. Ali se misturavam membros da
Resistência, loucos, terapeutas e intelectuais de
passagem, dentre eles o filósofo Georges
Canguilhem (1904-1995) e o poeta Paul Éluard
(1895-1952). Em meio à guerra, a esperança de
uma libertação próxima conduziu a equipe do
hospital a refletir sobre os princípios de uma
psiquiatria comunitária que permitisse transformar as relações entre os terapeutas e os loucos
no sentido de uma abertura maior para o mundo
da loucura. Assim se inventou a psicoterapia
institucional francesa, nome este que lhe seria
dado dez anos depois por Georges Daumezon.

Por seu esteio na psiquiatria dinâmica e por
sua rejeição dos hospícios rígidos, ela participou do grande movimento de higiene mental
que nasceu, no início do século, da integração
da clínica psiquiátrica com a psicanálise. Inspirou numerosas experiências na França, em
especial a da psiquiatria setorial e, mais tarde, a
da clínica de La Borde, em Cour-Cheverny, a
partir de 1953, onde se elaborou, em torno de
Jean Oury e Félix Guattari*, uma abordagem ao
mesmo tempo lacaniana e libertária da loucura.

• Georges Daumezon, "La Psychothérapie institutionnelle française contemporaine", *Anais Portugueses de Psiquiatria*, 4, dezembro de 1952 • Georges
Lantéri-Laura, Georges Daumezon e Robert Lefort,
"Psychiatrie", *Encyclopaedia universalis*, vol.13, Paris,
1968, 750-5 • Robert Castel, *Le Psychanalysme*, Paris,
Minuit, 1973 • François Tosquelles, *Éducation et psychothérapie institutionnelle*, Paris, Hiatus, 1984 • Élisabeth Roudinesco, *História da psicanálise na França*,
vol.2 (Paris, 1986), Rio de Janeiro, Jorge Zahar, 1988.

➤ ANTIPSIQUIATRIA; BETTELHEIM, BRUNO; BINSWANGER, LUDWIG; BION, WILFRED RUPRECHT; MENNINGER, KARL; MEYER, ADOLF; RICKMAN, JOHN; SUÍÇA; SULLIVAN, HARRY STACK.

psiquiatria

➤ BINSWANGER, LUDWIG; BLEULER, EUGEN; DELAY, JEAN; ELLENBERGER, HENRI F.; EY, HENRI; KRAEPELIN, EMIL; LOUCURA; PSICOSE; PSICOTERAPIA INSTITUCIONAL; PSIQUIATRIA DINÂMICA.

psiquiatria colonialialista

➤ ANTROPOLOGIA; ETNOPSICANÁLISE; FANON, FRANTZ; HISTÓRIA DA PSICANÁLISE; ÍNDIA; LAFORGUE, RENÉ; MANNONI, OCTAVE.

psiquiatria dinâmica

al. *dynamische Psychiatrie*; esp. *psiquiatría dinámica*; fr. *psychiatrie dynamique*; ing. *dynamic psychiatry*

Inicialmente utilizado por Gregory Zilboorg*, em 1941, e depois por Henri F. Ellenberger*, o termo psiquiatria dinâmica é empregado pelos historiadores, de um modo geral, para designar o conjunto das escolas e correntes que se interessam pela descrição e pela terapia das doenças da alma (loucura*, psicose*), dos nervos (neurose*) e do humor (melancolia*), segundo uma perspectiva dinâmica, ou seja, fazendo intervir um tratamento psíquico ao longo do qual se instaura uma relação de transferência* entre o médico e o doente. Assim, incluem-se na psiquiatria dinâmica todas as formas de tratamento psíquico que privilegiam a psicogênese e não a organogênese das doenças da alma e dos nervos, desde o magnetismo de Franz Anton Mesmer* até a psicanálise*, passando pelo hipnotismo* e pelas diversas psicoterapias*.

Vista por esse prisma, a psiquiatria dinâmica relaciona-se, em primeiro lugar, com a psiquiatria, da qual toma emprestadas as classificações e a clínica; em segundo, com a psicologia, que postula um dualismo da alma e do corpo e propõe técnicas de observação do sujeito*; e finalmente, com a tradição dos antigos curandeiros, da qual pôde emergir a própria idéia de uma cura transferencial.

Surgido em 1802, o termo psiquiatria generalizou-se no início do século XIX, em substituição à antiga medicina alienista, da qual Philippe Pinel (1745-1826), fundador francês do manicômio moderno, fora um dos grandes representantes na era clássica, ao lado de William Tuke (1732-1822), na Inglaterra, e Benjamin Rush (1746-1813), nos Estados Unidos*.

Como ramo da medicina, a psiquiatria tornou-se, no correr dos anos e em todos os países do mundo nos quais foi implantada, em lugar da demonologia, da feitiçaria e das diversas técnicas xamanísticas, uma disciplina específica que tem por objeto o estudo, o diagnóstico e o tratamento do conjunto das doenças mentais.

Quanto à psicologia, depois de haver constituído um ramo da filosofia dedicado ao estudo da alma, ela se transformou, no século XIX, numa disciplina fragmentada, ora ligada à biologia, ora à fisiologia, ora à medicina (psiquiatria, neurologia), ora, ainda, às chamadas ciências "sociais". Como saber ensinado nas universidades do mundo inteiro, tornou-se, na segunda metade do século XX, juntamente com a psiquiatria e a medicina, uma das principais vias de acesso às diferentes práticas terapêuticas transmitidas pelas escolas de psiquiatria dinâmica, dentre elas a psicanálise.

• Gregory Zilboorg e George W. Henry, *History of Medical Psychology*, N. York, Norton, 1941 • Georges Canguilhem, *Études d'histoire et de philosophie des sciences*, Paris, Vrin, 1968 • Georges Lantéri-Laura, Georges Daumezon e Robert Lefort, "Psychiatrie", *Encyclopaedia universalis*, vol.13, Paris, 1968, 750-5 • Henri F. Ellenberger, *Histoire de la découverte de l'inconscient* (N. York, Londres, 1970, Villeurbanne, 1974), Paris, Fayard, 1994 • Jacques Postel, *Genèse de la psychiatrie*, Paris, Le Sycomore, 1981 • Jan Goldstein, *Console and Classify*, Cambridge, Cambridge University Press, 1987 • Philippe Pignarre, *Les Deux médecines*, Paris, La Découverte, 1995.

➤ FREUDISMO; PSICOLOGIA CLÍNICA; PSICOPATOLOGIA; PSICOSSOMÁTICA, MEDICINA; PSICOTERAPIA INSTITUCIONAL; *QUESTÃO DA ANÁLISE LEIGA, A*; TRANSFERÊNCIA.

psiquiatria institucional

➤ PSICOTERAPIA INSTITUCIONAL.

psiquiatria (ou psicanálise) transcultural

➤ ANTROPOLOGIA; BATESON, GREGORY; COL-LOMB, HENRI; CULTURALISMO; DEVEREUX, GEORGES; ELLENBERGER, HENRI F.; ETNOPSICANÁLISE; FANON, FRANTZ; ÍNDIA; JAPÃO; KARDINER, ABRAM; MANNONI, OCTAVE; MEAD, MARGARET; NEOFREUDISMO; ROHEIM, GEZA; WULF, SACHS.

pulsão

al. *Trieb, Instinkt*; esp. *pulsión*; fr. *pulsion*; ing. *drive, instinct*

Termo surgido na França* em 1625, derivado do latim pulsio, *para designar o ato de impulsionar.*

Empregado por Sigmund Freud* a partir de 1905, tornou-se um grande conceito da doutrina psicanalítica, definido como a carga energética que se encontra na origem da atividade motora do organismo e do funcionamento psíquico inconsciente do homem.

A escolha da palavra pulsão para traduzir o alemão *Trieb* correspondeu à preocupação de evitar qualquer confusão com instinto e tendência. Essa opção correspondia à de Sigmund Freud*, que, querendo marcar a especificidade do psiquismo humano, preservou o termo *Trieb*, reservando *Instinkt* para qualificar os comportamentos animais. Em alemão como em francês ou português, os termos *Trieb* e pulsão remetem, por sua etimologia, à idéia de um impulso, independentemente de sua orientação e seu objetivo. Quanto à tradução inglesa, parece que foi a fidelidade à idéia freudiana de uma articulação da psicanálise* com a biologia que norteou a escolha que James Strachey* fez da palavra *instinct*, em lugar de *drive*.

A noção de pulsão (*Trieb*) já está presente nas concepções da doença mental e de seu tratamento desenvolvidas pelos médicos da psiquiatria alemã do século XIX, preocupados, como seus colegas ingleses e franceses, com a questão da sexualidade*. Assim, autores como Karl Wilhelm Ideler (1795-1860) ou Heinrich Wilhelm Neumann (1814-1884) insistem no papel central das pulsões sexuais, este último considerando a angústia como produto da insatisfação das pulsões.

Por outro lado, sabemos que Friedrich Nietzsche (1844-1900) concebia o espírito humano como um sistema de pulsões suscetíveis de entrarem em colisão ou se fundirem umas com as outras, e que também ele atribuía um papel essencial aos instintos sexuais, os quais distinguia dos instintos de agressividade e de autodestruição.

Freud nunca fez mistério desses antecedentes. Em sua autobiografia de 1925, referiu-se a Nietzsche e confessou só o haver lido muito tardiamente, por medo de lhe sofrer a influência.

Quer se trate de seu aparecimento, de sua importância ou das reformulações de que viria a ser objeto, o conceito de pulsão está estreitamente ligado aos de libido* e narcisismo*, bem como às transformações destes, constituindo tais conceitos três grandes eixos da teoria freudiana da sexualidade.

Na época pré-psicanalítica da correspondência com Wilhelm Fliess* e do "Projeto para uma psicologia científica" (1895), Freud desenvolveu a idéia de uma libido psíquica, forma de energia que ele situou na origem da atividade humana. Já então estabeleceu uma distinção entre esse "impulso", cuja origem interna o tornava irrefreável pelo indivíduo, e as excitações externas, das quais o sujeito* podia fugir ou se esquivar. Nessa ocasião, Freud atribuía a histeria* a uma causa sexual traumática, efeito de uma sedução* sofrida na infância.

A partir de 1897, data em que abandonou essa teoria, Freud empenhou-se em reformular sua concepção da sexualidade, mas manteve a idéia de que o recalque das moções sexuais era a causa de um conflito psíquico que conduzia à neurose*.

Em 1898, a idéia de uma sexualidade infantil tornou-se explícita. Assim, o texto "A sexualidade na etiologia das neuroses" deu ensejo à refutação da tese de uma predisposição neuropática particular, baseada na indicação de uma degenerescência geral, e Freud insistiu no fato de que a etiologia da neurose não podia residir senão "nas experiências vividas na infância e, mais uma vez — em caráter exclusivo —, nas impressões concernentes à vida sexual. Erra-se", disse ele, "ao desprezar por completo a vida sexual das crianças; ao que eu saiba, elas são capazes de todas as realizações sexuais psíquicas e de numerosas realizações somáticas." Depois de assinalar que essas experiências sexuais infantis só desenvolviam a essência de sua ação em períodos posteriores da maturação, Freud esclareceu: "No intervalo entre a experiência dessas impressões e sua reprodução (ou melhor, o reforço dos impulsos libidinais delas provenientes), não apenas o aparelho sexual somático mas também o aparelho psíquico passam por um desenvolvimento considerável, e é por isso que da influência dessas experiências sexuais precoces resulta, então, uma reação psíquica anormal, e aparecem formações psicopatológicas."

Em seguida, o material clínico acumulado em suas análises levou Freud a constatar que a sexualidade nem sempre aparecia explicitamente nos sonhos* e nas fantasias*, surgindo, muitas vezes, sob disfarces que era preciso saber decifrar. Por isso ele foi levado a estudar as aberrações, as perversões* sexuais e as origens da sexualidade, isto é, a sexualidade infantil.

Tal foi o propósito dos *Três ensaios sobre a teoria da sexualidade*, publicados em 1905. Foi na versão inicial desse livro que Freud recorreu pela primeira vez à palavra pulsão. Num trecho acrescentado em 1910, ele forneceu uma definição geral que, em sua essência, não sofreria nenhuma modificação: "Por *pulsão*, antes de mais nada, não podemos designar outra coisa senão a representação psíquica de uma fonte endossomática de estimulações que fluem continuamente, em contraste com a estimulação produzida por excitações esporádicas e externas. A pulsão, portanto, é um dos conceitos da demarcação entre o psíquico e o somático." Desde a primeira edição dos *Três ensaios*, o que está em pauta é essencialmente a *pulsão sexual*, cuja definição, por si só, dá a medida da revolução que Freud impôs à concepção dominante da sexualidade, fosse ela a do senso comum ou a da sexologia*. Para Freud, a pulsão sexual, diferente do instinto sexual, não se reduz às simples atividades sexuais que costumam ser repertoriadas com seus objetivos e seus objetos, mas é um impulso do qual a libido constitui a energia.

Da infância à puberdade, a pulsão sexual não existe como tal, mas assume a forma de um conjunto de pulsões parciais, as quais é importante não confundir com as pulsões classificadas por categoria (cuja existência Freud sempre rejeitou, como é atestado, por exemplo, por sua refutação da idéia de uma pulsão gregária em *Psicologia das massas e análise do eu**). O caráter sexual das pulsões parciais, cuja soma constitui a base da sexualidade infantil, define-se, num primeiro momento, por um processo de apoio* em outras atividades somáticas, ligadas a determinadas zonas do corpo, as quais, dessa maneira, adquirem o estatuto de zonas erógenas. Assim, a satisfação da necessidade de nutrição, obtida através do sugar, é uma fonte de prazer, e os lábios se transformam numa zona erógena, origem de uma pulsão parcial. Num segundo momento, essa pulsão parcial, cujo caráter sexual é assim ligado ao processo de erotização da zona corporal considerada, separa-se de seu objeto de apoio para se tornar autônoma. Funciona então de maneira auto-erótica. Esse registro do auto-erotismo* constitui a fase preparatória da instauração do que Freud chamaria, alguns anos depois, de narcisismo primário, resultante da convergência das pulsões parciais para o eu* inteiro, e não mais apenas para uma zona corporal específica. Posteriormente, a pulsão sexual pode encontrar sua unidade através da satisfação genital e da função da procriação.

Nos *Três ensaios*, Freud esboça uma distinção entre as pulsões sexuais e as outras, ligadas à satisfação de necessidades primárias. Cinco anos depois, em "A concepção psicanalítica da perturbação psicogênica da visão", enuncia seu primeiro dualismo pulsional, opondo as pulsões sexuais, cuja energia é de ordem libidinal, às pulsões de autoconservação, que têm por objetivo a conservação do indivíduo: "Todas as pulsões orgânicas atuantes em nossa alma podem ser classificadas, seguindo as palavras do poeta, como *fome* e *amor*." Essa classificação não deve obscurecer o que contrasta esses dois tipos de pulsões, uma vez que as pulsões de autoconservação, também denominadas de pulsões do eu, participam da defesa* do eu contra sua invasão pelas pulsões sexuais.

Num texto de 1911, "Formulações sobre os dois princípios do funcionamento psíquico", Freud distribui esses dois grupos pulsionais de acordo com as modalidades de funcionamento do aparelho psíquico: as pulsões sexuais encontram-se sob o domínio do princípio de prazer*, enquanto as de autoconservação ficam a serviço do desenvolvimento psíquico determinado pelo princípio de realidade*.

Em 1914, o desenvolvimento do conceito de narcisismo subverteu esse dualismo. A partir de suas próprias observações sobre as psicoses* e da leitura dos trabalhos de Eugen Bleuler*, Karl Abraham* e Emil Kraepelin*, Freud constatou que, nessas formas patológicas, estamos na presença de uma retirada da libido dos objetos externos e de uma reversão dessa libido para o eu, que assim se transforma, ele próprio, em objeto de amor. Essa reformulação freudiana, portanto, consistiu numa redistribuição das pulsões sexuais, por um lado colocadas no eu — donde a denominação libido do eu (ou libido narcísica) — e, por outro, nos objetos externos, donde a denominação libido objetal.

Aos poucos, essa nova concepção se impôs. Freud indicou explicitamente, em "Sobre o narcisismo: uma introdução", que "a distinção, na libido, de uma parte que é própria do eu e outra que se liga aos objetos constitui a conseqüência inevitável de uma primeira hipótese que separava entre si as pulsões sexuais e as pulsões do eu".

Em 1914, ao que parece, Freud tentou abandonar a concepção dualista em favor de um retorno a uma perspectiva monista, que o teria aproximado da idéia junguiana de libido originária. Jean Laplanche e Jean-Bertrand Pontalis observam que Freud só mencionou esse desvio depois de haver estabelecido, em 1920, um novo dualismo, opondo as pulsões de vida às pulsões de morte. Na verdade, foi somente em 1923, em "Dois verbetes de enciclopédia: (A) Psicanálise, (B) Teoria da libido", que ele evocou esse momento de hesitação entre a hipótese dualista e a concepção monista.

Em 1915, no contexto de seu grande projeto de uma metapsicologia*, Freud procedeu, sob o título de "As pulsões e suas vicissitudes", a uma recapitulação dos conhecimentos adquiridos a propósito do conceito de pulsão, o qual ele esclareceu que, apesar de ser "ainda bastante confuso", nem por isso deixava de ser indispensável "na psicologia". Freud relembrou, primeiramente, o caráter limítrofe (entre o psíqui-

co e o somático) da pulsão, representante psíquico das excitações provenientes do corpo e que chegam ao psiquismo. Em seguida, enumerou e definiu as quatro características da pulsão. A "força" ou "pressão" constitui a própria essência da pulsão e a situa como o motor da atividade psíquica. O "alvo", isto é, a satisfação, pressupõe a eliminação da excitação que se encontra na origem da pulsão; esse processo pode comportar "alvos intermediários" ou até fracassos, ilustrados pelas pulsões — chamadas de pulsões "inibidas quanto ao alvo" — que se desviam parcialmente de sua trajetória. O "objeto" da pulsão é o meio de ela atingir seu alvo, e nem sempre lhe está originalmente ligado. (Alfred Adler*, citado por Freud, havia assinalado isso ao falar do "entrecruzamento das pulsões": um mesmo objeto pode servir, simultaneamente, para a satisfação de várias pulsões.) Por último, a "fonte" das pulsões é o processo somático, localizado numa parte do corpo ou num órgão, cuja excitação é representada no psiquismo pela pulsão.

Esse texto de 1915, porém, deu também ensejo a uma nova elaboração sobre o "devir das pulsões sexuais". Freud conservou o dispositivo teórico baseado no dualismo, mas ainda não avaliara a dimensão da mudança que estava efetuando e que conduziria à oposição entre libido do eu e libido do objeto. Por isso, escreveu: "É sempre possível que um estudo aprofundado das outras afecções neuróticas (sobretudo das psiconeuroses narcísicas, as esquizofrenias*) nos obrigue a modificar essa formulação e, ao mesmo tempo, a agrupar de outra maneira as pulsões originárias. Por ora, entretanto, não conhecemos essa nova formulação nem tampouco temos argumentos que possam contradizer nossa oposição entre as pulsões do eu e as pulsões sexuais."

As pulsões sexuais podem ter quatro destinos: a inversão, a reversão para a própria pessoa, o recalque e a sublimação*. Nesse contexto, Freud abordou os dois primeiros destinos e deixou de lado a sublimação. Quanto ao recalque, dedicou-lhe um texto específico em sua coletânea sobre a metapsicologia*.

Discorrendo sobre a inversão da pulsão em seu contrário, ele distinguiu dois casos ilustrativos. No primeiro, exemplificado pela oposição sadismo*/masoquismo* e voyeurismo/exibicionismo, a inversão se efetua quanto ao alvo. O segundo, ilustrado pela transformação do amor em ódio, concerne à inversão do conteúdo. Este último exemplo dá ensejo à observação de que o ódio não pode ser reduzido unicamente à imagem invertida do amor. Sem dúvida, há que se postular, a esse respeito, a existência de uma configuração mais antiga do que o amor, "arquétipo" do que viria a ser, na pena de Freud, alguns anos depois, a pulsão de morte. A análise da reversão da pulsão para a própria pessoa permite a Freud discernir a relação entre o sadismo e o masoquismo, então visto como a reversão de um sadismo originário. Em 1924, Freud transformaria radicalmente essa concepção, num texto intitulado "O problema econômico do masoquismo".

Em 1920, com a publicação de *Mais-além do princípio de prazer*, Freud instaurou um novo dualismo pulsional, opondo as pulsões de vida às pulsões de morte: a repercussão seria imensa, tanto por seus efeitos no pensamento filosófico do século XX quanto pelas polêmicas e pelas rejeições que essa tese provocaria no próprio âmago do movimento psicanalítico.

A particularidade dessa nova elaboração conceitual residiu em seu caráter especulativo, freqüentemente denunciado como uma falha redibitória por seus adversários. Todavia, foi a partir da observação da compulsão à repetição* que Freud pensou em teorizar aquilo a que chamou pulsão de morte. De origem inconsciente e, portanto, difícil de controlar, essa compulsão leva o sujeito a se colocar repetitivamente em situações dolorosas, réplicas de experiências antigas. Mesmo que não se possa eliminar qualquer vestígio de satisfação libidinal desse processo, o que contribui para torná-lo difícil de observar em estado puro, o simples princípio de prazer não pode explicá-lo.

Assim, Freud reconheceu um caráter "demoníaco" nessa compulsão à repetição, que comparou à tendência à agressão reconhecida por Adler em 1908. Naquela época, entretanto, ele se recusara a levá-la em conta, embora a análise do Pequeno Hans (Herbert Graf*) lhe houvesse demonstrado sua existência. Freud relacionou-a igualmente com a tendência destrutiva e autodestrutiva que havia identificado

em seus estudos sobre o masoquismo. O estabelecimento de uma relação entre essas observações e a constatação de ordem filosófica de que a vida é inevitavelmente precedida por um estado de não-vida conduziu Freud à hipótese de que existe uma pulsão cuja finalidade, como ele a exprimiu no *Esboço de psicanálise*, "é reconduzir o que está vivo ao estado inorgânico". A pulsão de morte tornou-se, assim, o protótipo da pulsão, na medida em que a especificidade pulsional reside nesse movimento regressivo de retorno a um estado anterior. Mas a pulsão de morte não poderia ser localizada ou sequer isolada, com exceção, talvez, como é esclarecido em *O eu e o isso*, da experiência da melancolia*. Por outro lado, Freud sublinhou em 1933, nas *Novas conferências introdutórias sobre psicanálise*, que a pulsão de morte não pode "estar ausente de nenhum processo de vida": ela se confronta permanentemente com Eros, as pulsões de vida, reunião das pulsões sexuais e das pulsões outrora agregadas sob o rótulo de pulsões do eu. "Da ação conjunta e oposta" desses dois grupos de pulsões, pulsões de morte e pulsões de vida, "provêm as manifestações da vida, às quais a morte vem pôr termo."

A despeito das objeções e da oposição, Freud nunca se deixaria impressionar. Perfeitamente cônscio, como declarou em 1926 no verbete de enciclopédia intitulado "Psicanálise", de que "a doutrina das pulsões é um campo obscuro, até mesmo para a psicanálise", ele reivindicou essa opacidade como uma característica da pulsão. "A teoria das pulsões é, por assim dizer, nossa mitologia", afirmou em 1933. "As pulsões são seres míticos, portentosos em sua imprecisão." É compreensível, portanto, que os críticos, que alegavam em particular a falta de provas empíricas para validar a existência de uma pulsão de morte, hajam-lhe parecido incoerentes e o tenham levado a afirmar, em *O mal-estar na cultura*: "Já não compreendo que possamos continuar cegos para a ubiqüidade da agressão e da destruição não erotizadas, deixando de lhes conceder o lugar que elas merecem na interpretação dos fenômenos da vida." Em 1937, Freud tornou a afirmar, em "Análise terminável e interminável", que a simples evocação do masoquismo, das resistências* terapêuticas ou da culpa neurótica bastava para afirmar "a existência de um poder na vida anímica ao qual, com base em seus objetivos, chamamos pulsão de agressão ou de destruição, e que derivamos da originária pulsão de morte da matéria animada".

A descendência freudiana não foi unânime em sua rejeição da última elaboração da teoria das pulsões. Assim, Melanie Klein* efetuou uma inversão completa do segundo dualismo pulsional, considerando que as pulsões de morte participam da origem da vida, tanto na vertente da relação de objeto quanto na do organismo. No que concerne ao organismo, as pulsões de morte contribuem, por intermédio da angústia, para instalar o sujeito na posição depressiva*, feita de medo e destruição.

Em seu seminário de 1964, Jacques Lacan* considerou a pulsão como um dos quatro conceitos fundamentais da psicanálise. Guiado por uma leitura exigente do texto freudiano de 1915, o qual ele reintitulou de "As pulsões e suas vicissitudes", Lacan isolou a elaboração freudiana de suas bases biológicas e insistiu no caráter constante do movimento da pulsão, um movimento arrítmico que a distingue de todas as concepções funcionais. A abordagem lacaniana da pulsão inscreve-se numa abordagem do inconsciente em termos de manifestação da falta e do não realizado. Nessas condições, a pulsão é considerada na categoria do real*. Lembrando o que Freud diz sobre a independência do objeto em relação à pulsão, e sobre o fato de que qualquer objeto pode ser levado a exercer para ela a função de um outro, Lacan sublinhou que o objeto da pulsão não pode ser assimilado a nenhum objeto concreto. Para apreender a essência do funcionamento pulsional, é preciso conceber o objeto como sendo da ordem de um oco, de um vazio, designado de maneira abstrata e não representável: o objeto (pequeno) a*.

Para Lacan, portanto, a pulsão é uma montagem, caracterizada por uma descontinuidade e uma ausência de lógica racional, mediante a qual a sexualidade participa da vida psíquica, conformando-se à "hiância" do inconsciente.

De fato, Lacan desenvolveu a idéia de que a pulsão é sempre parcial. Esse termo deve ser entendido, aqui, num sentido mais geral do que

o encontrado em Freud. Adotando o termo objeto parcial, proveniente da Karl Abraham* e dos kleinianos, Lacan introduziu dois novos objetos pulsionais, além das fezes e do seio: a voz e o olhar. E deu-lhes um nome: objetos do desejo*.

• Sigmund Freud, "Projeto para uma psicologia científica" (1895), *ESB*, I, 381; *SE*, I, 281-397; in *La Naissance de la psychanalyse* (N. York, 1950), Paris, PUF, 1956; "A sexualidade na etiologia das neuroses" (1898), *ESB*, III, 289-316; *SE*, III, 259-85; *OC*, III, 215-41; *Três ensaios sobre a teoria da sexualidade* (1905), *ESB*, VII, 129-237; *GW*, V, 29-145; *SE*, VII, 123-243; Paris, Gallimard, 1987; *Psicologia das massas e análise do eu* (1921), *ESB*, XVIII, 91-184; *GW*, XIII, 73-161; *SE*, XVIII, 65-143; *OC*, XVI, 1-83; "A concepção psicanalítica da perturbação psicogênica da visão" (1910), *ESB*, XI, 197-206; *GW*, VIII, 94-102; *SE*, XI, 209-18; *OC*, X, 177-86; "Formulações sobre os dois princípios do funcionamento mental" (1911), *ESB*, XII, 277-90; *GW*, VIII, 230-8; *SE*, XII, 213-26; in *Résultats, idées, problèmes*, Paris, PUF, vol.I, 1984, 135-43, "Sobre o narcisismo: uma introdução" (1914), *ESB*, XIV, 89-122; *GW*, X, 138-70; *SE*, XIV, 73-102; in *La Vie sexuelle*, Paris, PUF, 1969, 80-105; "As transformações da pulsão exemplificadas no erotismo anal" (1917), *ESB*, XVII, 159-70; *GW*, X, 402-10; *SE*, XVII, 125-33; in *La Vie sexuelle*, Paris, PUF, 106-12; "Dois verbetes de enciclopédia: (A) Psicanálise, (B) Teoria da libido" (1923), *ESB*, XVIII, 308-14; *GW*, XIII, 211-33; *SE*, XVIII, 235-59; *OC*, XVI, 181-208; "As pulsões e suas vicissitudes" (1915), *ESB*, XIV, *GW*, X, 209-32; *SE*, XIV, 109-40; *OC*, XIII, 161-85; "O problema econômico do masoquismo" (1924), *ESB*, XIX, 199-216; *GW*, XIII, 371-83; *SE*, XIX, 139-45; *OC*, XVII, 9-23; *Mais-além do princípio de prazer* (1920), *ESB*, XVIII, 17-90; *GW*, XIII, 3-69; *SE*, XVIII, 1-64; in *Essais de psychanalyse*, Paris, Payot, 1981, 41-115, *Esboço de psicanálise* (1938), *ESB*, XXIII, 168-246; *GW*, XVII, 67-138; *SE*, XXIII, 139-207; Paris, PUF, 167; *Novas conferências introdutórias sobre psicanálise* (1933), *ESB*, XXII, 15-226; *GW*, XV; *SE*, XXII, 5-182; *OC*, XIX, 83-268; "Psicanálise" (1926), *ESB*, XX, 301-14; *GW*, XIV, 299-307; *SE*, XX, 259-270; in *Résultats, idées, problèmes*, vol.II, Paris, PUF, 1985, 153-160; *O mal-estar na cultura* (1930), *ESB* XXI, 81-178; *GW*, XIV, 421-506; *SE*, XXI, 64-145; *OC*, XVIII, 245-333; "Análise terminável e interminável" (1937), *ESB*, XXIII, 247-90, *GW*, XVI, 59-99; *SE*, XXIII, 209-53; in *Résultats, idées, problèmes*, vol.2, Paris, PUF, 1985, 231-68 • Melanie Klein, *Psicanálise da criança* (Londres, 1932), S. Paulo, Mestre Jou, 1975, 2ª ed. • Jacques Lacan, *O Seminário, livro 11, Os quatro conceitos fundamentais da psicanálise (1963-1964)* (Paris, 1973), Rio de Janeiro, Jorge Zahar, 1979 • Jean Laplanche e Jean-Bertrand Pontalis, *Vocabulário da psicanálise* (Paris, 1967), S. Paulo, Martins Fontes, 1991, 2ª ed. • Jean-Bertrand Pontalis, "L'Utopie freudienne", in *Après Freud*, Paris, Gallimard, 1968, 103-20 • Jean Laplanche, *Vida e morte em psicanálise* (Paris, 1970), P. Alegre, Artes Médicas, 1985 • Henri F. Ellenberger, *Histoire de la découverte de l'inconscient* (N. York, Londres, 1970, Villeurbanne, 1974), Paris, Fayard, 1994.

➤ DESEJO; OBJETO (BOM E MAU); OBJETO, RELAÇÃO DE; OBJETO TRANSICIONAL; POSIÇÃO DEPRESSIVA/POSIÇÃO ESQUIZO-PARANÓIDE.

Putnam, James Jackson (1846-1918)

médico e psicanalista americano

Pioneiro da psicanálise* nos Estados Unidos*, militante da causa das mulheres (principalmente pelo seu direito a receber uma formação médica), James Jackson Putnam nasceu em Boston e, como o escritor Nathaniel Hawthorne (1804-1864), descendia de uma ilustre família puritana da Nova Inglaterra, outrora radicada em Salem, capital dos terrores sexuais e da caça às bruxas. Educado na confissão unitarista, rejeitava o pecado original, mas, como observou o historiador Nathan G. Hale, aceitava "a realidade do mal, a necessidade de uma luta moral e o julgamento de Deus. Pensava que era com o esforço para tornar-se melhor e contribuir para o progresso — definido como 'o bem do maior número de pessoas' e 'a descoberta da verdade' — que o homem se realizava plenamente. Essa concepção do progresso engloba também o conhecimento científico e as verdades não-reconhecidas".

Estudou na Harvard Medical School, e depois viajou para a Europa, onde foi aluno de Theodor Meynert* e de Hughlings Jackson*. Dedicou sua carreira à neurologia. Graças ao seu amigo William James (1877-1910), primeiro americano a dar atenção aos *Estudos sobre a histeria*, Putnam voltou-se para o freudismo* e tornou-se um dos líderes da Escola Bostoniana de Psicoterapia*, ao lado de Josiah Royce*, William James e muitos outros.

A partir de 1880, estudando as neuroses* traumáticas em doentes de origem popular, constatou que os distúrbios não se ligavam à fisiologia, mas a causas psicológicas. Daí seu interesse pelas teses dinâmicas do fim do século: hipnotismo, sugestão* e psicanálise*. Mostrou-se sempre reservado quanto à teoria da sexualidade*. Mas nunca a rejeitou e combateu

corajosamente contra a moral sexual da sociedade americana, particularmente repressora em relação aos que transgrediam as leis ditas sagradas do casamento monogâmico ou se recusavam a limitar o ato sexual à procriação.

Espiritualista e moralista, Putnam não gostava do materialismo freudiano, recusando o biologismo em prol de uma teoria da vontade criadora. Foi por isso que, em 1906, qualificou de conversão sua adesão à doutrina vienense, para qual transferiu todo o peso de seu ideal religioso e puritano. Sigmund Freud* não compartilhava suas opiniões filosóficas e, em uma carta de 8 de julho de 1915, a respeito de seu livro *Human Motives*, comunicou-lhe o que pensava da moral em geral e da moral sexual americana em particular: "A moralidade sexual tal como a sociedade a define — e no mais alto grau, a sociedade americana — me parece extremamente desprezível [...]. Quando me pergunto por que sempre me esforcei em ter honestamente consideração com o outro e, se possível, benevolência para com ele, e por que nunca renunciei a isso quando notei que me prejudicava com esse comportamento [...], não encontro nenhuma resposta [...]. Você poderia pois citar o meu caso como prova de sua hipótese segundo a qual esses impulsos são uma parte essencial de nossa própria natureza."

Em 1908, Putnam encontrou-se com Ernest Jones*, então assistente de psiquiatria em Toronto, no Canadá*, e dez meses depois, assistiu às cinco conferências feitas por Freud na Clark University de Worcester, na presença de William James, Adolf Meyer*, Stanley Grandville Hall* e do grande antropólogo Franz Boas (1858-1942). Então, convidou Freud para se hospedar em sua casa de campo em Keene Valley, nos Adirondacks, em companhia de Sandor Ferenczi* e de Carl Gustav Jung*. Sobre essa viagem um tanto rústica, ao âmago de paisagens tão bem descritas por Jack London (1876-1916), Freud enviou à sua família uma carta humorística: "Tomamos banho em bacias, bebemos numa espécie de caneca etc. Mas, naturalmente, não falta nada e descobrimos que existem manuais especializados em camping, que ensinam a utilizar todo esse equipamento primitivo".

A partir de 1909, Putnam correspondeu-se regularmente com Freud e publicou 43 artigos, dos quais 22 exclusivamente sobre a psicanálise, que tiveram um papel importante na introdução do freudismo em solo americano, especialmente no meio médico. Aliás, Putnam continuou a ocupar-se de neurologia, praticando ao mesmo tempo a psicanálise com cerca de vinte pacientes portadores de neurose* de angústia, de histeria* e de distúrbios obsessivos.

Em 1911, aos 65 anos, atravessou o Atlântico para ir ao congresso da International Psychoanalytical Association* (IPA), em Weimar. No caminho, deteve-se em Zurique, onde Freud, hóspede de Jung, o recebeu para um tratamento psicanalítico de seis horas de duração. A amizade que unia ambos no respeito de suas divergências durou ainda alguns anos. De certa forma, ela era uma manifestação dessa idade áurea da psicanálise, quando as relações conflituosas nem sempre se transformavam em luta institucional.

O idealismo putnamiano ficava excessivamente próximo de uma mentalidade de velho censor higienista, para impor-se como um componente maior do movimento psicanalítico americano, então em plena expansão. Em 1911, Putnam tornou-se membro da American Psychoanalytic Association* (APsaA), criada um ano depois da fundação da IPA. Em 1914, presidiu os destinos da Boston Psychoanalytic Society (BoPs). Mas, nessa data, a época heróica terminara, e foi um novo ator, Abraham Arden Brill*, que impulsionou o movimento americano para o seu segundo componente: o pragmatismo adaptativo.

• James Jackson Putnam, *Human Motives*, Boston, Little Brown and Co., 1915; *Adresses on Psycho-Analysis*, Londres, International Psychoanalytical Press, 1951 • Sigmund Freud, "James J. Putnam" (1919), *ESB*, XVII, 337-8; *GW*, XII, 315; *SE*, XVII, 71-2; "Prefácio a *Adresses on psycho-analysis*, de J.J. Putnam (1921), *ESB*, XVIII, 324-6; *SE*, XVIII, 269-70; *OC*, XVI, 21-3 • *L'Introduction de la psychanalyse aux États-Unis. Autour de James Jackson Putnam* (Londres, 1968), Nathan G. Hale (org.), Paris, Gallimard, 1978, 17-86 • Nathan G. Hale, *Freud and the Americans. The Beginnings of Psychoanalysis in the United States, 1876-1917*, t.I (1971), N. York, Oxford, Oxford University Press, 1995 • Ellie Ragland-Sullivan, "James Jackson Putnam, 1846-1918", *Ornicar?*, 47, outubro-dezembro, 1988, 88-104.

➤ *Cinco lições de psicanálise*; *Ego Psychology*; Emerson, Louville Eugène; Jelliffe, Ely Smith; nazismo; peste; White, William Alanson.

Q

Questão da análise leiga, A

Livro de Sigmund Freud* publicado em alemão, em 1926, sob o título **Die Frage der Laienanalyse**. *Traduzido pela primeira vez para o francês por Marie Bonaparte*, em 1928, sob o título* **Psychanalyse et médecine**, *foi retraduzido em 1985 por Janine Altounian, André Bourguignon (1920-1996), Odile Bourguignon, Pierre Cotet e Alain Rauzy, sob o título* **La Question de l'analyse profane**. *Essa tradução foi ligeiramente revista em 1994 pela mesma equipe de tradutores. Traduzido para o inglês pela primeira vez em 1927, por A.P. Maerker-Branden, sob o título* **The Problem of Lay-Analysis**, *foi retraduzido por Nancy Procter-Gregg em 1947 como* **The Question of Lay-Analysis** *e, em 1959, traduzido por James Strachey* sob o título* **The Question of Lay-Analysis**.

O posfácio, "Nachtwort zur Frage der Laienanalyse", foi publicado em alemão em 1927 e, em 1928, acrescentado ao livro. Foi traduzido para o francês pela primeira vez em 1985 e acrescentado à segunda edição do livro. A tradução francesa de 1994 o restaurou em sua íntegra, incluindo o trecho suprimido por Freud a conselho de Max Eitingon* e Ernest Jones*, que o julgavam demasiado ofensivo para os norte-americanos. Esta última edição contém, além disso, notas de 1935, bem como um pós-escrito do mesmo ano, destinados a uma edição norte-americana que nunca chegou a ser publicada. Esses documentos, encontrados por Ilse Grubrich-Simitis, não figuram em nenhuma edição inglesa ou norte-americana. O posfácio foi traduzido pela primeira vez para o inglês em 1927, sob o título "Concluding remarks on the question of lay analysis", e posteriormente por James Strachey, em 1950, sob o título "Postscript to a discussion on lay analysis".

Foi na primavera de 1926, em conseqüência da queixa de um ex-paciente, que Theodor Reik* viu-se sob a ameaça de um processo por exercício ilegal da medicina, em virtude de uma antiga lei austríaca que coibia o "charlatanismo". Os aborrecimentos de Reik haviam começado dois anos antes, quando o fisiologista Arnold Durig (1872-1961), membro do Conselho Superior de Saúde da cidade de Viena*, solicitara a Freud um parecer especializado sobre a questão da análise praticada por não médicos. Freud registrou esses primeiros incidentes numa carta a Karl Abraham* datada de 11 de novembro de 1924, inédita em francês, na qual enunciou sua esperança de que o caso não tivesse maiores conseqüências. Ao que parece, não havendo a opinião de Freud convencido seus interlocutores, Reik, então membro da Wiener Psychoanalytische Vereinigung (WPV), foi proibido de exercer a psicanálise em 24 de fevereiro de 1925. Essa proibição inscreveu-se num clima repressivo, ilustrado pela restrição do acesso à Policlínica Psicanalítica de Viena unicamente aos detentores de um diploma de medicina, em conseqüência de um parecer do professor Wagner-Jauregg* e dos ataques incessantes da Associação de Analistas Médicos Independentes, dirigida por Wilhelm Stekel*, contra a WPV.

Após a sanção que atingiu Reik, Freud tornou a intervir, desta feita junto a Julius Tandler*, professor de anatomia e relator de saúde pública perante o município de Viena. No que se presume ter sido o texto dessa intervenção epistolar, Freud inverteu desde logo a formulação habitual da questão: o "leigo" ou "profano" não era o analista não médico, mas "qualquer um que não tenha adquirido uma formação, tanto teórica quanto técnica, suficiente em psicanálise*, e quer possua ou não um diploma de medicina". Para Freud, "a psicanálise, apesar de nascida num terreno médico, há muito tempo já não constitui um assunto puramente médico", e se, por um lado, não se podia nem se devia impedir ninguém de se interessar por ela, era somente "fazendo-se analisar e exercendo a análise com terceiros", por outro lado, que se podia adquirir "a experiência e a convicção em psicanálise".

A julgar pelo reinício do processo contra Reik, essa segunda providência de Freud não teve maior sucesso do que a anterior. Foi sem dúvida por isso que, sem maiores delongas, num contexto emocional marcado pelo processo do caso Hug-Hellmuth*, que se desenrolara em março de 1925 e fora amplamente noticiado pela imprensa vienense, Freud redigiu seu texto *A questão da análise leiga*, que tinha por subtítulo *Conversas com um interlocutor imparcial*, que parece ter sido o fisiologista Arnold Durig, o qual, inicialmente, pedira a Freud sua opinião sobre o assunto.

O livro foi publicado no outono de 1926. Seu objetivo superou amplamente a simples defesa de Reik e, em termos mais gerais, dos analistas não médicos. A colocação de Freud inscreve-se num outro debate, o qual, apesar de se referir à questão da análise leiga, trata, na verdade, da formação dos psicanalistas, e concerne, antes de mais nada, ao próprio movimento psicanalítico internacional. Com efeito, fora em 1925 que o presidente da New York Psychoanalytic Society (NYPS), Abraham Arden Brill*, havia anunciado sua intenção de romper com Freud em razão dessa questão, e foi no outono de 1926, no momento da publicação do texto de Freud, que o estado de Nova York declarou ilegal a prática da análise por não médicos. Os pivôs do conflito que acabava de eclodir, e que não estava nem perto de se encerrar, concerniam, pois, além da simples relação com a medicina, aos contornos institucionais da psicanálise, a seus fundamentos epistemológicos e a seu caráter universalista, garantia de uma questão que a atualidade geopolítica logo tornaria premente: a da emigração. Numa palavra — a de Jean-Bertrand Pontalis em seu prefácio à edição francesa de 1985 —, podemos dizer que, "para Freud, certamente, a questão da análise leiga era a questão da própria análise".

Após uma breve introdução — que deu a Freud o ensejo de assinalar, não sem um certo humor, que durante muito tempo ninguém se

havia preocupado em saber quem praticava a psicanálise, uma vez que se era unânime em desejar que "*ninguém* a praticasse" — os cinco primeiros capítulos do livro expõem a teoria psicanalítica de maneira didática, por intermédio de perguntas variadas e precisas, observações críticas e objeções que Freud atribui a seu "interlocutor imparcial".

É no fim do quinto capítulo que se aborda o campo institucional, quando o interlocutor, a quem Freud acaba de expor os princípios e as regras que regem o desenrolar da análise, indaga: "E onde se aprende o que é preciso para praticar a análise?" Freud menciona então a existência do Berliner Psychoanalytisches Institut* (BPI), dirigido por Max Eitingon*, fala da formação dispensada em Viena, evocando de passagem as múltiplas dificuldades que as autoridades criam "para essa jovem iniciativa", e anuncia a abertura, "dentro em breve", de um terceiro instituto de ensino, em Londres, sob a direção de Ernest Jones*.

A questão da relação com a medicina começa a ser discutida depois que o interlocutor destaca que a psicanálise poderia muito bem ser considerada uma especialidade médica entre outras. Freud responde que qualquer médico que observe o conjunto das concepções teóricas e das regras evocadas até esse ponto será bem-vindo, mas que é forçoso registrar uma realidade totalmente diversa, caracterizada pela luta que o conjunto dos médicos trava contra a análise. Essa atitude, além de ser suficiente para retirar do corpo médico qualquer direito histórico a se pretender proprietário da psicanálise, leva Freud a se dirigir, para além de seu interlocutor, ao legislador austríaco: "charlatão" é "quem empreende um tratamento sem possuir os conhecimentos e qualificações necessários". Com isso ele esclarece que nessas condições, em matéria de análise, são os médicos que compõem o grosso do contingente de "charlatães", já que, na maioria dos casos, "praticam o tratamento analítico sem havê-lo aprendido e sem compreendê-lo". Dessa maneira, Freud é decididamente ofensivo, frisando que a formação médica é particularmente mal adaptada à preparação para o exercício da psicanálise. Desejoso de não abandonar por completo o terreno do caso Reik, Freud evoca a questão geral da intervenção dos poderes públicos no que concerne à regulamentação da prática da análise e adverte contra a propensão para regulamentar e proibir, que é característica do que acontece na Áustria. Ele lembra que, em matéria de psicologia, e até de parapsicologia, o importante é respeitar a liberdade intelectual, nunca havendo as proibições sufocado o interesse dos homens pelas coisas misteriosas ou tidas como tais.

Alertado para o fato de que, com respeito a essas questões, estava-se longe de haver conquistado a unanimidade no seio do movimento psicanalítico, Freud toma a dianteira: traça uma distinção teórica, cujo peso viria depois a minimizar, entre o estabelecimento de um diagnóstico, ato médico precedente à prescrição de uma terapia psicanalítica, e o tratamento em si, que deve sempre ser obra do psicanalista, seja ele médico ou não. Não seria possível, propõe então o interlocutor, autorizar aqueles dentre os analistas não médicos que já comprovaram seus méritos e decidir que, no futuro, a formação médica será a norma? Diante dessa última tentativa de compromisso, Freud aborda de frente a questão da formação dos analistas e afirma que seu objetivo, a criação de uma escola superior de psicanálise, pressupõe a instauração de um ensino que, longe de se limitar unicamente aos conhecimentos médicos, englobe a história das civilizações, a mitologia e a literatura, e repouse no postulado da autonomia do registro psíquico em relação ao substrato fisiológico.

Mas o conhecimento livresco não pode bastar aos especialistas das ciências do espírito, em especial os pedagogos, para que eles tenham sucesso em sua iniciativa de aplicação; será preciso que eles mesmos se submetam a uma análise, e, para tanto, haverá necessidade de analistas didatas, dotados de uma formação particularmente bem acabada, muito distante dos conhecimentos médicos.

Se Freud insiste tanto na questão da formação, é que, longe de procurar instalar a psicanálise numa torre de marfim, ele quer confrontá-la, ao contrário, com todas as formas de conhecimento. Assim, ao rejeitar o modelo da formação médica, não se trata de apregoar a improvisação ou a selvageria, mas de construir e desenvolver a especificidade da formação analítica.

Essa vem a ser uma das questões mais cruciais da história do movimento psicanalítico: no cerne dos conflitos e das cisões*, ela atesta, a posteriori, a justeza da postura freudiana. Com efeito, Freud não se enganou: a alternativa médico/não-médico não lhe parecia outra coisa, como ele disse a Sandor Ferenczi* numa carta datada de 11 de maio de 1920, senão a "máscara da resistência à psicanálise, e a mais perigosa de todas".

Reik enfim se beneficiou de um veredito de improcedência da acusação. Mas está claro que o deveu mais à desqualificação do queixoso do que ao efeito produzido pelo livro de Freud.

Longe de reduzir as contradições que começavam a se manifestar nos meios psicanalíticos a propósito dessas questões, o livro de Freud, ao contrário, na verdade só fez reforçá-las. Resolveu-se então organizar, como um prelúdio ao congresso de psicanálise que deveria realizar-se em 1927, em Innsbruck, uma discussão geral sobre o assunto. Introduzido por Jones, o debate opôs, em especial, Freud e Eitingon. O conjunto das intervenções foi publicado no mesmo ano, no *Internationale Zeitschrift für Psychoanalyse** e no *International Journal of Psycho-analysis**. O dossiê testemunha a acrimônia dos confrontos e da hostilidade suscitados pela postura de Freud. Ali vemos desenhar-se uma primeira dissensão entre os norte-americanos, unanimemente opostos à prática da análise por não médicos, e os europeus, estes divididos entre si, tendo Ferenczi, Edward Glover* e John Rickman*, entre outros, a defender a postura freudiana de uma psicanálise totalmente autônoma em relação à medicina, e tendo Jones e Eitingon, entre outros, embora rejeitando a idéia de que a psicanálise se submetesse a qualquer autoridade, a desejar que ela continuasse a ser uma profissão médica.

Após o congresso de Innsbruck, Freud, cada vez mais isolado, redigiu o que viria a se converter no posfácio a esse ensaio. Nessa última intervenção, não fez concessão alguma e, mais particularmente, atacou seus "colegas norte-americanos", os quais censurou por uma argumentação incoerente, que comparou a "uma tentativa de recalque".

Essa preocupação de defender a especificidade de sua descoberta, de mantê-la irredutível a qualquer abordagem científica (a medicina) ou espiritual (a religião), seria reafirmada por Freud em 1938, sem a menor ambigüidade, quando correu nos Estados Unidos* o boato de que ele teria mudado de opinião. "Não consigo imaginar", respondeu ele, "de onde possa ter vindo esse boato estúpido com respeito a minha mudança de opinião sobre a questão da análise praticada por não médicos. A verdade é que nunca repudiei minhas colocações e que as defendo com vigor ainda maior do que antes diante da evidente tendência dos norte-americanos a transformarem a psicanálise numa criada da psiquiatria."

É dentro da perspectiva freudiana que convém considerar a posição de Jacques Lacan* sobre esse assunto e, além dela, os contornos da "exceção francesa".

No plano jurídico, a prática da análise leiga* foi debatida na França por ocasião do caso Clark-Williams, que, por suas implicações, constituiu um dos pivôs do que viria a ser a primeira cisão do movimento psicanalítico francês, em 1953. Num primeiro momento, Margaret Clark-Williams, uma psicanalista não médica que praticava análises de crianças no Centro Claude-Bernard, fundado por Georges Mauco*, foi liberada. Todavia, após um apelo feito contra essa decisão pela Ordem dos Médicos, a nona vara do tribunal de Paris condenou a ré a uma pena primária, embora reconhecendo sua moral e sua competência. Esse processo criaria jurisprudência, até a suspensão da sentença pelo tribunal correcional de Nanterre, em 9 de fevereiro de 1978, ao término do qual a independência da psicanálise em relação à medicina foi juridicamente reconhecida. Lacan, que não depôs nesse processo, nem por isso deixou, durante as discussões travadas sobre o assunto nos círculos psicanalíticos e psiquiátricos, de defender os não médicos, censurando Sacha Nacht*, então presidente da Société Psychanalytique de Paris (SPP), por querer abandoná-los por completo. Na verdade, essa posi-

ção de Lacan foi conjuntural, ditada pelo que ele considerava serem os interesses imediatos da psicanálise. Não muito tempo depois, ele aconselharia seus alunos a estudarem medicina ou filosofia, considerando que a proteção da formação dos psicanalistas e da psicanálise em si deveria exercer-se, prioritariamente, contra a psicologia e o psicologismo, os quais ele denunciou como uma ameaça muito mais perigosa do que a medicina. Posteriormente, dentro da perspectiva aberta por Freud, Lacan, em especial através dos textos dedicados ao ensino e à formação dos analistas, procurou delimitar a especificidade do ato psicanalítico e mostrar que, se o psicanalista só pode ser "leigo", isso se deve, antes de mais nada, ao fato de seu ato se inscrever na experiência psicanalítica que ele atravessa.

• Sigmund Freud, *A questão da análise leiga* (1926), *ESB*, XX, 211-84; *GW*, XIV, 209-86; *SE*, XX, 183-258; *OC*, XVIII, 1-92; "Lettre à un correspondant anonyme", *Revue Internationale d'Histoire de la Psychanalyse*, 3, 1990, 13-9 • Françoise Carasso, *Freud médecin*, Arles, Actes Sud-INSERM, 1992 • Susann Heenen-Wolff, "La Discussion sur l'"analyse profane'", *Internationale Zeitschrift für Psychoanalyse* do ano de 1927, *Revue Internationale d'Histoire de la Psychanalyse*, 3, 1990, 71-88 • Peter Gay, *Freud: uma vida para o nosso tempo* (N. York, 1988), S. Paulo, Companhia das Letras, 1995 • Ernest Jones, *A vida e a obra de Sigmund Freud*, 3 vols. (N. York, 1953, 1955, 1957), Rio de Janeiro, Imago, 1989 • Harald Leupold-Löwenthal, "Le Procès de Theodor Reik", *Revue Internationale d'Histoire de la Psychanalyse*, 3, 1990, 57-69 • Jean-Bertrand Pontalis, "Avant-propos", in Sigmund Freud, *La Question de l'analyse profane*, Paris, Gallimard, 1985, 9-21 • Élisabeth Roudinesco, *História da psicanálise na França*, vol.2 (Paris, 1986), Rio de Janeiro, Jorge Zahar, 1988 • Michel Schneider, "La 'question' en débat", in Sigmund Freud, *La Question de l'analyse profane*, Paris, Gallimard, 1985, 157-97 • Georges Schopp, "L'Affaire Clark-Williams, ou la question de l'analyse laïque en France", *Revue Internationale d'Histoire de la Psychanalyse*, 3, 1990, 199-238 • Alain Vanier, "Lacan et la *Laienanalyse*", ibid., 275-88.

➢ Bonaparte, Marie; freudismo; história da psicanálise; psicoterapia.

R

Racker, Heinrich (ou Enrique) (1910-1961)

médico e psicanalista argentino

De origem polonesa, Heinrich Racker estudou em Viena*, onde também exerceu a arte da música. Analisado inicialmente por Jeanne Lampl-De Groot*, emigrou para a Argentina* em 1939 e instalou-se em Buenos Aires, onde retomou a sua formação didática com Angel Garma* e depois com Marie Langer*. Membro da Asociación Psicoanalítica Argentina (APA) em 1947, interessou-se pela antropologia*, pela filosofia, pela estética e pela história das religiões, antes de se tornar um teórico da contratransferência*, apontando, em uma perspectiva bastante próxima da de Paula Heimann* e de Margaret Little, a necessidade de analisá-la corretamente durante o tratamento didático. Depois de sua morte, seu nome foi dado a um Centro de Pesquisas e de Formação para a Análise Didática*, onde também foram ensinadas as grandes obras da história do movimento psicanalítico.

• Heinrich Racker, *Estudos sobre a técnica psicanalítica* (B. Aires, 1968) P. Alegre, Artes Médicas • Horacio Etchegoyen, *Fundamentos da técnica psicanalítica* (B. Aires, 1993), P. Alegre, Artes Médicas.

Rado, Sandor (1890-1972)

psiquiatra e psicanalista americano

Amigo de Sandor Ferenczi* e co-fundador, em 1913, da Sociedade Psicanalítica de Budapeste, Sandor Rado pertencia à geração* dos pioneiros do freudismo*. Amante da boa cozinha e grande sedutor de mulheres, gostava de conquistar as que se encontravam no seu círculo imediato. Aliás, defendia uma concepção inigualitária da diferença sexual*, retomando até,

de modo caricatural, a tese do falocentrismo*, para afirmar que as meninas renunciavam à masturbação porque reconheciam a superioridade do pênis, ou ainda porque transformavam a decepção pela falta do órgão masculino em uma propensão ao masoquismo*. Essa tese foi atacada por Karen Horney*.

Em 1915, depois de estudar medicina e direito, descobriu a obra de Sigmund Freud*, de quem se tornou um discípulo fanático. Foi então a Viena* para escutar as lições do mestre, e logo participou da vida do movimento psicanalítico da Europa Central. Analisado por Erzsebet Revesz (1887-1923), que fora analisada por Freud, apaixonou-se por ela durante o tratamento e os dois se casaram, depois que Rado se divorciou de sua primeira mulher. Em 1922, foi a Berlim, onde começou uma segunda análise com Karl Abraham*. Desempenhou então papel importante no comitê de formação do Instituto Psicanalítico, tornando-se um dos mais brilhantes didatas da International Psychoanalytical Association* (IPA). Formou vários psicanalistas, entre os quais Wilhelm Reich*, Otto Fenichel* e Heinz Hartmann*. Em Berlim, ficou conhecendo Helene Deutsch*, com quem teve uma ligação tumultuada, no momento em que acabava de saber da morte brutal de sua mulher. Sofrendo de anemia perniciosa, Erzsebet era tratada por Felix Deutsch*, que, nessa ocasião, deu livre curso ao ciúme que sentia pelo rival.

Depois de ter sido casado com sua primeira analista, Rado casou-se com uma de suas analisandas, Emmy, o que contituiu um caso bastante raro de transgressão repetida na história das filiações* psicanalíticas.

Apoiado por Freud, tornou-se em 1924 redator-chefe da *Internationale Zeitschrift für Psychoanalyse*, e três anos depois, da revista

*Imago**. Em 1931, a convite de Abraham Arden Brill*, instalou-se nos Estados Unidos* para organizar o novo Instituto da New York Psychoanalytic Society (NYPS), a partir do modelo do Instituto de Berlim, e, quando o nazismo* se impôs na Alemanha, ajudou muitos psicanalistas da Europa a emigrar para o continente americano. Foi nessa época que começou a se afastar do freudismo.

Adepto de um biologismo radical e partidário de uma integração pura e simples da psicanálise* à medicina, tornou-se um dos grandes especialistas americanos em toxicomania, em alcoolismo, e nas diferentes dependências químicas e distúrbios depressivos. Renunciou aos princípios clássicos do tratamento, para desenvolver uma técnica ativa, de tipo comportamentalista, fundada na reeducação emocional e na renúncia à análise dos mecanismos do recalque* e da rememoração do passado. Em setembro de 1935, começou a criticar a cidade de Viena, os vienenses no exílio e principalmente Anna Freud*, a tal ponto que Helene Deutsch se inquietou com sua saúde mental e pensou que estava se tornando psicótico.

Depois de conflitos intermináveis, principalmente com Karen Horney, a direção da NYPS lhe recusou o título de didata. Com Abram Kardiner*, que não tinha a mesma orientação que ele, mas cujos cursos eram tão freqüentados quanto os seus, criou então, em 1942, uma Associação de Medicina Psicanalítica. Cinco anos depois, ambos estabeleceram um segundo Instituto Psicanalítico de Formação, integrado à Faculdade de Medicina de Columbia. Este foi depois reconhecido pela American Psychoanalytical Association* (APsaA). Rado se afastou então nitidamente da ortodoxia freudiana americana para organizar, na New York School of Psychiatry, um programa de ensino clínico de inspiração biológica.

Em suas memórias inéditas, depositadas na Universidade de Columbia, afirmou que Max Eitingon* era meio-irmão de Leonid Eitingon, coronel da KGB, o que não era verdade.

• Sandor Rado, "Psychoanalysis of behavior", *Collected Papers of Psychoanalysis*, vol.1, N. York, Grune and Stratton, 1956 • Franz Alexander, "Sandor Rado, 1890, A teoria adaptacional", in Franz Alexander, Samuel Eisenstein e Martin Grotjahn, *A história da psicanálise através de seus pioneiros* (N. York, 1966), Rio de Janeiro, Imago, 1981 • Aaron Karush, "Sandor Rado, 1890-1972. Obituary", *Psychoanalytic Quarterly*, 41, 1972, 613-5 • Nathan G. Hale, *Freud and the Americans, The Rise and Crisis of Psychoanalysis in the United States, 1917-1985*, t.II, N. York, Oxford, Oxford University Press, 1995 • Paul Roazen, *Helene Deutsch, une vie de psychanalyste* (N. York, 1985). Paris, PUF, 1990 • Janet Sayers, *Mães da psicanálise* (Londres, 1991), Rio de Janeiro, Jorge Zahar, 1992 • Ernst Falzeder, "Filiations psychanalytiques: la psychanalyse prend effet" (1994) in André Haynal (org.), *La Psychanalyse: cent ans déjà* (Londres, 1994), Genebra, Georg, 1996, 255-89.

➢ CISÃO; HUNGRIA.

Raknes, Ola (1887-1975)
psicanalista norueguês

Filólogo e professor universitário, tradutor de uma parte da obra de Henri Bergson (1859-1941), Ola Raknes esteve em vários países da Europa e, ao contrário de seu compatriota Harald Schjelderup*, foi um freudiano sempre em dissidência. Depois de vários anos de estudo em Paris e Londres, voltou para a Noruega. Em 1927, defendeu sua tese de doutorado em Oslo, sobre o tema do encontro com o sagrado, manifestando já um interesse muito vivo pelo freudismo*. Em Berlim, no ano seguinte, orientou-se para a psicanálise*, depois de um tratamento com Karen Horney*, cujas teses, na época, começavam a se afastar do freudismo clássico.

No iníco dos anos 1930, ao lado de Schjelderup, cujo interesse pela psicologia das religiões compartilhava, participou do debate organizado em Oslo pelos meios psiquiátricos, sobre a utilidade da psicanálise no tratamento das neuroses* e das psicoses*. Em 1933, quando Otto Fenichel* se refugiou na Noruega durante dois anos, Raknes fez com ele uma segunda análise. Depois de participar, em 1934, da fundação da Sociedade Psicanalítica Dano-Norueguesa, aproximou-se de Wilhelm Reich*, então imigrante em Oslo. Tornou-se seu amigo e colaborador. Como outros terapeutas noruegueses, afastou-se progressivamente da psicanálise e do freudismo. Em 1947, demitiu-se da Norsk Psykoanalytisk Forening (NPF), para praticar a orgonoterapia.

• Randolf Alnaes, "The development of psychoanalysis in Norway. An historical overview", *The Scandinavian Psychoanalytic Review*, 2, vol.III, 1980, 55-101.

➤ ESCANDINÁVIA.

Rambert, Madeleine (1900-1979)
psicanalista suíça

Filha de pastor, Madeleine Rambert começou a praticar a psicanálise de crianças* no período entre as duas guerras. Apoiada por Philipp Sarasin*, aderiu à Sociedade Suíça de Psicanálise (SSP) em 1942. Três anos depois, publicou um livro prefaciado por Jean Piaget (1896-1980), *A vida afetiva e moral da criança*. Através de relatos de casos, mostrava como a terapia com fantoches podia enriquecer a técnica psicanalítica*.

• Madeleine Rambert, *La Vie affective et morale de l'enfant. Douze ans de pratique psychanalytique*, Neuchâtel, Delachaux et Niestlé, 1945 • Pascal Le Maléfan, "Sur Madeleine Rambert", *Marionnette et Thérapie*, julho-setembro de 1996, 4-6.

➤ SUÍÇA.

Ramos de Araújo Pereira, Arthur (1903-1949)
psiquiatra brasileiro

Nascido em Alagoas, Arthur Ramos estudou na faculdade de medicina de Salvador, Bahia, e orientou-se para a psiquiatria e a criminologia*, antes de se interessar pela antropologia*, pelas medicinas tradicionais afro-brasileiras e enfim pela doutrina freudiana. Em 1926, publicou uma tese sobre a loucura*, na qual citava os principais representantes da psiquiatria dinâmica* moderna e criticava o pansexualismo* de Sigmund Freud*. Isso não o impediu de trocar com este algumas cartas, entre 1927 e 1932, e de ser um dos pioneiros da introdução da psicanálise em seu país, sobretudo na Bahia, como fizera antes dele Juliano Moreira*.

• Arthur Ramos de Araújo Pereira, *Primitivo e loucura*, Tese da faculdade de medicina, Bahia, 1926; *Loucura e crime*, P. Alegre, Livraria do Globo, 1937 • Gilberto S. Rocha, *Introdução ao nascimento da psicanálise no Brasil*, Rio de Janeiro, Forense Universitária, 1989 • Marialzira Perestrello, "Importância da Bahia na difusão da psicanálise no Brasil. Juliano Moreira, Arthur Ramos e outros", in Denise de Oliveira Lima (org.), *60 anos de psicanálise*, Bahia, Agalma, 1993.

➤ BRASIL.

Rank, Otto, *né* Rosenfeld (1884-1939)
psicanalista austríaco

Teórico da renovação da técnica psicanalítica*, questionando radicalmente o tratamento clássico em favor de uma terapia dita "ativa", brilhante especialista em filosofia, literatura e psicanálise aplicada*, clínico notável, Otto Rank foi o único autodidata dos discípulos freudianos da primeira geração*. Espírito independente, hostil a todos os dogmatismos, foi, como Sandor Ferenczi*, o artífice da primeira grande dissidência interna na International Psychoanalytical Association* (IPA). Ao contrário de Alfred Adler*, Carl Gustav Jung* ou Wilhelm Stekel*, permaneceu freudiano. Sua posição crítica se afirmou a partir de 1923, em uma época em que o movimento psicanalítico, preocupado com conformismo, normalização e pragmatismo, começava a adotar ideais adaptativos contrários ao freudismo* original.

Nascido em Leopoldstadt, nos arredores de Viena*, Rank era o terceiro e último filho de Simon Rosenfeld, um joalheiro judeu originário de Burgenland, e de Karoline Fleischner, cuja família era da Morávia. Apesar de um bom currículo escolar, foi obrigado, aos 14 anos, a entrar em uma escola técnica, a fim de preparar-se para trabalhar como mecânico. "Foi assim, escreveu ele em seu *Diário de adolescente* inédito, que eu cresci, entregue a mim mesmo, sem educação, sem amigos, sem livros."

Atingido muito cedo por um reumatismo articular agudo, o jovem Otto sofria tanto com essa doença dolorosa quanto com sua feiúra física e com suas relações violentas com o pai, alcoólatra inveterado e sujeito a graves crises de cólera. Além disso, tendo sido vítima, na infância, de tentativa de abuso sexual por parte de um adulto de seu meio, apresentou sinais de neurose* por volta dos vinte anos: "Ele sofria de uma fobia*, escreveu James Lieberman, seu biógrafo, que o impedia de tocar qualquer coisa sem luvas. Esse medo patológico dos micróbios e das relações sexuais se deve provavelmente à sua primeira e traumática experiência do sexo."

Tornando-se aprendiz de torneiro, Otto Rosenfeld continuou sozinho sua formação intelectual, apaixonando-se por literatura e filosofia. Entre seus autores prediletos estavam Friedrich Nietzsche (1844-1900), Arthur Schopenhauer (1788-1860) e Henrik Ibsen (1828-1906). Em 1903, adotou o pseudônimo de Rank, um personagem de *Casa de bonecas*. Tomando essa nova identidade, queria afirmar sua independência em relação ao pai, que detestava. Posteriormente, converteu-se ao catolicismo a fim de legalizar o seu novo sobrenome. Entretanto, completamente ateu e desprovido de qualquer sentimento de ódio de si judeu, logo renunciou à renegação de suas origens, e nas vésperas de seu primeiro casamento decidiu reconverter-se ao judaísmo a fim de assumir sua judeidade*.

Foi ao ler a obra de Otto Weininger*, *Sexo e caráter*, que ele começou a se interessar pelas questões abordadas pela psicanálise*. Em 1905, depois da descoberta da *Interpretação dos sonhos**, ficou conhecendo Alfred Adler, que lhe possibilitou encontrar-se com Sigmund Freud* e integrar-se à Sociedade Psicológica das Quartas-Feiras*. Tornou-se seu secretário em 1906, depois de apresentar uma exposição inaugural sobre o tema do incesto*, na qual já aparecia a problemática do romance familiar*, presente em seu grande livro publicado em 1909: *O mito do nascimento do herói*. O interesse apaixonado que dedicou à psicanálise* e o encontro com Freud, que logo o considerou como seu "filho adotivo", decidiram o destino do jovem Rank. Começou a escrever, tornou-se um intelectual, entrou para a universidade e obteve em 1912 um doutorado de filosofia. Com a idade de 28 anos, já tinha publicado quatro livros sobre literatura, mitos e incesto. Além disso, foi, de certa forma, o primeiro arquivista da história do freudismo: foi ele quem se encarregou de transcrever, ao longo das semanas, as atas das reuniões da Sociedade das Quartas-Feiras. Esse trabalho considerável foi publicado em quatro volumes por Hermann Nunberg* entre 1962 e 1975.

Mobilizado contra a vontade em 1915, serviu como redator em um jornal de Cracóvia, cidade situada na parte leste do Império Austro-Húngaro. Ali, ficou conhecendo Beata Mincer, jovem polonesa, estudante de psicologia, apelidada Tola. Em outubro de 1918, casou-se com ela, que se tornaria psicanalista com o nome de Tola Rank (1896-1967) e lhe daria uma filha.

Ao fim da Primeira Guerra Mundial, Rank se tornara outro homem. O ex-operário autodidata morava então no centro de Viena e praticava a psicanálise graças a Freud, a quem venerava como um pai e que lhe enviava pacientes. Aliás, fazia parte do pequeno círculo de eleitos no seio do Comitê Secreto* e dirigia a Verlag, a editora do movimento psicanalítico, criada com a ajuda do dinheiro de Anton von Freund*.

A derrota dos impérios centrais e a vitória da Europa ocidental sobre a Europa central tiveram como efeito reduzir a zero a posição preponderante, ocupada até então por Viena e Budapeste na direção da IPA. Apoiado pelos berlinenses (Karl Abraham*, Max Eitingon*), Ernest Jones* dedicou-se a impor os princípios de uma ortodoxia psicanalítica.

Foi nesse contexto que surgiram graves conflitos entre Rank, de um lado, e Jones e Abraham do outro. Melancólico há muitos anos, Rank atravessava freqüentemente crises de depressão seguidas de estados de exaltação. Assim, foi considerado pelos notáveis do movimento um "doente mental", sofrendo de psicose maníaco-depressiva*. Muito ciumento da afeição que Freud lhe dedicava, e preocupado em normatizar as modalidades da análise didática*, Jones se tornou o principal adversário de Rank no Comitê Secreto. Ora, nessa época, este começou a se afastar da doutrina freudiana clássica, publicando, no início do ano de 1924, um livro iconoclástico, que o tornaria célebre: *O trauma do nascimento*. Defendia a idéia de que, no nascimento, todo ser humano sofria um trauma maior, que procurava superar depois, aspirando inconscientemente a voltar ao útero materno. Em outras palavras, fazia da primeira separação biológica da mãe o protótipo da angústia psíquica. Essa tese, próxima da que Melanie Klein* começava a elaborar, seria adotada, com algumas variações, por todos os representantes da escola inglesa: não só pelos kleinianos, que lhe dariam um conteúdo diferente, situando a angústia de separação na relação ambivalente da criança com o seio da mãe, mas também pelos Independentes*, de Donald Woods Winnicott* a John Bowlby*, que não cessariam de estudar o aspecto biológico e existencial do fenômeno de separação. Longe de se ater a uma concepção clássica do complexo de Édipo*, Rank já se interessava portanto pela relação precoce (e pré-edipiana) da criança com a mãe e pela especificidade da sexualidade feminina*. Do interesse dedicado ao pai, ao patriarcado e ao Édipo clássico, ele passava para uma definição do materno e do feminino, e logo para uma crítica radical do sistema de pensamento do primeiro freudismo, demasiadamente fundado, em sua opinião, no lugar do pai e no falocentrismo*.

No mesmo ano, em *Perspectivas da psicanálise*, Otto Rank atacou, com Ferenczi, a rigidez das regras psicanalíticas, e dois anos depois, em 1926, propôs uma teoria dita da "terapia ativa", preconizando tratamentos curtos e limitados previamente no tempo, assim como um recentramento no presente: ao invés de sempre reconduzir o paciente à sua história passada e ao seu inconsciente, interpretando os sonhos e o complexo de Édipo, Rank julgava preferível solicitar a vontade consciente deste e aplicá-la à situação presente, a fim de estimular o seu desejo de se curar— única maneira de fazê-lo sair da passividade masoquista na qual ele se refugiava. Freud se opôs às teses de Rank em *Inibições, sintomas e angústia*, e depois revisou sua posição em 1933, nas *Novas conferências introdutórias sobre psicanálise*, enfatizando que Rank tivera o mérito de ressaltar a importância da separação primeira da mãe.

Bastou isso para provocar a cólera de Jones que entretanto, na mesma época, não hesitava em apoiar as teses kleinianas. Como Rank não era nem médico nem analisado, Jones e Abraham se apressaram a explicar que suas teorias eram conseqüência de um conflito não resolvido com o pai. Freud interveio, obrigando o seu discípulo a submeter-se a algumas sessões.

Depois de fingir obedecer e após um início de carreira fulgurante nos Estados Unidos*, onde formou psicanalistas e discípulos que se diziam freudianos, Rank foi levado a romper com seu venerado mestre. Em abril de 1926, fez-lhe uma última visita, levando-lhe as obras completas de Nietzsche: 23 volumes encadernados em couro branco. Abatido pela dor, mas sempre feroz em sua maneira de romper com os melhores amigos, Freud escreveu estas palavras em uma carta a Ferenczi: "Nós lhe demos muita coisa, e ele também fez muito por nós. Assim, estamos quites. Quando de sua última visita, não tive a ocasião de lhe expressar a afeição particular que sinto por ele. Fui honesto e duro. Assim, podemos tirá-lo da nossa vida. Abraham tinha razão."

Vítima de uma intensa campanha de calúnias orquestrada por Jones, Harry Stack Sullivan* e principalmente por Abraham Arden Brill*, que o tratou publicamente de desequilibrado, Rank foi excluído da American Psychoanalytic Association* (APsaA), e conseqüentemente da IPA, em 10 de maio de 1930, em condições dramáticas. O ataque ocorreu em Washington, no meio de uma brilhante assembléia de psicanalistas mudos e indiferentes, dentre os quais Helene Deutsch*, Sandor Rado* e René Spitz*. Nesse dia, só Franz Alexander* se recusou a participar da execução do grande discípulo vienense. Depois, todos os alunos americanos formados por Rank foram intimados a fazer uma nova análise.

Independente, Rank continuou seu trabalho de analista, sem nunca tornar-se antifreudiano. Instalando-se em Paris com sua mulher e sua filha, ficou conhecendo Anaïs Nin (1903-1976), de quem foi o segundo analista. Graças ao trabalho de Deirdre Bair, biógrafa de Anaïs Nin, a história dessa relação foi conhecida em 1995.

Quando Anaïs Nin procurou Rank, estava saindo de um tratamento desastroso com René Allendy*, que terminara com um ato de incesto: ela se tornou amante de seu pai, Joaquin Nin.

Em um primeiro tempo, Rank lhe possibilitou, por meio de suas interpretações, conhecer a culpa inconsciente que ela sentia por causa desse incesto, e afastar-se de seu *Diário*, que lhe servia de ópio. Mas logo ficou perdidamente apaixonado por ela e tornou-se seu amante. Ele a cobria de presentes e lhe ofereceu, como sinal de fidelidade, o famoso anel que Freud lhe dera quando da criação do Comitê. Depois da partida de Rank para Nova York, onde atravessou uma terrível crise de depressão, ele lhe pediu que viesse encontrá-lo. Ela concordou e procurou fazer carreira como analista, com o desejo perverso de destruir Rank e a psicanálise. Instalada no mesmo apartamento que ele, recebeu pacientes e deitou-se com alguns deles em seu divã, enquanto Rank tratava de seus próprios analisandos no cômodo ao lado. A aventura terminou em rompimento, quando Rank, separado de Tola, percebeu que Anaïs não deixaria o marido. Ela voltou para Paris e renunciou à psicanálise.

Algumas semanas depois da morte de Freud, Rank morreu de septicemia consecutiva a uma agranulocitose causada pelos efeitos secundários das sulfamidas, com as quais se tratava. Casado pela segunda vez, feliz e definitivamente instalado nos Estados Unidos, desejava viver na Califórnia, mas morreu antes de obter a cidadania americana.

No terceiro volume de sua biografia de Freud, Jones continuou a persegui-lo com seus insultos, tratando-o de psicótico, maníaco e ciclotímico, abrindo caminho para a propagação de uma lenda segundo a qual ele teria morrido em estado de loucura* em um asilo americano. Apesar das refutações de sua discípula Jessie Taft, publicadas em 1958, foi só com os trabalhos da historiografia* moderna, e principalmente os de Henri F. Ellenberger* e seus sucessores, que se atribuiu a Rank o lugar eminente que lhe cabe na história da psicanálise.

• Otto Rank, Der Künstler, Viena, Hugo Heller, 1907; Le Mythe de la naissance du héros (Leipzig, Viena, 1909), Paris, Payot, 1983; Le Traumatisme de la naissance (Viena, 1924), Paris, Payot, 1928; Don Juan et le double. Études psychanalytiques (Viena, 1924, Paris, 1932), Paris, Payot, 1973 • Otto Rank e Hanns Sachs, Psychanalyse et sciences humaines (Viena, 1913), Paris, PUF, 1980 • Otto Rank e Sandor Ferenczi, Perspectives de la psychanalyse (Viena, 1924, Paris, Payot, 1994; La Technique de la psychanalyse (Viena, 1926), parcialmente traduzido para o francês sob o título La Volonté du bonheur, Paris, Stock, 1934; Grundzüge einer genetischen Psychologie, der Psychoanalyse der Ichstruktur, 2 vols., Viena, Deuticke, 1927-1928 • Les Premiers psychanalystes, Minutes de la Société Psychanalytique de Vienne, 1906-1918, 4 vols. (1962-1975), Paris, Gallimard, 1976-1983 • Ernest Jones, A vida e a obra de Sigmund Freud, vol. 3 (N. York, 1957), Rio de Janeiro, Imago, 1989 • Jessie Taft, Otto Rank, N. York, The Julian Press, 1958 • Henri F. Ellenberger, Histoire de la découverte de l'inconscient (N. York, Londres, 1970, Villeurbanne, 1974), Paris, Fayard, 1994 • Jean Laplanche, Problématiques II, Paris, PUF, 1980 • E. James Lieberman, La Volonté en acte. La Vie et l'oeuvre d'Otto Rank (N. York, 1985), Paris, PUF, 1991 • Ernst Falzeder, "1924. Le Traumatisme de la naissance. De nouvelles perspectives en psychanalyse", Psychothérapies, vol.XII, 4, 1992, 241-

51 • Deirdre Bair, Anaïs Nin. Biographie (N. York, 1995), Paris, Stock, 1996.

➤ ANÁLISE EXISTENCIAL; HOMOSSEXUALIDADE; MELANCOLIA; SEDUÇÃO, TEORIA DA.

Rascovsky, Arnaldo (1907-1995)
médico e psicanalista argentino

Nascido em Córdoba, em uma família de judeus russos que imigraram para a Argentina*, Arnaldo Rascovsky viveu em Buenos Aires a partir de 1914. Orientou-se para a medicina e depois para a pediatria e a endocrinologia. Em 1936, começou a se interessar pela psicanálise* ao ler as obras de Sigmund Freud* em alemão e, dois anos depois, ficou conhecendo Enrique Pichon-Rivière*, com quem trabalhou no Hospício de Las Mercedes. Entusiasmados com a psicanálise e com a idéia de salvá-la do perigo fascista oferecendo-lhe uma nova terra prometida, reuniram uma família de eleitos e pioneiros que formou o núcleo fundador da psicanálise na Argentina. Entre eles, estavam Luiz Rascovsky, o irmão de Arnaldo, Matilde Wencelblat, sua mulher, Simon Wencelblat, seu irmão, Arminda Aberastury*, esposa de Pichon-Rivière, Guillermo Ferrari Hardoy e Luisa Gambier Alvarez de Toledo.

Analisado em 1939 por Angel Garma*, Rascovsky foi um dos fundadores da Asociación Psicoanalítica Argentina (APA), na qual apresentou um trabalho sobre a sexualidade* infantil. Posteriormente, exerceu numerosas funções na COPAL (futura FEPAL, Federación Psicoanalítica de America Latina*), forjou a noção de psiquismo fetal e interessou-se particularmente pelo infanticídio, inspirando-se em seus trabalhos nas teses de Hermann Nunberg*.

• Arnaldo Rascovsky, "Esquema autobiografico", Revista de Psicoanalisis, XXXI, 1-2, 1974, 277-321 • Raúl Giordano, Notice historique du mouvement psychanalytique en Argentine. Dissertação para o CES de psiquiatria, sob a direção de Georges Lantéri-Laura, Universidade de Paris XII, s/d. • Jorge Balán, Cuéntame tu vida. Una biografía colectiva del psicoanálisis argentino, B. Aires, Planeta, 1991.

real
al. Reale (das); esp. real; fr. réel; ing. real

Termo empregado como substantivo por Jacques Lacan*, introduzido em 1953 e extraído, simulta-

neamente, do vocabulário da filosofia e do conceito freudiano de realidade psíquica*, para designar uma realidade fenomênica que é imanente à representação e impossível de simbolizar.

Utilizado no contexto de uma tópica*, o conceito de real é inseparável dos outros dois componentes desta, o imaginário* e o simbólico*, e forma com eles uma estrutura. Designa a realidade própria da psicose* (delírio, alucinação), na medida em que é composto dos significantes* foracluídos (rejeitados) do simbólico.

A partir da década de 1920, após a revolução introduzida na ciência pela teoria da relatividade de Albert Einstein (1879-1955), a clássica oposição entre o real dado e o real construído transformou-se, e a palavra *real* passou a ser correntemente empregada pelos filósofos como sinônima de um absoluto ontológico, um ser-em-si que escaparia à percepção. E foi nas teses de Émile Meyerson (1859-1933) sobre a ciência do real que Jacques Lacan buscou sua primeira reflexão sobre o assunto. Em *A dedução relativista*, livro publicado em 1925 e ao qual Lacan se refere desde 1936 em "Para-além do princípio de realidade", Meyerson sustentara, com efeito, a existência de uma semelhança entre os objetos criados pela ciência e aqueles cuja existência era postulada pela percepção.

Entretanto, foi muito mais diretamente de seu amigo Georges Bataille (1897-1962), e sem jamais confessá-lo, que Lacan tomou emprestada a noção de real, a partir da qual, incluindo a idéia (freudiana) de realidade psíquica, forjou um conceito do qual viria a fazer um dos três componentes de sua tópica e de sua concepção estrutural de um inconsciente* determinado pela linguagem.

Bataille descobriu a obra de Freud, interessando-se sobretudo por *Mais-além do princípio de prazer**, *Psicologia das massas e análise do eu** e *Totem e tabu**, isto é, pela pulsão de morte* e pela questão do sagrado, da identificação* das massas com o líder e da origem das sociedades e das religiões. Daí a publicação, em 1933, de um texto intitulado "A estrutura psicológica do fascismo", ao mesmo tempo consagrado à ascensão do nazismo* e à análise das sociedades humanas e suas instituições. Bataille distinguiu dois pólos estruturais: de um lado, o homogêneo, ou campo da sociedade útil

e produtiva, e de outro, o heterogêneo, lugar de irrupção do impossível de simbolizar. Com a ajuda deste último termo, ele especificou a noção de parte maldita, central em sua elaboração. Depois, entre 1935 e 1936, época em que, junto com Lacan, acompanhou o seminário de Alexandre Kojève (1902-1968) sobre *A fenomenologia do espírito*, de Hegel, Bataille inventou o termo heterologia, extraído do adjetivo heterólogo, que serve para designar, em anatomopatologia, os tecidos mórbidos. A heterologia era, para ele, a ciência do irrecuperável, que tem por objeto o "improdutivo" por excelência: os restos, os excrementos, a sujeira. Numa palavra, a existência "outra", expulsa de todas as normas: loucura*, delírio etc.

Foi combinando a ciência do real, a heterologia e a noção freudiana de realidade psíquica que Lacan construiu sua categoria do real. Esta fez sua primeira aparição em 1953, ainda sem ser conceituada, numa conferência intitulada "O Simbólico, o Imaginário e o Real". Depois disso, Lacan adquiriu o hábito de escrever as três palavras com maiúsculas.

Entre 1953 e 1960, no contexto de sua retomada estrutural da obra freudiana, Lacan conferiu a esse real um estatuto muito próximo do que lhe atribuíra Bataille. Na categoria do simbólico alinhou toda a reformulação buscada no sistema saussuriano e levi-straussiano; na categoria do imaginário situou todos os fenômenos ligados à construção do eu: antecipação, captação e ilusão; e no real, por fim, colocou a realidade psíquica, isto é, o desejo inconsciente e as fantasias* que lhe estão ligadas, bem como um "resto": uma realidade desejante, inacessível a qualquer pensamento subjetivo.

A idéia de uma ciência do real apareceu claramente na leitura que Lacan fez do sonho da "injeção de Irma*", por ocasião de seu seminário sobre o eu, no ano de 1954-1955. Comentando esse sonho, ele assemelhou a boca de Irma a uma assustadora cabeça de Medusa e, em seguida, sublinhou que o real está na origem e na fonte de uma dúvida fundadora necessária à ciência. Na origem de uma descoberta, disse ele em síntese, não existe um sujeito, e sim uma dúvida, já que toda descoberta é a expressão de um encaminhamento em que o erro se mistura com a verdade. Essa dúvida fundadora é, para

Lacan, um equivalente do sexo feminino como coisa real, impossível de simbolizar. Em seguida encontramos seu vestígio na concepção lacaniana da sexualidade feminina*: Lacan faz desta um "suplemento" e lhe atribui um gozo* que escapa à racionalidade.

Em 1955-1956, no âmbito de sua leitura da história de Daniel Paul Schreber* e de sua concepção de uma clínica da psicose centrada na paranóia*, Lacan elaborou dois conceitos: a foraclusão* e o nome-do-pai*. A primeira foi definida como o mecanismo específico da psicose, diferente do recalque*, e que consiste numa rejeição primordial de um significante fundamental para fora do universo simbólico do sujeito. Quanto ao segundo, ele é o conceito da função paterna, o significante fundamental, justamente aquele que fica foracluído na psicose.

A partir dessa nova organização da estrutura do sujeito, tal como aparece na clínica da psicose, o conceito de real adquiriu uma outra dimensão. Tornou-se então o lugar da loucura. Com efeito, se os significantes foracluídos do simbólico retornam no real, sem serem integrados no inconsciente do sujeito*, isso quer dizer que o real se confunde com um "alhures" do sujeito. Fala e se exprime em seu lugar através de gestos, alucinações ou delírios, os quais ele não controla.

A importância atribuída à psicose como paradigma do psiquismo humano estaria sempre ligada, em Lacan, à questão da ciência. Aí encontramos duas filiações (a ciência do real e a heterologia) a que ele sempre recorreu (sem dizê-lo claramente) e às quais acrescentou a referência à realidade psíquica.

A partir de 1970, o interesse cada vez maior pela ciência levou Lacan a tentar formalizar sua própria visão conceitual: de um lado, uma *mathesis* dos discursos (ou matema*), e de outro, uma topologia (o nó borromeano*) destinada a substituir a antiga tópica. Essa vontade de construir uma ciência do real traduziu-se, então, numa reorganização dos elementos da antiga tópica na qual o lugar determinante foi ocupado não mais pelo simbólico, mas pelo real. Como conseqüência disso, a psicose (forma teorizada da loucura e lugar da simbolização impossível) viu ser-lhe imposta a tarefa de questionar todas as certezas da ciência. Lacan deu o nome de

R.S.I. (Real, Simbólico, Imaginário) ao tríptico em que o real é assimilado a um "resto" impossível de transmitir, e que escapa à matematização.

• Jacques Lacan, "Para-além do 'Princípio de realidade'" (1936), in *Escritos* (Paris, 1966), Rio de Janeiro, Jorge Zahar, 1998, 77-95; "Le Symbolique, l'Imaginaire et le Réel" (1953), *Bulletin de l'Association Freudienne*, 1, 1982, 4-13; O Seminário, livro 2, *O eu na teoria de Freud e na técnica da psicanálise (1954-1955)* (Paris, 1978), Rio de Janeiro, Jorge Zahar, 1985; O Seminário, livro 3, *As psicoses (1955-1956)* (Paris, 1981), Rio de Janeiro, Jorge Zahar, 1988, 2ª ed.; O Seminário, livro 4, *A relação de objeto e as estruturas freudianas (1956-1957)* (Paris, 1994), Rio de Janeiro, Jorge Zahar, 1995; Le Séminaire, livre XXII, *R.S.I.* (1974-1975), inédito • Émile Meyerson, *La Déduction relativiste*, Paris, Payot, 1925 • Georges Bataille, "La Structure psychologique du fascisme" (1933-1934), in *La Critique sociale*, reimpressão, Paris, La Différence, 1985, 159-65 e 205-11; "La Valeur d'usage de D.A.F. de Sade (1) et (2)", in *Oeuvres complètes II. Écrits posthumes, 1922-1940*, Paris, Gallimard, 1970, 57-73; "Dossier 'Hétérologie'", ibid., 167-78 • Jean-Claude Milner, *Les Noms indistincts*, Paris, Seuil, 1983; *A obra clara. Lacan, a ciência, a filosofia* (Paris, 1995), Rio de Janeiro, Jorge Zahar, 1997 • François Roustang, *Lacan, de l'équivoque à l'impasse*, Paris, Minuit, 1986 • Élisabeth Roudinesco, *Jacques Lacan. Esboço de uma vida, história de um sistema de pensamento* (Paris, 1993), S. Paulo, Companhia das Letras, 1994; "Bataille entre Freud et Lacan: une expérience cachée", in Denis Hollier (org.), *Georges Bataille après tout*, Paris, Belin, 1995, 191-212 • Claude Lévesque, *Le Proche et le lointain*, Montreal, Vlb Éditeur, 1994.

➤ ESTÁDIO DO ESPELHO; OBJETO (PEQUENO) a; OUTRO; TÉCNICA PSICANALÍTICA.

realidade psíquica

al. *psychische Realität*; esp. *realidad psíquica*; fr. *réalité psychique*; ing. *psychical reality*

Termo empregado em psicanálise* para designar uma forma de existência do sujeito* que se distingue da realidade material, na medida em que é dominada pelo império da fantasia* e do desejo*. Historicamente, a idéia nasceu do abandono da teoria da sedução* por Sigmund Freud* e da elaboração de uma concepção do aparelho psíquico baseada no primado do inconsciente*.

Na história da clínica psicanalítica, a noção de realidade psíquica foi objeto de diversas reinterpretações (em especial por Melanie Klein* e Jacques Lacan*), as quais, na abordagem das psicoses* e da relação de objeto*, conduziram a acentuar a importância dela, em detrimento da realidade material.

• Jean Laplanche e Jean-Bertrand Pontalis, *Fantasia originária, fantasia das origens, origens da fantasia* (Paris, 1985), Rio de Janeiro, Jorge Zahar, 1988.

➤ BION, WILFRED RUPRECHT; CENA PRIMÁRIA; GOZO; IMAGINÁRIO; KLEINISMO; LACANISMO; NARCISISMO; PHANTASIA; PRINCÍPIO DE PRAZER/PRINCÍPIO DE REALIDADE; REAL; *SELF PSYCHOLOGY*; TRANSFERÊNCIA.

recalque

al. *Verdrängung*; esp. *represión*; fr. *refoulement*; ing. *repression*

Na linguagem comum, a palavra recalque designa o ato de fazer recuar ou de rechaçar alguém ou alguma coisa. Assim, é empregada com respeito a pessoas a quem se quer recusar acesso a um país ou a um recinto específico.

Para Sigmund Freud*, o recalque designa o processo que visa a manter no inconsciente* todas as idéias e representações ligadas às pulsões* e cuja realização, produtora de prazer, afetaria o equilíbrio do funcionamento psicológico do indivíduo, transformando-se em fonte de desprazer. Freud, que modificou diversas vezes sua definição e seu campo de ação, considera que o recalque é constitutivo do núcleo original do inconsciente. No Brasil também se usa "recalcamento".

Freud não foi o inventor da idéia de recalque. Ele mesmo reconheceu isso, com muita clareza, em suas considerações sobre "A história do movimento psicanalítico", publicadas em 1914: "Na teoria do recalque, com certeza fui independente; não sabia de nenhuma influência que pudesse ter-me aproximado dela e, durante muito tempo, tomei essa idéia por uma idéia original, até o dia em que Otto Rank* nos mostrou o trecho de Schopenhauer, em *O mundo como vontade e como representação*, no qual o filósofo se esforça por encontrar uma explicação para a loucura*. O que é dito nessa passagem sobre nossa repulsa a admitir algum aspecto penoso da realidade coincide tão perfeitamente com o conteúdo de meu conceito de recalque, que é possível que, mais uma vez, eu tenha devido a possibilidade de uma descoberta à insuficiência de minhas leituras." Em seguida

a esse esclarecimento, Freud evoca suas dificuldades para ler os livros de Friedrich Nietzsche (1844-1900), de quem tomou emprestado, reconhece, o termo inibição, para discorrer sobre um mecanismo que coincide com sua concepção do recalque. Presente na filosofia alemã do século XIX, a idéia de recalque também o está nos trabalhos de psicologia de Johann Friedrich Herbart* e, mais tarde, nos de Theodor Meynert*, que foi um dos mestres de Freud.

Havendo reconhecido sua dívida, Freud acrescenta: "A teoria do recalque é, no momento, o pilar sobre o qual repousa o edifício da psicanálise, ou, em outras palavras, seu elemento mais essencial, o qual, por sua vez, é tão somente a expressão teórica de uma experiência que se pode repetir quantas vezes se queira, quando se empreende a análise de um neurótico sem o auxílio da hipnose (...) eu me ergueria muito violentamente contra quem pretendesse situar a teoria do recalque e da resistência* entre os pressupostos da psicanálise e não entre seus resultados (...) a teoria do recalque é uma aquisição do trabalho psicanalítico."

A idéia de recalque aparece desde muito cedo na elaboração da teoria freudiana do aparelho psíquico, antes mesmo da carta a Wilhelm Fliess* de 6 de dezembro de 1896, na qual ele formula a definição inaugural de sua primeira tópica*: nessa carta, o recalque é a denominação clínica da "falta de tradução" de alguns materiais que não têm acesso à consciência*. A razão dessa carência "é sempre a produção de desprazer que resultaria de uma tradução; é como se esse desprazer perturbasse o pensamento, entravando o processo de tradução". Durante esse período, a noção de recalque superpôs-se com freqüência à de defesa*, embora não lhe fosse assimilada.

Nos artigos de 1894 e 1896 que Freud dedicou às neuropsicoses de defesa, o recalque foi como que obscurecido pela noção de defesa, que permitiu ao autor enunciar uma distinção etiológica entre a histeria*, a neurose obsessiva* e a paranóia*. Jean Laplanche e Jean-Bertrand Pontalis esforçaram-se por esclarecer essas relações complexas e reiteradamente modificadas entre defesa e recalque: "(...) a defesa", escrevem eles, "é, antes de mais nada, um conceito *genérico*, que designa uma tendência geral", e, "se o recalque, por sua vez, também está universalmente presente nas diversas afecções e não especifica, como mecanismo de defesa particular, a histeria, é porque todas as diferentes neuropsicoses implicam um inconsciente separado, o qual, justamente, *instaura* o recalque". Em 1926, Freud tornaria a sentir necessidade de voltar a esse ponto, em seu livro *Inibições, sintomas e angústia**, sem contudo esclarecê-lo de maneira convincente.

Constitutivo do inconsciente, o recalque se exerce sobre excitações internas, de origem pulsional, cuja persistência provocaria um excessivo desprazer. A propósito disso, Freud esboça um desenvolvimento teórico já muito elaborado numa carta a Fliess de 14 de novembro de 1897. Nessa época, seu fascínio pela teoria "fliessiana" dos períodos é subjacente à sua transferência*, e ele acredita estar a ponto de começar aquilo a que denomina sua "auto-análise*". Surpreende-se ao prever acontecimentos muito antes que eles ocorram: "(...) foi assim que pude anunciar-te, neste verão", escreve a seu amigo, "que estava a ponto de descobrir a fonte do recalque sexual normal (moral, pudor etc.), e depois precisei de muito tempo para encontrá-la". Freud expõe então a Fliess suas idéias sobre as zonas erógenas infantis, que não mais são, na idade adulta, fontes de descarga sexual: a região anal e, num empréstimo das idéias de Fliess, a região bucofaríngea, regiões estas que, em condições normais, já não devem ser fontes de excitação ou de contribuição libidinal, a não ser nos casos de perversão*. Mas essas zonas são passíveis de produzir uma descarga sexual, "por um efeito a posteriori da lembrança". De fato, prossegue Freud, trata-se de uma descarga de desprazer, "uma sensação interna análoga à repulsa sentida no caso de um objeto. Para nos exprimirmos com mais crueza, a lembrança desprende hoje o mesmo mau cheiro que um objeto atual. Assim como desviamos com nojo nosso órgão sensorial (cabeça e nariz) dos objetos fétidos, também o pré-consciente* e nossa compreensão consciente desviam-se da lembrança. É a isso que chamamos *recalque*".

O recalque não lida com as pulsões em si, mas com seus representantes, imagens ou idéias, os quais, apesar de recalcados, continuam ativos no inconsciente, sob a forma de derivados ainda mais prontos a retornar para o consciente*, na medida em que se localizam na periferia do inconsciente. O recalque de um representante da pulsão nunca é definitivo, portanto. Continua sempre ativo, daí um grande dispêndio energético.

Na quinta seção do capítulo VII de *A interpretação dos sonhos**, Freud descreve o recalque como um processo dinâmico, ligado ao processo secundário que caracteriza o pré-consciente: "Sustentamos firmemente — essa é a chave da teoria do recalque — que o segundo sistema [o processo secundário] só pode investir uma representação [isto é, apoderar-se dela para encaminhá-la para o consciente] quando é capaz de inibir o desenvolvimento do desprazer que pode advir daí."

Em 1915, no contexto da metapsicologia*, o recalque foi objeto de um artigo em que o inconsciente já não é totalmente assimilado a ele: "Tudo o que é recalcado tem, necessariamente, que permanecer inconsciente, mas queremos deixar claro, logo de saída, que o recalcado não abrange tudo o que é inconsciente. É o inconsciente que tem a maior extensão entre os dois; o recalcado é uma parte do inconsciente." Esse esclarecimento pede uma redefinição do recalque: e ela se encontra no cerne do artigo dedicado a esse processo. Ali, Freud começa repetindo que o recalque constitui, para a pulsão* e seus representantes, "um meio termo entre a fuga [resposta apropriada às excitações externas] e a condenação [que seria o apanágio do supereu*]". Depois, distingue três tempos constitutivos do recalque: (1) o recalque propriamente dito, ou recalque a posteriori*; (2) o recalque originário; e (3) o retorno do recalcado nas formações do inconsciente.

Se quisermos apreender a essência dessa construção freudiana, será preciso abordá-la através da questão do recalque originário.

O recalque em geral incide sobre os representantes das pulsões, os quais, por sua vez, são objeto de uma retirada do investimento*, isto é, de uma cessação do encarregar-se deles por parte do pré-consciente; nesse caso, o inconsciente efetua imediatamente um investimento substituto, o qual, em contrapartida, requer um "contra-investimento" por parte do pré-consciente, que esbarra então na atração constituída por elementos do inconsciente outrora recalcados. Este último aspecto levou Freud a postular a existência de um recalque precedente, ou recalque originário. Esse seria um recalque que Freud assimilou a uma fixação, resultante de uma recusa inicial do inconsciente a se encarregar do representante de uma pulsão. O representante assim recalcado subsistiria de maneira inalterável e permaneceria ligado à pulsão. Observe-se que Freud não é nada explícito quanto à verdadeira origem desse processo: de onde provêm os elementos de atração do inconsciente que são responsáveis por essa primeira fixação? Na falta de uma resposta clara, ele enuncia a hipótese, em 1926, de uma invasão primordial, decorrente de uma força de excitação particularmente intensa. O retorno do recalcado, terceiro tempo do recalque, manifesta-se sob a forma de sintomas — sonhos*, esquecimentos e outros atos falhos* —, considerados por Freud como formações de compromisso.

Na segunda tópica, o recalque é ligado à parte inconsciente do eu*. E, nesse sentido, Freud pode dizer que o recalcado, tal como essa parte do eu, funde-se com o isso*. "O recalcado", escreve ele em *O eu e o isso**, "só se separa nitidamente do eu pelas resistências* do recalque, ao passo que, através do isso, pode comunicar-se com ele."

• Sigmund Freud, *La Naissance de la psychanalyse* (Londres, 1950), Paris, PUF, 1956; *Briefe an Wilhelm Fliess, 1887-1904*, Frankfurt, Fischer, 1986; "As neuropsicoses de defesa" (1894), *ESB*, III, 57-74; *GW*, 1, 57-74; *SE*, III, 41-61; *OC*, III, 1-18; "Novos comentários sobre as neuropsicoses de defesa" (1896), *ESB*, III, 187-216; *GW*, I, 377-403; *SE*, III, 157-85; *OC*, III, 121-46; *A interpretação dos sonhos* (1900), *ESB*, IV-V, 1-660; *GW*, II-III, 1-642; *SE*, IV-V, 1-621; Paris, PUF, 1967; "A história do movimento psicanalítico" (1914), *ESB*, XIV, 16-88; *GW*, X, 44-113; *SE*, XIV, 7-66; Paris, Gallimard, 1991; "Recalque" (1915), *ESB*, XIV, 169-90; *GW*, X, 247-61; *SE*, XIV, 141-58; *OC*, XIII, 188-201; "O inconsciente" (1915), *ESB*, XIV, 191-233; *GW*, X, 263-303, *SE*, XIV, 159-204; *OC*, XIII, 205-43; *O eu e o isso* (1923), *ESB*, XIX, 23-76; *GW*, XIII, 237-89; *SE*, XIX, 12-59; *OC*, XVI, 255-301; *Inibições, sintomas e angústia* (1925), *ESB*, XX, 107-98; *GW*, XIV, 113-205; *SE*, XX, 87-172; *OC*, XVII, 203-86 • Jean Laplanche e Jean-Bertrand Pontalis, *Vocabulário da psicanálise* (Paris, 1967), S. Paulo, Martins Fontes, 1991, 2ª ed.

➢ REPRESSÃO.

recusa (da realidade)

➢ RENEGAÇÃO.

regra fundamental

al. *Grundregel*; esp. *regla fundamental*; fr. *règle fondamentale*; ing. *fundamental rule*

Regra constitutiva da situação psicanalítica, segundo a qual o paciente deve esforçar-se por dizer tudo o que lhe vier à cabeça, principalmente aquilo que se sentir tentado a omitir, seja por que razão for.

Em 1904, para atender a um pedido do psiquiatra Leopold Löwenfeld (1847-1924), que estava preparando um livro dedicado aos *Fenômenos obsessivos psíquicos*, Sigmund Freud* escreveu um pequeno artigo, intitulado "O método psicanalítico de Freud". Nele evocou as transformações de seu método, desde seus primeiros trabalhos com Josef Breuer*, e esclareceu os inconvenientes do recurso à hipnose*, que não destruía as resistências* nem fornecia senão informações parciais, e que só levava a sucessos provisórios. O método das associações livres, ou da livre associação*, permitia atingir com muito maior facilidade, segundo ele, os elementos que estavam em condições de liberar os afetos, as lembranças e as representações. Para tanto, era preciso convidar os pacientes a "se deixarem levar" e "exigir" deles "que não [deixassem] de revelar um só pensamento ou idéia, a pretexto de o acharem vergonhoso ou doloroso".

Em setembro de 1894, Freud começou timidamente a recorrer a esse método e, dessa maneira, foi levado a escutar os sonhos* que seus pacientes se puseram a lhe contar. Depois disso, renunciaria definitivamente à hipnose, em fevereiro de 1896.

Na segunda das cinco conferências proferidas quando de sua viagem aos Estados Unidos* em 1909 em companhia de Carl Gustav Jung* e Sandor Ferenczi*, Freud rendeu homenagens à Escola de Zurique e a Jung, em particular, por haverem desenvolvido desde cedo o "teste da associação verbal*". Em seguida, evocou a "principal regra psicanalítica" — ainda não "fundamental", nessa ocasião —, que incitava o paciente a fazer associações, e a considerou tão importante quanto a interpretação dos sonhos e a exploração dos atos falhos, meios técnicos de investigar o inconsciente*. Em 1923, em seus verbetes de enciclopédia "Psicanálise" e "Teoria da libido", sublinhou que a regra fundamental era indispensável à realização do trabalho psicanalítico.

Por fim, em sua autobiografia ("Um estudo autobiográfico"), Freud retornou à evolução de seu método e insistiu na necessidade do respeito à "regra fundamental da psicanálise" para se chegar à associação livre, único meio de fazer surgirem as resistências* e de permitir a consideração delas como material a ser interpretado.

Em 1919, quando expôs sua técnica psicanalítica*, Ferenczi lembrou o caráter incontornável da regra fundamental, porém evidenciou seus limites: "Todo o método psicanalítico se apóia na *regra fundamental* formulada por Freud (...). Sob nenhum pretexto devemos tolerar qualquer exceção a essa regra, e é preciso tirar a limpo, sem indulgência, tudo aquilo que o paciente, seja por que razão for, procurar subtrair da comunicação. Entretanto, depois de o paciente ter sido educado, não sem alguma dificuldade, para seguir essa regra ao pé da letra, pode suceder que sua resistência se apodere precisamente dessa regra e que ele tente vencer o médico com suas próprias armas." Ferenczi, que voltaria a essa questão num outro texto, dedicado à psicanálise dos hábitos sexuais, evocou o caso dos "neuróticos obsessivos" que agem como se houvessem entendido mal a regra, e que produzem "*unicamente*" um material absurdo à guisa de associações.

Jean Laplanche e Jean-Bertrand Pontalis sublinharam que a regra fundamental inscreveu o tratamento psicanalítico na ordem da linguagem e fez "aparecer como um *acting out**" tudo o que não se relacionasse a ela. Por outro lado, na trilha de Ferenczi, esses autores indicaram que alguns pacientes podem utilizar a regra fundamental para demonstrar a impossibilidade de sua aplicação rigorosa: "Está claro que a regra psicanalítica não convida a fazer enunciados sistematicamente incoerentes, mas a não fazer da coerência um critério de seleção."

Em 1958, num artigo dedicado à direção do tratamento, Jacques Lacan* destacou que a regra fundamental leva o paciente a se confrontar com uma fala livre, cujo controle ele não detém:

uma fala "plena", que é dolorosa porque suscetível de ser verdadeira. Através de seu silêncio, o analista deixa transparecer que, mais-além da demanda de cura, o paciente é portador de uma outra demanda, uma "demanda intransitiva", que "não comporta nenhum objeto", e na qual vêm repetir-se os elementos de uma identificação* primária com a onipotência materna.

Um século depois de sua instauração, a questão da regra fundamental continua presente. Aliás, o problema pode ser abordado sob um ângulo mais teórico, como fez o psicanalista francês Jean-Luc Donnet, que estudou as ressonâncias supereuóicas do enunciado da regra, em termos de prescrição e obrigatoriedade, e se indagou sobre as condições que permitem superar a contradição entre essas implicações e o que ele denomina de "privilégio não supereuóico da interpretação", atributo da neutralidade do analista.

• Sigmund Freud, "O método psicanalítico de Freud" (1904), *ESB*, VII, 257-66; *GW*, V, 3-10; *SE*, VII, 255-68; in *La Technique psychanalytique*, Paris, PUF, 1953; *Cinco lições de psicanálise* (1910), *ESB*, XI, 13-58; *GW*, VIII, 3-60; *SE*, XI, 7-55; *OC*, X, 1-55; "Dois verbetes de enciclopédia: (A) Psicanálise, (B) Teoria da libido" (1923), *ESB*, XVIII, 287-314; *GW*, XIII, 211-33; *SE*, XVIII, 235-59; *OC*, XVI, 181-208; "Um estudo autobiográfico" (1925), *ESB*, XX, 17-88; *GW*, XIV, 33-96; *SE*, XX, 7-70; Paris, Gallimard, 1984 • Jean-Luc Donnet, "Surmoi. Le Concept freudien et la règle fondamentale", monografias da *Revue Française de Psychanalyse*, Paris, PUF, 1995 • Sandor Ferenczi, "A técnica psicanalítica" (1919), in *Psicanálise II, Obras completas, 1913-1919* (Paris, 1970), S. Paulo, Martins Fontes, 1992, 357-68; "Psicanálise dos hábitos sexuais" (1925), in *Psicanálise III, Obras completas, 1919-1926* (Paris, 1974), S. Paulo, Martins Fontes, 1993, 327-60 • Jacques Lacan, "A direção do tratamento e os princípios de seu poder" (1958), in *Escritos* (Paris, 1966), Rio de Janeiro, Jorge Zahar, 1998, 591-652 • Jean Laplanche e Jean-Bertrand Pontalis, *Vocabulário da psicanálise* (Paris, 1967), S. Paulo, Martins Fontes, 1991, 2ª ed.

➢ ABSTINÊNCIA, REGRA DE; ATENÇÃO FLUTUANTE; CONTRATRANSFERÊNCIA; TÉCNICA PSICANALÍTICA; TRANSFERÊNCIA.

Reich, Wilhelm (1897-1957)

psiquiatra e psicanalista americano

O itinerário atormentado do maior dissidente da segunda geração* freudiana, próximo de Wilhelm Fliess* por suas teorias biológicas e de Otto Gross* pelo seu destino de eterno perseguido, foi narrado de forma caricatural pela historiografia oficial*, sobretudo pelo seu principal representante, Ernest Jones*, responsável, com Max Eitingon*, Anna Freud* e Sigmund Freud*, por sua exclusão da International Psychoanalytical Association* (IPA). Foi o criador do freudo-marxismo*, o teórico de uma análise do fascismo que marcou todo o século e o artífice de uma reformulação da técnica psicanalítica* que se apoiava em uma concepção da sexualidade* mais próxima da sexologia* que da psicanálise*.

Nascido em Dobrzcynica, na Galícia, Reich era de uma família judia assimilada e foi educado longe de qualquer tradição religiosa. Com a idade de 14 anos, teve um papel importante no suicídio* de sua mãe, ao revelar ao pai a ligação desta com um de seus preceptores. Três anos depois, Léon Reich morreu de pneumonia, e seu filho lhe sucedeu à frente da fazenda da família e da criação de bovinos.

Na Faculdade de Medicina de Viena*, continuou seus estudos e orientou-se para a psicanálise. Em 1919, encontrou-se com Freud e, um ano depois, participou das reuniões da Wiener Psychoanalytische Vereinigung (WPV). Ficou conhecendo então Annie Pink (que se tornaria sua primeira mulher, sob o nome de Annie Reich-Rubinstein*) e Otto Fenichel* (cujas posições políticas compartilharia durante alguns anos). Nessa época, apresentou à WPV sua primeira comunicação, dedicada a *Peer Gynt*, célebre drama de Henrik Ibsen (1828-1906). Esse herói norueguês à procura de identidade, que acaba por se fazer proclamar Imperador do Egito num asilo de loucos, simbolizava, de certa forma, o mal-estar do pós-romantismo alemão, com o qual Reich se identificava.

Em 1921, começou a praticar a psicanálise sem ser analisado e dirigiu um seminário de sexologia, que teve muito sucesso. Nessa época, evoluiu para um energetismo que não se harmonizava com a reformulação freudiana realizada na segunda tópica*. Daí a idéia reichiana segundo a qual a hipótese da pulsão* de morte teria sido consecutiva a uma depressão de Freud, causada pela evolução ortodoxa do movimento psicanalítico depois da Primeira Guerra Mundial.

A partir de 1924, Reich se interessou pelas obras de Marx e Engels para tentar mostrar a origem social das doenças mentais e nervosas. Nessa perspectiva, procurava conciliar os conceitos marxistas e os da psicanálise. Em 1927, publicou uma obra de sexologia, *A função do orgasmo*, que dedicou a "meu mestre o professor Sigmund Freud", e um ensaio, "Da análise do caráter" (que se tornaria depois *A análise do carácter*), no qual se introduzia o essencial de sua divergência teórica e técnica com o freudismo*. Acusava os psicanalistas de abandonar a libido* e querer domesticar o sexo, aceitando o princípio de uma adaptação do indivíduo aos ideais do capitalismo burguês. Em um primeiro tempo, embora não compartilhasse as opiniões do jovem, Freud o achou simpático: "Temos aqui um doutor Reich, escreveu ele a Lou Andreas-Salomé*, um bravo mas impetuoso criador de cavalos-de-batalha, que agora venera no orgasmo genital o contraveneno de toda neurose*." Essa empatia duraria pouco, e Freud não tardaria a detestar Reich, a ponto de querer eliminá-lo do movimento psicanalítico.

Nesse debate sobre a sexualidade*, que durava desde o fim do século XIX, a posição de Reich era simétrica à de Carl Gustav Jung*. Se este dessexualizava o sexo em benefício de uma espécie de impulso vital, Reich operava a dessexualização da libido em benefício de uma genitalidade biológica, fundada no desenvolvimento de uma felicidade orgástica, da qual a pulsão de morte estaria excluída.

Depois de ter sido membro do Partido Social-Democrata austríaco, Reich aderiu em 1928 ao Partido Comunista e começou a militar com ardor, construindo uma mitologia operária, segundo a qual a genitalidade do proletariado seria isenta do "micróbio" burguês. Não hesitou em afirmar que as neuroses eram mais raras na classe operária do que nas camadas superiores da sociedade. Isso o levou a acentuar ainda mais a sua recusa da noção de pulsão de morte, já expressa em *A função dò orgasmo*. Logo, criou uma Sociedade Socialista de Informação e de Pesquisas Sexuais, assim como clínicas de higiene sexual, destinadas à informação dos assalariados. Paralelamente, continuou suas pesquisas e, em 1929, publicou na revista moscovita *Sob a bandeira do marxismo* o manifesto fundador do freudo-marxismo: "Materialismo dialético e psicanálise". Nesse texto, fazia comparações entre a doutrina freudiana e o marxismo, para mostrar, contra os psicólogos bolcheviques que recusavam o caráter "idealista" da psicanálise, que esta era uma "ciência natural", tendo como objeto a vida psíquica do homem. Por isso, não podia ser assimilada a um fenômeno de "decomposição originário da burguesia decadente", como afirmavam seus detratores comunistas.

Fascinado pela Revolução, Reich foi à Rússia* em setembro de 1929, e informou-se sobre os conflitos que opunham os freudo-marxistas aos antifreudianos. Em Moscou, encontrou-se com Vera Schmidt* e teve com ela longas entrevistas. Nessa época, era o único intelectual da Europa a conhecer a realidade dos debates russos sobre a psicanálise.

Ao voltar da viagem, deixou Viena e foi para Berlim. Em 1930, fez uma análise didática com Sandor Rado* e integrou-se à Sociedade Psicanalítica. Criou então a Associação para uma Política Sexual Proletária, a SEXPOL, através da qual desenvolveu uma política de higiene mental dirigida à juventude. Assimilava a luta sexual à luta de classes e desafiava os costumes do conformismo burguês e do comunismo.

Isso fez com que irritasse tanto os meios psicanalíticos (muito conservadores na política) e os comunistas stalinistas (adversários de suas teses libertárias). Excluído do Partido alemão, no exato momento da tomada do poder por Hitler, exilou-se na Dinamarca, onde teve que enfrentar uma campanha de difamação que o perseguiria até a Noruega.

No mesmo ano de seu exílio, decidiu criticar frontalmente a psicanálise clássica, publicando um livro, *A análise do caráter*, no qual adotava posições idênticas às de Sandor Ferenczi* a respeito da técnica ativa. Essa obra devia ser publicada pelo Internationaler Psychoanalytischer Verlag, mas Freud se opôs, em razão do engajamento político de seu autor. Com seus discípulos, Freud optara por uma estratégia que consistia, por receio de eventuais represálias do governo, em excluir de suas fileiras os mili-

tantes de extrema esquerda: Marie Langer* também pagaria o preço dessa política.

Já no ano precedente, por ocasião da publicação de um artigo de Reich (sobre o caráter masoquista) no *Internationale Zeitschrift für Psychoanalyse**, o mestre de Viena julgara necessário fazer algumas ressalvas, precisando em um parágrafo introdutório: "No âmbito da psicanálise, esta revista concede, a todo autor que lhe dirige um texto para publicação, plena liberdade para sua opinião; em contrapartida, a revista deixa aos autores a responsabilidade das opiniões que expõem. No caso do doutor Reich, o leitor deve ser informado de que o autor é membro do partido bolchevista. Ora, sabemos que o bolchevismo impõe, assim como as organizações eclesiásticas, limites para a pesquisa [...]. O editor teria feito o mesmo comentário, se lhe apresentassem um texto redigido por um membro da SJ (Societas Jesu)."

Assim, foi realmente em razão de sua adesão ao comunismo, e não por uma discordância técnica e doutrinária, que Reich foi perseguido pelo movimento freudiano, pelo próprio Freud e também por Jones, que inicialmente lhe demonstrara simpatia.

Por seu anticomunismo e seu conservadorismo, Jones não foi suficientemente sensível ao perigo que o nazismo* representava para o freudismo. Assim, aceitou, em 1933-1935, com o apoio tácito de Freud, manter uma política de "salvamento" da psicanálise na Alemanha, que teria graves conseqüências para a IPA. Ora, Reich pensava que, ao contrário, era preciso lutar até o fim contra o nazismo e preconizava, contra essa política de pretenso salvamento, a dissolução pura e simples da Deutsche Psychoanalytische Gesellschaft (DPG) já em 1933. No Congresso de Lucerna, em 1934, Reich foi excluído das fileiras da IPA, exatamente quando não era possível acusá-lo de bolchevista, pois ele já não era mais membro do Partido Comunista. Harald Schjelderup* e o grupo norueguês se opuseram a essa exclusão, que teria sérias repercussões na situação da psicanálise na Escandinávia*.

Essa exclusão também teria um papel maior na evolução posterior de Reich. Inicialmente, ele juntou-se à esquerda freudiana não-comunista, e começou um diálogo fecundo com

Otto Fenichel*, a despeito de muitos desacordos. Entre 1930 e 1933, redigiu a sua mais bela obra, que se tornaria um clássico: *A psicologia de massas do fascismo*. Longe de considerar o fascismo como produto de uma política ou de uma situação econômica de uma nação ou de um grupo, via nele a expressão de uma estrutura inconsciente e estendia a definição à coletividade, para enfatizar que, definitivamente, o fascismo se explicava por uma insatisfação sexual das massas. Reich retomava assim um tema que fora tratado de outra maneira por Gustave Le Bon (1841-1931) e depois por Freud, em *Psicologia das massas e análise do eu*, mas dando-lhe um conteúdo radicalmente novo no mesmo momento em que o nazismo se abatia sobre a Alemanha. Essa obra teria repercussão mundial, e a doutrina reichiana seria retomada por todos os teóricos do freudo-marxismo e posteriormente, por volta dos anos 1970, pelos movimentos libertários.

A partir de 1933, e principalmente depois de sua dupla exclusão da IPA e do movimento comunista, Reich se sentiu terrivelmente perseguido. Separou-se de Annie Reich, mãe de suas duas filhas (Eva e Lore), que continuaria sendo membro da IPA e amiga de Fenichel. Reich viveu durante alguns anos com Elsa Lindenberg, uma bailarina que ele conheceu em Berlim e que foi a seu encontro em Copenhague, onde se tornou adepta de uma psicoterapia* fundamentada nos movimentos corporais.

Em 1936, tratado de esquizofrênico pela comunidade freudiana, Reich afastou-se definitivamente da psicanálise, criando em Oslo um Instituto de Pesquisas Biológicas de Economia Sexual, no qual se reuniam médicos, psicólogos, educadores, sociólogos e assistentes de jardins de infância. Paralelamente, inventou um novo método, a vegetoterapia, futura orgonoterapia. Ligava o tratamento pela palavra à intervenção no corpo e apresentava a neurose como uma rigidez ou uma retração do organismo que era preciso tratar por exercícios de descontração muscular, a fim de fazer surgir o "reflexo orgástico". Depois, atraído pela teoria dos bíons (partículas de energia vital), deu livre curso a seu fascínio pelas teorias físico-biológicas, tentando conciliar os temas cosmogônicos caros ao romantismo com a tecnologia quantitativa própria da sexologia.

Em 1939, cada vez mais perseguido e sempre decepcionado pelos que o cercavam, Reich deixou a Europa definitivamente com sua nova companheira, Ilse Ollendorf, que se tornaria sua segunda mulher e lhe daria um filho. Elsa Lindenberg ficou em Oslo.

Instalado em um chalé no Maine, perto da fronteira canadense, realizou o seu sonho: construir e pôr em prática uma teoria orgástica do universo, com os meios tecnológicos da época. Foi assim que pensou ter descoberto o "orgônio atmosférico" e, para captá-lo, a fim de curar os seus pacientes da sua impotência orgástica, construiu um centro de pesquisas, ao qual deu o nome de Orgonon. Ali, como o *Frankenstein* de Mary Shelley (1797-1851) revisto e corrigido pela estética do cinema hollywoodiano, experimentou os seus "acumuladores de orgônio", verdadeiras máquinas destinadas a armazenar a famosa energia. Em dezembro de 1940, Reich pediu uma entrevista a Albert Einstein (1878-1955), com quem conversou durante cinco horas e que se encantou com suas "descobertas", a ponto de verificar pessoalmente o funcionamento de um acumulador. Mas um mês depois, Einstein emitiu um veredito negativo sobre a experiência. Reich protestou, porém Einstein não respondeu às suas cartas. Nova decepção.

A partir de janeiro de 1942, atacado por todos os lados, tratado de charlatão pelos psiquiatras e de esquizofrênico pelos meios psicanalíticos americanos, Reich mergulhou na loucura*, acreditando-se vítima do grande MODJU, ou seja, dos "fascistas vermelhos". Esse nome, forjado por ele, era derivado de MO (cenigo), personagem anônimo que entregara Giordano Bruno (1548-1600) à Inquisição, e de DJOU (gachvili), aliás Stalin (1879-1953).

Acusado de estelionato por ter comercializado seus acumuladores de orgônio, Reich foi preso depois de um lamentável processo, e morreu de ataque cardíaco na penitenciária de Lewisburg, na Pensilvânia, a 3 de novembro de 1957. Em maio, quando trabalhava na biblioteca da prisão, escreveu estas palavras para seu filho Peter: "Orgulho-me de estar em tão boa companhia, com Sócrates, Cristo, Bruno, Galileu, Moisés, Savonarola, Dostoievski, Gandhi,

Nehru, Mindszenty, Lutero e todos os que combateram contra o demônio da ignorância, os decretos ilegítimos e as chagas sociais... Você aprendeu a esperar em Deus assim como nós compreendemos a existência e o reino universais da Vida e do Amor."

Em 1952, Kurt Eissler realizou para os Sigmund Freud Archives* uma notável entrevista com Reich, publicada em 1967 sob o título *Reich fala de Freud*. Mas, sem explicações, Ernst Freud*, levado por Eissler, recusou a Mary Higgins, responsável pela publicação, o direito de citar as cartas que Freud escrevera a seu ex-discípulo. Estas tiveram até mesmo a sua consulta proibida na Biblioteca do Congresso*, em Washington.

Reich tinha uma admiração sem limites por Freud, enquanto Freud se mostrou, para com ele, de uma ferocidade desmedida. É quase certo que a publicação dessa correspondência daria ao grande fundador uma imagem pouco semelhante à que lhe atribui a hagiografia oficial. Efetivamente, conhecem-se resumos do conteúdo provável dessas cartas, que mostram que Freud teve medo de Reich: de sua loucura, de sua celebridade, de seu engajamento político. Quanto a seus discípulos, estes tudo fizeram para se livrar de um homem que incomodava seu conformismo, questionava suas convicções e reatava com as origens "fliessianas" — cuja importância eles queriam apagar — da doutrina freudiana.

Os adeptos de Reich não foram menos sectários na adoração de seu grande homem, cuja loucura negaram, para apresentá-lo como um herói sem medo e sem mácula, vítima de perseguições obstinadas.

As teses reichianas tiveram uma grande influência na posteridade, tanto do lado do biologismo, quando retornaram com a gestalt-terapia*, quanto nos anos 1965-1975, quando reapareceram com a contestação libertária na maioria dos grandes países onde a psicanálise se implantara.

• Wilhelm Reich, *A função do orgasmo* (Leipzig, Viena, 1927), S. Paulo, Brasiliense, 1995; *Psicopatogia e sociologia da vida sexual* (Paris, 1975), S. Paulo, Global; "Matérialisme dialectique et psychanalyse" (na revista *Unter dem Banner des Marxismus*, 1929, e depois em livro, em Copenhague, 1934), Paris, La Pensée Molle, 1970; *A revolução sexual* (Viena, 1930, Copenhague, 1936, N. York, 1962, Paris, 1968), Rio de

Janeiro, Zahar, 1982; *L'Irruption de la morale sexuelle* (Berlim, 1932), Paris, Payot, 1972; *Análise do caráter* (Viena, 1933, N. York, 1945, 1949), S. Paulo, Martins Fontes, 1995; *Psicologia de massas do fascismo* (Copenhague, 1933, N. York, 1946), S. Paulo, Martins Fontes, 1988; *The Discovery of the Orgone*, 2, *The Cancer Biopathy* (N. York, 1948), traduzido para o francês sob o título *Biopathie du cancer*, Paris, Payot, 1975; *Escuta, Zé ninguém* (N. York, 1948), S. Paulo, Martins Fontes; *L'Éther, dieu et le diable* (N. York, 1951), Paris, Payot, 1973; *O assassinato de Cristo* (Maine, 1953), S. Paulo, Martins Fontes, 1995; *Reich parle de Freud* (N. York, 1967), Paris, Payot, 1970; *Premiers écrits*, 2 vols. (N. York, 1979), Paris, Payot, 1982 • Ilse Ollendorf-Reich, *Wilhelm Reich* (N. York, 1970), Paris, Belfond, 1970 • David Boadella, *The Evolution of his Work*, Londres, Vision Press, 1973 • *L'Arc*, número especial sobre Wilhelm Reich, 83, 1982 • Russel Jacoby, *Otto Fenichel: destins de la gauche freudienne* (N. York, 1983), Paris, PUF, 1986 • Élisabeth Roudinesco, *História da psicanálise na França*, vol.2 (Paris,1986), Rio de Janeiro, Jorge Zahar, 1988.

➤ ANTIPSIQUIATRIA; GUATTARI, FÉLIX; PSICOSSOMÁTICA, MEDICINA; PSICOTERAPIA INSTITUCIONAL.

Reich-Rubinstein , Annie, *née* Pink (1902-1971)
psiquiatra e psicanalista americana

Nascida em Viena*, de família judia, Annie Pink era filha de uma militante feminista. Depois de estudar medicina, orientou-se para a psicanálise* e participou das reuniões da Wiener Psychoanalytische Vereinigung (WPV). No Movimento da Juventude Austríaca, encontrou Otto Fenichel*, que a apresentou a Wilhelm Reich*, de quem se tornou mulher depois de um início de análise com ele. Fez sua formação didática com Hermann Nunberg* e Anna Freud*. Instalou-se em Berlim. Integrada à "esquerda freudiana" e amiga de Edith Jacobson*, não aderiu, entretanto, às teses reichianas e continuou membro da International Psychoanalytical Association* (IPA). Depois de sua separação de Reich, deixou Berlim e reuniu-se a Fenichel, que estava em Praga. Ficou ali até 1939 e emigrou para os Estados Unidos*, depois de se casar com Arnold Rubinstein, um historiador judeu de origem russa. Fez uma longa carreira na New York Psychoanalytical Society (NYPS) e prosseguiu suas atividades clínicas no Hospital do Monte Sinai.

• Annie Reich, *Psychoanalytic Contributions*, N. York, International Universities Press, 1973 • Russel Jacoby, *Otto Fenichel. Destins de la gauche freudienne* (N. York, 1983), Paris, PUF, 1986.

➢ FREUDO-MARXISMO.

Reik, Theodor (1888-1969)
psicanalista americano

Esse melômano vienense, apaixonado pelas melodias de Gustav Mahler*, grande leitor de Goethe e do poeta Richard Beer-Hofmann (1866-1965), erudito em literatura e antropologia*, também era um eminente praticante da psicanálise aplicada*, e tinha tal veneração por seu mestre Sigmund Freud* que não conseguia impedir-se de imitá-lo em todos os aspectos. Vestia-se como Freud, usava uma barba como a de Freud e fumava os mesmos charutos que Freud. Por isso, no primeiro círculo vienense, recebeu o apelido de "símile Freud".

Proveniente de uma modesta família judia de origem húngara, Theodor Reik sofreu na infância com a depressão de sua mãe e com os conflitos entre seu avô materno, judeu ortodoxo e sábio talmudista, e seu pai, livre-pensador. Este morreu quando ele tinha 18 anos. Assim, viu-se obrigado a trabalhar para ajudar a família, enquanto sofria de crises de angústia doentias, que se traduziam por auto-acusações aberrantes e mortificações ascéticas. Entretanto, estudou letras e filosofia na Universidade de Viena* e dedicou sua tese ao estudo de um relato de Gustave Flaubert (1821-1880), *A tentação de Santo Antão*. Depois, editou cerca de cem publicações, entre livros e artigos, em alemão e em inglês.

Freud gostava desse homem neurótico, sempre à procura de um pai, que ele adotou como um filho espiritual. Em 1911, estimulou-o a aderir à Wiener Psychoanalytische Vereinigung (WPV), mas recusou-se a analisá-lo e enviou-o para Karl Abraham*, em Berlim. Não sendo médico e não tendo fortuna pessoal, Reik teve dificuldade em ganhar a vida como clínico. Assim, foi sustentado por Freud, que lhe dava uma soma mensal e pagou a sua análise com Abraham. Ao voltar da Primeira Guerra Mundial, durante a qual serviu no exército austríaco, Reik foi acometido de distúrbios cardíacos, sentindo muitas vezes o terror de morrer. Freud aceitou então analisá-lo, em um tratamento interminável que se desenrolou em dois tempos.

Em 1925, estourou o caso do processo por exercício ilegal da medicina, que iria tornar Reik célebre e provocar uma verdadeira tempestade no seio do movimento psicanalítico internacional, principalmente entre europeus e americanos. Acusado de praticar a psicanálise* sem ser médico, Reik foi defendido por Freud, que publicou nessa ocasião uma obra, *A questão da análise leiga**, na qual defendia os não-médicos, enfatizando o caráter leigo da prática psicanalítica. O caso tomou uma dimensão considerável no seio da International Psychoanalytical Association* (IPA), a ponto de dividir a comunidade freudiana: de um lado, os partidários da psicanálise dita médica (em geral, americanos); do outro, seus adversários (em geral, europeus), apoiados por Marie Bonaparte*.

Atingido por esse tumulto, Reik se instalou em Berlim em 1928 com a esperança de fazer carreira. Mas quando os nazistas chegaram ao poder, foi obrigado a emigrar, primeiro para Leiden, na Holanda, e depois para Nova York, onde chegou em junho de 1938, depois de ter feito uma última visita a Freud, também exilado em Londres.

No continente americano, as dificuldades continuaram. Apesar de sua notoriedade, Reik, sem o título de médico, nunca pôde integrar-se à New York Psychoanalytic Society (NYPS). Como outros psicanalistas emigrados (Wilhelm Stekel* e Franz Alexander*, notadamente), contestou os princípios ortodoxos do tratamento e pregou a humanização da técnica, desenvolvendo a tese do "terceiro ouvido", segundo a qual o analista devia usar sua intuição na relação contratransferencial com o paciente. Theodor Reik morreu de uma crise cardíaca.

• Theodor Reik, *Écouter avec la troisième oreille. L'Expérience intérieure d'un psychanalyste* (N. York, 1948), Paris, Epi, 1976; *Fragment d'une grande confession* (N. York, 1949), Paris, Denoël, 1973; *Variations sur un thème de Gustav Mahler* (N. York, 1953), Paris, Denoël, 1972; *Trente ans avec Freud* (N. York, 1956), Paris, Denoël, 1976 • Jean-Marc Alby, *Theodor Reik. Le Trajet d'un psychanalyste de Vienne "fin-de-siècle" aux États-Unis*, Paris, Clancier-Guénaud, 1985.

➢ ANÁLISE DIDÁTICA; ANÁLISE LEIGA; CONTRATRANSFERÊNCIA; ESTADOS UNIDOS; PAÍSES BAIXOS; TÉCNICA PSICANALÍTICA.

rejeição

➤ FORACLUSÃO.

religião

➤ BEIRNAERT, LOUIS; *FUTURO DE UMA ILUSÃO, O*; HAITZMANN, CHRISTOPHER; IGREJA; LAIR LAMOTTE, PAULINE; PARANÓIA; PFISTER, OSKAR; SCHREBER, DANIEL PAUL.

renegação

al. *Verleugnung*; esp. *desmentida*; fr. *déni*; ing. *disavowal*

Termo criado por Sigmund Freud*, em 1923, para caracterizar um mecanismo de defesa* pelo qual o sujeito* se recusa a reconhecer a realidade de uma percepção negativa e, mais particularmente, a ausência do pênis na mulher. No Brasil também se usam: "desmentido" e "recusa da realidade".

Foi num artigo de 1923 sobre a organização genital infantil que Freud propôs pela primeira vez a idéia de renegação. Em seguida, fez dela um mecanismo próprio do reconhecimento de uma realidade faltosa no contexto da diferença sexual* e, por fim, aproximou-a com o processo da psicose*, em contraste com o recalque*, que é característico da neurose*. Se o neurótico recalca as exigências do isso*, o psicótico nega a realidade externa para reconstruir uma realidade alucinatória.

Em 1927, em seu artigo sobre o fetichismo* e em seguida a uma discussão epistolar com René Laforgue* sobre a escotomização, Freud definiu a renegação como um mecanismo perverso através do qual o sujeito faz com que coexistam duas realidades contraditórias: a recusa e o reconhecimento da ausência do pênis na mulher. Daí o fato de a clivagem* do eu não mais caracterizar unicamente a psicose, mas também a perversão*.

Em 1967, o psicanalista francês Guy Rosolato propôs traduzir a *Verleugnung* por *désaveu* [desmentido, retratação] (em vez de *déni*), para deixar bem caracterizada a dupla operação do reconhecimento e de sua recusa, e para distinguir a realidade que essa palavra abarca do mecanismo da denegação*.

• Sigmund Freud, "A organização genital infantil da libido: uma interpolação na teoria da sexualidade" (1923), *ESB*,

XIX, 179-88; *GW*, XIII, 293-8; *SE*, XIX, 141-5; *OC*, XVI, 303-9; "A perda da realidade na neurose e na psicose" (1924), *ESB*, XIX, 229-38; *GW*, III, 363-8; *SE*, XIX, 183-7; *OC*, XVII, 35-43; "Algumas conseqüências psíquicas das diferenças anatômicas entre os sexos" (1925), *ESB*, XIX, 285-94; *GW*, XIV, 19-30; *SE*, XIX, 248-58; *OC*, XVII, 189-202; "Fetichismo" (1927), *ESB*, XXI, 179-88; *GW*, XIV, 311-7; *SE*, XXI, 147-57; in *La Vie sexuelle*, Paris, PUF, 1969; "A clivagem do eu no processo de defesa" (1938), *ESB*, XXIII, 309-14; *GW*, XVII, 59-62; *SE*, XXIII, 271-8; in *Résultats, idées, problèmes*, II, Paris, PUF, 1985, 283-7 • Guy Rosolato, "Étude des perversions sexuelles à partir du fétichisme", in *Le Désir et la perversion*, Paris, Seuil, 1967, 9-52 • Octave Mannoni, "Je sais bien mais quand même", in *Clefs pour l'imaginaire*, Paris, Seuil, 1969.

➤ CASTRAÇÃO; FORACLUSÃO; FRUSTRAÇÃO; PANKEJEFF, SERGUEI CONSTANTINOVITCH; PICHON, ÉDOUARD.

repetição, compulsão à

al. *Wiederholungszwang*; esp. *compulsión de repetición*; fr. *compulsion de répétition*; ing. *compulsion to repeat; repetition compulsion*

Ainda que só tenha desenvolvido todas as suas implicações teóricas em 1920, em Mais-além do princípio de prazer*, Sigmund Freud* relacionou desde muito cedo as idéias de compulsão (Zwang) e repetição (Wiederholung) para dar conta de um processo inconsciente* e, como tal, impossível de dominar, que obriga o sujeito* a reproduzir seqüências (atos, idéias, pensamentos ou sonhos*) que, em sua origem, foram geradoras de sofrimento, e que conservaram esse caráter doloroso.

A compulsão à repetição provém do campo pulsional, do qual possui o caráter de uma insistência conservadora.

A idéia de repetição, aproximada desde cedo da de compulsão, é uma das dimensões constitutivas da noção de inconsciente na doutrina freudiana.

Desde 1893, em sua "Comunicação preliminar", Freud e Josef Breuer* frisaram a importância da repetição em sua abordagem da histeria*, ao falarem da rememoração de um sofrimento moral ligado a um antigo trauma, e concluíram com o célebre aforismo: "É sobretudo de reminiscências que sofre a histérica."

O termo compulsão foi empregado por Freud numa carta a Wilhelm Fliess* datada de 7 de fevereiro de 1894. Nesta, ele falou de sua dificuldade de ligar a neurose obsessiva* à sexualidade* e evocou, para ilustrar sua colocação, um caso clínico a propósito do qual falou em "micção compulsiva".

Em seu "Projeto para uma psicologia científica", Freud desenvolveu a idéia de facilitação, na qual podemos discernir a prefiguração da compulsão à repetição: algumas quantidades de energia conseguem transpor as barreiras de contato, com isso ocasionando uma dor, mas também abrindo uma passagem que tenderá a se tornar permanente e, como tal, fonte de prazer, apesar da dor sistematicamente reavivada.

Quando, em sua carta a Wilhelm Fliess de 6 de dezembro de 1896, Freud definiu pela primeira vez sua concepção do aparelho psíquico e descreveu as superestruturas das "neuropsicoses sexuais", ele constatou a necessidade de ir mais longe e "explicar por que incidentes sexuais, geradores de prazer no momento de sua produção, provocam desprazer em certos sujeitos quando de seu posterior reaparecimento sob a forma de lembranças, ao passo que, em outros, dão origem a compulsões".

A idéia de uma repetição inexorável, passível de ser assimilada à do destino (mais tarde, Freud identificaria neuroses* de destino, próximas das neuroses de fracasso definidas por René Laforgue*), foi contemporânea da descoberta do Édipo, que ele participou a Fliess na carta de 15 de outubro de 1897: "Encontrei em mim, como em toda parte, sentimentos amorosos em relação à minha mãe e de ciúme a respeito de meu pai, sentimentos estes que, penso eu, são comuns a todas as crianças pequenas (...). Se realmente é assim, é compreensível, a despeito de todas as objeções racionais que se opõem à hipótese de uma fatalidade inexorável, o efeito cativante de Édipo rei (...). A lenda grega apoderou-se de uma compulsão que todos reconhecem, porque todos a sentiram."

Freud começou a fazer da compulsão à repetição um objeto autônomo de sua reflexão em 1914, num artigo intitulado "Recordar, repetir, elaborar". De uma análise para outra, identificou a permanência dessa compulsão à repetição: ela estaria ligada à transferência*, mesmo não constituindo a totalidade da transferência. Ela é uma maneira de o paciente se lembrar, maneira ainda mais insistente na medida em que ele resiste a uma rememoração cuja cono-

tação sexual lhe desperta vergonha. "É no manejo da transferência", escreveu Freud, "que encontramos o principal meio de barrar a compulsão à repetição e transformá-la numa razão para lembrar. Tornamos essa compulsão anódina, ou mesmo útil, limitando seus direitos, não permitindo que ela subsista senão num domínio circunscrito. Facultamos seu acesso à transferência, essa espécie de arena onde lhe será permitido manifestar-se com liberdade quase completa, e onde lhe pediremos que nos revele tudo o que se dissimula de patogênico no psiquismo do sujeito*."

Em Mais-além do princípio de prazer*, observando fatos do cotidiano, como seu neto a brincar incansavelmente de atirar um carretel por cima da grade do berço e em seguida apanhá-lo de volta, puxando-o pelo barbante e pontuando seus gestos com duas exclamações, Fort (saiu) e Da (voltou), e também observando as neuroses de guerra*, nas quais os sujeitos não cessam de reviver episódios dolorosos, Freud aprofundou sua reflexão. Se essas formas de compulsão à repetição eram realmente o aspecto assumido pelo retorno do recalque, era impossível sustentar que obedecessem unicamente à busca do prazer: com efeito, restava uma espécie de resíduo que escapava a essa determinação, um "mais-além do princípio de prazer". Assim, Freud foi conduzido a desenvolver o que ele mesmo reconheceu ser uma especulação, porém uma especulação a que jamais renunciaria. Essa compulsão, essa força pulsional que produz a repetição da dor, traduz a impossibilidade de escapar de um movimento de regressão, quer seu conteúdo seja desprazeroso ou não. Esse movimento regressivo levou, por recorrência, a postular a existência de uma tendência para um retorno à origem, ao estado de repouso absoluto, ao estado de não vida, àquele estado anterior à vida que pressupõe a passagem pela morte.

Conforme a postura que adotaram diante do conceito de pulsão de morte, os analistas freudianos atribuíram maior ou menor importância à idéia de compulsão à repetição, que constitui as premissas daquele.

Por esse ponto de vista, Jacques Lacan* ocupou uma posição exemplar, ao fazer da repetição um dos "quatro conceitos fundamentais da psicanálise", título dado a seu seminário do ano de 1964. Sensível ao vínculo postulado por Freud entre a repetição e o inconsciente, Lacan observou que a repetição inconsciente nunca é uma repetição no sentido habitual de reprodução do idêntico: a repetição é o movimento, ou melhor, a pulsação que subjaz à busca de um objeto, de uma coisa (*das Ding*) sempre situada além desta ou daquela coisa particular e, por isso mesmo, impossível de atingir. Por exemplo, é impossível reviver uma impressão vivida por ocasião de uma primeira experiência. "Uma representação teatral", explica Freud em *Mais-além do princípio de prazer*, jamais consegue produzir, na segunda vez, a impressão que deixou na primeira; com efeito, é difícil fazer um adulto que gostou muito de um livro decidir-se a relê-lo prontamente, na íntegra. A novidade é sempre a condição do gozo*." Sabemos que, para Lacan, o gozo encontra sua origem na busca, tão repetitiva quanto inútil, do momento da satisfação de uma necessidade, que só se constitui como demanda no só-depois da resposta que lhe foi dada.

Lacan distingue duas ordens de repetição, as quais analisa numa perspectiva aristotélica: por um lado, a *tiquê*, encontro dominado pelo acaso — de certo modo, ela é o contrário do *kairos*, o encontro que ocorre no "momento oportuno" — e que podemos assimilar ao *trauma*, ao choque imprevisível e incontrolável. Esse encontro só pode ser simbolizado, esvaziado ou domesticado através da fala, e sua repetição traduz a busca dessa simbolização. Isso porque, se esta permite escapar à lembrança do trauma, ela só pode consumar-se ao revivê-lo ininterruptamente, como um pesadelo, na fantasia* ou no sonho*. Por outro lado, existe o *automaton*, repetição simbólica não do mesmo, mas da origem, próxima da compulsão à repetição freudiana, que se articula com a pulsão de morte. Esse segundo tipo de repetição é inscrito por Lacan, no âmbito de sua teoria do significante*, como depositário da origem da repetição pela qual todo sujeito é não apenas constituído, mas guiado para os diversos "lugares" que ocupará ao longo de sua vida. Desse processo repetitivo, segundo o qual o significante atribui ao sujeito seus lugares, Lacan deu uma das mais belas ilustrações que existem, em seu célebre "Semi-

nário sobre 'A carta roubada'", a leitura psicanalítica do conto de Edgar Allan Poe (1809-1849) que inaugura o volume dos *Escritos*.

• Sigmund Freud, *La Naissance de la psychanalyse* (Londres, 1950), Paris, PUF, 1956; *Briefe an Wilhelm Fliess, 1887-1904*, Frankfurt, Fischer, 1986; "As neuropsicoses de defesa" (1894), *ESB*, III, 57-74; *GW*, 1, 57-74; *SE*, III, 41-61; *OC*, III, 1-18; "Novos comentários sobre as neuropsicoses de defesa" (1896), *ESB*, III, 187-216; *GW*, I, 377-403; *SE*, III, 157-85; *OC*, III, 121-46; "Atos obsessivos e práticas religiosas" (1907), *ESB*, IX, 121-36; *SE*, IX, 115-27; in *L'Avenir d'une illusion* (1927), Paris, PUF, 1971; "Recordar, repetir e elaborar (Novas recomendações sobre a técnica da psicanálise II)" (1914), *ESB*, XII, 193-207; *GW*, X, 126-36; *SE*, XII, 145-56; in *La Technique psychanalytique*, Paris, PUF, 1953, 104-15; "O estranho" (1919), *ESB*, XVII, 275-314; *GW*, XII, 229-68; *SE*, XVII, 217-56; in *L'Inquiétante Étrangeté et autres essais*, Paris, Gallimard, 1985, 209-63; *Mais-além do princípio de prazer* (1920), *ESB*, XVIII, 17-90; *GW*, XIII, 3-69; *SE*, XVIII, 1-64; in *Essais de psychanalyse*, Paris, Payot, 1981, 41-115; *Novas conferências introdutórias sobre psicanálise* (1933), *ESB*, XXII, 15-226; *GW*, XV; *SE*, XXII, 5-182; *OC*, XIX, 83-268; "Análise terminável e interminável" (1937), *ESB*, XXIII, 247-90; *GW*, XVI, 59-99; *SE*, XXIII, 209-53; in *Résultats, idées, problèmes*, vol.2, Paris, PUF, 1985, 231-68 • Sigmund Freud e Josef Breuer, *Estudos sobre a histeria* (1895), *ESB*, II; *SE*, II; Paris, PUF, 1956 • Edson Luiz André de Sousa, "Repetição, compulsão à", in Pierre Kaufmann (org.), *Dicionário enciclopédico de psicanálise: o legado de Freud e Lacan* (Paris, 1993), Rio de Janeiro, Jorge Zahar, 1996, 448-53 • Kurt Eissler, *Freud sur le front des névroses de guerre* (Viena, 1979), Paris, PUF, 1992 • Henri F. Ellenberger, *Histoire de la découverte de l'inconscient* (N. York, Londres, 1970, Villeurbanne, 1974), Paris, Fayard, 1994; "La Notion de kairos en psychothérapie (temps pour comprendre et interprétation vraie)", in *Médecines de l'âme. Essais d'histoire de la folie et des guérisons psychiques*, Paris, Fayard, 1995, 239-53 • Jacques Lacan, "O seminário sobre 'A carta roubada'" (1955), in *Escritos* (Paris, 1966), Rio de Janeiro, Jorge Zahar, 1998, 13-68; *O Seminário, livro 11, Os quatro conceitos fundamentais da psicanálise (1964)* (Paris, 1973), Rio de Janeiro, Jorge Zahar, 1979 • Jean Laplanche e Jean-Bertrand Pontalis, *Vocabulário da psicanálise* (Paris, 1967), S. Paulo, Martins Fontes, 1991, 2ª ed. • Edgar Allan Poe, "La Lettre volée", in *Histoires*, Paris, Gallimard, col. "Pléiade", 1940, 45-64.

➤ RESISTÊNCIA.

repressão

al. *Unterdrückung*; esp.; *sofocación*; fr. *répression*; ing. *suppression*

Termo empregado em psicologia para designar a inibição voluntária de uma conduta consciente. Em psicanálise*, a repressão é uma operação psíquica que tende a suprimir conscientemente uma idéia ou um afeto cujo conteúdo é desagradável. No Brasil também se usa "supressão".

Essa operação e a palavra que a designa não devem ser confundidas com o recalque*, que decorre de um mecanismo inconsciente.

Na língua inglesa, a palavra *repression* foi utilizada por James Strachey*, a conselho de Sigmund Freud*, para traduzir o conceito de recalque (*Verdrängung*). Daí a confusão entre esses dois mecanismos.

• Riccardo Steiner, "Une marque internationale universelle d'authenticité. Quelques observations sur l'histoire de la traduction anglaise de l'oeuvre de Sigmund Freud, en particulier sur les termes techniques", *Revue Internationale d'Histoire de la Psychanalyse*, 4, 1991, 71-188.

repúdio

➢ FORACLUSÃO.

resistência

al. *Widerstand*; esp. *resistencia*; fr. *résistance*; ing. *resistance*

Termo empregado em psicanálise* para designar o conjunto das reações de um analisando cujas manifestações, no contexto do tratamento, criam obstáculos ao desenrolar da análise.

No vocabulário freudiano, a palavra resistência aparece de acordo com três modalidades: uma inspira-se na reflexão sobre a técnica e a prática analíticas, cuja evolução determinaria a do estatuto atribuído às possíveis formas de resistência do paciente; a segunda é de ordem teórica e foi vivamente afetada pela instauração da segunda tópica*; a terceira, por fim, imutável durante toda a vida de Sigmund Freud*, é de ordem interpretativa. Relaciona-se com as manifestações de hostilidade e as formas de rejeição de que a psicanálise possa ter sido objeto. Quanto a esse ponto, a historiografia freudiana é rica em toda sorte de contribuições.

Por este último ponto de vista, a utilização que Freud faz da palavra é totalmente alheia ao contexto terapêutico. Assim, Freud interpreta como respostas defensivas (resistências) as

oposições à psicanálise, sejam quais forem suas origens e suas razões explícitas. Convém notar que essa postura é coerente com a constatação que ele fez desde 1917, qual seja, a de que a psicanálise desferiria contra o narcisismo* humano um ataque comparável às feridas geradas pelas descobertas de Nicolau Copérnico (1473-1543) e Charles Darwin (1809-1882). A aproximação entre estes, aliás, tinha sido feita, uns cinqüenta anos antes, por Ernst Haeckel*, como estabeleceu Paul-Laurent Assoun.

O processo da resistência participou, tanto quanto a transferência*, do nascimento da psicanálise. Só que esteve ainda mais diretamente associado a ele. Com efeito, Freud empregou essa palavra assim que esbarrou nas primeiras dificuldades na prática da hipnose* e da sugestão*, chegando até a reconhecer como "legítimas" as resistências dos pacientes confrontados com a "tirania da sugestão".

A passagem para o método psicanalítico certamente não pôs fim às resistências, mas elas mudaram de estatuto. Tornaram-se passíveis de interpretação* e, portanto, passíveis de ser superadas.

Desde os primórdios de sua prática psicanalítica, a atitude de Freud frente à questão do tratamento das resistências assumiu duas formas. Se a resistência foi invariavelmente reconhecida como um entrave ao trabalho analítico, em especial sob a forma do desrespeito à regra fundamental*, a princípio Freud julgou ser possível transpor esse obstáculo, explicando seu conteúdo ao paciente com insistência e convicção. Num segundo tempo, ele passou a considerar a resistência como um dado clínico, sintoma do que estaria recalcado. Assim, ela passou a participar do processo de recalque* e a depender tanto da interpretação quanto a transferência*, sob cuja forma freqüentemente se manifesta.

No contexto de sua segunda tópica, Freud identificou cinco formas de resistência: três delas têm sua sede no eu*, uma no isso*, e a última, no supereu*. As resistências ligadas ao eu podem manifestar-se sob a forma do recalque como tal, sob a da resistência da transferência, ou ainda como um lucro secundário ligado à persistência da neurose, sendo a cura vivida como um perigo para o eu. A resistência, cuja sede encontra-se no isso, leva à compulsão à repetição*. Pode ser superada quando o sujeito integra uma interpretação (elaboração*). A resistência do supereu exprime-se em termos de culpa inconsciente e necessidade de punição.

Essa classificação atesta a recusa freudiana de reduzir a resistência unicamente às defesas do eu. Nessa perspectiva, Freud insiste na existência de elementos residuais da resistência, elementos irredutíveis que ele interpreta de maneiras variadas, mas que podemos situar, a título de hipótese, do lado da pulsão* de morte.

Diversamente dos conceitos de transferência e contratransferência*, o de resistência suscitou muito poucas discussões na descendência freudiana, com exceção de Melanie Klein*, que assimilou a resistência quase que exclusivamente a uma transferência negativa. Essa tese foi um dos temas de debate durante as Grandes Controvérsias* que a opuseram a Anna Freud*.

• Sigmund Freud, La Naissance de la psychanalyse (Londres, 1950), Paris, PUF, 1956; Briefe an Wilhelm Fliess, 1887-1904, Frankfurt, Fischer, 1986 • Sigmund Freud e Josef Breuer, Estudos sobre a histeria (1895), ESB, II; SE, II; Paris, PUF, 1956; A interpretação dos sonhos (1900), ESB, IV-V, 1-660; GW, II-III, 1-642; SE, IV-V, 1-621; Paris, PUF, 1967; "Sobre a psicoterapia" (1905), ESB, VII, 267-82; GW, V, 13-26; SE, VII, 255-68; in La Technique psychanalytique, Paris, PUF, 1953, 9-23; Conferências introdutórias sobre psicanálise (1916-1917), ESB, XVI; GW, XI; SE, XV-XVI; Paris, Payot, 1973; "Uma dificuldade da psicanálise" (1917), ESB, XVIII, 171-84; SE, XVIII; in L'Inquiétante étrangeté et autres essais, Paris, Gallimard, 1985; Mais-além do princípio de prazer (1920), ESB, XVIII, 17-90; GW, XIII, 3-69; SE, XVIII, 1-64; in Essais de psychanalyse, Paris, Payot, 1981, 41-115; Psicologia das massas e análise do eu (1921), ESB, XVIII, 91-184; GW, XIII, 73-161; SE, XVIII, 65-143; OC, XVI, 1-83; Inibições, sintomas e angústia (1925), ESB, XX, 107-98; GW, XIV, 113-205; SE, XX, 87-172; OC, XVII, 203-86 • Jean Laplanche e Jean-Bertrand Pontalis, Vocabulário da psicanálise (Paris, 1967), S. Paulo, Martins Fontes, 1991, 2ª ed. • Paul-Laurent Assoun, Metapsicologia freudiana: uma introdução (Paris, 1981), Rio de Janeiro, Jorge Zahar, 1996.

➢ CONTRATRANSFERÊNCIA; HIPNOSE; NOVAS CONFERÊNCIAS INTRODUTÓRIAS SOBRE PSICANÁLISE; SUGESTÃO; TRANSFERÊNCIA.

Rêve Éveillé Dirigé, Groupe International du

➢ PSICOTERAPIA.

Rickman, John (1891-1951)

psiquiatra e psicanalista inglês

Membro da seita protestante dos quakers, que esteve na origem da psicoterapia* baseada na dinâmica de grupos nos Estados Unidos*, John Rickman é conhecido por seu papel pioneiro na organização da psicanálise na Grã-Bretanha*, ao lado de Ernest Jones* e de Edward Glover*, por seu pacifismo militante, por sua ação de reformador da psiquiatria em tempo de guerra e, de modo mais geral, por suas idéias sobre a psicologia dos pequenos grupos. Depois de concluir o curso de medicina em 1916, apresentou-se como voluntário para ajudar as vítimas da guerra na Rússia*. Ao voltar, orientou-se para a psiquiatria e depois para a psicanálise*. Em Viena*, em 1920, fez um tratamento de formação com Sigmund Freud*, antes de se integrar, quatro anos mais tarde, à British Psychoanalytic Society (BPS). Posteriormente, fez mais duas análises, uma com Sandor Ferenczi*, outra com Melanie Klein*. Em 1928, redigiu um Index Psychoanalyticus, obra erudita, na qual recenseava e resumia a quase totalidade dos livros e artigos publicados sobre psicanálise entre 1893 e 1926, um verdadeiro balanço do saber freudiano da época.

Analisado por três das mais brilhantes personalidades do movimento psicanalítico, Rickman não aderiu a nenhum dogma e, embora estivesse convencido da correção das teorias kleinianas, manteve a independência em relação a um grupo marcado pelo sectarismo e pela idolatria do seu líder intelectual. Aliás, entrou em conflito com os kleinianos, declarando que a figura paterna tinha tanta importância quanto a da mãe nas fantasias infantis. Depois das Grandes Controvérsias*, afastou-se de Melanie Klein e integrou-se ao Grupo dos Independentes*.

Durante a Segunda Guerra Mundial, começou a experimentar o princípio do "grupo sem líder", no âmbito do War Office Selection Board (WOSB). Tratava-se de organizar oficiais em pequenas células, a fim de selecioná-los e obter deles um melhor rendimento. Cada grupo definia o objeto de seu trabalho, sob a direção de um terapeuta, que apoiava todos os homens do grupo sem ocupar o lugar de chefe nem o de um pai autoritário. Baseado nessa experiência, Rickman instalou, segundo os mesmos princípios, a primeira comunidade terapêutica do exército no hospital militar de Northfield, perto de Birmingham, para onde eram enviados homens julgados inúteis ou inadaptados.

Se essa experiência foi um sucesso, a ponto de despertar a admiração de Jacques Lacan*, ela se revelou desastrosa quando foi tomada como modelo por Rickman, por ocasião da pesquisa realizada em 1946 em Berlim com os psicanalistas que haviam prosseguido suas atividades sob o nazismo*, em especial Carl Müller-Braunschweig*, Felix Boehm*, Harald Schultz-Hencke* e Werner Kemper*. Sem a menor preocupação com o engajamento político desses homens, que haviam todos colaborado com o nazismo, sob a direção de Matthias Heinrich Göring*, Rickman quis saber primeiro se eles podiam ser reintegrados à International Psychoanalytical Association* (IPA), a fim de se tornarem bons psicanalistas didatas. A teoria dos pequenos grupos serviu pois, finalmente, para fazer com que ex-nazistas entrassem nas fileiras da IPA, ao invés de favorecer a depuração. E foi Werner Kemper quem mais se beneficiou desse procedimento, em virtude do julgamento feito por Rickman sobre a solidez da sua personalidade psíquica.

• John Rickman, *Index Psychoanalyticus 1893-1926*, Londres, Hogarth Press, 1928; *Selected Contributions to Psycho-Analysis*, Londres, Hogarth, 1957; "Compterendu du docteur John Rickman à Berlin pour interroger les psychanalystes. 14 et 15 octobre 1946", *Revue Internationale d'Histoire de la Psychanalyse*, 1, 1988 • Sylvia M. Payne, "Obituary, Dr. John Rickman", *IJP*, vol.XXXIII, 1954, 54-60 • Pearl King, "Sur les activités et l'influence des psychanalystes durant la Deuxième Guerre mondiale", ibid., 133-51 • R.H. Ahrenfeld, *Psychiatry in the British Army in the Second World War*, Londres, Routledge, 1955 • Phyllis Grosskurth, *O mundo e a obra de Melanie Klein* (N. York 1986), Rio de Janeiro, Imago, 1992 • *Les Controverses Anna Freud/Melanie Klein* (Londres, 1991), Pearl King e Riccardo Steiner (orgs.), Paris, PUF, 1996 • Eric Rayner, *Le Groupe des "Indépendants" et la psychanalyse britannique* (Londres, 1990), Paris, PUF, 1994.

➢ BION, WILFRED RUPRECHT; NEUROSE DE GUERRA.

Rie, Oskar (1863-1931)

médico austríaco

Pediatra, parceiro de Sigmund Freud* no jogo de cartas e cunhado de Wilhelm Fliess*, Oskar Rie foi também o médico da família Freud em Viena*. Co-autor do artigo de 1891 "Estudo clínico da hemiplegia cerebral da infância", apareceu sob o nome de Otto no célebre sonho da "Injeção de Irma"*, relatado em *A Interpretação dos sonhos*. A partir de 1908, participou das reuniões da Sociedade Psicológica das Quartas-Feiras*. Sua primeira filha, Margarethe, casou-se com Hermann Nunberg*. Marianne, a mais nova, foi analisada por Freud, que a chamou de sua "filha adotiva". Ela se casou com Ernst Kris*, tornou-se psicanalista sob o nome de Marianne Kris* e deu à filha o nome de Anna.

• Elke Mühlleitner, *Biographisches Lexikon der Psychoanalyse. Die Mitglieder der Psychologischen Mittwoch-Gesellschaft und der Wiener Psychoanalytischen Vereinigung von 1902-1938*, Tübingen, Diskord, 1992.

Riklin, Franz (1878-1938)

psiquiatra suíço

Depois de ter sido secretário da International Psychoanalytical Association* (IPA) e redator do *Korrespondanzblatt*, acompanhou Carl Gustav Jung* na sua ruptura com Sigmund Freud* em 1913.

Rittmeister, John (1898-1943)

psiquiatra e psicanalista alemão

A história de John Rittmeister e de suas relações com Werner Kemper* durante o III Reich é uma das páginas mais sombrias dos anais do freudismo*. Ela é parte da aventura dos militantes da Orquestra Vermelha, tão bem contada pelo escritor Gilles Perrault. Imersos na organização stalinista dos partidos comunistas ocidentais, dominados por um Komintern que não hesitava, às vezes, em entregá-los ao inimigo, eles foram entretanto heróis da luta antinazista, evoluindo no mundo estranho dos agentes duplos, dos espiões, das traições e das reviravoltas intempestivas.

Nascido em Hamburgo, em uma velha família de comerciantes abastados, Rittmeister continuou seus estudos de medicina em Paris, Londres e Zurique, onde passou pela clínica do

Hospital Burghölzli. Instalando-se na Suíça*, interessou-se pelas teses de Carl Gustav Jung* e filiou-se a círculos marxistas. Em 1933, acusou o junguismo de ser "porta-voz da alma alemã". Foi então que se orientou para as idéias freudianas, continuando a ser militante na esquerda comunista. Mesmo afirmando-se herdeiro da tradição do romantismo alemão e do pessimismo de Schopenhauer, Rittmeister adotou os princípios do pensamento freudiano em nome de um humanismo universalista, ao qual opunha o egoísmo "burguês", místico e introvertido de Jung e seus partidários.

Ameaçado de expulsão por suas atividades militantes, foi para a Alemanha*, a fim de continuar na clandestinidade a sua luta contra o nazismo*. O instituto "arianizado" fundado por Matthias Heinrich Göring* serviu de "cobertura" para as suas atividades. Nele, exerceu funções de diretor da policlínica, ao mesmo tempo em que prosseguia uma formação psicanalítica com Werner Kemper e entrava para uma organização de resistência. Em 1939, casou-se com Eva Knieper, uma atriz que pertencia à mesma rede.

Em 1942, ambos se tornaram membros da famosa organização comunista Orquestra Vermelha, dirigida, da França*, por Leopold Trepper e, em Berlim, por Harro Schulze-Boysen, oficial da aeronáutica que conseguira infiltrar-se nos serviços de informação alemães da Luftwaffe, e conseqüentemente do marechal Hermann Göring, em benefício da União Soviética.

É difícil saber em que condições Rittmeister foi detido pela Gestapo, com sua mulher, em 26 de setembro de 1942. Teria sido denunciado por Werner Kemper ou foi simplesmente apanhado na diligência policial contra a Orquestra Vermelha, depois da prisão de Schulze-Boysen um mês antes? O papel de Werner Kemper neste caso não ficou, de modo algum, esclarecido. Kemper analisava tanto Rittmeister quanto Erna, mulher de Matthias Heinrich Göring. Em sua autobiografia, ele afirmou ter "protegido" Rittmeister, usando com Matthias a influência transferencial que adquirira sobre Erna. Mas, se tivesse sido assim, por que Rittmeister não foi prevenido sobre a iminência de sua detenção?

Em 13 de maio de 1943, John Rittmeister foi guilhotinado sem maiores formalidades, tendo escrito um diário de prisão no qual estão estas palavras: "Santo Agostinho e a psicanálise: levar a sério a vida interior. Definir os pecados, remeter a textos. As paixões, etc., sim, mas incluindo o social e a província [...]. Agora, estou sentado aqui [sob a vigilância dos guardas], diante do meu último e pequeno quarto de hora. Estou muito calmo, muito comigo. Fumo cigarros, ainda recebi um pacotinho de manteiga e de cacau [...]."

Esse caso contribuiu para desestabilizar a família Göring. Aos olhos de Hitler e da alta hierarquia nazista, Hermann tinha sido incapaz, na realidade, de impedir a Orquestra Vermelha de desenvolver suas atividades de espionagem no próprio centro da direção da Luftwaffe. Quanto a Matthias, este tremia de medo com a idéia de ver suas atividades psicoterapêuticas comprometidas pela Gestapo, por causa da infiltração em seu instituto. Foi então que inverteu a situação a seu favor, explicando a todos os seus colaboradores que Rittmeister era, antes de tudo, um traidor de seu país, pois tinha transmitido informações a uma potência estrangeira em tempo de guerra. Essa versão da história, que transformava um comunista antinazista em traidor da pátria, foi aceita pelo conjunto dos psicoterapeutas e psicanalistas do Instituto Göring e, evidentemente, por Felix Boehm*, Kemper, Harald Schultz-Hencke* e depois por Ernest Jones* e pelo conjunto da direção da International Psychoanalytical Association* (IPA).

Mas aconteceu algo pior: depois da capitulação da Alemanha, Kemper e Schultz-Hencke fizeram parte de uma reunião de psiquiatras na parte leste de Berlim ocupada por tropas soviéticas. Contribuíram assim para a reconstrução, na República Democrática Alemã (DDR), de uma escola de psicoterapia* de tipo pavloviano, visando liquidar o freudismo*. Depois de colaborar com o nazismo para a destruição da psicanálise, por causa de sua judeidade*, esses dois homens participaram pois, com igual paixão, de uma política stalinista de rejeição ao freudismo que se estenderia a todos os países dominados pelo socialismo real depois da partilha de Ialta.

E o destino heróico de Rittmeister foi transformado em ficção mentirosa. Para os alemães ocidentais, esse brilhante intelectual freudiano foi considerado durante 40 anos como um espião soviético traidor da pátria, enquanto que, para os alemães orientais, tornou-se uma figura legendária e gloriosa, não do comunismo*, mas da epopéia stalinista.

• Werner Kemper, *Psychotherapie in Selbstdarstellungen*, Berna, Stuttgart, Viena, Hans Huber Verlag, 1973 • Gilles Perrault, *L'Orchestre rouge*, Paris, Fayard, 1976 • *Les Années brunes*. La Psychanalyse sous le *IIIe Reich*, textos traduzidos e apresentados por Jean-Luc Evard, Paris, Confrontation, 1984 • Chaim S. Katz (org.), *Psicanálise e nazismo*, Rio de Janeiro, Taurus, 1985 • Geoffrey Cocks, *La Psychothérapie sous le IIIe Reich* (Oxford, 1985), Paris, Les Belles Lettres, 1987 • René Major, *De l'élection*, Paris, Aubier, 1986 • *Ici la vie continue de manière surprenante*, seleção de textos traduzidos por Alain de Mijolla, Paris, Association Internationale d'Histoire de la Psychanalyse (AIHP), 1987 • Ludger M. Hermanns, "Condições e limites da produtividade científica dos psicanalistas na Alemanha de 1933 a 1945", *Revista Internacional da História da Psicanálise*, 1 (1988), Rio de Janeiro, Imago, 1990, 67-86 • Karen Brecht, "A psicanálise na Alemanha nazista: adaptação à instituição, relações entre psicanalistas judeus e não judeus", ibid., 87-98 • "Compte-rendu du docteur John Rickman à Berein pour interroger les psychanalystes. 14 et 15 octobre 1946", *Revue Internationale d'Histoire de la Psychanalyse*, 1, 1988.

➢ BRASIL; CHERTOK, LÉON; FREUDO-MARXISMO; JACOBSON, EDITH; LAFORGUE, RENÉ; MAUCO, GEORGES; MÜLLER-BRAUNSCHWEIG, CARL; RÚSSIA.

Riviere, Joan, *née* Verrall (1883-1962)

psicanalista inglesa

Originária da grande burguesia intelectual inglesa e ligada ao grupo de Bloomsbury, Joan Riviere era de uma beleza melancólica e vitoriana. Elegante e refinada, exibindo o seu orgulho de ser aristocrata, sofria porém de insônia, dores de cabeça, angústias e não cessava de se desvalorizar: "Ela não suporta elogios, diria Sigmund Freud*, assim como não aceita falhas, protestos ou rejeição."

Depois de várias internações em casas de saúde, fez uma análise com Ernest Jones* e teve uma ligação com ele. O tratamento se desenrolou em uma atmosfera difícil. Em 1919, a jovem participou da fundação da British Psychoanalytical Society (BPS). Depois, a conselho de Jones, com quem estava em conflito, foi a Viena*

para fazer outro tratamento com Freud. Jones se sentia diminuído diante dela e a considerava como uma mulher altiva. Mas apresentou-a a Freud de modo positivo: "É uma tradutora muito correta [...] e penso que ela compreende a psicanálise melhor do que qualquer um dos nossos membros, exceto talvez Flugel."

Seu perfeito conhecimento das línguas alemã e inglesa e seu gosto pela literatura fizeram dela uma tradutora muito adequada para a obra de Freud. E quando esse trabalho foi entregue a James Strachey*, ela o ajudou e fez parte do comitê encarregado de realizar o glossário terminológico.

A análise com Freud teve efeito benéfico sobre ela, embora se realizasse, em parte, ao mesmo tempo que a de Anna Freud*. Entre Anna, que a invejava, e Jones, que ao mesmo tempo a desmerecia e elogiava os seus méritos, Joan encontrou uma saída interessando-se pelos trabalhos de Melanie Klein*. Tentou então, com tato e inteligência, convencer Freud do valor das posições kleinianas para a psicanálise de crianças*. Este recusou-se categoricamente a escutá-la e defendeu sua filha Anna. Todavia, preocupado em não dividir o movimento psicanalítico, não tomou partido publicamente no debate. É por isso que as cartas que trocou com Joan Riviere são de grande interesse, particularmente a do dia 9 de outubro de 1927, na qual afirmava que uma análise sem objetivo educativo podia destruir a criança, entregue assim ao seu ser pulsional, sem nenhum apoio do lado do eu*.

Em 1929, no quadro das grandes discussões sobre a sexualidade feminina*, Joan Riviere redigiu um belo artigo, em parte autobiográfico, sobre a natureza da feminilidade moderna: "A feminilidade como mascarada". Esse texto se tornaria célebre. A partir de um caso, ela mostrava que as mulheres intelectuais que tiveram pleno sucesso em sua integração social e em sua vida conjugal e familiar estavam, de certo modo, obrigadas a exibir a sua feminilidade como uma máscara, a fim de melhor dissimular o seu verdadeiro poder, e conseqüentemente a sua angústia.

Partidária de Melanie Klein, ela saberia manter sua reserva e nunca ceder à idolatria.

• Joan Riviere, "La Féminité en tant que mascarade" (1929), in *Féminité mascarade*, Estudos psicanalíticos reunidos por Marie-Christine Hamon, Paris, Seuil, 1994, 197-215; *The Inner World and Joan Riviere. Collected Papers 1920-1958*, Londres, Karnac Books, 1991 • Joan Riviere e Melanie Klein, *L'Amour et la haine* (Londres, 1937), Paris, Payot, 1968 • "Lettres de Sigmund Freud à Joan Riviere (1921-1939)", apresentadas por Athol Hugues, *Revue Internationale d'Histoire de la Psychanalyse*, 6, 1993, 429-81 • Lisa Appignanesi e John Forrester, *Freud's Women*, N. York, Basic Books, 1992 • Phyllis Grosskurth, *O mundo e a obra de Melanie Klein* (N. York, 1986), Rio de Janeiro, Imago, 1992.

Rocha, Francisco Franco da (1864-1933)

psiquiatra brasileiro

Fundador, em São Paulo, do Hospital do Juqueri, Rocha nunca exerceu a psicanálise*, embora fosse co-fundador, com Durval Marcondes*, da Sociedade Brasileira de Psicanálise de São Paulo (SBPSP), primeira sociedade psicanalítica do Brasil*. Em 1920, publicou *O pansexualismo* na doutrina de Freud, que teve um grande sucesso. Em uma carta a Marcondes, escreveu: "Chegará o dia em que a psicanálise será algo estabelecido, conhecido, aceito por todos. Até seus adversários dirão: Nunca fui contrário a ela, sempre a aceitei. Tenho dúvidas sobre um ou dois temas apenas, mas sempre admirei Freud [...]"

• Francisco da Rocha, *O pan-sexualismo na doutrina de Freud*, S. Paulo, Typografia Brasil de Rotschild, 1920 • Marialzira Perestrello, "Histoire de la psychanalyse au Brésil des origines à 1937", *Frénésie*, 10, primavera de 1992, 283-301.

➢ PANSEXUALISMO.

Roheim, Geza (1891-1953)

antropólogo e psicanalista americano

Primeiro etnólogo a tornar-se psicanalista, Geza Roheim também foi o único membro da comunidade psicanalítica do período entre as duas guerras a adquirir a competência necessária para contestar as teses de Bronislaw Malinowski* a partir de uma experiência de campo e não mais através de debates teóricos. Por isso, conferiu verdadeira legitimidade à antropologia* psicanalítica e fundou a etnopsicanálise*, da qual foi, com Georges Devereux*, o princi-

pal representante. Sua obra, escrita em três línguas (húngaro, alemão e inglês), é notável: cerca de doze livros e mais de cento e cinqüenta publicações redigidas entre 1911 e 1953.

Nascido em Budapeste, em uma família de comerciantes judeus abastados, filho único mimado pelo pai, pela mãe e pelo avô, Roheim teve uma infância feliz — fenômeno raro entre os pioneiros do movimento psicanalítico, à exceção do próprio Sigmund Freud*. Nunca teve filhos e foi ele mesmo uma eterna criança, apegado durante toda a vida à sua mulher Llonka, que se associou à sua obra e nunca deixava de brigar com ele em público.

Grande bebedor e gastrônomo, amava também os livros e as atividades físicas. Desde a juventude, guiado pelo avô, devorava obras de mitologia, folclore e etnografia, praticando esgrima e natação. Mais tarde, no trabalho de campo, ensinou futebol às crianças da Melanésia. Alimentado pelos contos e lendas húngaros, fascinado com as histórias de bebês abandonados, como as que Otto Rank narrou em sua obra sobre o romance familiar*, Roheim logo se questionou sobre os fenômenos psíquicos ligados ao nascimento das crianças, à perda, à separação. E foi se mantendo nessa problemática que empreendeu o estudo de uma nova disciplina, a antropologia.

Depois de fazer estudos clássicos em Leipzig e Berlim, apaixonou-se pelos trabalhos psicanalíticos. Desde o seu primeiro artigo, em 1911, recorreu ao conceito freudiano de complexo de Édipo*. Analisado entre 1915 e 1916, primeiro por Sandor Ferenczi* e depois por Wilma Kovacs (1882-1940), começou logo a praticar a psicanálise*, ao mesmo tempo em que preparava a publicação de seu primeiro livro sobre o totemismo australiano, publicado em 1925.

Nesse estudo puramente livresco, Roheim não aderia às posições enunciadas por Freud em *Totem e tabu*. Substituía a perspectiva filogenética por uma hipótese ontogenética, inspirando-se diretamente nos primeiros trabalhos de Melanie Klein* sobre as relações arcaicas da criança com a mãe. Assim, foi sob os auspícios do kleinismo*, e na linhagem de uma filiação* húngara representada por Ferenczi e Imre Hermann*, que se desenvolveu a primeira grande aplicação da psicanálise à antropologia. Hostil a todas as ortodoxias, Roheim não se tornaria, com isso, um adepto rígido dos dogmas kleinianos. Durante toda a vida, conservaria sua independência em relação às diferentes escolas e uma sólida admiração por Freud, com quem se encontrou em 1918, no congresso da International Psychoanalytical Association* (IPA) de Budapeste.

Em *Australian Totemism*, transformou a fábula darwiniana da horda selvagem, centrada na função preponderante do pai, em uma espécie de digressão sobre os estádios*, as relações de objeto* e as angústias infantis. Segundo ele, as fantasias* de devoração apenas repetiam uma situação mais antiga de identificação* com o corpo da mãe: comer o pai durante o festim totêmico era pois comer a mãe. Quanto ao totem, Roheim fazia dele tanto uma figura paterna quanto uma representação da onipotência materna.

Graças a uma subvenção de Marie Bonaparte*, começou em 1928 o seu primeiro grande périplo no campo melanésio, com a intenção de invalidar a tese da ausência do complexo de Édipo nas sociedades matrilineares, defendida por Malinowski. Antes de sua partida, teve com Freud uma discussão sobre outra hipótese de Malinowski segundo a qual os trobriandeses ignoravam o erotismo anal. Ouviu então esta objeção: "Será que essa gente não tem ânus?"

Durante nove meses, depois de uma passagem por Aden e Djibuti, Roheim permaneceu em uma tribo da ilha de Normanby, à qual se integrou perfeitamente. No campo, longe de experimentar o mesmo sofrimento melancólico de Malinowski e de tantos outros etnólogos, teve logo uma "transferência positiva" em relação a seus anfitriões e se comportou com eles ao mesmo tempo como um irmão mais velho e como um analista kleiniano, procurando sempre refinar o seu método e interpretar os costumes, mitos, comportamentos, sonhos, jogos de palavras e histórias cotidianas à luz da psicanálise. Ao voltar, atravessando os Estados Unidos*, parou durante algum tempo na Califórnia, para estudar os índios yumas e, em 1932, publicou suas observações em um artigo intitulado "Psicanálise dos tipos culturais primitivos", cuja essência seria retomada em 1950, em

sua grande síntese sobre a questão, *Psicanálise e antropologia*. Contra Malinowski e de acordo com Freud e Ernest Jones*, concluiu pela universalidade do complexo de Édipo através do lugar do tio materno, admitindo entretanto que as sociedades matrilineares eram organizadas a partir de um modelo pré-edipiano. Mais tarde, classificou as culturas a partir desse modelo edipiano, mostrando que em cada uma delas o princípio universal se manifestava, mas de maneira diferente.

Obrigado a emigrar por causa do nazismo, instalou-se em Nova York, trabalhou no Worcester State Hospital em um caso de esquizofrenia* e continuou seus trabalhos de antropologia psicanalítica. Não sendo médico, manteve-se afastado da comunidade psicanalítica americana.

Em 1950, redigiu um texto programático, incluído em *Psicanálise e antropologia*, no qual defendia o universalismo freudiano, em nome da unidade do gênero humano. Atacava com firmeza todos os representantes do neofreudismo* culturalista, Abram Kardiner* e Margaret Mead* particularmente, acusando-os de importarem modelos diferencialistas inadequados para analisar as grandes sociedades ocidentais. Concluía que o relativismo cultural, com sua auto-satisfação e seus ideais humanistas, era apenas uma forma mascarada de nacionalismo e de rejeição do outro: "A idéia de que as nações são completamente diferentes umas das outras, e de que o papel da antropologia é simplesmente descobrir essas diferenças, é uma manifestação de nacionalismo mal dissimulada. Ela constitui a contrapartida democrática da doutrina racial dos nazistas ou da teoria comunista das classes."

Em 1953, não conseguindo suportar a morte de sua mulher, deixou-se morrer em um hospital, depois de sofrer uma intervenção cirúrgica, sem ter tido a força de abrir o exemplar de sua última obra, *As portas do sonho*, que um visitante acabara de lhe trazer. Deixou instruções para que seu caixão fosse recoberto com a bandeira húngara e encarregou Raphael Patai, historiador do judaísmo, de pronunciar a oração fúnebre.

• Geza Roheim, *Australian totemism*, Londres, Allen e Unwin, 1925; *L'Animisme, la magie et le roi divin* (Londres, 1930), Paris, Payot, 1988; *L'Énigme du sphinx* (Londres, 1934), Paris, Payot, 1976; *Origine et fonction de la culture* (N.York, 1943), Paris, Gallimard, 1972; *Héros phalliques et symboles maternels dans la mythologie australienne* (N. York, 1945), Paris, Gallimard, 1970; *Psychanalyse et anthropologie* (N. York, 1950), Paris, Gallimard, 1953 • Roger Dadoun, *Geza Roheim et l'essor de l'anthropologie psychanalytique*, Paris, Payot, 1972.

➢ CULTURALISMO.

Rolland, Romain (1866-1944)

escritor francês

Nascido em Clamecy, na região de Nièvre, de pai e mãe provenientes de famílias de notários católicos, Romain Rolland foi uma criança de saúde frágil, exposto aos desentendimentos conjugais dos pais sob a forma de uma dominação materna rigorista; o pai era uma figura apagada, embora fosse patriota e até mesmo muito chauvinista.

Por insistência da mãe, que queria vê-lo fazer estudos brilhantes, a família se instalou em 1880 em Paris, onde o jovem adolescente freqüentou os liceus Saint-Louis e Louis-le-Grand, antes de ser admitido, em 1886, na prestigiosa École Normale Supérieure (ENS) da rue d'Ulm, onde fez amizade com André Suarès (1868-1948), cuja paixão pela música já compartilhava.

Professor de história em 1889, Romain Rolland se afastou do ensino secundário. Nomeado para a Escola Francesa de Roma, descobriu a Itália*, seus músicos, seus pintores, seus escultores, o *Moisés* de Michelangelo tão caro a Sigmund Freud*, e apaixonou-se por eles tão ardentemente quanto amaria a Alemanha* e o mundo intelectual e artístico germânico depois de sua volta a Paris em 1891. Em Roma, ficara conhecendo Malvida von Meysenbug (1816-1903), intelectual alemã já idosa, que se exilara de seu país quando da revolução de 1848, pela qual tinha tomado partido. No seu salão, que recebeu músicos ilustres como Richard Wagner (1813-1883) e Franz Liszt (1811-1886), filósofos como Friedrich Nietzsche (1844-1900) ou ainda Lou Andreas-Salomé*, Romain Rolland descobriu a cultura alemã e a idéia européia, e tornou-se um fervoroso admirador da obra wagneriana.

O entusiasmo e a sede de cultura de Romain Rolland eram consideráveis: grande leitor de Shakespeare, admirador de Victor Hugo (1802-1885), adepto incondicional da filosofia de Spinoza, foi o introdutor na ENS da grande literatura russa e receberia de Léon Tolstoi (1828-1910), a quem escreveu duas vezes, uma longa carta que o comoveria. Seria também o primeiro a fazer penetrar no austero recinto da rue d'Ulm um piano, instrumento que tocava muito bem, segundo Stefan Zweig*. O grande escritor austríaco, que se tornaria um de seus amigos mais caros, descobrira a existência de Romain Rolland em Roma, no salão de Malvida von Meysenbug. Faria depois um retrato de Romain Rolland pleno de lirismo: "Tocava piano admiravelmente, escreveu ele, com uma suavidade que para mim é inesquecível, acariciando o teclado como se quisesse tirar dele os sons não pela força, mas apenas pela sedução. Nenhum virtuose — e ouvi nos círculos mais fechados Max Reger, Busoni, Bruno Walter — me proporcionou, a esse ponto, o sentimento de uma comunhão imediata com os mestres amados. Seu saber nos humilhava por sua extensão e diversidade; de certa forma, como vivia apenas através de seus olhos de leitor, detinha a literatura, a filosofia, a história, os problemas de todos os países e de todos os tempos. Conhecia cada compasso da música; as obras mais esquecidas de Galuppi, de Telemann, e até compositores de sexta ou sétima ordem lhe eram familiares. Ao lado disso, participava apaixonadamente de todos os acontecimentos do presente."

Escritor prolixo, dramaturgo, biógrafo, musicólogo — sua biografia de Beethoven foi durante muito tempo a melhor — ensaísta, moralista, Romain Rolland, como escreveram Henri e Madeleine Vermorel, entrou, todavia, "em um purgatório que se prolonga: seus romances não são mais lidos, exceto *Jean-Christophe*, sua obra-prima".

Na verdade, salvo por esse *roman-fleuve*, cuja forma prenunciava as obras de Roger Martin du Gard (1881-1958) e de Jules Romains (1885-1972), que ele começou em 1904 e que obteve em 1913 o grande prêmio da Academia Francesa, foi o ensaísta, o moralista, o intelectual de engajamentos diversos e o amigo de Freud que passou para a posteridade, ficando o escritor em segundo plano. Nesse aspecto, seu destino pode ser comparado ao de Anatole France (1844-1924), que foi, entre os escritores franceses, um dos mais apreciados por Freud. Em 1892, Romain Rolland se casou com Clotilde Bréa, de quem se divorciou dolorosamente em 1910. Com esse casamento, ele entrara em uma família judia abastada dos meios intelectuais parisienses. Se essa união lhe trouxe segurança material, não tranquilizou o jovem atormentado, apaixonado por ideais nacionalistas, influenciado pelos escritos de Maurice Barrès (1862-1923), e que teria muita dificuldade para engajar-se claramente ao lado de seu amigo Charles Péguy (1873-1914) e de Émile Zola (1840-1902) no momento do caso Dreyfus.

Foi essa prudência em relação ao engajamento militante que lhe valeu, em 1914, depois da morte em combate de Péguy e da publicação do seu célebre artigo "Acima da confusão", a hostilidade dos nacionalistas de ambos os lados do Reno e a admiração dos intelectuais europeus mais prestigiosos. Essa celebridade se estendeu sobre a sua obra inteira e ele obteve em 1916 o Prêmio Nobel de literatura.

Em 1922, Rolland fundou a revista *Europe*. Começou então a se interessar pelas religiões, particularmente pelo hinduísmo, ao qual dedicou vários textos. Percebeu logo a importância do fermento anti-semita na Alemanha através do desenvolvimento do partido nacional-socialista, do qual seria um adversário intransigente, aproximando-se progressivamente dos ideais da revolução bolchevista de 1917, e tornando-se uma figura eminente no movimento antifascista dos anos 1930.

Em fevereiro de 1923, quando apareceram os primeiro sinais de seu câncer, Freud, em uma carta dirigida ao decorador Édouard Monod-Herzen, que freqüentava os meios psicanalíticos parisienses, expressou com uma humildade bastante surpreendente o seu desejo de entrar em contato com Rolland: "Já que você é amigo de Romain Rolland, escreveu Freud, posso lhe pedir que transmita a ele a admiração respeitosa de um desconhecido?" Esse cumprimento anunciava uma relação cujo calor e afeição foram incomuns. Rolland era daqueles que, como os surrealistas, Pierre Jean Jouve (1887-1976), André Gide (1869-1951) ou Jacques Ri-

vière (1886-1925), foram os artífices da via literária pela qual o freudismo* entrou na França*. Assim, respondeu com entusiasmo a Freud, e o vienense não escondeu sua emoção: "[...] até o fim da minha vida, eu me lembrarei da alegria de poder entrar em contato com o sr., pois o seu nome está ligado para mim à mais preciosa de todas as belas ilusões: a reunião, no mesmo amor, de todos os filhos dos homens. Pertenço certamente a uma raça que a Idade Média tornou responsável por todas as epidemias nacionais e que o mundo moderno acusa de ter conduzido o império austríaco à decadência e a Alemanha à derrota. Essas experiências nos decepcionam e nos tornam pouco inclinados a acreditar nas ilusões. Além disso, ao longo de minha vida (sou dez anos mais velho do que o sr.), uma parte importante do meu trabalho consistiu em destruir as minhas próprias ilusões e as da humanidade."

A paixão do universalismo, a adesão aos valores do Iluminismo, o amor por Shakespeare e Spinoza foram outras referências que selaram essa forte amizade.

Os dois se encontraram apenas uma vez, em Viena*, em 14 de maio de 1924, através do amigo comum Stefan Zweig, encantado em fazer esse contato entre dois de seus ídolos. Nessa ocasião, fez papel de intérprete, pois Freud tinha dificuldades de elocução. A entrevista tratou principalmente de Flaubert e de Dostoievski (que Freud supunha histéricos, e não epiléticos). Certamente também se falou da paixão de Rolland pela Índia*, pois no fim do encontro, Freud, que oferecera ao visitante um exemplar da *Introdução à psicanálise*, pediu que lhe enviasse o seu último livro, dedicado ao Mahatma Gandhi (1869-1948). Visita "inesquecível" para Freud, cujo entusiasmo despertou algum ciúme em seu círculo, principalmente em Theodor Reik*.

Essa relação calorosa não impediria a expressão das divergências, principalmente a respeito do sentimento religioso e seu estatuto. Em 1927, Freud enviou ao amigo um exemplar de *O futuro de uma ilusão*, cujo título parece ter sido inspirado por uma peça de Rolland, *Liluli*. O romancista respondeu enfatizando a correção da análise freudiana das religiões, mas lamentando a ausência de consideração do sentimento religioso, da "sensação religiosa", esse "sentimento oceânico", cuja existência ele constatou nos grandes místicos asiáticos e também nos dogmáticos da Igreja* cristã. Freud pediu-lhe então permissão de se referir a esse "sentimento oceânico", cuja crítica pretendia fazer no seu próximo livro, *O mal-estar na cultura**. Embora o francês tivesse concordado, Freud não o citaria nominalmente nesse "opúsculo", onde teorizava sua alergia a qualquer forma de mística ("a mística é tão fechada para mim quanto a música", escreveu a Rolland) e reduzia o "sentimento oceânico" ao sentimento de plenitude característico do eu* primário, do lactente antes da separação psicológica da mãe.

Em 1936, para comemorar o aniversário de Romain Rolland, Freud redigiu o seu célebre texto "Um distúrbio de memória na Acrópole", no qual analisou a relação com a figura paterna e a rivalidade entre irmãos. Na introdução desse ensaio escrito em forma de carta, Freud expressou novamente sua admiração pelo escritor, evocando sua humanidade, sua coragem e seu amor pela verdade, qualidades diante das quais seu texto lhe parecia pobre: "Tenho dez anos a mais que você; minha produção está terminada. O que posso lhe oferecer finalmente é apenas um presente de um homem enfraquecido, que outrora conheceu 'melhores dias'."

Romain Rolland retirou-se para Vézelay, onde escreveu uma biografia de Charles Péguy. Morreu em 30 de dezembro de 1944. Assim como Freud, também não veria a volta dos "dias melhores".

• Romain Rolland, "Au-dessus de la mêlée" (1914), in *L'Esprit libre*, Paris, Albin Michel, 1953; *Jean-Christophe* (1904-1912), Paris, Albin Michel, 1950 • Antoinette Blum, "Romain Rolland (1866-1944)", in Michel Drouin (org.), *L'Affaire Dreyfus de A à Z*, Paris, Flammarion, 1994, 271-6 • Colette Cornubert, *Freud et Romain Rolland. Essai sur la découverte de la pensée psychanalytique par quelques écrivains français*, Tese de doutorado em medicina n.453, Paris, Faculdade de Medicina, 1966 • Roger Dadoun, "Rolland, Freud et la sensation océanique", *Revue d'Histoire Littéraire de la France*, 1976 • Sigmund Freud, *O futuro de uma ilusão* (1927), *ESB*, XXI, 15-80; *GW*, XIV, 325-80; *SE*, XXI, 5-56; *OC*, XVIII, 141-97; *O mal-estar na cultura* (1930), *ESB*, XXI, 81-178; *GW*, XIV, 421-506; *SE*, XXI, 64-145; *OC*, XVIII, 245-333; "Um distúrbio de memória na Acrópole" (1936), *ESB*, XXII, 293-306; *GW*, XVI, 250-7; *SE*, XXII, 239-48; *Correspondance (1873-1939)*, Paris, Gallimard, 1966 • Michel Plon, "Freud et les psychanalystes français", in Michel Drouin (org.), *L'Affaire Dreyfus de A à Z*, Paris, Flammarion, 1994, 458-62 • Élisabeth Roudinesco, *História da psicanálise na França*, vol.2 (Paris, 1986), Rio de Janeiro, Jorge Zahar, 1998 • Henri Vermorel e Madeleine Vermorel, *Sigmund Freud et Romain Rolland. Correspondance 1923-1936*, Paris, PUF, 1993 • Stefan Zweig, *Romain Rolland, sa vie, son oeuvre* (Frankfurt, 1929), Paris, Éditions Pittoresques, 1929; *Le Monde d'hier, souvenirs d'un Européen* (Estocolmo 1944), Paris, Belfond, 1993.

romance familiar

al. *Familienroman*; esp. *novela familiar*, fr. *roman familial*; ing. *family romance*

Expressão criada por Sigmund Freud* e Otto Rank* para designar a maneira como um sujeito* modifica seus laços genealógicos, inventando para si, através de um relato ou uma fantasia*, uma outra família que não a sua.

Desde 1898, Sigmund Freud havia observado que os neuróticos tendiam, em sua infância, a idealizar os pais e a querer se parecer com eles. A essa primeira identificação seguiam-se o discernimento crítico e a rivalidade sexual. Nessa etapa, a imaginação infantil era mobilizada por uma nova tarefa, que consistia em desvalorizar os pais reais e em substituí-los por outros, fantasísticos, de maior prestígio.

Em 1909, num artigo escrito especialmente para o livro de Otto Rank, *O mito do nascimento do herói*, Freud utilizou a expressão "romance familiar" para designar uma construção inconsciente, na qual a família inventada ou adotada pelo sujeito é adornada de todos os elementos de prestígio fornecidos pela lembrança dos pais idealizados da infância.

Apoiando-se nessa noção, Rank estudou as lendas típicas das grandes mitologias ocidentais sobre o nascimento dos reis e dos fundadores de religiões. Assim, observou que Rômulo, Moisés, Édipo*, Páris, Lohengrin e até Jesus Cristo são crianças achadas, abandonadas ou "expostas" a um curso d'água por pais reais em razão de alguma previsão sombria. Destinados a morrer, em geral são recolhidos por uma família nutriz de classe social inferior. Na idade adulta, recuperam sua identidade originária, vingam-se do pai e reconquistam seus reinos.

Essa lenda típica, frisou Rank, deu origem a toda sorte de variações. No caso de Rômulo, a ama-de-leite é uma loba, no de Moisés, a família de origem é modesta e a de adoção é da realeza. Na história de Édipo, as duas famílias são nobres. Quanto a Jesus, seu destino é singular, uma vez que o filho proveio do acasalamento de um deus com uma virgem, a qual é esposa do pai adotivo. No caso de Páris, a figura mítica do animal protetor está associada à idéia da realização de uma previsão desastrosa. Príamo abandona seu segundo filho no nascimento, porque sua mulher, Hécuba, sonhou que trazia ao mundo uma tocha ardente. O menino, alimentado por uma ursa, é recolhido por um pastor de ovelhas, que lhe dá o nome de Páris (filho da ursa). Estando na origem da guerra de Tróia, Páris provocaria a ruína de sua família. Na história de Lohengrin, o tema do segredo patogênico, tão caro a Moriz Benedikt*, caminha de mãos dadas com o do animal protetor e da mulher curiosa. Um cavaleiro errante, singrando as águas, salva a heroína, casa-se com ela e lhe dá filhos. Promete-lhe felicidade eterna, desde que ela renuncie a saber quem ele é e de onde vem. Em pouco tempo, entretanto, a rainha não resiste ao prazer de interrogar o marido. Lohengrin proclama então publicamente que é filho de Parsifal e abandona o reino para sempre para se colocar outra vez a serviço do Graal em sua embarcação puxada por um cisne.

Aproximando a lenda típica do mecanismo descrito por Freud, Rank mostrou que os relatos míticos podem ser lidos como fantasias em que as situações reais se invertem. No romance familiar comum à maioria dos indivíduos, neuróticos ou não, é a criança, de fato, quem se livra da família de origem para adotar outra mais conforme a seu desejo*, ao passo que, no mito, é o pai que abandona o herói, que é então acolhido por uma família adotiva, em geral (salvo algumas exceções) menos prestigiosa.

A idéia de romance familiar foi utilizada por Freud em suas principais obras de psicanálise aplicada*, em especial em *Leonardo da Vinci e uma lembrança de sua infância*, *Totem e tabu* e *Moisés e o monoteísmo*. Ela abriu caminho para um amplo debate entre a psicanálise* e a antropologia*, a psicanálise e a literatura, e ainda entre a psicanálise e a religião, na medida em que evidenciou uma analogia entre os mitos

fundadores, os relatos romanceados modernos, os sistemas delirantes ou religiosos e um mecanismo fantasístico de natureza subjetiva.

• Sigmund Freud, "O romance familiar do neurótico" (1908-1909), *ESB*, IX, 243-50; *GW*, VII, 227-31; *SE*, IX, 235-41; tradução francesa in Otto Rank, *Le Mythe de la naissance du héros* (Leipzig, Viena, 1909), Paris, Payot, 1983.

Romênia

De todos os países libertados do jugo do Império Otomano entre 1829 e 1908 (Grécia, Bulgária, Albânia, Montenegro), só a Romênia abrigou em seu território um embrião de movimento psicanalítico, além da ação de pioneiros solitários.

Independente a partir de 1885 e aberta ao mundo germânico e húngaro por sua proximidade com o Império Austro-Húngaro, ao qual estavam ligadas a Bucovina e a Transilvânia, a Romênia, no início do século, cultivava também a sua latinidade, interessando-se particularmente pelas idéias vindas da França*. Assim, as obras de Sigmund Freud* eram lidas em francês, como mostra a transformação do termo romeno *psihoanaliza* em *psihanaliza*, logo que "psychanalyse" substituiu "psycho-analyse" na França.

Foi Gheorghe Preda (1878-1965), médico militar de Bucareste, que publicou em 1912 o primeiro artigo em língua romena sobre a psicanálise. Apresentava o simbolismo do sonho* e o método de psicoterapia* freudiano. No ano seguinte, Matyas Ilian (1885-1941), depois de entrar em contato com Otto Rank*, defendeu uma tese de doutorado em medicina sobre "O estado atual da psico-análise de Freud".

Em 1919, depois da Primeira Guerra Mundial, o tratado de Saint-Germain atribuiu ao antigo reino da Romênia (Valáquia, Moldávia), dois territórios novos: a Transilvânia e a Bessarábia, constituindo assim a Grande Romênia, que sempre seria perturbada por querelas de minorias nacionais e por um anti-semitismo particularmente violento.

Durante dez anos, a transformação do reino em democracia parlamentar, em que se organizavam eleições livres, contribuiu para o progresso do interesse pelas idéias freudianas. Aluno de Jean Martin Charcot* e chefe incontestável da escola neurológica romena, Gheorghe Marinescu (1863-1938) usou sua influência em favor da psicanálise, publicando em 1923 dois artigos em francês, na *Revue Génerale des Sciences pures et Appliquées*.

Mas foram principalmente Ioan Popescu-Sibiu* e Constantin Vlad* que introduziram a psicanálise na Romênia. Como muitos pioneiros, eles praticavam o tratamento sem ter sido analisados. Só com a chegada de Heinrich Winnik (1902-1982), vindo da Alemanha* depois do advento do nazismo*, a análise didática* surgiu na Romênia. Analisado em Viena* e em Berlim por Paul Federn*, Jenö Harnik e Helene Deutsch*, Winnik tinha todas as qualidades exigidas para formar alunos. Mas, em razão da situação política, não conseguiu fazê-lo. Emigrou para a Palestina em 1941, sem formar um único terapeuta, e integrou-se à Hachevra Hapsychoanalytit Be-Israel (HHBI), fundada por Mosche Wulff* e Max Eitingon*.

Em 1935, depois de um primeiro fracasso, Vlad se cercou de médicos e de psicólogos para publicar um periódico, a *Revista Romana de Psihanaliza*, na qual se encontravam artigos clínicos, análises literárias e uma polêmica contra os partidários romenos de Alfred Adler*. Essa publicação teria apenas um número. Por volta de 1937, a psicoterapia e a psicanálise eram representadas na Romênia por quatro partidários de Freud, três de Stekel*, quatro de Adler, três de Carl Gustav Jung* e um de Otto Rank.

Em 1930, o advento da ditadura fascista e anti-semita de Corneliu Codreanu, cercado de sua "Guarda de Ferro", impediu os psicanalistas freudianos de se organizar em um verdadeiro movimento. Quando o rei Carol abdicou em favor de seu filho Miguel, um regime de terror instaurou-se sob o comando do marechal Ion Antonescu (1882-1946), que faria uma aliança com a Alemanha nazista e seria fuzilado depois da Libertação.

Em 1946, logo antes da proclamação da República Popular, Vlad e Popescu-Sibiu fundaram, com Justin Neuman (1898-?), Paul Schwarz (1904-1965) e Ludwig Berghoff (1897-1986), a Sociedade Romena de Psicopatologia e Psicoterapia. Esses cinco homens praticavam a psicanálise, mas, por prudência, evi-

tavam qualquer referência a Freud, à sua doutrina e à sua técnica no nome de seu grupo. Precaução inútil: imediatamente, os funcionários do partido os desmascararam, assistindo às suas reuniões, e a Sociedade teve que encerrar suas atividades em 1947.

Desenvolveu-se então, vinda da Rússia*, a campanha jdanoviana contra a psicanálise. Assimilada a uma "ciência burguesa" em nome do pavlovismo triunfante, foi definitivamente condenada e desapareceu da Romênia durante 25 anos. Sem renegar sua adesão ao freudismo, Vlad e Popescu-Sibiu se orientaram para outras atividades. Seguindo o exemplo de Winnik, Schwarz emigrou para Israel.

Preocupado em assinalar sua independência em relação ao regime soviético, Constantin Ceaucescu (1918-1989) não proibiu a publicação, a partir de 1970, de certos livros favoráveis à psicanálise e ao freudismo. Essa relativa abertura permitiu a Popescu-Sibiu e a Victor Sahleanu publicarem em 1972 uma obra que se pretendia "crítica", mas que, na realidade, apresentava o freudismo como um dos grandes feitos da cultura no século XX. Posteriormente, o psiquiatra Ion Vianu e o psicólogo Vasile Zamfirescu manifestaram, um em suas lições clínicas e outro em seus ensaios e traduções, um interesse evidente pela psicanálise, nos limites tolerados pelo regime.

Desde a queda de Ceaucescu, o movimento psicanalítico romeno se reconstituiu, graças ao intercâmbio com a França, os Países Baixos* e a Suécia. Em fevereiro de 1990, criou-se a Societatii Romane de Psihanaliza (SRP), graças ao trabalho, principalmente, de Eugen Papadima, que passou alguns anos em Nova York, de Vera Sandor, de Alfred Dumitrescu e de Vasile Zamfirescu, o único do grupo a se interessar pela obra de Jacques Lacan*. Tradutor, fundador de uma editora (Editurii Trei) e de uma revista, *Psihanaliza*, aberta a todas as correntes do freudismo, Zamfirescu utilizou toda a sua energia em favor da psicanálise, ensinando também filosofia na Universidade de Bucareste.

Favorável a uma adesão rápida à International Psychoanalytical Association* (IPA) e patrocinada por terapeutas neerlandeses, grandes especialistas do *training* na IPA, a SRP se tornou, no fim do século XX, um grupo dinâmico e harmonioso, tendo aspirações clínicas angló-fonas e voltado para a tradição de Melanie Klein*, de Donald Woods Winnicott* e da *Self Psychology**. Conta, em suas fileiras, com quarenta membros. As poucas tentativas de implantação do lacanismo* resultaram em fracasso total.

• Gheorghe Marinescu, "Introduction à la psychanalyse, I, Exposé des théories de Freud", *Revue Générale des Sciences Pures et Appliquées*, XXXIV, 1923, 456-7; "II, Critique des théories de Freud", ibid., 510-20 • Gheorghe Bratescu, "Un test de mentalité: l'attitude des Roumains à l'égard de la psychanalyse", *Revue Roumaine d'Histoire*, XXXI, 3-4, 1992, 309-21; *Freud si psihanaliza in Romania*, Bucareste, Humanitas, 1994 • Uri Lowental e Yechezkiel Cohen, "Israël", in Peter Kutter (org.), *Psychoanalysis International. A Guide to Psychoanalysis throughout the World*, vol.1, Stuttgart, Frommann-Holzboog, 1992, 188-94 • *La Psychanalyse et l'Europe de 1993*, Monografias da *Revue Française de Psychanalyse*, Paris, PUF, 1993.

➤ BETLHEIM, STJEPAN; COMUNISMO; EMBIRICOS, ANDREAS; FEDERAÇÃO EUROPÉIA DE PSICANÁLISE; HISTÓRIA DA PSICANÁLISE; KOURETAS, DIMITRI; SUGAR, NIKOLA; TRIANDAFILIDIS, MANOLIS.

Rorschach, Hermann (1884-1922)
psiquiatra e psicanalista suíço

Foi o historiador Henri F. Ellenberger* quem redigiu a biografia desse fascinante médico da primeira geração* freudiana, que se tornou célebre no mundo inteiro com a invenção do famoso teste das manchas de tinta.

Nascido em Zurique em uma velha família protestante do cantão de Turgóvia, Hermann Rorschach manifestou muito cedo um gosto acentuado pelo desenho. Foi apelidado "Klex" por seus colegas de escola, pois era muito hábil no jogo da kleksografia (jogo das manchas de tinta), difundido entre os alunos e conhecido desde que Justinius Kerner* (1786-1862) publicara em 1857 *Kleksographien*, uma série de desenhos obtidos a partir de manchas, e poemas inspirados por estas. O jogo consistia em fazer manchas em uma folha de papel, que era dobrada de modo que as manchas tomavam formas diversas: objetos, animais, plantas etc.

Depois de alguma hesitação, Rorschach se orientou para a medicina e estudou psiquiatria com Eugen Bleuler* e Carl Gustav Jung*, na clínica do Hospital Burghölzli. Foi ali que se entusiasmou pelas idéias freudianas, iniciando-se também na técnica da associação verbal*. Posteriormente, tornou-se assistente e depois diretor de vários asilos: o de Munsterlingen, perto do lago de Constança, o de Munsingen, perto de Berna e em Herisau, no cantão de Appenzell.

Poliglota, curioso em relação a todas as culturas, amante das artes e das viagens, sempre à procura de um universo diferente do mundo visível, apaixonou-se pela "alma russa" e esteve em Moscou em 1906 e em Kazan em 1909, onde foi encontrar-se com sua noiva, Olga, que se tornaria sua esposa e colaboradora.

Como Sigmund Freud*, foi marcado pela leitura da obra de Dmitri Merejkovski (1861-1941), *O romance de Leonardo da Vinci*, publicado em São Petersburgo em 1902, e particularmente pelo trecho no qual Giovanni Boltraffio (1467-1516) conta como o mestre fez surgir, à maneira de uma kleksografia, uma "quimera de goela aberta", seguindo com o dedo as manchas de umidade que impregnavam um velho muro: "Muitas vezes, disse ele, nas paredes, na mistura das pedras, nas fissuras, nos desenhos mofados feitos pela umidade [...], encontrei semelhanças com lugares maravilhosos, com montanhas, picos escarpados etc."

No momento da ruptura entre Jung e Freud, Hermann Rorschach optou pelo freudismo, o que não o impediu de continuar a usar um vocabulário amplamente junguiano. Em 1919, fundou com Oskar Pfister* e Emil Oberholzer* a Sociedade Suíça de Psicanálise (SSP), no seio da qual teve um papel importante. Como muitos clínicos dessa geração pioneira, praticou a psicanálise sem ter passado por um divã. Foi em Herisau, durante os três últimos anos de sua curta vida, que redigiu a grande obra que o tornaria célebre: foi publicada em 1921, sob o título *Psychodiagnostik*. Rorschach definia o princípio do teste projetivo, destinado a explorar o mecanismo das representações imaginárias da criança e do adulto, fazendo-os falar por associações verbais a partir das manchas. Seu tratado se inspirava ao mesmo tempo no método junguiano, no estudo experimental de Kerner e na concepção freudiana do inconsciente*.

O livro expressava plenamente o verdadeiro fascínio de Rorschach pelo domínio do sonho, das alucinações, do delírio e da loucura*. Herdeiro da tradição romântica alemã, procurava definir duas funções maiores da atividade psicológica: a introversão*, por um lado, isto é, o mundo das imagens interiores, da criação, e conseqüentemente da *Kultur*, e por outro lado a extroversão, isto é, o domínio da relação social, das cores, das emoções, e conseqüentemente da "civilização". Nessa perspectiva, pensava que seu psicodiagnóstico era uma chave universal capaz de decifrar as culturas humanas do passado e do presente. Mas, como todos os pioneiros suíços dessa psiquiatria dinâmica* de inspiração protestante, aspirava também a ser um reformador, um educador racionalista.

Rorschach foi portanto um cientista moderno, à maneira de Freud, e um alienista à antiga, ainda impregnado de espiritismo*, de ocultismo*, de histórias de adivinhações e de bolas de cristal. Quando utilizava seu teste para tratar dos doentes, não hesitava em lhe mostrar outras imagens a fim de estimular as suas reações: gatos verdes, sapos vermelhos, lenhadores abatendo árvores com a mão esquerda etc.

Se tivesse vivido mais tempo, certamente teria redigido a outra grande obra que tanto lhe interessava e na qual trabalhava: uma história das seitas suíças. Falava disso com entusiasmo aos seus próximos, e conseguira reunir uma bela documentação sobre o assunto. Estudando a seita de Waldbruderschaft (Fraternidade da Floresta), cujo guru ensinava a seus adeptos o incesto* e a adoração de seu pênis e sua urina, esboçou uma concepção geral do fenômeno, mostrando que as seitas apareciam em regiões onde o interesse pela política estava ausente. Classificou os discípulos e os profetas, distinguindo os esquizofrênicos dos simples neuróticos: quanto maior fosse a loucura do chefe, mais a ação transferencial era profunda, e mais a mitologia ensinada expressava pulsões* inconscientes.

Hermann Rorschach morreu aos 37 anos das seqüelas de uma crise de apendicite, antes de poder ser operado. Em uma carta a Freud de 3 de abril de 1922, Pfister observou que Rorschach era o melhor analista do grupo suíço e que ele aderia às idéias freudianas "até nos menores detalhes". Confiando em seu amigo pastor, Freud, que não conhecia a obra de Rorschach, lhe respondeu com estas palavras: "Vou enviar hoje mesmo algumas palavras à viúva. Tenho a impressão de que talvez você o superestime como analista; pela sua carta, vi com satisfação a alta estima que você tem por ele, no plano humano. Evidentemente, ninguém melhor que você poderia escrever o seu elogio fúnebre para a nossa revista. Peço-lhe que o faça, e o mais rápido possível."

• Hermann Rorschach, *Psychodiagnostic. Méthode et résultats d'une expérience diagnostique de perception, interprétation libre de formes fortuites* (Berna, 1921), Paris, PUF, 1993 • *Psychodiagnostic. Atlas des planches en couleur* (Berna, 1921), Paris, PUF, 1976 • *Correspondance de Sigmund Freud avec le pasteur Pfister, 1909-1939* (Frankfurt, 1963), Paris, Gallimard, 1966 • Henri F. Ellenberger, *Médecines de l'âme. Essais d'histoire de la folie et des guérisons psychiques*, Paris, Fayard, 1995.

➢ ESQUIZOFRENIA; *LEONARDO DA VINCI E UMA LEMBRANÇA DE SUA INFÂNCIA*; SUÍÇA.

Rosalie H., caso
➢ *ESTUDOS SOBRE A HISTERIA*.

Rosenfeld, Herbert (1909-1986)
psiquiatra e psicanalista inglês

Como Hanna Segal e Wilfred Ruprecht Bion*, Herbert Rosenfeld foi um dos grandes discípulos de Melanie Klein*. Nascido na Alemanha* em uma família judia, emigrou para a Grã-Bretanha* em 1935 e se tornou, no seio da British Psychoanalytical Society (BPS), um dos principais artífices da clínica psicanalítica da esquizofrenia*. Seus trabalhos se referem às modalidades específicas da transferência* no tratamento dos psicóticos, e sobretudo à natureza da identificação projetiva*.

• Herbert Rosenfeld, *Les États psychotiques* (Londres, 1965), Paris, PUF, 1976; *Impasse et interprétation* (Londres, 1987), Paris, PUF, 1990.

➢ FAIRBAIRN, RONALD; KLEINISMO; POSIÇÃO DEPRESSIVA/POSIÇÃO ESQUIZO-PARANÓIDE; PROJEÇÃO; PSICOSE.

Rosenthal, Tatiana (1885-1921)
psiquiatra e psicanalista russa

Como muitas mulheres russas de sua geração, Sabina Spielrein* ou Alexandra Kollontai (1872-1952), Tatiana Rosenthal foi marcada ao mesmo tempo pela emancipação feminina, pelo freudismo* e finalmente pelo comunismo e o marxismo. Nascida em São Petersburgo em uma família judia, engajou-se em 1905 no combate pelo movimento operário. Um ano depois, foi a Zurique, onde descobriu as teorias freudianas e obteve o título de doutora em psiquiatria. Ao voltar, dedicou toda sua energia à implantação da psicanálise* na Rússia*, participando, a partir de 1911, das reuniões da Sociedade Psicológica das Quartas-Feiras*.

Foi principalmente no campo da educação e da psicanálise de crianças* que ela sobressaiu, inicialmente em 1919 no Instituto de Pesquisas sobre Patologia Cerebral, dirigido pelo célebre psiquiatra Vladimir Bekhterev (1857-1927), e depois em uma clínica para crianças especiais. Teve a idéia do Lar Experimental, que seria fundado por Vera Schmidt* e foi a primeira, em 1920, sete anos antes de Sigmund Freud*, que não a citaria no seu trabalho, a estudar a obra de Fiodor Dostoievski (1821-1881) do ponto de vista psicanalítico.

Frágil e inquieta desde a juventude, suicidou-se aos 36 anos.

• Sigmund Freud, "Dostoievski e o parricídio" (1927), *ESB*, XXI, 205-24; *GW*, XIV, 399-418, *SE*, XXI, 177-94; *OC*, XVIII, 207-25 • Sara Neidisch, "Die Psychoanalyse in Russland während der letzten Jahren", *Internationale Zeitschrift für Psychoanalyse*, vol.VII, 1921, 384-5 • Jean Marti, "La Psychanalyse en Russie (1909-1930)", *Critique*, 346, março de 1976, 199-237 • *Les Premiers psychanalystes, Minutes de la Société Psychanalytique de Vienne, 1906-1918*, 4 vols. (1962-1975), Paris, Gallimard, 1976-1983 • Anna Maria Accerboni, "Tatiana Rosenthal (1885-1921): une brève saison analytique", *Revue Internationale d'Histoire de la Psychanalyse*, 5, 1992, 95-109.

➤ COMUNISMO; ERMAKOV, IVAN DIMITRIEVITCH; FREUDO-MARXISMO; OSSIPOV, NICOLAI IEVGRAFOVITCH; SUICÍDIO; WULFF, MOSHE.

Royce, Josiah (1855-1916)
filósofo americano

Nascido na Califórnia, Josiah Royce foi um dos principais representantes da escola bostoniana de psicoterapia*. Entrou para a Universidade Harvard em 1882, graças a William James (1877-1910), primeiro americano a se interessar pelos *Estudos sobre a histeria**, e ensinou filosofia até 1916. Seu seminário se tornou assim um centro de difusão e confrontação das novas idéias no campo da psiquiatria, da medicina e da psicanálise*. Com James Jackson Putnam*, Adolf Meyer* e Morton Prince*, fez pesquisas sobre o hipnotismo* e participou, através do círculo dos médicos e dos psicólogos de Boston, do desenvolvimento das teses freudianas nos Estados Unidos*.

• *L'Introduction de la psychanalyse aux États-Unis. Autour de James Jackson Putnam* (Londres, 1968), Nathan G. Hale (org.), Paris, Gallimard, 1978, 17-86 • Nathan G. Hale, *Freud and the Americans. The Beginnings of Psychoanalysis in the United States, 1876-1917*, t.I (1971), N. York, Oxford University Press, 1995.

Rússia (e União Soviética)

Foram as reformas do tzar Alexandre II (1818-1881) que permitiram que o saber psiquiátrico começasse a se implantar na Rússia em fins do século XIX. Este descendia tanto da tradição do alienismo francês quanto da ciência alemã (nosografia e fisiologia).

Aluno de Hermann von Helmholtz* e de Emil Heinrich Du Bois-Reymond (1818-1896), Ivan Mikhailovitch Setchenov (1829-1905) publicou em 1863, em São Petersburgo, o seu estudo sobre os reflexos do cérebro, o que lhe valeria ser perseguido pela polícia, pois, nesse livro, rejeitava os princípios da religião. Com efeito, afirmava uma concepção materialista do cérebro, explicando que toda ação voluntária ou involuntária era o produto de uma série de atos reflexos, que se transformavam em pensamentos no homem e em respostas motoras no animal.

Foi nesse contexto que Ivan Petrovitch Pavlov (1846-1936) e seu rival Vladimir Bekhterev (1857-1927) realizaram seus trabalhos de reflexologia. Psiquiatra formado na Alemanha* e na França* com Wilhelm Wundt (1832-1920) e Jean Martin Charcot*, Bekhterev obteve em 1893 a cátedra de doenças mentais da Universidade de São Petersburgo, que ocuparia durante vinte anos. Interessado em hipnose* e sugestão*, difundiu na Rússia as idéias de Hippolyte Bernheim*. Pavlov recebeu em 1904 o

Prêmio Nobel de medicina por seus trabalhos sobre a atividade digestiva e o reflexo condicionado, que dariam origem a um modelo de psicologia materialista, retomado pelos marxistas, e depois pelo regime comunista, para combater as doutrinas ditas "espiritualistas", entre as quais a psicanálise*.

Se Serguei Korsakov (1854-1900) introduziu, no fim do século, reformas institucionais inspiradas nas de Philippe Pinel (1745-1826), foi sem dúvida Vladimir Petrovitch Serbski (1858-1917) que teve o papel mais importante na implantação, na Rússia, das teses freudianas. Formado em Viena* e aluno de Theodor Meynert*, militou em Moscou por uma reforma radical da nosografia psiquiátrica, opondo-se violentamente ao conservadorismo. Dois de seus alunos seriam os primeiros freudianos russos: Ivan Dimitrievitch Ermakov* e Nikolai Ievgrafovitch Ossipov*.

Durante os dez primeiros anos do século XX, a Rússia desenvolveu uma intensa atividade criadora, acompanhada de uma abertura mais ampla para o Ocidente: o movimento freudiano, também em plena expansão, estendeu-se para leste. Às vésperas da Primeira Guerra Mundial, a psicanálise, já bem conhecida pela *intelligentsia* russa, suscitava debates apaixonados. A partir de 1911, e até 1918, Leonid Drosnés (1880-?), psiquiatra de Serguei Constantinovitch Pankejeff* (o Homem dos Lobos), participou dos trabalhos da Wiener Psychoanalytische Vereinigung (WPV).

Em 1914, Mosche Wulff*, formado em Berlim, participou, com Nicolas Vyrubov (1869-?), da criação da revista *Psychotherapia*, que difundia as idéias freudianas. Por sua vez, Ossipov, apoiado por Serbski, criou uma ambulância terapêutica que ele próprio dirigia, em alternância com dois colegas, para popularizar o tratamento psicanalítico. Várias obras de Sigmund Freud* foram então traduzidas (até 1927), notadamente *A interpretação dos sonhos*, *Três ensaios sobre a teoria da sexualidade* e *Mais-além do princípio de prazer*, assim como livros de Alfred Adler*, Otto Rank* e Wilhelm Stekel*.

Em 1921, Ossipov, que se opunha à Revolução, deixou a Rússia e instalou-se em Praga, enquanto Ermakov e Wulff, mais simpáticos ao novo poder, fundaram em Moscou a Associação Psicanalítica de Pesquisas sobre a Criação Artística, da qual participavam também o matemático Otto Schmidt (1891-1956). Paralelamente, a partir de uma idéia de Tatiana Rosenthal*, Vera Schmidt* criou uma associação, Solidariedade Internacional, e um centro educativo, o Lar Experimental para Crianças, onde eram aplicados métodos pedagógicos inspirados no marxismo e na psicanálise. Um grande sopro de liberdade dominava todas essas iniciativas, estimuladas pela utopia revolucionária.

Foi nesse clima de renovação que o jovem Aleksandr Romanovitch Luria*, entusiasmado com as descobertas freudianas sobre a sexualidade*, fundou em Kazan, em março de 1922, uma Sociedade Psicanalítica que reunia essencialmente médicos. Dois meses depois, Mosche Wulff e Ermakov criaram em Moscou a Sociedade Psicanalítica da Rússia, com 15 membros, entre os quais o psicólogo Pavel Petrovitch Blonski (1884-1941) e o psiquiatra Yuri Kannabikh. Posteriormente, Stanislas Theophilovitch Chatski (1878-1948), psicólogo, se juntaria a eles. Iniciaram-se então negociações para o reconhecimento dos dois grupos, Moscou e Kazan, pela International Psychoanalytical Association* (IPA).

Os membros do Comitê Secreto estavam divididos sobre a decisão a tomar. Ernest Jones* não gostava dos marxistas de Moscou (principalmente Vera Schmidt) e apoiava o grupo de Kazan, enquanto Freud tinha opinião contrária. Quanto a Sandor Ferenczi*, hostil ao comunismo* desde a experiência da Comuna de Budapeste, não tomava posição. No Congresso de Berlim, em setembro de 1922, a questão da filiação foi discutida. Uma objeção administrativa foi levantada por um participante inglês, que observou que o grupo de Moscou não podia ser admitido, pois a direção da IPA ainda não tivera conhecimento dos estatutos da Sociedade. Freud aceitou esse argumento, mas recomendou que a filiação dos moscovitas fosse aceita logo que as condições fossem satisfeitas.

Finalmente, em setembro de 1923, foi criada em Moscou uma Associação Psicanalítica Russa, que reunia os moscovitas e o grupo de Kazan. Instalado em Moscou, Luria tornou-se o seu secretário, Ermakov o presidente, Otto

Schmidt o vice-presidente. Já formavam um total de 20 membros. Recentemente chegada de Viena, a conselho de Freud, Sabina Spielrein* logo aderiu à nova Associação, à qual se juntaram os grupos de Kiev (com Aron Borissovitch Zalkind*), de Odessa (com Wulff e Drosnés) e de Rostov (com Spielrein, a partir de 1925): ou seja, cerca de 30 membros, o que, para a época, era um número muito elevado. O movimento psicanalítico russo estava então no apogeu.

Muitos intelectuais de vanguarda se apaixonaram pelo freudismo. Foi o caso do cineasta Serguei Mikhailovitch Eisenstein (1898-1948), que se dedicou a uma espécie de auto-análise*, para melhor compreender suas relações complexas com seu mestre, Vsevolod Meyerhold (1874-1940). Em 1927, quando de sua viagem à Rússia, Stefan Zweig* encontrou-se com ele e lhe falou com emoção da nova "Escola de Atenas", fundada por Freud em Viena. Projetou um encontro entre os dois, mas este nunca ocorreu.

Em 1923, Léon Trotski (1879-1940), que frequentou em Viena o círculo de Alfred Adler*, escreveu a Pavlov para lhe explicar que a psicanálise desistira de acreditar no primado de um "abismo da alma". Assim, a teoria freudiana devia ser incluída em uma psicologia materialista, como um caso particular da doutrina dos reflexos condicionados. Quatro anos depois, em uma conferência sobre o tema "Socialismo e cultura", inscreveu o freudismo no campo do materialismo, despojando-o da teoria da sexualidade*. Trotski considerava a experimentação pavloviana superior à "conjectura" freudiana, que entretanto não excluía, e declarou finalmente que a psicanálise era compatível com o marxismo.

Essa declaração traía o modo pelo qual se orientava o debate sobre a psicanálise, a partir da morte de Lenin (1870-1924) e do endurecimento do regime — que levaria, aliás, ao exílio de Trotski.

Em 1925, o Lar de Crianças de Vera Schmidt fechou as portas, e sua associação foi dissolvida. Criticada pelo regime, a experiência não recebia o apoio da IPA, e se encontrava pois duplamente condenada. A partir de 1927, com a supressão da liberdade de associação e a stalinização do sistema soviético, o movimento psicanalítico russo se extinguiu progressivamente.

Enquanto Mosche Wulff emigrava para a Palestina em 1927, os outros freudianos enfrentavam o grande debate sobre a edificação do socialismo, que opunha, no campo da literatura e da filosofia, os partidários e os adversários do realismo socialista. O conjunto da *intelligentsia* soviética foi convidado pelo partido a se mobilizar na nova frente da luta de classes, a fim de expurgar os resíduos do antigo espírito "idealista" e construir o "homem novo" soviético.

No campo da psicologia, a discussão sobre o estatuto da psicanálise se desenvolveu no contexto de um pavlovismo triunfante, erigido em árbitro do materialismo proletário. Duas tendências apareceram: de um lado, os freudomarxistas tentavam "salvar" a psicanálise, demonstrando que a doutrina freudiana era compatível com os princípios da psicologia materialista ou pavloviana, com a condição de suprimir a teoria da sexualidade, excessivamente "bestial", e a pulsão* de morte, excessivamente "pessimista". Luria, Zalkind e Yuri Kannabikh publicaram artigos nesse sentido, criticando a antiga orientação, dita "literária", de Wulff, Ermakov e Ossipov. A outra tendência se compunha de antifreudianos autênticos, que se opunham aos freudo-marxistas, afirmando a incompatibilidade absoluta entre o marxismo e a psicanálise. Foi o caso de Valentin Volochinov, aluno do grande teórico da literatura Mikhail Bakhtine (1895-1975), que, em nome de seu mestre, publicou em 1927 um panfleto, *O freudismo*, no qual executava ao mesmo tempo o "espiritualismo freudiano" e o "freudismo reflexológico" dos partidários de Freud. (Essa obra seria atribuída a Bakhtine na edição francesa e a Volochinov na edição italiana.)

Em 1930, pode-se dizer que a psicanálise fora erradicada da URSS, embora um punhado de clandestinos a praticassem ainda durante algum tempo. Os antigos freudianos se orientaram para outras atividades, enquanto os livros de Sigmund Freud eram relegados a bibliotecas especializadas. O modelo pavloviano dominava então toda a psicologia.

No fim dos anos 1940, foi lançada a cruzada contra a ciência e a arte ditas "burguesas". O momento era de apologia das teses antimendelianas de Trofim Lyssenko (1908-1976) na biologia, e das de Andrei Jdanov (1896-1948) na literatura (*Jdanovchtchina*). A psicanálise estava então oficialmente condenada, mas em virtude de novos argumentos. Em 1949, o freudismo não era mais um perigo para o ideal comunista. Entretanto, no contexto da guerra fria, era denunciado como uma ameaça proveniente do exterior. A psicanálise, então em plena expansão nos Estados Unidos*, depois do exílio em massa de seus praticantes europeus que fugiam do nazismo*, era percebida pelo campo soviético como um componente da ideologia reacionária a serviço do imperialismo americano. Os partidos comunistas europeus adotaram essa palavra de ordem.

O processo de desestalinização não mudou nada para o estatuto do freudismo na URSS. Entre 1953 e 1970, a política de deportação dos oponentes foi substituída por uma forma mais sutil de repressão: a oposição foi assimilada a uma doença mental e seus representantes a "esquizofrênicos mórbidos". Era no interior dos muros de um Instituto de Medicina Legal de Moscou, que levava o nome do grande Serbski, que eram "municiados" os infelizes dissidentes atingidos por essa estranha psicose*.

Durante vinte anos, o uso dessa terminologia contaminou o conjunto do saber psiquiátrico soviético, tornando-o impermeável a qualquer influência nova, e principalmente ao freudismo. Além disso, a tradição freudiana, que não mais existia na memória coletiva do povo russo e que, no Ocidente, tinha muitas vezes a conotação de dogma e fechamento, não foi retomada pelos dissidentes.

Foi no campo da psicologia que surgiu um tímido reaquecimento do interesse pelo freudismo, graças a uma crítica severa do pavlovismo.

Por volta de 1975, o psicólogo georgiano Serge Tzouladzé, que estudou psiquiatria em Paris e recebeu formação psicanalítica em um divã francês, tomou a iniciativa de organizar na União Soviética um colóquio sobre o tema do inconsciente*. Reuniu liberais opostos à psiquiatria repressora que desejavam instaurar laços com o Ocidente, especialmente com a França, onde o lacanismo* dava uma representação não-biológica do inconsciente freudiano.

Tzouladzé morreu antes da realização de seu projeto, que foi então assumido por outros, entre os quais Léon Chertok* e Philippe Bassine,

autor de um livro sobre o problema do inconsciente publicado em 1969 e muito representativo da era pós-pavloviana na URSS. Nessa obra, Bassine propunha reabilitar politicamente o inconsciente freudiano, para melhor refutá-lo à luz dos diferentes conhecimentos da psicologia. Assim, levou em conta os trabalhos de Jacques Lacan*, desviando-os de sua significação, a fim de demonstrar que a utilização da lingüística permitia afastar-se do inconsciente demasiado "instintual" de Freud, e conseqüentemente renovar a psicanálise através da psicologia.

Finalmente, o simpósio ocorreu em Tbilissi, na Geórgia, em outubro de 1979. Foi um verdadeiro acontecimento. Contou com a presença de Roman Jakobson (1896-1982), que naquela ocasião retornava pela primeira vez a seu país natal. Também pela primeira vez, pesquisadores de muitos países foram à URSS para falar do inconsciente, em um lugar afastado de Moscou. Todavia, esse encontro não teria nenhum efeito sobre a situação geral da psicanálise na URSS. As obras de Freud não seriam reeditadas.

A chegada ao poder de Mikhail Gorbatchev e, depois, a instauração da *política da perestroika*, favoreceram, em contrapartida, a reconstrução de um movimento psicanalítico russo. Em 1989, por iniciativa de um psiquiatra, Aron Belkin, foi iniciado um trabalho de retradução das obras de Freud e principalmente de classificação dos arquivos coletados outrora pelo NKVD sobre a atividade dos primeiros freudianos da Rússia. Esses arquivos trariam uma nova compreensão para a história da psicanálise na Rússia, ainda mal conhecida.

Em fevereiro de 1990, depois de muitos contatos com a IPA, Belkin fundou uma Associação Psicanalítica da URSS, que se tornaria a Associação Psicanalítica Russa, depois da fragmentação do antigo império soviético.

No fim do século XX, a Rússia está novamente entre os maiores países de implantação do freudismo, organizado em duas grandes tendências: de um lado, os médicos, próximos da IPA e dos trabalhos americanos; do outro, os psicólogos clínicos, muito numerosos e abertos a todas as escolas de psicoterapia* do mundo ocidental.

Observe-se que se criou na Lituânia, em 1987, depois da independência do país, o Grupo de Psicologia Dinâmica Lituano, composto de cerca de 20 membros, formados em psicanálise por didatas da Escandinávia*.

• Léon Trotski, *Literatura e revolução* (Moscou, 1924), Rio de Janeiro, Zahar • Mikhail Bakhtine, *Le Freudisme* (1927), Lausanne, L'Âge d'homme, 1980 • André Jdanov, *Sur la littérature, l'art et la musique* (1948), Paris, Nouvelle Critique, 1950 • Joseph Wortis, *La Psychiatrie soviétique* (N. York, 1950), Paris, PUF, 1953 • Philippe Bassine, *Le Problème de l'inconscient* (Moscou, 1969), Moscou, Mir (em francês), 1973 • Roy Medvedev, *Le Stalinisme* (N. York, 1971) Paris, Seuil, 1972 • Vladimir Bukovsky, *Une nouvelle maladie mentale en URSS: l'opposition*, Paris, Seuil, 1971 • Jean Marti, "La Psychanalyse en Russie (1909-1930)", *Critique*, 346, março de 1976, 199-237 • F. Champarnaud, *Révolution et contre-révolution culturelle en URSS, de Lénine à Jdanov*, Paris, Anthropos, 1976 • Dominique Lecourt, *Lyssenko, histoire réelle d'une science prolétarienne*, Paris, Maspéro, 1976 • Mikhail Stern, *La Vie sexuelle en URSS*, Paris, Albin Michel, 1979 • P. Bassine, A.E. Sherozia e A.S. Prangishvili (orgs), *The Unconscious*, Tbilissi, Metsniereba Publishing House, 3 vols., 1981 • Jean-Michel Palmier, "La Psychanalyse en Union Soviétique", in Roland Jaccard, *Histoire de la Psychanalyse*, vol.II, Paris, Hachette, 1982, 187-237 • Élisabeth Roudinesco, *História da psicanálise na França*, vol.2 (Paris, 1986), Rio de Janeiro, Jorge Zahar, 1988 • Angiola Massucco Costa, *Psychologie soviétique*, Paris, Payot, 1977 • Alberto Angelini, *La psicoanalisi in Russia*, Nápoles, Liguori Editore, 1988 • Alexandre Mikhalevitch, "L'Âge d'argent de la psychanalyse russe. Les Premières traductions de Freud en Russie pré-révolutionnaire (1904-1914)", *Revue Internationale d'Histoire de la Psychanalyse*, 4, 1991, 399-406 • Phyllis Grosskurth, *O círculo secreto* (Londres, 1991), Rio de Janeiro, Imago, 1992 • *La Psychanalyse et l'Europe de 1993*, Monografias da *Revue Française de Psychanalyse*, Paris, PUF, 1993 • Alexandre Etkind, *Histoire de la psychanalyse en Russie* (1993), Paris, PUF, 1995 • Pierre Morel (orgs), *Dicionário biográfico psi* (Paris, 1996), Rio de Janeiro, Jorge Zahar, 1997.

➢ COMUNISMO; DOSUZKOV, THEODOR; FENICHEL, OTTO; FREUDO-MARXISMO; HAAS, LADISLAV; HISTÓRIA DA PSICANÁLISE; LOUCURA; PEDOLOGIA; PSIQUIATRIA DINÂMICA; REICH, WILHELM; SACHS, WULF; SOCIEDADE PSICOLÓGICA DAS QUARTAS-FEIRAS; WORTIS, JOSEPH.

S

Sachs, Hanns (1881-1947)
psicanalista americano

"Hanns Sachs, escreveu William Johnston, foi o mais ardoroso dos vienenses freudianos que se dedicou à estética. Judeu opulento, nativo de Viena*, que desejara tornar-se escritor, temia a tal ponto a publicidade que guardou segredo sobre sua vida privada, inclusive com Sigmund Freud* e Otto Rank* [...]. Fosse em Viena, Berlim, ou Boston, Sachs sempre celebrou a cidade onde vivia como o lugar mais agradável do mundo."

Filho de um jurista de renome em Viena, Sachs estudou direito, antes de se apaixonar pela psicanálise* ao ler *A interpretação dos sonhos**. Depois de assistir a conferências de Freud, foi visitá-lo, levando-lhe uma tradução das *Baladas da caserna* de Rudyard Kipling (1865-1936). Em 1909, aderiu à Sociedade Psicológica das Quartas-Feiras* e se tornou um dos discípulos ortodoxos do mestre. Membro do Comitê Secreto* e fundador, com Otto Rank, da revista *Imago**, consagrou-se essencialmente a trabalhos de psicanálise aplicada* e à formação dos psicanalistas. Assim, foi um dos didatas mais apreciados da primeira geração* freudiana, mesmo não sendo médico. Epicurista, gastrônomo e grande sedutor de mulheres, decidiu manter-se celibatário, depois de um primeiro casamento.

Instalando-se em Berlim em 1920, formou um número impressionante de psicanalistas no Berliner Psychoanalytisches Institut* (BPI). Muitas vezes, viajava em férias com seus analisandos, estes também acompanhados por seus analisandos, o que dá uma idéia dos hábitos da época, antes da regulamentação (1925) da análise didática*. Sachs tinha tamanha admira-ção por Freud que pôs o seu busto diante do divã onde se deitavam seus pacientes.

Em 1925, com Karl Abraham* e contra a opinião de Freud, que não entendia grande coisa da nova arte cinematográfica, Sachs participou da redação de um roteiro para o filme mudo realizado em 1926 por Wilhelm Pabst (1885-1967), *Os mistérios da alma*. Nessa obra-prima do cinema expressionista, o ator Werner Krauss, que fizera em 1919 o papel de Caligari no filme de Robert Wiene, interpretou o do professor Matthias, homem obcecado por desejos de assassinato com sabre e faca, curado pela psicanálise. Foi o primeiro filme inspirado nas teses freudianas e, quando de sua primeira exibição em Berlim, foi bem recebido: "De imagem em imagem, escreveu um jornalista do *Film-Kurier*, descobre-se o pensamento de Freud. Cada episódio da ação poderia ser uma das proposições da agora célebre análise dos sonhos [...]. Os discípulos de Freud podem se alegrar. Nada no mundo podia fazer tal publicidade com tanto tato."

Em 1932, convidado pela Boston Psychoanalytic Society (BoPS), que tinha carência de didatas, Sachs deixou Berlim e foi para os Estados Unidos*. Não sendo médico e temendo os ataques dos americanos contra a análise leiga*, exigiu que lhe garantissem "oito sessões por dia". Em Boston, instalou-se na casa de um capitão da marinha e adotou, com certa exuberância, as maneiras da costa leste, fazendo-se servir por um mordomo inglês. Se teve dificuldade em integrar-se à BoPS, adaptou-se muito bem ao modo de vida americano. Em 1933, por ocasião de uma permanência na Europa, foi visitar Freud, que se mostrou de uma incrível hostilidade, como mostra uma carta dirigida a Jeanne Lampl-De Groot*: "Impressão desfavorável, escreveu Freud. O lado vulgar que sempre esteve presente nele tornou-se ainda mais nítido. Um verdadeiro novo-rico, obeso, muito satisfeito consigo mesmo, pretensioso, esnobe, encantado com a América e fascinado pelo grande sucesso que obteve."

Esse testemunho contrasta singularmente com o de Sachs, que fez de seu "mestre e amigo" um retrato hagiográfico em 1944.

• Hanns Sachs, "Metapsychological points of view in technique and theory", *IJP*, VI, 1925, 5-12; "Zur Psychologie des Films", *Psychoanalytische Bewegung*, 1, 1929, 122-6; *Caligula*, Londres, Elin Matthews and Marott, 1931; *The Creative Unconscious, Studies in the Psychoanalysis of Art*, Cambridge (Mass.), Science-Art Publications, 1942; *Freud, mon maître et mon ami* (Boston, 1944), Paris, Denoël, 1977; "Observations of a training analyst", *Psychoanalytic Quaterly*, 16, 1947, 157-68 • Ernest Jones, "Obituary of Hanns Sachs", *IJP*, 27, 1946, 168-9 • Rudolph Loewenstein, "In memoriam Hanns Sachs", *Psychoanalytic Quarterly*, 16, 1947, 151-6 • Fritz Moellenhoff, "Hanns Sachs 1881-1947. O inconsciente criativo", in Franz Alexander, Samuel Eisenstein e Martin Grotjahn (orgs.), *A história da psicanálise através de seus pioneiros* (N. York, 1966), Rio de Janeiro, Imago, 1981 • William M. Johnston, *L'Esprit viennois. Une histoire intellectuelle et sociale 1848-1938* (N. York, 1972), Paris, PUF, 1985 • Ronald W. Clarke, *Freud, the Man and the Cause*, Londres, Cape Weidenfeld and Nicholson, 1979 • Patrick Lacoste, *L'Étrange cas du professeur M. Psychanalyse à l'écran*, Paris, Gallimard, 1990 • Phyllis Grosskurth, *O círculo secreto* (Londres, 1991), Rio de Janeiro, Imago, 1992 • Sigmund Freud, *Chronique la plus brève. Carnets intimes 1929-1939*, anotado e apresentado por Michael Molnar (Londres, 1992), Paris, Albin Michel, 1992 • Elke Mühlleitner, *Biographisches Lexikon der Psychoanalyse. Die Mitglieder der Psychologischen Mittwoch-Gesellschaft und der Wiener Psychoanalytischen Vereinigung von 1902-1938*, Tübingen, Diskord, 1992.

Sachs, Wulf (1893-1949)

médico e psicanalista sul-africano

Judeu lituano educado em São Petersburgo, médico e jornalista de esquerda, Wulf (ou Wolf) Sachs foi, durante a primeira metade do século, o único praticante da psicanálise* no continente africano. Nesse aspecto, sua posição, seu itinerário e seus objetos de estudo são comparáveis aos de Girîndrashekhar Bose* na Índia*, com a diferença de que Sachs era um imigrante, formado no seio do primeiro freudismo*, e não um nativo do país onde exerceu suas atividades.

Aluno de Ivan Pavlov (1849-1936), deixou a Rússia* depois da revolução de outubro, para estudar medicina, inicialmente na Alemanha*, em Colônia, depois em Londres, onde obteve seu diploma em 1922. No mesmo ano, emigrou com a família para a África do Sul e instalou-se em Johannesburgo. Começou então uma confortável carreira de clínico geral, junto à rica burguesia branca.

Evidentemente, Wulf Sachs não estava contente com a sua vida. Em 1928, começou a se orientar para a psiquiatria, tratando de doentes negros psicóticos em um hospital de Pretória para pessoas negras. Foi nesse momento que descobriu as obras de Sigmund Freud*, decidiu fazer contato com ele e ir à Europa. Em 1929, passou seis meses em Berlim, analisou-se com Theodor Reik* e tornou-se membro, em 1934, da British Psychoanalytical Society (BPS). Foi nomeado didata titular em 1946.

Voltando a Johannesburgo, reuniu um pequeno grupo de estudos do pensamento freudiano, que foi reconhecido pela International Psychoanalytical Association* (IPA) em 1935, pela sua filiação à BPS. Sachs não mediu esforços para promover a psicanálise em seu país de adoção. No departamento de filosofia da Universidade de Witswatersrand, ensinou seus princípios. Seus cursos foram reunidos, em 1934, em um livro dedicado às aplicações e à prática da psicanálise, para o qual Freud fez um curto prefácio.

Em 1937, publicou sua obra principal, *Black Hamlet*. Seu objetivo era destruir as teses da psiquiatria colonial, que diferenciava e inferiorizava o homem negro, afirmando que sua psique não tinha a mesma natureza que a do homem branco europeu e que a psique negra e "primitiva" nunca teria acesso à perfeição. Na mesma perspectiva diferencialista e inigualitária, o psiquiatra B.J.F. Laubscher também dizia, baseando-se na psicanálise, que existia uma similaridade entre um africano dito "normal" e um europeu psicótico; ou seja, a clivagem entre a norma e a patologia não atravessava de modo idêntico os sujeitos pertencentes a comunidades, e principalmente a "raças", diferentes.

Foi para derrubar esses preconceitos, aliás desmentidos por Freud em *Totem e tabu**, e depois por Geza Roheim*, que Sachs estudou em *Black Hamlet* o caso de um feiticeiro, defendendo a existência da unicidade do fenômeno psicótico e neurótico, quaisquer que fossem a raça do sujeito e a natureza de sua comunidade de origem.

Último representante de uma grande linhagem de curandeiros-feiticeiros, John Chavafambira, imigrante do Zimbábue, vivia na miséria em Johannesburgo, onde Sachs o encontrara graças a uma amiga antropóloga. Com a morte de seu pai, sua mãe se casara com o irmão deste, segundo o costume do levirato. John encontrara-se então em rivalidade com esse tio, também feiticeiro. Partira com a intenção de retornar à aldeia e vingar-se, demonstrando ao tio a superioridade de seus poderes de cura sobre os dele. Sachs comparou o caso de Chavafambira ao de Hamlet, observando que este sofria de uma neurose* caracterizada pela indecisão e cuja sintomatologia era universal.

Black Hamlet se apresentava sob a forma de um diálogo entre esses dois homens, uma troca de saber entre um psicanalista e um feiticeiro, em uma época em que se preparavam as leis segregacionistas que levariam à instauração do apartheid em 1949. Ora, Sachs ficara abalado em suas certezas psicanalíticas pelas observações de seu interlocutor, que sofria tanto com sua neurose quanto com as perseguições reais de que era vítima. Durante um de seus encontros, Chavafambira, maltratado pela polícia, disse a Sachs: "Veio à minha mente que você e o policial são muito semelhantes. Vocês dois parecem ser apenas um homem. É uma idéia terrível." Com efeito, essa idéia mostrava como era difícil, senão impossível, praticar a psicanálise em um país que não era um Estado de direito, e além disso fundado na desigualdade. Sachs sensibilizou-se com isso, ajudou Chavafambira a resistir à opressão e estimulou-o a completar a sua educação ocidental.

Essa experiência o transformou. Sempre praticando o freudismo, Sachs engajou-se à esquerda, tornou-se jornalista e aderiu a uma organização sionista.

A obra de Sachs não agradava aos representantes conservadores da IPA, que afirmavam que seu engajamento prejudicava sua prática clínica e seu espírito científico. Isso se percebe claramente em seu necrológio, publicado no *International Journal of Psycho-Analysis**, depois de sua morte. Todavia, no momento em que a Europa era dizimada pelo nazismo*, Ernest Jones* pensou em promover a emigração dos clínicos para a África do Sul, a fim de auxiliar Sachs — especialmente Richard Sterba*. Mas as autoridades de Pretoria se recusaram a lhe conceder visto.

Quando de sua instalação na Cidade do Cabo, Marie Bonaparte* não melhorou as coisas. Longe de apoiar Sachs, organizou uma conferência para os psiquiatras, na qual atacou suas posições, segundo ela muito pouco ortodoxas. Além disso, em Johannesburgo, Sachs sofreu a concorrência de Frederick Perls (1893-1970), inventor da gestalt-terapia* e em dissidência radical com o freudismo.

Transformado por sua experiência com Chavafambira, Sachs procedeu, em 1946, a uma revisão de sua obra. Suprimiu algumas palavras, que julgava de inspiração excessivamente colonial, e principalmente renunciou a interpretar a recusa de agir do feiticeiro como uma patologia "hamletiana". Mudou o título e denominou a obra de *Black Anger*. Morreu subitamente aos 56 anos, logo antes da entrada em vigor do apartheid.

O grupo psicanalítico que fundara desapareceu com ele: "Ele era nosso diretor, nosso organizador, nosso supervisor, escreveu uma testemunha, e para a maioria de nós, o nosso analista." Depois da morte de Sachs, tornou-se difícil prosseguir atividades psicanalíticas na África do Sul. A maior parte de seus alunos e colegas se exilaram, enquanto alguns clínicos continuaram a trabalhar sem nenhum suporte institucional.

Em 1979, um Grupo de Estudos Psicanalíticos foi criado em Johannesburgo, sob o patrocínio da BPS, cuja política consistiu em implantar o kleinismo* através de seminários e análises conduzidos por didatas ingleses.

• Wulf Sachs, "The insane native: an introduction to a psychological study", *The South African Journal of Science*, 30, 1933, 706-13; *Psychoanalysis: its Meaning and Practical Application*, Londres, Cassel, 1934; *Black Hamlet* (1937), Baltimore, Londres, Johns Hopkins University Press, 1996 • "Notice nécrologique: Wulf Sachs", *IJP*, 31, 1950, 288-9 • Célia Bertin, *La Dernière Bonaparte*, Paris, Perrin, 1982 • Megan Vaughan, *Curing their Ills: Colonial Power and African Illness*, Cambridge, Polity Press, 1991 • Sadie Gillespie, "Historical notes on the first South African psychoanalytical society", *Psychoanalytic Psychotherapy in South Africa*, 1, 1992, 1-6 • Tony Hamburger, "The Johannesburg psycho-analytic study group: a short history", *Psychoanalytic Psychotherapy in South Africa*, 1, 1992, 62-71 • Saul Dubow, *Scientific Racism in Modern South Africa*, Cambridge, Cambridge University Press, 1995; "Introduction, part I", in *Black Hamlet*, Baltimore, Londres, Johns Hopkins University Press, 1996, 1-37 • Jacqueline Rose, "Introduction, part II", ibid., 38-67.

➢ ANTIPSIQUIATRIA; ANTROPOLOGIA; COLLOMB, HENRI; DEVEREUX, GEORGES; ÉDIPO, COMPLEXO DE; ELLENBERGER, HENRI F.; ETNOPSICANÁLISE; FANON, FRANTZ.

Sadger, Isidor Isaak (1867-1942)

médico e psicanalista austríaco

Nascido em Neusandec, na Galícia, província polonesa ligada ao império russo, Sadger era de uma família judia. Estudou medicina em Viena* e aderiu em 1906 à Sociedade Psicológica das Quartas-Feiras*, da qual seu sobrinho, Fritz Wittels*, foi também um dos participantes ativos. Verdadeiro grafômano, especialista em patografias dos escritores, obcecado pela homossexualidade*, pela perversão*, pelo fetichismo* e pela hereditariedade, adotou as teses freudianas com tal fanatismo que exasperou o próprio Sigmund Freud*. Em uma carta a Carl Gustav Jung*, de 5 de março de 1908, Freud o tratou de "fanático hereditariamente tarado por ortodoxia, que acredita por acaso na psicanálise, ao invés de acreditar na lei dada por Deus no Monte Sinai-Horeb". Todavia, prestou-lhe homenagem, a respeito de casos que ele apresentou à Sociedade sobre a homossexualidade.

Sadger aplicava ao pé da letra a teoria da primazia absoluta da sexualidade*, a ponto de se apegar aos detalhes mais escabrosos e fazer perguntas absurdas durante os jantares vienenses, nos quais chamava de neurótico quem quer que ousasse não pensar como Freud. Como seu sobrinho, foi de uma incrível misoginia e teve realmente um papel negativo na trágica aventura de Hermine von Hug-Hellmuth*, de quem era analista, médico e mentor. Tutor do jovem Rolf Hug, sobrinho de Hermine, não hesitou em depor contra ele por ocasião de seu processo.

Em setembro de 1942, não tendo conseguido sair de Viena, Isidor Sadger foi deportado para o campo de concentração de Theresienstadt, onde foi assassinado pelos nazistas em dezembro.

• *Freud/Jung: correspondência completa* (Paris, 1975), Rio de Janeiro, Imago, 1993 • *Les Premiers psychanalystes. Minutes de la Société Psychanalytique de Vienne, 1906-1918*, 4 vols. (N. York, 1962-1975), Paris, Gallimard, 1976-1983 • Elke Mühlleitner, *Biographisches Lexikon der Psychoanalyse. Die Mitglieder der Psychologischen Mittwoch-Gesellschaft und der Wiener Psychoanalytischen Vereinigung von 1902-1938*, Tübingen, Diskord, 1992.

➢ KRAUS, KARL; NAZISMO.

sadismo

al. *Sadismus*; esp. *sadismo*; fr. *sadisme*; ing. *sadism*

Termo criado por Richard von Krafft-Ebing* em 1886 e forjado a partir do nome do escritor francês Donatien Alphonse François, marquês de Sade (1740-1814), para designar uma perversão* sexual — pancadas, flagelações, humilhações físicas e morais — baseada num modo de satisfação ligado ao sofrimento infligido ao outro.

Esse termo proveio essencialmente do vocabulário da sexologia*, mas foi retomado por Sigmund Freud* e seus herdeiros no quadro mais geral de uma teoria da perversão e da pulsão* estendida a outros atos além das perversões sexuais. Nesse sentido, foi acoplado ao termo masoquismo* para formar um novo vocábulo, o sadomasoquismo*, que posteriormente se impôs em toda a terminologia psicanalítica.

sadomasoquismo

al. *Sadomasochismus*; esp. *sadomasoquismo*; fr. *sado-masochisme*; ing. *sado-masochism*

Termo forjado por Sigmund Freud*, a partir de sadismo* e masoquismo*, para designar uma perversão* sexual baseada num modo de satisfação ligado ao sofrimento infligido ao outro e ao que provém do sujeito* humilhado.

Por extensão, esse par de termos complementares caracteriza um aspecto fundamental da vida pulsional, baseado na simetria e na reciprocidade entre um sofrimento passivamente vivido e um sofrimento ativamente infligido.

Em 1905, em seus *Três ensaios sobre a teoria da sexualidade**, Freud já observava que "o sádico é sempre e ao mesmo tempo um masoquista, o que não impede que o lado ativo ou o lado passivo da perversão possa predominar e caracterizar a atividade sexual que prevalece". Para corroborar essa afirmação, ele citou, numa nota de rodapé, Havelock Ellis*, que escrevera em 1903 no terceiro volume de seus *Estudos de psicologia sexual*: "Todos os casos de sadismo e masoquismo que conhecemos, inclusive os citados por Richard von Krafft-Ebing*, sempre nos fazem encontrar (...) vestígios das duas categorias de fenômenos no mesmo indivíduo."

Freud jamais poria em dúvida essa articulação, que ele iria desenvolver e transformar paralelamente à sua teoria das pulsões*.

Podemos, portanto, falar de uma concepção do sadomasoquismo ligada à primeira tópica*, cuja expressão mais rematada é fornecida no artigo metapsicológico de 1915, "As pulsões e suas vicissitudes". O sadismo é ali concebido como primário, anterior ao masoquismo; exprime uma agressividade contra um outro tomado como objeto. Produto de uma mudança no nível do objeto (na qual a própria pessoa vem substituir, como alvo da agressividade, o objeto externo), o masoquismo é deduzido, nessa etapa, do sadismo. Freud sublinha a coexistência de dois processos no interior dessa transformação: a reversão da agressividade contra o próprio sujeito e a inversão do funcionamento ativo em funcionamento passivo. Do ponto de vista clínico, se a neurose obsessiva* se caracteriza pelo fato de que o sujeito impõe a si mesmo o sofrimento de que é vítima, o masoquismo se caracteriza pelo fato de que o sofrimento em questão é infligido por outrem. Além disso, nessa primeira concepção, o sadismo não é explicitamente inscrito na categoria das pulsões* sexuais, mas sob a epígrafe da pulsão de dominação. É no âmbito da transformação do sadismo em masoquismo que se opera a articulação com a sexualidade, só vindo o caráter sexual do sadismo a aparecer por ocasião de uma segunda inversão, na qual o masoquismo se retransforma em sadismo. Essa operação, aliás, só pode realizar-se por intermédio de uma identificação* com o outro, no registro da fantasia*. No maso-

quismo, esclarece Freud em 1915, a satisfação "passa (...) pela via do sadismo originário, na medida em que o eu passivo retoma, à maneira fantasística, seu lugar anterior, que agora é cedido ao sujeito estranho"; no sadismo, o sujeito inflige dores ao outro e goza, "ele mesmo, masoquisticamente, na identificação com o objeto sofredor". Entretanto, quando Freud afirma que "um masoquismo originário que não tenha saído do sadismo, da maneira como o descrevi, parece não ser encontrável", podemos considerar, com Jean Laplanche e Jean-Bertrand Pontalis, que sua colocação está um pouco atrasada em relação a seu pensamento. É que, considerando "o par masoquismo-sadismo em seu sentido próprio, sexual", escrevem esses autores, "é realmente o tempo masoquista que já é considerado primário, fundamental".

De qualquer modo, foi essa tese, oposta à da primeira tópica, que prevaleceu a partir da grande virada dos anos vinte.

Em 1919, no artigo "Uma criança é espancada", além de enunciar discretamente as premissas das modificações teóricas que estavam por vir, Freud estabeleceu mais claramente o papel da fantasia no funcionamento do par sadismo-masoquismo, embora ainda não modificasse sua tese da primazia do sadismo sobre o masoquismo. Entretanto, através da complexa análise da fantasia de fustigação, freqüentemente evocada por seus pacientes, ele introduziu a idéia de que é sempre a culpa, no interior do ato de recalque*, que constitui o agente da transformação do sadismo em masoquismo.

Em 1924, por força da reformulação efetuada através de três livros essenciais, *Mais-além do princípio de prazer**, *Psicologia das massas e análise do eu** e *O eu e o isso**, Freud voltou à questão do masoquismo, a fim de propor para ele uma teoria definitiva.

Postulou então a existência de um masoquismo primário, originário e erógeno em referência à pulsão de morte, constituído pela parte da pulsão de morte que a libido não pôde colocar a serviço da pulsão de destruição nem da pulsão sexual, resultando no sadismo propriamente dito. Esse componente não utilizado da pulsão de morte torna-se, assim, um componente da libido, que já não tem outro objeto senão o ser íntimo do indivíduo. Esse masoquismo primário, explica ainda Freud, constitui a testemunha, o vestígio do tempo primitivo em que a pulsão de morte e a pulsão de vida estavam totalmente misturadas. Como parte da libido, esse masoquismo erógeno encontra-se em ação em todos os estádios* do desenvolvimento psicossexual; no estádio oral primitivo, assume a forma do medo de ser devorado pelo pai; depois, na fase sádico-anal, ressurge sob a forma do desejo inconsciente de ser espancado pelo pai. Por último, manifesta-se pela angústia e pela renegação* da castração*, no momento da fase fálica. A título dessa constituição do masoquismo primário, convém destacar a possível manifestação de um masoquismo secundário que vem superpor-se ao primeiro como resultado da reversão da pulsão de destruição ou da pulsão sádica contra o sujeito.

Ao lado desse masoquismo primário, Freud distinguiu outras duas formas de masoquismo: o chamado masoquismo "feminino", que não concerne especificamente à mulher, mas visa a posição "feminina" compartilhada pelos dois sexos, e o masoquismo moral, ao qual a psicanálise deu o nome de "sentimento (inconsciente) de culpa".

A maioria dos elementos do masoquismo feminino remete à primeira infância, quando eles já repousam num sentimento de culpa, como Freud havia mostrado em 1919 em "Uma criança é espancada". Assim, o masoquismo feminino é inteiramente baseado no masoquismo primário, erógeno, caracterizado pela ligação estabelecida entre o prazer, de natureza libidinal, e a dor, produto da pulsão de morte.

Quer se trate da experiência clínica ou da descrição da vida cotidiana, Freud considera que é a terceira forma de masoquismo, o masoquismo moral, fundamentado no sentimento de culpa, que é a mais importante e a mais destrutiva. Ele se caracteriza, primeiramente, por sua aparente distância da sexualidade e por um relaxamento dos vínculos com o objeto amado, voltando-se a atenção para a intensidade do sofrimento, seja qual for sua procedência.

Freud ressalta que o surgimento dessa terceira forma de masoquismo pode constituir um grande obstáculo ao desenrolar da análise e é passível, no caso de aparentes sucessos terapêuticos, de levar a passagens ao ato que provocam

novos distúrbios: "Uma forma de sofrimento", escreve Freud, "é aqui substituída por outra, e vemos então que se tratava apenas de poder manter uma certa quantidade de sofrimento."

Essa forma destrutiva de masoquismo resulta dos ataques do supereu* ao eu*, mas é importante distinguir esse sadismo do supereu, geralmente consciente, do masoquismo moral, quase sempre inconsciente e cuja distância da sexualidade é pura aparência. Assim, na fantasia da criança que apanha de alguém, podemos discernir a forma do masoquismo feminino, isto é, o desejo inconsciente de ter relações sexuais passivas. A sexualização da relação com o par parental, superada no fim do Édipo* através do processo que leva ao surgimento de uma consciência moral, substrato parcial daquilo que virá a ser o supereu, retorna, desse modo sob a forma de uma moral ressexualizada. "O sadismo do supereu e o masoquismo do eu completam-se mutuamente", escreve Freud, "e se unem para provocar as mesmas conseqüências."

Do ponto de vista dos estudos clínicos, a literatura psicanalítica é pobre em casos de masoquismo erógeno que atestem sevícias sexuais graves, sem dúvida porque a psicanálise deslocou progressivamente o sadomasoquismo para o lado da consciência moral, introduzindo-o no próprio cerne do indivíduo "normal". No tocante a essa pobreza, a escola francesa se distingue pela riqueza de seus estudos em matéria de clínica da perversão.

O artigo publicado em 1972 pelo psicanalista francês Michel de M'Uzan, sob o título de "Um caso de masoquismo perverso. Esboço de uma teoria", é particularmente notável. A história desse caso é a de um homem de aparência tranqüila, cujo corpo tatuado, queimado, martirizado e mutilado, bem como as práticas sexuais perversas a que ele se submetia dão margem a um conjunto de reflexões clínicas e teóricas que atestam a solidez de fundamento das teses que Freud expusera em 1924.

Em 1967, em sua apresentação do texto de Leopold von Sacher-Masoch (1836-1895) intitulado *A Vênus de peles*, Gilles Deleuze (1925-1995) coloca-se numa perspectiva inteiramente diferente da de Freud. Afirma ele que o masoquismo não é o inverso nem o complemento do sadismo, porém "um mundo à parte" que escapa a qualquer simbolização, um mundo heterogêneo e repleto de horrores, castigos, crucificações e contratos entre carrascos e vítimas. Essa tese é também a de Georges Bataille (1897-1962). Jacques Lacan* se inspiraria nela para forjar seu conceito de gozo* e a ampliaria em seu artigo "Kant com Sade".

• Sigmund Freud, *Três ensaios sobre a teoria da sexualidade* (1905), *ESB*, VII, 129-237; *GW*, V, 29-145; *SE*, VII, 123-243; Paris, Gallimard, 1987; "As pulsões e suas vicissitudes" (1915), *ESB*, XIV, 137-68; *GW*, X, 209-32; *SE*, XIV, 109-140; *OC*, XIII, 161-185; "Bate-se numa criança" (1919), *ESB*, XVII, 225-8; *GW*, XII, 197-226; *SE*, XVII, 175-204; in *Névrose, psychose et perversion*, Paris, PUF, 1973, 219-43; "O problema econômico do masoquismo" (1924), *ESB*, XIX, 199-216; *GW*, XIII, 371-83; *SE*, XIX, 139-45; *OC*, XVII, 9-23 • Charles Baladier, "Masoquismo e sadismo", in Pierre Kaufmann (org.), *Dicionário enciclopédico de psicanálise: o legado de Freud e Lacan* (Paris, 1993), Rio de Janeiro, Jorge Zahar, 1996, 322-5 • Gilles Deleuze, *Apresentação de Sacher-Masoch*, seguido de *A Vênus de peles* (Paris, 1967), Rio de Janeiro, Taurus, 1985 • Richard von Krafft-Ebing, *Psychopathia sexualis* (Stuttgart, 1886, Paris, 1907), Paris, Payot, 1969 • Jacques Lacan, "Kant com Sade" (1962), *Escritos* (Paris, 1966), Rio de Janeiro, Jorge Zahar, 1998, 776-803 • Jean Laplanche e Jean-Bertrand Pontalis, *Vocabulário da psicanálise* (Paris, 1967), S. Paulo, Martins Fontes, 1991, 2ª ed. • Michel de M'Uzan, *De l'art à la mort*, Paris, Gallimard, 1977 • Wanda Sacher-Masoch, *Confession de ma vie* (Berlim, 1906, Paris, 1907), Paris, Gallimard, 1989 • Philippe Sollers, *Sade contre l'être suprême*, Paris, Gallimard, 1996.

Saint-Alban, Hospital de

➢ PSICOTERAPIA INSTITUCIONAL.

Salpêtrière, Hospital da

➢ AUGUSTINE; CHARCOT, JEAN MARTIN.

Sarasin, Philipp (1888-1968)

psiquiatra e psicanalista suíço

Analisado por Hanns Sachs* e por Sigmund Freud* entre 1923 e 1925, Philipp Sarasin foi um dos principais membros da Sociedade Suíça de Psicanálise (SPP), que presidiu durante 32 anos. Instalando-se em Basiléia, teve igualmente um papel na formação dos psicanalistas franceses de Estrasburgo.

➢ SUÍÇA.

Saussure, Raymond de (1884-1971)

psiquiatra e psicanalista suíço

Nascido em uma localidade belíssima, no seio de Genthold, Raymond de Saussure era de uma família protestante da Lorena, que se refugiara na Suíça* depois da revogação do Edito de Nantes. Seu ilustre ancestral, o geólogo Horace Bénédict de Saussure (1740-1799), organizou no século XVIII a primeira expedição científica ao cume do Mont Blanc, e seu avô, Henri de Saussure, fez uma brilhante carreira de entomologista. Seu pai, Ferdinand de Saussure (1857-1913) foi o fundador da lingüística estrutural, na qual Jacques Lacan* se basearia para dar continuidade à obra freudiana, adotando principalmente o conceito lingüístico de significante*.

Ferdinand de Saussure é universalmente conhecido por seu *Curso de lingüística geral*, que entretanto ele nunca escreveu, tendo sido publicado pela primeira vez em 1915, dois anos depois de sua morte, por seus alunos Charles Bally e Albert Sechehaye. Entre 1906 e 1909, no mesmo momento da gestação de seu primeiro curso de lingüística, apaixonou-se pela poesia saturniana. Pensando encontrar nela os vestígios de uma atividade secreta da subjetividade do poeta, deu o nome de anagramas a fragmentos fônicos que traduziam, segundo ele, as intenções conscientes ou inconscientes do autor. Amigo do médico Théodore Flournoy*, interessou-se pelo espiritismo* e pela famosa vidente Catherine-Élise Müller (1861-1929).

Raymond de Saussure tinha 19 anos quando seu pai morreu. Esmagado pela figura paterna, acusava esse pai genial mas ausente de alcoolismo e de completo desinteresse pelo lar conjugal. Em 1916, em uma carta a Charles Bally, que acabava de editar o *Curso de lingüística geral*, enfatizou a necessidade de abrir um campo de investigação comum à psicanálise e à lingüística. Ele não o fez, e foi Lacan quem tomou essa direção; daí uma relação bastante conflituosa entre ambos.

Depois de estudar letras em Genebra, Raymond de Saussure se orientou para a psicologia e se apaixonou pelas aulas de Théodore Flournoy sobre as teorias freudianas. Casou-se em primeiras núpcias com a filha deste, Ariane, com quem teve dois filhos, unindo assim o destino das duas grandes famílias da aristocracia de Genebra. Vários descendentes se tornariam psicanalistas.

Seus estudos de medicina o levaram a Zurique e depois a Viena*. Foi durante o congresso da International Psychoanalytical Association* (IPA) em Haia, em 1920, que se encontrou com Sigmund Freud*. Logo o considerou como um mestre e, alguns meses depois, começou a se analisar com ele. Embora fascinado por Freud, acusou-o de falhas técnicas: "Primeiramente, ele [Freud] tinha praticado a sugestão* durante tempo demais para não ter conservado alguns reflexos dela. Quando estava convencido de uma verdade, tinha dificuldade em esperar que ela surgisse no espírito de seu paciente; queria persuadi-lo imediatamente, e por causa disso, falava demais. Em segundo lugar, sentia-se logo com que questão teórica ele estava preocupado, pois muitas vezes desenvolvia longamente os novos pontos de vista que estava elaborando em seu pensamento. Isso era um benefício para o espírito, mas nem sempre para o tratamento." Em 1930, em Berlim, Raymond de Saussure fez uma segunda análise com Franz Alexander*, e uma terceira em Paris, pouco depois, com Rudolf Loewenstein*.

Depois de aderir à Sociedade Suíça de Psicanálise (SSP), fundada em março de 1919 por Oskar Pfister*, Hermann Rorschach* e Emil Oberholzer*, Saussure publicou, em 1922, *O método psicanalítico*. A obra, prefaciada por Freud, foi infelizmente retirada de circulação porque continha um relato de sonho* que compreendia muitos detalhes sexuais que podiam trair a identidade do paciente. De alta qualidade, esse livro apresentava pela primeira vez a um público francófono uma versão da doutrina freudiana desprovida de qualquer "latinização" à maneira de Angelo Hesnard*.

Foi na França*, aliás, que Raymond de Saussure desenvolveu depois suas atividades, participando, em 1926, com seu amigo Charles Odier*, da criação da Sociedade Psicanalítica de Paris (SPP), da qual mais tarde Henri Flournoy*, seu cunhado, se tornaria membro. Interessou-se então pela pré-história do freudismo, por Franz Anton Mesmer*, pelos antigos magnetizadores, pelos curandeiros, o que o levaria a adquirir uma fabulosa biblioteca de livros raros e a redigir, com Léon Chertok*, uma obra sobre o nascimento da prática psicanalítica. Nessa área, foi entretanto Henri F. Ellenberger* quem produziria a obra mais inovadora.

No início da Segunda Guerra Mundial, deixou Paris e foi para Genebra, onde ajudou Heinz Hartmann* e Erich Fromm* a emigrarem. Por sua vez, em 1940, foi para os Estados Unidos*, repetiu os estudos de medicina e integrou-se à New York Psychoanalytical Society (NYPS). Ali, encontrou Roman Jakobson (1896-1982), que lhe falou da obra de seu pai, mostrando-lhe pela primeira vez os laços produtivos que poderiam aproximar a psicanálise da lingüística. Posteriormente, Jakobson se tornou amigo de Claude Lévi-Strauss e de Lacan. Quanto a Raymond de Saussure, permaneceu nos Estados Unidos até 1952 e depois voltou a Genebra onde, durante muitos anos, teve um papel importante na expansão da psicanálise na Suíça românica e na Europa em geral. Criou assim, em 1969, a Federação Européia de Psicanálise* (FEP), destinada a contrabalançar, no interior da IPA, a onipotência do freudismo americano.

O encanto de Raymond de Saussure não escapou a nenhum de seus contemporâneos. Gostava das mulheres, sabia seduzi-las e sempre se recusou a se submeter ao conformismo calvinista da maioria de seus colegas da SSP. Embora fosse um rigoroso defensor da ortodoxia da IPA, transgrediu as regras, especialmente ao casar-se, em terceiras núpcias, com uma de suas ex-analisandas. Dotado de uma maravilhosa erudição, escreveu muitos artigos sobre a história da psicanálise, sua técnica e sua teoria. Todavia, nos dois primeiros campos que mais o preocupavam, a lingüística e a historiografia* freudiana, não ocupou, em comparação com Lacan e Ellenberger, a posição que desejaria ter. Morreu de câncer de próstata, depois de uma longa agonia.

• Ferdinand de Saussure, *Curso de lingüística geral* (1915), S. Paulo, Cultrix, 1979 • Françoise Gadet, *Saussure, une science de la langue*, Paris, PUF, 1987 • Raymond de Saussure, *La Méthode psychanalytique*, Lausanne, Genebra, Payot, 1922 • Raymond de Saussure e Léon Chertok, *Naissance du psychanalyste*, Paris, Payot, 1973 • Élisabeth Roudinesco, *História da psicanálise na França*, vol.1 (Paris, 1982), Rio de

Janeiro, Jorge Zahar, 1989; *Jacques Lacan. Esboço de uma vida, história de um sistema de pensamento* (Paris, 1993), S. Paulo, Companhia as Letras, 1994 • Mireille Cifali, "Documents pour une histoire de la psychanalyse. Présentation de la lettre de Ferdinand de Saussure à Charles Bally", *Le Bloc-notes de la Psychanalyse*, 5, 1985, 145-9; "Charles Bally et les psychanalystes", ibid., 6, 1986.

Schiff, Paul (1891-1947)
psiquiatra e psicanalista francês

Filho de um jornalista vienense, amigo de Theodor Herzl (1860-1904), Paul Schiff foi membro fundador do grupo da Évollution Psychiatrique e membro da Sociedade Psicanalítica de Paris (SPP). Aluno de Henri Claude* e analisado por Rudolph Loewenstein*, foi especialista em paranóia* e militou por uma reforma humanista da penalidade no campo da criminologia*, procurando em especial introduzir as teses freudianas nas perícias psiquiátricas.

Foi também o único freudiano de sua geração a se engajar desde 1940 na Resistência antinazista, e a tornar-se médico militar em várias frentes, entre 1944 e 1945.

• Élisabeth Roudinesco, *História da psicanálise na França*, vol.1 (Paris, 1982), Rio de Janeiro, Jorge Zahar, 1989.

➤ CÁRCAMO, CELES ERNESTO; FRANÇA.

Schilder, Paul Ferdinand (1886-1940)
psiquiatra e psicanalista americano

De origem vienense e nascido em uma família de comerciantes judeus, Paul Schilder é conhecido por ter inventado a noção moderna de imagem do corpo* e descrito a doença que leva o seu nome, uma forma difusa de esclerose em placas. Seus trabalhos, que tratam de psiquiatria e de neurologia, se referem essencialmente à epilepsia, à agrafia, à agnosia, à paralisia geral, à esquizofrenia* e à despersonalização. Aluno de Julius Wagner-Jauregg*, recebeu em 1921 o título de *Privatdozent* e, no ano seguinte, o de doutor em filosofia. Interessava-se pela fenomenologia husserliana, quando entrou em contato com Sigmund Freud*. Este o convidou a aderir à Wiener Psychoanalytische Vereinigung (WPV), da qual se tornou membro, recusando-se, entretanto, a ser analisado. No

seio dos fiéis do círculo vienense, Schilder foi recebido como um estrangeiro e teve que enfrentar, como acontecera com Freud, um sombrio caso de "roubo de idéias". Federn* o acusou de ter "plagiado" a obra do mestre venerado e a de Sandor Ferenczi*, em um livro sobre a hipnose*.

Em 1928, a convite de Adolf Meyer*, foi aos Estados Unidos*. A acolhida calorosa que recebeu o estimulou a aceitar o lugar de professor de psiquiatria na faculdade de medicina da Universidade de Nova York. Suas teses sobre a imagem do corpo, que começou a elaborar em 1923, se baseavam na fenomenologia e na gestalt-teoria, ou teoria da forma. Ele as expressou em 1935, em sua obra magna, *A imagem do corpo. Estudo das forças construtivas da psique*, que teve grande impacto sobre o desenvolvimento do neofreudismo* americano, principalmente sobre todas as doutrinas do *self* e da relação de objeto*; os fundadores da *Ego Psychology** também se basearam nela.

Nessa época, muitos freudianos da primeira geração* não eram analisados, o que não os impedia de praticar a psicanálise. Mas quando Schilder, em 1935, quis integrar-se à International Psychoanalytical Association* (IPA), alegando sua filiação à WPV, teve que enfrentar, no seio da New York Psychoanalytical Society (NYPS), a hostilidade de um grupo de jovens analistas, liderados por Lawrence Kubie, que desejava proibi-lo de formar alunos, sob o pretexto de que ele não fora analisado. Nesse caso, foi defendido por Ely Smith Jelliffe* e Abraham Arden Brill*, e recorreu ao julgamento de Freud.

O mestre não lhe deu nenhum apoio, dizendo que ele não pertencia ao círculo dos primeiros discípulos e que, conseqüentemente, era por sua livre vontade que recusava o próprio princípio da análise didática*. Esse caso beneficiou a jovem geração americana, desejosa de igualitarismo e de normatização. Brill, derrotado, quis demitir-se da presidência, mas Ernest Jones* o impediu. Schilder fundou então seu próprio grupo, a New York Society of Psychology.

Em dezembro de 1940, quando sua mulher Lauretta Bender dava à luz o terceiro filho, foi atropelado por um carro e morreu algumas horas depois.

- Paul Ferdinand Schilder, *A imagem do corpo* (Londres, 1935, N. York, 1950), S. Paulo, Martins Fontes, 1994, 2ª ed. • Franz Alexander, Samuel Eisenstein e Martin Grotjahn (org.), *A história da psicanálise através de seus pioneiros* (N. York, 1966), Rio de Janeiro, Imago, 1981 • Paul Roazen, *Freud e seus discípulos* (N. York, 1971), S. Paulo, Cultrix, 1978 • Elke Mühlleitner, *Biographisches Lexikon der Psychoanalyse. Die Mitglieder der Psychologischen Mittwoch-Gesellschaft und der Wiener Psychoanalytischen Vereinigung von 1902-1938*, Tübingen, Diskord, 1992 • Nathan G. Hale, *Freud and the Americans, The Rise and Crisis of Psychoanalysis in the United States, 1917-1985*, t.II, N. York, Oxford, Oxford University Press, 1995.

➢ ANÁLISE DIDÁTICA; DOLTO, FRANÇOISE; ESTÁDIO DO ESPELHO; FLIESS, WILHELM; WEININGER, OTTO.

Schjelderup, Harald Krabbe (1895-1974)

psicanalista norueguês

Esse professor de filosofia da Universidade de Oslo foi o primeiro psicanalista freudiano da Noruega. Como muitos pioneiros, teve curiosidade por todas as manifestações do inconsciente. Daí seu interesse pela telepatia* e até pela parapsicologia. Desde 1922, teve um papel maior na implantação da psicanálise nos meios acadêmicos noruegueses. Em 1925, depois de se interessar pela hipnose*, foi a Viena*, onde fez um primeiro tratamento de sete meses com Eduard Hitschmann*, durante o qual ambos se enfrentaram. Seu livro, *Psykology*, publicado em 1927, foi importante para a formação de várias gerações de psicólogos.

Schjelderup continuou sua formação em Berlim, com Harald Schultz-Hencke*. Mas foi principalmente em Zurique, com Oskar Pfister*, que fez um trabalho psicanalítico digno do nome, como mostram as confidências feitas pelo pastor a Sigmund Freud, em uma carta de 21 de outubro de 1927: "O espiritual Harald Schjelderup, com 32 anos, professor de filosofia e de psicologia, a quem se deve o primeiro manual de orientação psicanalítica — que logo será publicado em alemão — ficou sete meses com o doutor H. Entretanto, suas penosas dores de cabeça semanais não pararam de aumentar, até que foi obrigado a voltar a Oslo. Ora, neste verão, ele me procurou. Analisamos [*sic*] seriamente, e, ao fim de apenas 15 dias, a última

crise, já sensivelmente atenuada, apareceu pela última vez. A partir daí, analisamos ainda por cerca de três semanas."

Schjelderup achou que essa análise com o pastor lhe oferecera muito mais que a precedente, e lhe agradeceu. Ambos, igualmente interessados em religião e em teologia liberal, tinham reais afinidades. O irmão de Harald, Kristian Schjelderup (1894-1980) também fez uma análise com Pfister e favoreceu a introdução do freudismo na Noruega, antes de se tornar bispo no fim da vida. Os dois irmãos redigiram juntos uma obra sobre as relações da psicologia com a religião, e Harald publicou muitos artigos clínicos sobre os resultados da terapia psicanalítica.

Com Alfhild Tamm* e Yrjö Kulovesi*, Harald Schjelderup participou, em agosto de 1931, da famosa reunião dos psicanalistas escandinavos, que levaria, em 1934, no Congresso de Lucerna, à criação de duas sociedades filiadas à International Psychoanalytical Association* (IPA), uma reunindo a Suécia e a Finlândia, outra a Dinamarca e a Noruega.

Foi ele que convidou Wilhelm Reich* a ir à Noruega em 1934, para ensinar sua doutrina da análise do caráter na Universidade de Oslo. A partir de outubro de 1937, as teses de Reich sobre a revolução sexual, que tiveram grande sucesso com os estudantes, foram violentamente atacadas pelos professores de medicina e de fisiologia da universidade, e o debate foi levado para a imprensa. Embora não fosse partidário de Reich, Schjelderup fez uma análise com ele. Respeitava sua contribuição e sua originalidade, observando que suas experiências se afastavam radicalmente do freudismo. Essa posição lúcida lhe permitiu compreender que os adversários da psicanálise se serviam do caso Reich contra a doutrina freudiana. Por sua vez, entrou na polêmica.

Depois da invasão da Noruega pelas tropas alemãs, Matthias Heinrich Göring* foi a Oslo para obter de Schelderup, então presidente da Sociedade Psicanalítica Norueguesa, a criação de um instituto "arianizado", a partir do modelo do de Berlim. Este recusou qualquer política de colaboração e pediu a dissolução do grupo. Com outros psicanalistas, entrou para a Resistência antinazista. Em 1942, foi deportado, com seu irmão, para o campo de concentração de Grini, perto de Oslo. Ambos sobreviveram.

Depois da guerra, Harald Schjelderup retomou suas atividades de terapeuta em sua Sociedade, na qual, até a morte, tratou de questões clínicas e formou analistas. Diante da análise didática* e das regras de formação impostas pela IPA, adotou, como outrora com Reich, uma posição flexível, aceitando, por exemplo, uma freqüência de duas sessões semanais, ao invés das cinco obrigatórias.

• Harald Schjedelrup, *Psykologi*, Oslo, Gyldendal, 1928 • *Correspondance de Sigmund Freud avec le pasteur Pfister, 1909-1939* (Frankfurt, 1963), Paris, Gallimard, 1966 • Randolf Alnaes, "The development of psychoanalysis in Norway. An historical overview", *The Scandinavian Psychoanalytic Review*, 2 vols., III, 1980, 55-101.

➢ ALEMANHA; ESCANDINÁVIA; NAZISMO.

Schloss Tegel, Sanatório do
➢ SIMMEL, ERNST.

Schmideberg, Melitta, *née* Klein (1904-1983)
médica e psicanalista americana

É difícil não ver nas relações entre Melitta Schmideberg e sua mãe uma espécie de caricatura das paixões que Melanie Klein* teorizou: ódio, inveja*, agressividade, perseguição, identificação projetiva*, objeto bom ou mau. Nascida dentro da psicanálise* e analisada por sua própria mãe, Melitta, filha mais velha de Melanie Klein, foi realmente a filha trágica da psicanálise, e, mais ainda, a cobaia de uma experiência que daria origem, não só à psicanálise de crianças* no sentido moderno, mas também a uma das correntes mais ricas na história do freudismo*.

Em um artigo de 1923 sobre o "Papel da escola no desenvolvimento libidinal da criança", Melitta aparecia sob o nome de Lisa, jovem de 18 anos, apresentada como um caso. Embaraçada nas letras do alfabeto, ela oscilava entre o "a" que representava para ela o pai castrado e o "i" que remetia ao pênis detestado. "No que se referia a ela própria, escreveu Melanie Klein,

ela só reconhecia o órgão genital masculino e deixava os órgãos femininos para suas irmãs."

Segundo Phyllis Grosskurth, parece que Melanie temia que sua filha se tornasse sua rival. Assim, comportou-se com Melitta como sua própria mãe fizera com ela própria, mantendo-a permanentemente em estado de servidão, educando-a também na paixão pela "causa" psicanalítica. Desde os 15 anos, Melitta assistia à reuniões da Sociedade Psicanalítica de Budapeste e devorava textos psicanalíticos. Quando começou a estudar medicina, foi para se tornar psicanalista. Enfim, seguiu o mesmo itinerário da mãe: da Hungria* para a Alemanha*. Em Berlim, foi analisada três vezes pelos astros do movimento, então em plena expansão: Max Eitingon*, Karen Horney* e Hanns Sachs*. Foi ali que encontrou Walter Schmideberg*, seu futuro marido. Instalou-se depois em Londres, onde foi eleita membro da British Psychoanalytical Society (BPS). Fez mais uma análise com Ella Sharpe* e começou a praticar a análise.

Em um depoimento pleno de verdade, redigido em 1971, contou como fora o objeto do ódio de sua mãe, que ela também odiara, em plena BPS transformada em campo de batalha pelo sectarismo crescente dos kleinianos e depois pela chegada dos vienenses a Londres. "Durante alguns anos, escreveu ela, gozei de certa popularidade. Tinha a reputação de obter bons resultados clínicos, meus artigos eram considerados contribuições válidas, pediam-me que fizesse conferências e, numa idade precoce, fui designada analista didata. Mas logo as coisas mudaram. Fui criticada por dar excessiva atenção ao ambiente concreto e à situação real do paciente, e por considerar que um pouco de estímulo e alguns conselhos podiam, legitimamente, fazer parte da terapêutica analítica."

Apoiada por Edward Glover*, seu quinto psicanalista, sustentou uma terrível batalha contra as teorias kleinianas, que continuou até o momento das Grandes Controvérsias*. Sua determinação ainda se acirrou quando Jones*, preocupado em neutralizar os conflitos, tentou convencê-la de que suas reações eram "paranóides". Durante toda a duração dessa grande guerra de clãs, sua vida conjugal tomou um aspecto estranho, com a relação triangular que Walter Schmideberg lhe impôs, com sua ligação com

Winifred Bryher, ex-amante homossexual de Hilda Doolittle*.

Em 1945, emigrou para os Estados Unidos*, onde encontrou a outra família psicanalítica de sua juventude berlinense, seus "primos da América". Mas foi uma nova decepção: "Eles me pareceram muito mais preocupados com prestígio, publicidade e honorários elevados [...]. Na Europa, era preciso ter coragem para ser analista. Nos Estados Unidos, nos anos 1950 e 1960, era preciso ter coragem para não ser." Voltou-se então para as outras psicoterapias*, mas graças a seu conhecimento íntimo da psicanálise, constatou que a observação escrupulosa de certas regras freudianas protegia o paciente, enquanto as terapias demasiado ativas podiam se revelar nocivas: "Em suma, a recusa da teoria freudiana só produzia confusão."

Foi ocupando-se de adolescentes delinqüentes, feridos por suas famílias e pela sociedade, como ela fora pela psicanálise, que Melitta encontrou enfim os meios de escapar dos furores da saga freudiana. Em 1963, demitiu-se da BPS e deixou de freqüentar os meios psicanalíticos. Nunca aceitou reconciliar-se com sua mãe, nem mesmo falar com ela. No dia do enterro de Melanie, deu uma aula em Londres exibindo ofuscantes botas vermelhas.

• Melitta Schmideberg, "Contribution à l'histoire du mouvement psychanalytique en Angleterre" (1971), *Cahiers Confrontation*, 3, primavera de 1980, 11-22 • Phyllis Grosskurth, *O mundo e a obra de Melanie Klein* (Paris, 1986), Rio de Janeiro, Imago, 1992.

Schmideberg, Walter (1890-1954)

psicanalista inglês

Vienense culto, Walter Schmideberg foi educado em uma escola de jesuítas para a aristocracia. Destinado à carreira militar, tornou-se capitão no exército austro-húngaro, antes de se interessar pela hipnose* e pela psicologia. Durante a guerra, encontrou Max Eitingon*. Este o apresentou a Sigmund Freud* e a Sandor Ferenczi*. Em 1919, assistiu às reuniões da Wiener Psychoanalytische Vereinigung (WPV), e dois anos depois partiu para Berlim, onde ajudou Eitingon a instalar a Policlínica. No congresso da International Psychoanalytical Association* (IPA) em 1922, encontrou Melitta,

filha de Melanie Klein*. Casou-se com ela em Viena, em abril de 1924, e participou de todos os conflitos que opuseram as duas no interior da psicanálise* inglesa.

Embora fosse alcoólatra e homossexual, tornou-se membro da British Psychoanalytical Society (BPS), depois que emigrou para Londres em 1932. Com a ajuda de Ernest Jones*, fez com que se instaurassem relações assíduas entre os ingleses e os vienenses, no momento em que o movimento psicanalítico alemão começava a ser dizimado pelos nazistas. Em meados dos anos 1930, tornou-se amante de Winifred Bryher, ex-amante da poetisa americana Hilda Doolittle*, que fora analisada por Freud e de quem ele próprio fora analista durante algum tempo. Filho de um rico armador, Bryher ajudava os psicanalistas judeus a escaparem do nazismo e enviava os austríacos a Schmideberg, para serem analisados. Uma estranha relação triangular instalou-se entre Winifred, Walter e Melitta, até a partida desta para os Estados Unidos. Cada vez mais alcoólatra, Schmideberg retirou-se para a Suíça*, onde morreu de úlcera.

• Phyllis Grosskurth, *O mundo e a obra de Melanie Klein* (Paris, 1986), Rio de Janeiro, Imago, 1992.

➤ HOMOSSEXUALIDADE; SCHMIDEBERG, MELITTA.

Schmidt, Vera, *née* Yanitskaia (1889-1937)

pedagoga e psicanalista russa

Casada com Otto Schmidt (1891-1956), matemático e diretor de editoras estatais, Vera Schmidt era de uma família de médicos. Foi não só pioneira da psicanálise* na Rússia*, mas também uma das grandes figuras do freudomarxismo* europeu. Por iniciativa de Tatiana Rosenthal*, e com o apoio de Ivan Dimitrievitch Ermakov*, criou em Moscou, em agosto de 1921, uma casa pedagógica, o Lar Experimental para Crianças. Cerca de 30 crianças de dirigentes e funcionários do Partido Comunista foram acolhidos aí, a fim de serem educados segundo métodos que combinavam os princípios do marxismo e os da psicanálise. A experiência do Lar tinha como quadro um Instituto de Psicanálise, fundado ao mesmo tempo que a

Associação Psicanalítica de Pesquisas sobre a Criação Psicanalítica, que assumiu o nome de Solidariedade Internacional.

O sistema de educação tradicional fundado nos maus-tratos e nas punições corporais foi abolido e o ideal da família patriarcal severamente criticado, em proveito de valores educativos que privilegiavam o coletivo. As demonstrações afetivas, beijos e carícias, eram substituídas por relações ditas "racionais", as crianças tinham uma educação leiga e eram autorizadas a satisfazer sua curiosidade sexual. Quanto aos educadores, eram convidados a não reprimir a masturbação e a instaurar com as crianças relações igualitárias. O programa previa que todos deviam ser analisados.

O ideal pedagógico preconizado por Vera Schmidt era a manifestação viva do espírito novo dos anos 1920, em que se concretizava, depois da Revolução de Outubro, o sonho de uma fusão possível entre a liberdade individual e a liberação social: uma verdadeira utopia pedagógica (ou pedologia*), que combinava a paixão freudiana e o ideal marxista.

Em setembro de 1923, Vera e Otto Schmidt foram a Berlim e a Viena*, para pedir que Karl Abraham* e Sigmund Freud* apoiassem o Lar e a Sociedade Psicanalítica da Rússia, fundada em 1922 e que rivalizava com a de Kazan. Ao voltar, relatando a discussão, que se referia principalmente à maneira de tratar o complexo de Édipo* no interior de uma educação de tipo coletivo, pensaram que o apoio do Comitê Secreto* estava garantido.

Na verdade, o Comitê estava muito dividido quanto à atitude a adotar. Ernest Jones* apoiava Kazan contra Moscou, e Sandor Ferenczi* não queria mais ouvir falar, depois do fracasso da Comuna de Budapeste, da menor experiência em terreno comunista. Só Freud se dispunha a ajudar os Schmidt.

Isolada do debate sobre a psicanálise de crianças*, Vera Schmidt nunca foi realmente apoiada em seu empreendimento pela International Psychoanalytical Association* (IPA), cuja direção era excessivamente conservadora para aceitar uma experiência desse tipo, com os riscos e excessos que comportava. Pelas mesmas razões, o Lar também foi criticado pelos funcionários do ministério soviético da Saúde,

que nomeou uma comissão de inquérito para investigá-lo. Depois de um longo processo, e a despeito do apoio provisório de Nadejda Kroupskaia, mulher de Lenin, a experiência chegou ao fim em condições complexas. Foi o próprio Otto Schmidt, curador do Lar, que decidiu com sua mulher, em novembro de 1924, encerrar suas atividades. Em agosto de 1925, o instituto Solidariedade Internacional foi oficialmente liquidado.

Vera Schmidt praticou a análise em Moscou, com crianças e adultos. Em 1927, representou sua associação no Congresso da IPA, reunido em Innsbruck. Dois anos depois, recebeu a visita de Wilhelm Reich*, que a criticou por seu ideal adaptativo, mas com quem ela fez uma relação de amizade. A partir dessa data, a situação tornou-se difícil para o movimento psicanalítico russo, que cessou suas atividades em 1930. Entretanto, apesar das dificuldades, parece que Vera conseguiu receber pacientes particularmente. Vera Schmidt morreu de pneumonia.

Otto Schmidt continuou, como observou Jean Marti, "a servir a ciência soviética, explorando o Ártico e desenvolvendo, a partir de 1944 e até a morte, uma teoria cosmogônica segundo a qual a Terra e outros planetas se [formaram] a partir de poeira cósmica, numa época em que o sol atravessava, no espaço, uma nuvem de poeira".

• Vera Schmidt e Wilhelm Reich, *Pulsions sexuelles et éducation du corps*, Paris, UGC, col. "10/18", 1979 • Wilhelm Reich, *A revolução sexual* (Copenhague, 1936, Frankfurt, 1966), Rio de Janeiro, Zahar, 1982 • Jean Marti, "La Psychanalyse en Russie (1909-1930)", *Critique*, 346, março de 1976, 199-237 • Élisabeth Roudinesco, *História da psicanálise na França*, vol.2 (Paris, 1986), Rio de Janeiro, Jorge Zahar, 1988 • Alberto Angelini, *La psicoanalisi in Russia*, Nápoles, Liguori Editore, 1988 • Alexandre Etkind, *Histoire de la psychanalyse en Russie* (1993), Paris, PUF, 1995 • Élisabeth Roudinesco, entrevista com Irina Manson, 1º de janeiro de 1997.

➢ COMUNISMO; LURIA, ALEKSANDR ROMANOVITCH; SPIELREIN, SABINA; ZALKIND, ARON BORISSOVITCH.

Schnitzler, Arthur (1862-1931)

médico e escritor austríaco

Nascido em Viena*, Arthur Schnitzler era filho de um célebre laringologista judeu e estudou medicina. Como Sigmund Freud*, estudou a hipnose* com Hippolyte Bernheim* e foi aluno de Theodor Meynert* antes de se interessar pela psicanálise*. Chefe do movimento Jung Wien (Jovem Viena), foi, com Hugo von Hofmannsthal (1874-1929) e Stefan Zweig*, um dos grandes escritores vienenses do fim do século. Certos casos freudianos (Ida Bauer*, por exemplo), parecem ter saído de seus romances: "Freud e Schnitzler, escreveu William Johnston, compartilhavam muitos traços do esteticismo vienense. Individualistas obstinados [...], rejeitavam a cidade e preferiam o campo, mas não poderiam viver em outro lugar senão Viena. Ambos eram viajantes atentos, assimilando com avidez impressões novas."

A morte, a sexualidade*, a neurose*, o monólogo interior, o desvelamento da alma, o suicídio* formavam em Schnitzler a trama de um impressionismo literário, ao qual Freud foi tão sensível que expressou numa carta de 1922 o receio que lhe inspirava um encontro com o seu duplo: "Vou lhe fazer uma confissão que peço guardar só para você, em consideração a mim, e não compartilhar com nenhum amigo nem estranho. Uma pergunta me atormenta: na verdade por que, durante todos estes anos, nunca procurei freqüentá-lo e conversar com você [...]? Penso que o evitei por uma espécie de medo de me encontrar com meu duplo. Não que eu tenha tendência a me identificar facilmente com um outro ou que eu tenha desejado minimizar a diferença de talentos que nos separa, mas, ao mergulhar em suas esplêndidas criações, sempre pensei encontrar nelas, por trás da aparência poética, as hipóteses, os interesses e os resultados que eu sabia serem meus." Depois de observar que Schnitzler era, como ele, um investigador das profundezas psíquicas, Freud acrescentou: "Perdoe-me por recair na psicanálise, mas só sei fazer isso. Sei apenas que a psicanálise não é um meio para tornar-se amado."

• Arthur Schnitzler, *Mademoiselle Else*, Paris, Stock, 1980; *Thérèse*, Paris, Stock, 1981; *Le Lieutenant Gustel*, Paris, Calmann-Lévy, 1983; *La Ronde*, Paris, Stock, 1984; *Une jeunesse viennoise*, Paris, Hachette, 1987 • Sigmund Freud, *Correspondance, 1873-1939* (Londres, 1960), Paris, Gallimard, 1966 • William M. Johnston, *L'Esprit viennois. Une histoire intellectuelle et sociale 1848-1938* (N. York, 1972), Paris, PUF, 1985 • André Haynal, "Freud, la psychanalyse et son creuset", *Psychanalyse et science. Face à face*, Lyon, Césura, 1991, 149-61.

Schreber, Daniel Paul (1842-1911)

Embora a análise que Sigmund Freud* fez do caso de Daniel Paul Schreber (1842-1911) não tenha se originado, como as de Dora (Ida Bauer*), do Homem dos Ratos (Ernst Lanzer*) ou do Homem dos Lobos (Serguei Constantinovitch Pankejeff*), de um tratamento real, as "Notas psicanalíticas sobre um relato autobiográfico de um caso de paranóia", publicadas em 1911, sempre foram consideradas uma exposição ainda mais notável, pelo fato de Freud nunca se haver encontrado com esse paciente. Ela foi comentada, questionada e reinterpretada por toda a literatura psicanalítica de língua inglesa e alemã. Na França*, foi particularmente revisitada em vista da importância atribuída à paranóia* na história do pensamento lacaniano.

Nascido em julho de 1842, Daniel Paul Schreber pertencia a uma família ilustre da burguesia protestante alemã, composta de juristas, médicos e pedagogos. Seu pai, o Dr. Daniel Gottlieb (Gottlob) Moritz Schreber (1808-1861), havia-se celebrizado pela invenção de teorias educativas de extrema rigidez, baseadas no higienismo, na ginástica e na ortopedia. Em seus manuais, amplamente difundidos na Alemanha*, ele propunha corrigir os defeitos da natureza e remediar a decadência das sociedades, criando um novo homem: um espírito puro num corpo sadio. Zeloso de uma renovação da alma alemã, ele foi também promotor de loteamentos operários ajardinados e, nessa condição, viria a ser apoiado pela social-democracia e, mais tarde, resgatado pelo nacional-socialismo. Em 1861, três anos depois de lhe cair uma escada na cabeça, morreu de uma úlcera perfurada.

Em 1884, Daniel Paul Schreber, jurista renomado e presidente da corte de apelação da Saxônia, deu sinais de distúrbios mentais, depois de ser derrotado na eleição em que se apresentara como candidato do partido conservador. Foi então tratado pelo neurologista Paul Flechsig (1847-1929), que em duas ocasiões mandou interná-lo. Promovido a presidente do tribunal de apelação de Dresden em 1893, Schreber foi interditado sete anos depois, sendo seus bens colocados sob tutela. Redigiu então suas *Memórias de um doente dos nervos*, publicadas em 1903. Graças a esse livro, pôde sair do hospício e recuperar seus bens, não por ter provado que não era louco, mas por ter sabido demonstrar ao tribunal que sua loucura* não podia ser tomada como um motivo jurídico de confinamento. Em abril de 1910, ele morreu no manicômio de Leipzig. Alguns meses depois, ao começar a redigir seus comentários sobre a autobiografia de 1903, Freud ignorava se o autor delas ainda estava vivo.

As *Memórias* de Schreber apresentam o sistema delirante de um homem perseguido por Deus. Tendo vivido sem estômago e sem vesícula e havendo também "comido sua laringe", ele achava que o fim do mundo estava próximo e que ele próprio era o único sobrevivente, em meio a um mundo de enfermeiros e doentes designados como "sombras de homens feitos às pressas". Deus falava com ele na "língua fundamental" (a língua dos nervos) e lhe confiou a missão salvadora de se transmudar em mulher e gerar uma nova raça. Incessantemente regenerado pelos raios que o tornavam imortal e que emanavam dos "vestíbulos do céu", Schreber era também perseguido por pássaros "miraculados", que eram lançados contra ele depois de serem enchidos de "veneno de cadáver": esses pássaros lhe transmitiam os "restos" das antigas almas humanas. Enquanto esperava ser metamorfoseado em mulher e engravidado por Deus, Schreber urrava contra o sol e resistia aos complôs do Dr. Flechsig, designado como um "assassino de alma" que abusara sexualmente dele, antes de abandoná-lo à putrefação.

Deslumbrado com a extraordinária língua schreberiana, Freud analisou o caso para demonstrar, frente a Eugen Bleuler* e Carl Gustav Jung*, a validade de sua teoria da psicose*. Por isso, nos urros de Schreber contra Deus viu a expressão de uma revolta contra o pai, na homossexualidade* recalcada, a fonte do delírio, e, por último, na transformação do amor em ódio, o mecanismo essencial da paranóia. A eclosão do delírio pareceu-lhe menos uma entrada na doença do que uma tentativa de cura,

mediante a qual Daniel Paul, que não tivera nenhum filho para se consolar da morte do pai, tentou reconciliar-se com a imagem de um pai transformado em Deus.

Embora enfatizasse o caráter tirânico de Gottlieb, Freud não fez nenhuma aproximação entre o sistema educativo do pai e a gênese da paranóia do filho, conquanto já houvesse observado analogias entre os delírios paranóicos e os grandes sistemas que visam reformar a natureza humana. Em outras palavras, ele viu na "cura" do filho a conseqüência de um complexo paterno basicamente positivo.

Essa falha do dispositivo freudiano foi denunciada desde os primeiros comentários do caso. Em 1955, Ida Macalpine e seu filho, Richard Hunter, ambos alunos de Edward Glover* e dissidentes da British Psychoanalytical Society (BPS), redigiram para a tradução inglesa das *Memórias* um prefácio que estigmatizou a negligência freudiana das teorias educativas de Gottlieb. À tese freudiana eles opuseram uma interpretação kleiniana do caso. A seu ver, a paranóia de Schreber tivera como origem uma regressão profunda a um estádio primitivo de libido* indiferenciada, que teria reativado fantasias* infantis de procriação.

Depois dessa revisão, outros comentadores empreenderam trabalhos que reconstruíram progressivamente toda a genealogia da família Schreber, ora numa perspectiva histórica ou sociológica, ora para reexaminar a teoria freudiana da paranóia. De maneira geral, a escola kleiniana criticou a postura freudiana quanto ao lugar do pai na constelação do Édipo e procurou deslocar a questão da origem das psicoses para a vertente da relação arcaica e "esquizóide" com a mãe.

Foi no outono de 1955, no contexto de seu seminário sobre as psicoses, que Jacques Lacan*, por sua vez, revisou o caso, depois de tomar conhecimento do trabalho de Macalpine e Hunter. Sua perspectiva, como sempre contrária à dos kleinianos, levou-o mais longe do que Freud na questão da possível curabilidade das psicoses. Entretanto, embora se ocupasse das relações arcaicas com a mãe, Lacan não situou a origem das psicoses do lado materno, mas, antes, do lado da deficiência paterna. Assim, numa descendência direta do freudismo* clássico, ele fez questão de revalorizar a função simbólica do pai, para melhor assinalar os efeitos nefastos ligados a seu lugar "faltoso". Daí a elaboração de dois grandes conceitos: a foraclusão* e o Nome-do-Pai*.

Por essa ótica, em vez de considerar a paranóia como uma defesa* contra a homossexualidade*, Lacan a situou sob a dependência estrutural da função paterna. Assim, propôs reler *realmente* os escritos de Gottlieb M. Schreber, a fim de evidenciar o vínculo genealógico entre as teses pedagógicas do pai e a loucura do filho. Nesse quadro, a paranóia de Daniel Paul Schreber pôde ser definida, em termos lacanianos, como uma "foraclusão do Nome-do-Pai". Em outras palavras, como o seguinte encadeamento: o nome de D.G.M. Schreber, isto é, a função do significante* primordial encarnado pelo pai nas teorias educativas que visavam reformar a natureza humana, fora rejeitado (ou foracluído) do universo simbólico do filho, e havia retornado no real* delirante do discurso do narrador das *Memórias*.

Com essa interpretação, Lacan foi o primeiro dos comentadores do caso a teorizar o vínculo existente entre o sistema educativo do pai e o delírio do filho: na pena de Daniel Paul aparecia um universo povoado de instrumentos de tortura, estranhamente semelhantes aos aparelhos de normalização descritos nos manuais que traziam na capa o nome de D.G.M. Schreber, aquele "nome do pai" excluído ou censurado das *Memórias* ou da "memória" do filho.

Em 1992, o comentário de Freud foi radicalmente contestado por um psicanalista norte-americano, Zvi Lothane, membro da International Psychoanalytical Association* (IPA). Ele acusou freudianos e kleinianos de haverem fabricado integralmente diagnósticos falsos (paranóia e esquizofrenia) e, dessa maneira, de haverem infligido aos Schreber, pai e filho, uma "vergonha" e um "assassinato moral" em nome de uma pretensa homossexualidade latente. Lothane "reabilitou" Daniel Paul, fazendo dele um melancólico cuja loucura beirava a genialidade, e Gottlieb Moritz, em quem viu o grande pensador de uma medicina humanista, injustamente chamado de tirano pelos psicanalistas e psiquiatras.

• Daniel Paul Schreber, *Memórias de um doente dos nervos* (Leipzig, 1903), S. Paulo, Paz e Terra, 1995 • Sigmund Freud, "Notas psicanalíticas sobre um relato autobiográfico de um caso de paranóia (*Dementia paranoides*)" (1911), *ESB*, XII, 23-104; *GW*, VIII, 240-316; *SE*, XII, 1-79; in *Cinq psychanalyses*, Paris, PUF, 1954, 263-321 • *Le Cas Schreber. Contributions psychanalytiques de langue anglaise*, coletânea organizada, traduzida e apresentada por Luiz Eduardo Prado de Oliveira, Paris, PUF, 1979; *Schreber et la paranoïa*, textos reunidos e apresentados por Luiz Eduardo Prado de Oliveira, Paris, L'Harmattan, 1996 • Jacques Lacan, *Escritos* (Paris, 1966), Rio de Janeiro, Jorge Zahar, 1998; O Seminário, livro 3, *As psicoses (1955-1956)* (Paris, 1981), Rio de Janeiro, Jorge Zahar, 1988, 2a. ed.; "Présentation des *Mémoires* du président Schreber en traduction française" (1966), *Ornicar?*, 38, julho-setembro de 1986, 5-9 • Guy Rosolato, *Essais sur le symbolique*, Paris, Gallimard, 1969 • Octave Mannoni, *Clefs pour l'imaginaire ou l'Autre Scène*, Paris, Seuil, 1969 • Maud Mannoni, *Educação impossível* (Paris, 1973), Rio de Janeiro, Francisco Alves, 1988, 2ª ed. • D. Devreese, H. Israël, J. Qualckelbeen, *Schreber inédit* (1984), Paris, Seuil, 1986 • Han Israël, *Schreber père et fils*, Paris, Seuil, 1986 • Chawki Azouri, *J'ai réussi là où le paranoïaque échoue*, Paris, Denoël, 1990 • Zvi Lothane, *In Defense of Schreber: Soul Murder and Psychiatry*, Hillsdale e Londres, Analytic Press, 1992 • Élisabeth Roudinesco, *Jacques Lacan. Esboço de uma vida, história de um sistema de pensamento* (Paris, 1993), S. Paulo, Companhia das Letras, 1994 • Eric Santner, *A Alemanha de Schreber* (Princeton, 1996), Rio de Janeiro, Jorge Zahar, 1997.

➤ CLIVAGEM DO EU; ÉDIPO, COMPLEXO DE; ESQUIZOFRENIA; OBJETO, RELAÇÃO DE; POSIÇÃO DEPRESSIVA/POSIÇÃO ESQUIZO-PARANÓIDE.

Schriften zur angewandten Seelenkunde (*Monografias de psicanálise aplicada*)

As atas da Sociedade Psicológica das Quartas-Feiras*, preparadas por Otto Rank* e confiadas por Sigmund Freud* em 1938 a Paul Federn*, que seria seu editor em 1962, juntamente com Hermann Nunberg*, começam pelo relato da reunião de quarta-feira, 10 de outubro de 1906. Naquela noite, Freud se desculpou com seus colegas por não poder fazer-lhes a leitura, em virtude de um atraso do editor Hugo Heller*, do texto que havia redigido para apresentar uma nova coleção destinada a acolher ensaios de psicanálise aplicada*.

A criação dessa coletânea atendeu a uma crescente demanda do público. De fato, durante os anos de 1906-1907, grande parte das noites de quarta-feira foi dedicada a trabalhos dessa ordem, apresentações de biografias psicanalíticas e confrontos sobre os riscos de um excesso de interpretação psicanalítica a propósito de tudo. Ao longo dessas discussões, Freud se afigura dividido entre seu desejo de ver a psicanálise desenvolver-se e conquistar novos campos e o de dotar sua descoberta de um estatuto de cientificidade à prova de tudo.

A coletânea foi inaugurada pelo ensaio de Freud intitulado "Delírios e sonhos na *Gradiva* de Jensen"*. Seguiram-se trabalhos de Carl Gustav Jung*, Karl Abraham*, Otto Rank, Isidor Sadger*, Franz Riklin*, Oskar Pfister*, Max Graf*, Ernest Jones*, Adolf Josef Storfer (1888-1944), Hermine von Hug-Hellmuth*, e ainda o ensaio de Freud denominado "Leonardo da Vinci e uma lembrança de sua infância"*. A partir do terceiro volume, a coleção, que em 1913 já contava com quinze deles, passou a ser editada por Franz Deuticke, cuja editora estava instalada em Viena* e em Leipzig.

Curiosamente, esse acontecimento foi desprezado pelos historiadores e biógrafos, que raramente fazem menção ao texto de apresentação de Freud, incluído no primeiro volume da coleção e também na *Standard Edition* (mas ausente dos *Gesammelte Werke* e inédito em francês).

Nesse texto, Freud esclarece que a coleção será dirigida "ao mais vasto público instruído, que, sem ter formação em filosofia ou em medicina, ainda assim é capaz de aquilatar o esforço da ciência da alma humana no sentido de levar a uma compreensão profunda da vida humana". Os livros dessa coleção, prossegue ele, constituirão exemplos da aplicação dos conhecimentos psicológicos a questões de arte, literatura e história das civilizações e das religiões. Cada volume terá seu estilo próprio, ora decorrendo da abordagem especulativa, ora da investigação exata, mas todos deverão evitar os levantamentos ou a compilação. Por último, Freud esclarece que cada autor será responsável por seu texto e que a coleção, "aberta à expressão de opiniões divergentes", dará "a palavra à máxima variedade de pontos de vista e de princípios da ciência contemporânea".

• Sigmund Freud, "Delírios e sonhos na *Gradiva* de Jensen", *ESB*, IX, 17-96; *SE*, IX, 1-95; Paris, Gallimard, 1986, precedido por "La Jeune fille", de Jean-Bertrand Pontalis, 9-23 • *Freud/Jung: correspondência completa* (Paris, 1975), Rio de Janeiro, Imago, 1993 • *Les Premiers psychanalystes. Minutes de la Société Psychanalytique de Vienne, I, 1906-1908* (1962), Paris, Gallimard, 1976.

Schultz-Hencke, Harald (1892-1953)
médico e psicanalista alemão

Como Felix Boehm*, Carl Müller-Braunschweig* e Werner Kemper*, Harald Schultz-Hencke foi um dos psicanalistas que colaboraram com o Deutsche Institut für Psychologische Forschung (ou Göring Institut, ou Instituto Alemão de Pesquisas Psicológicas e Psicoterapia), fundado por Matthias Heinrich Göring* em 1936, no quadro da nazificação da psicanálise* na Alemanha* e da política de "salvamento" desta, promovida por Ernest Jones*.

Nascido em Berlim, sua mãe era grafóloga e seu pai físico e químico. Participou dos combates da Primeira Guerra Mundial e passou da medicina para a psicanálise depois de um tratamento com Sandor Rado*. Logo se opôs às teses freudianas sobre a sexualidade*, orientando-se, já em 1927, para a doutrina de Alfred Adler*, exibindo opiniões socialistas. Como Poul Bjerre* anteriormente, pretendeu ser fundador de uma escola de psicoterapia*, à qual deu o nome de neopsicanálise ou neoanálise. Em 1926, fundou a Allgemeine Ärztliche Gesellschaft für Psychotherapie (AÄGP), sociedade que agrupava psiquiatras e psicanalistas. Depois do advento do nazismo*, criou a Sociedade Alemã dos Clínicos Gerais para a Psicoterapia (DAÄGP), cujo objetivo era ensinar uma psicoterapia de acordo com as concepções nacional-socialistas. Personagem medíocre, fraco e vaidoso, aderiu ao nazismo* e colaborou com Göring, menos por engajamento militante do que por oportunismo.

Depois da capitulação da Alemanha, Schultz-Hencke tomou parte, com Kemper, em uma reunião de psiquiatras na parte leste de Berlim ocupada pelas tropas soviéticas. Nessa ocasião, defendeu os princípios da neopsicanálise, segundo ele única capaz de superar as querelas do freudismo, e exibiu opiniões de esquerda favoráveis ao marxismo e ao comunismo. Assim, contribuiu, em nome do combate contra a ortodoxia freudiana, para a reconstrução, na República Democrática Alemã (DDR), de uma escola de psicoterapia* de tipo pavloviano, visando liquidar o freudismo. Depois de colaborar com o nazismo para a destruição da psicanálise por causa de judeidade*, apoiou com igual zelo a política stalinista de rejeição às teses freudianas, que iria se estender a todos os países dominados pelo socialismo real após a partilha de Ialta.

Posteriormente, como Kemper, também não foi molestado por seu passado nazista, mas ferozmente criticado pelos freudianos da International Psychoanalytical Association* (IPA), particularmente Jones e Müller-Braunschweig, pelo caráter "desviacionista" de sua neopsicanálise.

• *Les Années brunes. La Psychanalyse sous le IIIe Reich*, Textos traduzidos e apresentados por Jean-Luc Evard, Paris, Confrontation, 1984 • Chaim S. Katz (org.), *Psicanálise e nazismo*, Rio de Janeiro, Taurus, 1985 • Geoffrey Cocks, *La Psychothérapie sous le IIIe Reich* (Oxford, 1985), Paris, Les Belles Lettres, 1987 • Regine Lockot, *Erinnern und Durcharbeiten*, Frankfurt, Fischer, 1985 • *Ici la vie continue de manière surprenante*, seleção de textos traduzidos por Alain de Mijolla, Paris, Association Internationale d'Histoire de la Psychanalyse (AIHP), 1987.

➢ COMUNISMO; JACOBSON, EDITH; JUNG, CARL GUSTAV; KEMPER, ANA KATRIN; KRETSCHMER, ERNST; LAFORGUE, RENÉ; MAUCO, GEORGES; NEOFREUDISMO; RITTMEISTER, JOHN.

Schultz, Johannes Heinrich (1884-1970)

médico alemão

Criador, em 1932, do método do treinamento autógeno, do qual se originaram todas as outras psicoterapias* fundadas no relaxamento, Johannes Schultz foi aluno de Otto Binswanger (1852-1929), tio de Ludwig Binswanger*, antes de se orientar para as teses de Carl Gustav Jung*. Desde 1933, aderiu ao nacional-socialismo por convicção e por oportunismo, e integrou-se ao corpo motorizado dos SA. Como Harald Schultz-Hencke*, Werner Kemper* ou Felix Boehm*, contribuiu para a nazificação da psicanálise* e das outras correntes da psicoterapia, sob a direção de Matthias Heinrich Göring, em Berlim. No Göring Institut, exerceu sobretudo as funções de organizador do hospital-dia, praticou a hipnose* e a sugestão*, desenvolvendo tratamentos curtos em função dos interesses ideológicos e econômicos do regime.

• Johannes H. Schultz, *Le Traitement autogène. Méthode de relaxation par auto-déconcentration concentrative* (Berlim, 1932), Paris, PUF, 1965, adaptado por R. Durant de Bousingen e Y. Becker • Geoffrey Cocks, *La Psychothérapie sous le IIIe Reich* (Oxford, 1985), Paris, Les Belles Lettres, 1987.

➢ ALEMANHA; LAFORGUE, RENÉ; MAUCO, GEORGES; NAZISMO.

Schur, Max (1897-1969)

médico e psicanalista americano

Nascido em Stanislau, na Polônia, e originário da burguesia judaica, Max Schur estudou na Universidade de Viena*. Aos 18 anos, assistiu às conferências de Sigmund Freud* sobre psicanálise* e logo começou seus estudos de medicina. Especializou-se em medicina interna e iniciou uma análise com Ruth Mack-Brunswick* em 1924. Três anos depois, tornou-se médico pessoal de Marie Bonaparte* e, no ano seguinte, esta insistiu para que Freud o tomasse como médico, no lugar de Felix Deutsch*. Uma nova vida começou então para Max Schur, que acompanhou Freud durante toda a sua longa doença, até 1939. Em 23 de setembro, em Londres, a seu pedido e com o consentimento de sua filha Anna Freud*, administrou a Freud por três vezes consecutivas uma dose de três centigramas de morfina, o que pôs fim a seu sofrimento.

Depois, emigrou para os Estados Unidos* e integrou-se à New York Psychoanalytic Society (NYPS). Continuando a praticar a medicina, orientou-se para a profissão de psicanalista. Depois de Ernest Jones*, foi o segundo grande biógrafo de Freud. Publicou em 1972 uma obra notável, *Freud: vida e agonia*, que relatava com muitos detalhes a evolução do câncer do mestre e interpretava seus textos em função de sua relação com a morte.

• Max Schur, *Freud: vida e agonia, uma biografia*, 3 vols. (N. York, 1972), Rio de Janeiro, Imago, 1981 • Peter Gay, *Freud: uma vida para o nosso tempo* (N. York, 1988), S. Paulo, Companhia das Letras, 1995 •

Ernst Federn, *Témoin de la psychanalyse* (Londres, 1990), Paris, PUF, 1994.

➤ HISTORIOGRAFIA.

Sechehaye, Marguerite, *née* Burdet (1887-1964)

psicanalista suíça

Especialista na abordagem psicanalítica da esquizofrenia*, Marguerite Sechehaye era de uma família protestante de imigrantes das Cévennes. Na Universidade de Genebra, fez os cursos de Ferdinand de Saussure (1857-1913), e foi parcialmente a partir de suas anotações que Charles Bally e Albert Sechehaye, alunos de Saussure, redigiram o famoso *Curso de lingüística geral*.

Aos 19 anos de idade, casou-se com Sechehaye e orientou-se para o Instituto Jean-Jacques Rousseau, fundado por Édouard Claparède*. Ligada, por seu casamento, a duas ilustres famílias de Genebra, fez uma formação psicanalítica de um ano com Raymond de Saussure*. No período entre as duas guerras, participou do desenvolvimento do movimento psicanalítico suíço, freqüentando os principais representantes freudianos da psicanálise de crianças: Melanie Klein*, Donald Woods Winnicott*, Anna Freud*, René Spitz*. Nessa época, começou a conceber um método original para o tratamento da esquizofrenia, fundado na "realização simbólica". Foi estimulada em suas pesquisas por Sigmund Freud*.

Em 1950, publicou uma obra inaugural, *Diário de uma esquizofrênica*, que tinha a originalidade de associar o depoimento da doente (Renée) ao comentário do terapeuta. A primeira parte do livro era redigida como uma "auto-observação" do caso pela própria paciente, enquanto na segunda a autora apresentava uma "interpretação" da introspecção da paciente. Esta se chamava, na realidade, Louisa Duess e, depois dessa aventura, foi adotada por Marguerite, cujo nome ela assumiu. Mais tarde também se tornou psicanalista.

Traduzido no mundo inteiro, esse documento anunciava muitas interrogações da década seguinte, principalmente as da antipsiquiatria* sobre o estatuto da loucura* e sobre a possibilidade, para os loucos, de expressarem por si

próprios a história de seu caso, fora da nosografia e das patografias do saber psiquiátrico.

• Marguerite Sechehaye, *Journal d'une schizophrène*, Paris, PUF, 1950 • Élisabeth Roudinesco, entrevista com Mario Cifali, 15 de fevereiro de 1996.

sedução, teoria da

al. *Verführungstheorie*; esp. *teoría de la seducción*; fr. *théorie de la séduction*; ing. *theory of seduction*

Na história da psicanálise*, a questão do abandono da teoria da sedução por Sigmund Freud*, em 1897, nunca deixou de ser objeto de conflitos interpretativos.

A palavra sedução remete, antes de mais nada, à idéia de uma cena sexual em que um sujeito*, geralmente adulto, vale-se de seu poder real ou imaginário para abusar de outro sujeito, reduzido a uma posição passiva: uma criança ou uma mulher, de modo geral. Em essência, a palavra sedução é carregada de todo o peso de um ato baseado na violência moral e física que se acha no cerne da relação entre a vítima e o carrasco, o senhor e o escravo, o dominador e o dominado. Foi exatamente dessa representação da coerção que Freud partiu ao construir, entre 1895 e 1897, sua teoria da sedução, segundo a qual a neurose* teria como origem um abuso sexual real. Essa teoria apoiava-se simultaneamente numa realidade social e numa evidência clínica. Nas famílias, e às vezes até na rua, as crianças muitas vezes são vítimas de violações por parte dos adultos. Pois bem, a lembrança desses traumas é tão penosa que todos preferem esquecê-los, não vê-los ou recalcá-los.

Escutando as histéricas do fim do século que lhe confidenciavam essas histórias, Freud deu-se por satisfeito com a prova do discurso delas e construiu sua primeira hipótese do recalque* e da causalidade sexual da histeria* com base na teoria da sedução. Achou que era por terem sido realmente seduzidas que essas histéricas eram afetadas por distúrbios neuróticos. Assim, emitiu dúvidas sobre o pai de um modo geral, sobre Jacob Freud* em particular e... sobre ele mesmo: porventura não havia também experimentado desejos* culpados em relação a suas próprias filhas?

Foi através de sua relação com Wilhelm Fliess*, adepto de uma teoria biológica da bissexualidade* e de uma concepção da sexualidade* fundamentada no "traço" real, que Freud renunciou progressivamente à teoria da sedução. De fato, esbarrou numa realidade irredutível: nem todos os pais eram violadores, e, no entanto, as histéricas não estavam mentindo quando se diziam vítimas de uma sedução. Era forçoso, portanto, formular uma hipótese que pudesse dar conta dessas duas verdades contraditórias. Freud percebeu duas coisas: ora as mulheres inventavam, sem mentir nem simular, cenas de sedução que não haviam acontecido, ora, quando essas cenas haviam tido lugar, elas não explicavam a eclosão de uma neurose.

Para dar coerência a tudo isso, Freud substituiu a teoria da sedução pela da fantasia*, o que pressupôs a elaboração de uma doutrina da realidade psíquica* baseada no inconsciente*. Todos os seus contemporâneos haviam pensado em sair da idéia da causalidade real e passar para uma "outra cena". Mas Freud foi o primeiro a apontar sua localização, resolvendo o enigma das causas sexuais: elas eram fantasísticas, mesmo quando havia um trauma real, uma vez que o real da fantasia não é da mesma natureza que a realidade material. Note-se que, no momento em que deu esse passo, Freud estava prestes a se libertar, ele mesmo, da sedução de Fliess, o qual, no entanto, nunca fora um partidário convicto de sua teoria da sedução.

Freud anunciou haver renunciado à teoria da sedução numa carta de 21 de setembro de 1897 endereçada a Fliess: "Não acredito mais em minha *neurotica*, o que não há de ser compreensível sem uma explicação." Segue-se então um longo comentário sobre as dúvidas, hesitações e suspeitas que o haviam conduzido ao caminho da verdade. E ele conclui que corre o risco de decepcionar a humanidade e de não ficar rico nem célebre, uma vez que renunciou a uma prova falsa que, não obstante essa falsidade, convinha a todo o mundo: "Eis-me obrigado a ficar quieto, a permanecer na mediocridade, a fazer economias e a ser atormentado por preocupações, e é então que me volta à cabeça uma das historinhas de minha antologia: 'Rebeca, tire o vestido, você não é mais noiva nenhuma.'"

Dada a importância capital desse abandono no que tange ao nascimento da psicanálise, a questão da teoria da sedução foi objeto de debates e comentários particularmente animados.

Três tendências se desenharam entre os freudianos. A primeira, representada pelos ortodoxos, nega a existência de seduções reais em prol de uma supervalorização da fantasia e, por conseguinte, leva a que o psicanalista nunca se ocupe, na análise, dos abusos sofridos por seus pacientes, tanto na infância quanto em sua vida atual. Note-se que o kleinismo*, sem negar a existência de seduções reais, levou muito longe a preponderância da realidade psíquica, fazendo os traumas derivarem de uma relação de objeto* baseada numa sedução imaginária de tipo sádico, e julgada muito mais violenta do que o trauma real: daí a invenção do objeto* bom e mau e, mais tarde, do conceito de phantasia* (grafada com *ph* em vez de *f*).

A segunda tendência é representada pelos adeptos do biologismo e das teorias "fliessianas" da sexualidade, desde a sexologia* até Alice Miller e a neurobiologia, passando por Wilhelm Reich*. Ela consiste em negar a existência da fantasia e em remeter qualquer forma de neurose ou psicose* a uma causalidade traumática, isto é, a uma violação (do pensamento ou do corpo) realmente sofrida na infância. Os partidários dessa posição acusam os freudianos de mentirem sobre a realidade social e, acima de tudo, de não levarem a sério as queixas e confissões dos pacientes que são vítimas de violações, pancadas, torturas morais e físicas ou abusos diversos. Eles acabaram substituindo a análise por uma tecnologia da confissão e procurando fazer os pacientes "confessarem", através da sugestão* ou sob hipnose*, tanto os traumas reais quanto os maus-tratos imaginários.

A terceira tendência, a única que se mostra conforme à ética e à teoria freudianas, bem como à realidade social, aceita simultaneamente a existência da fantasia e a do trauma. No plano clínico, tanto com crianças quanto com adultos, o psicanalista deve ser capaz de discernir e levar em conta as duas ordens de realidade, muitas vezes superpostas. Na verdade, é tão grave desprezar o abuso real quanto confundir a fantasia com a realidade. Sob esse aspecto, a negação da ordem psíquica é sempre uma mutilação tão grave para o sujeito quanto a negação de um trauma real.

Na história do movimento psicanalítico, esse problema é ainda mais complexo, na medida em que os psicanalistas da primeira geração* foram acusados, sobretudo nos países puritanos, de haverem, eles mesmos, abusado sexualmente de seus pacientes. Foi o que aconteceu com Ernest Jones* na Grã-Bretanha* e no Canadá*. Nesses países, é comum assimilarem-se a um abuso de poder tanto as interpretações* selvagens quanto as relações sexuais livremente consentidas, quando um dos parceiros ocupa em relação ao outro um lugar de "dominador" (professor/aluno, médico/paciente), ou ainda as relações transgressoras (incesto*).

Do ponto de vista clínico, foi Sandor Ferenczi* quem levou mais longe a discussão psicanalítica dessa questão, ao apresentar ao congresso da International Psychoanalytical Association* (IPA) realizado em Wiesbaden, em 1932, uma intervenção que seria publicada sob o título de "Confusão de língua entre os adultos e a criança". Nele, Ferenczi fustigou a hipocrisia da corporação analítica e suas atitudes de "neutralidade benevolente", mostrando que ela repetia a hipocrisia parental. Em conseqüência disso, longe de se curar ou se libertar, o paciente se trancafiava na análise.

Sem abolir a dimensão da fantasia, Ferenczi reivindicou que se levasse em conta, na e através da psicanálise, a existência de seduções reais: "Até crianças pertencentes a famílias honradas e de tradição puritana, com mais freqüência do que nos atrevemos a pensar, são vítimas de violências e violações. Ora são os próprios pais que buscam dessa maneira patológica um substituto para suas insatisfações, ora são pessoas de confiança, membros da mesma família (tios, tias, avós), ora, ainda, são os preceptores ou a criadagem doméstica que abusam da ignorância ou da inocência das crianças. A objeção, qual seja, a de que se trata de fantasias infantis, isto é, de mentiras histéricas, lamentavelmente perde força em conseqüência do número considerável de pacientes em análise que confessam, eles mesmos, haver chegado às vias de fato com crianças."

Nem era preciso tanto para exasperar a ortodoxia freudiana. Max Eitingon* e Abraham Arden Brill* tiveram a pretensão de impedir Ferenczi de ler sua comunicação no congresso, enquanto o próprio Freud tentou dissuadi-lo de publicá-la. Quanto a Jones, recusou-se a publicar o texto no *International Journal of Psychoanalysis** (*IJP*), temendo que recomeçasse o debate do qual ele próprio fora o pivô. Na verdade, todos quatro eram tão hostis a essa renovação da teoria da sedução quanto à evolução ferencziana em matéria de técnica ativa. Na opinião deles, a denúncia da hipocrisia psicanalítica trazia o risco de prejudicar a "causa".

A história da teoria da sedução transformou-se num verdadeiro escândalo no início da década de 1980, quando Kurt Eissler e Anna Freud* decidiram confiar a publicação integral das cartas de Freud a Fliess a um acadêmico norte-americano, devidamente formado no serralho da ortodoxia. Nascido em Chicago em 1941, Jeffrey Moussaïeff Masson pôs-se a ler os arquivos interpretando-os de maneira selvagem, com a idéia de que eles esconderiam uma verdade oculta, e afirmou que Freud renunciara por covardia à teoria da sedução. Não se atrevendo a revelar ao mundo as atrocidades cometidas pelos adultos com as crianças, Freud teria inventado a fantasia para mascarar uma realidade; seria, portanto, pura e simplesmente, um falsário. Em 1984, Masson publicou um livro sobre o assunto, *O real escamoteado*, que foi um dos maiores best-sellers psicanalíticos norte-americanos da segunda metade do século.

O livro, apoiado na tradição do puritanismo, veio corroborar as teses da historiografia* revisionista. Tratou-se, com efeito, de mostrar que a mentira freudiana havia pervertido a América, tornando-se aliada de um poder baseado na opressão: colonização das crianças pelos adultos, dominação das mulheres pelos homens, tirania do conceito sobre o impulso vital etc. Vítima de uma sedução, a América deveria agora libertar-se do jugo da psicanálise, confessando ao mundo que todo homem é sempre vítima de um abuso.

Depois desse episódio, a corrente revisionista norte-americana entregou-se a um despedaçamento não apenas da doutrina freudiana, acusada de abuso de poder, mas também do próprio Freud, transformado num cientista diabólico e num demônio sexual, culpado de relações abusivas dentro de sua própria família e em seu divã.

No contexto dos anos noventa, portanto, o retorno à teoria da sedução foi, inicialmente, uma reação contra a ortodoxia psicanalítica, e, mais tarde, o grande sintoma de uma forma norte-americana de antifreudismo, na qual se misturaram a vitimologia, o culto fanático às minorias oprimidas e a apologia de uma tecnologia da confissão, amplamente apoiada na farmacologia.

• Sigmund Freud, *La Naissance de la psychanalyse* (Londres, 1950), Paris, PUF, 1956; *Briefe an Wilhelm Fliess, 1887-1904*, Frankfurt, Fischer, 1986 • *Freud/Fliess: correspondência completa, 1887-1904*, Jeffrey Moussaieff Masson (org.) (Cambridge, 1985), Rio de Janeiro, Imago, 1997 • Sandor Ferenczi, "Confusão de língua entre os adultos e a criança" (1932), in *Psicanálise IV, Obras completas, 1927-1933* (Paris, 1982), S. Paulo, Martins Fontes, 1994, 97-107 • Jean Laplanche e Jean-Bertrand Pontalis, *Fantasia originária, fantasias das origens, origens da fantasia* (Paris, 1985), Rio de Janeiro, Jorge Zahar, 1988 • Jean-Paul Sartre, *Freud, além da alma* (Paris, 1984), Rio de Janeiro, Nova Fronteira, 1982 • Alice Miller, *Le Drame de l'enfant doué* (Frankfurt, 1979), Paris, PUF, 1983 • Jeffrey Moussaieff Masson, *Atentado à verdade* (Paris, 1984), Rio de Janeiro, José Olympio, 1984 • Ilse Grubrich-Simitis, "Metapsicologia e metabiologia", in Sigmund Freud, *Neuroses de transferência: uma síntese* (Frankfurt, 1985), Rio de Janeiro, Imago, 1994; "Trauma or drive — Drive and trauma", in Albert J. Solnit, Peter B. Neubauer, Samuel Abrams e A. Scott Dowling (orgs.), *The Psychoanalytic Study of the Child*, New Haven, Yale University Press, vol.XLIII, 1988, 3-32 • Janet Malcolm, *Tempête aux Archives Freud*, (N. York, 1984), Paris, PUF, 1986 • Marceline Gabel (org.), *Les Enfants victimes d'abus sexuels*, Paris, PUF, 1992 • Érik Porge, *Vol d'idées*, Paris, Denoël, 1994.

➢ Biblioteca do Congresso; Cena primária; Diferença sexual; Estados Unidos; *Estudos sobre a histeria*; Fetichismo; Fliess, Robert; Gênero; *Leonardo da Vinci e uma lembrança de sua infância*; Pappenheim, Bertha; Psicanálise de crianças; Rank, Otto; Sadomasoquismo.

self
➢ *Self Psychology*.

self falso e verdadeiro
esp. *self falso y verdadero*; fr. *self faux et vrai*; ing. *false self/true self*

A expressão "falso self" foi cunhada por Donald Woods Winnicott* em 1960, para designar uma distorção da personalidade que consiste em enveredar, desde a infância, por uma vida ilusória (o eu inautêntico), a fim de proteger, através de uma organização defensiva, o verdadeiro self (o eu autêntico). O falso self, portanto, é o meio de alguém não ser ele mesmo de acordo com diversas gradações, que chegam até a uma patologia de tipo esquizóide, na qual o falso self é instaurado como sendo a única realidade, com isso vindo expressar a ausência do self verdadeiro.

O termo self (falso e verdadeiro) impôs-se na língua francesa sob sua forma inglesa, embora seja ocasionalmente traduzido por soi [eu, si mesmo].

Foi num artigo de 1960, intitulado "Distorção do eu em função do *self* verdadeiro e falso", que Donald W. Winnicott introduziu seu célebre "falso *self*", que faria fortuna na história do freudismo*. Como sempre acontece em sua obra, o conceito foi construído de maneira luminosa a partir de um caso clínico (a história de uma mulher que tinha a impressão de nunca haver existido), sendo depois estendido a uma compreensão geral da natureza existencial do "autêntico" e do "inautêntico", na qual a relação com a mãe revela-se decisiva.

Winnicott extraiu dessa observação um ensinamento fecundo para a técnica psicanalítica* e mostrou como desarticular, na transferência*, os numerosos artifícios com que o falso *self* encobre o verdadeiro, a ponto de tornar a própria análise inoperante.

• Donald W. Winnicott, *O ambiente e os processos de maturação* (Londres, 1960), P. Alegre, Artes Médicas, 1983 • Claude Geets, *Winnicott*, Paris, Édition Universitaire, 1981.

self grandioso
➢ Kohut, Heinz.

Self Psychology
esp. *self psychology*; fr. *self psychologie* ou *psychologie du soi*; ing. *Self Psychology*

Inicialmente utilizada por Heinz Hartmann* em 1950, no contexto da *Ego Psychology**, para diferenciar o eu* como instância psíquica (traduzido em inglês por ego) do eu como a própria pessoa, a noção de *self* (si mesmo) foi depois empregada para designar uma instância da personalidade no sentido narcísico: uma representação de si por si mesmo, um auto-investimento libidinal.

O termo foi retomado em 1960 pela escola inglesa de psicanálise*, com Donald Woods Winnicott*, e pela escola norte-americana, com Heinz Kohut*, isto é, pela terceira geração* internacional da história do freudismo*. Para os ingleses, tratava-se de acrescentar à segunda tópica* freudiana um complemento fenomenológico da pessoa ou do ser, isto é, uma instância da personalidade constituída posteriormente ao eu, numa relação com a mãe e numa relação com o semelhante. O *self* serviu então para delimitar a dimensão narcísica do sujeito*, estivesse esta sadia ou destruída e fosse o *self* verdadeiro ou falso. Por meio disso, a noção permitiu abordar distúrbios da identidade tidos como "inacessíveis" a uma psicanálise centrada no eu. Entre os norte-americanos, a conotação fenomenológica desapareceu e o *self* transformou-se numa noção puramente empírica, que serviu basicamente para definir uma clínica específica dos distúrbios narcísicos: o *"self grandioso"* de Kohut, por exemplo, ou o "eu fraco" de John Rosen, teórico da análise direta*.

Nessa dupla condição, a partir da década de 1960, o termo erigiu-se como paradigma de uma corrente do freudismo anglófono, a *Self Psychology*. Depois de se desenvolver em oposição às deficiências de uma *Ego Psychology* demasiadamente centrada na adaptação e na clínica das neuroses*, ela formou então uma nebulosa de contornos imprecisos, onde se viram misturados todos os clínicos norte-americanos e ingleses especializados em distúrbios da personalidade, na despersonalização, nos *borderlines** na neurose narcísica e na esquizofrenia*, fossem eles kleinianos, pós-kleinianos, annafreudianos ou antipsiquiatras, e pertencessem ou não à International Psychoanalytical Association* (IPA).

Contemporânea do lacanismo*, a corrente da psicologia do *self* foi, como ele, uma tentativa de renovar o freudismo clássico, através de um confronto com o tratamento das psicoses e mediante a introdução de uma teoria da subjetividade alheia à metapsicologia*. Não teve nenhum impacto na França*, onde o terreno fora ocupado pela teoria lacaniana e pela psicoterapia institucional*, nem tampouco no mundo germânico, onde a análise existencial*, proveniente de Ludwig Binswanger* e retomada por Igor Caruso* e pelos fenomenologistas, respondia mais ou menos às mesmas interrogações. E quase não teve eco na América Latina (Argentina*, Brasil*), onde apenas o lacanismo, o kleinismo* e o pós-kleinismo se desenvolveram nos regimes ditatoriais, a partir de problemáticas idênticas. É interessante constatar que esse vasto movimento de busca de identidade correspondeu, nos Estados Unidos*, à última tentativa crítica de salvar a doutrina psicanalítica da crise de identidade pela qual ela foi atingida, em razão de sua ortodoxia e da disseminação das psicoterapias*. Nascido da contestação dos modelos adaptativos, o movimento da *Self Psychology* extinguiu-se no início da década de 1990, com a grande reação puritana norte-americana, simultaneamente oriunda do conservadorismo, do cognitivismo, do organicismo e dos diferentes comunitarismos hostis ao universalismo freudiano.

• D.C. Levin, "The Self: A contribution to its place in theory and technique", *IJP*, 1, 1969, 40-51 • Heinz Kohut, *Análise do Self* (N. York, 1971), Rio de Janeiro, Imago, 1988 • A restauração do *self* (N. York, 1977), Rio de Janeiro, Imago, 1988 • Arnold Goldberg (org.), *Progress in Self Psychology*, 2 vols., N. York, Guilford Press, 1985 • Agnès Oppenheimer, "La Psychologie du self en question", *Psychanalyse à l'Université*, 12, 47, 1987, 487-96; "La Psychologie du self, dix ans après", ibid. 13, 51, 1988, 503-13; *Kohut et la psychologie du self*, Paris, PUF, 1996 • Philip Cushman, *Constructing the Self, Constructing America. A Cultural History of Psychotherapy*, N. York, Addison-Wesley Publishing Company, 1995 • Nathan G. Hale, *Freud and the Americans. The Rise and Crisis of Psychoanalysis in the United States, 1917-1985*, t.II, N. York, Oxford, Oxford University Press, 1995.

➢ ANTIPSIQUIATRIA; BION, WILFRED RUPRECHT; DIFERENÇA SEXUAL; ESTÁDIO DO ESPELHO; FEDERN, PAUL; GÊNERO; IMAGEM DO CORPO; LAING, RONALD; NARCISISMO; *SELF* (FALSO E VERDADEIRO); SUJEITO; SULLIVAN, HARRY STACK.

Servadio, Emilio (1904-1995)

psicanalista italiano

Nascido em Sestri-Ponente, na província de Gênova, de formação jurídica, Emilio Servadio logo se interessou pela psicologia, pela hipnose* e pelas questões sobre as relações entre a filosofia e o estudo dos processos mentais. Muito jovem, leu a produção científica francesa, Jean Martin Charcot*, Hippolyte Bernheim*, Joseph Babinski* e também Pierre Janet*, cuja aversão pelas teses de Sigmund Freud* criticou severamente. Influenciado inicialmente pelas idéias do psiquiatra Enrico Morselli (1852-1929), que combateria violentamente a psicanálise (e mais especialmente Edoardo Weiss*), Servadio se apaixonou pela parapsicologia. Depois de se tornar psicanalista, continuou a se interessar ativamente por essas questões, a ponto de se tornar um especialista de renome mundial. Nunca se preocupou com as críticas e reservas que lhe faziam, a esse respeito, os seus amigos psicanalistas italianos, Cesare Musatti* e Franco Fornari* principalmente.

Desde 1924, em um artigo dedicado à "medicina psicológica", citou Freud, de quem traduziria algumas obras, reconhecendo na psicanálise o mérito de ter aberto um novo campo para a experiência e a pesquisa metapsicológicas.

Mas foi o encontro com aquele que se tornaria seu analista, Weiss, que o levou a se orientar definitivamente para a psicanálise. Tornando-se analista, fez parte do pequeno grupo de pioneiros que se reuniam em torno de Weiss, na sua casa em Roma, na Via dei Gracchi. Uma certa rivalidade com Nicola Perrotti*, que dirigia o Instituto de Psicanálise em Roma, levou Servadio a fundar na mesma cidade o Centro de Psicanálise. Vítima, como muitos outros, das leis anti-semitas, Servadio deixou a Itália em 1938 e exilou-se em Bombaim, mas nunca teria um papel determinante para o freudismo* na Índia*.

Ao voltar em 1946, reassumiu suas atividades de psicanalista. Notável clínico, multiplicando as contribuições sobre as questões relativas à primeira infância, à homossexualidade* e aos efeitos das drogas alucinógenas, apaixonado por teoria literária, Servadio se tornaria um dos terapeutas italianos mais ativos e mais conhecidos.

Em 1953, por ocasião do XXVI Encontro de Psicanalistas de Línguas Românicas, no qual Jacques Lacan* expôs o seu texto "Função e campo da fala e da linguagem na psicanálise", apresentou um relatório sobre o "Papel dos conflitos pré-edipianos" que seria traduzido para o francês. No começo dos anos 1960, com o professor Leonardo Ancona, atacou as conseqüências da condenação da psicanálise pelo padre Agostino Gemelli (1878-1959). De 1963 a 1969, foi presidente da Società Psicoanalitica Italiana (SPI). Preocupado em proteger a psicanálise da invasão das psicoterapias de grupo na Itália, fundou em 1981 a Sociedade Italiana de Psicoterapia Psicanalítica, destinada a reunir os praticantes que não tivessem formação psicanalítica.

• Emilio Servadio, "La psicoanalisi in Italia. Cenno storico", *Rivista di Psicoanalisi*, 11, 1965; "Rôle des conflits préoedipiens", *Revue Française de Psychanalyse*, 1954 • Contardo Call1igaris, "Petite histoire de la psychanalyse en Italie", *Critique*, 333, fevereiro de 1975 • Michel David, *La psicoanalisi nella cultura italiana* (1966), Turim, Bollati Boringhieri, 1990; "La Psychanalyse en Italie", in Roland Jaccard (org.), *Histoire de la psychanalyse*, vol.II, Paris, Hachette, 1982 • Arnaldo Novelletto, "Italy", in Peter Kuetter (org.), *Psychoanalysis International. Guide to Psychoanalysis throughout the World*, Stuttgart-Bad Cannstatt, Frommann-Holzboog, 1992, 195-213 • Silvia Vegetti Finzi, *Storia della psicoanalisi*, Milão, Mondadori, 1986.

➤ IGREJA.

sessão curta

➤ TÉCNICA PSICANALÍTICA.

sexologia

al. *Sexologie*; esp. *sexología*; fr. *sexologie*; ing. *sexology*

Disciplina ligada à biologia, que toma por objeto de estudo a atividade sexual humana com um objetivo descritivo e terapêutico.

A palavra sexologia apareceu pela primeira vez na língua inglesa em 1867 e, depois, na língua francesa, em 1911, num livro francês dedicado à determinação do sexo das crianças antes do nascimento. A partir de 1920, começou a integrar os dicionários, os tratados especializados e o vocabulário corrente.

A sexologia, ou "ciência do sexual", constituiu-se no fim do século XIX, com os trabalhos eruditos dos três pais fundadores dessa doutrina: Richard von Krafft-Ebing*, que lançou em 1886 seu célebre livro *Psychopathia sexualis*, Albert Moll*, que publicou em 1897 sua *Libido sexualis*, e Havelock Ellis*, autor, a partir de 1897, de um compêndio sobre a questão, intitulado *Estudos de psicologia sexual*. Em seguida, com Magnus Hirschfeld* e Ivan Bloch (1872-1922), desenvolveu-se uma escola alemã de sexologia cujo objetivo era estudar o comportamento sexual humano e lutar pela igualdade de direitos em matéria de prática sexual. Simultaneamente interessada no higienismo, na nosografia e na descrição das "aberrações", ela se preocupava menos com a terapêutica do que com a erudição e a pesquisa literária sobre as diferentes formas de práticas e identidades sexuais: homossexualidade*, heterossexualidade, bissexualidade*, perversão*, travestismo, transexualismo*, zoofilia etc. Foi com essa perspectiva que se criou em Berlim, em 1913, a Sociedade Médica de Ciência Sexual e Eugênica, que seria dissolvida pelos nazistas.

Tal como a criminologia*, a sexologia construiu-se, no fim do século XIX, no terreno da teoria da hereditariedade-degenerescência*, quando os médicos e juristas de língua alemã começaram a encampar o domínio antes "privado" da sexualidade* humana, no intuito de definir, científica e juridicamente, as condições de uma possível relação entre a norma e a patologia no seio de uma sociedade às voltas com o declínio da função paterna tradicional. Tratava-se, pois, de instaurar uma nova divisão entre a ordem jurídica, encarregada de sancionar os desvios julgados perigosos ou criminosos para a sociedade burguesa industrial, e a ordem psiquiátrica, cujo objetivo era o tratamento e a prevenção (higienista ou eugenista) da loucura* sexual, fosse ela criminosa ou simplesmente desviante.

O nascimento da sexologia, portanto, foi contemporâneo ao da psicanálise*. Sigmund Freud* reconheceu sua dívida para com os sexólogos ao publicar, em 1905, seus *Três ensaios sobre a teoria da sexualidade*; do mesmo modo, estes fizeram dele um dos fundadores da sexologia. Não obstante, a perspectiva de um e dos outros nunca seria a mesma. Ao elaborar uma teoria universal da sexualidade humana baseada na noção de libido*, com a qual transformou o significado da oposição entre a norma e a patologia, Freud distinguiu teoricamente sua doutrina de qualquer forma de estudo comportamental, assim como se afastou clinicamente, através do método psicanalítico, de todas as psicoterapias* pautadas nas idéias de pesquisa ou de conduta.

Logo após a Primeira Guerra Mundial, em especial sob a influência das teses de Wilhelm Reich*, a sexologia começou a deixar o campo das descrições literárias ou médico-legais: transformou-se num movimento político, centralizado na idéia da liberação sexual, e criou um modelo de psicoterapia que tinha por objeto a função do orgasmo, isto é, a mensuração e a descrição dos fenômenos psíquicos, fisiológicos e biológicos ligados às diferentes modalidades do ato sexual, inclusive a masturbação.

Depois da Segunda Guerra Mundial, a sexologia teve um avanço considerável nos Estados Unidos*. Saiu do campo do engajamento libertário, trocando-o pelo da adaptação, e substituiu o estudo das inversões e das anomalias por uma descrição psicossociológica dos comportamentos sexuais de massa, enquanto preservava a idéia da terapia orgástica. É nessa perspectiva que convém situar o trabalho taxionômico de Albert Kinsey, autor de uma série de pesquisas publicadas entre 1948 e 1953 sobre o comportamento sexual dos norte-americanos, bem como o livro que William Masters e Virginia Johnson publicaram em 1966, dedicado ao mesmo assunto. Esses trabalhos pragmáticos, realizados por ginecologistas, psicólogos ou biólogos, tentaram dar uma fundamentação clínica à sexologia do orgasmo e da masturbação, mas contribuíram, acima de tudo, para divulgar as teses dos partidários de uma liberalização dos costumes.

Com essa expansão, a sexologia normatizou-se e foi dominada pela proliferação de psicoterapias. Abandonou para sempre o paraíso polimorfo no qual habitava a sexualidade perversa que fora descrita em palavras latinas pelos pais fundadores. Ao encantador catálogo de toda sorte de anomalias, que tanto fascinara os cientistas do fim do século XIX, ainda próximos da literatura de Sade (1740-1814) e de Sacher-Masoch (1836-1895), sucedeu-se uma técnica descritiva e mecanizada do dever orgástico, sem nenhuma relação com a própria natureza da sexualidade. Nesse sentido, a partir do fim da década de 1970, a sexologia não mais contribuiu verdadeiramente para o conhecimento, ao contrário do que havia acontecido na época da descoberta freudiana. Foram os estudos da história da sexualidade, nascidos dos trabalhos do filósofo Michel Foucault (1926-1984) e do historiador Philippe Ariès (1914-1984), que trouxeram para a psicanálise, para a antropologia*, para a psicopatologia* e para todos os campos das ciências humanas uma renovação comparável à insuflada por Freud na virada do século, quando ele criou sua doutrina *contrariando* as classificações da sexologia, ainda que se alimentasse de suas descrições, seu vocabulário e suas fantasias.

• Richard von Krafft-Ebing, *Psychopathia sexualis* (Stuttgart, 1886, Paris, 1907), Paris, Payot, 1969 • Albert Moll, *Der Hypnotismus*, Berlim, Fischer's Medizinische Buchhandlung, H. Kornfeld, 1889; *Untersuchungen über die Libido Sexualis*, Berlim, Fischer's Medizinische Buchhandlung, H. Kornfeld, 1897 • Havelock Ellis, *Études de psychologie sexuelle*, vol.I (Londres, 1897), Paris, Mercure de France, 1904 • Albert Kinsey (org.), *Le Comportement sexuel de l'homme* (Filadélfia, 1948), Paris, Pavois, 1948; *Le Comportement sexuel de la femme* (Filadélfia, 1953), Paris, Amiot-Dumant, 1954 • W.H. Masters e V.E. Johnson, *Les Réactions sexuelles* (Boston, 1966), Paris, Laffont, 1968 • Frank J. Sulloway, *Freud, Biologist of the Mind*, N. York, Basic Books, 1979 • *Sexualités occidentales* (1982), sob a direção de Philippe Ariès e André Béjin, Paris, Seuil, col. "Points", 1984.

➢ DIFERENÇA SEXUAL; FETICHISMO; GÊNERO; MASOQUISMO; PANSEXUALISMO; REICH, WILHELM; SADISMO; SEXUALIDADE FEMININA; STOLLER, ROBERT.

sexuação, fórmulas da

al. *Formeln der Sexuierung*; esp. *fórmulas de la sexuación*; fr. *formules de la sexuation*; ing. *formulae of sexuation*

Proposições lógicas formuladas por Jacques Lacan* para traduzir a diferença sexual* e a sexualidade feminina*.

No contexto de sua última reformulação lógica, na qual apareceram as idéias de matema* e nó borromeano*, Jacques Lacan construiu, em 1973, um matema da identidade sexual, mediante o qual tentou superar o falicismo freudiano e estabelecer sua própria concepção da sexualidade feminina e da diferença sexual.

Utilizando o quadrado lógico de Apuleio, Lacan enunciou o que denominou de fórmulas da sexuação, ou seja, quatro proposições lógicas. As duas primeiras são proposições universais, uma afirmativa — "Todos os homens têm o falo*" — e uma negativa: "Nenhuma mulher tem o falo". Essas duas proposições resumem, segundo Lacan, a posição freudiana da libido* masculina única, sendo o falo assimilado ao órgão sexual masculino. Segundo Lacan, entretanto, essa posição é inaceitável, pois avaliza a fantasia* de uma complementaridade entre homens e mulheres e desemboca numa concepção do Um como negação da diferença e exclusão da castração*, como quando se diz, por exemplo, a "humanidade" ou o "gênero humano".

Vêm então as outras duas fórmulas. Uma é particular negativa: "Todos os homens, menos um, estão submetidos à castração." Nesse caso, o conjunto dado, "todos os homens", só pode existir logicamente se existir um outro elemento, distinto do conjunto: no caso, o pai originário da horda primitiva (*Totem e tabu**), que pode possuir todas as mulheres.

A última fórmula é uma particular negativa: "Não existe nenhum X que constitua uma exceção à função fálica." Na medida em que não existe, para o conjunto feminino, um equivalente do pai originário que escape à castração — o pelo-menos-um do conjunto dos homens —, todas as mulheres têm um acesso ilimitado à função fálica. Existe, portanto, uma dissimetria entre os dois sexos.

Foi a partir destas duas últimas fórmulas que Lacan definiu as formas masculina e feminina de seu conceito de gozo*.

• Jacques Lacan, O Seminário, livro 17, *O avesso da psicanálise (1969-1970)* (Paris, 1991), Rio de Janeiro, Jorge Zahar, 1992; Le Séminaire, livre XIX, ... *Ou pire (le savoir du psychanalyste) (1971-1972)*, inédito; O Seminário, livro 20, *Mais, ainda (1972-1973)*, Rio de Janeiro, Jorge Zahar, 1989, 2ª ed. • Joël Dor, *Introdu-*

ção à leitura de Lacan, t.II (Paris, 1992), P. Alegre, Artes Médicas, 1996.

➤ FALOCENTRISMO; GÊNERO; OUTRO; PATRIAR-CADO.

sexualidade

al. *Sexualität*; esp. *sexualidad*; fr. *sexualité*; ing. *sexuality*

A idéia de sexualidade é de tamanha importância na doutrina psicanalítica que, com justa razão, pôde-se afirmar que todo o edifício freudiano assentava-se sobre ela. Como conseqüência, a idéia aceita de que os psicanalistas dariam uma significação sexual a qualquer ato da vida, a qualquer gesto, qualquer palavra, levou os adversários de Sigmund Freud* a fazerem de sua doutrina a expressão de um pansexualismo*. Na realidade, as coisas não são tão simples assim.

Todos os cientistas do fim do século XIX preocupavam-se com a questão da sexualidade, na qual viam uma determinação fundamental da atividade humana. Assim, faziam da sexualidade uma evidência e do fator sexual a causa primária da gênese dos sintomas neuróticos. Daí a criação da sexologia* como ciência biológica e natural do comportamento sexual.

Impregnado das mesmas interrogações que seus contemporâneos, Freud, no entanto, foi o único dentre eles a inventar não a prova do fenômeno sexual, mas uma nova conceituação, capaz de traduzir, nomear ou até construir essa prova. Por isso, ele efetuou uma verdadeira ruptura teórica (ou epistemológica) com a sexologia, estendendo a noção de sexualidade a uma disposição psíquica universal e extirpando-a de seu fundamento biológico, anatômico e genital, para fazer dela a própria essência da atividade humana. Portanto, é menos a sexualidade em si mesma que importa na doutrina freudiana do que o conjunto conceitual que permite representá-la: a pulsão*, a libido*, o apoio* e a bissexualidade*.

A elaboração dessa nova conceituação foi iniciada a partir de uma experiência clínica pautada na escuta do sujeito*. Em contato com Wilhelm Fliess*, Freud adotou a tese da bissexualidade, à qual conferiu um conteúdo psíquico. Mais tarde, aderiu à idéia da origem traumática da neurose* (teoria da sedução*), à qual renunciou

em 1897, depois de, através do ensino de Jean Martin Charcot* e Josef Breuer*, haver atribuído à histeria* uma etiologia sexual.

A partir de 1905, com a publicação de seus *Três ensaios sobre a teoria da sexualidade*, Freud estendeu sua reflexão ao campo da sexualidade infantil, o que lhe permitiu dar um novo estatuto às chamadas perversões*: homossexualidade*, fetichismo* etc. O estudo dos grandes casos (Ida Bauer*, Herbert Graf*, Ernst Lanzer* e Serguei Constantinovitch Pankejeff*), por último, conferiu uma base experimental à doutrina da sexualidade. Após a introdução da idéia de narcisismo*, em 1914, e em seguida à invenção da segunda tópica*, a questão da sexualidade tornou-se um pivô de conflitos nos debates do movimento psicanalítico internacional. Daí as discussões sobre a sexualidade feminina* e a diferença sexual*, entre 1924 e 1960, e, mais tarde, sobre o transexualismo* e o gênero*.

A doutrina freudiana clássica da sexualidade foi criticada em todos os países e rejeitada pelos dois mais célebres dissidentes do movimento freudiano, Carl Gustav Jung* e Alfred Adler*. Em seguida, foi revisada de ponta a ponta pelos sucessores de Freud em função da questão do narcisismo: primeiro por Melanie Klein* e, depois, pelos partidários da *Self Psychology*, de Heinz Kohut* a Donald Woods Winnicott*. O kleinismo* substituiu a etiologia sexual propriamente dita pelo impacto da relação arcaica com a mãe, privilegiando mais o ódio do que o sexo como causa primária da neurose e, acima de tudo, da psicose*. Quanto à segunda corrente, ela mais formulou sua interrogação sobre a constituição da identidade sexual (o gênero, ou *gender*) do que sobre a etiologia em si.

Freud não inventou uma terminologia particular para distinguir os dois grandes campos da sexualidade: a determinação anatômica, por um lado, e a representação social ou subjetiva, por outro. Não obstante, por sua nova concepção, ele mostrou que a sexualidade tanto era uma representação ou uma construção mental quanto o lugar de uma diferença anatômica. Em conseqüência disso, sua doutrina transformou totalmente a visão que a sociedade ocidental tinha da sexualidade e da história da sexualidade em geral. Foi por isso que a expansão do freudismo* no Ocidente deu origem, a partir de 1970, e muitas vezes em oposição à psicanálise*, aos diferentes trabalhos franceses, ingleses e norte-americanos sobre a história da sexualidade, e sobretudo ao trabalho inaugural de Michel Foucault (1926-1984), *A vontade de saber*. Na esteira de sua *História da loucura*, com efeito, o filósofo francês mostrou que a própria idéia de sexualidade fora construída no século XIX pelo discurso médico, a fim de instaurar uma nova divisão entre a norma e o desvio, no momento em que desmoronava o ideal do patriarcado*. Foucault incluiu nesse discurso a doutrina freudiana da sexualidade, embora reconhecendo que esta permitira escapar dele. Daí sua situação paradoxal — ao mesmo tempo, uma teoria normalizadora e um instrumento de contestação permanente dessa norma.

• Sigmund Freud, *Três ensaios sobre a teoria da sexualidade* (1905), *ESB*, VII, 129-237; *GW*, V, 29-145; *SE*, VII, 123-243; Paris, Gallimard, 1987 • Michel Foucault, *História da sexualidade*, vol.I, *A vontade de saber*, vol.II, *O uso dos prazeres*, vol.III, *O cuidado de si* (Paris, 1976-1984), Rio de Janeiro, Graal, 1985 • Frank J. Sulloway, *Freud, Biologist of the Mind*, N. York, Basic Books, 1979 • John Boswell, *Christianisme, tolérance sociale et homosexualité. Les Homosexuels en Europe occidentale des débuts de l'ère chrétienne au XIVe siècle* (Chicago, 1980), Paris, Gallimard, 1985 • Jean-Louis Flandrin, *Le Sexe et l'Occident*, Paris, Seuil, 1981 • *Sexualités occidentales*, sob a direção de Philippe Ariès e André Béjin, Paris, Seuil, col. "Points", 1984 • Thomas Laqueur, *La Fabrique du sexe. Essai sur le genre et le corps en Occident* (1990), Paris, Gallimard, 1992 • Lynn Hunt, *Le Roman familial de la Révolution française* (Berkeley, 1992), Paris, Albin Michel, 1995 • Élisabeth Badinter, *XY: sobre a identidade masculina* (Paris, 1992), Rio de Janeiro, Nova Fronteira, 1994, 2ª ed. • Sander L. Gilman, *The Case of Sigmund Freud. Medicine and Identity at the Fin de Siècle*, Baltimore, Londres, The Johns Hopkins University Press, 1993.

➢ *ESTUDOS SOBRE A HISTERIA*; PAPPENHEIM, BERTHA.

sexualidade feminina

al. *weibliche Sexualität*; esp. *sexualidad feminina*; fr. *sexualité féminine*; ing. *female sexuality*

Na história do freudismo*, a questão da sexualidade feminina dividiu o movimento psicanalítico a partir de 1920 à medida que as mulheres foram assumindo nele um lugar central.

No fim do século XIX, como mostram os estudos de casos publicados por Sigmund Freud*, Josef Breuer*, Pierre Janet* ou Théodore Flournoy*, assim como as experiências de Jean Martin Charcot* na Salpêtrière, as mulheres eram apresentadas no discurso da psicopatologia* como doentes. Histéricas, loucas ou hipnotizadas, elas foram, inicialmente, quaisquer que fossem suas origens sociais, objetos destinados a serem observados a fim de fazer progredir o saber médico. Depois, com o grande movimento de emancipação do entre-guerras, que começou a libertar as mulheres da alienação religiosa, social e sexual que lhes pesava nos ombros, elas ocuparam na instituição freudiana um lugar completo, tornando-se médicas ou psicanalistas e, acima de tudo, psicanalistas de crianças. Foi então que participaram da reformulação da teoria freudiana clássica no que concerne à sexualidade*, à diferença sexual* e à libido*.

A partir de 1905, com a publicação de seus *Três ensaios sobre a teoria da sexualidade*, Sigmund Freud repensou a questão da sexualidade humana. Buscando seus modelos na biologia darwiniana, defendeu a tese de um monismo sexual e de uma essência "masculina" da libido humana. Essa tese, baseada na observação clínica que ele fizera das teorias sexuais infantis, não tinha por objetivo descrever a diferença sexual a partir da anatomia, nem tampouco decidir a questão da condição feminina na sociedade moderna. Na perspectiva da libido única, Freud mostrou que, no estádio infantil, a menina desconhece a existência da vagina e faz o clitóris desempenhar o papel de um homólogo do pênis. Por isso, tem então a impressão de ter sido provida de um órgão castrado. Em função dessa dissimetria, articulada em torno de um pólo único de representações, o complexo de castração*, segundo Freud, não se organiza da mesma maneira nos dois sexos. O destino de cada um deles é diferente não apenas pela anatomia, mas também em razão das representações ligadas à existência dessa anatomia. Na puberdade, a existência da vagina evidencia-se para ambos os sexos: o menino vê na penetração uma meta para sua sexualidade, enquanto a menina recalca sua sexualidade clitoridiana. Antes disso, porém, quando se dá conta de que a menina não se parece com ele, o menino interpreta a ausência do pênis como uma ameaça de castração para ele próprio. No momento do complexo de Édipo*, desliga-se da mãe para escolher um objeto do mesmo sexo.

A sexualidade da menina se organiza, segundo Freud, em torno do falicismo: ela quer ser um menino. No momento do Édipo, deseja um filho do pai, e esse novo objeto é investido de um valor fálico. Ao contrário do menino, a menina tem que se desligar de um objeto do mesmo sexo, a mãe, por um objeto de sexo diferente. Em ambos os sexos, o apego à mãe é o elemento primário. Vemos, pois, que, ao defender o monismo sexual, Freud considerava errônea a afirmação da natureza instintiva da sexualidade: a seu ver, não existiria nem um instinto materno, no sentido estrito, nem uma raça feminina.

A existência de uma libido única não exclui a existência da bissexualidade. Com efeito, na perspectiva freudiana, nenhum sujeito é detentor de uma pura especificidade masculina ou feminina. Em outras palavras, se existe um monismo sexual, isso significa que, no inconsciente* e nas representações inconscientes do sujeito* (seja ele homem ou mulher), a diferença entre os sexos não existe. A bissexualidade, que é o corolário dessa organização monista da libido, concerne, portanto, a ambos os sexos. Não apenas a atração de um sexo pelo outro não decorre de uma complementaridade, como também a bissexualidade desfaz a própria idéia de tal organização. Daí as duas modalidades de homossexualidade*: a feminina, quando a menina permanece "grudada" na mãe, a ponto de escolher um parceiro do mesmo sexo, e a masculina, quando o menino efetua uma escolha similar, a ponto de renegar a castração materna.

Através desse monismo, Freud inspirou-se simultaneamente em Galeno (em seu modelo do sexo único) e na biologia do século XIX, preocupada em estabelecer uma diferença radical entre os sexos a partir da anatomia.

Essa tese freudiana da chamada escola vienense foi defendida por mulheres, em especial Marie Bonaparte* e Helene Deutsch*, Jeanne Lampl-De Groot* e Ruth Mack-Brunswick*.

Todavia, a partir de 1920, foi contestada por outras mulheres, da chamada escola inglesa: Melanie Klein* e Josine Müller (1884-1930). Em 1927, no congresso da International Psychoanalytical Association* (IPA) realizado em Innsbruck, onde se desenrolou o grande debate sobre a questão, Ernest Jones* levou-lhes seu apoio numa exposição intitulada "A fase precoce do desenvolvimento da sexualidade feminina". Criticou a extravagância da hipótese freudiana da ausência, na menina, do sentimento da vagina. Por isso, opôs um dualismo à noção de libido única. A essa escola inglesa liga-se a posição de Karen Horney*, que sustentava, já em 1926, que a pretensa ignorância da vagina era fruto de um recalque*, e que o apego ao clitóris servia a finalidades defensivas. Assim, a escola inglesa assumiu o risco de corroborar a idéia de uma natureza feminina, isto é, de um diferencialismo anatômico, ao passo que Freud a esvaziara parcialmente, corrigindo o biologismo do século XIX mediante o recurso ao modelo do sexo único. De fato, ele apregoava a indiferenciação inconsciente dos dois sexos sob a categoria de um único princípio masculino e de uma organização edipiana em termos de dissimetria.

Em sua organização edipiana da sexualidade feminina, Freud (e foi esse o seu principal erro) desconsiderou todo o campo das relações arcaicas com a mãe. Sob esse aspecto, o debate referente à sexualidade feminina foi da mesma natureza do que se desenvolveu sobre a psicanálise de crianças*. Hostil às teses kleinianas e revoltado com a maneira como sua filha Anna fora tratada pelos partidários de Klein, Freud não queria admitir que a supremacia que ele atribuía ao pai na família o impedia de apreender a natureza profunda das relações entre a filha e a mãe. Em outras palavras, mesmo que seu monismo fosse teoricamente justificado, ele não explicava nem a realidade concreta da sexualidade feminina nem a gênese da feminilidade. Alem disso, sua concepção do clitóris como homólogo de um pênis pequenino mais remetia à sua atração intelectual pelas mulheres a quem sentia como "masculinas" ou "fálicas" do que à realidade da feminilidade. Sandor Ferenczi* foi o primeiro a assinalar, em 1932, em seu *Diário clínico*, que essa masculinização da sexualidade feminina por Freud explicava-se pela relação deste com sua mãe, Amalia Freud*.

Entretanto, Freud teve a honestidade de corrigir sua doutrina no sentido das posições kleinianas. Testemunho disso, se necessário, são seus dois artigos de 1931 e 1933, um sobre a sexualidade feminina e o outro sobre a feminilidade. No primeiro, ele manteve sua concepção da relação entre o clitóris e a vagina, mas reconheceu implicitamente que as analistas podiam compreender melhor do que ele a questão da sexualidade feminina, na medida em que ocupavam na análise o lugar de um substituto materno; no segundo, admitiu que era impossível compreender a mulher "se não levarmos em consideração [a] fase do apego pré-edipiano à mãe": de fato, tudo o que há na relação com o pai provém, por transferência*, desse apego primário.

É notável constatar que o debate contraditório que perpassou o movimento freudiano no entre-guerras, opondo os partidários do monismo sexual aos adeptos do dualismo, foi contemporâneo da manifestação do movimento feminista, que levou, através do sufragismo, à emancipação política e jurídica das mulheres. A partir de 1945, foi em torno do livro de Simone de Beauvoir (1908-1986), O segundo sexo, e das teses de Jacques Lacan*, Michel Foucault (1926-1984) e Jacques Derrida que o debate sobre a sexualidade feminina, em particular nos Estados Unidos*, evoluiu para uma interrogação mais radical sobre a diferença entre os sexos e, mais tarde, sobre a distinção entre o sexo e o gênero* (gender).

Pouco preocupado com o feminismo, Freud mostrou-se misógino em algumas ocasiões e, em muitas, conservador. A nos atermos às aparências, podemos ver nele um cientista estreito, um bom burguês, um marido ciumento e um pai incestuoso: em suma, um representante da autoridade patriarcal tradicional. Entretanto, à maneira cartesiana como o fizera, em 1673, o filósofo François Poulain (Poullain) de La Barre (1647-1725), em seu célebre livro Da igualdade entre os dois sexos, é sem dúvida necessário ultrapassarmos esse tipo de aparência e concluirmos que talvez seja tão inútil chamar Freud de "falocrata", a pretexto de ele não ter sido feminista, quanto fazer do combate a favor da igualdade entre os sexos um domínio reservado às mulheres, a pretexto de esse combate ter por meta a emancipação delas.

Na realidade, é como se, para edificar sua doutrina, Freud tivesse tido que se abster de qualquer compromisso militante e rejeitar as aspirações igualitárias do movimento feminista. No entanto, sob alguns aspectos, sua teoria biológica da libido única assemelhava-se à doutrina jurídica de Antoine de Caritat, marquês de Condorcet (1743-1794), o grande teórico da emancipação das mulheres. Com mais de um século de intervalo, tratou-se, tanto para o filósofo francês quanto para o cientista vienense, de mostrar que o campo do feminino devia ser pensado como parte integrante do universal humano e, portanto, sob a categoria de um universalismo, o único capaz de dar um fundamento verdadeiro ao igualitarismo. Para Freud, com efeito, a existência de uma diferença anatômica entre os sexos não desembocava numa concepção naturalista, uma vez que essa famosa diferença, ausente no inconsciente*, atesta, para o sujeito, uma contradição estrutural entre a ordem psíquica e a ordem anatômica. Assim, podemos perceber por que, por sua teoria do monismo e da não concordância entre o psíquico e o anatômico, Freud se aproximou dos ideais do igualitarismo universalista, de Descartes ao Iluminismo.

Sob esse aspecto, e apesar das aberrações de sua doutrina original, ele foi um pensador da emancipação e da liberdade, além de autor de uma teoria da sexualidade que, embora desembaraçasse o homem do peso de suas raízes hereditárias, não pretendia libertá-lo dos grilhões de seu desejo*.

• François Poulain de La Barre, De l'égalité des deux sexes (1673), Paris, Fayard, col. "Corpus des oeuvres de philosophie en langue française", 1984 • Sigmund Freud, "Algumas conseqüências psíquicas das diferenças anatômicas entre os sexos" (1925), ESB, XIX, 309-24; GW, XIV, 19-30; SE, XIX, 248-58; OC, XVII, 189-202; "Sexualidade feminina" (1931), ESB, XXI, 259-82; GW, XIV, 517-37; SE, XXI, 225-43; OC, XIX, 7-29; Novas conferências introdutórias sobre psicanálise (1933), ESB, XXII, 15-226; GW, XV; SE, XXII, 5-182; OC, XIX, 83-268 • Sandor Ferenczi, Diário clínico, janeiro-outubro de 1932 (Paris, 1985), S. Paulo, Martins Fontes, 1990 • Melanie Klein, Contribuições à psicanálise (Londres, 1948), S. Paulo, Mestre Jou, 1970 • Ernest Jones, Théorie et pratique de la psycha-

nalyse (Londres, 1948), Paris, Payot, 1969 • Karen Horney, *Psicologia feminina* (N. York, 1967), Rio de Janeiro, Civilização Brasileira, 1972 • Wladimir Granoff, *La Pensée et le féminin*, Paris, Minuit, 1975 • Moustapha Safouan, *A sexualidade feminina na doutrina freudiana* (Paris, 1976), Rio de Janeiro, Zahar, 1977 • Sergio Benvenuto, *La strategia freudiana*, Nápoles, Liguori Editore, 1984 • A.L. Thomas, Denis Diderot e Madame d'Épinay, *Qu'est-ce qu'une femme?*, prefácio de Élisabeth Badinter, Paris, POL, 1989 • Helene Deutsch, *Psychanalyse des fonctions sexuelles de la femme* (N. York, 1991), Paris, PUF, 1994 • Lisa Appignanesi e John Forrester, *Freud's Women*, N. York, Basic Books, 1992 • *Féminité mascarade*, estudos psicanalíticos reunidos por Marie-Christine Hamon, Paris, Seuil, 1994 • Élisabeth Roudinesco, *História da psicanálise na França*, vol.2 (Paris, 1986), Rio de Janeiro, Jorge Zahar, 1988 • Michel de Manassein (org.), *De l'égalité des sexes*, Paris, Centre National de Documentation Pédagogique, 1995 • Joyce McDougall, *As múltiplas faces de Eros* (Paris, 1996), S. Paulo, Martins Fontes, 1997.

➤ ANTIPSIQUIATRIA; ANTROPOLOGIA; CULTURALISMO; ESTADOS UNIDOS; *ESTUDOS SOBRE A HISTERIA*; FALO; FALOCENTRISMO; FETICHISMO; HISTERIA; JUDEÍDADE; *NOVAS CONFERÊNCIAS INTRODUTÓRIAS SOBRE PSICANÁLISE*; PATRIARCADO; PERVERSÃO; RENEGAÇÃO; SEXUAÇÃO, FÓRMULAS DA.

sexualidade infantil

➤ SEXUALIDADE; *TRÊS ENSAIOS SOBRE A TEORIA DA SEXUALIDADE.*

sexualidade masculina

➤ BISSEXUALIDADE; DIFERENÇA SEXUAL; FALO; FETICHISMO; HOMOSSEXUALIDADE; PERVERSÃO; SEXUALIDADE; SEXUALIDADE FEMININA.

Sharpe, Ella Freeman (1875-1947)

psicanalista inglesa

Nascida perto de Cambridge, Ella Freeman Sharpe foi iniciada desde a infância na leitura de Shakespeare por seu pai. Depois da morte deste, tornou-se professora de inglês. Em 1917, deprimida com a morte de muitos alunos durante a guerra, encontrou auxílio psicológico com James Glover (1882-1926), na clínica médico-psicológica de Brunswick Square. Apaixonou-se imediatamente pela psicanálise, abandonou o ensino e foi a Berlim, onde fez uma análise didática* com Hanns Sachs*. Voltando

a Londres, integrou-se à British Psychoanalytical Society (BPS), da qual se tornou membro titular em 1923. Tratou então de questões técnicas e clínicas, expondo casos e insistindo na contratransferência*. Demonstrou também um talento especial para relatar o conteúdo de uma sessão, extraindo-lhe o essencial. Realizou paralelamente trabalhos literários sobre o *Hamlet*. No congresso da International Psychoanalytical Association* (IPA) de 1928 em Oxford, apresentou um trabalho inspirado nas teses kleinianas, que defendia a hipótese de que a arte era uma sublimação* enraizada nas primeiras identificações* parentais. Teria um papel moderador durante as Grandes Controvérsias*, depois de ter sido analista de Melitta Schmideberg* em condições particularmente difíceis.

• Ella Sharpe, *Collected Papers on Psycho-Analysis*, Londres, Hogarth Press, 1978.

Sigmund Freud Archives (SFA) ou Arquivos Freud

➤ BIBLIOTECA DO CONGRESSO.

significante

al. *Signifikant*; esp.; *significante*; fr. *signifiant*; ing. *signifier*

Termo introduzido por Ferdinand de Saussure (1857-1913), no quadro de sua teoria estrutural da língua, para designar a parte do signo lingüístico que remete à representação psíquica do som (ou imagem acústica), em oposição à outra parte, ou significado, que remete ao conceito.

Retomado por Jacques Lacan* como um conceito central em seu sistema de pensamento, o significante transformou-se, em psicanálise*, no elemento significativo do discurso (consciente ou inconsciente) que determina os atos, as palavras e o destino do sujeito*, à sua revelia e à maneira de uma nomeação simbólica.

Em seu *Curso de lingüística geral*, Ferdinand de Saussure divide o signo lingüístico em duas partes. Denomina de significante a imagem acústica de um conceito e chama de significado o conceito em si. Assim, a palavra árvore não remete, do ponto de vista lingüístico, à árvore real (o referente), mas à idéia de árvore (o significado) e a um som (o significante) que é pronunciado com a ajuda de seis fonemas: á.r.v.o.r.e. O signo lingüístico, portanto, une um conceito a uma imagem acústica, e não uma coisa a um nome.

Por outro lado, o signo faz parte de um sistema de valores. O valor de um signo se mede por sua relação com todos os outros signos e resulta, negativamente, da presença simultânea deles na língua, que é concebida como a totalidade sincrônica (ou seja, estrutural) de todos os signos que nela se encontram. Diferentemente do valor, a significação se deduz da ligação que existe entre um significante e um significado.

Desejoso de dar um fundamento estrutural e linguajeiro à concepção freudiana do inconsciente*, Lacan apoiou-se nessa lingüística saussuriana para mostrar que a segunda tópica* (do eu*, supereu* e isso*) não é da alçada da biologia nem da psicologia. O modelo saussuriano da língua (ou estruturalismo lingüístico) está para Lacan, portanto, como estava o modelo darwiniano da biologia (ou evolucionismo) para Sigmund Freud*.

Com a *Ego Psychology** e, posteriormente, com a *Self Psychology**, os herdeiros anglófonos de Freud quiseram superar ou abandonar o modelo biológico do mestre a fim de puxar sua segunda tópica* para a vertente de uma psicologia, isto é, de uma teoria do eu, da pessoa ou da representação fenomenológica do outro. A partir de 1950, Lacan rejeitou esse procedimento, que qualificou de psicologista, e propôs uma outra leitura dos textos freudianos, mais literal, que consistia em criticar o "cientificismo" biológico de Freud, restituir ao inconsciente sua primazia, em oposição à consciência*, e acrescentar ao eu uma teoria da determinação do sujeito pelo significante.

A noção lacaniana do sujeito (do desejo*) recorre, ao mesmo tempo, à filosofia hegeliana, à qual Lacan teve acesso através do ensino de Alexandre Kojève (1902-1968), e aos comentários de Alexandre Koyré (1892-1964) sobre o *cogito* cartesiano.

Quanto à teoria do significante, ela foi elaborada em dois tempos. Entre 1949 e 1956, repousou numa leitura dos textos de Saussure dedicados ao signo lingüístico, bem como nos de Claude Lévi-Strauss consagrados à função simbólica (o simbólico*), tudo isso se inscrevendo numa problemática heideggeriana da verdade ontológica; num segundo tempo, de 1956 a 1961, Lacan apoiou-se nas teses propostas por Roman Jakobson (1896-1982) a propósito dos eixos da linguagem, para conferir um estatuto lógico à teoria do significante. Abandonou então a referência à ontologia heideggeriana.

Assim é o "estruturalismo" lacaniano, que se assenta na idéia de que a verdadeira liberdade humana provém da consciência que o sujeito pode ter de não ser livre em virtude da determinação inconsciente. Aos olhos de Lacan, a forma freudiana de uma consciência de si dividida (ou de uma clivagem* do eu) era mais subversiva do que a crença — por exemplo, sartriana — numa possível filosofia da liberdade.

Foi Michel Foucault (1926-1984), sem dúvida, quem melhor resumiu o que foi para a geração dos anos 1950-1960 a passagem de uma filosofia da liberdade subjetiva para uma concepção estrutural do sujeito: "A novidade foi a seguinte: descobrimos que a filosofia e as ciências humanas viviam numa concepção muito tradicional do sujeito humano, e que não bastava dizer, ora, com uma, que o sujeito era radicalmente livre, ora, com as outras, que era determinado pelas condições sociais. Descobrimos que era preciso procurar libertar tudo o que se escondia por trás do emprego aparentemente simples do pronome 'eu'. O sujeito: uma coisa complexa, frágil, da qual é difícil falar, e sem a qual não podemos falar."

Saussure situou o significado *acima* do significante e separou os dois por uma barra, denominada da *significação*. Lacan inverteu essa posição e colocou o significado *abaixo* do significante, ao qual atribuiu uma função primordial. Depois, tornando a levar em conta a idéia de valor, ele sublinhou que toda significação remete a uma outra significação. Deduziu disso que o significante está isolado do significado como uma letra, um traço ou uma palavra simbólica, desprovida de significação mas determinante, como função, para o discurso ou o destino do sujeito. A esse sujeito, não mais assimilável a um eu, Lacan chamou "sujeito do inconsciente". Ele não seria um sujeito "pleno", mas representado pelo significante, isto é, pela letra onde se marca o assentamento do inconsciente na linguagem.

Mas esse sujeito é também representado por uma cadeia de significantes na qual o plano do enunciado só corresponde ao plano da enunciação pelos "pontos de basta". Lacan deu o nome de ponto de basta ao momento pelo qual, na cadeia, um significante se ata ao significado para produzir uma significação. Essa é a única operação que detém o deslizamento da significação, fazendo com que os dois planos se unam pontualmente. Daí a idéia de que a "pontuação" é uma maneira de intervir no desenrolar de uma sessão de análise, cortando-a, interrompendo-a com uma produção significativa: uma interpretação* verdadeira. Assim, a teoria do significante justifica o princípio da sessão de duração variável (chamada de "sessão curta"), introduzida por Lacan como uma inovação na técnica psicanalítica*.

Foi em seu seminário de 30 de maio de 1955 que Lacan ilustrou essa teoria do significante através do comentário de um conto de Edgar Allan Poe (1809-1849), "A carta roubada". A história se passa na França da Restauração. O cavalheiro Auguste Dupin tem que resolver um enigma. A pedido do chefe de polícia, consegue recuperar uma carta comprometedora, furtada da rainha e escondida pelo ministro. Colocada em evidência entre os arcos da lareira do escritório, ela é *visível*, na verdade, para quem quiser vê-la. Mas os policiais não a descobrem, porque estão aprisionados no engodo da psicologia. Em vez de procurar a prova que lhes surge diante dos olhos, eles atribuem intenções aos ladrões. Já Dupin, por sua vez, prefere agir de maneira totalmente diversa, pedindo polidamente uma audiência ao ministro. Enquanto conversa com ele, observa o aposento com olhar atento, depois de tomar o cuidado de dissimular seus olhos por trás de óculos opacos. Discerne imediatamente o objeto, retira-o sem que o ladrão se aperceba e o substitui por outro, idêntico. Assim, o ministro ignora que seu segredo foi desvendado. Continua a se acreditar dono do jogo e da rainha, pois possuir a carta é deter um poder sobre seu destinatário. Entretanto, ele não sabe que já não a detém, enquanto a rainha, desse momento em diante, sabe que seu mestre cantor não poderá exercer nenhuma pressão sobre ela diante do

rei: a simples posse, e não a utilização da carta, é que criava a ascendência. Para explicar sua descoberta ao narrador, Dupin conta a história de um garoto e um jogo de par ou ímpar. Um dos jogadores segura na mão um certo número de bolas de gude e pergunta ao outro: par ou ímpar? Quando o sujeito acerta a resposta, ganha uma bola; quando erra, perde uma. E Dupin acrescenta: "O menino de quem estou falando ganhava todas as bolas de gude da escola. Naturalmente, tinha um princípio de adivinhação, que consistia na simples observação e avaliação da esperteza de seus adversários."

O "Seminário sobre 'A carta roubada'", que em 1966 serviria de abertura aos *Escritos*, atesta a maneira como Lacan passou de uma teoria da função simbólica (do inconsciente), calcada em Lévi-Strauss, para uma "lógica" do significante. Segundo ele, *uma* carta [*letre*, letra] sempre chega a sua destinação, porque *a* carta, isto é, o significante, tal como se inscreve no inconsciente, determina a história do sujeito e sua relação ou não-relação com outrem. Nenhum sujeito é o dono da carta (de seu destino) e, quando acredita sê-lo, corre o risco de se deixar apanhar no mesmo engodo que os policiais do conto ou o ministro.

A obra saussuriana não fornece todas as chaves da leitura lacaniana do inconsciente freudiano. Em 1957, em sua conferência sobre "A instância da letra no inconsciente", Lacan acrescentou dois elementos à sua teoria: a metáfora e a metonímia. Deveu-as a uma leitura dos *Fundamentals of Language*, publicados por Roman Jakobson e Morris Halle em Haia. Um artigo contido nessa coletânea, "Dois aspectos da linguagem e dois tipos de afasia", retomado em 1963 nos *Ensaios de lingüística geral*, permitiu-lhe organizar estruturalmente sua hipótese do inconsciente-linguagem. Jakobson destacou a estrutura bipolar da linguagem, graças à qual o ser falante realiza, sem que se aperceba, dois tipos de atividade: uma está relacionada com a *similaridade* e concerne à *seleção* dos paradigmas ou "unidades de língua", enquanto a outra remete à *contigüidade* e concerne à *combinação* sintagmática dessas mesmas unidades. Na atividade de seleção, escolhemos ou preferimos uma palavra a outra: por exemplo, empregamos o vocábulo boné em oposição a touca ou gorro. Na atividade de combinação, ao contrário, relacionamos duas palavras que formam uma continuidade: para descrever a roupa de um indivíduo, por exemplo, associamos o termo saia à palavra blusa etc.

A partir disso, Jakobson mostra que os distúrbios da linguagem resultantes de uma afasia privam o indivíduo ora da atividade de seleção, ora da de combinação. Depois, ele convoca a antiga retórica a serviço da lingüística para sublinhar que a atividade seletiva da linguagem não é outra coisa senão o exercício de uma função metafórica, e que a atividade combinatória assemelha-se ao processo da *metonímia*. Os distúrbios da primeira impedem o sujeito de recorrer à metáfora, enquanto os da segunda lhe impedem qualquer atividade metonímica. Jakobson salienta que esses dois processos encontram-se no funcionamento do sonho* descrito por Freud. Situa o simbolismo na atividade metafórica, enquanto inclui a condensação* e o deslocamento* na atividade metonímica.

Retomando essa demonstração, Lacan transcreve de uma outra maneira a concepção freudiana do trabalho do sonho. Se este se caracteriza por uma atividade de transposição entre um conteúdo latente e um conteúdo manifesto (*A interpretação dos sonhos**), essa operação pode ser traduzida, em termos lingüísticos, como o deslizamento do significado sob o significante. Existem, pois, duas vertentes da incidência do significante sobre o significado; a primeira é uma condensação ou "superposição dos significantes" (palavras-valise, personagens compósitos), enquanto a outra se assemelha a uma "virada" da significação (a parte pelo todo ou a contigüidade) e designa um deslocamento.

Assim, ao contrário de Jakobson, Lacan assimila a noção freudiana de condensação a uma metáfora e o deslocamento a uma metonímia. Três fórmulas passam então a descrever, segundo Lacan, a incidência do significante no significado: (1) a fórmula geral descreve a função significante, partindo da barra de resistência à significação; (2) a fórmula da metonímia traduz a função de conexão dos significantes entre si, com a elisão do significado remetendo ao objeto do desejo que falta na cadeia (significante); (3) a fórmula da metáfora fornece a chave para uma função de substituição de um significante

por outro, através da qual o sujeito é representado.

Em 1975, numa conferência intitulada "O fator da verdade", Jacques Derrida comentou essa teoria do significante, criticando a leitura que Lacan fizera do conto de Edgar Allan Poe e mostrando que uma carta não chega tão simplesmente a sua destinação. Ele sublinhou que, na própria redação do "Seminário sobre 'A carta roubada'", Lacan referira a si mesmo a indivisibilidade da carta, isto é, o "todo" ou o "um" de sua doutrina: um dogma da unidade. Ao "dogma" do significante, que corre o risco de se organizar como uma "posta-restante" para recolocar no "rumo certo o que ficou em suspenso, aguardando ser reclamado", Derrida opôs o esfacelamento e a desconstrução do Um. Esse debate sobre a "primazia do significante" e sua possível desconstrução por uma leitura derridiana veio a ser o ponto de partida, nos Estados Unidos*, de uma vasta polêmica sobre o estruturalismo, o lacanismo* e o pós-estruturalismo.

• Jacques Lacan, "Função e campo da fala e da linguagem em psicanálise" (1953), in *Escritos* (Paris, 1966), Rio de Janeiro, Jorge Zahar, 1998, 238-324; "O seminário sobre 'A carta roubada'" (1955), ibid., 13-66; "A instância da letra no inconsciente ou a razão desde Freud" (1957), ibid., 496-533; "Subversão do sujeito e dialética do desejo no inconsciente freudiano" (1960), ibid., 807-42; O Seminário, livro 2, *O eu na teoria de Freud e na técnica da psicanálise (1954-1955)* (Paris, 1978), Rio de Janeiro, Jorge Zahar, 1985; O Seminário, livro 3, *As psicoses (1955-1956)* (Paris, 1981), Rio de Janeiro, Jorge Zahar, 1988, 2ª. ed. • Edgar Allan Poe, "La Lettre volée", in *Histoires*, Paris, Gallimard, col. "Pléiade", 1940, 45-64 • Ferdinand de Saussure, *Curso de lingüística geral* (1915), S. Paulo, Cultrix, 1979 • Roman Jakobson, *Essais de linguistique générale*, Paris, Minuit, 1963 • Jean-Luc Nancy e Philippe Lacoue-Labarthe, *Le Titre de la lettre*, Paris, Galilée, 1973 • Michel Plon, *La Théorie des jeux. Une politique imaginaire*, Paris, Maspero, 1976 • Jacques Derrida, *La Carte postale*, Paris, Flammarion, 1980 • Joël Dor, *Introdução à leitura de Lacan*, 2 tomos (Paris, 1985, 1992), P. Alegre, Artes Médicas, 1992, 1996 • Élisabeth Roudinesco, *História da psicanálise na França*, vol.2 (Paris, 1986), Rio de Janeiro, Jorge Zahar, 1988; *Jacques Lacan. Esboço de uma vida, história de um sistema de pensamento* (Paris, 1993), S. Paulo, Companhia das Letras, 1994 • Françoise Gadet, *Saussure, une science de la langue*, Paris, PUF, 1987 • John P. Muller e William Richardson (orgs.), *The Purloined Poe*, Baltimore, The Johns Hopkins University Press, 1988 • Didier Éribon, *Michel Foucault e seus contem-*

porâneos (Paris, 1994), Rio de Janeiro, Jorge Zahar, 1996.

➢ ANTROPOLOGIA; BONAPARTE, MARIE; *CHISTES E SUA RELAÇÃO COM O INCONSCIENTE, OS*; ESTÁDIO DO ESPELHO; FANTASIA: FORACLUSÃO; GOZO; IMAGINÁRIO; LANZER, ERNST; NOME-DO-PAI; *NOVAS CONFERÊNCIAS INTRODUTÓRIAS SOBRE PSICANÁLISE*; OBJETO (PEQUENO) a; OUTRO; PARANÓIA; *PSICOPATOLOGIA DA VIDA COTIDIANA A*; PSICOSE; REAL; SCHREBER, DANIEL PAUL.

Silberer, Herbert (1882-1923)

escritor e psicanalista austríaco

Membro da Wiener Psychoanalytische Vereinigung (WPV) a partir de 1910, Herbert Silberer pertencia à pequena burguesia católica vienense. Seu pai, Viktor Silberer, era proprietário de um jornal esportivo. Também ele praticante de esportes, estimulou os primeiros vôos de balão no seu país e por isso é considerado o fundador da aeronáutica austro-húngara.

Filho único, Herbert Silberer teria que suceder ao pai. Gostava de esportes, ganhou campeonatos de natação e até se apresentou como ciclista acrobata. Mas enquanto estava na carreira de jornalista, voltou-se, como autodidata, para a psicologia, a filosofia e enfim a psicanálise*. Interessou-se inicialmente pelo simbolismo do sonho* e depois pela magia e pela alquimia. Na mesma medida em que o pai era um homem ativo, o filho foi marcado pela solidão e pela depressão com tendências ao suicídio.

Como muitos jovens intelectuais da época, era apaixonado pela busca de uma outra vida e de um além da consciência, e procurou na nova doutrina freudiana uma explicação para seus próprios problemas. Assim, fez pesquisas consigo mesmo sobre os estados transitórios entre a vigília e o sono. Seu primeiro artigo, "Relatório sobre um método para provocar e observar certos fenômenos alucinatórios simbólicos", foi publicado por Freud em 1909 no *Jahrbuch**. Segundo ele, o texto de Silberer complementava sua teoria do sonho. Posteriormente, Silberer escreveu cerca de 50 artigos.

Entretanto, Freud sempre desconfiou da patologia do jovem. Em uma carta a Carl Gustav Jung*, datada de 19 de julho de 1909, chamou-o de "dégénéré" (em francês): "Silberer é um jovem desconhecido, provavelmente um degenerado bastante fino. Seu pai é uma personalidade vienense, conselheiro municipal e homem dinâmico. Mas o seu caso é bom e torna acessível uma parte do trabalho do sonho."

Na WPV, Silberer manteve excelentes relações com Wilhelm Stekel*. Depois da partida deste, continuou a vê-lo, enquanto suas relações com Freud e o grupo vienense se tornavam conflituosas. Apesar de seu caráter difícil, Stekel lhe enviou pacientes. Entre julho de 1920 e junho de 1922, ambos foram co-diretores da revista *Psyche and Eros*, publicada em Nova York. Eles a deixaram quando ela se tornou abertamente antifreudiana.

Na noite de 11 para 12 de janeiro de 1923, Herbert Silberer se suicidou, enforcando-se em um quarto fechado a chave. Sua mulher não conseguiu salvá-lo.

Em 1976, Paul Roazen comparou o destino de Silberer ao de Viktor Tausk* e quis responsabilizar Freud por esse suicídio*, enquanto Stekel, no necrológio que dedicou ao amigo, evitou fazê-lo.

• Herbert Silberer, "Rapport sur une méthode permettant de provoquer et d'observer certains phénomènes hallucinatoires symboliques" (1909), *Ornicar?*, 31, Navarin, inverno de 1984, 28-40 • Wilhelm Stekel, "In memoriam Herbert Silberer", *Fortschritte der Sexualwissenschaft und Psychoanalyse*, I, 1924, 408-20 • Paul Roazen, *Freud e seus discípulos* (N. York, 1971), S. Paulo, Cultrix, 1986 • Bernd Nitzschke, "Freud e Herbert Silberer. Hipóteses referentes ao destinatário de uma carta de Freud em 1922", *Revista Internacional da História da Psicanálise*, 2 (1989), Rio de Janeiro, Imago, 1992, 249.

Silberstein, Eduard (1856-1925)

Por volta dos 13 anos de idade, Sigmund Freud* fez amizade com Eduard Silberstein, que tinha a mesma idade que ele. Filho de um banqueiro judeu romeno estabelecido em Jassy e depois em Braila, às margens do Danúbio, foi educado por um pai parcialmente louco, inteiramente submetido à ortodoxia talmúdica. Não suportando essa educação rígida, o jovem aspirava ao livre pensamento. Foi nesse contexto que se tornou condiscípulo de Freud no Realgymnasium de Viena* e depois no Obergymnasium.

Então, formaram-se laços entre as famílias dos dois adolescentes, que se tornaram os melhores amigos do mundo. Durante dez anos, entre 1871 e 1881, trocaram cartas que revelam muitos aspectos da personalidade de Freud na adolescência: ele surge como um materialista anti-religioso, sensual e revoltado, adepto da emancipação das mulheres, apaixonado por Gisela Fluss* e pensando seriamente em se tornar um grande filósofo. Suas cartas também mostram o que foi a cultura vienense de Freud e como ele foi marcado pelo saber de sua época: pelo pensamento alemão, por um lado, através da filosofia de Ludwig Feuerbach (1775-1833) e da psicologia de Johann Friedrich Herbart*, e por outro lado pelo ensino direto de dois mestres, Franz Brentano* e Ernst von Brücke*.

Fervorosos admiradores de Cervantes (1547-1616), Freud e Silberstein decidiram aprender a língua espanhola sem gramática nem professor, baseando-se unicamente em textos literários. Criaram então uma instituição que batizaram de Academia Castellana e que, em certos aspectos, anunciava a famosa Sociedade Psicológica das Quartas-Feiras*, na qual Freud reuniria, a partir de 1902, os seus primeiros discípulos vienenses. A Academia era um lugar de discussão, onde os dois adolescentes se dedicavam a prazeres intelectuais subterrâneos, mais próximos da iniciação do que do ensino propriamente dito. Trocavam cartas em alemão e às vezes em espanhol, recheando as duas línguas com palavras à maneira de um código secreto. E para marcar sua adoração pela literatura picaresca, adotaram nomes tirados do célebre "Colóquio dos cães" das *Novelas exemplares* de Miguel de Cervantes.

Nesse relato, Cervantes apresenta o cão Berganza, narrador inveterado, e o cão Cipião, filósofo cínico e amargo. Ambos são filhos da feiticeira Montiela, à qual devem sua impressionante faculdade de dissertar sobre as errâncias da alma humana. Depois de muitas aventuras, que os levam do universo da prostituição à corte dos reis, passando pelas diferentes classes da sociedade, Berganza acaba no Hospital de Valladolid, onde conta sua vida a Cipião, no quarto de Campuzano, herói infeliz que contraiu uma doença venérea depois de ser abandonado pela esposa, uma ex-meretriz, apesar de sua promessa de felicidade eterna. Através desse colóquio, Cervantes faz uma crítica feroz das perversões humanas e das injustiças sociais de sua época.

Sigmund Freud escolheu o nome de Cipião e tinha um prazer maldoso em comentar os infortúnios de seu condiscípulo Eduard-Berganza. Não era por acaso que a revolta desses dois adolescentes judeus se expressava por essa aspiração a uma outra identidade, à qual Freud daria mais tarde o nome de romance familiar*. Para eles, tratava-se, na Viena* do fim do século, de superar os pais através do acesso ao estatuto de intelectual (filósofo, erudito, escritor). E a iniciação se efetuava aqui na língua do autor de *Dom Quixote*, isto é, do escritor que soube descrever com a maior lucidez a loucura extrema de se tomar por um outro.

Progressivamente, Eduard Silberstein e Sigmund Freud se perderam de vista, mas sem romper os laços que os uniram na adolescência. Silberstein obteve seu diploma de jurista, tornou-se militante socialista, voltou para a Romênia e exerceu, sem convicção, a profissão de banqueiro. Em 1884, Freud se lembrava dele com ternura: "No ano passado ainda, escreveu, ele tinha um barco no Danúbio, fazia-se chamar de 'capitão' e convidava todos os amigos para passeios, durante os quais eles faziam o papel de remadores."

O "capitão" romeno não teve sorte em suas relações amorosas. Casou-se com uma jovem melancólica, Pauline Theiler, que ele mandou para Viena em 1891, para se tratar com seu ex-colega. No dia da consulta, ela pediu à empregada que a acompanhava que a esperasse em baixo. Depois, ao invés de subir até o consultório de Freud, jogou-se do terceiro andar do prédio.

Posteriormente, Silberstein apaixonou-se por outra mulher, Anna Sachs, originária da Lituânia, com quem se casou. Tiveram uma filha, Theodora. A filha desta, Rosita Braunstein Vieyra, faria uma visita a Anna Freud* em Londres, em 1982, para saber como a primeira mulher de seu avô se suicidara.

Em Braila, Eduard Silberstein, homem do Iluminismo, militou durante toda a vida pela emancipação das mulheres, pelos direitos civis dos judeus e das minorias. Conservou cuidadosamente as cartas de Freud. Estas foram muito bem traduzidas para o francês por Cornélius Heim.

• Sigmund Freud, *Lettres de jeunesse* (1989), Paris, Gallimard, 1990.

➢ HISTORIOGRAFIA; TRADUÇÃO (DAS OBRAS DE SIGMUND FREUD).

simbólico

al. *Simbolische*; esp. *simbólico*; fr. *symbolique*; ing. *symbolic*

Termo extraído da antropologia* e empregado como substantivo masculino por Jacques Lacan*, a partir de 1936, para designar um sistema de representação baseado na linguagem, isto é, em signos e significações que determinam o sujeito à sua revelia, permitindo-lhe referir-se a ele, consciente e inconscientemente, ao exercer sua faculdade de simbolização.

Utilizado em 1953 no quadro de uma tópica*, o conceito de simbólico é inseparável dos de imaginário* e real*, formando os três uma estrutura. Assim, designa tanto a ordem (ou função simbólica) a que o sujeito está ligado quanto a própria psicanálise*, na medida em que ela se fundamenta na eficácia de um tratamento que se apóia na fala.

Embora tenha surgido desde 1936, no comentário de Jacques Lacan sobre a noção de estádio do espelho*, tomada de empréstimo do psicólogo Henri Wallon (1879-1962), o termo "simbólico" só foi conceituado a partir de 1953. Lacan então o inscreveu numa trilogia, ao lado do real e do imaginário.

A idéia de conferir uma função simbólica aos elementos de uma cultura (crenças, mitos, ritos) e de lhes atribuir um valor expressivo é característica da própria disciplina antropológica. Mas foi na França*, com os trabalhos de Marcel Mauss (1872-1950), que se impuseram, frente ao funcionalismo e ao culturalismo* das escolas inglesa e norte-americana, as noções de "função simbólica" e "eficácia simbólica". Depois de Mauss, Claude Lévi-Strauss desenvolveu essa questão, a partir de 1949, trazendo para a antropologia conceitos elaborados pela lingüística moderna, em particular por Ferdinand de Saussure (1857-1913) em seu *Curso de lingüística geral*, postumamente publicado.

Nos artigos que consagrou à descoberta freudiana, Lévi-Strauss comparou a técnica da cura xamanística ao tratamento psicanalítico. Na primeira, disse ele em síntese, o feiticeiro fala e provoca a ab-reação*, ao passo que, no segundo, esse papel compete ao médico que escuta no interior de uma relação em que é o doente quem fala. Além dessa comparação, Lévi-Strauss mostrou que, nas sociedades ocidentais, constituiu-se uma "mitologia psicanalítica" que serve de sistema de interpretação*: "Vemos, assim, surgir um perigo considerável: o de que o tratamento, longe de levar à resolução de um distúrbio preciso, sempre respeitando o contexto, reduza-se à reorganização do universo do paciente em função das interpretações psicanalíticas". Quando a cura sobrevém pela adesão de uma coletividade a um mito fundador, isso significa que tal sistema é dominado por uma eficácia simbólica. Daí a idéia, proposta em sua "Introdução à obra de Marcel Mauss", de que aquilo a que chamamos inconsciente* não seria senão um lugar vazio onde se consumaria a autonomia da função simbólica: "Os símbolos são mais reais do que aquilo que simbolizam. O significante precede e determina o significado."

Em 1953, Lacan apoiou-se nessa definição para construir sua tópica do simbólico, do real e do imaginário, à qual acrescentou a noção de parentesco*, extraída das *Estruturas elementares do parentesco*. Com isso, pôde analisar a família e, portanto, o complexo de Édipo* no quadro de um sistema estrutural, e não mais na perspectiva evolucionista da passagem do matriarcado para o patriarcado*, ou da horda selvagem para a sociedade (à maneira de *Totem e tabu**).

Essa inversão de perspectiva (passagem do matriarcado para o parentesco) foi atestada por Lacan quando ele denominou de "função simbólica" o princípio inconsciente único em torno do qual se organiza a multiplicidade das situações particulares de cada sujeito. Na categoria do simbólico ele introduziu toda a reformulação tomada de empréstimo ao sistema de Lévi-Strauss: assim, o inconsciente freudiano foi repensado como lugar de uma mediação comparável à do significante* no registro da língua. Na categoria do imaginário foram alinhados os fenômenos ligados à construção do eu*: captação, ilusão, antecipação. Por fim, na categoria do real foi colocado o "resto": uma realidade desejante que é inacessível a qualquer simbolização.

Em "Função e campo da fala e da linguagem em psicanálise", Lacan inscreveu uma doutrina da análise em seu sistema estrutural fazendo referência a um texto de 1945, "O tempo lógico e a asserção de certeza antecipada", que expunha sua concepção da liberdade através de uma parábola lógica que punha em cena três prisioneiros diante do diretor do presídio. Segundo Lacan, o analista ocupa na análise o lugar desse diretor: é aquele que promete a liberdade (ou a cura) a seu paciente, convidando-o a resolver, tal como a Esfinge com Édipo, o enigma da condição humana. O analista é mesmo um mestre socrático, mas sua mestria é limitada por duas fronteiras: por um lado, ele não sabe prever qual será o "tempo para compreender" de cada sujeito; por outro, ele próprio está inscrito numa ordem simbólica. Se o homem fala porque o símbolo o fez homem, o analista não é mais do que um "suposto mestre": é um "praticante da função simbólica". Lacan diria, mais tarde, que ele é um "sujeito suposto saber". Seja como for, ele decifra uma fala, assim como um comentador interpreta um texto.

O conceito de simbólico é inseparável de uma série composta por outros três conceitos: o significante, a foraclusão* e o Nome-do-Pai*. O significante é de fato a própria essência da função simbólica (sua "letra"), a foraclusão é o processo psicótico pelo qual o simbólico desaparece, e o Nome-do-Pai é o conceito mediante o qual a função simbólica integra-se numa lei que significa a proibição do incesto*.

No contexto de sua reformulação estrutural, Lacan conferiu ao simbólico, até 1970, um lugar dominante em sua tópica. A ordem das instâncias era então S.I.R. Depois dessa data, ele construiu uma lógica diferente, depositando a ênfase na primazia do real (e portanto, da psicose*), em detrimento dos outros dois elementos. S.I.R. transformou-se então em R.S.I.

• Jacques Lacan, *Os complexos familiares na formação do indivíduo* (Paris, 1984), Rio de Janeiro, Jorge Zahar, 1987; "O tempo lógico e a asserção de certeza antecipada" (1945), in *Escritos* (Paris, 1966), Rio de Janeiro, Jorge Zahar, 1998, 197-213; "Função e campo da fala e da linguagem em psicanálise" (1953), ibid., 238-324; "Le Symbolique, l'Imaginaire et le Réel" (1953), *Bulletin de l'Association Freudienne*, 1, 1982, 4-13; O Seminário, livro 1, *Os escritos técnicos de Freud (1953-1954)* (Paris, 1975), Rio de Janeiro, Jorge Zahar, 1979; O Seminário, livro 2, *O eu na teoria de Freud e na técnica da psicanálise (1954-1955)* (Paris, 1978), Rio de Janeiro, Jorge Zahar, 1985; O Seminário, livro 3, *As psicoses (1955-1956)* (Paris, 1981), Rio de Janeiro, Jorge Zahar, 1988, 2ª ed.; O Seminário, livro 4, *A relação de objeto (1956-1957)* (Paris, 1994), Rio de Janeiro, Jorge Zahar, 1995; "Intervention sur l'exposé de Claude Lévi-Strauss", *Bulletin de la Société Française de Philosophie*, 3, 1956, 113-9; Le Séminaire, livre XXII, *R.S.I. (1974-1975)*, inédito • Ferdinand de Saussure, *Curso de lingüística geral* (1915), S. Paulo, Cultrix, 1979 • Françoise Dolto, "Notes sur le stade du miroir", 16 de junho de 1936, inédito • Claude Lévi-Strauss, *As estruturas elementares do parentesco* (Paris, 1949), Petrópolis, Vozes, 1976; "A eficácia simbólica" (1953), in *Antropologia estrutural*, Rio de Janeiro, Tempo Brasileiro, 1975, 215-36; "Introduction à l'oeuvre de Marcel Mauss", in Marcel Mauss, *Sociologie et anthropologie* (1950), Paris, PUF, col. "Quadrige", 1993, IX-LII • Jean Laplanche e Jean-Bertrand Pontalis, *Vocabulário da psicanálise* (Paris, 1967), S. Paulo, Martins Fontes, 1991, 2ª ed. • Anika Lemaire, *Jacques Lacan* (1969), Bruxelas, Mardaga, 1977 • Joël Dor, *Introdução à leitura de Lacan*, 2 tomos, (Paris, 1985 e 1992), P. Alegre, Artes Médicas, 1992 e 1996.

➤ LACANISMO; MALINOWSKI, BRONISLAW; MATEMA: NÓ BORROMEANO; OBJETO (PEQUENO) a; OUTRO; SAUSSURE, RAYMOND DE; TÉCNICA PSICANALÍTICA.

simbolismo

al. *Symbolik*; esp. *simbolismo*; fr. *symbolisme*; ing. *symbolism*

Sistema de representação baseado em símbolos e destinado a exprimir crenças e transmitir tradições e ritos.

Em psicanálise*, o termo simbolismo (ou simbólica, no feminino) é empregado criticamente a propósito dos sonhos*.

➤ INTERPRETAÇÃO DOS SONHOS, A.

Simmel, Ernst (1882-1947)

psiquiatra e psicanalista americano

Nascido em Breslau (Wroclaw), numa região da Polônia integrada ao império alemão, Ernst Simmel passou toda a infância em Berlim, onde sua mãe dirigia uma agência de empregos. Até 1914, praticou a psiquiatria em um bairro pobre da cidade e foi encarregado da direção de um hospital psiquiátrico militar durante a Primeira Guerra Mundial. Foi então que começou a se familiarizar com a hipnose* e com as teorias freudianas, utilizando, no tratamento dos traumas ligados à guerra, um manequim no qual os pacientes podiam descarregar sua agressividade. Em 1918, publicou um livro sobre esse assunto, que foi elogiado por Sigmund Freud* em uma carta a Karl Abraham* de 17 de fevereiro: "Pela primeira vez, escreveu, um médico alemão se situa inteiramente, sem condescendência protetora, no terreno da psicanálise*, defende a causa de sua utilidade eminente na terapia das neuroses de guerra*, prova-o com exemplos, e também mostra uma perfeita honestidade na questão da etiologia sexual. É verdade que ele não seguiu a psicanálise em todos os pontos, limita-se, no fundo, a um ponto de vista catártico, procede por hipnose [...]. Creio que um ano de formação faria dele um bom analista."

Em outubro, Simmel começou uma análise com Abraham, que diminuiu o entusiasmo de Freud: "Ele não ultrapassou, de forma nenhuma, o ponto de vista Breuer*/Freud. Tem fortes resistências — das quais ele próprio tem apenas uma idéia confusa — diante da sexualidade* [...]. Talvez ele evolua."

Apaixonado pela medicina hospitalar, Simmel integrou-se ao movimento psicanalítico, participando, com Max Eitingon*, da criação do Berliner Psychoanalytisches Institut* (BPI) e da fundação da Policlínica. Neles desenvolveu seminários e análises de supervisão*, ocupando-se também da redação de uma obra coletiva sobre as neuroses de guerra*, que continha artigos dos pioneiros como Ernest Jones*, Sandor Ferenczi*, e outros, cujo prefácio Freud redigiu.

Com a morte de Abraham, em 1925, Simmel foi eleito presidente da Sociedade Psicanalítica Berlinense, e no ano seguinte criou o seu sanatório, no Schloss Tegel, segundo o modelo das grandes clínicas da época: Bellevue, Burghölzli etc. Ernest Freud foi encarregado da reforma interna da construção. O "castelo" de Tegel se tornou assim um dos centros de introdução dos métodos freudianos no tratamento das toxicomanias, das psicoses* e das neuroses* graves.

Serviu de modelo para a organização das grandes clínicas americanas. Vinte e cinco pacientes eram tratados todos os dias, entre 1927 e 1930, e Freud internou-se ali quando foi tratar-se de câncer em Berlim. Quando Simmel teve dificuldades financeiras, foi ajudado pela generosa Marie Bonaparte*, por Dorothy Burlingham*, por Raymond de Saussure* e pelo próprio Freud, que lhe ofereceu um dos anéis do Comitê Secreto* e assinou, com Albert Einstein (1879-1955), um apelo dirigido ao Ministro da Cultura da Alemanha*.

A despeito de todos os esforços do movimento freudiano, a clínica teve que fechar as portas em 1931. Simmel pensou então em renovar a experiência na Califórnia. Mas em 1933, foi preso pela Gestapo em razão de sua filiação à Associação dos Médicos Socialistas. Graças a Ruth Mack-Brunswick*, que pagou um resgate aos nazistas, conseguiu fugir para a Bélgica e para a Inglaterra, de onde foi para a costa oeste dos Estados Unidos*, com a ajuda de Franz Alexander* e Hanns Sachs*. As dependências do Tegel foram então ocupadas pelos SA.

Em 1942, Simmel foi presidente da San Francisco Psychoanalytical Society (SFPS), recém-fundada por Siegfried Bernfeld* em 1941, e criou cinco anos depois, em Los Angeles, uma nova sociedade, dotada de um Instituto Psicanalítico, organizado conforme o modelo do de Berlim: a Los Angeles Psychoanalytic Society (LAPS). Com Otto Fenichel* e Bernfeld, militou no seio da American Psychoanalytic Association* (APsaA) pela análise leiga*. Como eles, tinha saudades da velha Europa, lamentando o aspecto "mecanicista" da psicanálise à americana. Isso não o impediu de se tornar, como muitos outros pioneiros do freudismo na Alemanha, um dos melhores representantes da psicanálise no continente norte-americano. Teve uma clientela florescente, principalmente nos meios do cinema hollywoodiano, que atraíam todos os intelectuais europeus perseguidos pelo nazismo*.

Em 1993, na Alemanha, vários eruditos do freudismo, como Michael Schröter, Ludger Hermanns e Ulrich Schultz-Venrath, redescobriram e fizeram uma nova apresentação de sua obra.

• Ernst Simmel, *Kriegsneurosen und psychische Trauma: Ihre gegenseitigen Beziehungen, dargestellt auf*

Grund psychoanalytischer, hypnotischer Studien, Munique e Leipzig, Otto Nemnich, 1918; *Psychoanalysis and the War Neuroses* (Berlim, 1919), Londres, International Psycho-Analytical Press, 1921; "Psychoanalytical treatment in a sanitarium", *IJP*, 1929, 10, 70-89; "The psychoanalytical sanitarium and the psychoanalytical movement", *Bull. Menninger Clinic*, 1, 1937, 133-43; "Self-preservation and the death instinct", *Psychoanalytic Quarterly*, 13, 1944, 160-85; *Psychoanalyse und ihre Anwendungen. Ausgewählte Schriften*, Frankfurt, Fischer, 1993 • Franz Alexander, Samuel Eisenstein e Martin Grotjahn (orgs.), *A história da psicanálise através de seus pioneiros* (N. York, 1966) Rio de Janeiro, Imago, 1981 • *Ici la vie continue de manière surprenante*, seleção de textos traduzidos por Alain de Mijolla, Paris, Association Internationale d'Histoire de la Psychanalyse (AIHP), 1987 • Nathan G. Hale, *Freud and the Americans, The Rise and Crisis of Psychoanalysis in the United States, 1917-1985*, t.II, N. York, Oxford, Oxford University Press, 1995 • Sigmund Freud, "Introdução a *A psicanálise e as neuroses de guerra*" (1919), *ESB*, XVII, 259-64; *GW*, XII 321-4; *SE*, XVII, 205-10; *Chronique la plus brève, Carnets intimes 1929-1939*, anotado e apresentado por Michael Molnar (Londres, 1992), Paris, Albin Michel, 1992 • Sigmund Freud e Karl Abraham, *Correspondance, 1907-1926* (Frankfurt, 1965), Paris, Gallimard, 1969.

Slight, David (1899-1985)

psiquiatra e psicanalista americano

Foi na região francófona do Canadá* que David Slight desempenhou um papel importante na história da psicanálise* nesse país. De origem escocesa, chegou a Montreal em 1926 e, dois anos depois, foi nomeado diretor do consultório externo da Universidade McGill. Durante o verão de 1928, partiu em férias pelo mar Báltico, e começou uma análise didática* com Franz Alexander*. Prosseguiu-a em Berlim e depois em Chicago, após a emigração de Alexander para os Estados Unidos*. Instalando-se como clínico em Montreal durante dez anos, Slight preparou o terreno para a criação do primeiro grupo psicanalítico canadense, que seria reconhecido pela International Psychoanalytical Association* (IPA) depois da Segunda Guerra Mundial. Membro da American Psychoanalytic Association* (APsaA) em 1932, quis ir a Viena* para continuar sua formação com Anna Freud* na área de psicanálise de crianças*. Mas, a conselho de Edward Glover*, ficou em Londres e fez um tratamento pouco ortodoxo com Melanie Klein*. Durante o verão, encontrou-se com ela em Saint-Jean-de-

Luz, onde ela passava as férias, para continuar as sessões, que duravam duas horas. É a ele que se atribui a fórmula "Freud tornou o sexo respeitável e Melanie Klein tornou a agressividade respeitável." Em 1936, deixou Montreal e foi para Chicago, onde permaneceu até o fim de sua vida.

• Alan Parkin, *An History of Psychoanalysis in Canada*, Toronto, The Toronto Psychoanalytic Society, 1987 • Phillys Grosskurth, *O mundo e a obra de Melanie Klein* (1986), Rio de Janeiro, Imago, 1992.

➤ CLARKE, CHARLES KIRK; GLASSCO, GERALD STINSON; MEYERS, DONALD CAMPBELL.

Sobre os sonhos

Ensaio de Sigmund Freud* publicado pela primeira vez em alemão, em 1901, sob o título **Über den Traum**, *numa coletânea dirigida por Leopold Löwenfeld (1847-1924) e Hans Kurella (1858-1916), intitulada* **Grenzfragen des Nerven und Seelenlebens**. *Reeditado em 1911, sob a forma de uma brochura independente, acrescido de notas, diversos parágrafos e um capítulo sobre o simbolismo dos sonhos. Traduzido para o francês pela primeira vez por Hélène Legros, em 1925, sob o título* **Le Rêve et son interprétation**, *e mais tarde, em 1988, por Cornélius Heim, sob o título* **Sur le rêve**. *Traduzido para o inglês por James Strachey*, em 1953, sob o título* **On Dreams**.

Embora seu grande livro, *A interpretação dos sonhos**, tenha sido relativamente bem acolhido pelos especialistas em psicopatologia, Sigmund Freud* ficou terrivelmente decepcionado com as treze críticas publicadas em diversas revistas médicas entre 1899 e 1901. Enquanto sua expectativa era que essa publicação lhe trouxesse uma extraordinária celebridade e uma boa clientela, esse livro magnífico, elaborado por ele com vinte anos de antecedência em relação a seu século, não foi saudado, naquela ocasião, como o monumento maior de um grande cientista, mas como um bom livro, escrito por um bom autor, e ao qual, no entanto, convinha dirigir algumas críticas.

Nesse contexto e por sugestão de Wilhelm Fliess*, Freud concordou em escrever uma versão abreviada de *Die Traumdeutung* (57 páginas) para uma obra coletiva dirigida pelo psiquiatra Leopold Löwenfeld. Durante toda a primavera do ano de 1901, terminou com dificuldade a redação desse texto e, no momento da correção, esqueceu-se de enviar suas provas ao editor. Em *A psicopatologia da vida cotidiana**, Freud analisa esse seu esquecimento como um medo de lesar o editor de *A interpretação dos sonhos* e, a propósito desse assunto, evoca as censuras que lhe fizera Jean Martin Charcot* na ocasião em que ele havia acrescentado notas à tradução de seu livro, sem a autorização do autor.

Nesse opúsculo, Freud deu continuidade a seu trabalho de análise de seus próprios sonhos, em especial com o chamado sonho da "*table d'hôte*": "Uma reunião social, à mesa ou *table d'hôte* (...) Come-se espinafre. (...) A sra. E.L. está sentada ao meu lado, vira-se inteiramente para mim e coloca a mão com familiaridade em meu joelho. Afasto sua mão, num gesto de defesa. Então, ela diz: 'O senhor sempre teve olhos tão bonitos (...)'. Vejo então, vagamente, algo como o desenho de dois olhos, ou o contorno de um par de óculos (...)."

Freud interpreta esse sonho como a expressão de sua dificuldade de ter dívidas, de reclamar o que lhe é devido e de fazer as coisas por obrigação. Quando era pequeno, ele não gostava de espinafre: ora, o sonho mostra que, apesar disso, é preciso comê-lo. E.L. é identificada como Bertha, a filha de Josef Breuer*, ao qual Freud devia dinheiro. Por último, os óculos remetem ao médico oftalmologista Hans Rosenberg. Freud o presenteara com uma terrina antiga, decorada com um *occhiale*, isto é, um contorno de pinturas de olhos, que servia de proteção contra o mau-olhado. O médico estava "em dívida" com ele, que lhe encaminhara uma cliente para que ele lhe prescrevesse óculos.

Em 1988, o psicanalista francês Didier Anzieu deu uma interpretação diferente a esse sonho, que exprimiria a dificuldade de Freud de redigir o livro. No lugar de E.L. ele viu, simultaneamente, Ida Bauer* (o caso Dora), cujo tratamento Freud estava começando nessa época, e Minna Bernays*, sua cunhada, com quem ele se proibia de ter uma relação incestuosa. Segundo Anzieu, esse sonho seria uma espécie de prolongamento do "sonho da injeção de Irma*".

• Sigmund Freud, "Sobre os sonhos" (1901), *ESB*, V, 671-751; *GW*, III, 643-700; *SE*, V, 629-86; Paris, Gallimard, 1988, com prefácio de Didier Anzieu • Didier Anzieu, *A auto-análise de Freud e a descoberta da psicanálise* (1959), P. Alegre, Artes Médicas, 1989 • Norman Kiell, *Freud without Hindsight. Review of his Work 1893-1939*, Madison, International Universities Press, 1988.

sobredeterminação

al. *Überdeterminierung*; esp. *sobredeterminación*; fr. *surdétermination*; ing. *overdetermination*

Termo empregado em filosofia e psicologia para designar, conforme as modalidades próprias de cada objeto, uma pluralidade de determinações que geram um dado efeito. Essa palavra foi utilizada por Sigmund Freud*, em particular, na Interpretação dos sonhos*.

Se, para Freud, a noção de sobredeterminação não tem o estatuto dos processos de condensação* e deslocamento* no trabalho do sonho*, acha-se estreitamente ligada a eles.

A sobredeterminação é um efeito do trabalho de condensação. Freud expõe isso a propósito da análise que faz de seu sonho da "monografia botânica": ele mostra que, nesse sonho, os elementos "botânica" e "monografia" são nós, são pontos de condensação nos quais alguns pensamentos latentes do sonho puderam cristalizar-se, por se prestarem a múltiplas interpretações: "Podemos explicar de mais uma outra maneira o fato que esclarece tudo isso, e dizer: cada um dos elementos do sonho é *sobredeterminado*, é como que representado diversas vezes nos pensamentos do sonho."

Ao estudar as modalidades do trabalho de deslocamento, Freud constatou que a freqüência dos elementos do sonho não estava correlacionada à sua importância. Para dar conta dessa aparente contradição, explicou que somos "levados a supor que, no trabalho do sonho, manifesta-se um poder psíquico que, por um lado, despoja elementos de alto valor psíquico de sua intensidade, e, por outro, graças à sobredeterminação, confere um valor maior a elementos de menor importância, de sorte que estes podem penetrar no sonho".

A sobredeterminação, esclarecem Jean Laplanche e Jean-Bertrand Pontalis, não implica que o sonho possa ser objeto de um número infinito de interpretações, nem tampouco implica a independência das significações de que um mesmo fenômeno pode revestir-se: "O fenômeno a ser analisado é uma resultante; a sobredeterminação é um caráter positivo, e não a simples ausência de uma significação única e exaustiva."

• Sigmund Freud, *A interpretação dos sonhos* (1900), *ESB*, IV-V, 1-660; *GW*, II-III, 1-642; *SE*, IV-V, 1-621; Paris, PUF, 1967 • Jean Laplanche e Jean-Bertrand Pontalis, *Vocabulário da psicanálise* (Paris, 1967), S. Paulo, Martins Fontes, 1991, 2ª ed.

Sociedade Psicológica das Quartas-Feiras (Psychologische Mittwoch-Gesellschaft)

Criada em 1902 por Sigmund Freud*, Alfred Adler*, Wilhelm Stekel*, Rudolf Reitler (1865-1917) e Max Kahane (1866-1923), a Sociedade Psicológica das Quartas-Feiras foi o primeiro círculo da história do movimento psicanalítico. Existiu durante cinco anos, de 1902 a 1907, sendo então substituída por uma verdadeira instituição de tipo associativo, a Wiener Psychoanalytische Vereinigung (WPV), que serviu de modelo para todas as sociedades reunidas na International Psychoanalytical Association* (IPA) a partir de 1910.

Verdadeiro banquete socrático, banhado pelo espírito vienense do início do século, a Sociedade das Quartas-Feiras foi um laboratório de idéias freudianas. Entre 1902 e 1907, homens vindos de diversos horizontes reuniram-se em torno de um mestre, na casa dele na rua Berggasse, com o único objetivo de ter suas consciências despertadas à luz da suprema inteligência daquele que inventara uma nova doutrina: a psicanálise*.

"No primeiro andar reunia-se uma dúzia deles", escreveu Michel Schneider, "todas as noites de quarta-feira do ano letivo, exatamente às nove horas. Todos já haviam jantado, mas eram-lhes oferecidos charutos e café (...). Quase todos eram judeus; a maioria compunha-se de médicos, mas alguns eram filósofos, artistas educadores, ou, vez por outra, simplesmente espíritos eruditos e curiosos."

O ritual era sempre o mesmo: formando um cenáculo em torno do "pai", os homens das quartas-feiras identificavam-se com a famosa "horda selvagem" que Freud descreveria em *Totem e tabu**, tomando emprestado esse tema de Charles Darwin (1809-1882). Sentados ao redor de uma mesa oval, tinham a obrigação de participar dos debates, sem ter direito de ler papéis preparados com antecedência. A cada reunião preparava-se uma urna contendo os nomes dos oradores. Uma vez realizado o sorteio, seguiam-se a conferência e, depois, as discussões.

Ligados por uma insatisfação comum em relação à ciência de sua época, os homens das quartas-feiras forneciam uma imagem bastante fiel da cultura da Mitteleuropa. Tal como o mundo em que viviam, eram dilacerados por conflitos e, todas as vezes que se encontravam, ao falarem de seus casos clínicos, suas utopias ou sua aspiração a um novo mundo, e do inconsciente*, do sonho* ou da sexualidade*, estavam também se referindo a seus próprios problemas, a sua vida privada e a seus amores. O que os impelia a compreender o semelhante era uma curiosidade a respeito deles mesmos, de sua infância, seus pais, sua identidade. Poucas mulheres participariam das experiências desse cenáculo masculino, que às vezes dava mostras de uma incrível misoginia, em especial nas pessoas de Isidor Sadger* e Fritz Wittels*.

Em 1902, à exceção de Freud, nenhum participante era ainda psicanalista. Por volta de 1904, Stekel e Paul Federn* começaram a exercer a psicanálise e, quatro anos depois, uns bons 50% dos membros da Sociedade haviam se transformado em psicanalistas, tendo todos sido analisados por Freud ou Federn. As primeiras análises não comportavam um curso nem um princípio didático, e aqueles que as conduziram foram pioneiros de uma prática ainda não codificada. Inventaram dia após dia a técnica da psicanálise, a clínica do tratamento, a exposição dos casos e a conceituação da doutrina.

Em 1906, o jovem Otto Rank*, nomeado secretário, encarregou-se de estabelecer uma ata pormenorizada das sessões. Graças a ele, o grupo teve acesso a um outro estatuto. O cenáculo transformou-se num lugar de memória. As famosas Minutas, primeiros arquivos da história do freudismo*, seriam cuidadosamente conservadas por Freud, que as salvaria do nazismo*, entregando-as a Federn, o qual, por sua vez, lhes confiaria a guarda a Hermann Nunberg*. É fascinante a leitura dessa transcrição *verbatim*, única nos anais da psicanálise, que põe em cena o nascimento de um movimento, a dialética de um pensamento e a essência de um diálogo.

Em 1907, a Sociedade contava com 22 membros ativos, e Freud anunciou sua dissolução. No ano seguinte, ela se transformou numa associação, a Wiener Psychoanalytische Vereinigung (WPV), primeira instituição psicanalítica do mundo. A febre dos primórdios dissipou-se então em benefício da razão institucional: a Academia sucedeu ao banquete. Daí a abolição da regra que obrigava todos a usarem a palavra. A partir desse momento, apenas alguns participantes figuraram como autoridades, falando na presença de alunos transformados em ouvintes silenciosos.

À horda ativa de 1902-1907 sucedeu-se, pois, uma sociedade liberal moderna, regida pela regulamentação democrática do direito à fala e pela hierarquia de mestres e discípulos, embora as quartas-feiras fossem mantidas em respeito à tradição. Quando essa nova sociedade foi dissolvida, em 1910, no momento da criação da IPA, ela contava com 58 membros (dentre os quais apenas uma mulher), sendo que somente 27 deles eram médicos. A maioria era formada por judeus austríacos, nascidos em diversas províncias do Império Austro-Húngaro: na Galícia (polonesa e russa), na Bukovina etc. Os outros eram russos ou húngaros. Devemos ao paciente trabalho de Elke Mühlleitner o conhecimento de seus nomes. Os que não tiveram oportunidade de emigrar da Áustria em 1938 pereceram em campos de extermínio nazistas.

Em 1910, uma nova WPV foi prontamente reconstituída e integrada na IPA. As reuniões não mais se realizavam na residência de Freud, porém num salão chamado de colégio dos doutores. Nessa época, nada mais restava da antiga Sociedade Psicológica das Quartas-Feiras. A Academia havia se transformado numa instituição, às voltas com disputas de escola. Depois viriam as clivagens e as dissidências, com Stekel e Adler.

O relato das Minutas encerra-se em 1918, quando a Viena imperial que vira nascer a psi-canálise já não passava de uma cidade fantasma, perseguida pelo passado. Reduzida a pele de onagro pelos tratados de Versalhes, Trianon e Saint-Germain, a Áustria deixou de ser o centro nevrálgico da psicanálise e, não obstante as esperanças que Freud depositava na Hungria*, foi o mundo ocidental anglófono que passou desde então a dominar o movimento.

Assim, não foi por acaso que Freud confiou o precioso texto das atas a um vienense (Federn), exilado como ele, que em seguida as transmitiria a outro vienense (Nunberg), transformado em norte-americano. Essas Minutas são um testemunho da existência daquele "mundo de outrora" tão caro a Stefan Zweig*, um mundo para sempre perdido: "Queríamos", escreveu Nunberg, "deixar que o próprio leitor visse como os participantes se influenciavam mutuamente, como aceitavam ou rejeitavam o que lhes era oferecido, e como, vez por outra, eram dominados por influências, emoções e preconceitos alheios ao espírito da psicanálise. Queríamos fazer do leitor uma testemunha das lutas que se desenrolaram na Sociedade vienense e que permitiram a seus membros, ao mesmo tempo, superar suas resistências e se converter em psicanalistas competentes (...). Dedico este estudo, portanto, ao velho círculo de amigos a que ele deve sua existência, como lembrança das horas estimulantes, consagradas em comum à pesquisa intelectual."

• *Les Premiers psychanalystes, Minutes de la Société Psychanalytique de Vienne, 1906-1918,* 4 vols. (N. York, 1962-1975), Paris, Gallimard, 1976-1983 com uma "Introdução" de Hermann Numberg e uma "Apresentação" de Michel Schneider • Vincent Brome, *Les Premiers disciples de Freud* (Londres, 1967), Paris, PUF, 1978 • Élisabeth Roudinesco, *História da psicanálise na França,* vol.1 (Paris, 1982), Rio de Janeiro, Jorge Zahar, 1989 • Elke Mühlleitner, *Biographisches Lexikon der Psychoanalyse. Die Mitglieder der Psychologischen Mittwoch-Gesellschaft und der Wiener Psychoanalytischer Vereinigung von 1902-1938,* Tübingen, Diskord, 1992 • Edward Shorter, "The two medical worlds of Sigmund Freud", in Toby Gelfand e John Kerr (orgs.), *Freud and the History of Psychoanalysis,* Londres, The Analytic Press, 1992, 59-79 • Ernst Falzeder e Bernhard Handlbauer, "Freud, Adler et d'autres psychanalystes. Des débuts de la psychanalyse organisée à la fondation de l'Association Psychanalytique Internationale", *Psychothérapies,* vol.XII, 4, 1992, 219-32.

➢ CISÃO; ÉCOLE FREUDIENNE DE PARIS; HISTÓ-
RIA DA PSICANÁLISE; JUDEIDADE; TÉCNICA PSICA-
NALÍTICA.

só-depois
➢ A POSTERIÓRI.

Sokolnicka, Eugénie, *née* Kutner (1884-1934)
psicanalista francesa

Pioneira da psicanálise de crianças*, membro fundador da Sociedade Psicanalítica de Paris (SPP), analista de André Gide (1869-1951)
e amiga dos escritores de *La Nouvelle Revue
Française (NRF)*, essa polonesa, que teve um
destino trágico, nasceu em Varsóvia em uma
família judia abastada e liberal. Sua mãe foi
militante na independência polonesa, como
seus tios e seu avô paternos. Educada por uma
governanta francesa, foi para Paris com a idade
de 20 anos e obteve uma licenciatura em ciências na Sorbonne, assistindo também às aulas
de Pierre Janet* no Collège de France.

Em 1911, orientou-se para a psiquiatria dinâmica* e foi para a clínica do Hospital Burghölzli, onde seguiu os cursos de Carl Gustav
Jung*. Em 1913, no momento da ruptura entre
Viena* e Zurique, escolheu a via freudiana e
analisou-se com Sigmund Freud* durante um
ano. Participou então das reuniões da Sociedade
Psicológica das Quartas-Feiras* e, em 1914, a
conselho do mestre, instalou-se em Munique,
onde não existia círculo freudiano. A guerra
obrigou-a a voltar para a Polônia e depois re-
gressar a Zurique. Em 1918, estabeleceu-se em
Varsóvia com a firme intenção de formar ali
uma sociedade psicanalítica, o que não conseguiu.

Em Budapeste, com o grande Sandor Ferenczi*, retomou um tratamento cujos vestígios
se encontram na correspondência deste com
Freud. Eugénie se sentia perseguida e Ferenczi
identificou esses distúrbios com traços paranóicos e erotomaníacos. Ela também sofria de
depressão e de tendência ao suicídio. Diante
dessa mulher difícil, Ferenczi, ao contrário de
Freud, mostrou um talento clínico excepcional.

Sempre de partida para outro país, em 1921
Sokolnicka expressou a vontade de voltar a
Paris. Apoiada por Ferenczi, realizou esse desejo com a concordância de Freud, que entretanto não gostava dela e a tratava de "horrível
pessoa". Mas decidiu-se a dar-lhe apoio até seu
encontro com Marie Bonaparte*.

Sua passagem pelo Hospital Sainte-Anne
foi de curta duração. Não sendo médica e tendo
um caráter difícil, experimentou grandes dificuldades para se integrar aos meios psiquiátricos franceses, a despeito do apoio de René
Laforgue* e de Édouard Pichon*. Foi principalmente nos meios literários que ela propiciou a
implantação das teses freudianas na França*.
No outono de 1921, o grupo da *NRF* a acolheu
com entusiasmo e ela organizou em sua casa um
grupo que foi apelidado de "Clube dos Recalcados", no qual se reuniam Jacques Rivière
(1886-1925), Roger Martin du Gard (1881-
1958), Gaston Gallimard etc.

Em seu romance *Les Faux-monnayeurs*, publicado em 1925, Gide lhe deu o nome de
Sophroniska e se inspirou no artigo que ela
publicou em 1920 no *Internationale ärztliche
Zeitschrift für Psychoanalyse* (IZP)*: "A análise de um caso de neurose obsessiva infantil".
Tratava-se do tratamento de um menino judeu
de 10 anos, originário de Minsk. Eugénie o
analisara durante seis semanas, aplicando com
sucesso a técnica da confissão e do tratamento
curto. A história desse caso, um dos primeiros
do gênero depois do caso do Pequeno Hans
(Herbert Graf*) e de alguns artigos de Hermine
von Hug-Hellmuth*, seria comentada por várias vezes, primeiro pela escola inglesa e depois
na França, onde seria traduzida pela primeira
vez em 1968 por Michel Gourevitch, com uma
apresentação de Daniel Widlöcher.

Em 1934, marginalizada pela SPP e tendo
apenas poucos clientes, Eugénie Sokolnicka se
suicidou, abrindo o gás na casa emprestada por
Édouard Pichon, onde morava.

• Eugénie Sokolnicka "L'Analyse d'un cas de névrose
obsessionnelle infantile" (1920), *Revue de Neuropsy-
chiatrie Infantile et d'Hygiène Mentale de l'Enfance*, 16,
maio-junho de 1968, 473-87 • André Gide, *Les Faux-
monnayeurs*, Paris, Gallimard, 1925 • Élisabeth Roudinesco, *História da psicanálise na França*, 2 vols.
(Paris, 1982, 1986), Rio de Janeiro, Jorge Zahar, 1989,
1988 • Pascale Duhamel, *Eugénie Sokolnicka (1884-
1934) entre l'oubli et le tragique*, monografia para o

certificado de estudos especiais de psiquiatria, Universidade de Bordeaux-II, 1988.

➤ FRANÇA; KLEIN, MELANIE; MORGENSTERN, SOPHIE.

sonambulismo

➤ BENEDIKT, MORIZ; BERNHEIM, HIPPOLYTE; BREUER, JOSEF; CATARSE; CHARCOT, JEAN MARTIN; ESPIRITISMO; HIPNOSE; HISTERIA: JANET, PIERRE; LIÉBEAULT, AUGUSTE; MESMER, FRANZ ANTON; PERSONALIDADE MÚLTIPLA; PSICOTERAPIA; PSIQUIATRIA DINÂMICA; SUGESTÃO.

sonho

al. *Traum*; esp. *sueño*; fr. *rêve*; ing. *dream*

Fenômeno psíquico que se produz durante o sono, o sonho é predominantemente constituído por imagens e representações cujo aparecimento e ordenação escapam ao controle consciente do sonhador.

Por extensão, em especial a partir do século XVIII, o termo designa também uma atividade consciente que consiste em imaginar situações cujo desenrolar desconhece as limitações da realidade material e social. Nesse sentido, a palavra sonho é sinônima de visão, devaneio, idealização ou fantasia*, em suas acepções mais corriqueiras.

Sigmund Freud* foi o primeiro a conceber um método de interpretação* dos sonhos baseado não em referências estranhas ao sonhador, mas nas livres associações que este pode fazer, uma vez desperto, a partir do relato de seu sonho.

No campo psicanalítico, tamanho foi o impacto do livro de Freud, *A interpretação dos sonhos** (*Die Traumdeutung*), que a própria idéia de sonho pareceu tornar-se indissociável da de interpretação: "Quando lemos a *Traumdeutung*", escreveu Jean-Bertrand Pontalis, "tendemos a confundir o *objeto* da investigação — o sonho — com o *método* e a *teoria* que ele permitiu a seu autor constituir. (...) A *Traumdeutung* (...) não é, para nós, o livro da análise dos sonhos, e menos ainda o livro *do* sonho, mas o livro que, por intermédio das leis do *logos* do sonho, desvenda a lei de qualquer discurso e funda a psicanálise."

"Em tempos que podemos chamar de pré-científicos", escreveu Freud em seu opúsculo *Sobre os sonhos**, "os homens não se embaraçavam para explicar o sonho. Quando se lembravam dele ao acordar, tomavam-no por uma informação benevolente ou hostil de poderes superiores, deuses e demônios. Com a eclosão do modo de pensar científico, toda essa mitologia, rica em múltiplos sentidos, transpôs-se para a psicologia e, atualmente, entre as pessoas cultas, resta apenas uma ínfima minoria que duvida que o sonho seja uma *operação psíquica própria* do sonhador."

De fato, desde a mais remota Antigüidade, os textos corroboram o que Jean-François Lyotard chamou de caráter intrínseco e paradoxal do sonho, a oposição entre a universalidade de sua experiência e sua singularidade intransmissível, contradição esta cuja resolução retiraria do sonho seu objeto. Se existe apenas um mundo para os homens despertos, constata Heráclito, cada um deles encontra a singularidade no sono, como atestam os sonhos. Para aquele que Freud denomina, em seu "Suplemento metapsicológico à teoria dos sonhos", de "o velho Aristóteles", o sonho é a atividade da alma do sonhador, e Freud, no primeiro capítulo de *A interpretação dos sonho*s, compraz-se em sublinhar que, para o autor da *Ética a Nicômaco*, o sonho já era um "objeto de investigação psicológica".

Desde a Idade Média, a atitude dos filósofos a respeito do sonho tem sido contraditória: considerada falsa, absurda e tão insensata quanto as afirmações dos dementes, a atividade onírica foi depreciada por René Descartes (1596-1650), que a mencionou para invalidar o depoimento dos sentidos em matéria de estabelecimento da realidade. Ao contrário, Baruch Spinoza (1632-1677) atribuiu ao sonho um lugar específico. Na *Ética*, negando que a suspensão do juízo possa ser considerada um efeito de nossa livre vontade, Spinoza explica que temos repetidamente a experiência desse limite em nossos sonhos. "Não creio que exista nenhum homem", esclarece ele, "que, durante seu sonho, pense ter o livre poder de suspender seu juízo sobre aquilo com que está sonhando, e de se fazer não sonhar com aquilo com que está sonhando; e, no entanto, mesmo nos sonhos, sucede-nos suspender nosso juízo quando sonhamos que estamos sonhando."

Se, para Georg Wilhelm Friedrich Hegel (1770-1831), o sonho deve ser rejeitado, na condição de atividade que escapa à análise dialética racional, ele se encontra, ao contrário, no cerne das preocupações, sistemas e teorias da maioria dos poetas e filósofos do romantismo alemão e de alguns de seus sucessores, desde Wilhelm von Schelling (1775-1854) até Friedrich Nietzsche (1844-1900), passando por Arthur Schopenhauer (1788-1860).

Encontramos o mesmo interesse pelo sonho entre os psiquiatras pioneiros da psiquiatria dinâmica*, ancestrais remotos de Freud, em especial na obra de Gothulf Heinrich von Schubert (1780-1860).

Com o declínio do romantismo e o desenvolvimento de um pensamento positivista, que, como mostrou Michel Foucault (1926-1984), inscreveu a desrazão na ordem da doença, o sonho foi relegado à categoria de puro produto da atividade cerebral e, como tal, desprovido de sentido. Freud se empenharia em combater essa concepção, nisso precedido pelos trabalhos de Alfred Maury, Karl Albert Scherner ou do marquês Hervey de Saint Denys (1823-1892), que se dedicaram à exploração do sonho como manifestação da atividade psíquica.

A idéia de interpretação do sonho foi contemporânea, na história, do reconhecimento da atividade onírica. Numa nota do segundo capítulo de sua *Traumdeutung*, Freud mencionou obras de sua época que haviam recenseado essa tradição nas culturas judaica, árabe, japonesa, chinesa e hindu. Nas sociedades tradicionais, o sonho faz eco ao mito, à lenda e ao conto, e sua interpretação é obra do feiticeiro, do xamã ou do chefe, substitutos das potências cosmogônicas, cujo lugar, como mostraram os trabalhos do etnólogo Pierre Clastres (1934-1977), freqüentemente se distingue do lugar coercitivo do poder político.

O "passo à frente" que Freud anuncia ter dado, no segundo capítulo de *Die Traumdeutung*, concerne não à interpretação do sonho, mas à natureza da interpretação. A contribuição freudiana distingue-se, antes de mais nada, da interpretação simbólica e da decifração por deslocamento que esta efetua: o sonhador, através das associações mentais que realiza a partir do relato de seu sonho, passa a ficar na origem da interpretação. Ele se descobre o portador inconsciente dessa interpretação e, por conseguinte, esclarece Freud, não mais é objeto "do bel-prazer do intérprete", como nos tempos da Antigüidade e como ainda acontece, diz ele, com "as estranhas explicações de Wilhelm Stekel*". A propósito disso, convém assinalar que Freud, apesar de suas recomendações de prudência, também dá um grande espaço à simbolização, com isso abrindo caminho para interpretações abusivas, bem como para a concepção junguiana dos arquétipos, cuja inaptidão para interpretar os sonhos é conhecida.

O segundo legado da doutrina freudiana é tão subversivo quanto o método de interpretação baseado nas associações do sonhador: com efeito, Freud considera o sonho como a realização de um desejo* inconsciente. O sonho como exutório, como via real de acesso ao reservatório de paixões libidinais que é o inconsciente, tal foi o âmago dessa revolução que seria reconhecida pelos surrealistas, tendo à sua frente André Breton (1896-1966). No entanto, e esse é um fato confirmado, tal reconhecimento não seria recíproco, e Freud, tão pronto a se queixar do pretenso insucesso de sua *Traumdeutung*, não chegou a apreciar nem a compreender aqueles escritores e poetas para quem o sonho e sua interpretação constituíam a grande aventura do século.

Eufórico, no entanto, André Breton fez uma visita a Freud em outubro de 1921. Só que o encontro se desenrolou num clima de perfeita incompreensão. Breton fez dessa conversa um relato dadaísta, no qual o humor e a ironia mal chegaram a mascarar a decepção. Mesmo assim, os surrealistas continuaram a desenvolver suas concepções psicanalíticas, às quais Freud permaneceria decididamente fechado, mas cujo caráter deliberadamente provocador alimentaria as polêmicas com a instituição psiquiátrica francesa, representada, em particular, por Pierre Janet* e Gaëtan Gatian de Clérambault*.

O sonho se manteve como a pedra de toque desse diálogo impossível. Em 1932, Breton enviou a Freud um exemplar de seu livro *Os vasos comunicantes*, no qual foi o auto-intérprete, tão sistemático quanto possível, de um de seus sonhos. Essa remessa desencadeou uma polêmica entre os dois homens. Mas a discussão referiu-se a aspectos superficiais, a questões de referências ignoradas ou mal lidas, e não ao essencial, ao reconhecimento ou não reconhecimento da infinitude da interpretação, à questão designada por Octave Mannoni*, posteriormente, como sendo a do "umbigo do sonho". Freud não estava interessado nessas discussões. Não reconheceu na posição de Breton sua concepção metapsicológica do inconsciente, a compartimentação entre realidade psíquica e realidade material, situada no extremo oposto de qualquer idéia de "vasos comunicantes".

Em dezembro de 1937, Breton voltou à carga, propondo a Freud que se associasse à publicação de uma coletânea intitulada *Trajetória do sonho*. Freud, sempre muito distante das concepções surrealistas, respondeu em tom amável, mas sem fazer a menor concessão: "Uma coletânea de sonhos", escreveu, "sem as associações que lhes são acrescentadas, sem o conhecimento das circunstâncias em que o sonho teve lugar — tal coletânea não significa nada para mim, e mal consigo imaginar o que possa querer dizer para outros."

Por ironia da história, a freqüentação do movimento surrealista levaria o jovem Jacques Lacan* a realizar, em meados da década de 1950, um "retorno a Freud" tão provocador aos olhos da esclerose pela qual o freudismo* começava a ser atacado quanto tinham sido os manifestos surrealistas para a psiquiatria francesa dos anos vinte. Nesse sentido, Lacan ilustraria a afirmação de seu amigo Henri Ey*, que reconhecia ter sido através do surrealismo, e não na literatura médica, que, por sua parte, ele descobrira a importância do freudismo. Apesar disso, seria um erro, como sublinhou Jean Starobinski, num artigo intitulado "Freud, Myers, Breton", confundir as teses lacanianas sobre as relações entre a linguagem e o inconsciente com a escrita automática dos surrealistas.

• Sigmund Freud, *A interpretação dos sonhos* (1900), *ESB*, IV-V, 1-660; *GW*, II-III, 1-642; *SE*, IV-V, 1-621; Paris, PUF, 1967; "Sobre os sonhos" (1901), *ESB*, V, 671-751; *GW*, III, 643-700; *SE*, V, 629-86; Paris, Gallimard, 1988, com prefácio de Didier Anzieu; "Suplemento metapsicológico à teoria dos sonhos" (1917), *ESB*, XIV, 253-74; *GW*, X, 411-26; *SE*, XIV, 217-35; *OC*, XIII, 243-58• Sarane Alexandrian, *Le Surréalisme et le rêve*, Paris, Gallimard, 1974 • Karl Abraham, "Rêve et mythe.

Contribution à l'étude de la psychologie collective" (1909), in *Ouvres complètes*, I, *1907-1914*, Paris, Payot, 1965 • Ludwig Binswanger, *Rêve et existence* (1930), Paris, Desclée de Brouwer, 1954 • Marguerite Bonnet, *André Breton, Naissance de l'aventure surréaliste*, Paris, José Corti, 1975 • André Breton, *Entretiens*, Paris, Gallimard, col. "Idées", 1969; *Les Vases communicants* (1932), Paris, Gallimard, col. "Idées", 1977 • Pierre Clastres, *A sociedade contra o Estado: pesquisa de antropologia política* (Paris, 1980), Rio de Janeiro, Francisco Alves, 1982, 2ª ed. • Henri Deluy, *Anthologie arbitraire d'une nouvelle poésie*, Paris, Flammarion, 1983. Henri F. Ellenberger, *Histoire de la découverte de l'inconscient* (N. York, Londres, 1970, Villeurbanne, 1974), Paris, Fayard, 1994 • Jean-François Lyotard, "Rêve", *Encyclopaedia universalis*, vol.XIV, 191-4; *Discours Figure*, Paris, Klincksieck, 1971 • Octave Mannoni, *Freud. Uma biografia ilustrada* (Paris, 1968), Rio de Janeiro, Jorge Zahar, 1994; "Le Rêve et le transfert" (1964), in *Clefs pour l'imaginaire ou l'Autre Scène*, Paris, Seuil, 1969, 150-60 • Jean-Bertrand Pontalis, "La Pénétration du rêve" (1972), in *Entre le rêve et la douleur*, Paris, Gallimard, 1977 • Élisabeth Roudinesco, *História da psicanálise na França*, vol.2 (Paris, 1986), Rio de Janeiro, Jorge Zahar, 1988 • Marcel Scheidhauer, *Le Rêve freudien en France*, Paris, Navarin, 1985 • Baruch Spinoza, *Ética* (1677), Rio de Janeiro, Ediouro, 1993 • Jean Starobinski, "Freud, Myers, Breton", *L'Arc*, 1968, 34, 87-97.

➤ FRANÇA; HISTÓRIA DA PSICANÁLISE; MYERS, FREDERICK.

Spaltung

➤ CLIVAGEM (DO EU).

Spanudis, Theon (1915-1986)
escritor, médico e psicanalista brasileiro

Nascido em Esmirna, Theon Spanudis emigrou para Viena*, onde, a partir de 1933, recebeu uma formação psicanalítica de August Aichhorn*. Depois de um segundo tratamento com Otto Fleischman, integrou-se à Sociedade Brasileira de Psicanálise de São Paulo (SBPSP), na qual exerceu uma atividade importante. Como não escondia sua homossexualidade* e a direção da International Psychoanalytical Association* (IPA) não admitia homossexuais em suas sociedades componentes, foi obrigado, no fim dos anos 1950, a deixar o grupo e renunciar à prática da psicanálise*. Posteriormente, publicou poemas e dedicou-se à crítica literária.

- Theon Spanudis, *Skizzen und Klänge*, Munique, ORA-Verlag, 1975; *Novos poemas*, S. Paulo, Kosmos, 1978.

➢ Brasil.

Spielrein, Sabina Nicolaievna, esposa Scheftel (1885-1942)

psiquiatra e psicanalista russa

Depois da publicação, em 1980, por Aldo Carotenuto e Carlo Trombetta, de um trabalho sobre Sabina Spielrein, acompanhado de sua correspondência com Sigmund Freud* e Carl Gustav Jung*, de seu diário e vários de seus textos, essa psicanalista russa, esquecida pela historiografia* oficial, foi objeto de muitos estudos. Tornando-se um personagem romanesco, adquiriu uma celebridade tão grande quanto a de Bertha Pappenheim* ou de Ida Bauer*. Deve-se dizer que sua história é singular e reveladora de todos os móbeis transferenciais do movimento psicanalítico.

Ao mesmo tempo paciente e estudante de psiquiatria, Sabina Spielrein participou, no começo do século, do debate sobre a esquizofrenia* em torno de Eugen Bleuler*. Depois, experimentou o princípio da transferência* e do tratamento pelo amor, e tornou-se a testemunha privilegiada da ruptura entre Jung e Freud. Um foi seu amante e seu analista, outro seria seu mestre. Mais tarde, inventou a noção de pulsão* destrutiva e sádica, da qual nasceria a pulsão de morte. Enfim, atravessou as duas grandes tragédias que marcaram a história do século XX: o genocídio dos judeus na Europa e a transformação do comunismo* em stalinismo na Rússia*.

Nascida em Rostov, Sabina Spielrein era de uma família judia abastada e culta. Educada segundo princípios tradicionais, manifestou desde a infância uma imaginação transbordante, até o dia em que foi vítima de uma alucinação: viu dois gatos ameaçadores instalados sobre sua cômoda, o que a levou depois a ter angústias noturnas e uma fobia* por animais e doenças. Por volta dos 4 anos, ocorreu uma desordem mental em seu comportamento: "Ela começou a reter as fezes, escreveu Carotenuto, até o momento em que era obrigada a defecar. Depois, tomou o hábito de se sentar sobre os calcanhares, de modo a fechar o ânus e impedir a defecação até durante duas semanas seguidas." Com a idade de 7 anos, renunciou a essas práticas, mas entregou-se à masturbação. Durante as refeições, pensava na defecação e imaginava que todos à sua volta também pensavam nisso. Ao longo dos anos, a situação piorou. Com a idade de 18 anos, Sabina foi atingida por crises de depressão, alternando lágrimas, risos e gritos convulsivos. Um ano depois, teve um surto psicótico. Seus pais decidiram então tratá-la na Suíça*, na famosa clínica do Hospital Burghölzli de Zurique. Entrou em 17 de agosto de 1904 e permaneceu até 1º de junho de 1905.

Tratada por Jung, que experimentou com ela os princípios freudianos do tratamento psicanalítico, considerando-a como um caso de histeria*, ela se curou completamente de seus sintomas. Fez então estudos de medicina e orientou-se para a psiquiatria. Entretanto, o tratamento resultou em uma paixão incontrolável entre o terapeuta e a paciente. Como Sandor Ferenczi* e como muitos freudianos dessa época pioneira, Jung não conseguia distinguir claramente amor e transferência, ainda mais porque tinha diante de si uma jovem de inteligência excepcional, que ele conseguira curar ao seduzi-la. Por sua idade e suas origens, ela poderia tornar-se sua esposa, caso ele já não fosse casado. Simultaneamente polígamo, sedutor e obcecado pelo pecado e a loucura*, Jung sempre teve uma atração particular pelo tipo de feminilidade encarnado por Sabina, como mostra sua relação com sua prima Hélène Preiswerk*.

Não sabendo como sair dessa situação, Jung confessou essa ligação a Freud, em uma carta de 7 de março de 1909: "Ela fez um terrível escândalo, só porque recusei o prazer de conceber um filho com ela. Sempre me mantive, com ela, nos limites de um gentleman, mas apesar de tudo não me sinto muito inocente aos olhos de minha consciência, um pouco sensível demais, e é isso que mais me perturba, pois minhas intenções sempre foram muito puras. Mas você bem sabe que o diabo usa as melhores coisas para produzir lama."

Inicialmente, Freud encarou o assunto com bom humor. Zombou do estilo "teológico" de Jung e de seu medo do diabo e do fogo do inferno. Depois, quando recebeu em maio de 1909 uma carta de Sabina Spielrein solicitando uma entrevista, foi obrigado a intervir. Além disso, seu delfim explicou que a jovem o perseguia. A intervenção de Freud foi magistral. Ao invés de se compadecer da vítima, aconselhou-a a resolver o problema sozinha, sem apelar para terceiros. No fundo, tentou persuadi-la o mais racionalmente possível a fazer o luto de uma relação passional sem futuro e a investir num outro objeto de amor. Mas então a mulher de Jung enviou uma carta anônima aos pais de Sabina, participando-lhes a ligação. Intimado a se explicar, Jung se eximiu de qualquer responsabilidade: ele não tinha, disse à mãe de Sabina, o apanágio da sexualidade* de sua filha e gostaria muito de se ver livre de suas pretensões. De passagem por Zurique, o pai, como Freud, aconselhou Sabina a encontrar uma solução sozinha. O que ela fez.

Diplomada em 1911 com uma tese sobre a esquizofrenia, trabalhou depois com intensidade. A 25 de novembro, apresentou uma exposição na Wiener Psychoanalytische Vereinigung (WPV). Nela, expunha suas teses sobre a pulsão de destruição, na qual Freud se inspiraria em *Mais-além do princípio de prazer*, e que seriam publicadas em 1912, sob o título "A destruição como causa do devir". Nesse ano, Sabina, completamente curada de seu episódio psicótico, casou-se com um médico judeu russo, Pavel Naoumovitch Scheftel. Freud alegrou-se com esse casamento e com a gravidez de Sabina. Ele acabava de romper com Jung e saiu de sua neutralidade para lhe expressar sua feroz hostilidade contra o seu ex-delfim, o que mostra que ele não estava mais preparado do que a jovem para o sofrimento de um luto e de uma amizade passional: "Da minha parte, como você sabe, escreveu ele, estou curado de qualquer seqüela de predileção pelos arianos e quero crer que, se o seu filho for homem, ele se tornará um inabalável sionista. Ele tem que ser moreno, ou então tornar-se moreno. Chega de cabeças louras [...]. Somos e continuamos a ser judeus."

Durante dez anos, Sabina Spielrein continuou seus trabalhos e atividades clínicas na Alemanha*, na Suíça e na Áustria, principalmente no laboratório de Édouard Claparède*

em Genebra. Integrada ao movimento psicanalítico, ensinou a doutrina freudiana. Seu aluno e analisando mais célebre seria o psicólogo Jean Piaget (1896-1980). Seus últimos artigos conhecidos se referem à linguagem infantil, à afasia e à origem das palavras "papai" e "mamãe".

Em 1923, com o apoio de Freud, decidiu voltar à Rússia. Propôs então sua candidatura à Associação Psicanalítica Russa, que acabava de ser criada e que reunia o grupo de Moscou e o de Kazan. Instalando-se em Moscou no momento em que a situação se degradava para a psicanálise*, participou da experiência educativa do Lar para Crianças, criado por Vera Schmidt*, ocupando ao mesmo tempo um lugar de chefe da seção de pedologia* na universidade estatal. Foi durante esse período, crítico para o regime soviético, que ela afirmou a seus próximos que "seria capaz de curar Lenin de sua doença."

Em 1924, voltou a Rostov, onde se encontrou com o marido, o pai, e suas duas filhas, Renata e Eva. Oficialmente, exercia funções de clínica geral mas, na verdade, sob a capa da pedologia, tratava de crianças delinqüentes e problemáticas pela psicanálise.

A partir de 1935, foi apanhada, com toda a sua família, pela engrenagem do sistema totalitário. Seu marido morreu de infarto em 1937 e seus dois irmãos, levados pelos expurgos, desapareceram no Gulag.

Em 1942, depois de muitos combates entre o Exército Vermelho e as tropas alemãs, os nazistas conseguiram ocupar a cidade de Rostov, onde fizeram reinar o terror. Comandos da morte executaram dezenas de milhares de habitantes e agruparam os judeus em colunas para exterminá-los. Em 27 de julho de 1942, Sabina Spielrein foi massacrada com suas duas filhas na ravina de Viga da Serpente, em meio a cadáveres cobertos de sangue.

Depois da publicação da obra de Carotenuto, a historiografia* "revisionista" faria de Sabina Spielrein a vítima de uma manipulação "masculina" sabiamente orquestrada por Jung e Freud.

• Sabina Spielrein, "Über den psychologischen Inhalt eines Falles von Schizophrenie", *Jahrbuch für psychoanalytische und psychologische Forschungen*, 3, 1911, 329-400; "La Destruction comme cause du devenir" (1912), in *Sabina Spielrein entre Freud et Jung*, dossier descoberto por Aldo Carotenuto e Carlo Trombetta (Roma, 1980), Michel Guibal e Jacques Nobécourt (org.), Paris, Aubier-Montaigne, 1981, 213-56; "La Genèse des mots enfantins papa et maman" (1922), ibid., 337-42 • *Freud/Jung: correspondência completa* (Paris, 1975), Rio de Janeiro, Imago, 1993 • John Kerr, "Beyond the pleasure principle and back again", in Paul E. Stepansky (org.), *Freud, Appraisals and Reappraisals*, N. Jersey, The Analytic Press, vol.3, 1988, 81-167 • Jean Garrabé, *Histoire de la schizophrénie*, Paris, Seghers, 1992 • Victor Ivanovitch Ovtcharenko, "Le Destin de Sabina Spielrein" (1992), *L'Évolution Psychiatrique*, t.60, janeiro-março de 1995, 115-22.

➤ FREUDO-MARXISMO; JUDEIDADE; NAZISMO; ROSENTHAL, TATIANA; WULFF, MOSCHE.

Spitz, René Arpad (1887-1974)

médico e psicanalista americano

Célebre no mundo inteiro por seus trabalhos sobre o hospitalismo* e sua psicologia, dita "genética", René Spitz nasceu em Viena* em uma família húngara, tendo passado a infância em Budapeste, onde estudou medicina. Foi Sandor Ferenczi* quem o enviou, em 1911, a Sigmund Freud*, para fazer uma análise didática*. A partir de 1926, participou dos trabalhos da Wiener Psychoanalytische Vereinigung (WPV) e, em 1930, tornou-se membro da Deutsche Psychoanalytische Gesellschaft (DPG). Depois de passar por Paris, emigrou para os Estados Unidos* em 1938. Inicialmente instalado em Nova York, fixou-se depois em Denver, no Colorado, onde desenvolveu suas pesquisas, segundo os princípios de uma medicina preventiva inspirada nos trabalhos de Anna Freud* e Maria Montessori*. Opôs-se à tese de Otto Rank* sobre o trauma do nascimento e também à idéia kleiniana de posição depressiva*, para privilegiar o estudo da depressão anaclítica*, do desmame e da formação do eu*.

Foi nessa perspectiva de integração da psicanálise* à psicologia genética que se interessou pelas primeiras relações de objeto*, pelos estádios*, pelas carências afetivas e pelos distúrbios da linguagem ligados à permanência das crianças pequenas em instituições hospitalares. Mostrou que cada idade era portadora de uma estruturação específica, que resultava dos estádios precedentes e que sucedia a eles. A partir

de 1945, tornou-se um dos principais redatores da revista *The Psychoanalytic Study of the Child*, fundada por Anna Freud, Ernst Kris* e Heinz Hartmann*, sob a influência da *Ego Psychology**. Spitz reuniu muitos documentos cinematográficos sobre os comportamentos da primeira infância, fez conferências em muitos países e formou alunos e colaboradores no seio da Denver Psychoanalytic Society (DPS), da qual foi presidente em 1962-1963.

• René Spitz, "Hospitalism", *The Psychoanalytic Study of the Child*, I, 1945; "Infantile depression and the general adaptation syndrome", in P.H. Hoch e J. Zubin, *Depression*, N. York, Grune and Stratton, 1954; *O não e o sim* (N. York, 1957), S. Paulo, Martins Fontes • René Spitz e Godfrey Cobliner, *O primeiro ano de vida* (Paris, 1984), S. Paulo, Martins Fontes, 1991, 6ª ed.

➤ ANNAFREUDISMO; AUBRY, JENNY; DOLTO, FRANÇOISE; PSICANÁLISE DE CRIANÇAS; WINNICOTT, DONALD WOODS.

Standard Edition of the Complete Psychological Works of Sigmund Freud (SE)

➤ FREUD, SIGMUND; STRACHEY, JAMES; TRADUÇÃO (DAS OBRAS DE SIGMUND FREUD).

Stärcke, August (1880-1954)

psiquiatra e psicanalista neerlandês

Pioneiro do freudismo* nos Países Baixos*, August Stärcke (ou Staercke) era de um meio de artesãos e professores. Na família, foi seu irmão mais novo, Johan Stärcke (1882-1917), morto prematuramente em 1917, o primeiro a se interessar pela psicanálise, desde a publicação da *Interpretação dos sonhos**.

Membro da Wiener Psychoanalytische Vereinigung (WPV) entre 1911 e 1917, August Stärcke começou a traduzir para o neerlandês a obra de Sigmund Freud*, publicando também artigos seus sobre a abordagem psicanalítica das psicoses*. Em 1921, no seu trabalho mais importante, "Psychoanalyse und Psychiatrie", usou amplamente as teses de Sandor Ferenczi* para desenvolver suas próprias posições sobre o eu* e a repetição*. Aliás, ao longo de sua correspondência com Freud a respeito de *Mais-além do princípio de prazer**, expressou sua discordância sobre a questão da pulsão* de morte.

Como muitos freudianos de sua geração*, Stärcke não foi analisado. Hostil ao dogmatismo, manifestou vivo interesse por todos os campos do saber — entre os quais situava a psicanálise. Foi notadamente um grande especialista em entomologia, e publicou uma centena de trabalhos sobre esse tema.

• August Stärcke, "The reversal of the libido-sign in delusions of persecution", *IJP*, 1, 1920, 231-4; "The castration complex", *IJP*, 2, 1921, 179-201; "Psychoanalyse und Psychiatrie", *Beiheft IZP*, 4, 1921 • Franz Alexander, Samuel Eisenstein e Martin Grotjahn (orgs.), *A história da psicanálise através de seus pioneiros* (N. York, 1966), Rio de Janeiro, Imago, 1981.

Stekel, Wilhelm (1868-1940)
médico e psicanalista austríaco

Com Max Kahane (1866-1923), Rudolf Reitler (1865-1917) e Alfred Adler*, esse médico foi o quarto membro do núcleo fundador da Sociedade Psicológica das Quartas-Feiras*, que se tornaria, em 1908, a Wiener Psychoanalytische Vereinigung (WPV), modelo de todas as sociedades freudianas da International Psychoanalytical Association* (IPA).

Nascido em Bojan, na província romena de Bucovina, Stekel era de uma família de comerciantes judeus ortodoxos de língua alemã. Depois de estudar medicina em Viena*, instalou-se como clínico geral. Em 1895, publicou um artigo sobre as experiências sexuais precoces (coito) de crianças, que atraiu a atenção de Freud e, ao ler *A interpretação dos sonhos**, sobre o qual redigiu um relatório entusiástico em 1902, tornou-se seu fervoroso discípulo: "Eu era o apóstolo de Freud, escreveu ele em sua *Autobiografia*, e ele era o meu Cristo."

Escritor prolixo, tinha um estilo enfático e adotou as teses freudianas sobre a sexualidade* com um sectarismo que certamente remetia a seus próprios problemas neuróticos. Efetivamente, foi para tratar de sua impotência sexual e sua compulsão patológica à masturbação que consultou Freud. Fez uma análise de algumas semanas, que pareceu aliviá-lo sem eliminar os seus sintomas. Obcecado pela questão do sexo sob todas suas formas, tinha, além disso, uma escuta muito intuitiva de todas as manifestações do inconsciente* e um verdadeiro talento de inventor e de agitador de idéias novas.

A partir de 1902, esteve presente a todos os grandes acontecimentos que marcaram a história original do freudismo*. Em 1908, publicou uma obra prefaciada por Freud, *Os estados de angústia nervosa e seu tratamento*, logo seguida de duas outras em 1911 e 1912: *A linguagem do sonho* e *Os sonhos dos poetas*. A produção de Stekel era inesgotável, sua atividade intensa e suas declarações sempre exaltadas e até mesmo exibicionistas. Esse discípulo incômodo se interessava por todos os temas que seriam teorizados por seu mestre, em especial por *Thanatos*, do qual foi o primeiro a falar. Interrogava-se também sobre a questão dos "impulsos criminosos voltados contra si" e sobre o "recalque* na religião e na moral".

Freud admirava a imaginação de Stekel e sua capacidade inventiva. Mas logo se sentiu exasperado por sua falta de tato e sua indecência. Em uma carta de 30 de dezembro de 1908, dirigida a Carl Gustav Jung*, chegou a tratá-lo de "porco total". Com efeito, Stekel teve que enfrentar os ataques de muitos discípulos do primeiro círculo vienense, especialmente de Viktor Tausk*, que o acusou de inventar casos para justificar suas hipóteses. O boato de mitomania foi depois retomado por Ernest Jones*.

Em julho de 1910, quando foi criado o *Zentralblatt für Psychoanalyse**, Stekel tornou-se seu co-redator, ao lado de Adler. Mas surgiu um conflito a propósito de Tausk, e Freud decidiu então que ele deixaria a revista. A 6 de novembro de 1912, Stekel demitiu-se da WPV e um ano depois, o *Zentralblatt* deixou de ser publicado.

Depois de Adler, Stekel foi portanto o segundo dissidente da história da psicanálise* em Viena. Na medida em que estava em jogo um caso de plágio, esse conflito também foi a repetição daquele que ocorreu entre Sigmund Freud e Wilhelm Fliess*. Em sua *Autobiografia*, Stekel declarou que Freud lhe roubara suas idéias: "Ele usou minhas descobertas, escreveu, sem mencionar meu nome. Em seus escritos posteriores, nem se refere à primeira edição do meu livro, no qual defini a angústia como uma reação do instinto de vida contra o ataque do instinto de morte. Assim, muitos acreditam que o instinto de morte é uma das descobertas de Freud."

Depois da ruptura, Stekel tentou voltar ao seio da Sociedade. Mas Freud se mostrou de uma terrível intransigência, pois procurava, a partir de então, livrar-se dos discípulos extravagantes da primeira hora, que, segundo ele, prejudicavam o trabalho científico. No fim de 1923, depois que Stekel lhe enviou uma carta desejando-lhe um pronto restabelecimento, após a confirmação de seu câncer, Freud lhe respondeu: "Quero desmentir sua afirmação, tantas vezes repetida, de que me separei do sr. em conseqüência de divergências científicas. Isso causa um excelente efeito no público, mas não corresponde à verdade. São apenas e unicamente suas qualidades pessoais — o que se chama caráter e comportamento — que tornaram, aos meus amigos e a mim, qualquer colaboração com o sr. impossível [...]. Não sentirei nenhum despeito se ficar sabendo que suas ações médicas e literárias lhe granjearam o sucesso. Reconheço que o sr. continuou fiel à psicanálise* e foi muito útil a ela, mas também muito a prejudicou."

Ao contrário de Adler e de Jung, Stekel continuou sendo, efetivamente, um adepto da psicanálise, ao mesmo tempo que prosseguia sua atividade literária, ora sob seu nome, ora sob o pseudônimo de Serenus. Em suas peças de teatro ou em suas narrativas, contava histórias de doentes que pareciam mais reais do que suas observações clínicas. Imitando Freud, reuniu discípulos em torno de si e fundou uma escola. Mas, principalmente, como Sandor Ferenczi* e os futuros fundadores da Escola de Chicago (de Franz Alexander* a Heinz Kohut*), foi um dos primeiros clínicos a criticar as análises intermináveis dos freudianos e a propor um modelo de tratamento psicanalítico fundado nos princípios da técnica ativa.

Quando os nazistas anexaram a Áustria, conseguiu fugir para a Suíça*, e já em 1938 chegou à Inglaterra, onde fez uma brilhante carreira. Quando Freud também emigrou, Stekel enviou-lhe uma carta amistosa, evocando com melancolia os primeiros momentos da psicanálise vienense. Mais uma vez, reivindicou seu status de ex-aluno do mestre venerado. Sofrendo de diabete e sabendo-se atingido de gangrena no pé, suicidou-se em Londres, a 25 de junho de 1940, em um quarto de hotel, com uma alta dose de insulina. A entrada dos nazistas em Paris e a perspectiva de ver a peste negra espalhar-se pela Europa inteira o tinham mergulhado na melancolia*.

• Wilhelm Stekel, *Nervöse Angstzustände und ihre Behandlung*, Viena e Berlim, Urban und Schwarzenberg, 1908, com prefácio de Sigmund Freud, retomado in *ESB*, IX, 255-6; *GW*, VII, 467-8; *SE*, IX, 250-1; *Technique de la psychothérapie analytique* (Londres, 1938), Paris, Payot, 1975; *Autobiography. The Life Story of a Pioneer Psychoanalyst*, Emil A. Gutheil (org.), N. York, Liveright Publishing Co., 1950 • *Les Premiers Psychanalystes. Minutes de la Société Psychanalytique de Vienne, 1906-1918*, 4 vols. (1962-1975), Paris, Gallimard, 1976-1983 • Elke Mühlleitner, *Biographisches Lexikon der Psychoanalyse. Die Mitglieder der Psychologischen Mittwoch-Gesellschaft und der Wiener Psychoanalytischen Vereinigung von 1902-1938*, Tübingen, Diskord, 1992 • Vincent Brome, *Les Premiers disciples de Freud* (Londres, 1967), Paris, PUF, 1978 • Henri F. Ellenberger, *Histoire de la découverte de l'inconscient* (N. York, Londres, 1970, Villeurbanne, 1974), Paris, Fayard, 1994 • Paul Roazen, *Freud e seus discípulos* (N. York, 1976), S. Paulo, Cultrix, 1978 • Jean-Baptiste Fages, *Histoire de la psychanalyse après Freud* (Toulouse, 1976), Paris, Odile Jacob, 1996.

➤ BISSEXUALIDADE; SEXUALIDADE; SUICÍDIO; TÉCNICA PSICANALÍTICA.

Sterba, Editha, *née* Radanowicz-Hartmann von (1895-1986)

psicanalista americana

Nascida em Budapeste, em uma família católica, Editha Sterba fez seus estudos secundários em Praga, onde seu pai tinha um alto posto no comando do exército austríaco. Em Viena*, estudou filosofia e musicologia, antes de se orientar para a psicanálise* e tornar-se secretária de Otto Rank* na Verlag. Trabalhou depois na realização da primeira edição das obras completas (*Gesammelte Schriften*) de Sigmund Freud*, tratou de crianças, em contato com Anna Freud* e August Aichhorn*, e teve o mesmo destino que seu marido Richard Sterba*.

➤ PSICANÁLISE DE CRIANÇAS; TRADUÇÃO (DAS OBRAS DE SIGMUND FREUD).

Sterba, Richard (1898-1989)

psiquiatra e psicanalista americano

Nascido em Viena* em uma família católica, Richard Sterba foi um dos raros membros da Wiener Psychoanalytische Vereinigung (WPV), no período entre as duas guerras, que não era judeu. Depois de estudar medicina e de seu casamento com Editha von Radanowicz-Hartmann (Editha Sterba*), orientou-se para o freudismo*, fez sua análise didática em 1924 com Eduard Hitschmann* e exerceu ele próprio a psicanálise*, formando alunos.

Em 1931, a pedido do editor Albert Josef Storfer, que realizou a primeira edição das obras completas de Sigmund Freud* (*Gesammelte Schriften*), começou a redação de um dicionário de psicanálise (*Handwörterbuch der Psychoanalyse*), que deveria ser publicado em 16 etapas. O primeiro fascículo saiu no dia 6 de maio de 1936, por ocasião do octogésimo aniversário de Freud, que redigiu uma carta-prefácio, dizendo que o caminho da letra A à letra Z era muito longo. Quatro outros fascículos vieram depois, até o momento em que a ocupação da Áustria pelos nazistas pôs fim ao empreendimento.

Em 1938, Sterba teve a coragem de recusar a política de "salvamento" da psicanálise, que lhe propôs Ernest Jones*, como único não-judeu do conselho de administração da WPV. Jones o aconselhou a se instalar em Johannesburgo, na África do Sul, a fim de ajudar Wulf Sachs* a formar alunos. Este se mostrou interessado, encontrou-se com Sterba e sua mulher em Paris e tentou obter para eles um visto de emigração. As autoridades de Pretória não o concederam.

Depois de um desvio pela Suíça* e pela Itália*, os Sterba emigraram para os Estados Unidos* no fim do mês de janeiro de 1939. Instalaram-se primeiro em Chicago, e depois integraram-se à Sociedade Psicanalítica de Detroit. No fim de sua vida, Richard Sterba redigiu um belo depoimento sobre a prática da psicanálise em Viena, durante os anos 1920.

• Richard Sterba, *Handwörterbuch der Psychoanalyse*, 5 vols., Viena, Internationaler Psychoanalytischer Verlag, 1936-1938; *Réminiscences d'un psychanalyste viennois* (Detroit, 1982), Toulouse, Privat, 1986 • Sigmund Freud, "Prefácio ao *Dicionário de psicanálise*, de Richard Sterba (1936), *ESB*, XXIII, 309; *GW*, *Nachtragsband*, 761; *SE*, XXII, 253; *OC*, XIX, 287-9 • Elke Mühlleitner, *Biographisches Lexikon der Psychoanalyse. Die Mitglieder der Psychologischen Mittwoch-Gesellschaft und der Wiener Psychoanalytischen Vereinigung von 1902-1938*, Tübingen, Diskord, 1992.

➤ NAZISMO; SOCIEDADE PSICOLÓGICA DAS QUARTAS-FEIRAS.

Stoller, Robert (1925-1991)

psiquiatra e psicanalista americano

Nascido em Nova York, no Bronx, Robert Stoller pertencia à terceira geração* psicanalítica americana. Estudou na Universidade de Columbia e depois instalou-se na costa oeste dos Estados Unidos*. Obteve seu doutorado em medicina em São Francisco, e foi nomeado em 1954 professor de psiquiatria na Universidade da Califórnia de Los Angeles, onde criou a Gender Identity Research Clinic.

Apaixonado por história, antropologia e literatura, tornou-se, depois da Segunda Guerra Mundial, o maior especialista americano em perversões* sexuais, notadamente na questão do transexualismo*. Analisado por Hannah Fenichel, integrou-se à Los Angeles Psychoanalytic Society (LAPS), e foi na costa californiana, verdadeiro laboratório hollywoodiano da sexualidade humana, que ele inventou, para a psicanálise, a noção de gênero* (*gender*). Esta seria utilizada depois em muitas áreas do saber. Stoller foi pois o pioneiro iconoclasta de uma renovação radical das interrogações freudianas sobre a identidade sexual, a diferença sexual*, o fetichismo* e a sexualidade* em geral. Contestou a teoria clássica da sexualidade feminina*, particularmente a noção de falocentrismo*, assim como a de perversão polimorfa, mostrando que, longe de serem simples fixações em um estado infantil, as perversões sexuais são revanches ou tentativas de cura de feridas antigas, recebidas na infância.

Seu livro magistral, *Sex and Gender*, publicado em 1968, e traduzido para o francês sob o título *Recherches sur l'identité sexuelle*, o tornou célebre no mundo inteiro e fez dele, com Michel Foucault (1926-1984), Thomas Laqueur, Élisabeth Badinter e muitos outros, um dos principais representantes da historiografia moderna em matéria de estudos sobre a sexualidade. Dedicou sua última obra a uma pesquisa sobre o sadomasoquismo*, praticado nas diferentes saunas da comunidade *gay* de São Francisco e nos pontos de encontro para heterossexuais. Efetivamente, Stoller não foi apenas um clínico de consultório, mas também um pesquisador de campo e um notável antropólogo das formas modernas da sexualidade humana. Nunca publicou seus casos sem a concordância dos pacientes. Suas teses inovadoras seriam contestadas por muitos psicanalistas.

Morreu prematuramente em um acidente de carro, no famoso Sunset Boulevard.

• Robert Stoller, *Recherches sur l'identité sexuelle* (Londres, N. York, 1968), Paris, Gallimard, 1979; *L'Excitation sexuelle* (N. York, 1979), Paris, Payot, 1984; *Pain and Passion: A Psychoanalyst explores the World of S & M*, N. York, Plenum, 1991 • Moustapha Safouan, "Contribuição à psicanálise da transexualidade", in *Estudos sobre o Édipo* (Paris, 1974), Rio de Janeiro, Zahar • Agnès Faure-Oppenheimer, *Le Choix du sexe. A propos des théories de Robert J. Stoller*, Paris, PUF, 1980.

➤ HOMOSSEXUALIDADE; LIBIDO; SEXOLOGIA; *TRÊS ENSAIOS SOBRE A TEORIA DA SEXUALIDADE.*

Strachey, Alix, *née* Sargant-Florence (1892-1973)

psicanalista inglesa

O itinerário de Alix Strachey é inseparável do Grupo de Bloomsbury, formado por escritores ingleses do início do século XX, que se reuniram em torno de Lytton Strachey (1870-1932), Virginia Woolf (1882-1941), Dora Carrington (1893-1932) e Roger Fry (1856-1934) com o firme propósito de combater o espírito vitoriano e afirmar uma nova concepção do amor, na qual pudessem expandir-se livremente as tendências profundas do ser, principalmente a bissexualidade* e a homossexualidade*. Todos consideravam o puritanismo a mais ameaçadora forma de ditadura para a Grã-Bretanha*, e foi no centro dessa contestação estética e literária que surgiu a primeira escola inglesa de psicanálise*, contemporânea do nascimento da pintura pós-impressionista.

Nascida em Nutley, em New Jersey, Alix era a segunda entre os filhos de Mary Sargant (1857-1954) e de Harry Smyth (1864-1892), que adotara o nome de solteira de sua mãe (Florence) quando se casou. Morreu afogado

acidentalmente, algum tempo depois do nascimento da filha.

Pintora e feminista, Mary Sargant estimulou sua filha, contra a vontade desta, a estudar artes plásticas. Como seu irmão mais velho, Philip, Alix se interessava por antropologia*, filosofia e literatura. Em 1911, entrou para o Newnham College de Cambridge, e durante seus estudos descobriu as obras de Sigmund Freud*. Desde a infância, recusava-se a usar roupas femininas e, aos 20 anos de idade, após um período de anorexia mental, teve sua primeira crise de melancolia*. Depois de fazer uma longa viagem, que a levou à Finlândia e à Rússia*, onde assistiu à irrupção da Primeira Guerra Mundial, voltou a Londres e viveu com o irmão em um apartamento do bairro de Bloomsbury. Foi nesse grupo de intelectuais que encontrou James Strachey; já o conhecia de Cambridge e apaixonou-se por ele. Seduzido por seu aspecto de rapaz melancólico, James, que era homossexual, achou-a encantadora, como confidenciou a seu irmão Lytton: "As mulheres são detestáveis, exceto uma deliciosa senhorita de Bedales [...], um verdadeiro rapaz." Casaram-se em junho de 1920. Ambos apaixonados pelo freudismo, foram a Viena*, onde James, levado por Ernest Jones*, tinha uma hora marcada com Freud para começar uma análise.

Depois de uma crise de palpitações, Alix pediu a opinião do "Professor". Freud não hesitou em analisá-la também, e os dois tratamentos continuaram simultaneamente até o inverno de 1921-1922. Durante esse período, Alix e James começaram a realizar a grande obra de suas vidas: a tradução* completa da obra de Freud para o inglês, a futura *Standard Edition (SE)*.

Em Berlim, junto a Karl Abraham*, Alix Strachey prosseguiu seu trabalho analítico em condições bem melhores do que em Viena. Ali, descobriu realmente o movimento psicanalítico em pleno desenvolvimento, encontrando no famoso Berliner Psychoanalytisches Institut* (BPI) todos os astros da saga freudiana, sobretudo Melanie Klein*. Durante algum tempo, Alix levou uma vida trepidante: "O que ela preferia acima de tudo, nessa época, escreverem Perry Meisel e Walter Kendrick, era a dança, e isso durou por toda a vida; freqüentava inúmeros bailes, sempre à procura, infelizmente vã na maior parte do tempo, do parceiro adequado, que teria o seu porte e seus talentos. O espetáculo de Alix e Melanie, uma de camisola de seda e com um cesto de vime servindo de chapéu, outra fantasiada de Cleópatra, evoluindo na pista de dança às quatro da manhã [...] teria dado o que pensar aos analistas de hoje."

Membro da British Psychoanalytical Society (BPS) em 1922, começou a praticar a psicanálise e, em 1926, retomou um tratamento com Edward Glover* e depois com Sylvia Payne (1880-1976). Em 1950, fazia portanto 30 anos que estava em análise. Ela própria, como seu marido, conservava seus pacientes indefinidamente. Durante as Grandes Controvérsias*, recusou-se, como James, a se filiar a um dos dois lados e aderiu ao terceiro grupo: os Independentes*.

Como James, permaneceu o que sempre fora na juventude: uma não-conformista. Fiel ao ideal Bloomsbury, que tanto contribuiu para o desenvolvimento da psicanálise na Inglaterra, levou assim uma vida contrária a todas as regras da BPS e não hesitou em exibir sua bissexualidade*. Se James gostava de homens amando Alix ao mesmo tempo, Alix gostava de mulheres, continuando a ser a melhor companheira de James.

• Viviane Forrester, *Virginia Woolf*, Paris, L'Équinoxe, 1984 • Perry Meisel e Walter Kendrick, *Bloomsbury/Freud. James et Alix Strachey, Correspondance 1924-1925* (Londres, 1985), Paris, PUF, 1990.

➢ ALEMANHA; KLEIN, MELANIE; MELANCOLIA.

Strachey, James (1887-1967)

psicanalista inglês

Tradutor da obra completa de Sigmund Freud*, James Strachey não deveu ao acaso a realização da famosa *Standard Edition (SE)*, mais lida no mundo inteiro, a partir dos anos 1970, do que o original alemão. Para ter sucesso em semelhante empreendimento, era preciso ser capaz de assumir a obra de outro a ponto de fazê-la sua ao longo de toda uma vida. Foi através dessa exigência de humildade e graças à colaboração de sua mulher e de Anna Freud* que Strachey adquiriu uma verdadeira identidade de escritor.

A família Strachey se parecia com os personagens que Lytton Strachey (1870-1932), irmão de James, descreveu em um livro intitulado *Alguns vitorianos célebres*. À noite, Sir Richard, o pai, lia romances que lhe eram trazidos sobre uma bandeja de prata, e durante o dia absorvia-se em longos trabalhos científicos. A mãe governava a casa.

Entrando para o Trinity College de Cambridge em 1905, James logo fez parte do Cenáculo dos Apóstolos que combatiam a hegemonia de Oxford na formação do "gosto inglês", e depois da Sociedade da Meia-Noite, pequeno círculo de intelectuais, que formariam posteriormente o Grupo de Bloomsbury, com Leonard Woolf, Lytton Strachey, Virginia Woolf (1882-1941), Dora Carrington (1893-1932), Roger Fry (1856-1934) e John Maynard Keynes (1883-1946).

Homossexual como o irmão, James teve uma paixão amorosa por um estudante, Rupert Brooke, antes de encontrar Alix Sargant-Florence*, que se tornaria sua mulher. Descobriu a obra de Freud pela leitura dos livros de Frederick Myers*, e foi graças a Ernest Jones* que decidiu ir a Viena* com Alix para fazer uma análise com o "Professor". Esta começou em 1920, e logo James iniciou a grande obra de sua vida: traduzir Freud. Em Londres, retomou uma análise com James Glover (1882-1926).

As primeiras traduções*, realizadas antes da guerra por Abraham Arden Brill*, eram medíocres. No período entre as duas guerras, a fim de contrabalançar os Estados Unidos* no seio da International Psychoanalytical Association* (IPA), Jones teve a idéia de realizar a tradução da obra completa, graças ao financiamento das sociedades psicanalíticas americanas, mas colocando o empreendimento sob a égide da Grã-Bretanha*, fortaleza avançada do freudismo* na Europa. Assim, baseou-se no talento de Strachey e no público conquistado pelos Bloomsbury, depois da criação em 1917, por Leonard e Virginia Woolf, da prestigiosa Hogarth Press.

Em setembro de 1939, Marie Bonaparte* se dispôs a financiar o projeto, e Jones o confiou a Strachey, com a idéia de publicar 24 volumes em 21 anos. Os primeiros foram publicados em 1953 e o vigésimo terceiro em 1966, um ano antes da morte do tradutor. O vigésimo quarto saiu em 1974, depois da morte de Alix.

A *Standard Edition* é uma realização admirável, que nenhum tradutor no mundo conseguiu igualar. As notas e o aparato crítico são retomados em numerosas edições estrangeiras da obra freudiana. Quanto à própria tradução, nunca deixou de ser atacada.

Como todos os bons tradutores, James Strachey não foi servil ao texto original. Seu trabalho refletia suas próprias orientações, sua fantástica erudição, sua paixão pela língua inglesa e seu apego à tradição de Bloomsbury. Também tinha a marca das transformações que sofrera a escola inglesa de psicanálise depois da Segunda Guerra Mundial. Assim, ele tendia a desprezar tudo o que ligava o texto freudiano ao romantismo alemão e à *Naturphilosophie*, privilegiando seu aspecto médico, científico e técnico. Na verdade, Strachey obedecia à vontade do próprio Freud de transformar a psicanálise em uma ciência, mesmo não fazendo justiça às qualidades literárias do mestre. Na língua inglesa, essa vontade se expressava pela escolha de certas palavras latinas e gregas e por uma certa "anglicização". Assim, para traduzir o Isso* (*Es*), o Eu* (*Ich*) e o Supereu* (*Uberich*), Strachey utilizou os pronomes latinos *Id, Ego, Superego* e, para investimento* (*Besetzung*) e ato falho* (*Fehlleistung*), recorreu a termos gregos: *cathexis, parapraxis*. Enfim, cometeu o erro de traduzir pulsão* por *instinct*, a pretexto de que o termo *drive* não existia em inglês.

Assim, Strachey contribuiu para acentuar o processo irreversível de anglofonização da doutrina freudiana, processo ligado à situação política: o nazismo* e, mais ainda, o Tratado de Versalhes foram responsáveis pela migração para a Grã-Bretanha e os Estados Unidos da totalidade dos psicanalistas de língua alemã. Quanto aos russos e aos húngaros, estes já estavam germanizados por razões políticas por volta dos anos 1920, e todos se tornaram anglófonos a partir de 1933. Por conseguinte, é difícil acusar Strachey de ser o único responsável por essa evolução.

Foi Bruno Bettelheim*, que também se tornou anglófono pela sua emigração para os Estados Unidos, que se mostrou mais virulento em relação a Strachey. Em 1982, em uma obra que teve grande repercussão, *Freud e a alma humana*, acusou-o de ter despojado o texto freudiano de sua "alma alemã" e de seu "espírito vienense". Mas, principalmente, atribuiu-lhe injustamente a responsabilidade pela esclerose e pela medicalização das sociedades da International Psychoanalytical Association* (IPA). Como muitos autores, confundiu a problemática da tradução com questões políticas e ideológicas. Também cedia, além disso, à idéia muito discutível segundo a qual uma tradução pode ser a transcrição fiel da alma ou do espírito de um povo ou uma nação. Em 1987, por ocasião do congresso da IPA em Montreal, Emmet Wilson se opôs a Bettelheim, solicitando ao mesmo tempo o estabelecimento de uma nova edição da obra completa de Freud em língua alemã.

• James Strachey, "Bibliography. List of english translation of Freud's works", IJP, XXVI, 1-2, 1945, 67-76; "Editor's note", in *The Standard Edition of the Complete Psychological Works of Sigmund Freud*, 24 vols., Londres, The Hogarth Press, 1953-1974, t.III, 1962, 71-3; "General preface", ibid., t.1, 1966, XIII-XXII • James Strachey e A.Tyson, "A chronological hand-list of Freud's works", *IJP*, XXXVII, 1, 1956, 19-33 • Viviane Forrester, *Virginia Woolf*, Paris, L'Équinoxe, 1984 • Perry Meisel e Walter Kendrick, *Bloomsbury/Freud. James et Alix Strachey, Correspondance 1924-1925* (Londres, 1985), Paris, PUF, 1990 • Bruno Bettelheim, *Freud e a alma humana* (N. York, 1982), S. Paulo, Cultrix, 1984 • Emmet Wilson, "Did Strachey invent Freud?", *International Revue of Psycho-Analysis*, 14, 1987, 299-315 • Ilse Grubrich-Simitis, "Histoire de l'édition des oeuvres de Freud en langue allemande" (1989), *Revue Internationale d'Histoire de la Psychanalyse*, 4, 1991, 13-71 • Riccardo Steiner, "Une marque internationale universelle d'authenticité. Quelques observations sur l'histoire de la traduction anglaise de l'oeuvre de Sigmund Freud, en particulier sur les termes techniques", ibid., 71-188.

➤ BISSEXUALIDADE; HOMOSSEXUALIDADE; ISSO; *NOVAS CONFERÊNCIAS INTRODUTÓRIAS SOBRE PSICANÁLISE*; ORTEGA Y GASSET, JOSÉ; PICHON, ÉDOUARD; RIVIERE, JOAN; WINNICOTT, DONALD WOODS.

Strømme, Irgens Johannes (1876-1961)

psiquiatra e psicanalista norueguês

Analisado por Oskar Pfister*, formado na clínica do hospital Burghölzli por Eugen Bleuler*, Johannes Strømme foi um dos pioneiros da psicanálise* na Noruega. Durante algum tempo esteve próximo de Carl Gustav Jung* e de Herbert Silberer*, e foi marcado pela passagem de Wilhelm Reich* pelo seu país. Como muitos escandinavos, desviou-se da psicanálise clássica, preferindo outras práticas psicoterapêuticas.

Com Poul Bjerre* e Sigurd Naesgaard*, participou, em dezembro de 1933, da criação do grupo Psykoanalytisk Samfund. Entrou em conflito com Harald Schjelderup*, que continuava a defender o freudismo*, e propôs uma técnica de tratamento fundada em atos. Preconizava, por exemplo, a masturbação como meio terapêutico. Essas transgressões não o impediram de ser um bom terapeuta. Desenvolveu teses sobre a doença mental que seriam retomadas pelos artífices da antipsiquiatria*. Em 1927, analisou durante um ano o escritor Knut Hamsun (1859-1952), que sofria de depressão e inibição. O trabalho foi benéfico. Posteriormente, Marie Hamsun, esposa do escritor, tornou-se sua paciente.

➢ ESCANDINÁVIA.

Studienausgabe

➢ FREUD, SIGMUND; MITSCHERLICH, ALEXANDER; TRADUÇÃO (DAS OBRAS DE SIGMUND FREUD).

subconsciente

➢ INCONSCIENTE.

sublimação

al. *Sublimierung*; esp. *sublimación*; fr. *sublimation*; ing. *sublimation*

Termo derivado das belas-artes (sublime), da química (sublimar) e da psicologia (subliminar), para designar ora uma elevação do senso estético, ora uma passagem do estado sólido para o estado gasoso, ora, ainda, um mais-além da consciência.

Sigmund Freud* conceituou o termo em 1905 para dar conta de um tipo particular de atividade humana (criação literária, artística, intelectual) que não tem nenhuma relação aparente com a sexualidade*, mas que extrai sua força da pulsão* sexual, na medida em que esta se desloca para um alvo não sexual, investindo objetos socialmente valorizados.

Em vez de utilizar a noção hegeliana de *Aufhebung* (revezamento, substituição), que designa o próprio movimento da dialética em sua capacidade de converter o negativo em ser, Sigmund Freud adotou o termo sublimação, mais nietzschiano, oriundo do romantismo alemão, para definir um princípio de elevação estética comum a todos os homens, mas do qual, a seu ver, só eram plenamente dotados os criadores e os artistas.

Sem dúvida, Freud atribuía à sublimação um lugar ainda maior, na medida em que ele mesmo declarou que, a partir dos 40 anos de idade, após o nascimento de seu quinto filho, havia praticamente suspendido qualquer relação carnal e posto sua atividade pulsional a serviço de sua obra, assim se inscrevendo no panteão dos grandes homens a quem admirava.

Foi em 1905, em seus *Três ensaios sobre a teoria da sexualidade**, que ele deu sua primeira definição da sublimação. Depois disso, em toda a sua obra, e especialmente nos textos reunidos sob a categoria de psicanálise aplicada*, a sublimação serviu para compreender o fenômeno da criação intelectual.

Com a introdução da noção de narcisismo* e a elaboração de sua segunda tópica*, Freud acrescentou à idéia de sublimação a de dessexualização. Assim, em *O eu e o isso**, sublinhou que a energia do eu*, como libido* dessexualizada, é passível de ser deslocada para atividades não sexuais. Nesse sentido, a sublimação tornou-se dependente da dimensão narcísica do eu.

Entre os herdeiros de Freud, o conceito de sublimação quase não sofreu modificações. Não obstante, os partidários de Anna Freud consideram esse mecanismo como uma defesa* que leva à resolução dos conflitos infantis, ao passo que os de Melanie Klein* vêem nele uma tendência a restaurar o objeto bom* destruído pelas pulsões agressivas.

Em 1975, o psicanalista francês Cornelius Castoriadis elaborou uma teoria original da sublimação, transpondo o conceito para o campo do fato social.

• Anna Freud, *O ego e os mecanismos de defesa* (Londres, 1936), Rio de Janeiro, Civilização Brasileira,

1982, 6ª ed. • Melanie Klein, "Situações de ansiedade infantil refletida numa obra de arte e no impulso criador" (1929), in *Contribuições à psicanálise* (Londres, 1948), S. Paulo, Mestre Jou, 1970 • Baldine Saint-Girons, "Sublimation", *Encyclopaedia universalis*, 15, 1968, 468-71 • Cornelius Castoriadis, *L'Institution imaginaire de la société*, Paris, Seuil, 1975.

➢ *DELÍRIOS E SONHOS NA "GRADIVA" DE JENSEN; LEONARDO DA VINCI E UMA LEMBRANÇA DE SUA INFÂNCIA.*

Suécia

➢ ESCANDINÁVIA.

Sugar, Nikola (1897-1945)

psiquiatra e psicanalista iugoslavo

Nascido em Subotica, na Eslavônia, e oriundo de uma família judia, Nikola Sugar tentou, no período entre as duas guerras, com Stjepan Betlheim*, implantar um movimento psicanalítico na Iugoslávia. Analisou-se em Berlim com Felix Boehm*, futuro colaborador dos nazistas, tornou-se membro da Wiener Psychoanalytische Vereinigung (WPV) em 1925 e trabalhou com Paul Schilder*, antes de se integrar à Sociedade Psicanalítica de Budapeste. Deportado em 1944, morreu no campo de extermínio de Theresienstadt, a 15 de maio de 1945.

• Elke Mühlleitner, *Biographisches Lexikon der Psychoanalyse. Die Mitglieder der Psychologischen Mittwoch-Gesellschaft und der Wiener Psychoanalytischen Vereinigung von 1902-1938*, Tübingen, Diskord, 1992.

➢ HISTÓRIA DA PSICANÁLISE; HUNGRIA; VIENA.

sugestão

al. *Suggestion*; esp. *sugestión*; fr. *suggestion*; ing. *suggestion*

Termo que designa um meio psicológico de convencer um indivíduo de que suas crenças, suas opiniões ou suas sensações são falsas, e de que, inversamente, as que lhe são propostas são verdadeiras.

Na história da psiquiatria dinâmica*, dá-se o nome de sugestão a uma técnica psíquica, inicialmente herdada do magnetismo de Franz Anton Mesmer* e, mais tarde, do hipnotismo (hipnose*) de James Braid (1795-1860), que repousa na idéia

de que, através da fala, uma pessoa pode influenciar outra e, com isso, modificar seu estado afetivo.

Foi ao abandonar a sugestão em favor da catarse* que Sigmund Freud inventou a psicanálise*.

Após sua temporada em Paris, no serviço de Jean Martin Charcot*, em 1885, Sigmund Freud começou a tratar seus pacientes por meio das mais variadas técnicas, dentre elas a sugestão hipnótica. Em pouco tempo, ouviu falar dos trabalhos da Escola de Nancy, fundada por Auguste Liébeault*, e dos avanços que lhe eram trazidos por Hippolyte Bernheim*. Este sustentava a idéia de que a hipnose era um efeito da sugestão: por isso se opunha a Charcot e à concepção que ele tinha da hipnose como um estado patológico próprio dos histéricos.

Herdeiro da primeira psiquiatria dinâmica, Bernheim inventou então, "contrariando" Charcot, o princípio da psicoterapia*, passando da sugestão hipnótica para a sugestão verbal: com efeito, mostrou que o olhar já não era necessário para mergulhar o paciente num estado de sonambulismo e que, através da fala, obtinham-se os mesmos resultados.

Em 1889, Freud traduziu o livro de Bernheim sobre a sugestão e suas aplicações terapêuticas. Em seguida, foi a Nancy e a Paris, para assistir ao I Congresso Internacional de Hipnotismo Experimental e Terapêutico. Até 1893, hesitou entre três orientações terapêuticas: a hipnose de Charcot, a sugestão de Bernheim e a catarse de Josef Breuer*. Por fim, afastou-se sucessivamente de todas três e, no último capítulo dos *Estudos sobre a histeria**, expôs sua própria concepção da psicoterapia, organizada em torno do método das associações livres (ou livre associação*). No ano seguinte, esse método assumiria o nome de "psico-análise" (psicanálise).

Para ilustrar o que distinguia esse método de todos os que se inspiravam na sugestão, Freud apoiou-se, num artigo publicado em 1905, "Über Psychotherapie", na diferença estabelecida por Leonardo da Vinci (1452-1519) entre a pintura e a escultura. A técnica da sugestão, disse Freud, era comparável à pintura, que procede *per via di porre*, isto é, por uma aplicação, "sem se preocupar com a origem, a força e a significação dos sintomas mórbidos". A sugestão, portanto, era tida como suficientemente forte para poder "entravar as manifestações patogênicas".

Quanto ao método analítico, Freud o comparou à escultura: ele procede *per via di levare*. Em outras palavras, visa "retirar, extirpar alguma coisa, e, para tanto, preocupa-se com a gênese dos sintomas mórbidos e das ligações destes com a idéia patogênica que ele pretende suprimir". Freud esclarece então: "Renunciei rapidamente à técnica da sugestão e, com ela, à hipnose, porque não tinha esperança de tornar os efeitos da sugestão suficientemente eficazes e duradouros para levar uma cura definitiva."

Essa renúncia à sugestão como recurso técnico não implicou o esquecimento da idéia de sugestão como modalidade do funcionamento psíquico, como demonstram estas afirmações de Freud sobre a questão da transferência: "Uma análise sem transferência é impossível", escreveu; "Não se deve supor que é a análise que cria a transferência e que esta só se encontra nela." De fato, Freud preservou a idéia do tratamento pela fala e mostrou que sua fonte se encontrava na transferência. Como fenômeno geral da relação afetiva, induzindo uma cura pelo amor ou pelo espírito, a transferência tinha que ser analisada, para não se reduzir à sugestão: "Com muita freqüência", disse ele, "a transferência, por si só, é o bastante para suprimir os sintomas mórbidos, porém temporariamente e apenas enquanto dura. Em tais casos, o tratamento não pode ser qualificado de psicanálise, tratando-se apenas de sugestão. O nome psicanálise só se aplica aos processos em que a intensidade da transferência é utilizada contra as resistências*."

Em 1920, Freud deparou pela segunda vez com a problemática da sugestão, no momento em que, desejoso de abrir "o caminho que vai da análise do indivíduo à compreensão da sociedade", empreendeu a redação da *Psicologia das massas e análise do eu*. Antes dele, Gustave Le Bon (1841-1931), William McDougall, fundador da psicologia social norte-americana, e Gabriel Tarde (1843-1904) haviam abordado esse campo, explicando o comportamento coletivo através da sugestão.

Contrariando esses autores, Freud recusou-se a utilizar a "mágica" palavra sugestão e sublinhou que Le Bon reduzia a dois fatores o conjunto das manifestações sociais (ou multidões): a sugestão recíproca dos indivíduos, isoladamente considerados, e o prestígio dos líderes: "Somos assim preparados para a afirmação de que a sugestão (mais exatamente, a sugestionabilidade) é de fato um fenômeno primário e irredutível, um fato fundamental da vida psíquica do homem. Isso era o que também pensava Bernheim, de cuja espantosa habilidade fui testemunha em 1889. Mas não perdi a lembrança da hostilidade surda que já então eu experimentava contra essa tirania da sugestão (...). Minha resistência orientou-se, posteriormente, para a revolta contra o fato de a sugestão, que tudo explicaria, dever, por seu turno, ser dispensada de explicação."

Na *Psicologia das massas*, portanto, Freud preferiu abolir a fronteira entre os fenômenos da psicologia individual e os do âmbito da psicologia coletiva. Por isso formulou a hipótese de que "as relações amorosas (ou, em termos neutros, os laços sentimentais) constituem, igualmente, a essência da alma das multidões", e esclareceu que, em Gustave Le Bon ou em McDougall, "não se trata dessas relações", pois "o que corresponderia a elas é manifestamente dissimulado por trás da tela, do anteparo da sugestão".

Ali onde a explicação tautológica da sugestão explicava a transformação psíquica do indivíduo na multidão (fascinação pelo líder e conduta imitativa dos indivíduos uns em relação aos outros), Freud estabeleceu que se tratava, na realidade, de uma limitação aceita do narcisismo*, gerada pela relação com o "líder". Com efeito, para cada indivíduo imerso na multidão, o líder ocupa o lugar do ideal do eu*, e sua onipotência é limitada pela instauração de um laço amoroso horizontal entre os membros da massa.

A sugestão (como técnica psíquica) seria conservada, sob diversas formas, por numerosas escolas de psicoterapia. Do mesmo modo, a idéia de sugestão seria periodicamente reatualizada para explicar, em termos de engodo, fascínio ou simulação, os fenômenos transferenciais.

Era nesse impasse que se encontrava o historiador Marc Bloch (1886-1944) em 1924. Totalmente desconhecedor da reflexão freudiana, mas procurando compreender a natureza do poder terapêutico dos reis taumaturgos, aos quais a multidão medieval atribuía curas milagrosas (e em especial a capacidade, através do toque, de tratar a escrófula), Bloch denunciou esse pretenso poder como pura tapeação e não conseguiu captar a essência da cura psíquica induzida pela transferência. Com efeito, distinguiu dois tipos de doentes: os verdadeiros, os doentes "orgânicos" atacados de escrófula (adenite tuberculosa) e, portanto, incuráveis pelo toque, e os falsos, os doentes "psíquicos", atacados, no dizer do historiador, por "doenças falsas" e, portanto, simuladores ou histéricos. Todos seriam vítimas de uma ilusão coletiva, e o milagre do rei não teria passado de uma gigantesca falsa notícia, nascida da sugestão.

• Hippolyte Bernheim, *Hypnotisme, suggestion, psychothérapie* (1891), Paris, Fayard, col. "Corpus des oeuvres de philosophie en langue française", 1995 • Joseph Delboeuf, *Le Sommeil et les rêves* (1885), Paris, Fayard, col. "Corpus des oeuvres de philosophie en langue française", 1993 • Marc Bloch, *Les Rois thaumaturges* (1924), Paris, Gallimard, 1983 • Michel de Certeau, *Histoire et psychanalyse entre science et fiction*, Paris, Gallimard, col. "Folio", 1987 • Léon Chertok e Raymond de Saussure, *Naissance du psychanalyste* (1973), Paris, Synthélabo, col. "Les empêcheurs de penser en rond", 1997 • François Duyckaerts, "Sigmund Freud: lecteur de Joseph Delboeuf", *Frénésie*, 8, 1989, 71-88 • Henri F. Ellenberger, *Histoire de la découverte de l'inconscient* (N. York, Londres, 1970, Villeurbanne, 1974), Paris, Fayard, 1994 • Sigmund Freud, "Sobre a psicoterapia", *ESB*, VII, 267-82; *GW*, V, 13-26; *SE*, 7, 255-68; Paris, PUF, 1977; *Correspondance 1873-1939* (Londres, 1960), Paris, Gallimard, 1966 • Sigmund Freud e Karl Abraham, *Correspondance, 1907-1926* (Frankfurt, 1965), Paris, Gallimard, 1969 • Gustave Le Bon, *Psychologie des foules*, Paris, Alcan, 1895 • Serge Moscovici, *L'Âge des foules*, Paris, Fayard, 1981 • Michel Plon, "'Au-delà' et 'en deçà' de la suggestion", *Frénésie*, 8, 1989, 89-114 • Gabriel Tarde, *Écrits de psychologie sociale*, selecionados e apresentados por A.-M. Rocheblave-Spenlé e Jean Milet, Toulouse, Privat, 1973.

➤ AB-REAÇÃO; *ESTUDO AUTOBIOGRÁFICO, UM*; HISTERIA; *MAIS-ALÉM DO PRINCÍPIO DE PRAZER*; RESISTÊNCIA; TRANSFERÊNCIA.

Suíça

Por muitas vezes, Sigmund Freud* prestou homenagem à Suíça, enfatizando seu papel essencial na difusão da psicanálise*. Primeiro país a se abrir para as teses freudianas desde o início do século, a Suíça deve essa situação excepcional à sua estabilidade política, ao poder de seu movimento psiquiátrico descentralizado, à sua tradição pedagógica e enfim à originalidade e ao talento de grandes personagens, freudianos como Oskar Pfister*, Hermann Rorschach*, Emil Oberholzer*, Philipp Sarasin*, Hans Zulliger*, Raymond de Saussure*, Madeleine Rambert*, Henri Flournoy*, companheiros de percurso como Eugen Bleuler*, Ludwig Binswanger* ou dissidentes, entre os quais o mais célebre, Carl Gustav Jung*. Graças a seu bilingüismo, a Suíça foi também um ponto de passagem privilegiado para a introdução das idéias freudianas na França*.

Convicto de ter encontrado uma "terra prometida" capaz de provar que a psicanálise podia transformar a nosografia psiquiátrica e aplicar-se ao tratamento das psicoses*, Freud pensava que o acolhimento entusiástico dos protestantes permitiria demonstrar que sua doutrina não era uma "ciência judia", limitada ao espírito vienense.

Como observou Henri F. Ellenberger*, a psiquiatria se desenvolveu na Suíça com certo atraso em relação aos outros países ocidentais. Foi em meados do século XIX que foram criados os asilos, chamados clínicas ou sanatórios, distribuídos por diferentes cantões, tendo à sua frente alienistas formados na tradição nosográfica da escola alemã, e principalmente na de Wilhelm Griesinger (1817-1868).

No fim do século XIX, dois grandes pioneiros começaram a criticar o niilismo terapêutico da escola alemã: August Forel* e Eugen Bleuler. Diretor da famosa clínica do Hospital Burghölzli a partir de 1879, Forel abandonou as classificações rígidas e voltou-se para a hipnose* e para a psiquiatria dinâmica*. Quanto a Bleuler, seu sucessor, experimentou com Jung a técnica da psicanálise no tratamento da loucura*.

Em um primeiro tempo, o movimento freudiano se desenvolveu na Suíça germânica com a criação, por Jung, em 1907, da Sociedade Freud, que se tornaria a Associação Psicanalítica de Zurique. Entre seus membros, estavam Alfons Maeder*, Ludwig Binswanger, Frank Riklin*, que organizaram o congresso da International Psychoanalytical Association* (IPA) em Nuremberg, em 1910, durante o qual foi criado o *Jahrbuch für psychoanalytische und psychopathologische Forschungen**. "Em nenhum outro lugar, escreveu Freud em 1914, os partidários da psicanálise formavam um grupo tão compacto, embora pouco numeroso; em nenhum outro lugar uma clínica oficial estava à disposição da psicanálise e em nenhum outro lugar um professor de clínica teria a coragem de introduzir as teorias psicanalíticas no programa do ensino psiquiátrico [...]. A maioria dos meus partidários e colaboradores atuais veio a mim passando por Zurique, até aqueles que, geograficamente, estavam bem mais próximos de Viena do que a Suíça."

Depois da ruptura de 1913, os psicanalistas suíços, já divididos em duas tendências (Jung e Freud), enfrentaram uma situação ainda mais difícil, pois a doutrina freudiana era violentamente atacada, como por toda a parte, por seu pansexualismo*. O movimento só pôde renascer depois da Primeira Guerra Mundial.

Em 24 de maio de 1919, em Zurique, Oskar Pfister fundou a Sociedade Suíça de Psicanálise (SSP), composta de 11 membros, entre os quais Emil Oberholzer e sua mulher, Hermann Rorschach e Hans Walser. Quando da sessão de inauguração, presidida por Ernest Jones* e Sandor Ferenczi*, a psicanálise foi apresentada como um "movimento espiritual". Ao fim de dois meses, Hanns Sachs*, encarregado de patrocinar o pedido de adesão do novo grupo à IPA, desencadeou um conflito. Não confiando em Pfister, acusava os membros da SSP por sua tendência à "junguização" e pelo esquecimento da teoria da sexualidade*. Pfister interveio então junto a Freud, que se encarregou de arbitrar o debate insistindo para que os suíços não tomassem Sachs como "bode expiatório da alta Inquisição, encarregado de zelar pela alta ortodoxia". "Em um movimento científico, escreveu em 27 de maio de 1919, seria melhor perguntar se não haveria muito a aprender de um homem instruído pela experiência."

A SSP logo teria entre os seus aderentes, além de Binswanger, Gustav Bally (1893-1966), Maeder Boss, Heinrich Meng*, Ernst Blum (1892-1981), Zulliger, Max Müller. Posteriormente, novos membros viriam de Berna e Basiléia.

Em Genebra, psicólogos, pedagogos e moralistas continuaram a tradição inaugurada por Théodore Flournoy*. O movimento psicanalítico suíço românico se organizou então em torno de algumas grandes famílias de Genebra: os Flournoy, os Saussure, os Bovet.

Em setembro de 1919, constituiu-se, sob a presidência de Édouard Claparède*, o Círculo Psicanalítico de Genebra, composto de médicos e analistas leigos, reunindo notadamente Charles Odier*, Raymond de Saussure*, Pierre Bovet (1878-1965) e Henri Flournoy*. Todos também pertenciam à SSP, que agrupava assim os românicos e os germânicos, como Charles Baudouin*, próximo tanto de Jung quanto dos freudianos. Em 1927, Saussure e Odier participaram da fundação da Sociedade Psicanalítica de Paris (SPP).

Analisado por Sabina Spielrein, Jean Piaget (1896-1980) começou a se interessar pela psicanálise depois de seguir os cursos de Jung, Bleuler e Pfister. Em 1921, aderiu à SSP e no ano seguinte encontrou-se com Freud no congresso da IPA em Berlim. Orientou-se depois para a psicologia e para a epistemologia genética.

Em 1927, uma nova crise surgiu em torno da questão da análise leiga*. Procurando afastar Pfister, cujo não-conformismo os incomodava, e com o objetivo de alijar os "pseudo-analistas", excessivamente próximos, em sua opinião, da religião e do tratamento de almas, os médicos anunciaram sua intenção de realizar uma cisão*. Liderados por Oberholzer e Rudolph Brun (1885-1969), fundaram uma Associação Médica de Psicanálise, que só aceitava médicos como membros. Descontente com o ataque a seu amigo Pfister e decidido a apoiar a análise leiga, Freud interveio para que esse grupo não obtivesse o reconhecimento da IPA. "Emil Oberholzer é um velho imbecil cabeçudo, escreveu ele, que é melhor abandonar à sua própria sorte."

A executiva da IPA exigiu que os conflitos fossem resolvidos no interior do grupo, e a nova Associação não conseguiu obter sua filiação. Favorável aos médicos, Saussure criticou duramente Pfister, mas inclinou-se diante do apoio de Freud. Depois da partida de 22 membros,

Philipp Sarasin* foi eleito presidente da SSP. Conservaria suas funções durante 32 anos.

Entre 1928 e 1937, a SSP beneficiou-se com a passagem dos exilados, que fugiam da Alemanha* nazista (Hermann Nunberg*, Frieda Fromm-Reichmann*, Heinrich Meng). Quanto à Associação Médica, foi dissolvida depois da partida de Oberholzer para os Estados Unidos*. Finalmente, seus membros aderiram à SSP.

O conflito de 1927-1928 anunciava crises posteriores. Desde 1934, uma nova tempestade se abateu sobre a SSP com a adesão de Gustav Bally. Psiquiatra formado por Hanns Sachs* em Berlim e amigo de Franz Alexander*, pregava, na pesquisa e na prática, um olhar livre e crítico sobre os dogmas estabelecidos. Recusando certos elementos da doutrina freudiana e se interessando, como Binswanger, pela análise existencial*, viu-se acusado de freqüentar excessivamente o "Clube Junguiano". A isso, ele respondeu que efetivamente conhecia bem os junguianos, o que não o impedira de publicar um artigo hostil às posições de Jung quanto ao nacional-socialismo. Maeder Boss também foi acusado de manter demasiada distância do freudismo e de se interessar pela ontologia heideggeriana.

Depois da Segunda Guerra Mundial, a psiquiatria dinâmica*, na Suíça e no mundo, voltou-se para outros tratamentos: as sonoterapias e os eletrochoques suplantaram a psicoterapia*. Entretanto, Manfred Bleuler, filho de Eugen Bleuler, reintroduziu a psicanálise no Hospital Burghölzli sob a forma não do freudismo* clássico, mas da análise direta*, inspirada em John Rosen. Em 1948, chamou Bally e Boss, que se orientaram nitidamente para a fenomenologia. Mais tarde, ambos se desinteressaram da análise didática* e se afastaram da SSP.

Em Zurique, além da escola junguiana, todas as correntes de psicoterapia se desenvolveram: gestalt-terapia*, terapia familiar*, método de Leopold Szondi*, psicodrama* etc.

Em Genebra, foi Saussure quem reorganizou o grupo românico ao voltar dos Estados Unidos em 1952. Instituiu um conjunto de seminários clínicos e teóricos com a colaboração de Germaine Guex (1904-1984), companheira de Odier, Michel Gressot (1918-1975) e Marcelle Spira, que se interessava particularmente pelas teorias kleinianas. Georges Dubal (1909-1993), analisado por Odier e próximo da revista *Esprit*, foi o primeiro psicanalista a trabalhar em Lyon; instalou-se depois em Genebra.

Em 1968, a SSP enfrentou a grande onda de contestação que atingiu o conjunto das sociedades da IPA, provocando cisões e rupturas individuais. Foi assim que se fundou em 1970 o Psychoanalytisches Seminar de Zurique (PSZ). Sob a orientação de três antropólogos, Paul Parin, Goldy Parin e Fritz Morgenthaler, especialistas em etnopsicanálise* na África, o PSZ reuniu todos os que protestavam contra a esclerose da formação didática e a visão apologética do passado, veiculadas pelas sociedades da IPA, sobretudo quanto ao que se referia ao período do nazismo*. Os membros do seminário, que em geral aderiam à tradição da esquerda freudiana, do freudo-marxismo* e de Herbert Marcuse*, deixariam finalmente a SSP. Em 1985, no Congresso da IPA em Hamburgo, eles organizaram um contra-congresso, a fim de protestar contra o silêncio da direção da IPA sobre a antiga política de "salvamento", no momento em que eram publicados livros relatando a colaboração dos freudianos com Matthias Heinrich Göring*. Posteriormente, seminários semelhantes foram criados em Basiléia e Berna.

Foi nesse contexto "alternativo", aberto à dissidência, que foram apresentadas as primeiras exposições do pensamento de Jacques Lacan*. Em 1986, Peter Widmer criou a revista *RISS*, destinada a difundir a obra lacaniana na Suíça germânica, em ligação com grupos alemães. "O nome *RISS*, escreveu Widmer, contém as iniciais dos registros lacanianos: o real*, o imaginário*, o simbólico*, o sintoma (ou escrita, *Schrift*, em alemão). Ao mesmo tempo, lembra Freud (*Esboço de psicanálise** ou *Abriss der Psychoanalyse*, em alemão) e Marx (*Grundrisse der politischen Oekonomie*)."

Na Suíça românica, a SSP fechou-se em si mesma, revelando um gosto pronunciado pelo academicismo. Todavia, a historiografia* freudiana se desenvolveu com o estímulo de André Haynal. Analisado por Saussure, membro da redação da revista *Psychothérapies* e responsável pelos arquivos de Michael Balint*, Hay-

nal logo manifestou interesse por todos os trabalhos modernos em línguas alemã, francesa ou
inglesa.

Analisado por Georges Dubal em Genebra e
por Jenny Aubry* em Paris, Mario Cifali começou a ensinar a obra de Lacan na Suíça românica, criando em 1975, à margem da SSP, um
seminário de estudos de textos e de formação,
que tomou o nome de Círculo de Estudos Psicanalíticos (CEP) em dezembro de 1982. Paralelamente, publicou, com Mireille Cifali, uma
revista, *Le Bloc-notes de la Psychanalyse*, aberta à historiografia e a todas as correntes do
freudismo.

Quanto ao lacanismo de inspiração milleriana, este é representado por duas filiais da Escola
Européia de Psicanálise (EEP), uma em Genebra, outra em Lausanne, ambas membros da
Associação Mundial de Psicanálise* (AMP).
No fim do século XX, a SSP tem 126 membros,
ou seja 30 psicanalistas (IPA) por milhão de
habitantes, em uma população global de sete
milhões. A estes acrescentam-se muitos psicoterapeutas de todas as tendências e cerca de 40
freudianos não-filiados à IPA.

• Sigmund Freud, *A história do movimento psicanalítico* (1914), *ESB*, XIV, 16-88; *GW*, X, 44-113; *SE*, XIV,
7-66; Paris, Gallimard, 1991 • *Freud/Jung: correspondência completa* (Paris, 1975), Rio de Janeiro, Imago,
1993 • *Correspondance de Sigmund Freud avec le
pasteur Pfister, 1909-1939* (Frankfurt, 1963), Paris,
Gallimard, 1966 • Henri F. Ellenberger, *La Psychiatrie
suisse*, série de artigos publicados de 1951 a 1953 em
L'Évolution Psychiatrique, Aurillac • Paul Parin, Fritz
Morgenthaler e Goldy Parin-Matthey, *Fürchte deinen
Nächsten wie dich selbst*, Frankfurt, Fischer, 1971 •
Fritz Meerwein, "Réflexion sur l'histoire de la Société
suisse de Psychanalyse en Suisse alémanique", *Bulletin de la Société Suisse de Psychanalyse*, 9, 1979,
40-52 • M. Roch, "A propos de l'histoire de la psychanalyse en Suisse romande", ibid., 10, 1980, 17-30 •
Mireille Cifali, *Freud pédagogue*, Paris, InterÉditions,
1982; "Le Fameux couteau de Lichtenberg", in *Le
Bloc-notes de la Psychanalyse*, 4, 171-85; "De quel-
quer remous helvétiques autour de l'analyse profane",
Revue Internationale d'Histoire de la Psychanalyse, 3,
1990, 145-59; "La Cure des enfants en Suisse: de
l'hypnotisme à la psychanalyse", *Études Freudiennes*,
36, novembro de 1995, 170-88; "Les Débuts de la
psychanalyse en Suisse", *Nervure*, t. VIII, novembro de
1995, 11-7 • André Haynal, "'Les Suisses'- En psychanalyse", *Le Bloc-notes de la Psychanalyse*, 4, 1984,
163-70 • Pier Cesare Bori, "Oskar Pfister, 'pasteur à
Zurich', et analyse laïque", *Revue Internationale d'Histoire de la Psychanalyse*, 3, 1990, 129-45 • Peter
Widmer, "Situation de la psychanalyse en Suisse alémanique", *Le Bloc-notes de la Psychanalyse*, 10, 1991,
69-81 • Laurent Lethiais, *Oskar Pfister et la cure d'âme
psychanalytique*, monografia de DESS de psicologia
clínica e patológica, Universidade de Paris X, junho de
1995.

➤ BÉLGICA; ÉCOLE FREUDIENNE DE PARIS; FEDE-
RAÇÃO EUROPÉIA DE PSICANÁLISE; FENICHEL,
OTTO; HISTÓRIA DA PSICANÁLISE; KLEINISMO; LA-
CANISMO; REICH, WILHELM; SECHEHAYE, MAR-
GUERITE.

suicídio

al. *Selbstmord*; esp. *suicidio*; fr. *suicide*; ing. *suicide*

*Termo cunhado a partir do latim sui (si) e caedes
(matança), introduzido na língua inglesa em 1636 e
na língua francesa em 1734, para expressar o ato
de matar a si mesmo, no sentido de uma doença
ou uma patologia, em oposição à antiga formulação "morte voluntária", sinônima de crime contra
si mesmo.*

Se, a partir de meados do século XVII, a
palavra suicídio substituiu progressivamente as
outras denominações empregadas para designar
a morte voluntária, foi preciso esperar pela
segunda metade do século XIX para que esse
ato, considerado heróico nas sociedades antigas
ou no Japão* feudal, fosse visto como uma
patologia. Sob esse aspecto, o destino do suicídio nas sociedades ocidentais é comparável ao
da homossexualidade*, da loucura* ou da melancolia*. Rejeitado pelo cristianismo como um
pecado, um crime contra si mesmo e contra
Deus, ou então, como uma possessão demoníaca, o suicídio escapou à condenação moral no
fim do século XIX, transformando-se em sintoma não de uma necessidade ética, de uma revolta ou de uma dor de viver, mas de uma doença
social ou psicológica, estudada com a objetivi-
dade de um olhar científico.

O instigador dessa ruptura foi Émile Durkheim (1858-1917). Opondo-se aos adeptos da
teoria da hereditariedade-degenerescência*, ele
demonstrou, em seu magistral estudo de 1897,
que o suicídio é um fenômeno social que não
depende da "raça", nem da psicologia, nem da
hereditariedade, nem da insanidade nem da degenerescência moral. Nesse sentido, Durkheim
encarou o suicídio como fez Sigmund Freud*

com a sexualidade*: fez dele um verdadeiro objeto de estudo.

Entretanto, a comparação termina aí. Com efeito, a abordagem sociológica de Durkheim não dá conta de uma dimensão essencial do suícidio, presente em todas as formas de morte voluntária: o desejo* de morte, isto é, o aspecto psíquico do ato suicida. Por isso é que o livro de Durkheim não se aplica aos grandes casos de suícidio narrados pela literatura, como o de Emma Bovary. Perfeitamente integrado em seu meio, à primeira vista, esse personagem de mulher constitui um exemplo contrário à análise durkheimiana. Para compô-lo, no entanto, Gustave Flaubert (1821-1880) entregou-se a uma pesquisa tão dedicada quanto a do sociólogo.

Na sociedade vienense do início do século, eram numerosos os suícidios entre os intelectuais, particularmente entre os judeus, para quem a morte voluntária era uma maneira de acabar com uma judeidade* vivenciada à maneira do "ódio judeu de si mesmo". Freud tinha perfeita consciência disso, em especial com respeito a Otto Weininger*. Quanto ao suícidio de seu amigo Nathan Weiss (1851-1883), um jovem neurologista de grande futuro, que pôs fim à vida enforcando-se, Freud o atribuiu a uma incapacidade de o rapaz aceitar o menor ataque a seu narcisismo*, como explicou numa carta à sua noiva (Martha Freud*), datada de 16 de setembro de 1883: "Foi o conjunto de seus traços de caráter, de seu egocentrismo mórbido e nefasto, aliado a suas aspirações a objetivos mais nobres, que ocasionou sua morte."

Muito antes de conceituar a noção de pulsão de morte e de teorizar o narcisismo*, o luto e a melancolia*, Freud interessou-se pela questão do suícidio, abordada com muita freqüência na Sociedade Psicológica das Quartas-Feiras*. Foi por iniciativa de Alfred Adler* que a Wiener Psychoanalytische Vereinigung (WPV) organizou, em 20 de abril de 1910, uma reunião muito terna, dedicada ao suícidio de crianças e adolescentes. Em seguida, Freud retornaria a essa questão, numa tentativa de relacionar a forma do suícidio e a diferença sexual*: "A escolha de uma forma de suícidio revela o simbolismo sexual mais primitivo; o homem se mata com um revólver, ou seja, joga com seu pênis, ou então se enforca, isto é, transforma-se em algo que pende em todo o seu comprimento. A mulher conhece três maneiras de se suicidar: saltar de uma janela, atirar-se na água ou se envenenar. Pular da janela significa dar à luz, atirar-se na água significa trazer ao mundo, e se envenenar significa a gravidez (...). Assim, mesmo ao morrer a mulher cumpre sua função sexual." Freud também atribuiu certos suícidios de crianças ao medo do incesto*.

Em seu artigo de 1917 intitulado "Luto e melancolia", ele apresentou o suícidio como uma forma de autopunição, um desejo de morte dirigido contra outrem que se vira contra o próprio sujeito. Assim, confirmou as três tendências suicidas definidas pelo discurso da psicopatologia*: desejo de morrer, desejo de ser morto e desejo de matar. Nessa perspectiva, o suícidio é o ato de matar a si mesmo para não matar a outrem. O suícidio não é conseqüência de uma neurose* nem de uma psicose*, mas de uma melancolia ou de um distúrbio narcísico grave: não um ato de loucura, mas a atualização da pulsão de morte através de uma passagem ao ato (acting out*).

Freud e seus discípulos não chegaram propriamente a inovar nessa matéria. E o suícidio foi mais bem compreendido pelos escritores e filósofos, suicidas ou não, do que pelos psicanalistas ou sociólogos. Isso decorre, em especial, do incômodo que o movimento psicanalítico sempre experimentou diante dos suícidios de alguns membros da comunidade freudiana: Viktor Tausk*, Herbert Silberer*, Tatiana Rosenthal*, Clara Happel* e Eugénie Sokolnicka*.

Na condição de método terapêutico, a psicanálise* viu-se confrontada com a concepção psicopatológica do suícidio, que o reduz a uma doença, e não a uma ética da liberdade que o valorize como expressão de um heroísmo supremo. Em outras palavras, a psicanálise foi forçada a cuidar de pacientes suicidas considerados depressivos. Daí a freqüência com que teve de confessar sua impotência para curá-los. Com efeito, sabemos que, quando um sujeito realmente quer tirar a própria vida, nenhuma terapia consegue impedir que o faça. Entretanto, numerosos depoimentos mostram que essa questão é mais complexa e que a análise permitiu que alguns melancólicos evitassem o suícidio.

Um dos livros mais "freudianos" sobre a questão do suicídio foi escrito por Maurice Pinguet, em 1984. A partir do caso japonês, ele mostrou como a extensão do saber psiquiátrico, no fim do século XIX, acarretou a depreciação de um ato sumamente valorizado na sociedade dos samurais.

Diversos psicanalistas redigiram estudos belíssimos sobre casos de suicídio de natureza psicótica. Ernest Jones* escreveu relatos de suicídios a dois, enquanto Georges Devereux* contou a história de Cleômenes, rei de Esparta, cujo suicídio foi, acima de tudo, um ato de loucura: em vez de simplesmente se matar, ele se submeteu à tortura, rasgando com sua arma seu corpo e suas entranhas.

• Sigmund Freud, "Luto e melancolia" (1915-1917), *ESB*, XIV, 275-92; *GW*, X, 427-46; *SE*, XIV, 237-58; *OC*, XIII, 259-78; *Correspondance 1873-1939* (Londres, 1960), Paris, Gallimard, 1966 • Émile Durkheim, *O suicídio* (1897), Rio de Janeiro, Zahar, 1982 • *Les Premiers psychanalystes, Minutes de la Société Psychanalytique de Vienne, 1906-1918*, 4 vols. (N. York, 1962-1975), Paris, Gallimard, 1976-1983, com uma "Introdução" de Hermann Nunberg • Ernest Jones, *Essais de psychanalyse appliquée*, I, *Essais divers* (Londres, 1964), Paris, Payot, 1973 • Alfred Alvarez, *Le Dieu sauvage. Essai sur le suicide*, Paris, Mercure de France, 1972 • William M. Johnston, *L'Esprit viennois. Une histoire intellectuelle et sociale 1848-1938* (N. York, 1972), Paris, PUF, 1985 • Maurice Pinguet, *La Mort volontaire au Japon*, Paris, Gallimard, 1984 • Christian Baudelot e Roger Establet, *Durkheim et le suicide*, Paris, PUF, 1984 • Michel Braud, *La Tentation du suicide dans les écrits autobiographiques*, Paris, PUF, 1992 • Georges Minois, *Histoire du suicide*, Paris, Fayard, 1995 • Georges Devereux, *Cléomène, le roi fou*, Paris, Aubier, 1995.

➤ ABERASTURY, ARMINDA; BENUSSI, VITTORIO; BETTELHEIM, BRUNO; CRIMINOLOGIA; FEDERN, PAUL; MORGENSTERN, SOPHIE; STEKEL, WILHELM; ZWEIG, STEFAN.

sujeito

al. *Subjekt*; esp. *sujeto*; fr. *sujet*; ing. *subject*

Termo corrente em psicologia, filosofia e lógica. É empregado para designar ora um indivíduo, como alguém que é simultaneamente observador dos outros e observado por eles, ora uma instância com a qual é relacionado um predicado ou um atributo.

Em filosofia, desde René Descartes (1596-1650) e Immanuel Kant (1724-1804) até Edmund Husserl (1859-1938), o sujeito é definido como o próprio homem enquanto fundamento de seus próprios pensamentos e atos. É, pois, a essência da subjetividade humana, no que ela tem de universal e singular. Nessa acepção, própria da filosofia ocidental, o sujeito é definido como sujeito do conhecimento, do direito ou da consciência*, seja essa consciência empírica, transcendental ou fenomênica.

Em psicanálise*, Sigmund Freud* empregou o termo, mas somente Jacques Lacan*, entre 1950 e 1965, conceituou a noção lógica e filosófica do sujeito no âmbito de sua teoria do significante*, transformando o sujeito da consciência num sujeito do inconsciente*, da ciência e do desejo*. Foi em 1960, em "Subversão do sujeito e dialética do desejo no inconsciente freudiano", que Lacan, apoiando-se na teoria saussuriana do signo lingüístico, enunciou sua concepção da relação do sujeito com o significante: "Um significante é aquilo que representa o sujeito para outro significante." Esse sujeito, segundo Lacan, está submetido ao processo freudiano da clivagem* (do eu).

• Jacques Lacan, "Subversão do sujeito e dialética do desejo no inconsciente freudiano" (1960), in *Escritos* (Paris, 1966), Rio de Janeiro, Jorge Zahar, 1998, 807-42 • Bertrand Ogilvie, *Lacan: a formação do conceito de sujeito* (Paris, 1987), Rio de Janeiro, Jorge Zahar, 1988.

➤ *EGO PSYCHOLOGY;* EU; HISTÓRIA DA PSICANÁLISE; IDEAL DO EU; METAPSICOLOGIA; *SELF PSYCHOLOGY;* SIGNIFICANTE; SUPEREU.

Sullivan, Harry Stack (1892-1949)

psiquiatra americano

Como Horace Frink* e muitos outros de sua geração, Harry Stack Sullivan foi um dos personagens inusitados que enfrentaram os mesmos sofrimentos psíquicos que os pacientes de quem tratavam, e por sua conduta "desviante" foram marginalizados pelo movimento psicanalítico e psiquiátrico. Tornaram-se contestatários do conjunto dos saberes ortodoxos provenientes da psicopatologia*, seja adotando os princípios da antipsiquiatria*, seja adotando o culturalismo*.

Entretanto, Sullivan também pertencia à longa linhagem de psicoterapeutas originais que, como Poul Bjerre* e Erich Fromm*, sem fundar verdadeiramente uma escola, recusaram as principais teses freudianas sobre o inconsciente*, a libido*, a sexualidade* ou o Édipo*. Querendo apresentar-se, como Sigmund Freud*, como chefes de escola, desenvolveram sua própria doutrina, seja oralmente, seja em obras escritas.

Nascido em Norwich, no estado de Nova York, Sullivan era de um meio rural e de uma família de imigrantes irlandeses. Aos 4 anos de idade, depois da morte da mãe, que fora tratada de depressão melancólica, desenvolveu uma forte fobia* por aranhas, que identificaria posteriormente com um terror às mulheres. Teve uma escolaridade difícil, o que não o impediu de entrar para a Escola de Medicina de Chicago e sair diplomado em 1917. Já melancólico, foi, como disse, "salvo da depressão" ocupando no exército americano diferentes funções terapêuticas, especialmente com veteranos. A partir de 1923, psiquiatra no Sheppard and Enoch Pratt Hospital, em Maryland, e professor na universidade, dedicou toda sua energia a tratar de pacientes esquizofrênicos.

Revoltado, alcoólatra e homossexual, relacionou-se de um modo curioso com a psicanálise*: afirmava ter feito um tratamento de "75 horas" com um desconhecido e estimulou sua amiga Clara Thompson (1893-1958), de origem húngara, a fazer-se analisar "em seu lugar" por Sandor Ferenczi*. A cada verão, esta ia a Budapeste para encontrar o grande discípulo de Freud e, ao voltar, compartilhava sua experiência do tratamento com Sullivan, durante uma relação transferencial de 300 horas, como ele diria depois.

Inicialmente aluno de William Alanson White*, Sullivan freqüentou o Zodiac Club, no qual, durante o período entre as duas guerras, muitos dissidentes do freudismo — Erich Fromm e Karen Horney* entre outros — se encontravam e faziam contato com os culturalistas: Margaret Mead* e Ruth Benedict (1887-1939). Entretanto, foi por influência do antropólogo Edward Sapir (1884-1948), de quem se tornou amigo em 1926, e inspirando-se nas teses de Alfred Adler*, que elaborou uma

doutrina pessoal, à qual deu o nome de *self-system*. A partir da observação das tribos indígenas da América do Norte, Sapir opunha as culturas "autênticas" às culturas "falsificadas", para demonstrar que uma cultura marginal podia ser superior, do ponto de vista da autenticidade, a uma cultura supostamente evoluída e universal. Daí, deduzia que a língua, a cultura, o inconsciente e a personalidade formavam um "sistema imerso", que impunha aos membros de uma determinada sociedade categorias conceituais que modelavam, sem que eles soubessem, suas condutas e modos de relação com terceiros.

Inspirando-se nessa tese, Sullivan rejeitou os conceitos freudianos de inconsciente e de sexualidade, para formular uma nova doutrina psicoterapêutica, a "psiquiatria interpessoal", que insistia no condicionamento. Segundo ele, o *self* de cada indivíduo era construído pelos reflexos que os julgamentos dos pais e dos próximos faziam sobre ele desde a sua infância. Por conseguinte, a técnica adequada de tratamento consistia em fazer com que o paciente tomasse consciência, de modo ativo e dinâmico, dos modos de pensamento que pesavam sobre ele, sem que ele soubesse. Como clínico do Sheppard and Enoch Pratt Hospital, e do Saint Elizabeth Hospital de Nova York, como fundador da Washington School of Psychiatry e como membro dissidente da Washington-Baltimore Psychoanalytic Society (WBPS), desempenhou um papel importantíssimo em uma das quatro grandes cisões* do movimento psicanalítico americano. Sua principal aluna, Frieda Fromm-Reichmann*, ex-esposa de Erich Fromm, inventou um método de tratamento dos psicóticos, a psicoterapia intensiva, inspirado em seus trabalhos.

Recusando igualmente o divã dos psicanalistas ortodoxos e a nosografia fossilizada da psiquiatria clássica, Sullivan foi, no campo do tratamento da loucura*, um dos artífices mais brilhantes da corrente social da psicoterapia* dinâmica, que se tornaria a origem da contestação antipsiquiátrica. Inspirando-se no modelo neojacksoniano, considerava a esquizofrenia* como uma regressão filogenética em estado "selvagem"; daí seu culturalismo. Foi também militante político, não hesitando em criticar abertamente o puritanismo americano. Denunciou a barbárie atômica de Hiroshima, participou da fundação da Organização Mundial de Saúde, ao mesmo tempo em que se arruinava em operações financeiras extravagantes. Morreu em Paris, aos 57 anos, esgotado por uma vida turbulenta.

• Harry Stack Sullivan, *Conceptions of Modern Psychiatry*, Washington, William Alanson White Psychiatric Foundation, 1947; *The Interpersonal Theory of Psychiatry*, Londres, 1953; *The Fusion of Psychiatry and Social Sciences*, 1964 • George W. Goethals, "Sullivan, Harry Stack (1892-1949)", in *A Lexicon of Psychology, Psychiatry and Psychoanalysis*, Jessica Cooper (org.), Londres, N. York, Routledge, 1988, 431-4 • Edward Sapir, *Le Langage* (N. York, 1921), Paris, Payot, 1967 • Henri F. Ellenberger, *Histoire de la découverte de l'inconscient* (N. York, Londres, 1970, Villeurbanne, 1974), Paris, Fayard, 1994 • Nathan G. Hale, *Freud and the Americans, The Rise and Crisis of Psychoanalysis in the United States, 1917-1985*, t.II, N. York, Oxford, Oxford University Press, 1995 • Helen S. Perry, *Psychiatrist of America, the Life of Harry Stack Sullivan*, Cambridge, Harvard University Press, 1982 • S.P. Fullinwider, *Technicians of the Finite. The Rise and Decline of the Schizophrenic in American Thought 1840-1960*, Westport e Londres, Greenwood Press, 1982 • Leonard Zusne, *Names in the History of Psychology. A Biographical Sourcebook*, N. York, Halsted Pressbook, 1975, 430-2 • Philip Cushman, *Constructing the Self, Constructing America. A Cultural History of Psychotherapy*, Reading e N. York, Addison-Wesley Publishing Company, 1995 • Thierry Vincent, *"Pendant que Rome brûle". La Clinique psychanalytique de la psychose de Sullivan à Lacan*, Estrasburgo, Arcanes, 1996.

➢ ANTROPOLOGIA; ESTADOS UNIDOS; JACKSON, HUGHLINGS; SELF PSYCHOLOGY.

superego
➢ SUPEREU.

supereu
al. *Über-Ich*; esp. *superyó*; fr. *surmoi* ou *sur-moi*; ing. *super-ego*

Conceito criado por Sigmund Freud* para designar uma das três instâncias da segunda tópica*, juntamente com o eu* e o isso*. O supereu mergulha suas raízes no isso e, de uma maneira implacável, exerce as funções de juiz e censor em relação ao eu. No Brasil também se usa "superego".

Em seu texto de 1924 sobre a economia do masoquismo, Freud declarou: "O imperativo categórico de Kant é (...) o herdeiro direto do complexo de Édipo*." Seria impossível situar melhor o conceito de supereu, que apareceu em 1923, em *O eu e o isso**. Ele foi o produto de uma longa elaboração, iniciada em 1914 no artigo "Sobre o narcisismo: uma introdução". Freud construiu então a noção de ideal, substituto do narcisismo* infantil e que seria, supostamente, o instrumento de medida utilizado pelo eu para observar a si mesmo.

A transformação da concepção do eu, a partir do exame clínico da patologia do luto e da melancolia*, levou Freud a abandonar progressivamente a idéia de uma equivalência entre o eu e a consciência* em prol de um eu em grande parte inconsciente. Tratou-se, a partir daí, de um eu dividido, uma parte do qual parece separar-se para observar e julgar a parte restante. Essa idéia de clivagem* foi substituída por Freud pela de componente estrutural, transformando-se a instância da vigilância e do julgamento no elemento do eu cujas características e funções é preciso estudar.

Em *O eu e o isso*, o supereu ainda é mal diferenciado do ideal do eu*, mas é considerado inconsciente, a exemplo de grande parte do eu. Em seguida, Freud é levado a esclarecer a natureza dessas relações do supereu com o eu: "Enquanto o eu é essencialmente o representante do mundo externo, da realidade, o supereu coloca-se diante dele como mandatário do mundo interno, do isso. Os conflitos entre o eu e o ideal refletirão, em última análise, como agora estamos mais dispostos a admitir, a oposição entre o real e psíquico, o mundo externo e o mundo interno." Entretanto, na medida em que o supereu ainda é sinônimo do ideal do eu, suas funções permanecem ambíguas. Ora estão ligadas ao ideal e à proibição, ora, noutros momentos, à função repressora.

Foi em 1933, na trigésima primeira conferência de introdução à psicanálise, que, depois de haver apresentado a instância do supereu (particularmente em *O mal-estar na cultura**) como um censor, por delegação das instâncias sociais, junto ao eu, Freud forneceu o quadro exaustivo da formação do supereu e de suas funções.

Essa formação é correlata do apagamento da estrutura edipiana. Num primeiro tempo, o supereu é representado pela autoridade parental que dá ritmo à evolução infantil, alternando as provas de amor com as punições, geradoras de angústia. Num segundo tempo, quando a criança renuncia à satisfação edipiana, as proibições externas são internalizadas. Esse é o momento em que o supereu vem substituir a instância parental por intermédio de uma identificação*. Se Freud distinguiu bem o processo de identificação do processo de escolha do objeto, ele se revelou insatisfeito, entretanto, com sua explicação, e manteve a idéia de uma instituição do supereu "como um caso bem-sucedido de identificação com a instância parental".

Na medida em que o supereu é concebido como herdeiro da instância parental e do Édipo, como o "representante das exigências éticas do homem", seu desenvolvimento é distinto no menino e na menina. Enquanto, no menino, o supereu se reveste de um caráter rigoroso, às vezes feroz, que resulta da ameaça de castração* vivida durante o período edipiano, na menina o percurso é diferente: o complexo de castração instala-se muito antes do Édipo. O supereu feminino, por conseguinte, seria menos opressivo e menos implacável.

Embora Freud recorra com freqüência às metáforas da herança e da descendência para caracterizar a formação do supereu — desde *O mal-estar na cultura* até *Esboço de psicanálise**, passando pelo texto de 1924 sobre a economia do masoquismo* —, essa concepção e as representações que ela pode induzir devem ser temperadas por duas considerações importantes.

A severidade e o caráter repressivo do supereu não devem ser concebidos como pura e simples repetição* das características parentais. Essa severidade e essa tendência repressora manifestam-se com força ainda maior, com efeito, nos casos em que o sujeito recebe uma educação benevolente que exclua toda e qualquer forma de brutalidade; essas características são o produto do adestramento precoce das pulsões* sexuais e agressivas por um supereu colocado a serviço das exigências da cultura.

Freud sublinhou também que o supereu não se constrói segundo o modelo dos pais, mas segundo o que é constituído pelo supereu deles. A transmissão dos valores e das tradições perpetua-se, dessa maneira, por intermédio dos supereus, de uma geração para outra. O supereu é particularmente importante no exercício das funções educativas. Quanto a esse aspecto, portanto, Freud censurou as "chamadas concepções materialistas da história" por ignorarem a dimensão do supereu, veículo da cultura em seus diversos aspectos, em prol de uma explicação fundamentada unicamente na determinação econômica.

Estava concluída a instauração do conceito de supereu: a nova instância passou a ser, desse momento em diante, a sede da auto-observação, o depositário da consciência moral, tornando-se, enfim, "o portador do ideal do eu, com o qual o eu se compara, ao qual ele aspira e do qual se esforça por atender a reivindicação de um aperfeiçoamento cada vez mais avançado". Se o ideal do eu não foi completamente apagado do instrumental conceitual freudiano, tornou-se secundário a ponto de às vezes se apagar em benefício do supereu. Prova disso é a modificação, introduzida pelas *Novas conferências introdutórias sobre psicanálise**, da concepção do processo de constituição das massas: enquanto, em 1921, tratava-se de indivíduos que haviam colocado "um único e mesmo objeto no lugar de seu ideal do eu", o texto de 1933 fala de "uma reunião de indivíduos que introduziram a mesma pessoa em seu supereu".

A concepção freudiana do supereu não obteve unanimidade entre os psicanalistas. Em 1925, Sandor Ferenczi* insistiu na internalização de certas proibições muito antes da dissolução do Édipo, em particular aquelas que dizem respeito à educação esfincteriana: "A identificação anal e uretral com os pais, que já apontamos antes, parece constituir uma espécie de precursora fisiológica do Ideal do eu ou do Supereu no psiquismo da criança." Melanie Klein* situou as "primeiras fases do supereu" no momento das "primeiras identificações da criança", quando, muito pequena, ela "começa a introjetar seus objetos"; o medo que ela sente em decorrência disso determina processos de rejeição e projeção* cuja interação parece ter "uma importância fundamental, não somente para a formação do supereu, mas também para as relações com as pessoas e a adaptação à realidade".

Na obra de Jacques Lacan*, o conceito de supereu é objeto de múltiplas elaborações, relacionadas com a teorização do par supereu/ideal do eu. Nessa perspectiva, o supereu continua dominante, mas, diferentemente de Freud, Lacan o concebe como a inscrição arcaica de uma imagem materna onipotente, que marca o fracasso ou o limite do processo de simbolização. Nessas condições, o supereu encarna a falha da função paterna e esta, por conseguinte, é situada do lado do ideal do eu.

• Sigmund Freud, "Sobre o narcisismo: uma introdução" (1914), *ESB*, XIV, 89-122; *GW*, X, 138-70; *SE*, XIV, 73-102; in *La Vie sexuelle*, Paris, PUF, 1969, 80-105; *Psicologia das massas e análise do eu* (1921), *ESB*, XVIII, 91-184; *GW*, XIII, 73-161; *SE*, XVIII, 65-143; *OC*, XVI, 1-83; *O eu e o isso* (1923), *ESB*, XIX, 23-76; *GW*, XIII, 237-89; *SE*, XIX, 12-59; *OC*, XVI, 255-301; "Um estudo autobiográfico" (1925), *ESB*, XX, 17-88; *GW*, XIV, 33-96; *SE*, XX, 7-70; *OC*, XVII, 51-122; "O problema econômico do masoquismo" (1924), *ESB*, XIX, 199-216; *GW*, XIII, 371-83; *SE*, XIX, 139-45; *OC*, XVII, 9-23; *O mal-estar na cultura* (1930), *ESB*, XXI, 81-178; *GW*, XIV, 421-506; *SE*, XXI, 64-145; *OC*, XVIII, 245-333; *Novas conferências introdutórias sobre psicanálise* (1933), *ESB*, XXII, 15-226; *GW*, XV; *SE*, XXII, 5-182; *OC*, XIX, 83-268; *Esboço de psicanálise* (1938), *ESB*, XXIII, 168-246; *GW*, XVII, 67-138; *SE*, XXIII, 139-207; Paris, PUF, 167 • Sandor Ferenczi, "Psicanálise dos hábitos sexuais" (1925), in *Psicanálise III, Obras completas, 1919-1926* (Paris, 1974), S. Paulo, Martins Fontes, 1993, 327-60 • Melanie Klein, *Psicanálise da criança* (Londres, 1932), S. Paulo, Mestre Jou, 1975, 2ª ed. • Jacques Lacan, "A agressividade em psicanálise" (1948), in *Escritos* (Paris, 1966), Rio de Janeiro, Jorge Zahar, 1998, 104-26; "Variantes do tratamento-padrão" (1953), in ibid., 325-64; "A coisa freudiana ou Sentido do retorno a Freud em psicanálise" (1955), ibid., 402-37; "Observação sobre o relatório de Daniel Lagache: 'Psicanálise e estrutura da personalidade'" (1958), ibid., 653-91; O Seminário, livro 7, *A ética da psicanálise (1959-1960)* (Paris, 1986), Rio de Janeiro, Jorge Zahar, 1988 • Jean Laplanche e Jean-Bertrand Pontalis, *Vocabulário da psicanálise* (Paris, 1967), S. Paulo, Martins Fontes, 1991, 2ª ed. • Bernard Penot, "L'Instance du surmoi dans les *Écrits* de Jacques Lacan", in "Surmoi II. Les Développements postfreudiens", sob a direção de Nadine Amar, Gérard Le Gouès e Georges Pragier, monografias da *Revue Française de Psychanalyse*, Paris, PUF, 1995, 69-94.

supervisão

al. *Kontrollanalyse*; esp. *supervisión, análisis de control*; fr. *contrôle*; ing. *supervision*

Termo introduzido por Sigmund Freud* em 1919 e sistematizado em 1925 pela International Psychoa- *nalytical Association* (IPA), na condição de prática obrigatória, para designar uma psicanálise* conduzida com um paciente por um psicanalista que, por sua vez, encontra-se em análise didática*, e que concorda em ser supervisionado ou controlado, isto é, em prestar contas dessa psicanálise a outro psicanalista (o supervisor). A supervisão refere-se, de um lado, à análise que o supervisor faz da contratransferência* do supervisionando para seu paciente, e de outro, à maneira como se desenrola a análise do paciente.*

A palavra "controle" impôs-se em alemão, inicialmente, e, mais tarde, em francês e em espanhol, sob a influência de Jacques Lacan*, ao passo que o termo supervisão se impôs nos países anglófonos e nas sociedades psicanalíticas pertencentes à IPA, onde substituiu a palavra alemã. No Brasil também se usam "controle" e "análise de controle".

O termo *Kontrollanalyse* foi empregado por Freud pela primeira vez num artigo redigido em húngaro, em 1919, dedicado ao ensino da psicanálise nas universidades, e que indicava a necessidade de o futuro praticante assegurar-se da orientação ou do controle de um psicanalista experiente a fim de poder conduzir, por sua vez, as chamadas análises terapêuticas.

A evolução dessa prática acompanhou o desenvolvimento, no movimento psicanalítico, de uma reflexão sobre a contratransferência e sobre a chamada análise didática.

Foi em 1925, no congresso de Bad-Homburg, que a análise de controle foi tornada obrigatória por Max Eitingon*, juntamente com a análise didática, em todas as sociedades componentes da IPA. Sob a influência progressiva da poderosa American Psychoanalytical Association (ApsaA), o termo supervisão, por volta de 1960, substituiu o vocábulo "controle", que foi resgatado na França* por Jacques Lacan e adotado de um modo geral pelo movimento lacaniano. Note-se que o termo inglês *control*, tal como os termos francês e alemão, coloca a ênfase na idéia de dirigir e dominar, ao passo que a palavra *supervision* remete a uma atitude não diretiva, inspirada nos métodos da terapia de grupo. Há, pois, uma diferença entre a terminologia lacaniana (que reintegra na análise de controle um certo dirigismo interpretativo, a ponto de fazer dela uma espécie de segunda análise) e a terminologia adotada pela IPA (que presume que a supervisão não é da mesma natureza da análise pessoal ou da análise didática).

Todas as correntes do freudismo (annafreudismo*, kleinismo*, lacanismo*, *Ego Psychology*, *Self Psychology*) admitem como norma a necessidade de o futuro psicanalista complementar sua análise didática através de pelo menos uma supervisão, em geral conduzida por outro psicanalista que não o didata. Entretanto, as modalidades desse processo são diferentes, conforme essas correntes pertençam ou não à IPA.

• Sigmund Freud, "Sobre o ensino da psicanálise nas universidades" (1919), *ESB*, XVII, 217-24; *SE*, XVII, 169-73; in *Résultats, idées, problèmes*, Paris, PUF, 1904, 239-43 • *On forme des psychanalystes. Rapport original sur les dix ans de l'Institut Psychanalytique de Berlin*, apresentação de Fanny Colonomos, Paris, Denoël, 1985 • Max Eitingon, "Allocution au IXᵉ Congrès Psychanalytique" (1925), in Moustapha Safouan, Philippe Julien e Christian Hoffmann, *Malaise dans la psychanalyse*, Estrasburgo, Arcanes, 1995, 105-13.

➤ CISÃO; ÉCOLE FREUDIENNE DE PARIS; FILIAÇÃO; PASSE; *QUESTÃO DA ANÁLISE LEIGA, A*; TÉCNICA PSICANALÍTICA; TRANSFERÊNCIA.

supressão
➤ REPRESSÃO.

Swoboda, Hermann (1873-1963)
jurista austríaco

Doutor em direito e em filosofia, professor de psicologia na Faculdade de Viena*, Hermann Swoboda era amigo de Otto Weininger* e analisando de Sigmund Freud* em 1900. Durante seu tratamento, Freud lhe expôs sua teoria da bissexualidade*, cujo cerne ele devia aos trabalhos de Fliess*. Swoboda transmitiu essas idéias a Weininger, que com elas fez um livro célebre, *Sexo e caráter*, publicado em 1903. Depois do suicídio de Weininger, Swoboda, que o acusara de ter roubado as suas hipóteses, redigiu, por sua vez, uma obra que provocou em 1904 um incrível caso de plágios em série. Estimulado por seu amigo Richard Pfennig, Fliess acusou Freud de ter "roubado suas idéias" sobre a bissexualidade por intermédio de Swoboda e Weininger.

• Hermann Swoboda, *Die Perioden des menschlichen Organismus in ihrer psychologischen und biologischen Bedeutung*, Leipzig e Viena, Franz Deutike, 1904 • Otto Weininger, *Sexe et caractère* (Viena, 1903), Lausanne, L'âge d'homme, 1975 • Érik Porge, *Vol d'idées*, Paris, Denoël, 1994.

➤ AUTO-ANÁLISE; JUDEIDADE.

Szondi, Leopold (1893-1986)
psiquiatra e psicanalista suíço

Nascido em Nytria, na Eslováquia, Leopold Szondi era de uma família judia ligada às tradições religiosas. Vivendo em Budapeste desde a infância, participou com Michael Balint*, Melanie Klein* e Imre Hermann* do desenvolvimento da escola húngara de psicanálise*. Com a chegada ao poder do almirante Horthy, foi demitido de seu posto universitário. Deportado pelos nazistas para o campo de concentração de Bergen-Belsen, conseguiu fugir para a Suíça* em 1944 e foi abrigado pelo filho de August Forel*, o que lhe permitiu depois instalar-se em Zurique e exercer a psicanálise.

Marcado pelo freudismo*, pela escola alemã de psiquiatria e pelos trabalhos da genética, inventou o termo *Schiksalsanalyse* (análise do destino), análise das genealogias fundada no inconsciente*. Segundo ele, cada sujeito* teria um "genotropismo", uma espécie de inconsciente familiar, que determinaria suas escolhas não só no campo amoroso, onde estas se efetuariam em função de semelhanças latentes inscritas no código genético, mas também no campo profissional, onde a escolha se operaria a partir de afinidades pulsionais.

Dessa concepção genealógica do destino, elaborada entre 1937 e 1944, Szondi tirou, em 1947, um teste projetivo que o tornou célebre no mundo inteiro. Constituído de 48 fotografias de doentes mentais, o teste devia revelar a personalidade profunda de um sujeito a partir de suas reações de simpatia ou hostilidade.

• Leopold Szondi, *Schiksalanalyse*, Basiléia, Benno Schwabe, 1944; *Experimentelle Triebdiagnostik*, Basiléia, Huber, 1947 • Jacques Schotte (org.), *Szondi avec Freud. Sur la voie d'une psychiatrie pulsionnelle*, Louvain, Éditions Universitaires, 1991 • Pierre Morel (org.), *Dicionário biográfico psi* (Paris, 1996), Rio de Janeiro, Jorge Zahar, 1997.

T

Tamm, Alfhild (1876-1959)
psiquiatra e psicanalista sueca

Primeira mulher sueca psiquiatra, Alfhild Tamm se interessou inicialmente pelos distúrbios da linguagem, depois pelos problemas de pedagogia. Em 1914, criou em Estocolmo uma clínica para crianças afásicas, aproximando-se da Wiener Psychoanalytische Vereinigung (WPV), da qual se tornou membro em 1926. Fez três análises muito curtas, com Paul Federn*, August Aichhorn* e Helene Deutsch*, e abriu um consultório particular em 1909. Mulher moderna e esclarecida, foi pioneira da psicanálise* em seu país. Formou um casal com uma mulher na época em que o movimento psicanalítico não tolerava a homossexualidade* entre seus membros.

Em 1930, publicou um livro sobre a sexualidade* que causou escândalo. Em agosto de 1931, ao lado de Harald Schjelderup* e Sigurd Naesgaard*, foi representante da Suécia em um grupo de estudos que levaria, em 1934, à criação da Sociedade Psicanalítica Fino-Sueca, da qual seria presidente. Permaneceu membro até a morte, mantendo também uma atividade didática limitada. Dentro da orientação de seus primeiros trabalhos, interessou-se pela gagueira, que considerava como uma neurose* ligada à culpa e a uma incapacidade de sublimação*.

• Alfhild Tamm, *Ett sexual problem*, Estocolmo, Tidens Förlag, 1930 • Elke Mühlleitner, *Biographisches Lexikon der Psychoanalyse. Die Mitglieder der Psychologischen Mittwoch-Gesellschaft und der Wiener Psychoanalytischen Vereinigung von 1902-1938*, Tübingen, Diskord, 1992.

➤ ESCANDINÁVIA.

Tandler, Julius (1869-1936)
médico vienense

Judeu originário da Morávia, Julius Tandler se estabeleceu em Viena* como médico. Teve ocasião de se encontrar com Freud por várias vezes, primeiro como perito em neuroses de guerra*, quando era membro da comissão em que trabalhava Julius Wagner-Jauregg*, depois a respeito da análise leiga*. Sempre muito receptivo à psicanálise*, interveio a seu favor como conselheiro da cidade de Viena.

• Karl Sablik, "Sigmund Freud et Julius Tandler: une mystérieuse relation", *Sigmund Freud House Bulletin*, 9, 2, inverno de 1985, *Revue Internationale d'Histoire de la Psychanalyse*, 3, 1990, 89-103.

Tausk, Viktor (1879-1919)
advogado, psiquiatra e psicanalista austríaco

Certamente, foi Lou Andreas-Salomé*, que foi sua amante, quem fez o retrato mais impressionante de Viktor (ou Victor) Tausk, em seu *Diário de um ano*. Ela percebeu nele a presença de uma força primitiva, o "animal de rapina", como dizia Sigmund Freud*, e era sensível à maneira como ele se obrigava a pensar "analiticamente": "Desde o início, senti em Tausk essa luta da criatura humana, e era isso que me tocava mais profundamente. Animal, meu irmão, você."

Nascido em Zsilina, na Eslováquia, em uma família judia de língua alemã, Tausk passou a infância na Croácia, educado por um pai tirânico e uma mãe masoquista e perseguida. Tornando-se advogado e pai de dois filhos (Marius e Victor-Hugo), separou-se da mulher, Martha Frisch-Tausk (1881-1957), e instalou-se em Berlim, onde tentou fazer carreira na literatura. Atingido por uma doença pulmonar, permaneceu em uma clínica e mergulhou em profunda depressão. Quando se recuperou, reuniu-se a

Martha e aos filhos em Viena* para iniciar o processo de divórcio.

Como muitos pioneiros de sua geração*, Tausk se voltou para a psicanálise* esperando que a nova ciência o ajudasse a superar os fracassos de sua vida amorosa e intelectual. Cheio de entusiasmo, começou em 1908 a fazer estudos de medicina, parcialmente financiados por membros da Sociedade Psicológica das Quartas-Feiras*: Ludwig Jekels*, Paul Federn*, e Eduard Hitschmann*. Tausk tornou-se então um dos mais brilhantes freudianos da primeira geração. Obcecado pelo ódio ao pai, adotou para com Freud uma atitude feita simultaneamente de rebelião, adoração e submissão. No turbilhão dessa relação ambivalente, acabou acusando-o de roubar suas idéias.

Durante a Primeira Guerra Mundial, esteve na frente sérvia. Voltou depois a Viena, para assistir à derrocada do Império Austro-Húngaro. Suas múltiplas ligações amorosas terminavam muitas vezes em rupturas violentas, o que o tornava cada vez mais infeliz. Assim, quando a crise econômica o atingiu em cheio, viu-se num impasse. Pediu então a Freud que o analisasse. Este recusou-se categoricamente. Entretanto, diante da obstinação e do sofrimento do discípulo, Freud armou uma dessas confusões transferenciais, que tinha o hábito de fazer nessa época: em janeiro de 1919, enviou Tausk, para ser analisado, a Helene Deutsch, que estava, ela mesma, em tratamento com Freud.

Pensava que poderia assim, "supervisionar", através de Helene, o desenrolar da análise de Tausk. O caso terminou em desastre. Tausk usou a maioria de suas sessões para despejar agressões contra Freud, sabendo perfeitamente que Helene Deutsche relataria tudo a este. Em março de 1919, a conselho de Freud, ela interrompeu o tratamento no momento em que Tausk estava a ponto de se casar com Hilde Loewi, uma de suas ex-pacientes, que estava grávida dele.

Três meses depois, em 3 de julho, Tausk se suicidou, estrangulando-se com um cordão de cortina e dando um tiro na têmpora. Acabava de redigir um admirável texto, que se tornaria um clássico, intitulado "Da gênese do aparelho de influenciar no curso da esquizofrenia". Nas entrelinhas, aparecia a trágica despersonaliza-

ção de que fora vítima ao longo de sua relação triangular com Freud e Deutsch.

Freud redigiu um necrológio elogioso sobre Tausk, e escreveu estas palavras a Lou-Andreas Salomé: "O pobre Tausk, que foi distinguido por sua amizade durante algum tempo, se suicidou da maneira mais radical. Ele regressara exausto, minado pelos horrores da guerra, e sentira-se na obrigação de tentar recuperar-se em Viena, nas circunstâncias mais desfavoráveis de uma existência arruinada pela entrada das tropas; tentou introduzir uma nova mulher na sua vida, iria casar-se dentro de oito dias, no máximo — mas tomou outra decisão. Suas cartas de adeus à sua noiva, à sua primeira mulher e a mim são ternas, mostram sua perfeita lucidez, não acusam ninguém senão sua própria insuficiência e sua vida fracassada, e assim não dão nenhum esclarecimento sobre seu ato supremo." Depois, acrescentou: "Confesso que não sinto realmente sua falta. Há muito tempo, eu o considerava inútil e até uma ameaça para o futuro."

Em 1926, quando estudava medicina, Marius Tausk encontrou-se com Federn, que o acolheu calorosamente e lhe falou de seu pai com emoção. Posteriormente, Victor-Hugo Tausk fez uma análise gratuita com Hitschmann. Como acontecia freqüentemente, a comunidade psicanalítica assumiu os filhos de seu infeliz companheiro. Desejando pagar as dívidas do pai, Marius Tausk dirigiu-se a Freud, que lhe respondeu que não tinha nenhuma lembrança da soma emprestada e que isso não tinha a menor importância.

Em 1938, quando os nazistas entraram em Viena, Jelka, irmã de Tausk, se suicidou com seu marido e o irmão deste.

As circunstâncias do suicídio* de Tausk foram cuidadosamente mascaradas pela historiografia* oficial, e a última frase de Freud foi censurada por Anna Freud* por ocasião da publicação da correspondência deste com Lou-Andreas Salomé. Anna temia que Marius Tausk ficasse ofendido com a dureza de Freud para com seu pai.

Em 1969, Paul Roazen trouxe à tona essa terrível história em um livro contestável, que fazia de Tausk a vítima de um complô transferencial, inteiramente fabricado por Freud. Dois anos depois, em *Talent and Genius*, e depois em 1983 em outra obra, Kurt Eissler lhe respondeu, glorificando a bondade de Freud e apresentando Tausk como um personagem odioso, sádico, exibicionista e sobretudo inteiramente "responsável" por seu suicídio. Foi Marius Tausk quem soube achar os melhores termos para falar de seu pai e restabelecer a verdade.

Esse caso mostra até que ponto Freud era ambivalente quando estava diante desse gênero de rebelião contra o pai ou de situações que lhe lembravam os "roubos de idéias" de Wilhelm Fliess*. Ele também mostra a deficiência da psicanálise diante do suicídio em geral.

• Victor Tausk, *Oeuvres psychanalytiques*, Paris, Payot, 1975 • Sigmund Freud, "Viktor Tausk" (1919), *ESB*, XVII, 339; *GW*, XII, 316-8; *SE*, XVII, 273-5; *OC*, XV, 203-9 • *Freud/Lou Andreas-Salomé: correspondência completa* (Frankfurt, 1966), Rio de Janeiro, Imago, 1975 • Paul Roazen, *Irmão animal* (N. York, 1969), Rio de Janeiro, Imago, 1995 • Kurt Eissler, *Talent and Genius: The Fictitious Case of Tausk Contra Freud*, N. York, Quadrangle, 1971; *Le Suicide de Victor Tausk. Avec les commentaires du professeur Marius Tausk* (N. York, 1983) Paris, PUF, 1988.

➢ ESQUIZOFRENIA; FRINK, HORACE; GROSS, OTTO; MACK-BRUNSWICK, RUTH; MELANCOLIA; SUPERVISÃO.

Tavistock Clinic
➢ BION, WILFRED RUPRECHT; GRÃ-BRETANHA.

técnica ativa
➢ FERENCZI, SANDOR; RANK, OTTO; TÉCNICA PSICANALÍTICA.

técnica psicanalítica
al. *psychoanalytische Technik*; esp. *técnica psicoanalítica*; fr. *technique psychanalytique;* ing. *technique of psychoanalysis*

Na história do movimento freudiano, chama-se técnica psicanalítica* aos procedimentos clínicos, terapêuticos e interpretativos de intervenção que permitem definir o quadro do tratamento psicanalítico. Ao lado da reflexão sobre a transferência*, a contratransferência*, a regra fundamental* ou a abstinência*, e no próprio interior das modalidades de aparecimento da análise didática* e da supervisão*, esse quadro é delimitado por regras tidas

como técnicas. A duração das sessões, a duração da própria análise, o número de sessões por semana, o modo de intervenção (ativo ou passivo) do analista, a posição do analisando (deitado ou frente a frente), todas essas questões foram objeto de múltiplos debates, que sempre conduziram à definição de novas maneiras de conduzir as análises conforme se estivesse lidando com crianças, com neuróticos ou psicóticos e com psicanalistas em formação, ou conforme se pertencesse a uma das grandes correntes do freudismo*: annafreudismo*, Ego Psychology*, Self Psychology*, kleinismo* ou lacanismo*.

No que concerne a esse ponto, a história da psicanálise, no sentido clínico e terapêutico do termo, é sempre a história das inovações técnicas introduzidas por seus grandes clínicos, tenham eles sido ou não dissidentes da International Psychoanalytical Association* (IPA).

A psicanálise nasceu da contestação ao niilismo terapêutico que dominava a psiquiatria alemã do final do século XIX, através da nosografia de Emil Kraepelin*. A atitude niilista levava a que se observasse o doente sem escutá-lo e a que se classificassem as doenças da alma sem procurar tratá-las. Em conseqüência disso, Freud manifestou, desde seus primeiros tempos como clínico, uma vontade indomável de curar os homens de seus sofrimentos psíquicos e, acima de tudo, de provar que seu método era o mais eficaz por ser o mais científico e o mais coerente. Em outras palavras, a psicanálise teve, originalmente, a meta terapêutica de curar depressa e bem: daí o nascimento de uma nova utopia, correlata a uma nova doutrina.

Em pouco tempo, entretanto, foi preciso perder as ilusões: como todos os métodos terapêuticos, como toda a medicina, a psicanálise não conseguiu definir os cânones do tratamento perfeito. Houve fracassos, falhas e desastres provocados pela rotina, pela lentidão e pela esclerose da escuta. Daí a idéia de refletir sobre uma nova temporalidade da análise e, por conseguinte, de organizar de outra maneira sua duração. Foi assim que nasceu a noção de "pressa terapêutica", que marcaria o conjunto das inovações técnicas do freudismo durante cem anos: "A tentação seria dupla", escreveu Jean-Baptiste Fagès: "encurtar o tratamento e precipitá-lo, a fim de obter uma eficácia tangível."

O primeiro a contestar o caráter interminável da análise freudiana e a empregar um método chamado de "ativo" foi Wilhelm Stekel*. Ele propôs limitar as análises a 50 a 150 sessões, ao ritmo de três a seis por semana. Depois dele, foi Sandor Ferenczi*, o mais brilhante clínico de toda a história da psicanálise, quem inventou, em 1919, o princípio da "técnica ativa", segundo o qual, em vez de se limitar a interpretações, o analista deveria intervir durante as sessões através de ordens e proibições. Mais tarde, Ferenczi levaria esse ativismo ao extremo de permitir que alguns pacientes o abraçassem ou beijassem a fim de instaurar uma identificação com um genitor amoroso que houvesse faltado durante a infância. Em 1932, ele foi ainda mais longe, com a idéia da análise mútua, segundo a qual o terapeuta podia inverter os papéis: ir à casa do paciente, em vez de fazê-lo vir a seu consultório; deixar que ele conduzisse a análise conforme sua vontade, ou, ainda, concordar em se deitar no divã em lugar dele, ou em lhe pagar honorários. Em suma, tratava-se de instaurar uma reciprocidade maternalizadora, a fim de obter resultados cada vez melhores. Freud denunciou o *furor sanandi* (loucura de curar) de seu discípulo predileto.

Por sua vez, Otto Rank* desenvolveu a idéia de uma "terapia ativa": as análises deveriam ser curtas (alguns meses) e limitadas de antemão. Ele sustentou também que, em vez de conduzir incessantemente o paciente à sua história passada e a seu inconsciente, interpretando os sonhos e o complexo de Édipo*, era preferível apelar para a vontade consciente dele, para sua situação atual e seu desejo de cura, única maneira de fazê-lo sair de uma passividade masoquista. Em seguida vieram as inovações de Wilhelm Reich*, Franz Alexander* e da Escola de Chicago, e por último, de Michael Balint*, amplamente inspiradas na filiação* ferencziana.

Freud levou em conta as modificações introduzidas por seus alunos e sublinhou, no fim de sua vida, o caráter "interminável" da psicanálise. Renunciando a qualquer ideal de um tratamento perfeito ou uma cura completa, ele formulou a idéia, tanto para os analistas quanto para os pacientes, de renovar indefinidamente,

através de etapas sucessivas, a experiência da análise, caso necessário.

Entre os sucessores de Freud que eram adeptos da "pressa terapêutica", Jacques Lacan* foi o único a empregar uma inovação técnica que consistiu em abreviar a duração das sessões em vez da duração da análise. Ele invocou a necessidade de pontuar o discurso do analisando a partir do enunciado de um significante*. Essa inovação levou a corrente lacaniana a um alongamento considerável da duração das análises e terminou, para o próprio Lacan, num desafio faustiano: a dissociação radical do tempo da sessão.

Essas inovações técnicas trouxeram a prova de que a psicanálise, longe de permanecer cristalizada numa doutrina monolítica, soube modificar sua prática ao longo dos anos, enfrentando tanto a concorrência das outras psicoterapias* quanto as transformações radicais decorrentes da demanda e do desejo* dos analisandos.

Uma das grandes revoluções da psicanálise foi abolir a separação tradicional entre o médico e o paciente. Ao dar a palavra ao paciente, e não à nosografia, e ao considerar que o próprio sujeito podia verbalizar seus sintomas, a doutrina freudiana permitiu que antigos pacientes se transformassem, por sua vez, em terapeutas. Ela como que apagou a fronteira tradicional entre o saber e a verdade, entre a ciência e a dor, entre a razão e a loucura*. Portanto, o próprio estatuto da cura psíquica modificou-se consideravelmente no intervalo de um século. Mais do que eliminar os sintomas ou pretender erradicá-los, a psicanálise apontou o caminho para uma certa sabedoria: a cura equivale tanto a uma transformação quanto a uma aceitação de si mesmo.

• Sigmund Freud, "Análise terminável e interminável" (1937), *ESB*, XXIII, 247-90; *GW*, XVI, 59-99; *SE*, XXIII, 209-53; in *Résultats, idées, problèmes*, vol.2, Paris, PUF, 1985, 231-69 • Sandor Ferenczi, "A técnica psicanalítica" (1919), in *Psicanálise II, Obras completas, 1913-1919* (Paris, 1970), S. Paulo, Martins Fontes, 1992, 357-68; *Diário clínico*, janeiro-outubro de 1932 (Paris, 1985), S. Paulo, Martins Fontes, 1990 • Sandor Ferenczi e Otto Rank, *Perspectives de la psychanalyse* (Viena, 1924), Paris, Payot, 1994; "Contra-indicações da técnica ativa", in *Psicanálise III, Obras completas, 1919-1926* (Paris, 1974), S. Paulo, Martins Fontes, 1993, 365-76 • Otto Rank, *La Technique de la psychanalyse* (1926), traduzido para o francês sob o título *La*

Volonté du bonheur, Paris, Stock, 1934 • Jacques Lacan, "Função e campo da fala e da linguagem em psicanálise" (1953), in *Escritos* (Paris, 1966), Rio de Janeiro, Jorge Zahar, 1998, 238-324; O Seminário, livro 1, *Os escritos técnicos de Freud (1953-1954)* (Paris, 1975), Rio de Janeiro, Jorge Zahar, 1979 • Jean-Baptiste Fagès, *Histoire de la psychanalyse après Freud* (Toulouse, 1976), Paris, Odile Jacob, 1996 • André Haynal, *La Technique en question. Controverses en psychanalyse*, Paris, Payot, 1987 • Élisabeth Roudinesco, *Jacques Lacan. Esboço de uma vida, história de um sistema de pensamento* (Paris, 1993), S. Paulo, Companhia das Letras, 1994 • Ernst Falzeder, "Filiations psychanalytiques: la psychanalyse prend effet" (1994), in André Haynal (org.), *La Psychanalyse: cent ans déjà* (Londres, 1994), Genebra, Georg, 1996, 255-89.

➢ ANÁLISE DIRETA; ANÁLISE EXISTENCIAL; ÉCOLE FREUDIENNE DE PARIS; ESPIRITISMO; FENICHEL, OTTO; FILIAÇÃO; GLOVER, EDWARD; KOHUT, HEINZ; LACANISMO; PASSE; *QUESTÃO DA ANÁLISE LEIGA, A*; TELEPATIA.

Tegel, Sanatório do Castelo de
➢ SIMMEL, ERNST.

telepatia
al. *Telepathie*; esp. *telepatía*; fr. *télépathie*; ing. *telepathy*

Termo criado por Frederick Myers*, em 1882, a partir do grego tele (longe) e pathos (emoção), para designar uma comunicação à distância através do pensamento (ou transmissão de pensamento) entre duas pessoas reputadas como estando numa relação psíquica. O fenômeno foi descrito por Sigmund Freud*, em 1921, na categoria de uma transferência* de pensamento.

Na história da psicanálise* e de suas origens, a telepatia e o espiritismo* (ou comunicação com os mortos por intermédio de um médium) são incluídos na categoria de fenômenos do âmbito do ocultismo*.

Em 1921, a uma carta do psiquiatra norte-americano Hereward Carrington, que lhe havia pedido sua opinião sobre os fenômenos ocultos, Sigmund Freud* respondeu com as seguintes palavras: "Se eu me encontrasse no início de minha carreira científica, e não em seu fim, talvez escolhesse outros campos de pesquisa." Depois, pediu a seu destinatário que não mencionasse seu nome, pois não acreditava na "so-

brevivência da personalidade após a morte" e, acima de tudo, porque fazia questão de instaurar uma linha demarcatória muito clara entre a psicanálise como ciência e "esse campo de conhecimento ainda inexplorado", a fim de não criar o menor mal-entendido a esse respeito.

O fato de Freud sempre haver querido manter afastado de sua doutrina aquilo a que gostava de chamar de "maré negra do ocultismo" não o impediu de se sentir fascinado por esse campo, a ponto de se mostrar de uma extrema ambivalência a propósito do assunto. Esse fascínio pelos fenômenos ligados ao estranho, ao irracional ou ao inexplicável confirma perfeitamente que Freud pertence à linhagem dos descobridores do inconsciente e dos cientistas que foram herdeiros da *"Aufklärung* sombria", para retomarmos a expressão do filósofo israelense Yirmiyahu Yovel. Ele foi um cientista perpassado pela divisão entre o *cogito* e a loucura, caminhando através da dúvida desde o erro até a verdade e abraçando as teorias mais extravagantes de sua época (como as de Wilhelm Fliess*, por exemplo), para depois transformá-las ou assimilá-las. Quanto à psicanálise, que ganhou impulso a partir de um mergulho interpretativo no domínio do sonho*, ela foi, segundo a bela fórmula de Thomas Mann*, um "romantismo que se tornou científico".

É nesse movimento de hesitação permanente da doutrina psicanalítica entre a sombra e a luz, entre a paixão e a razão, entre o irracional e a ciência, bem como entre Sandor Ferenczi* e Ernest Jones*, que convém compreendermos a história das relações de Freud com a telepatia.

Essa "história" de ocultismo começou em 1909, em Viena*, quando Carl Gustav Jung* expôs ante o olhar assombrado de Freud seus talentos de ilusionista, fazendo tilintarem alguns objetos colocados sobre os móveis do apartamento da rua Berggasse 19. Depois de procurar imitar seu jovem discípulo, Freud esqueceu-se desse episódio, que tornou a vir à baila em 1910, quando Ferenczi começou a caçar videntes e profetisas pelos arredores de Budapeste, a fim de provar a seu mestre a existência da transmissão de pensamento. Freud fez então meia-volta e contou a seu discípulo a história de um astrólogo de Munique que era capaz de prever o futuro a partir das datas de nascimento. Encantado, Ferenczi respondeu-lhe: "Quando estiver em Viena, vou me apresentar como astrólogo da corte dos psicanalistas." Em 1913, nova meia-volta: Freud encerrou o debate, condenando implacavelmente, em nome da ciência, as experiências telepáticas de um certo professor Roth que Ferenczi levara à Wiener Psychoanalytische Vereinigung (WPV).

A partir de 1920 e até 1933, a questão do oculto tornou a surgir quando o movimento psicanalítico, sob a direção de Max Eitingon*, estabeleceu as grandes regras padronizadas da análise didática*, que fariam da International Psychoanalytical Association* (IPA) um movimento organizado segundo os princípios do racionalismo positivista. Nesse contexto, no qual o ideal de uma possível cientificidade da psicanálise caminhava de mãos dadas com a progressiva institucionalização dos princípios da análise, Freud tomou a defesa da telepatia. Com sua filha Anna e com Ferenczi, "fez mesas girarem" e se entregou a experiências de transmissão de pensamento, durante as quais desempenhou o papel de médium, analisando suas associações verbais. Jones e Eitingon tentaram então refrear-lhe o ardor, argumentando com o fato de que a conversão da psicanálise à telepatia aumentaria as resistências do mundo anglosaxão à doutrina freudiana e a apresentaria como obra de um charlatão. A fim de fazer a psicanálise ingressar na era da ciência e de marcar o término definitivo de sua ancoragem no velho mundo austro-húngaro, povoado de ciganos e magos, Jones propôs banir dos debates da IPA as investigações sobre o ocultismo. Freud concordou e impediu Ferenczi de apresentar, no congresso de Bad-Homburg, uma comunicação sobre suas experiências de telepatia.

Entretanto, em 1921 ele voltou a mudar de idéia, redigindo um artigo sem título, o qual se propôs apresentar em 1922 no congresso de Berlim. Eitingon e Jones dissuadiram-no de fazê-lo. Freud retirou seu texto, que seria enfim publicado em 1941, postumamente, com o título de "Psicanálise e telepatia". Depois dessa recusa, ele voltou à carga, no mesmo ano, com um outro artigo, "Sonhos e telepatia", que tinha o mesmo sentido. E mandou publicá-lo na *Imago**. Dez anos depois, Freud faria uma confe-

rência sobre o tema "Sonho e ocultismo", na qual integraria o material introduzido em 1921 e, em particular, o famoso caso de David Forsyth*, que deveria figurar em "Psicanálise e telepatia". Essa conferência seria publicada em 1933, no âmbito das *Novas conferências introdutórias sobre psicanálise**.

Logo no início de "Psicanálise e telepatia", Freud explica seu interesse pelo assunto. O ocultismo e a psicanálise têm, segundo ele, um ponto em comum: ambos sofreram, por parte da ciência oficial, um tratamento desdenhoso e arrogante. O progresso das ciências (descoberta do rádio e da relatividade) — é o que ele acrescenta, em síntese — talvez tenha como duplo efeito tornar pensável aquilo que a ciência anterior rejeitara no ocultismo e, ao mesmo tempo, despertar novas forças obscurantistas. Daí o perigo: pessoas irresponsáveis podem enfiar na cabeça a idéia de manipular certas técnicas ligadas ao ocultismo, a fim de entorpecer a credulidade dos homens em proveito próprio. Na seqüência do texto, Freud narra diversas pretensas experiências de telepatia, em especial as de um adivinho cujas profecias nunca se cumpriram.

Ele conta também a história do rapaz que foi consultar uma profetisa, fornecendo-lhe a data de nascimento de seu cunhado. A mulher afirmou prontamente que o cunhado em questão morreria de envenenamento por ostras e siris. Estarrecido, o rapaz constatou que o fato anunciado já havia acontecido: grande amante de frutos do mar, o cunhado, de fato, por pouco não morrera de envenenamento por ostras no ano anterior. Freud conclui disso que um fenômeno de telepatia entre o rapaz e a vidente esteve na origem da previsão: "Esse saber foi transferido para ela, a suposta profetisa, por vias desconhecidas, que excluem as modalidades de comunicação que conhecemos. Ou seja, é mister concluirmos: existe transferência de pensamento."

Assim, vemos que Freud abandonou o terreno do oculto e da crença na telepatia pelo da interpretação psicanalítica. Com isso, mostrou um dos aspectos mais fascinantes de seu talento clínico, que tanto encontramos em seu texto sobre Leonardo da Vinci (1452-1519) quanto na análise de Serguei Constantinovitch Pankejeff* ou de Marie Bonaparte*. Com efeito,

Freud nunca hesitou em endossar, em nome da psicanálise e por encará-la como uma ciência, um verdadeiro papel de feiticeiro, xamã ou vidente. Tal como Fausto, ele brincava com o diabo.

Mas, para Jones, essas histórias de vidência eram puras elucubrações que punham em perigo a política racional conduzida pela IPA: "O senhor poderia ser bolchevista", escreveu ele a Freud, "mas não favoreceria a aceitação da psicanálise se o anunciasse." Ao que Freud respondeu: "É realmente difícil não ferir as suscetibilidades inglesas. Não se abre para mim nenhuma perspectiva de apaziguar a opinião pública na Inglaterra, mas eu gostaria ao menos de explicar a você minha aparente inconseqüência no que concerne à telepatia (...). Quando alegarem em sua presença que caí em pecado, responda calmamente que minha conversão à telepatia é assunto pessoal meu, tal como o fato de eu ser judeu, de fumar apaixonadamente e muitas outras coisas, e que o tema da telepatia é essencialmente alheio à psicanálise."

Esses conflitos mostram que as incoerências de Freud constituíram menos um sintoma da rejeição ou aceitação da telepatia em si do que um sinal de sua condição de cientista visionário e de sua resistência passiva à linha política preconizada por Jones. Esta consistia em apoiar os norte-americanos na defesa da análise medicalizada, em detrimento da análise leiga*, e em fazer com que o conjunto da doutrina freudiana entrasse numa espécie de cientificismo de onde fossem expurgadas todas as escórias de seu "irracionalismo" original: espiritismo, sonambulismo, magnetismo etc. Sob esse aspecto, a crise ocultista que perpassou o movimento psicanalítico freudiano entre 1920 e 1930 remete ao grande debate sobre o abandono da hipnose*, também ele recorrente na história da psicanálise*.

Freud abandonou a prática do hipnotismo e da sugestão* para basear a psicanálise no método da associação livre* e na análise da transferência*, isto é, numa concepção do sujeito segundo a qual este aceita conscientemente a existência de seu inconsciente. Da mesma maneira, ele transformou a telepatia, fenômeno oculto que pressupõe uma intervenção do Além (dos astros, da vidência ou do demoníaco), numa pura transferência de pensamento, à qual

convinha dar uma interpretação psicanalítica. Entretanto, fingindo aderir à telepatia, brincou de retornar a uma visão como que "pré-freudiana", pré-hipnótica ou magnética da relação transferencial. Isso porque, se a transmissão de pensamento existia independentemente de uma situação analisável em termos de transferência, ela só podia ser compreendida sob a categoria de um "fluido" capaz de colocar os sujeitos em estado de hipnose: um fluido virtual, sem dúvida, e sem nenhum esteio físico-químico, mas ainda assim um fluido, um fluido oculto, escondido, espiritual, digno dos gurus e das seitas, e que agiria à revelia do próprio inconsciente, numa espécie de anterioridade mítica.

O jogo a que se entregou Freud, bem nas barbas de Jones, confirma que, em cada crise da história do movimento psicanalítico, a questão da telepatia retornou juntamente com a da hipnose. Tratou-se sempre de reivindicar, em oposição a uma primazia excessivamente racional, excessivamente universalista, ou excessivamente dogmática da ciência, um saber regional, mágico e sobretudo libertário, um saber que escapava às restrições da ordem estabelecida. Que Freud tenha querido a tal ponto brincar de profetisa e de vidente do velho Império Austro-Húngaro, divertindo-se em fazer de conta que acreditava na telepatia, muito embora a reduzisse a uma manifestação do inconsciente e da transferência, mostra claramente o estatuto particular da psicanálise em sua relação violenta, contraditória e ambígua com a ciência, a loucura* e a medicina, assim como o caráter reiterado de sua interrogação sobre suas origens.

A melhor tradução* francesa de "Psicanálise e telepatia" foi publicada em 1983 por Wladimir Granoff e Jean-Michel Rey, e foi Jacques Derrida quem forneceu, em 1981, o comentário mais notável sobre o texto: "A psicanálise, portanto", escreveu ele, "(...) assemelha-se a uma aventura da racionalidade moderna para engolir e rejeitar, ao mesmo tempo, o corpo estranho denominado Telepatia, para assimilá-lo e vomitá-lo, sem conseguir decidir-se por uma coisa nem por outra (...). A 'conversão' não é uma resolução nem uma solução, é ainda a cicatriz eloqüente do corpo estranho. Já meio século comemora a grande Virada (...) Telepatia, vinde a nós (...)."

• Sigmund Freud, "Psicanálise e telepatia" (1941 [1921]), *ESB*, XVIII, 217-38; *GW*, XVII, 27-44; *SE*, XVIII, 177-93; *OC*, XVI, 99-119; "Sonhos e telepatia" (1922), *ESB*, XVIII, 239-70; *GW*, XIII, 165-91; *SE*, XVIII, 197-220; *OC*, XVI, 119-45; "Sonho e ocultismo", in *Novas conferências introdutórias sobre psicanálise* (1933), *ESB*, XXII, 15-226; *GW*, XV; *SE*, XXII, 5-182; *OC*, XIX, 83-268; *Correspondance 1873-1939* (Londres, 1960), Paris, Gallimard, 1966 • Sigmund Freud e Sandor Ferenczi, *Correspondência, 1908-1914*, vol.I, 2 tomos (Paris, 1992), Rio de Janeiro, Imago, 1994, 1995 • Thomas Mann, *Freud et la pensée moderne* (1929), Paris, Aubier-Flammarion, 1970 • Ernest Jones, *A vida e a obra de Sigmund Freud*, 3 vols. (N. York, 1955), Rio de Janeiro, Imago, 1989 • Jacques Derrida, "Télépathie" (1981), in *Psyché. Invention de l'autre*, Paris, Galilée, 1987, 237-71 • Élisabeth Roudinesco, *História da psicanálise na França*, vol.1 (Paris, 1982), Rio de Janeiro, Jorge Zahar, 1989 • Wladimir Granoff e Jean-Michel Rey, *L'Occulte, objet de la pensée freudienne*, Paris, PUF, 1983 • Luisa de Urtubey, *Freud et le diable*, Paris, PUF, 1983 • Yirmiyahu Yovel, *Spinoza et autres hérétiques*, Paris, Seuil, col. "Libre examen", 1991.

➤ *LEONARDO DA VINCI E UMA LEMBRANÇA DE SUA INFÂNCIA.*

terapia ativa

➤ FERENCZI, SANDOR; RANK, OTTO; TÉCNICA PSICANALÍTICA.

terapia de família

al. *Familie Therapie*; esp. *terapia de familia*; fr. *thérapie familiale*; ing. *family therapy*

A terapia de família é um método de psicoterapia* coletiva que visa cuidar da patologia psíquica de um sujeito* a partir de sua história familiar e da inclusão dos membros da família no tratamento, entendendo-se que, conforme as diferentes escolas, a família é considerada uma estrutura normativa onde se elabora a identidade do sujeito, ou um meio patogênico dominado por um *double bind* (ou duplo vínculo*), ou, ainda, um sistema (teoria sistêmica) onde o sujeito é visto como o produto biológico, social e psíquico de um conjunto de elementos interativos regidos por suas regras próprias.

Na história da psiquiatria dinâmica*, a terapia de família nasceu da transformação do modelo da família patriarcal no fim do século XIX, da generalização do tratamento da esquizofrenia* e, por fim, do desenvolvimento da antropologia* e da etnopsicanálise*. Sob esse prisma, ela está ligada à antipsiquiatria*, ao neofreudismo*, ao culturalismo*, às diversas psicoterapias de grupo e à psicoterapia institucional*, sejam esses métodos atravessados ou não pelos princípios da psicanálise*.

terapia (ou psicoterapia) de grupo

➤ BION, WILFRED RUPRECHT; BURROW, TRIGANT; PSICOTERAPIA.

tópica

al. *Topik*; esp. *tópica*; fr. *topique*; ing. *topic*

Termo derivado do grego topos (lugar) e que designa, na filosofia, de Aristóteles (385-322 a.C.) a Immanuel Kant (1724-1804), a teoria dos lugares, isto é, das classes gerais em que podem ser incluídas todas as teses ou elaborações.

Sigmund Freud* utilizou o termo como adjetivo e como substantivo, para definir o aparelho psíquico em duas etapas essenciais de sua elaboração teórica.

Na primeira concepção tópica, chamada de primeira tópica freudiana (1900-1920), Freud distinguiu o inconsciente*, o pré-consciente* e o consciente*; na segunda concepção, ou segunda tópica (1920-1939), fez intervirem três instâncias ou três lugares, o isso* o eu* e o supereu*.

A história do movimento psicanalítico forneceu pelo menos duas leituras da segunda tópica freudiana. Uma consiste em acentuar o eu, em detrimento do isso, e deu origem à *Ego Psychology**, enquanto a outra privilegia mais o isso, para repensar o estatuto do eu e lhe acrescentar um si mesmo (*self*) ou um sujeito*, como no kleinismo*, na *Self Psychology** e no lacanismo*.

Designa-se igualmente pelo nome de tópica a trilogia lacaniana do simbólico*, do imaginário* e do real*. Essa tópica passou por duas organizações sucessivas: na primeira (1953-1970), o simbólico exerceu a primazia sobre as outras duas instâncias (S.I.R.) e, na segunda (1970-1978), o real é que foi colocado na posição dominante (R.S.I.).

• André Lalande, *Vocabulário técnico e crítico da filosofia* (Paris, 1926), S. Paulo, Martins Fontes, 1993.

➤ *MAIS-ALÉM DO PRINCÍPIO DE PRAZER*; MATEMA; METAPSICOLOGIA; NÓ BORROMEANO; PULSÃO; RECALQUE.

Törngren, Pehr Henrik (1908-1965)

médico e psicanalista sueco

Filho de médico, Pehr Henrik Törngren, que fez parte do conselho de redação da revista sueca *Spektrum*, logo se apaixonou pela psicanálise*. Formado no divã de Ludwig Jekels*, quando este encontrava-se em Estocolmo, entrou em conflito com ele.

Em 1936, publicou *Striden om Freud* (Querela a propósito de Freud), que constitui um dos documentos mais antigos da história da psicanálise na Suécia. Nesse livro, respondeu aos ataques clássicos dos adversários da doutrina vienense e mostrou de que modo o nacionalismo era utilizado contra o freudismo* na Escandinávia*. Como muitos freudianos do primeiro círculo vienense, interessou-se pela aplicação da psicanálise às questões sociais. Tornou-se membro da Sociedade Fino-Sueca em 1938. Traduziu também *Moisés e o monoteísmo*.

Nietzschiano de longa data, apaixonou-se depois pela obra de Max Stirner (1806-1856), criticou certos aspectos da doutrina freudiana e voltou-se para a reflexologia. Espírito original e independente, era mal considerado no seio de sua sociedade, muito conformista, da qual, entretanto, continuou sendo membro. Morreu em Estocolmo, só e esquecido.

• Pehr Henrik Törngren, *Striden om Freud*, Estocolmo, Albert Bonniers Förlag, 1936 • Gösta Harding, "De la psychanalyse à la réflexologie. Quelques mots sur Pehr Henrik Törngren", *Nordisk Medicin*, t.73, 25, 1965, 615-7.

➤ PSICANÁLISE APLICADA; RÚSSIA.

Totem e tabu

Livro de Sigmund Freud*, publicado pela primeira vez em quatro partes, na revista **Imago** * (entre 1912 e 1913), sob o título "Über einige Übereinstimmungen im Seelenleben des Wilden und der Neurotiker", e depois, em 1913, sob o título **Totem und Tabu: Einige Übereinstimmungen im Seelenleben des Wilden und der Neurotiker**. Traduzido para o francês pela primeira vez em 1924, por Samuel Jankélévitch, sob o título **Totem et tabou**, e por Marielène Weber, em 1993, com o título **Totem et tabou. Quelques concordances entre la vie psychique des sauvages et celle des névrosés**. Traduzido para o inglês pela primeira vez em 1918, por Abraham Arden Brill*, sob o título **Totem and Taboo**, e por James Strachey*, com o mesmo título, primeiro em 1950 e, depois, em 1953, com algumas modificações.

Ao lado de *Leonardo da Vinci e uma lembrança de sua infância* e de *Moisés e o monoteísmo*, *Totem e tabu* figura entre os livros mais criticados de Freud. Os três encerram, com efeito, erros patentes e interpretações equivocadas que não escaparam ao olhar vigilante dos especialistas em arte, antropologia* e história das religiões. Ainda assim, esses três livros são verdadeiras obras-primas, tanto por sua redação, digna da melhor literatura romanesca do século XIX, quanto pelo desafio que lançam ao raciocínio científico.

É na correspondência com Sandor Ferenczi*, seu discípulo favorito, que melhor captamos a exaltação que se apoderou de Freud quando ele abordou o campo da antropologia, para ocupá-lo à maneira de um general. Com essa história de totem e tabu, ele julgou estar produzindo seu melhor trabalho desde *A interpretação dos sonhos*, e se regozijou com a idéia de provocar uma nova tempestade de indignação. E cabe dizer que esse era um desafio de porte.

Em 1911, um ano após a criação da International Psychoanalytical Association* (IPA), Freud já não era o pai primevo de uma horda selvagem, mas o mestre reconhecido de uma doutrina que acabava de se prover de um aparelho político que escapava ao seu poder. Descentrando-se de Viena*, o movimento psicanalítico havia passado do estado de tribo primitiva para o de sociedade moderna. Daí o duplo distanciamento do pai em relação aos filhos e destes em relação ao pai. O primeiro corria o risco do abandono, da infidelidade, da heresia, da humilhação e da derrota, ao passo que os outros poderiam um dia se sentir tentados a se rebelar e a destronar o déspota. Já Wilhelm Stekel* e Alfred Adler* haviam abandonado o navio, e em breve chegaria a vez de Carl Gustav Jung*.

Como evitar esse tipo de dissidência? Como promulgar leis que preservassem a liberdade de cada um, sem entravar a dos outros? Como inventar para a psicanálise* regras técnicas e éticas que fossem válidas em todos os países, mas respeitassem as diferenças culturais? Como, enfim, dar uma significação universal ao complexo de Édipo*, eixo conceitual do edifício freudiano? Tais eram, na ocasião, as questões debatidas entre Freud e seus dois representantes principais: Jung e Ferenczi.

Enquanto Jung afirmava que o pai é sempre aquele que proíbe o incesto*, Ferenczi sustentava que o homem primitivo se desenvolvera, desde a noite dos tempos, em simbiose com o destino geológico da terra-mãe. Freud, por sua parte, ansiava por dar uma explicação global da origem das sociedades e da religião a partir dos dados da psicanálise, ou, dito de outra maneira, dando um fundamento histórico ao mito de Édipo e à proibição do incesto e mostrando que a história individual de cada sujeito não é mais do que a repetição da história da própria humanidade.

Os quatro ensaios que compõem o livro foram redigidos durante o segundo semestre de 1911 e ao longo de 1912, no que concerne aos três primeiros, e na primavera de 1913, no que diz respeito ao último. Saíram publicados na revista *Imago**, sendo posteriormente reunidos num livro composto de quatro partes: (1) O horror ao incesto; (2) O tabu e a ambivalência dos sentimentos; (3) Animismo, magia e onipotência dos pensamentos; (4) O retorno infantil do totemismo. Freud não lhes introduziu nenhuma modificação por ocasião das edições posteriores.

O título do livro deixou transparecer sua ambição teórica e o inscreveu na tradição da antropologia evolucionista do fim do século XIX. Extraída da língua algonquiana, falada nos Grandes Lagos norte-americanos, a palavra *totem* fora introduzida em 1791. Em seguida, através da obra de John Fergusson McLennan (1827-1881), dera origem à teoria do totemismo que havia apaixonado a primeira geração dos antropólogos, assim como a histeria* fascinava os médicos: "A moda da histeria e a do totemismo foram contemporâneas", escreveu Claude Lévi-Strauss, "nasceram no mesmo meio de civilização e se explicam, antes de mais nada, pela tendência, comum a vários ramos da ciência por volta do fim do século XIX, a constituir em separado (...) fenômenos humanos que os estudiosos preferiam considerar externos a seu universo moral (...)." O totemismo consistia em estabelecer uma ligação entre uma espécie natural (um animal) e um clã exogâmico, a fim de explicar uma hipotética "unidade" original das diversas realidades etnográficas.

Proveniente da Polinésia e introduzida pelo capitão Cook em 1777, a palavra *tabu* (*taboo* ou *Tabu*) tinha feito fortuna num duplo sentido: um, específico das culturas de onde proviera, outro, expressando a proibição em sua generalidade. Quanto à palavra *selvagem* (*Wilder*), utilizada por Freud, ela remetia à própria história da antropologia evolucionista e a um de seus fundadores, Lewis Morgan (1818-1881), que tinha dividido a história da humanidade em três estádios*: a Selvageria (a caça), a Barbárie (objetos de cerâmica e utensílios de ferro) e a Civilização (a escrita). Em seus *Três ensaios sobre a teoria da sexualidade**, Freud já havia retomado a seu modo a noção de estádio, para descrever a evolução do sujeito* em função da libido*.

No prefácio de 1913, ele apresentou *Totem e tabu* como uma aplicação da psicanálise a "problemas não esclarecidos da psicologia dos povos", ao mesmo tempo pretendendo opor-se a Wilhelm Wundt (1833-1920), de um lado, e a Jung, de outro. O primeiro, disse ele, pôs a serviço de uma "mesma meta as hipóteses e os métodos de trabalho da psicologia não analítica", e o segundo, ao contrário, "esforça-se por lidar com problemas da psicologia individual recorrendo ao material da psicologia dos povos". E acrescentou: "Reconheço de bom grado ter sido dessas duas vertentes que proveio a instigação mais imediata para meus próprios trabalhos." De fato, Freud redigiu esse prefácio em setembro de 1913, um mês depois do congresso da IPA realizado em Munique, que assistira à partida definitiva de Jung do movimento psicanalítico.

À primeira vista, o livro se apresenta, ao mesmo tempo, como um devaneio darwiniano sobre a origem da humanidade, uma digressão sobre os mitos fundadores da religião monoteísta, uma reflexão sobre a tragédia do poder, de Sófocles até Shakespeare, e uma longa viagem iniciática ao interior da literatura etnológica da virada do século.

Eis sua essência. Num tempo primitivo, os homens viviam no seio de pequenas hordas, cada qual submetida ao poder despótico de um macho que se apropriava das fêmeas. Um dia, os filhos da tribo, rebelando-se contra o pai, puseram fim ao reino da horda selvagem. Num ato de violência coletiva, mataram o pai e comeram seu cadáver. Todavia, depois do assassinato, sentiram remorso, renegaram sua má ação e, em seguida, inventaram uma nova ordem social, instaurando simultaneamente a exogamia (ou renúncia à posse das mulheres do clã do totem) e o totemismo, baseado na proibição do assassinato do substituto do pai (o totem). Totemismo, exogamia, proibição do incesto: foi esse o modelo comum a todas as religiões, em especial o monoteísmo.

Sob essa perspectiva, o complexo de Édipo, trazido à luz pela psicanálise*, nada mais é, segundo Freud, do que a expressão dos dois desejos* recalcados (desejo do incesto e desejo de matar o pai) contidos nos dois tabus próprios do totemismo: a proibição do incesto e a proibição de matar o pai-totem. Assim, ele é universal, uma vez que traduz as duas grandes proibições fundadoras de todas as sociedades humanas.

Para mostrar como se efetuara, na sociedade primitiva, a transferência da representação do pai morto para um animal (totem), Freud recorreu a sua teoria da sexualidade infantil, à história de Herbert Graf* (o Pequeno Hans) e, acima de tudo, a uma observação exemplar fornecida por Ferenczi: o caso de "Arpad, o homenzinho-galo". Bicado no pênis aos dois anos e meio de idade, quando urinava num galinheiro, Arpad havia renunciado à linguagem humana e se transformara num galo, cacarejando e soltando cocorocós. Aos cinco anos, tinha voltado a falar, mas só se interessava por histórias de aves. Ora assistia, deleitado, à degolação dos frangos, e depois acariciava voluptuosamente o corpo dos animais, ora afirmava que seu pai era um galo e ele, um pintinho, que depois se transformaria numa galinha e, mais tarde, num galo. Nesse exemplo, Freud

constatou duas analogias com o totemismo: a identificação completa com o animal-totem e a ambivalência dos sentimentos em relação a ele. E concluiu que, uma vez que as duas proibições do totemismo (matar o totem e servir-se sexualmente de uma mulher pertencente ao clã do totem) coincidiam com os dois crimes de Édipo (que matou o pai e se casou com a mãe), o complexo de Édipo era a condição do totemismo.

Assim postulando a existência primeva de um complexo universal, próprio de todas as sociedades humanas e na origem de todas as religiões, Freud pretendeu trazer, através da psicanálise, uma solução para a antropologia evolucionista, que via na instauração do totem a prefiguração da religião e, na do tabu, a passagem da horda selvagem para a organização em clãs.

Para construir essa fábula, Freud se apoiou na literatura evolucionista. De Charles Darwin ele extraiu, em primeiro lugar, a famosa história da horda selvagem, relatada em *A descendência do homem*, em segundo, a teoria da recapitulação, no dizer da qual o indivíduo repete as principais etapas da evolução das espécies (a ontogênese repete a filogênese), e, por último, a tese da hereditariedade dos caracteres adquiridos. Popularizada por Jean-Baptiste Lamarck (1744-1829) e retomada por Darwin e Ernst Haeckel*, essa tese, chamada de "neolamarckiana", foi contestada a partir de 1883 por August Weismann (1834-1914), tendo sido definitivamente abandonada em 1930.

De James George Frazer (1854-1941) — autor da famosa epopéia *O ramo de ouro*, história do rei homicida da Antiguidade latina que foi assassinado por seu sucessor, embora ele mesmo houvesse obtido seu poder pelo assassinato de seu predecessor — Freud tomou emprestada uma concepção do totemismo como modo de pensamento arcaico das chamadas sociedades "primitivas". De William Robertson Smith (1846-1894) retomou a tese do banquete totêmico e da substituição da horda pelo clã. Em James Jasper Atkinson foi buscar a idéia de que o sistema patriarcal chegara ao fim na revolta dos filhos e na devoração do pai. E da obra de Edward Westermarck (1862-1939) extraiu considerações sobre o horror ao incesto e a nocividade dos casamentos consangüíneos.

Do mesmo modo que, em 1905, havia utilizado os trabalhos da sexologia* para construir uma doutrina da sexualidade muito distante da dos sexólogos, em 1911-1913 Freud se inspirou na antropologia evolucionista, mas colocando-a em contradição consigo mesma e, por fim, fornecendo uma nova definição da universalidade da proibição do incesto e da gênese das sociedades humanas.

Se fez do selvagem um equivalente da criança e preservou os estádios da evolução, Freud abandonou, em contrapartida, toda a teoria antropológica da "superioridade" da civilização e da "inferioridade" do estado primitivo, nisso se aproximando da etnologia moderna (de Bronislaw Malinowski* a Marcel Mauss), para a qual não existe hierarquia entre as culturas. Por conseguinte, não fez do totemismo um modo de pensamento mágico menos elaborado do que o espiritualismo ou o monoteísmo: considerou-o, ao contrário, como algo que sobrevivia no interior de todas as religiões. E, pela mesma razão, só comparou o selvagem à criança para provar a adequação entre a neurose infantil e a condição humana em geral, assim erigindo o complexo de Édipo num modelo universal.

Por último, no tocante à proibição do incesto e à origem das sociedades, Freud trouxe um novo esclarecimento. Por um lado, renunciou à própria idéia de origem, afirmando que a famosa horda não existira em parte alguma: o estado original era, de fato, a forma internalizada em cada sujeito (ontogênese) de uma história coletiva (filogênese) que se repetia ao longo das gerações; por outro lado, sublinhou que a proibição do incesto não havia nascido, como supunha Westermarck, de um sentimento natural de repulsa dos homens por essa prática, mas que, ao contrário, havia um desejo de incesto, e que este tinha por corolário a proibição instaurada sob a forma de uma lei e de um imperativo categórico. Com efeito, por que se haveria de proibir um ato que causasse tamanho horror à coletividade?

Em outras palavras, Freud introduziu dois temas na antropologia: a lei moral e a culpa. Em lugar da origem, um ato real: o assassinato necessário; em vez do horror ao incesto, um ato simbólico: a internalização da proibição. Nessa perspectiva, toda sociedade seria baseada no regicídio, mas só sairia da anarquia homicida ao ser esse regicídio acompanhado por uma sanção e uma reconciliação com a imagem do pai, a única capaz de possibilitar a consciência*.

Totem e tabu é mais um livro político de inspiração kantiana do que um livro de antropologia propriamente dito. Nessas condições, propõe uma teoria do poder democrático que está centrada em três necessidades: a necessidade de um ato fundador, a necessidade da lei e a necessidade da renúncia ao despotismo. Sem dúvida, nesse ponto Freud estava pensando em Cromwell, seu herói, na tão admirada democracia inglesa e no Império Austro-Húngaro, a cujo declínio vinha assistindo. Mesmo inspirando-se no grande afresco de Johann Jakob Bachofen (1815-1887) sobre o império materno, ele não opôs o patriarcado* ao matriarcado nem valorizou um sistema em detrimento do outro. Não obstante, tal como em sua teoria da libido, renunciou ao dualismo evolucionista, associando a gênese da instituição social a um princípio masculino: esse princípio era, de fato, a razão, porém o "macho" já não era seu detentor, uma vez que a instauração da sociedade dos filhos havia permitido a abolição do despotismo do pai e sua revalorização sob a forma da lei.

Totem e tabu não foi acolhido como um livro político, mas como o que pretendia ser: uma contribuição da psicanálise à antropologia, procurando conferir a esta um fundamento psicanalítico. Não provocou a indignação esperada, mas suscitou severas críticas, muitas delas justificadas. Com efeito, não apenas Freud se mantivera apegado aos quadros do evolucionismo dos quais a etnologia do começo do século vinha se emancipando, ao renunciar às fábulas e aos mitos para estudar meticulosamente as sociedades reais, como, além disso, tinha a pretensão de dominar um campo do qual não tinha nenhum conhecimento sem levar em conta os trabalhos modernos. Tal como James Frazer, Freud passou então por um estudioso de outrora, encerrado em seu gabinete e dialogando com os adeptos do folclore totêmico, num momento em que os pesquisadores deixavam o ambiente fechado das universidades e partiam para viagens pela Melanésia.

A crítica elaborada em 1920 pelo antropólogo norte-americano Alfred Kroeber (1876-1960), especialista nos índios da América do Norte, teve o mesmo sentido, que foi retomado por inúmeros representantes dessa disciplina. Soou como um "golpe de misericórdia", embora Kroeber conferisse ao conjunto da obra freudiana uma importância considerável no tocante à elucidação do psiquismo humano.

Por fim, foi pelas resistências que suscitou que *Totem e tabu* serviu de ponto de partida para disputas entre Malinowski, Ernest Jones* e Geza Roheim*, as quais deram origem a uma escola anglófona de antropologia psicanalítica.

• Sigmund Freud, *Totem e tabu* (1913), *ESB*, XIII, 17-92; *GW*, IX; *SE*, XIII, 1-161; Paris, Gallimard, 1993, 9-59 • Edward Burnett Tylor, *La Civilisation primitive* 2 vols. (Londres, 1871), Paris, Reinwald, 1876-1878 • William Robertson Smith, *Lectures on the Religion of the Semites: The Fundamental Institutions* (1889), N. York Macmillan, 1927 • Edward Westermarck, *Histoire du mariage humain* (Londres, 1891), Paris, Mercure de France, 1934-1938; *L'Origine et le développement des idées morales* (Londres, 1906-1908), Paris, Payot, 1928-1929 • James Jasper Atkinson, "Primal Law", in A. Lang (org.), *Social Origins*, Londres, 1903 • Sandor Ferenczi, "Um pequeno homem-galo" (1913), in *Psicanálise II, Obras completas, 1913-1919* (Paris, 1970), S. Paulo, Martins Fontes, 1992, 61-8 • James George Frazer, *O ramo de ouro* (Londres, 1911-1916, Paris, 1925-1935), ed. resumida, ilustrada e com prefácio de Darcy Ribeiro, Rio de Janeiro, Zahar/Círculo do Livro, 1982 • Alfred L. Kroeber, "Totem and taboo. An ethnologic psychoanalysis" (1920), *American Anthropologist*, 22, 1920, 48-55 • Bronislaw Malinowski, *Argonautas do Pacífico Ocidental* (Londres, 1922), S. Paulo, Abril Cultural, 1984; *La Sexualité et sa répression dans les sociétés primitives* (Londres, 1927), Paris, Payot, 1932 • Ernest Jones, *Essais de psychanalyse appliquée*, vol.II (Londres, 1951), Paris, Payot, 1973 • Claude Lévi-Strauss, *Le Totémisme aujourd'hui*, Paris, PUF, 1962 • Eugène Enriquez, *De la horde à l'État*, Paris, Gallimard, 1983 • Guy Rosolato, *Le Sacrifice. Repères psychanalytiques*, Paris, PUF, 1987 • Norman Kiell, *Freud without Hindsight. Review of his Work 1893-1939*, Madison, International Universities Press, 1988 • Lucille B. Ritvo, *A influência de Darwin sobre Freud* (N. York, 1991), Rio de Janeiro, Imago, 1992 • Pierre Bonte e Michel Izard (orgs.), *Dictionnaire de l'ethnologie e de l'anthropologie*, Paris, PUF, 1991 • George W. Stocking, "L'Anthropologie et la science de l'irrationnel. La Rencontre de Malinowski avec la psychanalyse freudienne" (1983), *Revue Internationale d'Histoire de la Psychanalyse*, 4, 1991, 449-91 • Bertrand Pulman, "Ernest Jones et l'anthropologie", ibid. 493-521.

➢ DEVEREUX, GEORGES; ETNOPSICANÁLISE; KARDINER, ABRAM; MEAD, MARGARET.

tradução (das obras de Sigmund Freud)

As obras de Sigmund Freud* foram traduzidas em cerca de trinta línguas, com variações importantes conforme seus títulos (artigos ou livros). Foram traduzidas na íntegra para o francês, em três quartos para o russo e o sueco, e em metade para o romeno, o dinamarquês e o norueguês.

Todavia, o estabelecimento sistemático de uma obra integral, organizada de maneira coerente e na ordem cronológica, só foi efetuado para quatro línguas — inglês, espanhol, italiano e japonês —, sem que essas diferentes *Obras completas* incluam os 22 artigos de Freud chamados de "pré-analíticos" (sobre a cocaína, as enguias, a sífilis etc.), publicados entre 1877 e 1886, e sem que incluam seu primeiro livro, datado de 1891 e intitulado *Contribuição para uma concepção das afasias*.

Foi José Ortega y Gasset* quem esteve na origem da primeira tradução de uma edição integral da obra freudiana, antes mesmo que ela estivesse terminada. Em 1921, ele confiou sua realização a Luis Lopez Ballesteros e recebeu prontamente a aprovação de Freud: 17 volumes foram lançados até 1934.

Essa iniciativa, única no gênero em virtude de suas qualidades literárias e sua precocidade, nem por isso permitiu que o freudismo* se expandisse na Espanha*. A guerra civil, e sobretudo a vitória do franquismo, impuseram uma suspensão a qualquer forma de implantação da psicanálise naquele país, e foi na Argentina* que teve prosseguimento o trabalho iniciado por Ortega y Gasset.

Em 1942, na época da criação da Asociación Psicoanalítica Argentina (APA), iniciou-se em Buenos Aires um novo projeto em 22 volumes, que incluíam os 17 de Ballesteros. Foi a Ludovico Rosenthal que se confiou a tradução dos cinco volumes novos. Nascido em Buenos Aires, filho de mãe alemã, ele fora analisado em Viena* por Heinz Hartmann*: saiu-se admiravelmente bem em sua tarefa, realizando uma edição completa de alta qualidade. Introduziu algumas modificações na terminologia de Ballesteros, inspirou-se em James Strachey*, sem imitá-lo servilmente, e participou da pesquisa de textos perdidos ou esquecidos de Freud: "Ele estava projetando um volume suplementar", escreveu Hugo Vezzetti, "que nunca foi publicado e que deveria incluir um dicionário de psicanálise e uma bibliografia sucinta, acrescida ao índice temático dos 22 volumes". Essa tradução inacabada foi inicialmente "plagiada" por outros autores e, mais tarde, abandonada em favor da *Standard Edition*, utilizada pelos terapeutas kleinianos, que se haviam tornado majoritariamente anglófonos.

Em 1975, Horacio Amorrortu tomou a iniciativa de produzir uma nova versão da obra completa, que confiou a José Etcheverry, auxiliado por Santiago Dubrovsky e Fernando Ulloa. Embora conservando a organização da *Standard*, os tradutores apoiaram-se no *Vocabulário da psicanálise* de Jean Laplanche e Jean-Bertrand Pontalis, que acabara de ser lançado em espanhol e permitia contrabalançar a onipotência da tradução de Strachey. Ao mesmo tempo, eles reconheceram sua dívida para com Ballesteros e Rosenthal. Fruto de uma renovação e da aceitação de diversas heranças, essa tradução, parcialmente realizada durante a ditadura militar, correspondeu bem às modalidades de transmissão e de filiação* da psicanálise na Argentina.

É a James Strachey que devemos a mais bela tradução crítica integral, coerente e unificada: a *Standard Edition*. Sua principal falha reside no apagamento do estilo literário de Freud em prol de um vocabulário técnico e científico. Os conceitos foram latinizados: *ego* (eu*), *superego* (supereu*), *id* (isso*), *parapraxia* (ato falho*) e *cathexis* (investimento*). Alguns erros flagrantes e já conhecidos foram cometidos: pulsão* (*Trieb*) foi traduzida por *instincto*, recalque* (*Verdrängung*), por *repression* (repressão*) etc.

Duas edições completas da obra freudiana foram publicadas em língua alemã (entre 1924 e 1952), em duas cidades diferentes: as *Gesammelte Schriften*, em Viena, entre 1924 e 1934 (durante a vida de Freud), e os *Gesammelte Werke*, em Londres, entre 1940 e 1952. Essas datas mostram que a destruição imposta pelo

nazismo* (entre 1933 e 1939) a todas as iniciativas editoriais psicanalíticas germanófonas foi bem-sucedida. Com efeito, foi em Londres, durante a segunda Guerra Mundial, que se produziu a nova versão da obra completa de Freud em alemão. Ela continua a ser utilizada no fim do século XX: "Hoje em dia, 45 anos depois do fim da guerra", sublinhou Ilse Grubrich-Simitis em 1991, "é difícil imaginar a que ponto o regime nazista conseguiu fazer desaparecer do mercado livreiro alemão os textos de Freud e banir da consciência coletiva o universo conceitual que sua esplêndida prosa havia revelado."

Após a segunda Guerra Mundial, graças ao impulso de Alexander Mitscherlich* e do Instituto Sigmund Freud, de Frankfurt, a obra de Freud em língua original foi reintroduzida na Alemanha e publicada pela Fischer Verlag. Mitscherlich também produziu uma edição de textos seletos (os *Studienausgabe*), destinados a estudantes, a qual contou com a colaboração de James Strachey, na época o melhor especialista na obra freudiana em inglês e em alemão.

No início da década de 1960, Ilse Grubrich-Simitis começou a cuidar, na Fischer, da atualização dos *Gesammelte Werke*. Entregou-se então a um confronto minucioso da edição alemã (*GW*) com a *Standard Edition*, concluindo que a edição de Strachey era imensamente superior à alemã. Daí nasceu o projeto de lançar uma nova edição "crítica" das *Obras completas* de Freud em alemão. Ilse Grubrich-Simitis desejava, justificadamente, incluir os artigos pré-analíticos e a correspondência, mas os herdeiros (Ernst Freud* e Anna Freud*) não consentiram, sob o pretexto de que Freud não havia prezado seus trabalhos neurológicos nem seu talento de missivista. Foi assim que não se produziu na Alemanha nenhuma edição crítica completa. No fim do século XX, existem em língua alemã apenas uma edição crítica de textos seletos, os *Studienausgabe*, e uma edição integral, mas não crítica: os *Gesammelte Werke*, enriquecidos por um índice geral e um volume de suplementos (*Nachtragsband*), que contém um aparato crítico. Este, aliás, foi reintegrado na nova edição revista da *Standard Edition*.

Em razão de suas qualidades, do lugar preponderante da língua inglesa no movimento psicanalítico internacional a partir do fim da década de 1930, e também da implantação do movimento em diversos países anglófonos (Canadá*, Austrália*, Índia* e Estados Unidos*), a *Standard Edition* transformou-se, no mundo inteiro, na edição de referência. E contribuiu, como seria inevitável, para formar a visão que se tem do freudismo*.

Assim, o aparato crítico de Strachey foi retomado, em parte ou na íntegra, nas outras edições das obras completas. Esse predomínio da língua inglesa levou a algumas aberrações. Assim, as *Obras completas* publicadas no Brasil* entre 1970 e 1977 foram diretamente traduzidas do inglês, isto é, da *Standard*. Daí um certo número de divagações lingüísticas: "A versão brasileira de Freud", escreveu Marilene Carone, "é inteiramente carregada de termos extravagantes, cuja escolha só se explica por sua proximidade do som dos termos correspondentes em inglês; embora figurem no dicionário, esses termos soam artificiais a nossos ouvidos. É o caso, por exemplo, da substituição de *relações recíprocas* por *relações mútuas* (*mutual relationships*), de *posse* por *possessão* (*possession*), ou de *absurdo* por *absurdidade* (*absurdity*)."

Na Itália*, a edição das *Opere* de Freud foi realizada, a partir de 1960, por Cesare Musatti*, com a colaboração de diversos tradutores, dentre eles Elvio Fachinelli*. Embora retomando o aparato crítico de Strachey, essa edição corrigiu os erros evidentes deste último e, acima de tudo, resgatou o estilo literário de Freud. Cuidadosamente realizada por finos conhecedores da língua alemã, igualmente preocupados com a língua italiana e com a inutilidade de acrescentar à conceituação freudiana um jargão específico, ela se beneficiou do distanciamento temporal. E é tão bem-sucedida quanto as *Obras* de Ballesteros-Rosenthal.

A situação da França* (e, por extensão, dos países francófonos) é única no mundo. As obras de Freud (livros e artigos) encontram-se disponíveis na íntegra e em diversas versões, mas os oito (dos vinte) volumes das *Oeuvres complètes* (*OC*), produzidos em 1980 por uma equipe de cerca de quinze pessoas, sob a direção de Jean Laplanche, Pierre Cotet, André Bourguignon (1920-1996) e François Robert, têm como grande inconveniente, apesar da boa vontade e da competência da equipe, o fato de serem muito pouco legíveis em francês. Isso decorre, ao mesmo tempo, da história particularíssima da França freudiana e do lugar soberano conferido ao estatuto da língua nesse país.

Na França*, as iniciativas de tradução são quase sempre fruto de batalhas conceituais e brigas de escola referentes à arte e à maneira de traduzir.

Os primeiros tradutores de Freud, Samuel Jankélévitch, Ignace Meyerson (1888-1983), Blanche Reverchon-Jouve (1897-1974), Paul Jury (1878-1953) e, acima de tudo, Marie Bonaparte*, despenderam muita energia e talento, mas não tiveram a menor preocupação de unificar os conceitos. Assim, os termos freudianos foram traduzidos de maneira diferente conforme os autores. Por seu lado, Édouard Pichon* criou, no seio da Société Psychanalytique de Paris (SPP), uma Comissão para a Unificação do Vocabulário Psicanalítico Francês, que se reuniu quatro vezes, entre maio de 1927 e julho de 1928. Seu objetivo era livrar a psicanálise de seu pretenso caráter germânico (*Kultur*), passando-a pelo filtro da *civilização* francesa. Sem ser chauvinista, no entanto, e sem adotar a tese do *genius loci*, que fazia do freudismo a expressão de um pansexualismo* germânico, Pichon considerava que a diferença das mentalidades devia traduzir-se na língua. Assim, inventou toda uma terminologia: amância [*aimance*] para libido*, *actorium* para *Ich* (eu*), *pulsorium* para *Es* (isso*) etc. Por fim, introduziu o pronome neutro (*ça* [isso]) para traduzir o conceito alemão. Daí esta situação paradoxal no seio da SPP: Pichon pensava uma verdadeira conceituação e não traduzia nenhum texto, enquanto Marie Bonaparte traduzia textos sem propor qualquer reflexão conceitual.

Durante a década de 1950, essa clivagem se reproduziu. Com efeito, Jacques Lacan* incitou a terceira geração* psicanalítica francesa a ler a obra freudiana em alemão, ao mesmo tempo atualizando a tradução dos conceitos freudianos para a língua francesa, trabalho esse cujos vestígios encontramos no *Vocabulário da psicanálise* de Laplanche e Pontalis. Essa renovação teórica quase não surtiu efeito nas atividades de tradução. Ao contrário, entre 1945 e 1963, elas foram menos importantes do que na época dos pioneiros. Todavia, Daniel Lagache*, iniciador do *Vocabulário*, pôs em andamento na Presses Universitaires de France (PUF) um projeto de *Opus magnum* pelo qual Laplanche e Pontalis deveriam ser os responsáveis.

As duas cisões* e, mais tarde, as discordâncias entre esses três protagonistas impediram a realização do projeto. Instalado na editora Gallimard, Pontalis, ele mesmo um excelente tradutor, renunciou a publicar as obras completas, mas mandou retraduzir, traduzir ou revisar um grande número de textos de Freud, que foram publicados em sua coleção "Connaissance de l'Inconscient": *Três ensaios sobre a teoria da sexualidade*, *Moisés e o monoteísmo*, *A questão da análise leiga* etc. Todas essas traduções são notáveis, tendo sido feitas em geral por bons profissionais, conhecedores do alemão, da conceituação freudiana e da língua francesa.

Editadas na PUF por Bourguignon, Laplanche e Cotet, as *Oeuvres complètes* (*OC*) estão longe de ter a qualidade dos textos da Gallimard. Em completa contradição com o *Vocabulário da psicanálise* (do qual Laplanche foi co-autor), elas são fruto de um trabalho de equipe, o que tende a desumanizar o manejo das palavras e da escrita em prol de uma espécie de anonimato do léxico.

Além disso, os responsáveis adotaram uma ideologia inversa à de Pichon, que consiste em retranscrever a pretensa germanidade original do texto freudiano. Por isso eles se deram o título de "freudólogos", convencidos de que a língua freudiana não é o alemão, mas o "freudiano", isto é, uma "língua freudiana", um "dialeto do alemão que não é o alemão", e sim uma língua "inventada" por Freud (no sentido em que os espíritas falavam da "língua marciana" no início do século). Essa teoria os conduziu a algumas aberrações e, acima de tudo, a inventarem, eles próprios, uma língua imaginária que não é mais o francês, e sim um idioma de freudólogos que supostamente representa essa "língua freudiana".

Daí a eliminação de alguns termos que se haviam imposto no vocabulário francês há cinqüenta anos, mas que foram agora substituídos: *souhait* [anseio] para traduzir *Wunsch*, em lugar de *désir* [desejo*], *fantaisie* para *Phantasie*, em vez de *fantasme* [fantasia*], *trait d'esprit* [tirada espirituosa, rasgo espirituoso] para *Witz*, em lugar de *mot d'esprit* [chiste], *négation* [negação] para *Verneinung*, em vez de *dénégation* [denegação*], *souvenir-couverture* [lembrança cobertura] em vez de *souvenir-écran* [lembrança encobridora*], e *mise à mort du père* [execução/ assassinato do pai] em vez de *parricide* [parricídio]. A nova equipe também suprimiu *lapsus* [lapso* de linguagem] (*Versprechen*) em favor de *défaillance* [falha], a pretexto de que Freud não utiliza aquele termo; e, por último, reativou ou fabricou alguns neologismos: *désirance* [desejança] (em vez de *désir*, desejo), *animique* [o anímico] (em vez de *âme*, a alma), *frustrané* (em vez de *vain*, *futile* [vão, fútil]), *désaide* [desassistência] (em vez de *détresse*, desamparo), *retirement* [retirada, afastamento] (em vez de *retrait*, retraimento), *vicarier* [vicariar] (em lugar de *remplacer*, substituir), *refusement* [recusamento] (em vez de *frustration*, frustração*), *surmontement* [superamento] (como ato de *surmonter*, *dépasser* [superar, ultrapassar]), ou ainda os termos *rétrofantasier*, *fantaste* e *fantasier*, referidos a todas as atividades ligadas à fantasia.

Note-se que o adjetivo substantivado *Unheimlich* (*uncanny*, em inglês), utilizado por Freud num célebre artigo de 1919 (e que significa, ao mesmo tempo, inquietante, familiar e desconhecido), foi traduzido por "inquietante estranheza" e, depois, por "o inquietante", embora François Roustang propusesse "o estranhamente familiar". Aliás, "inquietante estranheza" acabou se impondo como um sintagma freudiano na língua francesa, a ponto de ser delicado ter-se a pretensão de modificá-lo.

• Sigmund Freud, "O estranho" (1919), *ESB*, XVII, 275-314; *GW*, XII, 229-68; *SE*, XVII, 217-56; *OC*, XV, 147-88; *Gesammelte Schriften*, 12 vols., Viena, Internationaler Psychoanalytischer Verlag, 1924-1934; *Gesammelte Werke* (*GW*), 17 vols., Imago Publishing Co. (Londres, 1940-1952), Frankfurt, Fischer, 1960-1988; *Index*, vol. XVIII, e *Nachtragsband*, volume de suplementos, realizado por A. Richards e Ilse Grubrich-Simitis, Frankfurt, Fischer, 1987; *Studienausgabe*, 11 vols., Frankfurt, Fischer, 1969-1975; *Obras completas*, 22 vols., B. Aires, Amorrortu, 1922-1978; *The Standard Edition of the Complete Psychological Works of Sigmund Freud* (*SE*), org. James Strachey, 24 vols., Londres, Hogarth Press, 1953-1974; *Opere di Sigmund Freud*, 12 vols., Turim, Boringhieri, 1967-1980; *Edição standard brasileira das obras psicológicas completas de Sigmund Freud* (*ESB*), 24 vols., Rio de Janeiro, Imago, 1970-1977; *Oeuvres complètes* (*OC*),

21 vols., org. Jean Laplanche, Pierre Cotet, André Bourguignon e François Robert, Paris, PUF, a partir de 1989 (8 vols. publicados) • James Strachey, "Bibliography. List of English translation of Freud's works", *IJP*, XXVI, 1-2, 1945, 67-76; "Editor's Note", *SE*, III, 71-3; "General preface", ibid., I, xiii-xxii • James Strachey e A. Tyson, "A chronological hand list of Freud's works", *IJP*, XXXVII, 1, 1956, 19-33 • Alexander Grinstein, *Sigmund Freud's Writings. A Comprehensive Bibliography*, N. York, International Universities Press, 1977 • Ingeborg Meyer-Palmedo e Gerhard Fichtner, *Freud-Bibliographie und Werkkonkordanz*, Frankfurt, Fischer, 1989 • Bruno Bettelheim, *Freud e a alma humana* (N. York, 1982), S. Paulo, Cultrix, 1984 • Antoine Berman, *L'Épreuve de l'étranger. Culture et traduction dans l'Allemagne romantique*, Paris, Gallimard, 1984 • Emmet Wilson, "Did Strachey Invent Freud?", *International Revue of Psycho-Analysis*, 14, 1987, 299-315 • André Bourguignon, Pierre Cotet, Jean Laplanche e François Robert, *Traduzir Freud* (Paris, 1989), S. Paulo, Martins Fontes, 1992 • Ilse Grubrich-Simitis, "Histoire de l'édition des oeuvres de Freud en langue allemande" (1989), *Revue Internationale d'Histoire de la Psychanalyse*, 4, 1991, 13-71; *De volta aos textos de Freud* (Frankfurt, 1993), Rio de Janeiro, Imago, 1995 • Riccardo Steiner, "Une marque internationale universelle d'authenticité. Quelques observations sur l'histoire de la traduction anglaise de l'oeuvre de Sigmund Freud, en particulier sur les termes techniques", *Revue Internationale d'Histoire de la Psychanalyse*, 4, 1991, 71-188 • Hugo Vezzetti, "Freud en langue espagnole", ibid., 189-209 • Alain de Mijolla, "L'Édition en français des oeuvres de Freud jusqu'en 1940", ibid., 209-71 • Michele Ranchetti, "Les *Oeuvres complètes* et l'édition des *Opere*", ibid., 331-56 • Marilene Carone, "Freud em portugais", ibid., 361-9 • Irina Manson, "Comment dit-on psychanalyse en russe?", ibid., 407-27.

training autógeno

➢ NAZISMO; PSICOTERAPIA; SCHULTZ, JOHANNES.

transacional, análise

➢ ANÁLISE TRANSACIONAL.

transexualismo

al. *Trans-Sexualismus*; esp. *transexualismo*; fr. *transsexualisme*; ing. *transsexualism*

Termo introduzido em 1953, pelo psiquiatra norte-americano Harry Benjamin, para designar um distúrbio puramente psíquico da identidade sexual, caracterizado pela convicção inabalável que tem um sujeito* de pertencer ao sexo oposto.

O desejo de mudar de sexo existia muito antes da criação do termo "transexualismo",

como bem mostra a história do abade Choisy (1644-1734), que usava roupas de mulher e se fazia chamar de condessa de Barres, ou ainda a de Charles de Beaumont, cavaleiro d'Éon (1728-1810), que serviu à diplomacia secreta de Luís XV vestindo-se de homem ou de mulher conforme as circunstâncias. A famosa doença dos citas, descrita por Heródoto, serviu igualmente de ponto de partida para as reflexões da etnopsiquiatria (etnopsicanálise*).

Na mitologia grega, três personagens dão conta desse fenômeno: Cibele, Átis e Hermafrodito. Grande deusa-mãe da Frígia, Cibele era cultuada em todo o mundo antigo, a ponto de ser confundida com Deméter, a mãe de todos os deuses. Seu amante, Átis, era ao mesmo tempo seu filho e guardião de seu templo. Quando quis se casar, ela o fez enlouquecer: Átis então se castrou e se matou. Essa lenda explica por que os sacerdotes da deusa eram eunucos. Foi em homenagem ao ato de Átis que os adeptos do culto dessa deusa-mãe adquiriram o hábito de se mutilar, em meio à embriaguez e ao êxtase, durante os festejos ritualísticos. Quanto a Hermafrodito, filho de Hermes e Afrodite, foi amado por uma ninfa que rogou aos deuses que os unissem num só corpo. O rapaz foi assim dotado de um pênis e dois seios.

O tema do hermafroditismo, a lenda de Cibele e Átis e o mito da androginia encontram-se nas descrições das diferentes patologias sexuais recenseadas pela psiquiatria do fim do século XIX. Entretanto, nos estudos clínicos, a dupla anatomia (hermafroditismo) e a separação da mãe ou do sexo originário são vividos como tragédias que desembocam na morte, na loucura* ou no suicídio*, ao passo que a atividade sexual dupla (bissexualidade*) parece ser mais bem tolerada, na medida em que não põe em jogo uma transformação do corpo.

No século XIX coligiram-se inúmeros casos de transformação da identidade sexual, aos quais se deu o nome de travestismo ou hermafroditismo (ou intersexualidade). Em geral, é ao alienista francês Jean-Étienne Esquirol (1772-1840) que se atribui a primeira descrição de um caso de transexualismo, e é a Richard von Krafft-Ebing* que devemos o estabelecimento de uma escala de inversões sexuais que vão do "hermafroditismo psicossexual" até a "metamorfose sexual paranóica".

Como sublinhou Michel Foucault em 1978, em sua exposição da "vida paralela" da hermafrodita Herculine Barbin (1838-1868), houve uma abundante bibliografia médico-libertina sobre esse assunto no final do século XIX. O caso de Herculine chamou a atenção de Ambroise Tardieu (1818-1879), que se especializara no estudo dos maus-tratos infligidos às crianças. Herculine Barbin foi chamada de Alexina por seus pais e criada num convento de moças, embora se sentisse um menino e seu sexo fosse ao mesmo tempo masculino e feminino (um pênis pequeno, uma uretra com uma fenda e lábios). Depois de conseguir que seu estado civil fosse transformado por um tribunal, não conseguiu suportar o novo estado e se suicidou, usando um aquecedor a carvão.

Foi necessário o advento dos progressos da cirurgia e da medicina, e sobretudo das inovações da genética que permitiram, em 1956, identificar definitivamente a fórmula cromossômica do homem (XY) e da mulher (XX) — ou o "sexo genético" —, para que se estabelecessem distinções claras entre o hermafroditismo, o travestismo, as anomalias genéticas e o verdadeiro transexualismo, que surgiu então como um enigma fascinante, fazendo reemergirem todos os grandes mitos fundadores das deusas-mães. Daí a necessidade de inventar uma palavra para designar um fenômeno que não decorria nem do desejo de se travestir nem da anomalia anatômica. Se o travestismo (ou eonismo), muito bem descrito por Havelock Ellis* e pelos representantes da sexologia*, é um disfarce que pode conduzir a uma perversão* ou a um fetichismo*, e se o hermafroditismo é um acidente das gônadas cujo tratamento depende de cirurgia, somente o transexualismo leva o sujeito não apenas a mudar de estado civil, mas também a transformar, através de uma intervenção cirúrgica, seu órgão sexual normal num órgão artificial do sexo oposto. Assim, o transexual masculino tem a convicção de ser uma mulher, embora, anatomicamente, seja um homem normal. Do mesmo modo, a mulher transexual está convencida de ser homem, muito embora seja mulher em termos anatômicos.

Foi nos Estados Unidos*, na década de 1950, que esses casos começaram a ser estudados. O médico Harry Benjamin criou o termo e propôs, para aliviar o sofrimento moral dos pacientes, um tratamento hormonal e uma experiência de vida social, durante um prazo mínimo de seis meses, nos moldes do sexo desejado. Somente na última etapa é que ele considerava a cirurgia, caso o desejo de mudança de sexo persistisse. Depois de Benjamin, o psicanalista Robert Stoller* foi o primeiro, em seu livro *Sex and Gender*, publicado em 1968 e traduzido para o francês sob o título de *Recherches sur l'identité sexuelle*, a propor uma classificação e um estudo sistemático desse distúrbio, revisando a teoria freudiana da sexualidade infantil* e da diferença sexual*. De início, fez uma distinção radical entre o transexualismo, o travestismo, a homossexualidade* e o hermafroditismo. Depois, simultaneamente marcado pela *Self Psychology** e pelo kleinismo*, fez do transexualismo um distúrbio da identidade (e não da sexualidade), diferente nos homens e nas mulheres, e ligado à relação particular e sempre idêntica da criança com a mãe. Daí a idéia de diferenciar o gênero* (*gender*), como sentimento social de identidade (masculina ou feminina), do sexo, como organização anatômica masculina ou feminina. (No transexualismo, a dissimetria entre os dois é radical.) A palavra *gender* seria posteriormente retomada, nos Estados Unidos, em inúmeros trabalhos históricos e literários.

A partir do estudo de numerosos casos, Stoller traçou o retrato típico e quase estrutural da "mãe do transexual": uma mulher depressiva, passiva, bissexual ou sexualmente neutra, ou então sem um interesse verdadeiro pela sexualidade nem um apego particular pelo pai da criança. Essa mãe busca uma simbiose perfeita com o filho, que lhe serve ao mesmo tempo de objeto transicional* e de substituto fálico. Quanto ao pai, é sempre ausente, mas sua atitude difere conforme o filho seja menino ou menina. Tanto ele se mostra indiferente à mudança de trajes exibida pelo filho, quando este se veste de mulher, quanto favorece as atividades masculinas da filha, encontrando nela um cúmplice para sua solidão. Às vezes, quando tem dois filhos de sexos opostos, incita o menino a se feminizar e a menina a se masculinizar. Para Stoller, o transexualismo masculino, de longe o mais freqüente e paradigmático, aproxima-se da psicose*. A mudança de sexo através da cirurgia, portanto, só tem efeitos benéficos na medida em que o transexual nunca aceita sua anatomia real, que não corresponde ao gênero que ele sente como seu. O tratamento psicanalítico só é possível na infância, em caráter preventivo, ou *depois* da intervenção cirúrgica: permite então ao paciente enfrentar a tarefa nunca resolvida de sua identidade impossível. Isso porque o mais surpreendente é que o transexual varão, apesar de suas alegações, suas denegações* e suas renegações*, nunca fica satisfeito com a mudança de sexo, ainda que lhe seja impossível renunciar a ela.

Com o desenvolvimento espetacular da cirurgia plástica e a extraordinária publicidade dada pela televisão aos grandes casos de emasculação voluntária, de mudança de órgãos e de estado civil, o transexualismo provocou um vasto debate a partir de 1970. Num livro rancoroso, a feminista norte-americana Janice Raymond acusou os homens de pretenderem, através desse meio, sujeitar ainda mais as mulheres, roubando-lhes seu sexo, sua identidade e sua anatomia.

Na França*, foi Jean-Marc Alby quem introduziu o termo na nosografia psiquiátrica, em 1956. Depois disso, foram publicados diversos trabalhos que comentaram a obra magistral de Stoller, em particular os de Élisabeth Badinter. Numa perspectiva lacaniana, Catherine Millot deu o nome de "*horsexe*" [extra-sexo] ao transexualismo, mostrando que, na mulher, o desejo de ser amada como "um" homem é mais decorrente de um processo histérico, ao passo que, no homem, a vontade de erradicação do órgão peniano consiste numa identificação psicótica com *A Mulher*, isto é, com uma totalidade impossível. Essa tese confirmou o que todos os casos observados já haviam mostrado, em especial nas histórias de incesto*: o distúrbio da identidade sexual é simultaneamente mais freqüente e mais psicotizante no homem do que na mulher, na medida em que a simbiose original se deu com uma pessoa do sexo oposto: a mãe.

Se os estudos sobre o transexualismo confirmaram a lenda de Átis e a tragédia de Herculine Barbin, eles também permitiram estabelecer um paralelismo entre os trabalhos da embriologia, que provam a primazia do embrião feminino em relação ao embrião masculino e fazem o segundo derivar do primeiro, e as teses kleinianas, que vêem no exercício patológico da onipotência materna a origem das psicoses e das formas mais destrutivas da relação de objeto*.

Não obstante, a teoria freudiana da libido* única e do falocentrismo* conserva toda a sua validade, uma vez que o estudo dos casos de transexualismo feminino mostra que as mulheres suportam melhor do que os homens a transformação anatômica que as torna varões. Em suma, o transexualismo feminino parece decorrer de um distúrbio da identidade, de natureza histérica ou perversa, que evidencia a maneira como toda mulher se serve de seu "protesto viril", ao passo que o transexualismo masculino atesta, antes, uma vontade indomável de emasculação, que não passa da tradução de uma opção de aniquilamento através da qual toda a feminilidade é ridicularizada: daí a fetichização, nos homens que se transformam em mulheres, dos símbolos mais marcantes da diferença sexual (roupas e sapatos espalhafatosos, perucas, maquiagem exagerada etc.).

• Harry Benjamin, "Transvestism and transsexualism", *International Journal of Sexology*, 7, I, 12-14 • Jean-Marc Alby, *Contribution à l'étude du transsexualisme*, tese de medicina, Paris, 1956 • Robert Stoller, *Recherches sur l'identité sexuelle* (1968), Paris, Gallimard, 1978 • *Herculine Barbin dite Alexina B.*, apresentação de Michel Foucault, Paris, Gallimard, 1978 • Janice Raymond, *L'Empire transsexuel* (N. York, 1979), Paris, Seuil, 1981 • Catherine Millot, *Horsexe. Essai sur le transsexualisme*, Paris, Point Hors Ligne, 1983 • Élisabeth Badinter, *Um e outro. As relações entre homens e mulheres* (Paris, 1986), Rio de Janeiro, Nova Fronteira, 1986; *XY: sobre a identidade masculina* (Paris, 1992), Rio de Janeiro, Nova Fronteira, 1994, 2ª ed.

transferência

al. *Übertragung*; esp. *transferencia*; fr. *transfert*; ing. *transference*

Termo progressivamente introduzido por Sigmund Freud* e Sandor Ferenczi* (entre 1900 e 1909), para designar um processo constitutivo do tratamento psicanalítico mediante o qual os desejos* incons-

cientes do analisando concernentes a objetos externos passam a se repetir, no âmbito da relação analítica, na pessoa do analista, colocado na posição desses diversos objetos.

Historicamente, a noção de transferência assumiu toda a sua significação com o abandono da hipnose*, da sugestão* e da catarse* pela psicanálise*.

O termo transferência não é próprio do vocabulário psicanalítico. Utilizado em inúmeros campos, implica sempre uma idéia de deslocamento, de transporte, de substituição de um lugar por outro, sem que essa operação afete a integridade do objeto.

Todas as correntes do freudismo* consideram a transferência essencial para o processo psicanalítico. Entretanto, conforme as escolas, as divergências são múltiplas quanto a seu lugar no tratamento, seu manejo pelo analista e o momento e os meios de sua dissociação. Um século depois do nascimento da psicanálise, o conceito de transferência ainda é objeto de um debate contraditório, cuja origem se encontra na história de seu reconhecimento, de sua avaliação teórica e de sua utilização por Freud a partir do abandono da hipnose e da catarse.

Primeiramente, seguindo Henri F. Ellenberger*, consideremos que a existência da transferência é atestada, antes de Freud, por uma terminologia abundante: afinidade, influência sonambúlica, necessidade de direção, transposição afetiva etc.

Na verdade, a inovação freudiana consistiu em reconhecer nesse fenômeno um componente essencial da psicanálise, a ponto, aliás, de esse novo método se distinguir de todas as outras psicoterapias* por empregar a transferência como instrumento da cura no processo de tratamento. Todavia, esse reconhecimento não se deu espontaneamente e, até o fim da vida, Freud continuaria impressionado com a recorrência do fenômeno (*Esboço de psicanálise**).

A princípio, nos *Estudos sobre a histeria** e em *A interpretação dos sonhos**, ele apreendeu a transferência sob o prisma de um deslocamento do investimento no nível das representações psíquicas, mais do que como um componente da relação terapêutica.

Retrospectivamente, podemos reconhecer a função essencial da transferência no relato do caso Anna O. (Bertha Pappenheim*) feito por Josef Breuer*, ainda que, examinando-o de perto, o comentário que acompanha esse relato ainda seja muito pouco teórico.

Foi por ocasião da análise de Dora (Ida Bauer*), em 1905, que Freud teve realmente sua primeira experiência, negativa, com a materialidade da transferência. Ele atestou, a contragosto, que o analista de fato desempenha um papel na transferência do analisando. Ao se recusar a ser objeto do arroubo amoroso de sua paciente, Freud opôs uma resistência* que, em contrapartida, desencadeou uma transferência negativa por parte dela. Alguns anos depois, ele qualificaria esse fenômeno de contratransferência*.

Desde 1909, Sandor Ferenczi observou que a transferência existia em todas as relações humanas: professor e aluno, médico e paciente etc. Mas ele notou que, na análise, tal como na hipnose e na sugestão, o paciente colocava inconscientemente o terapeuta numa posição parental.

Na mesma época, em sua exposição da análise de um caso de neurose obsessiva* (Ernst Lanzer*), Freud começou a discernir o fato de que os sentimentos inconscientes do paciente para com o analista eram manifestações de uma relação recalcada com as imagos* parentais. Em 1912, em "A dinâmica da transferência", primeiro texto exclusivamente dedicado a essa questão, ele distinguiu a transferência positiva, feita de ternura e amor, da transferência negativa, vetor de sentimentos hostis e agressivos. A estas se acrescentariam transferências mistas, que reproduzem os sentimentos ambivalentes da criança em relação aos pais. Em 1920, em *Mais-além do princípio de prazer**, Freud tornou a se surpreender com o caráter repetitivo da transferência. Constatando que essa repetição* sempre se referia a fragmentos da vida sexual infantil, ele ligou a transferência ao complexo de Édipo* e concluiu que a neurose* original era substituída, na análise, por uma neurose artificial, ou "neurose de transferência". No processo analítico, esta devia conduzir o paciente a um reconhecimento da neurose infantil.

Segundo a teoria da sedução*, abandonada em 1897, mas cujos vestígios nunca seriam totalmente apagados, a transferência foi considerada por Freud como um obstáculo ao trabalho de rememoração e uma forma particularmente tenaz de resistência, indício da proximidade do retorno dos elementos recalcados mais cruciais.

Com o desenvolvimento da teoria da fantasia*, Freud afastou-se da idéia de rememoração. Embora continuasse a ligar a resistência à transferência, colocou a ênfase na importância de sua utilização como via de acesso ao desejo* inconsciente.

Em 1923, em "Dois verbetes de enciclopédia: (A) Psicanálise, (B) Teoria da libido", a transferência foi concebida por Freud como um terreno no qual é preciso conseguir uma vitória. Utilizada pelo analista, ela é, na verdade, "o mais poderoso adjuvante do tratamento". A partir daí, foi o amor transferencial que passou a reter toda a atenção de Freud. Com esse termo ele designou os casos em que o paciente — em geral, uma mulher — declara estar apaixonado por seu analista. Havendo observado que esse era realmente um processo transferencial, uma vez que a mudança de analista era acompanhada pela repetição do sentimento, Freud sublinhou a absoluta necessidade de o terapeuta respeitar a regra da abstinência*, não apenas por razões éticas, mas sobretudo para que o objetivo da análise pudesse ser perseguido. Nesses casos, com efeito, a resistência à análise reveste-se da forma de um amor: o trabalho passa a ter por objetivo encontrar as origens inconscientes dessa manifestação que invade a transferência.

Depois de Freud, uma multiplicidade de trabalhos foi dedicada à questão da transferência, cada qual se esforçando por repensar esse conceito em harmonia com as inflexões ou modificações sucessivamente introduzidas na teoria original.

Em Melanie Klein*, a transferência é concebida como uma reencenação (*reenactment*), durante a sessão, de todas as fantasias* inconscientes (ou phantasias*) do paciente. Na perspectiva kleiniana, com efeito, a fantasia não é somente a expressão de defesas* mentais contra a realidade, mas também a manifestação das pulsões*. Por conseguinte, o eu* se constitui de maneira mais complexa do que concebia Freud e, acima de tudo, num período anterior: "Afirmo", escreveu Melanie Klein, "que a transferência tem origem nos mesmos processos [de amor e ódio, agressão e culpa] que, nas fases mais precoces, determinam as relações objetais

(...). Durante anos, e, em certa medida, ainda hoje, tem-se compreendido a transferência em termos de uma referência direta ao analista. Minha concepção de uma transferência enraizada nas fases [estádios*] mais precoces do desenvolvimento e nas camadas profundas do inconsciente é muito mais ampla, acarretando uma técnica mediante a qual se deduzem da totalidade do material apresentado os elementos inconscientes da transferência. Por exemplo, os ditos dos pacientes sobre sua vida cotidiana, seus relacionamentos e suas atividades não fazem compreender unicamente o funcionamento do eu; revelam também, se explorarmos seu conteúdo inconsciente, as defesas contra as angústias despertadas na situação de transferência."

Depois disso, kleinianos e pós-kleinianos, em especial Wilfred Ruprecht Bion*, construíram um novo quadro da análise, muito diferente daquele dos freudianos, com regras precisas e, sobretudo, com um manejo da transferência que tende a excluir da situação analítica qualquer forma de realidade material em prol unicamente da realidade psíquica*. Esta, portanto, é conforme à imagem que o psicótico tem do mundo e de si mesmo. Para os kleinianos, todo ato (gesto ou palavra) que se produz no tratamento deve ser interpretado como a própria essência de uma manifestação contratransferencial, sem ser relacionado com uma realidade externa. Daí a criação do termo *acting in*, ao lado de *acting out**. Se um paciente esfregar a mão no divã, se tiver dor de cabeça, isso não será escutado somente em função da possível realidade somática de sua irritação cutânea ou de sua enxaqueca, mas relacionado, em primeiro lugar, através de uma interpretação*, com o universo fantasístico do analista, persuadido de haver "induzido" inadvertidamente esse ato. Essa concepção kleiniana e pós-kleiniana da transferência, que consiste em fazer pender para o lado do analista uma modalidade da relação de objeto* que é própria da psicose*, a fim de compreender melhor a natureza da transferência psicótica, aproxima-se da sugestão e da telepatia*, ou, mais exatamente, como dizia Freud, da "transferência de pensamento".

À parte a orientação kleiniana, os desenvolvimentos da reflexão pós-freudiana caracterizam-se por uma consideração cada vez mais insistente da eficiência e da participação inconsciente do analista na instauração da transferência.

A partir do primado conferido à relação com a mãe na evolução do sujeito*, Donald Woods Winnicott* desenvolveu uma concepção da transferência como repetição do vínculo materno. Daí o abandono da neutralidade rigorosa, o qual não deixa de lembrar a técnica ativa de Ferenczi. O *management* (gestão, direção) winnicottiano consiste em deixar que o paciente aproveite as falhas e deficiências do analista. É particularmente eficaz no caso dos pacientes frágeis em quem a subjetividade se manifesta por um falso *self*.

Na década de 1970, Heinz Kohut*, desejoso de transformar o enquadre da análise, que julgava por demais ortodoxo, inventou uma noção de transferência narcísica ou "transferência especular". Na ótica kohutiana, o analista é vivido pelo paciente como um prolongamento dele mesmo, cabendo-lhe aceitar essa relação transferencial, na medida em que ela permita um resgate do *self* (ou "eu profundo" do paciente), cuja ferida, verdadeira patologia narcísica, é relacionada com as dificuldades encontradas na relação arcaica com a mãe.

Jacques Lacan* discorreu inicialmente sobre a transferência em sua leitura do caso Dora feita em 1951, "Intervenção sobre a transferência". Naquele ano, definiu a relação transferencial como uma seqüência de inversões dialéticas, e sublinhou que os momentos "fortes" da transferência inscreviam-se nos tempos "fracos" do analista. A cada inversão, o analisando avança na descoberta da verdade.

Posteriormente, em seu seminário do ano de 1954-1955, dedicado ao eu e aos escritos técnicos de Freud, Lacan inscreveu a transferência numa relação entre o eu do paciente e a posição do grande outro* (Outro). Sua problemática ainda não estava em ruptura total com as leituras psicologizantes do texto freudiano: o Outro continuava a ser concebido como sujeito e, se o analista podia criar obstáculos ao estabelecimento ou à consumação da transferência, era em virtude da ostentação laudatória de seu eu.

Foi no âmbito de seu seminário do ano de 1960-1961, consagrado à transferência, que Lacan introduziu o desejo do psicanalista para esclarecer a verdade do amor transferencial. Para sua demonstração, uma das mais luminosas sobre o assunto, ele se apoiou no *Banquete* de Platão. Esse diálogo põe em cena, em torno de Sócrates, seis personagens, cada um dos quais expressa uma concepção diferente do amor. Entre eles estão o poeta Agatão, aluno de Górgias, cujo triunfo é celebrado, e Alcibíades, político de grande beleza, de quem Sócrates renunciou a ser amante por preferir a ele o amor ao Bem Supremo e o desejo de imortalidade, ou seja, a filosofia.

Desde a Antigüidade, os comentadores sempre enfatizaram a maneira como Platão utilizou a arte do diálogo para fazer com que esses personagens enunciassem sobre o amor teses sempre decorrentes de um desejo conscientemente nomeado. Pois bem, a originalidade de Lacan consistiu em colocar Sócrates no lugar daquele que interpreta o desejo de seus discípulos. Transformado em psicanalista, Sócrates não escolhe a abstinência por amor à filosofia, mas por deter o poder de expressar a Alcibíades que o verdadeiro objeto do desejo deste não é ele, Sócrates, mas Agatão. É exatamente nisso que consiste a transferência: ela é feita do mesmo estofo que o amor comum, mas é um artifício, uma vez que se refere inconscientemente a um objeto que reflete outro: Alcibíades acredita desejar Sócrates quando deseja Agatão.

Depois desse avanço, Lacan introduziu em seu seminário do ano de 1961-1962, dedicado à identificação, uma nova perspectiva. A transferência aparece ali como a materialização de uma operação que se relaciona com o engano e que consiste em o analisando instalar o analista no lugar do "sujeito suposto saber", isto é, em lhe atribuir o saber absoluto.

Por fim, em seu seminário do ano de 1964, Lacan fez da transferência um dos quatro conceitos fundamentais da psicanálise, ao lado do inconsciente, da repetição e da pulsão. Definiu-a como a encenação, através da experiência analítica, da realidade do inconsciente*. Essa perspectiva o levou a ligar a transferência à pulsão.

• Sigmund Freud e Josef Breuer, *Estudos sobre a histeria* (1893-1895), *ESB*, II; *SE*, II; Paris, PUF, 1956
• Sigmund Freud, *A interpretação dos sonhos* (1900), *ESB*, IV-V, 1-660; *GW*, II-III, 1-642; *SE*, IV-V, 1-621; Paris, PUF, 1967; *Fragmento da análise de um caso*

de histeria (1905), *ESB*, VII, 5-128; *GW*, V, 163-286; *SE*, VII, 1-122; in *Cinq psychanalyses*, Paris, PUF, 1954, 1-91; "Notas sobre um caso de neurose obsessiva" (1909), *ESB*, X, 159-258; *GW*, VII, 381-463; *SE*, X, 151-249; in *Cinq psychanalyses*, Paris, PUF, 1954, 199-261; "A dinâmica da transferência" (1912), *ESB*, XII, 133-48; *GW*, VIII, 364-74; *SE*, XII, 97-108; in *La Technique psychanalytique*, Paris, PUF, 1953, 50-60; "Observações sobre o amor transferencial (Novas recomendações sobre a técnica da psicanálise III)" (1915), *ESB*, XII, 208-21; *GW*, X, 306-21; *SE*, XII, 157-71; in *La Technique psychanalytique*, Paris, PUF, 1953, 116-30; *Mais-além do princípio de prazer* (1920), *ESB*, XVIII, 17-90; *GW*, XIII, 3-69; *SE*, XVIII, 1-64; in *Essais de psychanalyse*, Paris, Payot, 1981, 41-115; "Dois verbetes de enciclopédia: (A) Psicanálise, (B) Teoria da libido" (1923), *ESB*, XVIII, 287-307; *GW*, XIII, 211-33; *SE*, XVIII, 235-59; *OC*, XVI, 181-208; *Esboço de psicanálise* (1938), *ESB*, XXIII, 168-246; *GW*, XVII, 67-138; *SE*, XXIII, 139-207; Paris, PUF, 1949, 167 • Sigmund Freud e Sandor Ferenczi, *Correspondência, 1908-1914*, vol.I, 2 tomos (Paris, 1992), Rio de Janeiro, Imago, 1994-1995, *1914-1919*, vol.II, Paris, Calmann-Lévy, 1996 • Henri F. Ellenberger, *Histoire de la découverte de l'inconscient* (N. York, Londres, 1970, Villeurbanne, 1974), Paris, Fayard, 1994 • Sandor Ferenczi, "Transferência e introjeção" (1909), in *Psicanálise I, Obras completas, 1908-1912* (Paris, 1968), S. Paulo, Martins Fontes, 1991, 77-108 • E. Porge, "Transferência", in Pierre Kaufmann (org.), *Dicionário enciclopédico de psicanálise: o legado de Freud e Lacan* (Paris, 1993), Rio de Janeiro, Jorge Zahar, 1996, 548-56 • Melanie Klein, *Le Transfert et autres écrits*, Paris, PUF, 1995 • Heinz Kohut, *Análise do self* (N. York, 1971), Rio de Janeiro, Imago, 1988 • Jacques Lacan, *Escritos* (Paris, 1966), Rio de Janeiro, Jorge Zahar, 1998; *O Seminário, livro 11, Os quatro conceitos fundamentais da psicanálise (1964)* (Paris, 1973), Rio de Janeiro, Jorge Zahar, 1979; *O Seminário, livro 2, O eu na teoria de Freud e na técnica da psicanálise (1954-1955)* (Paris, 1978), Rio de Janeiro, Jorge Zahar, 1985; *O Seminário, livro 8, A transferência (1960-1961)* (Paris, 1991), Rio de Janeiro, Jorge Zahar, 1992 • Jean Laplanche e Jean-Bertrand Pontalis, *Vocabulário da psicanálise* (Paris, 1967), S. Paulo, Martins Fontes, 1991, 2ª ed. • Élisabeth Roudinesco, *Jacques Lacan. Esboço de uma vida, história de um sistema de pensamento* (Paris, 1993), S. Paulo, Companhia das Letras, 1994 • Donald Woods Winnicott, *O brincar e a realidade* (Londres, 1971), Rio de Janeiro, Imago, 1979.

➤ CONTRATRANSFERÊNCIA; NÓ BORROMEANO.

transmissão (da psicanálise)

➤ ANÁLISE DIDÁTICA; INTERNATIONAL PSYCHOANALYTICAL ASSOCIATION; PASSE.

trauma

➤ HISTERIA; NEUROSE DE GUERRA; RANK, OTTO; SEDUÇÃO, TEORIA DA.

travestismo

➤ FETICHISMO; PERVERSÃO; STOLLER, ROBERT; TRANSEXUALISMO.

Três ensaios sobre a teoria da sexualidade

Livro de Sigmund Freud*, publicado pela primeira vez em 1905, sob o título Drei Abhandlungen zur Sexualtheorie. Traduzido para o francês pela primeira vez por Blanche Reverchon-Jouve (1897-1974), em 1923, sob o título Trois Essais sur la théorie de la sexualité, e depois, em 1987, por Philippe Koeppel, sob o título Trois Essais sur la théorie sexuelle. Traduzido para o inglês pela primeira vez em 1910, por Abraham Arden Brill* e James Jackson Putnam*, sob o título Three Contributions in the Sexual Theory, e depois em 1949, por James Strachey*, sob o título Three Essays on the Theory of Sexuality. Retomado sem modificações em 1953.

Ao contrário do que disse Sigmund Freud em sua autobiografia de 1925 e da lenda posteriormente forjada por Ernest Jones*, os *Três ensaios sobre a teoria da sexualidade* não foram acolhidos por uma chuva de impropérios e não tornaram seu autor "universalmente impopular". Publicado depois dos múltiplos trabalhos dos sexólogos, nos quais, aliás, se havia inspirado, e depois do famoso *Sexo e caráter*, de Otto Weininger*, o belo ensaio de Freud foi elogiosamente recebido por todos os especialistas na questão sexual. Como estabeleceram Henri F. Ellenberger* e, depois dele, Norman Kiell, o lançamento foi saudado por uma maioria de artigos favoráveis, dentre eles os do criminologista Paul Naecke (1851-1913), da escritora feminista Rosa Mayreder (1858-1938), do neurologista Albert Eulenberg (1840-1917), do jornalista Otto Soyka (1882-1945) e também os de Magnus Hirschfeld* e Adolf Meyer*.

Freud e os adeptos da historiografia* oficial falaram numa reação de rejeição porque o livro do mestre não foi recebido, quando de sua publicação, como *o* livro inaugural de uma teoria inteiramente inédita da sexualidade* humana.

Simplesmente, teve uma saída normal na época — mil exemplares vendidos no primeiro ano e 200 por ano nos quatro anos seguintes —, e foi considerado pelos especialistas como um livro científico entre outros. Ora, desde 1886 vinha surgindo a cada ano, sobretudo na Alemanha*, na Áustria e na Inglaterra, uma multiplicidade de livros dedicados à sexualidade em geral e à sexualidade infantil em particular. Daí a amargura de Freud e seus discípulos, posto que o mestre tinha consciência, justificadamente, de haver produzido uma teoria revolucionária da sexualidade.

A lenda fabricada por Jones implantou-se tão solidamente no meio psicanalítico que, em 1987, o prefaciador da nova tradução francesa não hesitou em apresentar Freud como o herói de uma cruzada da verdade contra o obscurantismo, capaz, aos 49 anos, de sacrificar tudo — a honra, a vida social, a clientela e a reputação — para lançar no rosto de uma comunidade científica ignorante e estúpida o grande desafio da "verdadeira" sexualidade.

Não foi o lançamento dos *Três ensaios sobre a teoria da sexualidade*, portanto, que desencadeou a cruzada antifreudiana que procurou assimilar a psicanálise* a um pansexualismo*, e sim alguns acontecimentos posteriores. Primeiro, foi preciso que saísse publicada a análise do Pequeno Hans (Herbert Graf*), onde a teoria freudiana foi diretamente aplicada a uma criança, e, depois, a de *Leonardo da Vinci e uma lembrança de sua infância**, onde ela tocou na infância de um pintor universalmente sacralizado; em seguida, foi preciso que se desenvolvesse o movimento psicanalítico, com a criação da International Psychoanalytical Association* (IPA) e a implantação progressiva da psicanálise em numerosos países; e por fim, foi preciso que se desse o rompimento com Carl Gustav Jung* a propósito da libido*. Foi então, entre 1910 e 1913, que o freudismo começou a ser encarado, em todas as partes do mundo, como uma "obscenidade", uma "pornografia", uma "coisa sexual" ou até uma "ciência boche". A rigor, foi no momento em que a doutrina freudiana angariava o reconhecimento internacional que eclodiram contra ela as acusações de pansexualismo. A resistência à teoria da sexualidade foi então o sintoma evidente de seu progresso atuante. Foi por isso que, retroativamente, os *Três ensaios* foram considerados o livro inaugural do "escândalo freudiano" da sexualidade, sobretudo em razão dos trechos sobre as teorias sexuais infantis e sobre a disposição perverso-polimorfa. Em conseqüência disso, esse texto não tem a mesma situação dos demais livros de Freud: é como que determinado pela história de suas sucessivas acolhidas e pela história dos comentários, interpretações e violências que provocou.

Essa história, aliás, acha-se inscrita no próprio cerne do livro, que se mostra em diversas versões. Com efeito, Freud nunca reescreveu, corrigiu e retificou tanto um livro quanto fez com este, a ponto de não mais sabermos distinguir o original de suas versões sucessivas. Entre 1905 e 1920, houve quatro edições dos *Três ensaios*, havendo Freud introduzido em cada uma delas modificações consideráveis à medida que ia aperfeiçoando sua teoria da libido em função da evolução geral de sua própria doutrina, organizando o "dualismo pulsional" e desenvolvendo sua concepção do narcisismo*.

O escândalo dos *Três ensaios* reside no abandono da concepção sexológica da sexualidade (com sua infindável descrição de anomalias e aberrações) em favor de uma abordagem psíquica do sexual. Foi sua maneira de "sexualizar" a totalidade da vida individual e coletiva que provocou a perturbação e a acusação de pansexualismo. Ao arrancar a *libido sexualis* do gozo dos médicos, Freud fez dela o determinante fundamental do psiquismo humano. Mas também a devolveu ao próprio homem (doente, paciente, criança). Daí o emprego do termo "teoria sexual" (*Sexualtheorie*) para designar, ao mesmo tempo, as hipóteses do cientista e as "teorias" inventadas pelas crianças, ou mesmo pelos adultos, para resolver o enigma da copulação, do nascimento e da diferença sexual*.

A obra é dividida em três partes. Na primeira, dedicada às aberrações sexuais, Freud introduz pela primeira vez a palavra pulsão*, a fim de descrever os "desvios em relação ao objeto sexual", entre os quais inclui a "inversão" e os "imaturos sexuais e animais tomados como objetos sexuais". Através dessa terminologia, saída do vocabulário corrente, ele designa três formas de comportamento sexual consideradas "taras" pelos médicos do fim do século: a homossexualidade*, a pedofilia (relação sexual entre um adulto e uma criança pré-púbere) e a zoofilia (relação sexual entre um ser humano e um animal). A rejeição das palavras eruditas, derivadas do latim e do grego, reveste-se em sua pena de uma significação precisa: para Freud, trata-se de mostrar que essas "aberrações", por mais diferentes que sejam umas das outras, não podem de maneira alguma ser vistas como a expressão de uma degenerescência, a homossexualidade menos ainda que as outras.

Não apenas Freud diversifica as formas possíveis da homossexualidade, como também faz desta um componente "adquirido", e não "inato", da sexualidade humana. Assim, ela pode ser diferentemente encarada conforme as culturas e os estágios de civilização. Para ampliar ainda mais sua definição, Freud faz da homossexualidade, no capítulo seguinte, uma inclinação inconsciente e universal presente em todos os neuróticos, isto é, em qualquer sujeito*. Daí esta formulação célebre, na qual ele já havia pensado em 1896: "A neurose* é, por assim dizer, o negativo da perversão." Aliás, é a tal ponto o negativo dela que Freud sublinha, em sua recapitulação final, de que maneira, através do recalque*, uma mesma pessoa pode passar de uma para a outra. Após uma intensa atividade sexual perversa na infância, freqüentemente se produz uma reviravolta, e a neurose substitui a perversão segundo o provérbio: "Moça dissoluta, velha beata."

Nessa mesma perspectiva, Freud faz da pedofilia e da zoofilia comportamentos que se mascaram sob uma aparência de extrema "normalidade". Essas duas aberrações não estão ligadas, a seu ver, a uma doença mental, mas a um estado infantil da própria sexualidade. Daí o fato de os pedófilos e os zoófilos aparecerem como indivíduos covardes, mas perfeitamente adaptados à vida social burguesa ou camponesa.

A continuação dessa parte é dedicada a uma vasta análise das outras perversões* (fetichismo* e sadomasoquismo*), bem como às formas particulares de práticas eróticas ligadas à boca (felação, cunilíngua). Todas são reintegradas por Freud no quadro geral de um funcionamento pulsional organizado em torno de um conjunto de zonas erógenas.

A segunda parte do livro, a mais essencial, consiste numa exposição, a um tempo simples e divertida, das variações da sexualidade infantil. Verdadeira matriz da teoria da libido, essa dissertação magistral, à qual seriam acrescentadas diversas passagens, serve também para a elucidação do complexo de castração*, da idéia de inveja do pênis e, por último, da gênese da noção de estádio* (oral, anal, fálico e genital) retirada da biologia evolucionista. O componente central da organização da sexualidade infantil continua a ser o que Freud denomina de "disposição perverso-polimorfa".

Ao mostrar que as atividades infantis — os tipos de sucção, a masturbação, as brincadeiras com o corpo ou com as fezes, a alimentação, a defecação etc. — são fontes de prazer e de auto-erotismo*, Freud destrói o velho mito do "paraíso dos amores infantis". Antes dos quatro anos, a criança é um ser de gozo*, cruel, inteligente e bárbaro, que se entrega a toda sorte de experiências sexuais, às quais renunciará ao se transformar num adulto. No que concerne a esse aspecto, a sexualidade infantil não conhece lei nem proibição, e leva em conta, para se satisfazer, todos os objetos e todos os alvos possíveis. Testemunho disso, se necessário, são as "teorias" fabricadas pelas crianças a propósito de sua origem: a teoria da cloaca, segundo a qual os bebês vêm ao mundo pelo reto e são equivalentes às fezes, com sua variação, o parto através do umbigo, e a teoria do caráter sádico-anal do coito parental, que faz do parto um ato de sodomia, acompanhado de uma violência originária semelhante a um estupro. Em 1908, em "Sobre as teorias sexuais das crianças", Freud acrescentaria diversas outras "teorias" a essas: por exemplo, a idéia de que as crianças são concebidas pela urina ou pelo beijo, ou de que nascem logo depois do coito, ou ainda de que os homens, tal como as mulheres, podem ter bebês. Nesse mesmo ano, em "Caráter e erotismo anal", Freud associaria a atividade anal ao desenvolvimento posterior das melhores qualidades espirituais no sujeito.

O terceiro ensaio é dedicado a um estudo da puberdade e, portanto, da passagem da sexualidade infantil para a sexualidade adulta, através do complexo de Édipo* e da instauração de uma escolha de objeto fundamentada, de um modo geral, na diferença entre os sexos*. A isso se soma um capítulo sobre a libido, redigido em diversas etapas entre 1904 e 1924. É nele que Freud desenvolve sua tese do monismo sexual, sublinhando que a libido é de natureza masculina e, portanto, de essência viril. Essa tese, proposta desde 1905 e desenvolvida sobretudo em 1915, seria contestada pelos adeptos da escola inglesa, no contexto do grande debate da década de 1920 sobre a sexualidade feminina*. A essas três partes Freud acrescenta uma "recapitulação", na qual descreve os efeitos que o recalque, a hereditariedade, a sublimação* e a fixação surtem na sexualidade.

Com esse livro fundamental, Freud abriu caminho para o desenvolvimento da psicanálise de crianças e para a reflexão sobre a educação sexual: insistiu, por exemplo, em que os adultos nunca mentissem para as crianças no que concerne à origem delas e em que a sociedade se mostrasse tolerante para com a sexualidade em geral.

• Sigmund Freud, *Três ensaios sobre a teoria da sexualidade* (1905), *ESB*, VII, 129-237; *GW*, V, 29-145; *SE*, VII, 123-243; Paris, Gallimard, 1987; "O esclarecimento sexual das crianças" (1907), *ESB*, IX, 137-48; *GW*, VII, 19-27; *SE*, IX, 129-39; in *La vie sexuelle*, Paris, PUF, 1969, 7-13; "Sobre as teorias sexuais das crianças" (1908), *ESB*, IX, 213-32; *GW*, VII, 171-88; *SE*, IX, 205-26; in *La Vie sexuelle*, Paris, PUF, 1969, 14-27; "Caráter e erotismo anal" (1908), *ESB*, IX, 175-86; *GW*, VII, 203-9; *SE*, IX, 167-75; in *Névrose, psychose et perversion*, Paris, PUF, 1973, 143-9; "Um tipo especial de escolha de objeto feita pelos homens" (Contribuições à psicologia do amor, I) (1910), *ESB*, XI, 149-62; *GW*, VIII, 66-77; *SE*, XI, 163-75; in *La Vie sexuelle*, Paris, PUF, 1969, 47-55; "Sobre o narcisismo: uma introdução" (1914), *ESB*, XIV, 89-122; *GW*, X, 138-70; *SE*, XIV, 73-102; in *La Vie sexuelle*, Paris, PUF, 1969, 80-105; "As transformações da pulsão exemplificadas no erotismo anal" (1917), *ESB*, XVII, 159-70; *GW*, X, 402-10, *SE*, XVII, 125-133; in *La vie sexuelle*, Paris, PUF, 1969, 106-12, "A organização genital infantil da libido: uma interpolação na teoria da sexualidade" (1923), *ESB*, XIX, 179-88; *GW*, XIII, 293-8; *SE*, XIX, 141-5; *OC*, XVI, 303-9; "A dissolução do complexo de Édipo" (1924), *ESB*, XIX, 217-28; *GW*, XIII, 395-402, *SE*, XIX, 173-9; *OC*, XVII, 25-33; "Tipos libidinais" (1931), *ESB*, XXI, 251-8; *GW*, XIV, 509-513; *SE*, XXI, 215-20; in *La vie sexuelle*, Paris, PUF, 1969, 156-9 • S. Lindner, "Das Saugen an den Fingern, Lippen, bei dei Kindern (Ludeln)", in *Jahrbuch für Kinderheitkunde und Physische Erziehung*, Neue Folge, XIV, 1879 • Richard von Krafft-Ebing, *Psychopathia Sexualis* (Stuttgart, 1886, Paris, 1907), Paris, Payot, 1969 • Albert Moll, *Untersuchungen über die Libido Sexualis*, Berlin, Fischer's Medizinische Buchhandlung, H. Kornfeld, 1897; *Das Sexualleben des Kindes*, Berlin, H. Walter, 1908 • Havelock Ellis, *Études de psychologie sexuelle*, vol.I (Londres, 1897), Paris, Mercure de France, 1904 • Ernest Jones, *A vida e a obra de Sigmund Freud*, 3 vols. (N. York, 1953, 1955, 1957), Rio de Janeiro, Imago, 1989 • Henri F. Ellenberger, *Histoire de la découverte de l'inconscient* (N. York, Londres, 1970, Villeurbanne, 1974), Paris, Fayard, 1994 • Jean Laplanche, *Vida e morte em psicanálise* (Paris, 1970), P. Alegre, Artes Médicas, 1985 • Frank J. Sulloway, *Freud, Biologist of the Mind*, N. York, Basic Books, 1979 • Norman Kiell, *Freud without Hindsight. Review of his Work, 1893-1939*, Madison, International Universities Press, 1988.

➢ CENA PRIMÁRIA; DOLTO, FRANÇOISE; *ESTUDO AUTOBIOGRÁFICO, UM*; FANTASIA; FREUD, ANNA; HISTERIA; INVEJA; KLEIN, MELANIE; PAPPENHEIM, BERTHA; ROMANCE FAMILIAR; SEDUÇÃO, TEORIA DA; SOKOLNICKA, EUGÉNIE; WINNICOTT, DONALD WOODS.

Triandafilidis, Manolis (1883-1959)
pedagogo grego

Professor e gramático, fundador, em 1910, de um Círculo Pedagógico que reunia militantes favoráveis à criação de uma língua "demótica" (ou língua do povo), e de uma nova educação para as crianças, Manolis Triandafilidis foi o primeiro autor grego a publicar, em 1915, um artigo sobre a psicanálise* que teve grande repercussão: "O princípio da língua e da psicologia freudiana". Expunha como a teoria do inconsciente*, ao esclarecer a alma e o psiquismo, podia contribuir para o desenvolvimento de uma nova pedagogia neo-helênica. Interessado tanto nas teorias socializantes de Alfred Adler* quanto nas de Sigmund Freud*, teve com eles algum intercâmbio epistolar.

• Eleni Atzina, "L'Introduction de la psychanalyse en Grèce à travers ses relations avec les instituitions psychiatriques (1910-1950)", Monografia de DEA, GHSS, Universidade de Paris VII, 1996.

➢ EMBIRICOS, ANDREAS; FEDERAÇÃO EUROPÉIA DE PSICANÁLISE; HISTÓRIA DA PSICANÁLISE; KOURETAS, DIMITRI.

Trieb
➢ PULSÃO.

U/V

Unheimlich
➤ ESTRANHO, O.

Unterdrückung
➤ REPRESSÃO.

Varendonck, Juliaan (1879-1924)
psicanalista belga

Membro da Nederlandse Vereniging voor Psychoanalyse (NVP), esse pioneiro da psicanálise* na Bélgica* era doutor em filosofia, letras e pedagogia. Analisado por Theodor Reik* em Viena* em 1922, Juliaan (ou Julien) Varendonck participou do Congresso da International Psychoanalytical Association* (IPA) em Berlim. Morreu prematuramente durante uma intervenção cirúrgica banal. Sigmund Freud* redigiu em inglês o prefácio de sua obra *The Psychology of Day-Dreams*, publicada em 1921, e Anna Freud* a traduziu para o alemão,

• Juliaan Varendonck, *The psychology of day-dreams*, Londres, George Allen and Unwin, 1921 • "Introdução a *The psychology of day-dreams*, de V. Varendonck"; *ESB*, XVIII, 271-328; *GW*, XIII, 439-40, *SE*, XVIII, 271-2; *OC*, XVI, 151-2.

Verdrängung
➤ RECALQUE.

Verleugnung
➤ RENEGAÇÃO.

Verwerfung
➤ FORACLUSÃO.

Viena

A idéia de que a psicanálise* era apenas um mero produto do espírito vienense — e, além disso, do espírito "judeu vienense", — fazia parte daqueles clichês que exasperavam Sigmund Freud* e o levaram a querer "desjudaizar" seu movimento e colocar um não-judeu (Carl Gustav Jung*) à frente da International Psychoanalytical Association* (IPA), a fim de que ninguém pudesse dizer que a psicanálise era uma "ciência judia". A tese do *genius loci* ou do *Zeitgeist* (gênio do lugar, espírito do tempo) serviu primeiro para desqualificar a descoberta freudiana e reduzi-la a um pansexualismo*, isto é, a uma doutrina "obscena" surgida num cérebro degenerado no coração da cidade "artificial" e obcecada pelos demônios do sexo. Popularizada por Adolf Albrecht Friedländer (1870-1949) por ocasião de um congresso internacional de medicina realizado em Budapeste em 1909, e ingenuamente retomada por Pierre Janet*, ela reduzia a conceitualidade freudiana a uma moda, a uma epidemia psíquica ou ainda a um assunto cultural desprovido de racionalidade científica. A essas críticas Freud respondia que o inconsciente* era universal, como a histeria* e outras entidades clínicas.

Quanto à cidade de Viena, ele disse um dia a Ernest Jones* que tinha por ela profunda aversão. "No começo de minhas relações com ele, escreveu Jones, e antes de conhecer sua aversão, disse-lhe inocentemente um dia que, em minha opinião, devia ser muito interessante morar numa cidade transbordante de idéias novas. Para minha grande surpresa, ele se levantou bruscamente e me disse em tom seco: 'Há cinqüenta anos que estou aqui e nunca encontrei uma idéia nova!'" Essa observação prova que Freud não estava interessado em Art Nouveau, e sabe-se que ele não manifestava nenhuma atração pelos pintores e artistas da Sezession, por exemplo, preferindo ficar com os "clássicos": o século XIX, a Grécia antiga, os grandes autores, Goethe, Shakespeare, Cervantes. Assim, também ignorou a maneira com que os surrealistas apreciavam sua obra e sua teoria.

Só foi possível superar essa problemática e detectar quais foram as verdadeiras relações de Freud com a cultura vienense graças aos trabalhos dos historiadores dos anos 1960. Carl Schorske foi o primeiro, em um artigo de 1961 e depois em um livro admirável, *Viena fin-de siècle*, publicado em 1981, a mostrar que as repercussões da desintegração progressiva do Império Austro-Húngaro tinham feito da cidade "uma das mais férteis matrizes da cultura a-histórica de nosso século. Os grandes criadores, na música, na filosofia, na economia, na arquitetura e, evidentemente, na psicanálise romperam mais ou menos deliberadamente todos os laços com a perspectiva histórica que estavam nos fundamentos da cultura liberal do século XIX e na qual eles tinham sido educados."

Schorske constatou que, na sociedade vienense dos anos 1880, o liberalismo era uma promessa sem futuro, que afastava o povo do poder e o abandonava aos demagogos anti-semitas. Diante do niilismo social e da explosão de ódio, os filhos da burguesia rejeitavam as ilusões de seus pais e expressavam outras aspirações: fascínio pela morte e pela intemporalidade em Freud, sonho de uma terra prometida (Estado judeu) em Theodor Herzl (1860-1904), desconstrução do eu* em Hugo von Hofmannsthal (1874-1929), em sua famosa *Carta a Lord Chandos* de 1902, suicídio*, negação ou conversão entre os intelectuais habitados pelo "ódio de si judeu" (Karl Kraus*, Otto Weininger*), invenção de novas formas literárias em Joseph Roth (1894-1939) e Arthur Schnitzler*. Robert Musil (1880-1942) deu a Viena o nome de *Cacanie*, palavra fabricada a partir de *kaiserlich-königlich* (imperial-real), e Hofmannsthal a via como a "monstruosa residência de um rei já morto e de um deus por nascer". Quanto a Stefan Zweig*, ele a descreveria com nostalgia em *O mundo de ontem*, às vésperas de se suicidar.

Depois de Schorske, outros trabalhos, de William Johnston a Jacques Le Rider, lançaram um novo olhar sobre a modernidade vienense e esclareceram um dos fundamentos da invenção psicanalítica: o sentimento do declínio da função paterna e a preocupação em reavaliar sua posição simbólica. Em 1986, Jean Clair organizou em Paris uma exposição importante sobre o tema "Viena, o apocalipse alegre", que teve grande sucesso e reavivou o interesse pelos trabalhos históricos sobre a questão.

De fato, foi em Viena, capital do Império Austro-Húngaro, e não na Áustria, que se formou o grupo freudiano das origens, a Sociedade Psicológica das Quartas-Feiras*, quase exclusivamente composta de judeus nascidos em Viena, mas oriundos dos descendentes das comunidades distribuídas pelo vasto território da Mitteleuropa. Transformada em Wiener Psychoanalytische Vereinigung (WPV) em setembro de 1908, a Sociedade perdeu sua posição central depois da Primeira Guerra Mundial, quando Berlim se tornou a capital européia da psicanálise, com a criação do Berliner Psychoanalytisches Institut* (BPI). Todavia, a presença de Freud e a autoridade dos grandes vienenses da primeira geração (Paul Federn*, Siegfried Bernfeld*, August Aichhorn* etc.) lhe garantiram durante ainda vinte anos um lugar importante no seio da International Psychoanalytical Association* (IPA).

Em maio de 1938, dois meses depois da invasão da Áustria pelas tropas alemãs, Carl Müller-Braunschweig* dirigiu uma carta a Richard Sterba* na qual lhe propunha colaborar com o Instituto Göring para "salvar" a psicanálise na Áustria. Como todas as missivas oficiais do Instituto, essa carta terminava com "Heil Hitler!". Freud e seus companheiros se reuniram então para pôr fim à atividade da WPV, e Anna Freud* perguntou a Sterba quais eram suas intenções. Único não-judeu do grupo, ele podia, como desejavam Ernest Jones* e Müller-Braunschweig, tomar a direção da política de "salvamento" em questão. Ele se recusou. E Freud pronunciou estas palavras: "Depois da destruição por Tito do povo de Jerusalém, o rabino Hochanaan ben Sakkai pediu a Javé autorização para abrir uma escola dedicada ao estudo da Torá. Vamos fazer o mesmo. Pela nossa história, nossas tradições, estamos habituados a ser perseguidos." Depois, voltando-se para Sterba, acrescentou: "Com uma exceção."

A 3 de junho de 1938, Freud deixou Viena pelo Expresso do Oriente, para nunca mais voltar. Deixou ali suas quatro irmãs, Rosa Graf*, Maria Freud*, Adolfine Freud*, Pauline Winternitz*, que desapareceriam nas trevas da "solução final".

Freud levava consigo sua biblioteca, seus objetos, móveis, cartas, seus manuscritos: vestígios e lembranças de uma vida inteira. O apartamento de Berggasse 19 foi então inteiramente esvaziado, e tudo o que continha foi transferido para Londres, para a nova casa de Maresfield Gardens 20. Dez dias antes da partida, a pedido de Aichhorn, que desejava organizar, algum dia, um museu no apartamento da Berggasse, Edmund Engelman, jovem fotógrafo vienense, fez uma série de fotos do local, ainda intacto. Também obrigado a deixar Viena, confiou os negativos a Aichhorn, que os fez chegar a Londres: "Voltei a Viena, escreveu Engelman, depois da partida do último locatário. Vi como haviam estragado os cômodos. Subsistiam poucos sinais de sua antiga dignidade; as belas estufas de porcelana tinham desaparecido para darem lugar a horrorosos aparelhos de aquecimento." Reunidas em um álbum intitulado *A casa de Freud. Berggasse 19*, as fotografias de Engelman foram vendidas no mundo inteiro: elas davam o testemunho vivo de 47 anos (1891-1938) de vida dedicados à ciência, à arte, à cultura.

Quando Henri F. Ellenberger* foi à Berggasse em 24 de agosto de 1957, constatou que a Federação Mundial de Saúde Mental tinha mandado afixar uma placa em memória de Freud. Mas a locatária lhe declarou: "De fato, é aqui mesmo, mas não há nada para ver. Tudo foi mudado. Não posso lhe mostrar nada. O tempo todo, as pessoas vêm pedir para visitar o apartamento. É muito irritante. Já me queixei várias vezes às autoridades, pedi que comprassem o apartamento e me arrumassem outro. Mas eles dizem que não têm dinheiro."

Em 1969, foi fundada a Sigmund Freud Gesellschaft, com o objetivo de restaurar o apartamento e criar nele um museu, que conteria apenas fotografias e os móveis da antiga sala de espera de Freud.

Em vida, Freud recusara a proposta do conselho municipal de Viena, de dar seu nome à Berggasse. Depois da Segunda Guerra Mundial, o esquecimento de Freud em Viena foi tal que os guias turísticos nem mencionavam seu nome. "A indiferença do público e sua hostilidade latente dão o que pensar, escreveu Peter Gay. Freud, que foi o primeiro a descrever os mecanismos da ambivalência, certamente teria encontrado nessa cidade, que ele detestava mas não podia deixar, matéria para estudar os sentimentos ambíguos: parece que Viena recalcou Freud."

Entretanto, a psicanálise continuou a viver em Viena depois da Libertação graças a três aristocratas: o conde Igor Caruso*, o barão Alfred von Winterstein* e o conde Wilhelm Solms-Rödelheim, último médico de Serguei Constantinovitch Pankejeff*. Com Aichhorn, reconstituíram a WPV, que seria presidida por Winterstein até 1958.

Entretanto, já em 1947 Caruso se separou sem discussões da WPV, cuja orientação lhe parecia excessivamente médica, excessivamente materialista, excessivamente "americana", em resumo. Criou logo o primeiro Círculo de Trabalho Vienense sobre a psicologia das profundezas, que seria o primeiro elo de uma internacional: a Internationale Föderation der Arbeitskreise für Tiefenpsychologie* (IFAT). Mesmo continuando a ser freudiano, Caruso não aceitava os padrões de formação da IPA.

No fim do século XX, dominada pela forte personalidade de Harald Leupold-Löwenthal, que encarna o antigo espírito vienense, a WPV conta em suas fileiras com 60 membros, ou seja um índice de sete e meio por milhão de habitantes. Os outros terapeutas freudianos estão em Viena e em várias cidades da Áustria (Linz, Salzburgo, Innsbruck, Graz) e fazem parte dos Círculos de Caruso, nos quais alguns se interessam pela obra de Jacques Lacan*, como August Ruhs, por exemplo.

• Hugo von Hofmannsthal, *La Lettre de Lord Chandos et autres textes*, Paris, Gallimard, 1992 • Joseph Roth, *La Marche de Radetzky* (Viena, 1932), Paris, Seuil, 1982 • Robert Musil, *L'Homme sans qualités*, 2 vols. (1931-1933), Paris, Seuil, 1979 • Ernest Jones, *A vida e a obra de Sigmund Freud*, vol. 3 (N. York, 1957), Rio de Janeiro, Imago, 1990 • Henri F. Ellenberger, "Une visite à la Berggasse" (1957), in *Médecines de l'âme*.

Essais d'histoire de la folie et des guérisons psychiques, Paris, Fayard, 1995, 91-4 • Carl Schorske, *Viena fin-de-siècle* (N. York, 1981), S. Paulo, Companhia das Letras, 1990 • *La Maison de Freud. Berggasse 19 Vienne*, fotografias de Edmund Engelman e nota biográfica de Peter Gay (N. York, 1976), Paris, Seuil, 1979 • Wolfgang Huber, *Psychoanalyse in Österreich seit 1933*, Viena, Geyer, 1977; "L'Histoire de la psychanalyse en Autriche depuis l'exil de Sigmund Freud", *Vienne et la Psychanalyse*, número especial da revista *Austriaca*, 21, novembro de 1985, 95-101 • William M. Johnston, *L'Esprit viennois. Une histoire intellectuelle et sociale 1848-1938* (N. York, 1972), Paris, PUF, 1985 • Allan Janik e Stephen Toulmin, *Wittgenstein, Vienne et la modernité* (N. York, 1973), Paris, PUF, 1978 • Richard Sterba, *Réminiscences d'un psychanalyste viennois* (Detroit, 1982), Toulouse, Privat, 1986 • Michael Pollak, *Vienne 1900*, Paris, Gallimard, 1984 • Hans-Martin Lohman (org.), *Psychoanalyse und National-sozialismus*, Frankfurt, Fischer, 1984 • Paul-Laurent Assoun, "Freud et le lien viennois", in *Vienne et la psychanalyse*, número especial da revista *Austriaca*, 21, novembro de 1985, 11-21 • Raoul Schindler, "L'Édification de la personnalité par la psychanalyse. Igor Caruso et les cercles de travail sur la psychologie des profondeurs", ibid., 101-9 • *Vienne 1880-1938. L'Apocalypse joyeuse*, catálogo da exposição, sob a direção de Jean Clair, Paris, Centre Georges Pompidou, 1986 • Célia Bertin, *La Femme à Vienne au temps de Freud*, Paris, PUF/Laurence Pernoud, 1989 • Jacques Le Rider, *Modernité viennoise et crises de l'identité* (1990), Paris, PUF, 1994; *Hugo von Hofmannsthal. Historicisme et modernité*, Paris, PUF, 1995 • Elke Mühlleitner, *Biographisches Lexikon der Psychoanalyse. Die Mitglieder der Psychologischen Mittwoch-Gesellschaft und der Wiener Psychoanalytischen Vereinigung von 1902-1938*, Tübingen, Diskord, 1992 • *Max Nordau, 1849-1923*, Delphine Bechtel, Dominique Bourel e Jacques Le Rider (org.), Paris, Cerf, 1996 • Jean Clair, *Malinconia. Motifs saturniens dans l'art de l'entre-deux-guerres*, Paris, Gallimard, 1996.

➢ BAUER, IDA; BENEDIKT, MORIZ; BISSEXUALIDADE; BREUER, JOSEF; FREUD MUSEUM; HUG-HELLMUTH, HERMINE VON; JUDEIDADE; KRAFFT-EBING, RICHARD VON; MAHLER, GUSTAV; PAPPENHEIM, BERTHA; PATRIARCADO; SADGER, ISIDOR; SEXOLOGIA; SEXUALIDADE; WAGNER-JAUREGG, JULIUS; WITTELS, FRITZ.

vitalismo

Doutrina médica proveniente de Paul Joseph Barthez e da escola de Montpellier, segundo a qual existe em cada indivíduo um princípio vital, distinto tanto da alma quanto do pensamento e das propriedades físico-químicas dos organismos vivos.

Vlad, Constantin (1892-1971)
psiquiatra e psicanalista romeno

Originário de Bucovina, província oriental do Império Austro-Húngaro, Constantin Vlad foi o pioneiro da psicanálise* na Romênia*. Estudou medicina em Viena* e foi por suas leituras pessoais que se iniciou na psicanálise*. Em 1923, defendeu uma tese de doutorado em Bucareste, na qual apresentou seis casos de análise. Psiquiatra do serviço sanitário do exército, melhorou o tratamento dos soldados com a aplicação do método freudiano.

A partir de 1925, publicou várias obras e, especialmente em 1932, um célebre estudo psicobiográfico sobre o poeta Mihail Eminescu (1850-1889). Criou em 1935 a *Revista Romana de Psihanaliza*, que teve apenas um número. Em 1946, foi o primeiro presidente da Sociedade Romena de Psicopatologia e Psicoterapia. Durante os períodos de ditadura, nunca renegou a psicanálise.

• Gheorghe Bratescu, *Freud si psihanaliza in Romania*, Bucareste, Humanitas, 1994.

➢ COMUNISMO; HISTÓRIA DA PSICANÁLISE; POPESCU-SIBIU, IOAN.

W

Wagner-Jauregg, Julius, *né* Wagner Ritter von Jauregg (1857-1940)

psiquiatra austríaco

Contemporâneo e amigo de Sigmund Freud*, apesar de uma oposição radical à psicanálise* em nome de posições organicistas, Julius Wagner-Jauregg foi todavia um reformador do asilo em Viena*. Inventou a malarioterapia, que permitiu tratar da paralisia geral, o que lhe valeu o Prêmio Nobel de medicina em 1927.

Atacado em 1920 e acusado de falta grave por ter chamado de simuladores doentes neuróticos de guerra que submetera a tratamentos com eletricidade, foi convocado por uma comissão de inquérito, da qual Freud participou como perito. Através desse debate, foi relançada a questão da neurose traumática e da simulação. Furioso por ser criticado (embora com muita moderação) por Freud, Wagner-Jauregg o acusou depois de ter-se aproveitado dessa ocasião para atacá-lo e valorizar sua doutrina.

Conservador e desesperado com a derrocada da monarquia josefista, abraçou a causa do nacionalismo alemão e, no fim da vida, aderiu ao Partido Nacional-Socialista, mesmo nunca tendo sido anti-semita.

• Julius Wagner-Jauregg, *Lebenserinnerungen*, L. Schönbauer e M. Jantsch (org.), Viena, Springer, 1950 • Magda Whitrow, *Julius Wagner-Jauregg*, Londres, Smith Gordon and Company, 1993 • Peter Berner, "Freud et Wagner-Jauregg: psychanalyse, neurologie, psychiatrie", conferência inédita • Colóquio internacional sobre o tema "Psycho-analyse, premier siècle", organizado pelo Institut Français de Vienne, junho de 1996.

➤ BABINSKI, JOSEPH; CHARCOT, JEAN MARTIN; HISTERIA; NEUROSE; SEDUÇÃO, TEORIA DA.

Watermann, August (1880-1944)

médico e psicanalista alemão

Depois de estudar medicina em Göttingen, August Watermann formou-se no Instituto de Berlim e tornou-se membro da Deutsche Psychoanalytische Gesellschaft (DPG) em 1927. Em 1930, com Clara Happel*, fundou em Hamburgo um grupo de estudos psicanalíticos. Depois da tomada do poder pelos nazistas, emigrou para os Países Baixos*, onde teve dificuldade para se integrar à Nederlandse Vereniging voor Psychoanalyse (NVP). Finalmente, instalou-se em Haia. Casou-se com uma neerlandesa, Deena Vecht, com quem teve um filho. Depois da invasão da Holanda pelas tropas alemãs, tentou em vão emigrar para os Estados Unidos*, mas foi detido e preso no campo de trânsito de Wremdelingen, em Westerbork. Em 18 de janeiro de 1944, foi deportado com sua família para o campo de concentração de Theresienstadt, e depois para o de Auschwitz. Todos os três foram exterminados.

• *Ici la vie continue de manière surprenante. Contribution à l'histoire de la psychanalyse en Allemagne* (Hamburgo, 1985), seleção de textos traduzidos por Alain de Mijolla, Paris, Association Internationale d'Histoire de la Psychanalyse (AIHP), 1987.

Weininger, Otto (1880-1903)

escritor austríaco

Como Wilhelm Fliess*, o nome de Otto Weininger está ligado à construção, por Sigmund Freud*, da noção de bissexualidade*. Seu destino foi sintomático da ascensão de alguns dos grandes fanatismos do fim do século XIX: anti-semitismo, antifeminismo, culto à pureza racial.

Nascido em Viena*, era filho de um artesão judeu, anti-semita e violento, que se casara com uma mulher deprimida, doente e submissa à sua tirania. Poliglota e aluno brilhante, mas taciturno e melancólico, o jovem Otto admirava August Strindberg (1849-1912) e adotara as teses anti-semitas de Houston Stewart Chamberlain (1855-1927), genro de Richard Wagner (1813-1883) e teórico da superioridade da "raça alemã". Em 1902, por ódio à sua judeidade*, converteu-se ao protestantismo e, um ano depois, publicou sua única obra, *Sexo e caráter*, verdadeiro manifesto da bissexualidade e do ódio às mulheres e aos judeus. Em outubro do mesmo ano, preparou seu suicídio*. Alugou um quarto na antiga casa de Ludwig van Beethoven (1770-1827), e ali deu um tiro no coração. Traduzido em dez línguas, seu livro foi um fantástico best-seller e teve 28 reimpressões até 1947, antes de cair no esquecimento.

Freud foi envolvido na vida de Weininger por causa de Hermann Swoboda*. Em uma nota de 1909 a respeito da análise de Herbert Graf* (o Pequeno Hans), Freud fez uma crítica severa de Weininger: "O complexo de castração* está na raiz inconsciente do anti-semitismo. O desprezo pelas mulheres jovens também não tem outra raiz. Weininger, esse jovem filósofo eminentemente dotado e sexualmente perturbado, que se suicidou depois de escrever o curioso livro *Sexo e caráter*, tratou, em um capítulo que causou sensação, do judeu e da mulher com a mesma hostilidade, lançando-lhes os mesmos insultos. Weininger era um neurótico inteiramente dominado por complexos infantis; nele, era o complexo de castração que fazia a ligação entre o judeu e a mulher."

• Otto Weininger, *Sexe et caractère* (Viena, 1903), Lausanne, L'Âge d'Homme, 1975 • Jacques Le Rider, *Le Cas Otto Weininger. Racines de l'antiféminisme et de l'antisémitisme*, Paris, PUF, 1982; *Modernité viennoise et crises de l'identité* (1990), Paris, PUF, 1994 • Érik Porge, *Vol d'idées*, Paris, Denoël, 1994.

Weiss, Edoardo (1889-1970)

psiquiatra e psicanalista americano

Nascido em Trieste, Edoardo Weiss era filho de um empresário judeu da Boêmia. Fez os estudos secundários em sua cidade natal, onde também nascera sua mãe.

Em 1908, como muitos de seus contemporâneos, Weiss decidiu estudar medicina em Viena*. Logo que chegou à capital austríaca, solicitou uma consulta a Sigmund Freud*, com quem se encontrou pela primeira vez em 7 de outubro de 1908. Nessa ocasião, encontrou na sala de espera uma criança de cinco anos, que mais tarde saberia tratar-se do Pequeno Hans (Herbert Graf*), que fora visitar Freud algum tempo depois de terminar seu tratamento. Freud parece ter manifestado imediatamente grande simpatia por esse jovem italiano, que lhe participou o desejo de se dedicar à psicanálise*. Seria porque comparava, com bom humor, Wilma Federn com Mussolini e o seu marido com o rei da Itália, Vítor Emanuel, que Freud enviou o jovem Weiss a Paul Federn* para começar logo uma análise? A história não diz... De todo modo, Weiss se tornaria amigo de Federn depois de ser analisado por ele e adotaria grande parte de suas concepções teóricas, particularmente a que se referia à psicologia do eu*.

Weiss começara a se interessar pela psicanálise muito cedo. Ainda no liceu, em Trieste, lera *A interpretação dos sonhos** e contou, em suas "Lembranças de Sigmund Freud", publicadas com as cartas que Freud lhe enviou, que desde essa época estava informado da "inimizade que os dirigentes da psiquiatria e da neurologia alimentavam contra a psicanálise".

Em 1913, antes mesmo de acabar o curso de medicina, Weiss se tornou membro da Wiener Psychoanalytische Vereinigung (WPV). Quando a guerra estourou, foi mobilizado pelo exército austríaco como médico militar. Isso não o impediu de publicar seus primeiros trabalhos no *Internationale ärztliche Zeitschrift für Psychoanalyse** (*IZP*), nem de se casar, em 1917, com Wanda Shrenger, que conhecera quando era estudante.

Voltando a Trieste em 1919, Weiss foi admitido como médico psiquiatra no hospital psiquiátrico da província e começou a analisar pacientes, tornando-se assim o primeiro psicanalista em exercício na Itália. Bem inserido nos meios intelectuais de Trieste, muito abertos à influência austríaca — Giorgio Voghera comparou a paixão da *intelligentsia* de Trieste pela psicanálise com um verdadeiro "ciclone" — Weiss entrou em contato com o escritor Italo Svevo (1861-1928) e com o poeta Umberto Saba (1883-1957). Criticou severamente o primeiro por seu uso incorreto da psicanálise no célebre romance *A consciência de Zeno* e tornou-se analista do segundo em 1929.

Mas a intensidade dessa vida intelectual não deve esconder as dificuldades que Weiss encontrou em sua cidade e na Itália inteira. No fim da guerra, o país se sentia humilhado e, longe de se interessar pela doutrina freudiana, a classe dirigente italiana e os meios intelectuais se voltavam para as ideologias nacionalistas e as concepções positivistas da ciência. Weiss tentou fazer contatos com alguns raros defensores da psicanálise, em especial Marco Levi-Bianchini*.

Ao mesmo tempo, Enrico Morselli (1852-1929), eminente representante da psiquiatria organicista em Trieste, lhe pediu que o iniciasse na teoria freudiana. Gentilmente, Weiss respondeu à sua solicitação e Morselli o convidou a fazer uma comunicação no XVIII Congresso Nacional de Psiquiatria, que se realizou em Trieste em 1925. Mas a decepção de Weiss foi grande: depois de uma recepção fria, sofreu os ataques tão violentos quanto inesperados do próprio Morselli.

Alguns meses depois, este publicou uma obra em dois volumes, intitulada *La psicoanalisi*, na qual a psicanálise e seu fundador eram francamente caricaturados. Weiss sentiu uma grande amargura. A isso acrescentava-se a tristeza que lhe causava a atitude ambivalente de Freud em relação a seu país. Com a esperança de ver suas idéias se implantarem na Itália, Freud estava pronto a fazer concessões, a fingir que não via a agressividade ou a ignorância de certas pessoas, desde que estas manifestassem um mínimo de interesse pela psicanálise. A propósito do livro de Morselli, Freud parecia compartilhar a indignação de Weiss. Efetivamente, pediu-lhe que fizesse uma crítica impiedosa dessa obra "miserável e maldosa", cujo autor não passava de um "burro". Mas nem por isso deixou de escrever, no mesmo momento, uma carta a Morselli, cujo tom era dos mais amáveis. Por duas vezes, Freud adotaria a mesma atitude a respeito de Levi-Bianchini. Às advertências que Weiss lhe fizera, quanto ao turbulento fundador do *Archivio de Neurologia, Psichiatria e Psicoanalisi*, que considerava pouco confiável, Freud respondeu de maneira benevolente, e até insistiu com Weiss para que

este confiasse ao mesmo Levi-Bianchini a edição de sua tradução para o italiano das *Conferências introdutórias sobre psicanálise**, coisa que ele fez muito mal. Desses diversos incidentes, das dificuldades manifestadas mais ou menos explicitamente por Freud quando estava diante dos efeitos da transferência dos seus alunos sobre a sua pessoa, Weiss seria um dos poucos a falar posteriormente sem cair na adulação nem no rancor.

A partir de 1927, Weiss encontrou cada vez mais obstáculos. Recusando-se a italianizar seu nome e a aderir ao partido fascista, foi obrigado a renunciar a seu posto no hospital. Pensou então em emigrar e abriu-se com Freud, que lhe respondeu, em 10 de abril de 1927, para desaconselhá-lo a fazer isso: "Sei que há épocas particularmente desfavoráveis e outras em que tendemos ao desânimo, mas espero que elas passem e que você ainda se encontre bem na Itália, onde é o representante legítimo da psicanálise".

Em 1930, um certo Silvio Tissi, que Weiss em uma carta a Paul Federn de 16 de junho de 1930 qualificou de "charlatão", fez em Trieste uma conferência sobre a psicanálise, que teve certa repercussão, a despeito de sua mediocridade. Weiss foi então solicitado, por uma sociedade médica local, a dar um curso de psicanálise, como resposta. Ministrou assim, para um público numeroso e apaixonado, cinco aulas, que seriam publicadas sob o título *Elementi di psicoanalisi*, acompanhadas de um caloroso prefácio de Freud. O livro teve logo um certo sucesso. Tratava-se de uma apresentação rigorosa e exaustiva da doutrina freudiana, à qual se acrescentavam desenvolvimentos sobre os trabalhos de Federn e algumas notas sobre as pesquisas do próprio Weiss. Anexo, havia um glossário de termos psicanalíticos, que durante muito tempo foi o único do gênero na Itália.

Nesse mesmo ano de 1931, aceitando uma proposta do psiquiatra Sante De Sanctis (1862-1935), Weiss deixou Trieste e foi para Roma, onde logo fez amizade com Emilio Servadio* e Nicola Perrotti*, que seriam, com ele, os pioneiros da psicanálise na Itália. Cesare Musatti* se juntou a eles pouco depois.

Em 1932, Weiss fundou novamente, sobre bases sérias, a Società Psicoanalitica Italiana

(SPI), inicialmente criada, em 1925, por Levi-Bianchini. A sede da Sociedade foi transferida para Roma, no domicílio de Weiss, na Via dei Gracchi, e a International Psychoanalytical Association* (IPA) a reconheceria oficialmente em 1936. Também em 1932, Weiss fundou a *Rivista Italiana di Psicoanalisi*, que publicou artigos de Ernest Jones*, Marie Bonaparte*, Paul Federn e traduções de Freud por Weiss e Servadio, assim como os trechos fortes de uma violenta controvérsia com certos representantes da nova geração crociana (Benedetto Croce, 1866-1952).

Em 1933, produziu-se um acontecimento cuja interpretação ainda hoje é problemática. Nesse ano, Weiss, como fazia de vez em quando, foi a Viena para apresentar a Freud uma paciente sua, cujo tratamento levantava alguns problemas. Weiss e ela estavam acompanhados do pai desta, Gioacchino Forzano, autor de comédias e amigo de Benito Mussolini (1883-1945). Ao fim da consulta, o pai pediu a Freud que dedicasse um de seus livros para o Duce. Em consideração a Weiss, Freud consentiu, escolhendo o texto "Por que a guerra?", escrito com Albert Einstein (1879-1955). Posteriormente, Weiss contou o ocorrido a Ernest Jones*, pedindo-lhe expressamente que não o publicasse. Mas, no terceiro volume de sua biografia de Freud, Jones ignorou esse pedido e deu uma versão do incidente que contribuiria para obscurecer seu sentido. Traduziu para o inglês a dedicatória de Freud e atribuiu a Weiss, a quem acusou de manter contatos estreitos com o ditador italiano, a indicação de uma intervenção de Mussolini junto a Hitler para garantir a proteção de Freud. Com moderação, Weiss retificou os fatos, lembrando sua oposição feroz e precoce ao fascismo mussoliniano, a interdição, em 1934, da *Rivista Italiana di Psicoanalisi* e as perseguições que o levariam, como muitos de seus amigos, a deixar o país. Aliás, ajudado por Kurt Eissler, então secretário dos Arquivos Freud, Weiss encontrou o exemplar do livro com a dedicatória de Freud e expôs o caráter aproximativo da tradução que Jones fizera dela. A sinceridade e a autenticidade dos sentimentos antifascistas de Weiss eram indubitáveis e o pedido a Jones mostrava seu constrangimento por ocasião do encontro.

Comparando, a partir do alemão, a verdadeira dedicatória de Freud e a versão de Jones em inglês, Paul-Laurent Assoun tentou interpretar a intenção de Freud. Enfatizou que este escolhera deliberadamente esse livro sobre a guerra, escrevendo esta dedicatória: "A Benito Mussolini, com a saudação respeitosa de um velho homem que reconhece, na pessoa do dirigente, um herói da cultura." Paul-Laurent Assoun evidenciou que não havia como detectar nenhuma ambiguidade nessa frase; no máximo uma certa ingenuidade no desejo de que o "dirigente" (*Machthaber*) demonstrasse heroísmo, pondo a força de que dispunha a serviço do direito, única arma capaz de assegurar o caminho da cultura até a razão.

Em 1936, por ocasião do octogésimo aniversário de Freud, os psicanalistas italianos, sempre sob a direção de Weiss, se manifestaram coletivamente, pela primeira e última vez antes do exílio, consagrando um número de sua revista proibida à obra do fundador. Freud respondeu agradecendo calorosamente, acrescentando especialmente para Weiss: "Os psicanalistas da Itália, sob a sua direção, provaram nesta ocasião, de modo particularmente impressionante, sua adesão à comunidade dos psicanalistas. O nome de Edoardo Weiss é garantia de um rico futuro." Mas, como sabemos, a história logo se encarregaria de desmentir essa declaração. As perseguições racistas se multiplicaram, até o decreto de 1938, que proibiu aos judeus qualquer possibilidade de exercer uma profissão. Weiss viu-se obrigado ao exílio. Em janeiro de 1939, embarcou, em Nápoles, para a América. Como escreveu Anna Maria Accerboni, "a cortina caiu definitivamente sobre o fim do primeiro ato da história da psicanálise na Itália."

Nos Estados Unidos*, Weiss começou trabalhando durante algum tempo na clínica de Karl Menninger*, em Topeka, no Kansas. Repetiu os estudos de medicina, a fim de poder exercer oficialmente a psicanálise, e uniu-se à equipe de Franz Alexander* em Chicago, onde ficaria até a morte. Mas a guerra e o fascismo estariam presentes em seu espírito e em seu coração. Seu cunhado, sua irmã e a família de sua mulher desapareceriam nos campos de extermínio nazistas. A Paul Federn, mais do que nunca seu amigo, que lhe expressava sua simpatia, Weiss respondeu em uma carta de 17 de novembro de 1942, mostrando simultaneamente seu ódio, seu desejo de vingança e seu abatimento.

Com mais de sessenta publicações, livros e artigos, Weiss deixou o esboço de uma obra organizada em torno de uma concepção da teoria do eu, que tomou por empréstimo a Paul Federn e desenvolveu a propósito de temas tão variados quanto a clínica da paranóia*, o amor heterossexual, a problemática da identificação* ou a agorafobia, à qual dedicou uma obra publicada nos Estados Unidos em 1964. Depois da morte de Federn, em 1950, que se afastara progressivamente das concepções freudianas originárias da segunda tópica, sem com isso aderir às teses da *Ego Psychology**, então dominantes além-Atlântico, Weiss fez com que as idéias do amigo não fossem esquecidas. Assim, publicou sob o título *Ego Psychology and the Psychoses*, o conjunto de seus escritos e, depois, no âmbito de uma obra coletiva dirigida principalmente por Alexander, um capítulo sobre a teoria da psicose* segundo Federn.

Em 1970, não sem se chocar com a frontal oposição de Anna Freud*, Weiss publicou, com um cuidado especial, as cartas que Freud lhe dirigira, restituindo-os a seu contexto original, conferindo assim a esse pequeno livro um rigor histórico exemplar.

• Edoardo Weiss, *Elementi di psicoanalisi* (Milão, 1937), Pordenone, Edizioni Studio Tesi, 1995, com prefácio de Sigmund Freud; *Ego Psychology and the Psychoses*, Edoardo Weiss (org.), N. York, Basic Books, 1952; *The Structure and Dynamics of the Human Mind*, N. York, 1960; *Agoraphobia in the Light of Ego Psychology*, N. York, Grune and Stratton, 1964; "Paul Federn, 1871-1950, A teoria da psicose", in Franz Alexander, Samuel Eisenstein e Martin Grotjahn (orgs.), *A história da psicanálise através de seus pioneiros* (N. York, 1966), Rio de Janeiro, Imago, 1981 • Sigmund Freud e Edoardo Weiss, *Lettres sur la pratique psychanalytique* (N. York, 1970), Toulouse, Privat, 1975 • Anna Maria Accerboni, "Psicanálise e fascismo. Duas abordagens incompatíveis. O difícil papel de Edoardo Weiss", *Revista Internacional da História da Psicanálise*, 1 (1988), Rio de Janeiro, Imago, 1990, 199-216 • Paul-Laurent Assoun, "Freud et la politique", *Pouvoirs*, 11, 1981, 155-81 • Contardo Calligaris, "Petite histoire de la psychanalyse en Italie", *Critique*, 333, fevereiro de 1975, 175-95 • Marco Conci, "Psychoanalysis in Italy: a reappraisal", *Int. forum. Psychoanal.*, 3, 1994, 117-26 • Michel David, *La psicoanalisi nella cultura italiana* (1966), Turim, Bollati Boringhieri, 1990;

"La Psychanalyse en Italie", in Roland Jaccard (org.), *Histoire de la psychanalyse*, vol.II, Paris, Hachette, 1982 • Octave Mannoni, *Ficções freudianas* (Paris, 1978), Rio de Janeiro, Taurus, 1986 • Jacques Nobécourt, "Freud et le 'Triskeles'", *Critique*, 435-6, agosto-setembro de 1983, 599-622; "La Transmission de la psychanalyse freudienne en Italie via Trieste", *Critique*, 435-6, agosto-setembro de 1983, 623-7 • Arnaldo Novelletto, "Italy", in Peter Kutter (org.), *Psychoanalysis International. Guide to Psychoanalysis throughout the World*, Stuttgart-Bad Cannstatt, Frommann-Holzboog, 1992 • Michele Ranchetti, "Un pioniere della psicoanalisi", *L'indice dei libri del mese*, 1985, 10 • Paul Roazen, "Questions d'éthique psychanalytique: Edoardo Weiss, Freud et Mussolini", *Revue Internationale d'Histoire de la Psychanalyse*, 1992, 5, 151-67 • Silvia Vegetti Finzi, *Storia della psicoanalisi*, Milão, Mondador, 1986 • Giorgio Voghera, *Gli anni della psicoanalisi*, Pordenone, Edizioni Studio Tesi, 1980.

➤ BIBLIOTECA DO CONGRESSO; FOBIA.

White, William Alanson (1870-1937)
psiquiatra americano

Em 1903, William Alanson White foi nomeado por Theodore Roosevelt (1858-1919) diretor do Government Hospital for the Insane de Washington. Logo se interessou pela psicanálise*, cujas principais teses introduziu no saber psiquiátrico americano. Assim, desempenhou um papel considerável como formador de opinião, tradutor, escritor e clínico junto aos jovens psiquiatras da geração* seguinte, interessados no freudismo* e em uma extensão social da psiquiatria ao campo da esquizofrenia*. Foi em especial o inspirador de Harry Stack Sullivan*. Com Ely Smith Jelliffe*, criou a *Psychoanalytic Review*, primeira publicação em língua inglesa dedicada ao freudismo no solo americano. Durante toda a vida, manteve uma certa distância em relação a Sigmund Freud* (que ele chamava "o papa de Viena") e fez uma curta análise com Otto Rank*.

• *L'Introduction de la psychanalyse aux États-Unis. Autour de James Jackson Putnam* (Londres, 1968), Nathan G. Hale (org.), 1978, Paris, Gallimard, 17-86 • Nathan G. Hale, *Freud and the Americans. The Beginnings of Psychoanalysis in the United States, 1876-1917*, t.I (1971), N. York, Oxford University Press, 1995 • E. James Lieberman, *La Volonté en acte. La Vie et l'oeuvre d'Otto Rank* (N. York, 1985), Paris, PUF, 1991.

Winnicott, Donald Woods
(1896-1971)

médico e psicanalista inglês

Dotado de um excepcional gênio clínico, esse grande pediatra, considerado por seus colegas como um espírito independente, e muitas vezes comparado na França* a Françoise Dolto*, foi o fundador da psicanálise de crianças* na Grã-Bretanha, antes da chegada a Londres de Melanie Klein*. Posição paradoxal, pois em geral eram as mulheres que ocupavam esse lugar na história do freudismo*. Por sua obra e suas posições no seio do Grupo dos Independentes*, diante dos kleinianos, por um lado, e dos annafreudianos, por outro, deixou uma herança conceitual fundamental, embora nunca tivesse fundado escola ou corrente.

Donald Woods Winnicott nasceu em Plymouth, a 7 de abril de 1896, em um meio não-conformista da costa oeste da Inglaterra. Era o terceiro filho, o único menino, de Sir Frederick Winnicott, rico comerciante enobrecido que ocupou por duas vezes as funções de prefeito de sua cidade. Criança bem tratada, cercado dos cinco jovens primos que moravam na casa vizinha à sua e foram seus melhores companheiros, cresceu num universo marcado pela presença das mulheres. A mãe, a avó, uma babá, uma governanta e as duas irmãs tiveram um papel maior na sua educação, enquanto o lugar do pai permanecia vago. Absorvido por seus negócios e suas diversas funções administrativas, Sir Frederick não tinha tempo para os filhos: "Meu pai, contou Winnicott, tinha uma fé religiosa simples. Um dia, quando lhe fiz uma pergunta que poderia nos levar a uma discussão sem fim, ele se limitou a dizer: 'Leia a Bíblia que você encontrará a resposta certa.' Foi assim que ele deixou — graças a Deus — que eu me virasse sozinho."

Aos 13 anos de idade, o jovem Donald foi enviado a Cambridge para ser aluno interno da Leys School. Em suas lembranças, ele evocou a saudade que sentiu de sua cidade natal depois da separação, mas também a despreocupação que lhe permitiu adaptar-se à sua nova vida. Logo se apaixonou pela biologia darwiniana e decidiu, depois que fraturou a clavícula, estudar medicina. Entrou para o Jesus College de Cambridge para formar-se em biologia. Durante a Primeira Guerra Mundial, foi designado como cirurgião estagiário a bordo de um contratorpedeiro.

Em 1923, orientou-se para a pediatria e para a psicanálise*. Nessa data, foi nomeado médico-assistente no Padington Green Children's Hospital, lugar que ocuparia durante 40 anos, tratando de mais de 60 mil casos. No mesmo ano, começou, com James Strachey*, um tratamento que se prolongou durante dez anos. Casou-se com Alice Taylor, uma jovem artista que obteve uma modesta reputação de ceramista. As cartas trocadas entre James e Alix Strachey*, em 1924 e 1925, mostram claramente que "Winnie" sofria de problemas sexuais, a ponto de não conseguir consumar seu casamento. O lugar de Alice Taylor na complicada vida de Winnicott foi apagado pela história oficial, mas sabe-se que a jovem foi internada várias vezes em hospitais psiquiátricos.

Em 1951, dois anos depois de seu divórcio, Winnicott casou-se com Clare Britton, uma assistente social que ele encontrara durante a Segunda Guerra Mundial, tratando da instalação, no campo, de crianças evacuadas das cidades. Ela própria se tornaria psicanalista, com o nome de Clare Winnicott, continuando ao mesmo tempo uma brilhante carreira de professora na London School of Economics e no Ministério dos Negócios Estrangeiros. Winnicott não teve filhos.

No momento em que Winnicott começou sua formação psicanalítica, a British Psychoanalytical Society (BPS), fundada por Ernest Jones* em 1913, estava em crise. Violentos conflitos opunham os partidários de Anna Freud* aos de Melanie Klein a propósito da psicanálise de crianças*. Em 1926, a pedido de Jones, Melanie se instalou em Londres. Contra Anna Freud, que continuava apegada a uma concepção pedagógica do tratamento de crianças, ela desenvolveu um ensino centrado na técnica dos jogos e na observação das psicoses* infantis. Por volta de 1930, o conflito teórico resultou em conflito institucional. Melanie Klein se tornou tirânica e sua prática foi denunciada por sua própria filha, Melitta Schmideberg*, analisada por Edward Glover*.

No centro dessa terrível confusão familiar, Winnicott afirmou sua independência. Embora admirasse Melanie Klein, com quem, a conselho de Strachey, fez uma supervisão entre 1935 e 1941, recusou-se a ceder às suas exigências. Assim, quando ela quis obrigá-lo a analisar seu filho Erich, a fim de supervisionar o tratamento, ele o fez mas não aceitou nenhum tipo de supervisão*. Todavia, foi no grupo kleiniano que ele continuou sua formação, fazendo outra análise com Joan Riviere* entre 1933 e 1938. Por sua vez, Clare Winnicott seria analisada por Melanie Klein.

Durante o período das Grandes Controvérsias*, escolheu o Grupo dos Independentes, o que convinha muito bem à sua posição doutrinária, que consistia em tentar elaborar uma concepção pessoal e original da relação de objeto*, do *self* (si) e do brincar.

Em sua obra *Da pediatria à psicanálise*, publicada em 1958, apresentou o conjunto de suas posições sobre o tema. Ao contrário de Melanie Klein, interessava-se menos pelos fenômenos de estruturação interna da subjetividade do que pela dependência do sujeito* em relação ao ambiente. Não aceitava a explicação freudiana da agressividade em termos de pulsão* de morte e definiu a psicose* como um fracasso da relação materna. Daí sua crença em uma certa normalidade fundada nos valores de um humanismo criador. Segundo ele, era o "bom funcionamento" do laço com a mãe que permitia à criança organizar o seu eu* de maneira sadia e estável. Vemos aqui que Winnicott era menos marcado pela tradição da psiquiatria do que pela da pediatria. Como Françoise Dolto posteriormente, foi a medicina educativa, mais do que o fascínio pela loucura, que marcou o seu itinerário.

Depois, foi o trabalho durante a guerra com crianças refugiadas e conseqüentemente privadas presença materna que levou Winnicott a desenvolver um conjunto de novas noções. Em sua opinião, a dependência psíquica e biológica da criança em relação à mãe tem uma importância considerável. Daí o célebre aforismo de 1964: "O bebê não existe." Winnicott queria dizer com isso que o lactente nunca existe por si só, mas sempre e essencialmente como parte integrante de uma relação. Se a mãe estiver incapaz, ausente ou, pelo contrário, demasiadamente intrusiva, a criança se arrisca à depressão ou a condutas anti-sociais, como o roubo ou a

mentira, que são maneiras de reencontrar, por compensação, uma "mãe suficientemente boa".

Todos os grandes conceitos winnicottianos construídos a partir de 1945 fazem parte de um sistema de pensamento fundado na noção de relação: a mãe devotada comum (*ordinary devoted mother*), a mãe suficientemente boa (*good enough mother*), o jogo da espátula ou do rabisco (*spatula game, squiggle game*) ou ainda o falso e o verdadeiro *self* e o objeto transicional*.

Pela importância que atribui à mãe e à relação de maternagem, Winnicott se inscreve na lógica do freudismo no período entre as duas guerras, quando o interesse pelo pai, pelo patriarcado* e pelo Édipo* clássico foi abandonado, em benefício de uma redefinição do materno e do feminino. Nessa perspectiva, a *good enough mother* era realmente uma mãe ideal: atenta a todas as formas de diálogo e de brincar criativo, ela devia se mostrar capaz de inspirar à criança uma frustração* necessária, a fim de desenvolver seu desejo* e sua capacidade de individuação. Essa relação, que reduz o lugar do pai ao mínimo indispensável, aparece como exclusiva e não-erotizada.

A partir de 1945, a obra winnicottiana tomou importância no mundo anglófono, na medida em que as mulheres foram estimuladas a voltar ao lar, depois do esforço de guerra e da volta dos homens à vida civil. Quanto ao próprio Winnicott, tornou-se uma figura popular em seu país, depois de fazer, entre 1939 e 1962, cerca de 50 conferências radiofônicas na BBC, quase todas dirigidas aos pais. O famoso doutor Benjamin Spock, renovador americano da ideologia familiarista, se diria adepto de suas teorias e faria o prefácio de uma de suas obras póstumas.

Winnicott tinha verdadeira paixão pela infância, como mostra o relatório do tratamento da "pequena Piggle", publicado depois de sua morte. Esta tinha dois anos quando foi paciente de Winnicott. Ele a viu durante três anos, a pedido, e fez com ela 16 sessões memoráveis. Gostava de brincar com as crianças, com suas palavras, com seus brinquedos de pelúcia. Mas não mostrava nenhuma complacência para com a infância. Comparava o bebê a um "fardo carregado pelos pais", e quando abrigou em sua casa um menino de 9 anos que fugira de casa, escreveu estas palavras: "Três meses de inferno

[...]. O que importa, penso eu, é a maneira pela qual a evolução da personalidade do menino gerou o ódio em mim e o que eu fiz com isso."

Sua técnica psicanalítica* sempre esteve em contradição com os padrões da International Psychoanalytical Association* (IPA). Winnicott não respeitava nem a neutralidade nem a duração das sessões, e não hesitava, na linhagem da herança ferencziana, em manter relações de amizade calorosa com seus pacientes, reencontrando sempre a criança neles e em si mesmo. Via na transferência* uma réplica do laço materno. Assim, oferecia a seus analisandos um "ambiente" especial. Às vezes, tomava-os nos braços e prolongava a sessão durante três horas. Dedicou a sua última obra, *O brincar e realidade*, aos seus pacientes que "pagaram para me ensinar". Esse não-conformismo, essa ausência de ortodoxia nunca lhe foram realmente reprovados por seus colegas da BPS.

Em suas *Cartas vivas*, publicadas depois de sua morte, descobre-se até que ponto ele soube descrever a esclerose que atingia a BPS, à qual pertencia. Ao longo de uma rica correspondência, Winnicott se mostrou capaz de comentar os costumes e hábitos de seu país e os acontecimentos cotidianos da instituição freudiana de que era membro, e que se encontrava submetida à tirania de duas mulheres: Anna Freud e Melanie Klein. Impiedoso, ele descreveu com ferocidade os defeitos tão característicos dos grupos psicanalíticos (jargão, idolatria etc.). Assim, em uma carta que se tornou célebre, datada de 3 de junho de 1954, denunciou a hipocrisia das duas "chefes" da escola inglesa: "Considero, escreveu ele, que é de importância vital para a Sociedade [a BPS], que ambas destruam seus grupos em seu aspecto oficial [...]. Não tenho razões para pensar que viverei mais tempo que as sras., mas ter que lidar com agrupamentos rígidos, que com a sua morte se tornariam automaticamente instituições de Estado, é uma perspectiva que me apavora."

A partir de sua experiência terapêutica, Winnicott transmitiu um ideal de "não-ruptura" que repercutiu em suas posições institucionais. Em sua ótica, nenhuma instituição era melhor ou pior que outra, pois todas dependiam do fingimento e só a instauração de um justo meio podia favorecer a expressão do verdadeiro. Pre-servação das aparências, salvaguarda de uma posição "transicional", distanciamento crítico, ceticismo apaixonado: essas foram as escolhas de Winnicott, que preferiu criticar a instituição psicanalítica a partir de seu interior a separar-se dela. Diante de Ernest Jones, e muitas vezes contra ele, foi a própria encarnação da situação inglesa da psicanálise. Sua posição, nesse ponto, está apenas em aparente oposição com a de Jacques Lacan*, que, por sua vez, não cessaria de colocar em ato, às vezes sem querer, uma prática de ruptura, de cisão* e de reformulação, como se a arte da revolução permanente fosse, na situação francesa, o único caminho possível.

Ao contrário da maioria dos psicanalistas ingleses, e como Masud Khan*, que foi seu aluno e amigo, Winnicott não ignorou a doutrina lacaniana. Teve com Lacan uma relação epistolar assídua e inspirou-se na noção de estádio do espelho* para escrever o seu artigo de 1967 sobre "O papel de espelho da mãe e da família no desenvolvimento da criança". Mas, no momento das cisões do movimento francês, permaneceu prudente, defendendo até por vezes posições "ortodoxas", sobretudo a respeito da prática de Françoise Dolto, a quem acusou, em 1953, de uma atitude excessivamente "carismática", com o risco de favorecer uma idolatria por parte dos alunos. Independente sem ser solitário, não gostava de seitas, de discípulos, de imitadores. Foi por isso que, mostrando-se ao mesmo tempo transgressor em sua prática e rigoroso em sua doutrina, não hesitou em apoiar os rebeldes e os dissidentes — principalmente Ronald Laing*, um dos artífices da antipsiquiatria*.

Sofrendo de problemas cardíacos desde 1948, Winnicott morreu subitamente em 1971. Na França, a revista *L'Arc* e a *Nouvelle Revue de Psychanalyse* lhe prestaram uma vibrante homenagem: "Talvez não haja nenhum sucessor, escreveu J.-B. Pontalis, ninguém para se dizer seu seguidor. E é melhor assim. Com mestres, a psicanálise pode sobreviver durante algum tempo. Sem juízes nem mestres, ela tem a possibilidade de viver indefinidamente."

• Donald Woods Winnicott, *Clinical Notes on Disorders of Childhood*, Londres, Heineman, 1931; *L'Enfant et sa famille. Les Premières relations* (Londres, 1957), Paris, Payot, 1971; *L'Enfant et le monde extérieur. Le Déve-*

loppement des relations (Londres, 1957), Paris, Payot, 1972; *Da pediatria à psicanálise* (Londres, 1958), Rio de Janeiro, Francisco Alves, 1988; *O ambiente e os processos de maturação* (Londres, 1965), P. Alegre, Artes Médicas, 1983; *O brincar e a realidade* (Londres, 1971), Rio de Janeiro, Imago, 1979; *Consultas terapêuticas em psiquiatria infantil* (Londres, 1971), Rio de Janeiro, Imago, 1979; *Fragment d'une analyse* (Londres, 1975), Paris, Payot, 1975; *The Piggle. Relato do tratamento psicanalítico de uma menina* (Londres, 1977), Rio de Janeiro, Imago, 1979; *Privação de delinqüência* (Londres, 1984), S. Paulo, Martins Fontes, 1995; *Os bebês e suas mães* (Londres, 1987), S. Paulo, Martins Fontes, 1988; *Lettres vives* (Londres, 1987), Paris, Gallimard, 1989; *Conversando com os pais* (Londres, 1993), S. Paulo, Martins Fontes, 1993 • Madeleine Davis e David Wallbridge, *Limite e espaço. Uma introdução à obra de Winnicott* (N. York, 1981), Rio de Janeiro, Imago, 1982 • Perry Meisel e Walter Kendrick, *Bloomsbury/Freud, James et Alix Strachey, Correspondance, 1924-1925* (Londres, 1985), Paris, PUF, 1990 • *Nouvelle Revue de Psychanalyse*, 4, outono de 1971 • *L'Arc*, 69, 1977.

➢ *BORDERLINE*; DIFERENÇA SEXUAL; ESTADOS UNIDOS; GÊNERO; KOHUT, HEINZ; *SELF PSYCHOLOGY*.

Winternitz, Pauline, dita Paula, *née* Freud (1864-1942), irmã de Sigmund Freud

Nascida em Viena*, Paula era a sétima entre os filhos de Jacob e Amalia Freud* e a quinta irmã de Sigmund Freud*. Casada com Valentin Winternitz, com quem teve uma filha, Rose Beatrice, apelidada Rosi, ficou viúva muito cedo. Esquizofrênica desde a infância, Rose se casaria, entretanto, com um jovem poeta, Ernst Waldinger, com quem teria uma filha. Emigrou para Nova York e foi analisada por Paul Federn*.

Em 29 de junho de 1942, Paula Winternitz foi deportada com suas irmãs Adolfine Freud*, chamada Dolfi, e Marie Freud*, chamada Mitzi, para o campo de concentração de Theresienstadt. Dali, foi transferida em 23 de setembro para o campo de extermínio de Maly Trostinec, onde desapareceu, certamente morta na câmara de gás, ao mesmo tempo que Mitzi.

• Ernest Jones, *A vida e a obra de Sigmund Freud*, vols.1 e 3 (N. York, 1953 e 1957). • Peter Gay, *Freud: uma vida para o nosso tempo* (N. York, 1988), S. Paulo, Companhia das Letras, 1995 • Élisabeth Young-Bruehl, *Anna Freud: uma biografia* (N. York, 1988), Rio de Janeiro, Imago, 1992 • Harald Leupold-Löwenthal, "A emigração da família Freud em 1938", *Revista Interna-*

cional da História da Psicanálise, 2 (1989), Rio de Janeiro, Imago, 1992.

➢ FREUD, JACOB; GRAF, ROSA; NAZISMO.

Winterstein, Alfred Freiherr, barão von (1885-1958)

psicanalista austríaco

Nascido em Viena*, Alfred von Winterstein era de uma antiga família da nobreza católica. Estudou direito e filosofia e participou, a partir de 1910, das reuniões da Wiener Psychoanalytische Vereinigung (WPV). No ano seguinte, formou-se em medicina e psicologia em Leipzig, e posteriormente em Zurique, na clínica do Hospital Burghölzli, onde começou uma análise com Carl Gustav Jung*. Voltando a Viena, foi mobilizado pelo exército imperial e, depois da Primeira Guerra Mundial, continuou sua formação didática com Eduard Hitschmann*.

Em 1938, como Richard Sterba* e o conde Wilhelm Solms-Rödelheim, recusou a política de "salvamento" da psicanálise* promovida na Alemanha* por Ernest Jones*. Durante toda a guerra, permaneceu em Viena. Reduziu sua clientela, mas foi molestado e vigiado pela Gestapo, que confiscou seus livros de psicanálise*.

Com a Libertação, juntamente com August Aichhorn*, reconstituiu a Wiener Psychoanalytische Vereinigung (WPV), da qual foi presidente até a morte.

• Wolfgang J.A. Huber, "L'Histoire de la psychanalyse en Autriche depuis l'exil de Sigmund Freud", *Austriaca*, 21, novembro de 1985, 95-100 • Elke Mühlleitner, *Biographisches Lexikon der Psychoanalyse. Die Mitglieder der Psychologischen Mittwoch-Gesellschaft und der Wiener Psychoanalytischen Vereinigung von 1902-1938*, Tübingen, Diskord, 1992.

➢ GÖRING, MATTHIAS HEINRICH; NAZISMO.

Wittels, Fritz (1880-1950)

médico e psicanalista americano

Como seu tio Isidor Sadger*, esse médico vienense, oriundo de um meio de financistas judeus, adotou as teorias freudianas com um fanatismo que exasperava o próprio Sigmund Freud*. Em 1906, aderiu à Sociedade Psicológica das Quartas-Feiras* e distinguiu-se pelas várias exposições nas quais "aplicava" os princípios da psicanálise* de qualquer maneira, vendo por toda a parte "causas sexuais".

Profundamente misógino, publicou em 1907, na revista de Karl Kraus* *Die Fackel*, um artigo sob pseudônimo, no qual declarava que as mulheres que queriam se tornar médicas, isto é, exercer uma profissão, se desviavam de sua verdadeira natureza. Em sua opinião, elas eram neuróticas, histéricas e até prostitutas, incapazes, de qualquer forma, de assumir seu papel de mães. Wittels era obcecado pelo movimento feminista e fascinado com as representações da feminilidade provenientes das teorias de Otto Weininger* sobre a inferioridade do sexo feminino e a bissexualidade*. Não perdia uma ocasião de atacar aquelas que, como ele pensava, "queriam tornar-se homens". Freud o criticou muitas vezes, mas aceitou algumas de suas teses e lhe pediu principalmente que se mostrasse cortês com as mulheres e prudente sobre o futuro da condição feminina.

Adepto da patografia, Wittels tomou como objeto de estudo o próprio personagem que acolhera seu artigo na revista *Die Fackel*: Karl Kraus. Dedicou-se a interpretações* caricaturais sobre esse "caso". A 12 de janeiro de 1910, durante uma conferência na Sociedade das Quartas-Feiras, explicou que o famoso jornal vienense *Neue Freie Press* era o "órgão do pai", isto é o pênis paterno da comunidade judaica vienense. Daí seu sucesso. A esse grande pênis opunha-se, segundo ele, o "pequeno pênis" impotente de Karl Kraus, representado pela revista *Die Fackel*, que só servia para rivalizar de modo neurótico com o "grande órgão" do pai.

No mesmo ano, publicou um romance que tratava disfarçadamente de Karl Kraus. A obra causou escândalo e o escritor se aproveitou disso para denunciar mais uma vez os perigos da psicanálise. Com seu talento habitual, redigiu esta frase terrível, que se tornaria célebre em Viena: "A psicanálise é a doença do espírito que se considera a si mesma como o seu remédio." Descontente com esse caso, Freud se indispôs com Wittels, que se demitiu imediatamente da Wiener Psychoanalytische Vereinigung (WPV).

Em 1924, publicou a primeira biografia do mestre, que continuava a venerar de maneira ambivalente. Essa obra foi traduzida em várias línguas e garantiu uma sólida notoriedade a seu

autor. Wittels fazia uma crítica feroz, e às vezes exata, do funcionamento do círculo freudiano. Denunciava a tirania de seu fundador e o ridículo de seus epígonos, dos quais ele mesmo fazia parte, aliás, a partir de sua participação na Sociedade das Quartas-Feiras: "Freud, escreveu ele, tornou-se um imperador, sobre o qual já se forma uma lenda. Ele reina, reconhecido e absoluto, sobre seu reino [...]. Tornou-se um tirano que não admite nenhum desvio em relação ao que ensina, mantém as suas reuniões secretas e quer conseguir, por uma espécie de sanção pragmática, que as doutrinas da psicanálise continuem como um todo indivisível."

Freud ficou muito irritado com esse livro, que continha muitos erros e enviou ao autor uma lista de retificações. Era um modo de provar que, em quaisquer circunstâncias, ele se preocupava com a exatidão dos fatos. A respeito da gênese do conceito de pulsão* de morte, que Wittels atribuía ao desaparecimento de Sophie Halberstadt*, ele escreveu: "Certamente, em um estudo analítico sobre outrem, eu teria defendido a correlação entre a morte de minha filha e a trajetória do pensamento em *Mais-além*. E no entanto, isso não é exato. *Mais-além* foi escrito em 1919, quando minha filha tinha excelente saúde. Ela morreu em janeiro de 1920. Foi em setembro de 1919 que confiei o manuscrito do pequeno livro a vários amigos de Berlim, para que o lessem. Só faltava a parte sobre a mortalidade ou imortalidade dos protozoários. Nem sempre o verossímil é verdade."

Em 1925, Wittels foi reintegrado à WPV, com o apoio de Freud. Mas suas relações com o grupo vienense estavam terrivelmente deterioradas e, em 1928, ele emigrou para os Estados Unidos*, onde continuou sua carreira na New York Psychoanalytic Society (NYPS). Antes de morrer, dedicou um livro às mulheres americanas.

• Fritz Wittels, *Ezechiel der Zugereiste*, Berlim, 1910; *Freud, l'homme, la doctrine, l'école* (Viena, Leipzig, Zurique, 1924), Paris, Alcan, 1929; *Six Habits of the American Women*, N. York, 1951 • Sigmund Freud, "Carta a Fritz Wittels", *ESB*, XIX, 359-61; *GW*, *Nachtragsband*, 754-8; *SE*, XIX, 286-8; *OC*, XVI, 357-63; *Les Premiers psychanalystes. Minutes de la Société Psychanalytique de Vienne, 1906-1918*, 4 vols. (1962-1975), Paris, Gallimard, 1976-1983 • Elke Mühlleitner, *Biographisches Lexikon der Psychoanalyse. Die Mitglieder der Psychologischen Mittwoch-Gesellschaft und der Wiener Psychoanalytischen Vereinig-*

ung von 1902-1938, Tübingen, Diskord, 1992 • Alain de Mijolla, "Freud, la biographie, son autobiographie et ses biographes", *Revue Internationale d'Histoire de la Psychanalyse*, 6, PUF, 1993, 81-108.

➤ *ESTUDO AUTOBIOGRÁFICO, UM*; HISTORIOGRAFIA; JUDEIDADE; *MAIS-ALÉM DO PRINCÍPIO DE PRAZER*; VIENA.

Witz

➤ *CHISTES E SUA RELAÇÃO COM O INCONSCIENTE, OS*.

Wo Es war

➤ *NOVAS CONFERÊNCIAS INTRODUTÓRIAS SOBRE PSICANÁLISE*.

Wortis, Joseph (1906-1995)

psiquiatra americano

Nascido em Nova York no bairro de Brooklyn, Joseph Wortis era de um meio de intelectuais judeus socialistas. Seu pai era um imigrante russo e sua mãe era de origem francesa. Muito cedo, engajou-se na esquerda e foi membro, durante algum tempo, do Partido Comunista Americano. Em 1927, fez sua primeira viagem à Europa e visitou Havelock Ellis*, que teria um papel considerável em sua vida. Em 1932, fascinado com a personalidade de Sigmund Freud*, enviou-lhe uma carta para dizer que desejava muito encontrá-lo, acrescentando todavia que não queria abusar de seu tempo. Com bom humor, o velho mestre respondeu: "Agradeço suas palavras amistosas e a boa vontade que mostra em renunciar à sua visita."

Um ano depois, quando fazia um estágio como residente no Bellevue Psychiatric Hospital sob a direção de Paul Schilder*, recebeu uma carta de Ellis, que lhe oferecia uma bolsa de estudos para fazer uma pesquisa sobre a homossexualidade*. O projeto foi apoiado por Adolf Meyer* e Wortis decidiu ir a Viena*. Ellis lhe desaconselhara a fazer análise, recomendando-lhe, caso decidisse o contrário, que fizesse essa experiência com o próprio Freud: "Quanto a ser analisado, meu sentimento pessoal, decididamente, é que seria melhor seguir o seu exemplo [de Freud] do que seus preceitos. Ele não começou por fazer-se psicanalisar (e

nunca o foi!) ou por ligar-se a uma seita, a uma escola, mas seguiu seu próprio caminho livremente, estudando os trabalhos dos outros, mas conservando sempre sua independência."

Levando em consideração esse conselho e revoltado contra toda forma de submissão transferencial, Wortis se analisou com Freud durante quatro meses. A experiência se traduziu em um corpo-a-corpo intelectual, durante o qual Freud se mostrou ora feroz com seus adversários ou ex-discípulos (como Wilhelm Stekel*, por exemplo), ora exasperado com as resistências do jovem, com seu engajamento comunista, com seu fanatismo, e também com o papel insidioso que desempenhava, nesse caso, seu velho cúmplice Havelock Ellis. O tratamento resultou na decisão, tomada por Wortis, de se desviar da psicanálise*. A partir de 1935, introduziu nos Estados Unidos* o método do "choque hipoglicêmico", ou insulinoterapia, no tratamento da esquizofrenia*, método que o médico austríaco Manfred Sakel (1900-1957) acabava de elaborar e que seria utilizado durante vinte anos, antes do aparecimento dos neurolépticos.

Sempre engajado na extrema esquerda, Wortis colaborou com os republicanos durante a guerra da Espanha* e, em seu país, aderiu à Benjamin Rush Society, uma associação de psiquiatras marxistas criada em 1944. Assim, participou da campanha antifreudiana organizada pelo conjunto dos partidos do movimento comunista internacional e denunciou a psicanálise como "ciência burguesa".

Em 1950, depois de uma viagem à Rússia*, publicou o primeiro estudo sério e documentado sobre a psiquiatria dita "soviética". Quatro anos depois, redigiu o relato de sua análise com Freud, e a obra teve grande sucesso.

Pouco antes de sua morte, em uma entrevista com Todd Dufresne, manifestou mais uma vez um antifreudismo fanático, o que mostrava que o mestre de Viena fora uma figura obsessiva em sua longa existência.

• Joseph Wortis, *La Psychiatrie soviétique* (Baltimore, 1950), Paris, PUF, 1953; *Psychanalyse à Vienne, 1934. Notes sur mon analyse avec Freud* (N. York, 1954), Paris, Denoël, 1974; "Entretien avec Todd Dufresne", inédito • Benjamin Harris, "The Benjamin Rush Society and marxist psychiatry in the United States 1944-1951", *History of Psychiatry*, VI, 1995, 309-31.

➤ COMUNISMO; FREUDO-MARXISMO; KARDINER, ABRAM.

Wulff, Moshe (1878-1971)
psiquiatra e psicanalista israelense

Nascido em Odessa, Moshe Wulff (ou Woolf) foi o primeiro médico a praticar a psicanálise* na Rússia*. Estudou psiquiatria em Berlim, sendo assistente, no Hospital da Caridade, de Theodor Ziehen (1862-1950), inventor da noção de complexo*. Orientou-se então para a psicanálise depois de se encantar com a leitura dos *Estudos sobre a histeria**, e entrou em contato com Otto Juliusburger* e com Karl Abraham*, que foi seu iniciador mais do que seu analista. Posteriormente, praticou a autoanálise*. Entre 1911 e 1921, participou regularmente, em Viena*, dos trabalhos da Wiener Psychoanalytische Vereinigung (WPV), da qual era membro, e em 1909 criou, com Nicolas Vyrubov (1869-?) a revista *Psychotherapia*.

Voltando à Rússia em 1911, começou a introduzir os princípios da psicanálise nos meios psiquiátricos, em Odessa e depois em Moscou. Paralelamente, começou a tradução das obras de Freud para o russo.

Favorável à Revolução de Outubro, permaneceu em seu país para continuar a desenvolver suas atividades, principalmente abrindo em Moscou, numa grande clínica psiquiátrica, um departamento especializado no tratamento de doentes pela psicanálise. Nomeado professor na universidade, fundou em 1921, com Otto Schmidt (1891-1956) e Ivan Dimitrievtch Emarkov*, a Associação Psicanalítica de Pesquisas sobre a Criação Artística, que foi a primeira sociedade freudiana russa. Tinha oito membros, dos quais três eram médicos psiquiatras.

No ano seguinte, Wulff participou da criação da Sociedade Psicanalítica da Rússia, com sete membros suplementares, entre os quais Vera Schmidt*, o psicólogo Pavel Petrovitch Blonski (1884-1941) e o psiquiatra Yuri Kannabikh. Posteriormente, o psicólogo Stanislas Theophilovitch Chatski (1878-1948) se juntou ao grupo. Logo surgiram conflitos entre a Sociedade russa, instaurada em Moscou, e a de Kazan, fundada por Aleksandr Romanovitch Luria*. Finalmente, chegou-se a um acordo que permitiu a criação, em Moscou, de uma Associação Psicanalítica Russa, reunindo todos os grupos (Moscou, Kazan, Kiev, Rostov).

Em 1927, quando a radicalização do regime comunista levou à extinção do movimento psicanalítico, Moshe Wulff foi obrigado a emigrar, abandonando seus bens. Foi para Berlim, onde ficou até 1933, quando o advento do nazismo* o obrigou a um novo exílio. Foi então que decidiu instalar-se na Palestina, onde criou, em Jerusalém, em 1934, com Max Eitingon*, também exilado, a primeira sociedade psicanalítica do futuro Estado de Israel. Ela se tornaria a Hachevra Hapsychoanalytit Be-Israel (HHBI). Depois da morte de Eitingon, Wulff foi seu presidente e formou a primeira geração* psicanalítica israelense. Responsável pela tradução das obras de Freud para o hebraico, professor na Universidade de Tel-Aviv e clínico especializado em fobia* e fetichismo*, teve o destino típico dos pioneiros judeus do freudismo europeu, que se defrontaram, através de emigrações sucessivas, com os grandes acontecimentos da história do século: sionismo, comunismo* e nazismo.

• Moshe Woolf, "Fetichism and object choice in early childhood", *Psychoanalytic Quarterly*, 15, 1941, 450-71; "Prohibitions against the simultaneous consumption of milk and flesh in Orthodox Jewish law", *IJP*, 26, 1945, 169-77 • Ruth Jaffe, "Moshe Woolf, 1878, Pioneiro na Rússia e em Israel", in Franz Alexander, Samuel Eisenstein e Martin Grotjahn (orgs.), *A história da psicanálise através de seus pioneiros* (N. York, 1966), Rio de Janeiro, Imago, 1981 • Ruth Jaffe, "Moshe Woolf (1878-1971), Obituary", *IJP*, 1972, 330 • Alberto Angelini, *La psicoanalisi in Russia*, Nápoles, Liguori Editore, 1988 • Elke Mühlleitner, *Biographisches Lexikon der Psychoanalyse. Die Mitglieder der Psychologischen Mittwoch-Gesellschaft und der Wiener Psychoanalytischen Vereinigung von 1902-1938*, Tübingen, Diskord, 1992 • Megan Marshack, "Dr. Moshe Wulff and the Wolf Man", *The American Psychoanalyst*, vol.24, 1, 1990 • Hans Lobner e Vladimir Levitin, "Notes on the history of psychoanalysis in the USSR", *Sigmund Freud House Bulletin*, vol.II, 1, 1978, 5-29 • Sigmund Freud, *Chronique la plus brève. Carnets intimes 1929-1939*, anotado e apresentado por Michael Molnar (Londres, 1992), Paris, Albin Michel, 1992.

➤ COMUNISMO; OSSIPOV, NIKOLAI IEVGRAFOVITCH; ROSENTHAL, TATIANA; SPIELREIN, SABINA; ZALKIND, ARON BORISSOVITCH.

Z

Zalkind, Aron Borissovitch (1888-1936)

médico e psicanalista russo

Aluno do psiquiatra Vladimir Petrovitch Serbski (1858-1917), reformador dos asilos russos, Aron Borissovitch Zalkind nasceu em Kharkov, e antes da Primeira Guerra Mundial, começou a se interessar pelas teses de Alfred Adler*. Orientou-se depois para o freudismo* e publicou artigos na revista *Psychotherapia*, criada por Nicolas Vyrubov (1869-?) e Moshe Wulff*. Exerceu a psicanálise* em Kiev no começo dos anos 1920 e formou um pequeno grupo de psicoterapeutas. Depois da Revolução de Outubro, voltou-se para a reflexologia e para a pedologia*. Posteriormente, no âmbito do debate entre os freudo-marxistas e os antifreudianos, adotou as teses dos primeiros e se convenceu da idéia de que a doutrina vienense era compatível com o marxismo, com a condição de ser amputada da teoria da sexualidade (excessivamente "bestial") e do conceito de pulsão* de morte (excessivamente "pessimista").

Zalkind fez sua autocrítica em 1930, quando de um congresso sobre o comportamento humano, "confessando" ser "objetivamente" responsável pela difusão do freudismo em seu país. Mas isso não lhe serviu de nada: foi qualificado por seus adversários de "menchevique idealista e eclético" e perdeu seu posto de diretor do Instituto de Psicologia, Pedologia e Psicotécnica. Em 1932, foi violentamente criticado por Wilhelm Reich* por um artigo sobre a sexualidade infantil. Morreu de infarto, depois de renunciar a toda atividade institucional.

• Aron Borissovitch Zalkind, "Freudisme et marxisme", in *Rouges Semailles*, 4, Moscou, 1924; "Les Sciences neuropsychologiques et l'édification socialiste", *Pedologija*, 3, 1930, 309-22; "Einige Fragen der sexuellen Erziehung der Jungpioniere", *Das proletarische Kind*, 12, 1/2, 1932 • Wilhelm Reich, *A revolução sexual* (Copenhague, 1936, Frankfurt, 1966), Rio de Janeiro, Zahar, 1982 • Alberto Angelini, *La psicoanalisi in Russia*, Nápoles, Liguori Editore, 1988 • Alexandre Etkind, *Histoire de la psychanalyse en Russie* (1993), Paris, PUF, 1995.

➢ COMUNISMO; ERMAKOV, IVAN DIMITRIEVITCH; FREUDO-MARXISMO; OSSIPOV, NIKOLAI IEVGRAFOVITCH; ROSENTHAL, TATIANA; RÚSSIA.

Zentralblatt für Psychoanalyse. Medizinische Monatschrift für Seelenkunde (Folha Central de Psicanálise. Revista Médica Mensal de Psicologia)

Criada por Sigmund Freud* em julho de 1910, a *Zentralblatt* foi o primeiro órgão oficial da International Psychoanalytical Association* (IPA), fundada em março do mesmo ano. Na chefia de sua redação contou com Carl Gustav Jung* e Wilhelm Stekel*. Depois que este último deixou a Wiener Psychoanalytische Vereinigung (WPV) em 1912, o periódico teve apenas mais uma edição. Para substituí-lo, Freud criou em 1913 a *Internationale ärztlische Zeitschrift für Psychoanalyse** (IZP), que depois faria uma fusão com a revista *Imago*, dando origem à *Internationale Zeitschrift für Psychoanalyse und Imago** (IZP-IMAGO), que deixaria de ser publicada em 1941. Foi então que o *International Journal of Psycho-analysis** (IJP), fundado por Ernest Jones* em 1920, tornou-se o órgão oficial da IPA.

Zilboorg, Gregory (1890-1959)

psiquiatra e psicanalista americano

Gregory Zilboorg era de uma família judia ortodoxa da Ucrânia. Estudou medicina em São

Petersburgo e foi marcado pelo ensino de Vladimir Bekhterev (1856-1927), criador da palavra "reflexologia". Socialista, mostrou-se favorável ao governo de Aleksandr Kerenski (1881-1970), mas violentamente hostil ao bolchevismo. Em 1919, emigrou para os Estados Unidos* e em 1930 instalou-se como psiquiatra e psicanalista em Nova York. Em 1941, publicou, em colaboração com George W. Henry, a primeira grande obra consagrada à história da psiquiatria. Forjou a expressão "psiquiatria dinâmica"*, para definir uma área da psiquiatria, dinâmica ou dialética, cujo objetivo era secularizar o fenômeno mental, arrancando-o à demonologia, por um lado, e ao organicismo, isto é, à medicina, por outro. Esse termo seria retomado por Henri F. Ellenberger* com uma perspectiva um pouco diferente.

Zilboorg se distinguiu por um comportamento extravagante com certos pacientes, levando-os a dar-lhe "presentes" e a pagar-lhe somas astronômicas. Assim, foi desconsiderado no interior da New York Psychoanalytic Society (NYPS).

• Gregory Zilboorg e George W. Henry, *History of Medical Psychology*, N. York, Norton, 1941 • Susan Quinn, *A Mind of her Own. The Life of Karen Horney*, N. York, Summit Books, 1987.

zona erógena
➤ LIBIDO; SEXOLOGIA; SEXUALIDADE; *TRÊS ENSAIOS SOBRE A TEORIA DA SEXUALIDADE*.

Zulliger, Hans (1893-1965)
psicanalista suíço

Como muitos médicos ou pedagogos suíços marcados pela ética protestante e pela tradição do "tratamento de almas", Hans Zulliger se interessou pelo freudismo* com a intenção de reformar os métodos educativos aplicados às crianças. Assim, ele se inscreve na linhagem dos missionários modernos do psiquismo humano que, de Oskar Pfister* a Adolf Meyer*, passando por Hermann Rorschach* até Eugen Bleuler*, foram os iniciadores de uma renovação do tratamento dos desvios, da loucura* ou simplesmente da normalidade, cujos efeitos se fizeram sentir até os anos 1970.

Nascido no cantão de Berna, Zulliger pertencia a um meio modesto de operários relojoeiros. Para não depender por muito tempo dos pais, renunciou a estudar medicina e pensou em se tornar professor. Na primavera de 1912, foi nomeado professor primário no burgo de Ittingen, onde formou, durante cerca de 50 anos, gerações de filhos de camponeses, com ajuda de sua mulher, também professora.

Foi na Escola Normal de Hofwil-Berne, dirigida por Ernst Schneider (1878-1957), pedagogo de vanguarda analisado por Carl Gustav Jung* e Oskar Pfister, que Zulliger ouviu falar pela primeira vez da doutrina freudiana. O interesse que dedicava a seus pequenos alunos o levou então para a psicanálise*. Depois de um tratamento com Pfister, praticou as "pequenas psicoterapias* de crianças", destinadas a curar sintomas como gagueira, enurese, compulsão ao roubo ou à masturbação.

Estimulado por Sigmund Freud*, a quem visitou duas vezes, Zulliger foi convidado em 1921 a prosseguir a sua atividade e a reunir-se à Sociedade Suíça de Psicanálise (SSP), que acabava de ser fundada e da qual seria secretário. Rorschach iniciou-o no método do *Psychodiagnostik* e, na linhagem de Anna Freud*, adotou a técnica do desenho livre e da terapia pelo brinquedo, mas divergiu da técnica da análise de crianças, preferindo permanecer educador a tornar-se psicanalista, no sentido clássico. Publicou muitos livros, que foram traduzidos em várias línguas.

• Hans Zulliger, *La Psychanalyse à l'école* (Berna, 1921), Paris, Flammarion, 1930; *Les Enfants difficiles* (Berna, 1935), Paris, L'Arche, 1959; *Le Test Z individuel* (Berna, 1948), Paris, PUF, 1959; *Chapardeurs et jeunes voleurs* (Stuttgart, 1956), Paris, Bloud et Gay, 1969; *L'Angoisse de nos enfants* (Frankfurt, 1970), Paris, Salvator, 1975 • Adolf Friedemann, "Hans Zulliger, 1893, Psicanálise e educação", in Franz Alexander, Samuel Eisenstein e Martin Grotjahn (orgs.), *A história da psicanálise através de seus pioneiros* (N. York, 1966), Rio de Janeiro, Imago, 1981.

➤ PSICANÁLISE DE CRIANÇAS; RAMBERT, MADELEINE; SUÍÇA.

Zweig, Arnold (1887-1968)
escritor alemão

Como Stefan Zweig* ou Romain Rolland*, Arnold Zweig manteve com Sigmund Freud*, entre 1927 e 1939, uma rica correspondência. Nela, encontram-se muitas considerações sobre os acontecimentos políticos, o comunismo*, a judeidade*, o nazismo*, a literatura. Além disso, ambos evocam livremente questões referentes ao incesto* e à homossexualidade*, assim como as dificuldades encontradas pelo escritor durante o tratamento psicanalítico que fez em Berlim, por motivo de graves sintomas de depressão, com um certo doutor K.

Em 1968, no momento da publicação dessa correspondência, Ernst Freud* e Adam Zweig, filho de Arnold, decidiram suprimir 25 cartas, julgadas excessivamente confidenciais e pouco "científicas" para constarem dessa seleção. Essa censura faz pensar na que atingiu duas outras correspondências de Freud: com Wilhelm Fliess* e com Oskar Pfister*. Como observou Marthe Robert (1914-1996) no prefácio à edição francesa, tratava-se de uma censura feita por dois filhos para "proteger" a vida dita "privada" de dois pais célebres: "Aqui, como sempre, o objeto do escândalo é evidentemente a análise — certamente não a análise como bem incorporado há muito na cultura, mas como experiência pessoal, com tudo o que ela implica de efetivamente indiscreto, e tudo o que ela põe em perigo quanto às conveniências e preconceitos."

Nascido em Glogau, na Silésia, Arnold Zweig era de uma família judia. Seu pai, inicialmente seleiro, adquirira uma empresa de transportes que levava carvão e forragem para o exército. Em conseqüência de uma onda de anti-semitismo, sua vida ficou desorganizada e teve que deixar a cidade, para retomar a antiga profissão. Essa experiência marcou profundamente o destino do jovem Arnold. Depois de fazer estudos brilhantes, foi mobilizado e participou das sangrentas batalhas da Grande Guerra, voltando-se posteriormente para o sionismo e o pacifismo. A partir de 1925, consagrou-se à literatura, tomando como modelo Thomas Mann* e os grandes autores realistas do século XIX. Adquiriu notoriedade depois da publicação, em 1927, do Caso do sargento Grischa, romance em que narrava a história de um soldado russo evadido e condenado à morte por espionagem pelo alto estado-maior alemão, em-

bora fosse inocente. Zweig abordava a grave questão dos "fuzilados para dar exemplo".

Depois da tomada do poder pelo nacional-socialismo, emigrou para a Palestina. Ficou 14 anos em Haifa, fazendo muitas viagens, das quais uma a Nova York, ocasião em que encontrou as grandes figuras da emigração alemã. Essa permanência não lhe trouxe a satisfação esperada, e logo sentiu saudades de Berlim e da nação alemã, com a qual se identificara. Seu romance De Vriendt kehrt heim (De Vriendt está de volta) foi mal acolhido pelos meios intelectuais sionistas, que o julgaram escandaloso. Zweig relatava o assassinato em Jerusalém, por um sionista radical, de Jacob Israel De Haan, escritor judeu holandês, ao mesmo tempo incrédulo, ortodoxo e homossexual, que mantinha uma relação amorosa com um jovem árabe: "Para mim, escreveu ele a Freud, é uma velha história. A figura desse ortodoxo que maldiz 'Deus em Jerusalém' em poemas secretos [...] essa figura importante e complicada me fascinou, porque era ainda atual [...]. As tendências homossexuais desse livro, que estou ditando com um desprazer particular, [...] logo me levaram a fazer confissões. Eu era os dois personagens ao mesmo tempo, o rapaz árabe (semita) e o amante, o escritor simultaneamente ortodoxo e ímpio. Temo que o surgimento dessas coisas recalcadas seja a causa principal de minha depressão. Fui longe demais, não é?..."

Em 1948, Zweig se instalou em Berlim Oriental, tornou-se deputado da jovem república socialista e sucedeu a Heinrich Mann (1871-1950) na presidência da Academia de Artes. Tornou-se então um escritor oficial, seguidor do Partido Comunista, e recebeu as mais altas distinções, entre elas o Prêmio Lenin, esforçando-se, como Anna Seghers (1900-1983) e Bertolt Brecht (1898-1956), para abrir caminho para uma literatura especificamente alemã.

• Arnold Zweig, Le Cas du sergent Grischa (Berlim, 1927), Paris, Albin Michel, 1930; De Vriendt kehrt heim, Berlim, Kiepenheuer Verlag, 1932; L'Éducation héroïque devant Verdun (Amsterdam, 1935), Paris, Plon, 1938; Freundschaft mit Freud, Berlim, Aufbau-Verlag, 1996 • Arnold Zweig e Sigmund Freud, Correspondance, 1927-1939 (Frankfurt, 1968), Paris, Gallimard, 1973.

Zweig, Stefan (1881-1942)

escritor austríaco

Nascido em Viena*, em uma família da burguesia judaica liberal, de pai empresário na indústria têxtil, originário da Morávia, e de mãe descendente de judeus alemães, Stefan Zweig viveu a infância e a adolescência com bem-estar material e despreocupação. Do pai, herdou a discrição e o sentido das conveniências sociais. Da mãe, a sensibilidade e uma fragilidade psicológica que muitas vezes o deixaram desarmado diante da depressão quando teve que enfrentar os trágicos acontecimentos que marcariam sua vida adulta.

De seus estudos secundários no Maximilian Gymnasium, Zweig guardou apenas o tédio e a opressão que depois inspirariam sua crítica aos métodos de educação autoritários, repressores e hipócritas adotados pela burguesia vienense. Desde essa época, apaixonou-se pela música, especialmente a de Johannes Brahms (1833-1897), pelo teatro e pela literatura. Começou a estudar filosofia na universidade, mas freqüentava com mais assiduidade ainda os cafés, as salas de espetáculo e outros lugares de encontros intelectuais. Logo manifestou gosto pela vanguarda, assistiu aos primeiros concertos de Arnold Schönberg (1874-1951), tornou-se admirador de Rainer Maria Rilke (1875-1926) e mais ainda de Hugo von Hofmannsthal (1874-1929), seu modelo. Em 1901, Zweig teve seu primeiro sucesso com um livro de poemas, *A corda de prata*, saudado por toda a crítica de língua alemã. Logo teria a consagração, com a publicação de um dos seus textos na primeira página do prestigioso diário *Neue Freie Press*, com seu nome ao lado dos maiores escritores europeus do momento, dos quais muitos se tornariam seus amigos.

Temendo ficar seduzido por essa celebridade precoce, sentindo que Viena era pequena demais, Zweig permaneceu durante algum tempo em Berlim, onde se ligou à *intelligentsia* da capital alemã, descobrindo, ao acaso de seus encontros com jovens poetas e escritores, o outro lado da vida boêmia, marcado pela fome, o alcoolismo e a miséria. Certo tempo depois, começou a viajar. Percorreu primeiro a Europa, apaixonou-se pela Itália* e pelas costas mediterrâneas, partiu para a Ásia, descobriu a América Central, a costa leste dos Estados Unidos* e o Canadá*.

Instalado numa bela casa em Salzburgo, recebeu ali praticamente todos os artistas e intelectuais da Europa. Zweig era então um escritor célebre, conhecido por sua generosidade. Entretanto, por trás desse sucesso brilhante, a fragilidade psicológica persistia.

Em 1908, pouco depois de fazer amizade com Arthur Schnitzler*, Zweig começou a trocar cartas com Sigmund Freud*.

Essa correspondência e essa relação seriam até o fim marcadas pelo entusiasmo e pelo afeto filial, por parte de Zweig, e por uma mistura de distância, prudência e às vezes até irritação, por parte de Freud. Mas em 1920, quando Zweig se tornou célebre, Freud lhe dirigiu uma longa carta. Acabava de receber e ler *Três mestres*, obra que reunia três ensaios biográficos que Zweig dedicara a Honoré de Balzac (1799-1850), Charles Dickens (1812-1870) e Fiodor Mikhailovitch Dostoievski (1821-1881). Depois de alguns elogios, Freud assumiu o tom do professor que não está completamente satisfeito com o trabalho do aluno brilhante: "Se eu pudesse, escreveu Freud, avaliar a sua apresentação por critérios mais severos, diria que você esgotou inteiramente Balzac e Dickens. Mas isso não é tão difícil, são tipos simples, planos. Em contrapartida, com esse russo complicado, não foi tão satisfatório. Sente-se que há lacunas, enigmas que não foram resolvidos. [...] Acho que você não deveria deixar Dostoievski com sua pretensa epilepsia. É muito improvável que ele tenha sido epilético. Os [...] grandes homens que foram considerados epiléticos eram simplesmente histéricos. Acho que você poderia ter construído todo o Dostoievski sobre sua histeria." Oito anos depois, Freud redigiu a sua própria versão da história de Dostoievski, comparando *Os irmãos Karamazov* à tragédia de Édipo*.

Em 1931, Zweig publicou um ensaio muito audacioso, *A cura pelo espírito*, no qual contava a história das psicoterapias desde Franz Anton Mesmer*, que considerava o ancestral da psicanálise*. O contraste entre sua abordagem e a de Freud é impressionante. Freud, em seu artigo "Sobre a história do movimento psicanalítico", desprezou seus antecessores. Assim, resolveu retificar o que lhe parecia errôneo em seu retrato e na apresentação de sua obra feitos por Zweig: "Eu poderia contestar, escreveu ele, o modo como você sublinha exclusivamente a correção pequeno-burguesa do meu caráter; apesar de tudo, este cidadão aqui é um pouco mais complicado."

Na verdade, Freud, que tivera conhecimento desse texto antes de sua publicação, falara dele em termos pouco amáveis com Arnold Zweig, em uma carta de 10 de setembro de 1930. Evocando o lapso* que fizera com que ele atribuísse a Arnold o título de doutor que queria dar ironicamente a Stefan, escreveu: "A análise imediata do ato falho* me levou naturalmente para um terreno difícil: o elemento perturbador era o outro Zweig, que sei que está se referindo a mim num ensaio, mostrando-me ao público em companhia de Mesmer e de Mary Eddy Baker. Durante os seis últimos meses, ele me deu uma séria razão de descontentamento."

Por duas vezes, Stefan lhe deu novamente razões de insatisfação. Primeiro, trabalhando para que atribuíssem a Freud o Prêmio Nobel, depois quando mandou escrever, por engano, em um cartaz anunciando uma conferência de Charles Emil Maylan (1886-?), o seu nome ao lado do de Carl Gustav Jung*. Maylan era autor de um livro anti-semita sobre Freud e afirmava que a psicanálise era a expressão de uma vingança dos judeus humilhados contra Roma e o catolicismo...

Ao longo dos anos, a relação entre os dois melhorou. Zweig continuou a manifestar a Freud sua admiração e sua fidelidade. Em 1938, acolheu-o em Londres com um bilhete afetuoso e pouco tempo depois foi à sua casa acompanhado de alguns amigos, entre os quais Salvador Dali (1904-1989). O pintor esboçou então dois retratos do mestre, que Stefan Zweig não teve a coragem de lhe mostrar, tal era neles a presença da morte. Depois dessa visita, Freud escreveu a Zweig: "Na verdade, é preciso que eu lhe agradeça por ter trazido à minha casa os visitantes de ontem. Justamente, eu estava disposto a considerar os surrealistas, que parece que me elegeram para santo padroeiro, como loucos absolutos (digamos, a 95%, como o álcool)".

Em 1940, exilado em Nova York, Zweig começou a redação de suas memórias, *O mundo de ontem*. Nesse livro, carregado de uma saudade e de uma melancolia* que pressagiavam a tragédia final, traçou um dos mais belos retratos de Freud que jamais foram escritos: "Foi em Viena, na época em que ainda era qualificado de pensador caprichoso, obstinado e difícil, e por isso detestado, que conheci Sigmund Freud, esse grande e severo espírito, que, mais do que ninguém nestes tempos, aprofundou e ampliou o conhecimento da alma humana. Fanático pela verdade, mas perfeitamente consciente dos limites de toda verdade [...] ele se aventurou nas zonas inexploradas e aterrorizantes do mundo terreno e subterrâneo das pulsões, justamente na esfera que aquele tempo declarara solenemente como 'tabu'[...]. Pela primeira vez, descobri um verdadeiro sábio, que se elevou acima de sua própria situação, para quem até o sofrimento e a morte não eram mais percebidos como uma experiência pessoal, mas como objetos de consideração que iam além de sua pessoa; sua morte, como sua vida, foi um grande feito moral."

Em 22 de fevereiro de 1942, quando estava instalado havia seis meses em Petrópolis, cidade próxima do Rio de Janeiro, Stefan Zweig se suicidou com sua jovem esposa, Lotte Altmann, tomando comprimidos de veronal.

• Stefan Zweig, *Le Monde d'hier. Souvenirs d'un européen* (Estocolmo, 1944), Paris, Belfond, 1993; *La Guérison par l'esprit* (1931), Paris, Belfond, 1982; *Journaux 1912-1940*, Paris, Belfond, 1986; *Trois maîtres* (1920), Paris, Belfond, 1988. *Pays, villes, paysages, Écrits de voyage* (Londres, 1980), Paris, Belfond, 1996 • Sigmund Freud, "A história do movimento psicanalítico" (1914), *ESB*, XIV, 16-88; *GW*, X, 44-113; *SE*, XIV, 1-66; Paris, Gallimard, 1991; "Dostoievski e o parricídio" (1928), *ESB*, XXI, 205-24; *GW*, XIV, 399-418, *SE*, XXI, 177-94; *OC*, XVIII, 205-25 • Sigmund Freud e Stefan Zweig, *Correspondance* (1987), Paris, Rivages, 1991 • Charles E. Maylan, *Freuds tragischer Komplex: Eine Analyse der Psychoanalyse*, Munique, Ernst Reinhardt, 1929 • Donald Prater, *Stefan Zweig* (Oxford, 1972), Paris, La Table Ronde, 1988 • Serge Niémetz, *Stefan Zweig. Le Voyageur et ses mondes*, Paris, Belfond, 1996 • Dominique Bona, *Stefan Zweig. L'Ami blessé*, Paris, Plon, 1996 • Klaus Mann, *Le Tournant* (1960), Paris, Solin, 1984 • Jacques Le Rider, *Modernité viennoise et crises de l'identité*, Paris, PUF, 1990 • Carl E. Schorske, *Viena fin-de-siècle* (N. York, 1981), S. Paulo, Companhia das Letras, 1990.

➢ FRANÇA; JUDEIDADE; NAZISMO; ROLLAND, ROMAIN; SUICÍDIO.

CRONOLOGIA

1856

6 de maio   Nascimento de Sigmund Freud em Freiberg, na Morávia. Recebe o nome de Schlomo Sigismund. Seu pai, Jacob Freud, nascido em Tysmenitz em 18 de dezembro de 1815, era comerciante de lãs. Sua mãe, Amalia Nathanson, nascida em Brody em 18 de agosto de 1835, era a terceira mulher de Jacob, com quem se casou em 29 de julho de 1855. Do primeiro casamento, Jacob Freud teve dois filhos: Emanuel, nascido em abril de 1833 e Philipp, nascido provavelmente em outubro de 1834. Ambos viviam com os pais. Emanuel tinha dois filhos, nascidos em 1855 e 1856. Do casamento de Jacob Freud com Amalia Nathanson nasceriam mais sete filhos: Julius, em outubro de 1857, Anna, em 31 de dezembro de 1858, Regine Debora (Rosa) em 21 de março de 1860, Maria (Mitzi) em 22 de março de 1861, Esther Adolfine (Dolfi) em 23 de julho de 1862, Pauline (Paula) em 3 de maio de 1864 e Alexander em 19 de abril de 1866.

1859

27 de fevereiro   Nascimento de Bertha Pappenheim.

1870

7 de fevereiro   Nascimento de Alfred Adler.

1871

março   Jean Martin Charcot interessa-se pela histeria no Hospital da Salpêtrière.

13 de outubro   Nascimento de Paul Federn.

dezembro   Início da correspondência entre Sigmund Freud e Eduard Silberstein. A última carta é datada de 24 de janeiro de 1881. Ambos se apaixonam pelo pensamento de Ludwig Feuerbach. Durante seus estudos no *Gymnasium*, Sigmund Freud lê o manual de psicologia empírica de Johann Friedrich Herbart.

1872

julho-setembro Sigmund Freud confidencia ao amigo Eduard Silberstein o seu amor por Gisela Fluss.

1873

26 de fevereiro Nascimento de Oskar Pfister em Zurique.
março Franz Brentano aceita dirigir a tese de Sigmund Freud. Este abandona a filosofia pela psicologia.
7 de julho Nascimento de Sandor Ferenczi.
outubro Sigmund Freud entra na Universidade de Viena, para estudar medicina.

1874

1º de outubro Nascimento de Abraham Arden Brill.

1875

26 de julho Nascimento de Carl Gustav Jung.
Durante o outono de 1875, Sigmund Freud vai à Inglaterra, hospedando-se na casa de seu meio-irmão Emanuel.

1876

março Sigmund Freud vai a Trieste fazer uma pesquisa sobre o hermafroditismo das enguias. É aluno do fisiologista empirista Ernst Brücke, herdeiro do pensamento de Hermann von Helmholtz.

1877

17 de março Nascimento de Otto Gross.
3 de maio Nascimento de Karl Abraham.

1878

Sigismund Freud decide mudar de prenome, adotando o de Sigmund. No laboratório de Ernst Brücke, faz amizade com Ernst von Fleischl-Marxow.
5 de outubro Nascimento de Moshe Wulff.
Bourneville e Regnard publicam a *Iconografia fotográfica da Salpêtrière*. São apresentadas nessa obra as histéricas mais célebres examinadas por Jean Martin Charcot, notadamente Blanche Whittmann e a famosa Augustine. As fotografias foram feitas a partir de 1876. Vários volumes são publicados até 1880.

1879

1º de janeiro Nascimento de Ernest Jones.

1880

janeiro Nascimento de Hanns Sachs.

novembro Josef Breuer inicia o tratamento de Bertha Pappenheim. Atribui-lhe a invenção das expressões *talking cure* (tratamento pela palavra) e *chimney sweeping* (limpeza de chaminé).

1881

março Sigmund Freud forma-se em medicina.

26 de junho Nascimento de Max Eitingon.

1882

2 de janeiro Criação, por iniciativa de Léon Gambetta, de uma cátedra de clínica de doenças nervosas. Pela primeira vez no mundo, a neurologia é reconhecida como uma disciplina autônoma. Jean Martin Charcot é nomeado titular dessa cadeira.

13 de fevereiro Jean Martin Charcot apresenta na Academia de Ciências uma conferência sobre os estados nervosos determinados pelo hipnotismo.

30 de março Nascimento de Melanie Klein.

abril Sigmund Freud é apresentado a Martha Bernays.

27 de junho Noivado de Martha Bernays e Sigmund Freud.

2 de julho Nascimento de Marie Bonaparte.

12 de julho Bertha Pappenheim é hospitalizada no Sanatório Bellevue de Kreuzlingen, perto do lago de Constança, dirigido por Robert Binswanger, filho de Ludwig Binswanger (sênior) e pai de Ludwig Binswanger (júnior).

31 de julho Sigmund Freud entra para o Hospital Geral de Viena, no serviço de Hermann Nothnagel, professor de medicina interna na universidade.

Georg von Schoenerer começa sua carreira política em Viena, adotando as teses do anti-semitismo e do nacionalismo alemão.

1883

maio Sigmund Freud torna-se assistente de Theodor Meynert, professor de psiquiatria na Universidade de Viena, grande expoente da anatomia cerebral comparada.

1884

janeiro   Em Viena, Sigmund Freud começa a tratar de uma paciente atingida por uma doença nervosa.

22 de abril   Nascimento de Otto Rank.

Sigmund Freud pesquisa as virtudes energéticas e antidepressivas da cocaína. Seu amigo Carl Koller descobrirá as propriedades anestésicas da cocaína sobre o olho.

14 de junho   Nascimento de Eugénie Sokolnicka.

9 de outubro   Nascimento de Helene Deutsch.

novembro   O jurista Daniel Paul Schreber é tratado de uma doença mental e nervosa em Leipzig pelo professor Paul Fleschig.

1885

janeiro   Sigmund Freud trata seu amigo Ernst von Fleischl com injeções de cocaína. Provoca nele grave intoxicação.

20 de junho   Sigmund Freud obtém uma bolsa da Universidade de Viena para fazer um estágio em Paris.

31 de agosto   Sigmund Freud destrói seus manuscritos.

setembro   Sigmund Freud é nomeado *Privatdozent*.

13 de outubro   Chegada de Sigmund Freud a Paris. Começa seu estágio no Hospital da Salpêtrière, no serviço de Jean Martin Charcot. Mora em um hotel da rua Royer-Collard.

7 de novembro   Sigmund Freud assiste a uma representação de *Théodora*, de Victorien Sardou. O papel é interpretado por Sarah Bernhardt.

1886

28 de fevereiro   Sigmund Freud deixa Paris e vai para Wandsbeck.

março   Sigmund Freud vai a Berlim, para estudar.

25 de abril   Sigmund Freud volta a Viena e se estabelece como médico particular na Rathausstrasse, 7. Dirige o departamento de neurologia da Steindglasse, primeiro instituto público para crianças doentes, dirigido por Max Kassowitz.

julho   Sigmund Freud termina a tradução das *Lições das terças-feiras*, de Jean Martin Charcot (tomo II).

14 de setembro   Sigmund Freud se casa com Martha Bernays.

15 de outubro   Sigmund Freud faz uma conferência sobre a histeria masculina na Sociedade dos Médicos de Viena. A reação é hostil, pois ele atribui a Charcot a paternidade de noções que já eram conhecidas em Viena. Arthur Schnitzler faz um relatório da conferência. Estão presentes Heinrich von Bamberger e Theodor Meynert. Em 26 de novembro, Sigmund Freud faz a apresentação clínica de um caso de histeria masculina.

1887

18 de março   Sigmund Freud é eleito membro da Sociedade Médica de Viena.

julho   Sigmund Freud passa férias em Semmering (Alpes austríacos).

16 de outubro   Nascimento de Mathilde Freud, filha mais velha de Sigmund Freud e Martha Bernays-Freud. O nome da criança é uma homenagem à mulher de Josef Breuer. Sigmund Freud terá ainda cinco filhos: Jean-Martin (prenome de Charcot), nascido em 7 de dezembro de 1889, Oliver (prenome de Cromwell), nascido em 19 de fevereiro de 1891, Ernst (prenome de Brücke), nascido em 6 de abril de 1892, Sophie, nascida em 12 de abril de 1893, Anna (provavelmente em homenagem a Anna Lichtheim, paciente de Freud e filha de seu professor de hebraico), nascida em 3 de dezembro de 1895.

novembro   Sigmund Freud conhece Wilhelm Fliess. O pintor André Brouillet apresenta *A lição de Charcot* no Salão dos Independentes.

1889

1º de maio   Sigmund Freud inicia o tratamento de Fanny Moser (o caso Emmy von N.).

julho   Sigmund Freud vai a Nancy, para aperfeiçoar-se junto a Hippolyte Bernheim e Ambroise Liébeault na técnica da sugestão hipnótica.

agosto   Sigmund Freud assiste ao I Congresso Internacional de Hipnotismo em Paris. No Eldorado, ouve a cantora Yvette Guilbert.

novembro   Início do surgimento, em Viena, de um partido cristão-social, sob a direção de Karl Lueger.

1891

6 de maio   Jacob Freud oferece ao filho a Bíblia familiar, com uma dedicatória em hebraico. Sigmund Freud publica o seu primeiro livro: *Sobre a concepção das afasias*, dedicado a Josef Breuer.

20 de setembro   Sigmund Freud se instala com a família na Berggasse, 19. Trata dos pacientes pelo método catártico.

1892

12 de maio   Nascimento de Siegfried Bernfeld.

4 de julho   Nascimento de Marguerite Pantaine (futuro "caso Aimée" de Jacques Lacan), que se casará com René Anzieu em 1917.

novembro   Sigmund Freud trata, pelo método catártico, Elisabeth von R., Frau Katharina e Miss Lucy. Progressivamente, elabora o método das associações livres. Colabora com Josef Breuer e continua a se corresponder com Wilhelm Fliess.

1893

abril   Sigmund Freud vai a Berlim para se encontrar com Wilhelm Fliess. Doravante, os dois amigos se encontrarão regularmente para realizar "congressos" particulares.

30 de maio   Sigmund Freud escreve a Wilhelm Fliess a propósito da sedução sexual cometida por adultos contra crianças pequenas. Vê nisso a causa principal e traumática das neuroses posteriores: teoria dita "da sedução".

16 de agosto   Morte de Jean Martin Charcot em Quarré-les-Tombes, no Morvan. Sigmund Freud redige um necrológio para a *Wiener Medizinische Wochenschrift*, no qual o compara a Philippe Pinel. Elogia suas qualidades visuais e cita Charcot: "Teoria é bom, mas isso não impede de existir."

1894

abril   Sigmund Freud tem problemas cardíacos e tenta parar de fumar.

2 de agosto   Nascimento de Raymond de Saussure.

5 de novembro   Nascimento de René Laforgue.

25 de dezembro   Wilhelm Fliess dispõe-se a praticar uma operação de nariz em Emma Eckstein.

1895

maio   Sigmund Freud e Josef Breuer publicam os *Estudos sobre a histeria*, em que são relatados os casos Anna O., Emmy von N., Miss Lucy etc. Sigmund Freud volta a fumar.

julho   Sigmund Freud se hospeda no castelo de Bellevue, perto de Viena. Na noite de 23 para 24 de julho, tem um sonho: "A injeção de Irma". Pela primeira vez, interpreta esse sonho, que de certa forma é a encenação de um romance familiar das origens e da história da psicanálise.

agosto   Sigmund Freud viaja para o norte da Itália com seu irmão Alexander e sua cunhada Minna Bernays (nascida em 1865).

setembro   Sigmund redige o *Projeto de uma psicologia científica*.

20 de outubro   Sigmund Freud envia a Wilhelm Fliess o seu esquema da sexualidade.

dezembro   Adesão de Sigmund Freud à associação judaica B'nai B'rith. Pierre Janet é eleito para o Collège de France, para a cátedra de Théodule Ribot.

Karl Lueger é eleito burgomestre da cidade de Viena. O imperador Francisco-José recusa-se a empossá-lo em virtude de suas opiniões antiliberais e anti-semitas.

Gustave Le Bon: *Psicologia das multidões*. A obra será reeditada trinta vezes, até 1925.

1896

20 de março   Sigmund Freud emprega pela primeira vez o termo "psicoanálise" em um artigo redigido em francês: "L'hérédité et l'étiologie des névroses".

21 de abril   Sigmund Freud faz uma conferência sobre a etiologia da histeria na Associação pela Neurologia e pela Psiquiatria em Viena. Enuncia a sua "teoria da sedução" (que abandonará no ano seguinte). Richard von Krafft-Ebing a qualifica de "conto de fadas científico".

23 de outubro   Morte de Jacob Freud.

Minna Bernays decide morar em Viena com a família Freud.

6 de dezembro   Nascimento de Michael Balint.

Em uma carta a Wilhelm Fliess, Sigmund Freud utiliza pela primeira vez a expressão "aparelho psíquico" e designa os seus três componentes: o consciente, o pré-consciente, o inconsciente.

1897

abril   O imperador Francisco-José aceita, a contragosto, a investidura de Karl Lueger na prefeitura de Viena.

junho   Sigmund Freud começa a sua "auto-análise" através de sua correspondência com Wilhelm Fliess: "O doente que me preocupa mais sou eu mesmo."

setembro   Em uma carta a Wilhelm Fliess, datada do dia 21, Sigmund Freud explica por que renunciou à sua teoria da sedução.

outubro   Em uma carta a Wilhelm Fliess, Sigmund Freud faz a sua primeira interpretação da tragédia *Édipo Rei*, de Sófocles: "Cada ouvinte foi um dia, em germe, em imaginação, um Édipo."

dezembro   Em uma carta a Wilhelm Fliess, Sigmund Freud evoca pela primeira vez o seu amor por Roma e a sua admiração por Aníbal, o general semita.

1898

26 de agosto   Em uma carta a Wilhelm Fliess, Sigmund Freud analisa pela primeira vez o esquecimento de um nome próprio. Trata-se do poeta Julius Moser.

1899

3 de janeiro   Sigmund Freud recebe o livro de Havelock Ellis *Hysteria in Relation to the Sexual Emotions*.

julho-agosto   Sigmund Freud redige *Die Traumdeutung* (*A interpretação dos sonhos*) em uma fazenda de Berchtesgaden. A obra será publicada em 4 de novembro, porém datada do ano de 1900.

1900

26 de abril   Nascimento de Ernst Kris.

12 de junho   Em uma carta a Wilhelm Fliess, Sigmund Freud declara que um dia uma placa seria afixada na casa de Bellevue com a inscrição: "Foi nesta casa, a 24 de julho de 1895, que o mistério do sonho foi revelado a Freud."

agosto   Último encontro entre Wilhelm Fliess e Sigmund Freud, no Tirol.

outubro   Ida Bauer começa uma análise com Sigmund Freud (caso Dora). O tratamento cessa no fim do mês de dezembro.

Hermann Swoboda começa uma análise com Sigmund Freud. Wilhelm Fliess acusa Freud de roubar as suas idéias sobre a bissexualidade e transmiti-las a Hermann Swoboda, para o livro de Otto Weininger. O caso desse "roubo de idéias" terminará nos tribunais, em 1906.

1901

13 de abril   Nascimento de Jacques Marie Émile Lacan.

julho   Sigmund Freud publica *A psicopatologia da vida cotidiana*.

setembro   Sigmund Freud faz sua primeira viagem a Roma.

1902

5 de março   Sigmund Freud é nomeado professor-extraordinário. O ato é assinado pelo imperador Francisco-José.

agosto   Sigmund Freud viaja para o sul da Itália com seu irmão Alexander e sua cunhada Minna Bernays. Descobre Pompéia.

setembro   Fim da correspondência entre Sigmund Freud e Wilhelm Fliess.

outubro   Criação, em Viena, da Psychologische Mittwoch Gesellschaft (Sociedade Psicológica das Quartas-Feiras), primeira sociedade psicanalítica do mundo.

1903

abril   Nascimento de Herbert Graf (apelidado "Pequeno Hans"). Filho de Max Graf, será analisado com a idade de 5 anos por seu pai, sob a direção de Sigmund Freud. Será a primeira psicanálise de crianças.

4 de junho   Suicídio de Otto Weininger em Viena.

1904

17 de agosto   Sabina Spielrein, estudante russa nascida em Odessa em 1895, é hospitalizada na Clínica do Hospital Burghölzli em Zurique, para tratar-se e estudar. Ficará até 1º de junho de 1905. Carl Gustav Jung, assistente de Eugen Bleuler, assume o seu tratamento e torna-se seu amante.

25 de agosto Viagem a Atenas de Sigmund Freud com seu irmão Alexander. Trinta anos depois, em uma carta a Romain Rolland, Freud analisará seu "distúrbio de memória na Acrópole".

outubro Sigmund Freud fica sabendo, através de Eugen Bleuler, que a psicanálise é praticada na Clínica do Burghölzli por Carl Gustav Jung. Sigmund Freud é apresentado a Otto Gross.

1905

dezembro Sigmund Freud publica *Os chistes e sua relação com o inconsciente* e *Três ensaios sobre a teoria da sexualidade*.

1906

abril Início da correspondência entre Sigmund Freud e Carl Gustav Jung.

Sandor Ferenczi apresenta à Associação dos Médicos de Budapeste um texto sobre "Os estados sexuais intermediários". Defende os homossexuais, chamados "uranianos".

maio Para celebrar o aniversário de Sigmund Freud, seus discípulos vienenses lhe oferecem uma medalha tendo no anverso o perfil de Freud, no reverso Édipo, e a inscrição em grego do verso de Sófocles: "Que resolveu o enigma e foi um homem de grande poder".

1907

30 de janeiro Max Eitingon é o primeiro estrangeiro a participar das reuniões da Sociedade Psicológica das Quartas-Feiras.

27 de fevereiro Carl Gustav Jung visita Sigmund Freud. Começa a assistir às reuniões da Sociedade Psicológica das Quartas-Feiras em companhia de Ludwig Binswanger Jr.

Sigmund Freud publica *Delírios e sonhos na "Gradiva" de Jensen*.

1º-7 de setembro Primeiro congresso de psiquiatria, neurologia e assistência aos alienados em Amsterdam. Ernest Jones encontra-se com Carl Gustav Jung.

22 de setembro Sigmund Freud propõe, em uma carta circular, a dissolução da Sociedade Psicológica das Quartas-Feiras.

Carl Gustav Jung cria em Zurique a Sociedade Freud, que se tornará a Associação Psicanalítica de Zurique.

1º de outubro Ernst Lanzer (apelidado "Homem dos Ratos") começa uma análise com Sigmund Freud.

15 de dezembro Karl Abraham visita Sigmund Freud.

1908

2 de fevereiro   Primeiro encontro, em Viena, entre Sigmund Freud e Sandor Ferenczi. Início de uma longa amizade e de uma magnífica correspondência.

abril   I Congresso Internacional de Psicanálise em Salzburgo. Título do congresso: "Encontro dos psicólogos freudianos". Quarenta e dois membros de seis países (Estados Unidos, Áustria, Inglaterra, Alemanha, Hungria e Suíça) participam. Sigmund Freud apresenta as "Observações sobre um caso de neurose de compulsão (o Homem dos Ratos)" e fala durante várias horas diante de um público silencioso e estupefato. Nessa ocasião, é criado por Eugen Bleuler e Carl Gustav Jung o *Jahrbuch für psychoanalytische und psychopathologische Forschungen* (abreviação: *Jahrbuch*). Debates entre os profissionais de Zurique e os de Berlim sobre a etiologia da demência precoce. Primeiro encontro entre Freud e Ernest Jones.

maio   Abraham Arden Brill e Ernest Jones vêm dos Estados Unidos para visitar Sigmund Freud.

21 de agosto   Criação, por Karl Abraham, da Associação Psicanalítica de Berlim.

13 de setembro   Nascimento de Georges Devereux.

26 de setembro   Ernest Jones instala-se em Toronto.

A Sociedade Psicológica das Quartas-Feiras torna-se a Wiener Psychoanalytische Vereinigung (WPV).

6 de novembro   Nascimento de Françoise Dolto.

Em Viena, Hermine von Hug-Hellmuth começa uma análise com Isidor Sadger, que a apresenta a Sigmund Freud. Torna-se, depois dele, a primeira psicanalista de crianças.

1909

6 de janeiro   Joseph Babinski pronuncia em Paris uma conferência sobre o pitiatismo e o desmembramento da histeria segundo Charcot.

25 de abril   O pastor Oskar Pfister visita Sigmund Freud em Viena.

agosto-setembro   Sigmund Freud vai aos Estados Unidos em companhia de Carl Gustav Jung e Sandor Ferenczi.

Criação em Moscou da revista *Psychoterapia*, em torno de Nicolas Vyrubov e Moshe Wulff. O primeiro número será publicado em janeiro de 1910. Criação, por Nicolas Ossipov, de uma "ambulância terapêutica" em Moscou.

1910

janeiro   Início da análise de Serguei Constantinovitch Pankejeff (1887-1979), apelidado Homem dos Lobos, com Sigmund Freud.

30-31 de março   II Congresso Internacional de Psicanálise em Nuremberg, organizado por Carl Gustav Jung. Sandor Ferenczi propõe, com a concordância de Sigmund Freud, fundar uma organização internacional que reunisse sociedades de diferentes países. Será a International Psychoanalytical Association (IPA). Progressivamente, essa sigla se imporá em todos os países, exceto na França. O hábito de numerar os congressos da IPA será adotado a partir do ano de 1908. A fundação da IPA é acompanhada da criação de dois periódicos, o *Correspondenzblatt* e o *Zentralblatt für Psychoanalyse*, que se unirão em setembro de 1911. Carl Gustav Jung é eleito primeiro presidente da IPA. Filiação da Associação Psicanalítica de Zurique.

junho   Sigmund Freud publica *Leonardo da Vinci e uma lembrança de sua infância.*

julho-agosto   Enquanto passa férias na Holanda, Sigmund Freud atende a um apelo de Gustav Mahler. Analisa-o por algumas horas, percorrendo com ele as ruas de Leiden. Viaja depois para a Sicília, passando por Paris, Roma e Nápoles, em companhia de Sandor Ferenczi.

Em Buenos Aires, German Greve, médico chileno, expõe pela primeira vez na América Latina as teses freudianas em um congresso de medicina.

1911

fevereiro   Abraham Arden Brill funda a New York Psychoanalytic Society (NYPS).
Wilhelm Stekel e Alfred Adler deixam suas funções de direção na WPV.

14 de abril   Morte de Daniel Paul Schreber. Sigmund Freud analisará o caso, através das *Memórias de um doente dos nervos.*

maio   Ernest Jones e James Jackson Putnam fundam a American Psychoanalytic Association (APsaA).

21-23 de setembro   III Congresso da IPA em Weimar (presidente: Carl Gustav Jung). A IPA conta com 106 membros. Lou Andreas-Salomé participa do congresso e o médico sueco Poul Bjerre faz uma intervenção.

25 de novembro   Sabina Spielrein expõe, na WPV, suas teses sobre o instinto de morte. Primeira formulação dessa noção, que será retomada depois por Sigmund Freud.

Pierre Ernest Morichau-Beauchant: "A relação afetiva no tratamento das neuroses". Primeiro artigo de psicanálise publicado na França e reconhecido por Sigmund Freud.

Eugen Bleuler publica *Dementia praecox ou Grupo das esquizofrenias.*

1912

janeiro   Publicação da revista *Imago*, consagrada à psicanálise aplicada, sob a direção de Sigmund Freud, Otto Rank e Hanns Sachs.

junho   Com a concordância de Sigmund Freud, Ernest Jones funda em torno deste um Comitê Secreto, composto de seus discípulos mais próximos e encarregado de zelar pela difusão da causa psicanalítica. Reúne Sandor Ferenczi, Otto Rank, Karl Abraham, Hanns Sachs, Sigmund Freud e Ernest Jones. Este passa dois meses em Budapeste, para analisar-se com Ferenczi.

setembro   Sigmund Freud faz uma viagem a Roma.

Ernest Jones instala-se em Londres.

25 de outubro   Lou Andreas-Salomé chega a Viena. É apresentada a Freud por Poul Bjerre. Participará das sessões da WPV até abril de 1913. Wilhelm Stekel deixa definitivamente a WPV. Hermine von Hug-Hellmuth é consagrada como especialista em psicanálise de crianças em Viena, por Sigmund Freud.

dezembro   Publicação nos Estados Unidos do primeiro livro dedicado à psicanálise.

1913

janeiro   Início do conflito entre Sigmund Freud e Carl Gustav Jung.

1º de maio   Criação, por Sandor Ferenczi, da Sociedade Psicanalítica de Budapeste. Em torno dele: Sandor Rado, Istvan Hollos e Ignotus. A partir de 1919, virão Imre Hermann, Melanie Klein, Geza Roheim, René Spitz e Eugénie Sokolnicka.

25 de maio   Primeira reunião do Comitê Secreto. Sigmund Freud oferece a seus discípulos um anel com uma pedra grega de sua coleção.

7 de agosto   Congresso Internacional de Medicina em Londres. Pierre Janet apresenta uma exposição, "A psicanálise", em que ataca as teorias de Freud, na presença, notadamente, de Ernest Jones e Carl Gustav Jung.

7 de setembro   IV Congresso da IPA em Munique (presidente: Carl Gustav Jung). Os partidários de Freud obrigam Carl Gustav Jung a se demitir de suas funções de redator-chefe do *Jahrbuch*. Início da segunda dissidência no movimento freudiano. A Associação Psicanalítica de Zurique será dissolvida.

Sigmund Freud começa a escrever *Sobre o narcisismo: uma introdução*, e redige um prefácio para *Totem e tabu*, publicado no ano anterior.

30 de outubro   Ernest Jones funda a London Psychoanalytic Society, com Douglas Bryan, David Eder, David Forsyth, Bernard Hart e Owen Berkeley-Hill. Havelock Ellis se recusa a tornar-se membro.

Ruptura definitiva entre Sigmund Freud e Carl Gustav Jung.

Criação da *Internationale ärztliche Zeitschrift für Psychoanalyse*, novo órgão da IPA. A partir de 1939, ela se fundirá com *Imago*, e deixará de ser publicada em 1941.

Criação, nos Estados Unidos, da *Psychoanalytic Review*.

Sigmund Freud publica *O interesse científico da psicanálise*.

Primeira tradução de um texto de Sigmund Freud para o francês, escrito para a revista *Scientia* de Bolonha.

No Peru, Honorio Delgado difunde as idéias freudianas.

1914

janeiro   Sigmund Freud publica o primeiro estudo dedicado à história do movimento que fundou: "A história do movimento psicanalítico".

setembro   Bronislaw Malinowski vai à Nova Guiné, visita os Mailu, e depois às ilhas Trobriand.

novembro   Sigmund Freud publica na revista *Imago* "O *Moisés* de Michelangelo", sem nome de autor.

Emmanuel Régis e Angelo Hesnard publicam *A psicanálise das neuroses e das psicoses.*

1917

24 de março   Criação, nos Países Baixos, da Nederlandse Vereniging voor Psychoanalyse (NVP).

maio   Georg Groddeck adere à WPV.

Sigmund Freud projeta escrever um ensaio sobre as repercussões das teorias de Jean-Baptiste Lamarck sobre a psicanálise.

1918

28-29 de setembro   V Congresso da IPA em Budapeste (presidente: Karl Abraham). O congresso se realiza na Academia de Ciências, na presença dos representantes dos governos alemão, austríaco e húngaro. Sigmund Freud considera que o centro da psicanálise se encontra na Hungria. Durante o congresso, Hermann Nunberg propõe pela primeira vez que uma das condições exigidas para tornar-se psicanalista seja ter feito uma análise. Otto Rank e Sandor Ferenczi se opõem a que essa moção seja votada.

1919

janeiro   Criação da Internationaler Psychoanalytischer Verlag.

Viktor Tausk começa uma análise com Helene Deutsch, esta também em análise com Sigmund Freud. Ele pensa que Freud "rouba as suas idéias".

20 de fevereiro   Ernest Jones dissolve a Sociedade Psicanalítica de Londres e funda a British Psychoanalytical Society (BPS), sétimo componente da IPA.

28 de fevereiro   Publicação, no jornal vienense *Der freie Soldat*, de um artigo acusando os psiquiatras e os neurologistas, sobretudo Julius Wagner-Jauregg, de utilizar o tratamento elétrico como terapia das neuroses de guerra. Uma investigação será pedida a Sigmund Freud em 11 de fevereiro de 1920.

20 de março   Insurreição na Hungria. Bela Kun proclama a república dos conselhos. Sandor Ferenczi obtém na universidade a primeira cátedra de ensino da psicanálise.

24 de março   Oskar Pfister funda a Sociedade Suíça de Psicanálise (SSP). Entre seus onze fundadores: Emil Oberholzer, Hermann Rorschach e Hans Walser.

maio   Philippe Soupault e André Breton redigem *Os campos magnéticos*, com o auxílio da técnica de escrita automática de Pierre Janet.

3 de julho   Suicídio de Viktor Tausk.

1920

20 de janeiro   Morte de Anton von Freund, amigo de Sigmund Freud, que dedicara parte de sua fortuna à Verlag.

25 de janeiro   Morte de Sophie Halberstadt, em Hamburgo, de uma pneumonia gripal.

Criação do *International Journal of Psycho-Analysis*.

25 de fevereiro   Sigmund Freud entrega às autoridades médicas vienenses o resultado de sua investigação sobre o tratamento elétrico das neuroses de guerra. Condena o tratamento em nome da necessidade de reconhecer uma causa psíquica para essas neuroses.

Criação da Policlínica de Berlim e do Berliner Psychoanalytisches Institut (BPI), por Max Eitingon e Ernst Simmel. Berlim se torna então o centro da psicanálise e o lugar de passagem e formação de todos os pioneiros do freudismo no mundo. Entre estes: Melanie Klein, Wilhelm Reich, Karen Horney, Helene Deutsch, James e Alix Strachey, Sandor Rado, Franz Alexander, Michael Balint, Hanns Sachs, Otto Fenichel, Rudolph Loewenstein, Clara Happel, Siegfried Bernfeld.

maio   Sigmund Freud termina de redigir *Mais-além do princípio de prazer*.

8-11 de setembro   VI Congresso da IPA em Haia (presidente: Ernest Jones). Início dos grandes debates sobre a terapia, sua técnica e seus métodos. Sandor Ferenczi apresenta uma exposição sobre a "terapia ativa". Georg Groddeck, depois da publicação de sua obra *O investigador de almas*, se qualifica como "psicanalista selvagem".

dezembro   Sigmund Freud termina a redação de *Psicologia das massas e análise do eu*.

No Brasil, em São Paulo, Durval Marcondes começa a orientar-se para a psicanálise.

1921

janeiro   Melanie Klein se instala em Berlim.

21 de março   Chegada de Eugénie Sokolnicka a Paris. No outono, será acolhida pelos escritores da *Nouvelle Revue Française*. Analisará André Gide, Sophie Morgenstern, Blanche Reverchon, René Laforgue e Édouard Pichon.

Criação, em Moscou, da Associação Psicanalítica de Pesquisas sobre a Criação Artística, com Otto Schmidt, Ermakov e Moshe Wulff.

Muitos americanos vão a Viena para analisar-se com Freud: Horace Frink, Clarence Oberndorf, Monroe Meyer, Abram Kardiner.

agosto   Criação em Moscou, por Vera Schmidt, do Lar Experimental para Crianças, onde são aplicados métodos de educação baseados na psicanálise e no marxismo. A experiência terminará em 1927.

Sigmund Freud termina a redação de "Psicanálise e telepatia". Com Sandor Ferenczi, e contra a opinião de Ernest Jones, interessa-se pelos fenômenos ocultos.

11 de dezembro   Discussão entre os membros do Comitê sobre a admissão dos homossexuais nas sociedades psicanalíticas. Otto Rank e Sigmund Freud não se opõem e defendem que a decisão seja tomada em função da competência de cada um. Ernest Jones se opõe e enfatiza que a homossexualidade é um "crime repugnante". Sandor Ferenczi acha que os homossexuais são "demasiado anormais" para serem admitidos nas sociedades freudianas.

Criação, na Bulgária, da Sociedade Psicológica de Sófia. Entre seus membros está Ivan Kinkel, professor de direito na Universidade e membro da IPA.

1922

11 de janeiro   Representação, em Genebra, de uma peça de teatro de Henri Lenormand, dedicada à psicanálise: *O comedor de sonhos*.

Início em Paris, da "temporada Freud". Os meios literários põem a psicanálise na moda.

março   Criação, em Kazan, de uma sociedade psicanalítica, sob a direção de Aleksandr Romanovitch Luria, reunindo uma maioria de médicos.

Publicação, em Paris, do primeiro número da revista *Littérature*, contendo a entrevista com Sigmund Freud por André Breton, depois do encontro do outono de 1921.

14 de maio   Sigmund Freud escreve a Arthur Schnitzler para confessar-lhe que o evitou, temendo encontrar-se com o seu duplo.

Criação, em Moscou, da Sociedade Psicanalítica da Rússia por Moshe Wulff e Ivan Dimitrievitch Ermakov (15 membros).

22 de setembro   André Breton, René Crevel e Robert Desnos fazem experiências com o espiritismo na rua Fontaine.

25-27 de setembro   VII Congresso da IPA em Berlim (presidente: Ernest Jones). Início do grande debate sobre a sexualidade feminina.

Filiação da Sociedade Indiana de Psicanálise, criada por Girîndrashekhar Bose, em Calcutá.

Sigmund Freud defende a adesão à IPA da Sociedade Psicanalítica de Moscou. Ernest Jones é contrário. Defende Kazan contra Moscou, os médicos contra os leigos, e desconfia dos marxistas.

1923

fevereiro   Início da correspondência entre Sigmund Freud e Romain Rolland.

Primeira manifestação do câncer de mandíbula, do qual Freud morrerá 16 anos depois.

20 de abril   Sigmund Freud sofre uma intervenção cirúrgica para retirar um tumor da mandíbula superior direita e do palato. Felix Deutsch, seu médico, lhe esconde a natureza da doença.

junho   Morte de Heinerle, neto favorito de Sigmund Freud.

4 de setembro   Publicação, no jornal *La Presse*, de um artigo intitulado "Sobre o freudismo: as teorias de um sábio boche". Essa campanha germanófoba se sucede à que acaba de ser feita contra Albert Einstein em 1922.

27 de setembro   Léon Trotski escreve a Ivan Pavlov sobre as relações entre a doutrina freudiana e a dos reflexos condicionados. Segundo ele, a doutrina freudiana é materialista e um caso particular da teoria dos reflexos.

Criação, em Moscou, da Associação Psicanalítica Russa, que reúne o grupo de Moscou e o grupo de Kazan.

4-11 de outubro   Sigmund Freud é operado por Hans Pichler. Doravante, terá que usar uma enorme prótese, chamada "o monstro". Sofrerá ainda trinta e uma operações.

25 de outubro   Início da correspondência entre Sigmund Freud e René Laforgue, que continuará até 1937.

28 de outubro   Primeiro encontro entre Max Eitingon e René Laforgue, para criar uma sociedade psicanalítica em Paris.

Geza Roheim vai à Austrália central e à ilha Normanby. Defenderá as teorias de Freud contra Bronislaw Malinowski.

Otto Rank publica *O trauma do nascimento*.

Primeira difusão das obras de Sigmund Freud traduzidas para o espanhol no continente latino-americano.

1924

abril   VIII Congresso da IPA em Salzburgo (presidente: Ernest Jones). Filiação da Associação Psicanalítica Russa.

junho   Publicação em Bruxelas de um número especial da revista *Le Disque Vert*, dedicada à psicanálise.

8 de setembro   Hermine von Hug-Hellmuth é assassinada em Viena por seu sobrinho Rolf Hug.

novembro   Criação por Otto Fenichel, no quadro da DPG, de um "seminário de crianças", no qual são abordados simultaneamente os problemas da psicanálise de crianças e a questão das ligações entre a política e a psicanálise.

Ruptura entre Sigmund Freud e Otto Rank. Este vem despedir-se em Viena.

1º de dezembro   Publicação do primeiro número de *La Révolution Surréaliste*.

17 de dezembro   Melanie Klein apresenta uma exposição sobre a psicanálise de crianças na WPV. Início do grande debate que a oporá a Anna Freud.

1925

fevereiro   Samuel Goldwyn propõe a Sigmund Freud colaborar em um filme sobre os amores célebres. Freud se recusa.

Sigmund Freud publica sua autobiografia: *Selbsdarstellung*.

Início das discussões, na URSS, entre freudo-marxistas, marxistas e pavlovianos sobre o estatuto materialista da psicanálise. Fim dos debates em 1929. Extinção da psicanálise em 1930.

Theodor Reik, membro da WPV, é acusado de charlatanismo porque pratica a psicanálise sem ser médico. Sigmund Freud reage vivamente publicando *A questão da análise leiga.*

2-5 de setembro   IX Congresso da IPA em Bad-Hombourg (presidente: Karl Abraham). Max Eitingon instaura as regras da psicanálise didática aplicáveis a todas as sociedades componentes da IPA, através de uma International Training Commission (ITC). Início da burocratização da IPA.

30 de setembro   Marie Bonaparte vai a Viena para se analisar com Freud.

25 de dezembro   Morte de Karl Abraham.

Criação da primeira sociedade psicanalítica italiana, em torno de Edoardo Weiss e Marco Levi-Bianchini.

No Chile, Fernando Allende Navarro, analisado na Suíça por Emil Oberholzer, começa a formar psicanalistas.

1926

24 de março   Projeção, em Berlim, do filme de Wilhelm Pabst *Os mistérios da alma*, realizado com a assessoria de Hanns Sachs.

4 de novembro   Criação da Sociedade Psicanalítica de Paris (SPP).

1927

25 de junho   Publicação do primeiro número da *Revue Française de Psychanalyse* (RFP).

27 de setembro   X Congresso da IPA em Innsbruck (presidente: Max Eitingon). O comitê é dissolvido e reforma-se como comitê administrativo, composto de Sandor Ferenczi, Ernest Jones, Anna Freud, Johan Van Ophuijsen. Melanie Klein apresenta sua comunicação sobre "Os estádios precoces do conflito edipiano", em que responde às teses de Anna Freud. Ernest Jones apresenta a sua comunicação sobre "A fase precoce do desenvolvimento da sexualidade feminina". Debate sobre a questão do dualismo e do monismo sexual, que opõe os vienenses e os ingleses. Início dos conflitos entre os europeus e os americanos sobre o estatuto da psicanálise leiga e a admissão de não-médicos na IPA.

Criação em São Paulo, por Durval Marcondes e Franco da Rocha, da Sociedade Brasileira de Psicanálise, primeira sociedade freudiana do continente latino-americano.

1928

10 de janeiro   Conflito na SSP sobre a questão da psicanálise leiga. Emil Oberholzer pede demissão, junto com 22 membros, e funda a Associação Médica de

Psicanálise, reservada aos médicos. Esta nunca se filiará à IPA. Philipp Sarasin torna-se presidente da SSP.

28 de março   André Breton e Louis Aragon celebram o cinqüentenário da histeria, "a maior descoberta política do fim do século".

Criação, por Durval Marcondes, da *Revista Brasileira de Psicanálise*, primeira revista freudiana do continente latino-americano.

Criação em Tóquio, por Yackichi Yabe e Kenji Otsuki, de um Instituto Psicanalítico Japonês.

1929

10 de fevereiro   Criação do Instituto Psicanalítico de Frankfurt, sob a direção de Karl Landauer e Erich Fromm.

março   Max Schur se torna médico particular de Sigmund Freud.

julho   XI Congresso da IPA em Oxford (presidente: Max Eitingon). A NYPS aceita a filiação de psicanalistas não-médicos, mas aprova uma cláusula que permite às sociedades psicanalíticas americanas recusar a filiação de psicanalistas formados na Europa. Filiação da Sociedade Brasileira de Psicanálise.

setembro   Wilhelm Reich, membro do Partido Comunista Austríaco desde 1928, vai a Moscou. Lá, encontra-se com Vera Schmidt. Ao voltar, deixa Viena e vai para Berlim, encontra-se com a esquerda psicanalítica e adere ao Partido Comunista Alemão.

1930

17 de outubro   William Bullit, embaixador dos Estados Unidos em Berlim, leva a Sigmund Freud 1.500 páginas de anotações sobre Thomas Woodrow Wilson. O texto será concluído em 4 de dezembro. Freud escreverá o prefácio. A obra será publicada em 1967.

1931

22 de agosto   Reunião entre Alfhild Tamm, Harald Schjelderup e Sigurd Naesgaard para fundar um grupo psicanalítico escandinavo.

1932

janeiro   Criação, por Edoardo Weiss, em Roma, da Società Psicoanalitica Italiana (SPI), com Niccola Perrotti e Emilio Servadio.

4 de setembro   XII Congresso da IPA em Wiesbaden (presidente: Max Eitingon). Organizado por Karl Landauer, é o último congresso da IPA a reunir-se na Alemanha. Filiação do Instituto Psicanalítico Japonês de Tóquio.

7 de setembro   Jacques Lacan termina a redação da sua tese de medicina sobre o caso Aimée, publicada sob o título *Da psicose paranóica em suas relações com a personalidade*. Envia um exemplar a Freud.

1933

fevereiro   Max Eitingon e Sigmund Freud defendem a existência do Instituto Psicanalítico de Berlim. Edith Jacobson, membro da DPG, entra para a Resistência antinazista.

Ernst Kretschmer pede demissão da Allgemeine ärztliche Gesellschaft für Psychoterapie (AÄGP), sociedade composta de psiquiatras e psicoterapeutas. É substituído por Carl Gustav Jung, que declarará em dezembro que o inconsciente da "raça judia não pode ser comparado ao inconsciente ariano".

abril   A terminologia freudiana começa a ser banida do vocabulário da psiquiatria e da psicologia na Alemanha. A psicanálise é qualificada de "ciência judaica".

1º de maio   Wilhelm Reich chega a Copenhague. Em novembro, instala-se em Malmö, na Suécia. Publica *Psicologia de massas do fascismo*.

22 de maio   Morte de Sandor Ferenczi.

setembro   Max Eitingon pede demissão de todas as suas funções e deixa a Europa, indo para a Palestina, onde cria uma sociedade psicanalítica. Moshe Wulff reúne-se a ele. Início da emigração maciça dos psicanalistas alemães para a Argentina, a Inglaterra, os Estados Unidos. Serão seguidos pelos austríacos e pelos húngaros.

Crise na NVP por causa da chegada dos imigrantes à Holanda. Johan Van Ophuijsen pede demissão para criar a Vereniging voor Psychoanalyse in Nederland (VPN), que se fundirá com a NVP em 1938.

Os livros de Sigmund Freud são queimados na Alemanha.

Criação em Sendai, por Heisaku Kosawa, de um grupo de estudos psicanalíticos.

1934

janeiro   Jacques Lacan faz o curso de Alexandre Kojève sobre a *Fenomenologia do espírito* na École Pratique des Hautes Études.

fevereiro   Gustav Bally denuncia o papel de Carl Gustav Jung na presidência da AÄGP, que tem como missão excluir os judeus de suas fileiras. Início da polêmica sobre a adesão de Jung ao nazismo.

abril   Ludwig Jekels se instala em Estocolmo para favorecer o desenvolvimento da psicanálise na Suécia.

5 de maio   Criação em Jerusalém, por Max Eitingon, da Sociedade Psicanalítica da Palestina, que se tornará a Hachevra Hapsychoanalytit Be-Israel (HHBI).

19 de maio   Suicídio de Eugénie Sokolnicka.

26-31 de agosto   XIII Congresso da IPA em Lucerna (presidente: Ernest Jones). Nessa data, 24 dos 36 membros do Instituto Psicanalítico de Berlim já deixaram a Alemanha. Wilhelm Reich é excluído da IPA. A língua inglesa começa a impor-se nos congressos internacionais. A cláusula aprovada no congresso de Oxford de 1929 é anulada. Filiação de duas sociedades escandinavas: uma fino-sueca, outra dano-norueguesa. A primeira será a origem de duas sociedades separadas, uma sueca, em 1943, outra finlandesa, em 1969; a segunda será a origem de duas outras sociedades, uma dinamarquesa, em 1957, outra norueguesa, em 1975.

1935

dezembro   Em uma sessão da DPG, presidida por Ernest Jones, que defende uma política de "salvamento da psicanálise na Alemanha", os titulares judeus são obrigados a pedir demissão. Bernardt Kamm, que não é judeu, se solidariza com eles. John Rittmeister, membro da rede Orquestra Vermelha, será executado pelos nazistas. Karl Landauer será deportado. Marie Langer, membro do Partido Comunista Austríaco, emigra para a Espanha a fim de lutar contra o fascismo; dali, irá para a América Latina.

1936

julho   Negociações, em Basiléia, entre Ernest Jones, Abraham A. Brill, Felix Boehm e Carl Müller-Braunschweig, para ligar a DPG ao instituto de Matthias Göring. O Instituto Psicanalítico de Berlim será convertido em instituto "arianizado".

2-8 agosto   XIV Congresso da IPA em Marienbad (presidente: Ernest Jones). Filiação de um Grupo de Estudos tchecoslovaco, criado por Theodor Dosuzkov e de um Grupo de Estudos helênico criado por Andreas Embiricos.

Violentos conflitos entre os vienenses (partidários de Anna Freud) e os membros da BPS (que defendem as teses de Melanie Klein). Conflitos entre esta e sua filha Melitta Schmideberg, defendida por Edward Glover. Jacques Lacan faz a sua exposição sobre o estádio do espelho. Ernest Jones lhe corta a palavra ao fim de dez minutos. Jacques Lacan vai depois às Olimpíadas de Berlim. Voltando a Noirmoutier, redige "Mais-além do princípio de realidade".

outubro   Chegada a São Paulo de Adelheid Koch.

Roland Dalbiez publica *O método psicanalítico e a doutrina freudiana*, primeira tese de mestrado de filosofia, na França, sobre Freud.

Thomas Mann publica *Freud e o pensamento moderno*.

1937

5 de fevereiro   Morte de Lou Andreas-Salomé.

Sigmund Freud publica *Análise terminável e interminável*.

Jacques Lacan redige para a *Enciclopédia francesa* um texto sobre a família, que será corrigido por Lucien Febvre.

julho   Ludwig Jekels volta a Viena, sem ter conseguido organizar a psicanálise na Suécia. Instala-se em Nova York, depois de passar pela Austrália.

setembro Na Noruega, começa uma vasta campanha de difamação contra Wilhelm Reich, que é qualificado de "psicopata", "charlatão" e "pornógrafo judeu".

1938

31 de março A WPV decide dissolver-se e transferir-se "para onde Freud for morar".

3 de junho Graças à intervenção de William Bullitt e ao pagamento de um resgate por Marie Bonaparte, Sigmund Freud consegue deixar Viena com sua mulher e sua filha. Minna Bernays e dois dos filhos de Freud já estão em Londres.

5 de junho Sigmund Freud chega a Paris de manhã. À noite, há uma recepção em sua homenagem na rua Adolphe-Yvon, na casa de Marie Bonaparte, e na presença dos psicanalistas franceses. Jacques Lacan não está presente.

6 de junho Partida de Sigmund Freud para Londres. Instala-se em Maresfield Gardens, 20.

19 de julho Salvador Dali visita Sigmund Freud e faz o seu retrato. Freud revê o seu conceito sobre o surrealismo.

29 de julho XV Congresso da IPA em Paris (presidente: Ernest Jones). No discurso de encerramento, Jones anuncia o triunfo da sua política de "salvamento" na Alemanha e se alegra com a "autonomia" da nova DPG. À noite, uma festa é organizada em homenagem a todos os participantes (cuja maioria é de exilados vienenses) em Saint-Cloud, na casa de Marie Bonaparte. Yvette Guilbert canta *Dites-moi que je suis belle.*

Na Itália, são promulgadas leis anti-semitas de exceção. Os psicanalistas judeus emigram.

1939

janeiro Chegada de Michael e Alice Balint a Manchester.

Edoardo Weiss deixa a Itália para ir a Topeka, no Kansas, à Menninger Clinic (fundada por Karl Menninger). Reúne-se depois a Franz Alexander em Chicago.

abril Matthias Göring vai a Oslo para criar um instituto arianizado, de acordo com o modelo de Berlim. Vários psicanalistas noruegueses entram para a resistência antinazista. Harald Schjelderup é internado em um campo de concentração. Paul Bernstein é deportado e morre na Alemanha, em um campo.

23 de setembro Morte de Sigmund Freud, às três horas da manhã, em sua casa de Londres. A seu pedido, e com o consentimento de Anna Freud, Max Schur lhe injeta uma dose de três centigramas de morfina, por três vezes.

1940

janeiro Vindo da Espanha, François Tosquelles aceita um cargo no Hospital Psiquiátrico de Saint-Alban en Lozère, dirigido por Paul Balvet. Início do movimento de psicoterapia institucional.

dezembro   René Laforgue encontra-se em Paris com funcionários nazistas. Georges Parcheminey reorganiza o serviço psiquiátrico do Hospital Sainte-Anne, sob a direção do professor Laignel-Lavastine, e depois de Jean Delay.

1941

Em Nova York, cisão na NYPS, em torno de Karen Horney, que funda a Association for the Advancement of Psychoanalysis (AAP).

1942

janeiro   Fases preparatórias das Grandes Controvérsias que oporão Melanie Klein e Anna Freud no seio da BPS.

fevereiro   O psicanalista Georges Mauco, colaborador de Georges Montandon, publica em *L'Ethnie Française* um artigo racista e anti-semita sobre a "imigração estrangeira" na França.

29 de junho   Maria Freud, Adolfine Freud e Paula Winternitz são deportadas para o campo de concentração de Theresienstadt. Em 23 de setembro, Maria e Paula serão transferidas para o campo de Maly Trostinec.

27 de julho   Morte de Sabina Spielrein, executada pelos alemães em Rostov.

28 de agosto   Rosa Graf, quarta irmã de Sigmund Freud, é deportada para o campo de Theresienstadt.

21 de outubro   Início das Grandes Controvérsias na BPS. Edward Glover levanta a questão da validade das teses kleinianas.

dezembro   Criação da Associación Psicoanalítica Argentina (APA), por Celes Ernesto Cárcamo, Angel Garma, Enrique Pichon-Rivière, Marie Langer, Arnaldo Rascovsky, Guillermo Ferrari Hardoy.

1943

janeiro   René Laforgue recebe a última carta de Matthias Göring. No sul da França, conseguiu ajudar Oliver Freud e sua mulher a escapar pela fronteira espanhola. Ele é então analista de Eva Freud, filha de Oliver Freud, neta de Sigmund Freud.

5 de fevereiro   Morte de Adolfine Freud no campo de Theresienstadt.

No México, formação de um Grupo de Estudos sobre a Psicanálise, dirigido por Santiago Ramirez, José Luiz Gonzales, Ramon Parres.

No Chile, Ignacio Matte-Blanco consolida o Grupo Psicanalítico de Santiago.

Dissolução da Sociedade Psicanalítica Fino-Sueca e criação da Svenska Psykoanalytisk Föreningen (SPF, Suécia).

1944

5 de junho   Criação do Grupo Psicanalítico de São Paulo, por Adelheid Koch, Durval Marcondes, Flávio Dias, Virgínia Bicudo, Darcy de Mendonça Uchoa e Frank Philips. Será filiado, como sociedade componente, no Congresso da IPA em Amsterdam, em 1951.

1945

14 de julho   Otto Fenichel tenta convencer James Strachey a publicar a *Standard Edition* nos Estados Unidos.

Ernest Jones se torna biógrafo de Sigmund Freud. Constituição, pelos herdeiros diretos de Freud, de uma história oficial baseada nos arquivos.

outubro   Instalação de Michael Balint em Londres.

dezembro   Reconstituição da WPV sob a direção de August Aichhorn, com Wilhelm Solms e Alfred von Winterstein.

1946

janeiro   Criação, por Maryse Choisy, da revista *Psyché*.

Primeiro congresso para a reconstituição da Società Psicoanalitica Italiana, em torno de Cesare Musatti, Niccola Perrotti e Alessandra Tomasi (princesa de Lampedusa, esposa do autor do *Leopardo*).

26 de junho   Fim das Grandes Controvérsias. A BPS se divide em três grupos: os annafreudianos, os kleinianos e os independentes.

julho   Criação, em Bucareste, da Sociedade Romena de Psicopatologia e Psico-terapia.

No Rio de Janeiro, realiza-se o I Congresso Latino-Americano de Psicanálise. Efetua-se uma fusão entre a APA e o Grupo Psicanalítico de São Paulo.

Formado na Argentina, Valentin Pérez Pastorini volta a Montevidéu, no Uruguai, para formar psicanalistas.

1947

20 de janeiro   Criação, por Maurice Dugautiez e Fernand Lechat, da Associação dos Psicanalistas da Bélgica. Será filiada à IPA durante o Congresso Internacional de Zurique em julho de 1949, e se tornará a Sociedade Belga de Psicanálise (SBP).

dezembro   Criação da revista *Psyche* por Alexander Mitscherlich, para promover um humanismo psicanalítico. Início da reflexão sobre o nazismo e a psicanálise na Alemanha.

Cisão na Washington-Baltimore Psychoanalytic Society e criação de duas socie-dades distintas: a Washington Psychoanalytic Society (WPS) e a Baltimore Psy-choanalytic Society (BaPS).

Criação da revista *Samiska*, por Girîndrashekhar Bose.

1948

Retorno a Bogotá, na Colômbia, de Arturo Lizararo, analisado no Chile por Fernando Allende Navarro. Forma um grupo de psicanalistas que será reconhecido pela IPA como Grupo de Estudos no Congresso de Paris, em 1957.

Cisão na Philadelphia Psychoanalytic Society (PPS) e criação, um ano depois, da Philadelphia Association for Psychoanalysis (PAP).

1949

27 de janeiro   O jornal *L'Humanité* publica, assinado por Guy Leclerc, um artigo intitulado "A psicanálise, ideologia de baixa civilização e de espionagem". Por iniciativa da URSS, lançamento da campanha jdanoviana contra a psicanálise no PCF.

março   Criação da Deutsche Gesellschaft für Psychoterapie und Tiefen-psychologie, composta de várias tendências: Carl Müller-Braunschweig (freudianos), Harald Schultz-Hencke (neopsicanálise), aos quais se reúnem independentes como Alexander Mitscherlich.

junho   Publicação, em *La Nouvelle Critique*, de "A psicanálise, uma ideologia reacionária", artigo condenando a psicanálise, assinado por Serge Lebovici, Lucien Bonnafé, Sven Follin, Jean e Evelyne Kestemberg, Louis Le Gaillant, Jules Monnerot e Salem Shentoub.

15 de agosto   XVI Congresso da IPA em Zurique (presidente: Ernest Jones). Admite-se o princípio da reconstituição da DPG (Alemanha), composta de dois grupos rivais. Filiação da Asociación Psicoanalítica de Argentina (APA), da Asociación Psicoanalítica Chilena (APC) e da Sociedade Belga de Psicanálise (SBP). Nessa data, doze sociedades, distribuídas por dez cidades, se filiam à American Psychoanalytic Association (APA): Nova York, Washington, Baltimore, Chicago, Boston, Filadélfia, Topeka, Detroit, São Francisco e Los Angeles. Jacques Lacan: "O estádio do espelho como formador da função do Eu".

1950

18-27 de setembro   I Congresso da Associação Mundial de Psiquiatria, organizado por Henri Ey, em Paris.

Primeira publicação em alemão da correspondência (1887-1902) de Sigmund Freud com Wilhelm Fliess, sob o título *Aus den Anfängen der Psychoanalyse*. (Versão expurgada. Tradução inglesa, 1954. Tradução francesa, 1956.)

Criação, por Werner Kemper, de um Centro de Estudos Psicanalíticos, que se tornará a Sociedade Psicanalítica do Rio de Janeiro (SPRJ), filiada à IPA em 1955.

Criação, pelos alunos de Otto Fenichel e de Ernst Simmel, de um grupo californiano da IPA favorável à análise leiga: Southern California Psychoanalytic Society (SCPS).

Dissolução do Grupo de Estudos Helênico.

1951

7 de agosto   XVII Congresso da IPA em Amsterdam (presidente: Leo Barte-meier). Depois de uma cisão no seio da DPG, uma nova sociedade alemã, a Deutsche Psychoanalitische Vereinigung (DPV), se filia à IPA, sob a direção de Carl Müller-Braunschweig. A DPG, sob a direção de Harald Schultz-Hencke, fica fora da IPA. Filiação da Sociedade Brasileira de Psicanálise de São Paulo (SBPSP).

10 de novembro   Conferência de Siegfried Bernfeld sobre a formação dos psicanalistas no Instituto de Psicanálise de São Francisco.

1952

15 de abril   Discurso de Pio XII no Congresso Internacional de Psicoterapia e de Psicologia Clínica: evocação dos "perigos" da psicanálise.

17 de junho   Criação do Instituto de Psicanálise. Na SPP, início da crise que levará à primeira cisão da história do movimento psicanalítico francês. Episódio da "Discórdia dos mestres", com a eleição do grupo de Sacha Nacht para o comitê diretor do Instituto.

1953

4 de abril   Morte de Siegfried Bernfeld.

16 de junho   Demissão da SPP de Juliette Favez-Boutonier, Daniel Lagache, Françoise Dolto, Jacques Lacan e Blanche Reverchon-Jouve. Fim da primeira cisão na França.

18 de junho   Anúncio oficial da criação, por Daniel Lagache, da Sociedade Francesa de Psicanálise (SFP).

8 de julho   Conferência de Jacques Lacan na SFP: "O Simbólico, o Imaginário e o Real".

26 de julho   XVIII Congresso Internacional da IPA em Londres (presidente: Heinz Hartmann). Este recusa a filiação dos demissionários da SPP e confia o exame de sua candidatura a uma comissão de investigação composta por Donald W. Winnicott, Jeanne Lampl-De Groot, Phyllis Greenacre, Willi Hoffer. Exposição de Ernest Jones sobre as primeiras viagens de Freud.

agosto   Jacques Lacan redige o "Discurso de Roma": "Função e campo da fala e da linguagem na psicanálise".

outubro   Criação da Canadian Psychoanalytic Society (CPS), que será filiada à IPA em 1957.

1955

26 de julho   XIX Congresso da IPA em Genebra (presidente: Heinz Hartmann). Recusa oficial de reconhecer a SFP. Relatório da comissão presidida por Donald

W. Winnicott. Filiação da Sociedade Psicanalítica do Rio de Janeiro (SPRJ). Criada por Heisaku Kosawa, a Sociedade Japonesa de Psicanálise se filia à IPA.

setembro   Criação, por Willy Baranger, da Asociación Psicoanalítica del Uruguay (APU). Será filiada à IPA em 1961.

7 de novembro   Conferência de Jacques Lacan em Viena: "A coisa freudiana ou Sentido do retorno a Freud em psicanálise". Anuncia que, segundo uma informação transmitida por Carl Gustav Jung, Sigmund Freud teria dito ao chegar a Nova York: "Eles não sabem que lhes trazemos a peste". Início do mito francês da peste na história da psicanálise.

dezembro   A Congregação do Santo Ofício inclui no *Index* obras de Angelo Hesnard: *Moral sem pecado* (1954), *O universo mórbido do pecado* (1959), *Manual de sexologia normal e patológica* (1951).

1956

março   Publicação do primeiro número de *La Psychanalyse*, revista da SFP, sobre o tema: "Do uso da fala e das estruturas de linguagem na condução do tratamento e no campo da psicanálise". Com Émile Benveniste, Jean Hyppolite, Daniel Lagache e Jacques Lacan.

5-6 de maio   Celebração, em Londres, do centésimo aniversário do nascimento de Sigmund Freud.

1957

janeiro   A revista *La Raison*, dirigida por Henri Wallon e Lucien Bonnafé, anuncia que a publicação de *A psicanálise de hoje* marca um momento importante na evolução da psicanálise. Essa declaração coincide com o fim da campanha do PCF contra a psicanálise.

28 de julho   XX Congresso da IPA em Paris (presidente: Heinz Hartmann). Filiação da Canadian Psychoanalytic Society (CPS) e da Dansk Psykoanalytisk Selskat (DPS, Dinamarca). Reconhecimento, como grupo de estudos, da Sociedade Psicanalítica Luso-Ibérica, patrocinada pela Sociedade Suíça de Psicanálise (SSP).

3 de novembro   Morte de Wilhelm Reich.

1959

16-30 de julho   XXI Congresso da IPA em Copenhague (presidente: William H. Gillespie). A executiva central pede a criação de um novo comitê consultivo para examinar a candidatura francesa. Filiação da Sociedade Brasileira de Psicanálise do Rio de Janeiro (SBPRJ), fundada por alunos de Mark Burke e por Danilo e Marialzira Perestrello e Alcyon Baer Bahia.

1960

21 de março   Carta de William Gillespie, presidente da IPA, a Angelo Hesnard, para anunciar a ida a Paris de um novo comitê consultivo, composto por Paula Heimann, Ilse Hellman, P.J. Van der Leeuw, e presidido por Pierre Turquet.

abril   Serge Leclaire inicia uma longa correspondência com Pierre Turquet. Começo do "grande jogo", que levará à segunda cisão do movimento psicanalítico francês. Constituição da tróica: Serge Leclaire, Wladimir Granoff e François Perrier.

5-9 de setembro   Colóquio internacional em Amsterdam sobre a sexualidade feminina, com Jacques Lacan, Daniel Lagache, Françoise Dolto, François Perrier, Wladimir Granoff e Franz Alexander.

22 de setembro   Morte de Melanie Klein.

Criação de um Conselho Coordenador das Organizações Psicanalíticas da América Latina (COPAL), destinado a defender os interesses das sociedades psicanalíticas latino-americanas filiadas à IPA.

1961

21 de maio   Defesa de tese de Michel Foucault sobre a *História da loucura na idade clássica*.

2 de agosto   XXII Congresso da IPA em Edimburgo (presidente: William Gillespie). A SFP é obrigada a retirar sua candidatura à filiação como sociedade componente, para aceitar o estatuto de grupo de estudos patrocinado por um comitê *ad hoc*. Dezenove recomendações são emitidas pela executiva central, entre as quais um pedido de afastamento de Jacques Lacan, Françoise Dolto e Angelo Hesnard das análises didáticas. Serge Leclaire é admitido como membro da IPA a título pessoal. Filiação da Sociedad Colombiana de Psicoanalisis e da Asociación Psicoanalítica del Uruguay (APU).

outubro   Ola Andersson publica *Studies in the Prehistory of Psychoanalysis*, primeira pesquisa de história erudita sobre as origens do freudismo por um autor sueco membro da IPA.

1962

5 de agosto   Suicídio de Marilyn Monroe: a conselho de Marianne Kris, sua analista, ela se recusara a interpretar o papel de Cecily no filme de John Huston *Freud, além da alma*, segundo o roteiro de Jean-Paul Sartre.

novembro   No mosteiro beneditino de Cuernavaca, no México, o padre Grégoire Lemercier realiza uma experiência de tratamento psicanalítico com diversos monges. No concílio, enfatiza a necessidade de submeter os religiosos à análise.

1963

31 de julho XXIII Congresso da IPA em Estocolmo (presidente: Maxwell Gitelson). A SFP conserva o seu estatuto de grupo de estudos. Wladimir Granoff é admitido como membro da IPA a título pessoal. Filiação da Sociedade Psicanalítica de Porto Alegre, oriunda de um grupo original formado por Mário Martins, David Zimmermann e Zaira Bittencourt Martins.

2 de agosto Decisão da executiva central da IPA, conhecida sob o nome de "Diretiva de Estocolmo": pedido de supressão do nome de Jacques Lacan da lista de didatas da SFP. A supressão deve se efetivar antes de 31 de outubro. Uma análise suplementar será exigida dos candidatos ainda em formação com ele.

19 de novembro Fim da segunda cisão da história do movimento psicanalítico francês. A terceira geração será doravante dividida em três grupos psicanalíticos: dois pertencentes à IPA e outro, sempre freudiano mas de orientação lacaniana, fora da legitimidade da IPA.

20 de novembro Última conferência de Jacques Lacan no Hospital Sainte-Anne: "Os nomes do pai". Graças a Louis Althusser, Lacan instala-se na École Normale Supérieure. Aceita a proposta de François Wahl de publicar uma obra nas Éditions du Seuil.

1964

janeiro Muriel Gardiner: "A velhice do Homem dos Lobos". (Primeira etapa de um trabalho sobre a história e a identificação de um grande caso de Freud.)

3 de abril Criação da coleção "O Campo Freudiano", dirigida por Jacques Lacan, nas Éditions du Seuil.

26 de maio Criação da Associação Psicanalítica da França (APF). Principais membros: Daniel Lagache, Georges Favez, Juliette Favez-Boutonier, Jean-Bertrand Pontalis, Jean Laplanche, Didier Anzieu e Wladimir Granoff.

21 de junho Criação, por Jacques Lacan, da École Française de Psychanalyse, que se tornará École Freudienne de Paris (EFP) em setembro. O discurso "Eu fundo..." é gravado.

John Huston realiza o filme *Freud, além da alma*. Jean-Paul Sartre retirou seu nome dos créditos. Seu roteiro será publicado em 1984, depois de sua morte.

1965

28 de julho XXIV Congresso da IPA em Amsterdam (presidente: William Gillespie). Filiação da APF. Nessa data, existem na França três sociedades psicanalíticas: a SPP (83 membros), a APF (26 membros), a EFP (134 membros). Só as duas primeiras são filiadas à IPA, ou seja, 109 psicanalistas. O freudismo francês de inspiração lacaniana é majoritário e encontra-se fora da IPA. Com o fim da segunda cisão do movimento psicanalítico francês, começa a expansão do movimento lacaniano. Em uma conferência no congresso, Ola Andersson revela a verdadeira identidade de Emmy von N., primeira paciente de Freud tratada pela psicanálise.

Ao mesmo tempo que Muriel Gardiner, ele abre caminho para o estudo histórico dos grandes casos de Freud. Sua conferência será publicada em 1979.

1966

Publicação em Paris do primeiro número da revista *Cahiers pour l'Analyse*, pelo círculo de epistemologia da École Normale Supérieure.

18-21 de outubro Simpósio sobre o estruturalismo na Universidade Johns Hopkins em Baltimore. Entre os convidados franceses, Jacques Derrida, Jean-Pierre Vernant, Tzvetan Todorov e Jacques Lacan.

15 de novembro Publicação dos *Écrits* de Jacques Lacan.

1967

25 de julho XXV Congresso da IPA em Copenhague (presidente: P.J. Van der Leeuw). Depois de uma cisão na Sociedade Luso-Espanhola, três sociedades são filiadas: a Sociedade Portuguesa de Psicanálise, a Sociedad Española de Psicoanalisis (Barcelona), a Asociación Psicoanalítica de Madri.

9 de outubro Discurso de Jacques Lacan na EFP para propor o passe, isto é, um novo modo de acesso ao estatuto de psicanalista didata. Haverá duas versões dessa proposta. Início da crise que levará a EFP à cisão.

Publicação do *Vocabulário da psicanálise*, redigido por Jean Laplanche e Jean-Bertrand Pontalis. A obra será traduzida no mundo inteiro (22 línguas).

1969

17 de março Criação, pelos demissionários da EFP, da Organização Psicanalítica de Língua Francesa (OPLF), também chamada Quarto Grupo. Fim da terceira cisão da história do movimento psicanalítico francês. Nessa data, duas sociedades de inspiração freudiana estão fora da IPA.

André Stéphane: *O universo contestatário*. Esse é o pseudônimo de Janine Chasseguet-Smirgel e Bela Grunberger, psicanalistas conservadores da SPP. Os contestatários de maio são qualificados de "cristãos novos" e Daniel Cohn-Bendit de "mau judeu", de tendência "anal". Anne-Lise Stern, membro da EFP, protesta no *Le Nouvel Observateur*, assinando com seu número de deportada.

8 de julho Criação da Escola Belga de Psicanálise (EBP) por Antoine Vergote, Jacques Schotte, Paul Duquenne e Jean-Claude Quintart. Presidente de honra: Alphonse de Waelhens.

25 de julho XXVI Congresso da IPA em Roma (presidente: P.J. Van der Leeuw). Filiação da Società Psicanalitica Italiana (SPI). Grande movimento de contestação no seio das sociedades européias filiadas à IPA visando uma reforma dos currículos e da formação. À margem do congresso, reúne-se um grupo de psicanalistas contestatários, em torno de Elvio Fachinelli. Formação do grupo Plataforma por psicanalistas argentinos, entre os quais Marie Langer. É destinado a estender a revolta a todas as sociedades psicanalíticas. Filiação da Suomen Psykoanallyytinen Yhdistys (SPY, Finlândia) e da Asociación Venezolana de Psicoanálisis (AVP). Criação da Federação Européia de Psicanálise (FEP), destinada a controlar a contestação.

12 de setembro   Criação, por Maud Mannoni e Robert Lefort, da Escola Experimental de Bonneuil-sur-Marne. Será reconhecida como hospital-dia em 17 de março de 1975.

1970

fevereiro   Henri F. Ellenberger publica *The Discovery of the Unconscious. The History and Evolution of Dynamic Psychiatry*, primeiro livro extenso de história escrito por um autor não-pertencente à IPA. O modelo biográfico da historiografia oficial é efetivamente questionado.

1971

27 de julho   XXVII Congresso da IPA em Viena (presidente: Leo Rangell). Primeiro congresso na Áustria desde 1927. Os membros do grupo Plataforma deixam a APA. Outro grupo assume o nome de Documento para continuar a contestação no interior da APA. No fim do ano, trinta psicanalistas pedem demissão da APA, além de vinte candidatos. Primeira ruptura na APA.

1973

26 de julho   XXVIII Congresso da IPA em Paris (presidente: Leo Rangell). Eleição para a presidência de Serge Lebovici, primeiro francês a ocupar essa função. Unificação das duas sociedades componentes francesas da IPA, a APF e a SPP.
Filiação da Australian Psychoanalytical Society (APS).

outubro   Marie Langer revela publicamente que Amílcar Lobo, psicanalista em formação no Rio de Janeiro e analisado por Leão Cabernite, é um torturador a serviço da ditadura. Leão Cabernite, presidente da SPRJ, foi analisado por Werner Kemper, ex-nazista colaborador de Matthias Göring. Informado do caso por Helena Besserman Vianna, Serge Lebovici, presidente da IPA, escreve a Cabernite.

16-19 de dezembro   Armando Verdiglione, criador do grupo Semiótica e Psicanálise e analisado por Jacques Lacan, organiza o seu primeiro colóquio internacional em Milão, sobre o tema "Psicanálise e política". Presença de muitos psicanalistas e intelectuais franceses.

Início das reuniões de confrontação, animadas por René Major e Dominique Geahchan em Paris. Dissidência na SPP. O grupo assumirá em seguida o nome de Confrontação e suas atividades terão fim em 1982.

1974

28 de junho   Fundação, por dezenove psicanalistas, entre os quais Oscar Masotta e Isidoro Vegh, da Escuela Freudiana de Buenos Aires (EFBA), a partir do modelo da EFP. Início da expansão do movimento lacaniano na Argentina.

1975

20 de janeiro   Um grupo separatista no interior da APA toma o nome de Ateneo Psicoanalítico, com a intenção de propor uma reforma da formação didática. Início de um processo de cisão.

25 de julho   XXIX Congresso da IPA em Londres (presidente: Serge Lebovici). Filiação da Norsk Psykoanalytisk Forening (NPF, Noruega).

1977

11 de fevereiro   Criação, por Oscar Masotta, da Biblioteca Freudiana de Barcelona.

27 de julho   XXX Congresso da IPA em Jerusalém (presidente: Serge Lebovici). A direção da IPA apresenta um projeto de nova constituição e define a nova divisão do mundo psicanalítico em três zonas:

  1) tudo o que se acha ao norte da fronteira mexicana;

  2) tudo o que se acha ao sul da mesma fronteira;

  3) o resto do mundo.

Anna Freud dirige ao congresso um texto no qual declara que o qualificativo de "ciência judaica" para a psicanálise representa, na ocasião, um título de glória.

O grupo Ateneo Psicoanalítico torna-se sociedade provisória, sob o nome de Asociación Psicoanalítica de Buenos Aires (ABdeBA). Fim da cisão na Argentina.

Criação de um instituto de psicanálise no Peru.

1978

13 de novembro   Por recomendação de Kurt Eissler, diretor dos Arquivos Freud, Anna Freud dá consentimento a Jeffrey Moussaïev Masson para tratar da publicação da correspondência entre Sigmund Freud e Wilhelm Fliess. Início de uma grande turbulência nos Arquivos Freud, que inaugura a "revisão" da historiografia freudiana.

1979

27 de julho   XXXI Congresso da IPA em Nova York (presidente: Edward Joseph). A pedido de um membro da APS (Austrália), a IPA condena, em votação aberta, a violação dos direitos humanos na Argentina e a utilização dos métodos psiquiátricos e psicoterápicos para fins de privação da liberdade.

Dissolução da COPAL, que será substituída um ano depois pela Federación Psicoanalítica de America Latina (FEPAL).

30 de setembro   Início do Simpósio Internacional sobre o Inconsciente em Tbilissi, na Geórgia, organizado por Léon Chertok e Philippe Bassine. Assembléia geral da EFP assinalando o começo do processo de dissolução. Jacques Lacan não fala mais.

1980

5 de janeiro   Em Paris, difusão de uma carta de dissolução da EFP, com a assinatura de Jacques Lacan. Será publicada no jornal *Le Monde*.

8 de janeiro   Jacques Lacan lê essa carta em seu Seminário e acrescenta: "Foi o que assinei com meu nome, Jacques Lacan, em Guitrancourt, no dia 5 de janeiro de 1980."

setembro   Colóquio no Rio de Janeiro sobre o tema "Psicanálise e fascismo". Um prisioneiro político testemunha que viu Amílcar Lobo participar da tortura. Debates na imprensa brasileira. Helena Besserman Vianna é reabilitada.

1981

3 de janeiro   Em Paris, a Causa Freudiana anuncia, por correspondência, a criação de uma Escola da Causa Freudiana (ECF). Seus dirigentes pertencem majoritariamente à quinta geração psicanalítica francesa.

fevereiro   Encontro franco-latino-americano em Paris, organizado por René Major, para criticar a política da IPA quanto aos regimes ditatoriais. Conferência de Jacques Derrida denunciando o terror, as concessões da IPA e a divisão em "zonas".

25 de julho   XXXII Congresso da IPA em Helsinki (presidente: Edward Joseph). A nova constituição é adotada. A psicanálise é definida como uma terapia e sua teoria como emanando das descobertas de Sigmund Freud. A divisão do mundo em três zonas (América do Norte, América do Sul, Europa) é confirmada.

18-25 de agosto   Publicação, no *New York Times*, de dois artigos de Ralph Blumenthal sobre a publicação da correspondência entre Sigmund Freud e Wilhelm Fliess, e sobre as declarações de Jeffrey Moussaïev Masson a respeito da renúncia à teoria da sedução. Escândalo nos Arquivos Freud. Masson será demitido de suas funções em novembro.

9 de setembro   Morte de Jacques Lacan.

1982

26 de junho   Criação em Paris, por Charles Melman, da Associação Freudiana (AF), que se tornará internacional em 1992.

9 de julho   Criação por Octave Mannoni, Maud Mannoni e Patrick Guyomard do Centre de Formation et de Recherches Psychanalytiques (CFRP).

9 de outubro   Morte de Anna Freud em Londres. Sua casa, em Maresfield Gardens, 20, se tornará o Freud Museum.

1983

26 de julho   XXXIII Congresso da IPA em Madri (presidente: Adam Limentani). Filiação da Asociación Psicoanalítica de Mendoza (APM) e de um novo grupo de estudos helênico.

1984

abril   Simpósio da IPA em Taunton (Inglaterra) sobre o tema "As mudanças ocorridas nos analistas e em sua formação". Nessa ocasião, Adam Limentani, presidente da IPA, declara a propósito de Jacques-Alain Miller: "O genro de Lacan é extremamente ativo e tem a intenção de apoderar-se de uma boa parte da Europa, inclusive Londres e especialmente a Tavistock Clinic".

1985

janeiro   Os membros do Psychoanalytisches Seminär de Zurique planejam a formação de um contra-congresso em julho, em Hamburgo, para criticar a linha oficial da IPA e a ocultação do passado no caso do "salvamento" da psicanálise sob o nazismo.

30 de maio   Morte de Georges Devereux.

26 de julho   XXXIV Congresso da IPA em Hamburgo (presidente: Adam Limentani). Primeiro congresso na Alemanha desde 1932. A direção da IPA decidiu não falar da política de Ernest Jones, mas organizou-se uma exposição sobre o período nazista, com a publicação de um catálogo.

1987

27 de julho   XXXV Congresso da IPA em Montréal (presidente: Robert S. Wallerstein). Nessa data, a IPA compreende 6.300 membros, 23 sociedades componentes, 4 grupos de estudos. A progressão é de 500 membros por ano. É decidido que o XXXVII Congresso se realizará em uma cidade da América Latina. Filiação da Sociedad Peruana de Psicoanalisis. Início da reconstrução da psicanálise nos antigos países comunistas, sob a influência da política de Mikhail Gorbachev. Essa reconstrução se fará essencialmente sob a égide da IPA, e pela difusão das teorias da escola inglesa, principalmente a kleiniana.

1988

27 de agosto   Morte de Françoise Dolto.

1º de novembro   Primeiro colóquio da Associação dos Psicanalistas de Praga sobre a sexualidade feminina, organizado com a SPP (Paris). Integração dessa associação como componente do ramo "psicoterapia" da seção psiquiátrica da Sociedade Médica Tcheca.

1989

27 de julho XXXVI Congresso da IPA em Roma (presidente: Robert S. Wallerstein). Toma-se a decisão de realizar o próximo congresso em Buenos Aires, na Argentina.

23 de setembro Qüinquagésimo aniversário da morte de Sigmund Freud. Uma celebração oficial é organizada em Maresfield Gardens, 20, que se tornou o Freud Museum desde 1986, graças à Fundação New-Land, criada por Muriel Gardiner. Nessa data, a IPA está implantada em 15 países da Europa. A Hungria é o único país comunista em que se manteve um grupo freudiano. Na França, a IPA reúne duas sociedades componentes: a SPP (431 membros) e a APF (52 membros). As associações psicanalíticas oriundas da dissolução da EFP são dezessete, às quais se acrescentam dois outros grupos: a OPLF (1969) e o Colégio dos Psicanalistas (1980). Dos vinte grupos franceses, nove funcionam por simples cooptação, enquanto os onze outros realizam uma formação didática. Duas sociedades de história da psicanálise foram criadas: a SIHPP e a AIHP. Nessa data, 36 periódicos atuam no campo do freudismo francês.

1990

fevereiro Criação, em Bucareste, da Societatii Romane de Psihanaliza (SRP). Criação em Moscou, por Aron Belkin, de uma Associação Psicanalítica da União Soviética, que se tornará a Associação Psicanalítica Russa.

24-27 de maio Colóquio internacional (tema: "Lacan com os filósofos") na Unesco, em Paris. O colóquio é organizado por René Major, no âmbito do Collège International de Philosophie, com a colaboração de Philippe Lacoue-Labarthe e Patrick Guyomard. Reúne muitos pesquisadores franceses e estrangeiros que trabalham a partir da obra de Jacques Lacan.

22-23 de setembro Criação em Barcelona, por Jacques-Alain Miller, de uma Escola Européia de Psicanálise, primeiro passo do legitimismo lacaniano em direção a uma mundialização de seu movimento. A crise institucional da ECF resulta assim na consolidação da corrente dogmática em escala internacional.

1991

28 de julho XXXVII Congresso da IPA em Buenos Aires (presidente: Joseph Sandler). Pela primeira vez desde a sua criação, a IPA realiza o seu colóquio anual na América Latina, e pela segunda vez fora da Europa (depois de Nova York em 1979). Nessa ocasião, é eleito presidente da IPA Horacio Etchegoyen, primeiro presidente de língua espanhola e de nacionalidade latino-americana. Durante esse congresso, o conselho executivo da IPA reafirma que todas as sociedades componentes devem aplicar os padrões em vigor: as supervisões e as análises didáticas devem ter quatro sessões por semana, de 45 minutos cada uma, em dias diferentes. Uma nova categoria de grupo de estudos é criada, os "Convidados". Esse estatuto permite convidar grupos recentemente criados em países onde a psicanálise não existia. Trata-se, doravante, de integrar os grupos que se formam nos países liberados do comunismo.

6 de setembro   Criação em Varsóvia da Sociedade Polonesa para o Desenvolvimento da Psicanálise, à qual se reunirá um Instituto de Psicanálise e de Psicoterapia.

1992

1º de fevereiro   Criação, por Jacques-Alain Miller, da Associação Mundial de Psicanálise (AMP). Essa associação reúne a Escuela del Campo Freudiano de Caracas (ECF, Caracas, 1985), a Escola Européia de Psicanálise (EEP, Barcelona-Paris, 1990), a ECF (França, 1981) e a Escuela de la Orientación Lacaniana del Campo Freudiano (Buenos Aires, Argentina, 1992). O texto legislativo pelo qual é fundada essa primeira internacional lacaniana toma o nome de "pacto de Paris". A língua dominante é o espanhol.

27 de julho   XXXVIII Congresso da IPA em Amsterdam (presidente: Horacio Etchegoyen). Filiação do Grupo de Estudos Tcheco.

Criação da Sociedade Psicanalítica da Bulgária.

1993-1996

Criação da Sociedad Psicoanalítica de Caracas, filiada à IPA (SPC, 1994).

Criação em Paris, por Maud Mannoni, do grupo Espaço Analítico (EA, outubro de 1994) e, por Patrick Guyomard, da Sociedade de Psicanálise Freudiana (SPF, 1994), oriundos de uma cisão do CFRP.

Em julho de 1995, 42 pesquisadores enviam uma petição à Biblioteca do Congresso de Washington, contestando a realização da exposição sobre o centenário da psicanálise, prevista para outubro de 1996, sobre o tema "Freud, conflito e cultura". Exigem o reconhecimento de seus próprios trabalhos. A exposição é então adiada para o ano de 1998.

Em março de 1996, uma petição internacional é lançada na França, para aprovar a realização da exposição e exigir a abertura de todos os arquivos a todos os pesquisadores de todas as tendências. É assinada por 400 pessoas.

Em outubro, o Conselho Executivo da IPA recusa-se a excluir Leão Cabernite, mas reconhece a sua cumplicidade com a tortura no Brasil. O caso se reacende e divide as sociedades filiadas à IPA.

1997

Cem anos depois do nascimento da psicanálise, o freudismo está implantado em 41 países do mundo, e a IPA em 32 países, com 45 sociedades psicanalíticas, uma associação regional e nove grupos de estudos. Esses países estão, na maioria, situados em dois continentes: a Europa e a América.

O freudismo (incluindo-se todas as tendências: annafreudismo, kleinismo, *Ego Psychology, Self Psychology*, lacanismo) é adotado por cerca de 25 mil profissionais no mundo, dos quais 10 mil fazem parte da IPA. A França é o país que possui o maior número de psicanalistas por habitante, seguido pela Argentina, a Suíça, os Estados Unidos e o Brasil.

A obra de Sigmund Freud é lida majoritariamente em inglês. Está traduzida em cerca de trinta línguas. Os grandes teóricos da escola inglesa de psicanálise deram origem à corrente mais importante no interior da IPA, enquanto o lacanismo é a corrente dominante fora da IPA. Esta continua sendo a internacional freudiana mais poderosa do mundo, mas não representa mais a legitimidade do freudismo no mundo. Essa situação mostra que a psicanálise está dividida em múltiplas tendências, e que sua força reside no abandono total de qualquer forma de monolitismo doutrinário ou institucional. Continua sendo o método mais eficaz, de longo prazo, para o tratamento de todas as afecções psíquicas.

A psicanálise sofre a concorrência de 500 escolas de psicoterapia, distribuídas em quase todos os países do mundo. É violentamente atacada pelos partidários do organicismo e do tratamento farmacológico das doenças mentais e psíquicas, que nunca puderam apresentar, como desejariam, a menor prova consistente da inferioridade da psicanálise em relação às outras terapias.

ÍNDICE ONOMÁSTICO

ROYCE, Josiah, 197, 601, 633, **673**
ROYER, Pierre, 41, 48
RUBENS, Petrus Paulus, 110
RUBINSTEIN, Arnold, 654
RUDDICK, Bruce, 101
RUDNYTSKY, Peter L., 311, 312
RUHS, August, 776
RUKERL, Adalbert. *Ver* KOGON, Eugen
RUPP-EISENREICH, Britta, 324
RUSH, Benjamin, 196, 197, 249, 301, 627
RUTTER, M., 44
RYAN, Edward, 99, 514
RYCROFT, Charles, *viii*, 148, 244, 281, 305, 458

S

SAADA, Denise, 529
SABA, Umberto, 779
SABLIK, Karl, 748
SABORSKY, Rosa, 463
SACCO E VANZETTI, 289
SACHER-MASOCH, Leopold, 501, 683, 703
SACHER-MASOCH, Wanda, 684
SACHS, Anna, 713
SACHS, Hanns, 2, 11, 14, 40, 47, 57, 60, 122, 276,
    282, 284, 293, 327, 355, 459, 477, 508, 526,
    607, 618, 644, **678-9**, 684, 688, 708, 716, 738,
    739
SACHS, Wulf, 27, 342, **679-81**, 730
SACRISTAN, Miguel, 290
SADE, Donatien Alphonse François (conde de;
    dito marquês de), 221, 300, 301, 354, 441, 472,
    586, 681, 684
SADGER, Isidor, 276, 352, 357, 472, 530, 531,
    606, **681**, 694, 719, 786
SADOUL, G., 143
SAFO, 351
SAFOUAN, Moustapha, 18, 61, 91, 135, 169, 174,
    252, 449, 571, 572, 577, 708, 731, 747
SAHLEANU, Victor, 670
SAINT DENYS, marquês Hervey de, 723
SAINT-GIRONS, Baldine, 735
SAINT-JARRE, Chantal, 582
SAINT-SIMON, Louis DE ROUVROY
    (duque de), 345
SAJNER, Josef, 263, 264, 271
SAKEL, Manfred, 192, 788
SAKKAÏ, Hochanaan, 775
SALAN, Raoul, 222
SALAZAR, Antonio de Oliveira, 187
SALOMON, Anne, 60
SAMUELS, Andrew, 424
SANCHEZ-GARNICA, J.M. Gomez, 291
SANDLER, Joseph, 25, 260, 366, 603

SANDOR, Vera, 670
Santana (da Vinci), 469, 470
SANZ, Enrique Fernandez, 186
SAPIR, Edward, 425, 743, 744
SARASIN, Philipp, 641, **684-5**, 737, 739
SARDAN, Olivier de, 426
SARDOU, Victorien, 274
SARGANT, Mary, 731
SARGANT, Philip, 731
SARGANT-FLORENCE, Alix.
    Ver STRACHEY, Alix
SARTRE, Jean-Paul, 19, 46, 200, 201, 240, 265,
    444, 456, 498, 501, 516, 699
SASAKI, Tagatsuku, 412, 413
Saturno, 506, 507
SAUL, Léon J., 15
SAUSSURE, Ferdinand de, 29, 241, 684, 686,
    696, 708, 709, 711, 714, 715
SAUSSURE, Henri de, 684
SAUSSURE, Horace Bénédict de, 684
SAUSSURE, Raymond de, 14, 62, 81, 111, 241,
    242, 251, 328, 337, 477, 555, 589, 625, **684-6**,
    696, 716, 737, 738, 739
SAUVERZAC, Jean-François de, 160
SAXL, Fritz. *Ver* PANOFSKY, Erwin
SAYERS, Janet, 356, 640
SCHAPIRO, Meyer, 469, 470
SCHEFTEL, Pavel Naoumovitch, 726
SCHEIDHAUER, Marcel, 482, 724
SCHELLING, Wilhelm von, 210, 375, 723
SCHERNER, Karl Albert, 723
SCHIFF, Paul, 104, 456, 516, **686**
SCHILDER, Paul, 70, 158, 294, 370, 430,
    686-7, 735, 788
SCHILLER, Max, 321
SCHILLER-MARMOREK, Hilda, 52
SCHINDLER, Alma-Maria. *Ver* MAHLER,
    Alma-Maria
SCHINDLER, Raoul, 105, 777
SCHJELDERUP, Harald, 182, 183, 184, 444,
    529, 640, 652, **687-8**, 734, 748
SCHJELDERUP, Kristian, 181, 687
SCHLOFFER, Frieda, 319
SCHLUMBERGER, Marc, 111, 152
SCHMIDEBERG, Melitta, 170, 295, 304, 306,
    314, 315, 433, 434, **688-9**, 708, 783
SCHMIDEBERG, Walter, 433, **689**, 688
SCHMIDT, Joël, 533
SCHMIDT, Otto, 179, 674, 675, 689, 690, 789
SCHMIDT, Vera, 179, 557, 652, 673, 674, 675,
    689-90, 726, 789
SCHMIDT, Wilhelm, 28, 367, 368, 370, 402
SCHNAIDERMAN, Regina, 88
SCHNEIDER, Ernst, 791
SCHNEIDER, Michel, 320, 638, 719, 720

ÍNDICE DOS VERBETES